Wirtschaft und Gesellschaft

Max Weber

Wirtschaft und Gesellschaft

Voltmedia

ISBN 3-938478-72-1

Gesamtherstellung: Oldenbourg Taschenbuch GmbH, Kirchheim

Einbandgestaltung: Oliver Wirth, Paderborn

INHALTSVERZEICHNIS

ERSTER TEIL.
DIE WIRTSCHAFT UND DIE GESELLSCHAFTLICHEN ORDNUNGEN UND MÄCHTE.

ZWEITER TEIL.
TYPEN DER VERGEMEINSCHAFTUNG
UND VERGESELLSCHAFTUNG.

DRITTER TEIL.
TYPEN DER HERRSCHAFT.

ERSTER TEIL.

DIE WIRTSCHAFT UND DIE GESELLSCHAFTLICHEN ORDNUNGEN UND MÄCHTE.

Kapitel I. Soziologische Grundbegriffe.

Vorbemerkung. Die Methode dieser einleitenden, nicht gut zu entbehrenden, aber unvermeidlich abstrakt und wirklichkeitsfremd wirkenden Begriffsdefinition beansprucht in keiner Art: neu zu sein. Im Gegenteil wünscht sie nur in – wie gehofft wird – zweckmäßigerer und etwas korrekterer (eben deshalb freilich vielleicht pedantisch wirkender) Ausdrucksweise zu formulieren, was jede empirische Soziologie tatsächlich meint, wenn sie von den gleichen Dingen spricht. Dies auch da, wo scheinbar ungewohnte oder neue Ausdrücke verwendet werden. Gegenüber dem Aufsatz im Logos IV (1913, S. 253 f.) ist die Terminologie tunlichst vereinfacht und daher auch mehrfach verändert, um möglichst leicht verständlich zu sein. Das Bedürfnis nach unbedingter Popularisierung freilich wäre mit dem Bedürfnis nach größtmöglichster Begriffsschärfe nicht immer vereinbar und muß diesem gegebenenfalls weichen.

Über „Verstehen" vgl. die „Allgemeine Psychopathologie" von *K. Jaspers* (auch einige Bemerkungen von *Rickert* in der 2. Aufl. der „Grenzen der naturwissenschaftlichen Begriffsbildung" und namentlich von *Simmel* in den „Problemen der Geschichtsphilosophie" gehören dahin). Methodisch weise ich auch hier, wie schon öfter, auf den Vorgang von *F. Gottl* in der freilich etwas schwer verständlich geschriebenen und wohl nicht überall ganz zu Ende gedanklich durchgeformten Schrift: „Die Herrschaft des Worts" hin. Sachlich vor allem auf das schöne Werk von *F. Tönnies,* Gemeinschaft und Gesellschaft. Ferner auf das stark irreführende Buch von *R. Stammler,* Wirtschaft und Recht nach der materialistischen Geschichtsauffassung und meine Kritik dazu im Archiv f. Sozialwissensch. XXIV (1907), weiche die Grundlagen des Nachfolgenden vielfach schon enthielt. Von *Simmels* Methode (in der „Soziologie" und in „Philos. des Geldes"), welche ich durch tunlichste Scheidung des *gemeinten* von dem objektiv *gültigen* „Sinn" ab, die beide *Simmel* nicht nur nicht immer scheidet, sondern oft absichtsvoll ineinander fließen läßt.

§ 1. Soziologie (im hier verstandenen Sinn dieses sehr vieldeutig gebrauchten Wortes) soll heißen: eine Wissenschaft, welche soziales

Handeln deutend verstehen und dadurch in seinem Ablauf und seinen Wirkungen ursächlich erklären will. „Handeln" soll dabei ein menschliches Verhalten (einerlei ob äußeres oder innerliches Tun, Unterlassen oder Dulden) heißen, wenn und insofern als der oder die Handelnden mit ihm einen subjektiven *Sinn* verbinden. „Soziales" Handeln aber soll ein solches Handeln heißen, welches seinem von dem oder den Handelnden gemeinten Sinn nach auf das Verhalten *anderer* bezogen wird und daran in seinem Ablauf orientiert ist.

I. Methodische Grundlagen.

1. „Sinn" ist hier entweder a) der tatsächlich α. in einem historisch gegebenen Fall von einem Handelnden oder β. durchschnittlich und annähernd in einer gegebenen Masse von Fällen von den Handelnden oder b) in einem begrifflich konstruierten *reinen* Typus von dem oder den als Typus *gedachten* Handelnden subjektiv *gemeinte* Sinn. Nicht etwa irgendein objektiv „richtiger" oder ein metaphysisch ergründeter „wahrer" Sinn. Darin liegt der Unterschied der empirischen Wissenschaften vom Handeln: der Soziologie und der Geschichte, gegenüber allen dogmatischen: Jurisprudenz, Logik, Ethik, Ästhetik, welche an ihren Objekten den „richtigen", „gültigen", Sinn erforschen wollen.

2. Die Grenze sinnhaften Handelns gegen ein bloß (wie wir hier sagen wollen:) reaktives, mit einem subjektiv gemeinten Sinn nicht verbundenes, Sichverhalten ist durchaus flüssig. Ein sehr bedeutender Teil alles soziologisch relevanten Sichverhaltens, insbesondere das rein traditionale Handeln (s. u.) steht auf der Grenze beider. Sinnhaftes, d. h. verstehbares, Handeln liegt in manchen Fällen psychophysischer Vorgänge gar nicht, in andren nur für den Fachexperten vor; mystische und daher in Worten nicht adäquat kommunikable Vorgänge sind für den solchen Erlebnissen nicht Zugänglichen nicht voll verstehbar. Dagegen ist die Fähigkeit, aus Eignem ein gleichartiges Handeln zu produzieren, nicht Voraussetzung der Verstehbarkeit: „man braucht nicht Cäsar zu sein, um Cäsar zu verstehen." Die volle „Nacherlebbarkeit" ist für die Evidenz des Verstehens wichtig, nicht aber absolute Bedingung der Sinndeutung. Verstehbare und nicht verstehbare Bestandteile eines Vorgangs sind oft untermischt und verbunden.

3. Alle Deutung strebt, wie alle Wissenschaft überhaupt, nach „Evidenz". Evidenz des Verstehens kann entweder: rationalen (und alsdann entweder: logischen oder mathematischen) oder: einfühlend nacherlebenden: emotionalen, künsterisch-rezeptiven Charakters sein. Rational evident ist auf dem Gebiet des Handelns vor allem das in

seinem gemeinten Sinnzusammenhang restlos und durchsichtig *intellektuell* Verstandene. Einfühlend evident ist am Handeln das in seinem erlebten *Gefühlzusammenhang* voll Nacherlebte. Rational verständlich, d. h. also hier: unmittelbar und eindeutig intellektuell sinnhaft erfaßbar sind im Höchstmaß vor allem die im Verhältnis mathematischer oder logischer Aussagen zueinander stehende Sinnzusammenhänge. Wir verstehen ganz eindeutig, was es sinnhaft bedeutet, wenn jemand den Satz 2 × 2 = 4 oder den pythagoreischen Lehrsatz denkend oder argumentierend verwertet, oder wenn er eine logische Schlußkette – nach unseren Denkgepflogenheiten: – „richtig" vollzieht. Ebenso, wenn er aus uns als „bekannt" geltenden „Erfahrungstatsachen" und aus gegebenen Zwecken die für die Art der anzuwendenden „Mittel" sich (nach unsern Erfahrungen) eindeutig ergebenden Konsequenzen in seinem Handeln zieht. Jede Deutung eines derart rational orientierten Zweckhandelns besitzt – für das Verständnis der angewendeten *Mittel* – das Höchstmaß von Evidenz. Mit nicht der gleichen, aber mit einer für unser Bedürfnis nach Erklärung hinlänglichen Evidenz verstehen wir aber auch solche „Irrtümer" (einschließlich der „Problemverschlingungen"), denen wir selbst zugänglich sind oder deren Entstehung einfühlend erlebbar gemacht werden kann. Hingegen manche letzten „Zwecke" und „Werte", an denen das Handeln eines Menschen erfahrungsgemäß orientiert sein kann, vermögen wir sehr oft *nicht* voll evident zu verstehen, sondern unter Umständen zwar intellektuell zu erfassen, dabei aber andrerseits, je radikaler sie von unsren eigenen letzten Werten abweichen, desto schwieriger uns durch die einfühlende Phantasie *nacherlebend* verständlich zu machen. Je nach Lage des Falles müssen wir dann uns begnügen, sie nur *intellektuell* zu deuten, oder unter Umständen, wenn auch das mißlingt, geradezu: sie als Gegebenheiten einfach hinnehmen, und aus ihren soweit als möglich intellektuell gedeuteten oder soweit möglich einfühlend annäherungsweise nacherlebten Richtpunkten den Ablauf des durch sie motivierten Handelns uns verständlich machen. Dahin gehören z. B. viele religiöse und karitative Virtuosenleistungen für den dafür Unempfänglichen. Ebenso auch extrem rationalistische Fanatismen („Menschenrechte") für den, der diese Richtpunkte seinerseits radikal perhorresziert. – Aktuelle Affekte (Angst, Zorn, Ehrgeiz, Neid, Eifersucht, Liebe, Begeisterung, Stolz, Rachedurst, Pietät, Hingabe, Begierden aller Art) und die (vom rationalen Zweckhandeln aus angesehen:) irrationalen aus ihnen folgenden Reaktionen vermögen wir, je mehr wir ihnen selbst zugänglich sind, desto evidenter emotional nachzuerleben, in jedem

Fall aber, auch wenn sie ihrem Grade nach unsre eignen Möglichkeiten absolut übersteigen, sinnhaft einfühlend zu verstehen und in ihrer Einwirkung auf die Richtung und Mittel des Handelns intellektuell in Rechnung zu stellen.

Für die *typen*bildende wissenschaftliche Betrachtung werden nun alle irrationalen, affektuell bedingten, Sinnzusammenhänge des Sichverhaltens, die das Handeln beeinflussen, am übersehbarsten als „Ablenkungen" von einem konstruierten rein zweckrationalen Verlauf desselben erforscht und dargestellt. Z. B. wird bei einer Erklärung einer „Börsenpanik" zweckmäßigerweise zunächst festgestellt: wie *ohne* Beeinflussung durch irrationale Affekte das Handeln abgelaufen *wäre* und dann werden jene irrationalen Komponenten als „Störungen" eingetragen. Ebenso wird bei einer politischen oder militärischen Aktion zunächst zweckmäßigerweise festgestellt: wie das Handeln bei Kenntnis aller Umstände und aller Absichten der Mitbeteiligten und bei streng zweckrationaler, an der uns gültig scheinenden Erfahrung orientierter, Wahl der Mittel verlaufen *wäre*. Nur dadurch wird alsdann die kausale Zurechnung von Abweichungen davon zu den sie bedingenden Irrationalitäten möglich. Die Konstruktion eines streng zweckrationalen Handelns also dient in diesen Fällen der Soziologie, seiner evidenten Verständlichkeit und seiner – an der Rationalität haftenden – Eindeutigkeit wegen, als *Typus* („Idealtypus"), um das reale, durch Irrationalitäten aller Art (Affekte, Irrtümer), beeinflußte Handeln als „Abweichung" von dem bei rein rationalem Verhalten zu gewärtigenden Verlaufe zu verstehen.

Insofern und nur aus diesem methodischen Zweckmäßigkeitsgrunde ist die Methode der „verstehenden" Soziologie „rationalistisch". Dies Verfahren darf aber natürlich nicht als ein rationalistisches Vorurteil der Soziologie, sondern nur als methodisches Mittel verstanden und also nicht etwa zu dem Glauben an die tatsächliche Vorherrschaft des Rationalen über das Leben umgedeutet werden. Denn darüber, inwieweit in der Realität rationale Zweckerwägungen das *tatsächliche* Handeln bestimmen und inwieweit nicht, soll ja nicht das Mindeste aussagen. (Daß die Gefahr rationalistischer Deutungen am unrechten Ort naheliegt, soll damit nicht etwa geleugnet werden. Alle Erfahrung bestätigt leider deren Existenz.)

4. Sinnfremde Vorgänge und Gegenstände kommen für alle Wissenschaften vom Handeln als: Anlaß, Ergebnis, Förderung oder Hemmung menschlichen Handelns in Betracht. „Sinnfremd" ist nicht identisch mit „unbelebt" oder „nichtmenschlich". Jedes Artefakt, z. B. eine „Maschine", ist lediglich aus dem Sinn deutbar und

verständlich, den menschliches Handeln (von möglicherweise sehr verschiedener Zielrichtung) der Herstellung und Verwendung dieses Artefakts verlieh (oder verliehen wollte); ohne Zurückgreifen auf ihn bleibt sie gänzlich unverständlich. Das Verständliche daran ist also die Bezogenheit menschlichen *Handelns* darauf, entweder als „Mittel" oder als „Zweck", der dem oder den Handelnden vorschwebte und woran ihr Handeln orientiert wurde. *Nur* in diesen Kategorien findet ein Verstehen solcher Objekte statt. Sinnfremd bleiben dagegen alle – belebten, unbelebten, außermenschlichen, menschlichen – Vorgänge oder Zuständlichkeiten ohne *gemeinten* Sinngehalt, soweit sie *nicht* in die Beziehung vom „Mittel" und „Zweck" zum Handeln treten, sondern nur seinen Anlaß, seine Förderung oder Hemmung darstellen. Der Einbruch des Dollart Anfang des 12. Jahrhunderts hat (vielleicht!) „historische" Bedeutung als Auslösung gewisser Umsiedelungsvorgänge von beträchtlicher geschichtlicher Tragweite. Die Absterbeordnung und der organische Kreislauf des Lebens überhaupt: von der Hilflosigkeit des Kindes bis zu der des Greises, hat natürlich erstklassige soziologische Tragweite durch die verschiedenen Arten, in welchen menschliches Handeln sich an diesem Sachverhalt orientiert hat und orientiert. Eine wiederum andere Kategorie bilden die nicht verstehbaren Erfahrungssätze über den Ablauf psychischer oder psycho-physiologischer Erscheinungen (Ermüdung, Übung, Gedächtnis usw., ebenso aber z. B. typische Euphorien bei bestimmten Formen der Kasteiung, typische Unterschiede der Reaktionsweisen nach Tempo, Art, Eindeutigkeit usw.). Letztlich ist der Sachverhalt aber der gleiche wie bei andern unverstehbaren Gegebenheiten: wie der praktisch Handelnde, so nimmt die verstehende Betrachtung sie als „Daten" hin, mit denen zu rechnen ist.

Die Möglichkeit ist nun gegeben, daß künftige Forschung auch *un*verstehbare Regelmäßigkeiten für *sinn*haft besondertes Verhalten auffindet, so wenig dies bisher der Fall ist. Unterschiede des biologischen Erbguts (der „Rassen") z. B. würden – wenn und soweit der statistisch schlüssige Nachweis des Einflusses auf die Art des soziologisch relevanten Sichverhaltens, also: insbesondre des sozialen Handelns in der Art seiner *Sinn*bezogenheit, erbracht würde, – für die Soziologie als Gegebenheiten ganz ebenso hinzunehmen sein, wie die physiologischen Tatsachen etwa der Art des Nahrungsbedarfs oder der Wirkung der Seneszenz auf das Handeln. Und das Anerkenntnis ihrer kausalen Bedeutung würde natürlich die Aufgaben der Soziologie (und der Wissenschaften vom Handeln überhaupt): die sinnhaft orientierten Handlungen deutend zu verstehen, nicht im mindesten ändern. Sie würde in ihre verständlich deutbaren Motivationszusammenhänge an gewissen Punkten nur unverstehbare Tatsachen (etwa: typische Zusammenhänge der Häufigkeit bestimmter Zielrichtungen des Handelns, oder des Grades seiner typischen Rationalität, mit Schädelindex oder Hautfarbe oder welchen andren physiologischen Erbqualitäten immer) einschalten, wie sie sich schon heute (s. o.) darin vorfinden.

5. Verstehen kann heißen: 1) das *aktuelle* Verstehen des gemeinten Sinnes einer Handlung (einschließlich: einer Äußerung). Wir „verstehen" z. B. aktuell den Sinn des Satzes 2 × 2 = 4, den wir hören oder lesen (rationales aktuelles Verstehen von Gedanken) oder einen Zornausbruch, der sich in Gesichtsausdruck, Interjektionen, irrationalen Bewegungen manifestiert (irrationales aktuelles Verstehen von Affekten) oder das Verhalten eines Holzhackers oder jemandes, der nach der Klinke greift um die Tür zu schließen oder der auf ein Tier mit dem Gewehr anlegt (rationales aktuelles Verstehen von Handlungen). – Verstehen kann aber auch heißen: 2) *erklärendes* Verstehen. Wir „verstehen" *motivationsmäßig* welchen Sinn derjenige, der den Satz 2 × 2 = 4 ausspricht, oder niedergeschrieben hat, damit verband, daß er dies gerade jetzt und in diesem Zusammenhang *tat*, wenn wir ihn mit einer kaufmännischen Kalkulation, einer wissenschaftlichen Demonstration, einer technischen Berechnung oder einer anderen Handlung befaßt sehen, in deren Zusammenhang nach ihrem uns verständlichen *Sinn* dieser Satz „hineingehört", das heißt: einen uns verständlichen Sinn*zusammenhang* gewinnt (rationales Motivationsverstehen). Wir verstehen das Holzhacken oder Gewehranlegen nicht nur aktuell, sondern auch motivationsmäßig, wenn wir wissen, daß der Holzhacker entweder gegen Lohn oder aber für seinen Eigenbedarf oder zu seiner Erholung (rational), oder etwa „weil er sich eine Erregung abreagierte" (irrational) oder wenn der Schießende auf Befehl zum Zweck der Hinrichtung oder der Bekämpfung von Feinden (rational) oder aus Rache (affektuell, also in diesem Sinn: irrational) diese Handlung vollzieht. Wir verstehen endlich motivationsmäßig den Zorn, wenn wir wissen, daß ihm Eifersucht, gekränkte Eitelkeit, verletzte Ehre zugrunde liegt (affektuell bedingt, also: irrational motivationsmäßig). All dies sind verständliche *Sinnzusammenhänge*, deren Verstehen wir als ein *Erklären* des tatsächlichen Ablaufs des Handelns ansehen. „Erklären" bedeutet also für eine mit dem Sinn des Handelns befaßte Wissenschaft soviel wie: Erfassung des Sinn*zusammenhangs*, in den, seinem subjektiv gemeinten Sinn nach, ein aktuell verständliches Handeln hineingehört. (Über die kausale Be-

deutung dieses „Erklärens" s. Nr. 6.) In all diesen Fällen, auch bei affektuellen Vorgängen, wollen wir den subjektiven Sinn des Geschehens, auch des Sinnzusammenhanges als „gemeinten" Sinn bezeichnen (darin also über den üblichen Sprachgebrauch hinausgehend der von „Meinen" in diesem Verstand nur bei rationalem und zweckhaft beabsichtigten Handeln zu sprechen pflegt).

6. „Verstehen" heißt in all diesen Fällen: deutende Erfassung: a) des im Einzelfall real gemeinten (bei historischer Betrachtung) oder b) des durchschnittlich und annäherungsweise gemeinten (bei soziologischer Massenbetrachtung) oder c) des für den *reinen* Typus (Idealtypus) einer häufigen Erscheinung wissenschaftlich zu konstruierenden („idealtypischen") Sinnes oder Sinnzusammenhangs. Solche idealtypische Konstruktionen sind z. B. die von der reinen Theorie der Volkswirtschaftslehre aufgestellten Begriffe und „Gesetze". Sie stellen dar, wie ein bestimmt geartetes, menschliches Handeln ablaufen *würde, wenn* es streng zweckrational, durch Irrtum und Affekte ungestört, und *wenn* es ferner ganz eindeutig nur an einem Zweck (Wirtschaft) orientiert wäre. Das reale Handeln verläuft nur in seltenen Fällen (Börse) und auch dann nur annäherungsweise, so wie im Idealtypus konstruiert. (Über den Zweck solcher Konstruktionen s. Archiv f. Sozialwiss. XIX S. 64 ff. und unten Nr. 8).

Jede Deutung strebt zwar nach Evidenz. Aber eine sinnhaft noch so evidente Deutung kann als solche und um dieses Evidenzcharakters willen noch nicht beanspruchen: auch die kausal *gültige* Deutung zu sein. Sie ist stets an sich nur eine besonders evidente kausale *Hypothese.* a) Es verhüllen vorgeschobene „Motive" und „Verdrängungen" (d. h. zunächst: nicht eingestandene Motive) oft genug gerade dem Handelnden selbst den wirklichen Zusammenhang der Ausrichtung seines Handelns derart, daß auch subjektiv aufrichtige Selbstzeugnisse nur relativen Wert haben. In diesem Fall steht die Soziologie vor der Aufgabe, diesen Zusammenhang zu ermitteln und deutend festzustellen, *obwohl* er nicht oder, meist: nicht voll als in concreto „gemeint" ins *Bewußtsein* gehoben wurde: ein Grenzfall der Sinndeutung. b) Äußeren Vorgängen des Handelns, die uns als „gleich" oder „ähnlich" gelten, können höchst verschiedene Sinnzusammenhänge bei dem oder den Handelnden zugrunde liegen und wir „verstehen" auch ein sehr stark abweichendes, oft sinnhaft geradezu gegensätzliches Handeln gegenüber Situationen, die wir als unter sich „gleichartig" ansehen (Beispiele bei Simmel, Probl. der Geschichtsphil.). c) Die handelnden Menschen sind gegebenen Situationen gegenüber sehr oft gegensätzlichen, miteinander kämpfenden Antrieben ausgesetzt, die wir sämtlich „verstehen". In welcher relativen *Stärke* aber die verschiedenen im „Motivenkampf" liegenden uns untereinander *gleich* verständlichen Sinnbezogenheiten im Handeln sich auszudrükken pflegen, läßt sich, nach aller Erfahrung, in äußerst vielen Fällen nicht einmal annähernd, durchaus regelmäßig aber nicht sicher, abschätzen. Der tatsächliche Ausschlag des Motivenkampfes allein gibt darüber Aufschluß. Kontrolle der verständlichen Sinndeutung durch den Erfolg: den Ausschlag im tatsächlichen Verlauf, ist also, wie bei jeder Hypothese, unentbehrlich. Sie kann mit relativer Genauigkeit nur in den leider wenigen und sehr besondersartigen dafür geeigneten Fällen im psychologischen Experiment erreicht werden. Nur in höchst verschiedener Annäherung in den (ebenfalls begrenzten) Fällen zählbarer und in ihrer Zurechnung eindeutiger Massenerscheinungen durch die Statistik. Im übrigen gibt es nur die Möglichkeit der Vergleichung möglichst vieler Vorgänge des historischen oder Alltagslebens, welche sonst gleichartig, aber in dem entscheidenden *einen* Punkt: dem jeweils auf seine praktische Bedeutsamkeit hin untersuchten „Motiv" oder „Anlaß", verschieden geartet sind: eine wichtige Aufgabe der vergleichenden Soziologie. Oft freilich bleibt leider nur das unsichere Mittel des „gedanklichen Experiments", d. h. des Fort*denkens* einzelner Bestandteile der Motivationskette und der Konstruktion des *dann* wahrscheinlichen Verlaufs, um eine kausale Zurechnung zu erreichen.

Das sog. „Greshamsche Gesetz" z. B. ist eine rational evidente Deutung menschlichen Handelns bei gegebenen Bedingungen und unter der idealtypischen Voraussetzung rein zweckrationalen Handelns. Inwieweit *tatsächlich* ihm entsprechend gehandelt wird, kann nur die (letztlich im Prinzip irgendwie „statistisch" auszudrückende) Erfahrung über das tatsächliche Verschwinden der jeweils in der Geldverfassung zu niedrig bewerteten Münzsorten aus dem Verkehr lehren: sie lehrt tatsächlich seine sehr weitgehende Gültigkeit. In Wahrheit ist der Gang der Erkenntnis der gewesen: daß *zuerst* die Erfahrungsbeobachtungen vorlagen und dann die Deutung formuliert wurde. Ohne diese gelungene Deutung wäre unser kausales Bedürfnis offenkundig unbefriedigt. Ohne den Nachweis andrerseits, daß der – wie wir einmal annehmen wollen – gedanklich erschlossene Ablauf des Sichverhaltens auch wirklich in irgendeinem Umfang eintritt, wäre ein solches an sich noch so evidentes „Gesetz" für die Erkenntnis des wirklichen Handelns eine wertlose Konstruktion. In diesem Beispiel ist die Konkordanz von Sinnadäquanz und Erfahrungsprobe durchaus schlüssig und sind die Fälle zahlreich genug, um die Probe auch als genügend gesichert anzusehen. Die sinnhaft erschließbare, durch symptomatische Vorgänge (Verhalten der hellenischen Orakel und Propheten zu den Persern) gestützte geistvolle Hypothese Ed. Meyers über die kausale Bedeutung der Schlachten von Marathon, Salamis, Plataiai für die Eigenart der Entwicklung der hellenischen (und damit der okzidentalen) Kultur ist nur durch diejenige Probe zu erhärten, welche an den Beispielen des Verhaltens der Perser im Falle des Sieges (Jerusalem, Ägypten, Kleinasien) gemacht werden kann und in vieler Hinsicht notwendig unvollkommen bleiben muß. Die bedeutende rationale Evidenz der Hypothese muß hier notgedrungen als Stütze nachhelfen. In sehr vielen Fällen sehr evident scheinender historischer Zurechnung fehlt aber jede Möglichkeit auch nur einer solchen Probe, wie sie in diesem Fall noch möglich war. Alsdann bleibt die Zurechnung eben endgültig „Hypothese".

7. „Motiv" heißt ein Sinnzusammenhang, welcher dem Handelnden selbst oder dem Beobachtenden als sinnhafter „Grund" eines Verhaltens erscheint. „Sinnhaft adäquat" soll ein zusammenhängend ablaufendes Verhalten in dem Grade heißen, als die Beziehung seiner Bestandteile von uns nach den durchschnittlichen Denk- und Gefühlsgewohnheiten als typischer (wir pflegen zu sagen: „richtiger") Sinnzusammenhang bejaht wird. „Kausal adäquat" soll dagegen ein Aufeinanderfolgen von Vorgängen in dem Grade heißen, als nach Regeln der *Erfahrung* eine Chance besteht: daß sie stets in gleicher Art tatsächlich abläuft. (*Sinn*haft adäquat in diesem Wortverstand ist z. B. die nach den uns geläufigen *Normen* des Rechnens oder Denkens *richtige* Lösung eines Rechenexempels. *Kausal* adäquat ist – im Umfang des statistischen Vorkommens – die nach erprobten Regeln der Erfahrung stattfindende Wahrscheinlichkeit einer – von jenen uns heute geläufigen Normen aus gesehen – „richtigen" *oder „falschen"* Lösung, also auch eines typischen „Rechenfehlers" oder einer typischen „Problemverschlingung"). Kausale Erklärung bedeutet also die Feststellung: daß nach einer irgendwie abschätzbaren, im – seltenen – Idealfall: zahlenmäßig angebbaren Wahrscheinlichkeits*regel* auf einen bestimmten beobachteten (inneren oder äußeren) Vorgang ein bestimmter anderer Vorgang folgt (oder: mit ihm gemeinsam auftritt).

Eine *richtige* kausale *Deutung* eines konkreten Handelns bedeutet: daß der äußere Ablauf und das Motiv *zutreffend* und zugleich in ihrem Zusammenhang sinnhaft *verständlich* erkannt sind. Eine richtige kausale Deutung *typischen* Handelns (verständlicher Handlungstypus) bedeutet: daß der als typisch behauptete Hergang sowohl (in irgendeinem Grade) sinnadäquat erscheint wie (in irgendeinem Grade) als kausal adäquat festgestellt werden kann. Fehlt die Sinnadäquenz, dann liegt selbst bei größter und zahlenmäßig in ihrer Wahrscheinlichkeit präzis angebbarer Regelmäßigkeit des Ablaufs (des äußeren sowohl wie des psychischen) nur eine *unverstehbare* (oder nur unvollkommen verstehbare) *statistische* Wahrscheinlichkeit vor. Andererseits bedeutet für die Tragweite soziologischer Erkenntnisse selbst die evidenteste Sinnadäquenz nur in dem Maß eine richtige *kausale* Aussage, als der Beweis für das Bestehen einer (irgendwie angebbaren) *Chance* erbracht wird, daß das Handeln den sinnadäquat erscheinenden Verlauf *tatsächlich* mit angebbarer Häufigkeit oder Annäherung (durchschnittlich oder im „reinen" Fall) zu nehmen *pflegt*. Nur solche statistische Regelmäßigkeiten, welche einem *verständlichen* gemeinten Sinn eines sozialen Handelns entsprechen, sind (im hier gebrauchten Wortsinn) verständliche Handlungstypen, also: „soziologische Regeln". Nur solche rationalen Konstruktionen eines sinnhaft verständlichen Handelns sind soziologische Typen realen Geschehens, welche in der Realität wenigstens in irgendeiner Annäherung beobachtet werden können. Es ist bei weitem nicht an dem: daß parallel der erschließbaren Sinnadäquanz *immer* auch die tatsächliche Chance der Häufigkeit des ihr entsprechenden Ablaufs wächst. Sondern ob dies der Fall ist, kann in jedem Fall nur die äußere Erfahrung zeigen. – *Statistik* gibt es (Absterbestatistik, Ermüdungsstatistik, Maschinenleistungsstatistik, Regenfallstatistik) von sinn*fremden* Vorgängen genau im gleichen Sinn wie von sinnhaften. *Soziologische* Statistik aber (Kriminalstatistik, Berufsstatistik, Preisstatistik, Anbaustatistik) nur von den letzteren (Fälle, welche *beides* enthalten: etwa Erntestatistik, sind selbstredend häufig).

8. Vorgänge und Regelmäßigkeiten, welche, weil unverstehbar, im hier gebrauchten Sinn des Wortes nicht als „soziologische Tatbestände" oder Regeln bezeichnet werden, sind natürlich um deswillen nicht etwa weniger *wichtig*. Auch nicht etwa für die Soziologie im hier betriebenen Sinne des Wortes (der ja eine Begrenzung auf *„verstehende* Soziologie" enthält, welche niemandem aufgenötigt werden soll und kann). Sie rücken nur, und dies allerdings methodisch ganz unvermeidlich, in eine andere Stelle als das verstehbare Handeln: in die von „Bedingungen", „Anlässen", „Hemmungen", „Förderungen" desselben.

9. Handeln im Sinn sinnhaft verständlicher Orientierung des eignen Verhaltens gibt es für uns stets nur als Verhalten von einer oder mehreren *einzelnen* Personen.

Für andre Erkenntniszwecke mag es nützlich oder nötig sein, das Einzelindividuum z. B. als eine Vergesellschaftung von „Zellen" oder

einen Komplex biochemischer Reaktionen, oder sein „psychisches"
Leben als durch (gleichviel wie qualifizierte) Einzelelemente konstituiert aufzufassen. Dadurch werden zweifellos wertvolle Erkenntnisse
(Kausalregeln) gewonnen. Allein wir *verstehen* dies in Regeln ausge-
drückte Verhalten dieser Elemente nicht. Auch nicht bei psychischen
Elementen, und zwar: je naturwissenschaftlich exakter sie gefaßt werden, desto *weniger*: zu einer Deutung aus einem gemeinten *Sinn* ist gerade dies niemals der Weg. Für die Soziologie (im hier gebrauchten
Wortsinn, ebenso wie für die Geschichte) ist aber gerade der *Sinn*zusammenhang des Handelns Objekt der Erfassung. Das Verhalten der
physiologischen Einheiten, etwa: der Zellen oder irgendwelcher psychischer Elemente können wir (dem Prinzip nach wenigstens) zu beobachten oder aus Beobachtungen zu erschließen suchen, Regeln
(„Gesetze") dafür gewinnen und Einzelvorgänge mit deren Hilfe kausal „erklären", d. h.: unter Regeln bringen. Die Deutung des Handelns nimmt jedoch von diesen Tatsachen und Regeln nur soweit
und nur in dem Sinn Notiz, wie von irgendwelchen anderen (z. B.
von physikalischen, astronomischen, geologischen, meteorologischen,
geographischen, botanischen, zoologischen, physiologischen, anato-
mischen, von sinnfremden psychopathologischen oder von den naturwissenschaftlichen Bedingungen von technischen) Tatbeständen.
Für wiederum andere (z. B. juristische) Erkenntniszwecke oder
für praktische Ziele kann es andererseits zweckmäßig und geradezu
unvermeidlich sein: soziale Gebilde („Staat", „Genossenschaft", „Aktiengesellschaft", „Stiftung") genau so zu behandeln, wie Einzelindi-
viduen (z. B. als Träger von Rechten und Pflichten oder als Täter
rechtlich relevanter Handlungen). Für die verstehende Deutung des
Handelns durch die Soziologie sind dagegen diese Gebilde lediglich
Abläufe und Zusammenhänge spezifischen Handelns *einzelner* Menschen, da diese allein für uns verständliche Träger von sinnhaft orientiertem Handeln sind. Trotzdem kann die Soziologie; auch für ihre
Zwecke jene kollektiven Gedankengebilde anderer Betrachtungsweisen nicht etwa *ignorieren*. Denn die Deutung des Handelns hat zu jenen Kollektivbegriffen folgende beiden Beziehungen: a) Sie selbst ist
oft genötigt, mit ganz ähnlichen (oft mit ganz gleichartig bezeichneten) Kollektivbegriffen zu arbeiten, um überhaupt eine verständliche
Terminologie zu gewinnen. Die Juristen- sowohl wie die Alltagssprache
bezeichnet z. B. als „Staat" sowohl den Rechts*begriff* wie jenen Tatbestand sozialen Handelns, *für* welchen die Rechtsregeln gelten wollen.
Für die Soziologie besteht der Tatbestand „Staat" nicht notwendig
nur oder gerade aus den *rechtlich* relevanten Bestandteilen. Und jeden-

falls gibt es für sie keine „handelnde" Kollektivpersönlichkeit. Wenn sie von „Staat" oder von „Nation" oder von „Aktiengesellschaft" oder von „Familie" oder von „Armeekorps" oder von ähnlichen „Gebilden" spricht, so meint sie damit vielmehr *lediglich* einen bestimmt gearteten Ablauf tatsächlichen, oder als möglich konstruierten sozialen Handelns einzelner, schiebt also dem juristischen Begriff, den sie um seiner Präzision und Eingelebtheit willen verwendet, einen gänzlich anderen Sinn unter. – b) Die Deutung des Handelns muß von der grundlegend wichtigen Tatsache Notiz nehmen: daß jene dem Alltagsdenken oder dem juristischen (oder anderem Fach-)Denken angehörigen Kollektivgebilde *Vorstellungen* von etwas teils Seiendem, teils Geltensollendem in den Köpfen realer Menschen (der Richter und Beamten nicht nur, sondern auch des „Publikums") sind, an denen sich deren Handeln *orientiert* und daß sie als solche eine ganz gewaltige, oft geradezu beherrschende, kausale Bedeutung für die Art des Ablaufs des Handelns der realen Menschen haben. Vor allem als Vorstellungen von etwas Gelten- (oder auch: *Nicht*-Gelten-)*Sollendem*. (Ein moderner „Staat" besteht zum nicht unerheblichen Teil deshalb in dieser Art: – als Komplex eines spezifischen Zusammenhandelns von Menschen, – *weil* bestimmte Menschen ihr Handeln an der *Vorstellung* orientieren, *daß* er bestehe oder so bestehen *solle*: *daß* also Ordnungen von jener juristisch-orientierten Art *gelten*. Darüber später.) Während für die eigene Terminologie der Soziologie (litt. a) es möglich, wennschon äußerst pedantisch und weitläufig, wäre: diese von der üblichen Sprache nun einmal *nicht* nur für das juristische Geltensollen, sondern auch für das reale Geschehen gebrauchten Begriffe ganz zu eliminieren und durch ganz neu gebildete Worte zu ersetzen, wäre wenigstens für diesen wichtigen Sachverhalt natürlich selbst dies ausgeschlossen. – c) Die Methode der sogenannten „organischen" Soziologie (klassischer Typus: *Schäffles* geistvolles Buch: Bau und Leben des sozialen Körpers) sucht das gesellschaftliche Zusammenhandeln durch Ausgehen vom „Ganzen" (z. B. einer „Volkswirtschaft") zu erklären, innerhalb dessen dann der einzelne und sein Verhalten ähnlich gedeutet wird, wie etwa die Physiologie die Stellung eines körperlichen „Organs" im „Haushalt" des Organismus (d. h. vom Standpunkt von dessen „Erhaltung" aus) behandelt. (Vgl. das berühmte Kolleg-Diktum eines Physiologen: „§ x: Die Milz. Von der Milz wissen wir nichts, meine Herren. Soweit die Milz!" Tatsächlich „wußte" natürlich der Betreffende von der Milz ziemlich viel: Lage, Größe, Form usw. – nur die „Funktion" konnte er nicht angeben, und dies Unvermögen nannte er „Nichtswissen"). Inwieweit bei andren Disziplinen diese Art der *funktionalen* Betrachtung der „*Teile*" eines „*Ganzen*" (notgedrungen) definitiv sein muß, bleibe hier unerörtert: es ist bekannt, daß die biochemische und biomechanische Betrachtung sich grundsätzlich nicht damit begnügen möchte. Für eine deutende Soziologie kann eine solche Ausdrucksweise 1) praktischen Veranschaulichungs- und provisorischen Orientierungszwecken dienen (und in dieser Funktion höchst nützlich und nötig – aber freilich auch, bei Überschätzung ihres Erkenntniswerts und falschem Begriffsrealismus: höchst nachteilig – sein). Und 2): Sie allein kann uns unter Umständen dasjenige soziale Handeln herausfinden helfen, dessen deutendes Verstehen für die Erklärung eines Zusammenhangs *wichtig* ist. Aber an diesem Punkt *beginnt* erst die Arbeit der Soziologie (im hier verstandenen Wortsinn). Wir sind ja bei „sozialen Gebilden" (im Gegensatz zu „Organismen") in der Lage: *über* die bloße Feststellung von funktionellen Zusammenhängen und Regeln („Gesetzen") *hinaus* etwas aller „Naturwissenschaft" (im Sinn der Aufstellung von Kausalregeln für Geschehnisse und Gebilde und der „Erklärung" der Einzelgeschehnisse daraus) ewig Unzugängliches zu leisten: eben das „*Verstehen*" des Verhaltens der beteiligten *Einzelnen*, während wir das Verhalten z. B. von Zellen *nicht* „verstehen", sondern nur funktionell erfassen und dann nach *Regeln* seines Ablaufs feststellen können. Diese Mehrleistung der deutenden gegenüber der beobachtenden Erklärung ist freilich durch den wesentlich hypothetischeren und fragmentarischeren Charakter der durch Deutung zu gewinnenden Ergebnisse erkauft. Aber dennoch: *sie* ist gerade das dem soziologischen Erkennen Spezifische.

Inwieweit auch das Verhalten von Tieren uns sinnhaft „verständlich" ist und umgekehrt: – beides in höchst unsicherm Sinn und problematischem Umfang, – und inwieweit also theoretisch es auch eine Soziologie der Beziehungen des Menschen zu Tieren (Haustieren, Jagdtieren) geben könne (viele Tiere „verstehen" Befehl, Zorn, Liebe, Angriffsabsicht und reagieren darauf offenbar vielfach nicht ausschließlich mechanisch-instinktiv, sondern irgendwie auch bewußt sinnhaft und erfahrungsorientiert), bleibt hier völlig unerörtert. An sich ist das Maß unsrer Einfühlbarkeit bei dem Verhalten von „Naturmenschen" nicht wesentlich größer. Wir haben aber *sichere* Mittel, den subjektiven Sachverhalt beim Tier festzustellen, teils gar nicht, teils in nur sehr unzulänglicher Art: die Probleme der Tierpsychologie sind bekanntlich ebenso interessant wie dornenvoll. Es bestehen insbesondere bekanntlich Tiervergesellschaftungen der verschiedensten Art: monogame und polygame „Familien", Herden, Rudel, endlich funktionsteilige „Staaten". (Das Maß der Funktionsdifferenzierung dieser Tiervergesellschaftungen geht keineswegs parallel mit dem Maß der Organ- oder der morphologischen Entwicklungs-Differenzierung der betreffenden Tiergattung. So ist die Funktionsdifferenzierung bei den Termiten und sind infolgedessen deren Artefakte weit differenzierter als bei den Ameisen und Bienen). Hier ist selbstverständlich die rein funktionale Betrachtung: die Ermittlung der für die Erhaltung d. h. die Ernährung, Verteidigung, Fortpflanzung, Neubildung der betreffenden Tiergesellschaften entscheidenden Funktionen der einzelnen Typen von Individuen („Könige", „Königinnen", „Arbeiter", „Soldaten", „Drohnen", „Geschlechtstiere", „Ersatz-Königinnen" usw.) sehr oft mindestens für jetzt das Definitive, mit dessen Feststellung sich die Forschung begnügen muß. Was darüber hinausging, waren lange Zeit lediglich Spekulationen oder Untersuchungen über das Maß, in welchem Erbgut einerseits, Umwelt andererseits an der Entfaltung dieser „sozialen" Anlagen beteiligt sein könnten. (So namentlich die Kontroversen zwischen Weismann – dessen „Allmacht der Naturzüchtung" in ihrem Unterbau stark mit ganz außerempirischen Deduktionen arbeitete – und Götte). Darüber aber, daß es sich bei jener Beschränkung auf die funktionale Erkenntnis eben um ein notgedrungenes und, wie gehofft wird, nur provisorisches *Sichbegnügen* handelt, ist sich die ernste Forschung natürlich völlig einig. (S. z. B. für den Stand der Termiten-Forschung die Schrift von *Escherich* 1909). Man möchte eben nicht nur die ziemlich leicht erfaßbare „Erhaltungswichtigkeit" der Funktionen jener einzelnen differenzierten Typen einsehen und die Art, wie, ohne Annahme der Vererbung erworbener Eigenschaften oder umgekehrt im Falle dieser Annahme (und dann: bei welcher Art von Deutung dieser Annahme), jene Differenzierung erklärlich ist, dargelegt erhalten, sondern auch wissen: 1. was denn den Ausschlag der Differenzierung aus dem noch neutralen, undifferenzierten, Anfangsindividuum *entscheidet*, – 2. was das differenzierte Individuum *veranlaßt*, sich (im Durchschnitt) so zu verhalten wie dies tatsächlich dem Erhaltungsinteresse der differenzierten Gruppe dient. Wo immer die Arbeit in dieser Hinsicht fortschritt, geschah dies durch Nachweis (oder Vermutung) von chemischen Reizen oder physiologischen Tatbeständen (Ernährungsvorgänge, parasitäre Kastration usw.) bei den *Einzel*individuen auf experimentellem Wege. Inwieweit die problematische Hoffnung besteht, experimentell auch die Existenz „psychologischer" und „sinnhafter" Orientierung wahrscheinlich zu machen, könnte heute wohl selbst der Fachmann kaum sagen. Ein kontrollierbares Bild der Psyche dieser sozialen Tierindividuen auf der Basis sinnhaften „Verstehens" erscheint selbst als ideales Ziel wohl nur in engen Grenzen erreichbar. Jedenfalls ist nicht von da aus das „Verständnis" menschlichen sozialen Handelns zu erwarten, sondern grade umgekehrt: mit menschlichen Analogien wird dort gearbeitet und muß gearbeitet werden. Erwartet darf vielleicht werden: daß diese Analogien uns einmal für die Fragestellung nützlich werden: wie in den Frühstadien der menschlichen sozialen Differenzierung der Bereich rein mechanisch-*instinktiver* Differenzierung im Verhältnis zum individuell sinnhaft Verständlichen und weiter zum *bewußt* rational Geschaffenen einzuschätzen ist. Die verstehende Soziologie wird sich selbstverständlich klar sein müssen: daß für die Frühzeit auch der Menschen die erstere Komponente schlechthin überragend ist und auch für die weiteren Entwicklungsstadien sich ihrer steten Mitwirkung (und zwar: entscheidend wichtigen Mitwirkung) bewußt bleiben. Alles „traditionale" Handeln (§ 2) und breite Schichten des „Charisma" (K. III) als des Keims psychischer „Ansteckung" und dadurch Trägers soziologischer „Entwicklungsreize" stehen solchen nur biologisch begreifbaren, nicht oder nur in Bruchstücken verständlich deutbaren und motivationsmäßig erklärbaren, Hergängen mit unmerklichen Übergängen sehr nahe. Das alles entbindet aber die verstehende Soziologie nicht von der Aufgabe: im Bewußtsein der engen Schranken, in die sie gebannt ist, zu leisten, was eben wieder nur sie leisten *kann*.

Die verschiedenen Arbeiten von Othmar *Spann*, oft reich an guten Gedanken neben freilich gelegentlichen Mißverständnissen und, vor allem, Argumentationen auf Grund nicht zur empirischen Untersuchung gehöriger reiner Werturteile, haben also unzweifelhaft recht mit der freilich von niemand ernstlich bestrittenen Betonung der Bedeutung der funktionalen *Vor*fragestellung (er nennt dies: „universalistische Methode") für jede Soziologie. Wir müssen gewiß erst wissen: welches Handeln funktional, vom Standpunkt der „Erhaltung" (aber weiter und vor allem eben doch auch: der Kultureigenart!) und: einer bestimmt gerichteten Fortbildung eines sozialen Handelnstyps *wichtig* ist, um dann die Frage stellen zu können: wie kommt dies Handeln zustande? welche Motive bestimmen es? Man muß erst wissen: was ein „König", „Beamter", „Unternehmer", „Zuhälter", „Magier" *leistet*: – welches typische „Handeln" (das allein ja ihn zu einer dieser Kategorien stempelt) also für die Analyse *wichtig* ist und in Betracht kommt, ehe man an diese Analyse gehen kann („Wertbezogenheit" im Sinn H. Rickerts). Aber erst diese Analyse leistet ihrerseits das, was das soziologische Verstehen des Handelns von typisch differenzierten einzelnen Menschen (und: *nur* bei den Menschen) leisten kann also: soll. Das ungeheure Mißverständnis jedenfalls, als ob eine „individualistische" *Methode* eine (in *irgendeinem* möglichen Sinn) individualistische *Wertung* bedeute, ist ebenso auszuschalten, wie die Meinung: der unvermeintlich (relativ) rationalistische Charakter der *Begriffs*bildung bedeute den Glauben an das *Vorwalten* rationaler Motive oder gar: eine positive *Wertung* des „Rationalismus". Auch eine sozialistische Wirtschaft müßte soziologisch genau so „individualistisch", d. h.: aus dem *Handeln* der *Einzelnen*: – der Typen von „Funktionären", die in ihr auftreten, – heraus deutend *verstanden* werden, wie etwa die Tauschvorgänge durch die Grenznutzlehre (oder eine zu findende „bessere", aber in *diesem* Punkt ähnliche Methode). Denn stets beginnt auch dort die entscheidende empirisch-soziologische Arbeit erst mit der Frage: welche Motive *bestimmten* und *bestimmen* die einzelnen Funktionäre und Glieder dieser „Gemeinschaft", sich so zu verhalten, *daß* sie *entstand* und *fortbesteht*? Alle funktionale (vom „Ganzen" ausgehende) Begriffsbildung leistet nur *Vor*arbeit dafür, deren Nutzen und Unentbehrlichkeit – wenn sie richtig geleistet wird – natürlich unbestreitbar ist.

10. Die „Gesetze", als welche man manche Lehrsätze der verstehenden Soziologie zu bezeichnen gewohnt ist, – etwa das Greshamsche „Gesetz" – sind durch Beobachtung erhärtete typische *Chancen* eines bei Vorliegen gewisser Tatbestände zu *gewärtigenden* Ablaufes von sozialem Handeln, welche aus typischen Motiven und typisch gemeintem Sinn der Handelnden *verständlich* sind. Verständlich und eindeutig sind sie im Höchstmaß soweit, als rein zweckrationale Motive dem typisch beobachteten Ablauf zugrunde liegen (bzw. dem methodisch konstruierten Typus aus Zweckmäßigkeitsgründen zugrunde gelegt werden), und als dabei die Beziehung zwischen Mittel und Zweck nach Erfahrungssätzen eindeutig ist (beim „unvermeidlichen" Mittel). In diesem Fall ist die Aussage zulässig: daß, *wenn* streng zweckrational gehandelt *würde*, so *und nicht anders* gehandelt werden *müßte* (weil den Beteiligten im Dienste ihrer – eindeutig angebbaren – Zwecke aus „technischen" Gründen nur diese und keine anderen Mittel zur Verfügung stehen). Gerade dieser Fall zeigt zugleich: wie irrig es ist, als *die* letzte „Grundlage" der verstehenden Soziologie irgendeine „Psychologie" anzusehen. Unter „Psychologie" versteht heute jeder etwas anderes. Ganz bestimmte methodische Zwecke rechtfertigen für eine naturwissenschaftliche Behandlung gewisser Vorgänge die Trennung vom „Physischen" und „Psychischem", welche in *diesem* Sinn den Disziplinen vom Handeln fremd ist. Die Ergebnisse einer

wirklich *nur* das im Sinn naturwissenschaftlicher Methodik „Psychische" mit Mitteln der Naturwissenschaft erforschenden und also ihrerseits *nicht* – was etwas ganz andres ist – menschliches Verhalten auf seinen gemeinten *Sinn* hin deutenden psychologischen Wissenschaft, gleichviel wie sie methodisch geartet sein möge, können natürlich genau ebenso wie diejenigen irgendeiner anderen Wissenschaft, im Einzelfall Bedeutung für eine soziologische Feststellung gewinnen und haben sie oft in hohem Maße. Aber irgendwelche generell näheren Beziehungen als zu allen anderen Disziplinen hat die Soziologie zu ihr *nicht*. Der Irrtum liegt im Begriff des „Psychischen": Was nicht „physisch" sei, sei „psychisch". Aber der *Sinn* eines Rechenexempels, den jemand meint, ist doch nicht „psychisch". Die rationale Überlegung eines Menschen: ob ein bestimmtes Handeln bestimmt gegebenen Interessen nach den zu erwartenden Folgen förderlich sei oder nicht und der entsprechend dem Resultat gefaßte Entschluß werden uns nicht um ein Haar verständlicher durch „psychologische" Erwägungen. Gerade auf solchen rationalen Voraussetzungen aber baut die Soziologie (einschließlich der Nationalökonomie) die meisten ihrer „Gesetze" auf. Bei der soziologischen Erklärung von *Irrationalitäten* des Handelns dagegen kann die *verstehende* Psychologie in der Tat unzweifelhaft entscheidend wichtige Dienste leisten. Aber das ändert an dem methodologischen Grundsachverhalt nichts.

11. Die Soziologie bildet – wie schon mehrfach als selbstverständlich vorausgesetzt – *Typen*-Begriffe und sucht *generelle* Regeln des Geschehens. Im Gegensatz zur Geschichte, welche die kausale Analyse und Zurechnung *individueller*, *kultur*wichtiger, Handlungen, Gebilde, Persönlichkeiten erstrebt. Die Begriffsbildung der Soziologie entnimmt ihr *Material*, als Paradigma, sehr wesentlich, wenn auch keineswegs ausschließlich, den auch unter Gesichtspunkten der Geschichte relevanten Realitäten des Handelns. Sie bildet Begriffe und sucht nach ihren Regeln vor allem *auch* unter dem Gesichtspunkt: ob sie damit der historischen kausalen Zurechnung der kulturwichtigen Erscheinungen einen Dienst leisten kann. Wie bei jeder generalisierenden Wissenschaft bedingt die Eigenart ihrer Abstraktionen es, daß ihre Begriffe gegenüber der konkreten Realität des Historischen relativ inhalts*leer* sein müssen. Was sie dafür zu bieten hat, ist gesteigerte *Eindeutigkeit* der Begriffe. Diese gesteigerte Eindeutigkeit ist durch ein möglichstes Optimum von *Sinn*adäquanz erreicht, wie es die soziologische Begriffsbildung erstrebt. Diese kann – und das ist bisher vorwiegend berücksichtigt – bei *rationalen* (wert- oder zweckrationalen) Begriffen und Regeln besonders vollständig erreicht werden. Aber die Soziologie sucht

auch irrationale (mystische, prophetische, pneumatische, affektuelle) Erscheinungen in theoretischen und zwar *sinn*adäquaten Begriffen zu erfassen. In *allen* Fällen, rationalen wie irrationalen, *entfernt* sie sich von der Wirklichkeit und dient der Erkenntnis dieser in der Form: daß durch Angabe des Maßes der *Annäherung* einer historischen Erscheinung an einen oder mehrere dieser Begriffe diese eingeordnet werden kann. Die gleiche historische Erscheinung kann z. B. in einem Teil ihrer Bestandteile „feudal", im anderen „patrimonial", in noch anderen „bürokratisch", in wieder anderen „charismatisch" geartet sein. Damit mit diesen Worten etwas *Eindeutiges* gemeint sei, muß die Soziologie ihrerseits „reine" („*Ideal*"-)Typen von Gebilden jener Arten entwerfen, welche je in sich die konsequente Einheit möglichst vollständiger *Sinn*adäquanz zeigen, eben deshalb aber in dieser absolut idealen *reinen* Form vielleicht ebensowenig je in der Realität auftreten, wie eine physikalische Reaktion, die unter Voraussetzung eines absolut leeren Raums errechnet ist. Nur vom *reinen* („Ideal"-)Typus her ist soziologische Kasuistik möglich. Daß die Soziologie außerdem nach Gelegenheit auch den *Durchschnitts*-Typus von der Art der empirisch-statistischen Typen verwendet: – ein Gebilde, welches der methodischen Erläuterung nicht besonders bedarf, versteht sich von selbst. Aber wenn sie von „*typischen*" Fällen spricht, meint sie im Zweifel stets den *Ideal*typus, der seinerseits rational oder irrational sein *kann*, zumeist (in der nationalökonomischen Theorie z. B. immer) rational ist, stets aber *sinn*adäquat konstruiert wird.

Man muß sich klar sein, daß auf soziologischem Gebiete „Durchschnitte" und also „Durchschnittstypen" sich *nur* da einigermaßen eindeutig bilden lassen, wo es sich nur um *Grad*unterschiede qualitativ *gleich*artigen sinnhaft bestimmten Verhaltens handelt. Das kommt vor. In der Mehrzahl der Fälle ist aber das historisch oder soziologisch relevante Handeln von qualitativ *heterogenen* Motiven beeinflußt, zwischen denen ein „Durchschnitt" im eigentlichen Sinn gar nicht zu ziehen ist. Jene idealtypischen Konstruktionen sozialen Handelns, welche z. B. die Wirtschaftstheorie vornimmt, sind also in dem Sinn „wirklichkeitsfremd", als sie – in diesem Fall – durchweg fragen: wie *würde* im Fall idealer und dabei rein wirtschaftlich orientierter Zweckrationalität gehandelt *werden,* um so das reine, durch Traditionshemmungen, Affekte, Irrtümer, Hineinspielen nicht wirtschaftlicher Zwecke oder Rücksichtnahmen mindestens *mit*bestimmte Handeln 1. *insoweit* verstehen zu können, als es tatsächlich ökonomisch zweckrational im konkreten Falle *mit*bestimmt war, oder – bei Durchschnittsbetrachtung – zu sein pflegt, 2. aber auch: gerade durch den *Abstand* seines realen Verlaufes vom idealtypischen die Erkenntnis seiner *wirklichen* Motive zu erleichtern. Ganz entsprechend würde eine idealtypische Konstruktion einer konsequenten mystisch bedingten akosmistischen Haltung zum Leben (z. B. zur Politik und Wirtschaft) zu verfahren haben. Je schärfer und eindeutiger konstruiert die Idealtypen sind: je welt*fremder* sie also, in diesem Sinne, sind, desto besser leisten sie ihren Dienst, terminologisch und klassifikatorisch sowohl wie heuristisch. Die konkrete kausale Zurechnung von Einzelgeschehnissen durch die Arbeit der Geschichte verfährt der Sache nach nicht anders, wenn sie, um z. B. den Verlauf des Feldzuges von 1866 zu erklären, sowohl für Moltke wie für Benedek zunächst (gedanklich) ermittelt (wie sie es schlechthin tun *muß*): wie jeder von ihnen, bei voller Erkenntnis der eigenen und der Lage des Gegners, im Fall idealer Zweckrationalität disponiert haben *würde*, um damit zu vergleichen: wie tatsächlich disponiert worden ist und dann gerade den beobachteten (sei es durch falsche Information, tatsächlichen Irrtum, Denkfehler, persönliches Temperament oder außerstrategische Rücksichten bedingten) Abstand kausal zu *erklären*. Auch hier ist (latent) eine idealtypische zweckrationale Konstruktion verwendet. –

Idealtypisch sind aber die konstruktiven Begriffe der Soziologie nicht nur äußerlich, sondern auch innerlich. Das *reale* Handeln verläuft in der großen Masse seiner Fälle in dumpfer Halbbewußtheit oder Unbewußtheit seines „gemeinten Sinns". Der Handelnde „fühlt" ihn mehr unbestimmt als daß er ihn wüßte oder „sich klar machte", handelt in der Mehrzahl der Fälle triebhaft oder gewohnheitsmäßig. Nur gelegentlich, und bei massenhaft gleichartigem Handeln oft nur von Einzelnen, wird ein (sei es rationaler sei es irrationaler) Sinn des Handelns in das Bewußtsein gehoben. Wirklich effektiv, d. h. voll bewußt und klar, sinnhaftes Handeln ist in der Realität stets nur ein Grenzfall. Auf diesen Tatbestand wird jede historische und soziologische Betrachtung bei Analyse der *Realität* stets Rücksicht zu nehmen haben. Aber das darf nicht hindern, daß die Soziologie ihre *Begriffe* durch Klassifikation des möglichen „gemeinten Sinns" bildet, also so, als ob das Handeln tatsächlich bewußt sinnorientiert verliefe. Den Abstand gegen die Realität hat sie jederzeit, wenn es sich um die Betrachtung dieser in ihrer Konkretheit handelt, in Betracht zu ziehen und nach Maß und Art festzustellen.

Man hat eben methodisch sehr oft nur die Wahl zwischen unklaren oder klaren, aber dann irrealen und „idealtypischen", Termini. In diesem Fall aber sind die letzteren wissenschaftlich vorzuziehen. (S. über all dies Arch. f. Sozialwiss. XIX a. a. O.)

II. Begriff des sozialen Handelns.

1. Soziales Handeln (einschließlich des Unterlassens oder Duldens) kann orientiert werden am vergangenen, gegenwärtigen oder für künftig erwarteten Verhalten anderer (Rache für frühere Angriffe, Abwehr gegenwärtigen Angriffs, Verteidigungsmaßregeln gegen künftige Angriffe). Die „anderen" können Einzelne und Bekannte oder unbestimmt Viele und ganz Unbekannte sein („Geld" z. B. bedeutet ein Tauschgut, welches der Handelnde beim Tausch deshalb annimmt, weil er sein Handeln an der Erwartung orientiert, daß sehr zahlreiche, aber unbekannte und unbestimmt viele Andre es ihrerseits künftig in Tausch zu nehmen bereit sein werden).

2. Nicht jede Art von Handeln – auch von äußerlichem Handeln – ist „soziales" Handeln im hier festgehaltenen Wortsinn. Äußeres Handeln dann nicht, wenn es sich lediglich an den Erwartungen des Verhaltens sachlicher Objekte orientiert. Das innere Sichverhalten ist soziales Handeln nur darin, wenn es sich am Verhalten anderer orientiert. Religiöses Verhalten z. B. dann nicht, wenn es Kontemplation, einsames Gebet usw. bleibt. Das Wirtschaften (eines einzelnen) erst dann und nur insofern, als es das Verhalten Dritter mit in Betracht zieht. Ganz allgemein und formal also schon: indem es auf die Respektierung der eignen faktischen Verfügungsgewalt über wirtschaftliche Güter durch Dritte reflektiert. In materialer Hinsicht: indem es z. B. beim Konsum den künftigen Begehr Dritter mitberücksichtigt und die Art des eignen „Sparens" daran mitorientiert. Oder indem es bei der Produktion einen künftigen Begehr Dritter zur Grundlage seiner Orientierung macht usw.

3. Nicht jede Art von Berührung von Menschen ist sozialen Charakters, sondern nur ein sinnhaft am Verhalten des andern orientiertes eignes Verhalten. Ein Zusammenprall zweier Radfahrer z. B. ist ein bloßes Ereignis wie ein Naturgeschehen. Wohl aber wäre ihr Versuch, dem andern auszuweichen und die auf den Zusammenprall folgende Schimpferei, Prügelei oder friedliche Erörterung „soziales Handeln".

4. Soziales Handeln ist weder identisch a) mit einem *gleichmäßigen* Handeln mehrerer noch b) mit jedem durch das Verhalten anderer *beeinflußten* Handeln. a) Wenn auf der Straße eine Menge Menschen beim Beginn eines Regens gleichzeitig den Regenschirm aufspannen, so ist (normalerweise) das Handeln des einen nicht an dem des andern orientiert, sondern das Handeln aller gleichartig an dem Bedürfnis nach Schutz gegen die Nässe. b) Es ist bekannt, daß das Handeln des einzelnen durch die bloße Tatsache, daß er sich innerhalb einer örtlich zusammengedrängten „Masse" befindet, stark beeinflußt wird

(Gegenstand der „massenpsychologischen" Forschung, z. B. von der Art der Arbeiten Le Bon's): massen*bedingtes* Handeln. Und auch zerstreute Massen können durch ein simultan oder sukzessiv auf den einzelnen (z. B. durch Vermittlung der.Presse) wirkendes und als solches empfundenes Verhalten Vieler das Verhalten der einzelnen massenbedingt werden lassen. Bestimmte Arten des Reagierens werden durch die bloße Tatsache, daß der Einzelne sich als Teil einer „Masse" fühlt, erst ermöglicht, andre erschwert. Infolgedessen kann dann ein bestimmtes Ereignis oder menschliches Verhalten Empfindungen der verschiedensten Art: Heiterkeit, Wut, Begeisterung, Verzweiflung und Leidenschaften aller Art hervorrufen, welche bei Vereinzelung nicht (oder nicht so leicht) als Folge eintreten würden, – ohne daß doch dabei (in vielen Fällen wenigstens) zwischen dem Verhalten des einzelnen und der Tatsache seiner Massenlage eine *sinnhafte* Beziehung bestände. Ein derart durch das Wirken der bloßen Tatsache der „Masse" rein als solcher in seinem Ablauf nur reaktiv verursachtes oder mitverursachtes, nicht auch darauf sinnhaft *bezogenes* Handeln würde begrifflich nicht „soziales Handeln" im hier festgehaltenen Wortsinn sein. Indessen ist der Unterschied natürlich höchst flüssig. Denn nicht nur z. B. beim Demagogen, sondern oft auch beim Massenpublikum selbst kann dabei ein verschieden großes und verschieden deutbares Maß von Sinnbeziehung zum Tatbestand der „Masse" bestehen. – Ferner würde bloße „Nachahmung" fremden Handelns (auf deren Bedeutung G. Tarde berechtigtes Gewicht legt) begrifflich dann nicht *spezifisch* „soziales Handeln" sein, wenn sie lediglich reaktiv, ohne sinnhafte Orientierung des eigenen an dem fremden Handeln, erfolgt. Die Grenze ist derart flüssig, daß eine Unterscheidung oft kaum möglich erscheint. Die bloße Tatsache aber, daß jemand eine ihm zweckmäßig scheinende Einrichtung, die er bei andren kennen lernte, nun auch bei sich trifft, ist nicht in unserem Sinn: soziales Handeln. Nicht *am* Verhalten des andern orientiert sich dies Handeln, sondern *durch* Beobachtung dieses Verhaltens hat der Handelnde bestimmte objektive Chancen kennen gelernt und an *diesen* orientiert er sich. Sein Handeln ist *kausal*, nicht aber sinnhaft, durch fremdes Handeln bestimmt. Wird dagegen z. B. fremdes Handeln nachgeahmt, weil es „Mode" ist, als traditional, mustergültig oder als ständisch „vornehm" gilt oder aus ähnlichen Gründen, so liegt die Sinnbezogenheit – entweder: auf das Verhalten der Nachgeahmten, oder: Dritter, oder: beider – vor. Dazwischen liegen naturgemäß Übergänge. Beide Fälle: Massenbedingtheit und Nachahmung sind flüssig und Grenzfälle sozialen Handelns, wie sie noch oft, z. B. beim traditionalen Handeln (§ 2) begegnen werden. Der Grund der Flüssigkeit liegt in diesen wie andren Fällen darin, daß die Orientierung an fremdem Verhalten und der Sinn des eigenen Handelns ja keineswegs immer eindeutig feststellbar oder auch nur *bewußt* und noch seltener: vollständig bewußt ist. Bloße „Beeinflussung" und sinnhafte „Orientierung" sind schon um deswillen nicht immer sicher zu scheiden. Aber begrifflich sind sie zu trennen, obwohl, selbstredend, die nur „reaktive" Nachahmung *mindestens* die gleiche soziologische *Tragweite* hat wie diejenige, welche „soziales Handeln" im eigentlichen Sinn darstellt. Die Soziologie hat es eben keineswegs *nur* mit „sozialem Handeln" zu tun, sondern dieses bildet nur (für die hier betriebene Art von Soziologie) ihren zentralen Tatbestand, denjenigen, der für sie als Wissenschaft sozusagen *konstitutiv* ist. Keineswegs aber ist damit über die *Wichtigkeit* dieses im Verhältnis zu anderen Tatbeständen etwas ausgesagt.

§ 2. Wie jedes Handeln kann auch das soziale Handeln bestimmt sein 1. *zweckrational*: durch Erwartungen des Verhaltens von Gegenständen der Außenwelt und von andren Menschen und unter Benutzung dieser Erwartungen als „Bedingungen" oder als „Mittel" für rational, als Erfolg, erstrebte und abgewogene eigne *Zwecke*, – 2. *wertrational*: durch bewußten Glauben an den – ethischen, ästhetischen, religiösen oder wie immer sonst zu deutenden – unbedingten *Eigen*wert eines bestimmten Sichverhaltens rein als solchen und unabhängig vom Erfolg, – 3. *affektuell*, insbesondere *emotional*: durch aktuelle Affekte und Gefühlslagen, – 4. *traditional*: durch eingelebte Gewohnheit.

1. Das streng traditionale Verhalten steht – ganz ebenso wie die rein reaktive Nachahmung (s. vorigen §) – ganz und gar an der Grenze und oft jenseits dessen, was man ein „sinnhaft" orientiertes Handeln überhaupt nennen kann. Denn es ist sehr oft nur ein dumpfes in der Richtung der einmal eingelebten Einstellung ablaufendes Reagieren auf gewohnte Reize. Die Masse alles eingelebten Alltagshandelns nähert sich diesem Typus, der nicht nur als Grenzfall in die Systematik gehört, sondern auch deshalb, weil (wovon später) die Bindung an das Gewohnte in verschiedenem Grade und Sinne bewußt aufrecht erhalten werden kann: in diesem Fall nähert sich dieser Typus dem von Nr. 2.

2. Das streng affektuale Sichverhalten steht ebenso an der Grenze und oft jenseits dessen, was bewußt „sinnhaft" orientiert ist; es kann hemmungsloses Reagieren auf einen außeralltäglichen Reiz sein.

Eine *Sublimierung* ist es, wenn das affektual bedingte Handeln als *bewußte* Entladung der Gefühlslage auftritt: es befindet sich dann meist (nicht immer) schon auf dem Wege zur „Wertrationalisierung" oder zum Zweckhandeln oder zu beiden.

3. Affektuelle und wertrationale Orientierung des Handelns unterscheiden sich durch die bewußte Herausarbeitung der letzten Richtpunkte des Handelns und *konsequente* planvolle Orientierung daran bei dem letzteren. Sonst haben sie gemeinsam: daß für sie der Sinn des Handelns nicht in dem jenseits seiner liegenden Erfolg, sondern in dem bestimmt gearteten Handeln als solchen liegt. Affektuell handelt, wer sein Bedürfnis nach aktueller Rache, aktuellem Genuß, aktueller Hingabe, aktueller kontemplativer Seligkeit oder nach Abreaktion aktueller Affekte (gleichviel wie massiver oder wie sublimer Art) befriedigt.

Rein wertrational handelt, wer ohne Rücksicht auf die vorauszusehenden Folgen handelt im Dienst seiner Überzeugung von dem, was Pflicht, Würde, Schönheit, religiöse Weisung, Pietät, oder die Wichtigkeit einer „Sache" gleichviel welcher Art ihm zu gebieten scheinen. Stets ist (im Sinn unserer Terminologie) wertrationales Handeln ein Handeln nach „Geboten" oder gemäß „Forderungen", die der Handelnde an sich gestellt glaubt. Nur soweit menschliches Handeln sich an solchen Forderungen orientiert – was stets nur in einem sehr verschieden großen, meist ziemlich bescheidenen, Bruchteil der Fall ist – wollen wir von Wertrationalität reden. Wie sich zeigen wird, kommt ihr Bedeutung genug zu, um sie als Sondertyp herauszuheben, obwohl hier im übrigen nicht eine irgendwie erschöpfende Klassifikation der Typen des Handelns zu geben versucht wird.

4. Zweckrational handelt, wer sein Handeln nach Zweck, Mittel und Nebenfolgen orientiert und dabei sowohl die Mittel gegen die Zwecke, wie die Zwecke gegen die Nebenfolgen, wie endlich auch die verschiedenen möglichen Zwecke gegeneinander rational *abwägt*: also jedenfalls *weder* affektuell (und insbesondere nicht emotional) *noch* traditional handelt. Die Entscheidung zwischen konkurrierenden und kollidierenden Zwecken und Folgen kann dabei ihrerseits *wert*rational orientiert sein: dann ist das Handeln nur in seinen Mitteln zweckrational. Oder es kann der Handelnde die konkurrierenden und kollidierenden Zwecke ohne wertrationale Orientierung an „Geboten" und „Forderungen" einfach als gegebene subjektive, Bedürfnisregungen in eine Skala ihrer von ihm bewußt *abgewogenen* Dringlichkeit bringen und darnach sein Handeln so orientieren, daß sie in dieser Reihenfolge nach Möglichkeit befriedigt werden (Prinzip des

„Grenznutzens"). Die wertrationale Orientierung des Handelns kann also zur zweckrationalen in verschiedenartigen Beziehungen stehen. Vom Standpunkt der Zweckrationalität aus aber ist Wertrationalität immer, und zwar je mehr sie den Wert, an dem das Handeln orientiert wird, zum absoluten Wert steigert, desto mehr: *irrational*, weil sie ja um so weniger auf die Folgen des Handelns reflektiert, je unbedingter allein dessen *Eigen*wert (reine Gesinnung, Schönheit, absolute Güte, absolute Pflichtmäßigkeit) für sie in Betracht kommt. *Absolute* Zweckrationalität des Handelns ist aber auch nur ein im wesentlichen konstruktiver Grenzfall.

5. Sehr selten ist Handeln, insbesondere soziales Handeln, *nur* in der einen *oder* der andren Art orientiert. Ebenso sind diese Arten der Orientierung natürlich in gar keiner Weise erschöpfende Klassifikationen der Arten der Orientierung des Handelns, sondern für soziologische Zwecke geschaffene begrifflich reine Typen, denen sich das reale Handeln mehr oder minder annähert oder aus denen es – noch häufiger – gemischt ist. Ihre Zweckmäßigkeit für *uns* kann nur der Erfolg ergeben.

§ 3. Soziale „Beziehung" soll ein seinem Sinngehalt nach aufeinander gegenseitig *eingestelltes* und dadurch orientiertes Sichverhalten mehrerer heißen. Die soziale Beziehung *besteht* also durchaus und ganz ausschließlich: in der *Chance*, daß in einer (sinnhaft) angebbaren Art sozial gehandelt wird, einerlei zunächst: worauf diese Chance beruht.

1. Ein Mindestmaß von Beziehung des *beider*seitigen Handelns *aufeinander* soll also Begriffsmerkmal sein. Der Inhalt kann der allerverschiedenste sein: Kampf, Feindschaft, Geschlechtsliebe, Freundschaft, Pietät, Marktaustausch, „Erfüllung" oder „Umgehung" oder „Bruch" einer Vereinbarung, ökonomische oder erotische oder andre „Konkurrenz", ständische oder nationale oder Klassengemeinschaft (*falls* diese letzteren Tatbestände über bloße Gemeinsamkeiten hinaus „soziales Handeln" erzeugen, – wovon später). Der Begriff besagt also *nichts* darüber: ob „Solidarität" der Handelnden besteht oder das gerade Gegenteil.

2. Stets handelt es sich um den im Einzelfall wirklich oder durchschnittlich oder im konstruierten „reinen" Typus von den Beteiligten *gemeinten*, empirischen, Sinngehalt, niemals um einen normativ „richtigen" oder metaphysisch „wahren" Sinn. Die soziale Beziehung *besteht*, auch wenn es sich um sogenannte „soziale Gebilde", wie „Staat", „Kirche", „Genossenschaft", „Ehe" usw. handelt, ausschließlich und

lediglich in der *Chance*, daß ein seinem Sinngehalt nach in angebbarer Art aufeinander eingestelltes Handeln stattfand, stattfindet oder stattfinden wird. Dies ist immer festzuhalten, um eine „substanzielle" Auffassung dieser Begriffe zu vermeiden. Ein „Staat" hört z. B. soziologisch zu „existieren" dann auf, sobald die *Chance*, daß bestimmte Arten von sinnhaft orientiertem sozialem Handeln ablaufen, geschwunden ist. Diese Chance kann eine sehr große oder eine verschwindend geringe sein. In dem Sinn und *Maße*, als sie tatsächlich (schätzungsweise) bestand oder besteht, bestand oder besteht auch die betreffende soziale Beziehung. Ein anderer *klarer* Sinn ist mit der Aussage: daß z. B. ein bestimmter „Staat" noch oder nicht mehr „existiere", schlechthin nicht zu verbinden.

3. Es ist in keiner Art gesagt: daß die an dem aufeinander eingestellten Handeln Beteiligten im Einzelfall den *gleichen* Sinngehalt in die soziale Beziehung legen oder sich sinnhaft entsprechend der Einstellung des Gegenpartners innerlich zu ihm einstellen, daß also in *diesem* Sinn „Gegenseitigkeit" besteht. „Freundschaft", „Liebe", „Pietät", „Vertragstreue", „nationales Gemeinschaftsgefühl" von der einen Seite kann auf durchaus andersartige Einstellungen der anderen Seite stoßen. Dann verbinden eben die Beteiligten mit ihrem Handeln einen verschiedenen Sinn: die soziale Beziehung ist insoweit von beiden Seiten objektiv „einseitig". Aufeinander bezogen ist sie aber auch dann insofern, als der Handelnde vom Partner (vielleicht ganz oder teilweise irrigerweise) eine bestimmte Einstellung dieses letzteren ihm (dem Handelnden) gegenüber *voraussetzt* und an diesen Erwartungen sein eignes Handeln orientiert, was für den Ablauf des Handelns und die Gestaltung der Beziehung Konsequenzen haben kann und meist wird. Objektiv „beiderseitig" ist sie natürlich nur insoweit, als der Sinngehalt einander – nach den durchschnittlichen *Erwartungen* jedes der Beteiligten – „entspricht", also z. B. der Vatereinstellung die Kindeseinstellung wenigstens annähernd so gegenübersteht, wie der Vater dies (im Einzelfall oder durchschnittlich oder typisch) erwartet. Eine völlig und restlos auf gegenseitiger sinn*entsprechender* Einstellung ruhende soziale Beziehung ist in der Realität nur ein Grenzfall. Fehlen der Beiderseitigkeit aber soll, nach unserer Terminologie, die Existenz einer „sozialen Beziehung" nur dann ausschließen, wenn sie die Folge hat: daß ein Aufeinander*bezogensein* des beiderseitigen Handelns tatsächlich fehlt. Alle Arten von Übergängen sind hier wie sonst in der Realität die Regel.

4. Eine soziale Beziehung kann ganz vorübergehenden Charakters sein oder aber auf Dauer, d. h. derart eingestellt sein: daß die Chance

einer kontinuierlichen *Wiederkehr* eines sinnentsprechenden (d. h. dafür geltenden und demgemäß erwarteten) Verhaltens besteht. *Nur* das Vorliegen dieser Chance: – der mehr oder minder großen *Wahrscheinlichkeit* also, daß ein sinnentsprechendes Handeln stattfindet und *nichts* darüber hinaus – bedeutet der „*Bestand*" der sozialen Beziehung, was zur Vermeidung falscher Vorstellungen stets gegenwärtig zu halten ist. Daß eine „Freundschaft" oder daß ein „Staat" *besteht* oder bestand, bedeutet also ausschließlich und allein: *wir* (die *Betrachtenden*) urteilen, daß eine *Chance* vorliegt oder vorlag: daß auf Grund einer bestimmt gearteten Einstellung bestimmter Menschen in einer einem *durchschnittlich gemeinten* Sinn noch angebbaren Art *gehandelt* wird, und sonst gar nichts (vgl. Nr. 2 a. E.). Die für die *juristische* Betrachtung unvermeidliche Alternative: daß ein *Rechts*satz bestimmten Sinnes entweder (im Rechtssinn) gelte oder nicht, ein *Rechts*verhältnis entweder bestehe oder nicht, gilt für die soziologische Betrachtung also *nicht*.

5. Der Sinngehalt einer sozialen Beziehung kann wechseln: – z. B. eine politische Beziehung aus Solidarität in Interessenkollision umschlagen. Es ist dann nur eine Frage der terminologischen Zweckmäßigkeit und des Maßes von *Kontinuität* der Wandlung, ob man in solchen Fällen sagt: daß eine „neue" Beziehung gestiftet sei oder: daß die fortbestehende alte einen neuen „Sinngehalt" erhalten habe. Auch kann der Sinngehalt zum Teil perennierend, zum Teil wandelbar sein.

6. Der Sinngehalt, welcher eine soziale Beziehung *perennierend* konstituiert, kann in „Maximen" formulierbar sein, deren durchschnittliche oder sinnhaft annähernde Innehaltung die Beteiligten von dem oder den Partnern *erwarten* und an denen sie ihrerseits (durchschnittlich und annähernd) ihr Handeln orientieren. Je rationaler – zweckrationaler oder wertrationaler – orientiert das betreffende Handeln seinem allgemeinen Charakter nach ist, desto mehr ist dies der Fall. Bei einer erotischen oder überhaupt affektuellen (z. B. einer „Pietäts"-)Beziehung ist die Möglichkeit einer rationalen Formulierung des gemeinten Sinngehalts z. B. naturgemäß weit geringer als etwa bei einem geschäftlichen Kontraktverhältnis.

7. Der Sinngehalt einer sozialen Beziehung kann durch gegenseitige Zusage *vereinbart* sein. Dies bedeutet: daß die daran Beteiligten für ihr künftiges Verhalten (sei es zu einander sei es sonst) *Versprechungen* machen. Jeder daran Beteiligte zählt dann – soweit er rational erwägt – zunächst (mit verschiedener Sicherheit) normalerweise darauf, daß der *andre* sein Handeln an einem von ihm (dem Handelnden) selbst verstandenen Sinn der Vereinbarung orientieren werde. Er orientiert sein eignes Handeln teils zweckrational (je nachdem mehr

oder minder sinnhaft „loyal") an dieser Erwartung, teils wertrational an der „Pflicht auch seinerseits die eingegangene Vereinbarung dem von ihm gemeinten Sinn gemäß zu „halten". Soviel hier vorweg. Im übrigen vgl. § 9 und § 13.

§ 4. Es lassen sich innerhalb des sozialen Handelns tatsächliche Regelmäßigkeiten beobachten, d. h. in einem typisch gleichartig *gemeinten Sinn* beim gleichen Handelnden sich wiederholende oder (eventuell auch: zugleich) bei zahlreichen Handelnden verbreitete Abläufe von Handeln. Mit diesen *Typen* des Ablaufs von Handeln befaßt sich die Soziologie, im Gegensatz zur Geschichte als der kausalen Zurechnung wichtiger, d. h. schicksalhafter, Einzelzusammenhänge.

Eine tatsächlich bestehende Chance einer *Regelmäßigkeit* der Einstellung sozialen Handelns soll heißen *Brauch,* wenn und soweit die Chance ihres Bestehens innerhalb eines Kreises von Menschen *lediglich* durch tatsächliche Übung gegeben ist. Brauch soll heißen *Sitte,* wenn die tatsächliche Übung auf langer *Eingelebtheit* beruht. Sie soll dagegen bezeichnet werden als „bedingt durch *Interessenlage*" („*interessenbedingt*"), wenn und soweit die Chance ihres empirischen Bestandes *lediglich* durch rein zweckrationale Orientierung des Handelns der einzelnen an gleichartigen *Erwartungen* bedingt ist.

1. Zum Brauch gehört auch die „Mode". „Mode" im Gegensatz zu „Sitte" soll Brauch dann heißen, wenn (gerade umgekehrt wie bei Sitte) die Tatsache der *Neuheit* des betreffenden Verhaltens Quelle der Orientierung des Handelns daran wird. Sie hat ihre Stätte in der Nachbarschaft der „Konvention", da sie wie (meist) diese *ständischen* Prestigeinteressen entspringt. Hier wird sie nicht näher behandelt.

2. „Sitte" soll uns eine im Gegensatz zu „Konvention" und „Recht" *nicht* äußerlich garantierte Regel heißen, an welche sich der Handelnde freiwillig, sei es einfach „gedankenlos" oder aus „Bequemlichkeit" oder aus welchen Gründen immer tatsächlich hält und deren wahrscheinliche Innehaltung er von andren diesem Menschenkreis Angehörigen aus diesen Gründen gewärtigen kann. Sitte in diesem Sinn wäre also nichts „Geltendes": es wird von niemandem „verlangt", daß er sie mitmache. Der Übergang von da zur geltenden *Konvention* und zum *Recht* ist natürlich absolut flüssig. Überall ist das tatsächlich Hergebrachte der Vater des Geltenden gewesen. Es ist heute „Sitte", daß wir am Morgen ein Frühstück ungefähr angebbarer Art zu uns nehmen; aber irgendeine „Verbindlichkeit" dazu besteht (außer für Hotelbesucher) nicht; und es war nicht immer Sitte. Dagegen ist die Art

der Bekleidung, auch wo sie aus „Sitte" entstanden ist, heut in weitem Umfang nicht mehr nur Sitte, sondern Konvention. Über Brauch und Sitte sind die betreffenden Abschnitte aus *Iherings* „Zweck im Recht" (Band II) noch heut lesenswert. Vgl. auch *K. Oertmann*, Rechtsregelung und Verkehrssitte (1914) und neustens: *E. Weigelin,* Sitte, Recht und Moral, 1919 (übereinstimmend mit mir gegen Stammler).

3. Zahlreiche höchst auffallende Regelmäßigkeiten des Ablaufs sozialen Handelns, insbesondere (aber nicht nur) des wirtschaftlichen Handelns, beruhen keineswegs auf Orientierung an irgendeiner als „geltend" vorgestellten Norm, aber auch nicht auf Sitte, sondern lediglich darauf: daß die Art des sozialen Handelns der Beteiligten, der Natur der Sache nach, ihren normalen, subjektiv eingeschätzten, *Interessen* so am durchschnittlich besten entspricht und daß sie an dieser subjektiven Ansicht und Kenntnis ihr Handeln orientieren: so etwa Regelmäßigkeiten der Preisbildung bei „freiem" Markt. Die Marktinteressenten orientieren eben ihr Verhalten, als „Mittel", an eignen *typischen* subjektiven wirtschaftlichen Interessen als „Zweck" und an den ebenfalls typischen Erwartungen, die sie vom voraussichtlichen Verhalten der anderen hegen, als „Bedingungen", jenen Zweck zu erreichen. Indem sie derart, *je strenger* zweckrational sie handeln, desto ähnlicher auf gegebene Situationen reagieren, entstehen Gleichartigkeiten, Regelmäßigkeiten und Kontinuitäten der Einstellung und des Handelns, welche sehr oft weit stabiler sind, als wenn Handeln sich an Normen und Pflichten orientiert, die einem Kreise von Menschen tatsächlich für „verbindlich" gelten. Diese Erscheinung: daß Orientierung an der nackten eignen und fremden Interessenlage Wirkungen hervorbringt, welche jenen gleichstehen, die durch Normierung – und zwar sehr oft vergeblich – zu erzwingen gesucht werden, hat insbesondere auf wirtschaftlichem Gebiet große Aufmerksamkeit erregt: – sie war geradezu eine der Quellen des Entstehens der Nationalökonomie als Wissenschaft. Sie gilt aber von allen Gebieten des Handelns in ähnlicher Art. Sie bildet in ihrer Bewußtheit und inneren Ungebundenheit den polaren Gegensatz gegen jede Art von innerer Bindung durch Einfügung in bloße eingelebte „Sitte", wie andererseits gegen Hingabe an wertrational geglaubte Normen. *Eine* wesentliche Komponente der „Rationalisierung" des Handelns ist der Ersatz der inneren Einfügung in eingelebte Sitte durch die planmäßige Anpassung an Interessenlagen. Freilich erschöpft dieser Vorgang den Begriff der „Rationalisierung des Handelns" nicht. Denn außerdem kann diese positiv in der Richtung der bewußten Wertrationalisierung, negativ aber außer auf Kosten der Sitte auch auf Ko-

sten affektuellen Handelns, und endlich auch zugunsten eines wert-ungläubigen rein zweckrationalen auf Kosten von wertrational gebundenem Handeln verlaufen. Diese *Vieldeutigkeit* des Begriffs der „Rationalisierung" des Handelns wird uns noch öfter beschäftigen. (Begriffliches dazu am *Schluß*!)

4. Die Stabilität der (bloßen) *Sitte* beruht wesentlich darauf, daß derjenige, welcher sein Handeln nicht an ihr orientiert, „unangepaßt" handelt, d. h. kleine und große Unbequemlichkeiten und Unzuträglichkeiten mit in den Kauf nehmen muß, so lange das Handeln der Mehrzahl seiner Umwelt nun einmal mit dem Bestehen der Sitte rechnet und darauf eingestellt ist.

Die Stabilität der *Interessenlage* beruht, ähnlich, darauf, daß, wer sein Handeln nicht an dem Interesse der andern orientiert, – mit diesen nicht „rechnet" – deren Widerstand herausfordert oder einen von ihm nicht gewollten und nicht vorausgesehenen Erfolg hat und also Gefahr läuft, an eignem Interesse Schaden zu nehmen.

§ 5. Handeln, insbesondre soziales Handeln und wiederum insbesondre eine soziale Beziehung, können von seiten der Beteiligten an der *Vorstellung* vom Bestehen einer *legitimen Ordnung* orientiert werden. Die Chance, daß dies tatsächlich geschieht, soll „Geltung" der betreffenden Ordnung heißen.

1. „Gelten" einer *Ordnung* soll uns also mehr bedeuten als eine bloße, durch Sitte oder Interessenlage bedingte Regelmäßigkeit eines Ablaufs sozialen Handelns. Wenn Möbeltransportgesellschaften regelmäßig um die Zeit der Umzugstermine inserieren, so ist diese Regelmäßigkeit durch „Interessenlage" bedingt. Wenn ein Höker zu bestimmten Monats- oder Wochentagen eine bestimmte Kundschaft aufsucht, so ist das entweder eingelebte Sitte oder ebenfalls Produkt seiner Interessenlage (Turnus in seinem Erwerbssprengel). Wenn ein Beamter aber täglich zur festen Stunde auf dem Büro erscheint, so ist das (auch, aber:) nicht *nur* durch eingelebte Gewöhnung (Sitte) und (auch, aber:) nicht *nur* durch eigne Interessenlage bedingt, der er nach Belieben nachleben könnte oder nicht. Sondern (in der Regel: auch) durch das „Gelten" der Ordnung (Dienstreglement) als Gebot, dessen Verletzung nicht nur Nachteile brächte, sondern – normalerweise – auch von seinem „Pflichtgefühl" wertrational (wenn auch in höchst verschiedenem Maße wirksam) perhorresziert wird.

2. Einen Sinngehalt einer sozialen Beziehung wollen wir a) nur dann eine „Ordnung" nennen, wenn das Handeln an angebbaren

„Maximen" (durchschnittlich und annähernd) orientiert wird. Wir wollen b) nur dann von einem „Gelten" dieser Ordnung sprechen, wenn diese tatsächliche Orientierung an jenen Maximen mindestens *auch* (also in einem praktisch ins Gewicht fallenden Maß) deshalb erfolgt, weil sie als irgendwie *für* das Handeln geltend: verbindlich oder vorbildlich, angesehen werden. Tatsächlich findet die Orientierung des Handelns an einer Ordnung naturgemäß bei den Beteiligten aus sehr verschiedenen Motiven statt. Aber der Umstand, daß *neben* den andern Motiven die Ordnung mindestens einem Teil der Handelnden auch als vorbildlich oder verbindlich und also gelten *sollend* vorschwebt, steigert naturgemäß die Chance, daß das Handeln an ihr orientiert wird, und zwar oft in sehr bedeutendem Maße. Eine *nur* aus zweckrationalen Motiven innegehaltene Ordnung ist im allgemeinen weit labiler als die lediglich kraft Sitte, infolge der Eingelebtheit eines Verhaltens, erfolgende Orientierung an dieser: die von allen häufigste Art der inneren Haltung. Aber sie ist noch ungleich labiler als eine mit dem Prestige der Vorbildlichkeit oder Verbindlichkeit, wir wollen sagen: der *„Legitimität"*, auftretende. Die Übergänge von der bloß traditional oder bloß zweckrational motivierten Orientierung an einer Ordnung zum Legitimitäts-Glauben sind natürlich in der Realität durchaus flüssig.

3. An der Geltung einer Ordnung „orientieren" kann man sein Handeln nicht nur durch „Befolgung" ihres (durchschnittlich verstandenen) Sinnes. Auch im Fall der „Umgehung" oder „Verletzung" ihres (durchschnittlich verstandenen) Sinnes kann die Chance ihrer in irgendeinem Umfang bestehenden Geltung (als verbindliche Norm) *wirken*. Zunächst rein zweckrational. Der Dieb orientiert an der „Geltung" des Strafgesetzes sein Handeln: indem er es verhehlt. Daß die Ordnung innerhalb eines Menschenkreises „gilt", äußert sich eben darin, daß er den Verstoß verhehlen *muß*. Aber von diesem Grenzfall abgesehen: sehr häufig beschränkt sich die Verletzung der Ordnung auf mehr oder minder zahlreiche Partialverstöße, oder sie sucht sich, mit verschiedenem Maß von Gutgläubigkeit, als legitim hinzustellen. Oder es bestehen tatsächlich verschiedene Auffassungen des Sinnes der Ordnung nebeneinander, die dann – für die Soziologie – jede in dem Umfang „gelten", als sie das tatsächliche Verhalten bestimmen. Es macht der Soziologie keine Schwierigkeiten, das Nebeneinandergelten verschiedener einander *widersprechender* Ordnungen innerhalb des gleichen Menschenkreises anzuerkennen. Denn sogar der einzelne kann sein Handeln an einander widersprechenden Ordnungen orientieren. Nicht nur sukzessiv, wie es alltäglich geschieht, sondern

auch durch die gleiche Handlung. Wer einen Zweikampf vollzieht, orientiert sein Handeln am Ehrenkodex, indem er aber dies Handeln verhehlt oder umgekehrt: sich dem Gericht stellt, am Strafgesetzbuch. Wenn freilich Umgehung oder Verletzung des (durchschnittlich geglaubten) Sinns einer Ordnung zur *Regel* geworden sind, so „gilt" die Ordnung eben nur noch begrenzt oder schließlich gar nicht mehr. Zwischen Geltung und Nichtgeltung einer bestimmten Ordnung besteht also für die Soziologie nicht, wie für die Jurisprudenz (nach deren unvermeidlichem Zweck) absolute Alternative. Sondern es bestehen flüssige Übergänge zwischen beiden Fällen und es können, wie bemerkt, einander widersprechende Ordnungen nebeneinander „gelten", jede – heißt dies dann – in dem Umfang, als die *Chance* besteht, daß das Handeln *tatsächlich* an ihr orientiert wird.

Kenner der Literatur werden sich an die Rolle erinnern, welche der Begriff der „Ordnung" in R. Stammlers zweifellos – wie alle seine Arbeiten – glänzend geschriebenem aber gründlich verfehltem und die Probleme verhängnisvoll verwirrendem, in der Vorbemerkung zitiertem Buch spielt. (Vgl. dazu meine ebendort zitierte – im Verdruß über die angerichtete Verwirrung leider in der Form etwas scharf geratene – Kritik). Bei Stammler ist nicht nur das empirische und das normative Gelten nicht geschieden, sondern überdies verkannt, daß das soziale Handeln sich nicht *nur* an „Ordnungen" orientiert; vor allem aber ist in logisch völlig verfehlter Weise die Ordnung zur „Form" des sozialen Handelns gemacht und dann in eine ähnliche Rolle zum „Inhalt" gerückt, wie sie die „Form" im erkenntnistheoretischen Sinn spielt (von andern Irrtümern ganz abgesehen). Tatsächlich orientiert sich z. B. das (primär) wirtschaftliche Handeln (K. II) an der Vorstellung von der Knappheit bestimmter verfügbarer Mittel der Bedarfsbefriedigung im Verhältnis zum (vorgestellten) Bedarf und an dem gegenwärtigen und für künftig vorausgesehenen Handeln Dritter; die auf die gleichen Mittel reflektieren; *dabei* aber orientiert man sich natürlich *außerdem* in der *Wahl* seiner „wirtschaftlichen" Maßregeln an jenen „Ordnungen", welche der Handelnde als Gesetze und Konventionen „geltend" weiß, d. h. von denen er weiß, daß ein bestimmtes Reagieren Dritter im Fall ihrer Verletzung eintreten wird. Diesen höchst einfachen empirischen Sachverhalt hat Stammler in der hoffnungslosesten Weise verwirrt und insbesondere ein Kausalverhältnis zwischen „Ordnung" und realem Handeln für begrifflich unmöglich erklärt. Zwischen dem juristisch-dogmatischen, normativen Gelten der Ordnung und einem empirischen Vorgang gibt es ja in der Tat kein Kausalverhältnis, sondern nur die Frage: wird der empirische Vorgang von der (*richtig* interpretierten) Ordnung juristisch „betroffen"? *soll* sie also (normativ) *für* ihn gelten? und, wenn ja, was sagt sie als für ihn normativ gelten*sollend* aus? Zwischen der *Chance* aber, daß an der *Vorstellung* vom Gelten einer durchschnittlich so und so verstandenen Ordnung das Handeln orientiert wird, und dem wirtschaftlichen Handeln besteht selbstverständlich (gegebenenfalls) ein Kausalverhältnis im ganz gewöhnlichen Sinn des Worts. Für die Soziologie aber „*ist*" eben lediglich jene Chance dieser *Vorstellung* „die" geltende Ordnung.

§ 6. Die Legitimität einer Ordnung kann *garantiert* sein:

I. rein innerlich und zwar
1. rein affektuell: durch gefühlsmäßige Hingabe;
2. wertrational: durch Glauben an ihre absolute Geltung als Ausdruck letzter verpflichtender Werte (sittlicher, ästhetischer oder irgendwelcher andrer);
3. religiös: durch den Glauben an die Abhängigkeit eines Heilsgüterbesitzes von ihrer Innehaltung;

II. auch (oder: nur) durch Erwartungen spezifischer äußerer Folgen, also: durch Interessenlage; aber: durch Erwartungen von besonderer *Art*.

Eine Ordnung soll heißen:
a) *Konvention*, wenn ihre Geltung äußerlich garantiert ist durch die Chance, bei Abweichung innerhalb eines angebbaren Menschenkreises auf eine (relativ) allgemeine und praktisch fühlbare *Mißbilligung* zu stoßen, –
b) *Recht*, wenn sie äußerlich garantiert ist durch die Chance (physischen oder psychischen) *Zwanges* durch ein auf Erzwingung der Innehaltung oder Ahndung der Verletzung gerichtetes Handeln eines *eigens* darauf eingestellten *Stabes* von Menschen.

Über Konvention s. neben Ihering a. a. O. Weigelin a. a. O. und *F. Tönnies*, Die Sitte (1909).

1. Konvention soll die *innerhalb eines Menschenkreises* als „geltend" gebilligte und durch Mißbilligung gegen Abweichungen garantierte „Sitte" heißen. Im Gegensatz zum Recht (im hier gebrauchten Sinn des Worts) fehlt der speziell auf die Erzwingung eingestellte Menschen*stab*. Wenn Stammler die Konvention vom Recht durch die absolute „Freiwilligkeit" der Unterwerfung scheiden will, so ist das nicht im Einklang mit dem üblichen Sprachgebrauch und auch für seine eigenen Beispiele nicht zutreffend. Die Befolgung der „Konvention"

(im üblichen Wortsinn) – etwa: des üblichen Grüßens, der Form und Inhalt – wird dem einzelnen als verbindlich oder vorbildlich durchaus ernstlich „zugemutet" und durchaus nicht, – wie etwa die bloße „Sitte", seine Speisen in bestimmter Art zu bereiten, – freigestellt. Ein Verstoß gegen die Konvention („Standessitte") wird oft durch die höchst wirksame und empfindliche Folge des sozialen Boykotts der Standesgenossen stärker geahndet als irgendein Rechtszwang dies vermöchte. Was fehlt, ist lediglich der besondre, auf ein spezifisches, die Innehaltung garantierendes Handeln eingestellte Stab von Menschen, (bei uns: Richter, Staatsanwälte, Verwaltungsbeamte, Exekutoren usw.). Aber der Übergang ist flüssig. Der Grenzfall der konventionellen Garantie einer Ordnung im Übergang zur Rechtsgarantie ist die Anwendung des förmlichen, angedrohten und *organisierten*, Boykotts. Dieser wäre für unsre Terminologie bereits ein Rechtszwangsmittel. Daß die Konvention außer durch die *bloße* Mißbilligung auch durch andre Mittel (etwa: Gebrauch des Hausrechts bei konventionswidrigem Verhalten) geschützt wird, interessiert hier nicht. Denn entscheidend ist: daß eben dann der *einzelne*, und zwar *infolge* der konventionellen Mißbilligung, diese (oft drastischen) Zwangsmittel anwendet, nicht: ein *Stab* von Menschen eigens dafür bereit steht.

2. Uns soll für den Begriff „Recht" (der für andre Zwecke ganz anders abgegrenzt werden mag) die Existenz eines Erzwingungs-*Stabes* entscheidend sein. Dieser braucht natürlich in keiner Art dem zu gleichen, was wir heute gewohnt sind. Insbesondere ist es nicht nötig, daß eine „richterliche" Instanz vorhanden sei. Auch die Sippe (bei der Blutrache und Fehde) ist ein solcher Stab, *wenn* für die Art ihres Reagierens Ordnungen irgendwelcher Art tatsächlich gelten. Allerdings steht dieser Fall auf der äußersten Grenze dessen, was gerade noch als „Rechtszwang" anzusprechen ist. Dem „Völkerrecht" ist bekanntlich die Qualität als „Recht" immer wieder bestritten worden, weil es an einer überstaatlichen Zwangsgewalt fehle. Für die hier (als zweckmäßig) gewählte Terminologie würde in der Tat eine Ordnung, die äußerlich lediglich durch Erwartungen der Mißbilligung und der Repressalien des Geschädigten, also konventionell und durch Interessenlage, garantiert ist, ohne daß ein Stab von Menschen existiert, dessen Handeln *eigens* auf ihre Innehaltung eingestellt ist, nicht als „Recht" zu bezeichnen sein. Für die juristische Terminologie kann dennoch sehr wohl das Gegenteil gelten. Die *Mittel* des Zwangs sind irrelevant. Auch die „brüderliche Vermahnung", welche in manchen Sekten als erstes Mittel sanften Zwangs gegen Sünder üblich war, gehört – wenn durch eine Regel geordnet und durch einen Menschen-

stab durchgeführt – dahin. Ebenso z. B. die zensorische Rüge als Mittel, „sittliche" Normen des Verhaltens zu garantieren. Erst recht also der psychische Zwang durch die eigentlichen kirchlichen Zuchtmittel. Es gibt also natürlich ganz ebenso ein hierokratisch wie ein politisch oder ein durch Vereinsstatuten oder durch Hausautorität oder durch Genossenschaften und Einungen garantiertes „Recht". Auch die Regeln eines „Komments" gelten dieser Begriffsbestimmung als „Recht". Der Fall des § 888 Abs. 2 RZPO. (unvollstreckbare Rechte) gehört selbstverständlich dahin. Die „leges imperfectae" und die „Naturalobligationen" sind Formen der Rechts*sprache*, in welchen *indirekt* Schranken oder Bedingungen der Zwangsanwendung ausgedrückt werden. Eine zwangsmäßig oktroyierte „Verkehrssitte" ist insoweit *Recht* (§§ 157, 242 BGB.). Vgl. über den Begriff der „guten Sitte" (= billigenswerte und daher vom Recht sanktionierte Sitte) Max Rümelin in der „Schwäb. Heimatsgabe für Th. Häring" (1918).

3. Nicht jede geltende Ordnung hat notwendig generellen und abstrakten Charakter. Geltender „Rechtssatz" und „Rechtsentscheidung" eines konkreten Falles z. B. waren keineswegs unter allen Umständen so voneinander geschieden, wie wir dies heute als normal ansehen. Eine „Ordnung" *kann* also auch als Ordnung lediglich eines konkreten Sachverhalts auftreten. Alles Nähere gehört in die Rechtssoziologie. Wir werden vorerst, wo nichts andres gesagt ist, zweckmäßigerweise mit der modernen Vorstellungsweise über die Beziehung von Rechtssatz und Rechtsentscheidung arbeiten.

4. „Äußerlich" garantierte Ordnungen können außerdem auch noch „innerlich" garantiert sein. Die Beziehung zwischen Recht, Konvention und „Ethik" ist für die Soziologie kein Problem. Ein „ethischer" Maßstab ist für sie ein solcher, der eine spezifische Art von wertrationalem *Glauben* von Menschen als Norm an menschliches Handeln legt, welches das Prädikat des „sittlich Guten" in Anspruch nimmt, ebenso wie Handeln, welches das Prädikat „schön" in Anspruch nimmt, dadurch an ästhetischen Maßstäben sich mißt. Ethische Normvorstellungen in diesem Sinn können das Handeln sehr tiefgehend beeinflussen und doch jeder äußeren Garantie entbehren. Letzteres pflegt dann der Fall zu sein, wenn durch ihre Verletzung fremde Interessen wenig berührt werden. Sie sind andrerseits sehr oft religiös garantiert. Sie können aber auch (im Sinn der hier gebrauchten Terminologie) konventionell: durch Mißbilligung der Verletzung und Boykott oder auch noch rechtlich, durch strafrechtliche oder polizeiliche Reaktion oder zivilrechtliche Konsequenzen, garantiert sein. Jede tatsächlich – im Sinn der Soziologie – „geltende"

Ethik pflegt weitgehend durch die Chance der Mißbilligung ihrer Verletzung, also: konventionell, garantiert zu sein. Andrerseits beanspruchen aber nicht (mindestens: nicht notwendig) alle konventionell oder rechtlich garantierten Ordnungen den Charakter *ethischer* Normen, die rechtlichen – oft, rein zweckrational gesatzten – im Ganzen noch weit weniger als die konventionellen. *Ob* eine unter Menschen verbreitete Geltungsvorstellung als dem Bereich der „Ethik" angehörig anzusehen ist oder nicht (also „bloße" Konvention oder „bloße" Rechtsnorm ist), kann für die empirische *Soziologie* nicht anders als nach demjenigen Begriff des „Ethischen" entschieden werden, der in dem in Frage stehenden Menschenkreise *tatsächlich* galt oder gilt. Allgemeines läßt sich darüber deshalb *für sie* nicht aussagen.

§ 7. *Legitime* Geltung kann einer Ordnung von den Handelnden zugeschrieben werden:

    a) kraft *Tradition*: Geltung des immer Gewesenen;

    b) kraft affektuellen (insbesondre: emotionalen) Glaubens: Geltung des neu Offenbarten oder des Vorbildlichen;

    c) kraft *wertrationalen* Glaubens: Geltung des als absolut gültig Erschlossenen;

    d) kraft positiver Satzung, an deren *Legalität* geglaubt wird. Diese Legalität kann als legitim gelten

        α) kraft Vereinbarung der Interessenten für diese;

        β) kraft Oktroyierung auf Grund einer als legitim geltenden Herrschaft von Menschen über Menschen und Fügsamkeit.

Alles Nähere gehört (vorbehaltlich einiger noch weiter zu definierender Begriffe) in die Herrschafts- und Rechtssoziologie. Hier sei nur bemerkt:

    1. Die Geltung von Ordnungen kraft Heilighaltung der Tradition ist die universellste und ursprünglichste. Angst vor magischen Nachteilen verstärkte die psychische Hemmung gegenüber jeder Änderung eingelebter Gepflogenheiten des Handelns und die mannigfachen Interessen, welche sich an Erhaltung der Fügsamkeit in die einmal geltende Ordnung zu knüpfen pflegen, wirkten im Sinn ihrer Erhaltung. Darüber später in Kap. III.

    2. *Bewußte* Neuschöpfungen von Ordnungen waren ursprünglich fast stets prophetische Orakel oder mindestens prophetisch sanktionierte und als solche heilig geglaubte Verkündigungen, bis herab zu den Statuten der hellenischen Aisymneten. Die Fügsamkeit hing dann am Glauben an die Legitimation des Propheten. Ohne Neuoffen-

barung von Ordnungen war in Epochen der Geltung des strengen Traditionalismus die Entstehung neuer Ordnungen, d. h. solcher, die als „neu" *angesehen* wurden, nur so möglich, daß diese als in Wahrheit von jeher geltend und nur noch nicht *richtig* erkannt oder als zeitweise verdunkelt und nunmehr wieder*entdeckt* behandelt wurden.

3. Der reinste Typus der wertrationalen Geltung wird durch das „Naturrecht" dargestellt. Wie begrenzt auch immer gegenüber seinen idealen Ansprüchen, so ist doch ein nicht ganz geringes Maß von realem Einfluß seiner logisch erschlossenen Sätze auf das Handeln nicht zu bestreiten und sind diese sowohl von dem offenbarten wie vom gesatzten wie vom traditionalen Recht zu scheiden.

4. Die heute geläufigste Legitimitätsform ist der *Legalitäts*glaube: die Fügsamkeit gegenüber *formal* korrekt und in der üblichen Form zustandegekommenen Satzungen. Der Gegensatz paktierter und oktroyierter Ordnungen ist dabei nur relativ. Denn sobald die Geltung einer paktierten Ordnung nicht auf *einmütiger* Vereinbarung beruht, – wie dies in der Vergangenheit oft für erforderlich zur wirklichen Legitimität gehalten wurde, – sondern innerhalb eines Kreises von Menschen auf tatsächlicher Fügsamkeit abweichend Wollender gegenüber Majoritäten – wie es sehr oft der Fall ist, – dann liegt tatsächlich eine Oktroyierung gegenüber der Minderheit vor. Der Fall andrerseits, daß gewaltsame oder doch rücksichtslosere und zielbewußtere Minderheiten Ordnungen oktroyieren, die dann auch den ursprünglich Widerstrebenden als legitim gelten, ist überaus häufig. Soweit „Abstimmungen" als Mittel der Schaffung oder Änderung von Ordnungen legal sind, ist es sehr häufig, daß der Minderheitswille die formale Mehrheit erlangt und die Mehrheit sich fügt, also: die Majorisierung nur Schein ist. Der Glaube an die Legalität paktierter Ordnungen reicht ziemlich weit zurück und findet sich zuweilen auch bei sog. Naturvölkern: fast stets aber ergänzt durch die Autorität von Orakeln.

5. Die Fügsamkeit gegenüber der Oktroyierung von Ordnungen durch einzelne oder mehrere setzt, soweit nicht bloße Furcht oder zweckrationale Motive dafür entscheidend sind, sondern Legalitätsvorstellungen bestehen, den Glauben an eine in irgendeinem Sinn legitime *Herrschafts*gewalt des oder der Oktroyierenden voraus, wovon daher gesondert zu handeln ist (§§ 13, 16 und K. III).

6. In aller Regel ist Fügsamkeit in Ordnungen außer durch Interessenlagen der allerverschiedensten Art durch eine Mischung von Traditionsgebundenheit und Legalitätsvorstellung bedingt, soweit es sich nicht um ganz neue Satzungen handelt. In sehr vielen Fällen ist

den fügsam Handelnden dabei natürlich nicht einmal bewußt, ob es sich um Sitte, Konvention oder Recht handelt. Die Soziologie hat dann die *typische* Art der Geltung zu ermitteln.

§ 8. *Kampf* soll eine soziale Beziehung insoweit heißen, als das Handeln an der Absicht der Durchsetzung des eignen Willens gegen Widerstand des oder der Partner orientiert ist. „Friedliche" Kampfmittel sollen solche heißen, welche nicht in aktueller physischer Gewaltsamkeit bestehen. Der „friedliche" Kampf soll „Konkurrenz" heißen, wenn er als formal friedliche Bewerbung um eigne Verfügungsgewalt über Chancen geführt wird, die auch andre begehren. „Geregelte Konkurrenz" soll eine Konkurrenz insoweit heißen, als sie in Zielen und Mitteln sich an einer Ordnung, orientiert. Der ohne sinnhafte Kampfabsicht *gegen*einander stattfindende (latente) Existenzkampf menschlicher Individuen oder Typen um Lebens- oder Überlebenschancen soll „Auslese" heißen: „soziale Auslese", sofern es sich um Chancen Lebender im Leben, „biologische Auslese", sofern es sich um Überlebenschancen von Erbgut handelt.

1. Vom blutigen, auf Vernichtung des Lebens des Gegners abzielenden, jede Bindung an Kampfregeln ablehnenden Kampf bis zum konventional geregelten Ritterkampf (Heroldsruf vor der Schlacht von Fontenoy: „Messieurs les Anglais, tirez les premiers") und zum geregelten Kampfspiel (Sport), von der regellosen „Konkurrenz" etwa erotischer Bewerber um die Gunst einer Frau, dem an die Ordnung des Markts gebundenen Konkurrenzkampf um Tauschchancen bis zu geregelten künstlerischen „Konkurrenzen" oder zum „Wahlkampf" gibt es die allerverschiedensten lückenlosen Übergänge. Die begriffliche Absonderung des gewaltsamen Kampfes rechtfertigt sich durch die Eigenart der ihm normalen Mittel und die daraus folgenden Besonderheiten der soziologischen Konsequenzen seines Eintretens (s. K. II und später).

2. Jedes typisch und massenhaft stattfindende Kämpfen und Konkurrieren führt trotz noch so vieler ausschlaggebender Zufälle und Schicksale doch auf die Dauer im Resultat zu einer „Auslese" derjenigen, welche die für den Sieg im Kampf durchschnittlich wichtigen persönlichen Qualitäten in stärkerem Maße besitzen. Welches diese Qualitäten sind: ob mehr physische Kraft oder skrupelfreie Verschlagenheit, mehr Intensität geistiger Leistungs- oder Lungenkraft und Demagogentechnik, mehr Devotion gegen Vorgesetzte oder gegen umschmeichelte Massen, mehr originale Leistungsfähigkeit oder mehr

soziale Anpassungsfähigkeit, mehr Qualitäten, die als außergewöhnlich oder solche, die als nicht über dem Massendurchschnitt stehend gelten: – darüber entscheiden die Kampf- und Konkurrenzbedingungen, zu denen, neben allen denkbaren individuellen und Massenqualitäten auch jene *Ordnungen* gehören, an denen sich, sei es traditional sei es wertrational oder zweckrational, das Verhalten im Kampf orientiert. *Jede* von ihnen beeinflußt die Chancen der sozialen Auslese. Nicht *jede* soziale Auslese ist in unsrem Sinn „Kampf". „Soziale Auslese" bedeutet vielmehr zunächst nur: daß bestimmte Typen des Sichverhaltens und also, eventuell, der persönlichen Qualitäten, bevorzugt sind in der Möglichkeit der Gewinnung einer bestimmten sozialen *Beziehung* (als „Geliebter", „Ehemann", „Abgeordneter", „Beamter", „Bauleiter", „Generaldirektor", „erfolgreicher Unternehmer" usw.). Ob diese soziale Vorzugschance durch „Kampf" realisiert wird, ferner aber: ob sie auch die biologische *Überlebenschance* des Typus verbessert oder das Gegenteil, darüber sagt sie an sich nichts aus.

Nur wo wirklich *Konkurrenz* stattfindet, wollen wir von „Kampf" sprechen. Nur im Sinn von „Auslese" ist der Kampf tatsächlich, nach aller bisherigen Erfahrung, und nur im Sinn von *biologischer* Auslese ist er *prinzipiell* unausschaltbar. „Ewig" ist die Auslese deshalb, weil sich kein Mittel ersinnen läßt, sie völlig auszuschalten. Eine pazifistische Ordnung strengster Observanz kann immer nur Kampfmittel, Kampfobjekte und Kampfrichtung im Sinn der Ausschaltung bestimmter von ihnen regeln. Das bedeutet: daß *andre* Kampfmittel zum Siege in der (offenen) Konkurrenz oder – wenn man sich (was nur utopistisch-theoretisch möglich wäre) auch diese beseitigt denkt – dann immer noch in der (latenten) Auslese um Lebens- und Überlebenschancen führen und diejenigen begünstigen, denen sie, gleichviel ob als Erbgut oder Erziehungsprodukt, zur Verfügung stehen. Die soziale Auslese bildet empirisch, die biologische prinzipiell, die Schranke der Ausschaltung des Kampfes.

3. Zu scheiden von dem Kampf der *einzelnen* um Lebens- und Überlebenschancen ist natürlich „Kampf" und „Auslese" sozialer *Beziehungen.* Nur in einem übertragenen Sinn kann man hier diese Begriffe anwenden. Denn „Beziehungen" *existieren* ja nur als menschliches *Handeln* bestimmten Sinngehalts. Und eine „Auslese" oder ein „Kampf" zwischen ihnen bedeutet also: daß eine bestimmte Art von Handeln durch eine andere, sei es der gleichen oder anderer Menschen, im Lauf der Zeit *verdrängt* wird. Dies ist in verschiedener *Art* möglich. Menschliches Handeln kann sich a) *bewußt* darauf richten: bestimmte konkrete, oder: generell bestimmt geordnete, soziale Be-

ziehungen d. h. das ihrem Sinngehalt entsprechend ablaufende *Handeln* zu *stören* oder im Entstehen oder Fortbestehen zu verhindern (einen „Staat" durch Krieg oder Revolution oder eine „Verschwörung" durch blutige Unterdrückung, „Konkubinate" durch polizeiliche Maßnahmen, „wucherische" Geschäftsbeziehungen durch Versagung des Rechtsschutzes und Bestrafung), oder durch Prämierung des Bestehens der einen Kategorie zuungunsten der andern bewußt zu beeinflussen: Einzelne sowohl wie viele verbundene Einzelne können sich derartige Ziele setzen. Es kann aber auch b) der ungewollte Nebenerfolg des Ablaufs sozialen Handelns und der dafür maßgebenden Bedingungen aller Art sein: daß bestimmte konkrete, oder bestimmt geartete, Beziehungen (d. h. stets: das betreffende *Handeln*) eine abnehmende Chance haben, fortzubestehen oder neu zu entstehen. Alle natürlichen und Kultur-Bedingungen jeglicher Art wirken im Fall der Veränderung in irgendeiner Weise dahin, solche Chancen für die allerverschiedensten Arten sozialer Beziehungen zu verschieben. Es ist jedermann unbenommen, auch in solchen Fällen von einer „Auslese" der sozialen Beziehungen – z. B. der staatlichen Verbände – zu reden, in dem der „Stärkere" (im Sinn des „Angepaßteren") siege. Nur ist festzuhalten, daß diese sog. „Auslese" mit der Auslese der Menschen*typen* weder im sozialen noch im biologischen Sinn etwas zu tun hat, daß in jedem einzelnen Fall nach dem *Grunde* zu fragen ist, der die Verschiebung der Chancen für die eine oder die andere Form des sozialen Handelns und der sozialen Beziehungen bewirkt, oder eine soziale Beziehung gesprengt, oder ihr die Fortexistenz gegenüber andern gestattet hat, und daß diese Gründe so mannigfaltig sind, daß ein einheitlicher Ausdruck dafür unpassend erscheint. Es besteht dabei stets die Gefahr: unkontrollierte *Wertungen* in die empirische Forschung zu tragen und vor allem: Apologie des im Einzelfall oft rein individuell bedingten, also in diesem Sinn des Wortes: „zufälligen", *Erfolges* zu treiben. Die letzten Jahre brachten und bringen davon mehr als zuviel. Denn das oft durch rein konkrete Gründe bedingte Ausgeschaltetwerden einer (konkreten oder qualitativ spezifizierten) sozialen Beziehung beweist ja an sich noch nicht einmal etwas gegen ihre *generelle* „Angepaßtheit".

§ 9. „Vergemeinschaftung" soll eine soziale Beziehung heißen, wenn und soweit die Einstellung des sozialen Handelns – im Einzelfall oder im Durchschnitt oder im reinen Typus – auf subjektiv *gefühlter* (affektueller oder traditionaler) *Zusammengehörigkeit* der Beteiligten beruht.

„Vergesellschaftung" soll eine soziale Beziehung heißen, wenn und soweit die Einstellung des sozialen Handelns auf rational (wert- oder zweckrational) motiviertem Interessen*ausgleich* oder auf ebenso motivierter Interessen*verbindung* beruht. Vergesellschaftung kann typisch insbesondre (aber nicht: nur) auf rationaler Vereinbarung durch gegenseitige Zusage beruhen. Dann wird das vergesellschaftete Handeln im Rationalitätsfall orientiert a) wertrational an dem Glauben an die *eigne* Verbindlichkeit, – b) zweckrational an der Erwartung der Loyalität des *Partners*.

1. Die Terminologie erinnert an die von F. Tönnies in seinem grundlegenden Werk: Gemeinschaft und Gesellschaft, vorgenommene Unterscheidung. Doch hat T. für seine Zwecke dieser Unterscheidung alsbald einen wesentlich spezifischeren Inhalt gegeben, als hier für unsre Zwecke nützlich wäre. Die reinsten Typen der Vergesellschaftung sind a) der streng zweckrationale frei paktierte *Tausch* auf dem Markt: – ein aktuelles Kompromiß entgegengesetzter, aber komplementär, Interessierter; – b) der reine, frei paktierte, *Zweckverein*, eine nach Absicht und Mitteln rein auf Verfolgung sachlicher (ökonomischer oder anderer) Interessen der Mitglieder abgestellte Vereinbarung kontinuierlichen Handelns, – c) der wertrational motivierte *Gesinnungs*verein: die rationale Sekte, insoweit, als sie von der Pflege emotionaler und affektueller Interessen absieht und nur der „Sache" dienen will (was freilich nur in besondern Fällen in ganz reinem Typus vorkommt).

2. *Vergemeinschaftung* kann auf jeder Art von affektueller oder emotionaler oder aber traditionaler Grundlage ruhen: eine pneumatische Brüdergemeinde, eine erotische Beziehung, ein Pietätsverhältnis, eine „nationale" Gemeinschaft, eine kameradschaftlich zusammenhaltende Truppe. Den Typus gibt am bequemsten die Familiengemeinschaft ab. Die große Mehrzahl sozialer Beziehungen aber hat *teils* den Charakter der Vergemeinschaftung, *teils* den der Vergesellschaftung. Jede noch so zweckrationale und nüchtern geschaffene und abgezweckte soziale Beziehung (Kundschaft z. B.) *kann* Gefühlswerte stiften, welche über den gewillkürten Zweck hinausgreifen. Jede über ein aktuelles Zweckvereinshandeln hinausgehende, also auf längere Dauer eingestellte, soziale Beziehungen zwischen den gleichen Personen herstellende und nicht von vornherein auf sachliche Einzelleistungen begrenzte Vergesellschaftung – wie etwa die Vergesellschaftung im gleichen Heeresverband, in der gleichen Schulklasse, im gleichen Kontor, der gleichen Werkstatt – neigt, in freilich höchst verschiedenem Grade, irgendwie dazu. Ebenso kann umgekehrt eine soziale

Beziehung, deren normaler Sinn Vergemeinschaftung ist, von allen oder einigen Beteiligten ganz oder teilweise zweckrational orientiert werden. Wie weit z. B. ein Familienverband von den Beteiligten als „Gemeinschaft" gefühlt oder als „Vergesellschaftung" ausgenutzt wird, ist sehr verschieden. Der Begriff der „Vergemeinschaftung" ist hier absichtlich noch ganz allgemein und also: sehr heterogene Tatbestände umfassend, definiert.

3. Vergemeinschaftung ist dem gemeinten Sinn nach normalerweise der radikalste Gegensatz gegen „*Kampf*". Dies darf nicht darüber täuschen, daß tatsächlich Vergewaltigung jeder Art innerhalb auch der intimsten Vergemeinschaftungen gegenüber dem seelisch Nachgiebigeren durchaus normal ist, und daß die „Auslese" der Typen innerhalb der Gemeinschaften ganz ebenso stattfindet und zur Verschiedenheit der durch sie gestifteten Lebens- und Überlebenschancen führt wie irgendwo sonst. Vergesellschaftungen andrerseits sind sehr oft *lediglich* Kompromisse widerstreitender Interessen, welche nur einen *Teil* des Kampfgegenstandes oder der Kampfmittel ausschalten (oder: dies doch versuchen), den Interessengegensatz selbst und die *Konkurrenz* um die Chancen im übrigen aber bestehen lassen. „Kampf" und Gemeinschaft sind relative Begriffe; der Kampf gestaltet sich eben sehr verschieden, je nach den Mitteln (gewaltsame oder „friedliche") und der Rücksichtslosigkeit ihrer Anwendung. Und jede wie immer geartete Ordnung sozialen Handelns läßt, wie gesagt, die reine tatsächliche *Auslese* im Wettbewerb der verschiedenen Menschentypen um die Lebenschancen irgendwie bestehen.

4. Keineswegs jede Gemeinsamkeit der Qualitäten, der Situation oder des Verhaltens *ist* eine Vergemeinschaftung. Z. B. bedeutet die Gemeinsamkeit von solchem biologischen Erbgut, welches als „Rassen"-Merkmal angesehen wird, an sich natürlich noch keinerlei Vergemeinschaftung der dadurch Ausgezeichneten. Durch Beschränkung des commercium und connubium seitens der Umwelt können sie in eine gleichartige – dieser Umwelt gegenüber isolierte – Situation geraten. Aber auch wenn sie auf diese Situation gleichartig reagieren, so ist dies noch keine Vergemeinschaftung, und auch das bloße „Gefühl" für die gemeinsame Lage und deren Folgen erzeugt sie noch nicht. Erst wenn sie auf Grund dieses Gefühls ihr Verhalten irgendwie *an*einander *orientieren*, entsteht eine soziale Beziehung zwischen ihnen – nicht nur: jedes von ihnen zur Umwelt – und erst soweit diese eine gefühlte Zusammengehörigkeit dokumentiert, „Gemeinschaft". Bei den Juden z. B. ist dies – außerhalb der zionistisch orientierten Kreise und des Handelns einiger andrer Vergesellschaftungen für

jüdische Interessen – nur in relativ sehr geringem Maße der Fall, wird von ihnen vielfach geradezu abgelehnt. Gemeinsamkeit der *Sprache*, geschaffen durch gleichartige Tradition von seiten der Familie und Nachbarumwelt, erleichtert das gegenseitige Verstehen, also die Stiftung aller sozialer Beziehungen, im höchsten Grade. Aber an sich bedeutet sie noch keine Vergemeinschaftung, sondern nur die Erleichterung des Verkehrs innerhalb der betreffenden Gruppen, also: der Entstehung von Vergesellschaftungen. Zunächst: zwischen den *einzelnen* und *nicht* in deren Eigenschaft als Sprachgenossen, sondern als Interessenten sonstiger Art: die Orientierung an den Regeln der gemeinsamen Sprache ist primär also nur Mittel der Verständigung, nicht Sinngehalt von sozialen Beziehungen. Erst die Entstehung bewußter Gegensätze gegen Dritte kann für die an der Sprachgemeinsamkeit Beteiligten eine gleichartige Situation, Gemeinschaftsgefühl und Vergesellschaftungen, deren bewußter Existenzgrund die gemeinsame Sprache ist, stiften. – Die Beteiligung an einem „Markt" (Begriff s. K. II) ist wiederum anders geartet. Sie stiftet Vergesellschaftung zwischen den einzelnen Tauschpartnern und eine soziale Beziehung (vor allem: „Konkurrenz") zwischen den Tauschreflektanten, die gegenseitig ihr Verhalten aneinander orientieren müssen. Aber darüber hinaus entsteht Vergesellschaftung nur, soweit etwa einige Beteiligte zum Zweck erfolgreicheren Preiskampfs, oder: sie alle zu Zwecken der Regelung und Sicherung des Verkehrs, Vereinbarungen treffen. (Der Markt und die auf ihm ruhende Verkehrswirtschaft ist im übrigen der wichtigste Typus der gegenseitigen Beeinflussung des Handelns durch nackte *Interessenlage*, wie sie der modernen Wirtschaft charakteristisch ist.)

§ 10. Eine soziale Beziehung (gleichviel ob Vergemeinschaftung oder Vergesellschaftung) soll nach außen „*offen*" heißen, wenn und insoweit die Teilnahme an dem an ihrem Sinngehalt orientierten gegenseitigen sozialen Handeln, welches sie konstituiert, nach ihren geltenden Ordnungen niemand verwehrt wird, der dazu tatsächlich in der Lage und geneigt ist. Dagegen nach außen „*geschlossen*" dann, insoweit und in dem Grade, als ihr Sinngehalt oder ihre geltenden Ordnungen die Teilnahme ausschließen oder beschränken oder an Bedingungen knüpfen. Offenheit und Geschlossenheit können traditionell oder affektuell oder wert- oder zweckrational bedingt sein. Die *rationale* Schließung insbesondere durch folgenden Sachverhalt: Eine soziale Beziehung kann den Beteiligten Chancen der Befriedigung innerer oder äußerer Interessen eröffnen, sei es dem Zweck oder dem Erfolg nach, sei es durch solidarisches Handeln oder durch Interessenausgleich. Wenn die Beteiligten von ihrer Propagierung eine Verbesserung ihrer eignen Chancen nach Maß, Art, Sicherung oder Wert erwarten, so sind sie an Offenheit, wenn umgekehrt von deren Monopolisierung, so sind sie an Schließung nach *außen* interessiert.

Eine geschlossene soziale Beziehung kann monopolisierte Chancen den Beteiligten a) *frei* oder b) nach Maß und Art *reguliert* oder rationiert oder c) den einzelnen oder Gruppen von ihnen dauernd und relativ oder völlig unentziehbar *appropriiert* garantieren (Schließung nach *innen*). Appropriierte Chancen sollen „Rechte" heißen. Die Appropriation kann gemäß der Ordnung 1) an die an bestimmten Gemeinschaften und Gesellschaften – z. B. Hausgemeinschaften – Beteiligten oder 2) an Einzelne und in diesem Fall a: rein persönlich oder b: so erfolgen, daß im Todesfall ein oder mehrere durch eine soziale Beziehung oder durch Gebürtigkeit (Verwandtschaft) mit dem bisherigen Genießer der Chance Verbundenen oder der oder die von ihm zu bezeichnenden Anderen in die appropriierten Chancen einrücken (erbliche Appropriation). Sie kann endlich 3) so erfolgen, daß der Genießer die Chance a): bestimmten oder endlich b): daß er sie beliebigen anderen durch Vereinbarung mehr oder minder frei abtreten kann (veräußerliche Appropriation). Der an einer geschlossenen Beziehung Beteiligte soll *Genosse*, im Fall der Regulierung der Beteiligung aber, sofern diese ihm Chancen appropriiert, *Rechtsgenosse* genannt werden. Erblich an Einzelne oder an erbliche Gemeinschaften oder Gesellschaften appropriierte Chancen sollen: *Eigentum* (der einzelnen oder der betreffenden Gemeinschaften oder Gesellschaften), veräußerlich appropriierte: *freies* Eigentum heißen.

Die scheinbar nutzlos „mühselige" Definition dieser Tatbestände ist ein Beispiel dafür: daß gerade das „Selbstverständliche" (weil anschaulich Eingelebte) am wenigsten „gedacht" zu werden pflegt.

   1.a) Traditional geschlossen pflegen z. B. Gemeinschaften zu sein, deren Zugehörigkeit sich auf Familienbeziehungen gründet.

     b)Affektuell geschlossen zu sein pflegen persönliche Gefühlsbeziehungen (z. B. erotische oder – oft – pietätsmäßige).

     c)Wertrational (relativ) geschlossen pflegen strikte Glaubensgemeinschaften zu sein.

     d)Zweckrational typisch geschlossen sind ökonomische Verbände mit monopolistischem oder plutokratischem Charakter.

Einige Beispiele beliebig herausgegriffen:

Offenheit oder Geschlossenheit einer aktuellen Sprachvergesellschaftung hängt von dem Sinngehalt ab (Konversation im Gegensatz zu intimer oder geschäftlicher Mitteilung). – Die Marktbeziehung pflegt primär wenigstens oft offen zu sein. – Bei zahlreichen Vergemeinschaftungen und Vergesellschaftungen beobachten wir einen *Wechsel* zwischen Propagierung und Schließung. So z. B. bei den Zünften, den demokratischen Städten der Antike und des Mittelalters, deren Mitglieder zeitweise, im Interesse der Sicherung ihrer Chancen durch Macht, die möglichste Vermehrung, zu anderen Zeiten, im Interesse des Wertes ihres Monopols, Begrenzung der Mitgliedschaft erstrebten. Ebenso nicht selten bei Mönchsgemeinschaften und Sekten, die von religiöser Propaganda zur Abschließung im Interesse der Hochhaltung des ethischen Standards oder auch aus materiellen Gründen übergingen. Verbreiterung des Marktes im Interesse vermehrten Umsatzes und monopolistische Begrenzung des Marktes stehen ähnlich nebeneinander. Sprachpropaganda findet sich heute als normale Folge der Verleger- und Schriftsteller-Interessen gegenüber den früher nicht seltenen ständisch geschlossenen und Geheimsprachen.

2. Das Maß und die Mittel der Regulierung und Schließung nach außen können sehr verschieden sein, so daß der Übergang von Offenheit zu Reguliertheit und Geschlossenheit flüssig ist: Zulassungsleistungen und Noviziate oder Erwerb eines bedingt käuflichen Mitgliedsanteils, Ballotage für jede Zulassung, Zugehörigkeit oder Zulassung kraft Gebürtigkeit (Erblichkeit) oder kraft jedermann freistehender Teilnahme an bestimmten Leistungen oder – im Fall der Schließung und Appropriation nach innen – kraft Erwerbs eines appropriierten Rechts und die verschiedensten Abstufungen der Teilnahmebedingungen finden sich. „Reguliertheit" und „Geschlossenheit" nach außen sind also relative Begriffe. Zwischen einem vornehmen Klub, einer gegen Billet zugänglichen Theatervorstellung und einer auf Werbung ausgehenden Parteiversammlung, einem frei zugänglichen Gottesdienst, demjenigen einer Sekte und den Mysterien eines Geheimbundes bestehen alle denkbare Übergänge.

3. Die Schließung nach *innen* – unter den Beteiligten selbst und im Verhältnis dieser zueinander – kann ebenfalls die verschiedenste Form annehmen. Z. B. kann eine nach außen geschlossene Kaste, Zunft oder etwa: Börsengemeinschaft ihren Mitgliedern die freie Konkurrenz miteinander um alle monopolisierten Chancen überlassen oder ein jedes Mitglied streng auf bestimmte, ihm lebenslang oder auch (so namentlich in Indien) erblich und veräußerlich appropriierte Chancen, so z. B. Kundschaften oder Geschäftsobjekte, beschränken, eine nach außen geschlossene Markgenossenschaft dem Markgenossen entweder freie Nutzung oder ein streng an den Ein-

zelhaushalt gebundenes Kontingent, ein nach außen geschlossener Siedlungsverband freie Nutzung des Bodens oder dauernd appropriierte feste Hufenanteile zubilligen und garantieren, alles dies mit allen denkbaren Übergängen und Zwischenstufen. Historisch z. B. haben die Schließung der Anwartschaften auf Lehen, Pfründen und Ämter nach Innen und die Appropriation an die Inhaber höchst verschiedene Formen angenommen, und ebenso kann – wozu die Entwicklung der „Betriebsräte" der erste Schritt sein *könnte* (aber nicht: sein *muß*) – die Anwartschaft auf und die Innehabung von Arbeitsstellen sich vom closed shop bis zum Recht an der einzelnen Stelle (Vorstufe: Verbot der Entlassung ohne Zustimmung der Vertreter der Arbeiterschaft) steigern. Alle Einzelheiten gehören in die sachliche Einzelanalyse. Das Höchstmaß dauernder Appropriation besteht bei solchen Chancen, welche dem einzelnen (oder bestimmten Verbänden einzelner, z. B. Hausgemeinschaften, Sippen, Familien) derart garantiert sind, daß 1. im Todesfall der Übergang in bestimmte andere Hände durch die Ordnungen geregelt und garantiert ist, – 2. die Inhaber der Chance dieselbe frei an beliebige Dritte übertragen können, welche *dadurch* Teilhaber der sozialen Beziehung werden: diese ist also, im Fall solcher vollen Appropriation nach *innen*, zugleich eine nach *außen* (relativ) *offene* Beziehung (sofern sie den Mitgliedschafts-Erwerb *nicht* an die Zustimmung der andern Rechtsgenossen bindet).

4. *Motiv* der Schließung kann sein a) Hochhaltung der Qualität und (eventuell) dadurch des Prestiges und der daran haftenden Chancen der Ehre und (eventuell) des Gewinnes. Beispiele: Asketen-, Mönchs- (insbesondere auch z. B. in Indien: Bettelmönchs-), Sekten- (Puritaner!), Krieger-, Ministerialen- und andere Beamten- und politischen Bürgerverbände (z. B. in der Antike), Handwerkereinungen; b) Knappwerden der Chancen im Verhältnis zum (Konsum-)Bedarf („Nahrungsspielraum"): Konsumtionsmonopol (Archetypos: die Markgemeinschaft); c) Knappwerden der Erwerbschancen („Erwerbsspielraum"): Erwerbsmonopol (Archetypos: die Zunft- oder die alten Fischereiverbände usw.). Meist ist das Motiv a mit b oder c kombiniert.

§ 11. Eine soziale Beziehung kann für die Beteiligten nach traditionaler oder gesatzter Ordnung die Folge haben: daß bestimmte Arten des Handelns a) *jedes* an der Beziehung Beteiligten *allen* Beteiligten („Solidaritätsgenossen") oder b) das Handeln bestimmter Beteiligter („Vertreter") den andern Beteiligten („Vertretenen") *zugerechnet* wird, daß also sowohl die Chancen wie die Konsequenzen ihnen zugute kommen bzw. ihnen zur Last fallen. Die Vertretungsgewalt (Vollmacht) kann nach den geltenden Ordnungen – 1. in allen Arten und Graden appropriiert (Eigenvollmacht) oder aber – 2. nach Merkmalen dauernd oder zeitweise zugewiesen sein – oder 3. durch bestimmte Akte der Beteiligten oder Dritter, zeitweilig oder dauernd, übertragen werden (gesatzte Vollmacht). Über die Bedingungen, unter denen soziale Beziehungen (Gemeinschaften oder Gesellschaften) als Solidaritäts- oder als Vertretungsbeziehungen behandelt werden, läßt sich generell nur sagen, daß der Grad, in welchem ihr Handeln entweder a) auf gewaltsamen Kampf oder b) auf friedlichen Tausch als Zweck ausgerichtet ist, dafür in erster Linie entscheidend ist, daß aber im übrigen zahlreiche erst in der Einzelanalyse festzustellende Sonderumstände dafür maßgebend waren und sind. Am wenigsten pflegt naturgemäß diese Folge bei den rein *ideelle* Güter mit friedlichen Mitteln verfolgenden einzutreten. Mit dem Maß der Geschlossenheit nach außen geht die Erscheinung der Solidarität oder Vertretungsmacht zwar oft, aber nicht immer, parallel.

1. Die „Zurechnung" kann praktisch bedeuten: a) passive und aktive Solidarität: Für das Handeln des einen Beteiligten gelten alle ganz wie er selbst als verantwortlich, durch sein Handeln andrerseits alle ebenso wie er als legitimiert zur Nutzung der dadurch gesicherten Chancen. Die Verantwortlichkeit kann Geistern oder Göttern gegenüber bestehen, also religiös orientiert sein. Oder: Menschen gegenüber, und in diesem Fall konventional für und gegen Rechtsgenossen (Blutrache gegen und durch Sippengenossen, Repressalien gegen Stadtbürger und Konnationale) oder rechtlich (Strafe gegen Verwandte, Hausgenossen, Gemeindegenossen, persönliche Schuldhaftung von Hausgenossen und Handelsgesellschaftern füreinander und zugunsten solcher). Auch die Solidarität den Göttern gegenüber hat historisch (für die altisraelitische, altchristliche, altpuritanische Gemeinde) sehr bedeutende Folgen gehabt. b) Sie kann andrerseits (Mindestmaß!) auch nur bedeuten: daß nach traditionaler oder gesatzter Ordnung die an einer geschlossenen Beziehung Beteiligten eine Verfügung über Chancen gleichviel welcher Art (insbesondere: ökonomische Chancen), welche ein Vertreter vornimmt, für ihr eignes Verhalten als *legal* gelten lassen. („Gültigkeit" der Verfügungen des „Vorstandes" eines „Vereins" oder des Vertreters eines politischen oder ökonomischen Verbandes über Sachgüter, die nach der Ordnung „Verbandszwekken" dienen sollen.)

    2. Der Tatbestand der „Solidarität" besteht typisch a) bei traditionalen Gebürtigkeits- oder Lebens-Gemeinschaften (Typus: Haus und

Sippe), – b) bei geschlossenen Beziehungen, welche die monopolisierten Chancen durch eigne Gewaltsamkeit behaupten (Typus: politische Verbände, insbesondere in der Vergangenheit, aber in weitestem Umfang, namentlich im Kriege, auch noch der Gegenwart), – c) bei Erwerbs-Vergesellschaftungen mit persönlich durch die Beteiligten geführtem Betrieb (Typus: offene Handelsgesellschaft), – d) unter Umständen bei Arbeitsgesellschaften (Typus: Artjel). – Der Tatbestand der „Vertretung" besteht typisch bei Zweckvereinen und gesatzten Verbänden, insbesondere dann, wenn ein „Zweckvermögen" (darüber später in der Rechtssoziologie) gesammelt und verwaltet wird.

3. Nach „Merkmalen" zugewiesen ist eine Vertretungsgewalt z. B., wenn sie nach der Reihenfolge des Alters oder nach ähnlichen Tatbeständen zuständig wird.

4. Alles Einzelne dieses Sachverhalts läßt sich nicht generell, sondern erst bei der soziologischen Einzelanalyse darlegen. Der älteste und allgemeinste hierher gehörige Tatbestand ist die *Repressalie*, als Rache sowohl wie als Pfandzugriff.

§ 12. *Verband* soll eine nach außen regulierend beschränkte oder geschlossene soziale Beziehung dann heißen, wenn die Innehaltung ihrer Ordnung garantiert wird durch das eigens auf deren Durchführung eingestellte Verhalten bestimmter Menschen: eines *Leiters* und, eventuell, eines *Verwaltungsstabes*, der gegebenenfalls normalerweise zugleich Vertretungsgewalt hat. Die Innehabung der Leitung oder einer Teilnahme am Handeln des Verwaltungsstabes – die *„Regierungsgewalten"* – können a) appropriiert oder b) durch geltende Verbandsordnungen bestimmten oder nach bestimmten Merkmalen oder in bestimmten Formen auszulesenden Personen dauernd oder zeitweise oder für bestimmte Fälle zugewiesen sein. „Verbandshandeln" soll a) das auf die Durchführung der Ordnung bezogene kraft Regierungsgewalt oder Vertretungsmacht legitime Handeln des Verwaltungsstabs selbst, b) das von ihm durch Anordnungen *geleitete* Handeln der Verbandsbeteiligten heißen.

1. Ob es sich um Vergemeinschaftung oder Vergesellschaftung handelt, soll für den Begriff zunächst keinen Unterschied machen. Das Vorhandensein eines „Leiters": Familienhaupt, Vereinsvorstand, Geschäftsführer, Fürst, Staatspräsident, Kirchenhaupt, dessen Handeln auf Durchführung der Verbandsordnung eingestellt ist, soll genügen, weil diese spezifische Art von *Handeln*: ein nicht bloß an der Ord-

nung orientiertes, sondern auf deren *Erzwingung* abgestelltes Handeln, soziologisch dem Tatbestand der geschlossenen „sozialen Beziehung" ein praktisch wichtiges neues Merkmal hinzufügt. Denn nicht jede geschlossene Vergemeinschaftung oder Vergesellschaftung ist ein „Verband": z. B. nicht eine erotische Beziehung oder eine Sippengemeinschaft ohne Leiter.

2. Die „Existenz" des Verbandes haftet ganz und gar an dem „Vorhandensein" eines Leiters und eventuell eines Verwaltungsstabes. D. h. genauer ausgedrückt: an dem Bestehen der *Chance*, daß ein *Handeln* angebbarer Personen stattfindet, welches seinem Sinn nach die Ordnungen des Verbandes durchzuführen trachtet: daß also Personen vorhanden sind, die darauf *„eingestellt"* sind, gegebenenfalls in jenem Sinn zu handeln. Worauf diese Einstellung beruht: ob auf traditionaler oder affektueller oder wertrationaler Hingabe (Lebens-, Amts-, Dienst-Pflicht) oder auf zweckrationalen *Interessen* (Gehaltsinteresse usw.), ist *begrifflich* vorerst gleichgültig. In etwas anderem als der Chance des Ablaufes jenes, in jener Weise orientierten, Handelns „besteht", soziologisch angesehen, der Verband also für unsere Terminologie nicht. Fehlt die Chance dieses Handelns eines angebbaren Personen*stabes* (oder: einer angebbaren Einzelperson), so besteht für unsere Terminologie eben nur eine „soziale Beziehung", aber kein „Verband". So lange aber die Chance jenes Handelns besteht, so lange „besteht", soziologisch angesehen, der Verband *trotz des Wechsels der Personen*, die ihr Handeln an der betreffenden Ordnung orientieren. (Die Art der Definition hat den Zweck: eben *diesen* Tatbestand sofort einzubeziehen).

3. a) Außer dem Handeln des Verwaltungsstabes selbst oder unter dessen Leitung kann auch ein spezifisches an der Verbandsordnung orientiertes Handeln der sonst Beteiligten typisch ablaufen, dessen Sinn die Garantie der Durchführung der Ordnung ist (z. B. Abgaben oder leiturgische persönliche Leistungen aller Art: Geschworenendienst, Militärdienst usw.). – b) Die geltende Ordnung kann auch Normen enthalten, an denen sich in *andern* Dingen das Handeln der Verbandsbeteiligten orientieren soll (z. B. im Staatsverband das „privatwirtschaftliche", nicht der Erzwingung der Geltung der Verbandsordnung, sondern Einzelinteressen dienende Handeln: am „bürgerlichen" Recht). Die Fälle a kann man „verbandsbezogenes Handeln", diejenigen der Fälle b verbands*geregeltes* Handeln nennen. Nur das Handeln des Verwaltungsstabes selbst und außerdem alles planvoll von ihm *geleitete* verbandsbezogene Handeln soll „Verbandshandeln" heißen. „Verbandshandeln" wäre z. B. für alle Betei-

ligten ein Krieg, den ein Staat „führt" oder eine „Eingabe", die ein Vereinsvorstand beschließen läßt, ein „Vertrag", den der Leiter schließt und dessen „Geltung" den Verbandsgenossen oktroyiert und zugerechnet wird (§ 11), ferner der Ablauf aller „Rechtsprechung" und „Verwaltung". (S. auch § 14.)

Ein Verband kann sein: a) autonom oder heteronom, b) autokephal oder heterokephal. Autonomie bedeutet, daß nicht, wie bei Heteronomie, die Ordnung des Verbands durch Außenstehende gesatzt wird, sondern durch Verbandsgenossen kraft dieser ihrer Qualität (gleichviel wie sie im übrigen erfolgt). Autokephalie bedeutet: daß der Leiter und der Verbandsstab nach den eignen Ordnungen des Verbandes, nicht, wie bei Heterokephalie, durch Außenstehende bestellt wird (gleichviel wie sonst die Bestellung erfolgt).

Heterokephalie besteht z. B. für die Ernennung der governors der kanadischen Provinzen (durch die Zentralregierung von Kanada). Auch ein heterokephaler Verband kann autonom und ein autokephaler heteronom sein. Ein Verband kann auch, in beiden Hinsichten, *teilweise* das eine und teilweise das andre sein. Die autokephalen deutschen Bundesstaaten waren trotz der Autokephalie innerhalb der Reichskompetenz heteronom, innerhalb ihrer eignen (in Kirchen- und Schulsachen z. B.) autonom. Elsaß-Lothringen war in Deutschland in beschränktem Umfang autonom, aber heterokephal (den Statthalter setzte der Kaiser). Alle diese Sachverhalte können auch teilweise vorliegen. Ein *sowohl* völlig heteronomer *wie* heterokephaler Verband wird (wie etwa ein „Regiment" innerhalb eines Heeresverbandes) in aller Regel als „Teil" eines umfassenderen Verbandes zu bezeichnen sein. Ob dies der Fall ist, kommt aber auf das tatsächliche *Maß* von Selbständigkeit der Orientierung des Handelns im Einzelfall an und ist terminologisch reine Zweckmäßigkeitsfrage.

§ 13. Die gesatzten Ordnungen einer Vergesellschaftung können entstehen a) durch freie Vereinbarung oder b) durch Oktroyierung und Fügsamkeit. Eine Regierungsgewalt in einem Verbande kann die legitime Macht zur Oktroyierung neuer Ordnungen in Anspruch nehmen. *Verfassung* eines Verbandes soll die *tatsächliche* Chance der Fügsamkeit gegenüber der *Oktroyierungs*macht der bestehenden Regierungsgewalten nach Maß, Art und Voraussetzungen heißen. Zu diesen Voraussetzungen kann nach geltender Ordnung insbesondere die Anhörung oder Zustimmung bestimmter Gruppen oder Bruchteile der Verbandsbeteiligten, außerdem natürlich die verschiedensten sonstigen Bedingungen, gehören.

Ordnungen eines Verbandes können außer den Genossen auch Ungenossen oktroyiert werden, bei denen bestimmte *Tatbestände* vorliegen. Insbesondere kann ein solcher Tatbestand in einer Gebietsbeziehung (Anwesenheit, Gebürtigkeit, Vornahme gewisser Handlungen innerhalb eines Gebiets) bestehen: „Gebietsgeltung". Ein Verband, dessen Ordnungen grundsätzlich Gebietsgeltung oktroyieren, soll Gebietsverband heißen, einerlei inwieweit seine Ordnung auch nach innen: den Verbandsgenossen gegenüber, *nur* Gebietsgeltung in Anspruch nimmt (was möglich ist und wenigstens in begrenztem Umfang vorkommt).

1. Oktroyiert im Sinn dieser Terminologie ist *jede* nicht durch persönliche freie Vereinbarung aller Beteiligten zustandegekommene Ordnung. Also auch der „Mehrheitsbeschluß", dem sich die Minderheit fügt. Die Legitimität des Mehrheitsentscheids ist daher (s. später bei der Soziologie der Herrschaft und des Rechts) in langen Epochen (noch im Mittelalter bei den Ständen, und bis in die Gegenwart in der russischen Obschtschina) oft nicht anerkannt oder problematisch gewesen.

2. Auch die formal „freien" Vereinbarungen sind, wie allgemein bekannt, sehr häufig tatsächlich oktroyiert (so in der Obschtschina). Dann ist für die Soziologie nur der *tatsächliche* Sachverhalt maßgebend.

3. Der hier gebrauchte „Verfassungs"-Begriff ist der auch von Lassalle verwendete. Mit der „geschriebenen" Verfassung, überhaupt mit der Verfassung im juristischen Sinn, ist er nicht identisch. Die soziologische Frage ist lediglich die: wann, für welche Gegenstände und *innerhalb welcher Grenzen* und – eventuell – unter welchen besonderen Voraussetzungen (z. B. Billigung von Göttern oder Priestern oder Zustimmung von Wahlkörperschaften usw.) *fügen* sich dem Leiter die Verbandsbeteiligten und steht ihm der Verwaltungsstab und das Verbandshandeln zu Gebote, wenn er „Anordnungen trifft", insbesondere Ordnungen oktroyiert.

4. Den Haupttypus der oktroyierten „Gebietsgeltung" stellen dar: Strafrechtsnormen und manche andere „Rechtssätze", bei denen Anwesenheit, Gebürtigkeit, Tatort, Erfüllungsort usw. innerhalb des Gebietes des Verbandes Voraussetzungen der Anwendung der Ordnung sind, in politischen Verbänden. (Vgl. den Gierke-Preußschen Begriff der „Gebietskörperschaft".)

§ 14. Eine Ordnung, welche Verbandshandeln regelt, soll *Verwaltungsordnung* heißen. Eine Ordnung, welche andres soziales Handeln regelt und die durch diese Regelung eröffneten Chancen den Handelnden *ga-*

rantiert, soll *Regulierungsordnung* heißen. Insoweit ein Verband lediglich an Ordnungen der ersten Art orientiert ist, soll er Verwaltungsverband, insoweit lediglich an solchen der letzteren, regulierender Verband heißen.

1. Selbstverständlich ist die Mehrzahl aller Verbände sowohl das eine wie das andere; ein *lediglich* regulierender Verband wäre etwa ein theoretisch denkbarer reiner „Rechtsstaat" des absoluten laissez faire (was freilich auch die Überlassung der Regulierung des Geldwesens an die reine Privatwirtschaft voraussetzen würde).

2. Über den Begriff des „Verbandshandelns" s. § 12, Nr. 3. Unter den Begriff der „Verwaltungsordnung" fallen alle Regeln, die gelten wollen für das Verhalten sowohl des Verwaltungsstabs, wie der Mitglieder „gegenüber dem Verband", wie man zu sagen pflegt, d. h. für jene Ziele, deren Erreichung die Ordnungen des Verbandes durch ein von ihnen positiv vorgeschriebenes *planvoll* eingestelltes Handeln seines Verwaltungsstabes und seiner Mitglieder zu sichern trachtet. Bei einer absolut kommunistischen Wirtschaftsorganisation würde annähernd *alles* soziale Handeln darunter fallen, bei einem absoluten Rechtsstaat andererseits nur die Leistung der Richter, Polizeibehörden, Geschworenen, Soldaten und die Betätigung als Gesetzgeber und Wähler. Im allgemeinen – aber nicht immer im einzelnen – fällt die Grenze der Verwaltungs- und der Regulierungsordnung mit dem zusammen, was man im politischen Verband als „öffentliches" und „Privatrecht" scheidet. (Das Nähere darüber in der Rechtssoziologie.)

§ 15. *Betrieb* soll ein kontinuierliches *Zweck*handeln bestimmter Art, *Betriebsverband* eine Vergesellschaftung mit kontinuierlich zweckhandelndem Verwaltungsstab heißen.

Verein soll ein vereinbarter Verband heißen, dessen gesatzte Ordnungen nur für die kraft persönlichen Eintritts Beteiligten Geltung beanspruchen.

Anstalt soll ein Verband heißen, dessen gesatzte Ordnungen innerhalb eines angebbaren Wirkungsbereiches jedem nach bestimmten Merkmalen angebbaren Handeln (relativ) erfolgreich oktroyiert werden.

1. Unter den Begriff des „Betriebs" fällt natürlich auch der Vollzug von politischen und hierurgischen Geschäften, Vereinsgeschäften usw., soweit das Merkmal der zweckhaften Kontinuierlichkeit zutrifft.

2. „Verein" und „Anstalt" sind beide Verbände mit *rational* (planvoll) gesatzten Ordnungen. Oder richtiger: *soweit* ein Verband ratio-

nal gesatzte Ordnungen hat, soll er Verein oder Anstalt heißen. Eine „Anstalt" ist vor allem der Staat nebst allen seinen heterokephalen Verbänden und – soweit ihre Ordnungen rational gesatzt sind – die Kirche. Die Ordnungen einer „Anstalt" erheben den Anspruch zu gelten für jeden, auf den bestimmte Merkmale (Gebürtigkeit, Aufenthalt, Inanspruchnahme bestimmter Einrichtungen) *zutreffen*, einerlei ob der Betreffende persönlich – wie beim Verein – beigetreten ist und vollends: ob er bei den Satzungen mitgewirkt hat. Sie sind also in ganz spezifischem Sinn *oktroyierte* Ordnungen. Die Anstalt *kann* insbesondere *Gebiets*verband sein.

3. Der Gegensatz von Verein und Anstalt ist *relativ*. Vereinsordnungen können die Interessen Dritter berühren und es kann diesen dann die Anerkennung der Gültigkeit dieser Ordnungen oktroyiert werden, durch Usurpation und Eigenmacht des Vereins sowohl wie durch legal gesatzte Ordnungen (z. B. Aktienrecht).

4. Es bedarf kaum der Betonung: daß „Verein" und „Anstalt" nicht etwa die *Gesamtheit* aller denkbaren Verbände restlos unter sich aufteilen. Sie sind, ferner, nur „polare" Gegensätze (so auf religiösem Gebiet: „Sekte" und „Kirche").

§ 16. *Macht* bedeutet jede Chance, innerhalb einer sozialen Beziehung den eignen Willen auch gegen Widerstreben durchzusetzen, gleichviel worauf diese Chance beruht.

Herrschaft soll heißen die Chance, für einen Befehl bestimmten Inhalts bei angebbaren Personen Gehorsam zu finden; *Disziplin* soll heißen die Chance, kraft eingeübter Einstellung für einen Befehl prompten, automatischen und schematischen Gehorsam bei einer angebbaren Vielheit von Menschen zu finden.

1. Der Begriff „Macht" ist soziologisch amorph. Alle denkbaren Qualitäten eines Menschen und alle denkbaren Konstellationen können jemand in die Lage versetzen, seinen Willen in einer gegebenen Situation durchzusetzen. Der soziologische Begriff der „Herrschaft" muß daher ein präziserer sein und kann nur die Chance bedeuten: für einen *Befehl* Fügsamkeit zu finden.

2. Der Begriff der „Disziplin" schließt die „Eingeübtheit" des kritik- und widerstandslosen *Massen*gehorsams ein.

Der Tatbestand einer Herrschaft ist nur an das aktuelle Vorhandensein *eines* erfolgreich *andern* Befehlenden, aber weder unbedingt an die Existenz eines Verwaltungsstabes noch eines Verbandes geknüpft;

dagegen allerdings – wenigstens in allen normalen Fällen – an die *eines* von beiden. Ein Verband soll insoweit, als seine Mitglieder als solche kraft geltender Ordnung Herrschaftsbeziehungen unterworfen sind, *Herrschaftsverband* heißen.

1. Der Hausvater herrscht ohne Verwaltungsstab. Der Beduinenhäuptling, welcher Kontributionen von Karawanen, Personen und Gütern erhebt, die seine Felsenburg passieren, herrscht über alle jene wechselnden und unbestimmten, nicht in einem Verband miteinander stehenden Personen, welche, sobald und solange sie in eine bestimmte Situation geraten sind, kraft seiner Gefolgschaft, die ihm gegebenenfalls als Verwaltungsstab zur Erzwingung dient. (Theoretisch denkbar wäre eine solche Herrschaft auch seitens eines einzelnen ohne allen Verwaltungsstab.)

2. Ein Verband ist vermöge der Existenz seines Verwaltungsstabes stets in irgendeinem Grade Herrschaftsverband. Nur ist der Begriff relativ. Der normale Herrschaftsverband ist als solcher auch Verwaltungsverband. Die Art wie, der Charakter des Personenkreises, durch welchen, und die Objekte, welche verwaltet werden, und die Tragweite der Herrschaftsgeltung bestimmen die Eigenart des Verbandes. Die ersten beiden Tatbestände aber sind im stärksten Maß durch die Art der *Legitimitäts*grundlagen der Herrschaft begründet (über diese s. u. Kap. III.).

§ 17. *Politischer* Verband soll ein Herrschaftsverband dann und insoweit heißen, als sein Bestand und die Geltung seiner Ordnungen innerhalb eines angebbaren geographischen *Gebiets* kontinuierlich durch Anwendung und Androhung *physischen* Zwangs seitens des Verwaltungsstabes garantiert werden. *Staat* soll ein politischer *Anstaltsbetrieb* heißen, wenn und insoweit sein Verwaltungsstab erfolgreich das *Monopollegitimen* physischen Zwanges für die Durchführung der Ordnungen in Anspruch nimmt. – „Politisch orientiert" soll ein soziales Handeln, insbesondere auch ein Verbandshandeln, dann und insoweit heißen, als es die Beeinflussung der Leitung eines politischen Verbandes, insbesondere die Appropriation oder Expropriation oder Neuverteilung oder Zuweisung von Regierungsgewalten, bezweckt.

Hierokratischer Verband soll ein Herrschaftsverband dann und insoweit heißen, als zur Garantie seiner Ordnungen psychischer Zwang durch Spendung oder Versagung von Heilsgütern (hierokratischer Zwang) verwendet wird. *Kirche* soll ein hierokratischer *Anstalts-Betrieb* heißen, wenn und soweit sein Verwaltungsstab das *Monopol* legitimen hierokratischen Zwanges in Anspruch nimmt.

1. Für politische Verbände ist selbstverständlich die Gewaltsamkeit weder das einzige, noch auch nur das normale Verwaltungsmittel. Ihre Leiter haben sich vielmehr aller überhaupt möglichen Mittel für die Durchsetzung ihrer Zwecke bedient. Aber ihre Androhung und, eventuell, Anwendung ist allerdings ihr *spezifisches* Mittel und überall die ultima ratio, wenn andre Mittel versagen. Nicht *nur* politische Verbände haben Gewaltsamkeit als *legitimes* Mittel verwendet und verwenden sie, sondern ebenso: Sippe, Haus, Einungen, im Mittelalter unter Umständen: alle Waffenberechtigten. Den politischen Verband kennzeichnet *neben* dem Umstand: daß die Gewaltsamkeit (mindestens auch) zur Garantie von „Ordnungen" angewendet wird, das Merkmal: daß er die Herrschaft seines Verwaltungsstabes und seiner Ordnungen für ein *Gebiet* in Anspruch nimmt *und* gewaltsam garantiert. Wo immer für Verbände, welche Gewaltsamkeit anwenden, jenes Merkmal zutrifft – seien es Dorfgemeinden oder selbst einzelne Hausgemeinschaften oder Verbände von Zünften oder von Arbeiterverbänden („Räten") – müssen sie *insoweit* politische Verbände heißen.

2. Es ist nicht möglich, einen politischen Verband – auch nicht: den „Staat" – durch Angaben des *Zweckes* seines Verbandshandelns zu definieren. Von der Nahrungsfürsorge bis zur Kunstprotektion hat es keinen Zweck gegeben, den politische Verbände *nicht* gelegentlich, von der persönlichen Sicherheitsgarantie bis zur Rechtsprechung keinen, den *alle* politischen Verbände verfolgt hätten. Man kann daher den „politischen" Charakter eines Verbandes *nur* durch das – unter Umständen zum Selbstzweck gesteigerte – *Mittel* definieren, welches nicht ihm allein eigen, aber allerdings spezifisch und für sein Wesen *unentbehrlich* ist: die Gewaltsamkeit. Dem Sprachgebrauch entspricht dies nicht ganz; aber er ist ohne Präzisierung unbrauchbar. Man spricht von „Devisenpolitik" der Reichsbank, von der „Finanzpolitik" einer Vereinsleitung, von der „Schulpolitik" einer Gemeinde und meint damit die planvolle Behandlung und *Führung* einer bestimmten sachlichen Angelegenheit. In wesentlich charakteristischerer Art scheidet man die „politische" Seite oder Tragweite einer Angelegenheit, oder den „politischen" Beamten, die „politische" Zeitung, die „politische" Revolution, den „politischen" Verein, die „politische" Partei, die „politische" Folge von andren: wirtschaftlichen, kulturlichen, religiösen usw. Seiten oder Arten der betreffenden Personen, Sachen, Vorgänge, – und meint damit alles das, was mit den Herrschaftsverhältnissen innerhalb des (nach unsrem Sprachgebrauch:) „politischen" Verbandes: des Staats, zu tun hat, deren Aufrechterhaltung, Verschiebung, Umsturz herbeiführen oder hindern oder fördern

kann, im Gegensatz zu Personen, Sachen, Vorgängen, die damit nichts zu schaffen haben. Es wird also auch in diesem Sprachgebrauch das Gemeinsame in dem *Mittel*: „Herrschaft": in der *Art* nämlich, wie eben staatliche Gewalten sie ausüben, unter Ausschaltung des Zwecks, dem die Herrschaft dient, gesucht. Daher läßt sich behaupten, daß die hier zugrunde gelegte Definition nur eine Präzision des Sprachgebrauchs enthält, indem sie das tatsächlich Spezifische: die Gewaltsamkeit (aktuelle oder eventuelle) scharf betont. Der Sprachgebrauch nennt freilich „politische Verbände" nicht nur die Träger der als legitim geltenden Gewaltsamkeit selbst, sondern z. B. auch Parteien und Klubs, welche die (auch: ausgesprochen *nicht* gewaltsame) Beeinflussung des politischen Verbandshandelns bezwecken. Wir wollen diese Art des sozialen Handelns als „politisch orientiert" von dem eigentlich „politischen" Handeln (dem *Verbands*handeln der politischen Verbände selbst im Sinn von § 12 Nr. 3) scheiden.

3. Den *Staats*begriff empfiehlt es sich, da er in seiner Vollentwicklung durchaus modern ist, auch seinem modernen Typus entsprechend – aber wiederum: unter Abstraktion von den, wie wir ja gerade jetzt erleben, wandelbaren inhaltlichen Zwecken – zu definieren. Dem heutigen Staat formal charakteristisch ist: eine Verwaltungs- und Rechtsordnung, welche durch Satzungen abänderbar sind, an der der Betrieb des Verbandshandelns des (gleichfalls durch Satzung geordneten) Verwaltungsstabes sich orientiert und welche Geltung beansprucht nicht nur für die – im wesentlichen durch Geburt in den Verband hineingelangenden – Verbandsgenossen, sondern in weitem Umfang für alles auf dem beherrschten Gebiet stattfindende Handeln (also: gebietsanstaltsmäßig). Ferner aber: daß es „legitime" Gewaltsamkeit heute nur noch insoweit gibt, als die staatliche Ordnung sie zuläßt oder vorschreibt (z. B. dem Hausvater das „Züchtigungsrecht" beläßt, einen Rest einstmaliger eigenlegitimer, bis zur Verfügung über Tod und Leben des Kindes oder Sklaven gehender Gewaltsamkeit des Hausherren). Dieser Monopolcharakter der staatlichen Gewaltherrschaft ist ein ebenso wesentliches Merkmal ihrer Gegenwartslage wie ihr rationaler „Anstalts"- und kontinuierlicher „Betriebs"-Charakter.

4. Für den Begriff des hierokratischen Verbandes kann die *Art* der in Aussicht gestellten Heilsgüter – diesseitig, jenseitig, äußerlich, innerlich – kein entscheidendes Merkmal bilden, sondern die Tatsache, daß ihre Spendung die Grundlage geistlicher *Herrschaft* über Menschen bilden kann. Für den Begriff „Kirche" ist dagegen nach dem üblichen (und zweckmäßigen) Sprachgebrauch ihr in der Art der Ordnungen und des Verwaltungsstabs sich äußernder (relativ) ra-

tionaler Anstalts- und Betriebscharakter und die beanspruchte monopolistische Herrschaft charakteristisch. Dem normalen *Streben* der kirchlichen Anstalt nach eignet ihr hierokratische *Gebiets*herrschaft und (parochiale) territoriale Gliederung, wobei im Einzelfall die Frage sich verschieden beantwortet: durch welche Mittel diesem Monopolanspruch Nachdruck verliehen wird. Aber derart wesentlich wie dem politischen Verband ist das tatsächliche *Gebiets*herrschaftsmonopol für die Kirchen historisch nicht gewesen und heute vollends nicht. Der „Anstalts"-Charakter, insbesondere der Umstand, daß man in die Kirche „hineingeboren" wird, scheidet sie von der „Sekte", deren Charakteristikum darin liegt: daß sie „Verein" ist und nur die religiös Qualifizierten persönlich in sich aufnimmt. (Das Nähere gehört in die Religionssoziologie.)

Kapitel II. Soziologische Grundkategorien des Wirtschaftens.

Vorbemerkung. Nachstehend soll keinerlei „Wirtschaftstheorie" getrieben, sondern es sollen lediglich einige weiterhin oft gebrauchte Begriffe definiert und gewisse allereinfachste soziologische Beziehungen innerhalb der Wirtschaft festgestellt werden. Die Art der Begriffsbestimmung ist auch hier rein durch Zweckmäßigkeitsgründe bedingt. Der viel umstrittene Begriff „Wert" konnte terminologisch ganz umgangen werden. – Gegenüber der Terminologie *K. Büchers* sind hier in den betreffenden Partien (über die Arbeitsteilung) nur solche Abweichungen vorgenommen, welche für die hier verfolgten Zwecke wünschenswert schienen. – Jegliche „Dynamik" bleibt vorerst noch beiseite.

§ 1. „Wirtschaftlich *orientiert*" soll ein Handeln insoweit heißen, als es seinem gemeinten Sinne nach an der Fürsorge für einen Begehr nach Nutzleistungen orientiert ist. „Wirtschaften" soll eine *friedliche* Ausübung von Verfügungsgewalt heißen, welche *primär*, „rationales Wirtschaften" eine solche, welche zweckrational, also *planvoll*, wirtschaftlich orientiert ist. „Wirtschaft" soll ein autokephal, „Wirtschaftsbetrieb" ein betriebsmäßig geordnetes *kontinuierliches* Wirtschaften heißen.

1. Es wurde schon oben (zu § 1, II, 2 S. 30 unten) hervorgehoben, daß Wirtschaften an sich nicht schon soziales Handeln sein muß.

2. Die Definition des Wirtschaftens hat möglichst allgemein zu sein und hat zum Ausdruck zu bringen, daß alle „wirtschaftlichen" Vorgänge und Objekte ihr Gepräge als solche gänzlich durch den *Sinn* erhalten, welchen menschliches Handeln ihnen – als Zweck, Mittel, Hemmung, Nebenerfolg – gibt. – Nur darf man das doch nicht so ausdrücken, wie es gelegentlich geschieht: Wirtschaften sei eine „psychische" Erscheinung. Es fällt ja der Güterproduktion oder dem Preis oder selbst der „subjektiven Bewertung" von Gütern – wenn anders sie *reale* Vorgänge sind – gar nicht ein, „psychisch" zu bleiben. Gemeint ist mit diesem mißverständlichen Ausdruck aber etwas Richtiges: sie haben einen besondersartigen gemeinten *Sinn*: dieser allein konstituiert die Einheit der betreffenden Vorgänge und macht sie allein verständlich. – Die Definition des „Wirtschaftens" muß ferner so gestaltet werden, daß sie die moderne Erwerbswirtschaft mit umfaßt, darf also ihrerseits zunächst nicht von „Konsum-Bedürfnissen" und deren „Befriedigung" *ausgehen,* sondern einerseits von der – auch für das nackte Geldgewinnstreben zutreffenden – Tatsache: daß Nutzleistungen *begehrt* werden, andrerseits von der – auch für die reine, schon die ganz primitive, Bedarfsdeckungswirtschaft zutreffenden – Tatsache: daß für diesen Begehr eben durch eine (und sei es noch so primitive und traditional eingelebte) *Fürsorge* Deckung zu sichern versucht wird.

3. „Wirtschaftlich orientiertes Handeln" im Gegensatz zu „Wirtschaften" soll jedes Handeln heißen, welches a) primär an andern Zwecken orientiert ist, aber auf den „wirtschaftlichen Sachverhalt" (die subjektiv erkannte Notwendigkeit der wirtschaftlichen Vorsorge) in seinem Ablauf Rücksicht nimmt, oder welches b) primär daran orientiert ist, aber aktuelle *Gewaltsamkeit* als Mittel verwendet. Also: alles nicht primär oder nicht friedlich sich wirtschaftlich orientierende Handeln, welches durch jenen Sachverhalt mitbestimmt ist. „Wirtschaften" soll also die *subjektive* und *primäre* wirtschaftliche Orientierung heißen. (Subjektiv: denn auf den Glauben an die Notwendigkeit der Vorsorge, nicht auf die objektive Notwendigkeit, kommt es an.) Auf den „subjektiven" Charakter des Begriffs: darauf, daß der *gemeinte Sinn* des Handelns dies zum Wirtschaften stempelt, legt *R. Liefmann* mit Recht Gewicht, nimmt aber meines Erachtens zu Unrecht bei allen andern das Gegenteil an.

4. Wirtschaftlich *orientiert* kann jede Art von Handeln, auch gewaltsames (z. B. kriegerisches) Handeln sein (Raubkriege, Handelskriege). Dagegen hat namentlich Franz Oppenheimer mit Recht das „ökonomische" Mittel dem „politischen" gegenübergestellt. In der

Tat ist es zweckmäßig, das letztere gegenüber der „Wirtschaft" zu scheiden. Das Pragma der Gewaltsamkeit ist dem Geist der Wirtschaft – im üblichen Wortsinn – sehr stark entgegengesetzt. Die unmittelbare aktuelle gewaltsame Fortnahme von Gütern und die unmittelbar aktuelle Erzwingung eines fremden Verhaltens durch Kampf soll also *nicht* Wirtschaften heißen. Selbstverständlich ist aber der *Tausch* nicht *das*, sondern nur *ein* ökonomisches Mittel, wennschon eins der wichtigsten. Und selbstverständlich ist die wirtschaftlich orientierte, formal friedliche *Vorsorge* für die Mittel und Erfolge beabsichtigter Gewaltsamkeiten (Rüstung, Kriegswirtschaft) genau ebenso „Wirtschaft" wie jedes andere Handeln dieser Art.

Jede rationale „Politik" bedient sich wirtschaftlicher Orientierung in den *Mitteln* und jede Politik kann im Dienst wirtschaftlicher *Ziele* stehen. Ebenso bedarf zwar theoretisch nicht jede Wirtschaft, wohl aber unsre moderne Wirtschaft unter unsern modernen Bedingungen der Garantie der Verfügungsgewalt durch Rechtszwang des *Staates*. Also: durch Androhung eventueller Gewaltsamkeit für die Erhaltung und Durchführung der Garantie formell „rechtmäßiger" Verfügungsgewalten. Aber die derart gewaltsam geschützte Wirtschaft selbst *ist* nicht: Gewaltsamkeit.

Wie verkehrt es freilich ist, gerade für die (wie immer definierte) *Wirtschaft* in Anspruch zu nehmen, daß sie begrifflich *nur* „Mittel" sei – im *Gegensatz* z. B. zum Staat" usw. – erhellt schon daraus, daß man gerade den Staat *nur* durch Angeben des von ihm heute monopolistisch verwendeten Mittels (Gewaltsamkeit) definieren kann. Wenn irgend etwas, dann bedeutet, praktisch angesehen, Wirtschaft vorsorgliche Wahl grade zwischen *Zwecken*, allerdings: *orientiert* an der Knappheit der Mittel, welche für diese mehrere Zwecke verfügbar oder beschaffbar erscheinen.

5. Nicht jedes in seinen Mitteln rationale Handeln soll „rationales Wirtschaften" oder überhaupt „Wirtschaften" heißen. Insbesondre soll der Ausdruck „Wirtschaft" nicht identisch mit „Technik" gebraucht werden. „Technik" eines Handelns bedeutet uns den Inbegriff der verwendeten *Mittel* desselben im *Gegensatz* zu jenem Sinn oder Zweck, an dem es letztlich (in concreto) orientiert ist, „rationale" Technik eine Verwendung von Mitteln, welche bewußt und planvoll orientiert ist an Erfahrungen und Nachdenken, im Höchstfall der Rationalität: an wissenschaftlichem Denken. Was in concreto als „Technik" gilt, ist daher flüssig: der letzte Sinn eines *konkreten* Handelns kann, in einen *Gesamt*zusammenhang von Handeln gestellt, „technischer" Art, d. h. Mittel im Sinn jenes umfassenderen Zusam-

menhanges sein; für das *konkrete* Handeln ist aber dann diese (von jenem aus gesehen:) technische Leistung der „Sinn", und die von ihm dafür angewendeten Mittel sind seine „Technik". Technik in diesem Sinn gibt es daher für alles und jedes Handeln: Gebetstechnik, Technik der Askese, Denk- und Forschungstechnik, Mnemotechnik, Erziehungstechnik, Technik der politischen oder hierokratischen Beherrschung, Verwaltungstechnik, erotische Technik, Kriegstechnik, musikalische Technik (eines Virtuosen z. B.), Technik eines Bildhauers oder Malers, juristische Technik usw. und sie alle sind eines höchst verschiedenen Rationalitätsgrades fähig. Immer bedeutet das Vorliegen einer „technischen *Frage*": daß über die rationalsten *Mittel* Zweifel bestehen. Maßstab des Rationalen ist dabei für die Technik neben andern *auch* das berühmte Prinzip des „kleinsten Kraftmaßes": Optimum des Erfolges *im Vergleich* mit den aufzuwendenden Mitteln (nicht: „mit den – absolut – kleinsten Mitteln"). Das scheinbar gleiche Prinzip gilt nun natürlich auch für die Wirtschaft (wie für jedes rationale Handeln überhaupt). Aber: in anderem *Sinn*. Solange die Technik in unserem Wortsinn reine „Technik" bleibt, fragt sie lediglich nach den für *diesen* Erfolg, der ihr als schlechthin und indiskutabel zu erstreben gegeben ist, geeignetsten *und* dabei, bei *gleicher* Vollkommenheit, Sicherheit, Dauerhaftigkeit des Erfolges vergleichsweise *kräfte*ökonomischsten Mitteln. Vergleichsweise, nämlich soweit überhaupt ein unmittelbar vergleich*barer* Aufwand bei Einschlagung verschiedener Wege vorliegt. Soweit sie dabei *reine* Technik bleibt, ignoriert sie die sonstigen Bedürfnisse. Ob z. B. ein technisch erforderlicher Bestandteil einer Maschine aus Eisen oder aus Platin herzustellen sei, würde sie – *wenn in concreto* von dem letzteren genügende Quantitäten für die Erreichung *dieses* konkreten Erfolgs vorhanden sein sollten, – *nur* unter dem Gesichtspunkt entscheiden: wie der Erfolg am vollkommensten erreicht wird und bei welchem von beiden Wegen die sonstigen *vergleichbaren* Aufwendungen dafür (Arbeit z. B.) am geringsten sind. Sobald sie aber weiter auch auf den *Seltenheits*-Unterschied von Eisen und Platin im Verhältnis zum Gesamtbedarf reflektiert, – wie es heut jeder „Techniker", schon im chemischen Laboratorium, zu tun gewohnt ist, – ist sie nicht mehr (im hier gebrauchten Wortsinn): „nur technisch" orientiert, sondern daneben *wirtschaftlich*. Vom Standpunkt des „Wirtschaftens" aus gesehen bedeuten „technische" Fragen: daß die „*Kosten*" erörtert werden: eine für die Wirtschaft stets grundlegend wichtige, aber: eine Frage, die *ihrem* Problemkreis stets in der Form angehört: wie stellt sich die Versorgung *anderer* (je nachdem: qualitativ verschiedener jetziger oder qualitativ gleichartiger zukünftiger) Bedürfnisse, wenn für *dies* Bedürfnis jetzt diese Mittel verwendet werden. (Ähnlich die Ausführungen von *v. Gottl*, dieser Grundriß Bd. II, jetzt während des Druckes: – ausführlich und sehr gut – die Erörterungen von *R. Liefmann*, Grundz. d. A. W. W. L. S. 336 f., in der Sache *nicht* neu gegenüber *v. Gottl*. Irrig ist die Reduktion aller „Mittel" auf „letztlich Arbeitsmühe".)

Denn die Frage: was, vergleichsweise, die Verwendung verschiedener Mittel für *einen* technischen Zweck „kostet", ist letztlich verankert an der Verwendbarkeit von Mitteln (darunter vor allem auch: von *Arbeits*kraft) für verschiedene *Zwecke*. „Technisch" (im hier gebrauchten Wortsinn) ist das Problem z. B.: welche Arten von Veranstaltungen getroffen werden müssen, um Lasten bestimmter Art bewegen oder um Bergwerksprodukte aus einer gewissen Tiefe fördern zu können, und welche von ihnen am „zweckmäßigsten", d. h. u. a. auch: mit dem *vergleichsweisen* (zum Erfolg) Mindestmaß von *aktueller* Arbeit zum Ziele führen. „Wirtschaftlich" wird das Problem bei der Frage: ob – bei *Verkehrs*wirtschaft: sich diese Aufwendungen in Geld, durch Absatz der Güter *bezahlt* machen, ob – bei *Plan*wirtschaft: – die dafür nötigen Arbeitskräfte und Produktionsmittel ohne Schädigung von *andern*, für *wichtiger* gehaltenen Versorgungsinteressen zur Verfügung gestellt werden können? – was beide Male ein Problem der Vergleichung von *Zwecken* ist. Wirtschaft ist primär orientiert am Verwendungs*zweck*, Technik am Problem der (bei gegebenem Ziel) zu verwendenden *Mittel*. Daß ein bestimmter *Verwendungs*zweck überhaupt dem technischen Beginnen zugrunde liegt, ist für die Frage der *technischen* Rationalität rein *begrifflich* (nicht natürlich: tatsächlich) im Prinzip gleichgültig. Rationale Technik gibt es nach der hier gebrauchten Definition auch im Dienst von Zwecken, für die keinerlei *Begehr* besteht. Es könnte z. B. jemand etwa, um rein „technischer" Liebhabereien willen, mit allem Aufwand modernster Betriebsmittel *atmosphärische Luft* produzieren, ohne daß gegen die *technische* Rationalität seines Vorgehens das geringste einzuwenden wäre: *wirtschaftlich* wäre das Beginnen in allen normalen Verhältnissen irrational, weil irgendein Bedarf nach Vorsorge für die Versorgung mit diesem Erzeugnis nicht vorläge (vgl. zum Gesagten: v. Gottl-Ottlilienfeld im G. S. Ö. II). Die ökonomische Orientiertheit der heute sog. technologischen Entwicklung an Gewinnchancen ist eine der Grundtatsachen der Geschichte der Technik. Aber *nicht* ausschließlich diese wirtschaftliche Orientierung, so grundlegend wichtig sie war, hat der Technik in ihrer Entwicklung den Weg gewiesen, sondern z. T. Spiel und Grübeln weltfremder Ideologen, z. T. jenseitige oder phantastische Interessen, z. T. künstlerische Problematik und andre außerwirtschaftliche Motive. Allerdings liegt von jeher und zumal heute der Schwerpunkt auf der ökonomischen Bedingtheit der technischen Entwicklung; ohne die rationale Kalkulation als Unterlage der Wirtschaft, also ohne höchst konkrete wirtschaftsgeschichtliche Bedingungen, würde auch die rationale Technik nicht entstanden sein.

Daß hier nicht gleich in den Anfangsbegriff das für den Gegensatz gegenüber der Technik Charakteristische *ausdrücklich* aufgenommen ist, folgt aus dem soziologischen Ausgangspunkt. Aus der „Kontinuierlichkeit" folgt für die Soziologie pragmatisch die Abwägung der Zwecke gegeneinander und gegen die „Kosten" (soweit diese etwas anderes sind als Verzicht auf einen Zweck zugunsten dringlicherer). Eine *Wirtschafts*theorie würde im Gegensatz dazu wohl gut tun, *sofort* dies Merkmal einzufügen.

6. Im soziologischen Begriff des „Wirtschaftens" darf das Merkmal der *Verfügungs*gewalt nicht fehlen, schon weil wenigstens die Erwerbswirtschaft sich ganz und gar in Tauschverträgen, also planvollem Erwerb von Verfügungsgewalt, vollzieht. (Dadurch wird die Beziehung zum „Recht" hergestellt.) Aber auch jede andre Organisation der Wirtschaft würde *irgend*eine tatsächliche Verteilung der Verfügungsgewalt bedeuten, nur nach ganz andern Prinzipien als die heutige Privatwirtschaft, die sie autonomen und autokephalen *Einzel*wirtschaften *rechtlich* garantiert. Entweder die *Leiter* (Sozialismus) oder die *Glieder* (Anarchismus) müssen auf Verfügungsgewalt über die gegebenen Arbeitskräfte und Nutzleistungen zählen können: das läßt sich nur terminologisch verschleiern, aber nicht fortinterpretieren. Wodurch – ob konventional oder rechtlich – diese Verfügung garantiert oder ob sie etwa äußerlich gar nicht garantiert ist, sondern nur kraft Sitte oder Interessenlage auf die Verfügung faktisch (relativ) sicher gezählt werden kann, ist an sich *begrifflich* irrelevant, so zweifellos für die moderne Wirtschaft die Unentbehrlichkeit der *rechtlichen* Zwangsgarantien sein mag: Die begriffliche Unentbehrlichkeit jener Kategorie für die wirtschaftliche Betrachtung sozialen Handelns bedeutet also nicht etwa eine *begriffliche* Unentbehrlichkeit der *rechtlichen* Ordnung der Verfügungsgewalten, mag man diese empirisch für noch so unentbehrlich ansehen.

7. Unter den Begriff „Verfügungsgewalt" soll hier auch die – faktische oder irgendwie garantierte – Möglichkeit der Verfügung über die eigne *Arbeitskraft* gefaßt werden (sie ist – bei Sklaven – nicht selbstverständlich).

8. Eine *soziologische* Theorie der Wirtschaft ist genötigt, *alsbald* den „Güter"-Begriff in ihre Kategorien einzustellen (wie dies § 2 geschieht). Denn sie hat es mit jenem „*Handeln*" zu tun, dem das *Resultat* der (nur theoretisch isolierbaren) Überlegungen der Wirtschaftenden seinen spezifischen *Sinn* verleiht. Anders *kann* (vielleicht) die Wirtschaftstheorie verfahren, deren theoretische Einsichten für die Wirtschaftssoziologie – so sehr diese nötigenfalls sich eigne Gebilde schaffen müßte – die Grundlage bilden.

§ 2. Unter „Nutzleistungen" sollen stets die von einem oder mehreren Wirtschaftenden als solche geschätzten konkreten *einzelnen* zum Gegenstand der Fürsorge werdenden (wirklichen oder vermeintlichen) Chancen gegenwärtiger oder künftiger Verwendungsmöglichkeiten gelten, an deren geschätzter Bedeutung als Mittel für Zwecke des (oder der) Wirtschaftenden sein (oder ihr) Wirtschaften orientiert wird.

Die Nutzleistungen können Leistungen nicht menschlicher (sachlicher) Träger oder Leistungen von Menschen sein. Die im Einzelfall sprachgebräuchlich gemeinten Träger möglicher *sachlicher* Nutzleistungen gleichviel welcher Art sollen „Güter", die menschlichen Nutzleistungen, sofern sie in einem aktiven Handeln bestehen, „Leistungen" heißen. Gegenstand wirtschaftender Vorsorge sind aber auch soziale Beziehungen, welche als Quelle gegenwärtiger oder künftiger möglicher Verfügungsgewalt über Nutzleistungen geschätzt werden. Die durch Sitte, Interessenlage oder (konventionell oder rechtlich) garantierte Ordnung zugunsten einer *Wirtschaft* in Aussicht gestellten Chancen sollen „ökonomische Chancen" heißen.

Vgl. *v. Böhm-Bawerk*, Rechte und Verhältnisse vom Standpunkt der volksw. Güterlehre (Innsbruck 1881).

1. Sachgüter und Leistungen erschöpfen nicht den Umkreis derjenigen Verhältnisse der Außenwelt, welche für einen wirtschaftenden Menschen wichtig und Gegenstand der Vorsorge sein können. Das Verhältnis der „Kundentreue" oder das Dulden von wirtschaftlichen Maßnahmen seitens derer, die sie hindern könnten und zahlreiche andere Arten von Verhaltensweisen können ganz die gleiche Bedeutung für das Wirtschaften haben und ganz ebenso Gegenstand wirtschaftender Vorsorge und z. B. von Verträgen werden. Es ergäbe aber unpräzise Begriffe, wollte man sie mit unter eine dieser beiden Kategorien bringen. Diese Begriffsbildung ist also lediglich durch Zweckmäßigkeitsgründe bestimmt.

2. Ganz ebenso unpräzis würden die Begriffe werden (wie v. Böhm-Bawerk richtig hervorgehoben hat), wenn man alle anschaulichen Einheiten des Lebens und des Alltagssprachgebrauches unterschiedslos als „Güter" bezeichnen und den Güterbegriff dann mit den sachlichen Nutzleistungen gleichstellen wollte. „Gut" im Sinn von Nutzleistung im strengen Sprachgebrauch ist nicht das „Pferd" oder etwa ein „Eisenstab", sondern deren einzelne als begehrenswert *geschätzte* und *geglaubte* Verwendungsmöglichkeiten, z. B. als Zugkraft oder als Tragkraft oder als was immer sonst. Erst recht nicht sind für diese Terminologie die als wirtschaftliche *Verkehrs*objekte (bei Kauf und Verkauf usw.) fungierenden Chancen wie: „Kundschaft", „Hypothek", „Eigentum" Güter. Sondern die Leistungen, welche durch diese von seiten der Ordnung (traditionaler oder statutarischer) in Aussicht gestellten oder garantierten *Chancen* von Verfügungsgewalten einer Wirtschaft über sachliche und persönliche Nutzleistungen dargeboten werden, sollen *der Einfachheit halber* als „ökonomische Chancen" (als „Chancen" schlechtweg, wo dies unmißverständlich ist) bezeichnet werden.

3. Daß nur aktives Handeln als „Leistung" bezeichnet werden soll (nicht ein „Dulden", „Erlauben", „Unterlassen"), geschieht aus Zweckmäßigkeitsgründen. Daraus folgt aber, daß „Güter" und „Leistungen" nicht eine erschöpfende Klassifikation *aller* ökonomisch geschätzten *Nutz*leistungen sind.

Über den Begriff *„Arbeit"* s. u. § 15.

§ 3. Wirtschaftliche Orientierung kann traditional oder zweckrational vor sich gehen. Selbst bei weitgehender Rationalisierung des Handelns ist der Einschlag traditionaler Orientiertheit relativ bedeutend. Die rationale Orientierung bestimmt in aller Regel primär das *leitende* Handeln (s. § 15), gleichviel welcher Art die Leitung ist. Die Entfaltung des rationalen Wirtschaftens aus dem Schoße der instinktgebundenen reaktiven Nahrungssuche oder der traditionalistischen Eingelebtheit überlieferter Technik und gewohnter sozialer Beziehungen ist in starkem Maß *auch* durch nicht ökonomische, außeralltägliche, Ereignisse und Taten, daneben durch den Druck der Not bei zunehmender absoluter oder (regelmäßig) relativer Enge des Versorgungsspielraums bedingt gewesen.

1. Irgendeinen „wirtschaftlichen Urzustand" gibt es für die Wissenschaft natürlich *prinzipiell* nicht. Man könnte etwa konventionell sich einigen, den Zustand der Wirtschaft auf einem bestimmten *techni-*

schen Niveau: dem der (für uns zugänglichen) geringsten Ausstattung mit *Werkzeugen*, als solchen zu behandeln und zu analysieren. Aber wir haben keinerlei Recht, aus den heutigen Rudimenten werkzeugarmer Naturvölker zu schließen: daß alle im gleichen technischen Stadium befindlichen Menschengruppen der Vergangenheit ebenso (also nach Art der Weddah oder gewisser Stämme Innerbrasiliens) gewirtschaftet hätten. Denn rein wirtschaftlich war in diesem Stadium sowohl die Möglichkeit starker Arbeitskumulation in großen Gruppen (s. unten § 16) wie umgekehrt starker Vereinzelung in kleinen Gruppen gegeben. Für die Entscheidung zwischen beiden konnten aber neben naturbedingten ökonomischen auch außerökonomische (z. B. militaristische) Umstände ganz verschiedene Antriebe schaffen.

2. Krieg und Wanderung sind zwar selbst nicht wirtschaftliche (wennschon gerade in der Frühzeit vorwiegend wirtschaftlich orientierte) Vorgänge, haben aber zu allen Zeiten oft, bis in die jüngste Gegenwart, radikale Änderungen der Wirtschaft im Gefolge gehabt. Auf zunehmende (klimatisch oder durch zunehmende Versandung oder Entwaldung bedingte) *absolute* Enge des Nahrungsspielraums haben Menschengruppen, je nach der Struktur der Interessenlagen und der Art des Hineinspielens nichtwirtschaftlicher Interessen, sehr verschieden, typisch freilich durch Verkümmerung der Bedarfsdeckung und absoluten Rückgang der Zahl, auf zunehmende Enge des *relativen* (durch einen gegebenen Standard der Bedarfsversorgung und der Verteilung der *Erwerbs*chancen – s. u. § 11 – bedingten) Versorgungsspielraums zwar ebenfalls sehr verschieden, aber (im ganzen) häufiger als im ersten Fall durch steigende Rationalisierung der Wirtschaft geantwortet. Etwas Allgemeines läßt sich indessen selbst darüber nicht aussagen. Die (soweit der „Statistik" dort zu trauen ist) ungeheure Volksvermehrung in China seit Anfang des 18. Jahrhunderts hat entgegengesetzt gewirkt als die gleiche Erscheinung gleichzeitig in Europa (aus Gründen, über die sich wenigstens einiges aussagen läßt), die chronische Enge des Nahrungsspielraumes in der arabischen Wüste nur in einzelnen Stadien die Konsequenz einer Änderung der ökonomischen und politischen Struktur gehabt, am stärksten unter der Mitwirkung außerökonomischer (religiöser) Entwicklung.

3. Der lange Zeit starke Traditionalismus der Lebensführung z. B. der Arbeiterschichten im Beginn der Neuzeit hat eine sehr starke Zunahme der Rationalisierung der Erwerbswirtschaften durch kapitalistische Leitung nicht gehindert, ebenso aber z. B. nicht: die fiskal-so-

zialistische Rationalisierung der Staatsfinanzen in Ägypten. (Immerhin war jene traditionalistische Haltung im Okzident etwas, dessen wenigstens relative Überwindung die *weitere* Fortbildung zur spezifisch modernen kapitalistisch rationalen Wirtschaft erst ermöglichte.)

§ 4. Typische Maßregeln des *rationalen* Wirtschaftens sind:

1. planvolle Verteilung solcher Nutzleistungen, auf deren Verfügung der Wirtschaftende gleichviel aus welchem Grunde zählen zu können glaubt, auf Gegenwart und Zukunft (Sparen);

2. planvolle Verteilung verfügbarer Nutzleistungen auf mehrere Verwendungsmöglichkeiten in der Rangfolge der geschätzten Bedeutung dieser: nach dem Grenznutzen.

Diese (am strengsten: „statischen") Fälle kamen in Friedenszeiten in wirklich bedeutsamem Umfang, heute meist in Form von *Geld*einkommensbewirtschaftung vor.

3. planvolle Beschaffung – Herstellung und Herschaffung – solcher Nutzleistungen, für welche *alle* Beschaffungsmittel sich in der eignen Verfügungsgewalt des Wirtschaftenden befinden. Im Rationalitätsfall erfolgt eine bestimmte Handlung dieser Art, sofern die Schätzung der Dringlichkeit des Begehrs dem erwarteten Ergebnis nach die Schätzung des Aufwands, das heißt: 1. der Mühe der etwa erforderlichen Leistungen, – 2. aber: der sonst möglichen Verwendungsarten der zu verwendenden Güter und also: ihres technisch andernfalls möglichen Endprodukts *übersteigt* (Produktion im weiteren Sinn, der die *Transport*leistungen einschließt);

4. planvoller Erwerb gesicherter Verfügungsgewalt oder Mitverfügungsgewalt über solche Nutzleistungen, welche

α. selbst oder

β. deren Beschaffungsmittel sich in fremder Verfügungsgewalt befinden oder welche

γ. fremder, die eigne Versorgung gefährdender Beschaffungskonkurrenz ausgesetzt sind, –

durch Vergesellschaftung mit dem derzeitigen Inhaber der Verfügungsgewalt oder Beschaffungskonkurrenten.

Die Vergesellschaftung mit fremden derzeitigen Inhabern der Verfügungsgewalt kann erfolgen

a) durch Herstellung eines Verbandes, an dessen Ordnung sich die Beschaffung oder Verwendung von Nutzleistungen orientieren soll;

b) durch *Tausch*.

Zu a): Sinn der Verbandsordnung kann sein:

α. Rationierung der Beschaffung oder der Benutzung oder des Verbrauchs zur Begrenzung der Beschaffungskonkurrenz (Regulierungsverband);

β. Herstellung einer einheitlichen Verfügungsgewalt zur *planmäßigen* Verwaltung der bisher in getrennter Verfügung befindlichen Nutzleistungen (Verwaltungsverband).

Zu b): Tausch ist ein Interessenkompromiß der Tauschpartner, durch welches Güter oder Chancen als gegenseitiger Entgelt hingegeben werden. Der Tausch kann

1. traditional oder konventional, also (namentlich im zweiten Fall) nicht wirtschaftlich rational, – oder

2. wirtschaftlich rational orientiert erstrebt und geschlossen werden. Jeder rational orientierte Tausch ist Abschluß eines vorhergehenden offenen oder latenten Interessenkampfes durch Kompromiß. Der Tauschkampf der Interessenten, dessen Abschluß das Kompromiß bildet, richtet sich einerseits stets, als Preiskampf, gegen den als Tauschpartner in Betracht kommenden Tauschreflektanten (typisches Mittel: Feilschen), andrerseits gegebenenfalls, als Konkurrenzkampf, gegen wirkliche oder mögliche dritte (gegenwärtige oder für die Zukunft zu erwartende) Tauschreflektanten, mit denen Beschaffungskonkurrenz besteht (typisches Mittel: Unter- und Überbieten).

1. In der Eigenverfügung eines Wirtschaftenden befinden Nutzleistungen (Güter, Arbeit oder andre Träger von solchen) sich dann, wenn *tatsächlich* nach (mindestens: relativ) freiem Belieben ohne Störung durch Dritte auf ihren Gebrauch gezählt werden kann, einerlei ob diese Chance auf Rechtsordnung oder Konvention oder Sitte oder Interessenlage beruht. Keineswegs ist gerade nur die rechtliche Sicherung der Verfügung die *begrifflich* (und auch nicht: die tatsächlich) ausschließliche, wennschon die heute für die *sachlichen* Beschaffungsmittel empirisch unentbehrliche Vorbedingung des Wirtschaftens.

2. Fehlende Genußreife kann auch in örtlicher Entferntheit genußreifer Güter vom Genußort bestehen. Der Güter*transport* (zu scheiden natürlich vom Güter*handel*, der Wechsel der *Verfügungsgewalt* bedeutet) kann hier daher als Teil der „Produktion" behandelt werden.

3. Für die fehlende Eigenverfügung ist es prinzipiell irrelevant, ob Rechtsordnung oder Konvention oder Interessenlage oder eingelebte Sitte oder bewußt gepflegte Sittlichkeitsvorstellungen den Wirtschaftenden *typisch* hindern, die fremde Verfügungsgewalt gewaltsam anzutasten.

4. Beschaffungskonkurrenz kann unter den mannigfachsten Bedingungen bestehen. Insbesondere z. B. bei okkupatorischer Versorgung: Jagd, Fischfang, Holzschlag, Weide, Rodung. Sie kann auch und gerade innerhalb eines nach außen geschlossenen Verbandes bestehen. Die dagegen gerichtete Ordnung ist dann stets: Rationierung der Beschaffung, regelmäßig in Verbindung mit Appropriation der so garantierten Beschaffungschancen für eine fest begrenzte Zahl von einzelnen oder (meist) von Hausverbänden. Alle Mark- und Fischereigenossenschaften, die Regulierung der Rodungs-, Weide- und Holzungsrechte auf Allmenden und Marken, die „Stuhlung" der Alpenweiden usw. haben diesen Charakter. Alle Arten erblichen „Eigentums" an nutzbarem Grund und Boden sind dadurch propagiert worden.

5. Der Tausch kann sich auf alles erstrecken, was sich in irgendeiner Art in die Verfügung eines andern „übertragen" läßt und wofür ein Partner Entgelt zu geben bereit ist. Nicht nur auf „Güter" und „Leistungen" also, sondern auf ökonomische Chancen aller Art, z. B. auf eine rein kraft Sitte oder Interessenlage zur Verfügung stehende, durch nichts garantierte „Kundschaft". Erst recht natürlich auf alle irgendwie durch irgendeine Ordnung *garantierten* Chancen. Tauschobjekte sind also nicht nur aktuelle Nutzleistungen. Als Tausch soll für unsre Zwecke vorläufig, im weitesten Wortsinn, *jede* auf formal freiwilliger Vereinbarung ruhende Darbietung von aktuellen, kontinuierlichen, gegenwärtigen, künftigen Nutzleistungen von welcher Art immer gegen gleichviel welche Art von Gegenleistungen bezeichnet werden. Also z. B. die entgeltliche Hingabe oder Zurverfügungstellung der Nutzleistung von Gütern oder Geld gegen künftige Rückgabe gleichartiger Güter ebenso wie das Erwirken irgendeiner Erlaubnis, oder einer Überlassung der „Nutzung" eines Objekts gegen „Miete" oder „Pacht", oder die Vermietung von Leistungen aller Art gegen Lohn oder Gehalt. Daß heute, soziologisch angesehen, dieser letztgenannte Vorgang für die „Arbeiter" im Sinn des § 15 den Eintritt in einen Herrschaftsverband bedeutet, bleibt vorläufig noch ebenso außer Betracht wie die Unterschiede von „Leihe" und „Kauf" usw.

6. Der Tausch kann in seinen Bedingungen traditional und, in Anlehnung daran, konventional, oder aber rational bestimmt sein. Konventionale Tauschakte waren der Geschenkaustausch unter Freunden, Helden, Häuptlingen, Fürsten (cf. den Rüstungstausch des Diomedes und Glaukos), nicht selten übrigens (vgl. die Tell-el-Amarna-Briefe) schon sehr stark rational orientiert und kontrolliert. Der rationale Tausch ist nur möglich, wenn entweder *beide* Teile dabei Vorteil zu

finden hoffen, oder eine durch ökonomische Macht oder Not bedingte Zwangslage für einen Teil vorliegt. Er kann (s. § 11) entweder: naturalen Versorgungs- oder: Erwerbszwecken dienen, also: an der persönlichen Versorgung des oder der Eintauschenden mit einem Gut oder: an Marktgewinnchancen (s. § 11) orientiert sein. Im ersten Fall ist er in seinen Bedingungen weitgehend individuell bestimmt und in *diesem* Sinn irrational: Haushaltsüberschüsse z. B. werden in ihrer Wichtigkeit nach dem *individuellen* Grenznutzen der Einzelwirtschaft geschätzt und eventuell billig abgetauscht, zufällige Begehrungen des Augenblicks bestimmen den Grenznutzen der zum Eintausch begehrten Güter unter Umständen sehr hoch. Die durch den Grenznutzen bestimmten Tauschgrenzen sind also hochgradig schwankend. Ein *rationaler* Tauschkampf entwickelt sich nur bei marktgängigen (über den Begriff s. § 8) und im Höchstmaß bei erwerbswirtschaftlich (Begriff s. § 11) genutzten oder abgetauschten Gütern.

7. Die zu a α genannten Eingriffe eines Regulierungsverbandes sind nicht etwa die einzig *möglichen* eines solchen, aber diejenigen, welche, als am unmittelbarsten aus Bedrohung der *Bedarfs*deckung als solcher hervorgehend, hierher gehören. Über die Absatzregulierung s. später.

§ 5. Ein wirtschaftlich orientierter Verband kann, je nach seinem Verhältnis zur Wirtschaft, sein:

- a) wirtschaftender Verband, – wenn das an seiner Ordnung orientierte primär außerwirtschaftliche Verbandshandeln ein Wirtschaften mit umschließt;
- b) Wirtschaftsverband, – wenn das durch die Ordnung geregelte Verbandshandeln *primär* ein autokephales Wirtschaften bestimmter Art ist;
- c) wirtschaftsregulierender Verband, – wenn und insoweit als an den Ordnungen des Verbandes sich das autokephale Wirtschaften der Verbandsglieder *material* heteronom orientiert.
- d) Ordnungsverband, – wenn seine Ordnungen das autokephale und autonome Wirtschaften der Verbandsmitglieder nur *formal* durch Regeln normieren und die dadurch erworbenen Chancen garantieren.

Materiale Wirtschafts*regulierungen* haben ihre faktischen Schranken da, wo die Fortsetzung eines bestimmten wirtschaftlichen Verhaltens noch mit vitalem Versorgungsinteresse der regulierten Wirtschaften vereinbar ist.

1. Wirtschaftende Verbände sind der (*nicht* sozialistische oder kommunistische) „Staat" und alle anderen Verbände (Kirchen, Vereine usw.) mit eigner Finanzwirtschaft, aber auch z. B. die Erziehungsgemeinschaften, die nicht primär ökonomischen Genossenschaften usw.

2. Wirtschaftsverbände sind natürlich, im Sinn dieser Terminologie, nicht nur die üblicherweise so bezeichneten, wie etwa Erwerbs-(Aktien-)gesellschaften, Konsumvereine, Artjels, Genossenschaften, Kartelle, sondern alle das Handeln mehrerer Personen umfassenden wirtschaftlichen „Betriebe" überhaupt, von der Werkstattgemeinschaft zweier Handwerker bis zu einer denkbaren weltkommunistischen Assoziation.

3. Wirtschaftsregulierende Verbände sind z. B. Markgenossenschaften, Zünfte, Gilden, Gewerkschaften, Arbeitgeberverbände, Kartelle und alle Verbände mit einer material den Inhalt und die Zielrichtung des Wirtschaftens regulierenden: „Wirtschaftspolitik" treibenden Leitung, also: die Dörfer und Städte des Mittelalters ebenso wie jeder eine solche Politik treibende Staat der Gegenwart.

4. Ein reiner Ordnungsverband ist z. B. der reine Rechtsstaat, welcher das Wirtschaften der Einzelhaushalte und -betriebe material gänzlich autonom läßt und nur formal im Sinne der Streitschlichtung die Erledigung der frei paktierten Tauschverpflichtungen regelt.

5. Die Existenz von wirtschaftsregulierenden und Ordnungsverbänden setzt prinzipiell die (nur verschieden große) Autonomie der Wirtschaftenden voraus. Also: die prinzipielle, nur in verschiedenem Maße (durch Ordnungen, an denen sich das Handeln orientiert) begrenzte, Freiheit der Verfügungsgewalt der Wirtschaftenden. Mithin: die (mindestens relative) Appropriation von ökonomischen Chancen an sie, über welche von ihnen autonom verfügt wird. Der reinste Typus des Ordnungsverbandes besteht daher dann, wenn alles *menschliche* Handeln inhaltlich autonom verläuft und nur an formalen Ordnungsbestimmungen orientiert ist, alle *sachlichen* Träger von Nutzleistungen aber voll *appropriiert* sind, derart, daß darüber, insbesondere durch Tausch, beliebig verfügt werden kann, wie dies der typischen modernen Eigentumsordnung entspricht. Jede andere Art von Abgrenzung der Appropriation und Autonomie enthält eine Wirtschaftsregulierung, weil sie menschliches Handeln in seiner Orientierung bindet.

6. Der Gegensatz zwischen Wirtschaftsregulierung und bloßem Ordnungsverband ist flüssig. Denn natürlich kann (und muß) auch die Art der „formalen" Ordnung das Handeln irgendwie material, unter Umständen tiefgehend, beeinflussen. Zahlreiche moderne gesetzliche Bestimmungen, welche sich als reine „Ordnungs"-Normen

geben, sind in der Art ihrer Gestaltung darauf zugeschnitten, einen solchen Einfluß zu üben (davon in der Rechtssoziologie). Außerdem aber ist eine wirklich ganz strenge Beschränkung auf *reine* Ordnungsbestimmungen nur in der Theorie möglich. Zahlreiche „zwingende" Rechtssätze – und solche sind nie zu entbehren – enthalten in irgendeinem Umfang auch für die Art des *materialen* Wirtschaftens wichtige Schranken. Grade „Ermächtigungs"-Rechtssätze aber enthalten unter Umständen (z. B. im Aktienrecht) recht fühlbare Schranken der wirtschaftlichen Autonomie.

7. Die *Begrenztheit* der materialen Wirtschaftsregulierungen in ihrer Wirkung kann sich a) im Aufhören bestimmter Richtungen des Wirtschaftens (Bestellung von Land nur zum Eigenbedarf bei Preistaxen) oder b) in faktischer Umgehung (Schleichhandel) äußern.

§ 6. *Tauschmittel* soll ein sachliches Tauschobjekt insoweit heißen, als dessen Annahme beim Tausch in typischer Art *primär* an der Chance für den Annehmenden orientiert ist, daß dauernd – das heißt: für die in Betracht gezogene Zukunft – die Chance bestehen werde, es gegen andre Güter in einem seinem Interesse entsprechenden Austauschverhältnis in Tausch zu geben, sei es gegen alle (allgemeines Tauschmittel), sei es gegen bestimmte (spezifisches Tauschmittel). Die Chance der Annahme in einem abschätzbaren Tauschverhältnis zu anderen (spezifisch angebbaren) Gütern soll materiale Geltung des Tauschmittels im Verhältnis zu diesen heißen, *formale* Geltung die Verwendung an sich.

Zahlungsmittel soll ein typisches Objekt insoweit heißen, als für die Erfüllung bestimmter paktierter oder oktroyierter Leistungspflichten die Geltung seiner Hingabe als Erfüllung konventional oder rechtlich *garantiert* ist (*formale* Geltung des Zahlungsmittels, die zugleich *formale* Geltung als Tauschmittel bedeuten *kann*).

Chartal sollen Tauschmittel oder Zahlungsmittel heißen, wenn sie Artefakte sind, kraft der ihnen gegebenen *Form* ein konventionelles, rechtliches, paktiertes oder oktroyiertes Ausmaß formaler Geltung innerhalb eines personalen oder regionalen Gebiets haben und *gestückelt* sind, das heißt: auf bestimmte Nennbeträge oder Vielfache oder Bruchteile von solchen lauten, so daß rein mechanische *Rechnung* mit ihnen möglich ist.

Geld soll ein chartales Zahlungsmittel heißen, welches Tauschmittel ist.

Tauschmittel-, Zahlungsmittel- oder Geld-Verband soll ein Verband heißen mit Bezug auf Tauschmittel, Zahlungsmittel oder Geld, welche und soweit sie innerhalb des Geltungsbereichs seiner Ordnungen durch diese in einem relevanten Maß wirksam als konventional oder rechtlich (*formal*) geltend oktroyiert sind: Binnengeld, bzw. Binnen-Tausch- bzw. -Zahlungsmittel. Im Tausch mit Ungenossen verwendete Tauschmittel sollen Außen-Tauschmittel heißen.

Naturale Tausch- oder Zahlungsmittel sollen die nicht chartalen heißen. In sich sind sie unterschieden:

a) 1. technisch: je nach dem Naturalgut, welches sie darstellt (insbesondere: Schmuck, Kleider, Nutzobjekte und Geräte) –, oder

2. der Verwendung in Form der Wägung (pensatorisch) oder nicht;

b) ökonomisch: je nach ihrer Verwendung

1. primär für Tauschzwecke oder für ständische Zwecke (Besitzprestige),

2. primär als Binnen- oder als Außentausch- bzw. Zahlungsmittel.

Zeichenmäßig heißen Tausch- und Zahlungsmittel oder Geld insoweit, als sie primär eine eigene Schätzung außerhalb ihrer Verwendung als Tausch- oder Zahlungsmittel nicht (in der Regel: nicht mehr) genießen,

Stoffmäßig insoweit, als ihre *materiale* Schätzung als solche durch die Schätzung ihrer Verwendbarkeit als Nutzgüter beeinflußt wird oder doch werden *kann*.

Geld ist entweder:

a) monetär: Münze, oder

b) notal: Urkunde.

Das notale Geld pflegt durchweg in seiner Form einer monetären Stückelung angepaßt oder im Nennbetrag historisch auf eine solche bezogen zu sein.

Monetäres Geld soll heißen:

1. „*freies*" oder „*Verkehrsgeld*", wenn von der Geldausgabestelle auf Initiative jedes Besitzers des monetären Stoffs dieser in beliebigen Mengen in chartale „Münz"-Form verwandelt wird, material also die Ausgabe an Zahlungsbedürfnissen von Tauschinteressenten orientiert ist, –

2. „*gesperrtes*" oder „*Verwaltungsgeld*", wenn die Verwandlung in chartale Form nach dem formell freien, material primär an Zahlungsbedürfnissen der Verwaltungs*leitung* eines Verbandes orientierten, Belieben dieser erfolgt, –

3. „*reguliertes*", wenn sie zwar gesperrt, die Art und das Ausmaß ihrer Schaffung aber durch Normen wirksam geregelt ist.

Umlaufsmittel soll eine als notales Geld fungierende Urkunde heißen, wenn ihre Annahme als „provisorisches" Geld sich an der Chance orientiert: daß ihre jederzeitige Einlösung in „definitives": Münzen oder pensatorische Metalltauschmittel für alle normalen Verhältnisse gesichert sei. *Zertifikat* dann, wenn dies durch Regulierungen bedingt ist, welche Vorratshaltung im Betrag *voller* Deckung in Münze oder Metall sicherstellen.

Tausch- oder Zahlungsmittel*skalen* sollen die innerhalb eines Verbandes konventionalen oder rechtlich oktroyierten gegenseitigen Tarifierungen der einzelnen naturalen Tausch- und Zahlungsmittel heißen.

Kurantgeld sollen die von der Ordnung eines Geld-Verbands mit nach Art und Maß unbeschränkter Geltung als Zahlungsmittel ausgestatteten Geldarten heißen, *Geldmaterial* das Herstellungsmaterial eines Geldes, *Währungsmetall* das gleiche bei Verkehrsgeld, *Geldtarifierung* die bei der Stückelung und Benennung zugrunde gelegte Bewertung der einzelnen unter einander stoffverschiedenen naturalen oder Verwaltungsgeldarten, *Währungsrelation* das gleiche zwischen stoffverschiedenen Verkehrsgeldarten.

Intervalutarisches Zahlungsmittel soll dasjenige Zahlungsmittel heißen, welches zum Ausgleich des Zahlungssaldos zwischen verschiedenen Geldverbänden jeweils letztlich – das heißt wenn nicht durch Stundung die Zahlung hinausgeschoben wird – dient. –

Jede neugeschaffene Verbandsordnung des Geldwesens legt unvermeidlich die Tatsache zugrunde: daß bestimmte Zahlmittel für Schulden verwendet wurden. Sie begnügt sich entweder mit deren Legalisierung als Zahlungsmittel oder – bei Oktroyierung neuer Zahlungsmittel – rechnet bestimmte bisherige naturale oder pensatorische oder chartale Einheiten in die neuen Einheiten um (Prinzip der sogenannten „historischen Definition" des Geldes als *Zahlungsmittel*, von der hier völlig dahingestellt bleibt, wieweit sie auf die Austauschrelation des Geldes als *Tauschmittel* zu den Gütern zurückwirkt).

Es sei nachdrücklich bemerkt: daß hier nicht eine „Geldtheorie" beabsichtigt ist, sondern eine möglichst einfache terminologische Feststellung von Ausdrücken, die später öfter gebraucht werden. Weiterhin kommt es vorerst auf gewisse ganz elementare *soziologische* Folgen des Geldgebrauchs an. (Die mir im ganzen annehmbarste materiale Geldtheorie ist die von *Mises*. Die „Staatliche Theorie" *G. F. Knapps* – das großartigste Werk des Fachs – löst ihre *formale* Aufgabe in ihrer Art glänzend. Für materiale Geldprobleme ist sie unvollständig: s. später. Ihre sehr dankenswerte und terminologisch wertvolle Kasuistik wurde *hier* noch beiseite gelassen).

1. Tauschmittel und Zahlungsmittel fallen historisch zwar sehr oft, aber doch nicht immer zusammen. Namentlich nicht auf primitiven Stufen. Die Zahlungsmittel für Mitgiften, Tribute, Pflichtgeschenke, Bußen, Wergelder z. B. sind oft konventional oder rechtlich eindeutig, aber ohne Rücksicht auf das tatsächlich umlaufende *Tausch*mittel bestimmt. Nur bei *geldwirtschaftlichem* Verbandshaushalt ist die Behauptung von Mises, Theorie des Geldes und der Umlaufsmittel (München 1912) richtig, daß auch der Staat die Zahlungsmittel nur als Tauschmittel begehre. Nicht für Fälle, wo der Besitz bestimmter Zahlungsmittel primär ständisches Merkmal war. (S. dazu *K. Schurtz*, Grundriß einer Entstehungsgeschichte des Geldes, 1918). – Mit dem Beginn staatlicher Geld*satzungen* wird Zahlungsmittel der rechtliche, Tauschmittel der ökonomische Begriff.

2. Die Grenze zwischen einer „Ware" welche gekauft wird *nur* weil künftige Absatzchancen in Betracht gezogen werden, und einem „Tauschmittel" ist scheinbar flüssig. Tatsächlich pflegen aber bestimmte Objekte derart ausschließlich die Funktion als Tauschmittel zu monopolisieren, – und zwar schon unter sonst primitiven Verhältnissen –, daß ihre Stellung als solche eindeutig ist. („Terminweizen" ist dem gemeinten Sinn nach bestimmt, einen *endgültigen Käufer* zu finden, also weder ein „Zahlungs"- noch gar „Tauschmittel", noch vollends „Geld").

3. Die Art der Tauschmittel ist, solange chartales Geld nicht besteht, in ihrer Entstehung primär durch Sitte, Interessenlage und Konventionen aller Art bestimmt, an denen sich die Vereinbarungen der Tauschpartner orientieren. Diese hier nicht näher zu erörternden Gründe, aus denen Tauschmittel primär diese Qualität erlangten, waren sehr verschiedene, und zwar auch nach der Art des Tausches, um den es sich typisch handelte. Nicht jedes Tauschmittel war notwendig (auch nicht innerhalb des Personenkreises, der es als solches verwendete) universell für Tausch jeder Art anwendbar (z. B. war Muschel-„Geld" nicht spezifisches Tauschmittel für Weiber und Vieh).

4. Auch „Zahlungsmittel", welche *nicht* die üblichen „Tauschmittel" waren, haben in der Entwicklung des Geldes zu seiner Sonderstellung eine beachtliche Rolle gespielt. Die „Tatsache", daß Schulden existierten (G. F. Knapp): – Tributschulden, Mitgift- und Brautpreisschulden, konventionale Geschenkschulden an Könige oder umgekehrt von Königen an ihresgleichen, Wergeldschulden und andre – und daß diese oft (nicht immer) in spezifischen typischen Güterarten abzuleisten waren (konventional oder kraft Rechtszwangs), schuf diesen Güterarten (nicht selten: durch ihre Form spezifizierten Artefakten) eine Sonderstellung.

5. „Geld" (im Sinne dieser Terminologie) könnten auch die „Fünftelschekelstücke" mit dem Stempel des (Händler-)Hauses sein, die sich in babylonischen Urkunden finden. Vorausgesetzt, daß sie Tauschmittel waren. Dagegen rein „pensatorisch" verwendete, nicht gestückelte Barren sollen hier nicht als „Geld", sondern als pensatorisches Tausch- und Zahlungsmittel bezeichnet werden, so ungemein wichtig die Tatsache der *Wägbarkeit* für die Entwicklung der „Rechenhaftigkeit" war. Die Übergänge (Annahme von Münzen nur nach Gewicht usw.) sind natürlich massenhaft.

6. „Chartal" ist ein Ausdruck, den Knapps „Staatliche Theorie des Geldes" eingeführt hat. Alle Arten durch Rechtsordnung oder Vereinbarung mit Geltung versehene gestempelte und gestückelte Geldsorten, metallische ebenso wie nichtmetallische, gehören nach ihm dahin. Nicht abzusehen ist, warum nur *staatliche* Proklamation, nicht auch Konvention oder paktierter Zwang zur Annahme für den Begriff ausreichen sollen. Ebensowenig könnte natürlich die Herstellung in Eigenregie oder unter Kontrolle der politischen Gewalt – die in China wiederholt ganz fehlte, im Mittelalter nur relativ bestand, – entscheidend sein, sofern nur *Normen* für die entscheidende Formung bestehen. (So auch *Knapp.*) Die Geltung als Zahlungs- und die *formale* Benutzung als Tauschmittel im Verkehr *innerhalb* des Machtgebietes des politischen Verbandes kann durch die Rechtsordnung erzwungen werden. S. später.

7. Die naturalen Tausch- und Zahlungsmittel sind primär teils das Eine, teils das Andere, teils mehr Binnen- teils mehr Außen-Tausch- und Zahlungs-Mittel. Die Kasuistik gehört nicht hierher. Ebenso – *noch* nicht – die Frage der *materialen* Geltung des Geldes.

8. Ebensowenig gehört eine *materiale* Theorie des Geldes in bezug auf die Preise schon an diese Stelle (soweit sie *überhaupt* in die Wirtschafts*soziologie* gehört). Hier muß zunächst die Konstatierung der Tatsache des Geldgebrauchs (in seinen wichtigsten Formen) genügen, da es auf die ganz allgemeinen soziologischen *Konsequenzen* dieser an sich, ökonomisch angesehen, formalen Tatsache ankommt. Festgestellt sei vorerst nur, daß „Geld" *niemals* nur eine harmlose „Anweisung" oder eine *bloß* nominale „Rechnungseinheit" sein wird und kann, solange es eben: *Geld* ist. Seine Wertschätzung ist (in sehr verwickelter Form) stets *auch* eine Seltenheits- (oder bei „Inflation": Häufigkeits-)Wertschätzung, wie gerade die Gegenwart, aber auch jede Vergangenheit zeigt.

Eine sozialistische, etwa auf dem Grund von (als „nützlich" anerkannter) „Arbeit" eines bestimmten Maßes emittierte „Anweisung" auf bestimmte Güter könnte zum Gegenstand der Thesaurierung oder des Tausches werden, würde aber den Regeln des (eventuell: indirekten) *Naturaltausches* folgen.

9. Die Beziehungen zwischen monetärer und nicht monetärer Benutzung eines technischen Geld*stoffes* lassen sich an der chinesischen Geldgeschichte in ihren weittragenden Folgen für die Wirtschaft am deutlichsten verfolgen, weil bei Kupfer-Währung mit hohen Herstellungskosten und stark schwankender Ausbeute des *Währungsmaterials* die Bedingungen dort besonders klar lagen.

§ 7. Die primären Konsequenzen *typischen* Geldgebrauches sind:

1. der sogenannte „indirekte Tausch" als Mittel der Bedarfsversorgung von Konsumenten. Das heißt die Möglichkeit: a) örtlicher, b) zeitlicher, c) personaler, d) (sehr wesentlich auch:) mengenhafter *Trennung* der jeweils zum Abtauschen bestimmten Güter von den zum Eintausch begehrten. Dadurch: die außerordentliche Ausweitung der jeweils gegebenen Tauschmöglichkeiten, und, in Verbindung, damit:

2. die Bemessung *gestundeter* Leistungen, insbesondere: Gegenleistungen beim Tausch (Schulden), in Geldbeträgen;

3. die sogenannte „Wertaufbewahrung", das heißt: die Thesaurierung von Geld in Natura oder von jederzeit einzufordernden Geldforderungen als Mittel der Sicherung von künftiger Verfügungsgewalt über Eintausch*chancen*;

4. die zunehmende Verwandlung ökonomischer Chancen in solche: über *Geld*beträge verfügen zu können;

5. die qualitative Individualisierung und damit, indirekt, Ausweitung der Bedarfsdeckung derjenigen, die über Geld oder Geldforderungen oder die Chancen von Gelderwerb verfügen, und also: Geld für *beliebige* Güter und Leistungen anbieten können;

6. die heute typische Orientierung der Beschaffung von Nutzleistungen am Grenznutzen jener *Geld*beträge, über welche der Leiter einer Wirtschaft in einer von ihm übersehbaren Zukunft voraussichtlich verfügen zu können annimmt. Damit:

7. Erwerbsorientierung an allen jenen Chancen, welche durch jene zeitlich, örtlich, personal und sachlich vervielfältigte Tauschmöglichkeit (Nr. 1) dargeboten werden. Dies alles auf Grund des prinzipiell wichtigsten Moments von allen, nämlich:

8. der Möglichkeit der *Abschätzung* aller für den Abtausch oder Eintausch in Betracht kommenden Güter und Leistungen in Geld: *Geldrechnung.*

Material bedeutet die Geldrechnung zunächst: daß Güter nicht nur nach ihrer derzeitigen, örtlichen und personalen, Nutzleistungsbedeutung geschätzt werden. Sondern daß bei der Art ihrer Verwendung (gleichviel zunächst ob als Konsum- oder als Beschaffungsmittel) auch alle künftigen Chancen der Verwertung und Bewertung, unter Umständen durch unbestimmt viele Dritte für deren Zwecke, insoweit mit in Betracht gezogen werden, als sie sich in einer dem Inhaber der Verfügungsgewalt *zugänglichen* Geldabtauschchance ausdrükken. Die Form, in welcher dies bei typischer Geldrechnung geschieht, ist: die *Marktlage.*

Das Vorstehende gibt nur die einfachsten und wohlbekannten Elemente jeglicher Erörterung über „Geld" wieder und bedarf daher keines besonderen Kommentars. Die Soziologie des „Marktes" wird an dieser Stelle noch nicht verfolgt (s. über die formalen Begriffe §§ 8, 10).

„Kredit" im allgemeinsten Sinn soll jeder Abtausch gegenwärtig innegehabter gegen Eintausch der Zusage künftig zu übertragender Verfügungsgewalt über Sachgüter gleichviel welcher Art heißen. Kreditgeben bedeutet zunächst die Orientierung an der Chance: daß diese künftige Übertragung tatsächlich erfolgen werde. Kredit in diesem Sinn bedeutet primär den Austausch gegenwärtig fehlender, aber für künftig im Überschuß erwarteter Verfügungsgewalt einer Wirtschaft über Sachgüter oder Geld – gegen derzeit vorhandene, nicht zur eignen Verwertung bestimmte Verfügungsgewalt einer andern. Wovon im Rationalitätsfall beide Wirtschaften sich günstigere Chancen (gleichviel welcher Art) versprechen, als sie die Gegenwartsverteilung ohne diesen Austausch darböte.

1. Die in Betracht gezogenen Chancen müssen keineswegs notwendig wirtschaftlicher Art sein. Kredit kann zu allen denkbaren Zwekken (karitativen, kriegerischen) gegeben und genommen werden.

2. Kredit kann in Naturalform oder in Geldform und in beiden Fällen gegen Zusage von Naturalleistungen oder von Geldleistungen gegeben und genommen werden. Die Geldform bedeutet aber die geld*rechnungsmäßige* Kreditgewährung und Kreditnahme mit allen ihren Konsequenzen (von denen alsbald zu reden ist).

3. Im übrigen entspricht auch diese Definition dem Landläufigen. Daß auch zwischen Verbänden jeder Art, insbesondere: sozialistischen oder kommunistischen Verbänden, Kredit möglich (und bei

Nebeneinanderbestehen mehrerer nicht ökonomisch autarker Verbände dieser Art unumgänglich) ist, versteht sich von selbst. Ein Problem bedeutete dabei freilich im Fall völligen Fehlens des Geldgebrauches die rationale Rechnungsbasis. Denn die bloße (unbestreitbare) Tatsache der Möglichkeit des „Kompensationsverkehrs" würde, zumal für langfristigen Kredit, für die Beteiligten noch nichts über die Rationalität der gewährten Bedingungen aussagen. Sie wären etwa in der Lage, wie in der Vergangenheit Oikenwirtschaften (s. später), welche ihre Überschüsse gegen Bedarfsartikel abtauschten. Mit dem Unterschied jedoch, daß in der Gegenwart ungeheure Masseninteressen und dabei: solche *auf lange Sicht*, im Spiel wären, während für die schwach versorgten Massen grade der Grenznutzen der *aktuellen* Befriedigung besonders hoch steht. Also: Chance *ungün*stigen Eintausches *dringend* bedurfter Güter.

4. Kredit kann zum Zweck der Befriedigung gegenwärtiger unzulänglich gedeckter Versorgungsbedürfnisse (Konsumtivkredit) genommen werden. Im ökonomischen Rationalitätsfall wird er auch dann nur gegen Einräumung von Vorteilen gewährt. Doch ist dies (bei dem geschichtlich ursprünglichen Konsumtions-, insbesondre beim Notkredit) nicht das Ursprüngliche, sondern der Appell an Brüderlichkeitspflichten (darüber bei Erörterung des Nachbarschaftsverbandes Kap. V).

5. Die allgemeinste Grundlage des *entgeltlichen* Sach- oder Geld-Kredits ist selbstverständlich: daß bei dem Kredit*geber* infolge besserer *Versorgtheit* (was, wohl zu beachten, ein *relativer* Begriff ist) meist der Grenznutzen der Zukunftserwartung höher steht als beim Kredit*nehmer*.

§ 8. *Marktlage* eines Tauschobjektes soll die Gesamtheit der jeweils für Tauschreflektanten bei der Orientierung im Preis- und Konkurrenzkampf *erkennbaren* Aus- und Eintauschchancen desselben gegen Geld heißen, –

Marktgängigkeit das Maß von Regelmäßigkeit, mit welcher jeweils ein Objekt marktmäßiges Tauschobjekt zu werden pflegt, –

Marktfreiheit der Grad von Autonomie der einzelnen Tauschreflektanten im Preis- und Konkurrenzkampf, –

Marktregulierung dagegen der Zustand: daß für mögliche Tauschobjekte die Marktgängigkeit oder für mögliche Tauschreflektanten die Marktfreiheit *material* durch Ordnungen wirksam beschränkt ist. – Marktregulierungen können bedingt sein:

1. nur traditional: durch Gewöhnung an überlieferte Schranken des Tauschs oder an überlieferte Tauschbedingungen;

2. konventional, durch soziale Mißbilligung der Marktgängigkeit bestimmter Nutzleistungen oder des freien Preis- oder Konkurrenzkampfs in bestimmten Tauschobjekten oder für bestimmte Personenkreise;

3. rechtlich: durch wirksame rechtliche Beschränkung des Tausches oder der Freiheit des Preis- oder Konkurrenzkampfes, allgemein oder für bestimmte Personenkreise oder für bestimmte Tauschobjekte, im Sinne: der Beeinflussung der Marktlage von Tauschobjekten (Preisregulierung) oder der Beschränkung des Besitzes oder Erwerbes oder Abtauschs von Verfügungsgewalt über Güter auf bestimmte Personenkreise (rechtlich garantierte Monopole oder rechtliche Schranken der Freiheit des Wirtschaftens);

4. voluntaristisch: durch Interessenlage: materiale Marktregulierung bei formaler Marktfreiheit. Sie hat die Tendenz zu entstehen, wenn bestimmte Tauschinteressenten kraft ihrer faktisch ganz oder annähernd ausschließlichen Chance des Besitzes oder Erwerbes von Verfügungsgewalt über bestimmte Nutzleistungen (monopolistischen Lage) imstande sind: die Marktlage unter tatsächlicher Ausschaltung der Marktfreiheit für andere zu beeinflussen. Insbesondere können sie zu diesem Zweck untereinander oder (und eventuell: zugleich) mit typischen Tauschpartnern *marktregulierende Vereinbarungen* (voluntaristische Monopole und Preiskartelle) schaffen.

1. Von Marktlage wird zweckmäßigerweise (nicht: notwendigerweise) nur bei Geldtausch gesprochen, weil nur dann ein einheitlicher Zahlen*ausdruck* möglich ist. Die *naturalen* „Tauschchancen" werden besser mit diesem Wort bezeichnet. Marktgängig waren und sind – was hier nicht im einzelnen auszuführen ist – bei Existenz des typischen Geldtauschs die einzelnen Arten von Tauschobjekten in höchst verschiedenem und wechselndem Grade. Generell nach Sorten angebbare Massenproduktions- und -Verbrauchsgegenstände im Höchstmaß, einzigartige Objekte eines Gelegenheitsbegehrs im Mindestmaß, Versorgungsmittel mit langfristiger und wiederholter Ge- und Verbrauchsperiode und Beschaffungsmittel mit langfristiger Verwendungs- und Ertragsperiode, vor allem: land- oder vollends forstwirtschaftlich nutzbare Grundstücke in weit geringerem Maß als Güter des Alltagsverbrauchs in genußreifem Zustand, oder Beschaffungsmittel, welche schnellem Verbrauch dienen, oder nur einer einmaligen Verwendung fähig sind oder baldigen Ertrag geben.

2. Der ökonomisch rationale Sinn der Markt*regulierungen* ist geschichtlich mit Zunahme der formalen Marktfreiheit und der Universalität der Marktgängigkeit im Wachsen gewesen. Die *primären*

Marktregulierungen waren teils traditional und magisch, teils sippenmäßig, teils ständisch, teils militärisch, teils sozialpolitisch, teils endlich durch den Bedarf von Verbandsherrschern bedingt, in jedem Fall aber: beherrscht von Interessen, welche nicht an der Tendenz zum Maximum der rein zweckrationalen *markt*mäßigen Erwerbs- oder Güterversorgungschancen von Marktinteressenten orientiert waren, oft mit ihm kollidierten. Sie schlossen entweder 1. wie die magischen oder sippenmäßigen oder ständischen Schranken (z. B. magisch: Tabu, sippenmäßig: Erbgut, ständisch: Ritterlehn) bestimmte Objekte von der Marktgängigkeit dauernd oder, wie teuerungspolitische Regulierungen (z. B. für Getreide), zeitweise aus. Oder sie banden ihren Absatz an Vorangebote (an Verwandte, Standesgenossen, Gilde- und Zunftgenossen, Mitbürger) oder Höchstpreise (z. B. Kriegspreisregulierungen) oder umgekehrt Mindestpreise (z. B. ständische Honorartaxen von Magiern, Anwälten, Ärzten). Oder 2. sie schlossen gewisse Kategorien von Personen (Adel, Bauern, unter Umständen Handwerker) von der Beteiligung an marktmäßigem Erwerb überhaupt oder für bestimmte Objekte aus. Oder sie schränkten durch Konsumregulierung (ständische Verbrauchsordnungen, kriegswirtschaftliche oder teuerungspolitische Rationierungen) die Marktfreiheit der Verbraucher ein. Oder 4. sie schränkten aus ständischen (z. B. bei den freien Berufen) oder konsumpolitischen, erwerbspolitischen, sozialpolitischen („Nahrungspolitik der Zünfte") Gründen die Marktfreiheit der konkurrierenden Erwerbenden ein. Oder 5. sie behielten der politischen Gewalt (fürstliche Monopole) oder den von ihr Konzessionierten (typisch bei den frühkapitalistischen Monopolisten) die Ausnutzung bestimmter ökonomischer Chancen vor. Von diesen war die *fünfte* Kategorie von Marktregulierungen am meisten, die erste am wenigsten marktrational, d. h. der Orientierung des Wirtschaftens der einzelnen am Verkauf und Einkauf von Gütern auf dem Markt interessierten Schichten an Marktlagen förderlich, die andern, in absteigender Reihenfolge, hinderlich. *Marktfreiheitsinteressenten* waren diesen Marktregulierungen gegenüber alle jene Tauschreflektanten, welche am größtmöglichen Umfang der Marktgängigkeit der Güter, sei es als Verbrauchs-, sei es als Absatzinteressenten ein Interesse haben mußten. *Voluntaristische* Marktregulierungen traten zuerst und dauernd weitaus am stärksten auf seiten der *Erwerbs*interessenten auf. Sie konnten im Dienst von monopolistischen Interessen sowohl nur 1. die Absatz- und Eintauschs-Chancen regulieren (typisch: die universell verbreiteten Händlermonopole), als 2. die Transporterwerbschancen (Schiffahrts- und Eisenbahnmonopole), als 3. die Güterherstellung (Produzentenmonopole), als 4. die Kreditgewährung und Finanzierung (bankmäßige Konditions-Monopole) erfassen. Die beiden letzteren bedeuteten am meisten eine Zunahme verbandsmäßiger, jedoch – im Gegensatz zu den primären, irrationalen Marktregulierungen – einer planmäßig an *Marktlagen* orientierten Regulierung der Wirtschaft. Die voluntaristischen Marktregulierungen gingen naturgemäß regelmäßig von solchen Interessenten aus, deren prominente tatsächliche Verfügungsgewalt über Beschaffungsmittel ihnen monopolistische Ausbeutung der formalen Marktfreiheit gestattete. Voluntaristische Verbände der Konsuminteressenten (Konsumvereine, Einkaufsgenossenschaften) gingen dagegen regelmäßig von ökonomisch schwachen Interessenten aus und vermochten daher zwar Kostenersparnisse für die Beteiligten, eine wirksame Marktregulierung aber nur vereinzelt und lokal begrenzt durchzusetzen.

§ 9. Als *formale* Rationalität eines Wirtschaftens soll hier das Maß der ihm technisch möglichen und von ihm wirklich angewendeten *Rechnung* bezeichnet werden. Als *materiale* Rationalität soll dagegen bezeichnet werden der Grad, in welchem die jeweilige Versorgung von gegebenen Menschen*gruppen* (gleichviel wie abgegrenzter Art) mit Gütern durch die Art eines wirtschaftlich orientierten sozialen Handelns sich gestaltet unter dem Gesichtspunkt bestimmter (*wie immer gearteter*) *wertender Postulate*, unter welchen sie betrachtet wurde, wird oder werden könnte. Diese sind höchst *vieldeutig*.

1. Die vorgeschlagene Art der Bezeichnung (übrigens lediglich eine Präzisierung dessen, was in den Erörterungen über „Sozialisierung", „Geld"- und „Natural"-Rechnung als Problem immer wiederkehrt) möchte lediglich der größeren Eindeutigkeit in der sprachgebräuchlichen Verwendung des Wortes „rational" auf diesem Problemgebiet dienen.

2. *Formal* „rational" soll ein Wirtschaften je nach dem Maß heißen, in welchem die jeder rationalen Wirtschaft wesentliche „Vorsorge" sich in zahlenmäßigen, „rechenhaften", Überlegungen ausdrücken kann und ausdrückt (zunächst ganz unabhängig davon, wie diese Rechnungen technisch aussehen, ob sie also als Geld- oder als Naturalschätzungen vollzogen werden). Dieser Begriff ist also (wenn auch, wie sich zeigen wird, nur relativ) *eindeutig* wenigstens in dem Sinn, daß die Geldform das Maximum dieser *formalen* Rechenhaftigkeit darstellt (natürlich auch dies: ceteris paribus!)

3. Dagegen ist der Begriff der *materialen* Rationalität durchaus vieldeutig. Er besagt lediglich dies Gemeinsame: daß eben die Betrachtung sich mit der rein formalen (relativ) eindeutig feststellbaren Tatsache: daß zweckrational, mit technisch tunlichst adäquaten Mitteln, *gerechnet* wird, *nicht* begnügt, sondern ethische, politische, utilitarische, hedonische, ständische, egalitäre oder irgendwelche anderen *Forderungen* stellt und daran die Ergebnisse des – sei es auch formal noch so „rationalen", d. h. rechenhaften – Wirtschaftens *wertrational* oder *material* zweckrational bemißt. Der möglichen, in diesem Sinn rationalen, Wertmaßstäbe sind prinzipiell schrankenlos viele, und die unter sich wiederum nicht eindeutigen sozialistischen und kommunistischen, in irgendeinem Grade stets: ethischen und egalitären, Wertmaßstäbe sind selbstverständlich nur *eine* Gruppe unter dieser Mannigfaltigkeit (ständische Abstufung, Leistung für politische Macht-, insbesondere aktuelle Kriegszwecke und alle denkbaren sonstigen Gesichtspunkte sind in diesem Sinn gleich „material"). – *Selbständig*, gegenüber auch dieser materialen Kritik des Wirtschafts*ergebnisses*, ist dagegen überdies eine ethische, asketische, ästhetische Kritik der Wirtschafts*gesinnung* sowohl wie der Wirtschafts*mittel* möglich, was wohl zu beachten ist. Ihnen allen *kann* die „bloß formale" Leistung der Geldrechnung als subaltern oder geradezu als ihren Postulaten feindlich erscheinen (noch ganz abgesehen von den Konsequenzen der spezifisch modernen Rechnungsart). Hier ist nicht eine Entscheidung, sondern nur die Feststellung und Begrenzung dessen, was „formal" heißen soll, möglich. *„Material"* ist hier also auch selbst ein *„formaler"*, d. h. hier: ein abstrakter *Gattungs*begriff.

§ 10. Rein technisch angesehen, ist *Geld* das „vollkommenste" wirtschaftliche Rechnungsmittel, das heißt: das formal rationalste Mittel der Orientierung wirtschaftlichen Handelns.

Geld*rechnung*, nicht: aktueller Geld*gebrauch*, ist daher das spezifische Mittel zweckrationaler Beschaffungswirtschaft. Geldrechnung bedeutet aber im vollen Rationalitätsfall *primär*:

1. Schätzung aller für einen Beschaffungszweck jetzt oder künftig als benötigt erachteten wirklich oder möglicherweise verfügbaren oder aus fremder Verfügungsgewalt beschaffbaren, in Verlust geratenen oder gefährdeten, Nutzleistungen oder Beschaffungsmittel, und ebenso aller irgendwie relevanten ökonomischen Chancen überhaupt, nach der (aktuellen oder erwarteten) *Marktlage*;

2. zahlenmäßige Ermittelung a) der Chancen jeder beabsichtigten und b) Nachrechnung des Erfolges jeder vollzogenen Wirtschafts-

handlung in Form einer die verschiedenen Möglichkeiten vergleichenden „Kosten-" und „Ertrags"-Rechnung in Geld und vergleichende Prüfung des geschätzten „Reinertrags" verschiedener möglicher Verhaltungsweisen an der Hand dieser Rechnungen;

3. periodischer Vergleich der einer Wirtschaft insgesamt verfügbaren Güter und Chancen mit den bei Beginn der Periode verfügbar gewesenen, beide Male in Geld geschätzt;

4. vorherige Abschätzung und nachträgliche Feststellung derjenigen aus Geld bestehenden oder in Geld schätzbaren Zugänge und Abgänge, welche die Wirtschaft, bei Erhaltung der Geldschätzungssumme ihrer insgesamt verfügbaren Mittel (Nr. 3), die Chance hat, während einer Periode zur Verwendung verfügbar zu haben;

5. die Orientierung der Bedarfsversorgung an diesen Daten (Nr. 1-4) durch Verwendung des (nach Nr. 4) in der Rechnungsperiode verfügbaren Geldes für die begehrten Nutzleistungen nach dem Prinzip des Grenznutzens.

Die kontinuierliche Verwendung und Beschaffung (sei es durch Produktion oder Tausch) von Gütern zum Zweck 1. der eignen Versorgung oder 2. zur Erzielung von selbst verwendeten anderen Gütern heißt *Haushalt*. Seine Grundlage bildet für einen einzelnen oder eine haushaltsmäßig wirtschaftende Gruppe im Rationalitätsfall der Haushaltsplan, welcher aussagt: in welcher Art die vorausgesehenen Bedürfnisse einer Haushaltsperiode (nach Nutzleistungen oder selbst zu verwendenden Beschaffungsmitteln) durch erwartetes Einkommen gedeckt werden sollen.

Einkommen eines Haushalts soll derjenige in Geld geschätzte Betrag von Gütern heißen, welcher ihr bei Rechnung nach dem in Nr. 4 angegebenen Prinzip in einer vergangenen Periode bei rationaler Schätzung zur Verfügung gestanden hat, oder mit dessen Verfügbarkeit sie für eine laufende oder künftige Periode bei rationaler Schätzung rechnen zu können die Chance hat.

Die Gesamtschätzungssumme der in der Verfügungsgewalt eines Haushalts befindlichen, von ihr zur – normalerweise – dauernden unmittelbaren Benutzung oder zur Erzielung von Einkommen verwendeten Güter (abgeschätzt nach Marktchancen, Nr. 3) heißt: ihr *Vermögen*.

Die Voraussetzung der *reinen* Geld-*Haushalts*-Rechnung ist: daß das Einkommen und Vermögen entweder in Geld oder in (prinzipiell) *jederzeit* durch Abtausch in Geld verwandelbaren, also im absoluten Höchstmaß marktgängigen, Gütern besteht.

Haushalt und (im Rationalitätsfall) Haushaltsplan kennt auch die weiterhin noch zu erörternde *Naturalrechnung*. Ein einheitliches „Vermögen" im Sinn der Geldabschätzung kennt sie so wenig wie ein einheitliches (d. h. geldgeschätztes) „Einkommen". Sie rechnet mit „*Besitz*" von Naturalgütern und (bei Beschränkung auf friedlichen Erwerb) konkreten „Einkünften" aus dem Aufwand von verfügbaren Gütern und Arbeitskräften in Naturalform, die sie unter Abschätzung des Optimums der möglichen Bedarfsdeckung als Mittel dieser verwaltet. Bei *fest gegebenen* Bedürfnissen ist die Art dieser Verwendung so lange ein relativ einfaches rein technisches Problem, als die Versorgungslage *nicht* eine genaue rechnerische Feststellung des Optimums des Nutzens der Verwendung von Bedarfsdeckungsmitteln unter Vergleichung sehr heterogener möglicher Verwendungsarten erfordert. Andernfalls treten schon an den einfachen tauschlosen Einzelhaushalt Anforderungen heran, deren (formal exakte) *rechnungs-mäßige* Lösung enge Schranken hat und deren tatsächliche Lösung teils traditional, teils an der Hand sehr grober Schätzungen zu geschehen pflegt, welche freilich bei relativ typischen, übersehbaren, Bedürfnissen und Beschaffungsbedingungen auch völlig ausreichen. Besteht der Besitz aus heterogenen Gütern (wie es im Fall tausch*losen* Wirtschaftens der Fall sein muß), so ist eine rechnerische, formal exakte *Vergleichung* des Besitzes am Beginn und Ende einer Haushaltsperiode ebenso wie eine Vergleichung der Einkünftechancen nur innerhalb der qualitativ *gleichen* Arten von Gütern möglich. Zusammenstellung zu einem naturalen *Gesamtbesitzstand* und Auswerfung naturaler Verbrauchs-*Deputate*, die ohne Minderung dieses Besitzstandes voraussichtlich dauernd verfügbar sind, ist dann typisch. Jede Änderung des Versorgungsstandes (z. B. durch Ernteausfälle) oder der Bedürfnisse bedingt aber neue Dispositionen, da sie die Grenznutzen verschiebt. Unter einfachen und übersehbaren Verhältnissen vollzieht sich die Anpassung leicht. Sonst *technisch* schwerer als bei reiner Geldrechnung, bei welcher jede Verschiebung der Preischancen (im Prinzip) nur die mit den letzten Geldeinkommenseinheiten zu befriedigenden Grenzbedürfnisse der Dringlichkeitsskala beeinflußt.

Bei ganz *rationaler* (also nicht traditionsgebundener) Naturalrechnung gerät überdies die Grenznutzrechnung, welche bei Verfügung über Geldvermögen und Geldeinkommen relativ einfach – an der Hand der Dringlichkeitsskala der Bedürfnisse – verläuft, in eine starke Komplikation. Während dort als „Grenz"-Frage lediglich Mehr*arbeit* oder: die Befriedigung bzw. Opferung eines *Bedürfnisses* zugunsten eines (oder mehrerer) anderer auftaucht (denn *darin* drücken sich im reinen Geld*haushalt* letztlich die „Kosten" aus), findet sie sich hier in die Nötigung versetzt: neben der Dringlichkeitsskala der Bedürfnisse noch zu erwägen: 1. mehrdeutige Verwendbarkeit der Beschaffungsmittel einschließlich des bisherigen Maßes von Gesamtarbeit, also eine je nach der Verwendbarkeit verschiedene (und wandelbare) *Relation* zwischen Bedarfsdeckung und *Aufwand*, also: 2. Maß und Art neuer Arbeit, zu welcher der Haushalter behufs Gewinnung neuer Einkünfte genötigt wäre, und: 3. Art der Verwendung des Sachaufwands im Fall *verschiedener* in Betracht kommender Güterbeschaffungen. Es ist eine der wichtigsten Angelegenheiten der ökonomischen Theorie, die rational mögliche Art dieser Erwägungen zu analysieren, der Wirtschaftsgeschichte: durch den Verlauf der Geschichtsepochen hindurch zu verfolgen, in welcher Art *tatsächlich* sich das naturale Haushalten damit abgefunden hat. Im wesentlichen läßt sich sagen: 1. daß der formale Rationalitätsgrad tatsächlich (im allgemeinen) das faktisch mögliche (vollends aber: das theoretisch zu postulierende) Niveau *nicht* erreichte, daß vielmehr die Naturalhaushaltsrechnungen in ihrer gewaltigen Mehrzahl notgedrungen stets weitgehend traditionsgebunden blieben, 2. also: den Großhaushaltungen, gerade *weil* die Steigerung und Raffinierung von Alltagsbedürfnissen unterblieb, eine außeralltägliche (vor allem: künstlerische) Verwertung ihrer Überschußversorgtheit nahelag (Grundlage der künstlerischen, stilgebundenen Kultur naturalwirtschaftlicher Zeitalter).

1. Zum „Vermögen" gehören natürlich nicht nur Sachgüter. Sondern: *alle* Chancen, über welche eine sei es durch Sitte, Interessenlage, Konvention oder Recht oder sonstwie verläßlich gesicherte Verfügungsgewalt besteht (auch „Kundschaft" eines Erwerbsbetriebs gehört – sei dies ein ärztlicher, anwältlicher oder Detaillisten-Betrieb – zum „Vermögen" des Inhabers, wenn sie aus gleichviel welchen Gründen *stabil* ist: im Fall rechtlicher Appropriation kann sie ja nach der Definition im Kap. I § 10 „Eigentum" sein).

2. Die *Geldrechnung* ohne aktuellen Geldgebrauch oder doch mit Einschränkung desselben auf in natura unausgleichbare Überschüsse der beiderseitigen Tauschgütermengen findet man typisch in ägyptischen und babylonischen Urkunden, die Geldrechnung als Bemessung einer Natural*leistung* in der z. B. sowohl im Kodex Hammurabi wie im vulgärrömischen und frühmittelalterlichen Recht typischen Erlaubnis an den Schuldner: den Geldrechnungsbetrag zu leisten: „in quo potuerit". (Die Umrechnung kann dabei nur auf der Basis traditionaler oder oktroyierter Binnenpreise vollzogen worden sein.)

3. Im übrigen enthalten die Darlegungen nur Altbekanntes im Interesse einer eindeutigen Feststellung des Begriffs des rationalen „Haushalts" gegenüber dem gleich zu erörternden gegensätzlichen

Begriff der rationalen Erwerbswirtschaft. Zweck ist die ausdrückliche Feststellung: daß *beide* in rationaler Form möglich sind, „Bedarfsdeckung" nicht etwas, im Rationalitätsfall, „Primitiveres" ist als: „Erwerb", „Vermögen" nicht eine notwendig „primitivere" Kategorie als: „Kapital", oder „Einkommen" als: „Gewinn". Geschichtlich und hingesehen auf die in der Vergangenheit vorwaltende Form der Betrachtung wirtschaftlicher Dinge geht allerdings, und selbstverständlich, „Haushalten" voran.

4. Wer Träger des „Haushalts" ist, ist gleichgültig. Ein staatlicher „Haushaltsplan" und das „Budget" eines Arbeiters fallen beide unter die gleiche Kategorie.

5. Haushalten und Erwerben sind nicht exklusive Alternativen. Der Betrieb eines „Konsumvereins" z. B. steht *im Dienst* (normalerweise) des Haushaltens, *ist* aber kein Haushalts-, sondern nach der *Form* seines Gebarens ein Erwerbsbetrieb ohne materialen Erwerbs-*zweck*. Haushalten und Erwerben können im Handeln des einzelnen derart ineinandergreifen (und dies ist der in der Vergangenheit typische Fall), daß nur der Schlußakt (Absatz hier, Verzehr dort) den Ausschlag für den Sinn des Vorgangs gibt (bei Kleinbauern insbesondere typisch). Der haushaltsmäßige Tausch (Konsumeintausch, Überschuß-Abtausch) ist Bestandteil des Haushalts. Ein Haushalt (eines Fürsten oder Grundherren) kann Erwerbsbetriebe im Sinn des folgenden § einschließen und hat dies in typischer Art früher getan: ganze Industrien sind aus solchen heterokephalen und heteronomen „Nebenbetrieben" zur Verwertung von eignen Forst- und Feldprodukten von Grundherren, Klöstern, Fürsten entstanden. Allerhand „Betriebe" bilden schon jetzt den Bestandteil namentlich kommunaler, aber auch staatlicher, Haushaltungen. Zum „Einkommen" gehören natürlich bei rationaler Rechnung nur die für den Haushalt verfügbaren „Rein-Erträge" dieser Betriebe. Ebenso können umgekehrt Erwerbsbetriebe sich, z. B. für die Ernährung ihrer Sklaven oder Lohnarbeiter, fragmentarische heteronome „Haushaltungen" („Wohlfahrtseinrichtungen", Wohnungen, Küchen) angliedern. „Rein-Erträge" sind (Nr. 2) *Geld*überschüsse abzüglich aller *Geld*kosten.

6. Auf die Bedeutung der Naturalrechnung für die allgemeine Kulturentwicklung konnte hier nur mit den ersten Andeutungen eingegangen werden.

§ 11. *Erwerben* soll ein an den Chancen der (einmaligen oder regelmäßig wiederkehrenden: kontinuierlichen) Gewinnung von neuer Verfügungsgewalt über Güter orientiertes Verhalten, *Erwerbstätigkeit* die an Chancen des Erwerbes *mit*orientierte Tätigkeit, *wirtschaftliches Erwerben* ein an friedlichen Chancen orientiertes, *marktmäßiges Erwerben* ein an Marktlagen orientiertes, *Erwerbsmittel* solche Güter und Chancen, welche dem wirtschaftlichen Erwerben dienstbar gemacht werden, *Erwerbstausch* ein an Marktlagen zu Erwerbszwecken orientierter Ab- oder Eintausch im Gegensatz zum Ab- und Eintausch für Bedarfsdeckungszwecke (*haushaltsmäßigem Tausch*), *Erwerbskredit* der zur Erlangung der Verfügungsgewalt über Erwerbsmittel gegebene und genommene Kredit heißen.

Dem rationalen wirtschaftlichen Erwerben ist zugehörig eine besondre Form der Geldrechnung: die *Kapitalrechnung. Kapitalrechnung* ist die Schätzung und Kontrolle von Erwerbschancen und -erfolgen durch Vergleichung des Geldschätzungsbetrages einerseits der sämtlichen Erwerbsgüter (in Natur oder Geld) bei Beginn und andererseits der (noch vorhandenen und neu beschafften) Erwerbsgüter bei Abschluß des einzelnen Erwerbsunternehmens oder, im Fall eines kontinuierlichen Erwerbsbetriebes: einer Rechnungsperiode, durch Anfangs- bzw. Abschluß-*Bilanz. Kapital* heißt die zum Zweck der Bilanzierung bei Kapitalrechnung festgestellte Geldschätzungssumme der für die Zwecke des Unternehmens verfügbaren Erwerbsmittel, *Gewinn* bzw. *Verlust* der durch die Abschlußbilanz ermittelte Mehr- bzw. Minderbetrag der Schätzungssumme gegenüber derjenigen der Anfangsbilanz, *Kapitalrisiko* die geschätzte Chance bilanzmäßigen Verlustes, wirtschaftliches *Unternehmen* ein an Kapitalrechnung autonom orientierbares Handeln. Diese Orientierung erfolgt durch *Kalkulation*: Vorkalkulation des bei einer zu treffenden Maßnahme zu erwartenden Risikos und Gewinns, Nachkalkulation zur Kontrolle des tatsächlich eingetretenen Gewinn- oder Verlust-Erfolges. *Rentabilität* bedeutet (im Rationalitätsfall) 1. den, als möglich und durch die Maßregeln des Unternehmers zu erstreben, durch Vorkalkulation errechneten –, 2. den laut Nachkalkulation tatsächlich erzielten und ohne Schädigung künftiger Rentabilitätschancen für den *Haushalt* des (oder der) Unternehmer verfügbaren Gewinn einer Periode, ausgedrückt üblicherweise im Quotienten- (heute: Prozent-) Verhältnis zum bilanzmäßigen Anfangskapital.

Kapitalrechnungsmäßige Unternehmungen können an *Markterwerbs*chancen oder an der Ausnutzung anderer – z. B. durch Gewaltverhältnisse bedingter (Steuerpacht-, Amtskauf-) – Erwerbschancen orientiert sein.

Alle Einzelmaßnahmen rationaler Unternehmen werden durch Kalkulation am geschätzten Rentabilitätserfolg orientiert. Kapitalrechnung setzt bei *Markterwerb* voraus: 1. daß für die Güter, welche der Erwerbsbetrieb beschafft, hinlänglich breite und gesicherte, durch Kalkulation abschätzbare, Absatzchancen bestehen, also (normalerweise): Marktgängigkeit, 2. daß ebenso die Erwerbsmittel: sachliche Beschaffungsmittel und Arbeitsleistungen, hinlänglich sicher und mit durch Kalkulation errechenbaren „Kosten" auf dem Markt zu erwerben sind, endlich 3. daß auch die technischen und rechtlichen Bedingungen der mit den Beschaffungsmitteln bis zur Absatzreife vorzunehmenden Maßregeln (Transport, Umformung, Lagerung usw.) prinzipiell berechenbare (Geld-)Kosten entstehen lassen. – Die außerordentliche Bedeutung optimaler *Berechenbarkeit* als Grundlage optimaler Kapitalrechnung wird uns in der Erörterung der soziologischen Bedingungen der Wirtschaft stets neu entgegentreten. Weit entfernt, daß hier nur wirtschaftliche Momente in Betracht kämen, werden wir sehen, daß äußere und innere Obstruktionen verschiedenster Art an dem Umstand schuld sind, daß Kapitalrechnung als eine Grundform der Wirtschaftsrechnung nur im Okzident entstand.

Die Kapitalrechnung und Kalkulation des Marktunternehmers kennt, im Gegensatz zur Haushaltsrechnung, keine Orientierung am „Grenznutzen", sondern an der *Rentabilität*. Deren Chancen sind ihrerseits letztlich von den Einkommensverhältnissen und durch diese von den Grenznutzen-Konstellationen der verfügbaren *Geld*einkommen bei den *letzten* Konsumenten der genußreifen Güter (an deren „Kaufkraft" für Waren der betreffenden Art, wie man zu sagen pflegt) bedingt. Technisch aber sind Erwerbsbetriebsrechnung und Haushaltsrechnung ebenso grundverschieden, wie Bedarfsdeckung und Erwerb, denen sie dienen. Für die ökonomische Theorie ist der Grenz*konsument* der Lenker der Richtung der Produktion. Tatsächlich, nach der Machtlage, ist dies für die Gegenwart nur bedingt richtig, da weitgehend der „Unternehmer" die Bedürfnisse des Konsumenten „weckt" und „dirigiert", – wenn dieser kaufen *kann*.

Jede rationale Geldrechnung und insbesondere daher jede *Kapital*rechnung ist bei *Markterwerb* orientiert an Preischancen, die sich durch Interessenkampf (Preis- und Konkurrenzkampf) und Interessenkompromiß auf dem Markt bilden. Dies tritt in der Rentabilitätsrechnung besonders plastisch bei der technisch (bisher) höchst entwickelten Form der Buchführung (der sog. „doppelten" Buchführung) darin hervor: daß durch ein Kontensystem die Fiktion von Tauschvorgängen zwischen den einzelnen Betriebsabteilungen oder gesonderten Rechnungsposten zugrunde gelegt wird, welches technisch am vollkommensten die Kontrolle der Rentabilität jeder einzelnen Maßregel gestattet. Die Kapitalrechnung in ihrer *formal* rationalsten Gestalt setzt daher den *Kampf des Menschen mit dem Menschen* voraus. Und zwar unter einer weiteren sehr besondersartigen Vorbedingung. Für *keine* Wirtschaft kann subjektiv vorhandene „Bedarfsempfindung" gleich effektivem, das heißt: für die Deckung durch Güterbeschaffung in Rechnung zu stellenden, Bedarf sein. Denn ob jene subjektive Regung befriedigt werden kann, hängt von der Dringlichkeitsskala einerseits, den (vorhandenen, oder, in aller Regel, dem Schwerpunkt nach: erst zu beschaffenden) zur Deckung schätzungsweise verfügbaren Gütern andrerseits ab. Die Deckung bleibt versagt, wenn Nutzleistungen für *diese* Bedarfsdeckung nach Deckung der an Dringlichkeit vorgehenden nicht vorhanden und gar nicht oder nur unter solchen Opfern an Arbeitskraft oder Sachgütern zu beschaffen wären, daß künftige, aber schon in ihrer Gegenwartsschätzung dringlichere Bedürfnisse leiden würden. So in jeder Konsumwirtschaft, auch einer kommunistischen.

In einer Wirtschaft mit Kapitalrechnung, *also*: mit Appropriation der Beschaffungsmittel an Einzelwirtschaften, *also*: mit „Eigentum" (s. Kap. I §10) bedeutet dies Abhängigkeit der Rentabilität von den *Preisen*, welche die „Konsumenten" (nach dem Grenznutzen des Geldes gemäß ihrem Einkommen) zahlen können und wollen: es kann nur für diejenigen Konsumenten rentabel produziert werden, welche (nach eben jenem Prinzip) mit dem entsprechenden *Einkommen* ausgestattet sind. Nicht nur wenn dringlichere (*eigne*) Bedürfnisse, sondern auch wenn stärkere (*fremde*) Kaufkraft zu Bedürfnissen *aller* Art) vorgeht, bleibt die Bedarfsdeckung aus. Die Voraussetzung des Kampfes des Menschen mit dem Menschen auf dem Markt als Bedingung der Existenz rationaler Geldrechnung setzt also weiter auch die entscheidende Beeinflussung des Resultates durch die Überbietungsmöglichkeiten reichlicher mit Geldeinkommen versorgter Konsumenten und die Unterbietungsmöglichkeit vorteilhafter für die Güterbeschaffung ausgestatteter – insbesondere: mit Verfügungsgewalt über beschaffungswichtige Güter oder Geld ausgestatteter – Produzenten absolut voraus. Insbesondere setzt sie *effektive* – nicht konventionell zu irgendwelchen rein technischen Zwecken fingierte – Preise und also *effektives*, als begehrtes Tauschmittel umlaufendes Geld voraus (nicht bloße Zeichen für technische Betriebsabrechnungen). Die Orientierung an Geldpreischancen und Rentabilität bedingt also 1. daß die Unterschiede der Ausstattung der einzelnen Tauschreflektanten mit Besitz an Geld oder an spezifisch marktgängigen Gütern maßgebend wird für die Richtung der Güterbeschaffung, soweit sie erwerbsbetriebsmäßig erfolgt indem nur der „kaufkräftige" Bedarf befriedigt wird und werden kann. Sie bedingt also: 2. daß die Frage, welcher *Bedarf* durch die Güterbeschaffung gedeckt wird, durchaus abhängig wird von der Rentabilität der Güterbeschaffung, welche ihrerseits zwar *formal* eine rationale Kategorie ist, aber eben deshalb *materialen* Postulaten gegenüber sich indifferent verhält, *falls* diese nicht in Form von *hinlänglicher Kaufkraft* auf dem Markt zu erscheinen fähig sind.

Kapitalgüter (im Gegensatz zu Besitzobjekten oder Vermögensteilen) sollen alle solche Güter heißen, über welche und solange über sie unter Orientierung an einer Kapitalrechnung verfügt wird. *Kapitalzins* soll im Gegensatz zum Leihezins der verschiedenen möglichen Arten – 1. die in einer Rentabilitätsrechnung den sachlichen Erwerbsmitteln als normal angerechnete Mindest-Rentabilitätschance, – 2. der Zins, zu welchem *Erwerbs*betriebe Geld oder Kapitalgüter *beschaffen*, heißen.

Die Darstellung enthält nur Selbstverständlichkeiten in einer etwas spezifischeren Fassung. Für das technische Wesen der Kapitalrechnung sind die üblichen, zum Teil vortrefflichen, Darstellungen der Kalkulationslehre (Leitner, Schär usw.) zu vergleichen.

1. Der Kapitalbegriff ist hier streng privatwirtschaftlich und „buchmäßig" gefaßt, wie dies zweckmäßigerweise zu geschehen hat. Mit dem üblichen Sprachgebrauch kollidiert diese Terminologie weit weniger als mit dem leider mehrfach wissenschaftlich üblich gewesenen, freilich in sich bei weitem nicht einheitlichen. Um den jetzt zunehmend wieder wissenschaftlich benutzten streng privatwirtschaftlichen Sprachgebrauch in seiner Verwendbarkeit zu erproben, braucht man nur etwa sich folgende einfache Fragen zu stellen: Was bedeutet es, wenn 1. eine Aktiengesellschaft ein „Grundkapital" von 1 Million hat, wenn 2. dies „herabgesetzt" wird, wenn 3. die Gesetze über das Grundkapital Vorschriften machen und etwa angeben: was und wie etwas darauf „eingebracht" werden darf? Es bedeutet, daß (zu 1) bei der Gewinnverteilung so verfahren wird, daß erst derjenige durch Inventur und ordnungsmäßige Geldabschätzung ermittelte Gesamtmehrbetrag der „Aktiva" über die „Passiva", der *über* 1 Million beträgt, als „Gewinn" gebucht und an die Beteiligten zur beliebigen Verwendung *verteilt* werden darf (bei einem Einzelunternehmen: daß erst dieser Überschußbetrag für den Haushalt *verbraucht* werden darf), daß (zu 2) bei starken Verlusten nicht gewartet werden soll, bis durch Gewinste und deren Aufspeicherung, vielleicht nach langen Jahren, wieder ein Gesamtmehrbetrag von mehr als 1 Million errechnet wird,

sondern schon bei einem niedrigeren Gesamtmehrbetrag „Gewinn" verteilt werden kann: *dazu* muß eben das „Kapital" herabgesetzt werden und dies ist der Zweck der Operation, – 3. der Zweck von Vorschriften über die Art, wie das Grundkapital durch Einbringung „gedeckt" und wann und wie es „herabgesetzt" oder „erhöht" werden darf, ist: den Gläubigern und Aktienerwerbern die Garantie zu geben, daß die Gewinnverteilung nach den Regeln der rationalen Betriebsrechnung „richtig" erfolgt: so also, daß a) die Rentabilität nachhaltig bleibt, b) sie nicht die Haftobjekte der Gläubiger schmälert. Die Vorschriften über die „Einbringung" sind sämtlich Vorschriften über die „Anrechnung" von Objekten als „Kapital". – 4. Was bedeutet es, wenn gesagt wird: „das Kapital wendet sich anderen Anlagen zu" (infolge Unrentabilität)? Entweder ist hier „Vermögen" gemeint. Denn „Anlegen" ist eine Kategorie der Vermögensverwaltung, nicht des Erwerbsbetriebs. Oder (selten) es heißt: daß Kapital*güter* dieser Eigenschaft teils durch Veräußerung der Bestände als Alteisen und Ramschware entkleidet werden, teils anderweit sie neu gewinnen. – 5. Was bedeutet es, wenn von „Kapitalmacht" gesprochen wird? Daß die Inhaber der Verfügungsgewalt über Erwerbsmittel und ökonomischen Chancen, welche als Kapital*güter* in einem Erwerbsbetrieb verwendbar sind, kraft dieser Verfügungsgewalt und kraft der Orientierung des Wirtschaftens an den Prinzipien kapitalistischer Erwerbsrechnung eine spezifische Machtstellung gegenüber andern einnehmen.

Schon in den frühesten Anfängen rationaler Erwerbsakte taucht das Kapital (nicht unter diesem Namen!) als Geld*rechnungs*betrag auf: so in der Commenda. Güter verschiedener Art wurden einem reisenden Kaufmann zur Veräußerung auf fremdem Markt und – eventuell – Einkauf anderer für den einheimischen Markt gegeben, der Gewinn und Verlust zwischen dem reisenden und dem kapitalgebenden Interessenten des Unternehmens dann in bestimmtem Verhältnis geteilt. Damit aber dies geschehen konnte, mußten sie in Geld geschätzt – also: eine Anfangs- und eine Abschluß*bilanz* des Unternehmens aufgestellt – werden: das „Kapital" der Commenda (oder societas maris) war dieser Schätzungsbetrag, der ganz und gar *nur* Abrechnungszwecken zwischen den Beteiligten und keinen anderen diente.

Was bedeutet es, wenn man von „Kapitalmarkt" spricht? Daß Güter – insbesondre: Geld – zu dem Zwecke begehrt werden, um als Kapital*güter* Verwendung zu finden, und daß Erwerbsbetriebe (insbesondere: „Banken" bestimmter Art) bestehen, welche aus der betriebsweisen Beschaffung dieser Güter (insbesondere: von Geld) für diesen Zweck Gewinn ziehen. Beim sog. „Leihkapital" – Hergeben von Geld gegen Rückgabe des gleichen Nennbetrags mit oder ohne „Zinsen", – werden *wir* von „Kapital" nur für den reden, dem das Darleihen Gegenstand seines Erwerbsbetriebes bildet, sonst aber nur von „Geldleihe". Der vulgäre Sprachgebrauch pflegt von „Kapital" zu reden, sofern „Zinsen" gezahlt werden, weil diese als eine Quote des Nennbetrags berechnet zu werden pflegen: nur wegen dieser *rechnerischen* Funktion heißt der Geldbetrag des Darlehens oder Deposits ein „Kapital". Freilich ist dies Ausgangspunkt des *Sprach*gebrauchs (capitale = Hauptsumme des Darlehens, angeblich – nicht: nachweislich – von den „Häuptern" der Viehleihverträge). Indessen dies ist irrelevant. Schon die geschichtlichen Anfänge zeigen übrigens die Hergabe von Naturalgütern zu einem Geld*rechnungs*betrag, von dem dann der Zins berechnet wurde, so daß auch hier „Kapitalgüter" und „Kapital*rechnung*" in der seither typischen Art nebeneinander standen. Wir wollen bei einem einfachen Darlehen, welches ja einen Teil einer *Vermögens*verwaltung bildet, auf seiten des Darleihenden *nicht* von „Leihkapital" reden, wenn es *Haushalts*zwecken dient. Ebensowenig natürlich beim Darleiher. –

Der Begriff des „Unternehmens" entspricht dem Üblichen, nur daß die Orientierung an der Kapitalrechnung, die meist als selbstverständlich vorausgesetzt wird, ausdrücklich hervorgehoben ist, um damit anzudeuten: daß nicht jedes Aufsuchen von Erwerb als solches schon „Unternehmung" heißen soll, sondern eben nur sofern es an Kapitalrechnung (einerlei ob groß- oder „zwerg"-kapitalistisch) orientierbar ist. Ob diese Kapitalrechnung auch tatsächlich *rational* vollzogen und eine Kalkulation nach rationalen Prinzipien durchgeführt wird, soll dagegen indifferent sein. Von „Gewinn" und „Verlust" soll ebenfalls nur in Kapitalrechnungs-Unternehmungen die Rede sein. Auch der kapitallose Erwerb (des Schriftstellers, Arztes, Anwalts, Beamten, Professors, Angestellten, Technikers, Arbeiters) ist uns natürlich „Erwerb", aber er soll nicht „Gewinn" heißen (auch der Sprachgebrauch nennt ihn nicht so). „Rentabilität" ist ein Begriff, der auf *jeden* mit den Mitteln der kaufmännischen Rechnungstechnik selbständig *kalkulierbaren* Erwerbsakt (Einstellung eines bestimmten Arbeiters oder einer bestimmten Maschine, Gestaltung der Arbeitspausen usw.) anwendbar ist.

Für die Bestimmung des Kapitalzins-Begriffs kann zweckmäßigerweise nicht vom bedungenen Darlehens-Zins ausgegangen werden. Wenn jemand einem Bauer mit Saatgetreide aushilft und sich dafür einen Zuschlag bei der Rückleistung ausbedingt, oder wenn das gleiche mit Geld geschieht, welches ein Haushalt bedarf, ein anderer hergeben kann, so wird man das zweckmäßigerweise noch nicht einen „kapitalistischen" Vorgang nennen. Der Zuschlag (die „Zinsen") wird – im Falle rationalen Handelns – bedungen, weil der Darlehens*nehmer* den Unterschied seiner Versorgungschance für den Fall des Darlehens um *mehr* als den zugesagten Zuschlag verbessert zu sehen erwartet, gegenüber denjenigen Chancen seiner Lage, die er für den Fall des Verzichts auf das Darlehen voraussieht, der Darlehens*geber* aber diese Lage kennt und ausnutzt in dem Maße, daß der Grenznutzen der gegenwärtigen eignen Verfügung über die dargeliehenen Güter durch den geschätzten Grenznutzen des für die Zeit der Rückgabe bedungenen Zuschlags *überboten* wird. Es handelt sich dabei noch um Kategorien des Haushaltens und der Vermögensverwaltung, nicht aber um solche der Kapitalrechnung. Auch wer von einem „Geldjuden" sich ein Notdarlehen für Eigenbedarfszwecke geben läßt, „zahlt" im Sinn dieser Terminologie keinen „Kapitalzins" und der Darleihende empfängt keinen, – sondern: Darlehensentgelt. Der betriebsmäßig Darleihende rechnet *sich* von seinem *Geschäfts*kapital (bei rationaler Wirtschaft) „Zins" an und hat mit „Verlust" gewirtschaftet, wenn durch Ausfälle von Darlehen-Rückzahlungen dieser Rentabilitätsgrad nicht erreicht wird. *Dieser* Zins ist uns „Kapitalzins", jener andre einfach: „Zins". Kapitalzins im Sinn dieser Terminologie ist also stets Zins *vom* Kapital, nicht Zins *für* Kapital, knüpft stets an Geldschätzungen und also an die soziologische Tatsache der „privaten", d. h. *appropriierten Verfügungsgewalt über* marktmäßige oder andre *Erwerbsmittel* an, ohne welche eine „Kapital"rechnung, *also* auch eine „Zins"*rechnung* gar nicht denkbar wäre. Im rationalen Erwerbsbetrieb ist jener Zins, mit welchem z. B. ein als „Kapital" erscheinender Posten rechnungsmäßig belastet wird, das Rentabilitäts-Minimum, an dessen Erzielung oder Nichterreichung die Zweckmäßigkeit der betreffenden Art von Verwendung von Kapital*gütern geschätzt* wird („Zweckmäßigkeit" natürlich unter Erwerbs- d. h. Rentabilitäts-Gesichtspunkten). Der Satz für dieses Rentabilitätsminimum richtet sich bekanntlich nur in einer gewissen Annäherung nach den jeweiligen Zinschancen für Kredite auf dem „Kapitalmarkt", obwohl natürlich deren Existenz ebenso der Anlaß für diese Maßregel der Kalkulation ist, wie die Existenz des Markttausches für die Behandlung der Buchungen auf den Konten. Die Erklärung jenes Grundphänomens kapitalistischer Wirtschaft aber: daß für „Leih*kapitalien*" – also *von* Unternehmern – dauernd Entgelt gezahlt *wird*, kann nur durch Beantwortung der Frage gelöst werden: warum die

Unternehmer durchschnittlich dauernd hoffen dürfen, bei Zahlung dieses Entgelts an die Darleihenden dennoch Rentabilität zu erzielen, bzw. unter welchen allgemeinen Bedingungen es eben durchschnittlich zutrifft: daß der Eintausch von gegenwärtigen 100 gegen künftige 100 + x rational ist. Die ökonomische Theorie wird darauf mit der Grenznutzrelation künftiger im Verhältnis zu gegenwärtigen Gütern antworten wollen. Gut! Den Soziologen würde dann interessieren: in welchem *Handeln* von Menschen diese angebliche Relation derart zum Ausdruck kommt: daß sie die Konsequenzen dieser Differenzialschätzung in der Form eines „Zinses" ihren Operationen zugrunde legen können. Denn wann und wo dies der Fall ist, das wäre nichts weniger als selbstverständlich. Tatsächlich geschieht es bekanntlich in den *Erwerbs*wirtschaften. Dafür aber ist primär die ökonomische *Machtlage* maßgebend zwischen einerseits den Erwerbsunternehmen und andrerseits den Haushaltungen, sowohl den die dargebotenen Güter konsumierenden, wie den gewisse Beschaffungsmittel (Arbeit vor allem) darbietenden. Nur dann werden Unternehmungen begründet und *dauernd* (kapitalistisch) betrieben, *wenn* das Minimum des „Kapitalzins" erhofft wird. Die ökonomische *Theorie* – die höchst verschieden aussehen könnte – würde dann wohl sagen: daß jene Ausnutzung der Machtlage: eine Folge des Privateigentums an den Beschaffungsmitteln und Produkten – nur *dieser* Kategorie von Wirtschaftssubjekten ermögliche: so zu sagen „zinsgemäß" zu wirtschaften.

2. Vermögensverwaltung und Erwerbsbetrieb können sich einander äußerlich bis zur Identität zu nähern scheinen. Die erstere ist in der Tat nur durch den konkreten letzten *Sinn* des Wirtschaftens von dem letzteren geschieden: Erhöhung und Nachhaltigkeit der Rentabilität und der Marktmachtstellung des Betriebes auf der einen Seite, – Sicherung und Erhöhung des Vermögens und Einkommens auf der anderen Seite. Dieser letzte Sinn muß aber keineswegs in der Realität stets in der einen oder anderen Richtung exklusiv entschieden oder auch nur entscheidbar sein. Wo das Vermögen eines Betriebsleiters z. B. mit der Verfügungsgewalt über die Betriebsmittel und das Einkommen mit dem Gewinn völlig zusammenfällt, scheint beides völlig Hand in Hand zu gehen. Aber: persönliche Verhältnisse aller Art können den Betriebsleiter veranlassen: einen, von der Orientierung an der *Betriebs*rationalität aus gesehen: irrationalen Weg der Betriebsführung einzuschlagen. Vor allem aber fällt Vermögen und Verfügung über den Betrieb sehr oft nicht zusammen. Ferner übt oft persönliche Überschuldung des Besitzers, persönliches Bedürfnis hoher Gegenwarts-

einnahmen, Erbteilung usw. einen, betriebsmäßig gewertet, höchst irrationalen Einfluß auf die Betriebsführung aus, was ja oft zur Ergreifung von Mitteln Anlaß gibt, diese Einflüsse ganz auszuschalten (Aktiengründung von Familienunternehmen z. B.). Diese Tendenz zur Scheidung von Haushalt und Betrieb ist nicht zufällig. Sie folgt eben daraus: daß das *Vermögen* und seine Schicksale vom Standpunkt des *Betriebs* aus und die jeweiligen Einkommensinteressen der Besitzer vom Standpunkt der Rentabilität aus *irrational* sind. So wenig wie die Rentabilitätsrechnung eines Betriebs etwas Eindeutiges über die Versorgungschancen der als Arbeiter oder als Verbraucher interessierten Menschen aussagt, ebensowenig liegen die Vermögens- und Einkommensinteressen eines mit der Verfügungsgewalt über den Betrieb ausgestalteten Einzelnen oder Verbandes notwendig in der Richtung des *nachhaltigen* Betriebs-Rentabilitätsoptimums und der Marktmachtlage. (Natürlich auch dann nicht – und *gerade* dann oft nicht – wenn der Erwerbsbetrieb in der Verfügungsgewalt einer „Produktivgenossenschaft" steht. Die *sachlichen* Interessen einer modernen rationalen Betriebsführung sind mit den *persönlichen* Interessen des oder der Inhaber der Verfügungsgewalt keineswegs identisch, oft entgegengesetzt: *dies* bedeutet die prinzipielle Scheidung von „Haushalt" und „Betrieb" auch da, wo beide, auf die Inhaber der Verfügungsgewalt und auf die Verfügungsobjekte hin angesehen, identisch sind.

Die Scheidung von „Haushalt" und „Erwerbsbetrieb" sollte zweckmäßigerweise auch terminologisch scharf festgehalten und durchgeführt werden. Ein Ankauf von Wertpapieren zum Zweck des Genusses der Gelderträge seitens eines Rentners ist keine „Kapital"-, sondern eine *Vermögens*anlage. Ein Gelddarlehen seitens eines Privatmanns zum Zweck des Erwerbes der Zinsansprüche ist von einem Gelddarlehen einer Bank an ganz denselben Empfänger vom Standpunkt des Gebers verschieden; ein Gelddarlehen an einen Konsumenten oder an einen Unternehmer (für Erwerbszwecke) sind voneinander vom Standpunkte des Nehmers verschieden: im ersten Fall Kapital*anlage* der Bank, im letzten Kapital*aufnahme* des Unternehmers. Die Kapitalanlage des Gebers im ersten Fall kann aber für den Nehmer einfache haushaltsmäßige Darlehensaufnahme, die Kapitalaufnahme des Nehmers im zweiten für den Geber einfache „Vermögensanlage" sein. Die Feststellung des Unterschieds von Vermögen und Kapital, Haushalt und Erwerbsbetrieb ist nicht unwichtig, weil insbesondre das Verständnis der antiken Entwicklung und der Grenzen des damaligen Kapitalismus ohne diese Scheidung nicht zu gewinnen ist (dafür sind die bekannten Aufsätze von *Rodbertus*, trotz aller seiner Irrtümer und, trotz ihrer Ergänzungsbedürftigkeit, immer noch wichtig und mit den zutreffenden Ausführungen *K. Büchers* zusammenzuhalten).

3. Keineswegs alle Erwerbsbetriebe mit Kapitalrechnung waren und sind „doppelseitig" *markt*orientiert in *dem* Sinn, daß sie *sowohl* die Beschaffungsmittel auf dem Markt kaufen, *wie* die Produkte (oder Endleistungen) dort anbieten. Steuerpacht und Finanzierungen verschiedenster Art werden mit Kapitalrechnung betrieben, ohne das letztere zu tun. Die sehr wichtigen Konsequenzen sind später zu erörtern. Dies ist dann: *nicht* marktmäßiger kapitalrechnungsmäßiger Erwerb.

4. Erwerbs*tätigkeit* und Erwerbs*betrieb* sind hier, aus Zweckmäßigkeitsgründen, geschieden. Erwerbs*tätig* ist jeder, der in einer bestimmten Art tätig ist mindestens *auch, um* Güter (Geld oder Naturalgüter), die er noch nicht besitzt, neu zu erwerben. Also der Beamte und Arbeiter nicht minder als der Unternehmer. Markt-Erwerbs*betrieb* aber wollen wir nur eine solche Art von Erwerbstätigkeit nennen, welche kontinuierlich an *Markt*chancen orientiert ist, indem sie *Güter* als Erwerbsmittel darauf verwendet, um a) durch Herstellung und Absatz begehrter *Güter*, – oder b) um durch Darbietung begehrter *Leistungen Geld* zu ertauschen, es sei durch freien Tausch oder durch Ausnutzung appropriierter Chancen, wie in den in der vorigen Nummer bezeichneten Fällen. *Nicht* „erwerbstätig" ist im Sinn dieser Terminologie der Besitz-Rentner jeder Art, mag er noch so rational mit seinem Besitz „wirtschaften".

5. So selbstverständlich *theoretisch* festzuhalten ist, daß die je nach dem Einkommen sich gestaltenden Grenznutzen-Schätzungen der letzten *Konsumenten* die Rentabilitätsrichtung der Güterbeschaffungs-Erwerbsbetriebe bestimmen, so ist soziologisch doch die Tatsache nicht zu ignorieren: daß die kapitalistische Bedarfsdeckung a) Bedürfnisse neu „weckt", und alte verkümmern läßt, – b) in hohem Maß, durch ihre aggressive Reklame, *Art* und *Maß* der Bedarfsdeckung der Konsumenten beeinflußt. Es gehört dies geradezu zu ihren wesentlichen Zügen. Richtig ist: daß es sich dabei meist um Bedürfnisse nicht ersten Dringlichkeitsgrades handelt. Indessen auch die *Art* der Ernährung und Wohnung wird in einer kapitalistischen Wirtschaft sehr weitgehend durch die Anbieter bestimmt.

§ 12. *Naturalrechnung* kann in den verschiedensten Kombinationen vorkommen. Man spricht von Geld*wirtschaft* im Sinn einer Wirtschaft mit typischem Geldgebrauch und also: Orientierung an geldgeschätzten Marktlagen, von Natural*wirtschaft* im Sinn von Wirtschaft ohne Geldgebrauch, und kann darnach die historisch gegebenen Wirtschaften je nach dem Grade ihrer Geld- oder Naturalwirtschaftlichkeit scheiden.

Natural*wirtschaft* aber ist nichts Eindeutiges, sondern kann sehr verschiedener Struktur sein. Sie kann

a) absolut *tauschlose* Wirtschaft bedeuten oder

b) eine Wirtschaft mit Natural*tausch* ohne Gebrauch von Geld als Tauschmittel.

Im ersten Fall (a) kann sie sowohl

α. eine 1. vollkommunistisch oder eine 2. genossenschaftlich (mit Anteilsrechnung) wirtschaftende Einzelwirtschaft und in beiden Fällen ohne alle Autonomie oder Autokephalie einzelner Teile: *geschlossene Hauswirtschaft*, sein, wie

β. eine Kombination verschiedener sonst autonomer und autokephaler Einzelwirtschaften, alle belastet mit naturalen Leistungen an eine (für herrschaftliche oder für genossenschaftliche Bedürfnisse bestehende) Zentralwirtschaft: *Naturalleistungswirtschaft* („Oikos", streng leiturgischer politischer Verband).

In beiden Fällen kennt sie, im Fall der Reinheit des Typus (oder soweit dieser reicht) nur Natural*rechnung*. Im zweiten Fall (b) kann sie

α. Naturalwirtschaft mit reinem Natural*tausch* ohne Geldgebrauch und ohne Geldrechnung sein oder

β. Naturaltauschwirtschaft mit (gelegentlicher oder typischer) Geld*rechnung* (typisch im alten Orient nachweisbar, aber sehr verbreitet gewesen).

Für die Probleme der Natural*rechnung* bietet nur der Fall a, α in seinen beiden Formen oder aber eine solche Gestaltung des Falles a, β Interesse, bei welcher die Leiturgien in rationalen *Betriebs*einheiten abgeleistet werden, wie dies bei Aufrechterhaltung der modernen Technik bei einer sog. „Vollsozialisierung" unvermeidlich wäre.

Alle Naturalrechnung ist ihrem innersten Wesen nach am Konsum: Bedarfsdeckung, orientiert. Selbstverständlich ist etwas dem „Erwerben" ganz Entsprechendes auf naturaler Basis möglich. Entweder so, daß a) bei tausch*loser* Naturalwirtschaft: verfügbare naturale Beschaffungsmittel und Arbeit planvoll zur Güterherstellung oder Güterherbeischaffung verwendet werden auf Grund einer Rechnung, in welchem der so zu erzielende Zustand der Bedarfsdeckung mit dem ohne diese oder bei einer andern Art der Verwendung bestehenden verglichen und als haushaltsmäßig vorteilhafter geschätzt wird. Oder daß b) bei Natural*tausch*wirtschaft im Wege des streng naturalen Abtauschs und Eintauschs (eventuell: in wiederholten Akten) eine Güterversorgung planmäßig erstrebt wird, welche, mit der ohne diese Maßregeln vorher bestehenden verglichen, als eine ausgiebigere Versorgung von Bedürfnissen bewertet wird. Nur bei Unterschieden qualitativ *gleicher* Güter aber kann dabei eine *ziffer*mäßige Vergleichung *eindeutig* und ohne ganz subjektive Bewertung durchgeführt werden. Natürlich kann man typische Konsum-*Deputate* zusammenstellen, wie sie den Naturalgehalts- und Naturalpfründen-Ordnungen besonders des Orients zugrunde lagen (sogar Gegenstände des Tauschverkehrs, wie unsre Staatspapiere, wurden). Bei typisch sehr gleichartigen Gütern (Niltal-Getreide) war Lagerung mit Giroverkehr (wie in Ägypten) natürlich technisch ebenso möglich, wie für Silberbarren bei Bankowährungen. Ebenso kann (und dies ist wichtiger) ziffermäßig der *technische* Erfolg eines bestimmten Produktionsprozesses ermittelt und mit technischen Prozessen anderer Art verglichen werden. Entweder, bei gleichem Endprodukt, nach der Art des Beschaffungsmittelbedarfs nach Art und Maß. Oder, bei gleichen Beschaffungsmitteln, nach den – bei verschiedenem Verfahren – verschiedenen Endprodukten. Nicht immer, aber oft, ist hier ziffermäßiger Vergleich für wichtige Teilprobleme möglich. Das Problematische der bloßen „Rechnung" beginnt aber, sobald Produktionsmittel verschiedener Art und mehrfacher Verwendbarkeit oder qualitativ verschiedene Endprodukte in Betracht kommen.

Jeder kapitalistische Betrieb vollzieht allerdings in der Kalkulation fortwährend Naturalrechnungsoperationen: Gegeben ein Webstuhl bestimmter Konstruktion, Kette und Garn bestimmter Qualität. Festzustellen: bei gegebener Leistungsfähigkeit der Maschinen, gegebenem Feuchtigkeitsgehalt der Luft, gegebenem Kohlen-, Schmieröl-, Schlichtmaterial- usw. Verbrauch: die Schußzahl pro Stunde und Arbeiter, – und zwar für den *einzelnen* Arbeiter – und darnach das Maß der in der Zeiteinheit von ihm fälligen Einheiten des erstrebten Produkts. Derartiges ist für Industrien mit *typischen* Abfall- oder Nebenprodukten ohne jede Geldrechnung feststellbar, und wird auch so festgestellt. Ebenso kann, unter gegebenen Verhältnissen, der bestehende normale Jahresbedarf des Betriebes an Rohstoffen, bemessen nach seiner technischen Verarbeitungsfähigkeit, die Abnutzungsperiode für Gebäude und Maschinen, der typische Ausfall durch Verderb oder andern Abgang und Materialverlust naturalrechnungsmäßig festgestellt werden und dies geschieht. Aber: die Vergleichung von Produktionsprozessen verschiedener *Art* und mit Beschaffungsmitteln verschiedener Art und mehrfacher Verwendbarkeit erledigt die Rentabilitätsrechnung der heutigen Betriebe für ihre Zwecke spielend an der Hand der Geldkosten, während für die Naturalrechnung hier schwierige, „objektiv" nicht zu erledigende, Probleme liegen. Zwar – scheinbar ohne Not – nimmt die tatsächliche Kalkulation in der Kapitalrechnung eines heutigen Betriebs die Form der Geldrechnung tatsächlich schon ohne diese Schwierigkeiten an. Aber mindestens zum Teil nicht zufällig. Sondern z. B. bei den „Abschreibungen" deshalb, weil dies diejenige Form der Vorsorge für die Zukunftsbedingungen der Produktion des Betriebes ist, welche die maximal anpassungsbereite Bewegungsfreiheit (die ja bei jeder realen Aufspeicherung von Vorräten oder gleichviel welchen anderen rein naturalen Vorsorgemaßregeln *ohne* dieses Kontrollmittel irrational und schwer gehemmt wäre) mit maximaler Sicherheit verbindet. Es ist schwer abzusehen, welche Form denn bei Naturalrechnung „Rücklagen" haben sollten, die nicht *spezifiziert* wären. Ferner aber ist innerhalb eines Unternehmens die Frage: ob und welche seiner Bestandteile, rein technisch-natural angesehen, irrational (= unrentabel) arbeiten und weshalb? d. h. welche Bestandteile des naturalen Aufwandes, (kapitalrechnerisch: der „Kosten"), zweckmäßigerweise *erspart* oder, und vor allem: anderweit rationaler verwendet werden könnten? zwar relativ leicht und sicher aus einer Nachkalkulation der buchmäßigen „Nutzen"- und „Kosten"-Verhältnisse in *Geld*, – wozu als Index auch die Kapital*zins*belastung des Kontos gehört, – äußerst schwer aber und überhaupt nur in sehr groben Fällen und Formen durch Naturalrechnung gleichviel welcher Art zu ermitteln. (Es dürfte sich schon hierbei nicht um zufällige, durch „Verbesserungen" der Rechnungsmethode zu lösende, sondern um prinzipielle Schranken jedes Versuchs wirklich *exakter* Naturalrechnung handeln. Doch könnte dies immerhin bestritten werden, wenn auch natürlich nicht mit Argumenten aus dem Taylor-System und mit der Möglichkeit, durch irgendwelche Prämien- oder Point-Rechnung „Fortschritte" ohne Geld*verwendung* zu erzielen. Die Frage wäre ja gerade: wie man *entdeckt*, an welcher *Stelle* eines Betriebs diese Mittel eventuell in Ansatz zu bringen wären, weil gerade an dieser Stelle noch zu beseitigende Irrationalitäten stecken, – die ihrerseits exakt zu *ermitteln* die Naturalrechnung eben auf Schwierigkeiten stößt, welche einer Nachkalkulation durch Geldrechnung nicht erwachsen). Die Naturalrechnung als Grundlage einer Kalkulation in Betrieben (die bei ihr als heterokephale und heteronome Betriebe einer planwirtschaftlichen Leitung der Güterbeschaffung zu denken wären) findet ihre Rationalitätsgrenze am *Zurechnungs*problem, welches für sie ja nicht in der einfachen Form der buchmäßigen Nachkalkulation, sondern in jener höchst umstrittenen Form auftritt, die es in der „Grenznutzlehre" besitzt. Die Naturalrechnung müßte ja zum Zwekke der rationalen Dauerbewirtschaftung von Beschaffungsmitteln „*Wert*-Indices" für die einzelnen Objekte ermitteln, welche die Funktion der „Bilanz-Preise" in der heutigen Kalkulation zu übernehmen hätten. Ohne daß abzusehen wäre, wie sie denn entwickelt und *kontrolliert* werden könnten: einerseits für jeden Betrieb (standortmäßig) verschieden, andrerseits einheitlich unter Berücksichtigung der „gesellschaftlichen Nützlichkeit", d. h. des (jetzigen *und künftigen*) *Konsumbedarfs*?

Mit der Annahme, daß sich ein Rechnungssystem „schon finden" bzw. erfinden lassen werde, wenn man das Problem der geldlosen Wirtschaft nur resolut anfasse, ist hier nicht geholfen: das Problem ist ein Grundproblem aller „Vollsozialisierung", und von einer *rationalen* „Planwirtschaft" jedenfalls kann keine Rede sein, solange in *dem* alles entscheidenden Punkt kein Mittel zur rein rationalen Aufstellung eines „Planes" bekannt ist.

Die Schwierigkeiten der Naturalrechnung wachsen weiter, wenn ermittelt werden soll: ob ein gegebener Betrieb mit konkreter Produktionsrichtung an *dieser* Stelle seinen rationalen *Standort* habe oder – stets: vom Standpunkt der Bedarfsdeckung einer gegebenen Menschengruppe – an einer andern, möglichen, Stelle, und ob ein gegebener naturaler Wirtschaftsverband vom Standpunkt rationalster Verwendung der Arbeitskräfte und Rohmaterialien, die ihm verfügbar sind, richtig durch „Kompensationstausch" mit andern oder durch Eigenherstellung sich bestimmte Produkte beschafft. Zwar sind die Grundlagen der Standortsbestimmung natürlich rein naturale und auch ihre einfachsten Prinzipien sind in Naturaldaten formulierbar (s. darüber Alfred *Weber* in diesem Grundriß). Aber die *konkrete* Feststellung: ob nach den an einem konkreten Ort gegebenen standortswichtigen Umständen ein Betrieb mit einer bestimmten Produktionsrichtung oder ein anderer mit einer modifizierten rational *wäre*, ist – von absoluter Ortsgebundenheit durch Monopolrohstoffvorkommen abgesehen – naturalrechnungsmäßig nur in ganz groben Schätzungen möglich, geldrechnungsmäßig aber trotz der Unbekannten, mit denen stets zu rechnen ist, eine im Prinzip stets lösbare Kalkulationsaufgabe. Die davon wiederum verschiedene Vergleichung endlich der *Wichtigkeit*, d. h. *Begehrtheit*, spezifisch verschiedener Güter*arten*, deren Herstellung oder Eintausch nach den gegebenen Verhältnissen gleich möglich ist: ein Problem, welches in letzter

Linie in jede einzelne Betriebskalkulation mit seinen Konsequenzen hineinreicht, unter Geldrechnungsverhältnissen die Rentabilität entscheidend bestimmt und damit die Richtung der Güterbeschaffung der Erwerbsbetriebe bedingt, ist für eine Naturalrechnung *prinzipiell* überhaupt nur löslich in Anlehnung entweder: an die Tradition, oder: an einen diktatorischen Machtspruch, der den Konsum eindeutig (einerlei ob ständisch verschieden oder egalitär) reguliert *und*: Fügsamkeit findet. Auch dann aber bliebe die Tatsache bestehen: daß die Naturalrechnung das Problem der *Zurechnung* der Gesamtleistung eines Betriebes zu den einzelnen „Faktoren" und Maßnahmen *nicht* in der Art zu lösen vermag, wie dies die Rentabilitätsrechnung in Geld nun einmal leistet, daß also gerade die heutige *Massen*versorgung durch Massen*betriebe* ihr die stärksten Widerstände entgegenstellt.

1. Die Probleme der Naturalrechnung sind anläßlich der „Sozialisierungs"-Tendenzen in letzter Zeit, besonders eindringlich von Dr. O. *Neurath*, in seinen zahlreichen Arbeiten, angeregt worden. Für eine „*Voll*sozialisierung", d. h. eine solche, welche mit dem Verschwinden effektiver *Preise* rechnet, ist das Problem in der Tat durchaus zentral. (Seine *rationale* Unlösbarkeit würde, wie ausdrücklich bemerkt sei, nur besagen: was alles, auch rein ökonomisch, bei einer derartigen Sozialisierung „in den Kauf zu nehmen" wäre, nie aber die „Berechtigung" dieses Bestrebens, sofern es sich eben *nicht* auf technische, sondern, wie aller *Gesinnungs*-Sozialismus, auf ethische oder andre absolute Postulate stützt, „widerlegen" können: – was keine Wissenschaft vermag. Rein technisch angesehen, wäre aber die *Möglichkeit* in Betracht zu ziehen, daß auf Gebieten mit *nur* auf der Basis exakter *Rechnung* zu unterhaltender Volksdichte die Grenze der möglichen Sozialisierung nach Form und Umfang durch den Fortbestand effektiver *Preise* gegeben wäre. Doch gehört das nicht hierher. Nur sei bemerkt: daß die begriffliche Scheidung von „Sozialismus" und „Sozialreform", wenn irgendwo, dann gerade *hier* liegt.)

2. Es ist natürlich vollkommen zutreffend, daß „*bloße*" Geldrechnungen, sei es von Einzelbetrieben, sei es noch so vieler oder selbst aller Einzelbetriebe und daß auch die umfassendste Güterbewegungsstatistik usw. in *Geld* noch gar *nichts* über die Art der Versorgung einer gegebenen Menschengruppe mit dem was sie letztlich benötigt: Naturalgütern, aussagen, daß ferner die vielberedeten „Volksvermögens"-Schätzungen in *Geld* nur soweit ernst zu nehmen sind, als sie fiskalischen Zwecken dienen (und also: nur das *steuer*bare Vermögen feststellen). Für Einkommensstatistiken in Geld gilt jedoch das gleiche, auch vom Standpunkt der naturalen Güterversorgung, schon bei

weitem nicht in gleichem Maße, wenn die Güter*preise* in Geld statistisch bekannt sind. Nur fehlt auch dann jegliche Möglichkeit einer Kontrolle unter *materialen* Rationalitätsgesichtspunkten. Richtig ist ferner (und an dem Beispiel der römischen Campagna von Sismondi und W. Sombart vortrefflich dargelegt:), daß befriedigende *Rentabilität* (wie sie die höchst extensive Campagna-Wirtschaft zeigte, und zwar für *alle* Beteiligten) in zahlreichen Fällen nicht das mindeste mit einer, vom Standpunkt optimaler Nutzung gegebener Güterbeschaffungsmittel für einen Güter*bedarf* einer gegebenen Menschengruppe befriedigenden Gestaltung der Wirtschaft gemein hat; die Art der *Appropriation*, (insbesondre – wie, insoweit, F. Oppenheimer schlechthin zuzugeben ist: – der Bodenappropriation, aber freilich: nicht nur dieser), stiftet Renten- und Verdienstchancen mannigfacher Art, welche die Entwicklung zur technisch optimalen Verwertung von Produktionsmitteln dauernd obstruieren *können*. (Allerdings ist dies *sehr* weit davon entfernt, eine Eigentümlichkeit gerade der kapitalistischen Wirtschaft zu sein: – insbesondre die vielberedeten Produktionseinschränkungen im Interesse der Rentabilität beherrschten gerade die Wirtschaftsverfassung des Mittelalters restlos und die Machtstellung der Arbeiterschaft in der Gegenwart kann Ähnliches zeitigen. Aber unstreitig existiert der Tatbestand auch in ihrer Mitte.) – Die Tatsache der Statistik von Geldbewegungen oder in Form von Geldschätzungen hat aber doch die Entwicklung einer Naturalstatistik nicht etwa, wie man nach manchen Ausführungen glauben sollte, gehindert, man mag nun von idealen Postulaten aus deren Zustand und Leistungen im übrigen tadeln wie immer. Neun Zehntel und mehr unserer Statistik sind *nicht* Geld-, sondern Naturalstatistik. Im ganzen hat die Arbeit einer vollen Generation letztlich fast *nichts* andres getan, als eine Kritik der Leistungen der reinen Rentabilitäts-Orientiertheit, der Wirtschaft für die *naturale* Güterversorgung (denn darauf lief alle und jede Arbeit der sog. „Kathedersozialisten" doch letztlich, und zwar ganz bewußt, hinaus): nur hat sie allerdings als Beurteilungsmaßstab eine sozial*politisch* – und das heißt im Gegensatz gegen die Naturalrechnungswirtschaft: eine an fortbestehenden *effektiven* Preisen – orientierte Sozialreform, nicht eine Vollsozialisierung, für das (sei es derzeit, sei es definitiv) in Massenwirtschaften allein mögliche angesehen. Diesen Standpunkt für eine „Halbheit" zu halten, steht natürlich frei; mir war er an sich nicht in sich widersinnig. Daß den Problemen der Natural*wirtschaft*, und insbesondre der möglichen Rationalisierung der Natural*rechnung* nicht sehr viel Aufmerksamkeit, jedenfalls im ganzen nur historische, nicht aktuelle,

Beachtung geschenkt worden ist, trifft zu. Der Krieg hat – wie auch in der Vergangenheit jeder Krieg – diese Probleme in Form der Kriegs- und Nachkriegs-Wirtschaftsprobleme mit gewaltiger Wucht aufgerollt. (Und unzweifelhaft gehört zu den Verdiensten des Herrn Dr. O. Neurath eine besonders *frühe* und eindringliche, im einzelnen sowohl wie im Prinzipiellen gewiß bestreitbare, Behandlung eben dieser Probleme. Daß „die Wissenschaft" zu seinen Formulierungen wenig Stellung genommen habe, ist insofern nicht erstaunlich, als *bisher* nur höchst anregende, aber doch mehr Kapitelüberschrift-artige Prognosen vorliegen, mit denen eine eigentliche „Auseinandersetzung" schwer ist. Das Problem beginnt da, wo seine *öffentlichen* Darlegungen – bisher – enden).

3. Die Leistungen und Methoden der Kriegswirtschaft können nur mit großer Vorsicht für die Kritik auch der *materialen* Rationalität einer Wirtschaftsverfassung verwendet werden. Kriegswirtschaft ist an *einem* (im Prinzip) eindeutigen Zwecke orientiert und in der Lage, Machtvollkommenheiten auszunutzen, wie sie der Friedenswirtschaft nur bei „Staatssklaverei" der „Untertanen" zur Verfügung stehen. Sie ist ferner „Bankerotteurswirtschaft" ihrem innersten Wesen nach: der überragende Zweck läßt fast jede Rücksicht auf die kommende Friedenswirtschaft schwinden. Es wird nur *technisch* präzis, ökonomisch aber, bei allen nicht mit völligem Versiegen bedrohten Materialien und vollends mit den Arbeitskräften, nur im groben gerechnet. Die Rechnungen haben daher vorwiegend (nicht: ausschließlich) technischen Charakter; soweit sie wirtschaftlichen Charakter haben, d. h. die Konkurrenz von *Zwecken* – nicht nur: von Mitteln zum gegebenen Zweck – berücksichtigen, begnügen sie sich mit (vom Standpunkt jeder genauen Geldkalkulation aus gesehen) ziemlich primitiven Erwägungen und Berechnungen nach dem Grenznutzprinzip, sind dem Typus nach „Haushalts"-Rechnungen und haben gar nicht den Sinn, *dauernde* Rationalität der gewählten Aufteilung von Arbeit und Beschaffungsmitteln zu garantieren. Es ist daher, – so belehrend gerade die Kriegswirtschaft und Nachkriegswirtschaft für die Erkenntnis ökonomischer „Möglichkeiten" ist, – bedenklich, aus den ihr gemäßen naturalen Rechnungsformen Rückschlüsse auf deren Eignung für die Nachhaltigkeits-Wirtschaft des Friedens zu ziehen.

Es ist auf das bereitwilligste zuzugestehen: 1. daß auch die Geldrechnung zu willkürlichen Annahmen genötigt ist bei solchen Beschaffungsmitteln, welche keinen Marktpreis haben (was besonders in der landwirtschaftlichen Buchführung in Betracht kommt), – 2. daß in abgemindertem Maß etwas Ähnliches für die Auf*teil*ung der „Generalunkosten" bei der Kalkulation insbesondre von vielseitigen Betrieben gilt, – 3. daß jede, auch noch so rationale, d. h. an Marktchancen orientierte, Kartellierung sofort den Anreiz zur exakten Kalkulation schon auf dem Boden der Kapitalrechnung herabsetzt, weil nur da und soweit genau kalkuliert wird, wo und als eine *Nötigung* dafür vorhanden ist. Bei der Naturalrechnung würde aber der Zustand zu 1 universell bestehen, zu 2 *jede* exakte *Berechnung* der „Generalunkosten", welche immerhin von der Kapitalrechnung geleistet wird, unmöglich und, – zu 3 *jeder* Antrieb zu exakter Kalkulation ausgeschaltet und durch Mittel von fraglicher Wirkung (s. o.) künstlich neu geschaffen werden müssen. Der Gedanke einer Verwandlung des umfangreichen, mit Kalkulation befaßten Stabes „kaufmännischer Angestellter" in ein Personal einer Universal*statistik*, von der geglaubt wird, daß sie die Kalkulation bei Naturalrechnung *ersetzen* könne, verkennt nicht nur die grundverschiedenen Antriebe, sondern auch die grundverschiedene Funktion von „Statistik" und „Kalkulation". Sie unterscheiden sich wie Bürokrat und Organisator.

4. Sowohl die Naturalrechnung wie die Geldrechnung sind *rationale* Techniken. Sie teilen keineswegs die Gesamtheit alles Wirtschaftens unter sich auf. Vielmehr steht daneben das zwar tatsächlich wirtschaftlich orientierte, aber rechnungs*fremde* Handeln. Es kann traditional orientiert oder affektuell bedingt sein. Alle primitive Nahrungssuche der Menschen ist der instinktbeherrschten tierischen Nahrungssuche verwandt. Auch das voll bewußte, aber auf religiöser Hingabe, kriegerischer Erregung, Pietätsempfindungen und ähnlichen affektuellen Orientierungen ruhende Handeln ist in seinem Rechenhaftigkeitsgrad sehr wenig entwickelt. „Unter Brüdern" (Stammes-, Gilde-, Glaubens-Brüdern) wird nicht gefeilscht, im Familien-, Kameraden-, Jüngerkreise nicht gerechnet oder doch nur sehr elastisch, im Fall der Not, „rationiert": ein bescheidener Ansatz von Rechenhaftigkeit. Über das Eindringen der Rechenhaftigkeit in den urwüchsigen Familienkommunismus s. unten Kap. V. Träger des Rechnens war überall das Geld, und dies erklärt es, daß in der Tat die Naturalrechnung technisch noch unentwickelter geblieben ist als ihre immanente Natur dies erzwingt (insoweit dürfte O. Neurath Recht zu geben sein).

Während des Druckes erscheint (im Archiv f. Sozialwiss. 47) die mit diesen Problemen befaßte Arbeit, von *L. Mises.*

§ 13. Die *formale* „Rationalität" der Geldrechnung ist also an sehr spezifische *materiale* Bedingungen geknüpft, welche hier soziologisch interessieren, vor allem:

1. den Markt*kampf* (mindestens: relativ) autonomer Wirtschaften. Geldpreise sind Kampf- und Kompromißprodukte, also Erzeugnisse von Machtkonstellationen. „Geld" ist keine harmlose „Anweisung auf unbestimmte Nutzleistungen", welche man ohne grundsätzliche Ausschaltung des durch Kampf von Menschen mit Menschen geprägten Charakters der Preise beliebig umgestalten könnte, sondern primär: Kampfmittel und Kampfpreis, Rechnungsmittel aber nur in der Form des quantitativen Schätzungsausdrucks von Interessen-*kampf*chancen.

2. Das Höchstmaß von Rationalität als rechnerisches Orientierungsmittel des Wirtschaftens erlangt die Geldrechnung in der *Form* der Kapitalrechnung, und dann unter der *materialen* Voraussetzung weitestgehender Marktfreiheit im Sinn der Abwesenheit sowohl oktroyierter und ökonomisch irrationaler wie voluntaristischer und ökonomisch rationaler (d. h. an Marktchancen orientierter) Monopole. Der mit diesem Zustand verknüpfte Konkurrenzkampf um Abnahme der Produkte erzeugt, insbesondre als Absatzorganisation und Reklame (im weitesten Sinn), eine Fülle von Aufwendungen, welche ohne jene Konkurrenz (also bei Planwirtschaft *oder* rationalen Vollmonopolen) fortfallen. *Strenge* Kapitalrechnung ist ferner sozial an „Betriebsdisziplin" *und* Appropriation der sachlichen Beschaffungsmittel, also: an den Bestand eines *Herrschafts*verhältnisses, gebunden.

3. Nicht „Begehr" an sich, sondern: *kaufkräftiger* Begehr nach Nutzleistungen regelt durch Vermittlung der Kapitalrechnung *material* die erwerbsmäßige Güterbeschaffung. Es ist also die Grenznutzen-Konstellation bei der letzten jeweils nach der Art der Besitzverteilung noch für eine bestimmte Nutzleistung typisch kaufkräftigen und kaufgeneigten Einkommensschicht maßgebend für die Richtung der Güterbeschaffung. In Verbindung mit der – im Fall voller Marktfreiheit – absoluten Indifferenz gerade der formal vollkommensten Rationalität der Kapitalrechnung gegen alle, wie immer gearteten, *materialen* Postulate begründen diese im Wesen der Geldrechnung liegenden Umstände die prinzipielle *Schranke* ihrer Rationalität. Diese ist eben rein *formalen* Charakters. Formale und materiale (gleichviel an welchem Wertmaßstab orientierte) Rationalität fallen unter allen Umständen *prinzipiell* auseinander, mögen sie auch in noch so zahlreichen (der theoretischen, unter allerdings völlig irrealen Voraussetzungen zu konstruierenden, Möglichkeit nach selbst: in allen) Einzelfällen empirisch zusammentreffen. Denn die formale Rationalität der Geldrechnung *sagt* an sich *nichts aus* über die Art der materialen Verteilung der Naturalgüter. Diese bedarf stets der besonderen Erörterung. Vom

Standpunkt der Beschaffung eines gewissen materiellen Versorgungs-*Minimums* einer Maximal-*Zahl* von Menschen als Rationalitätsmaßstab treffen allerdings, nach der Erfahrung der *letzten* Jahrzehnte, formale und materiale Rationalität in relativ hohem Maße zusammen, aus Gründen, die in der Art der Antriebe liegen, welche die der Geldrechnung allein adäquate Art des wirtschaftlich orientierten sozialen Handelns in Bewegung setzt. Aber unter allen Umständen gilt: daß die formale Rationalität erst in Verbindung mit der Art der *Einkommens*verteilung etwas über die Art der materiellen Versorgung besagt.

§ 14. „*Verkehrswirtschaftliche*" Bedarfsdeckung soll alle, rein durch *Interessenlage* ermöglichte, an Tauschchancen orientierte und nur durch Tausch vergesellschaftete wirtschaftliche Bedarfsdeckung heißen. „*Planwirtschaftliche*" Bedarfsdeckung soll alle an *gesatzten*, paktierten oder oktroyierten, materialen Ordnungen systematisch orientierte Bedarfsdeckung innerhalb eines *Verbandes* heißen.

Verkehrswirtschaftliche Bedarfsdeckung setzt, normalerweise und im Rationalitätsfall, Geldrechnung und, im Fall der Kapitalrechnung, ökonomische *Trennung von Haushalt und Betrieb* voraus. Planwirtschaftliche Bedarfsdeckung ist (je nach ihrem Umfang in verschiedenem Sinn und Maß) auf Naturalrechnung als letzte Grundlage der materialen Orientierung der Wirtschaft, *formal* aber, für die Wirtschaftenden, auf Orientierung an den Anordnungen eines, für sie unentbehrlichen, Verwaltungsstabes angewiesen. In der Verkehrswirtschaft orientiert sich das Handeln der autokephalen Einzelwirtschaften autonom: beim Haushalten am Grenznutzen des Geldbesitzes und des erwarteten Geldeinkommens, beim Gelegenheitserwerben an den Marktchancen, in den Erwerbs*betrieben* an der Kapitalrechnung. In der Planwirtschaft wird alles wirtschaftliche Handeln – *soweit* sie durchgeführt ist – streng *haushaltsmäßig* und heteronom an gebietenden und verbietenden Anordnungen, in Aussicht gestellten Belohnungen und Strafen orientiert. Soweit als Mittel der Weckung des Eigeninteresses in der Planwirtschaft Sonder-Einkunftchancen in Aussicht gestellt sind, bleibt mindestens die Art und *Richtung* des dadurch belohnten Handelns material heteronom normiert. In der Verkehrswirtschaft *kann* zwar, aber in formal voluntaristischer Art, weitgehend das gleiche geschehen. Überall da nämlich, wo die Vermögens-, insbesondere die Kapitalgüter-Besitzdifferenzierung die Nichtbesitzenden zwingt, sich *Anweisungen* zu fügen, um überhaupt Entgelt für die von ihnen angebotenen Nutzleistungen zu erhalten. Sei es Anweisungen eines vermögenden Hausherrn, oder den an einer Kapitalrechnung orientierten Anweisungen von Kapitalgüter-Besitzenden (oder der von diesen zu deren Verwertung designierten Vertrauensmänner).

Dies ist in der rein kapitalistischen Betriebswirtschaft das Schicksal der gesamten Arbeiterschaft.

Entscheidender Antrieb für alles Wirtschaftshandeln ist unter verkehrswirtschaftlichen Bedingungen normalerweise 1. für die Nichtbesitzenden: a) der Zwang des Risikos völliger Unversorgtheit für sich selbst *und* für diejenigen persönlichen „Angehörigen" (Kinder, Frauen, eventuell Eltern), deren Versorgung der einzelne typisch übernimmt, b) – in verschiedenem Maß – auch innere Eingestelltheit auf die wirtschaftliche Erwerbsarbeit als Lebensform, – 2. für die durch Besitzausstattung oder (besitzbedingte) bevorzugte Erziehungsausstattung tatsächlich Privilegierten: a) Chancen bevorzugter Erwerbseinkünfte, b) Ehrgeiz, c) Wertung der bevorzugten (geistigen, künstlerischen, technisch fachgelernten) Arbeit als „Beruf", 3. für die an den Chancen von Erwerbsunternehmungen Beteiligten: a) eignes Kapitalrisiko und eigne Gewinnchancen in Verbindung mit b) der „berufsmäßigen" Eingestelltheit auf rationalen Erwerb als α) „Bewährung" der eignen Leistung und β) Form autonomen Schaltens über die von den eignen Anordnungen abhängigen Menschen, daneben γ) über kultur- oder lebenswichtige Versorgungschancen einer unbestimmten Vielheit: *Macht*. Eine an Bedarfsdeckung orientierte Planwirtschaft muß – im Fall radikaler Durchführung – von diesen Motiven den Arbeits-*zwang* durch das Unversorgtheits-Risiko mindestens abschwächen, da sie im Fall materialer Versorgungsrationalität jedenfalls die *Angehörigen* nicht beliebig stark unter der etwaigen Minderleistung des Arbeitenden leiden lassen könnte. Sie muß ferner, im gleichen Fall, die Autonomie der Leitung von Beschaffungsbetrieben sehr weitgehend, letztlich: vollkommen, ausschalten, kennt das Kapitalrisiko und die Bewährung durch formal *autonomes* Schalten ebenso wie die *autonome* Verfügung über Menschen und lebenswichtige Versorgungschancen entweder gar nicht oder nur mit sehr stark beschränkter Autonomie. Sie hat also neben (eventuell) rein materiellen Sondergewinnchancen wesentlich ideale Antriebe „altruistischen" Charakters (im weitesten Sinn) zur Verfügung, um ähnliche *Leistungen* in der Richtung planwirtschaftlicher Bedarfsdeckung zu erzielen, wie sie erfahrungsgemäß die autonome Orientierung an Erwerbschancen innerhalb der Erwerbswirtschaft in der Richtung der Beschaffung *kaufkräftig* begehrter Güter vollbringt. Sie muß dabei ferner im Fall radikaler Durchführung, die Herabminderung der formalen, *rechnungsmäßigen* Rationalität in Kauf nehmen, wie sie (in diesem Fall) der Fortfall der

Geld- und Kapitalrechnung unvermeidlich bedingt. Materiale und (im Sinn exakter *Rechnung:*) formale Rationalität fallen eben unvermeidlich weitgehend auseinander: diese grundlegende und letztlich unentrinnbare Irrationalität der Wirtschaft ist eine der Quellen aller „sozialen Problematik, vor allem: derjenigen alles Sozialismus.

Zu §§ 13 und 14:

1. Die Ausführungen geben offensichtlich nur allgemein bekannte Dinge mit einer etwas schärferen Pointierung (s. die Schlußsätze von § 14) wieder. Die Verkehrswirtschaft ist die weitaus wichtigste Art alles an „Interessenlage" orientierten typischen und universellen sozialen Handelns. Die Art, wie sie zur Bedarfsdeckung führt, ist Gegenstand der Erörterungen der Wirtschaftstheorie und hier im Prinzip als bekannt vorauszusetzen. Daß der Ausdruck „Planwirtschaft" verwendet wird, bedeutet natürlich keinerlei Bekenntnis zu den bekannten Entwürfen des früheren Reichswirtschaftsministers; der Ausdruck ist aber allerdings deshalb gewählt, weil er, an sich nicht sprachwidrig gebildet, seit diesem offiziellen Gebrauch sich vielfach eingebürgert hat (statt des von O. Neurath gebrauchten, an sich auch nicht unzweckmäßigen Ausdrucks „Verwaltungswirtschaft").

2. *Nicht* unter den Begriff „Planwirtschaft" in diesem Sinn fällt alle Verbandswirtschaft oder verbandsregulierte Wirtschaft, die an *Erwerbs*chancen (zunftmäßig oder kartellmäßig oder trustmäßig) orientiert ist. Sondern lediglich eine an *Bedarfsdeckung* orientierte Verbandswirtschaft. Eine an Erwerbschancen orientierte, sei es auch noch so straff regulierte oder durch einen Verbandsstab geleitete Wirtschaft setzt stets *effektive* „Preise", gleichviel wie sie formell entstehen (im Grenzfall des Pankartellismus: durch interkartellmäßiges Kompromiß, Lohntarife von „Arbeitsgemeinschaften" usw.), also Kapitalrechnung und Orientierung an dieser voraus. „Vollsozialisierung" im Sinn einer rein haushaltsmäßigen Planwirtschaft und Partialsozialisierung (von Beschaffungsbranchen) mit Erhaltung der Kapitalrechnung liegen trotz Identität des Ziels und trotz aller Mischformen technisch nach prinzipiell verschiedenen *Richtungen.* Vorstufe einer haushaltsmäßigen Planwirtschaft ist jede Rationierung des Konsums, überhaupt jede primär auf die Beeinflussung der naturalen *Verteilung* der Güter ausgehende Maßregel. Die planmäßige Leitung der Güter*beschaffung,* einerlei ob sie durch voluntaristische oder oktroyierte Kartelle oder durch staatliche Instanzen unternommen wird, geht primär auf rationale Gestaltung der Verwendung der Beschaffungsmittel und Arbeitskräfte aus und kann eben deshalb den *Preis* nicht –

mindestens (nach ihrem eigenen Sinn:) *noch* nicht – entbehren. Es ist daher kein Zufall, daß der „Rationierungs"-Sozialismus mit dem „Betriebsrats"-Sozialismus, der (gegen den Willen seiner rationalsozialistischen Führer) an *Appropriations*interessen der *Arbeiter* anknüpfen muß, sich gut verträgt.

3. Die kartell-, zunft- oder gildenmäßige wirtschaftliche Verbandsbildung, also die Regulierung oder monopolistische Nutzung von *Erwerbschancen*, einerlei ob oktroyiert oder paktiert (regelmäßig: das erstere, auch wo formal das letztere vorliegt) ist an dieser Stelle nicht besonders zu erörtern. Vgl. über sie (ganz allgemein) oben Kap. I § 10 und weiterhin bei Besprechung der Appropriation ökonomischer Chancen (dieses Kapitel § 19 ff.). Der Gegensatz der evolutionistisch und am Produktionsproblem orientierten, vor allem: marxistischen, gegen die von der Verteilungsseite ausgehende, heute wieder „kommunistisch" genannte rational-planwirtschaftliche Form des Sozialismus ist seit Marx' Misère de la philosophie (in der deutschen Volksausgabe der „Intern. Bibl." vor allem S. 38 und vorher und nachher), nicht wieder erloschen; der Gegensatz innerhalb des russischen Sozialismus mit seinen leidenschaftlichen Kämpfen zwischen Plechanoff und Lenin war letztlich ebenfalls dadurch bedingt, und die heutige Spaltung des Sozialismus ist zwar primär durch höchst massive Kämpfe um die Führerstellungen (und: -Pfründen), daneben und dahinter aber durch diese Problematik bedingt, welche durch die Kriegswirtschaft ihre spezifische Wendung zugunsten des Planwirtschaftsgedankens einerseits, der Entwicklung der Appropriationsinteressen andrerseits, erhielt. – Die Frage: ob man „Planwirtschaft" (in gleichviel welchem Sinn und Umfang) schaffen *soll*, ist in dieser Form natürlich kein wissenschaftliches Problem. Es kann wissenschaftlich nur gefragt werden: welche Konsequenzen wird sie (bei gegebener Form) *voraussichtlich* haben, was also muß mit in den Kauf genommen werden, *wenn* der Versuch gemacht wird. Dabei ist es Gebot der Ehrlichkeit, von *allen* Seiten zuzugeben, daß zwar mit *einigen* bekannten, aber mit ebensoviel teilweise unbekannten Faktoren gerechnet wird. Die Einzelheiten des Problems können in dieser Darstellung materiell entscheidend überhaupt nicht und in den hergehörigen Punkten nur stückweise und im Zusammenhang mit den Formen der Verbände (des Staates insbesondre) berührt werden. An dieser Stelle konnte nur die (unvermeidliche) kurze Besprechung der elementarsten technischen Problematik in Betracht kommen. Das Phänomen der *regulierten* Verkehrswirtschaft ist hier, aus den eingangs dieser Nr. angegebenen Gründen, gleichfalls noch nicht behandelt.

4. Verkehrswirtschaftliche Vergesellschaftung des Wirtschaftens setzt *Appropriation* der sachlichen Träger von Nutzleistungen einerseits, Markt*freiheit* andererseits voraus. Die Marktfreiheit steigt an Tragweite 1. je vollständiger die Appropriation der sachlichen Nutzleistungsträger, insbesondre der Beschaffungs- (Produktions- und Transport-)Mittel ist. Denn das Maximum von deren Marktgängigkeit bedeutet das Maximum von Orientierung des Wirtschaftens an Marktlagen. Sie steigt aber ferner 2. je mehr die Appropriation auf *sachliche* Nutzleistungsträger beschränkt ist. Jede Appropriation von Menschen (Sklaverei, Hörigkeit) oder von ökonomischen Chancen (Kundschaftsmonopole) bedeutet Einschränkung des an Marktlagen orientierten menschlichen Handelns. Mit Recht hat namentlich *Fichte* (im „Geschlossenen Handelsstaat") diese Einschränkung des „Eigentums"-Begriffs auf Sachgüter (bei gleichzeitiger Ausweitung des im Eigentum enthaltenen Gehalts an Autonomie der Verfügungsgewalt) als Charakteristikum der modernen verkehrswirtschaftlichen Eigentumsordnung bezeichnet. An dieser Gestaltung des Eigentums waren alle *Marktinteressenten* zugunsten der Unbeengtheit ihrer Orientierung an den Gewinnchancen, welche die Marktlage ergibt, interessiert, und die Entwicklung zu dieser Ausprägung der Eigentumsordnung war daher vornehmlich das Werk ihres Einflusses.

5. Der sonst oft gebrauchte Ausdruck „Gemeinwirtschaft" ist aus Zweckmäßigkeitsgründen vermieden, weil er ein „Gemeininteresse" oder „Gemeinschaftsgefühl" als normal vortäuscht, welches begrifflich nicht erfordert ist: die Wirtschaft eines Fronherren oder Großkönigs (nach Art des pharaonischen im „Neuen Reich") gehört, im Gegensatz zur Verkehrswirtschaft, zur gleichen Kategorie wie die eines Familienhaushalts.

6. Der Begriff der „Verkehrswirtschaft" ist indifferent dagegen, ob „kapitalistische", d. h. an Kapitalrechnung orientierte Wirtschaften und in welchem Umfang sie bestehen. Insbesondre ist dies auch der Normaltypus der Verkehrswirtschaft: die geldwirtschaftliche Bedarfsdeckung. Es wäre falsch, anzunehmen, daß die Existenz kapitalistischer Wirtschaften proportional der Entfaltung der geldwirtschaftlichen Bedarfsdeckung stiege, vollends: in der Richtung sich entwickelte, welche sie im Okzident angenommen hat. Das Gegenteil trifft zu. Steigender Umfang der Geldwirtschaft konnte 1. mit steigender Monopolisierung der mit Großprofit verwertbaren Chancen durch einen fürstlichen Oikos Hand in Hand gehen: so in Ägypten in der Ptolemäerzeit bei sehr umfassend – nach Ausweis der erhaltenen Haushaltsbücher – entwickelter Geldwirtschaft: diese blieb eben *haushalts-*

mäßige Geldrechnung und wurde nicht: Kapitalrechnung; – 2. konnte mit steigender Geldwirtschaft „Verpfründung" der fiskalischen Chancen eintreten, mit dem Erfolg der traditionalistischen Stabilisierung der Wirtschaft (so in China, wie am gegebenen Ort zu besprechen sein wird); – 3. konnte die kapitalistische Verwertung von Geldvermögen Anlage in *nicht* an Tauschchancen eines freien Gütermarkts und also *nicht* an *Güterbeschaffung* orientierten Erwerbsgelegenheiten suchen (so, fast ausschließlich, in allen außer den modern okzidentalen Wirtschaftsgebieten, aus weiterhin zu erörternden Gründen).

§ 15. Jede innerhalb einer Menschengruppe typische Art von wirtschaftlich orientiertem sozialem Handeln und wirtschaftlicher Vergesellschaftung bedeutet in irgendeinem Umfang eine besondere Art von Verteilung und Verbindung menschlicher Leistungen zum Zweck der Güterbeschaffung. Jeder Blick auf die Realitäten wirtschaftlichen Handelns zeigt eine Verteilung verschiedenartiger Leistungen auf verschiedene Menschen und eine Verbindung dieser zu gemeinsamen Leistungen in höchst verschiedenen Kombinationen mit den sachlichen Beschaffungsmitteln. In der unendlichen Mannigfaltigkeit dieser Erscheinungen lassen sich immerhin einige *Typen* unterscheiden.

Menschliche Leistungen wirtschaftlicher Art können unterschieden werden als

a) disponierende, oder

b) an Dispositionen orientierte: *Arbeit* (in diesem, hier weiterhin gebrauchten, Sinne des Wortes).

Disponierende Leistung ist selbstverständlich *auch* und zwar im stärksten denkbaren Maße Arbeit, wenn „Arbeit" gleich Inanspruchnahme von Zeit und Anstrengung gesetzt wird. Der nachfolgend gewählte Gebrauch des Ausdrucks im *Gegensatz* zur disponierenden Leistung ist aber heute aus sozialen Gründen sprachgebräuchlich und wird nachstehend in *diesem* besonderen Sinne gebraucht. Im allgemeinen soll aber von „Leistungen" gesprochen werden.

Die Arten, wie innerhalb einer Menschengruppe Leistung und Arbeit sich vollziehen können, unterscheiden sich in typischer Art:

1. *technisch*, – je nach der Art, wie für den technischen Hergang von Beschaffungsmaßnahmen die Leistungen mehrerer Mitwirkender untereinander verteilt und unter sich und mit sachlichen Beschaffungsmitteln verbunden sind;

2. *sozial*, – und zwar:

A) je nach der Art, wie die einzelnen Leistungen Gegenstand autokephaler und autonomer *Wirtschaften* sind oder nicht, und je nach dem ökonomischen Charakter dieser Wirtschaften; – damit unmittelbar zusammenhängend:

B) je nach Maß und Art, in welchen a) die einzelnen Leistungen, – b) die sachlichen Beschaffungsmittel, – c) die ökonomischen Erwerbschancen (als Erwerbsquellen oder -Mittel) *appropriiert* sind oder nicht und der dadurch bedingten Art α) der *Berufs*gliederung (sozial) und β) der *Markt*bildung (ökonomisch).

Endlich

3. muß bei jeder Art der Verbindung von Leistungen unter sich und mit sachlichen Beschaffungsmitteln und bei der Art ihrer Verteilung auf Wirtschaften und Appropriation *ökonomisch* gefragt werden: handelt es sich um haushaltsmäßige oder um erwerbsmäßige Verwendung?

Zu diesem und den weiter folgenden §§ ist vor allem zu vergleichen die dauernd maßgebende Darstellung von *K. Bücher* in dem Art. „Gewerbe" im HWB. d. Staatswiss. und von *demselben*: „Die Entstehung der Volkswirtschaft": grundlegende Arbeiten, von deren Terminologie und Schema nur aus Zweckmäßigkeitsgründen in manchem abgewichen wird. Sonstige Zitate hätten wenig Zweck, da im nachstehenden ja keine *neuen* Ergebnisse, sondern ein für uns zweckmäßiges Schema vorgetragen wird.

1. Es sei nachdrücklich betont, daß hier nur – wie dies in den Zusammenhang gehört – die *soziologische* Seite der Erscheinungen in tunlichster Kürze rekapituliert wird, die ökonomische aber nur so weit, als sie eben in formalen soziologischen Kategorien Ausdruck findet. *Material* ökonomisch würde die Darstellung erst durch Einbeziehung der bisher lediglich theoretisch berührten Preis- und Marktbedingungen. Es ließen sich diese materialen Seiten der Problematik aber nur unter *sehr* bedenklichen Einseitigkeiten in Thesenform in eine derartige allgemeine Vorbemerkung hineinarbeiten. Und die *rein* ökonomischen Erklärungsmethoden sind ebenso verführerisch wie anfechtbar. Beispielsweise so: Die für die Entstehung der mittelalterlichen, verbandsregulierten, aber „freien Arbeit" entscheidende Zeit sei die „dunkle" Epoche vom 10.-12. Jahrhundert und insbesondre die an *Renten*chancen der Grund-, Leib- und Gerichtsherren – lauter *partikulärer*, um diese Chancen *konkurrierender* Gewalten – orientierte Lage der qualifizierten: bäuerlichen, bergbaulichen, gewerblichen Arbeit. Die für die Entfaltung des Kapitalismus entscheidende Epoche sei die große chronische Preisrevolution des 16. Jahrhunderts. Sie bedeute absolute und relative *Preissteigerung* für (fast) alle (okziden-

talen) *Boden*produkte. damit nach bekannten Grundsätzen der landwirtschaftlichen Ökonomik – sowohl Anreiz wie Möglichkeit der Absatz*unternehmung* und damit des teils (in England) kapitalistischen, teils (in den Zwischengebieten zwischen der Elbe und Rußland) fronhofsmäßigen großen *Betriebs*. Andrerseits bedeute sie zwar teilweise (und zwar meist) absolute, *nicht* aber (im allgemeinen) *relative* Preissteigerung, sondern umgekehrt in typischer Art *relative* Preis*senkung* von wichtigen *gewerblichen* Produkten und damit, *soweit* die betriebsmäßigen und sonstigen äußeren und inneren Vorbedingungen dazu gegeben waren, – was in Deutschland, dessen „Niedergang" ökonomisch eben deshalb damit einsetze, *nicht* der Fall gewesen sei: – Anreiz zur Schaffung konkurrenzfähiger Marktbetriebsformen. Weiterhin später in deren Gefolge: der kapitalistischen gewerblichen Unternehmungen. Vorbedingung dafür seien die Entstehung von *Massen*märkten. Dafür, daß diese im Entstehen gewesen sei, seien vor allem bestimmte Wandlungen der englischen Handelspolitik ein Symptom (von andern Erscheinungen abgesehen). Derartige und ähnliche Behauptungen müßten zum Beleg *theoretischer* Erwägungen über die *materialen* ökonomischen Bedingtheiten der Entwicklung der Wirtschaftsstruktur verwertet werden. Das aber geht nicht an. Diese und zahlreiche ähnliche, durchweg bestreitbare, Thesen können nicht in diese absichtlich nur soziologischen *Begriffe* hineingenommen werden, auch soweit sie nicht ganz falsch sein sollten. Mit dem Verzicht auf diesen Versuch in *dieser* Form verzichten aber die folgenden Betrachtungen dieses Kapitels auch (ganz ebenso wie die vorangegangenen durch den Verzicht auf Entwicklung der Preis- und Geldtheorie) vorerst, bewußt auf wirkliche „Erklärung" und beschränken sich (vorläufig) auf soziologische *Typisierung*. Dies ist sehr stark zu betonen. Denn nur *ökonomische* Tatbestände liefern das Fleisch und Blut für eine wirkliche Erklärung des *Ganges* auch der soziologisch relevanten Entwicklung. Es soll eben vorerst hier nur ein Gerippe gegeben werden, hinlänglich, um mit leidlich eindeutig bestimmten Begriffen operieren zu können.

Daß an dieser Stelle, also bei einer schematischen Systematik, nicht nur die empirisch-historische, sondern auch die typisch-*genetische* Aufeinanderfolge der einzelnen möglichen Formen nicht zu ihrem Recht kommt, ist selbstverständlich.

2. Es ist häufig und mit Recht beanstandet worden, daß in der nationalökonomischen Terminologie „Betrieb" und „Unternehmung" oft nicht getrennt werden. „Betrieb" ist auf dem Gebiet des wirtschaftlich orientierten Handelns an sich eine *technische*, die Art der kon-

tinuierlichen Verbindung bestimmter Arbeitsleistungen untereinander und mit sachlichen Beschaffungsmitteln bezeichnende Kategorie. Sein Gegensatz ist: entweder a) unstetes oder b) *technisch* diskontinuierliches Handeln, wie es in jedem rein empirischen Haushalt fortwährend vorkommt. Der Gegensatz zu „Unternehmen": einer Art der *wirtschaftlichen* Orientierung (am Gewinn) ist dagegen: „Haushalt" (Orientierung an Bedarfsdeckung). Aber der Gegensatz von „Unternehmen" und „Haushalt" ist nicht erschöpfend. Denn es gibt *Erwerbs*handlungen, welche nicht unter die Kategorie des „Unternehmens" fallen: aller nackte *Arbeits*erwerb, der Schriftsteller-, Künstler-, Beamten-Erwerb sind weder das eine noch das andre. Während der Bezug und Verbrauch von *Renten* offenkundig „Haushalt" ist.

Vorstehend ist, trotz jener Gegensätzlichkeit, von „*Erwerbs*betrieb" überall da gesprochen worden, wo ein kontinuierlich zusammenhängendes dauerndes Unternehmer*handeln* stattfindet: ein solches ist in der Tat *ohne* Konstituierung eines „Betriebes" (eventuell: Alleinbetriebes ohne allen Gehilfenstab) nicht denkbar. Und es kam hier hauptsächlich auf die Betonung der Trennung von Haushalt und Betrieb an. Passend (weil eindeutig) ist aber – wie jetzt festzustellen ist – der Ausdruck „Erwerbsbetrieb" statt: kontinuierliches Erwerbsunternehmen nur für den einfachsten Fall des Zusammenfallens der *technischen* Betriebseinheit mit der Unternehmungseinheit. Es können aber in der Verkehrswirtschaft mehrere, technisch gesonderte, „Betriebe" zu einer „Unternehmungseinheit" verbunden sein. Diese letztere ist dann aber natürlich *nicht* durch die bloße Personalunion des Unternehmers, sondern wird durch die Einheit der Ausrichtung auf einem irgendwie *einheitlich* gestalteten Plan der Ausnutzung zu Erwerbszwecken konstituiert (Übergänge sind daher möglich). Wo nur von „Betrieb" die Rede ist, soll jedenfalls darunter immer jene technisch – in Anlagen, Arbeitsmitteln, Arbeitskräften und (eventuell: heterokephaler und heteronomer) *technischer* Leitung – gesonderte Einheit verstanden werden, die es ja auch in der kommunistischen Wirtschaft (nach dem schon jetzt geläufigen Sprachgebrauch) gibt. Der Ausdruck „Erwerbsbetrieb" soll fortan nur da verwendet werden, wo technische und ökonomische (Unternehmungs-)Einheit identisch sind.

Die Beziehung von „Betrieb" und „Unternehmung" wird terminologisch besonders akut bei solchen Kategorien wie „Fabrik" und „Hausindustrie". Die letztere ist ganz klar eine Kategorie der *Unternehmung*. „Betriebsmäßig" angesehen stehen ein kaufmännischer Betrieb und Betriebe als *Teil* der Arbeiter*haushaltungen* (ohne – außer bei Zwischenmeisterorganisation – Werkstattarbeit) mit spezifizierten *Lei-*

stungen an den kaufmännischen Betrieb und umgekehrt dieses an jene nebeneinander; der Vorgang ist also rein betriebsmäßig gar nicht verständlich, sondern es müssen die Kategorien: Markt, Unternehmung, Haushalt (der Einzelarbeiter), erwerbsmäßige Verwertung der entgoltenen Leistungen dazutreten. „Fabrik" *könnte* man an sich – wie dies oft vorgeschlagen ist – ökonomisch indifferent insofern definieren, als die Art der Arbeiter (frei oder unfrei), die Art der Arbeitsspezialisierung (innere technische Spezialisierung oder nicht) und der verwendeten Arbeitsmittel (Maschinen oder nicht) beiseite gelassen werden *kann*. Also einfach: als *Werkstatt*arbeit. Immerhin muß aber *außerdem* die Art der *Appropriation* der Werkstätte und der Arbeitsmittel (an *einen* Besitzer) in die Definition aufgenommen werden, sonst zerfließt der Begriff wie der des „Ergasterion". Und geschieht einmal dies, *dann* scheint es prinzipiell zweckmäßiger, „Fabrik" wie „Hausindustrie" zu zwei streng *ökonomischen* Kategorien der *Kapitalrechnungs*unternehmung zu stempeln. Bei streng sozialistischer Ordnung würde die „Fabrik" dann so wenig wie die „Hausindustrie" vorkommen, sondern nur naturale *Werkstätten, Anlagen, Maschinen, Werkzeuge*, Werkstatt- und Heimarbeitsleistungen aller Art.

3. Es ist nachstehend über das Problem der ökonomischen „Entwicklungsstufen" noch nichts bzw. nur soweit nach der Natur der Sache absolut unvermeidlich und beiläufig etwas zu sagen. Nur soviel sei hier vorweg bemerkt:

Mit Recht zwar unterscheidet man neuerdings genauer: Arten der *Wirtschaft* und Arten der Wirtschafts*politik*. Die von Schönberg präludierten *Schmoller*schen und seitdem abgewandelten Stufen: Hauswirtschaft, Dorfwirtschaft – dazu als weitere „Stufe": grundherrliche und patrimonialfürstliche Haushalts-Wirtschaft –, Stadtwirtschaft, Territorialwirtschaft, Volkswirtschaft waren in *seiner* Terminologie bestimmt durch die Art des wirtschaftsregulierenden *Verbandes*. Aber es ist nicht gesagt, daß auch nur die Art dieser Wirtschafts*regulierung* bei Verbänden verschiedenen Umfangs verschieden wäre. So ist die deutsche „Territorialwirtschaftspolitik" in ziemlich weitgehendem Umfang nur eine Übernahme der stadtwirtschaftlichen Regulierungen gewesen und waren ihre *neuen* Maßnahmen nicht spezifisch verschieden von der „merkantilistischen" Politik spezifisch patrimonialer, dabei aber schon relativ rationaler *Staaten*verbände (also insoweit „Volkswirtschaftspolitik" nach dem üblichen, wenig glücklichen Ausdruck). Vollends aber ist nicht gesagt, daß die innere Struktur der Wirtschaft: die Art der Leistungsspezifikation oder -Spezialisierung und -Verbindung; die Art der Verteilung dieser Leistungen auf selbständige Wirtschaften und die Art der Appropriation von Arbeitsverwertung, Beschaffungsmitteln und Erwerbschancen mit demjenigen Umfang des Verbandes parallel ging, der (möglicher!) Träger einer Wirtschafts*politik* war und vollends: daß sie mit dem Umfang dieses immer gleich*sinnig* wechsle. Die Vergleichung des Okzidents mit Asien und des modernen mit dem antiken Okzident würde das irrige dieser Annahme zeigen. Dennoch kann bei der *ökonomischen* Betrachtung niemals die Existenz oder Nicht-Existenz *material* wirtschaftsregulierender Verbände – aber freilich nicht nur gerade: *politischer* Verbände – und der prinzipielle *Sinn* ihrer Regulierung beiseite gelassen werden. Die *Art* des *Erwerbs* wird dadurch sehr stark bestimmt.

4. *Zweck* der Erörterung ist auch hier vor allem: Feststellung der optimalen Vorbedingungen *formaler* Rationalität der Wirtschaft und ihrer Beziehung zu *materialen* „Forderungen" gleichviel welcher Art.

§ 16. I. *Technisch* unterscheiden sich die Arten der Leistungs-Gliederung:

A. je nach der Verteilung und Verbindung der *Leistungen*. Und zwar:
1. je nach der Art der Leistungen, die *ein und dieselbe* Person auf sich nimmt. Nämlich:

a) entweder liegen in ein und derselben Hand
    α. zugleich leitende und ausführende, oder
    β. nur das eine oder das andere, –

Zu a: Der Gegensatz ist natürlich relativ, da gelegentliches „Mitarbeiten" eines normalerweise nur Leitenden (großen Bauern z. B.) vorkommt. Im übrigen bildet jeder Kleinbauer oder Handwerker oder Kleinschiffer den Typus von α.

b) Entweder vollzieht ein und dieselbe Person
    α. technisch *verschiedenartige* und verschiedene Endergebnisse hervorbringende Leistungen (Leistungskombination) und zwar entweder
        αα) wegen mangelnder Spezialisierung der Leistung in ihre technischen Teile,
        ββ) im Saison-Wechsel, – oder
        γγ) zur Verwertung von Leistungskräften, die durch eine Hauptleistung nicht in Anspruch genommen werden (Nebenleistung).

Oder es vollzieht eine und dieselbe Person
    β. nur *besondersartige* Leistungen, und zwar entweder
        αα) besondert nach dem Endergebnis: so also, daß der gleiche Leistungsträger alle zu diesem Erfolg erforderlichen,

technisch untereinander *verschieden*artigen simultanen und sukzessiven Leistungen vollzieht (so daß also in *diesem* Sinn Leistungs*kombination* vorliegt): *Leistungsspezifizierung* – oder

ββ) technisch spezialisiert nach der Art der *Leistung*, so daß erforderlichenfalls das Endprodukt nur durch (je nachdem) simultane oder sukzessive Leistungen mehrerer erzielt werden kann: *Leistungsspezialisierung*.

Der Gegensatz ist vielfach relativ, aber prinzipiell vorhanden und historisch wichtig.

Zu b, α: Der Fall αα besteht typisch in primitiven Hauswirtschaften, in welchen – vorbehaltlich der typischen Arbeitsteilung der Geschlechter (davon in Kap. V) jeder alle Verrichtungen je nach Bedarf besorgt.

Für den Fall ββ war typisch der Saison-Wechsel zwischen Landwirtschaft und gewerblicher Winterarbeit.

Für γγ der Fall ländlicher *Neben*arbeit von städtischen Arbeitern und die zahlreichen „Nebenarbeiten", die – bis in moderne Büros hinein – übernommen wurden, weil Zeit frei blieb.

Zu b, β: Für den Fall αα ist die Art der Berufsgliederung des Mittelalters typisch: eine Unmasse von Gewerben, welche sich je auf *ein* Endprodukt spezifizierten, aber ohne alle Rücksicht darauf, daß technisch oft heterogene Arbeitsprozesse zu diesem hinführten, also: Leistungs*kombination* bestand. Der Fall ββ umschließt die gesamte moderne Entwicklung der Arbeit. Doch ist vom streng psychophysischen Standpunkt aus kaum irgendeine selbst die höchstgradig „spezialisierte" Leistung wirklich bis zum äußersten Maße *isoliert*; es steckt immer noch ein Stück Leistungs-*Spezifikation* darin, nur nicht mehr orientiert nach dem Endprodukt wie im Mittelalter.

Die Art der Verteilung und Verbindung der Leistungen (siehe oben A) ferner verschieden:

2. Je nach der Art, wie die Leistungen mehrerer Personen zur Erzielung *eines* Erfolges *verbunden* werden. Möglich ist:

a) Leistungs*häufung*: technische Verbindung gleich*artiger* Leistungen mehrerer Personen zur Herbeiführung eines Erfolges:

α. durch geordnete, technisch unabhängig voneinander verlaufende Parallel-Leistungen, –

β. durch technisch zu einer Gesamtleistung vergesellschaftete (gleichartige) Leistungen.

Für den Fall α können parallel arbeitende Schnitter oder Pflästerer, für den Fall β die, namentlich in der ägyptischen Antike im größten Maßstab (Tausende von Zwangs-Arbeitern) vorkommenden Transportleistungen von Kolossen durch Zusammenspannen zahlreicher die gleiche Leistung (Zug an Stricken) Vollbringender als Beispiele gebraucht werden.

    b) Leistungs*verbindung*: technische Verbindung qualitativ *verschiedener*, also: spezialisierter (A 1 b β, ββ) Leistungen zur Herbeiführung eines Erfolges:

        α. durch technisch unabhängig voneinander

        αα) simultan, also: parallel –

        ββ) sukzessiv spezialisiert vorgenommene Leistungen, oder

        β. durch technisch *vergesellschaftete* spezialisierte (technisch komplementäre) Leistungen in simultanen Akten.

1. Für den Fall α, αα sind die parallel laufenden Arbeiten etwa des Spinnens an Kette und Schuß ein besonderes einfaches Beispiel, dem sehr viele ähnliche, letztlich *alle* schließlich auf ein Gesamt-Endprodukt hinzielenden nebeneinander technisch unabhängig herlaufenden Arbeitsprozesse zur Seite zu stellen sind.

    2. Für den Fall α, ββ gibt, die Beziehung zwischen Spinnen, Weben, Walken, Färben, Appretieren das übliche und einfachste, in allen Industrien sich wiederfindende Beispiel.

    3. Für den Fall β gibt von dem Halten des Eisenstücks und dem Hammerschlag des Schmiedes angefangen (das sich im großen in jeder modernen Kesselschmiede wiederholt), jede Art, des einander „In-die-Hand-Arbeitens" in modernen Fabriken – für welche dies zwar nicht allein spezifisch, aber doch ein wichtiges Charakteristikum ist – den Typus. Das Ensemble eines Orchesters oder einer Schauspielertruppe sind ein außerhalb des Fabrikhaften liegender höchster Typ.

§ 17. (noch: I. vgl. § 16).

    Technisch unterscheiden sich die Arten der Leistungs-Gliederung ferner:

    B. je nach Maß und Art der Verbindung mit komplementären sachlichen Beschaffungsmitteln. Zunächst,

    1. je nachdem sie

    a) reine Dienstleistungen darbieten:

    Beispiele: Wäscher, Barbiere, künstlerische Darbietungen von Schauspielern usw.

    b) Sachgüter herstellen oder umformen, also: „Rohstoffe" bearbeiten, oder transportieren. Näher: je nachdem sie

    α. Anbringungsleistungen, oder

β. Güterherstellungsleistungen, oder

γ. Gütertransportleistungen sind. Der Gegensatz ist durchaus flüssig.

Beispiele von Anbringungsleistungen: Tüncher, Dekorateure, Stukkateure usw.

Ferner:

2. je nach dem Stadium der Genußreife, in welches sie die beschafften Güter versetzen. –

Vom landwirtschaftlichen bzw. bergbaulichen Rohprodukt bis zum genußreifen *und*: an die *Stelle* des Konsums verbrachten Produkt.

3. endlich: je nachdem sie benützen:

a) *„Anlagen"* und zwar:

αα) Kraftanlagen, d. h. Mittel zur Gewinnung von verwertbarer Energie und zwar

1. naturgegebener (Wasser, Wind, Feuer), – oder

2. mechanisierter (vor Allem: Dampf- oder elektrischer oder magnetischer) Energie;

ββ) gesonderte Arbeitswerkstätten,

b) *Arbeitsmittel*, und zwar

αα) Werkzeuge,

ββ) Apparate,

γγ) Maschinen,

eventuell: nur das eine oder andere oder keine dieser Kategorien von Beschaffungsmitteln. Reine „Werkzeuge" sollen solche Arbeitsmittel heißen, deren Schaffung an den psychophysischen Bedingungen menschlicher Handarbeit orientiert ist, „Apparate" solche, an deren Gang menschliche Arbeit sich als „Bedienung" orientiert, „Maschinen": mechanisierte Apparate. Der durchaus flüssige Gegensatz hat für die Charakterisierung bestimmter Epochen der gewerblichen Technik eine gewisse Bedeutung.

Die für die heutige Großindustrie charakteristische mechanisierte Kraftanlagen- und Maschinen-Verwendung ist *technisch* bedingt durch a) spezifische Leistungsfähigkeit und Ersparnis an menschlichem Arbeitsaufwand, und b) spezifische Gleichmäßigkeit und Berechenbarkeit der Leistung nach Art und Maß. Sie ist daher rational nur bei hinlänglich breitem Bedarf an Erzeugnissen der betreffenden Art. Unter den Bedingungen der Verkehrswirtschaft also: bei hinlänglich breiter Kaufkraft für Güter der betreffenden Art, also: entsprechender Geldeinkommengestaltung.

Eine Theorie der Entwicklung der Werkzeug- und Maschinentechnik und Ökonomik könnte hier natürlich nicht einmal in den bescheidensten Anfängen unternommen werden. Unter „Apparaten" sollen Arbeitsgeräte wie etwa der durch Treten in Bewegung gesetzte Webstuhl und die zahlreichen ähnlichen verstanden werden, die immerhin schon die *Eigen*gesetzlichkeit der mechanischen Technik gegenüber dem menschlichen (oder: in andern Fällen: tierischen) Organismus zum Ausdruck brachten und ohne deren Existenz (namentlich die verschiedenen „Förderungsanlagen" des Bergbaues gehörten dahin) die Maschine in ihren heutigen Funktionen nicht entstanden wäre. (Lionardo's „Erfindungen" waren „Apparate".)

§ 18. II. *Sozial* unterscheidet sich die Art der Leistungsverteilung:

A. je nach der Art, wie qualitativ verschiedene oder wie insbesondere komplementäre Leistungen auf autokephale und (mehr oder minder) autonome *Wirtschaften* verteilt sind und alsdann weiterhin *ökonomisch*, je nachdem diese sind: a) Haushaltungen, b) Erwerbsbetriebe. Es kann bestehen:

1. Einheitswirtschaft mit rein *interner*, also: völlig heterokephaler und heteronomer, rein technischer, Leistungsspezialisierung (oder: -Spezifizierung) und Leistungsverbindung (einheitswirtschaftliche Leistungsverteilung). Die Einheitswirtschaft kann ökonomisch sein:

    a) ein Haushalt,

    b) ein Erwerbsunternehmen.

Ein Einheits-*Haushalt* wäre im größten Umfang eine kommunistische Volkswirtschaft, im kleinsten war es die primitive Familienwirtschaft, welche alle oder die Mehrzahl aller Güterbeschaffungsleistungen umschloß (geschlossene Hauswirtschaft). Der Typus des Erwerbsunternehmens mit interner Leistungsspezialisierung und -Verbindung ist natürlich die kombinierte Riesenunternehmung bei ausschließlich einheitlichem händlerischern Auftreten gegen Dritte. Diese beiden Gegensätze eröffnen und schließen (vorläufig) die Entwicklung der autonomen „Einheitswirtschaften".

2. Oder es besteht Leistungsverteilung *zwischen* autokephalen Wirtschaften. Diese kann sein:

a) Leistungsspezialisierung oder -Spezifizierung zwischen heteronomen, aber autokephalen Einzelwirtschaften, welche sich an einer paktierten oder oktroyierten Ordnungen orientieren. Diese Ordnung kann, material, ihrerseits orientiert sein:

1. an den Bedürfnissen einer beherrschenden Wirtschaft, und zwar entweder:

    α. eines Herren*haushalts* (oikenmäßige Leistungsverteilung), oder

    β. einer herrschaftlichen Erwerbswirtschaft.

2. an den Bedürfnissen der Glieder eines genossenschaftlichen Verbandes (verbandswirtschaftliche Leistungsverteilung), und zwar, ökonomisch angesehen, entweder

α. haushaltsmäßig, oder

β. erwerbswirtschaftlich.

Der Verband seinerseits kann in allen diesen Fällen denkbarer Weise sein:

I. nur (material) wirtschaftsregulierend, oder

II. zugleich Wirtschaftsverband. – Neben allem dem steht

b) *Verkehrs*wirtschaftliche Leistungsspezialisierung zwischen autokephalen und *autonomen* Wirtschaften, welche sich material lediglich an der Interessenlage, also formal lediglich an der Ordnung eines Ordnungsverbandes (I § 15, d) orientieren.

1. Typus für den Fall I: nur wirtschaftsregulierender Verband, vom Charakter 2 (Genossenverband) und α (Haushalt): das indische Dorfhandwerk („establishment"); für den Fall II: Wirtschaftsverband, vom Charakter 1 (Herrenhaushalt) ist es die Umlegung fürstlicher oder grundherrlicher oder leibherrlicher Haushaltsbedürfnisse (oder auch, bei Fürsten: politischer Bedürfnisse) auf Einzelwirtschaften der Untertanen, Hintersassen, Hörigen oder Sklaven oder Dorfkötter oder demiurgische (s. u.) Dorfhandwerker, die sich in der ganzen Welt urwüchsig fand. Nur wirtschaftsregulierend (I) im Fall 1 waren oft z. B. die kraft Bannrechts des Grundherren, im Fall 2 die kraft Bannrechts der Stadt gebotenen Gewerbeleistungen (soweit sie, wie häufig, *nicht* materiale, sondern lediglich fiskalische Zwecke verfolgten). Erwerbswirtschaftlich (Fall a 1 β): Umlegung hausindustrieller Leistungen auf Einzelhaushalte.

Der Typus für a 2 β im Falle II sind alle Beispiele oktroyierter Leistungsspezialisierung in manchen sehr alten Kleinindustrien. In der Solinger Metallindustrie war ursprünglich genossenschaftlich paktierte Leistungsspezialisierung vorhanden, die erst später herrschaftlichen (Verlags-)Charakter annahm.

Für den Fall a 2 β 1 (nur regulierender Verband) sind alle „dorf"- oder „stadtwirtschaftlichen" Ordnungen des Verkehrs, soweit sie *material* in die Art der Güterbeschaffung eingriffen, Typen.

Der Fall 2 b ist der der modernen Verkehrswirtschaft.

Im einzelnen sei noch folgendes hinzugefügt:

2. Haushaltswirtschaftlich orientiert sind die Verbandsordnungen im Fall a 2 α I in besonderer Art: dadurch, daß sie am vorausgesehenen Bedarf der einzelnen *Genossen* orientiert sind, nicht an Haus-

haltszwecken des (Dorf-)*Verbandes*. Derartig orientierte spezifizierte Leistungspflichten sollen *demiurgische Naturalleiturgien* heißen, diese Art der Bedarfsvorsorge: *demiurgische* Bedarfsdeckung. Stets handelt es sich um verbandsmäßige Regulierungen der Arbeitsverteilung und – eventuell – Arbeitsverbindung.

Wenn dagegen (Fälle 2 a II) der *Verband* selbst (sei es ein herrschaftlicher oder genossenschaftlicher) eine eigene Wirtschaft hat, für welche Leistungen spezialisiert umgelegt werden, so soll diese Bezeichnung nicht verwendet werden. Für diese Fälle bilden die Typen die spezialisierten oder spezifizierten Naturalleistungsordnungen von Fronhöfen, Grundherrschaften und anderen Großhaushaltungen. Aber auch die von Fürsten, politischen und kommunalen oder anderen primär außerwirtschaftlich orientierten Verbänden für den herrschaftlichen oder Verbands*haushalt* umgelegten Leistungen. Derart qualitativ spezifizierend geordnete Robott- oder Lieferungspflichten von Bauern, Handwerkern, Händlern sollen bei persönlichen Großhaushaltungen als Empfängern *oikenmäßige*, bei Verbandshaushaltungen als Empfängern *verbandsmäßige Naturalleiturgien* heißen, das Prinzip dieser Art von Versorgung des Haushalts eines wirtschaftenden Verbandes: *leiturgische* Bedarfsdeckung. Diese Art von Bedarfsdeckung hat eine außerordentlich bedeutende historische Rolle gespielt, von der noch mehrfach zu sprechen sein wird. In politischen Verbänden hat sie die Stelle der modernen „Finanzen" vertreten, in Wirtschaftsverbänden bedeutete sie eine „Dezentralisierung" des Großhaushalts durch Umlegung des Bedarfs desselben auf nicht mehr im gemeinsamen Haushalt unterhaltene und verwendete, sondern je ihre eignen Haushaltungen führende, aber dem Verbandshaushalt leistungspflichtige, insoweit also von ihm abhängige, Fron- und Naturalzins-Bauern, Gutshandswerker und Leistungspflichtige aller Art. Für den Großhaushalt der Antike hat *Rodbertus* zuerst den Ausdruck „Oikos" verwendet, dessen Begriffsmerkmal die – prinzipielle – Autarkie der Bedarfsdeckung durch Hausangehörige oder haushörige Arbeitskräfte, welchen die sachlichen Beschaffungsmittel tauschlos zur Verfügung stehen, sein sollte. In der Tat stellen die grundherrlichen und noch mehr die fürstlichen Haushaltungen der Antike (vor allem: des „Neuen Reichs" in Ägypten) in einer allerdings sehr verschieden großen *Annäherung* (selten: reine) Typen solcher, die Beschaffung des Großhaushaltsbedarfs auf abhängige Leistungspflichtige (Robott- und Abgabepflichtige) umlegende Haushaltungen dar. Das gleiche findet sich zeitweise in China und Indien und, in geringerem Maß, in unserem Mittelalter, vom Kapitulare de villis angefangen: Tausch nach außen fehlte meist dem Großhaushalt nicht, hatte aber den Charakter des haushaltsmäßigen Tausches. Geldumlagen fehlten ebenfalls oft nicht, spielten aber für die Bedarfsdeckung eine Nebenrolle und waren traditional gebunden. – Tausch nach außen fehlte auch den leiturgisch belasteten Wirtschaften oft nicht. Aber das Entscheidende war: daß dem Schwerpunkt nach die Bedarfsdeckung durch die als Entgelt der umgelegten Leistungen verliehenen Naturalgüter: Deputate oder Landpfründen erfolgte. Natürlich sind die Übergänge flüssig. Stets aber handelt es sich um eine verbandswirtschaftliche Regulierung der Leistungsorientierung hinsichtlich der Art der Arbeitsverteilung und Arbeitsverbindung.

3. Für den Fall a 2 I (wirtschafts*regulierender* Verband) sind für den Fall β (erwerbswirtschaftliche Orientierung) diejenigen Wirtschaftsregulierungen in den okzidentalen mittelalterlichen Kommunen, ebenso in den Gilden und Kasten von China und Indien ein ziemlich reiner Typus, welche die Zahl und Art der Meisterstellen und die Technik der Arbeit, also: die Art der Arbeitsorientierung in den Handwerken regulierten. *Soweit* der Sinn *nicht*: Versorgung des Konsumbedarfs mit Nutzleistungen der Handwerker, *sondern*, – was nicht immer, aber häufig der Fall war: – Sicherung der Erwerbschancen der Handwerker war: insbesondre Hochhaltung der Leistungsqualität und Repartierung der Kundschaft. Wie jede Wirtschaftsregulierung bedeutete selbstverständlich auch diese eine Beschränkung der Marktfreiheit und daher der autonomen erwerbswirtschaftlichen Orientierung der Handwerker: sie war orientiert an der Erhaltung der „Nahrung" für die gegebenen Handwerksbetriebe und also insoweit der haushaltswirtschaftlichen Orientierung trotz ihrer erwerbswirtschaftlichen Form doch innerlich material verwandt.

4. Für den Fall a 2 II im Fall β sind außer den schon angeführten reinen Typen der Hausindustrie vor allem die Gutswirtschaften unseres Ostens mit den an ihren Ordnungen orientierten Instmanns-Wirtschaften, die des Nordwestens mit den Heuerlings-Wirtschaften Typen. Die Gutswirtschaft sowohl, wie die Verlagswirtschaft sind Erwerbsbetriebe des Gutsherrn bzw. Verlegers; die Wirtschaftsbetriebe der Instleute und hausindustriellen Arbeiter orientieren sich in der Art der ihnen oktroyierten Leistungsverteilung und Arbeitsleistungsverbindung sowohl wie in ihrer Erwerbswirtschaft überhaupt primär an den Leistungspflichten, welche ihnen die Arbeitsordnung des Gutsverbandes bzw. die hausindustrielle Abhängigkeit auferlegt. Im übrigen sind sie: Haushaltungen. Ihre Erwerbsleistung ist nicht autonom, sondern heteronome Erwerbsleistung für den Erwerbsbe-

trieb des Gutsherrn bzw. Verlegers. Je nach dem Maß der materialen Uniformierung dieser Orientierung kann der Tatbestand sich der rein technischen Leistungsverteilung *innerhalb* eines und desselben Betriebes annähern, wie sie bei der „Fabrik" besteht.

§ 19. (noch: II vgl. § 18). Sozial unterscheidet sich die Art der Leistungsverteilung ferner:

B. je nach der Art, wie die als Entgelte bestimmten Leistungen bestehenden Chancen *appropriiert* sind. Gegenstand der Appropriation können sein:

1. Leistungsverwertungschancen, –
2. sachliche Beschaffungsmittel, –
3. Chancen von Gewinn durch disponierende Leistungen.

Über den soziologischen Begriff der „Appropriation" s. oben Kap. I § 10.

Erste Möglichkeit:

1. Appropriation von Arbeitsverwertungschancen: Möglich ist dabei:

   I. daß die Leistung an einen einzelnen Empfänger (Herren) oder Verband erfolgt,

   II. daß die Leistung auf dem Markt abgesetzt wird.

In *beiden* Fällen bestehen folgende vier einander radikal entgegengesetzten Möglichkeiten: Erste:

a) Monopolistische Appropriation der Verwertungschancen an den einzelnen Arbeitenden („*zünftig freie Arbeit*"), und zwar:

   α. erblich und veräußerlich, oder

   β. persönlich und unveräußerlich, oder

   γ. zwar erblich, aber unveräußerlich, – in allen diesen Fällen entweder unbedingt oder an materiale Voraussetzungen geknüpft.

Für 1 a α sind für I indische Dorfhandwerker, für II mittelalterliche „Real"-Gewerberechte, für 1 a β in dem Fall I alle „Rechte auf ein Amt", für 1 a γ I und II gewisse mittelalterliche, vor allem aber indische Gewerberechte und mittelalterliche „Ämter" verschiedenster Art Beispiele.

Zweite Möglichkeit:

b) Appropriation der Verwertung der Arbeitskraft an einen *Besitzer* der Arbeiter („*unfreie Arbeit*")

   α. frei, d. h. erblich und veräußerlich (Vollsklaverei), oder β. zwar erblich, aber nicht oder nicht *frei* veräußerlich, sondern z. B. nur mit den sachlichen Arbeitsmitteln – insbesondere Grund und Boden – zusammen (Hörigkeit, Erbuntertänigkeit).

Die Appropriation der Arbeitsverwertung an einen Herren kann material beschränkt sein (b, β: Hörigkeit). Weder kann dann der Arbeiter seine Stelle einseitig verlassen, noch kann sie ihm einseitig genommen werden.

Diese Appropriation der Arbeitsverwertung kann vom Besitzer benutzt werden

a) haushaltsmäßig und zwar
   α. als naturale oder Geld Rentenquelle, oder
   β. als Arbeitskraft im Haushalt (Haus-Sklaven oder Hörige);
b) erwerbsmäßig
   α. als αα. Lieferanten von Waren oder ββ. Bearbeiter gelieferten Rohstoffes für den Absatz (*unfreie Hausindustrie*),
   β. als Arbeitskraft im Betrieb (Sklaven- oder Hörigenbetrieb).

Unter „Besitzer" wird hier und weiterhin stets ein (normalerweise) *nicht als solcher* notwendig, sei es leitend, sei es arbeitend am Arbeitsprozeß Beteiligter bezeichnet. Er *kann*, als Besitzer, „Leiter" sein; indessen ist dies nicht notwendig und sehr häufig nicht der Fall.

Die „haushaltsmäßige" Benützung von Sklaven und Hörigen (Hintersassen jeder Art): *nicht* als Arbeiter in einem Erwerbsbetriebe: sondern als Rentenquelle, war typisch in der Antike und im frühen Mittelalter. Keilschriften kennen z. B. Sklaven eines persischen Prinzen, die in die Lehre gegeben werden, *vielleicht*, um für den Haushalt als Arbeitskraft tätig zu sein, *vielleicht* aber auch, um gegen Abgabe (griechisch „αποφορα", russisch „obrok", deutsch „Hals"- oder „Leibzins") *material* frei für Kunden zu arbeiten. Das war bei den hellenischen Sklaven geradezu die (freilich nicht ausnahmslose) Regel, in Rom hat sich die selbständige Wirtschaft mit peculium oder merx peculiaris (und, selbstverständlich, Abgaben an den Herrn) zu Rechtsinstituten verdichtet. Im Mittelalter ist die Leibherrschaft vielfach, in West- und Süddeutschland z. B. ganz regelmäßig, in ein bloßes Rentenrecht an im übrigen fast unabhängigen Menschen verkümmert, in Rußland die tatsächliche Beschränkung des Herren auf obrok-Bezug von tatsächlich (wenn auch rechtlich prekär) freizügigen Leibeigenen sehr häufig (wenn auch nicht die Regel) gewesen.

Die „erwerbsmäßige" Nutzung unfreier Arbeiter hatte insbesondre in den grundherrlichen (daneben wohl auch in manchen fürstlichen, so vermutlich den pharaonischen) Hausindustrien die Form angenommen entweder:

a) des unfreien *Lieferungs*gewerbes: der Abgabe von Naturalien, deren Rohstoff (etwa: Flachs) die Arbeiter (hörige Bauern) selbst gewonnen und verarbeitet hatten, oder

b) des unfreien *Verwertungs*gewerbes: der Verarbeitung von Material, welches der Herr lieferte. Das Produkt wurde möglicherweise, wenigstens teilweise, vom Herren zu Geld gemacht. In sehr vielen Fällen (so in der Antike) hielt sich aber diese Marktverwertung in den Schranken des Gelegenheitserwerbes, – was in der beginnenden Neuzeit namentlich in den deutsch-slavischen Grenzgebieten nicht der Fall war: besonders (nicht: nur) hier sind grund- und leibherrliche Hausindustrien entstanden. – Zu einem kontinuierlichen *Betrieb* konnte der leibherrliche Erwerb sowohl in Form

a) der *unfreien Heimarbeit* wie

b) der *unfreien Werkstattarbeit*

werden. Beide finden sich, die letztere als *eine* der verschiedenen Formen des Ergasterion in der Antike, in den pharaonischen und Tempel-Werkstätten und (nach Ausweis der Grabfresken) auch privater Leibherren, im Orient, ferner in Hellas (Athen: Demosthenes), in den römischen Gutsnebenbetrieben (vgl. die Darstellung von Gummerus), in Byzanz, im karolingischen „genitium" (= Gynaikeion) und in der Neuzeit z. B. in der russischen Leibeignenfabrik (vgl. v. Tugan-Baranowskis Buch über die russische Fabrik).

Dritte Möglichkeit:

c) Fehlen *jeder* Appropriation (formal *„freie Arbeit"* in diesem Sinn des Wortes): Arbeit kraft formal beiderseits freiwilligen Kontraktes. Der Kontrakt kann dabei jedoch *material* in mannigfacher Art reguliert sein durch konventional oder rechtlich oktroyierte Ordnung der Arbeitsbedingungen.

Die freie Kontraktarbeit kann verwertet werden und wird typisch verwendet

a) haushaltsmäßig:

α. als Gelegenheitsarbeit (von Bücher „Lohnwerk" genannt):

αα) im eignen Haushalt des Mieters: Stör;

ββ) vom Haushalt des Arbeiters aus (von Bücher „Heimwerk" genannt);

β. als Dauerarbeit

αα) für eignen Haushalt des Mieters (gemieteter Hausdienstbote);

ββ) vom Haushalt des Arbeiters aus (typisch: Kolone):
b) erwerbsmäßig und zwar
   α. als Gelegenheits- oder
   β. als Dauerarbeit, – in beiden Fällen ebenfalls entweder
     1. vom Haushalt des Arbeiters aus (Heimarbeit), oder
     2. im geschlossenen Betrieb des Besitzers (Guts- oder Werkstattarbeiter, insbesondere: Fabrikarbeiter).

Im Fall a steht der Arbeiter kraft Arbeitskontrakts im Dienst eines *Konsumenten*, welcher die Arbeit „leitet", im zweiten im Dienst eines Erwerbs*unternehmers:* ein, bei oft rechtlicher Gleichheit der Form, ökonomisch grundstürzender Unterschied. Kolonen *können* beides sein, sind aber *typisch Oiken*-Arbeiter.

Vierte Möglichkeit:

(1) Die Appropriation von Arbeitsverwertungschancen kann endlich erfolgen an einen Arbeiter*verband ohne* jede oder doch ohne freie Appropriation an die einzelnen Arbeiter, durch
   α. absolute oder relative Schließung nach außen;
   β. Ausschluß oder Beschränkung der Entziehung der Arbeitserwerbschancen durch den Leiter ohne Mitwirkung der Arbeiter.

Jede Appropriation an eine *Kaste* von Arbeitern oder an eine „Berggemeinde" von solchen (wie im mittelalterlichen Bergbau) oder an einen hofrechtlichen Ministerialenverband oder an die „Dreschgärtner" eines Gutsverbandes gehört hierher. In unendlichen Abstufungen zieht sich diese Form der Appropriation durch die ganze Sozialgeschichte aller Gebiete. – Die zweite, ebenfalls sehr verbreitete Form ist durch die „closed shops" der Gewerkschaften, vor allem aber durch die „Betriebsräte", sehr modern geworden.

Jede Appropriation der Arbeitsstellen von Erwerbsbetrieben *an* Arbeiter, *ebenso* aber umgekehrt die Appropriation der Verwertung von Arbeitern („Unfreien") an Besitzer, bedeutet eine Schranke freier Rekrutierung der Arbeitskräfte, also: der *Auslese* nach dem technischen Leistungsoptimum der Arbeiter, und also eine Schranke der *formalen* Rationalisierung des Wirtschaftens. Sie befördert material die Einschränkung der technischen Rationalität, sofern

I. die Erwerbs*verwertung* der Arbeitserzeugnisse einem *Besitzer* appropriiert ist:
   a) durch die Tendenz zur Kontingentierung der Arbeitsleistung (traditional, konventional oder kontraktlich), –
   b) durch Herabsetzung oder – bei freier Appropriation der Ar-

beiter an Besitzer (Vollsklaverei) – völliges Schwinden des Eigeninteresses der Arbeiter am Leistungsoptimum, –

II. bei Appropriation an die Arbeiter: durch Konflikte des Eigeninteresses der Arbeiter an der traditionalen Lebenslage mit dem Bestreben des Verwertenden a) zur Erzwingung des technischen Optimums ihrer Leistung oder b) zur Verwendung technischer Ersatzmittel für ihre Arbeit. Für den Herren wird daher stets die Verwandlung der Verwertung in eine bloße *Renten*quelle naheliegen. Eine Appropriation der Erwerbsverwertung der Erzeugnisse an die *Arbeiter* begünstigt daher, unter sonst dafür geeigneten Umständen, die mehr oder minder vollkommene Expropriation des *Besitzers* von der *Leitung*. Weiterhin aber regelmäßig: die Entstehung von materialen Abhängigkeiten der Arbeiter von überlegenen Tauschpartnern (Verlegern) als Leitern.

1. Die beiden formal entgegengesetzten Richtungen der Appropriation: der Arbeitsstellen an Arbeiter und der Arbeiter an einen Besitzer, wirken praktisch sehr ähnlich. Dies hat nichts Auffallendes. Zunächst sind beide sehr regelmäßig schon *formal* miteinander verbunden. Dies dann, wenn Appropriation der Arbeiter an einen Herren mit Appropriation der Erwerbschancen der Arbeiter an einen geschlossenen *Verband* der Arbeiter zusammentrifft, wie z. B. im hofrechtlichen Verbande. In diesem Fall ist weitgehende Stereotypierung der Verwertbarkeit der Arbeiter, also Kontingentierung der Leistung, Herabsetzung des Eigeninteresses daran und daher erfolgreicher Widerstand der Arbeiter gegen jede Art von technischer „Neuerung", selbstverständlich. Aber auch wo dies nicht der Fall ist, bedeutet Appropriation von Arbeitern an einen Besitzer *tatsächlich* auch das Hingewiesensein des Herren auf die Verwertung *dieser* Arbeitskräfte, die er nicht, wie etwa in einem modernen Fabrikbetrieb, durch *Auslese* sich beschafft, sondern auslesefrei hinnehmen muß. Dies gilt insbesondre für Sklavenarbeit. Jeder Versuch, andre als traditional eingelebte Leistungen aus appropriierten Arbeitern herauszupressen, stößt auf traditionalistische Obstruktion und könnte nur durch die rücksichtslosesten und daher, normalerweise, für das Eigeninteresse des Herren nicht ungefährlichen, weil die *Traditions*grundlage seiner Herrenstellung gefährdenden Mittel erzwungen werden. Fast überall haben daher die Leistungen appropriierter Arbeiter die Tendenz zur Kontingentierung gezeigt, und wo diese durch die Macht der Herren gebrochen wurde (wie namentlich in Osteuropa im Beginn der Neuzeit) hat die fehlende Auslese und das fehlende Eigeninteresse und Eigenrisiko der appropriierten Arbeiter die Entwicklung zum technischen Opti-

mum obstruiert. – Bei formaler Appropriation der Arbeitsstellen an die *Arbeiter* ist der gleiche Erfolg nur noch schneller eingetreten.

2. Der im letzten Satz bezeichnete Fall ist typisch für die Entwicklung des frühen Mittelalters (10.-13. Jahrhundert). Die „Beunden" der Karolingerzeit und alle andern Ansätze landwirtschaftlicher „Großbetriebe" schrumpften und verschwanden. Die Rente des Bodenbesitzers und des Leibherren stereotypierte sich, und zwar auf sehr niedrigem Niveau, das naturale Produkt ging zu steigenden Bruchteilen (Landwirtschaft, Bergbau), der Erwerbsertrag in Geld (Handwerk) fast ganz in die Hände der Arbeiter über. Die „begünstigenden Umstände" dieser *so* nur im Okzident eingetretenen Entwicklung waren: 1. die durch politisch-militärische Inanspruchnahme der Besitzerschicht, und – 2. durch das Fehlen eines geeigneten Verwaltungsstabes geschaffene Unmöglichkeit: ihrerseits die Arbeiter anders denn als Rentenquelle zu nutzen, verbunden – 3. mit der schwer zu hindernden faktischem Freizügigkeit zwischen den um sie konkurrierenden partikularen Besitzinteressenten, – 4. den massenhaften Chancen der Neurodung und Neuerschließung von Bergwerken und lokalen Märkten, in Verbindung mit – 5. der antiken technischen Tradition. – Je mehr (klassische Typen: der Bergbau und die englischen Zünfte) die Appropriation der Erwerbschancen *an* die Arbeiter an die Stelle der Appropriation *der* Arbeiter an den Besitzer eintrat und dann die Expropriation der Besitzer zunächst zu reinen Rentenempfängern (schließlich auch schon damals vielfach die Ablösung oder Abschüttelung der Rentenpflicht: „Stadtluft macht frei") vorschritt, desto mehr begann, fast sofort, die Differenzierung der Chancen, *Markt*gewinn zu machen in ihrer (der Arbeiter) eignen Mitte (und: von außen her durch Händler).

§ 20 (noch: II B vgl. §§ 18, 19). 2. *Appropriation der zur Arbeit komplementären sachlichen Beschaffungsmittel.* Sie kann sein Appropriation

 a) an Arbeiter, einzelne oder Verbände von solchen, oder

 b) an Besitzer oder

 c) an regulierende Verbände Dritter;

 Zu a) Appropriation an Arbeiter. Sie ist möglich

  α. an die einzelnen Arbeiter, die dann „im Besitz" der sachlichen Beschaffungsmittel sind,

  β. an einen, völlig oder relativ, geschlossenen Verband von Arbeitenden (Genossen), so daß also zwar nicht der einzelne Arbeiter, aber ein Verband von solchen im Besitz der sachlichen Beschaffungsmittel ist.

 Der Verband kann wirtschaften:

αα) als Einheitswirtschaft (kommunistisch),

ββ) mit Appropriation von Anteilen (genossenschaftlich).

Die Appropriation kann in all diesen Fällen

1. haushaltsmäßig, oder
2. erwerbsmäßig verwertet werden.

Der Fall α bedeutet entweder volle verkehrswirtschaftliche Ungebundenheit der im Besitz ihrer sachlichen Beschaffungsmittel befindlichen Kleinbauern oder Handwerker („Preiswerker" der Bücherschen Terminologie) oder Schiffer oder Fuhrwerksbesitzer. Oder es bestehen unter ihnen wirtschaftsregulierende Verbände s. u. Der Fall β umschließt sehr heterogene Erscheinungen, je nachdem haushaltsmäßig oder erwerbsmäßig gewirtschaftet wird. Die – im Prinzip, nicht notwendig „ursprüngliche" oder tatsächlich (s. Kap. V) kommunistische – *Hauswirtschaft* kann rein eigenbedarfsmäßig orientiert sein. Oder sie kann, zunächst gelegentlich, Überschüsse einer durch Standortsvorzüge (Rohstoffe spezifischer Art) oder spezifisch fachgelernte Kunstübung monopolistisch von ihr hergestellte Erzeugnisse durch *Bedarfs*tausch absetzen. Weiterhin kann sie zum regelmäßigen *Erwerbstausch* übergehen. Dann pflegen sich „Stammesgewerbe" mit – da die Absatzchancen auf Monopol und, meist, auf ererbtem Geheimnis ruhen – *inter*ethnischer Spezialisierung und interethnischem Tausch zu entwickeln, die dann entweder zu Wandergewerben und Pariagewerben oder (bei Vereinigung in einem politischen Verband) zu *Kasten* (auf der Grundlage interethnischer ritueller Fremdheit) werden, wie in Indien. – Der Fall ββ ist der Fall der „Produktivgenossenschaft". Hauswirtschaften können sich, bei Eindringen der Geldrechnung, ihm nähern. Sonst findet er sich, als Arbeiterverband, als Gelegenheitserscheinung. In typischer Art wesentlich in einem freilich wichtigen Fall: bei den *Bergwerken* des frühen Mittelalters.

b) Appropriation an *Besitzer* oder Verbände solcher kann – da die Appropriation an einen Arbeiter*verband* schon besprochen ist – hier nur bedeuten: Expropriation der Arbeiter von den Beschaffungsmitteln, nicht nur als Einzelne, sondern als Gesamtheit. Appropriiert sein können dabei

1. an Besitzer alle oder einige oder einer der folgenden Posten:

α. der Boden (einschließlich von Gewässern),

β. die unterirdischen Bodenschätze,

γ. die Kraftquellen,

δ. die Arbeitswerkstätten,

ε. die Arbeitsmittel (Werkzeuge, Apparate, Maschinen),

ζ. die Rohstoffe.

Alle können im Einzelfall in einer und derselben Hand oder sie können auch in verschiedenen Händen appropriiert sein.

Die Besitzer können die ihnen appropriierten Beschaffungsmittel verwerten

α. haushaltsmäßig,

αα. als Mittel eigner Bedarfsdeckung,

ββ. als Rentenquellen, durch Verleihen und zwar

I. zu haushaltsmäßiger Verwendung,

II. zur Verwertung als Erwerbsmittel, und zwar

ααα) in einem Erwerbsbetrieb ohne Kapitalrechnung,

βββ) als Kapitalgüter (in fremder Unternehmung), endlich

β. als eigne Kapitalgüter (in eigner Unternehmung);

Möglich ist ferner:

2. Appropriation an einen Wirtschafts*verband*, für dessen Gebarung dann die gleichen Alternativen wie bei b bestehen.

Endlich ist möglich:

3. Appropriation an einen wirtschafts*regulierenden* Verband, der die Beschaffungsmittel weder selbst als Kapitalgüter verwertet noch zu einer Rentenquelle macht, sondern den Genossen darbietet.

1. Bodenappropriation findet sich an *Einzel*wirtschaften *primär*:

a) auf die Dauer der aktuellen *Bestellung* bis zur Ernte,

b) soweit der Boden Artefakt war, also:

α. bei Rodung,

β. bei Bewässerung

für die Dauer der kontinuierlichen Bestellung.

Erst bei fühlbarer Bodenknappheit findet sich

c) Schließung der Zulassung zur Bodenbestellung, Weide- und Holznutzung und Kontingentierung des Maßes der Benutzung für die Genossen des Siedelungsverbandes.

Träger der dann eintretenden *Appropriation* kann sein

1.) ein Verband, – verschieden groß je nach der Art der Nutzbarkeit (für Gärten, Wiesen, Äcker, Weiden, Holzungen: Verbände aufsteigender Größe von den Einzelhaushaltungen bis zum „Stamm").

Typisch:

a) ein Sippen- (oder: daneben)

b) ein Nachbarschaftsverband (normal: Dorfverband) für die Äcker, Wiesen und Weiden,

c) ein wesentlich umfassenderer Markverband verschiedenen Charakters und Umfanges für die Holzungen,

d) die Haushaltungen für Gartenland und Hofstätte unter anteilsmäßiger Beteiligung an Acker und Weiden. Diese anteilsweise Beteiligung kann ihren Ausdruck finden

α. in empirischer Gleichstellung bei den Neubrüchen bei ambulantem Ackerbau (Feldgraswirtschaft),

β. in rationaler systematischer Neuumteilung bei seßhaftem Ackerbau: regelmäßig erst Folge

    a. *fiskalischer* Ansprüche mit Solidarhaft der Dorfgenossen, oder

    b. der *politischen* Gleichheitsansprüche der Genossen.

Träger des *Betriebes* sind normalerweise die Hausgemeinschaften (über deren Entwicklung Kap. V).

2.) Ein *Grundherr*, gleichviel ob (was später zu erörtern ist) diese Herrenlage ihre Quelle in primärer Sippenhauptsstellung oder Häuptlingswürde mit Bittarbeitsansprüchen (Kap. V) oder in fiskalischen oder militärischen Oktroyierungen oder systematischen Neubrüchen oder Bewässerungen hat.

Die Grundherrschaft kann genutzt werden:

a) mit unfreier (Sklaven- oder Hörigen-)Arbeit

    1. haushaltsmäßig

        α. durch Abgaben

        β. durch Dienstleistungen:

    2. erwerbsmäßig: als Plantage

b) mit freier Arbeit:

    I. haushaltsmäßig als Rentengrundherrschaft

        αα) durch Naturalrenten (Naturalteilbau oder Naturalabgabe) von Pächtern,

        ββ) durch Geldrenten von Pächtern. Beides:

            ααα) mit eignem Inventar (Erwerbspächter),

            βββ) mit grundherrlichem Inventar (Kolonen);

    II. erwerbsmäßig: als rationaler Großbetrieb.

Im Fall a, 1 pflegt der Grundherr in der Art der Ausnutzung traditional gebunden zu sein sowohl an die Person der Arbeiter (also: ohne Auslese) wie an ihre Leistungen. Der Fall a, 2 ist nur in den antik-karthagischen und römischen, in den kolonialen und in den nordamerikanischen Plantagen, der Fall b, II nur im modernen Okzident eingetreten. Die Art der Entwicklung der Grundherrschaft (und, vor allem, ihrer Sprengung) entschied über die Art der *modernen* Appropriationsverhältnisse. Diese kennen im *reinen* Typus *nur* die Figuren des a) Bodenbesitzers – b) kapitalistischen Pächters – c) besitzlosen Landarbeiters. Allein dieser reine Typus ist nur die (in England bestehende) Ausnahme.

2. *Bergbaulich* nutzbare Bodenschätze sind entweder

a) dem Grundbesitzer (in der Vergangenheit meist: Grund*herren*) oder

b) einem politischen Herren (Regalherren) appropriiert, oder

c) jedem „Finder" abbauwürdigen Vorkommens („Bergbaufreiheit")

d) einem Arbeiterverband

e) einer Erwerbs-Unternehmung.

Grund- und Regalherren konnten die ihnen appropriierten Vorkommen entweder in eigner Regie abbauen (so im frühen Mittelalter gelegentlich) oder als Rentenquelle benutzen, also verleihen, und zwar entweder

α. an einen Verband von Arbeitern (Berggemeinde), – Fall d – oder

β. an jeden (oder jeden einem bestimmten Personenkreis zugehörigen) Finder (so auf den „gefreiten Bergen" im Mittelalter, von wo die Bergbaufreiheit ihren Ausgang nahm).

Die Arbeiterverbände nahmen im Mittelalter typisch die Form von Anteilsgenossenschaften mit *Pflicht* zum Bau (gegenüber den an der Rente interessierten Bergherren oder den solidarisch haftenden Genossen) und Recht auf Ausbeuteanteil, weiterhin von reinen Besitzer-„Genossenschaften" mit Anteilen an Ausbeute und Zubuße an. Der Bergherr wurde zunehmend zugunsten der Arbeiter expropriiert, diese selbst aber mit zunehmendem Bedarf nach Anlagen von Kapitalgüter besitzenden Gewerken, so daß als Endform der Appropriation sich die kapitalistische „Gewerkschaft" (oder Aktiengesellschaft) ergab.

3. Beschaffungsmittel, welche den Charakter von „Anlagen" hatten (Kraftanlagen, besonders Wasserkraftanlagen, „Mühlen" aller Arten von Zweckverwendung, und Werkstätten, eventuell mit stehenden Apparaten) sind in der Vergangenheit, besonders im Mittelalter, sehr regelmäßig appropriiert worden:

a) an Fürsten und Grundherren (Fall 1),

b) an Städte (Fall 1 oder 2),

c) an Verbände der Arbeitenden (Zünfte, Gewerkschaften, Fall 2), *ohne* daß ein Einheits*betrieb* hergestellt worden wäre.

Sondern im Fall a und b findet sich dann Verwertung als Rentenquelle durch Gestattung der Benutzung gegen Entgelt und sehr oft mit Monopolbann und -Zwang zur Nutzung. Die Nutzung erfolgte im Einzelbetrieb reihum oder nach Bedarf, unter Umständen war sie ihrerseits Monopol eines geschlossenen Regulierungsverbandes. Backöfen, Mahlmühlen aller Art (für Getreide und Öl), Walkmühlen, auch Schleifwerke, Schlachthäuser, Färbekessel, Bleichanlagen (z. B. klösterliche) Hammerwerke (diese allerdings regelmäßig zur Verpachtung an *Betriebe*), ferner Brauereien, Brennereien und andre Anlagen, insbesondre auch Werften (in der Hansa städtischer Besitz) und Verkaufsstände aller Gattungen waren in dieser Art präkapitalistisch durch Gestaltung der Nutzung durch Arbeiter gegen Entgelt, also als *Vermögen* des Besitzers, nicht als Kapitalgut, von diesem (einem einzelnen oder einem Verband, insbesondre einer Stadt) genutzt. Diese Herstellung und *haushaltsmäßige* Ausnutzung als Rentenquelle besitzender Einzelner oder Verbände oder die produktivgenossenschaftliche Beschaffung ging der Verwandlung in „stehendes Kapital" von Eigenbetrieben voran. Die *Benutzer* der Anlagen ihrerseits nutzten sie teils haushaltsmäßig (Backöfen, auch Brauanlagen und Brennanlagen) teils erwerbswirtschaftlich.

4. Für die Seeschiffahrt der Vergangenheit war die Appropriation des Schiffs an eine Mehrheit von Besitzern (Schiffspartenbesitzern), die ihrerseits zunehmend von den nautischen Arbeitern getrennt waren, typisch. Daß die Seefahrt dann zu einer *Risiko*-Vergesellschaftung mit den Befrachtern führte, und daß Schiffsbesitzer, nautische Leiter und Mannschaft auch als Befrachter mitbeteiligt waren, schuf keine prinzipiell abweichenden *Appropriations*verhältnisse, sondern nur Besonderheiten der Abrechnung und also der Erwerbschancen.

5. Daß *alle* Beschaffungsmittel: Anlagen (jeder Art) und Werkzeuge in *einer* Hand appropriiert sind, wie es für die heutige Fabrik konstitutiv ist, war in der Vergangenheit die Ausnahme. Insbesondre ist das hellenisch-byzantinische Ergasterion (römisch: ergastulum) in seinem *ökonomischen* Sinn durchaus vieldeutig, was von Historikern beharrlich verkannt wird. Es war eine „Werkstatt", welche 1. Bestandteil eines *Haushalts* sein konnte, in welcher a) Sklaven bestimmte Arbeiten für den *Eigen*bedarf (z. B. der Gutswirtschaft) des Herrn verrichteten, oder aber b) Stätte eines „Nebenbetriebes" für den Absatz, auf Sklavenarbeit ruhend. Oder 2. die Werkstatt konnte als *Renten*quelle Bestandteil des Besitzes eines Privatmanns oder eines Verbandes (Stadt – so die Ergasterion im Peiraieus) sein, welche gegen Entgelt *vermietet* wurde an einzelne oder an Arbeitergenossenschaften. – Wenn also im Ergasterion (insbesondere im städtischen) gearbeitet wurde, so fragt es sich stets: wem gehörte das E. selbst? wem die sonstigen Beschaffungsmittel, die bei der Arbeit verwendet wurden? Arbeiteten freie Arbeiter darin? auf eigne Rechnung? Oder: Sklaven? *eventuell*: wem gehörten die Sklaven, die darin arbeiteten? arbeiteten sie auf eigne Rechnung (gegen Apophora) oder auf Rechnung des Herrn? Jede Art von Antwort auf diese Fragen ergab ein qualitativ

radikal verschiedenes wirtschaftliches Gebilde. In der Masse der Fälle scheint das Ergasterion – wie noch die byzantinischen und islamischen Stiftungen zeigen – als *Renten*quelle gegolten zu haben, war also etwas *grundsätzlich* anderes als jede „Fabrik" oder selbst deren Vorläufer, an ökonomischer Vieldeutigkeit am ehesten den verschiedenen „Mühlen"-Arten des Mittelalters vergleichbar.

6. Auch wo Werkstatt und Betriebsmittel *einem* Besitzer appropriiert sind und er Arbeiter mietet, ist ökonomisch noch nicht jener Tatbestand erreicht, welchen wir üblicherweise *heute* „Fabrik" nennen, solange 1. die mechanische Kraftquelle, 2. die Maschine, 3. die innere Arbeitsspezialisierung und Arbeitsverbindung nicht vorliegen. Die „Fabrik" ist heute eine Kategorie der kapitalistischen Wirtschaft. Es soll der Begriff auch hier nur im Sinn eines Betriebes gebraucht werden, der Gegenstand einer Unternehmung mit stehendem Kapital sein *kann*, welcher also die *Form* eines Werkstattbetriebes mit innerer Arbeitsteilung und Appropriation *aller* sachlichen Betriebsmittel, bei mechanisierter, also Motoren- und Maschinen-orientierter Arbeit besitzt. Die große, von Zeitdichtern besungene Werkstatt des „Jack of Newbury" (16. Jahrhundert), in welcher angeblich hunderte von Hand-Webstühlen standen, die sein Eigentum waren, an welchen selbständig, wie zu Hause, nebeneinander gearbeitet und die Rohstoffe für den Arbeiter vom Unternehmer gekauft wurden und allerhand „Wohlfahrtseinrichtungen" bestanden, entbehrte aller dieser Merkmale. Ein im Besitz eines Herren von (unfreien) Arbeitern befindliches ägyptisches, hellenistisches, byzantinisches, islamisches Ergasterion *konnte* – solche Fälle finden sich unzweifelhaft – mit innerer Arbeitsspezialisierung und Arbeitsverbindung arbeiten. Aber schon der Umstand, daß *auch* in diesem Fall der Herr sich gelegentlich mit Apophora (von jedem Arbeiter, vom Vorarbeiter mit erhöhter Apophora) begnügte (wie die griechischen Quellen deutlich ergeben), muß davor warnen, es einer „Fabrik", ja selbst nur einem Werkstattbetriebe von der Art des „Jack of Newbury", ökonomisch gleichzusetzen. Die fürstlichen Manufakturen, so die kaiserlich chinesische Porzellanmanufaktur und die ihr nachgebildeten europäischen Werkstattbetriebe für höfische Luxusbedürfnisse, *vor allem* aber: für *Heeres*bedarf, stehen der „Fabrik" im üblichen Wortsinn am nächsten. Es kann niemand verwehrt werden, sie „Fabriken" zu *nennen*. Erst recht nahe standen äußerlich der modernen Fabrik die russischen Werkstattbetriebe mit Leibeigenenarbeit. Der Appropriation der Beschaffungsmittel trat hier die Appropriation der Arbeiter hinzu. *Hier* soll der Begriff „Fabrik" aus dem angegebenen Grunde *nur* für Werkstatt-

betriebe mit 1. an *Besitzer* voll appropriierten sachlichen Beschaffungsmitteln, *ohne* Appropriation der Arbeiter, – 2. mit innerer Leistungsspezialisierung, – 3. mit Verwendung mechanischer Kraftquellen und Maschinen, welche „Bedienung" erfordern, gebraucht werden. Alle andren Arten von „Werkstattbetrieben" werden mit *diesem* Namen und entsprechenden Zusätzen bezeichnet.

§ 21 (noch: II B 1, §§ 18, 19). 3. *Appropriation der disponierenden Leistungen.* Sie ist typisch:

1. für alle Fälle der traditionalen *Haushalts*leitung:
   a) zugunsten des Leiters (Familien- oder Sippenhaupt) selbst,
   b) zugunsten seines für die Leitung des Haushalts bestimmten Verwaltungsstabs (Dienstlehen der Hausbeamten).

Sie kommt vor:

2. für die *Erwerbs*betriebe
   a) im Falle völligen (oder annähernd völligen) Zusammenfalles von Leitung und Arbeit. Sie ist in diesem Fall typisch identisch mit der Appropriation der sachlichen Beschaffungsmittel an die Arbeiter B, 2, a). Sie kann in diesem Fall sein:
      α. unbeschränkte Appropriation, also vererblich und veräußerlich garantierte Appropriation an die einzelnen,
      αα) mit, oder
      ββ) ohne garantierte Kundschaft, oder
      β. Appropriation an einen *Verband*, mit nur persönlicher oder material regulierter und also nur bedingter oder an Voraussetzungen geknüpfter Appropriation an die einzelnen, mit der gleichen Alternative;
   b) bei Trennung der Erwerbsleitung und der Arbeit kommt sie vor als monopolistische Appropriation von Unternehmungschancen in ihren verschiedenen möglichen Formen durch
      α. genossenschaftliche – gildenmäßige – oder
      β. von der politischen Gewalt verliehene Monopole.
3. im Fall des Fehlens jeder formalen Appropriation der Leitung ist die Appropriation der Beschaffungsmittel – oder der für die Beschaffung der Kapitalgüter erforderlichen Kreditmittel – praktisch, bei Kapitalrechnungsbetrieben, identisch mit Appropriation der Verfügung über die leitenden Stellen an die betreffenden Besitzer. Diese Besitzer können diese Verfügung ausüben
   a) durch Eigenbetrieb,
   b) durch Auslese, (eventuell, bei mehreren Besitzern: Zusammenwirken bei der Auslese) des Betriebsleiters. –

Ein Kommentar erübrigt sich wohl bei diesen Selbstverständlichkeiten.

Jede Appropriation der sachlichen komplementären Beschaffungsmittel bedeutet natürlich praktisch normalerweise auch mindestens entscheidendes *Mit*bestimmungsrecht auf die Auslese der Leitung und die (mindestens relative) Expropriation der Arbeiter von diesen. Aber nicht jede Expropriation der *einzelnen* Arbeiter bedeutet Expropriation der Arbeiter *überhaupt*, sofern ein Verband von Arbeitern, trotz formaler Expropriation in der Lage ist, material die Mitleitung oder Mitauslese der Leitung zu erzwingen.

§ 22. Die Expropriation des *einzelnen* Arbeiters vom Besitz der sachlichen Beschaffungsmittel ist rein *technisch* bedingt:

a) im Fall die Arbeits*mittel* die simultane und sukzessive Bedienung durch zahlreiche Arbeiter bedingen,

b) bei *Kraft*anlagen, welche nur bei simultaner Verwendung für zahlreiche einheitlich organisierte gleichartige Arbeitsprozesse rational auszunutzen sind,

c) wenn die technisch rationale Orientierung des Arbeitsprozesses nur in Verbindung mit komplementären Arbeitsprozessen unter gemeinsamer kontinuierlicher *Aufsicht* erfolgen kann,

d) wenn das Bedürfnis gesonderter fachmäßiger *Schulung* für die Leitung von zusammenhängenden Arbeitsprozessen besteht, welche ihrerseits nur bei Verwertung im großen rational voll auszunutzen ist,

e) durch die Möglichkeit strafferer Arbeits*disziplin* und dadurch Leistungs*kontrolle* und dadurch gleichmäßiger *Produkte* im Fall der einheitlichen Verfügung über Arbeitsmittel und Rohstoffe.

Diese Momente würden aber die Appropriation an einen *Verband* von Arbeitern (Produktivgenossenschaft) offen lassen, also nur die Trennung des *einzelnen* Arbeiters von den Beschaffungsmitteln bedeuten.

Die Expropriation der *Gesamtheit* der Arbeiter (einschließlich der kaufmännisch und technisch geschulten Kräfte) vom Besitz der Beschaffungsmittel ist ökonomisch vor allem bedingt

a) allgemein durch die *unter sonst gleichen Umständen* größere Betriebsrationalität bei freier Disposition der Leitung über die Auslese und die Art der Verwendung der Arbeiter, gegenüber den durch Appropriation der Arbeitsstellen oder der Mitleitungsbefugnis entstehenden technisch irrationalen Hemmungen und ökonomischen Irrationalitäten, insbesondre: Hineinspielen von betriebsfremden Kleinhaushalts- und Nahrungs-Gesichtspunkten,

b) innerhalb der Verkehrswirtschaft durch überlegene Kreditwürdigkeit einer durch keine Eigenrechte der Arbeiter in der Verfügung beschränkten, sondern in uneingeschränkter Verfügungsgewalt über die sachlichen Kredit-(Pfand-)Unterlagen befindlichen Betriebsleitung durch geschäftlich geschulte und als „sicher" geltende, weil durch kontinuierliche Geschäftsführung bekannte, Unternehmer.

c) Geschichtlich entstand sie innerhalb einer sich seit dem 16. Jahrhundert durch extensive und intensive *Markterweiterung* entwickelnden Wirtschaft durch die absolute Überlegenheit und tatsächliche Unentbehrlichkeit der individuell marktorientiert disponierenden *Leitung* einerseits, durch reine *Macht*konstellationen andererseits.

Über diese allgemeinen Umstände hinaus wirkt die an Marktchancen orientierte Unternehmung aber im Sinn jener Expropriation:

a) durch Prämiierung der rational technisch nur bei Vollappropriation an Besitzer möglichen *Kapitalrechnung* gegenüber jeder rechnungsmäßig minder rationalen Wirtschaftsgebarung,

b) durch Prämiierung der rein händlerischen Qualitäten der Leitung gegenüber den technischen, und der Festhaltung des technischen und kommerziellen Geheimwissens,

c) durch die Begünstigung spekulativer Betriebsführung, welche jene Expropriation voraussetzt. Diese wird letztlich ohne Rücksicht auf den *Grad* ihrer technischen Rationalität ermöglicht:

d) durch die Überlegenheit, welche

α. auf dem Arbeitsmarkt, jede Besitzversorgtheit als solche, gegenüber den Tauschpartnern (Arbeitern),

β. auf dem Gütermarkt die mit Kapitalrechnung, Kapitalgüterausstattung und Erwerbskredit arbeitende Erwerbswirtschaft über jeden minder rational rechnenden oder minder ausgestatteten und kreditwürdigen Tauschkonkurrenten besitzt. – Daß das Höchstmaß von *formaler* Rationalität der *Kapitalrechnung* nur bei Unterwerfung der Arbeiter unter die Herrschaft von Unternehmern möglich ist, ist eine weitere spezifische *materiale* Irrationalität der Wirtschaftsordnung.

Endlich

e) ist die *Disziplin* bei freier Arbeit und Vollappropriation der Beschaffungsmittel optimal.

§ 23. Die Expropriation *aller* Arbeiter von den Beschaffungsmitteln *kann* praktisch bedeuten:

1. Leitung durch den Verwaltungsstab eines Verbandes: auch (und gerade) jede *rational* sozialistische Einheitswirtschaft würde die

Expropriation aller Arbeiter beibehalten und nur durch die Expropriation der privaten Besitzer vervollständigen; –

2. Leitung kraft Appropriation der Beschaffungsmittel an Besitzer durch diese *oder* ihre Designatäre.

Die Appropriation der Verfügung über die Person des Leitenden an Besitzinteressenten kann bedeuten:

a) Leitung durch einen (oder mehrere) Unternehmer, die *zugleich* die Besitzer sind: unmittelbare Appropriation der Unternehmerstellung. Sie schließt aber nicht aus, daß tatsächlich die Verfügung über die Art der Leitung kraft *Kreditmacht* oder *Finanzierung* (s. später!) weitgehend in den Händen betriebsfremder Erwerbsinteressenten (z. B. kreditgebender Banken oder *Finanzen*) liegt;

b) Trennung von Unternehmerleistung und appropriiertem Besitz, insbesondere durch Beschränkung der Besitzinteressenten auf die Designierung des Unternehmers und anteilsmäßige freie (veräußerliche) Appropriation des Besitzes nach Anteilen des Rechnungskapitals (Aktien, Kuxe). Dieser Zustand (der durch Übergänge aller Art mit der rein persönlichen Appropriation verbunden ist) ist *formal* rational in dem Sinn, als er, – im Gegensatz zur dauernden und erblichen Appropriation der Leitung selbst an den zufällig ererbten Besitz, – die *Auslese* des (vom Rentabilitätsstandpunkt aus) qualifizierten Leiters gestattet. Aber praktisch kann dies verschiedenerlei bedeuten:

α. die Verfügung über die Unternehmerstellung liegt kraft Besitzappropriation in den Händen von betriebsfremden *Vermögens*interessenten: Anteilsbesitzern, die vor allem: hohe *Rente* suchen,

β. die Verfügung über die Unternehmerstellung liegt kraft temporären Markterwerbs in den Händen von betriebsfremden *Spekulations*interessenten (Aktienbesitzern, die nur Gewinn durch *Veräußerung* suchen),

γ. die Verfügung über die Unternehmerstellung liegt kraft Markt- oder Kreditmacht in den Händen von betriebsfremden *Erwerbs*interessenten (Banken oder Einzelinteressenten, – z. B. den „Finanzen" – welche ihren, oft dem *Einzel*betrieb fremden, Erwerbsinteressen nachgehen).

„Betriebsfremd" heißen hier diejenigen Interessenten, welche nicht primär an nachhaltige Dauer-*Rentabilität* des Unternehmens orientiert sind. Dies kann bei jeder Art von Vermögensinteresse eintreten. In spezifisch hohem Maß aber bei Interessenten, welche die Verfügung über ihren Besitz an Anlagen und Kapitalgütern oder eines Anteils daran (Aktie, Kux) nicht als dauernde Vermögensan-

lage, sondern als Mittel: einen rein aktuell spekulativen Erwerbsge-
winn daraus zu ziehen, verwenden. Am relativ leichtesten sind reine
*Renten*interessen (α) mit den sachlichen Betriebsinteressen (das heißt
hier: an aktueller und Dauer-Rentabilität) auszugleichen.

Das Hineinspielen jener „betriebsfremden" Interessen in die Art
der Verfügung über die leitenden Stellen, gerade im Höchstfall der
formalen Rationalität ihrer Auslese, ist eine weitere spezifische *materiale*
Irrationalität der modernen Wirtschaftsordnung (denn es können
sowohl ganz individuelle Vermögensinteressen wie: an ganz andern,
mit dem Betrieb in keinerlei Verbindung stehenden, Zielen orientierte Erwerbsinteressen, wie endlich: reine Spiel-Interessen sich der appropriierten Besitzanteile bemächtigen und über die Person des Leiters und – vor allem – die ihm oktroyierte Art der Betriebsführung
entscheiden). Die Beeinflussung der Marktchancen, vor allem der
Kapitalgüter und damit der Orientierung der erwerbsmäßigen Güterbeschaffung durch betriebsfremde, rein *spekulative* Interessen ist
eine der Quellen der als „Krisen" bekannten Erscheinungen der modernen Verkehrswirtschaft (was hier nicht weiter zu verfolgen ist).

§ 24. *Beruf* soll jene Spezifizierung, Spezialisierung und Kombination,
von Leistungen einer Person heißen, welche für sie Grundlage einer
kontinuierlichen Versorgungs- oder Erwerbschance ist. Die Berufsverteilung kann

1. durch heteronome Zuteilung von Leistungen und Zuwendung von Versorgungsmitteln innerhalb eines wirtschaftsregulierenden Verbandes (unfreie Berufsteilung), oder durch autonome Orientierung an Marktlagen für Berufsleistungen (freie Berufsteilung)
geschehen, –

2. auf Leitungsspezifikation oder auf Leistungsspezialisierung
beruhen, –

3. wirtschaftlich autokephale oder heterokephale Verwertung der
Berufsleistungen durch ihren Träger bedeuten.

Typische Berufe und typische Arten von Einkommens-Erwerbs-
chancen stehen im Zusammenhang miteinander, wie bei Besprechung
der „ständischen" und „Klassenlagen" zu erörtern sein wird.

Über „Berufsstände" und Klassen im allgemeinen s. Kap. IV.

1. Unfreie Berufsteilung: leiturgisch oder oikenmäßig durch
Zwangsrekrutierung der einem Beruf Zugewiesenen innerhalb eines
fürstlichen, staatlichen, fronherrlichen, kommunalen Verbandes. –
Freie Berufsteilung: kraft erfolgreichen Angebots von Berufsleistun-

gen auf dem Arbeitsmarkt oder erfolgreicher Bewerbung um freie „Stellungen".

2. Leistungsspezifikation, wie schon § 16 bemerkt: die Berufsteilung des Gewerbes im Mittelalter, Leistungsspezialisierung: die Berufsteilung in den modernen rationalen Betrieben. Die Berufsteilung in der *Verkehrswirtschaft* ist, methodisch angesehen, sehr vielfach technisch irrationale Leistungsspezifikation und nicht rationale Leistungsspezialisierung schon deshalb, weil sie an Absatzchancen und deshalb an Käufer-, also Verbraucher-Interessen orientiert ist, welche das Ensemble der von einem und demselben Betrieb angebotenen Leistungen abweichend von der Leistungsspezialisierung determinieren und zu Leistungsverbindungen methodisch irrationaler Art nötigen.

3. Autokephale Berufsspezialisierung: Einzelbetrieb (eines Handwerkers, Arztes, Rechtsanwalts, Künstlers). Heterokephale Berufsspezialisierung: Fabrikarbeiter, Beamter.

Die Berufsgliederung gegebener Menschengruppen ist verschieden:

a) je nach dem Maß der Entwicklung von typischen und stabilen Berufen überhaupt. Entscheidend dafür ist namentlich

α. die Bedarfsentwicklung,

β. die Entwicklung der (vor allem:) gewerblichen Technik,

γ. die Entwicklung entweder

αα) von Großhaushalten: – für unfreie Berufsverteilung, oder

ββ) von Marktchancen: – für freie Berufsverteilung,

b) je nach dem Grade und der Art der berufsmäßigen Spezifikation oder der Spezialisierung der *Wirtschaften.*

Entscheidend dafür ist vor allem

α. die durch Kaufkraft bestimmte Marktlage für die Leistungen spezialisierter Wirtschaften,

β. die Art der Verteilung der Verfügung über Kapitalgüter;

c) je nach dem Maße und der Art der Berufskontinuität oder des Berufswechsels. Für diesen letztgenannten Umstand sind entscheidend vor allem

α. das Maß von Schulung, welches die spezialisierten Leistungen voraussetzen,

β. das Maß von Stabilität oder Wechsel der Erwerbschancen, welches abhängig ist von dem Maß der Stabilität einerseits der Einkommensverteilung und von deren Art, andererseits von der Technik.

Für *alle* Gestaltungen der Berufe ist schließlich wichtig: die *ständische* Gliederung mit den *ständischen* Chancen und Erziehungsformen, welche sie für bestimmte Arten gelernter Berufe schafft.

Zum Gegenstand selbständiger und stabiler Berufe werden nur Leistungen, welche ein Mindestmaß von Schulung voraussetzen und für welche kontinuierliche Erwerbschancen bestehen. Berufe können traditional (erblich) überkommen oder aus zweckrationalen (insbesondre: Erwerbs-)Erwägungen gewählt oder charismatisch eingegeben oder affektuell, insbesondere aus ständischen („Ansehens")-Interessen ausgeübt werden. Die *individuellen* Berufe waren primär durchaus charismatischen (magischen) Charakters, der gesamte Rest der Berufsgliederung – soweit Ansätze einer solchen überhaupt bestanden – traditional bestimmt. Die nicht spezifisch persönlichen charismatischen Qualitäten wurden entweder Gegenstand von traditionaler Anschulung in geschlossenen Verbänden oder erblicher Tradition. Individuelle Berufe nicht streng charismatischen Charakters schufen zunächst – leiturgisch – die großen Haushaltungen der Fürsten und Grundherren, dann – verkehrswirtschaftlich – die Städte. Daneben aber stets: die im Anschluß an die magische oder rituelle oder klerikale Berufsschulung entstehenden *literarischen* und als vornehm geltenden ständischen Erziehungsformen.

Berufsmäßige Spezialisierung bedeutet nach dem früher Gesagten *nicht* notwendig *kontinuierliche* Leistungen *entweder* 1. leiturgisch für einen Verband (z. B. einen fürstlichen Haushalt oder eine Fabrik) oder 2. für einen völlig freien „Markt". Es ist vielmehr möglich und *häufig*:

1. daß besitzlose berufsspezialisierte *Arbeiter* je nach Bedarf nur als *Gelegenheits*arbeitskräfte verwendet werden, von einem relativ gleichbleibenden Kreis

    a) von haushaltmäßigen Kunden (Konsumenten) oder

    b) von Arbeitgeber*kunden* (Erwerbswirtschaften).

Zu a) In *Haushaltungen*: dahin gehört

    α. bei Expropriation mindestens: der *Rohstoff*beschaffung, also: der Verfügung über das Erzeugnis, vom Arbeiter:

        I. Die „*Stör*"

            αα) als reiner Wanderbetrieb,

            ββ) als seßhafte, aber in einem örtlichen Kreis von *Haushaltungen* ambulante Arbeit;

        II. das „*Lohnwerk*": seßhafte Arbeit, in eigner Werkstatt (bzw. Haushalt) für einen *Haushalt* arbeitend.

In allen Fällen liefert der *Haushalt* den Rohstoff; dagegen pflegen die Werkzeuge dem Arbeiter appropriiert zu sein (Sensen den Schnittern, Nähwerkzeug der Näherin, alle Arten von Werkzeugen den Handwerkern).

Das Verhältnis bedeutet in den Fällen Nr. 1 den temporären Eintritt in den Haushalt eines *Konsumenten*.

Dem gegenüber ist von K. *Bücher* der Fall der vollen Appropriation aller Beschaffungsmittel an den Arbeiter als *„Preiswerk"* bezeichnet worden.

Zu b) Gelegenheitsarbeit berufsspezialisierter Arbeiter für *Erwerbswirtschaften*:

bei Expropriation mindestens der Rohstoffbeschaffung, also: der Verfügung über das Erzeugnis, vom Arbeiter:

I. Wanderarbeit in wechselnden Betrieben von Arbeitgebern,

II. gelegentliche oder Saison-Heimarbeit für einen Arbeitgeber in eigner Haushaltung.

Beispiel zu I: Sachsengänger,

Zu II: jede gelegentlich ergänzend zur Werkstattarbeit tretende Heimarbeit.

2. Das Gleiche bei Wirtschaften mit appropriierten Beschaffungsmitteln:

α. Bei Kapitalrechnung und *partieller*, insbesondere: auf die Anlagen beschränkter Appropriation der Beschaffungsmittel an Besitzer; Lohnwerkstattbetriebe (Lohnfabriken) und vor allem: *verlegte* Fabriken – erstere seit langem, letztere neuerdings häufig vorkommend.

β. Bei voller Appropriation der Beschaffungsmittel an Arbeiter

a) kleinbetrieblich, ohne Kapitalrechnung:

αα) für Haushaltungen: Kunden*preiswerker*

ββ) für Erwerbsbetriebe: Hausindustrie *ohne* Expropriation der Beschaffungsmittel, also formal ungebunden aber tatsächlich an einen monopolistischen *Kreis* von Abnehmern absetzende Erwerbsbetriebe,

b) großbetrieblich mit Kapitalrechnung: Beschaffung für einen festen Abnehmerkreis: – Folge (regelmäßig, aber nicht: nur) von kartellmäßigen Absatzregulierungen.

Es ist schließlich noch festzustellen: daß *weder*

a) jeder Erwerbsakt Bestandteil eines *berufsmäßigen* Erwerbens ist, *noch*

b) alle noch so häufigen Erwerbsakte begriffsnotwendig irgendeiner kontinuierlichen *gleich*sinnigen *Spezialisierung* zugehören.

Zu a: Es gibt *Gelegenheits*erwerb;

α) der Überschüsse des Hausfleißes abtauschenden Hauswirtschaft. Ebenso zahlreiche ihnen entsprechende großhaushaltungsmäßige, namentlich grundherrliche, Gelegenheits-Erwerbsabtausche. Von da führt eine *kontinuierliche* Reihe von möglichen „Gelegenheitserwerbsakten" bis:

β) zur Gelegenheits*spekulation* eines Rentners, dem Gelegenheits*abdruck* eines Artikels, Gedichtes usw. eines Privaten und ähnlichen modernen Vorfällen. – Von da wieder bis zum „Nebenberuf".

Zu b: Es ist ferner zu erinnern: daß es auch vollkommen wechselnde und in ihrer Art absolut unstete, zwischen *allen* Arten von Gelegenheitserwerb und zwar eventuell auch zwischen normalen Erwerbsakten und Bettel, Raub, Diebstahl wechselnde Formen der Existenzfristung gibt.

Eine *Sonder*stellung nehmen ein

a) rein karitativer Erwerb,

b) *nicht* karitativer Anstaltsunterhalt (insbesondre: strafweiser),

c) geordneter *Gewalterwerb*:

d) ordnungsfremder (krimineller) Erwerb durch Gewalt oder List. Die Rolle von b und d bietet wenig Interesse. Die Rolle von a war für die hierokratischen Verbände (Bettelmönchtum), die Rolle von c für die politischen Verbände (Kriegsbeute) und in beiden Fällen für dies Wirtschaften oft ganz ungeheuer groß. Die „Wirtschafts*fremdheit*" ist in diesen beiden Fällen das Spezifische. Deshalb ist eine nähere Klassifikation *hier* nicht am Platz. Die Formen werden anderwärts zu entwickeln sein. Aus teilweise (aber nur teilweise) ähnlichen Gründen ist der *Beamten*erwerb (einschließlich des Offiziererwerbes, der dazu gehört) unten (§ 39), *nur* zwecks „systematische Ortsbezeichnung" als Unterart des Arbeitserwerbes *genannt*, ohne vorerst näher kasuistisch erörtert zu sein. Denn dazu gehört die Erörterung der *Art* der *Herrschafts*beziehung, in welcher diese Kategorien stehen.

§ 24a. Die Kasuistik der technischen, betriebsmäßigen Appropriations- und Marktbeziehungen ist also nach den von § 15 angefangen bis hier entwickelten theoretischen Schemata eine höchst vielseitige.

Tatsächlich spielen von den zahlreichen Möglichkeiten nur einige eine *beherrschende* Rolle.

1. Auf dem Gebiet des landwirtschaftlichen Bodens:

a) ambulanter, d.h. nach Ausnutzung des Bodens den Standort wechselnder Ackerbau: Hauswirtschaft mit Appropriation des Bodens an den Stamm und – zeitweilig oder dauernd – der Nutzung an Nachbarschaftsverbände mit nur zeitweiser Appropriation der Bodennutzung an Haushaltungen.

Die Größe der Haushaltsverbände ist regelmäßig entweder

α. große Hauskommunion, oder

β. organisierte Sippenwirtschaft, oder

γ. Großfamilienhaushalt, oder

δ. Kleinfamilienhaushalt.

„Ambulant" ist der Ackerbau regelmäßig nur in bezug auf den bebauten Boden, weit seltener und in größeren Perioden: für Hofstätten.

b) Seßhafter Ackerbau: mark- und dorfgenossenschaftliche Regulierung der Nutzungsrechte an Äckern, Wiesen, Weiden, Holzungen, Wasser mit (normalerweise) Kleinfamilienhaushaltungen. Appropriation von Hofgütern und Gärten an Kleinfamilien; Acker, (meist) Wiesen, Weiden an den Dorfverband; Holzungen an größere Markgemeinschaften. Bodenumteilungen sind dem Recht nach ursprünglich möglich, aber nicht systematisch organisiert und daher meist obsolet. Die Wirtschaft ist meist durch Dorfordnung *reguliert* (primäre *Dorfwirtschaft*).

Die Sippengemeinschaft als Wirtschaftsgemeinschaft besteht nur ausnahmsweise (China), und dann in rationalisierter Verbandsform (*Sippenvergesellschaftung*).

c) *Grundherrschaft* und Leibherrschaft mit grundherrlichem Fronhof und gebundenen Naturalgüter- und Arbeits-Leistungen der abhängigen Bauernbetriebe. Gebundene Appropriation: des Bodenbesitzes und der Arbeiter an den Herren, der Bodennutzung und der Rechte auf die Arbeitsstellen an die Bauern (einfacher *grundherrlicher Naturalleistungsverband*).

d) α) Grundherrschaftliches oder β) fiskalisches Bodenmonopol mit Solidarhaft der Bauerngemeindeverbände für fiskalische Lasten. Daher: Feldgemeinschaft und systematisierte regelmäßige Neuverteilung des Bodens: oktroyierte dauernde Appropriation des Bodens als Korrelat der Lasten an den Bauern*gemeinde*verband, nicht an die Haushaltungen, an diese nur zeitweise und vorbehaltlich der Neuumteilung zur Nutzung. Regulierung der Wirtschaft durch Ordnungen des Grundherrn oder politischen Herrn (*grundherrliche* oder *fiskalische Feldgemeinschaft*).

e) *Freie Grundherrschaft* mit haushaltsmäßiger Nutzung der abhängigen Bauernstellen als Rentenquelle. Also: Appropriation des Bodens an den Grundherren, aber:

α. Kolonen, oder

β. Teilpacht- oder

γ. Geldzinsbauern

als Träger der Wirtschaftsbetriebe.

f) *Plantagenwirtschaft*: freie Appropriation des Bodens und der Arbeiter (als Kaufsklaven) an den Herren als *Erwerbs*mittel in einem kapitalistischen Betrieb mit unfreier Arbeit.

g) *Gutswirtschaft*: Appropriation des Bodens

α. an Bodenrentenbesitzer, Verleihung an Großpächterwirtschaften. Oder

β. an die Bewirtschafter als Erwerbsmittel. Beidemal mit freien Arbeitern, in

a) eignen oder

b) vom Herrn gestellten Haushaltungen, in beiden Fällen α. mit landwirtschaftlicher Erzeugung oder – Grenzfall – β. ohne alle eigne Gütererzeugung.

h) Fehlen der Grundherrschaft: bäuerliche Wirtschaft mit Appropriation des Bodens an die Bewirtschafter (Bauern). Die Appropriation kann praktisch bedeuten:

α. daß tatsächlich vorwiegend nur erblich erworbener Boden oder

β. umgekehrt, daß Parzellenumsatz besteht,

ersteres bei Einzelhofsiedelung und Großbauernstellen, letzteres bei Dorfsiedelung und Kleinbauernstellen typisch.

Normale Bedingung ist für den Fall e, γ ebenso wie für den Fall h, β die Existenz ausreichender *lokaler* Marktchancen für bäuerliche Bodenprodukte.

2. Auf dem Gebiet des Gewerbes und Transports (einschließlich des Bergbaues) und Handels

a) *Hausgewerbe*, primär als Mittel des Gelegenheitstausches, sekundär als Erwerbsmittel mit

α. *interethnischer* Leistungsspezialisierung (*Stammesgewerbe*).

Daraus erwachsen:

β. *Kastengewerbe*.

In beiden Fällen primär: Appropriation der Rohstoffquellen und also der Rohstofferzeugung; Kauf der Rohstoffe oder Lohngewerbe erst sekundär. Im ersten Fall oft: Fehlen *formaler* Appropriation. Daneben, und im zweiten Fall stets: erbliche Appropriation der leistungs*spezifizierten* Erwerbschancen an Sippen- oder Hausverbände.

b) *Gebundenes Kundengewerbe*: Leistungs*spezifikation* für einen *Konsumenten*-Verband:

α. einen herrschaftlichen (oikenmäßig, grundherrlich) –

β. einen genossenschaftlichen (demiurgisch).

Kein Markterwerb. Im Fall α haushaltsmäßige Leistungsverbindung, zuweilen Werkstattarbeit im Ergasterion des Herren. Im Fall β erbliche (zuweilen: veräußerliche) Appropriation der Arbeitsstellen, Leistung für appropriierte (Konsumenten-)Kundschaft – kärgliche Fortentwicklungen:

I. Erster Sonderfall: Appropriierte (*formal unfreie*) leistungsspezifizierte Träger des Gewerbes

α. als Rentenquelle der Herren, dabei aber als, trotz der formalen Unfreiheit, *material freie* (meist) Kundenproduzenten (Rentensklaven),

β. als unfreie Hausgewerbetreibende für Erwerbszwecke,

γ. als Werkstatt-Arbeiter in einem Ergasterion des Herren für Erwerbszwecke (unfreie Hausindustrie).

II. Zweiter Sonderfall: *leiturgische* Leistungsspezifikation für fiskalische Zwecke: Typus dem Kastengewerbe (α, β) gleichartig.

Entsprechend auf dem Gebiet des Bergbaues:

fürstlicher oder grundherrlicher Betrieb mit Unfreien: Sklaven oder Hörigen.

Entsprechend auf dem Gebiet des Binnentransports:

a) grundherrliche Appropriation der Transportanlagen als *Renten*quelle: Umlegung demiurgischer Leistungen auf die dafür bestimmten Kleinbauernstellen. Genossenschaftlich regulierte Kleinhändlerkarawanen. Die Ware war ihnen appropriiert.

Auf dem Gebiet des Seetransports:

a) oikenmäßiger oder grundherrlicher oder patrizischer Schiffsbesitz mit Eigenhandel des Herren;

b) genossenschaftlicher Schiffsbau und Schiffsbesitz, Schiffsführer und Mannschaft als Eigenhändler beteiligt, *interlokal* reisende Kleinhändler neben ihnen als Befrachter, Risikovergesellschaftung aller Interessenten, streng regulierte Schiffskarawanen. In allen Fällen war dabei „Handel" mit *interlokalem* Handel also *Transport*, noch identisch.

c) *Freies Gewerbe*:

Freie Kundenproduktion als

a) Stör, oder

b) Lohnwerk

bei Appropriation der Rohstoffe an den Kunden (Konsumenten), der Arbeitswerkzeuge an den Arbeiter, der etwaigen Anlagen an Herren (als Rentenquelle) oder Verbände (zur Reihum-Benutzung), oder

c) „Preiswerk", mit Appropriation der Rohstoffe und Arbeitswerkzeuge, damit auch: der Leitung, an Arbeiter, etwaiger Anlagen (meist) an einen Arbeiterverband (Zunft).

In allen diesen Fällen typisch: Erwerbs*regulierung* durch die *Zunft*.

Im Bergbau: Appropriation des Vorkommens an politische oder Grundherren als Rentenquelle; Appropriation des Abbaurechts an einen Arbeiterverband; zünftige Regelung des Abbaus als Pflicht gegen den Bergherren als Renteninteressenten und gegen die Berggemeinde als jenem solidarisch haftend und am Ertrag interessiert. –

Auf dem Gebiet des Binnen-Transports: Schiffer- und Frachtfahrer-Zünfte mit festen Reihefahrten und Regulierung ihrer Erwerbschancen.

Auf dem Gebiet der Seeschiffahrt: Schiffspartenbesitz, Schiffskarawanen, reisende Kommendahändler.

Entwicklung zum Kapitalismus:

α. tatsächliche Monopolisierung der *Geld*betriebsmittel durch Unternehmer als Mittel der Bevorschussung der Arbeiter. Damit Leitung der Güterbeschaffung kraft *Beschaffungskredits* und Verfügung über das Produkt trotz formal fortbestehender Appropriation der Erwerbsmittel an die Arbeiter (so im Gewerbe und Bergbau).

β. Appropriation des Absatz*rechtes* von Produkten auf Grund vorangegangener tatsächlicher Monopolisierung der Marktkenntnis und damit der Marktchancen und Geldbetriebsmittel kraft oktroyierter monopolistischer (Gilden)-Verbandsordnung oder Privilegs der politischen Gewalt (als Rentenquelle oder gegen Darlehen).

γ. Innere Disziplinierung der hausindustriell abhängigen Arbeiter: Lieferung der Rohstoffe und Apparate durch den Unternehmer. Sonderfall: Rationale monopolistische Organisation von Hausindustrien auf Grund von Privilegien im Finanz- und populationistischen (Erwerbsversorgungs)Interesse. Oktroyierte Regulierung der Arbeitsbedingungen mit Erwerbskonzessionierung.

δ. Schaffung von Werkstattbetrieben *ohne* rationale Arbeitsspezialisierung im Betriebe bei Appropriation sämtlicher sachlicher Beschaffungsmittel durch den Unternehmer. Im Bergbau: Appropriation der Vorkommen, Stollen und Apparate durch Besitzer. Im Transportwesen: Reedereibetrieb durch Großbesitzer. Folge überall: Expropriation der Arbeiter von den Beschaffungsmitteln.

ε. Als letzter Schritt zur kapitalistischen Umwandlung der *Beschaffungs*betriebe: Mechanisierung der Produktion und des Transports. Kapitalrechnung. Alle *sachlichen* Beschaffungsmittel werden („stehendes" oder *Betriebs*)-*Kapital*. Alle Arbeitskräfte: „Hände". Durch Verwandlung der Unternehmungen in Vergesellschaftungen von Wertpapierbesitzern wird auch der *Leiter* expropriiert und formal zum „Beamten", der Besitzer material zum Vertrauensmann der Kreditgeber (*Banken*).

Von diesen verschiedenen *Typen* ist

1. auf dem Gebiet der Landwirtschaft der Typus a überall, aber in der Form α (Hauskommunion und Sippenwirtschaft) in Europa nur stellenweise, dagegen in Ostasien (China) typisch vertreten gewesen, – der Typus b (Dorf- und Markgemeinschaft) in Europa und Indien heimisch gewesen, – der Typus c (gebundene Grundherrschaft) überall heimisch gewesen und im Orient teilweise noch jetzt heimisch, – der Typus d in den Formen α und β (*Grund*herrschaft und Fiskalherrschaft mit systematischer Feldumteilung der Bauern) in mehr *grund*herrlicher Form russisch und (in abweichendem Sinn: Boden*renten*umteilung) indisch, in mehr fiskalischer Form ostasiatisch und vorderasiatisch-ägyptisch gewesen. Der Typus e (freie Renten-Grundherrschaft mit Kleinpächtern) ist typisch in Irland, kommt in Italien und Südfrankreich, ebenso in China und im antikhellenistischen Orient vor. Der Typus f (Plantage mit unfreier Arbeit) gehörte der karthagisch-römischen Antike, den Kolonialgebieten und den Südstaaten der amerikanischen Union an, der Typus g (Gutswirtschaft) in der Form α (Trennung von Bodenbesitz und Betrieb) England, in der Form β (Betrieb des Bodenbesitzers) dem östlichen Deutschland, Teilen von Österreich, Polen, Westrußland, der Typus h (bäuerliche Besitzer-Wirtschaft) ist in Frankreich, Süd- und Westdeutschland, Teilen Italiens, Skandinavien, ferner (mit Einschränkungen) in Südwestrußland und besonders im modernen China und Indien (mit Modifikationen) heimisch.

Diese starken Verschiedenheiten der (*endgültigen*) Agrarverfassung sind nur zum Teil auf ökonomische Gründe (Gegensatz der Waldrodungs- und der Bewässerungskultur), zum andern auf historische Schicksale, insbesondere die Form der öffentlichen Lasten und der Wehrverfassung, zurückzuführen.

2. Auf dem Gebiet des Gewerbes – die Transport- und Bergverfassung ist noch nicht universell genug geklärt – ist

a) der Typus a, α (Stammesgewerbe) überall verbreitet gewesen.

b) Der Typus a, β (Kastengewerbe) hat *nur* in Indien universelle Verbreitung erlangt, sonst nur für deklassierte („unreine") Gewerbe.

c) Der Typus b, α (oikenmäßige Gewerbe) hat in allen Fürstenhaushalten der Vergangenheit, am stärksten in Ägypten, geherrscht, daneben in den Grundherrschaften der ganzen Welt, in der Form b, β (demiurgische Gewerbe) ist er vereinzelt überall (auch im Okzident), als Typus aber nur in Indien, verbreitet gewesen. Der Sonderfall I (Leibherrschaft als Rentenquelle) herrschte in der Antike, der Sonderfall II (leiturgische Leistungsspezifikation) in Ägypten, dem Hellenismus, der römischen Spätantike und zeitweise in China und Indien.

d) Der Typus c findet seine klassische Stätte als herrschender Typus im okzidentalen Mittelalter und *nur* dort, obwohl er überall vorkam und insbesondere die *Zunft* universell (namentlich: in China und Vorderasien) verbreitet war, – freilich gerade in der „klassischen" Wirtschaft der Antike völlig *fehlte*. In Indien bestand statt der Zunft die Kaste.

e) Die Stadien der kapitalistischen Entwicklung fanden beim Gewerbe außerhalb des Okzidents *nur* bis zum Typus β universelle Verbreitung. Dieser Unterschied ist *nicht ausschließlich* durch rein ökonomische Gründe zu erklären.

§ 25. I. Zur Erreichung von *rechnungsmäßigen* Leistungsoptima der *ausführenden* Arbeit (im allgemeinsten Sinn) gehört *außerhalb* des Gebiets der drei typisch kommunistischen Verbände, bei welchen *außerökonomische* Motive mitspielen:

1. Optimum der Angepaßtheit an die Leistung,
2. Optimum der Arbeits*übung*,
3. Optimum der Arbeits*neigung*.

Zu 1. Angepaßtheit (gleichviel inwieweit durch Erbgut oder Erziehungs- und Umwelteinflüsse bedingt) kann nur durch *Probe* festgestellt werden. Sie ist in der Verkehrswirtschaft bei Erwerbsbetrieben in Form der „Anlerne"-Probe üblich. Rational will sie das Taylor-System durchführen.

Zu 2. Arbeitsübung ist im Optimum nur durch rationale und kontinuierliche Spezialisierung erreichbar. Sie ist heute nur wesentlich empirisch, unter Kostenersparnis-Gesichtspunkten (im Rentabilitätsinteresse und durch dieses begrenzt) vorgenommene Leistungsspezialisierung. Rationale (physiologische) Spezialisierung liegt in den Anfängen (Taylor-System).

Zu 3. Die Bereitwilligkeit zur Arbeit kann ganz ebenso orientiert sein wie jedes andre Handeln (s. Kap. I, § 2). Arbeitswilligkeit (im spezifischen Sinn der *Ausführung* von eignen Dispositionen oder von solchen anderer Leitender) ist aber stets entweder durch starkes *eignes* Interesse am Erfolg oder durch unmittelbaren oder mittelbaren *Zwang* bedingt gewesen; in besonders hohem Maß Arbeit im Sinn der Ausführung der Disposition *anderer*. Der Zwang kann bestehen entweder

1. in unmittelbarer Androhung von physischer Gewaltsamkeit oder anderen Nachteilen, oder

2. in der Chance der Erwerbslosigkeit im Falle ungenügender Leistung.

Da die zweite Form, welche der Verkehrswirtschaft wesentlich ist, ungleich stärker an das Eigeninteresse sich wendet und die Freiheit der Auslese nach der Leistung (in Maß und Art) erzwingt (natürlich: unter Rentabilitätsgesichtspunkten), wirkt sie formal rationaler (im Sinn des technischen Optimums) als jeder unmittelbare Arbeitszwang. Vorbedingung ist die Expropriation der Arbeiter von den Beschaffungsmitteln und ihre Verweisung auf Bewerbung um Arbeitslohnverdienstchancen, also: gewaltsamer Schutz der Appropriation der Beschaffungsmittel an Besitzer. Gegenüber dem unmittelbaren Arbeitszwang ist damit außer der Sorge für die Reproduktion (Familie) auch ein Teil der Sorge um die Auslese (nach der Art der Eignung) auf die Arbeitsuchenden selbst abgewälzt. Außerdem ist der Kapitalbedarf und das Kapitalrisiko gegenüber der Verwertung unfreier Arbeit beschränkt und kalkulierbar gemacht, endlich – durch massenhaften Geldlohn – der Markt für Massengüter verbreitert. Die *positive* Arbeitsneigung ist nicht dergestalt obstruiert, wie – unter sonst gleichen Verhältnissen – bei unfreier Arbeit, freilich besonders bei weitgehender technischer Spezialisierung auf einfache (taylorisierte) monotone Verrichtungen auf die rein materiellen Lohnchancen beschränkt. Diese enthalten *nur* bei Lohn nach der Leistung (Akkordlohn) einen Anreiz zu deren Erhöhung. – Akkordlohnchancen und Kündigungsgefahr bedingen in der kapitalistischen Erwerbsordnung *primär* die Arbeitswilligkeit.

Unter der Bedingung der freien, von den Beschaffungsmitteln getrennten, Arbeit gilt im übrigen folgendes:

1. Die Chancen *affektueller* Arbeitswilligkeit sind – unter sonst gleichen Umständen – bei Leistungs*spezifikation* größer als bei Leistungsspezialisierung, weil der individuelle Leistungs*erfolg* dem Arbeitenden sichtbarer vor Augen liegt. Demnächst, naturgemäß, bei allen Qualitäts*leistungen*.

2. *Traditionale* Arbeitswilligkeit, wie sie namentlich innerhalb der Landwirtschaft und der Hausindustrie (unter *allgemein* traditionalen Lebensbedingungen) typisch ist, hat die Eigenart: daß die Arbeiter ihre Leistung entweder: an nach Maß und Art stereotypen Arbeitsergebnissen oder aber: am traditionalen Arbeits*lohn* orientieren (oder: beides), daher schwer rational verwertbar und in ihrer Leistung durch Leistungsprämien (Akkordlohn) nicht zu steigern sind. Dagegen können traditional *patriarchale* Beziehungen zum Herren (Besitzer) die affektuelle Arbeitswilligkeit erfahrungsgemäß hoch halten.

3. *Wertrationale* Arbeitswilligkeit ist in typischer Art entweder religiös bedingt, oder durch spezifisch hohe soziale Wertung der betreffenden spezifischen Arbeit als solcher. Alle andren Anlässe dazu sind, nach alter Erfahrung, Übergangserscheinungen.

Selbstverständlich enthält die „altruistische" Fürsorge für die eigne Familie eine typische Pflichtkomponente der Arbeitswilligkeit. –

II. Die *Appropriation* von Beschaffungsmitteln und die (sei es noch so formale) *Eigen*verfügung über den Arbeitshergang bedeutet eine der stärksten Quellen schrankenloser Arbeitsneigung. Dies ist der letzte Grund der außerordentlichen Bedeutung des Klein- und zwar insbesondere: des Parzellenbetriebs in der Landwirtschaft, sowohl als Kleineigentümer, wie als Kleinpächter (mit der Hoffnung künftigen Aufstiegs zum Bodeneigentümer). Das klassische Land dafür ist: China; auf dem Boden des fachgelernten leistungs*spezifizierten* Gewerbes vor allem: Indien; demnächst alle asiatischen Gebiete, aber auch das Mittelalter des Okzidents, dessen wesentliche Kämpfe um die (formale) Eigenverfügung geführt worden sind. Das sehr starke Arbeits-Mehr, welches der (stets, auch als Gärtner: leistungs*spezifizierte*, nicht: -spezialisierte) Klein*bauer* in den Betrieb steckt und die Einschränkung der Lebenshaltung, die er sich im Interesse der Behauptung seiner *formalen* Selbständigkeit auferlegt, verbunden mit der in der Landwirtschaft möglichen *haushaltsmäßigen* Ausnutzung von *erwerbsmäßig*, also im Großbetrieb, nicht verwertbaren Nebenerzeugnissen und „Abfällen" aller Art ermöglicht seine Existenz gerade *wegen* des Fehlens der Kapitalrechnung und der Beibehaltung der Einheit von Haushalt und Betrieb. Der Kapitalrechnungsbetrieb in der Landwirtschaft ist – im Fall des *Eigentümer*betriebs – nach allen Ermittlungen (s. meine Rechnungen in den Verh. des D. Juristentags XXIV) ungleich Konjunkturen-empfindlicher als der Kleinbetrieb.

Auf dem Gebiet des Gewerbes bestand die entsprechende Erscheinung *bis* in die Zeit mechanisierter und streng spezialisierter arbeitsverbindender Betriebe. Betriebe, wie die des „Jack of Newbury" konnte man noch im 16. Jahrhundert einfach, ohne Katastrophe für die Erwerbschancen der Arbeiter, *verbieten* (wie es in England geschah). Denn die Zusammenziehung von, dem Besitzer appropriierten, Webstühlen nebst ihren Arbeitern in einer Werkstatt *ohne* wesentliche Steigerung der Spezialisierung und Verbindung der Arbeit bedeutete unter den gegebenen Marktverhältnissen keineswegs eine derartige Steigerung der Chancen für den Unternehmer, daß das immerhin größere Risiko und die Werkstattkosten dadurch mit Sicherheit gedeckt worden wären. Vor allem aber ist im Gewerbe ein Betrieb mit hohem *Kapital* von *Anlagen* („stehendem" K.) nicht nur, wie auch in der Landwirtschaft, konjunkturempfindlich, sondern im Höchstmaß empfindlich gegen jede Irrationalität (*Unberechenbarkeit*) der Verwaltung und Rechtspflege, wie sie, *außerhalb* des modernen

Okzidentes, überall bestand. Die dezentralisierte Heimarbeit hat hier, wie in Konkurrenz mit den russischen „Fabriken" und überall sonst, das Feld behaupten können, *bis* – noch *vor* Einfügung der mechanisierten Kraftquellen und Werkzeugmaschinen – das Bedürfnis nach genauer Kostenkalkulation und Standardisierung der Produkte zum Zweck der Ausnutzung der verbreiterten *Markt*chancen, in Verbindung mit technisch rationalen *Apparaten*, zur Schaffung von Betrieben mit (Wasser- oder Pferdegöpel und) innerer Spezialisierung führte in welche dann die mechanischen Motoren und Maschinen eingefügt wurden. Alle vorher, in der ganzen Welt, gelegentlich entstandenen großen Werkstattbetriebe konnten ohne jede nennenswerte Störung der Erwerbschancen *aller* Beteiligten und ohne daß die Bedarfsdeckung ernstlich gefährdet worden wäre, wieder verschwinden. Erst mit der „Fabrik" wurde dies anders. Die Arbeitswilligkeit der *Fabrik*arbeiter aber war primär durch einen mit Abwälzung des Versorgungsrisikos auf sie kombinierten sehr starken indirekten *Zwang* (englisches Arbeitshaussystem!) bedingt und ist dauernd an der Zwangsgarantie der Eigentumsordnung orientiert geblieben, wie der Verfall dieser Arbeitswilligkeit in der Gegenwart: im Gefolge des Zerbrechens der Zwangsgewalt in der Revolution zeigte.

§ 26. Kommunistische *und* dabei rechnungs*fremde* Leistungsvergemeinschaftung oder -vergesellschaftung gründet sich nicht auf Errechnung von Versorgungsoptima, sondern auf unmittelbar *gefühlte* Solidarität. Geschichtlich ist sie daher – bis zur Gegenwart – aufgetreten auf der Grundlage von primär *außer*wirtschaftlich orientierten Gesinnungs-Einstellungen, nämlich:

1. als Hauskommunismus der *Familie*, – auf traditionaler und affektueller Grundlage,
2. als Kameradschaftskommunismus des *Heeres*, –
3. als Liebeskommunismus der (religiösen) *Gemeinde*, in diesen beiden Fällen (2 und 3) primär auf spezifisch emotionaler (charismatischer) Grundlage. Stets aber entweder:
   a) im *Gegensatz* zur traditional oder zweckrational, und dann rechenhaft, leistungsteilig wirtschaftenden Umwelt: entweder selbst arbeitend, oder grade umgekehrt: rein mäzenatisch sustentiert (oder beides); – oder
   b) als Haushaltsverband von *Privilegierten*, die nicht einbezogenen Haushaltungen beherrschend und mäzenatisch oder leiturgisch durch sie erhalten, – oder
   c) als Konsumentenhaushalt, getrennt von dem Erwerbsbe-

triebe und sein Einkommen von ihm beziehend, also mit ihm vergesellschaftet.

Der Fall a ist typisch für die religiös oder weltanschauungsmäßig kommunistischen Wirtschaften (weltflüchtige oder arbeitende Mönchsgemeinschaften, Sektengemeinschaften, ikarischer Sozialismus).

Der Fall b ist typisch für die militaristischen ganz oder teilweise kommunistischen Gemeinschaften (Männerhaus, spartiatische Syssitien, ligurische Räubergemeinschaft, Organisation des Khalifen Omar, Konsum- und – partieller – Requisitionskommunismus von Heereskörpern im Felde in jeder Epoche), daneben für autoritäre religiöse Verbände (Jesuitenstaat in Paraguay, indische und andre aus Bettelpfründen lebende Mönchsgemeinschaften).

Der Fall c ist der typische Fall aller familialen Haushaltungen in der Verkehrswirtschaft.

Die Leistungsbereitschaft und der rechnungsfremde Konsum innerhalb dieser Gemeinschaften ist *Folge* der außerwirtschaftlich orientierten Gesinnung und gründet sich in den Fällen 2 und 3 zum erheblichen Teil auf das Pathos des Gegensatzes und *Kampfes* gegen die Ordnungen der „Welt". Alle modernen kommunistischen Anläufe sind, sofern sie eine kommunistische *Massen*organisation erstreben, für ihre Jüngerschaft auf *wertrationale*, für ihre Propaganda aber auf *zweckrationale* Argumentation, in beiden Fällen also: auf spezifisch *rationale* Erwägungen und – im Gegensatz zu den militaristischen und religiösen *außer*alltäglichen Vergemeinschaftungen – auf *Alltags*-Erwägungen angewiesen. Die Chancen für sie liegen daher unter Alltagsverhältnissen auch innerlich wesentlich anders als für jene außeralltäglichen oder primär außerwirtschaftlich orientierten Gemeinschaften.

§ 27. *Kapitalgüter* treten typisch im Keim zuerst auf als interlokal oder interethnisch getauschte *Waren*, unter der Voraussetzung, (s. § 29) daß der „Handel" von der haushaltsmäßigen Güterbeschaffung *getrennt* auftritt. Denn der Eigenhandel der Hauswirtschaften (Überschuß-Absatz) kann eine gesonderte Kapitalrechnung nicht kennen. Die interethnisch abgesetzten Produkte des Haus-, Sippen-, Stammesgewerbes sind *Waren*, die Beschaffungsmittel, solange sie Eigenprodukte bleiben, sind Werkzeuge und Rohstoffe, nicht: Kapitalgüter. Ebenso wie die Absatzprodukte und die Beschaffungsmittel des Bauern und Fronherren, solange nicht auf Grund von Kapitalrechnung (sei es auch primitiver Form) gewirtschaftet wird (wofür z. B.

bei Cato schon Vorstufen bestehen). Daß alle internen Güterbewegungen im Kreise der Grundherrschaft und des Oikos, auch der Gelegenheits- oder der typische interne Austausch von Erzeugnissen, das Gegenteil von Kapitalrechnungswirtschaft sind, versteht sich von selbst. Auch der Handel des Oikos (z. B. des Pharao) ist, selbst wenn er *nicht* reiner Eigenbedarfshandel, also: haushaltsmäßiger Tausch, ist, sondern teilweise Erwerbszwecken dient, im Sinn dieser Terminologie so lange nicht kapitalistisch, als er nicht an Kapital*rechnung*, insbesondre an vorheriger Abschätzung der Gewinnchancen in Geld orientier*bar* ist. Dies war bei den reisenden Berufs*händlern* der Fall, gleichviel ob sie eigne oder kommendierte oder gesellschaftlich zusammengelegte Waren absetzten. *Hier*, in der Form der Gelegenheitsunternehmung, ist die Quelle der Kapitalrechnung und der Kapitalgüterqualität. Leibherrlich und grundherrlich als *Renten*quelle benutzte Menschen (Sklaven, Hörige) oder Anlagen aller Art sind selbstverständlich nur rententragende Vermögensobjekte, nicht Kapitalgüter, ganz ebenso wie heute (für den an der Rentenchance und allenfalls einer Gelegenheitsspekulation orientierten *Privat*mann – im Gegensatz zur zeitweiligen Anlage von *Erwerbsbetriebs*kapital darin–) Renten oder Dividenden tragende Papiere. Waren, die der Grundherr oder Leibherr von seinen Hintersassen kraft seiner Herrengewalt als Pflichtabgaben erhält und auf den Markt bringt, sind für unsre Terminologie: Waren, nicht Kapitalgüter, da die rationale Kapitalrechnung (Kosten!) *prinzipiell* (nicht nur: faktisch) fehlt. Dagegen sind bei Verwendung von Sklaven als Erwerbsmitteln (zumal: bei Existenz eines Sklavenmarktes und typischer Kaufsklaverei) in einem Betriebe diese: Kapitalgüter. Bei Fronbetrieben mit *nicht* frei käuflichen und verkäuflichen (Erb-)Untertanen wollen wir *nicht* von kapitalistischen Betrieben, sondern nur von Erwerbsbetrieben mit gebundener Arbeit sprechen (Bindung auch des *Herren* an die Arbeiter ist das Entscheidende!), einerlei ob es sich um landwirtschaftliche Betriebe oder um unfreie Hausindustrie handelt.

Im Gewerbe ist das „*Preiswerk*" „kleinkapitalistischer" Betrieb, die Hausindustrie dezentralisierter, jede Art von wirklich kapitalistischem Werkstattbetrieb zentralisierter kapitalistischer Betrieb. Alle Arten von Stör, Lohnwerk und Heimarbeit sind bloße Arbeitsformen, die beiden ersteren im Haushalts-, die letzte im Erwerbsinteresse des Arbeitgebers.

Entscheidend ist also nicht die empirische *Tatsache*, sondern die prinzipielle *Möglichkeit* der materialen Kapitalrechnung.

§ 28. *Neben* allen früher besprochenen Arten von spezialisierten oder spezifizierten Leistungen steht in jeder Verkehrswirtschaft (auch, normalerweise: einer material regulierten): die *Vermittlung* des Eintauschs eigner oder des Abtauschs fremder Verfügungsgewalt.

Sie kann erfolgen:

1. durch die Mitglieder eines Verwaltungsstabes von Wirtschaftsverbänden gegen festes oder nach der Leistung abgestuften Natural- oder Geld-Entgelt;

2. durch einen eigens für die Ein- oder Abtauschbedürfnisse der Genossen geschaffenen Verband dieser (genossenschaftlich) oder

3. als Erwerbsberuf gegen Gebühr ohne eignen Erwerb der Verfügungsgewalt (agentenmäßig), in sehr verschiedener rechtlicher Form;

4. als kapitalistischer Erwerbsberuf (*Eigenhandel*): durch gegenwärtigen Kauf in der Erwartung gewinnbringenden künftigen Wiederverkaufs oder Verkauf auf künftigen Termin in der Erwartung gewinnbringenden vorherigen Einkaufs, entweder

   a) ganz frei auf dem Markt, oder
   b) material reguliert;

5. durch kontinuierlich geregelte entgeltliche Expropriation von Gütern und deren entgeltlichen – freien oder oktroyierten – Abtausch seitens eines politischen Verbandes (*Zwangshandel*);

6. durch berufsmäßige Darbietung von Geld oder Beschaffung von Kredit zu erwerbsmäßigen Zahlungen oder Erwerb von Beschaffungsmitteln durch *Kredit*gewährung an:

   a) Erwerbswirtschaften, oder
   b) Verbände (insbesondere: politische): Kreditgeschäft. – Der ökonomische Sinn kann sein

   α. Zahlungskredit, oder

   β. Kredit für Beschaffung von Kapitalgütern.

Die Fälle Nr. 4 und 5, und nur sie, sollen „*Handel*" heißen, der Fall 4 „freier" Handel, der Fall 5 „zwangsmonopolistischer" Handel.

Fall 1: a) Haushaltswirtschaften: fürstliche, grundherrliche, klösterliche „negotiatores" und „actores", – b) Erwerbswirtschaften: „Kommis".

Fall 2: Ein- und Verkaufs-Genossenschaften (einschließlich der „Konsumvereine").

Fall 3: Makler, Kommissionäre, Spediteure, Versicherungs- und andere „Agenten".

Fall 4: a) moderner Handel,
        b) heteronom oktroyierte oder autonom paktierte Zuweisung von Einkauf oder Absatz von oder an Kunden, oder

Einkauf oder Absatz von Waren bestimmter Art, oder materiale Regulierung der Tauschbedingungen durch Ordnungen eines politischen oder Genossen-Verbandes. Fall 5: Beispiel: staatliches Getreidehandelsmonopol.

§ 29. *Freier* Eigenhandel (Fall 4) – von dem zunächst allein die Rede sein soll – ist stets „Erwerbsbetrieb", nie „Haushalt", und also unter allen normalen Verhältnissen (wenn auch nicht unvermeidlich): *Geld*-tauscherwerb in Form von Kauf- und Verkauf-Verträgen. Aber er *kann* sein:

a) „Nebenbetrieb" eines Haushalts,

Beispiel: Abtausch von Hausgewerbe-Überschüssen durch *eigens* dafür bestimmte Hausgenossen *auf deren Rechnung*. Der bald von diesen bald von jenen Genossen betriebene Abtausch ist dagegen nicht einmal „Nebenbetrieb". Wenn die betreffenden Genossen sich auf eigene Rechnung *nur* dem Abtausch (oder Eintausch) widmen, liegt der Fall Nr. 4 (modifiziert) vor, wenn sie auf Rechnung der *Gesamtheit* handeln, der Fall Nr. 1.

b) untrennbarer Bestandteil einer Gesamtleistung, welche durch eigene Arbeit (örtliche) *Genußreife* herstellt.

Beispiel: Die Hausierer und die ihnen entsprechenden *mit* den Waren reisenden, *primär* die *örtliche* Bewegung an den Marktort besorgenden *Klein*händler, die deshalb früher unter „Transport" miterwähnt sind. Die reisenden „Kommendahändler" bilden zuweilen den Übergang zu Nr. 3. Wann die Transportleistung „primär" ist, der „Handelsgewinn" sekundär und wann umgekehrt, ist ganz flüssig. „Händler" sind alle diese Kategorien in jedem Fall.

Eigenhandel (Fall 4) wird betrieben *stets* auf Grundlage der *Appropriation* der Beschaffungsmittel, mag die Verfügungsgewalt auch durch Kreditnahme beschafft sein. Stets trifft das Kapitalrisiko den Eigenhändler als Eigenrisiko und stets ist ihm die Gewinnchance, kraft Appropriation der Beschaffungsmittel, appropriiert.

Die Spezifizierung und Spezialisierung innerhalb des freien Eigenhandels (Fall 4) ist unter sehr verschiedenen Gesichtspunkten möglich. Es interessieren ökonomisch vorerst nur die Arten:

a) nach dem Typus der Wirtschaften, von denen und an welche der Händler tauscht.

1. Handel zwischen Überschuß*haushaltungen* und Konsum*haushaltungen*.

2. Handel zwischen Erwerbswirtschaften („Produzenten" oder

„Händlern") und Haushaltungen: „Konsumenten", mit Einschluß, natürlich, aller Verbände, insbesondere: der politischen.

3. Handel zwischen Erwerbswirtschaften und anderen Erwerbswirtschaften.

Die Fälle 1 und 2 entsprechen dem Begriff „Detailhandel", der bedeutet: Absatz an Konsumenten (*einerlei*: woher gekauft), der Fall 3 entspricht dem Begriff „Großhandel" oder „Kaufmannshandel".

Der Handel kann sich vollziehen

a) marktmäßig

    α. auf dem Markt für Konsumenten, normalerweise in Anwesenheit der Ware (*Marktdetailhandel*),

    β. auf dem Markt für Erwerbswirtschaften,

    αα) in Anwesenheit der Ware (*Meßhandel*),

        Meist, aber nicht begriffsnotwendig, saisonmäßig.

    ββ) in Abwesenheit der Ware (*Börsenhandel*);

        Meist, aber nicht begriffsnotwendig, ständig.

b) kundenmäßig, bei Versorgung *fester* Abnehmer, und zwar entweder

    α. Haushaltungen (*Kundendetailhandel*), oder

    β. Erwerbswirtschaften, und zwar entweder

    αα) produzierende (*Grossist*), oder

    ββ) detaillierende (*Engrossortimente*), oder endlich

    γγ) andere grossierende: „erste", „zweite" usw. „Hand" im Großhandel (*Engroszwischenhandel*).

Er kann sein, je nach dem örtlichen Bezug der am Ort abgesetzten Güter:

a) interlokaler Handel,

b) Platzhandel.

Der Handel kann *material* oktroyieren

a) seinen Einkauf den an ihn kundenmäßig absetzenden Wirtschaften (Verlagshandel),

b) seinen Verkauf den von ihm kaufenden Wirtschaften (Absatzmonopolhandel).

Der Fall a steht der Verlagsform des Gewerbebetriebs nahe und ist meist mit ihr identisch.

Der Fall b ist material *„regulierter"* Handel (Nr. 4 Fall b).

Der *eigne* Güter*absatz* ist selbstverständlich Bestandteil *jedes* marktmäßigen Erwerbsbetriebes, auch eines primär „produzierenden". *Dieser* Absatz aber ist nicht „Vermittlung" im Sinne der Definition, solange nicht *eigens* dafür spezialisiert bestimmte Verwaltungsstabsmitglieder (z. B.: „Kommis") vorhanden sind, also eine *eigene* berufsmäßige „händlerische" Leistung stattfindet. Alle Übergänge sind völlig flüssig.

Die Kalkulation des Handels soll „spekulativ" in dem Grade heißen, als sie an Chancen sich orientiert, deren Realisierung als „zufällig" und in diesem Sinn „unberechenbar" *gewertet* werden und daher die Übernahme eines „Zufalls-Risiko" bedeutet. Der Übergang von rationaler zu (in diesem Sinn) spekulativer Kalkulation ist völlig flüssig, da *keine* auf die Zukunft abgestellte Berechnung vor unerwarteten „Zufällen" objektiv gesichert ist. Der Unterschied bedeutet also nur verschiedene *Grade* der *Rationalität*.

Die technische und ökonomische Leistungs-Spezialisierung und -Spezifikation des Handels bietet keine Sondererscheinungen. Der „Fabrik" entspricht – durch ausgiebigste Verwendung *innerer* Leistungsspezialisierung – das „Warenhaus".

§ 29 a. *Banken* sollen jene Arten von erwerbsmäßigen Händlerbetrieben heißen, welche berufsmäßig *Geld*

    a) verwalten,

    b) beschaffen.

Zu a): Geld *verwalten*

    α. für private Haushaltungen (Haushaltsdepositen, Vermögensdepots),

    β. für politische Verbände (bankmäßige Kassenführung für Staaten),

    γ. für Erwerbswirtschaften (Depots der Unternehmungen, laufende Rechnungen derselben). –

Zu b): Geld *beschaffen*

    α. für Haushaltungsbedürfnisse:

      αα) Privater (Konsumkredit),

      ββ) politischer Verbände (politischer Kredit);

    β. für Erwerbswirtschaften:

      αα) zu Zahlungszwecken an Dritte:

        ααα) Geld*wechsel*,

        βββ) Giro oder bankmäßige Überweisung;

      ββ) als Bevorschussung von künftig fälligen Zahlungen von Kunden. Hauptfall: die Wechseldiskontierung;

      γγ) zu *Kapital*kreditzwecken.

Gleichgültig ist formal, ob sie

1. dies Geld aus eigenem Besitz vorstrecken oder vorschießen oder versprechen, es auf Erfordern bereit zu stellen („laufende Rechnung"), ebenso ob mit oder ohne Pfand oder andere Sicherheitsleistung des Geldbedürftigen, oder ob sie

2. durch Bürgschaft oder in anderer Art andere veranlassen, es zu *kreditieren*.

Tatsächlich ist das Erwerbswirtschaften der Banken normalerweise darauf eingestellt: durch Kreditgabe mit Mitteln, welche ihnen selbst kreditiert worden sind, Gewinn zu machen.

Das kreditierte Geld kann die Bank beschaffen entweder:

1. aus pensatorischen Metall- oder aus den Münzvorräten der bestehenden Geldemissionsstätten, die sie auf Kredit erwirbt, oder

2. durch eigene *Schaffung* von

    a. Zertifikaten (Banko-Geld), oder

    b. Umlaufsmitteln (Banknoten). Oder:

3. aus Depositen anderer ihr von Privaten kreditierten Geldmitteln.

In jedem Fall, in welchem die Bank

    a) selbst Kredit in Anspruch nimmt, oder

    b) Umlaufsmittel schafft,

ist sie bei rationalem Betrieb darauf hingewiesen, durch „Deckung", d. h. Bereithaltung eines hinlänglich großen Einlösungsgeldbestandes oder entsprechende Bemessung der *eigenen* Kreditgewährungsfristen für „Liquidität", d. h. die Fähigkeit, den *normalen* Zahlungsforderungen gerecht zu werden, Sorge zu tragen.

In aller Regel (nicht: immer) ist für die Innehaltung der Liquiditätsnormen bei solchen Banken, welche Geld *schaffen* (Notenbanken) durch oktroyierte Regulierungen von Verbänden (Händlergilden oder politischen Verbänden) Sorge getragen. Diese Regulierungen pflegen *zugleich* orientiert zu sein an dem Zweck: die einmal gewählte *Geld*ordnung eines Geldgebiets gegen Änderungen der *materialen* Geltung des Geldes tunlichst zu schützen und so die (formal) rationalen wirtschaftlichen Rechnungen der Haushaltungen, vor allem: derjenigen des politischen Verbandes, und ferner: der Erwerbswirtschaften, gegen „Störung" durch (materiale) Irrationalitäten zu sichern; insbesondere pflegt aber ein tunlichst stabiler Preis der eigenen Geldsorten in den Geldsorten *anderer* Geldgebiete, mit denen Handels- und Kreditbeziehungen bestehen oder gewünscht werden („*fester Kurs*", „*Geldpari*"), angestrebt zu werden. Diese gegen Irrationalitäten des Geldwesens gerichtete Politik soll „*lytrische Politik*" (nach G. F. Knapp) heißen. Sie ist beim *reinen* „Rechtsstaat" (laissez-faire-Staat) die wichtigste *überhaupt* von ihm typisch übernommene wirtschaftspolitische Maßregel. In *rationaler* Form ist sie dem modernen Staat durchaus eigentümlich.

Die Maßregeln der chinesischen Kupfermünz- und Papiergeldpolitik und der antik-römischen Münzpolitik werden an gegebenem

Ort erwähnt werden. Sie waren *keine moderne* lytrische Politik. Nur die Bankogeld-Politik der chinesischen Gilden (Muster der Hamburger Mark-Banko-Politik) waren in unserem Sinn rational.

Finanzierungsgeschäfte sollen alle jene – einerlei ob von „Banken" oder von anderen (als Gelegenheits- oder privater Nebenerwerb, oder Bestandteil der Spekulationspolitik eines „Finanzers") – betriebenen Geschäfte heißen, welche orientiert werden an dem Zweck der gewinnbringenden Verfügung über Unternehmungserwerbschancen:

a) durch Verwandlung von Rechten an appropriierten Erwerbschancen in *Wertpapiere* (*„Kommerzialisierung"*) und durch Erwerb von solchen, direkt oder durch im Sinn von c „finanzierte" Unternehmungen, –

b) durch systematisierte Darbietung (und eventuell: Verweigerung) von *Erwerbskredit*, –

c) (nötigen- oder erwünschtenfalls) durch Erzwingung einer Verbindung zwischen bisher konkurrierenden Unternehmungen

α. im Sinn einer monopolistischen *Regulierung* von gleichstufigen Unternehmungen (*Kartellierung*), oder

β. im Sinn einer monopolistischen Vereinigung von bisher konkurrierenden Unternehmungen unter *einer* Leitung zum Zweck der Ausmerzung der mindest rentablen (*Fusionierung*), oder

γ. im Sinn einer (nicht *notwendig* monopolistischen) *Vereinigung sukzessiv* = stufig spezialisierter Unternehmungen in einer „*Kombination*".

δ. im Sinn einer durch Wertpapieroperationen erstrebten Beherrschung massenhafter Unternehmungen von einer Stelle aus (Vertrustung) und – erwünschtenfalls – der planmäßigen Schaffung von neuen solchen zu Gewinn- oder zu reinen Machtzwecken (Finanzierung i. o. S.).

„Finanzierungsgeschäfte" werden zwar *oft* von Banken, ganz regelmäßig, oft unvermeidlich, unter deren Mithilfe, gemacht. Aber gerade die Leitung liegt oft bei *Börsen*händlern (Harriman), oder bei einzelnen Großunternehmern der Produktion (Carnegie), bei Kartellierung ebenfalls oft bei Großunternehmern (Kirdorf usw.), bei „Vertrustung" von besonderen „Finanzern" (Graed, Rockefeller, Stinnes, Rathenau). (Näheres später.)

§ 30. Das Höchstmaß von *formaler Rationalität* der Kapitalrechnung von *Beschaffungs*betrieben ist erreichbar unter den Voraussetzungen:

1. vollständiger Appropriation aller sachlichen Beschaffungsmittel an Besitzer und vollkommenen Fehlens formaler Appropriation von Erwerbschancen auf dem Markt (Gütermarktfreiheit);

2. vollkommener Autonomie der Auslese der Leiter durch die Besitzer, also vollkommenen Fehlens formaler Appropriation der Leitung (Unternehmungsfreiheit);

3. völligen Fehlens der Appropriation sowohl von Arbeitsstellen und Erwerbschancen an Arbeiter wie umgekehrt der Arbeiter an Besitzer (freie Arbeit, Arbeitsmarktfreiheit und Freiheit der Arbeiter*auslese*;

4. völligen Fehlens von materialen Verbrauchs-, Beschaffungsoder Preisregulierungen oder anderen die freie Vereinbarung der Tauschbedingungen einschränkenden Ordnungen (materiale wirtschaftliche Vertragsfreiheit);

5. völliger Berechenbarkeit der technischen Beschaffungsbedingungen (mechanisch rationale Technik);

6. völliger Berechenbarkeit des Funktionierens der Verwaltungs- und Rechtsordnung und verläßlicher *rein formaler* Garantie aller Vereinbarungen durch die politische Gewalt (formal rationale Verwaltung und formal rationales Recht);

7. möglichst vollkommener Trennung des Betriebs und seines Schicksals vom Haushalt und dem Schicksal des Vermögens, insbesondere der Kapitalausstattung und des Kapitalzusammenhalts der Betriebe von der Vermögensausstattung und den Erbschicksalen des Vermögens der Besitzer. Dies wäre generell für Großunternehmungen *formal* optimal der Fall: 1. in den Rohstoffe verarbeitenden und Transportunternehmungen und im Bergbau in der Form der Gesellschaften mit frei veräußerlichen Anteilen und garantiertem Kapital ohne Personalhaftung, 2. in der Landwirtschaft in der Form (relativ) langfristiger Großpacht;

8. möglichst *formaler* rationaler Ordnung des *Geldwesens*.

Der Erläuterung bedürfen nur wenige (übrigens schon früher berührte) Punkte.

1. Zu Nr. 3. Unfreie Arbeit (insbesondre Vollsklaverei) gewährte eine formal schrankenlosere Verfügung über die Arbeiter, als die Miete gegen Lohn. Allein a) war der erforderliche in Menschenbesitz anzulegende Kapital*bedarf* für Anschaffung und Fütterung der Sklaven größer als bei Arbeitsmiete, – b) war das Menschenkapital*risiko* spezifisch irrational (durch außerwirtschaftliche Umstände aller Art, insbesondere aber im höchsten Grad durch politische Momente

stärker bedingt als bei Arbeitsmiete), – c) war die Bilanzierung des Sklavenkapitals infolge des schwankenden Sklavenmarkts und der darnach schwankenden Preise irrational, – d) aus dem gleichen Grund auch und vor allem: die Ergänzung und Rekrutierung (politisch bedingt), – e) war die Sklavenverwendung im Falle der Zulassung von Sklaven-Familien belastet mit Unterbringungskosten, vor allem aber mit den Kosten der Fütterung der Frauen und der Aufzucht der Kinder, für welche nicht schon an sich eine ökonomisch rationale Verwertung als Arbeitskräfte gegeben war, – f) war *volle* Ausnutzung der Sklavenleistung nur bei Familienlosigkeit und rücksichtsloser Disziplin möglich, welche die Tragweite des unter d angegebenen Moments noch wesentlich in ihrer Irrationalität steigerte, – g) war die Verwendung von Sklavenarbeit an Werkzeugen und Apparaten mit hohen Anforderungen an die Eigenverantwortlichkeit und das Eigeninteresse nach allen Erfahrungen nicht möglich, – h) vor allem aber fehlte die Möglichkeit der Auslese: Engagement nach Probe an der Maschine und Entlassung bei Konjunkturschwankungen oder Verbrauchtheit.

Nur bei a) der Möglichkeit sehr *billiger* Ernährung der Sklaven, – b) regelmäßiger Versorgung des Sklaven*markts*, – c) plantagenartigen landwirtschaftlichen Massenkulturen oder sehr einfachen gewerblichen Manipulationen hat sich der Sklaven*betrieb* rentiert. Die karthagischen, römischen, einige kolonialen und die nordamerikanischen Plantagen und die russischen „Fabriken" sind die wichtigsten Beispiele dieser Verwertung. Das Versiegen des Sklavenmarkts (durch Befriedung des Imperium) ließ die antiken Plantagen schrumpfen; in Nordamerika führte der gleiche Umstand zur stetigen Jagd nach billigem Neuland, da neben der Sklaven- nicht noch eine Grundrente möglich war; in Rußland konnten die Sklavenfabriken die Konkurrenz des Kustar (Hausindustrie) nur sehr schwer und die Konkurrenz der freien Fabrikarbeit gar nicht aushalten, petitionierten schon vor der Emanzipation ständig um Erlaubnis zur Freilassung der Arbeiter und verfielen mit Einführung der freien Werkstattarbeit.

Bei der Lohnarbeiter*miete* ist a) das Kapitalrisiko und der Kapitalaufwand geringer, – b) die Reproduktion und Kinderaufzucht ganz dem Arbeiter überlassen, dessen Frau und Kinder ihrerseits Arbeit „suchen" müssen, – c) ermöglicht deshalb die Kündigungsgefahr die Herausholung des Leistungsoptimums, – d) besteht Auslese nach der Leistungsfähigkeit und -willigkeit.

2. Zu Punkt 7. Die Trennung der Pacht*betriebe* mit Kapitalrechnung von dem fideikommissarisch gebundenen Grund*besitz* in Eng-

land ist nichts Zufälliges, sondern Ausdruck der dort (wegen des Fehlens des Bauernschutzes: Folge der insularen Lage) seit Jahrhunderten sich selbst überlassenen Entwicklung. Jede Verbindung des Boden*besitzes* mit der Boden*bewirtschaftung* verwandelt den Boden in ein Kapitalgut der Wirtschaft, steigert dadurch den Kapitalbedarf und das Kapitalrisiko, hemmt die Trennung von Haushalt und Betrieb (Erbabfindungen fallen dem *Betrieb* als Schulden zur Last), hemmt die Freiheit der Bewegung des Kapitals des Wirtschafters, belastet endlich die Kapitalrechnung mit irrationalen Posten. *Formal* also entspricht die Trennung von Bodenbesitz und Landwirtschaftsbetrieb der Rationalität der Kapitalrechnungsbetriebe (die *materiale* Bewertung des Phänomens ist eine Sache für sich und kann je nach dem maßgebenden Bewertungsstandpunkt, sehr verschieden ausfallen).

§ 31. Es gibt untereinander *artverschiedene* typische Richtungen „kapitalistischer" (d. h. im Rationalitätsfall: kapital*rechnungs*mäßiger) Orientierung des Erwerbs:

1. Orientierung a) an Rentabilitätschancen des kontinuierlichen *Markt*erwerbs und -absatzes („Handel") bei freiem (formal: nicht erzwungenem, material: wenigstens relativ freiwilligem) Ein- und Abtausch, – b) an Chancen der Rentabilität in kontinuierlichen Güter-*Beschaffungs*betrieben mit Kapitalrechnung.

2. Orientierung an Erwerbschancen a) durch Handel und Spekulation in Geldsorten, Übernahme von Zahlungsleistungen aller Art und Schaffung von Zahlungsmitteln; b) durch berufsmäßige Kreditgewährung α) für Konsumzwecke, β) für Erwerbszwecke.

3. Orientierung an Chancen des aktuellen *Beute*erwerbs von politischen oder politisch orientierten Verbänden oder Personen: Kriegsfinanzierung oder Revolutionsfinanzierung oder Finanzierung von Parteiführern durch Darlehen und Lieferungen.

4. Orientierung an Chancen des kontinuierlichen Erwerbs kraft gewaltsamer, durch die politische Gewalt garantierter Herrschaft: a) kolonial (Erwerb durch Plantagen mit Zwangslieferung oder Zwangsarbeit, monopolistischer und Zwangshandel); b) fiskalisch (Erwerb durch Steuerpacht und Amtspacht, einerlei ob in der Heimat oder kolonial).

5. Orientierung an Chancen des Erwerbs durch außeralltägliche Lieferungen politischer Verbände.

6. Orientierung an Chancen des Erwerbs a) durch *rein* spekulative Transaktionen in typisierten Waren oder wertpapiermäßig verbrieften Anteilen an Unternehmungen; b) durch Besorgung kontinuierlicher

Zahlungsgeschäfte der öffentlichen Verbände; c) durch Finanzierung von Unternehmungs*gründungen* in Form von Wertpapierabsatz an angeworbene Anleger; d) durch spekulative Finanzierung von kapitalistischen Unternehmungen und Wirtschaftsverbandsbildungen aller Art mit dem Ziel der rentablen Erwerbsregulierung oder: der *Macht*.

Die Fälle unter Nr. 1 und 6 sind dem Okzident weitgehend *eigentümlich*. Die übrigen Fälle (Nr. 2-5) haben sich in aller Welt seit Jahrtausenden überall gefunden, wo (für 2) Austauschmöglichkeit und Geldwirtschaft und (für 3-5) *Geld*finanzierung stattfand. Sie haben im Okzident nur lokal und *zeitweilig* (besonders: in Kriegszeiten) eine so hervorragende Bedeutung als Erwerbsmittel gehabt wie in der Antike. Sie sind überall da, wo Befriedung großer Erdteile (Einheitsreich: China, Spätrom) bestand, auch ihrerseits geschrumpft, so daß dann *nur* Handel und Geldgeschäft (Nr. 2) als Formen kapitalistischen Erwerbs übrig blieben. Denn die kapitalistische Finanzierung der Politik war überall Produkt:

a) der Konkurrenz der Staaten untereinander um die Macht,
b) ihrer dadurch bedingten Konkurrenz um das – zwischen ihnen freizügige – Kapital.

Das endete erst mit den Einheitsreichen.

Dieser Gesichtspunkt ist, soviel ich mich entsinne, bisher am deutlichsten von *J. Plenge* (Von der Diskontpolitik zur Herrschaft über den Geldmarkt, Berlin 1913) beachtet. Vgl. vorher nur *meine* Ausführungen im Artikel „Agrargeschichte, Altertum" HW. d. StW. 3. Aufl. Bd. I.

Nur der Okzident kennt rationale kapitalistische Betriebe mit *stehendem Kapital*, freier Arbeit und rationaler Arbeitsspezialisierung und -verbindung und rein verkehrswirtschaftliche Leistungsverteilung auf der Grundlage kapitalistischer Erwerbswirtschaften. Also: die kapitalistische Form der formal rein voluntaristischen *Organisation der Arbeit* als typische und herrschende Form der Bedarfsdeckung breiter Massen, mit Expropriation der Arbeiter von den Beschaffungsmitteln, Appropriation der Unternehmungen an Wertpapierbesitzer. Nur er kennt öffentlichen Kredit in Form von Rentenpapieremissionen, Kommerzialisierung, Emissions- und Finanzierungsgeschäfte als Gegenstand rationaler Betriebe, den Börsenhandel in Waren und Wertpapieren, den „Geld"- und „Kapitalmarkt", die monopolistischen Verbände als Form erwerbswirtschaftlich rationaler Organisation der unternehmungsweisen Güter*herstellung* (nicht nur: des Güterumsatzes).

Der Unterschied bedarf der *Erklärung*, die nicht aus ökonomischen Gründen *allein* gegeben werden kann. Die Fälle 3-5 sollen hier als *politisch* orientierter Kapitalismus zusammengefaßt werden. Die ganzen späteren Erörterungen gelten vor allem *auch* diesem Problem. Allgemein ist nur zu sagen:

1. Es ist von vornherein klar: daß jene *politisch* orientierten Ereignisse, welche diese Erwerbsmöglichkeiten bieten, ökonomisch: – von der Orientierung an *Markt*chancen (d. h. Konsumbedarf von Wirtschaftshaushaltungen her gesehen, *irrational* sind.

2. Ebenso ist offenbar, daß die *rein* spekulativen Erwerbschancen (2, a und 6, a) und der reine Konsumtivkredit (2, b, α) für die Bedarfsdeckung und für die Güterbeschaffungswirtschaften irrational, weil durch zufällige Besitz- oder Marktchancen-Konstellationen bedingt sind und daß auch Gründungs- und Finanzierungschancen (6 b, c und d) es unter Umständen sein können, aber allerdings nicht: sein *müssen*.

Der modernen Wirtschaft eigentümlich ist neben der rationalen kapitalistischen Unternehmung an sich 1. die Art der Ordnung der Geldverfassung 2. die Art der Kommerzialisierung von Notenrechnungsanteilen und Wertpapierformen. Beides ist hier noch in seiner Eigenart zu erörtern. Zunächst: Die Geldverfassung.

§ 32. 1. Der moderne Staat hat sich zugeeignet
    a) *durchweg*: das Monopol der Geld*ordnung* durch Satzungen,
    b) in fast ausnahmsloser Regel: das Monopol der Geld*schaffung* (Geldemission), mindestens für Metallgeld.

Für diese Monopolisierung waren zunächst *rein* fiskalische Gründe maßgebend (Schlagschatz und andere Münzgewinne). Daher – was hier beiseite bleibt – zuerst das *Verbot* fremden Geldes.

2. Die Monopolisierung der Geld*schaffung* hat bis in die Gegenwart nicht überall bestanden (in Bremen bis zur Münzreform kursierten als Kurantgeld ausländische Geldmünzen).

Ferner:
    c) ist er, mit steigender Bedeutung seiner Steuern und Eigenwirtschaftsbetriebe, entweder durch seine eigenen oder durch die für seine Rechnung geführten Kassen (beides zusammen soll: „regiminale Kassen" heißen)
    α. der größte Zahlungsempfänger,
    β. der größte Zahlungsleister.

Auch abgesehen von den Punkten a und b ist daher gemäß Punkt c für ein modernes Geldwesen das Verhalten der staatlichen *Kassen* zum Geld, vor allem die Frage, welches Geld sie *tatsächlich* („regiminal")

1. zur Verfügung haben, also hergeben *können*,
2. dem Publikum, als *legales* Geld, *aufdrängen*, –

andererseits die Frage, welches Geld sie *tatsächlich* (regiminal)

1. nehmen,
2. ganz oder teilweise repudiieren,

von entscheidender Bedeutung für das Geldwesen.

Teilweise repudiiert ist z. B. Papiergeld, wenn Zollzahlung in Geld verlangt wird, voll repudiiert wurden (schließlich) z. B. die Assignaten der französischen Revolution, das Geld der Sezessionsstaaten und die Emissionen der chinesischen Regierung in der Taiping-Rebellionszeit.

Legal kann das Geld nur als „gesetzliches Zahlungsmittel", welches jedermann – also auch und vor allem die staatlichen Kassen – zu nehmen und zu geben, in bestimmtem Umfang oder unbeschränkt, „verpflichtet" ist, *definiert* werden. *Regiminal* kann das Geld definiert werden als jenes Geld, welches Regierungskassen annehmen und aufdrängen, – legales Zwangsgeld ist insbesondere dasjenige Geld, welches sie aufdrängen.

Das „Aufdrängen" kann

a) kraft von jeher bestehender *legaler* Befugnis erfolgen zu währungspolitischen Zwecken (Taler und Fünffrankenstücke nach der Einstellung der Silberprägung, – sie erfolgte bekanntlich *nicht!*).

Oder aber es kann:

b) das Aufdrängen erfolgen kraft Zahlungsunfähigkeit in den andern Zahlmitteln, welche dazu führt, daß entweder

    α. von jener legalen Befugnis jetzt erst regiminal Gebrauch gemacht werden muß oder daß

    β. ad hoc eine formale (legale) Befugnis der Aufdrängung eines neuen Zahlmittels geschaffen wird (so fast stets bei Übergang zur Papierwährung).

Im letzten Fall (b β) ist der Verlauf regelmäßig der, daß ein bisheriges (legal oder faktisch) einlösliches Umlaufsmittel, mochte es vorher legal aufdrängbar sein, nun effektiv aufgedrängt wird und effektiv uneinlöslich bleibt.

Legal kann ein Staat beliebige Arten von Objekten als „gesetzliches Zahlungsmittel" und jedes chartale Objekt als „Geld" im Sinn von „Zahlungsmittel" bestimmen. Er kann sie in beliebige Werttarifierungen, bei Verkehrsgeld: Währungsrelationen, setzen.

Was er auch an *formalen* Störungen der legalen Geldverfassung nur sehr schwer oder gar nicht herbeiführen kann, ist

a) bei Verwaltungsgeld: die Unterdrückung der dann fast stets sehr rentablen Nachahmung,

b) bei allem Metallgeld

α. die außermonetäre Verwendung des Metalls als Rohstoff, falls die Produkte einen sehr hohen Preis haben; dies insbesondere dann nicht, wenn eine für das betreffende Metall ungünstige Währungsrelation besteht (s. γ);

β. die Ausfuhr in andere Gebiete mit *günstigerer* Währungsrelation (bei Verkehrsgeld);

γ. die Anbietung von legalem Währungsmetall zum Ausprägen bei einer im Verhältnis zum Marktpreis zu niedrigen Tarifierung des Metallgeldes im Verhältnis zum Kurantgeld (Metallgeld oder Papiergeld).

Zu Papiergeld wird die Tarifierung: ein Nominale Metall gleich dem gleichnamigen Nominale Papier immer dann zu ungünstig für das Metallgeld, wenn die Einlösung des Umlaufmittels eingestellt ist: denn dies geschieht bei Zahlungsunfähigkeit in Metallgeld.

Währungsrelationen mehrerer metallener *Verkehrs*geldarten können festgestellt werden

1. durch Kassenkurstarifierung im Einzelfall (freie Parallelwährung),

2. durch periodische Tarifierung (periodisch tarifierte Parallelwährung),

3. durch legale Tarifierung für die Dauer (Plurametallismus, z. B.: Bimetallismus).

Bei Nr. 1 und 2 ist durchaus regelmäßig nur *ein* Metall das regiminale und effektive Währungsmetall (im Mittelalter: Silber), das andre: Handelsmünze (Friedrichsd'or, Dukaten) mit Kassenkurs. Völlige Scheidung der spezifischen Verwertbarkeit von *Verkehrs*geld ist im modernen Geldwesen selten, war aber früher (China, Mittelalter) häufig.

2. Die Definition des Geldes als gesetzliches Zahlungsmittel und Geschöpf der „lytrischen" (Zahlmittel-) Verwaltung ist soziologisch nicht erschöpfend. Sie geht von der „Tatsache aus, daß es Schulden" gibt (G. F. Knapp), insbesondere Steuerschulden an die Staaten und Zinsschulden der Staaten. Für deren *legale* Ableistung ist das gleichbleibende Geld*nominale* (mag auch der Geld*stoff* inzwischen geändert sein) oder bei Wechsel des Nominale, die „historische Definition" maßgebend. Und darüber hinaus schätzt der *einzele* heute die Geldnominaleinheit als aliquoten Teil seines Geldnominale*einkommens*, nicht: als chartales metallisches oder notales Stück.

Der Staat kann durch seine Gesetzgebung und der Verwaltungsstab desselben durch sein tatsächliches (regiminales) Verhalten *formal* in der Tat die geltende „Währung" des von ihm beherrschten Geldgebiets ebenfalls beherrschen.

Wenn er mit modernen Verwaltungsmitteln arbeitet. *China* z. B. konnte es nicht. Weder früher: dazu waren die „apozentrischen" und „epizentrischen" Zahlungen (Zahlungen „*von*" und „*an*" Staatskassen) zu unbedeutend im Verhältnis zum Gesamtverkehr. Noch neuerdings: es scheint, daß es Silber nicht zum Sperrgeld mit Geldreserve machen konnte, da die Machtmittel gegen die dann ganz sichere Nachprägung nicht ausreichen.

Allein es gibt nicht *nur* (schon bestehende) Schulden, sondern auch aktuell Tausch und Neukontrahierung von Schulden für die Zukunft. Dabei aber erfolgt die Orientierung primär an der Stellung des Geldes als *Tauschmittel* – und das heißt: an der Chance, daß es von unbestimmten Arten zu bestimmten oder unbestimmt gedachten Gütern künftig in einer (ungefähr geschätzten) Preis*relation* in Abtausch werde genommen werden.

1. Zwar unter Umständen *auch* primär an der Chance, daß dringliche Schulden an den Staat oder Private mit dem Erlös abgetragen werden könnten. Doch darf dieser Fall hier zurückgestellt werden, denn er setzt „Notlage" voraus.

2. An *diesem* Punkte *beginnt* die Unvollständigkeit der im übrigen völlig „richtigen" und schlechthin glänzenden, für immer grundlegenden, „Staatlichen Theorie des Geldes" von *G. F. Knapp.*

Der Staat seinerseits ferner begehrt das Geld, welches er durch Steuern oder andere Maßregeln erwirbt, zwar nicht *nur* als Tauschmittel, sondern oft sehr stark auch zur Schuldzinsen-Zahlung. Aber seine *Gläubiger* wollen es dann eben doch als Tauschmittel verwenden und begehren es deshalb. Und fast stets begehrt es der Staat selbst auch, sehr oft aber: *nur* als Tauschmittel für künftig auf dem Markt (verkehrswirtschaftlich) zu deckende staatliche Nutzleistungsbedürfnisse. Also ist die Zahlmittelqualität, so gewiß sie begrifflich zu sondern ist, doch nicht das Definitivum. Die Tausch*chance* eines Geldes zu bestimmten anderen Gütern, beruhend auf seiner Schätzung im Verhältnis zu Marktgütern, soll *materiale* Geltung (gegenüber 1. der *formalen,* legalen, als Zahlmittel und 2. dem oft bestehenden legalen Zwang zur *formalen* Verwendung eines Geldes als Tauschmittel) heißen. „Materiale" *Schätzung* gibt es als feststellbare Einzeltatsache prinzipiell 1. nur im Verhältnis zu bestimmten *Arten* von Gütern und 2. für jeden *einzelnen,* als dessen Schätzung auf Grund des Grenznutzens des Geldes (je nach seinem Einkommen) für *ihn.* Dieser wird – wiederum für den einzelnen – natürlich durch Vermehrung des ihm verfügbaren Geldbestandes verschoben. Primär sinkt daher der Grenznutzen des Geldes für die Geldemissionsstelle (nicht nur, aber:), vor allem dann, wenn sie *Verwaltungsgeld* schafft und „apozentrisch" als Tauschmittel verwendet oder als Zahlungsmittel aufdrängt. Sekundär für diejenigen Tauschpartner des Staats, in deren Händen infolge der ihnen (gemäß der gesunkenen Grenznutzenschätzung der Staatsverwaltung) bewilligten höheren Preise eine Vermehrung des Geldbestandes eintritt. Die so bei ihnen entstehende „Kaufkraft", – das heißt: der nunmehr bei diesen Geldbesitzern sinkende Grenznutzen des Geldes, – kann alsdann wiederum bei *ihren* Einkäufen die Bewilligung höherer Preise im Gefolge haben usw. Würde umgekehrt der Staat das bei ihm eingehende Notalgeld teilweise „einziehen", d. h. nicht wieder verwenden (und: vernichten), so müßte er seine Ausgaben entsprechend der für ihn nunmehr gestiegenen Grenznutzenschätzung seiner gesunkenen Geldvorräte einschränken, seine Preisangebote also entsprechend herabsetzen. Dann würde die genau umgekehrte Folge eintreten. Verkehrswirtschaftlich kann also (nicht nur, aber:) vor allem *Verwaltungsgeld* in einem *einzelnen* Geldgebiet preisumgestaltend wirken.

Auf welche Güter überhaupt und in welchem Tempo, gehört nicht hierher.

3. Universell könnte eine Verbilligung und Vermehrung oder umgekehrt eine Verteuerung und Einschränkung der *Währungsmetall*-Beschaffung eine ähnliche Folge für *alle* betreffenden Verkehrsgeld-Länder haben. Monetäre und außermonetäre Verwendung der Metalle stehen nebeneinander. Aber nur bei Kupfer (China) war die außermonetäre Verwertung zeitweilig maßgebend für die Schätzung. Bei Geld ist die äquivalente Bewertung in der nominalen Gold-Geldeinheit abzüglich der Prägekosten so lang selbstverständlich, solange es *inter*valutarisches Zahlmittel *und* zugleich: in dem Geldgebiet führender Handelsstaaten Verkehrsgeld ist, wie heute. Bei Silber war und wäre es im gleichen Fall noch heute ebenso. Ein Metall, welches nicht *inter*valutarisches Zahlmittel, aber für einige Geldgebiete Verkehrsgeld ist, wird natürlich nominal gleich mit der dortigen nominalen Geldeinheit geschätzt, – aber diese ihrerseits hat eine je nach den Ergänzungs-Kosten und Quantitäten und je nach der sogenannten „Zahlungsbilanz" („pentapolisch") schwankende intervalutarische Relation. Dasjenige Edelmetall schließlich, welches universell zwar für regulierte (also: begrenzte) Verwaltungsgeldprägung verwendet wird, aber nicht Verkehrsgeld (sondern: Spargeld, s. den folgenden Paragraphen) ist, wird durchaus primär nach der außermonetären Schätzung bewertet. Die

Frage ist stets: ob und wieviel des betreffenden Edelmetalls rentabel produziert werden kann. Bei voller Demonetisierung richtet sie sich lediglich nach der Relation der im intervalutarischen Zahlmittel geschätzten Geldkosten zu der außermonetären Verwendbarkeit. Im Fall der Verwendung als universelles Verkehrsgeld und intervalutarisches Zahlmittel natürlich nach der Relation der Kosten primär zu der monetären Verwendbarkeit. Im Fall endlich der Verwendung als partikuläres Verkehrsgeld oder als Verwaltungsgeld auf die Dauer nach derjenigen „Nachfrage", welche die Kosten, in dem intervalutarischen Zahlmittel ausgedrückt, ausgiebiger zu überbieten vermag. Dies wird bei partikulärer Verkehrsgeldverwendung auf die Dauer schwerlich die monetäre Verwendung sein, da die intervalutarische Relation des nur partikulären Verkehrsgeldgebiets sich auf die Dauer für dieses letztere zu senken die Tendenz haben wird und dies nur bei *vollständiger* Absperrung (China, Japan früher, jetzt: alle gegeneinander noch faktisch kriegsabgesperrten Gebiete) *nicht* auf die Inlandspreise zurückwirkt. Auch im Fall bloßer Verwertung als reguliertes Verwaltungsgeld würde diese fest begrenzte monetäre Verwertungsgelegenheit nur bei ungemein hoher Ausprägungsrate entscheidend mitspielen, dann aber – aus den gleichen Gründen wie im Fall partikulärer freier Prägung – ähnlich enden.

Der theoretische Grenzfall der Monopolisierung der gesamten Produktion und – monetären wie nicht-monetären – Verarbeitung des Geldmetalls (in China temporär praktisch geworden) eröffnet, bei *Konkurrenz* mehrerer Geldgebiete *und*: bei Verwendung von *Lohn*arbeitern keine so neuen Perspektiven, wie vielleicht geglaubt wird. Denn worin für alle apozentrische Zahlungen das betreffende Metallgeld verwertet würde, so würde bei jedem Versuch, die Ausmünzung einzuschränken oder aber fiskalisch sehr *hoch* zu verwerten (ein bedeutender Gewinn wäre sehr wohl zu erzielen), das gleiche eintreten, wie es bei den hohen chinesischen Schlagschätzen geschah. Das Geld würde, zunächst, im Verhältnis zum Metall, sehr „teuer", daher die Bergwerksproduktion (bei *Lohn*arbeit) weitgehend unrentabel. Mit ihrer zunehmenden Einschränkung würde dann umgekehrt die Wirkung einer „Kontra-Inflation" („Kontraktion") eintreten und dieser Prozeß sich (wie in China, wo er zu zeitweiliger völliger Freigabe der Prägung geführt hat) bis zum Übergang zu Geldsurrogaten und zur Naturalwirtschaft fortsetzen (wie dies in China die Folge war). Bei fortbestehender *Verkehrs*wirtschaft könnte also die lytrische Verwaltung auf die Dauer kaum grundsätzlich anders verfahren, wie wenn „freie Prägung" legal bestände –

nur daß nicht mehr „Interessenten"betrieb herrschte, über dessen Bedeutung später zu reden ist. Bei Vollsozialisierung andererseits wäre das „Geld"-Problem beseitigt und Edelmetalle schwerlich Gegenstände der Produktion.

4. Die Stellung der Edelmetalle als normale Währungsmetalle und Geldmaterialien ist zwar rein historisch aus ihrer Funktion als Schmuck und daher typisches Geschenkgut erwachsen, war aber neben ihrer rein technischen Qualität durch ihre Eigenschaft als spezifisch nach *Wägung* umgesetzter Güter bedingt. Ihre *Erhaltung* in dieser Funktion ist, da heute im Verkehr bei Zahlungen über etwa 100 M. Vorkriegswährung jedermann normalerweise mit *Notal*zahlmitteln (Banknoten vor allem) zahlte und Zahlung begehrte, nicht selbstverständlich, aber allerdings durch gewichtige Motive veranlaßt.

5. Auch die *notale* Geldemission ist in allen modernen Staaten nicht nur legal geordnet, sondern durch den Staat *monopolisiert*. Entweder in Eigenregie des Staates oder in einer (oder einigen) privilegierten und durch oktroyierte Normen und durch Kontrolle staatlich reglementierten Emissionsstelle (*Notenbanken*).

6. *Regiminales* Kurantgeld soll nur das von jenen Kassen *faktisch* jeweils aufgedrängte Geld heißen, anderes, faktisch nicht von jenen Kassen, dagegen im Verkehr zwischen Privaten kraft des formalen Rechts aufgedrängtes Währungsgeld soll *akzessorisches* Währungsgeld heißen. Geld, welches nach legaler Ordnung nur bis zu Höchstbeträgen im Privatverkehr aufgedrängt werden darf, soll *Scheidegeld* heißen.

Die Terminologie lehnt sich an Knappsche Begriffe an. Das Folgende erst recht.

„*Definitives*" Kurantgeld soll das regiminale Kurantgeld, „*provisorisches*" jedes tatsächlich (gleichviel bei welchen Kassen) jederzeit *effektive* durch Einlösung oder Umwechslung in solches umwandelbare Geld heißen.

7. Regiminales Kurantgeld muß natürlich auf die Dauer das gleiche wie *effektives*, nicht also das etwa davon abweichende „offizielle", nur legal geltende, Kurantgeld sein. „Effektives" Kurantgeld ist aber, wie früher erörtert (§ 6 oben), entweder 1. freies Verkehrsgeld oder 2. unreguliertes oder 3. reguliertes Verwaltungsgeld. Die staatlichen Kassen zahlen nicht etwa nach ganz freien, an irgendeiner ihnen ideal scheinenden Geldordnung orientierten, Entschlüssen, sondern verhalten sich so, wie es ihnen 1. eigene finanzielle, – 2. die Interessen mächtiger Erwerbsklassen oktroyieren.

Seiner chartalen Form nach kann effektives Währungsgeld sein:

A. *Metallgeld*. *Nur* Metallgeld *kann* freies Verkehrsgeld sein. Aber Metallgeld *muß* dies keineswegs sein.

Es ist:

1. *freies Verkehrsgeld* dann, wenn die lytrische Verwaltung jedes Metallquantum Währungsmetall ausprägt oder in chartalen Stücken (Münzen) einwechselt: *Hylodromie*. Je nach der Art feinen Währungsmetalls herrscht dann effektive freie Geld-, Silber- oder Kupfer-Verkehrsgeldwährung. Ob die lytrische Verwaltung Hylodromien *effektiv* walten lassen kann, hängt nicht von ihrem freien Entschluß, sondern davon ab, ob Leute am Ausprägen *interessiert* sind.

a) Die Hylodromie kann also „offiziell" bestehen, ohne „effektiv" zu sein. Sie ist nach dem Gesagten trotz offiziellen Bestehens nicht effektiv:

aa) wenn für *mehrere* Metalle tarifiert legale Hylodromie besteht (Plurametallismus), dabei aber eines (oder einige) dieser im Verhältnis zum jeweiligen Marktpreis des Rohmetalls zu *niedrig* tarifiert ist (sind). Denn dann wird nur das jeweils zu hoch tarifierte Metall von Privaten zur Ausprägung dargeboten und von den Zahlenden zur Zahlung verwendet. Wenn sich die öffentlichen Kassen dem entziehen, so „staut" sich bei ihnen das zu niedrig tarifierte Geld so lange an, bis auch ihnen andere Zahlungsmittel nicht bleiben. Bei hinlänglicher Preissperrung können dann die Münzen aus dem zu niedrig tarifierten Metall eingeschmolzen oder nach Gewicht als Ware gegen Münzen des zu niedrig tarifierten Metalls verkauft werden;

bb) wenn die Zahlenden, insbesondere aber notgedrungen (s. aa) die staatlichen Kassen andauernd und massenhaft von dem ihnen formal zustehenden oder usurpierten Recht Gebrauch machen, ein anderes, metallenes oder notales Zahlungsmittel aufdrängen, welches nicht nur provisorisches Geld ist, sondern entweder 1. akzessorisch oder 2. zwar provisorisch gewesen, aber infolge Zahlungsunfähigkeit der Einlösungsstelle *nicht* mehr einlöslich ist.

In dem Fall aa immer, in den Fällen bb Nr. 1 und namentlich 2 bei starkem und anhaltendem Aufdrängen der akzessorischen bzw. nicht mehr effektiv provisorischen Geldarten hört die frühere Hylodromie auf.

Im Fall aa tritt ausschließlich Hylodromie des übertarifierten Metalls, welches nun allein freies Verkehrsgeld wird, auf, also: eine neue Metall-(Verkehrsgeld-)Währung; in den Fällen bb wird das „akzessorische" Metall- bzw. das nicht mehr effektiv provisorische Notal-Geld Währungsgeld (im Fall 1: Sperrgeld-, im Fall 2: Papiergeldwährung).

b) Die Hylodromie kann andererseits „effektiv" sein, *ohne* „offiziell", kraft Rechtssatz, zu gelten.

Beispiel: Die rein fiskalisch, durch Schlagschatz-Interessen, bedingte Konkurrenz der Münzherren des Mittelalters nur möglichst mit Münzmetall zu prägen, obwohl eine *formelle* Hylodromie noch nicht bestand. Die Wirkung war trotzdem wenigstens ähnlich.

Monometallisches (je nachdem: Geld-, Silber- oder Kupfer-) Währungs*recht* wollen wir im Anschluß an das Gesagte den Zustand nennen, wo ein Metall *legal* hylodromisch ist, plurametallisches (je nachdem: bi- oder trimetallisches) Währungs*recht*, wo *legal* mehrere Metalle in fester Währungs*relation* hylodromisch sein sollen, Parallelwährungs*recht*, wo *legal* mehrere Metalle *ohne* feste Währungs*relation* hylodromisch sein *sollen*. Von „Währungsmetall" und „Metall"- (je nachdem: Gold-, Silber-, Kupfer-, Parallel-) „Währung" soll nur für dasjenige Metall jeweils geredet werden, welches *effektiv* hylodromisch, also: effektiv „Verkehrsgeld" ist (Verkehrsgeldwährung).

„*Legal*" bestand Bimetallismus in allen Staaten des lateinischen Münzbundes bis zur Einstellung der freien Silberprägung nach der deutschen Münzreform. *Effektives* Währungsmetall war *in aller Regel* – denn die Relationsstabilisierung hat so stark gewirkt, daß man die Änderung sehr oft gar nicht bemerkte und *effektiver* „Bimetallismus" herrschte – jeweils aber nur das des, nach den jeweiligen Marktverhältnissen, jeweilig zu hoch tarifierten, daher allein hylodromischen, Metalls. Das Geld aus den anderen wurde: „akzessorisches Geld". (In der Sache ganz mit *Knapp* übereinstimmend.) „Bimetallismus" ist, also – mindestens bei *Konkurrenz* mehrerer autokephaler und autonomer Münzstätten – als effektives Währungssystem stets nur ein transitorischer und im übrigen normalerweise ein rein „legaler", nicht effektiver Zustand.

Daß das zu niedrig bewertete Metall nicht zur Prägestätte gebracht wird, ist natürlich kein „regiminaler" (durch Verwaltungsmaßregeln herbeigeführter) Zustand, sondern Folge der (nehmen wir an: veränderten) Marktlage und der fortbestehenden Relationsbestimmung. Freilich könnte die Geldverwaltung das Geld als „Verwaltungsgeld" mit Verlust *prägen*, aber sie könnte es, da die außermonetäre Verwertung des Metalls lohnender ist, nicht im Verkehr *halten*.

§ 33. II. *Sperrgeld* soll jedes *nicht* hylodromisch metallische Geld dann heißen, wenn es *Kurant*geld ist.

Sperrgeld läuft um entweder:

α. als „akzessorisches", d. h. in einem anderem Kurantgeld des
  gleichen Geldgebiets tarifiertes Geld,
  αα) in einem anderen Sperrgeld,
  ββ) in einem Papiergeld,
  γγ) in einem Verkehrsgeld.
Oder es läuft um als:
β. „intervalutarisch orientiertes" Sperrgeld. Dies dann, wenn es
  war als *einziges* Kurantgeld in seinem Geldgebiet umläuft, aber
  Vorkehrungen getroffen sind, für Zahlungen in andern Geld-
  gebieten das intervalutarische Zahlmittel (in Barren- oder
  Münzform) verfügbar zu halten (*intervalutarischer Reservefonds*):
  intervalutarische Sperrgeldwährung.

a) Partikuläres Sperrgeld soll Sperrgeld dann heißen, wenn es
zwar einziges Kurantgeld, aber *nicht* intervalutarisch orientiert ist.

Das Sperrgeld kann dann entweder ad hoc, beim Ankauf des intervalutarischen Zahlmittels oder der „Devise", im Einzelfall, oder –
für die zulässigen Fälle – generell regiminal in dem intervalutarischen
Zahlmittel tarifiert werden.

(Zu a und b): Valutarisch tarifiertes Sperrgeld waren die Taler
und sind die sibernen Fünffrankenstücke, beide „akzessorisch". „Intervalutarisch orientiert" (an Gold) sind die silbernen holländischen
Gulden (nachdem sie kurze Zeit nach der Sperrung der Ausprägung
„partikulär" gewesen waren), jetzt auch die Rupien; „partikulär" würden nach der Münzordnung vom 24. V. 10 die chinesischen „Yuan"
(Dollars) so lange sein, als die im Statut *nicht* erwähnte Hylodromie
wirklich *nicht* bestehen sollte (eine intervalutarische Orientierung, wie
sie die amerikanische Kommission vorschlug, wurde abgelehnt).
(Zeitweise waren es die holländischen Gulden, s. oben.)

Bei Sperrgeld wäre die Hylodromie für die Edelmetallbesitzer
privatwirtschaftlich sehr lohnend. Trotzdem (und: eben deshalb) ist
die Sperrung verfügt, damit nicht, bei Einführung der Hylodromie
des bisherigen Sperrgeldmetalls, die Hylodromie des nunmehr in ihnen in zu niedriger Relation tarifierten andern Metalls als unrentabel
aufhört und der monetäre Bestand des aus diesem Metall hergestellten, nunmehr *obstruierten* Sperrgeldes (s. gleich) zu außermonetären,
rentableren, Zwecken verwendet werde. Der Grund, weshalb dies zu
vermeiden getrachtet wird, ist bei rationaler lytrischer Verwaltung:
daß dies andere Metall intervalutarisches Zahlmittel ist.

b) Obstruiertes Verkehrsgeld soll Sperrgeld (also: Kurantgeld)
dann heißen, wenn gerade umgekehrt wie bei a die freie Ausprägung
zwar legal besteht, privatwirtschaftlich aber unrentabel ist und des-

halb tatsächlich unterbleibt. Die Unrentabilität beruht dann auf entweder:

α. einer im Verhältnis zum Marktpreis zu ungünstigen Währungsrelation des „Metalls zum Verkehrsgeld, oder

β. zu Papiergeld.

Derartiges Geld ist einmal Verkehrsgeld gewesen, aber entweder bei α: bei Plurametallismus Änderungen der Marktpreisrelation, – oder

bei β: bei Mono- oder Plurametallismus Finanzkatastrophen, welche die Metallgeldzahlung den staatlichen Kassen unmöglich machten und sie nötigten, notales Geld aufzudrängen und dessen Einlösung zu sistieren, haben die privatwirtschaftliche Möglichkeit effektiver Hylodromie unmöglich gemacht. Das betreffende Geld wird (mindestens rational) nicht mehr im Verkehr verwendet.

c) Außer Sperr*kurant*geld (hier allein „Sperrgeld" genannt) kann es gesperrtes metallenes *Scheidegeld* geben, d. h. Geld mit einem auf einen „kritischen" Betrag begrenzten Annahmezwang als Zahlmittel. Nicht notwendig, aber regelmäßig ist es dann im Verhältnis zu den Währungsmünzen absichtlich „unterwertig" ausgeprägt (um es gegen die Gefahr des Einschmelzens zu bewahren) und dann meist (nicht: immer): provisorisches Geld, d. h. einlösbar bei bestimmten Kassen.

Der Fall gehört der alltäglichen Erfahrung an und bietet kein besonderes Interesse.

Alles Scheidegeld und sehr viele Arten von metallischem Sperrgeld stehen dem rein *notalen* (heute: Papier-) Geld in ihrer Stellung im Geldwesen nahe und sind von ihm nur durch die immerhin *etwas* ins Gewicht fallende anderweitige Verwertbarkeit des Geldstoffs verschieden. Sehr nahe steht metallisches Sperrgeld den Umlaufsmitteln dann, wenn es „provisorisches Geld" ist, wenn also hinlängliche Vorkehrungen zur Einlösung in Verkehrsgeld getroffen sind.

§ 34. B. *Notales Geld* ist natürlich *stets*: Verwaltungsgeld. Für eine soziologische Theorie ist stets, genau die *Urkunde* bestimmter chartaler Formen (einschließlich des Aufdrucks bestimmten formalen *Sinnes*) das „Geld", nie: die etwaige – keineswegs notwendig – wirklich durch sie repräsentierte „Forderung" (die ja bei reinem uneinlöslichen Papiergeld völlig fehlt).

Es kann formal rechtlich eine, offiziell, einlösliche Inhaberschuldurkunde:

a) eines Privaten (z. B. im 17. Jahrhundert in England eines Goldschmieds),

b) einer privilegierten *Bank* (Banknoten),

c) eines politischen Verbandes (Staatsnoten)

sein. Ist es „effektiv" einlöslich, also nur Umlaufsmittel, und also „provisorisches Geld", so kann es sein:

1. voll gedeckt: Zertifikat,

2. nur nach Kassenbedarf gedeckt: Umlaufsmittel.

Die Deckung kann geordnet sein:

α. durch pensatorisch normierte Metallbestände (Bankowährung),

β. durch Metallgeld.

Primär *emittiert* worden ist notales Geld ganz regelmäßig als *provisorisches* (einlösbares) Geld, und zwar in modernen Zeiten typisch als *Umlaufsmittel*, fast immer als: *Banknote*, daher durchweg auf schon vorhandene Nominale von Metallwährungen lautend.

1. Natürlich gilt der erste Teil des letzten Satzes nicht in Fällen, wo eine notale Geldart durch eine neue ersetzt wurde, Staatsnoten durch Banknoten oder umgekehrt. Aber dann ist eben keine *primäre* Emission vorhanden.

2. Zum Eingangssatz von B: Gewiß kann es Tausch- und Zahlmittel geben, die *nicht* chartal, also weder Münzen noch Urkunden noch andere sachliche Objekte sind: das ist ganz zweifellos. Aber diese wollen wir dann nicht „Geld", sondern – je nachdem – „Rechnungseinheit" oder wie immer ihre Eigenart dies nahelegt, nennen. Dem „Gelde" ist eben dies charakteristisch: daß es an *Quantitäten* von chartalen *Artefakten* gebunden ist, – eine ganz und gar nicht „nebensächliche" und nur „äußerliche" Eigenschaft.

Im Fall der faktischen *Sistierung* der Einlösung von bisher provisorischem Gelde ist zu unterscheiden, ob dieselbe von dem Interessenten eingeschätzt wird: – „gilt":

a) als eine transitorische Maßregel, –

b) als für absehbare Zeit definitiv.

Im ersten Fall *pflegt* sich, da ja Metallgeld oder Metallbarren zu allen intervalutarischen Zahlungen gesucht sind, ein „Disagio" der notalen Zahlmittel gegen die im Nominal gleichen metallischen einzustellen; doch ist dies nicht unbedingt notwendig und das Disagio pflegt (aber auch dies wiederum: nicht notwendig, daß jener Bedarf ja sehr akut sein kann) mäßig zu sein.

Im zweiten Fall entwickelt sich nach einiger Zeit definitive („autogenische") *Papiergeldwährung*. Von „Disagio" kann man dann nicht mehr sprechen, sondern (historisch!) von „Entwertung".

Denn es ist dann sogar möglich, daß das Währungsmetall jenes früheren, jetzt des obstruierten Verkehrsgeldes, auf welches die Noten ursprünglich lauteten, aus gleichviel welchen Gründen auf dem Markt sehr stark im Preise gegenüber den intervalutarischen Zahlungsmitteln sinkt, die Papierwährung aber in geringem Grade. Was die Folge haben muß (und in Österreich und Rußland gehabt hat): daß schließlich die frühere Nominal*gewichts*einheit (Silber) zu einem „geringeren" Nominalbetrag in den inzwischen „autogenisch" gewordenen Noten käuflich war. Das ist völlig verständlich. Wenn also auch das Anfangsstadium der reinen Papierwährung intervalutarisch wohl ausnahmslos eine *Niedriger*bewertung der Papiernominale gegenüber der gleichnamigen Silbernominale bedeutete, – weil sie stets Folge von aktueller Zahlungsunfähigkeit ist, – so hing z. B. in Österreich und Rußland die weitere Entwicklung doch 1. von den intervalutarisch sich entwickelnden sog. „Zahlungsbilanzen", welche die Nachfrage des Auslands nach einheimischen Zahlmitteln bestimmen, – 2. von dem *Maß* der Papiergeldemissionen, – 3. von dem Erfolg der Emissionsstelle: intervalutarische Zahlungsmittel zu beschaffen (der sog. „Devisenpolitik") ab. Diese drei Momente *konnten* und können sich so gestalten und gestalteten sich in diesem Fall so, daß die Schätzung des betreffenden Papiergelds im „Weltmarktverkehr", d. h. in seiner Relation zum intervalutarischen Zahlmittel (heute: *Geld*) sich im Sinn zunehmend stabiler, zeitweise wieder: steigender Bewertung entwickelte, während das frühere Währungsmetall aus Gründen a) der vermehrten und verbilligten Silberproduktion, – b) der zunehmenden Demonetialisierung des Silbers zunehmend im Preise, am Gold gemessen, sank. Eine *echte* („autogenische") Papierwährung ist eben eine solche, bei welcher auf eine effektive „*Restitution*" der *alten* Einlösungsrelation in Metall gar nicht mehr gezählt wird.

§ 35. Daß die Rechtsordnung und Verwaltung des Staats die *formale* legale und auch die formale regiminale Geltung einer Geldart als „Währung" ins Gebiet ihrer Zwangsgewalt heute bewerkstelligen kann, falls *sie selbst* in dieser Geldart überhaupt *zahlungsfähig* bleibt, ist richtig. Sie bleibt es *nicht* mehr, sobald sie eine bisher „akzessorische" Geldart oder „provisorische" zu freiem Verkehrsgeld (bei Metallgeld) oder zu autogenem Papiergeld (bei Notalgeld) werden läßt, weil dann *diese* Geldarten sich bei ihr so lange aufstauen, bis sie selbst nur noch über sie verfügt, also sie bei Zahlungen aufdrängen *muß*.

Von Knapp richtig als das normale Schema der „obstruktionalen" Währungsänderung dargelegt.

Damit ist aber natürlich über dessen *materiale* Geltung, d. h. darüber: in welcher Tausch*relation* es zu anderen, *naturalen* Gütern genommen wird, noch nichts gesagt, also auch nicht darüber: ob und wieweit die Geldverwaltung darauf Einfluß gewinnen kann. Daß die politische Gewalt durch Rationierungen des Konsums, Produktions- kontrolle und Höchst- (natürlich auch: Mindest-) Preis-Verordnun- gen weitgehend auch darauf Einfluß nehmen kann, *soweit es sich um im Inland schon vorhandene oder im Inland hergestellte* Güter *(und: Arbeits- leistungen im Inland) handelt*, ist ebenso erfahrungsmäßig beweisbar wie: daß dieser Einfluß auch da seine höchst fühlbaren Grenzen hat (wor- über anderwärts). Jedenfalls aber sind solche Maßnahmen ersichtlich nicht solche der *Geld*verwaltung.

Die modernen rationalen Geldverwaltungen stecken sich vielmehr, der Tatsache nach, ein ganz anderes Ziel: die materiale Bewertung der Inlandswährung in *ausländischer Währung*, den „Valutakurs" genannten Börsenpreis der fremden Geldsorten also zu beeinflussen, und zwar, in aller Regel, zu „befestigen", d. h. möglichst stetig (unter Umständen: möglichst *hoch*) zu halten. Neben Prestige und politischen Macht- interessen sind dabei Finanzinteressen (bei Absicht *künftiger* Aus- landsanleihen), außerdem die Interessen sehr mächtiger Erwerbsinter- essenten: der Importeure, der mit fremden Rohstoffen arbeitenden Inlandsgewerbe, endlich Konsuminteressen der Auslandsprodukte begehrenden Schichten maßgebend. „Lytrische Politik" ist unstreitig heute, der Tatsache nach, *primär* intervalutarische Kurspolitik.

Auch dies und das Folgende *durchaus* gemäß Knapp. Das Buch ist stellerischer Kunst und wissenschaftlicher Denkschärfe. Die Augen fast aller Fachkritiker aber waren auf die (relativ wenigen, freilich nicht ganz unwichtigen) *beiseite* gelassenen Probleme gerichtet.

Während England s. Z. noch vielleicht halb widerwillig in die Goldwährung hineingeriet, weil das als Währungsstoff gewünschte Silber in der Währungsrelation zu niedrig tarifiert war, sind *alle* ande- ren modern organisierten und *geordneten* Staaten unzweifelhaft *deshalb* entweder zur reinen Goldwährung oder zur Goldwährung mit akzes- sorischem Silbersperrgeld, oder zur Sperrgeldsilberwährung oder regulierten Notalwährung mit (in beiden Fällen) einer auf *Gold*be- schaffung für Auslandszahlungen gerichteten lytrischen Politik über- gegangen, um eine möglichst feste intervalutarische Relation zum englischen Goldgeld zu erhalten. Fälle des Übergangs zur reinen Pa- pierwährung sind *nur* im Gefolge politischer Katastrophen, als eine Form der Abhilfe gegen die eigene Zahlungsunfähigkeit im bisheri- gen Währungsgeld aufgetreten, – so jetzt massenhaft.

Es scheint nun richtig, daß für jenen intervalutarischen Zweck (fester Kurs heute: gegen Gold) nicht ausschließlich die eigene effektive Gold-Hylodromie (Chrysodromie) das mögliche Mittel ist. Auch das Münzpari chrysodromer chartaler Münzsorten *kann* aktuell sehr heftig erschüttert werden, – wenn auch die Chance, eventuell durch Versendung und Umprägung von Geld intervalutarische Zahlungsmittel für Leistungen vom ausländischen Verkehr zu erlangen, durch eigene Chrysodromie immerhin sehr stark erleichtert wird und, solange diese besteht, nur durch natürliche Verkehrsobstruktion oder durch Goldausfuhrverbot *zeitweise* stark gestört werden kann. Andererseits kann aber erfahrungsgemäß unter *normalen* Friedensverhältnissen recht wohl auch ein Papierwährungsgebiet mit geordnetem Rechtszustand, günstigen Produktionsbedingungen und planvoll auf Geldbeschaffung für Auslandszahlungen gerichteter lytrischer Politik einen leidlich stabilen „Devisenkurs" erreichen, – wenn auch, ceteris paribus, mit merklich höheren Opfern für: die Finanzen, oder: die Goldbedürftigen. (Ganz ebenso läge es natürlich, wenn das intervalutarische Zahlungsmittel Silber wäre, also „Argyrodromie" in den Haupthandelsstaaten der Welt herrschte.)

§ 36. Die typischen elementarsten Mittel der intervalutarischen lytrischen Politik (deren Einzelmaßnahmen sonst hier nicht erörtert werden können) sind I. in Gebieten mit Gold-Hylodromie:

1. Deckung der nicht in bar gedeckten Umlaufsmittel prinzipiell durch *Waren-Wechsel*, d. h. Forderungen über verkaufte Waren, aus welchen „sichere" Personen (bewährte Unternehmer) haften, unter Beschränkung der auf *eigenes* Risiko gehenden Geschäfte der Notenbanken tunlichst auf diese und auf Warenpfandgeschäfte, Depositenannahme- und, daran anschließend, Girozahlungsgeschäfte, endlich: Kassenführung für den Staat; –

2. „Diskontpolitik" der Notenbanken, d. h. Erhöhung des Zinsabzugs für angekaufte Wechsel im Fall der Chance, daß die Außenzahlungen einen Bedarf nach Goldgeld ergeben, der den einheimischen Goldbestand, insbesondere den der Notenbank, mit Ausfuhr bedroht, – um dadurch Auslandsgeldbesitzer zur Ausnutzung dieser Zinschance anzuregen und Inlandsinanspruchnahme zu erschweren.

II. in Gebieten mit nicht goldener Sperrgeldwährung oder mit Papierwährung:

1. Diskontpolitik wie bei Nr. I, 2, um zu starke Kreditinanspruchnahme zu hemmen; außerdem:

2. Gold*prämien*politik, – ein Mittel, welches auch in Goldwährungsgebieten mit akzessorischem Silbersperrgeld häufig ist, –

3. planvolle Gold*ankaufs*politik und planvolle Beeinflussung der „Devisenkurse" durch eigene Käufe oder Verkäufe von Auslandswechseln.

Diese zunächst rein „lytrisch" orientierte Politik kann aber in eine materiale Wirtschafts*regulierung* umschlagen.

Die Notenbanken *können*, durch ihre große Machtstellung innerhalb der *Kredit* gebenden Banken, welche in sehr vielen Fällen ihrerseits auf den Kredit der Notenbank angewiesen sind, dazu beitragen, die Banken zu veranlassen: den „Geldmarkt", d. h. die Bedingungen kurzfristigen (Zahlungs- und Betriebs-) Kredits einheitlich zu regulieren und von da aus zu einer planmäßigen Regulierung des Erwerbskredits, dadurch aber: der Richtung der Gütererzeugung, fortzuschreiten: die bisher am stärksten einer „Planwirtschaft" sich annähernde Stufe kapitalistischer, formal valutaristischer, *materialer* Ordnung des Wirtschaftens innerhalb des Gebiets des betreffenden politischen Verbandes.

Diese vor dem Kriege typischen Maßregeln bewegten sich alle auf dem Boden einer Geldpolitik, die *primär* von dem Streben nach „*Befestigung*", also Stabilisierung, *wenn* aber eine Änderung gewünscht wurde – (bei Ländern mit Sperrgeld- oder Papierwährung) am ehesten: langsame Hebung, des intervalutarischen Kurses ausging, also letztlich an dem hylodromischen Geld des größten Handelsgebiets orientiert war. Aber es treten an die Geldbeschaffungsstellen auch mächtige Interessenten heran, welche durchaus entgegengesetzte Absichten verfolgen. Sie wünschen eine lytrische Politik, welche

1. den intervalutarischen Kurs des eigenen Geldes *senkte*, um Exportchancen für Unternehmer zu schaffen, und welche

2. durch *Vermehrung* der Geldemissionen, also: Argyrodromie neben (und das hätte bedeutet: *statt*) Chrysodromie und eventuell: planvolle Papiergeldemissionen die Austauschrelation des Geldes gegen Inlandsgüter *senkt*, was dasselbe ist: den Geld-(Nominal-)Preis der Inlandsgüter *steigert*. Der Zweck war: Gewinnchancen für die erwerbsmäßige Herstellung solcher Güter, deren Preishebung, berechnet in Inlandnominalen, als wahrscheinlich *schnellste* Folge der Vermehrung des Inlandgeldes und damit seiner Preissenkung in der intervalutarischen Relation angesehen wurde. Der beabsichtigte Vorgang wird als „*Inflation*" bezeichnet.

Es ist nun einerseits

1. zwar (der Tragweite nach) nicht ganz unbestritten, aber sehr wahrscheinlich daß auch bei (jeder Art von) Hylodromie im Fall *sehr* starker Verbilligung und Vermehrung der Edelmetallproduktion (oder

des billigen Beuteerwerbs von solchen) eine fühlbare *Tendenz* zu einer Preishebung wenigstens für *viele*, vielleicht: in verschiedenem Maß für alle, Produkte in den Gebieten mit Edelmetallwährung entstand. Andererseits steht als unbezweifelte *Tatsache* fest:

2. daß lytrische Verwaltungen in Gebieten mit (autogenischem) Papiergeld, in Zeiten schwerer finanzieller Not (insbesondere: Krieg) in aller Regel ihre Geldemissionen lediglich an ihren finanziellen Kriegsbedürfnissen orientieren. Ebenso steht freilich fest, daß Länder mit Hylodromie oder mit metallischem Sperrgeld in solchen Zeiten nicht nur – was nicht notwendig zu einer dauernden Währungsänderung führte – die Einlösung ihrer notalen Umlaufsmittel zu sistieren, sondern ferner auch durch rein finanziell (wiederum: kriegsfinanziell) orientierte Papiergeldemissionen zur definitiven reinen Papierwährung übergingen und dann das akzessorisch gewordene Metallgeld infolge der Ignorierung seines Agio bei der Tarifierung im Verhältnis zum Papiernominale lediglich außermonetär verwertet werden konnte und also monetär verschwand. Endlich steht fest: daß in Fällen eines solchen Wechsels zur *reinen* Papierwährung und hemmungslosen Papiergeldemission der Zustand der Inflation mit allen Folgen tatsächlich in kolossalem Umfang eintrat.

Beim Vergleich aller dieser Vorgänge (1 und 2) zeigt sich:

A. Solange freies Metall-Verkehrsgeld besteht, ist die Möglichkeit der „Inflation" eng begrenzt:

1. „mechanisch" dadurch: daß das jeweilig für monetäre Zwecke erlangbare Quantum des betreffenden Edelmetalls, wenn auch in elastischer Art, so doch letztlich fest *begrenzt* ist, –

2. ökonomisch (normalerweise) dadurch: daß die Geldschaffung lediglich auf Initiative von privaten *Interessenten* erfolgt, also das Ausprägungsbegehren an Zahlungsbedürfnissen der *markt*orientierten Wirtschaft orientiert ist.

3. Inflation ist dann *nur* durch Verwandlung bisherigen Metall-*Sperrgeldes* (z. B. heute: Silbers in den Goldwährungsländern) in freies Verkehrsgeld möglich, in dieser Form allerdings bei stark verbilligter und gesteigerter Produktion des Sperrgeldmetalls sehr weitgehend.

4. Inflation mit *Umlaufsmitteln* ist *nur* als sehr langfristige, allmähliche Steigerung des Umlaufs durch Kreditstundung denkbar, und zwar elastisch, aber letztlich doch fest durch die Rücksicht auf die Solvenz der Notenbank begrenzt. Akute Inflationschance liegt hier *nur* bei Insolvenzgefahr der Bank vor, also normalerweise wiederum: bei kriegsbedingter Papiergeldwährung.

Sonderfälle, wie die durch Kriegsexporte bedingte „Inflation" Schwedens mit *Gold* sind so besonders gelagert, daß sie hier beiseite gelassen werden.

B. Wo einmal autogenische *Papierwährung* besteht, ist die Chance vielleicht nicht immer der Inflation selbst, – denn im Krieg gehen fast alle Länder bald zur Papierwährung über, – wohl aber meist der *Entfaltung der Folgen* der Inflation immerhin merklich größer. Der Druck finanzieller Schwierigkeiten und die *infolge* der Inflationspreise gestiegenen Gehalt- und Lohnforderungen und sonstigen Kosten begünstigt recht fühlbar die Tendenz der Finanzverwaltung, auch *ohne* absoluten Zwang der Not und trotz der Möglichkeit, sich durch starke Opfer ihnen zu entziehen, die Inflation weiter fortzusetzen. Der Unterschied ist – wie die Verhältnisse der Entente einerseits, Deutschlands zweitens, Österreichs und Rußlands drittens zeigen, – gewiß nur ein quantitativer, aber immerhin doch fühlbar.

Lytrische Politik *kann* also, insbesondere bei akzessorischem Metallsperrgeld oder bei Papierwährung auch *Inflationspolitik* (sei es plurametallistische oder sei es „papieroplatische") sein. Sie ist es in einem am intervalutarischen Kurs relativ so wenig interessierten Lande, wie Amerika, eine Zeitlang in ganz *normalen* Zeiten ohne alles und jedes Finanzmotiv wirklich gewesen. Sie ist es heute unter dem Druck der Not in nicht wenigen Ländern, welche die Kriegszahlmittelinflation über sich ergehen ließen, nach dem Krieg *geblieben*. Die *Theorie* der Inflation ist hier nicht zu entwickeln. Stets bedeutet sie zunächst eine besondere Art der Schaffung von Kaufkraft bestimmter Interessenten. Es soll nur festgestellt werden: daß die *material* planwirtschaftliche rationale Leitung der lytrischen Politik, die scheinbar bei Verwaltungsgeld, vor allem Papiergeld, weit *leichter* zu entwickeln wäre, doch gerade besonders leicht (vom Standpunkt der Kursstabilisierung aus) irrationalen Interessen dient.

Denn *formale* verkehrswirtschaftliche Rationalität der lytrischen Politik und damit: des Geldwesens könnte, entsprechend dem bisher durchgehend festgehaltenen Sinn, nur bedeuten: die Ausschaltung von solchen Interessen, welche entweder 1. nicht *markt*orientiert sind, – wie die finanziellen, – oder 2. nicht an tunlichster Erhaltung stabiler intervalutarischer Relationen als optimale Grundlage rationaler *Kalkulation* interessiert sind, – sondern im Gegenteil an jener bestimmten Art der Schaffung von „Kaufkraft" jener Kategorien von Interessenten durch das Mittel der Inflation und ihrer Erhaltung auch *ohne* Zwang der Finanzen. Ob dieser letzte Vorgang zu begrüßen oder zu tadeln ist, ist natürlich keine empirisch zu beantwortende Frage. Aber sein empirisches Vorkommen steht fest. Und darüber hinaus: eine an *materialen* sozialen Idealen orientierte Anschauung kann sehr wohl gerade die Tatsache: daß die Geld- und Umlaufsmittelschaffung in der Verkehrswirtschaft Angelegenheit des nur nach „Rentabilität" fragenden *Interessenten*betriebs ist, nicht aber orientiert ist an der Frage nach dem „richtigen" Geldquantum und der „richtigen" Geldart, zum Anlaß der Kritik nehmen. Nur das *Verwaltungs*geld kann man, würde sie mit Recht argumentieren, „beherrschen", *nicht*: das Verkehrsgeld. Also ist ersteres, vor allem aber: das billig in beliebigen Mengen und Arten zu schaffende Papiergeld, das spezifische Mittel, *überhaupt* Geld unter – gleichviel welchen – *material* rationalen Gesichtspunkten zu schaffen. Die Argumentation, – deren Wert gegenüber der Tatsache: daß „Interessen" der einzelnen, nicht „Ideen" einer Wirtschaftsverwaltung, künftig wie heut die Welt beherrschen werden, natürlich ihre Schranken hat, ist doch formal logisch schlüssig. Damit aber ist der mögliche Widerstreit der (im hier festgehaltenen Sinn) *formalen* und der (gerade für eine von jeder hylodromischen Rücksicht auf das Metall völlig gelösten lytrischen Verwaltung theoretisch konstruierbaren) *materialen* Rationalität auch an diesem Punkt gegeben; und darauf allein kam es an.

Ersichtlich sind diese gesamten Auseinandersetzungen eine freilich *nur* in diesem Rahmen gehaltene und auch innerhalb seiner höchst summarischen, alle Feinheiten ganz beiseite lassenden Diskussion mit *G. F. Knapps* prachtvollem Buch: „Staatliche Theorie des Geldes" (1. Aufl. 1905, inzwischen 2. Aufl.). Das Werk ist *sofort*, entgegen seiner Absicht, aber vielleicht nicht ganz ohne seine Schuld, für *Wertungen* ausgeschlachtet und natürlich besonders von der „papieroplatischen" lytrischen Verwaltung Österreichs stürmisch begrüßt worden. Die Ereignisse haben der Knappschen *Theorie* in keinem Punkte „Unrecht" gegeben, wohl aber gezeigt, was ohnehin feststand: daß sie allerdings nach der Seite der *materialen* Geldgeltung unvollständig ist. Dies soll nachfolgend etwas näher begründet werden.

Exkurs über die staatliche Theorie des Geldes.

Knapp weist siegreich nach: daß jede sowohl unmittelbar staatliche als staatlich regulierte „lytrische" (Zahlmittel-)Politik der letzten Zeit beim Bestreben zum Übergang zur Goldwährung oder einer ihr möglichst nahestehenden, indirekt chrysodromischen, Währung „exodromisch": durch Rücksicht auf den Valutakurs der eignen in fremder, vor allem: *englischer*, Währung, bestimmt war. Wegen des „Münzparis" mit dem größten Handelsgebiet und dem universellsten Zahlungs-

vermittler im Weltverkehr, dem Goldwährungslande England demo-
netisierte zuerst Deutschland das Silber, verwandelten dann Frankreich, die Schweiz und die anderen Länder des „Münzbundes", ebenso Holland, schließlich Indien, ihr bis dahin als freies Verkehrsgeld
behandeltes Silber in Sperrgeld und trafen weiterhin indirekt chryso-
dromische Einrichtungen für Außenzahlungen, taten Österreich und
Rußland das gleiche, trafen die „lytrischen" Verwaltungen dieser
Geldgebiete mit „autogenischem" (nicht einlöslichen, also selbst als
Währung fungierenden) Papiergeld ebenfalls indirekt chrysodromi-
sche Maßregeln, um wenigstens ins Ausland tunlichst jederzeit in
Gold zahlen zu können. Auf den (tunlichst) *festen* intervalutarischen
Kurs allein also kam es ihnen in der Tat an. Deshalb meint Knapp:
nur diese Bedeutung habe die Frage des Währungsstoffs und der Hylodromie überhaupt. Diesem „exodromischen" Zweck aber genüg-
ten, schließt er, jene anderen indirekt chrysodromischen Maßregeln
(der Papierwährungsverwaltungen) *ebenso* wie die direkt hylodromischen Maßregeln (siehe Österreich und Rußland!). Das ist zwar – ceteris paribus – für die Hylodromien keineswegs *unbedingt* wörtlich
richtig. Denn solange keine gegenseitigen Münzausfuhrverbote zwischen zwei gleichsinnig hylodromischen (entweder beide chryso-
oder beide argyrodromischen) Währungsgebieten bestehen, *erleichtert*
dieser Tatbestand der gleichsinnigen Hylodromie die Kursbefesti-
gung doch unzweifelhaft ganz erheblich. Aber soweit es wahr ist –
und es ist unter normalen Verhältnissen in der Tat weitgehend wahr –,
beweist es doch noch nicht: daß bei der Wahl des „Hyle" (Stoff) des
Geldes, heute also vor allem der Wahl einerseits zwischen metallischem (heute vor allem: goldenem oder silbernem Geld) und andererseits notalem Gelde (die Spezialitäten des Bimetallismus und des
Sperrgeldes, die früher besprochen sind, lassen wir jetzt füglich einmal beiseite) *nur* jener Gesichtspunkt in Betracht kommen *könne*. Das
hieße: daß Papierwährung im übrigen der metallischen Währung
gleichartig fungiere. Schon formell ist der Unterschied bedeutend: Papiergeld ist *stets* das, was Metallgeld nur sein *kann*, nicht: sein *muß*,
„Verwaltungsgeld"; Papiergeld *kann* (sinnvollerweise!) nicht hylodromisch sein. Der Unterschied zwischen „entwerteten" Assignaten und
künftig vielleicht, bei universeller Demonetisation, einmal ganz zum
industriellen Rohstoff „entwerteten" Silber ist nicht gleich Null (wie
übrigens auch Knapp gelegentlich zugibt). Papier war und ist gerade
jetzt (1920) so gewiß wenig wie ein Edelmetall ein „beliebig" jederzeit vorrätiges Gut. Aber der Unterschied 1. der objektiven Beschaf-
fungsmöglichkeit und 2. der *Kosten* der Beschaffung im Verhältnis

zum in Betracht kommenden *Bedarf* ist dennoch so kolossal, die Metalle sind an die gegebenen Borgvorkommnisse immerhin relativ *so* stark gebunden, daß er den Satz gestattet: Eine „lytrische" Verwaltung *konnte* (vor dem Kriege!) papierenes Verwaltungsgeld (verglichen sogar mit kupfernem – China – vollends: mit silbernem, erst recht: mit goldenem) unter allen normalen Verhältnissen wirklich *jederzeit*, wenn sie den Entschluß faßte, in (relativ) „beliebig" großen Stück-Quantitäten herstellen. Und mit (relativ) winzigen „Kosten". *Vor allem* in *rein* nach Ermessen bestimmter *nominaler* Stückelung, also: in *beliebigen*, mit dem Papierquantum außer Zusammenhang stehenden *Nominal*beträgen. Das letztere *war* offenbar bei *metallischem* Gelde überhaupt nur in Scheidegeldform, also *nicht entfernt* in gleichem Maß und Sinn der Fall. Bei Währungsmetall nicht. Für dieses war die Quantität der Währungsmetalle eine elastische, aber doch schlechthin „unendlich" viel *festere* Größe als die der Papierherstellungsmöglichkeit. Also schuf sie Schranken. Gewiß: *wenn* sich die lytrische Verwaltung ausschließlich exodromisch, am Ziel des (möglichst) festen *Kurses* orientierte, *dann* hatte sie gerade bei der Schaffung notalen Geldes wenn auch keine „technischen", so doch *normativ* fest gegebene Schranken: das würde Knapp wohl einwenden. Und darin hätte er formal – aber eben nur formal – recht. Wie stand es mit „autogenischem" Papiergeld? Auch da, würde Knapp sagen, die gleiche Lage (siehe Österreich und Rußland): „Nur" die technisch *mechanischen* Schranken der Metallknappheit fehlten. War das bedeutungslos? Knapp ignoriert die Frage. Er würde wohl sagen, daß „gegen den Tod" (einer Währung) „kein Kraut gewachsen ist". Nun aber gab und *gibt* es (denn wir wollen von der momentanen absoluten Papierherstellungsobstruktion hier einmal absehen) unstreitig *sowohl* 1. eigne Interessen der Leiter der *politischen* Verwaltung – die auch Knapp als Inhaber oder Auftraggeber der „lytrischen" Verwaltung voraussetzt –, wie 2. auch *private* Interessen, welche beide keineswegs *primär* an der Erhaltung des „festen Kurses" interessiert, oft sogar – pro tempore wenigstens – geradezu *dagegen* interessiert sind. Auch sie können – im eigenen Schoß der politisch-lytrischen Verwaltung oder durch einen starken Druck von Interessenten auf sie, wirksam auf den Plan treten und „Inflationen" – das würde für Knapp (der den Ausdruck streng vermeidet) nur heißen dürfen: *anders* als „exodromisch" (am intervalutarischen Kurs) orientierten und danach „zulässige" notale Emissionen vornehmen.

Zunächst finanzielle Versuchungen: eine durchschnittliche „Entwertung" der deutschen Mark durch Inflation auf $1/20$ im Verhältnis zu den wichtigsten naturalen *Inlands*vermögensstücken würde, *wenn* erst einmal die „Anpassung" der Gewinne und Löhne an diese Preisbedingungen hergestellt, also alle Inlandskonsumgüter und alle Arbeit 20 mal so hoch bewertet würden (*nehmen wir hier an*!), für alle diejenigen, die in dieser glücklichen Lage wären, ja eine *Abbürdung* der *Kriegsschulden* in Höhe von $1/20$ sein. Der Staat aber, der nun von den *gestiegenen* (Nominal-) Einkommen entsprechend gestiegene (Nominal-)*Steuern* erhöbe, würde wenigstens eine recht starke Rückwirkung davon spüren. Wäre dies nicht verlockend? Daß „jemand" die „Kosten" zahlen würde ist klar. Aber nicht: der Staat oder jene beiden Kategorien. Und wie verlockend wäre es gar, eine alte *Außen*schuld den Ausländern in einem Zahlmittel, das man *beliebig* höchst billig fabriziert, zahlen zu können! Bedenken stehen – außer wegen möglicher politischer Interventionen – bei einer reinen Außenanleihe freilich wegen Gefährdung *künftiger* Kredite im Wege, – aber das Hemd ist ja doch recht oft dem Staat näher als der Rock. Und nun gibt es Interessenten unter den Unternehmern, denen eine Preissteigerung ihrer Verkaufsprodukte durch Inflation auf das Zwanzigfache nur recht wäre, falls dabei – was sehr leicht möglich ist – die Arbeiter, aus Machtlosigkeit oder weil sie die Lage nicht übersehen oder warum immer, „nur" 5- oder „nur" 10 „mal so hohe" (Nominal-) Löhne erhalten. Derartige rein *finanz*mäßig bedingte akute „Inflationen" pflegen von den Wirtschaftspolitikern stark perhorresziert zu werden. In der Tat: mit exodromischer Politik Knappscher Art sind sie nicht vereinbar. Während im Gegensatz dazu eine *planmäßige* ganz allmähliche Vermehrung der Umlaufsmittel, wie sie unter Umständen die Kreditbanken durch Erleichterung des Kredits vornehmen, gern angesehen wird als im Interesse vermehrter „Anregung" des spekulativen Geistes – der erhofften Profitchancen, heißt das –: damit der Unternehmungslust und also der kapitalistischen Güterbeschaffung durch Anreiz zur „Dividenden-Kapitalanlage" statt der „Rentenanlage" von freien Geldmitteln. Wie steht es aber bei ihr mit der exodromischen Orientiertheit? Ihre eigene Wirkung aber: jene „Anregung der Unternehmungslust" mit ihren Folgen vermag die sogenannte „Zahlungsbilanz" („pentopolisch") im Sinn der *Steigerung* oder doch der Hinderung der Senkung des Kurses der eigenen Währung zu beeinflussen. Wie oft? wie stark? ist eine andere Frage. Ob eine *finanz*mäßig bedingte, *nicht* akute Steigerung des Währungsgeldes ähnlich wirken kann, sei hier nicht erörtert. Die „Lasten" dieser exodromisch unschädlichen Anreicherungen des Währungsgeldvorrats zahlt in langsamem Tempo die gleiche Schicht, welche im Fall der akuten Finanzinflation material „konfiskatorisch" betroffen wird: alle diejenigen die ein nominal *gleich* gebliebenes Einkommen oder ein Nominal-*Wertpapier*vermögen haben (vor allem: der *feste* Rentner dann: der „fest" – d. h. nur durch langes Lamentieren erhöhbar besoldete Beamte, aber auch: der „fest" – d. h. nur durch schweren Kampf beweglich – entlohnte Arbeiter). – Man wird also Knapp jedenfalls nicht dahin verstehen dürfen: daß für die Papierwährungspolitik immer *nur* der exodromische Gesichtspunkt: „fester Kurs" maßgebend sein könne (das behauptet er nicht) und nicht für wahrscheinlich halten, daß – wie er glaubt – eine große Chance sei, daß nur er es sein *werde*. Daß es bei einer völlig in *seinem* Sinn rational, d. h. aber (ohne daß er dies ausspricht): im Sinn der möglichsten Ausschaltung von „Störungen" der Preisrelationen durch *Geld*schaffungsvorgänge, orientierten lytrischen Politik sein *würde*, ist nicht zu leugnen. Keineswegs aber wäre zuzugestehen – Knapp sagt auch das nicht –, daß die praktische *Wichtigkeit* der Art der Währungspolitik sich auf den „festen Kurs" beschränke. Wir haben hier von „Inflation" als einer Quelle von Preisrevolutionen oder Preisevolutionen geredet, auch davon: daß sie durch das *Streben* nach solchen bedingt sein kann. Preis*revolutionäre* (notale) Inflationen pflegen natürlich auch den festen Kurs zu erschüttern (preisevolutionäre Geldvermehrungen, sahen wir, nicht notwendig). Knapp wird das zugeben. Er nimmt offenbar, und mit Recht, an, daß in seiner Theorie kein Platz für eine *valutarisch* bestimmte *Waren*preis*politik* sei (revolutionäre evolutionäre oder konservative). Warum nicht? Vermutlich aus folgendem formalen Grund: Das Valutapreisverhältnis zwischen zwei oder mehreren Ländern äußert sich täglich in einer sehr kleinen Zahl (formal) eindeutiger und einheitlicher *Börsenpreise*, an denen man eine „lytrische Politik" rational orientieren *kann*. Es läßt sich ferner auch für eine „lytrische", insbesondere eine Umlaufsmittelverwaltung schätzen, – aber nur (an der Hand vorhandener, durch periodischen Begehr darnach sich äußernder, Tatbestände) *schätzen*: – welche Schwankungen eines gegebenen *Zahlungs*mittelvorrats (zu reinen Zahlungszwecken), für eine bestimmte verkehrswirtschaftlich verbundene Menschengruppe in absehbarer Zukunft, bei annähernd gleichbleibenden Verhältnissen, „erforderlich" sein werden. Hingegen *welches Maß* von preisrevolutionären oder preisevolutionären oder (umgekehrt) preiskonservativen Wirkungen eine Inflation oder (umgekehrt) eine Einziehung von Geld in einer gegebenen Zukunft haben werde, läßt sich nicht im gleichen Sinn berechnen. Dazu müßte man bei Erwägung einer Inflation (die wir hier allein in Betracht ziehen wollen) kommen:

1. die gegenwärtige Einkommensverteilung. – Daran anschließend 2. die gegenwärtig darauf aufgebauten Erwägungen der einzelnen Wirtschaftenden, – 3. die „Wege" der Inflation, d. h.: den primären und weiteren *Verbleib* der Neuemissionen. Dies wiederum hieße aber: die *Reihenfolge* und das Maß der Erhöhung von Nominaleinkommen durch die Inflation. Dann 4. die Art der Verwendung (Verzehr, Vermögensanlage, Kapitalanlage) der dadurch wiederum verursachten Güternachfrage nach Maß und vor allem: Art (Genußgüter oder Beschaffungsmittel in all ihren Arten). Endlich 5. die Richtung, in welcher dadurch die Preisverschiebung und durch diese wiederum die Einkommensverschiebung fortschreitet, – und die zahllosen nun weiter anschließenden Erscheinungen von „Kaufkraft"-Verschiebung, auch das *Maß* der (möglichen) „Anregung" der naturalen Güter*mehr*beschaffung. Alles das wären Dinge, die ganz und gar durch künftige *Erwägungen einzelner Wirtschaftenden* gegenüber der *neu* geschaffenen Lage bestimmt wären und ihrerseits wieder auf Preis*schätzungen* von anderen solchen Einzelnen zurückwirken würden: diese erst würden dann im Interessenkampf die künftigen „Preise" ergeben. Hier kann in der Tat von „Berechnung": (etwa: 1 Milliarde Mehr-Emission voraussichtlich gleich Eisenpreis von + x, Getreidepreis von + y usw.) gar keine Rede sein. Um so weniger, als zwar *temporär* für reine *Binnen*produkte wirksame Preisregulierungen möglich sind, aber nur als Höchst-, nicht als Mindestpreise und mit bestimmt begrenzter Wirkung. – Mit der (empirisch unmöglichen) Berechnung der „Preise" an sich wäre überdies noch nichts gewonnen. Denn sie würde allenfalls die als reines *Zahl*mittel erforderte Geldmenge bestimmen. Aber daneben und *weit* darüber hinaus würde Geld als Mittel der *Kapitalgüter*beschaffung, in *Kredit*formen, neu und anderweit beansprucht werden. Hier würde es sich aber um mögliche Folgen der beabsichtigten Inflation handeln, die sich jeglicher näheren „Berechnung" überhaupt entzögen. Es ist also, alles in allem (denn nur dies sollten diese höchst groben Ausführungen illustrieren) verständlich, daß Knapp für *moderne Verkehrs*wirtschaften die Möglichkeit einer *planvollen, rationalen*, auf einer der „Devisenpolitik" an Rechenhaftigkeit irgendwie ähnlichen Grundlage ruhenden Preis*politik durch* Inflation ganz außer Betracht ließ. Aber sie ist historische Realität. Inflation und Kontra-Inflation sind – in recht plumper Form freilich – in *China* unter wesentlich primitiveren Verhältnissen der Geldwirtschaft wiederholt, aber mit erheblichen Mißerfolgen, in der Kupferwährung versucht worden. Und sie ist in Amerika *empfohlen* worden. Knapp begnügt sich aber in seinem offenbar nur mit, in seinem Sinn,

„beweisbaren" Annahmen operierenden Buch mit dem Rat: der Staat solle „vorsichtig" bei der Emission autogenen Papiergelds sein. Und da er sich ganz und gar am „festen Kurs" orientiert, *scheint* dies auch *leidlich* eindeutig: Inflationsentwertung und intervalutarische Entwertung hängen *meist* sehr eng zusammen. Nur sind sie nicht identisch und *ist* vor allem nicht etwa jede Inflationsentwertung primär intervalutarisch bedingt. Daß tatsächlich *preispolitisch* orientierte inflationistische lytrische Verwaltung gefordert worden ist, und zwar nicht *nur* von den Silberbergwerksbesitzern bei der Silberkampagne, von den Farmern für Greenbacks, gibt Knapp nicht *ausdrücklich* zu, bestreitet es aber auch nicht. Sie ist – das beruhigte ihn wohl – jedenfalls nie *dauernd* geglückt. – Aber so einfach liegen die Dinge vielleicht doch *nicht*. Einerlei ob als Preismaßregel *beabsichtigt*, haben Inflationen (im obigen Sinn) jedenfalls oft tatsächlich *stattgefunden* und Assignatenkatastrophen sind in Ostasien wie in Europa nicht unbekannt geblieben. Damit muß sich die *materiale* Geldtheorie doch befassen. Daß *gar* kein Unterschied zwischen der „Entwertung" des Silbers und der „Entwertung" von Assignaten stattfinde, wird gerade Knapp nicht behaupten. Schon formal nicht: entwertet ist das *nicht* in Münzform gebrachte, sondern umgekehrt das für industriale Zwecke angebotene, rohe, Silber, nicht notwendig die (*gesperrte*) chartale Silber*münze* (oft im Gegenteil!). Entwertet wird dagegen *nicht* das für industriale Zwecke angebotene rohe „Papier", sondern (natürlich) gerade die chartale *Assignate*. Endgültig, auf Null oder den „Sammler" und „Museums"-Wert, allerdings (wie Knapp mit Recht sagen würde) erst: wenn sie von den Staatskassen *repudiiert* wird: also sei auch dies immerhin „staatlich", durch regiminale Verfügung, bedingt. Das trifft zu. Aber auf winzige Prozente ihrer einstigen *materialen* Geltung (ihrer Preisrelation zu *beliebigen* Gütern) trotz nominaler „epizentrischer" Weitergeltung oft schon lange vorher.

Aber von diesen Katastrophen ganz abgesehen, gab es sonst der Inflationen und andererseits (in China) der „Währungsklemmen" durch außermonetäre Verwertung des Währungsmetalls genug in der Geschichte. Und da nehmen wir nicht *nur* davon Notiz: daß dann unter Umständen (gar nicht *immer*) eben gewisse Geldarten „akzessorisch" werden, die es nicht waren, sich in den Staatskassen „stauen" und „obstruktioriale" Währungsänderungen erzwingen. Sondern die *materiale* Geldlehre müßte natürlich *auch* die Frage nach der Art der Beeinflussung der Preise und Einkommen und dadurch der Wirtschaft in solchen Fällen wenigstens *stellen*, zweifelhaft aus den früher erwähnten Gründen vielleicht –: wieweit sie *theoretisch* zu beantworten wäre. Und ebenso wollen wir, wenn infolge Sinkens des Gold- oder Silberpreises (im anderen Metall ausgedrückt) im formal bimetallistischen Frankreich material bald Gold allein, bald Silber allein effektiv valutarisches Geld, das andere Metall „akzessorisch" wird, nicht *nur* darauf verweisen, daß jene Preisverschiebungen eben „pentopolisch" bedingt seien. Ebenso nicht in sonstigen Fällen von Geldstoffänderungen. Sondern wir wollen auch fragen: Liegt in Fällen der Vermehrung eines Edelmetalls Beutegewinn (Cortez, Pizarro) oder Anreicherung durch Handel (China im Anfang unserer Ära und seit 16. Jahrhundert) oder Mehrproduktion vor? Wenn letzteres, hat sich die Produktion nur vermehrt oder auch (oder nur) verbilligt und warum? Welche Verschiebungen in der Art der nicht monetären Verwendung haben etwa mitgewirkt? Ist etwa ein für *dies* Wirtschaftsgebiet (z. B. das antik mittelländische) *definitiver* Export in ein ganz fremdes (China, Indien) eingetreten (wie in den ersten Jahrhunderten nach Chr.)? Oder liegen die Gründe nur (oder auch) auf seiten einer „pentopolisch" bedingten Verschiebung der *monetären* Nachfrage (*Art* des Kleinverkehrsbedarfs?). Mindestens diese und andere verschiedene *Möglichkeiten* müssen in der *Art*, wie sie zu wirken pflegen, erörtert werden.

Schließlich noch ein Blick auf die *verkehrs*wirtschaftliche Regulierung des „Bedarfs" an „Geld" und das, was dieser Begriff in ihr *bedeutet*. Das ist klar: Aktueller Zahlmittel-„Bedarf" von *Markt-Interessenten* bestimmt die Schaffung *„freien Verkehrsgelds"* („freie Prägung"). Und: aktueller Zahlmittel- und vor allem *Kreditbedarf* von *Markt-Interessenten* in Verbindung mit Beachtung der eigenen Solvenz und der zu diesem Zweck oktroyierten Normen sind es, welche die *Umlaufsmittel*-Politik der modernen Noten*banken* bestimmen. Immer also herrscht heute primär *Interessentenbetrieb*, – dem allgemeinen Typus unserer Wirtschaftsordnung entsprechend. Nur das kann also in *unserer* (*formal* legalen) Wirtschaftsordnung „Geldbedarf" überhaupt *heißen*. Gegen „materiale" Anforderungen verhält sich auch dieser Begriff – wie der der „Nachfrage" (des *„kaufkräftigen* Bedarfs") nach „Gütern" – also ganz indifferent. In der Verkehrswirtschaft gibt es *eine* zwingende Schranke der Geldschaffung nur für Edelmetallgeld. Die Existenz *dieser* Schranke aber bedingt eben, nach dem Gesagten, gerade die Bedeutung der Edelmetalle für das Geldwesen. Bei Beschränkung auf „hylisches" Geld aus einem (praktisch) *nicht* „beliebig" vermehrbaren Stoff, insbesondere aus Edelmetall, *und* daneben: auf gedeckte Umlaufsmittel ist jeder Geldschaffung eine – gewiß: elastische, evolutionäre Bankinflation nicht gänzlich ausschließende, aber: immerhin innerlich recht *feste* – Grenze gesetzt. Bei Geldschaffung aus einem im Vergleich dazu (praktisch) „beliebig" vermehrbarem Stoff, wie: Papier, gibt es eine solche mechanische Grenze *nicht*. Hier ist dann *wirklich* der „freie Entschluß" einer politischen Verbandsleitung, das *heißt* aber: es sind dann, wie angedeutet, deren Auffassungen von den *Finanz*-Interessen des *Herren*, unter Umständen sogar (Gebrauch der Notenpresse durch die roten Horden!) ganz persönliche Interessen ihres *Verwaltungsstabes* die von jenen mechanischen Hemmungen *gelösten* Regulatoren der Geldquantität. In der Ausschaltung richtiger: da der Staat ja von ihnen zur Aufgabe der Metall- und zum Übergang zur Papierwährung gedrängt werden *kann* – in einer gewissen *Hemmung* dieser Interessen also besteht heute noch die Bedeutung der Metallwährungen: der Chryso- und Argyrodromie, welche – trotz des höchst mechanischen Charakters dieses Sachverhalts – immerhin ein höheres Maß *formaler*, weil nur an reinen Tauschchancen orientierter, verkehrswirtschaftlicher Rationalität bedeuten. Denn die finanzmäßig bedingte lytrische Politik von Geldverwaltungen bei *reiner* Papierwährung ist zwar, wie oben zugegeben: – Österreich und Rußland *haben* es bewiesen – nicht notwendig *rein* an persönlichen Interessen des Herrn oder Verwaltungsstabs oder an rein aktuellen Finanzinteressen und also an der möglichst kostenlosen Schaffung von soviel *Zahl*mitteln wie möglich, einerlei was aus der „Gattung" als *Tausch*mittel wird, orientiert. Aber die Chance, daß diese Orientierung eintritt, ist unbestreitbar chronisch vorhanden, während sie bei Hylodromie („freiem Verkehrsgeld") in *diesem* Sinn *nicht* besteht. Diese Chance ist das – vom Standpunkt der *formalen* Ordnung der Verkehrswirtschaft aus gesehen – (also ebenfalls *formal*) „Irrationale" der nicht „hylodromischen" Währungen, so sehr zuzugeben ist, daß sie selbst durch jene „mechanische" Bindung, nur eine *relative* formale Rationalität besitzen. Dies Zugeständnis *könnte* – und sollte – G. F. Knapp machen.

Denn so unsäglich plump die *alten* „Quantitätstheorien" waren, so sicher ist die „Entwertungsgefahr" bei jeder „Inflation" mit rein *finanz*mäßig orientierten Notalgeldemissionen, wie ja doch niemand, auch Knapp nicht, leugnet. Sein „Trost" demgegenüber ist durchaus abzulehnen. Die „amphitropische" Stellung „aller" (!) einzelnen aber, die bedeutet: – jeder sei ja *sowohl* Gläubiger *wie* Schuldner, – die Knapp allen Ernstes zum Nachweis der absoluten Indifferenz jeder „Entwertung" vorführt, ist, wir alle erleben es jetzt: Phantom. Wo ist sie nicht nur beim Rentner, sondern auch beim Festbesoldeten, dessen Einnahmen *nominal* gleichbleiben (oder in ihrer Erhöhung auf vielleicht das Doppelte von der *finanziellen* Konstellation *und*: von der Laune der

Verwaltungen abhängen), dessen Ausgaben aber *nominal* sich vielleicht (wie jetzt) verzwanzigfachen? Wo bei *jedem* langfristigen Gläubiger? Derartige starke Umgestaltungen der (*materialen*) Geltung des Geldes bedeuten heute: *chronische* Tendenz zur sozialen Revolution, mögen auch viele Unternehmer intervalutarische Gewinne zu machen in der Lage sein und *manche* (wenige!) Arbeiter die Macht haben, sich nominale Mehrlöhne zu sichern. Diesen sozialrevolutionären Effekt und damit die ungeheure Störung der Verkehrswirtschaft mag man je nach dem Standpunkt nun für sehr „erfreulich" halten. Das ist „wissenschaftlich" unwiderlegbar. Denn es kann (mit Recht oder Unrecht) jemand davon die Evolution aus der „Verkehrswirtschaft" zum Sozialismus erwarten. Oder den Nachweis: daß nur die *regulierte* Wirtschaft mit Kleinbetrieben material rational sei, einerlei, wieviel „Opfer" auf der Strecke bleiben. Aber die demgegenüber neutrale Wissenschaft hat jenen Effekt zunächst jedenfalls so nüchtern als möglich zu *konstatieren*, – und das verhüllt die in ihrer Allgemeinheit ganz falsche „Amphitropie"-Behauptung Knapps. Neben Einzel-Irrtümern scheint mir in dem vorstehend Gesagten die wesentlichste *Unvollständigkeit* seiner Theorie zu liegen, – diejenige, welche ihr auch Gelehrte zu „prinzipiellen" Gegnern gemacht hat, welche dies durchaus nicht sein müßten.

§ 37. Abgesehen von der Geldverfassung liegt die Bedeutung der Tatsache, daß selbständige *politische Verbände* existieren, für die Wirtschaft, primär in folgenden Umständen:

1. darin, daß sie für den *Eigen*bedarf an Nutzleistungen die eignen Angehörigen unter annähernd gleichen Umständen als Lieferanten zu bevorzugen pflegen. Die Bedeutung dieses Umstandes ist: um so größer, je mehr die Wirtschaft dieser Verbände Monopolcharakter oder haushaltsmäßigen Bedarfsdeckungscharakter annimmt, steigt also derzeit dauernd; –

2. in der Möglichkeit, den Austauschverkehr über die Grenzen hinweg nach *materialen* Gesichtspunkten planmäßig zu begünstigen oder zu hemmen oder zu regulieren („Handelspolitik"); –

3. in der Möglichkeit und den Unterschieden der formalen und materialen Wirtschaftsregulierung durch diese Verbände nach Maß und Art; –

4. in den Rückwirkungen der sehr starken Verschiedenheiten der Herrschaftsstruktur, der damit zusammenhängenden verwaltungsmäßigen und ständischen Gliederung der für die Art der Gebarung maßgebenden Schichten und der daraus folgenden Haltung zum Erwerbe; –

5. in der Tatsache der *Konkurrenz* der *Leitungen* dieser Verbände um eigne Macht und um Versorgung der von ihr beherrschten Verbandsangehörigen rein als solcher mit Konsum- und Erwerbsmitteln, und den daraus für diesen folgenden Erwerbschancen.

6. aus der Art der eignen Bedarfsdeckung dieser Verbände: siehe den folgenden Paragraphen.

§ 38. Am unmittelbarsten ist die Beziehung zwischen Wirtschaft und (primär) *außer*wirtschaftlich orientierten Verbänden bei der Art der *Beschaffung der Nutzleistungen für das Verbandshandeln*: das Handeln des Verwaltungsstabs als solchem und das von ihm geleitete Handeln (Kap. I § 12), *selbst* („Finanzen" in weitesten, auch die Naturalbeschaffung einbeziehenden Wortsinn).

Die „Finanzierung", d. h. die Ausstattung mit *bewirtschafteten* Nutzleistungen, eines Verbandshandelns, kann – in einer Übersicht der einfachsten Typen – geordnet sein

I. unstet, und zwar:

a) auf Grundlage rein freiwilliger Leistungen, und dies

α. mäzenatisch: durch Großgeschenke und Stiftungen: für karitative, wissenschaftliche und andere nicht primär ökonomisch oder politische Zwecke typisch.

β. durch Bettel: für bestimmte Arten asketischer Gemeinschaften typisch.

Doch finden sich in Indien auch profane Bettlerkasten, anderwärts besonders in China Bettlerverbände.

Der Bettel kann dabei weitgehend (sprenkelhaft) und monopolistisch systematisiert werden und, infolge der Pflichtmäßigkeit oder Verdienstlichkeit für die Angebettelten, material aus dem unsteten in den Abgabencharakter übergehen.

γ. durch formal freiwillige Geschenke an politisch oder sozial als übergeordnet Geltende: Geschenke an Häuptlinge, Fürsten, Patrone, Leib- und Grundherren, die durch Konventionalität material dem Charakter von Abgaben nahestehen können, regelmäßig aber nicht zweckrational, sondern durch Gelegenheiten (bestimmte Ehrentage, Familienereignisse, politische Ereignisse) bestimmt sind.

Die Unstetheit kann ferner bestehen:

b) auf Grundlage erpreßter Leistungen.

Typus: die Camorra in Süditalien, die Mafia in Sizilien, und ähnliche Verbände in Indien: die rituell besonderten sog. „Diebs"- und „Räuberkasten", in China, Sekten und Geheimverbände mit ähnlicher ökonomischer Versorgung. Die Leistungen sind nur primär, weil formal „unrechtlich": unstet; praktisch nehmen sie oft den Charakter von „Abonnements" an, gegen deren Entrichtung bestimmte Gegenleistungen, namentlich: Sicherheitsgarantie, geboten werden (Äußerung eines Neapolitaner Fabrikanten vor ca. 20 Jahren zu mir, auf Bedenken wegen der Wirksamkeit der Camorra auf Betriebe: „Signore, la Camorra mi prende x lire nel mese, ma garantisce la sicurezza, – lo Stato me ne prende 10^x x, e garantisce – niente." (Die namentlich in Afrika typischen Geheimklubs [Rudimente des einstigen „Männerhauses"] fungieren ähnlich [Vehme-artig] und garantieren so die Sicherheit.)

Politische Verbände *können* (wie der ligurische Räuberstaat) primär (nie dauernd ausschließlich) auf reinem *Beute*gewinn ruhen.

Die Finanzierung kann geordnet sein

II. stetig, und zwar:

A. ohne wirtschaftlichen Eigenbetrieb:

a) durch Abgabe in *Sach*gütern:

α. rein geldwirtschaftlich: Erwerb der Mittel durch Geldabgaben und Versorgung durch Geldeinkauf der benötigten Nutzleistungen (reine Geldabgaben-Verbandswirtschaft). Alle Gehälter des Verwaltungsstabs sind Geldgehälter.

β. Rein naturalwirtschaftlich (s. § 37): Umlagen mit Natural*lieferungs*spezifikation (reine Naturalleistungsverbandwirtschaft). Möglichkeiten:

αα Die Ausstattung des Verwaltungsstabs erfolgt durch Natural*präbenden* und die Deckung des Bedarfs erfolgt in Natura. Oder

ββ) die in Naturalien erhobenen Abgaben werden ganz oder teilweise durch Verkauf zu *Geld* gemacht und die Bedarfsdeckung erfolgt insoweit geldwirtschaftlich.

Die Abgaben selbst, sowohl in Geld wie in Naturalien, können in allen Fällen in ihren ökonomisch elementarsten Typen sein

α. Steuern, d. h. Abgaben von

αα) allem Besitz oder, geldwirtschaftlich, Vermögen,

ββ) allen Einkünften oder, geldwirtschaftlich, Einkommen,

γγ) nur vom Beschaffungsmittel*besitz* oder von Erwerbs*betrieben* bestimmter Art (sogenannte „Ertragsabgaben"). – Oder sie können sein:

β. Gebühren, d. h. Leistungen aus Anlaß der Benutzung oder Inanspruchnahme von Verbandseinrichtungen, Verbandsbesitz oder Verbandsleistungen. – Oder:

γ. Auflagen auf

αα) Ge- und Verbrauchshandlungen spezifizierter Art,

ββ) Verkehrsakte spezifizierter Art. Vor allem:

    1. Gütertransportbewegungen (Zölle),

    2. Güterumsatzbewegungen (Akzisen und Umsatzabgaben).

Alle Abgaben können ferner:

1. in Eigenregie erhoben, oder

2. verpachtet oder

3. verliehen oder *verpfändet* werden.

Die Verpachtung (gegen *Geld*pauschale) *kann* fiskalisch rational, weil allein die Möglichkeit der *Budgetierung* bietend, wirken.

Verleihung und Verpfändung sind fiskalisch meist irrational bedingt, und zwar durch

    α. finanzielle Notlage, oder

    β. Usurpationen des Verwaltungsstabes: Folge des Fehlens eines verläßlichen Verwaltungsstabes.

Dauernde *Appropriation* von Abgabenchancen durch Staatsgläubiger, private Garanten der Militär- und Steuerleistung, unbezahlte Kondottiere und Soldaten, „endlich" Amtsanwärter soll „*Verpfründung*" heißen.

Sie kann die Form annehmen

1. der *individuellen* Appropriation, oder

2. der *kollektiven* Appropriation (mit freier Neubesetzung aus dem Kreise der kollektiv Appropriierten).

Die Finanzierung *ohne* wirtschaftlichen Eigenbetrieb (II A) kann ferner erfolgen

b) durch Auflage persönlicher Leistungen: unmittelbare persönliche Natural*dienste* mit Natural*leistungs*spezifikation. – Die stetige Finanzierung kann des weiteren, im Gegensatz zu den Fällen II A:

II. B. Durch wirtschaftlichen Eigen*betrieb*:

    α. haushaltsmäßig (Oikos, Domänen),

    β. erwerbswirtschaftlich

        αα) frei, also in Konkurrenz mit andren Erwerbswirtschaften und

        ββ) monopolistisch erfolgen.

Wiederum kann die Nutzung im Eigenbetrieb oder durch Verpachtung, Verleihung und Verpfändung erfolgen. – Sie kann endlich, anders als in den Fällen sowohl II A wie II B, erfolgen:

II. C. leiturgisch durch *privilegierende* Belastung:

    α. positiv privilegierend: durch Lastenfreiheit spezifizierter Menschengruppen von bestimmten Leistungen, oder (damit eventuell identisch):

β. negativ privilegierend: durch Vorbelastung spezifizierter Menschengruppen – insbesondre bestimmter

αα) Stände, oder

ββ) Vermögensklassen – mit bestimmten Leistungen, – oder:

γ. korrelativ: durch Verknüpfung spezifizierter Monopole mit der Vorbelastung durch spezifizierte Leistungen oder Lieferungen. Dies kann geschehen:

αα) ständisch: durch Zwangsgliederung der Verbandsgenossen in (oft) erblich geschlossenen leiturgischen Besitz- und Berufsverbänden mit Verleihung ständischer Privilegien,

ββ) kapitalistisch: durch Schaffung geschlossener Gilden oder Kartelle mit Monopolrechten und mit Vorbelastung durch Geldkontributionen.

Zu II:

Die (ganz rohe) Kasuistik gilt für Verbände *aller Art*. Hier wird nur an den politischen Verbänden exemplifiziert.

Zu A, a, α: Die moderne staatliche Steuerordnung auch nur in Umrissen zu analysieren, liegt an dieser Stelle natürlich ganz fern. Es wird vielmehr erst weiterhin der „soziologische Ort", d. h. jener Typus von Herrschaftsverhältnis, der bestimmten Abgabenarten (z. B. den Gebühren, Akzisen, Steuern) typisch zur Entstehung verhalf, zu erörtern sein.

Die Naturalabgabe, auch bei Gebühren, Zöllen, Akzisen, Umsatzabgaben ist noch im ganzen Mittelalter häufig gewesen, ihr geldwirtschaftlicher Ersatz relativ modern.

Zu a, β. Natural*lieferungen*: Typisch in Form von Tributen und Umlagen von *Erzeugnissen* auf abhängige Wirtschaften. Die Naturalversendung ist nur bei kleinen Verbänden oder sehr günstigen Verkehrsbedingungen möglich (Nil, Kaiserkanal). Sonst müssen die Abgaben in Geld verwandelt werden, um an den letzten Empfänger zu gelangen (so vielfach in der Antike), oder sie müssen je nach der Entfernung in Objekten verschiedenen spezifischen Preises umgelegt werden (so angeblich im alten China).

Zu A, b. Beispiele: Heeresdienst-, Gerichtsdienst-, Geschworenen-, Wege- und Brückenbau-, Deich-, Bergarbeits-Pflicht und alle Arten von Robott für Verbandspflichten bei Verbänden aller Art. Typus der Fronstaaten: Altägypten (neues Reich), zeitweise China, in geringerem Maß Indien und in noch geringerem das spätrömische Reich und zahlreiche Verbände des frühen Mittelalters. –

Typus der *Verpfründung*: 1. an die Amtsanwärterschaft kollektiv: China, – 2. an private Garanten der Militär- und Steuerleistungen: Indien, – 3. an unbezahlte Kondottiere und Soldaten: das späte Khalifat und die Mamelukenherrschaft, – 4. an Staatsgläubiger: der überall verbreitete Ämterkauf.

Zu B, α. Beispiele: Domänenbewirtschaftung für den Haushalt in eigner Regie, Benutzung der Robottpflicht der Untertanen zur Schaffung von Bedarfsdeckungsbetrieben (Ägypten) für Hofhalts- und politische Zwecke, modern etwa: Korps-Bekleidungsämter und staatliche Munitionsfabriken.

Zu B, β. Für den Fall αα nur Einzelbeispiele (Seehandlung usw.). Für den Fall ββ. zahlreiche Beispiele in allen Epochen der Geschichte, Höhepunkt im Okzident: 16. bis 18. Jahrhundert.

Zu C. Für α: Beispiele: Die Entlastung der Literaten von den Fronden in China, privilegierter Stände von den sordida munera in aller Welt, der Bildungsqualifizierten vom Militärdienst in zahlreichen Ländern.

Für β: einerseits Vorbelastung der Vermögen mit Leiturgien in der antiken Demokratie; andererseits: der von den Lasten in den Beispielen unter α nicht entlasteten Gruppen.

Für γ: Der Fall αα ist die wichtigste Form systematischer Deckung der öffentlichen Bedürfnisse auf anderer Grundlage als der des „Steuerstaates". China sowohl wie Indien und Ägypten, also die Länder ältester (Wasserbau-)Bürokratie haben die leiturgische Organisation als *Natural*/lasten-Leiturgie gekannt und von da ist sie (teilweise) im Hellenismus und im spätrömischen Reich verwertet worden, freilich dort in wesentlichen Teilen als geldwirtschaftliche *Steuer*-, nicht als Naturallasten-Leiturgie. Stets bedeutet sie *berufsständische* Gliederung. In dieser Form *kann* sie auch heute wiederkehren, wenn die steuerstaatliche öffentliche Bedarfsdeckung versagen und die kapitalistische private Bedarfsdeckung staatlich reguliert werden sollte. Bisher ist bei Finanzklemmen der modernen Art der öffentlichen Bedarfsdeckung der Fall ββ adäquat gewesen: Erwerbsmonopole gegen Lizenzen und Kontribution (einfachstes Beispiel: Zwangskontrollierung von Pulverfabriken mit Monopolschutz gegen Neugründungen und hoher laufender Kontribution an die Staatskasse in Spanien). Es liegt der Gedanke sehr nahe, die „Sozialisierung" der einzelnen Branchen von Erwerbsbetrieben, von der Kohle angefangen, in dieser Art: durch Verwendung von Zwangskartellen oder Zwangsvertrustungen als Steuerträgern, fiskalisch nutzbar zu machen, da so die (formal) rationale *preis*orientierte Güterbeschaffung bestehen bleibt.

§ 39. Die Art der Deckung des Verbandsbedarfs der *politischen* (und hierokratischen) Verbände wirkt sehr stark auf die Gestaltung der Privatwirtschaften zurück. Der reine *Geldabgabenstaat* mit Eigenregie bei der Abgabeneinhebung (und *nur* bei ihr) und mit Heranziehung naturaler *persönlicher* Dienste nur: zu politischen und Rechtspflegezwecken, gibt dem rationalen, marktorientierten Kapitalismus optimale Chancen. Der Geldabgabenstaat mit *Verpachtung* begünstigt den politisch orientierten Kapitalismus nicht, dagegen die marktorientierte Erwerbswirtschaft. Die Verleihung und *Verpfründung* von Abgaben hemmt normalerweise die Entstehung des Kapitalismus durch Schaffung von Interessen an der Erhaltung *bestehender* Sportel- und Abgabequellen und dadurch: Stereotypierung und Traditionalisierung der Wirtschaft.

Der reine Natural*lieferungs*verband befördert den Kapitalismus nicht und hindert ihn im Umfang der dadurch erfolgenden tatsächlichen – erwerbswirtschaftlich irrationalen – Bindungen der Beschaffungs*richtung* der Wirtschaften.

Der reine Natural*dienst*verband hindert den marktorientierten Kapitalismus durch Beschlagnahme der Arbeitskräfte und Hemmung der Entstehung eines freien Arbeits*marktes*, den politisch orientierten Kapitalismus durch Abschneidung der typischen Chancen seiner Entstehung.

Die monopolistisch erwerbswirtschaftliche Finanzierung, die Naturalabgabenleistung mit Verwandlung der Abgabegüter in Geld und die leiturgisch den Besitz vorbelastende Bedarfsdeckung haben gemeinsam, daß sie den *autonom* marktorientierten Kapitalismus nicht fördern, sondern durch fiskalische, also marktirrationale Maßregeln: Privilegierungen und Schaffung marktirrationaler Gelderwerbschancen, die Markterwerbschancen zurückschieben. Sie begünstigen dagegen – unter Umständen – den politisch orientierten Kapitalismus.

Der Erwerbsbetrieb mit stehendem Kapital und exakter Kapitalrechnung setzt formal vor allem *Berechenbarkeit* der Abgaben, material aber eine solche Gestaltung derselben voraus, daß keine stark negative Privilegierung der *Kapitalverwertung*, und das heißt vor allem: der Markt*umsätze* eintritt. Spekulativer Handelskapitalismus ist dagegen mit jeder nicht direkt, durch leiturgische Bindung, die händlerische Verwertung von Gütern als Waren hindernden Verfassung der öffentlichen Bedarfsdeckung vereinbar.

Eine *eindeutige* Entwicklungsrichtung aber begründet auch die Art der öffentlichen Lastenverfassung, so ungeheuer wichtig sie ist, für die Art der Orientierung das Wirtschaften *nicht*. Trotz (scheinbaren) Fehlens aller typischen Hemmungen von dieser Seite hat sich in großen Gebieten und Epochen der rationale (marktorientierte) Kapitalismus *nicht* entwickelt; trotz (scheinbar) oft sehr starker Hemmungen von seiten der öffentlichen Lastenverfassung hat er sich anderwärts durchgesetzt. Neben dem materialen Inhalt der Wirtschaft*spolitik*, die sehr stark auch an Zielen außerwirtschaftlicher Art orientiert sein kann und neben Entwicklungen geistiger (wissenschaftlicher und technologischer) Art haben auch Obstruktionen gesinnungsmäßiger (ethischer, religiöser) Natur für die lokale *Begrenzung* der autochthonen kapitalistischen Entwicklung moderner Art eine erhebliche Rolle gespielt. Auch darf nie vergessen werden: daß Betriebs- und Unternehmungsformen ebenso wie technische Erzeugnisse „erfunden" werden müssen, und daß dafür sich historisch nur „negative", die betreffende Gedankenrichtung erschwerende oder geradezu obstruierende, oder „positive", sie *begünstigende*, Umstände, nicht aber ein schlechthin, zwingendes Kausalverhältnis angeben läßt, sowenig wie für *streng* individuelle Geschehnisse irgendwelcher Natur überhaupt.

1. Zum Schlußsatz: Auch individuelle reine *Natur*geschehnisse lassen sich nur unter sehr besonderen Bedingungen exakt auf individuelle Kausalkomponenten zurückführen: *darin* besteht ein prinzipieller Unterschied gegen das Handeln *nicht*.

2. Zum ganzen Absatz:

Die grundlegend wichtigen Zusammenhänge zwischen der Art der Ordnung und Verwaltung der politischen Verbände und der Wirtschaft können hier nur provisorisch angedeutet werden.

1. Der historisch wichtigste Fall der Obstruktion marktorientierter kapitalistischer Entwicklung durch Abgaben-*Verpfründung* ist China, durch Abgaben-*Verleihung* (damit vielfach identisch): Vorderasien seit dem Khalifenreich (darüber an seinem Ort). Abgaben-*Verpachtung* findet sich in Indien, Vorderasien, dem Okzident in Antike und Mittelalter, ist aber für die okzidentale Antike besonders weitgehend für die Art der Orientierung des kapitalistischen Erwerbs (römischer Ritterstand) maßgebend gewesen, während sie in Indien und Vorderasien mehr die Entstehung von Vermögen (Grundherrschaften) beherrscht hat.

2. Der historisch wichtigste Fall der Obstruktion der kapitalistischen Entwicklung *überhaupt* durch *leiturgische* Bedarfsdeckung ist die Spätantike, vielleicht auch Indien in nachbuddhistischer Zeit und, zeitweise, China. Auch davon an seinem Ort.

3. Der historisch wichtigste Fall der *monopolistischen* Ablenkung des Kapitalismus ist, nach hellenistischen (ptolemäischen) Vorläu-

fern, die Epoche des fürstlichen Monopol- und Monopolkonzessionserwerbs im Beginn der Neuzeit (Vorspiel: gewisse Maßregeln Friedrichs II. in Sizilien, vielleicht nach byzantinischem Muster, prinzipieller Schlußkampf: unter den Stuarts), wovon an seinem Ort zu reden sein wird.

Die ganze Erörterung ist hier, in dieser abstrakten Form, *nur* zur einigermaßen korrekten Problemstellung vorgenommen. Ehe auf die Entwicklungsstufen und Entwicklungsbedingungen der Wirtschaft zurückgekommen wird, muß erst die rein soziologische Erörterung der *außer*wirtschaftlichen Komponenten vorgenommen werden.

§ 40. Für jede *Verbands*bildung hat ferner die Wirtschaft dann eine ganz allgemeine soziologische Konsequenz, wenn die Leitung und der Verwaltungsstab, wie in aller Regel, *entgolten* werden. Dann ist ein überwältigend starkes *ökonomisches* Interesse mit dem Fortbestand des Verbandes verknüpft, einerlei ob seine vielleicht primär ideologischen Grundlagen inzwischen gegenstandslos geworden sind.

Es ist eine Alltagserscheinung, daß, nach der eigenen Ansicht der Beteiligten „sinnlos" gewordene, Verbände aller Art nur deshalb weiterbestehen, weil ein „Verbandssekretär" oder anderer Beamter „sein Leben (materiell) daraus macht" und sonst subsistenzlos würde.

Jede appropriierte, aber unter Umständen auch eine formal nicht appropriierte Chance *kann* die Wirkung haben, bestehende Formen sozialen Handelns zu stereotypieren. Innerhalb des Umkreises der (friedlichen und auf Alltagsgüterversorgung gerichteten) wirtschaftlichen Erwerbschancen sind im allgemeinen nur die Gewinnchancen von *Erwerbsunternehmern* autochthone, rational *revolutionierende* Mächte. Selbst diese aber nicht immer.

Z. B. haben die Courtage-Interessen der Bankiers lange Zeit die Zulassung des *Indossements* obstruiert, und ähnliche Obstruktionen formal rationaler Institutionen *auch* durch kapitalistische *Gewinn*interessen werden uns oft begegnen, wenn sie auch sehr wesentlich seltener sind als namentlich die präbendalen, ständischen und die ökonomisch irrationalen Obstruktionen.

§ 41. Alles Wirtschaften wird in der Verkehrswirtschaft von den *einzelnen* Wirtschaftenden zur Deckung *eigner*, ideeller oder materieller, Interessen unternommen und durchgeführt. Auch dann natürlich, wenn es sich an den Ordnungen von wirtschaftenden, Wirtschaftsoder wirtschaftsregulierenden *Verbänden* orientiert, – was merkwürdigerweise oft verkannt wird.

In einer sozialistisch organisierten Wirtschaft wäre dies nicht prinzipiell anders. Das *Disponieren* freilich würde in den Händen der Verbandsleitung liegen, die Einzelnen innerhalb der Güter*beschaffung* auf lediglich „technische" Leistungen: „Arbeit" in diesem Sinn des Worts (oben § 15) beschränkt sein. Dann und solange nämlich, als sie „*diktatorisch*", also autokratisch verwaltet würden, ohne gefragt zu werden. Jedes Recht der Mitbestimmung würde *sofort* auch formell die Austragung von Interessenkonflikten ermöglichen, die sich auf die Art des Disponierens, vor allem aber: auf das Maß des „Sparens" (Rücklagen) erstrecken würden. Aber das ist nicht das Entscheidende. Entscheidend ist: daß der einzelne auch dann primär fragen würde: ob *ihm* die Art der zugewiesenen Rationen und der zugewiesenen Arbeit, verglichen mit anderem, seinen Interessen entsprechend erscheine. Darnach würde er sein Verhalten einrichten, und gewaltsame Machtkämpfe um Änderung oder Erhaltung der einmal zugewiesenen Rationen (z. B. Schwerarbeiterzulagen), Appropriation, oder Expropriation beliebter, durch die Entgeltrationierung oder durch angenehme Arbeitsbedingungen beliebter Arbeitsstellen, Sperrung der Arbeit (Streik oder Exmission aus den Arbeitsstellen), Einschränkung der Güterbeschaffung zur Erzwingung von Änderungen der Arbeitsbedingungen bestimmter Branchen, Boykott und gewaltsame Vertreibung unbeliebter Arbeitsleiter, – kurz: *Appropriations*vorgänge aller Art und Interessenkämpfe wären auch dann das Normale. Daß sie meist verbandsweise ausgefochten werden, daß dabei die mit besonders „lebenswichtigen" Arbeiten Befaßten und die rein körperlich Kräftigsten bevorzugt wären, entspräche dem bestehenden Zustand. Immer aber stände dies Interesse des *einzelnen* – eventuell: die gleichartigen aber gegen andere antagonistischen Interessen *vieler* einzelner hinter allem Handeln. Die Interessenkonstellationen wären abgeändert, die Mittel der Interessenwahrnehmung andre, aber jenes Moment würde ganz ebenso zutreffen. So sicher es ist, daß rein ideologisch an *fremden* Interessen orientiertes wirtschaftliches Handeln vorkommt, so sicher ist auch: daß die Masse der Menschen nicht so handelt und nach aller Erfahrung nicht so handeln kann und also: wird.

In einer vollsozialistischen („Plan"-)Wirtschaft wäre Raum nur für:

a) eine Verteilung von Naturalgütern nach einem rationierten Bedarfs*plan*, –

b) eine Herstellung dieser Naturalgüter nach einem Produktions*plan*. Die geldwirtschaftliche Kategorie des „Einkommens" müßte notwendig fehlen. Rationierte *Einkünfte* wären möglich.

In einer Verkehrswirtschaft ist das Streben nach *Einkommen* die unvermeidliche letzte Triebfeder alles wirtschaftlichen Handelns. Denn jede Disposition setzt, soweit sie Güter oder Nutzleistungen, die dem Wirtschaftenden nicht vollverwendungsbereit zur Verfügung stehen, in Anspruch nimmt, Erwerbung und Disposition über künftiges Einkommen, und fast jede bestehende Verfügungsgewalt setzt früheres Einkommen voraus. Alle erwerbswirtschaftlichen Betriebs-Gewinne verwandeln sich auf *irgend*einer Stufe in *irgend*einer Form in Einkommen von Wirtschaftenden. In einer regulierten Wirtschaft ist die Sorge der Regulierungsordnung, normalerweise, die Art der Verteilung des Einkommens. (In Naturalwirtschaften ist hier nach der festgestellten Terminologie kein „Einkommen", sondern sind *Einkünfte* in Naturalgütern und -leistungen da, welche nicht in ein Einheitstauschmittel abschätzbar sind).

Einkommen und Einkünfte können – soziologisch angesehen – folgende *Haupt*formen annehmen und aus folgenden typischen *Haupt*quellen fließen:

A. Leistungs-Einkommen und -Einkünfte (geknüpft an spezifizierte oder spezialisierte Leistungen).

  I. Löhne

    1. frei bedungene feste Lohn-Einkommen und -Einkünfte (nach Arbeits*perioden* berechnet);

    2. skalierte feste Einkommen und Einkünfte (Gehälter, Deputate vom Beamten);

    3. bedungene Akkordarbeitserträge angestellter Arbeiter;

    4. ganz freie Arbeitserträge.

  II. Gewinne:

    1. freie Tauschgewinne durch unternehmungsweise Beschaffung von Sachgütern oder Arbeitsleistungen;

    2. regulierte Tauschgewinne ebenso.

    In diesen Fällen (1 und 2): Abzug der „Kosten": „Reinerträge".

    3. Beutegewinne;

    4. Herrschafts-, Amtssportel-, Bestechungs-, Steuerpacht- und ähnliche Gewinne aus der Appropriation von Gewaltrechten.

    Kostenabzug in den Fällen 3 und 4 bei *dauerndem* betriebsmäßigen Erwerb dieser Art, sonst nicht immer.

B. Besitzeinkommen und -Einkünfte (geknüpft an die Verwertung von Verfügungsgewalt über wichtige Beschaffungsmittel).

I. Normalerweise „Reinrenten" nach Kostenabzug:
1. Menschenbesitzrenten (von Sklaven oder Hörigen oder Freigelassenen), in Natura oder Geld, fest oder in Erwerbsanteilen (Abzug der Unterhaltskosten);
2. appropriierte Herrschaftsrenten (Abzug der Verwaltungskosten), ebenso:
3. Grundbesitzrenten (Teilpacht, feste Zeitpacht, in Natura oder Geld, grundherrliche Renteneinkünfte – Abzug der Grundsteuerkosten und Erhaltungskosten), ebenso
4. Hausrenten (Abzug der Unterhaltungskosten), ebenso
5. Renten aus appropriierten Monopolen (Bannrechten, Patenten – Abzug der Gebühren), ebenso
II. normalerweise ohne Kostenabzug:
6. Anlagerenten (aus Hingabe der Nutzung von „Anlagen" (oben § 11) gegen sogenannten „Zins" an Haushaltungen oder Erwerbswirtschaften).
7. Viehrenten, ebenso
8. Naturaldarlehens-„Zinsen" und bedungene Deputatrenten, in Natura,
9. Gelddarlehens-„Zinsen",
10. Hypothekenrenten, in Geld,
11. Wertpapierrenten, in *Geld* und zwar
   a) feste (sog. „Zinsen"),
   b) nach einem Rentabilitätsertrag schwankende (Typus: sog. Dividenden).
12. Andre Gewinn*anteile* (s. A. II, 1):
   1. Gelegenheitsgewinnanteile und rationale Spekulationsgewinnanteile,
   2. rationale Dauer-Rentabilitätsgewinnanteile an Unternehmen aller Art.

Alle „Gewinne" und die „Renten" aus Wertpapieren sind nicht bedungene bzw. nur in den Voraussetzungen (Tauschpreisen, Akkordsätzen) bedungene Einkommen. Feste Zinsen und Löhne, Grundbesitzpachten, Mieten sind bedungene Einkommen, die Herrschafts-, Menschenbesitz-, Grundherrschafts- und Beutegewinne gewaltsam appropriierte Einkommen oder Einkünfte. Besitzeinkommen *kann* berufloses Einkommen sein, falls der Beziehende den Besitz durch andere verwerten läßt. Löhne, Gehälter, Arbeitsgewinne, Unternehmergewinne sind Berufseinkommen; die anderen Arten von Renten und Gewinnen können sowohl das eine wie das andere sein (eine Kasuistik ist hier noch nicht beabsichtigt).

Eminent *dynamischen* – wirtschaftsrevolutionierenden – Charakters sind von allen diesen Einkommensarten die aus Unternehmer*gewinn* (A II, 1) und bedungenen oder freien Arbeits*erträgen* (A I, 3 und 4) abgeleiteten, demnächst die freien Tausch- und, in anderer Art, unter Umständen: die Beutegewinne (A II, 3).

Eminent *statisch* – wirtschaftskonservativ – sind skalierte Einkommen (Gehälter), Zeitlöhne, Amtsgewaltgewinne, (normalerweise) alle Arten von Renten.

Ökonomische Quelle von *Einkommen* (in der Tauschwirtschaft) ist in der Masse der Fälle die Tauschkonstellation auf dem Markt für Sachgüter und Arbeit, also letztlich: Konsumentenschätzungen, in Verbindung mit mehr oder minder starker natürlicher oder gesatzter monopolistischer Lage des Erwerbenden.

Ökonomische Quelle von *Einkünften* (in der Naturalwirtschaft) ist regelmäßig monopolistische Appropriation von Chancen: Besitz oder Leistungen gegen Entgelt zu verwerten.

Hinter allen diesen Einkommen steht nur die *Eventualität* der Gewaltsamkeit des Schutzes der appropriierten Chancen (s. oben dies Kap. § 1 Nr. 2). Die Beute- und die ihnen verwandten Erwerbsarten sind Ertrag *aktueller* Gewaltsamkeit. Alle Kasuistik mußte bei dieser ganz rohen Skizze vorerst noch ausgeschaltet werden.

Ich halte von *H. Liefmanns* Arbeiten bei vielen Abweichungen der Einzelansichten die Partien über „Einkommen" für eine der wertvollsten. Hier soll auf das *ökonomische* Problem gar nicht näher eingegangen werden. Die Zusammenhänge der ökonomischen Dynamik mit der Gesellschaftsordnung werden s. Z. stets erneut erörtert werden.

Kapitel III. Die Typen der Herrschaft.

1. Die Legitimitätsgeltung.

§ 1. „Herrschaft" soll, definitionsgemäß (Kap. I, § 16) die Chance heißen, für spezifische (oder: für alle) Befehle bei einer angebbaren Gruppe von Menschen Gehorsam zu finden. Nicht also jede Art von Chance, „Macht" und „Einfluß" auf andere Menschen auszuüben. Herrschaft („Autorität") in diesem Sinn kann im Einzelfall auf den verschiedensten Motiven der Fügsamkeit: von dumpfer Gewöhnung angefangen bis zu rein zweckrationalen Erwägungen, beruhen. Ein bestimmtes Minimum an Gehorchen*wollen*, also: *Interesse* (äußerem oder innerem) am Gehorchen, gehört zu jedem echten Herrschaftsverhältnis.

Nicht jede Herrschaft bedient sich wirtschaftlicher Mittel. Noch *weit* weniger hat jede Herrschaft wirtschaftliche Zwecke. Aber jede Herrschaft über eine Vielzahl von Menschen bedarf normalerweise (nicht: absolut immer) eines *Stabes* von Menschen (Verwaltungsstab, s. Kap. I, § 12), d. h. der (normalerweise) verläßlichen Chance eines *eigens* auf Durchführung ihrer generellen Anordnungen und konkreten Befehle eingestellten *Handelns* angebbarer zuverlässig gehorchender Menschen. Dieser Verwaltungsstab kann an den Gehorsam gegenüber dem (oder: den) Herren rein durch Sitte oder rein affektuell oder durch materielle Interessenlage oder ideelle Motive (wertrational) gebunden sein. Die Art dieser Motive bestimmt weitgehend den Typus der Herrschaft. *Rein* materielle und zweckrationale Motive der Verbundenheit zwischen Herrn und Verwaltungsstab bedeuten hier wie sonst einen relativ labilen Bestand dieser. Regelmäßig kommen andere – affektuelle oder wertrationale – hinzu. In außeralltäglichen Fällen können diese allein ausschlaggebend sein. Im Alltag beherrscht *Sitte* und daneben: *materielles*, zweckrationales, Interesse diese wie andere Beziehungen. Aber Sitte oder Interessenlage so wenig wie rein affektuelle oder rein wertrationale Motive der Verbundenheit könnten verläßliche Grundlagen einer Herrschaft darstellen. Zu ihnen tritt normalerweise ein weiteres Moment: der *Legitimitäts*glaube.

Keine Herrschaft begnügt sich, nach aller Erfahrung, freiwillig mit den nur materiellen oder nur affektuellen oder nur wertrationalen Motiven als Chancen ihres Fortbestandes. Jede sucht vielmehr den Glauben an ihre „Legitimität" zu erwecken und zu pflegen. Je nach der *Art* der beanspruchten Legitimität aber ist auch der Typus des Gehorchens, des zu dessen Garantie bestimmten Verwaltungsstabes und der Charakter der Ausübung der Herrschaft grundverschieden. Damit aber auch ihre Wirkung. Mithin ist es zweckmäßig, die Arten der Herrschaft je nach dem ihnen typischen *Legitimitätsanspruch* zu unterscheiden. Dabei wird zweckmäßigerweise von modernen und also bekannten Verhältnissen ausgegangen.

1. Daß dieser und nicht irgendein anderer Ausgangspunkt der Unterscheidung gewählt wird, kann nur der Erfolg rechtfertigen. Daß *gewisse* andre typische Unterscheidungsmerkmale dabei vorläufig zurücktreten und erst später eingefügt werden können, dürfte kein entscheidender Mißstand sein. Die „Legitimität" einer Herrschaft hat – schon weil sie zur Legitimität des *Besitzes* sehr bestimmte Beziehungen besitzt, eine durchaus nicht nur „ideelle" Tragweite.

2. Nicht jeder konventional oder rechtlich gesicherte „Anspruch" soll ein Herrschaftsverhältnis heißen. Sonst wäre der Arbeiter im Umfang seines Lohnanspruchs „Herr" des Arbeitgebers, weil ihm auf Verlangen der Gerichtsvollzieher zur Verfügung gestellt werden muß. In Wahrheit ist er formal ein zum Empfang von Leistungen „berechtigter" Tauschpartner desselben. Dagegen soll es den Begriff eines Herrschaftsverhältnisses natürlich nicht ausschließen, daß es durch formal freien Kontrakt *entstanden* ist: so die in den Arbeitsordnungen und -anweisungen sich kundgebende Herrschaft des Arbeitgebers über den Arbeiter, des Lehensherrn über den frei in die Lehensbeziehung tretenden Vasallen. Daß der Gehorsam kraft militärischer Disziplin formal „unfreiwillig", der kraft Werkstattdisziplin formal „freiwillig" ist, ändert an der Tatsache, daß auch Werkstattdisziplin Unterwerfung unter eine *Herrschaft* ist, nichts. Auch die Beamtenstellung wird durch Kontrakt übernommen und ist kündbar, und selbst die „Untertanen"-Beziehung kann freiwillig übernommen und (in gewissen Schranken) gelöst werden. Die absolute Unfreiwilligkeit besteht erst beim Sklaven. Allerdings aber soll andrerseits eine durch monopolistische Lage bedingte ökonomische „Macht", d. h. in diesem Fall: Möglichkeit, den Tauschpartnern die Tauschbedingungen zu „diktieren", allein und für sich ebensowenig schon „Herrschaft" heißen, wie irgendein anderer: etwa durch erotische oder sportliche oder diskussionsmäßige oder andre Überlegenheit bedingter „Einfluß". Wenn eine große Bank in der Lage ist, andren Banken ein „Konditionenkartell" aufzuzwingen, so soll dies so lange nicht „Herrschaft" heißen, als nicht ein unmittelbares Obödienzverhältnis derart hergestellt ist: daß *Anweisungen* der Leitung jener Bank mit dem Anspruch und der Chance, rein als solche Nachachtung zu finden, erfolgen und in ihrer Durchführung kontrolliert werden. Natürlich ist auch hier, wie überall, der Übergang flüssig: von Schuldverpflichtung zur Schuldverknechtung finden sich alle Zwischenstufen. Und die Stellung eines „Salons" kann bis hart an die Grenze einer autoritären Machtstellung gehen, ohne doch notwendig „Herrschaft" zu sein. *Scharfe* Scheidung ist in der Realität oft nicht möglich, klare *Begriffe* sind aber dann deshalb nur umso nötiger.

3. Die „Legitimität" einer Herrschaft darf natürlich auch nur als *Chance*, dafür in einem relevanten Maße gehalten und praktisch behandelt zu werden, angesehen werden. Es ist bei weitem nicht an dem: daß jede Fügsamkeit gegenüber einer Herrschaft primär (oder auch nur: überhaupt immer) sich an diesem Glauben orientierte. Fügsamkeit kann vom einzelnen oder von ganzen Gruppen rein aus

Opportunitätsgründen geheuchelt, aus materiellem Eigeninteresse praktisch geübt, aus individueller Schwäche und Hilflosigkeit als unvermeidlich hingenommen werden. Das ist aber nicht maßgebend für die Klassifizierung einer Herrschaft. Sondern: daß ihr eigner Legitimitäts*anspruch* der *Art* nach in einem relevanten Maß „gilt", ihren Bestand festigt und die Art der gewählten Herrschaftsmittel mit bestimmt. Eine Herrschaft kann ferner – und das ist ein praktisch häufiger Fall – so absolut durch augenfällige Interessengemeinschaft des Herrn und seines Verwaltungsstabs (Leibwache, Prätorianer, „rote" oder „weiße" Garden) gegenüber den Beherrschten und durch deren Wehrlosigkeit gesichert sein, daß sie selbst den Anspruch auf „Legitimität" zu verschmähen vermag. Dann ist *noch immer* die Art der Legitimitätsbeziehung zwischen Herrn und *Verwaltungsstab* nach der Art der zwischen ihnen bestehenden Autoritätsgrundlage sehr verschieden geartet und in hohem Grade maßgebend für die Struktur der Herrschaft, wie sich zeigen wird.

4. „Gehorsam" soll bedeuten: daß das Handeln des Gehorchenden im wesentlichen so abläuft, als ob er den Inhalt des Befehls um dessen selbst willen zur Maxime seines Verhaltens gemacht habe, und zwar *lediglich* um des formalen Gehorsamsverhältnisses halber, ohne Rücksicht auf die eigene Ansicht über den Wert oder Unwert des Befehls als solchen.

5. Rein psychologisch kann die Kausalkette verschieden aussehen, insbesondre: „Eingebung" oder „Einfühlung" sein. Diese Unterscheidung ist aber hier für die Typenbildung der Herrschaft nicht brauchbar.

6. Der Bereich der herrschaftsmäßigen Beeinflussung der sozialen Beziehungen und Kulturerscheinungen ist wesentlich breiter, als es auf den ersten Blick scheint. Beispielsweise ist es diejenige *Herrschaft*, welche in der Schule geübt wird, welche die als orthodox geltende Sprach- und Schreibform prägt. Die als Kanzleisprachen der politisch autokephalen Verbände, also ihrer Herrscher, fungierenden Dialekte sind zu diesen orthodoxen Sprach- und Schreibformen geworden und haben die „nationalen" Trennungen (z. B. Hollands von Deutschland) herbeigeführt. Elternherrschaft und Schulherrschaft reichen aber weit über die Beeinflussung jener (übrigens nur scheinbar:) formalen Kulturgüter hinaus in der Prägung der Jugend und damit der Menschen.

7. Daß Leiter und Verwaltungsstab eines Verbandes der Form nach als „Diener" der Beherrschten auftreten, beweist gegen den Charakter als „Herrschaft" natürlich noch gar nichts. Es wird von den *materialen* Tatbeständen der sogenannten „Demokratie" später ge-

sondert zu reden sein. Irgendein Minimum von maßgeblicher Befehlsgewalt, insoweit also: von „Herrschaft", muß ihnen aber fast in jedem denkbaren Falle eingeräumt werden.

§ 2. Es gibt drei *reine* Typen legitimer Herrschaft. Ihre Legitimitätsgeltung kann nämlich primär sein:

1. *rationalen* Charakters: auf dem Glauben an die Legalität gesatzter Ordnungen und des Anweisungsrechts der durch sie zur Ausübung der Herrschaft Berufenen ruhen (legale Herrschaft) – oder

2. *traditionalen* Charakters: – auf dem Alltagsglauben an die Heiligkeit von jeher geltender Traditionen und die Legitimität der durch sie zur Autorität Berufenen ruhen (traditionale Herrschaft), – oder endlich

3. *charismatischen* Charakters: auf der außeralltäglichen Hingabe an die Heiligkeit oder die Heldenkraft oder die Vorbildlichkeit einer Person und der durch sie offenbarten oder geschaffenen Ordnungen (charismatische Herrschaft).

Im Fall der satzungsmäßigen Herrschaft wird der legal gesatzten sachlichen *unpersönlichen Ordnung* und dem durch sie bestimmten *Vorgesetzten* kraft formaler Legalität seiner Anordnungen und in deren Umkreis gehorcht. Im Fall der traditionalen Herrschaft wird der *Person* des durch Tradition berufenen und an die Tradition (in deren Bereich) gebundenen *Herrn* kraft Pietät im Umkreis des Gewohnten gehorcht. Im Fall der charismatischen Herrschaft wird dem charismatisch qualifizierten *Führer* als solchem kraft persönlichen Vertrauens in Offenbarung, Heldentum oder Vorbildlichkeit im Umkreis der Geltung des Glaubens an dieses sein Charisma gehorcht.

1. Die Zweckmäßigkeit dieser Einteilung kann nur der dadurch erzielte Ertrag an Systematik erweisen. Der Begriff des „Charisma" („Gnadengabe") ist altchristlicher Terminologie entnommen. Für die christliche Hierokratie hat zuerst Rudolf *Sohms* Kirchenrecht der Sache, wenn auch nicht der Terminologie nach den Begriff, andre (z. B. *Holl* in „Enthusiasmus und Bußgewalt") gewisse wichtige Konsequenzen davon verdeutlicht. Er ist also nichts Neues.

2. Daß keiner der drei, im folgenden zunächst zu erörternden, Idealtypen historisch wirklich „rein" vorzukommen pflegt, darf natürlich hier sowenig wie sonst die begriffliche Fixierung in möglichst reiner Ausprägung hindern. Weiterhin (§ 11 ff.) wird die Abwandlung des reinen Charisma durch Veralltäglichung erörtert und dadurch der Anschluß an die empirischen Herrschaftsformen wesentlich gestei-

gert werden. Aber auch dann gilt für jede empirische historische Erscheinung der Herrschaft: daß sie „kein ausgeklügelt Buch" zu sein pflegt. Und die soziologische Typologie bietet der empirisch historischen Arbeit lediglich den immerhin oft nicht zu unterschätzenden Vorteil: daß sie im Einzelfall an einer Herrschaftsform angeben kann: *was* „charismatisch", „erbcharismatisch" (§§ 10, 11), „amtscharismatisch", „patriarchal" (§ 7), „bürokratisch" (§ 4), „ständisch" usw. ist oder sich diesem Typus *nähert*, und daß sie dabei mit leidlich eindeutigen Begriffen arbeitet. Zu glauben: die historische Gesamtrealität lasse sich in das nachstehend entwickelte Begriffsschema „einfangen", liegt hier so fern wie möglich.

2. Die legale Herrschaft mit bürokratischem Verwaltungsstab.

Vorbemerkung: Es wird hier absichtlich von der spezifisch *modernen* Form der Verwaltung ausgegangen, um nachher die andern mit ihr kontrastieren zu können.

§ 3. Die legale Herrschaft beruht auf der Geltung der folgenden untereinander zusammenhängenden Vorstellungen,

1. daß beliebiges Recht durch Paktierung oder Oktroyierung rational, zweckrational oder wertrational orientiert (oder: beides) *gesatzt* werden könne mit dem Anspruch auf Nachachtung mindestens durch die Genossen des Verbandes, regelmäßig aber auch: durch Personen, die innerhalb des Machtbereichs des Verbandes (bei Gebietsverbänden: des Gebiets) in bestimmte von der Verbandsordnung für relevant erklärte soziale Beziehungen geraten oder sozial handeln; –

2. daß jedes Recht seinem Wesen nach ein Kosmos abstrakter, normalerweise: absichtsvoll gesatzter *Regeln* sei, die Rechtspflege die Anwendung dieser Regeln auf den Einzelfall, die Verwaltung die rationale Pflege von, durch Verbandsordnungen vorgesehenen, Interessen, innerhalb der Schranken von Rechtsregeln, und: nach allgemein angebbaren Prinzipien, welche Billigung oder mindestens keine Mißbilligung in den Verbandsordnungen finden; –

3. daß also der typische legale Herr: der „Vorgesetzte", indem er anordnet und mithin befiehlt, seinerseits der unpersönlichen Ordnung gehorcht, an welcher er seine Anordnungen orientiert, –

Dies gilt auch für denjenigen legalen Herrn, der *nicht* „Beamter" ist, z. B. einen gewählten Staatspräsidenten.

4. daß – wie man dies meist ausdrückt – der Gehorchende nur als *Genosse* und nur „dem Recht" gehorcht.

Als Vereinsgenosse, Gemeindegenosse, Kirchenmitglied, im Staat: *Bürger*.

5. gilt in Gemäßheit von Nr. 3 die Vorstellung, daß die Verbandsgenossen, indem sie dem Herren gehorchen, nicht seiner Person, sondern jenen unpersönlichen Ordnungen gehorchen und daher zum Gehorsam nur innerhalb der ihm durch diese zugewiesenen rational abgegrenzten sachlichen *Zuständigkeit* verpflichtet sind.

Die Grundkategorien der rationalen Herrschaft sind also

1. ein kontinuierlicher regelgebundener Betrieb von Amtsgeschäften, innerhalb:

2. einer *Kompetenz* (Zuständigkeit), welche bedeutet:

   a) einen kraft Leistungsverteilung sachlich abgegrenzten Bereich von Leistungspflichten, –

   b) mit Zuordnung der *etwa* dafür erforderlichen Befehlsgewalten und

   c) mit fester Abgrenzung der eventuell zulässigen Zwangsmittel und der Voraussetzungen ihrer Anwendung.

Ein derart geordneter Betrieb soll „*Behörde*" heißen.

„Behörden" in diesem Sinn gibt es in großen Privatbetrieben, Parteien, Armeen natürlich genau wie in „Staat" und „Kirche". Eine „Behörde" im Sinne *dieser* Terminologie ist auch der gewählte Staatspräsident (oder das Kollegium der Minister oder gewählten „Volksbeauftragten"). Diese Kategorien interessieren aber jetzt noch nicht. Nicht *jede* Behörde hat in gleichem *Sinne* „Befehlsgewalten"; aber diese Scheidung interessiert hier nicht.

Dazu tritt

3. das Prinzip der *Amtshierarchie*, d. h. die Ordnung fester Kontroll- und Aufsichtsbehörden für jede Behörde mit dem Recht der Berufung oder Beschwerde von den nachgeordneten an die vorgesetzten. Verschieden ist dabei die Frage geregelt, ob und wann die Beschwerdedistanz die abzuändernde Anordnung selbst durch eine „richtige" ersetzt oder dies dem ihr untergeordneten Amt, über welches Beschwerde geführt wird, aufträgt.

4. Die „Regeln", nach denen verfahren wird, können

   a) technische Regeln, –

   b) Normen sein.

Für deren Anwendung ist in beiden Fällen, zur vollen Rationalität, *Fachschulung* nötig. Normalerweise ist also zur Teilnahme am

Verwaltungsstab eines Verbandes nur der nachweislich erfolgreich Fachgeschulte qualifiziert und darf nur ein solcher als *Beamter* angestellt werden. „Beamte" bilden den typischen Verwaltungsstab rationaler Verbände, seien dies politische, hierokratische, wirtschaftliche (insbesondre: kapitalistische) oder sonstige.

5. Es gilt (im Rationalitätsfall) das Prinzip der vollen Trennung des Verwaltungsstabs von den Verwaltungs- und Beschaffungsmitteln. Die Beamten, Angestellten, Arbeiter des Verwaltungsstabs sind nicht im Eigenbesitz der sachlichen Verwaltungs- und Beschaffungsmittel, sondern erhalten diese in Natural- oder Geldform geliefert und sind rechnungspflichtig. Es besteht das Prinzip der vollen Trennung des Amts- (Betriebs-) Vermögens (bzw. Kapitals) vom Privatvermögen (Haushalt) und der Amtsbetriebsstätte (Büro) von der Wohnstätte.

6. Es fehlt im vollen Rationalitätsfall jede Appropriation der Amtsstelle an den Inhaber. Wo ein „Recht" am „Amt" konstituiert ist (wie z. B. bei Richtern und neuerdings zunehmenden Teilen der Beamten- und selbst der Arbeiterschaft), dient sie normalerweise nicht dem Zweck einer Appropriation an den Beamten, sondern der Sicherung der rein sachlichen („unabhängigen"), nur normgebundenen, Arbeit in seinem Amt.

7. Es gilt das Prinzip der *Aktenmäßigkeit* der Verwaltung, auch da, wo mündliche Erörterung tatsächlich Regel oder geradezu Vorschrift ist: mindestens die Vorerörterungen und Anträge und die abschließenden Entscheidungen, Verfügungen und Anordnungen aller Art sind *schriftlich* fixiert. Akten *und* kontinuierlicher Betrieb durch *Beamte* zusammen ergeben: das *Büro*, als *den* Kernpunkt jedes modernen Verbandshandelns.

8. Die legale Herrschaft kann sehr verschiedene Formen annehmen, von denen später gesondert zu reden ist. Im folgenden wird zunächst absichtlich nur die am meisten rein *herrschaftliche* Struktur des *Verwaltungs*stabes: des „Beamtentums", der „Bürokratie", idealtypisch analysiert.

Daß die typische Art des *Leiters* beiseite gelassen wird, erklärt sich aus Umständen, die erst später ganz verständlich werden. Sehr wichtige Typen rationaler Herrschaft sind *formal* in ihrem Leiter andern Typen angehörig (erbcharismatisch: Erbmonarchie, charismatisch: plebiszitärer Präsident), andere wieder sind *material* in wichtigen Teilen rational, aber in einer zwischen Bürokratie und Charismatismus in der Mitte liegenden Art konstruiert (Kabinettsregierung), noch andre sind durch die (charismatischen oder bürokratischen) Leiter *anderer* Verbände („Parteien") geleitet (Parteiministerien). Der Typus des rationalen legalen Verwaltungsstabs ist universaler Anwendung fähig und *er* ist das im Alltag *Wichtige*. Denn Herrschaft ist im *Alltag* primär: *Verwaltung*.

§ 4. Der reinste Typus der legalen Herrschaft ist diejenige mittelst *bürokratischen Verwaltungsstabs*. Nur der Leiter des Verbandes besitzt seine Herrenstellung entweder kraft Appropriation oder kraft einer Wahl oder Nachfolgerdesignation. Aber auch seine Herrenbefugnisse sind legale „Kompetenzen". Die Gesamtheit des Verwaltungs*stabes* besteht im reinsten Typus aus *Einzelbeamten* (Monokratie, im Gegensatz zur „Kollegialität", von der später zu reden ist), welche

    1. persönlich frei nur *sachlichen* Amtspflichten gehorchen,

    2. in fester Amts*hierarchie*,

    3. mit festen Amts*kompetenzen*,

    4. kraft Kontrakts, also (prinzipiell) auf Grund freier Auslese nach

    5. *Fachqualifikation*, – im rationalsten Fall durch Prüfung ermittelter, durch Diplom beglaubigter Fachqualifikation – *angestellt* (nicht: gewählt) sind, –

    6. entgolten sind mit festen Gehältern in *Geld*, meist mit Pensionsberechtigung, unter Umständen allerdings (besonders in Privatbetrieben) kündbar auch von seiten des Herrn, stets aber kündbar von seiten des Beamten; dies Gehalt ist abgestuft primär nach dem hierarchischen Rang, daneben nach der Verantwortlichkeit der Stellung, im übrigen nach dem Prinzip der „Standesgemäßheit" (Kap. IV),

    7. ihr Amt als einzigen oder Haupt-*Beruf* behandeln,

    8. eine Laufbahn: „Aufrücken" je nach Amtsalter oder Leistungen oder beiden, abhängig vom Urteil der Vorgesetzten, vor sich sehen,

    9. in völliger „Trennung von den Verwaltungsmitteln" und ohne Appropriation der Amtsstelle arbeiten,

    10. einer strengen einheitlichen Amts*disziplin* und Kontrolle unterliegen.

Diese Ordnung ist im Prinzip in erwerbswirtschaftlichen oder karitativen oder beliebigen anderen private ideelle oder materielle Zwecke verfolgenden Betrieben und in politischen oder hierokratischen Verbänden gleich anwendbar und auch historisch (in mehr oder minder starker Annäherung an den reinen Typus) nachweisbar.

    1. Z. B. ist die Bürokratie in Privatkliniken ebenso wie in Stiftungs- oder Ordenskrankenhäusern im Prinzip die gleiche. Die moderne sogen. „Kaplanokratie": die Enteignung der alten weitgehend appropriierten Kirchenpfründen, aber auch der Universalepiskopat

(als formale universale „Kompetenz") und die Infallibilität (als materiale universale „Kompetenz", nur „ex cathedra", im *Amt*, fungierend, also unter der typischen Scheidung von „Amt" und „Privat"-Tätigkeit) sind typisch bürokratische Erscheinungen. Ganz ebenso der großkapitalistische Betrieb, je größer desto mehr, und nicht minder der *Partei*betrieb (von dem gesondert zu reden sein wird) oder das durch, „Offiziere" genannte, militärische *Beamte* besonderer Art geführte moderne bürokratische *Heer*.

2. Die bürokratische Herrschaft ist da am reinsten durchgeführt, wo das Prinzip der *Ernennung* der Beamten am reinsten herrscht. Eine Wahlbeamten-*Hierarchie* gibt es im gleichen Sinne wie die Hierarchie der ernannten Beamten nicht: schon die Disziplin vermag ja natürlich niemals auch nur annähernd die gleiche Strenge zu erreichen, wo der unterstellte Beamte auf Wahl ebenso zu pochen vermag wie der übergeordnete und nicht von *dessen* Urteil seine Chancen abhängen. (S. über die Wahlbeamten unten § 14.)

3. Kontrakts-Anstellung, also freie Auslese, ist der *modernen* Bürokratie *wesentlich*. Wo *unfreie* Beamte (Sklaven, Ministeriale) in hierarchischer Gliederung mit sachlichen Kompetenzen, also in formal bürokratischer Art, fungieren, wollen wir von „Patrimonialbürokratie" sprechen.

4. Das Ausmaß der Fachqualifikation ist in der Bürokratie in stetem Wachsen. Auch der Partei- und Gewerkschaftsbeamte bedarf des *fach*mäßigen (empirisch erworbenen) Wissens. Daß die modernen „Minister" und „Staatspräsidenten" die einzigen „Beamten" sind, für die *keine* Fachqualifikation verlangt wird, beweist: daß sie Beamte nur im *formalen*, nicht im *materialen* Sinne sind, ganz ebenso wie der „Generaldirektor" eines großen Privataktienbetriebs. Vollends der kapitalistische Unternehmer ist ebenso appropriiert wie der „Monarch". Die bürokratische Herrschaft hat also an der *Spitze* unvermeidlich ein mindestens nicht *rein* bürokratisches Element. Sie ist nur eine Kategorie der Herrschaft durch einen besonderen *Verwaltungsstab*.

5. Das feste Gehalt ist das *Normale*. (Appropriierte Sporteleinnahmen wollen wir als „Pfründen" bezeichnen: über den Begriff s. § 7). Ebenso das Geldgehalt. Es ist durchaus nicht begriffswesentlich, entspricht aber doch am reinsten dem Typus. (Naturaldeputate haben „Pfründen"-Charakter. Pfründe ist normalerweise eine Kategorie der *Appropriation* von Erwerbschancen und Stellen.) Aber die Übergänge sind hier völlig flüssig, wie gerade solche Beispiele zeigen. Die Appropriationen kraft Amtspacht, Amtskauf, Amtspfand gehören einer andern Kategorie als der reinen Bürokratie an (§ 7, 1).

6. „Ämter" im „Nebenberuf" und vollends „Ehrenämter" gehören in später (§ 14 unten) zu erörternde Kategorien. Der typische „bürokratische" Beamte ist Hauptberufsbeamter.

7. Die Trennung von den Verwaltungsmitteln ist in der öffentlichen und der Privatbürokratie (z. B. im großkapitalistischen Unternehmen) genau im gleichen Sinn durchgeführt.

8. *Kollegiale* „Behörden" werden weiter unten (§ 15) gesondert betrachtet werden. Sie sind in schneller Abnahme zugunsten der faktisch und meist auch formal monokratischen Leitung begriffen (z. B. waren die kollegialen „Regierungen" in Preußen längst dem monokratischen Regierungs*präsidenten* gewichen). Das Interesse an schneller, eindeutiger, daher von Meinungskompromissen und Meinungsumschlägen der Mehrheit freier Verwaltung ist dafür entscheidend.

9. Selbstverständlich sind moderne Offiziere eine mit ständischen Sondermerkmalen, von denen andern Orts (Kap. IV) zu reden ist, ausgestattete Kategorie von ernannten *Beamten*, ganz im Gegenteil zu Wahlführern einerseits, charismatischen (§ 10) Kondottieren andererseits, kapitalistischen Unternehmeroffizieren (Soldheer) drittens, Offizierstellen-Käufern (§ 8) viertens. Die Übergänge können flüssig sein. Die patrimonialen „Diener", getrennt von den Verwaltungsmitteln und die kapitalistischen Heeres*unternehmer* sind ebenso wie, oft, die kapitalistischen Privatunternehmer, Vorläufer der modernen Bürokratie gewesen. Davon später im einzelnen.

§ 5. Die rein bürokratische, also: die bürokratisch-monokratische aktenmäßige Verwaltung ist nach allen Erfahrungen die an Präzision, Stetigkeit, Disziplin, Straffheit und Verläßlichkeit, also: Berechenbarkeit für den Herren wie für die Interessenten, Intensität und Extensität der Leistung, formal universeller Anwendbarkeit auf alle Aufgaben, rein *technisch* zum Höchstmaß der Leistung vervollkommenbare, in all diesen Bedeutungen: formal *rationalste*, Form der Herrschaftsausübung. Die Entwicklung „moderner" Verbandsformen auf *allen* Gebieten (Staat, Kirche, Heer, Partei, Wirtschaftsbetrieb, Interessentenverband, Verein, Stiftung und was immer es sei) ist schlechthin identisch mit Entwicklung und stetiger Zunahme der *bürokratischen* Verwaltung: ihre Entstehung ist z. B. die Keimzelle des modernen okzidentalen Staats. Man darf sich durch alle scheinbaren Gegeninstanzen, seien es kollegiale Interessentenvertretungen oder Parlamentsausschüsse oder „Räte-Diktaturen" oder Ehrenbeamte oder Laienrichter oder was immer (und vollends durch das Schelten über den „hl. Bürokratius") nicht einen Augenblick darüber täuschen lassen, daß alle *kontinuierliche Arbeit* durch *Beamte* in *Büros* erfolgt. Unser gesamtes Alltagsleben ist in diesen Rahmen eingespannt. Denn wenn die bürokratische Verwaltung *überall* die – ceteris paribus! – formal-technisch rationalste ist, so ist sie für die Bedürfnisse der *Massen*verwaltung (personalen oder sachlichen) heute schlechthin unentrinnbar. Man hat nur die Wahl zwischen „Bürokratisierung" und „Dilettantisierung" der Verwaltung, und das große Mittel der Überlegenheit der bürokratischen Verwaltung ist: *Fachwissen*, dessen völlige Unentbehrlichkeit durch die moderne Technik und Ökonomik der Güterbeschaffung bedingt wird, höchst einerlei ob diese kapitalistisch oder – was, wenn die *gleiche* technische Leistung erzielt werden sollte, nur eine ungeheure *Steigerung* der Bedeutung der Fachbürokratie bedeuten würde – sozialistisch organisiert sind. Wie die Beherrschten sich einer bestehenden bürokratischen Herrschaft normalerweise nur erwehren können durch Schaffung einer eigenen, ebenso der Bürokratisierung ausgesetzten Gegenorganisation, so ist auch der bürokratische Apparat selbst durch zwingende Interessen materieller und rein sachlicher, also: ideeller Art an sein eigenes Weiterfunktionieren gebunden: Ohne ihn würde in einer Gesellschaft mit *Trennung* des Beamten, Angestellten, Arbeiters, von den Verwaltungsmitteln und Unentbehrlichkeit der *Disziplin* und *Geschultheit* die moderne Existenzmöglichkeit für alle außer die noch im Besitz der Versorgungsmittel befindlichen (die Bauern) aufhören. Er funktioniert für die zur Gewalt gelangte Revolution und für den okkupierenden Feind normalerweise einfach weiter wie für die bisher legale Regierung. Stets ist die Frage: *wer beherrscht* den bestehenden bürokratischen Apparat? Und stets ist seine Beherrschung dem *Nicht*-Fachmann nur begrenzt möglich: der Fach-Geheimrat ist dem Nichtfachmann als Minister auf die Dauer meist überlegen in der Durchsetzung seines Willens. Der Bedarf nach stetiger, straffer, intensiver und *kalkulierbarer* Verwaltung, wie ihn der Kapitalismus – nicht: *nur* er, aber allerdings und unleugbar: er vor allem – historisch geschaffen hat (er kann ohne sie nicht bestehen) und jeder *rationale* Sozialismus einfach übernehmen müßte und steigern würde, bedingt diese Schicksalhaftigkeit der Bürokratie als des Kerns *jeder* Massenverwaltung. Nur der (politische, hierokratische, vereinliche, wirtschaftliche) *Klein*betrieb könnte ihrer weitgehend entraten. Wie der Kapitalismus in seinem heutigen Entwicklungsstadium die Bürokratie *fordert* – obwohl er und sie verschiedenen *geschichtlichen* Wurzeln gewachsen sind –, so ist er die rationalste, weil fiskalisch die nötigen *Geld*mittel zur Verfügung stellende, wirtschaftliche Grundlage, auf der er in rationalster Form bestehen kann.

Neben den fiskalischen Voraussetzungen bestehen für die bürokratische Verwaltung *wesentlich* verkehrstechnische Bedingungen. Ihre Präzision fordert Eisenbahn, Telegramm, Telephon und ist zunehmend an sie gebunden. Daran könnte eine sozialistische Ordnung nichts ändern. Die Frage wäre (s. Kap. II, § 12), ob sie in der *Lage* wäre, ähnliche Bedingungen für eine *rationale*, und das hieße *gerade* für sie: straff bürokratische Verwaltung zu noch festeren formalen *Regeln* zu schaffen, wie die kapitalistische Ordnung. Wenn nicht, – so läge hier wiederum eine jener großen Irrationalitäten: Antinomie der formalen und materialen Rationalität, vor, deren die Soziologie so viele zu konstatieren hat.

Die bürokratische Verwaltung bedeutet: Herrschaft kraft *Wissen*: dies ist ihr spezifisch rationaler Grundcharakter. Über die durch das *Fach*wissen bedingte gewaltige Machtstellung hinaus hat die Bürokratie (oder der Herr, der sich ihrer bedient), die Tendenz, ihre Macht noch weiter zu steigern durch das *Dienst*wissen: die durch Dienstverkehr erworbenen oder „aktenkundigen" Tatsachenkenntnisse. Der nicht nur, aber allerdings spezifisch bürokratische Begriff des „Amtsgeheimnisses" – in seiner Beziehung zum Fachwissen etwa den kommerziellen Betriebsgeheimnissen gegenüber den technischen vergleichbar – entstammt diesem Machtstreben.

Überlegen ist der Bürokratie an Wissen: Fachwissen und Tatsachenkenntnis, innerhalb *seines* Interessenbereichs, regelmäßig *nur*: der private Erwerbsinteressent. Also: der kapitalistische Unternehmer. Er ist die *einzige* wirklich gegen die Unentrinnbarkeit der bürokratischen rationalen Wissens-Herrschaft (mindestens: relativ) *immune* Instanz. Alle andern sind in *Massen*verbänden der bürokratischen Beherrschung unentrinnbar verfallen, genau wie der Herrschaft der sachlichen Präzisionsmaschine in der Massengüterbeschaffung.

Die bürokratische Herrschaft bedeutet sozial im allgemeinen:

1. die Tendenz zur *Nivellierung* im Interesse der universellen Rekrutierbarkeit aus den *fachlich* Qualifiziertesten,

2. die Tendenz zur *Plutokratisierung* im Interesse der möglichst lang (oft bis fast zum Ende des dritten Lebensjahrzehnts) dauernden Fach*einschulung*,

3. die Herrschaft der formalistischen *Unpersönlichkeit*: sine ira et studio, ohne Haß und Leidenschaft, daher ohne „Liebe" und „Enthusiasmus", unter dem Druck schlichter *Pflicht*begriffe; „ohne Ansehen der Person", formal gleich für „jedermann", d. h. jeden in gleicher *faktischer* Lage befindlichen Interessenten, waltet der ideale Beamte seines Amtes.

Wie aber die Bürokratisierung ständische Nivellierung (der normalen, historisch auch als normal erweislichen Tendenz nach) *schafft*, so fördert umgekehrt jede soziale Nivellierung, indem sie den *ständischen*, kraft Appropriation der Verwaltungsmittel und der Verwaltungsgewalt, Herrschenden und im Interesse der „Gleichheit", den kraft *Besitz* zu „ehrenamtlicher" oder „nebenamtlicher" Verwaltung befähigten Amtsinhaber beseitigt, die Bürokratisierung, die überall der unentrinnbare Schatten der vorschreitenden „*Massen*demokratie" ist, – wovon eingehender in anderem Zusammenhang.

Der normale „Geist" der rationalen Bürokratie ist, allgemein gesprochen:

1. Formalismus, gefordert von allen an Sicherung persönlicher Lebenschancen gleichviel welcher Art Interessierten, – weil sonst Willkür die Folge wäre, und der Formalismus die Linie des kleinsten Kraftmaßes ist. Scheinbar und zum Teil wirklich im Widerspruch mit dieser Tendenz *dieser* Art von Interessen steht

2. die Neigung der Beamten zu *material*-utilitarisch gerichteter Behandlung ihrer Verwaltungsaufgaben im Dienst der zu beglückenden Beherrschten. Nur pflegt sich dieser materiale Utilitarismus in der Richtung der Forderung entsprechender – ihrerseits wiederum: formaler und in der Masse der Fälle formalistisch behandelter – *Reglements* zu äußern. (Darüber in der Rechtssoziologie.) Unterstützung findet diese Tendenz zur *materialen* Rationalität von seiten aller derjenigen Beherrschten, welche *nicht* zu der unter Nr. 1 bezeichneten Schicht der an „Sicherung" Interessierten gegen *besessene* Chancen gehören. Die daher rührende Problematik gehört in die Theorie der „Demokratie".

3. Traditionale Herrschaft.

§ 6. *Traditional* soll eine Herrschaft heißen, wenn ihre Legitimität sich stützt und geglaubt wird auf Grund der Heiligkeit altüberkommener („von jeher bestehender") Ordnungen und Herrengewalten. Der Herr (oder: die mehreren Herren) sind kraft traditional überkommener Regel bestimmt. Gehorcht wird ihnen kraft der durch die Tradition ihnen zugewiesenen Eigenwürde. Der Herrschaftsverband ist, im einfachsten Fall, primär ein durch Erziehungsgemeinsamkeit bestimmter *Pietäts*verband. Der Herrschende ist nicht „Vorgesetzter", sondern persönlicher *Herr*, sein Verwaltungsstab primär nicht „Beamte", sondern persönliche „*Diener*", die Beherrschten nicht „Mitglieder" des Verbandes, sondern entweder: 1. „traditionale Genossen" (§ 7) oder 2. „Untertanen". Nicht sachliche Amtspflicht, sondern persönliche Dienertreue bestimmten die Beziehungen des Verwaltungsstabes zum Herrn.

Gehorcht wird nicht Satzungen, sondern der durch Tradition oder durch den traditional bestimmten Herrscher dafür berufenen *Person*, deren Befehle legitim sind in zweierlei Art:

a) teilweise kraft eindeutig den *Inhalt* der Anordnungen bestimmender Tradition und in deren geglaubtem Sinn und Ausmaß, welches durch Überschreitung der traditionalen Grenzen zu erschüttern für die eigene traditionale Stellung des Herrn gefährlich werden könnte,

b) teilweise kraft der freien Willkür des Herren, welcher die *Tradition* den betreffenden Spielraum zuweist.

Diese traditionale Willkür beruht primär auf der prinzipiellen Schrankenlosigkeit von pietätspflichtmäßiger Obedienz.

Es existiert also das Doppelreich

a) des material traditionsgebundenen Herrenhandelns,

b) des material traditionsfreien Herrenhandelns.

Innerhalb des letzteren kann der Herr nach freier Gnade und Ungnade, persönlicher Zu- und Abneigung, und rein persönlicher, insbesondere auch durch Geschenke – die Quellen der „Gebühren" – zu erkaufender Willkür „Gunst" erweisen. Soweit er da nach Prinzipien verfährt, sind dies solche der *materialen* ethischen Billigkeit, Gerechtigkeit oder der utilitarischen Zweckmäßigkeit, nicht aber, – wie bei der legalen Herrschaft: – formale Prinzipien. Die *tatsächliche* Art der Herrschaftsausübung richtet sich darnach: was *üblicherweise* der Herr (und sein Verwaltungsstab) sich gegenüber der traditionalen Fügsamkeit der Untertanen gestatten dürfen, ohne sie zum Widerstand zu reizen. Dieser Widerstand richtet sich, wenn er entsteht, gegen die *Person* des Herren (oder: Dieners), der die traditionalen Schranken der Gewalt mißachtete, nicht aber: gegen das System als solches („traditionalistische Revolution").

Recht oder Verwaltungsprinzipien durch Satzung absichtsvoll neu zu „schaffen", ist bei reinem Typus der traditionalen Herrschaft unmöglich. Tatsächliche Neuschöpfungen können sich also nur als von jeher geltend und nur durch „Weistum" *erkannt* legitimieren. Als Orientierungsmittel für die Rechtsfindung kommen nur Dokumente der Tradition: „Präzedenzien und Präjudizien" in Frage.

§ 7. Der Herr herrscht entweder 1. *ohne* oder 2. *mit* Verwaltungsstab. Über den ersten Fall s. § 6 Nr. 1.

Der typische Verwaltungsstab kann *rekrutiert* sein aus:

a) traditional, durch Pietätsbande, mit dem Herren Verbundenen („patrimonial rekrutiert"):

α. Sippenangehörigen,

β. Sklaven,

γ. haushörige Hausbeamte, insbesondere: „Ministerialen",

δ. Klienten,

ε. Kolonen,

ζ. Freigelassenen;

b) („extrapatrimonial rekrutiert" aus:)

α. persönlichen Vertrauensbeziehungen (freie „Günstlinge" aller Art) oder

β. Treubund mit dem zum Herrn Legitimierten (Vasallen), endlich

γ. freie, in das Pietätsverhältnis zu ihm eintretende *Beamte*.

Zu a α) Es ist ein sehr oft sich findendes Verwaltungsprinzip traditionalistischer Herrschaften, die wichtigsten Stellungen mit Angehörigen der Herrensippe zu besetzen.

Zu a β): Sklaven und (a ζ) Freigelassene finden sich in patrimonialen Herrschaften oft bis in die höchsten Stellungen (frühere Sklaven als Großveziere waren nicht selten).

Zu a γ) Die typischen Hausbeamten: Seneschall (Großknecht), Marschall (Pferdeknecht), Kämmerer, Truchseß, Hausmeier (Vorsteher des Gesindes und eventuell der Vasallen) finden sich in Europa überall. Im Orient treten als besonders wichtig der Großeunuch (Haremswächter), bei den Negerfürsten oft der Henker, außerdem überall oft der Leibarzt, Leibastrologe und ähnliche Chargen hinzu.

Zu a δ) Die Königsklientel ist in China wie in Ägypten die Quelle des patrimonialen Beamtentums gewesen.

Zu a ε) Kolonenheere hat der ganze Orient, aber auch die Herrschaft der römischen Nobilität gekannt. (Noch der islamische Orient der Neuzeit kannte Sklavenheere.)

Zu b α) Die „Günstlings"-Wirtschaft ist jedem Patrimonialismus spezifisch und oft Anlaß „traditionalistischer Revolutionen" (Begriff s. am Schluß des §).

Zu b β) Über die „Vasallen" ist gesondert zu sprechen.

Zu b γ) Die „Bürokratie" ist in Patrimonialstaaten zuerst *entstanden*, als Beamtentum mit extrapatrimonialer Rekrutierung. Aber *diese* Beamten waren, wie bald zu erwähnen, zunächst *persönliche* Diener des Herren.

Es fehlt dem Verwaltungsstab der traditionalen Herrschaft im reinen Typus:

    a) die feste „Kompetenz" nach sachlicher Regel,

    b) die feste rationale Hierarchie,

    c) die geregelte Anstellung durch freien Kontrakt und das geregelte Aufrücken,

    d) die Fachgeschultheit (als Norm),

    e) (oft) der feste und (noch öfter) der in Geld gezahlte Gehalt.

Zu a) An Stelle der festen sachlichen Kompetenz steht die Konkurrenz der vom Herren zunächst nach freier Willkür gegebenen jeweiligen, dann dauernd werdenden, schließlich oft traditional stereotypierten Aufträge und Vollmachten untereinander, die insbesondre durch die Konkurrenz um die ebenso den Beauftragten wie dem Herren selbst bei Inanspruchnahme ihrer Bemühungen zustehenden Sportelchancen geschaffen wird: durch solche Interessen werden oft erstmalig die sachlichen Zuständigkeiten und damit die Existenz einer „Behörde" konstituiert.

Alle mit Dauerzuständigkeit versehenen Beauftragten sind zunächst Hausbeamte des Herren, ihre *nicht* hausgebundene („extrapatrimoniale") Zuständigkeit ist eine an ihren Hausdienst nach oft ziemlich äußerlichen sachlichen Verwandtschaften des Tätigkeitsgebiets angelehnte oder nach zunächst ganz freiem Belieben des Herren, welches später traditional stereotypiert wird, ihnen zugewiesene Zuständigkeit. Neben den Hausbeamten gab es *primär* nur Beauftragte ad hoc.

Der fehlende „Kompetenz"-Begriff ergibt sich leicht bei Durchmusterung etwa der Liste der Bezeichnungen altorientalischer Beamter. Es ist – mit seltenen Ausnahmen – unmöglich, eine rational abgegrenzte sachliche Tätigkeitssphäre nach Art unserer „Kompetenz" als *dauernd* feststehend zu ermitteln.

Die Tatsache der Abgrenzung faktischer Dauerzuständigkeiten durch Konkurrenz und Kompromiß von Sportelinteressen ist insbesondre im Mittelalter zu beobachten. Die Wirkung dieses Umstandes ist eine sehr weitreichende gewesen. Sportelinteressen der mächtigen Königsgerichte und des mächtigen nationalen Anwaltsstandes haben in England die Herrschaft des römischen und kanonischen Rechts teils vereitelt, teils begrenzt. Die irrationale Abgrenzung zahlreicher Amtsbefugnisse aller Epochen war durch die einmal gegebene Abgrenzung der Sportelinteressensphären stereotypiert.

Zu b) Die Bestimmung, ob und an welche Beauftragten oder ob von dem Herren selbst die Entscheidung eines Gegenstandes oder einer Beschwerde dagegen erledigt werden soll, ist entweder α. traditional, zuweilen unter Berücksichtigung der Provenienz bestimmter von außen her übernommener Rechtsnormen oder Präzedenzien (Oberhof-System) geregelt, oder

β. völlig dem jeweiligen Belieben des Herren anheimgestellt, dem, wo immer er persönlich erscheint, alle Beauftragten weichen.

Neben dem traditionalistischen Oberhof-System steht das aus der Sphäre der Herrenmacht stammende deutschrechtliche Prinzip: daß dem anwesenden Herrn alle Gerichtsbarkeit ledig wird, das aus der gleichen Quelle und der freien Herrengnade stehende jus evocandi und sein moderner Ableger: die „Kabinettsjustiz". Der „Oberhof" ist im Mittelalter besonders oft die Rechtsweisungsbehörde, von welcher aus das Recht eines Orts importiert ist.

Zu c) Die Hausbeamten und Günstlinge sind sehr oft rein patrimonial rekrutiert: Sklaven oder Hörige (Ministerialen) des Herren. Oder sie sind, wenn extrapatrimonial rekrutiert, Pfründner (s. u.) die er nach formal freiem Ermessen versetzt. Erst der Eintritt freier Vasallen und die Verleihung der Ämter kraft Lehens*kontrakts* ändert dies grundsätzlich, schafft aber, – da die Lehen keineswegs durch sachliche Gesichtspunkte in Art und Ausmaß bestimmt werden, – in den Punkten a und b keine Änderung. Ein Aufrücken gibt es, außer unter Umständen bei *präbendaler* Struktur des Verwaltungsstabes (s. § 8), nur nach Willkür und Gnade des Herren.

Zu d) Rationale Fachgeschultheit als prinzipielle Qualifikation fehlt primär allen Hausbeamten und Günstlingen des Herren. Der Beginn der Fachschulung der Angestellten (gleichviel welcher Art) macht überall Epoche in der Art der Verwaltung.

Ein gewisses Maß empirischer Schulung ist für manche Ämter schon sehr früh erforderlich gewesen. Indessen vor allem die Kunst zu lesen und zu schreiben, ursprünglich wirklich noch eine „Kunst" von hohem Seltenheitswert, hat oft – wichtigstes Beispiel: China – durch die Art der Lebensführung der Literaten die ganze Kulturentwicklung entscheidend beeinflußt und die *intra*patrimoniale Rekrutierung der Beamten *beseitigt*, dadurch also die Macht des Herren „ständisch" (s. Nr. 3) *beschränkt*.

Zu e) Die Hausbeamten und Günstlinge werden primär am Tisch des Herrn und aus seiner Kammer verpflegt und equipiert. Ihre Abschichtung vom Herrentisch bedeutet in aller Regel Schaffung von (zunächst: Natural-) *Pfründen*, deren Art und Ausmaß sich leicht stereotypiert. Daneben (oder statt ihrer) stehen den außerhaushaltsmäßig beauftragten Organen des Herren regelmäßig ebenso wie ihm selbst „Gebühren" zu (oft ohne jede Tarifierung von Fall zu Fall mit den um eine „Gunst" sich Bewerbenden vereinbart).

Über den Begriff der „Pfründe" s. gleich.

§ 7a. 1. Die primären Typen der traditionalen Herrschaft sind die Fälle des *Fehlens* eines *persönlichen Verwaltungsstabs* des Herrn:

    a) Gerontokratie und

    b) primärer Patriarchalismus.

Gerontokratie heißt der Zustand, daß, soweit *überhaupt* Herrschaft im Verband geübt wird, die (ursprünglich im wörtlichen Sinn: an Jahren) Ältesten, als beste Kenner der heiligen Tradition, sie ausüben. Sie besteht oft für *nicht* primär ökonomische oder familiale Verbände. Patriarchalismus heißt der Zustand, daß innerhalb eines, meist, primär ökonomischen und familialen (Haus-)Verbandes ein (normalerweise) nach fester Erbregel bestimmter einzelner die Herrschaft ausübt. Gerontokratie und Patriarchalismus stehen nicht selten nebeneinander. Entscheidend ist dabei: daß die Gewalt der Gerontokraten sowohl wie des Patriarchen im reinen Typus an der Vorstellung der Beherrschten („Genossen") orientiert ist: daß diese Herrschaft zwar traditionales Eigenrecht des Herren sei, aber *material* als präeminentes Genossenrecht, daher in ihrem, der Genossen, *Interesse* ausgeübt werden müsse, ihm also nicht frei appropriiert sei. Das, bei *diesen* Typen, *völlige* Fehlen eines rein *persönlichen* („patrimonialen") Verwaltungsstabs des Herren ist dafür bestimmend. Der Herr ist daher von dem Gehorchen*wollen* der Genossen noch weitgehend abhängig, da er keinen „Stab" hat. Die Genossen sind daher noch „Genossen", und noch nicht: „Untertanen". Aber sie sind „Genossen" kraft *Tradition*, nicht: „Mitglieder" kraft *Satzung*. Sie schulden die Obödienz dem *Herren*, nicht der gesatzten *Regel*. Aber dem Herren allerdings *nur*: *gemäß* Tradition. Der Herr seinerseits ist *streng* traditionsgebunden.

Über die Arten der Gerontokratie s. später. Primärer Patriarchalismus ist ihr insofern verwandt, als die Herrschaft nur innerhalb des Hauses obligat, im übrigen aber – wie bei den arabischen Schechs – nur exemplarisch, also nach Art der charismatischen durch Beispiel, oder aber: durch Rat und Einflußmittel wirkt.

2. Mit dem Entstehen eines rein persönlichen Verwaltungs- (und: Militär-) Stabes des Herren neigt jede traditionale Herrschaft zum *Patrimonialismus* und im Höchstmaß der Herrengewalt: zum *Sultanismus*: die „Genossen" werden nun erst zu „Untertanen", das bis dahin als präeminentes Genossenrecht gedeutete Recht des Herren zu seinem

Eigenrecht, ihm in (prinzipiell) gleicher Art appropriiert wie irgendein Besitzobjekt beliebigen Charakters, verwertbar (verkäuflich, verpfändbar, erbteilbar) prinzipiell wie irgendeine wirtschaftliche Chance. Äußerlich stützt sich die patrimoniale Herrengewalt auf (oft: gebrandmarkte) Sklaven- oder Kolonen- oder gepreßte Untertanen oder – um die Interessengemeinschaft gegenüber den letzteren möglichst unlöslich zu machen – Sold-Leibwachen und -Heere (patrimoniale Heere). Kraft dieser Gewalt erweitert der Herr das Ausmaß der traditionsfreien Willkür, Gunst und Gnade auf Kosten der patriarchalen und gerontokratischen Traditionsgebundenheit. *Patrimoniale* Herrschaft soll jede primär traditional orientierte, aber kraft vollen Eigenrechts ausgeübte, *sultanistische* eine in der Art ihrer Verwaltung sich primär in der Sphäre freier traditionsungebundener Willkür bewegende Patrimonialherrschaft heißen. Der Unterschied ist *durchaus* fließend. Vom *primären* Patriarchalismus scheidet beide, auch den Sultanismus, die Existenz des persönlichen *Verwaltungsstabs*.

Die sultanistische Form des Patrimonialismus ist zuweilen, dem äußeren Anscheine nach, – in Wahrheit: nie wirklich – völlig traditionsungebunden. Sie ist aber nicht *sachlich* rationalisiert, sondern es ist in ihr nur die Sphäre der freien Willkür und Gnade ins Extrem entwickelt. Dadurch unterscheidet sie sich von jeder Form rationaler Herrschaft.

3. *Ständische* Herrschaft soll diejenige Form patrimonialer Herrschaft heißen, bei welcher dem *Verwaltungsstab* bestimmte Herrengewalten und die entsprechenden ökonomischen Chancen *appropriiert* sind. Die Appropriation kann – wie in allen ähnlichen Fällen (Kap. II, § 19):

a) einem Verbande oder einer durch Merkmale ausgezeichneten Kategorie von Personen, oder

b) individuell und zwar: nur lebenslänglich oder auch erblich oder als freies Eigentum erfolgen.

Ständische Herrschaft bedeutet also

a) stets Begrenzung der freien Auslese des Verwaltungsstabes durch den Herren, durch die Appropriation der Stellen oder Herrengewalten:

α. an einen Verband,

β. an eine ständisch (Kap. IV) qualifizierte Schicht, – oder

b) oft – und dies soll hier als „Typus" gelten – ferner

α. Appropriation der Stellen, also (eventuell) der durch ihre Innehabung geschaffenen Erwerbschancen und

β. Appropriation *der sachlichen Verwaltungsmittel,*

γ. Appropriation der Befehlsgewalten:
  an die *einzelnen* Mitglieder des Verwaltungsstabs.

Die Appropriierten können dabei *historisch* sowohl 1. aus dem vorher *nicht* ständischen Verwaltungsstab hervorgegangen sein, wie 2. vor der Appropriation *nicht* dazu gehört haben.

Der appropriierte ständische Inhaber von Herrengewalten *bestreitet die Kosten der Verwaltung* aus eignen und ungeschieden ihm appropriierten Verwaltungsmitteln. Inhaber von militärischen Herrengewalten oder *ständische* Heeresangehörige *equipieren sich selbst* und eventuell die von ihnen zu stellenden patrimonial oder wiederum ständisch rekrutierten Kontingente (ständisches Heer). Oder aber: die Beschaffung der Verwaltungsmittel und des Verwaltungsstabs wird geradezu als Gegenstand einer Erwerbsunternehmung gegen Pauschalleistungen aus dem Magazin oder der Kasse des Herren appropriiert, wie namentlich (aber nicht nur) beim Soldheer des 16. und 17. Jahrhunderts in Europa (kapitalistisches Heer). Die Gesamtgewalt ist in den Fällen voller ständischer Appropriation zwischen dem Herren und den appropriierten Gliedern des Verwaltungsstabs kraft deren Eigenrechts regelmäßig geteilt, oder aber es bestehen durch besondere Ordnungen des Herren oder besondere Kompromisse mit den Appropriierten regulierte Eigengewalten.

Fall 1 z. B. Hofämter eines Herren, welche als Lehen appropriiert werden. Fall 2 z. B. Grundherren, welche kraft Herren-Privileg oder durch Usurpation (meist ist das erste die Legalisierung des letzteren) Herrenrechte appropriierten.

Die Appropriation an die einzelnen kann beruhen auf:

1. Verpachtung,
2. Verpfändung,
3. Verkauf,
4. persönlichem oder erblichem oder frei appropriiertem, unbedingtem oder durch Leistungen bedingtem Privileg, gegeben:
   a) als Entgelt für Dienste oder um Willfährigkeit zu erkaufen oder
   b) in Anerkennung der tatsächlichen Usurpation von Herrengewalten.
5. Appropriation an einen Verband oder eine ständisch qualifizierte Schicht, regelmäßig Folge eines Kompromisses von Herren und Verwaltungsstab oder, einer vergesellschafteten ständischen Schicht; es kann
   α. dem Herren volle oder relative Freiheit der *Auswahl* im Einzelfall lassen, oder

β. für die persönliche Innehabung der Stelle feste Regeln sat-
zen, –

6. auf *Lehre*, worüber besonders zu reden sein wird.

1. Die Verwaltungsmittel sind – der dabei herrschenden, allerdings
meist ungeklärten Vorstellung nach – bei Gerontokratie und reinem
Patriarchalismus dem verwalteten Verband oder dessen einzelnen an
der Verwaltung beteiligten Haushaltungen appropriiert: „für" den
Verband wird die Verwaltung geführt. Die Appropriation an den
Herren als solchen gehört erst der Vorstellungswelt des Patrimonialismus an und kann sehr verschieden voll – bis zu vollem Bodenregal
und voller Herrensklaverei der Untertanen („Verkaufsrecht" des
Herren) – durchgeführt sein. Die ständische Appropriation bedeutet
Appropriation mindestens eines Teils der Verwaltungsmittel an die
Mitglieder des Verwaltungsstabes. Während also beim reinen Patrimonialismus volle Trennung der Verwalter von den Verwaltungsmitteln stattfindet, ist dies beim ständischen Patrimonialismus gerade
umgekehrt: der Verwaltende ist im Besitz der Verwaltungsmittel, aller
oder mindestens eines wesentlichen Teils. So war der Lehensmann,
der sich selbst equipierte, der belehnte Graf, der die Gerichts- und
andern Gebühren und Auflagen für sich vereinnahmte und aus eigenen Mitteln (zu denen auch die appropriierten gehörten) dem Lehensherrn seine Pflicht bestritt, der indische jagirdar, der aus seiner
Steuerpfründe sein Heereskontigent stellte, im *Vollbesitz* der Verwaltungsmittel, dagegen der Oberst, der ein Söldnerregiment in eigner
Entreprise aufstellte und dafür bestimmte Zahlungen aus der fürstlichen Kasse erhielt und sich für das Defizit durch Minderleistung und
aus der Beute oder durch Requisitionen bezahlt machte, im *teilweisen*
(und: regulierten) Besitz der Verwaltungsmittel. Während der Pharao,
der Sklaven- oder Kolonen-Heere aufstellte und durch Königsklien-
ten führen ließ, sie aus seinen Magazinen kleidete, ernährte, bewaff-
nete, als Patrimonial*herr* im vollen *Eigenbesitz* der Verwaltungsmittel
war. Dabei ist die formale Regelung nicht immer das Ausschlaggebende: die Mameluken waren formal Sklaven, rekrutierten sich formal durch „Kauf" des Herren, – tatsächlich aber monopolisierten sie
die Herrengewalten so vollkommen, wie nur irgendein Ministerialenverband die Dienstlehen. Die Appropriation von Dienstland an einen
geschlossenen Verband, aber *ohne* individuelle Appropriation, kommt
vor, sowohl mit innerhalb des Verbands freier Besetzung durch den
Herrn, (Fall a, α des Textes), wie mit Regulierung der Qualifikation zur
Übernahme (Fall a, β des Texts), z. B. durch Verlangen militärischer

oder anderer (ritueller) Qualifikation des Anwärters und andrerseits (bei deren Vorliegen) Vorzugsrecht der nächsten Blutsverwandten. Ebenso bei hofrechtlichen oder zünftigen Handwerker- oder Bauernstellen, deren Leistungen militärischen oder Verwaltungsbedürfnissen zu dienen bestimmt sind.

2. Appropriation durch Verpachtung (Steuerpacht insbesondere), Verpfändung oder Verkauf waren dem Okzident, aber auch dem Orient und Indien bekannt; in der Antike war Vergebung durch Auktion bei Priesterstellen nicht selten. Der Zweck war bei der Verpachtung teils ein rein aktuell finanzpolitischer (Notlage besonders infolge von Kriegskosten), teils ein finanztechnischer (Sicherung einer festen, haushaltsmäßig verwendbaren Geldeinnahme), bei Verpfändung und Verkauf durchweg der erstgenannte, im Kirchenstaat auch: Schaffung von Nepoten-Renten. Die Appropriation durch Verpfändung hat noch im 18. Jahrhundert bei der Stellung der Juristen (Parlamente) in Frankreich eine erhebliche Rolle gespielt, die Appropriation durch (regulierten) Kauf von Offizierstellen im englischen Heer noch bis in das 19. Jahrhundert. Dem Mittelalter war das Privileg, als Sanktion von Usurpation oder als Lohn oder Werbemittel für politische Dienste, im Okzident ebenso wie anderwärts geläufig.

§ 8. Der patrimoniale Diener kann seinen Unterhalt beziehen

a) durch Versorgung am Tisch des Herren, –

b) durch (vorwiegend Natural-)Deputate aus Güter- und Geld-Vorräten des Herren, –

c) durch Dienstland, –

d) durch appropriierte Renten-, Gebühren- oder Steuer-Einkunftschancen, –

e) durch Lehen.

Die Unterhaltsformen b bis d sollen, wenn sie in einem nach Umfang (b und c) oder Sprengel (d) traditionalen Ausmaß stets neu vergeben und individuell, aber nicht erblich appropriiert sind, *„Pfründen"* heißen, die Existenz einer Ausstattung des Verwaltungsstabes *prinzipiell* in dieser Form: *Präbendalismus*. Dabei *kann* ein Aufrücken nach Alter oder bestimmten objektiv bemeßbaren Leistungen bestehen und es *kann* die ständische Qualifikation und also: Standes*ehre* gefordert werden (s. über den Begriff des „Standes" Kap. IV).

Lehen sollen appropriierte Herrengewalten heißen, wenn sie kraft Kontrakts an individuell Qualifizierte *primär* vergeben werden und die gegenseitigen Rechte und Pflichten *primär* an konventionalen *ständischen*, und zwar: *militaristischen Ehrbegriffen* orientiert werden. Das

Bestehen eines *primär* mit Lehen ausgestatteten Verwaltungsstabes soll *Lehens*feudalismus heißen.

Lehen und *Militär*-Pfründe gehen oft bis zur Ununterscheidbarkeit ineinander über. (Darüber die Erörterung des „Standes" Kap. IV.)

In den Fällen d und e, zuweilen auch im Fall c, bestreitet der appropriierte Inhaber der Herrengewalten die Kosten der Verwaltung, eventuell: Equipierung, in der schon angegebenen Art, aus den Mitteln der Pfründe bzw. des Lehens. Seine eigne Herrschaftsbeziehung zu den Untertanen kann dann patrimonialen Charakter annehmen (also: vererblich, veräußerlich, erbteilbar werden).

1. Die Versorgung am Tisch des Herren oder nach dessen freiem Ermessen aus seinen Vorräten war sowohl bei fürstlichen Dienern wie Hausbeamten, Priestern und allen Arten von patrimonialen (z. B. grundherrlichen) Bediensteten das Primäre. Das „Männerhaus", die älteste Form der militärischen Berufsorganisation (wovon später gesondert zu reden sein wird) hatte sehr oft den Charakter des herrschaftlichen Konsumhaushalts-Kommunismus. Abschichtung vom Herren (oder: Tempel- und Kathedral-)Tisch und Ersatz dieser unmittelbaren Versorgung durch Deputate oder Dienstland ist keineswegs stets als erstrebenswert angesehen worden, war aber bei eigener Familiengründung die Regel. Naturaldeputate der abgeschichteten Tempelpriester und Beamten waren im ganzen vorderasiatischen Orient die ursprüngliche Form der Beamtenversorgung und bestanden ebenso in China, Indien und vielfach im Okzident. Dienstland findet sich gegen Leistung von Militärdiensten im ganzen Orient seit der frühen Antike, ebenso im deutschen Mittelalter als Versorgung der ministerialen und hofrechtlichen Haus- und anderer Beamten. Die Einkünfte der türkischen Sipahi ebenso wie der japanischen Samurai und zahlreicher ähnlicher orientalischer Ministerialen und Ritter sind – in unserer Terminologie – „Pfründen", nicht Lehen, wie später zu erörtern sein wird. Sie können sowohl auf bestimmte Landrenten, wie auf Steuereinkünfte von Bezirken angewiesen sein. Im letzteren Fall sind sie nicht notwendig, wohl aber der allgemeinen Tendenz nach, mit Appropriation von Herrengewalten in diesen Bezirken verbunden oder ziehen diese nach sich. Der Begriff des „Lehens" kann erst im Zusammenhang mit dem Begriff des „Staats" näher erörtert werden. Sein Gegenstand kann sowohl grundherrliches Land (also eine Patrimonialherrschaft), wie die verschiedensten Arten von Renten- und Gebühren-Chancen sein.

2. Appropriierte Renten-, Gebühren- und Steuer-Einkunftschancen finden sich als Pfründen und Lehen aller Art weit verbreitet, als

selbständige Form und in hoch entwickelter Weise besonders in Indien: Vergebung von Einkünften gegen Gestellung von Heereskontingenten und Zahlung der Verwaltungskosten.

§ 9. Die patrimoniale und insbesondre die ständisch-patrimoniale Herrschaft behandelt, im Fall des reinen Typus, alle Herrengewalten und ökonomischen Herrenrechte nach Art privater appropriierter ökonomischer Chancen. Das schließt nicht aus, daß sie sie qualitativ unterscheidet. Insbesondre indem sie einzelne von ihnen als präeminent in besonders regulierter Form appropriiert. Namentlich aber, indem sie die Appropriation von gerichts- oder militärherrlichen Gewalten als Rechtsgrund *ständisch* bevorzugter Stellung des Appropriierten gegenüber der Appropriation rein ökonomischer (domanialer oder steuerlicher oder Sportel-) Chancen behandelt und innerhalb der letzteren wieder die primär patrimonialen von den primär extrapatrimonialen (fiskalischen) in der Art der Appropriation scheidet. Für unsere Terminologie soll die Tatsache der prinzipiellen Behandlung von Herrenrechten und der mit ihnen verknüpften Chancen jeden Inhalts *nach Art* privater Chancen maßgebend sein.

Durchaus mit Recht betont z. B. *v. Below* (der deutsche Staat des Mittelalters) scharf, daß namentlich die Appropriation der Gerichtsherrlichkeit gesondert behandelt wurde und Quelle ständischer Sonderstellungen war, daß überhaupt ein *rein* patrimonialer oder *rein* feudaler Charakter des mittelalterlichen politischen Verbandes sich nicht feststellen lasse. Indessen: *soweit* die Gerichtsherrlichkeit und andere Rechte rein politischen Ursprungs nach Art privater Berechtigungen behandelt wurden, scheint es für unsre Zwecke terminologisch richtig, von „patrimonialer" Herrschaft zu sprechen. Der Begriff selbst stammt bekanntlich (in konsequenter Fassung) aus *Haller's* Restauration der Staatswissenschaften. Einen absolut idealtypisch *reinen* „Patrimonial"staat hat es historisch nicht gegeben.

4. *Ständische Gewaltenteilung* soll der Zustand heißen, bei dem *Verbände* von ständisch, durch appropriierte Herrengewalten Privilegierten durch *Kompromiß* mit dem Herren von Fall zu Fall politische oder Verwaltungssatzungen (oder: beides) oder konkrete Verwaltungsanordnungen oder Verwaltungskontrollmaßregeln schaffen und eventuell selbst, zuweilen durch eigne Verwaltungsstäbe mit, unter Umständen, eignen Befehlsgewalten, ausüben.

1. Daß auch *nicht* ständisch privilegierte Schichten (Bauern) unter Umständen zugezogen werden, soll am Begriff nichts ändern. Denn

das Eigenrecht der Privilegierten ist das typisch Entscheidende. Das Fehlen aller ständisch privilegierten Schichten würde ja offensichtlich sofort einen anderen Typus ergeben.

2. Der Typus ist voll *nur* im Okzident entwickelt. Über seine nähere Eigenart und den Grund seiner Entstehung dort ist später gesondert zu sprechen.

3. Eigner ständischer Verwaltungsstab war nicht die Regel, vollends mit eigner Befehlsgewalt die Ausnahme.

§ 9a. Auf die Art des *Wirtschaftens* wirkt eine traditionale Herrschaft in aller Regel zunächst und ganz allgemein durch eine gewisse Stärkung der traditionalen Gesinnung, am stärksten die gerontokratische und rein patriarchale Herrschaft, welche ganz und gar auf die durch keinen im Gegensatz zu den Genossen des Verbandes stehenden Sonderstab des Herren gestützt, also in ihrer eigenen Legitimitätsgeltung am stärksten auf Wahrung der Tradition in jeder Hinsicht hingewiesen sind.

Im übrigen richtet sich die Wirkung auf die Wirtschaft

1. nach der typischen Finanzierungsart des Herrschaftsverbandes (Kap. II, § 36).

Patrimonialismus kann in dieser Hinsicht höchst Verschiedenes bedeuten. Typisch aber ist namentlich:

a) Oikos des Herren mit ganz oder vorwiegend natural-leiturgischer Bedarfsdeckung (Naturalabgaben und Fronden). In diesem Fall sind die Wirtschaftsbeziehungen streng traditionsgebunden, die Marktentwicklung gehemmt, der Geldgebrauch ein wesentlich naturaler und Konsum-orientierter, Entstehung von Kapitalismus unmöglich. In diesen Wirkungen steht diesem Fall nahe der ihm verwandte:

b) mit ständisch privilegierender Bedarfsdeckung. Die Marktentwicklung ist auch hier, wenn auch nicht notwendig in gleichem Maße, begrenzt durch die, die „Kaufkraft" beeinträchtigende naturale Inanspruchnahme des Güterbesitzes und der Leistungsfähigkeit der Einzelwirtschaften für Zwecke des Herrschaftsverbandes.

Oder der Patrimonialismus kann sein:

c) monopolistisch mit teils erwerbswirtschaftlicher, teils gebührenmäßiger, teils steuerlicher Bedarfsdeckung. In diesem Fall ist die Marktentwicklung je nach der Art der Monopole stärker oder schwächer irrational eingeschränkt, die großen Erwerbschancen in der Hand des Herren und seines Verwaltungsstabes, der Kapitalismus in seiner Entwicklung daher entweder

α. bei voller Eigenregie der Verwaltung unmittelbar gehemmt oder aber β. im Fall Steuerpacht, Amtspacht oder -Kauf und kapitalistische Heeres- oder Verwaltungs-Beschaffung als Finanzmaßregeln bestehen, auf das Gebiet des politisch orientierten Kapitalismus (Kap. II, § 31) abgelenkt.

Die Finanzwirtschaft des Patrimonialismus, und vollends des Sultanismus, wirkt, auch wo sie geldwirtschaftlich ist, irrational:

1. durch das Nebeneinander von

α. Traditionsgebundenheit in Maß und Art der Inanspruchnahme *direkter* Steuerquellen, und

β. völliger Freiheit, und daher: Willkür in Maß und Art der 1. Gebühren- und 2. Auflagenbemessung und 3. Gestaltung der Monopole. All dies besteht jedenfalls dem *Anspruch* nach; effektiv ist es historisch am meisten bei 1 (dem Prinzip der „bittweisen Tätigkeit" des Herren und des Stabes gemäß), weit weniger bei 2, verschieden stark bei 3.

2. Es fehlt aber überhaupt für die Rationalisierung der Wirtschaft die sichere Kalkulierbarkeit der Belastung nicht nur, sondern auch des Maßes privater Erwerbsfreiheit.

3. Im Einzelfall kann allerdings der patrimoniale Fiskalismus durch planvolle Pflege der Steuerfähigkeit und *rationale* Monopolschaffung rationalisierend wirken. Doch ist dies ein durch historische Sonderbedingungen, die teilweise im Okzident bestanden, bedingter „Zufall".

Die Finanzpolitik bei *ständischer Gewaltenteilung* hat die typische Eigenschaft: durch Kompromiß fixierte, also: *kalkulierbare* Lasten aufzuerlegen, die Willkürlichkeit des Herren in der Schaffung von Auflagen, vor allem aber auch von Monopolen, zu beseitigen oder mindestens stark zu beschränken. Inwieweit die materiale Finanzpolitik dabei die rationale Wirtschaft fördert oder hemmt, hängt von der Art der in der Machtstellung vorwaltenden Schicht ab, vor allem: ob

a) feudale, oder

b) patrizische.

Das Vorwalten der ersteren pflegt kraft der normalerweise überwiegend patrimonialen Struktur der verlehnten Herrschaftsrechte die Erwerbsfreiheit und Marktentwicklung fest zu begrenzen oder geradezu absichtsvoll, machtpolitisch, zu unterbinden, das Verwalten der letzteren kann entgegengesetzt wirken.

1. Das Gesagte muß hier genügen, da darauf in den verschiedensten Zusammenhängen eingehender zurückgekommen wird.

2. Beispiele für

a) (Oikos): Altägypten und Indien,

Für b) erhebliche Gebiete des Hellenismus, das spätrömische Reich, China, Indien, teilweise Rußland und die islamischen Staaten.

Für c) das Ptolemäerreich, Byzanz (teilweise), in anderer Art die Herrschaft der Stuarts.

Für d) die okzidentalen Patrimonialstaaten in der Zeit des „aufgeklärten Despotismus" (insbesondere des Colbertismus).

2. Der normale Patrimonialismus bereitet nicht nur durch seine Finanzpolitik der rationalen Wirtschaft Hemmungen, sondern vor allem durch die allgemeine Eigenart seiner Verwaltung. Nämlich:

   a) durch die Schwierigkeit, die der Traditionalismus *formal* rationalen und in ihrer Dauer verläßlichen, daher in ihrer wirtschaftlichen Tragweite und Ausnutzbarkeit kalkulierbaren *Satzungen* bereitet, –

   b) durch das *typische* Fehlen des *formal* fachgeschulten Beamtenstabs,

Die Entstehung eines solchen *innerhalb* des okzidentalen Patrimonialismus ist, wie sich zeigen wird, durch einzigartige Bedingungen herbeigeführt, die nur hier bestanden, und war *primär* gänzlich *anderen* Quellen entwachsen.

   c) durch den weiten Bereich materialer Willkür und rein persönlicher Beliebungen des Herren und des Verwaltungsstabes, – wobei die eventuelle Bestechlichkeit, die ja lediglich die Entartung des unreglementierten Gebühren-Rechts ist, noch die relativ geringste, weil praktisch kalkulierbare, Bedeutung hätte, *wenn* sie eine konstante Größe und nicht vielmehr einen mit der Person des Beamten stets wechselnden Faktor darstellen würde. Herrscht Amtspacht, so ist der Beamte auf die Herauswirtschaftung seines Anlagekapitals durch beliebige, noch so irrational wirkende, Mittel der Erpressung ganz unmittelbar angewiesen;

   d) durch die allem Patriarchalismus und Patrimonialismus innewohnende, aus der Art der Legitimitätsgeltung und dem Interesse an der Zufriedenheit der Beherrschten folgende Tendenz zur *material* – an utilitarischen oder sozialethischen oder materialen „Kultur"-Idealen – orientierten Regulierung der Wirtschaft, also: Durchbrechung ihrer *formalen*, an Juristenrecht orientierten, Rationalität. Im Höchstmaß ist diese Wirkung bei hierokratisch orientiertem Patrimonialismus entscheidend, während der reine Sultanismus mehr durch seine fiskalische Willkür wirkt.

Aus allen diesen Gründen ist unter der Herrschaft normaler patrimonialer Gewalten zwar

a) Händler-Kapitalismus, –

b) Steuerpacht-, Amtspacht-, Amtskauf-Kapitalismus, –

c) Staatslieferanten- und Kriegsfinanzierungs-Kapitalismus, –

d) unter Umständen: Plantagen- und Kolonial-Kapitalismus bodenständig und oft in üppigster Blüte, dagegen *nicht* die gegen Irrationalitäten der Rechtspflege, Verwaltung und Besteuerung, welche die *Kalkulierbarkeit* stören, höchstempfindliche, an Marktlagen der privaten Konsumenten orientierte Erwerbsunternehmung mit *stehendem Kapital* und rationaler *Organisation freier Arbeit*.

Grundsätzlich anders steht es *nur* da, wo der Patrimonialherr im eignen Macht- und Finanzinteresse zu *rationaler* Verwaltung mit *Fach*beamtentum greift. Dazu ist 1. die *Existenz* von Fach*schulung*, – 2. ein hinlänglich starkes Motiv in aller Regel: scharfe *Konkurrenz mehrerer* patrimonialer *Teilgewalten* innerhalb des gleichen *Kultur*kreises, – 3. ein sehr besondersartiges Moment: die Einbeziehung *städtischer* Gemeindeverbände als Stütze der *Finanz*macht in die konkurrierenden Patrimonialgewalten erforderlich.

1. Der moderne, spezifisch okzidentale Kapitalismus, ist vorbereitet worden in den (relativ) rational verwalteten spezifisch okzidentalen *städtischen* Verbänden (von deren Eigenart später gesondert zu reden sein wird); er entwickelte sich vom 16.-18. Jahrhundert innerhalb des *ständischen* holländischen und englischen, durch Vorwalten der bürgerlichen Macht und Erwerbsinteressen ausgezeichneten politischen Verbände primär, während die fiskalisch und utilitarisch bedingten sekundären Nachahmungen in den rein patrimonialen oder feudal-ständisch beeinflußten Staaten des Kontinents ganz ebenso wie die Stuartschen Monopolindustrien *nicht* in realer Kontinuität mit der später einsetzenden autonomen kapitalistischen Entwicklung standen, obwohl einzelne (agrar- und gewerbepolitische) Maßregeln, soweit und dadurch daß sie an englischen, holländischen oder, später, französischen Vorbildern orientiert waren, sehr wichtige Entwicklungsbedingungen für sein Entstehen schufen (auch darüber gesondert).

2. Die Patrimonialstaaten des Mittelalters unterschieden sich durch die *formal* rationale Art eines Teils ihres Verwaltungsstabes (vor allem: Juristen, weltliche und kanonische) prinzipiell von allen andern Verwaltungsstäben aller politischen Verbände der Erde. Auf die Quelle dieser Entwicklung und ihre Bedeutung wird näher gesondert einzugehen sein. Hier mußten die am Schluß des Textes gemachten allgemeinen Bemerkungen vorläufig genügen.

§ 10. „*Charisma*" soll eine als außeralltäglich (ursprünglich, sowohl bei Propheten wie bei therapeutischen wie bei Rechts-Weisen wie bei Jagdführern wie bei Kriegshelden: als magisch bedingt) geltende Qualität einer Persönlichkeit heißen, um derentwillen sie als mit übernatürlichen oder übermenschlichen oder mindestens spezifisch außeralltäglichen, nicht jedem andern zugänglichen Kräften oder Eigenschaften oder als gottgesendet oder als vorbildlich und deshalb als „*Führer*" gewertet wird. Wie die betreffende Qualität von irgendeinem ethischen, ästhetischen oder sonstigen Standpunkt aus „objektiv" richtig zu bewerten sein *würde*, ist natürlich dabei begrifflich völlig gleichgültig: darauf allein, wie sie tatsächlich von den charismatisch Beherrschten, den „*Anhängern*", bewertet *wird*, kommt es an.

Das Charisma eines „Berserkers" (dessen manische Anfälle man, anscheinend mit Unrecht, der Benutzung bestimmter Gifte zugeschrieben hat: man hielt sich in Byzanz im Mittelalter eine Anzahl dieser mit dem Charisma der Kriegs-Tobsucht Begabten als eine Art von Kriegswerkzeugen), eines „Schamanen" (Magiers, für dessen Ekstasen im reinen Typus die Möglichkeit epileptoider Anfälle als eine Vorbedingung gelten), oder etwa des (vielleicht, aber nicht ganz sicher, wirklich einen raffinierten Schwindlertyp darstellenden) Mormonenstifters, oder eines den eigenen demagogischen Erfolgen preisgegebenen Literaten wie Kurt Eisner werden von der wertfreien Soziologie mit dem Charisma der nach der üblichen Wertung „größten" Helden, Propheten, Heilande durchaus gleichartig behandelt.

1. Über die Geltung des Charisma entscheidet die durch *Bewährung* – ursprünglich stets: durch Wunder – gesicherte freie, aus Hingabe an Offenbarung, Heldenverehrung, Vertrauen zum Führer geborene, *Anerkennung* durch die Beherrschten. Aber diese ist (bei genuinem Charisma) nicht der Legitimitäts*grund*, sondern sie ist *Pflicht* der kraft Berufung und Bewährung zur Anerkennung dieser Qualität Aufgerufenen. Diese „Anerkennung" ist psychologisch eine aus Begeisterung oder Not und Hoffnung geborene gläubige ganz persönliche Hingabe.

Kein Prophet hat seine Qualität als abhängig von der Meinung der Menge über ihn angesehen, kein gekorener König oder charismatischer Herzog die Widerstrebenden oder abseits Bleibenden anders denn als Pflichtwidrige behandelt: die Nicht-Teilnahme an dem formal voluntaristisch rekrutierten Kriegszug eines Führers wurde in aller Welt mit Spott entgolten.

2. Bleibt die Bewährung dauernd aus, zeigt sich der charismatische Begnadete von seinem Gott oder seiner magischen oder Heldenkraft verlassen, bleibt ihm der Erfolg dauernd versagt, vor allem: *bringt seine Führung kein Wohlergehen für die Beherrschten*, so hat seine charismatische Autorität die Chance, zu schwinden. Dies ist der genuine charismatische Sinn des „Gottesgnadentums".

Selbst für altgermanische Könige kommt ein „Verschmäher" vor. Ebenso massenhaft bei sog. primitiven Völkern. Für China war die (erbcharismatisch unmodifizierte s. § 11) charismatische Qualifikation des Monarchen so absolut festgehalten worden, daß jegliches, gleichviel wie geartete, Mißgeschick: nicht nur Kriegsunglück, sondern ebenso: Dürre, Überschwemmungen, unheilvolle astronomische Vorgänge usw. ihn zu öffentlicher Buße, eventuell zur Abdankung zwangen. Er hatte dann das Charisma der vom Himmelsgeist verlangten (klassisch determinierten) „Tugend" nicht und war also nicht legitimer „Sohn des Himmels".

3. Der Herrschaftsverband *Gemeinde*: ist eine emotionale Vergemeinschaftung. Der *Verwaltungsstab* des charismatischen Herren ist kein „Beamtentum" am wenigsten ein fachmäßig eingeschultes. Er ist weder nach ständischen noch nach Gesichtspunkten der Haus- oder persönlichen Abhängigkeit ausgelesen. Sondern er ist seinerseits nach charismatischen Qualitäten ausgelesen: dem „Propheten" entsprechen die „Jünger", dem „Kriegsfürsten" die „Gefolgschaft", dem „Führer" überhaupt: „Vertrauensmänner". Es gibt keine „Anstellung" oder „Absetzung", keine „Laufbahn" und kein „Aufrükken". Sondern nur Berufung nach Eingebung des Führers auf Grund der charismatischen Qualifikation des Berufenen. Es gibt keine „Hierarchie", sondern nur Eingreifen des Führers bei genereller oder im Einzelfall sich ergebender charismatischer Unzulänglichkeit des Verwaltungsstabes für eine Aufgabe, eventuell auf Anrufen. Es gibt keine „Amtssprengel" und „Kompetenzen", aber auch keine Appropriation von Amtsgewalten durch „Privileg". Sondern nur (möglicherweise) örtliche oder sachliche Grenzen des Charisma und der „Sendung". Es gibt keinen „Gehalt" und keine „Pfründe". Sondern die Jünger oder Gefolgen leben (primär) mit dem Herren in Liebes- bzw. Kameradschaftskommunismus aus den mäzenatisch beschafften Mitteln. Es gibt keine feststehenden „Behörden", sondern nur charismatisch, im Umfang des Auftrags des Herren und: des eigenen Charisma, beauftragte Sendboten. Es gibt kein Reglement, keine abstrakten Rechtssätze, keine an ihnen orientierte rationale Rechtsfindung, keine an traditionalen Präzedenzien orientierte Weistümer und

Rechtssprüche. Sondern formal sind aktuelle Rechts*schöpfungen* von Fall zu Fall, ursprünglich nur Gottesurteile und Offenbarungen maßgebend. Material aber gilt für alle genuin charismatische Herrschaft der Satz: „es steht geschrieben, – ich aber sage euch"; der genuine Prophet sowohl wie der genuine Kriegsfürst wie jeder genuine Führer überhaupt verkündet, schafft, fordert *neue* Gebote, – im ursprünglichen Sinn des Charisma: kraft Offenbarung, Orakel, Eingebung oder: kraft konkretem Gestaltungswillen, der von der Glaubens-, Wehr-, Partei- oder anderer Gemeinschaft um seiner Herkunft willen anerkannt wird. Die Anerkennung ist pflichtmäßig. Sofern der Weisung nicht eine konkurrierende Weisung eines andern mit dem Anspruch auf charismatische Geltung entgegentritt, liegt ein letztlich nur durch magische Mittel oder (*pflichtmäßige*) Anerkennung der Gemeinschaft entscheidbarer Führerkampf vor, bei dem notwendig auf der einen Seite nur Recht, auf der andren nur sühnepflichtiges Unrecht im Spiel sein kann.

Die charismatische Herrschaft ist, als das *Außer*alltägliche, sowohl der rationalen, insbesondere der bürokratischen, als der traditionalen, insbesondre der patriarchalen und patrimonialen oder ständischen, schroff entgegengesetzt. Beide sind spezifische *Alltags*-Formen der Herrschaft, – die (genuin) charismatische ist spezifisch das Gegenteil. Die bürokratische Herrschaft ist spezifisch rational im Sinn der Bindung an diskursiv analysierbare Regeln, die charismatische spezifisch irrational im Sinn der Regelfremdheit. Die traditionale Herrschaft ist gebunden an die Präzedenzien der Vergangenheit und insoweit ebenfalls regelhaft orientiert, die charismatische stürzt (innerhalb ihres Bereichs) die Vergangenheit um und ist in diesem Sinn spezifisch revolutionär. Sie kennt keine Appropriation der Herrengewalt nach Art eines Güterbesitzes, weder an den Herren noch an ständische Gewalten. Sondern legitim ist sie nur soweit und solange, als das persönliche Charisma kraft Bewährung „gilt", das heißt: Anerkennung findet und „brauchbar" der Vertrauensmänner, Jünger, Gefolge, nur auf die Dauer seiner charismatischen Bewährtheit.

Das Gesagte dürfte kaum einer Erläuterung benötigen. Es gilt für den *rein* „plebiszitären" charismatischen Herrscher (Napoleons „Herrschaft des Genies", welche Plebejer zu Königen und Generälen machte) ganz ebenso wie für den Propheten oder Kriegshelden.

4. Reines Charisma ist spezifisch *wirtschaftsfremd*. Es konstituiert, wo es auftritt, einen „Beruf" im emphatischen Sinn des Worts: als „Sendung" oder innere „Aufgabe". Es verschmäht und verwirft, im reinen Typus, die ökonomische Verwertung der Gnadengaben als Einkom-

menquelle, – was freilich oft mehr Anforderung als Tatsache bleibt. Nicht etwa daß das Charisma immer auf Besitz und Erwerb verzichtete, wie das unter Umständen (s. gleich) Propheten und ihre Jünger tun. Der Kriegsheld und seine Gefolgschaft *suchen* Beute, der plebiszitäre Herrscher oder charismatische Parteiführer materielle Mittel ihrer Macht, der erstere außerdem: materiellen Glanz seiner Herrschaft zur Festigung seines Herrenprestiges. Was sie alle verschmähen – solange der genuincharismatische Typus besteht – ist: die traditionale oder rationale *Alltags*wirtschaft, die Erzielung von regulären „Einnahmen" durch eine darauf gerichtete kontinuierliche wirtschaftliche Tätigkeit. Mäzenatische – großmäzenatische (Schenkung, Stiftung, Bestechung, Großtrinkgelder) – oder: bettelmäßige Versorgung auf der einen, Beute, gewaltsame oder (formal) friedliche Erpressung auf der andren Seite sind die typischen Formen der charismatischen Bedarfsdeckung. Sie ist, von einer *rationalen* Wirtschaft her gesehen, eine typische Macht der „Unwirtschaftlichkeit". Denn sie lehnt jede Verflechtung in den *Alltag* ab. Sie kann nur, in voller innerer Indifferenz, unsteten *Gelegenheits*erwerb sozusagen „mitnehmen". „Rentnertum" als Form der Wirtschafts*enthobenheit kann* – für *manche* Arten – die wirtschaftliche Grundlage charismatischer Existenzen sein. Aber für die normalen charismatischen „Revolutionäre" pflegt das nicht zu gelten.

Die Ablehnung kirchlicher Ämter durch die Jesuiten ist eine rationalisierte Anwendung dieses „Jünger"-Prinzips. Daß alle Helden der Askese, Bettelorden und Glaubenskämpfer dahin gehören, ist klar. Fast alle Propheten sind mäzenatisch unterhalten worden. Der gegen das Missionarsschmarotzertum gerichtete Satz des Paulus: „Wer nicht arbeitet, soll auch nicht essen", bedeutet natürlich keinerlei Bejahung der „Wirtschaft", sondern nur die Pflicht, gleichviel wie, „im Nebenberuf" sich den notdürftigen Unterhalt zu schaffen, weil das eigentlich charismatische Gleichnis von den „Lilien auf dem Felde" nicht im Wortsinn, sondern nur in dem des *Nicht*sorgens für den nächsten Tag durchführbar war. – Auf der andern Seite ist es bei einer primär künstlerischen charismatischen Jüngerschaft denkbar, daß die Enthebung aus den Wirtschaftskämpfen durch Begrenzung der im eigentlichen Sinn Berufenen auf „wirtschaftlich Unabhängige" (also: Rentner) als das Normale gilt (so im Kreise Stefan Georges, wenigstens der primären Absicht nach).

5. Das Charisma ist *die* große revolutionäre Macht in traditional gebundenen Epochen. Zum Unterschied von der ebenfalls revolutionierenden Macht der „ratio", die entweder geradezu von außen

her wirkt: durch Veränderung der Lebensumstände und Lebensprobleme und dadurch, mittelbar der Einstellungen zu diesen, oder aber: durch Intellektualisierung, *kann* Charisma eine Umformung von innen her sein, die, aus Not oder Begeisterung geboren, eine Wandlung der zentralen Gesinnungs- und Tatenrichtung unter völliger Neuorientierung aller Einstellungen zu allen einzelnen Lebensformen und zur „Welt" überhaupt bedeutet. In vorrationalistischen Epochen teilen Tradition und Charisma nahezu die Gesamtheit der Orientierungsrichtungen des Handelns unter sich auf.

5. Die Veralltäglichung des Charisma.

§ 11. In ihrer genuinen Form ist die charismatische Herrschaft spezifisch *außeralltäglichen* Charakters und stellt eine streng persönlich, an die Charisma-Geltung persönlicher Qualitäten und deren *Bewährung*, geknüpfte soziale Beziehung dar. Bleibt diese nun aber nicht rein ephemer, sondern nimmt sie den Charakter einer *Dauer*beziehung – „Gemeinde" von Glaubensgenossen oder Kriegern oder Jüngern, oder: Parteiverband, oder politischer, oder hierokratischer Verband – an, so muß die charismatische Herrschaft, die sozusagen nur in statu nascendi in idealtypischer Reinheit bestand, ihren Charakter wesentlich ändern: sie wird traditionalisiert oder rationalisiert (legalisiert) oder: beides in verschiedenen Hinsichten. Die treibenden Motive dafür sind die folgenden:

a) das ideelle oder auch materielle Interesse der *Anhängerschaft* an der Fortdauer und steten Neubelebung der Gemeinschaft, –

b) das noch stärkere ideelle und noch stärkere materielle Interesse des *Verwaltungsstabes*: der Gefolgschaft, Jüngerschaft, Parteivertrauensmännerschaft usw., daran:

1. die Existenz der Beziehung fortzusetzen, – und zwar sie

2. so fortzusetzen, daß dabei die eigne Stellung ideell und materiell auf eine dauerhafte *Alltags*grundlage gestellt wird: äußerlich Herstellung der *Familien*-Existenz oder doch der *saturierten* Existenz an Stelle der weltenthobenen Familien- und wirtschaftsfremden „Sendungen".

Diese Interessen werden typisch aktuell beim Wegfall der Person des Charisma-Trägers und der nun entstehenden *Nachfolger*frage. Die Art, wie sie gelöst wird – *wenn* sie gelöst wird und also: die charismatische Gemeinde fortbesteht (oder: *nun* erst *ent*steht) – ist sehr wesentlich bestimmend für die Gesamtnatur der nun entstehenden sozialen Beziehungen.

Sie kann folgende Arten von Lösungen erfahren.

a) Neu-*Aufsuchen* eines als Charisma-Träger zum Herren Qualifizierten nach *Merkmalen*.

Ziemlich reiner Typus: das Aufsuchen des neuen Dalai Lama (eines nach Merkmalen der ·Verkörperung des Göttlichen auszulesenden Kindes, ganz der Aufsuchung des Apis-Stiers ähnlich).

Dann ist die Legitimität des neuen Charisma-Trägers an *Merkmale*, also: „Regeln", für die eine Tradition entsteht, geknüpft (Traditionalisierung), also: der *rein* persönliche Charakter zurückgebildet.

b) Durch *Offenbarung*: Orakel, Los, Gottesurteil oder andre Techniken der Auslese. Dann ist die Legitimität des neuen Charisma-Trägers eine aus der Legitimität der *Technik* abgeleitete (Legalisierung).

Die israelitischen Schofetim hatten zuweilen angeblich diesen Charakter. Das alte Kriegsorakel bezeichnete angeblich *Saul.*

c) Durch Nachfolgerdesignation seitens des bisherigen Charisma-Trägers und Anerkennung seitens der Gemeinde.

Sehr häufige Form. Die Kreation der römischen Magistraturen (am deutlichsten erhalten in der Diktaten-Kreation und in der Institution des „interrex") hatte ursprünglich durchaus diesen Charakter.

Die Legitimität wird dann eine durch die Designation *erworbene* Legitimität.

d) Durch Nachfolgerdesignation seitens des charismatisch qualifizierten Verwaltungsstabs und Anerkennung durch die Gemeinde. Die Auffassung als „Wahl" bzw. „Vorwahl"- oder „Wahlvorschlagsrecht" muß diesem Vorgang in seiner genuinen Bedeutung durchaus ferngehalten werden. Es handelt sich nicht um freie, sondern um streng pflichtmäßig gebundene Auslese, nicht um Majoritätsabstimmungen, sondern um *richtige* Bezeichnung, Auslese des Richtigen, des wirklichen Charisma-Trägers, den auch die Minderheit zutreffend herausgefunden haben kann. Die Einstimmigkeit ist Postulat, das Einsehen des Irrtums Pflicht, das Verharren in ihm schwere Verfehlung, eine „falsche" Wahl ein zu sühnendes (ursprünglich: magisches) Unrecht.

Aber allerdings scheint die Legitimität doch leicht eine solche des unter allen Kautelen der Richtigkeit getroffenen Rechtserwerbs, meist mit bestimmten Formalitäten (Inthronisation usw.).

Dies der ursprüngliche Sinn der Bischofs- und Königs-Krönung durch Klerus oder Fürsten mit Zustimmung der Gemeinde im Okzident und zahlreicher analoger Vorgänge in aller Welt. Daß daraus der Gedanke der „Wahl" *entstand*, ist später zu erörtern.

e) Durch die Vorstellung, daß das Charisma eine Qualität des *Blutes* sei und also an der Sippe, insbesondre den Nächstversippten, des Trägers hafte: *Erbcharisma*. Dabei ist die *Erbordnung* nicht notwendig die für appropriierte Rechte, sondern oft heterogen, oder es muß mit Hilfe der Mittel unter a–d der „richtige" Erbe innerhalb der Sippe festgestellt werden.

Zweikampf von Brüdern kommt bei Negern vor. Erbordnung derart, daß die Ahnengeisterbeziehung nicht gestört wird (nächste Generation), z. B. in China. Seniorat oder Bezeichnung durch die Gefolgschaft sehr oft im Orient (daher die „Pflicht" der Ausrottung aller sonst denkbaren Anwärter im Hause Osmans).

Nur im mittelalterlichen Okzident und in Japan, sonst nur vereinzelt, ist das eindeutige Prinzip des Primogenitur*erb*rechts an der Macht durchgedrungen und hat dadurch die Konsolidierung der politischen Verbände (Vermeidung der Kämpfe mehrerer Prätendenten aus der erbcharismatischen Sippe) sehr gefördert.

Der Glaube gilt dann nicht mehr den charismatischen Qualitäten der Person, sondern dem kraft der Erbordnung legitimen Erwerb. (Traditionalisierung und Legalisierung.) Der Begriff des „Gottesgnadentums" wird in seinem Sinn völlig verändert und bedeutet nun: Herr zu eignem, *nicht* von Anerkennung der Beherrschten abhängigem, Recht. Das persönliche Charisma kann völlig fehlen.

Die Erbmonarchie, die massenhaften Erbhierokratien Asiens und das Erbcharisma der Sippen als Merkmal des Ranges und der Qualifikation zu Lehen und Pfründen (s. folgenden §) gehört dahin.

6. Durch die Vorstellung, daß das Charisma eine durch hierurgische Mittel seitens eines Trägers auf andre übertragbare oder erzeugbare (ursprünglich: magische) Qualität sei: Versachlichung des Charisma, insbesondere: *Amtscharisma*. Der Legitimitätsglaube gilt dann nicht mehr der Person, sondern den erworbenen Qualitäten und der Wirksamkeit der hierurgischen Akte.

Wichtigstes Beispiel: Das priesterliche Charisma, durch Salbung, Weihe oder Händeauflegung, das königliche, durch Salbung und Krönung übertragen oder bestätigt. Der character indelebilis bedeutet die Loslösung der amtscharismatischen Fähigkeiten von den Qualitäten der Person des Priesters. Eben deshalb gab er, vom Donatismus und Montanismus angefangen bis zur puritanischen (täuferischen) Revolution, Anlaß zu steten Kämpfen (der „Mietling" der Quäker ist der *amts*charismatische Prediger).

§ 12. Mit der Veralltäglichung des Charisma aus dem Motiv der Nachfolger-Beschaffung parallel gehen die Veralltäglichungsinteressen des *Verwaltungsstabes*. Nur in statu nascendi und solange der charismatische Herr *genuin außer*alltäglich waltet, kann der Verwaltungsstab mit diesem aus Glauben und Begeisterung anerkannten Herren mäzenatisch oder von Beute oder Gelegenheitserträgen leben. Nur die kleine begeisterte Jünger- und Gefolgen-*Schicht* ist dazu an sich dauernd bereit, „macht" ihr Leben aus ihrem „Beruf" nur „ideell". Die Masse der Jünger und Gefolgen will ihr Leben (auf die Dauer) auch *materiell* aus dem „Beruf" machen und muß dies auch, soll sie nicht schwinden.

Daher vollzieht sich die Veralltäglichung des Charisma auch

1. in der Form der *Appropriation* von Herrengewalten und Erwerbschancen an die Gefolgschaft oder Jüngerschaft und unter *Regelung* ihrer Rekrutierung.

2. Diese Traditionalisierung oder Legalisierung (je nachdem: ob rationale Satzung oder nicht) kann verschiedene typische Formen annehmen:

1. Die genuine Rekrutierungsart ist die nach persönlichem Charisma. Die Gefolgschaft oder Jüngerschaft kann bei der Veralltäglichung nun *Normen* für Rekrutierung aufstellen, insbesondere:

    a) Erziehungs-,

    b) Erprobungs-Normen.

Charisma kann nur „geweckt" und „erprobt", nicht „erlernt" oder „eingeprägt" werden. Alle Arten magischer (Zauberer-, Helden-) Askese und alle *Noviziate* gehören in diese Kategorie der *Schließung* des Verbandes des Verwaltungsstabes (s. über die charismatische Erziehung Kap. IV). Nur der erprobte Novize wird zu den Herrengewalten zugelassen. Der *genuine* charismatische Führer kann sich diesen Ansprüchen erfolgreich widersetzen, – der Nachfolger nicht, am wenigsten der (§ 13, Nr. 4) vom Verwaltungsstab gekorene.

Alle Magier- und Krieger-Askese im „Männerhaus", mit Zöglingsweihe und Altersklassen gehört hierher. Wer die Kriegerprobe nicht besteht, bleibt „Weib", d. h. von der Gefolgschaft ausgeschlossen.

2. Die charismatischen Normen können leicht in traditional *ständische* (erbcharismatische) umschlagen. Gilt Erbcharisma (§ 11, Nr. 5) des Führers, so liegt Erbcharisma auch des Verwaltungsstabes und eventuell selbst der Anhänger als Regel der Auslese und Verwendung sehr nahe. Wo ein politischer Verband von diesem Prinzip des Erbcharisma streng und völlig erfaßt ist: alle Appropriation von Herrengewalten, Lehen, Pfründen, Erwerbschancen aller Art danach sich vollziehen, besteht der Typus des „Geschlechterstaats". Alle Gewal-

ten und Chancen jeder Art werden traditionalisiert. Die Sippenhäupter (also: traditionale, persönlich nicht durch Charismen legitimierte Gerontokraten oder Patriarchen) regulieren die Ausübung, die ihrer Sippe nicht entzogen werden kann. – Nicht die Art der Stellung bestimmt den „Rang" des Mannes oder seiner Sippe, sondern der erbcharismatische *Sippen*rang ist maßgebend für die Stellungen, die ihm *zukommen*.

Hauptbeispiele: Japan vor der Bürokratisierung, zweifellos in weitem Maße auch China (die „alten Familien") vor der Rationalisierung in den Teilstaaten, Indien in den Kastenordnungen, Rußland vor der Durchführung des Mjestnitschestwo und in anderer Form nachher, ebenso: alle fest privilegierten „Geburtsstände" (darüber Kap. IV) überall.

3. Der Verwaltungsstab kann die Schaffung und Appropriation *individueller* Stellungen und Erwerbschancen für seine Glieder fordern und durchsetzen. Dann entstehen, je nach Traditionalisierung oder Legalisierung:

a) Pfründen (Präbendalisierung, – siehe oben),

b) Ämter (Patrimonialisierung und Bürokratisierung, – siehe oben),

c) Lehen (Feudalisierung),

welche nun statt der ursprünglichen rein akosmistischen Versorgung aus mäzenatischen Mitteln oder Beute appropriiert werden. Näher zu a:

α. Bettelpfründen,

β. Naturalrentenpfründen,

γ. Geldsteuerpfründen,

δ. Sportelpfründen,

durch Regulierung der anfänglich rein mäzenatischen (α) oder rein beutemäßigen (β γ) Versorgung nach rationaler Finanzorganisation.

zu α. Buddhismus, –

zu β. chinesische und japanische Reispfründen, –

zu γ. die Regel in allen rationalisierten Erobererstaaten, –

zu δ. massenhafte Einzelbeispiele überall, insbesondere: Geistliche und Richter, aber in Indien auch Militärgewalten.

Zu b: Die „Veramtung" der charismatischen Sendungen kann mehr Patrimonialisierung oder mehr Bürokratisierung sein. Ersteres ist durchaus die Regel, letzteres findet sich in der Antike und in der Neuzeit im Okzident, seltener und als Ausnahme anderwärts.

Zu c: α. Landlehen mit Beibehaltung des Sendungscharakters der Stellung als solcher, –

β. volle lehenmäßige Appropriation der Herrengewalten.

Beides schwer zu trennen. Doch schwindet die Orientierung am Sendungscharakter der Stellung nicht leicht ganz, auch im Mittelalter nicht.

§ 12a. Voraussetzung der Veralltäglichung ist die Beseitigung der Wirtschaftsfremdheit des Charisma, seine Anpassung an fiskalische (Finanz-) Formen der Bedarfsdeckung und damit an steuer- und abgabefähige Wirtschaftsbedingungen.

Die „Laien" der zur Präbendalisierung schreitenden Sendungen stehen dem „Klerus" (dem mit „Anteil", κληρος) beteiligten Mitglied des charismatischen, nun veralltäglichten Verwaltungsstabes (Priestern der entstehenden „Kirche"), die „Steueruntertanen" den Vasallen, Pfründnern, Beamten des entstehenden politischen Verbandes, im Rationalitätsfall: „Staats" oder etwa den statt der „Vertrauensmänner" jetzt angestellten Parteibeamten gegenüber.

Typisch bei den Buddhisten und hinduistischen Sekten zu beobachten (s. Religionssoziologie). Ebenso in allen zu Dauergebilden rationalisierten Eroberungsreichen. Ebenso bei Parteien und andern ursprünglich rein charismatischen Gebilden.

Mit der Veralltäglichung *mündet* also der charismatische Herrschafts-Verband weitgehend in die Formen der Alltagsherrschaft: patrimoniale, insbesondere: ständische, oder bürokratische, ein. Der ursprüngliche Sondercharakter äußert sich in der erbcharismatischen oder amtscharismatischen ständischen *Ehre* der Appropriierten, des Herren wie des Verwaltungsstabs, in der Art des Herren-*Prestiges* also. Ein Erbmonarch „von Gottes Gnaden" ist kein einfacher Patrimonialherr, Patriarch oder Schech, ein Vasall kein Ministeriale oder Beamter. Das Nähere gehört in die Lehre von den „Ständen".

Die Veralltäglichung vollzieht sich in der Regel *nicht* kampflos. Unvergessen sind anfänglich die *persönlichen* Anforderungen an das Charisma des Herren, und der Kampf des Amts- oder Erb- mit dem persönlichen Charisma ist ein in der Geschichte typischer Vorgang.

1. Die Umbildung der Bußgewalt (Dispensation von Todsünden) aus einer nur dem persönlichen Märtyrer und Asketen zustehenden Herrengewalt in eine *Amts*gewalt von Bischof und Priester ist im Orient *weit* langsamer erfolgt als im Okzident unter dem Einfluß des römischen „Amts"-Begriffs. Charismatische Führerrevolutionen gegen erbcharismatische oder gegen Amtsgewalten finden sich in allen Verbänden, von dem Staate bis zu den Gewerkschaften (gerade jetzt!). Je entwickelter aber die zwischen-wirtschaftlichen Abhängigkeiten der Geldwirtschaft sind, desto stärker wird der Druck der Alltagsbedürf-

nisse der Anhängerschaft und damit die Tendenz zur Veralltäglichung, die überall am Werk gewesen ist und, in aller Regel schnell, gesiegt hat. Charisma ist typische *Anfangs*erscheinung religiöser (prophetischer) oder politischer (Eroberungs-) Herrschaften, weicht aber
den Gewalten des Alltags, sobald die Herrschaft gesichert und, vor
allem, sobald sie *Massen*charakter angenommen hat.

2. Ein treibendes Motiv für die Veralltäglichung des Charisma ist
natürlich in allen Fällen das Streben nach Sicherung und das heißt:
Legitimierung der sozialen Herrenpositionen und ökonomischen
Chancen für die Gefolgschaft und Anhängerschaft des Herren. Ein
weiteres aber die objektive Notwendigkeit der Anpassung der Ordnungen und des Verwaltungsstabes an die normalen Alltagserforder-
nisse und -bedingungen einer Verwaltung. Dahin gehören insbesondre
Anhaltspunkte für eine Verwaltungs- und Rechtssprechungs-Tradi-
tion, wie sie der normale Verwaltungsstab ebenso wie die Beherrschten benötigen. Ferner irgendwelche Ordnung der Stellungen für die
Mitglieder der Verwaltungsstäbe. Endlich und vor allem – wovon
später gesondert zu sprechen ist – die Anpassungen der Verwaltungsstäbe und aller Verwaltungsmaßregeln an die *ökonomischen* All-
tagsbedingungen: Deckung der Kosten durch Beute, Kontributionen,
Schenkungen, Gastlichkeit, wie im aktuellen Stadium des kriegerischen und prophetischen Charisma, sind keine möglichen Grundlagen einer Alltags-Dauerverwaltung.

3. Die Veralltäglichung wird daher nicht nur durch das Nachfolgerproblem ausgelöst und ist weit entfernt, nur dies zu betreffen. Im
Gegenteil ist der Übergang von den charismatischen Verwaltungsstäben und Verwaltungsprinzipien zu den alltäglichen das Haupt-
problem. Aber das Nachfolgerproblem betrifft die Veralltäglichung
des charismatischen Kerns: des Herren selbst und seiner Legitimität
und zeigt im Gegensatz zu dem Problem des Übergangs zu traditionalen oder legalen Ordnungen und Verwaltungsstäben besondersar-
tige und charakteristische, nur aus diesem Vorgang verständliche,
Konzeptionen. Die wichtigsten von diesen sind die charismatische
Nachfolgerdesignation und das Erbcharisma.

4. Für die Nachfolgerdesignation durch den charismatischen Herren selbst ist das historisch wichtigste Beispiel, wie erwähnt, Rom. Für
den rex wird sie durch die Überlieferung behauptet, für die Ernennung des Diktator und des Mitregenten und Nachfolgers im Prinzipat steht sie in historischer Zeit fest; die Art der Bestellung aller
Oberbeamten mit imperium zeigt deutlich, daß auch für sie die Nachfolgerdesignation durch den Feldherren, nur unter Vorbehalt der

Anerkennung durch das Bürgerheer, bestand. Denn die Prüfung und ursprünglich offenbar willkürliche Ausschließung der Kandidaten durch den amtierenden Magistrat ergibt die Entwicklung deutlich.

5. Für die Nachfolgerdesignation durch die charismatische Gefolgschaft sind die wichtigsten Beispiele die Bestellung der Bischöfe, insbesondere des Papstes durch – ursprünglich – Designation seitens des Klerus und Anerkennung seitens der Gemeinde und die (wie U. Stutz wahrscheinlich gemacht hat) nach dem Beispiel der Bischofsbestellung später umgebildete Kürung des deutschen Königs: Designation durch gewisse Fürsten und Anerkennung durch das (wehrhafte) „Volk". Ähnliche Formen finden sich sehr oft.

6. Für die Entwicklung des Erbcharisma war das klassische Land Indien. Alle Berufsqualitäten und insbesondre alle Autoritätsqualifikationen und Herrenstellungen galten dort als streng erbcharismatisch gebunden. Der Anspruch auf Lehen an Herrenrechten haftete an der Zugehörigkeit zur Königssippe, die Lehen wurden beim Sippenältesten gemutet. Alle hierokratischen Amtsstellungen, einschließlich der ungemein wichtigen und einflußreichen Guru-(Directeur de l'âme)-Stellung, alle repartierten Kundschaftsbeziehungen, alle Stellungen innerhalb des Dorf-Establishment (Priester, Barbier, Wäscher, Wachmann usw.) galten als erbcharismatisch gebunden. Jede Stiftung einer Sekte bedeutete Stiftung einer Erbhierarchie. (So auch im chinesischen Taoismus.) Auch im japanischen „Geschlechterstaat" (vor dem nach chinesischem Muster eingeführten Patrimonialbeamtenstaat, der dann zur Präbendalisierung und Feudalisierung führte) war die soziale Gliederung rein erbcharismatisch (näher davon in anderem Zusammenhang).

Dies erbcharismatische Recht auf die Herrenstellungen ist ähnlich in der ganzen Welt entwickelt worden. Die Qualifikation kraft Eigenleistung wurde durch die Qualifikation kraft Abstammung ersetzt. Diese Erscheinung liegt überall der Geburtsstands-Entwicklung zugrunde, bei der römischen Nobilität ebenso wie im Begriff der „stirps regia" bei den Germanen nach Tacitus, wie bei den Turnier- und Stiftfähigkeitsregeln des späten Mittelalters, wie bei den modernen Pedigree-Studien der amerikanischen Neuaristokratie wie überhaupt überall, wo „ständische" Differenzierung (darüber s. u.) eingelebt ist.

Beziehung zur Wirtschaft: Die Veralltäglichung des Charisma ist in sehr wesentlicher Hinsicht identisch mit Anpassung an die Bedingungen der Wirtschaft als der kontinuierlich wirkenden Alltagsmacht. Die Wirtschaft ist *dabei* führend, nicht geführt. In weitestgehendem Maße dient hierbei die erb- oder amtscharismatische Umbildung als Mittel der *Legitimierung* bestehender oder erworbener Verfügungsgewalten. Namentlich das Festhalten an Erbmonarchien ist – neben den gewiß nicht gleichgültigen Treue-Ideologien – doch sehr stark durch Erwägungen mitbedingt: daß aller ererbte und legitim erworbene Besitz erschüttert werde, wenn die innere Gebundenheit an die Erbheiligkeit des Thrones fortfalle und ist daher nicht zufällig den besitzenden Schichten adäquater als etwa dem Proletariat.

Im übrigen läßt sich etwas ganz Allgemeines (und zugleich: sachlich Inhaltliches und Wertvolles) über die Beziehungen der verschiedenen Anpassungsmöglichkeiten zur Wirtschaft nicht wohl sagen: dies muß der besonderen Betrachtung vorbehalten bleiben. Die Präbendalisierung und Feudalisierung und die erbcharismatische Appropriation von Chancen aller Art kann in *allen* Fällen ihre stereotypierenden Wirkungen bei Entwicklung aus dem Charisma ganz ebenso üben wie bei Entwicklung aus patrimonialen und bürokratischen Anfangszuständen und dadurch auf die Wirtschaft zurückwirken. Die regelmäßig auch wirtschaftlich gewaltig revolutionierende – zunächst oft: zerstörende, weil (möglicherweise): neu und „voraussetzungslos" orientierende – Macht des Charisma wird dann in das Gegenteil ihrer Anfangswirkung verkehrt.

Über die Ökonomik von (charismatischen) Revolutionen ist s. Z. gesondert zu reden. Sie ist überaus verschieden.

6. Feudalismus.

§ 12b. Gesondert zu sprechen ist noch von dem letzten in § 12 Nr. 3 genannten Fall (c: Lehen). Und zwar deshalb, weil daraus eine Struktur des Herrschaftsverbandes entstehen kann, welche vom Patrimonialismus ebenso wie vom genuinen oder Erb-Charismatismus *verschieden* ist und eine gewaltige geschichtliche Bedeutung gehabt hat: der *Feudalismus*. Wir wollen *Lehens-* und *Pfründen*-Feudalismus als echte Formen unterscheiden. Alle andern, „Feudalismus" *genannten*, Formen von Verleihung von Dienstland gegen Militärleistungen sind in Wirklichkeit patrimonialen (ministerialischen) Charakters und sind hier nicht gesondert zu behandeln. Denn von den verschiedenen Arten der *Pfründen* ist erst später bei der Einzeldarstellung zu reden.

AA. Lehen bedeutet stets:

aa) die Appropriation von Herrengewalten und Herrenrechten. Und zwar können als Lehen appropriiert werden α. nur eigenhaushaltsmäßige, oder

β. verbandsmäßige, aber nur ökonomische (fiskalische), oder auch

γ. verbandsmäßige Befehlsgewalten.

Die Verlehnung erfolgt durch Verleihung gegen spezifische, normalerweise: primär *militaristische*, daneben verwaltungsmäßige Leistungen. Die Verleihung erfolgt in sehr spezifischer Art. Nämlich:

bb) primär rein *personal*, auf das Leben des Herrn und des Lehensnehmers (Vasallen). Ferner:

cc) kraft *Kontrakts*, also mit einem freien Mann, welcher (im Fall der *hier* Lehensfeudalismus genannten Beziehung)

dd) eine spezifische *ständische* (ritterliche) Lebensführung besitzt.

ee) Der Lehenkontrakt ist kein gewöhnliches „Geschäft", sondern eine *Verbrüderung* zu (freilich) ungleichem Recht, welche beiderseitige *Treue*pflichten zur Folge hat. Treuepflichten, welche

αα) auf ständische (ritterliche) *Ehre* gegründet sind, und

ββ) fest *begrenzt* sind.

Der Übergang vom Typus „α" (oben bei der Erörterung „zu c") zum Typus „β" vollzieht sich, wo

aaa) die Lehen *erblich*, nur unter Voraussetzung der Eignung und der Erneuerung des Treuegelöbnisses an jeden neuen Herrn durch jeden neuen Inhaber appropriiert werden, und außerdem

bbb)der lehensmäßige Verwaltungsstab den *Leihezwang* durchsetzt, weil alle Lehen als Versorgungsfonds der Standeszugehörigen gelten.

Das erste ist ziemlich früh im Mittelalter, das zweite im weiteren Verlauf eingetreten. Der Kampf des Herren mit den Vasallen galt vor allem auch der (stillschweigenden) Beseitigung *dieses* Prinzips, welches ja die Schaffung bzw. Erwirkung einer eigenen patrimonialen „Hausmacht" des Herren unmöglich machte.

BB. Lehenmäßige Verwaltung (Lehens-Feudalismus) bedeutet bei voller – in dieser absoluten Reinheit ebensowenig wie der *reine* Patrimonialismus jemals zu beobachtender – Durchführung:

aa) alle Herrengewalt reduziert sich auf die kraft der Treuegelöbnisse der Vasallen bestehenden Leistungschancen, –

bb) der politische Verband ist völlig ersetzt durch ein System rein persönlicher Treuebeziehungen zwischen dem Herren und seinen Vasallen, diesen und ihren weiterbelehnten (subinfeudierten)

Untervasallen und weiter den eventuellen Untervasallen dieser. Der Herr hat Treueansprüche nur an seine Vasallen, diese an die ihrigen usw.

cc) Nur im Fall der „Felonie" kann der Herr dem Vasallen, können diese ihren Untervasallen usw. das Lehen entziehen. Dabei ist aber der Herr gegen den treubrüchigen Vasallen auf die Hilfe der andern Vasallen oder auf die Passivität der Untervasallen des „Treubrechers" angewiesen. Jedes von beiden ist nur zu gewärtigen, wenn die einen bzw. die andern auch ihrerseits Felonie ihres Genossen bzw. Herren gegen seine Herren als vorliegend ansehen. Bei den Untervasallen des Treubrechers selbst dann nicht, es sei denn, daß der Herr wenigstens die Ausnahme *dieses* Falls: Kampf gegen den Oberherren des eigenen Herren, bei der Subinfeudation durchgesetzt hat (was stets erstrebt, nicht immer aber erreicht wurde).

dd) Es besteht eine ständische Lehens-Hierarchie (im Sachsenspiegel: die „Heerschilde") je nach der Reihenfolge der Subinfeudation. Diese ist aber kein „Instanzenzug" und keine „Hierarchie". Denn ob eine Maßregel oder ein Urteil angefochten werden kann und bei wem, richtet sich prinzipiell nach dem „Oberhof"-, nicht nach dem lehenshierarchischen System (der Oberhof kann – theoretisch – einem Genossen des Inhabers der Gerichtsgewalt verlehnt sein, wenn dies auch faktisch nicht der Fall zu sein pflegt).

ee) Die *nicht* als Lehensträger von patrimonialen oder verbandsmäßigen Herrengewalten in der Lehenshierarchie Stehenden sind: „Hintersassen", d. h. patrimonial *Unterworfene*. Sie sind den Belehnten soweit unterworfen, als ihre traditionale, insbesondere: ständische, Lage bedingt oder zuläßt, oder als die Gewalt der militaristischen Lehensinhaber es zu erzwingen weiß, gegen die sie weitgehend wehrlos sind. Es gilt, wie gegen den Herren (Leihezwang), so gegen die Nicht-Lehensträger, der Satz: nulle Legre sans seigneur. – Der einzige Rest der alten *unmittelbaren* verbandsmäßigen Herrengewalt ist der fast stets bestehende Grundsatz: daß dem Lehensherren die Herren-, vor allem: die Gerichtsgewalten, zustehen da, *wo er gerade weilt*.

ff) Eigenhaushaltsmäßige Gewalten (Verfügungsgewalt über Domänen, Sklaven, Hörige), verbandsmäßige fiskalische Rechte (Steuer- und Abgabenrechte) und verbandsmäßige Befehlsgewalten (Gerichts- und Heerbanngewalt, also: Gewalten über „Freie") werden zwar beide gleichartig Gegenstand der Verlehnung. Regelmäßig aber werden die verbandsmäßigen *Befehlsgewalten* Sonderordnungen unterworfen.

In Altchina wurden reine Rentenlehen und Gebietslehen auch im Namen geschieden. Im okzidentalen Mittelalter nicht, wohl aber in der ständischen Qualität und zahlreichen, hier nicht behandelten Einzelpunkten.

Es pflegt sich für die verbandsmäßigen *Befehlsgewalten* die volle Appropriation nach Art derjenigen verlehnter Vermögensrechte nur mit mannigfachen – später gesondert zu besprechenden – Übergängen und Rückständen durchzusetzen. Was regelmäßig *bleibt*, ist: der *ständische* Unterschied des nur mit haushaltsmäßigen oder *rein* fiskalischen Rechten und des mit verbandsmäßigen Befehlsgewalten: Gerichtsherrlichkeit (Blutbann vor allem) und Militärherrlichkeit (Fahnlehen insbesondere) Beliehenen (*politische Vasallen*).

Die Herrengewalt ist bei annähernd reinem Lehensfeudalismus selbstverständlich, weil auf das Gehorchen*wollen* und dafür auf die reine persönliche Treue des, im *Besitz der Verwaltungsmittel* befindlichen, lehensmäßig appropriierten Verwaltungsstabs angewiesen, hochgradig prekär. Daher ist der latente Kampf des Herren mit den Vasallen um die Herrengewalt dabei chronisch, die wirklich idealtypische lehensmäßige Verwaltung (gemäß aa-ff) *nirgends* durchgesetzt worden oder eine effektive Dauerbeziehung geblieben. Sondern wo der Herr konnte, hat er die nachfolgenden Maßregeln ergriffen:

aa) Der Herr sucht, gegenüber dem rein personalen Treueprinzip (cc und dd) durchzusetzen entweder:

αα) Beschränkung oder Verbot der Subinfeudation;
Im Okzident häufig verfügt, aber oft gerade vom *Verwaltungs*stab, im eigenen Machtinteresse (dies in China in dem Fürstenkartell von 630 v. Chr.).

ββ) die Nichtgeltung der Treuepflicht der Untervasallen gegen ihren Herren im Fall des Krieges gegen ihn, den Oberlehensherren; – wenn möglich aber:

γγ) die unmittelbare Treuepflicht auch der Untervasallen gegen ihn, den Oberlehensherren.

bb) Der Herr sucht sein Recht zur *Kontrolle* der Verwaltung der verbandsmäßigen Herrengewalten zu sichern durch

αα) Beschwerderecht der Hintersassen bei ihm, dem Oberlehensherren und Anrufung seiner Gerichte;

ββ) Aufsichtsbeamte am Hofe der *politischen* Vasallen;

γγ) eigenes Steuerrecht gegen die Untertanen aller Vasallen;

δδ) Ernennung gewisser Beamter der *politischen* Vasallen;

εε) Festhaltung des Grundsatzes:

aaa) daß alle Herrengewalten ihm, dem Oberlehensherren, ledig werden bei Anwesenheit, darüber hinaus aber Aufstellung des anderen, bbb) daß er, als Lehensherr, jede Angelegenheit nach Ermessen vor *sein* Gericht ziehen könne.

Diese Gewalt kann der Herr gegenüber den Vasallen (wie gegen andere Appropriierte von Herrengewalten) nur dann gewinnen oder behaupten, wenn:

cc) der Herr einen eigenen *Verwaltungsstab* sich schafft oder wie der schafft oder ihn entsprechend ausgestaltet. Dieser kann sein:

αα) ein patrimonialer (ministerialistischer),

So vielfach bei uns im Mittelalter, in Japan im Bakufu des Schapun, welches die Daimyo's sehr empfindlich kontrollierte.

ββ) ein extrapatrimonialer, *ständisch* literatenmäßiger,

Kleriker (christliche, brahmanische und Kayasth's, buddhistische, lamaistische, islamische) oder Humanisten (in China: Konfuzianische Literaten. Über die Eigenart und die gewaltigen Kulturwirkungen s. Kap. IV.

γγ) ein *fach*mäßig, insbesondere: juristisch und militaristisch geschulter.

In China vergeblich durch Wang Au Schi im 11. Jahrhundert vorgeschlagen (aber damals nicht mehr gegen die Feudalen, sondern gegen die Literaten). Im Okzident für die Zivilverwaltung der Universitätsschulung in Kirche (durch das kanonische Recht) und Staat (durch das Römische Recht, in England: das durch römische Denk*formen* rationalisierte Common Law, durchgesetzt: Keime des modernen okzidentalen Staats). Für die Heeresverwaltung im Okzident: durch Expropriation der als Vorstufe dafür an Stelle des Lehensherrn getretenen *kapitalistischen* Heeresunternehmer (Kondottieren) durch die Fürstengewalt mittelst der fürstlichen *rationalen* Finanzverwaltung seit dem 17. Jahrhundert (in England und Frankreich früher) durchgesetzt.

Dieses Ringen des Herren mit dem lehensmäßigen Verwaltungsstab – welches im Okzident (nicht: in Japan) vielfach zusammenfällt, ja teilweise identisch ist mit seinem Ringen gegen die Macht der *Stände-Korporationen* – hat in *moderner* Zeit *überall*, zuerst im Okzident, mit dem Siege des Herren, und das hieß: der *bürokratischen Verwaltung*, geendet, zuerst im Okzident, dann in Japan, in Indien (und vielleicht: in China) zunächst in der Form der Fremdherrschaft. Dafür waren neben rein historisch gegebenen Machtkonstellationen im Okzident ökonomische Bedingungen, vor allem: die Entstehung des *Bürgertums* auf der Grundlage der (*nur* dort im okzidentalen Sinne entwickelten) *Städte* und dann die Konkurrenz der Einzelstaaten um Macht *durch rationale* (das hieß: bürokratische) *Verwaltung* und fiskalisch bedingtes Bündnis mit den kapitalistischen Interessenten entscheidend, wie später darzulegen ist.

§ 12c. Nicht jeder „Feudalismus" ist *Lehens*-Feudalismus im okzidentalen Sinn. Sondern daneben steht vor allem

A. der fiskalisch bedingte *Pfründen*-Feudalismus.

Typisch im islamischen Vorderasien und Indien der Mogul-Herrschaft. Dagegen war der *alt*chinesische, vor Schi Hoang Ti bestehende, Feudalismus wenigstens teilweise Lehensfeudalismus, neben dem allerdings Pfründen-Feudalismus vorkam. Der japanische ist bei den Daimyo's stark durch Eigenkontrolle des Herrn (Bakufu) temperierter Lehensfeudalismus, die Lehen der Samurai und Bake aber sind (oft: appropriierte) *Ministerialen*pfründen (nach der Kakadaka dem Reisrentenertrag – katastriert).

Von Pfründen-Feudalismus wollen wir da sprechen, wo es sich

aa) um Appropriation von *Pfründen* handelt, also von Renten, die nach dem *Ertrage* geschätzt und verliehen werden, – ferner

bb) die Appropriation (grundsätzlich, wenn auch nicht immer effektiv) nur personal, und zwar je nach *Leistungen*, eventuell also mit *Aufrücken* erfolgt, –

So die türkischen Sipahi-Pfründen wenigstens legal.

Vor allem aber:

cc) nicht *primär* eine individuelle, freie, personale *Treue*beziehung durch *Verbrüderungs*kontrakt mit einem Herren *persönlich* hergestellt und daraufhin ein individuelles Lehen vergeben wird, sondern primäre *fiskalische* Zwecke des im übrigen patrimonialen (oft: sultanistischen) Abgaben*verbandes* des Herren stehen. Was sich (meist) darin ausdrückt: daß katastermäßig abtaxierte Ertragsobjekte vergeben werden.

Die primäre Entstehung des *Lehens*-Feudalismus erfolgt nicht notwendig, aber sehr regelmäßig aus einer (fast) rein naturalwirtschaftlichen, und zwar: *personalen* Bedarfsdeckung des politischen Verbandes (Dienstpflicht, Wehrpflicht) heraus. Sie will vor allem: statt des ungeschulten und ökonomisch unabkömmlichen und nicht mehr zur vollwertigen Selbstequipierung fähigen Heerbannes ein geschultes, gerüstetes, durch *persönliche* Ehre verbundenes *Ritterheer*. Die primäre Entstehung des *Pfründen*-Feudalismus ist regelmäßig eine Abwandlung *geld*wirtschaftlicher Finanzgebarung („Rückbildung" zur Naturalleistungsfinanzierung) und kann erfolgen:

αα) zur Abwälzung des Risikos schwankender Einnahmen auf *Unternehmer* (also: als eine Art von Abwandlung der Steuerpacht), also

aaa) gegen Übernahme der Gestellung von bestimmten Kriegern (Reiter, eventuell Kriegswagen, Gepanzerten, Train, eventuell Geschütze) für das patrimonialfürstliche Heer.

So in China im Mittelalter häufig: Deputate von Kriegern der einzelnen Gattungen auf eine Flächeneinheit.

Eventuell außerdem oder auch: *nur*:

bbb) Bestreitung der Kosten der Zivilverwaltung, und

ccc) Abführung eines Steuerpauschale an die fürstliche Kasse.

So in Indien oft.

Dagegen wird natürlich gewährt (schon um diesen Verbindlichkeiten nachkommen zu können):

ddd) Appropriation von Herrenrechten verschiedenen Umfangs, zunächst regelmäßig kündbar und rückkäuflich, in Ermangelung von Mitteln aber faktisch oft: *definitiv*.

Solche *definitiven* Appropriatoren werden dann mindestens: *Grundherren*, oft gelangen sie auch in den Besitz von weitgehenden verbandsmäßigen Herrengewalten.

So, vor allem, in Indien, wo die Zamindor-, Jagirdar- und Tulukdar-Grundherrschaften durchweg so entstanden sind. Aber auch in großen Teilen des vorderasiatischen Orient, wie *C. H. Becker* (der den Unterschied gegen das okzidentale Lehenswesen zuerst richtig sah, ausgeführt hat). *Primär* ist sie Steuerpacht, sekundär wird daraus „Grundherrschaft". Auch die rumänischen „Bojaren" sind Abkömmlinge der gemischtesten Gesellschaft der Erde: Juden, Deutsche, Griechen usw., die zuerst als *Steuer*pächter Herrenrechte appropriierten.

ββ) Es kann die Unfähigkeit der *Soldzahlung an ein patrimoniales Heer* und dessen (nachträglich legalisierte) Usurpation zur Appropriation der Steuerquellen: Land und Untertanen, an Offiziere und Heer führen.

So die berühmten großen Khanen im Khalifenreich, die Quelle oder das Vorbild aller orientalischen Appropriationen bis auf die des Mameluken-Heeres (welches ja formal ein Sklavenheer war).

Nicht immer führt das zu einer katastermäßig geordneten Pfründen-Verlehnung, aber es steht ihm nahe und *kann* dahin führen.

Inwieweit die türkischen Sipahi-Lehen dem „Lehen" oder der „Pfründe" näher stehen, ist hier noch nicht zu erörtern: *legal* kennen sie das „Aufrücken" nach der „Leistung".

Es ist klar, daß die beiden Kategorien durch unmerkliche Übergänge verbunden sind und eine *eindeutige* Zuteilung an den einen oder anderen nur selten möglich ist. Außerdem steht der Pfründen-Feudalismus der *reinen* Präbendalisierung sehr nahe und auch da existieren fließende Übergänge.

Nach einer ungenauen Terminologie steht neben dem Lehens-Feudalismus, der auf freiem *Kontrakt* mit einem *Herren* ruht, und neben dem fiskalischen Pfründen-Feudalismus noch:

B. der (sogenannte) Polis-Feudalismus, der auf (realem oder fiktivem) Synoikismus von Grundherren zu unter sich gleichem Recht mit rein militaristischer Lebensführung und hoher ständischer Ehre ruht. Ökonomisch bildet der „Kleros" das nur personal und für Einzelerbfolge Qualifizierter appropriierte Landlos, bestellt die Dienste der (als Standesbesitz repartierten) Versklavten und die Grundlage der Selbstequipierung.

Nur uneigentlich kann man diesen nur in Hellas (in voller Entwicklung nur in Sparta) nachweislichen, aus dem „Männerhaus" erwachsenen Zustand, wegen der spezifischen ständischen *Ehre*konventionen und der ritterlichen *Lebensführung* dieser *Grund*herren, „Feudalismus" nennen. In Rom entspricht der Ausdruck „fundus" (= Genossenrecht) zwar dem hellenischen κλῆρος, aber *keine* Nachrichten liegen über Verfassungen der curia (co-viria = ανδρειον-Männerhaus) hier vor, die ähnlich gestaltet gewesen wären.

Im weitesten Sinn pflegt man *alle* ständisch privilegierten *militaristischen* Schichten, Institutionen und Konventionen „feudal" zu nennen. Dies soll hier als ganz unpräzis vermieden werden.

C. Aus dem umgekehrten Grund: weil zwar das verlehnte Objekt (Lehen) da ist, aber

1. nicht kraft freien Kontrakts (Verbrüderung, weder mit einem Herren noch mit Standesgenossen), sondern kraft Befehls des eigenen (patrimonialen) Herren, *oder* aber zwar frei, aber

2. nicht auf Grund vornehmer ritterlicher *Lebensführung*, übernommen wird, oder

3. *beides* nicht,

sind auch

zu 1: die Dienstlehen ritterlich lebender, aber *abhängiger*, ebenso

zu 2: die Dienstlehen an frei geworbene, nicht ritterliche Krieger, endlich

zu 3: die Dienstlehen an Klienten, Kolonen, Sklaven, welche als *Krieger* benutzt werden

für uns: *Pfründen*.

Beispiel zu 1: okzidentale und orientalische Ministerialen, Samurai in Japan;

Beispiel zu 2: kam im Orient vor; z. B. wohl bei den ptolemäischen Kriegern ursprünglich. Daß später infolge der erblichen Appropriierten des Dienstlandes auch die Krieger als Beruf appropriiert galten, ist typisches Entwicklungsprodukt zum Leiturgiestaat;

Beispiel zu 3: typisch für die sog. „Kriegerkaste" in Altägypten, die Mameluken im mittelalterlichen Ägypten, die gebrandmarkten orientalischen und chinesischen (nicht immer, aber nicht selten mit Land beliehenen) Krieger usw.

Von „Feudalismus" spricht man auch dabei durchaus ungenau im Sinn der Existenz – in diesem Fall: (mindestens formal) negativ privilegierter – rein militaristischer *Stände*. Davon ist in Kap. IV zu reden.

§ 13. Das Gesagte kann keinen Zweifel darüber gelassen haben: daß Herrschaftsverbände, welche *nur* dem einen oder dem andern der bisher erörterten „reinen" Typen angehören, höchst selten sind. Zumal, namentlich bei der legalen und traditionalen Herrschaft, wichtige Fälle: Kollegialität, Feudalprinzip, noch gar nicht oder nur in vagen Andeutungen erörtert sind. Aber überhaupt ist festzuhalten: Grundlage *jeder* Herrschaft, also *jeder* Fügsamkeit, ist ein *Glauben*: „Prestige"-Glauben, zugunsten des oder der Herrschenden. Dieser ist selten ganz eindeutig. Er ist bei der „legalen" Herrschaft *nie* rein legal. Sondern der Legalitätsglauben ist „eingelebt", also selbst traditionsbedingt: – Sprengung der Tradition vermag ihn zu vernichten. Und er ist auch charismatisch in dem negativen Sinn: daß hartnäckige eklatante Mißerfolge *jeder* Regierung zum Verderben gereichen, ihr Prestige brechen und die Zeit für charismatische Revolutionen reifen lassen. Für „Monarchien" sind daher verlorene, ihr Charisma als nicht „bewährt" erscheinen lassende, für „Republiken" siegreiche, den siegenden General als charismatisch qualifiziert hinstellende, Kriege gefährlich.

Rein traditionale Gemeinschaften gab es wohl. Aber nie absolut dauernd und – was auch für die bürokratische Herrschaft gilt – selten ohne persönlich erbcharismatische oder amtscharismatische *Spitze* (neben einer unter Umständen rein traditionalen). Die *Alltags*-Wirtschaftsbedürfnisse wurden unter Leitung traditionaler Herren gedeckt, die außeralltäglichen (Jagd, Kriegsbeute) unter charismatischen Führern. Der Gedanke der Möglichkeit von „Satzungen" ist gleichfalls ziemlich alt (meist allerdings durch Orakel legitimiert). Vor allem aber ist mit *jeder extra*patrimonialen Rekrutierung des Verwaltungsstabs eine Kategorie von Beamten geschaffen, die sich von den legalen Bürokratien nur durch die *letzten* Grundlagen ihrer Geltung, nicht aber formal, unterscheiden kann.

Absolut *nur* charismatische (auch: *nur* erbcharismatische usw.) Herrschaften sind gleichfalls selten. Aus charismatischer Herrschaft *kann* – wie bei Napoleon – direkt striktester Bürokratismus hervorgehen oder allerhand präbendale und feudale Organisationen. Die Terminologie und Kasuistik hat also in gar *keiner* Art den Zweck und kann ihn nicht haben: erschöpfend zu sein und die historische Realität in Schemata zu spannen. Ihr Nutzen ist: daß jeweils gesagt werden kann was an einem Verband die eine oder andere Bezeichnung verdient oder ihr nahesteht, ein immerhin zuweilen erheblicher Gewinn.

Bei allen Herrschaftsformen ist die Tatsache der Existenz des Verwaltungsstabes und seines *kontinuierlich* auf Durchführung und Erzwingung der Ordnungen gerichteten Handelns für die Erhaltung der Fügsamkeit vital. Die Existenz *dieses* Handelns ist das, was man mit dem Wort „Organisation" *meint*. Dafür wiederum ist die (ideelle und materielle) Interessen*solidarität* des Verwaltungsstabes mit dem Herren ausschlaggebend. Für die Beziehung des Herren zu ihm gilt der Satz: daß der auf jene Solidarität gestützte Herr jedem *einzelnen* Mitglied gegenüber stärker, *allen* gegenüber schwächer ist. Es bedarf aber einer planvollen *Vergesellschaftung* des Verwaltungsstabes, um die Obstruktion oder bewußte Gegenaktion gegen den Herren planvoll und also erfolgreich durchzuführen und die Leitung des Herren lahmzulegen. Ebenso wie es für jeden, der eine Herrschaft brechen will, der Schaffung *eigner* Verwaltungsstäbe zur Ermöglichung *eigner* Herrschaft bedarf, es sei denn, daß er auf Konnivenz und Kooperation des bestehenden Stabes gegen den bisherigen Herren rechnen kann. In *stärkstem* Maß ist jene Interessensolidarität mit dem Herren da vorhanden, wo für den Verwaltungsstab die *eigne* Legitimität und Versorgungsgarantie von der des Herren abhängt. Für den einzelnen ist die Möglichkeit, sich dieser Solidarität zu entziehen, je nach der Struktur sehr verschieden. Am schwersten bei voller *Trennung* von den Verwaltungsmitteln, also in rein patriarchalen (nur auf Tradition ruhenden), rein patrimonialen und rein bürokratischen (nur auf Reglements ruhenden) Herrschaften, am leichtesten: bei ständischer Appropriation (Lehen, Pfründe).

Endlich und namentlich aber ist die historische Realität auch ein steter, meist latenter Kampf *zwischen* Herren und Verwaltungsstab um Appropriation oder Expropriation des einen oder des anderen. Entscheidend für fast die ganze Kulturentwicklung war

1. der Ausgang dieses Kampfes als solcher,

2. der Charakter *derjenigen* Schicht von ihm anhängenden Beamten, welche dem Herren den Kampf gegen feudale oder andere appro-

priierte Gewalten *gewinnen* half: rituelle Literaten, Kleriker, rein weltliche Klienten, Ministeriale juristisch geschulte Literaten, fachmäßige
Finanzbeamte, private Honoratioren (über die Begriffe später).

In der Art dieser Kämpfe und Entwicklungen ging *deshalb* ein gut
Teil nicht nur der Verwaltungs- sondern der Kulturgeschichte auf,
weil die Richtung der *Erziehung* dadurch bestimmt und die Art der
*Stände*bildung dadurch determiniert wurde.

1. Gehalt, Sportelchancen, Deputate, Lehen fesseln in untereinander
sehr verschiedenem Maß und Sinn den Stab an den Herren (darüber
später). Allen gemeinsam ist jedoch: daß die *Legitimität* der betreffenden Einkünfte und der mit der Zugehörigkeit zum Verwaltungsstab
verbundenen sozialen Macht und Ehre bei jeder Gefährdung der
Legitimität des Herren, der sie verliehen hat und garantiert, gefährdet erscheinen. Aus diesem Grund spielt die Legitimität eine wenig
beachtete und doch so wichtige Rolle.

2. Die Geschichte des Zusammenbruchs der bisher legitimen
Herrschaft bei uns zeigte: wie die Sprengung der Traditionsgebun-
denheit durch den Krieg einerseits und der Prestigeverlust durch die
Niederlage andrerseits in Verbindung mit der systematischen Gewöhnung an illegales Verhalten in *gleichem* Maß die Fügsamkeit in die
Heeres- und Arbeitsdisziplin erschütterten und so den Umsturz der
Herrschaft vorbereiteten. – Andrerseits bildet das glatte Weiterfunktionieren des alten Verwaltungsstabes und die Fortgeltung seiner
Ordnungen unter den neuen Gewalthabern ein hervorragendes Beispiel für die unter den Verhältnissen bürokratischer Rationalisierung
unentrinnbare Gebundenheit des einzelnen Gliedes dieses Stabes an
seine sachliche Aufgabe. Der Grund war, wie erwähnt, keineswegs
nur der privatwirtschaftliche: Sorge um die Stellung, Gehalt und Pension (so selbstverständlich das bei der Masse der Beamten mitspiel-
te), sondern ganz ebenso der *sachliche* (ideologische): daß die Außer-
betriebsetzung der Verwaltung unter den heutigen Bedingungen
einen Zusammenbruch der Versorgung der gesamten Bevölkerung
(einschließlich: der Beamten selbst) mit den elementarsten Lebensbe-
dürfnissen bedeutet haben würde. Daher wurde mit Erfolg an das
(sachliche) „Pflichtgefühl" der Beamten appelliert, auch von den bisher legitimen Gewalten und ihren Anhängern selbst diese sachliche
Notwendigkeit anerkannt.

3. Der Hergang des gegenwärtigen Umsturzes schuf einen neuen
Verwaltungsstab in den Arbeiter- und Soldatenräten. Die Technik der
Bildung dieser neuen Stäbe mußte zunächst „erfunden" werden und

war übrigens an die Verhältnisse des Kriegs (Waffenbesitz) gebunden, ohne den der Umsturz überhaupt nicht möglich gewesen wäre (davon und von den geschichtlichen Analogien später). Nur durch Erhebung charismatischer Führer gegen die legalen Vorgesetzten und durch Schaffung charismatischer Gefolgschaften war die Enteignung der Macht der alten Gewalten möglich und durch Erhaltung des Fachbeamtenstabes auch technisch die Behauptung der Macht durchführbar. Vorher scheiterte gerade unter den modernen Verhältnissen jede Revolution hoffnungslos an der Unentbehrlichkeit der Fachbeamten und dem Fehlen eigner Stäbe. Die Vorbedingungen in allen früheren Fällen von Revolutionen waren sehr verschiedene (s. darüber das Kapitel über die Theorie der Umwälzungen).

4. Umstürze von Herrschaften aus der Initiative der Verwaltungsstäbe haben unter sehr verschiedenen Bedingungen in der Vergangenheit stattgefunden (s. darüber das Kapitel über die Theorie des Umsturzes). Immer war Voraussetzung eine Vergesellschaftung der Mitglieder des Stabes, welche, je nachdem, mehr den Charakter einer partiellen Verschwörung oder mehr einer allgemeinen Verbrüderung und Vergesellschaftung annehmen konnte. Gerade dies ist unter den Existenzbedingungen moderner Beamter sehr erschwert, wenn auch, wie russische Verhältnisse zeigten, nicht ganz unmöglich. In aller Regel aber greifen sie an Bedeutung nicht über das hinaus, was Arbeiter durch (normale) Streiks erreichen wollen und können.

5. Der patrimoniale Charakter eines Beamtentums äußert sich vor allem darin, daß Eintritt in ein persönliches Unterwerfungs-(Klientel-) Verhältnis verlangt wird („puer regis" in der Karolingerzeit, „familiaris" unter den Angiovinen usw.). Reste davon sind sehr lange bestehen geblieben.

7. Die herrschaftsfremde Umdeutung des Charisma.

§ 14. Das seinem primären Sinn nach autoritär gedeutete charismatische Legitimitätsprinzip kann antiautoritär umgedeutet werden. Denn die tatsächliche Geltung der charismatischen Autorität ruht in der Tat gänzlich auf der durch „Bewährung" bedingten *Anerkennung* durch die Beherrschten, die freilich dem charismatisch Qualifizierten *und deshalb* Legitimen gegenüber *pflichtmäßig* ist. Bei zunehmender Rationalisierung der Verbandsbeziehungen liegt es aber nahe: daß diese Anerkennung, statt als Folge der Legitimität, als Legitimitäts*grund* angesehen wird (*demokratische Legitimität*), die (etwaige) Designation durch den Verwaltungsstab als „Vorwahl", durch den Vorgänger als „Vorschlag", die Anerkennung der Gemeinde selbst als „Wahl". Der kraft Eigencharisma legitime Herr wird dann zu einem Herren von Gnaden der Beherrschten, den diese (formal) frei nach Belieben wählen und setzen, eventuell auch: absetzen, – wie ja der Verlust des Charisma und seine Bewährung den Verlust der genuinen Legitimität nach sich gezogen hatte. Der Herr ist nun der *frei gewählte Führer*. Ebenso entwickelt sich die *Anerkennung* charismatischer Rechts*weisungen* durch die Gemeinde dann zu der Vorstellung: daß die Gemeinde Recht nach ihrem Belieben setzen, anerkennen und abschaffen könne, sowohl generell wie für den einzelnen Fall, – während die Fälle von Streit über das „richtige" Recht in der genuin charismatischen Herrschaft zwar faktisch oft durch Gemeindeentscheid, aber unter dem psychologischen Druck: daß es nur *eine* pflichtmäßige und richtige Entscheidung gebe, erledigt wurden. Damit nähert sich die Behandlung des Rechts der *legalen* Vorstellung. Der wichtigste Übergangstypus ist: die *plebiszitäre Herrschaft*. Sie hat ihre meisten Typen in dem „Parteiführertum" im modernen Staat. Aber sie besteht überall da, wo der Herr sich als Vertrauensmann der *Massen* legitimiert fühlt und als solcher anerkannt ist. Das adäquate Mittel dazu ist das Plebiszit. In den klassischen Fällen beider Napoleons ist es *nach* gewaltsamer Eroberung der Staatsgewalt angewendet, bei dem zweiten nach Prestige-Verlusten erneut angerufen worden. Gleichgültig (an *dieser* Stelle), wie man seinen Realitätswert veranschlagt: es ist jedenfalls *formal* das spezifische Mittel der Ableitung der Legitimität der Herrschaft aus dem (formal und der Fiktion nach) freien Vertrauen der *Beherrschten*.

Das „Wahl"-Prinzip, einmal, als Umdeutung des Charisma, auf den Herren angewendet, kann auch auf den Verwaltungsstab angewendet werden. Wahl*beamte*, legitim kraft Vertrauens der Beherrschten, daher abberufbar durch Erklärung des Mißtrauens dieser, sind in „Demokratien" bestimmter Art, z. B. Amerika, typisch. Sie sind *keine* „bürokratischen" Figuren. Sie stehen in ihrer Stellung, weil selbständig legitimiert, in schwacher hierarchischer Unterordnung und mit vom „Vorgesetzten" nicht beeinflußbaren Chancen des Aufrückens und der Verwendung (Analogien in den Fällen mehrfacher, qualitativ besonderter Charismata, wie sie z. B. zwischen Dalai Lama und Taschi Lama bestehen). Eine aus ihnen zusammengesetzte Verwaltung steht als „Präzisionsinstrument" technisch *weit* hinter der bürokratisch aus *ernannten* Beamten gebildeten zurück.

1. Die „plebiszitäre Demokratie" – der wichtigste Typus der Führer-Demokratie – ist ihrem genuinen Sinn nach eine Art der charismatischen Herrschaft, die sich unter der *Form* einer vom Willen der Beherrschten abgeleiteten und nur durch ihn fortbestehenden Legitimität verbirgt. Der Führer (Demagoge) herrscht tatsächlich kraft der Anhänglichkeit und des Vertrauens seiner politischen Gefolgschaft zu seiner *Person* als solcher. Zunächst: über die für ihn geworbenen Anhänger weiterhin, im Fall diese ihm die Herrschaft verschaffen, innerhalb des Verbandes. Den Typus geben die Diktatoren der antiken und modernen Revolutionen: die hellenischen Aisymneten, Tyrannen und Demagogen, in Rom Gracchus und seine Nachfolger, in den italienischen Städtestaaten die Capitani del popolo und Bürgermeister (Typus für Deutschland: die Zürcher demokratische Diktatur), in den modernen Staaten die Diktatur Cromwells, der revolutionären Gewalthaber und der plebiszitäre Imperialismus in Frankreich. Wo immer überhaupt nach Legitimität dieser Herrschaftsform gestrebt wurde, wurde sie in der plebiszitären Anerkennung durch das souveräne Volk gesucht. Der persönliche Verwaltungsstab wird charismatisch, aus begabten Plebejern, rekrutiert (bei Cromwell unter Berücksichtigung der religiösen Qualifikation, bei Robespierre neben der persönlichen Verläßlichkeit auch gewisser „ethischer" Qualitäten, bei Napoleon ausschließlich nach der persönlichen Begabung und Verwendbarkeit für die Zwecke der kaiserlichen „Herrschaft des Genies"). Er trägt auf der Höhe der revolutionären Diktatur den Charakter der Verwaltung kraft reinen Gelegenheitsmandats auf Widerruf (so in der Agenten-Verwaltung der Zeit der Wohlfahrtsausschüsse). Auch den durch die Reformbewegungen in den amerikanischen Städten hochgekommenen Kommunaldiktatoren hat die *eigne* freie Anstellung ihrer Hilfskräfte eingeräumt werden müssen. Die traditionale Legitimität ebenso wie die formale Legalität werden von der revolutionären Diktatur gleichmäßig ignoriert. Die nach materialen Gerechtigkeitsgründen, utilitarischen Zwecken und Staatsnutzen verfahrende Justiz und Verwaltung der patriarchalen Herrschaft findet in den Revolutionstribunalen und den materialen Gerechtigkeitspostulaten der radikalen Demokratie in der Antike und im modernen Sozialismus ihre entsprechende Parallele (wovon in der Rechtssoziologie zu handeln ist). Die Veralltäglichung des revolutionären Charisma zeigt dann ähnliche Umbildungen wie der entsprechende Prozeß sonst zutage fördert: so das englische Soldheer als Rückstand des Freiwilligkeitsprinzips des Glaubenskämpferheeres, das französische Präfektensystem als Rückstand der charismatischen Verwaltung der revolutionären plebiszitären Diktatur.

2. Der Wahl*beamte* bedeutet überall die radikale Umdeutung der Herrenstellung des charismatischen Führers in einen „Diener" der Beherrschten. Innerhalb einer technisch rationalen Bürokratie hat er keine Stätte. Denn da er nicht von dem „Vorgesetzten" ernannt ist, nicht in seinen Avancementschancen von ihm abhängt, sondern seine Stellung der Gunst der Beherrschten verdankt, so ist sein Interesse an prompter Disziplin, um den Beifall der Vorgesetzten zu verdienen, gering; er wirkt daher wie eine „autokephale" Herrschaft. Eine technisch hochgradige Leistung läßt sich daher mit einem gewählten Beamtenstabe in aller Regel nicht erzielen. (Der Vergleich der Wahlbeamten der amerikanischen Einzelstaaten mit den ernannten Beamten der Union und ebenso die Erfahrungen mit den kommunalen Wahlbeamten gegenüber den von den plebiszitären Reform-Mayors nach eigenem Ermessen bestellten Committees sind Beispiele.) Dem Typus der plebiszitären Führerdemokratie stehen die (später zu besprechenden) Typen der führerlosen Demokratie gegenüber, welche durch das Streben nach *Minimisierung der Herrschaft* des Menschen über den Menschen charakterisiert ist.

Der Führerdemokratie ist dabei im allgemeinen der naturgemäße *emotionale* Charakter der Hingabe und des Vertrauens zum Führer charakteristisch, aus welchem die Neigung, dem Außeralltäglichen, Meistversprechenden, am stärksten mit Reizmitteln Arbeitenden als Führer zu folgen, hervorzugehen pflegt. Der utopische Einschlag aller Revolutionen hat hier seine naturgemäße Grundlage. Hier liegt auch die Schranke der Rationalität dieser Verwaltung in moderner Zeit, – die auch in Amerika nicht *immer* den Erwartungen entsprach.

Beziehung zur Wirtschaft: 1. Die antiautoritäre Umdeutung des Charisma führt normalerweise in die Bahn der Rationalität. Der plebiszitäre Herrscher wird regelmäßig sich auf einen prompt und reibungslos fungierenden Beamtenstab zu stützen suchen. Die Beherrschten wird er *entweder* durch kriegerischen Ruhm und Ehre *oder* durch Förderung ihres materiellen Wohlseins – unter Umständen durch den Versuch der Kombination beider – an sein Charisma als „bewährt" zu binden suchen. Zertrümmerung der traditionalen, feudalen, patrimonialen und sonstigen autoritären Gewalten und Vorzugschancen wird sein erstes, Schaffung von ökonomischen Interessen, die mit ihm durch Legitimitäts-Solidarität verbunden sind, sein zweites Ziel sein. Sofern er dabei der Formalisierung und Legalisierung des Rechts sich bedient, *kann* er die „formal" rationale Wirtschaft in hohem Grade fördern.

2. Für die (formale) Rationalität der Wirtschaft schwächend werden plebiszitäre Gewalten leicht insofern, als ihre Legitimitätsabhän-

gigkeit von dem Glauben und der Hingabe der Massen sie umgekehrt zwingt: *materiale* Gerechtigkeitspostulate auch wirtschaftlich zu vertreten, als: den formalen Charakter der Justiz und Verwaltung durch eine materiale ("Kadi"-) Justiz (Revolutionstribunale, Bezugscheinsysteme, alle Arten von rationierter und kontrollierter Produktion und Konsumtion) zu durchbrechen. Insoweit er also *sozialer* Diktator ist, was an moderne sozialistische Formen nicht gebunden ist. Wann dies der Fall ist und mit welchen Folgen ist hier noch nicht zu erörtern.

3. Das Wahl-*Beamtentum* ist eine Quelle der Störung formal rationaler Wirtschaft, weil es regelmäßig Parteibeamtentum, nicht fachgeschultes Berufsbeamtentum ist, und weil die Chancen der Abberufung oder der Nichtwiederwahl es an streng sachlicher und um die Konsequenzen unbekümmerter Justiz und Verwaltung hindern. Es hemmt die (formal) rationale Wirtschaft nur da *nicht* erkennbar, wo deren Chancen infolge der Möglichkeit, durch Anwendung technischer und ökonomischer Errungenschaften alter Kulturen auf *Neu*land mit noch nicht appropriierten Beschaffungsmitteln zu wirtschaften, hinlänglich weiten Spielraum lassen, um die *dann* fast unvermeidliche Korruption der Wahlbeamten als Spesen mit in Rechnung zu stellen und dennoch Gewinne größten Umfanges zu erzielen.

Für Abschnitt 1 bildet der Bonapartismus das klassische Paradigma. Unter Nap. I.: Code Napoleon, Zwangserbteilung, Zerstörung aller überkommenen Gewalten überall in der Welt, dagegen Lehen für verdiente Würdenträger; zwar der Soldat alles, der Bürger nichts, aber dafür: gloire und – im ganzen – leidliche Versorgung des Kleinbürgertums. Unter Nap. III.: ausgeprägte Fortsetzung der bürgerköniglichen Parole "enrichissez-vous", Riesenbauten, Credit mobilier, mit den bekannten Folgen.

Für Abschnitt 2 ist die griechische "Demokratie" der perikleischen und nachperikleischen Zeit ein klassisches Beispiel. Prozesse wurden nicht, wie der römische, von dem vom Prätor bindend instruierten oder gesetzgebundenen Einzelgeschworenen und nach formalem Recht entschieden. Sondern von der nach "materialer" Gerechtigkeit, in Wahrheit: nach Tränen, Schmeicheleien, demagogischen Invektiven und Witzen entscheidenden Heliaia (man sehe die "Prozeßreden" der attischen Rhetoren, – sie finden in Rom *nur* in politischen Prozessen: Cicero, eine Analogie). Die Unmöglichkeit der Entwicklung eines *formalen* Rechts und einer *formalen* Rechtswissenschaft römischer Art war die Folge. Denn die Heliaia war "Volksgericht" ganz ebenso wie die "Revolutionsgerichte" der französischen und der deutschen (Räte-)Revolution, welche keineswegs *nur* politisch relevante Prozesse vor ihre Laien-Tribunale zogen. Dagegen hat keine englische Revolution je die Justiz, *außer* für hochpolitische Prozesse, angetastet. Allerdings war dafür die Friedensrichterjustiz meist Kadijustiz, – aber nur soweit sie die Interessen der Besitzenden *nicht* berührte, also: Polizeicharakter hatte.

Für Abschnitt 3 ist die nordamerikanische Union das Paradigma. Auf die Frage: warum sie sich von oft bestechlichen Parteileuten regieren ließen? antworteten mir anglo-amerikanische Arbeiter noch vor 16 Jahren: weil „our big country" solche Chancen böte, daß, auch wenn Millionen gestohlen, erpreßt und unterschlagen würden, doch noch Verdienst genug bleibe, und weil diese „professionels" eine Kaste seien, auf die „wir" (die Arbeiter) „spucken", während Fachbeamte deutscher Art eine Kaste sein würden, die „auf die Arbeiter spucken" würden.

Alle Einzelheiten der Zusammenhänge mit der Wirtschaft gehören in die Sonderdarstellung weiter unten, nicht hierher.

8. Kollegialität und Gewaltenteilung.

§ 15. Eine Herrschaft kann traditional oder rational durch besondere Mittel begrenzt und beschränkt sein.

Von der Tatsache der Beschränkung der Herrschaft durch die Traditions- oder Satzungsgebundenheit *als solcher* ist also hier nicht die Rede. Sie ist in dem Gesagten (§ 3 ff.) schon miterörtert. Sondern hier handelt es sich um *spezifische*, die Herrschaft beschränkende soziale *Beziehungen* und Verbände.

1. Eine patrimoniale oder feudale Herrschaft ist beschränkt durch ständische Privilegien, im Höchstmaß durch die *ständische Gewaltenteilung* (§ 8), – Verhältnisse, von denen schon die Rede war.

2. Eine bürokratische Herrschaft kann beschränkt sein (und muß gerade bei vollster Entwicklung des Legalitätstypus normalerweise beschränkt sein, damit *nur* nach *Regeln* verwaltet werde), durch Behörden, welche zu *Eigenrecht* neben der bürokratischen Hierarchie stehen und:

  a) die Kontrolle und eventuelle Nachprüfung der Innehaltung der Satzungen, oder:

  b) auch das Monopol der Schaffung aller oder der für das Ausmaß der Verfügungsfreiheit der Beamten maßgeblichen Satzungen, eventuell und vor allem:

c) auch das Monopol der Bewilligung der für die Verwaltung nötigen Mittel besitzen.

Von diesen Mitteln ist weiterhin gesondert zu reden (§ 16).

3. Jede Art von Herrschaft kann kann ihres monokratischen, an *eine* Person gebundenen Charakters entkleidet sein durch das *Kollegialitäts*prinzip. Dieses selbst aber kann ganz verschiedenen Sinn haben. Nämlich:

a) den Sinn: daß *neben* monokratischen Inhabern von Herrengewalten andre ebenfalls monokratische Gewalthaber stehen, denen Tradition oder Satzung wirksam die Möglichkeit gibt, als Aufschubs- oder Kassationsinstanzen gegen Verfügungen jener zu fungieren (Kassations-Kollegialität).

Wichtigste Beispiele: der Tribun (und ursprünglich: Ephore) der Antike, der capitano del popolo des Mittelalters, der Arbeiter- und Soldatenrat und seine Vertrauensmänner in der Zeit nach dem 9. November 1918 bis zur Emanzipation der regulären Verwaltung von dieser, zur „Gegenzeichnung" berechtigten, Kontrollinstanz.

Oder:

b) den ganz entgegengesetzten Sinn: daß Verfügungen von *Behörden* nicht monokratischen Charakters, nach vorgängiger Beratung und Abstimmung, erlassen werden, daß also laut Satzung nicht ein einzelner, sondern eine Mehrheit von einzelnen zusammenwirken muß, damit eine bindende Verfügung zustande kommt (Leistungs-Kollegialität). Es kann dann gelten:

α. Einstimmigkeitsprinzip, oder:

β. Mehrheitsprinzip.

c) Dem Fall a (Kassationskollegialität) entspricht im Effekt der Fall: daß zur Schwächung der monokratischen Gewalt *mehrere*, monokratische, gleichberechtigte Inhaber von Herrengewalten stehen, ohne Spezifizierung von Leistungen, so daß also bei Konkurrenz um Erledigung der gleichen Angelegenheit mechanische Mittel (Los, Turnus, Orakel, Eingreifen von Kontrollinstanzen: 2 a) entscheiden müssen, wer sie zu erledigen hat, und mit dem Effekt, daß jeder Gewalthaber Kassationsinstanz gegen jeden andren ist.

Wichtigster Fall: die römische Kollegialität der legitimen Magistratur (Consul, Praetor).

d) Dem Fall b (Leistungs-Kollegialität) steht noch nahe der Fall: daß in einer Behörde zwar ein *material* monokratischer primus inter pares vorhanden ist, Anordnungen aber normalerweise nur nach *Beratung* mit andren *formal* gleichgeordneten Mitgliedern erfolgen sollen und die Abweichung der Ansichten in *wichtigen Fällen* eine Sprengung des Kollegiums durch Austritte und damit eine Gefährdung der Stellung des monokratischen Herrn zur Folge hat (Leistungs-Kollegialität mit präeminentem Leiter).

Wichtigster Fall: die Stellung des englischen „Prime Minister" innerhalb des „Cabinet". Diese hat bekanntlich sehr gewechselt. Der Formulierung nach entsprach sie aber material in den meisten Fällen der Epoche der Kabinettsregierung.

Nicht notwendig Abschwächung, sondern eventuell: eine *Temperierung* der Herrschaft im Sinn der Rationalisierung, bewirken *beratende* kollegiale Körperschaften *neben* monokratischen Herren. Aber sie *können* im Effekt die Überhand über den Herren gewinnen. Insbesondere dann, wenn sie *ständischen* Charakters sind. – Hauptfälle:

e) Dem Fall d steht nahe der andre: daß eine formal nur *beratende* Körperschaft beigeordnet ist einem *monokratischen*, durch ihre Entscheidungen überhaupt nicht gebundenen Herren, der nur, durch Tradition oder Satzung, zur Einholung ihres – formal unverbindlichen – Rats verpflichtet ist, dessen Mißachtung im Fall des *Mißerfolgs* ihn verantwortlich macht.

Wichtigster Fall: Die Beiordnung des Senats als Beratungsinstanz der Magistrate, aus der sich *faktisch* dessen Herrschaft *über* die Magistrate entwickelte (durch die Kontrolle der Finanzen). Das Primäre war wohl *ungefähr* die geschilderte Auffassung. Aus der (faktischen) *Finanz*kontrolle, noch mehr aber aus der *ständischen* Identität von Senatoren und (formal) gewählten Beamten entwickelte sich die tatsächliche *Bindung* der Magistrate an Senatsbeschlüsse das „si eis placeret", welches deren Unverbindlichkeit ausdrückte, hieß später soviel wie etwa unser „gefälligst" bei dringenden Anweisungen.

f) Wiederum etwas anders stellt sich der Fall: daß in einer Behörde *spezifizierte Kollegialität* besteht, d. h. die Vorbereitung und der Vortrag der einzelnen zur Kompetenz gehörigen Angelegenheiten *Fach*männern – eventuell bei der gleichen Angelegenheit: verschiedenen – anvertraut ist, die Entscheidung aber durch Abstimmung der sämtlichen Beteiligten erfolgt.

In den meisten Staatsräten und staatsratsartigen Bildungen der Vergangenheit war dies mehr oder minder rein der Fall (so im englischen Staatsrat der Zeit vor der Kabinettsherrschaft). Sie haben die Fürsten nie expropriiert, so groß ihre Macht zuweilen war. Im Gegenteil hat der Fürst unter Umständen versucht, auf den Staatsrat zurückzugreifen, um die *Kabinetts*-Regierung (der Parteiführer) abzuschütteln: so in England, vergeblich. Dagegen entspricht der Typus *leidlich* den Fachministerien des erbcharismatischen und des plebiszitär-gewaltenteilenden (amerikanischen) Typus, die vom *Herren* (König, Präsidenten) nach Ermessen ernannt werden, um *ihn* zu stützen.

g) Die spezifizierte Kollegialität kann eine *bloß* beratende Körperschaft sein, deren Voten und Gegenvoten dem *Herren* zur freien Entschließung vorgelegt werden (wie in lit. c).

Der Unterschied ist dann nur: daß hier die *Leistungs*spezifikation am grundsächlichsten durchgeführt ist. Der Fall entspricht etwa der *preußischen* Praxis unter Friedrich Wilhelm I. Stets *stützt* dieser Zustand die Herrenmacht.

h) Der rational spezifizierten Kollegialität steht am schärfsten gegenüber die *traditionale* Kollegialität von „Ältesten", deren kollegiale Erörterung als Garantie der Ermittelung des *wirklich* traditionalen Rechts angesehen wird, und eventuell: als Mittel der Erhaltung der Tradition gegen traditionswidrige *Satzungen* durch Kassation dient.

Beispiele: viele der „Gerusien" der Antike, für die Kassation: der Areopag in Athen, die „patres" in Rom (allerdings primär dem Typus l – s. unten) zugehörig.

i) Eine Abschwächung der Herrschaft kann durch Anwendung des Kollegialprinzips auf die (sei es formal, sei es material) *höchsten* (ausschlaggebenden) Instanzen (den Herrn selbst) unternommen werden. Der Fall liegt in seiner Kasuistik durchaus gleichartig den von d bis g besprochenen. Die einzelnen Zuständigkeiten können a) im Turnus wechseln, oder b) dauernde „Ressorts" einzelner bilden. Die Kollegialität besteht so lange, als die (formale) Mitwirkung aller zu legitimen Verfügungen erforderlich ist.

Wichtigste Beispiele: der Schweizer Bundesrat mit seiner nicht eindeutigen Ressortverteilung und dem Turnus-Prinzip; die revolutionären Kollegien der „Volksbeauftragten" in Rußland, Ungarn, zeitweise Deutschland, aus der Vergangenheit: der Venezianer „Rat der Elf", die Kollegien der Anzianen usw.

Sehr viele Fälle der Kollegialität innerhalb *patrimonialer* oder feudaler Herrschaftsverbände sind entweder

α. Fälle ständischer Gewaltenteilung (Kollegialität des ständischen Verwaltungsstabs oder der ständisch Appropriierten), – oder

β. Fälle der Schaffung von mit dem Herren *gegen* die vergesellschafteten ständischen Gewalthaber solidarischen kollegialen Vertretungen des patrimonialen Beamtentums (Staatsräte; Fall f oben);

γ. Fälle der Schaffung von beratenden und unter Umständen beschließenden Körperschaften, denen der Herr präsidiert oder beiwohnt oder über deren Verhandlungen und Voten er unterrichtet wird und durch deren Zusammensetzung teils αα) aus fachmäßigen Kennern, teils

ββ) aus Personen mit einem spezifischen ständischen Prestige
er hoffen kann, seine – gegenüber den steigenden *Fach*anforderungen – zunehmend nur noch *dilettantische* Informiert-
heit soweit zu vervollkommnen, daß ihm eine begründete
eigne Entscheidung möglich bleibt (Fall g oben).

In den Fällen γ legt der Herr naturgemäß Gewicht auf Vertretung
möglichst heterogener und eventuell entgegengesetzter

αα) Fachmeinungen und

ββ) Interessen, um

1. allseitig informiert zu sein, –

2. die Gegensätze gegeneinander ausspielen zu können.

Im Fall β legt der Herr umgekehrt oft (nicht: immer) Gewicht auf
Geschlossenheit der Meinungen und Stellungnahmen (Quelle der
„solidarischen" Ministerien und Kabinette in den sog. „konstitutionellen" oder anderen effektiv gewaltenteilenden Staaten).

Im Fall α wird das Kollegium, welches die Appropriation vertritt,
Gewicht auf Einhelligkeit der Meinungen und Solidarität legen, sie
aber nicht immer erzielen können, da jede Appropriation durch ständisches Privileg kollidierende Sonderinteressen schafft.

Für α sind die Ständeversammlungen, ständischen Ausschüsse und
die ihnen vorangehenden auch außerhalb des Okzidents häufigen Va-
sallenversammlungen (China) typisch. Für β die ersten, durchweg kollegialen, Behörden der entstehenden modernen Monarchie, zusammengesetzt vor allem (aber nicht nur) aus Juristen und Finanzexperten.
Für γ die Staatsräte zahlreicher fremder und der entstehenden modernen okzidentalen Monarchie (noch im 18. Jahrh. hatte gelegentlich ein
Erzbischof Sitz im englischen „Kabinett") mit ihren „Räten von Haus
aus" und ihrer Mischung von Honoratioren und Fachbeamten.

Jener Umstand des Gegensatzes der ständischen Interessen gegeneinander kann dem Herren beim Feilschen und Ringen mit den
Ständen Vorteile schaffen. Denn

k) als „kollegial" *kann* man – der äußeren Form wegen – auch Vergesellschaftungen bezeichnen, welche die Vertreter als *Delegierte* von
untereinander kollidierenden ideellen oder Macht- oder materiellen
Interessen zusammenschließen sollen, um eine *Schlichtung* der Interessengegensätze durch *Kompromiß* zu erreichen (Kompromiß-Kolle-
gialität im Gegensatz zur Amts- und zur parlamentarischen Abstim-
mungs-Kollegialität).

Der Fall liegt in grober Form in der „ständischen" Gewaltenteilung vor, welche *stets* nur durch Kompromiß der Privilegierten zu

Entscheidungen gelangte (siehe bald). In rationalisierter Form ist er möglich durch Auslese der Delegierten nach dauernder ständischer oder Klassenlage (s. Kap. IV) oder aktuellem Interessengegensatz. „Abstimmung" kann in einer solchen Körperschaft – solange sie diesen Charakter hat – keine Rolle spielen, sondern entweder

α. *paktiertes* Kompromiß der Interessenten oder

β. vom Herren oktroyiertes Kompromiß nach *Anhörung* der Stellungnahme der verschiedenen Interessentenparteien.

Über die eigenartige Struktur des sog. „Ständestaats" später näheres. Die *Trennung* der Kurien („Lords" und „Gemeine": – die Kirche hatte ihre gesonderten „convocations" – in England; Adel, Geistliche, tiers état in Frankreich; die zahlreichen Gliederungen deutscher Stände) und die Notwendigkeit, durch *Kompromiß*, zunächst innerhalb des einzelnen Standes, dann zwischen den Ständen, zu Entschließungen zu gelangen (die der Herr oft als unverbindliche Vorschläge behandelte) gehören hierher. An der jetzt wieder sehr modernen Theorie der „berufsständischen Vertretung" (s. bald) ist zu tadeln: daß meist die Einsicht fehlt: daß hier *Kompromisse*, nicht Überstimmungen, das allein adäquate Mittel sind. Innerhalb *freier* Arbeiter-Räte würden sich die Angelegenheiten materiell als ökonomisch bedingte Macht-, nicht als Abstimmungsfragen erledigen.

l) Endlich gibt es – ein damit verwandter Fall – *Abstimmungs*kollegialität in Fällen, wo *mehrere* bisher autokephale und autonome Verbände sich zu einem neuen Verband vergesellschaften und dabei ein (irgendwie abgestuftes) Einflußrecht auf Entscheidungen durch *Appropriation* von Stimmen auf ihre Leiter oder deren Delegierten erreichen (Verschmelzungs-Kollegialität).

Beispiele: die Vertretungen der Phylen, Phratrien und Geschlechter in der antiken Ratsbehörde, der mittelalterliche Geschlechterverband in der Zeit der consules, die Mercadanza der Zünfte, die Delegierten der „Fachräte" in einen Zentralrat der Arbeiterschaft, der „Bundesrat" oder Senat in Bundesstaaten, die (effektive) Kollegialität bei Koalitionsministerien oder Koalitionsregierungskollegien (Maximum: bei Bestellung nach dem Proporz: Schweiz).

m) Einen Sondercharakter hat die Abstimmungskollegialität gewählter *parlamentarischer* Repräsentanten, von der daher gesondert zu handeln sein wird. Denn sie ruht auf *entweder*

α. Führerschaft und ist dann Gefolgschaft, oder

β. auf *partei*kollegialer Geschäftsführung, und ist dann „führerloser Parlamentarismus".

Dazu aber ist Erörterung der *Parteien* notwendig.

Kollegialität – außer im Fall der monokratischen Kassationskollegialität – bedeutet, fast unvermeidlich, eine Hemmung *präziser* und eindeutiger, vor allem *schneller* Entschließungen (in ihren irrationalen Formen auch: der Fachgeschultheit). Eben diese Wirkung war aber dem Fürsten bei Einführung des Fachbeamtentums meist nicht unerwünscht. Aber eben dies hat sie zunehmend zurückgedrängt, je schneller das notwendige Tempo der Entschließungen und des Handelns wurde. Innerhalb der kollegialen *leitenden* Instanzen stieg im allgemeinen die Machtstellung des leitenden Mitgliedes zu einer formell und materiell präeminenten (Bischof, Papst in der Kirche, Ministerpräsident im Kabinett). Das Interesse an Wiederbelebung der Kollegialität der *Leitung* entspringt meist einem Bedürfnis nach Schwächung des Herrschers als solchen. Dann dem Mißtrauen und Ressentiment, weniger der Beherrschten: – die meist nach dem „Führer" geradezu rufen, – als der Glieder des Verwaltungsstabs gegen die monokratische Führung. Dies gilt aber durchaus nicht nur und nicht einmal vorzugsweise von negativ privilegierten, sondern *gerade* auch von positiv privilegierten Schichten. Kollegialität ist durchaus *nichts* spezifisch „Demokratisches". Wo privilegierte Schichten sich gegen die Bedrohung durch die negativ Privilegierten zu sichern hatten, haben sie stets darnach getrachtet und darnach trachten müssen, keine monokratische Herrengewalt aufkommen zulassen, welche sich auf jene Schichten hätte stützen können, also, neben strengster *Gleichheit* der Privilegierten (davon gesondert im folgenden §), kollegiale Behörden als Überwachungs- und allein beschließende Behörden geschaffen und aufrechterhalten.

Typen: Sparta, Venedig, der vorgracchische und sullanische Senat in Rom, England wiederholt im 18. Jahrhundert, Bern und andre Schweizer-Kantone, die mittelalterlichen Geschlechterstädte mit ihren kollegialen Konsum, die Mercadanza, welche die Händler-, nicht die Arbeiter-Zünfte umfaßte: diese letzteren wurden sehr leicht die Beute von Nobili oder Signoren.

Die Kollegialität gewährleistet größere „Gründlichkeit" der Erwägungen der Verwaltung. Wo diese auf Kosten der Präzision und Schnelligkeit bevorzugt werden soll, pflegt – neben den oben erwähnten Motiven – noch heute auf sie zurückgegriffen werden. Immerhin *teilt* sie die Verantwortlichkeit, und bei größeren Gremien schwindet diese gänzlich, während Monokratie sie deutlich und unbezweifelbar festlegt. Große und schnell einheitlich zu lösende Aufgaben werden im ganzen (und rein technisch wohl mit Grund) in die Hand monokratischer, mit der *Allein*verantwortung belasteter „Diktatoren" gelegt.

Weder eine kraftvolle einheitliche äußere noch innere Politik von Massenstaaten ist *effektiv* kollegial zu leiten. Die „Diktatur des Proletariats" zum Zwecke der Sozialisierung insbesondere erforderte eben den vom Vertrauen der Massen getragenen *„Diktator"*. Eben diesen aber können und wollen – nicht etwa: die „Massen", sondern: – die massenhaften parlamentarischen, parteimäßigen, oder (was nicht den geringsten Unterschied macht) in den „Räten" herrschenden Gewalthaber nicht ertragen. Nur in Rußland ist er durch *Militärmacht* entstanden und durch das Solidaritätsinteresse der neu appropriierten *Bauern* gestützt.

Es seien nachstehend noch einige, das Gesagte teils zusammenfassende, teils ergänzende Bemerkungen angefügt:

Kollegialität hat historisch doppelten Sinn gehabt:

a) mehrfache Besetzung des gleichen Amtes oder mehrere direkt in der Kompetenz miteinander konkurrierende Ämter nebeneinander, mit gegenseitigem Vetorecht. Es handelt sich dann um technische Gewaltenteilung zum Zweck der Minimisierung der Herrschaft. Diesen Sinn hatte die „Kollegialität" vor allem in der römischen Magistratur, deren wichtigster Sinn die Ermöglichung der jedem Amtsakt fremden Interzession der par potestas war, um dadurch die Herrschaft des Einzelmagistrates zu schwächen. Aber jeder Einzelmagistrat *blieb* dabei Einzelmagistrat, in mehreren Exemplaren.

b) kollegiale Willensbildung: legitimes Zustandekommen eines Befehls nur durch Zusammenwirken mehrerer, entweder nach dem Einstimmigkeits- oder nach dem Mehrheitsprinzip. Dies ist der moderne, in der Antike nicht unbekannte, aber ihr wieder charakteristische, Kollegialitätsbegriff. – Diese Art der Kollegialität kann entweder 1. Kollegialität der höchsten Leitung, also der Herrschaft selbst, sein, oder 2. Kollegialität ausführender oder 3. Kollegialität beratender Behörden.

1. Kollegialität der *Leitung* kann ihre Gründe haben:

α. darin, daß der betreffende Herrschaftsverband auf Vergemeinschaftung oder Vergesellschaftung mehrerer autokephaler Herrschaftsverbände beruht und alle sich Vergesellschaftenden Machtanteil verlangen (antiker Synoikismus mit der nach Sippen, Phratrien, Phylen gegliederten kollegialen Ratsbehörde; – mittelalterlicher Verband der Geschlechter mit dem repartierten Geschlechterrat; – mittelalterlicher Verband der Zünfte in der Mercadanza mit dem Rat der Anzianen oder Zunftdeputierten; – „Bundesrat" in modernen Bundesstaaten; – effektive Kollegialität bei Ministerien oder höchsten Regierungskollegien, die von Parteikoalitionen gestellt werden (Maximum: bei Repartition der Macht nach dem Proporz, wie zunehmend in der Schweiz) –. Die Kollegialität ist dann ein besonderer Fall des ständischen oder kantonalen Repräsentationsprinzips. – Oder

β. in dem Fehlen eines Führers zufolge: Eifersucht der um die Führerschaft Konkurrierenden oder: Streben der Beherrschten nach Minimisierung der Herrschaft einzelner. Aus einer Mischung dieser Gründe ist sie in den meisten Revolutionen aufgetreten, sowohl als „Rat" der Offiziere oder auch der Soldaten revoltierender Truppen, wie als Wohlfahrtsausschuß oder Ausschuß von „Volksbeauftragten". In der normalen Friedensverwaltung hat fast immer das letztgenannte Motiv: die Abneigung gegen den einzelnen „starken Mann", für die Kollegialität leitender Behörden entschieden: so in der Schweiz und z. B. in der neuen badischen Verfassung. (Träger dieser Abneigung waren diesmal die Sozialisten, welche die für die Sozialisierung unbedingt erforderliche straffe Einheitlichkeit der Verwaltung aus Besorgnis vor dem „Wahlmonarchen" opferten. Dafür war insbesondere die führerfeindliche Empfindungsweise des (Gewerkschafts-, Partei-, Stadtkreis-) *Beamtentums* in der Partei maßgebend). – Oder

γ. in dem ständischen „Honoratioren"-Charakter der für die Besetzung der Leitung ausschlaggebenden und ihren Besitz monopolisierenden Schicht, also: als Produkt ständisch-aristokratischer Herrschaft. Jede ständisch privilegierte Schicht fürchtet das auf emotionale Massenhingabe gestützte Führertum mindestens ebenso stark wie die führerfeindliche Demokratie. Die Senatsherrschaft und die faktischen Versuche, durch geschlossene Ratskörperschaften zu regieren, gehören dahin, ebenso die venezianische und ihr ähnliche Verfassungen. – Oder

δ. in dem Kampf des Fürstentums gegen die zunehmende Expropriation durch das *fach*geschulte Beamtentum. Die moderne Verwaltungsorganisation beginnt in der obersten *Leitung* in den okzidentalen Staaten (und übrigens ähnlich auch in den für die dortige Entwicklung vorbildlichen Patrimonialstaaten des Orients: China, Persien, Khalifenreich, osmanisches Reich) durchweg mit kollegialen Behörden. Der Fürst scheut nicht nur die Machtstellung einzelner, sondern hofft vor allem: durch das System der Voten und Gegenvoten in einem Kollegium die Entscheidung selbst in der Hand und, da er zunehmend Dilettant wird, die nötige Übersicht über die Verwaltung zu behalten, besser als bei Abdankung zugunsten der Machtstellung von Einzelbeamten. (Die Funktion der höchsten Behörden war zunächst ein Mittelding zwischen beratenden und verfügenden Kollegien; nur die besonders irrational wirkende Eigenmacht des Fürsten in der Finanzgebarung wurde – so in der Reform des Kaiser Max – von den Fachbeamten sofort gebrochen, und hier mußte der Fürst aus zwingenden Gründen nachgeben.) – Oder

ε. in dem Wunsch, spezialistische Fachorientierung und auseinandergehende Interessen sachlicher oder persönlicher Art durch kollegiale Beratung auszugleichen, also: Kompromisse zu ermöglichen. So namentlich in der Leitung der Gemeindeverwaltung, welche einerseits lokal übersehbare und stark technische Probleme vor sich sieht, andrerseits und namentlich aber ihrer Natur nach sehr stark auf Kompromissen von materiellen Interessenten zu beruhen pflegt, – so lange wenigstens, als die *Massen* sich die Herrschaft der durch Besitz und Schulung privilegierten Schichten gefallen lassen. – Die Kollegialität der Ministerien hat technisch ähnliche Gründe: wo sie fehlt, wie z. B. in Rußland und (weniger ausgeprägt) im deutschen Reich des alten Regimes, war eine effektive Solidarität der Regierungsstellen nie herzustellen, sondern nur der erbittertste Satrapenkampf der Ressorts zu beobachten. –

Die Gründe unter α, γ, δ sind rein historischen Charakters. Die moderne Entwicklung der bürokratischen Herrschaft hat in *Massen*verbänden – einerlei ob Staaten oder Großstädten – überall zu einer Schwächung der Kollegialität in der effektiven *Leitung* geführt. Denn die Kollegialität vermindert unvermeidlich 1. die Promptheit der Entschlüsse, – 2. die Einheitlichkeit der Führung, – 3. die eindeutige Verantwortlichkeit des einzelnen, – 4. die Rücksichtslosigkeit nach außen und die Aufrechterhaltung der Disziplin im Innern. – Überall ist daher – auch aus s. Z. zu erörternden ökonomischen und technologischen Gründen – in Massenstaaten mit Beteiligung an der großen Politik die Kollegialität, wo sie erhalten blieb, abgeschwächt worden zugunsten der prominenten Stellung des politischen *Führers* (leader, Ministerpräsident). Ähnlich wie übrigens auch in fast allen großen patrimonialistischen Verbänden, gerade den streng sultanistischen, stets wieder das Bedürfnis nach einer führenden Persönlichkeit (Großvesier) neben dem Fürsten gesiegt hat, soweit nicht die „Günstlings"-Wirtschaft Ersatz dafür schuf. *Eine* Person sollte *verantwortlich* sein. Der Fürst aber war es *legal* nicht.

2. Die Kollegialität der *ausführenden* Behörden bezweckte die Sachlichkeit und, vor allem, Integrität der Verwaltung zu stützen und in diesem Interesse die Macht einzelner zu schwächen. Sie ist aus den gleichen Gründen wie in der Leitung fast überall der technischen Überlegenheit der Monokratie gewichen (so in Preußen in den „Regierungen").

3. Die Kollegialität nur *beratender* Körperschaften hat zu allen Zeiten bestanden und wird wohl zu allen Zeiten bestehen. Entwicklungsgeschichtlich sehr wichtig (wie an seinem Ort zu erwähnen): – besonders in jenen Fällen, wo die „Beratung" des Magistrats oder Fürsten tatsächlich nach der Machtlage eine „maßgebliche" war, – bedarf sie der Erörterung in dieser Kasuistik nicht. –

Unter Kollegialität ist hier stets Kollegialität der *Herrschaft* verstanden, – also von Behörden, welche entweder selbst verwalten oder die Verwaltung unmittelbar (beratend) beeinflussen. Das Verhalten von ständischen oder parlamentarischen *Versammlungen* gehört, wie im Text angedeutet, noch nicht hierher.

Die Kollegialität hat geschichtlich den Begriff der „Behörde" erst voll zur Entfaltung gebracht, weil sie *stets* mit *Trennung* des „Büro" vom „Haushalt" (der Mitglieder), behördlichen vom privaten Beamtenstab, Verwaltungsmitteln vom Privatvermögen verbunden war. Es ist eben deshalb kein Zufall, daß die *moderne* Verwaltungsgeschichte des Okzidents ganz ebenso mit der Entwicklung von Kollegialbehörden von Fachbeamten einsetzt wie jede dauernde *Ordnung* patrimonialer, ständischer, feudaler oder anderer traditionaler politischer Verbände – in anderer Art – auch tat. Nur kollegiale, eventuell solidarisch zusammenstehende Beamtenkörperschaften konnten insbesondre den zum „Dilettanten" werdenden Fürsten des Okzidents allmählich politisch expropriieren. Bei Einzelbeamten würde die persönliche Obödienz die unumgängliche Zähigkeit des Widerstandes gegen irrationale Anweisungen des Fürsten, ceteris paribus, weit leichter überwunden haben. Nach dem als unabwendbar erkannten Übergang zur Fachbeamtenwirtschaft hat dann der Fürst regelmäßig das *beratende* Kollegialsystem (Staatsratssystem) mit Voten und Gegenvoten auszubauen gesucht, um, obwohl Dilettant, doch Herr zu bleiben. Erst nach dem endgültigen und unwiderruflichen Siege des rationalen Fachbeamtentums trat – insbesondre den Parlamenten gegenüber (s. später) – das Bedürfnis nach monokratisch (durch Ministerpräsidenten) geleiteter Solidarität der höchsten Kollegien, *gedeckt* durch den Fürsten und ihn deckend, und damit die allgemeine Tendenz zur Monokratie und also: Bürokratie in der Verwaltung, siegreich auf.

1. Man kann sich die Bedeutung der Kollegialität an der Wiege der modernen Verwaltung besonders leicht an dem Kampf der von Kaiser Maximilian in höchster Not (Türkengefahr) geschaffenen Finanzbehörden mit seiner Gepflogenheit, über den Kopf der Beamten und ad hoc nach Laune Anweisungen und Pfandurkunden herzuge-

ben, klar machen. Am *Finanz*problem begann die Expropriation des Fürsten, der *hier* zuerst politischer *Nicht*fachmann (Dilettant) wurde. Zuerst in der italienischen Signorie mit ihrem kaufmännisch geordneten Rechnungswesen, dann in den burgundisch-französischen, dann in den deutschen Kontinentalstaaten, selbständig davon bei den Normannen in Sizilien und England (Exchequer). Im Orient haben die Divane, in China die Yamen, in Japan das Bukufu usw., eine entsprechende, nur, – in Ermangelung von *rational* geschulten Fachbeamten und also angewiesen auf die empirischen Kenntnisse „alter" Beamter, nicht zur Bürokratisierung führende Rolle gespielt, in Rom: der Senat.

2. Die Kollegialität hat für die Trennung von privatem Haushalt und Amtsverwaltung eine ähnliche Rolle gespielt wie die voluntaristischen großen Handelsgesellschaften für die Trennung von Haushalt und Erwerbsbetrieb, Vermögen und Kapital.

§ 16. Die Herrengewalt kann ferner abgemildert werden:

3. durch *spezifizierte Gewaltenteilung*: Übertragung spezifisch verschiedener, im Legalitätsfall (*konstitutionelle Gewaltenteilung*) *rational* bestimmter „Funktionen" als Herrengewalten auf *verschiedene* Inhaber, derart, daß nur durch ein Kompromiß zwischen ihnen in Angelegenheiten, welche mehrere von ihnen angehen, Anordnungen legitim zustande kommen.

1. „Spezifizierte" Gewaltenteilung bedeutet im Gegensatz zur „ständischen": daß die Herrengewalten je nach ihrem *sachlichen* Charakter unter verschiedene Macht- (oder Kontroll-) Inhaber „verfassungsmäßig" (nicht notwendig: im Sinn der gesatzten und geschriebenen Verfassung) verteilt sind. Derart entweder, daß Verfügungen *verschiedener* Art nur durch verschiedene oder daß Verfügungen *gleicher* Art nur durch Zusammenwirken (also: ein nicht formal erzeugbares Kompromiß) *mehrerer* Machthaber legitim geschaffen werden können. Geteilt sind aber auch hier nicht: „Kompetenzen", sondern: die *Herren*rechte *selbst*.

2. Spezifizierte Gewaltenteilung ist nichts *unbedingt* Modernes. Die Scheidung zwischen selbständiger politischer und selbständiger hierokratischer Gewalt – statt Cäsaropapismus oder Theokratie – gehört hierher. Nicht minder *kann* man die spezifizierten Kompetenzen der römischen Magistraturen als eine Art der „Gewaltenteilung" auffassen. Ebenso die spezifizierten Charismata des Lamaismus. Ebenso die weitgehend selbständige Stellung der chinesischen (kon-

fuzianischen) Hanlin-Akademie und der „Zensoren" gegenüber dem Monarchen. Ebenso die schon in Patrimonialstaaten, ebenso aber im römischen Prinzipat, übliche Trennung der Justiz- und Finanz- (Zivil-) von der Militärgewalt in den Unterstaffeln. Und letztlich natürlich überhaupt jede Kompetenzverteilung. Nur verliert der Begriff der „Gewaltenteilung" dann jede Präzision. Er ist zweckmäßigerweise auf die Teilung der höchsten *Herren*gewalt *selbst* zu beschränken. Tut man das, dann ist die rationale, durch Satzung (Konstitution) begründete Form der Gewaltenteilung: die konstitutionelle, durchaus modern. Jedes Budget kann im nicht parlamentarischen, sondern „konstitutionellen" Staat *nur* durch *Kompromiß* der legalen Autoritäten (Krone und – eine oder mehrere – Repräsentantenkammern) zustande kommen. Geschichtlich ist der Zustand in Europa aus der *ständischen* Gewaltenteilung entwickelt, theoretisch in England durch Montesquieu, dann Burke, begründet. Weiter rückwärts ist die Gewaltenteilung aus der Appropriation der Herrengewalten und Verwaltungsmittel an Privilegierte und aus den steigenden regulären ökonomisch-sozial bedingten (Verwaltungs-) und irregulären (vor allem durch Krieg bedingten) Finanzbedürfnissen erwachsen, denen der Herr ohne Zustimmung der Privilegierten nicht abhelfen konnte, aber – oft nach deren eigener Ansicht und Antrag – abhelfen sollte. Dafür war das ständische Kompromiß nötig, aus dem geschichtlich das Budgetkompromiß und die Satzungskompromisse – die keineswegs schon der ständischen Gewaltenteilung in dem Sinn zugehören, wie der konstitutionellen – erwachsen sind.

3. Konstitutionelle Gewaltenteilung ist ein spezifisch labiles Gebilde. Die *wirkliche* Herrschaftsstruktur bestimmt sich nach der Beantwortung der Frage was geschehen *würde*, *wenn* ein satzungsgemäß unentbehrliches Kompromiß (z. B. über das Budget) *nicht* zustande käme. Ein budgetlos regierender König von England würde dann (heute) seine Krone riskieren, ein budgetlos regierender preußischer König nicht, im vorrevolutionären deutschen Reich wären die *dynastischen* Gewalten ausschlaggebend gewesen.

§ 17. *Beziehungen zur Wirtschaft.* 1. Die (rationale Leistungs-) *Kollegialität* von legalen *Behörden* kann die Sachlichkeit und persönliche Unbeeinflußtheit der Verfügungen steigern und dadurch die Bedingungen der Existenz rationaler Wirtschaft günstig gestalten, auch wo die Hemmung der Präzision des Funktionierenden negativ ins Gewicht fällt. Die ganz großen kapitalistischen Gewalthaber der Gegenwart ebenso wie diejenigen der Vergangenheit bevorzugen aber im politischen wie im Partei- wie im Leben aller Verbände, die für sie wichtig sind, eben deshalb die Monokratie als die (in ihrem Sinn) „diskretere", persönlich zugänglichere und leichter für die Interessen der Mächtigen zu gewinnende Form der Justiz und Verwaltung, und auch nach deutschen Erfahrungen mit Recht. – Die Kassationskollegialität und die aus irrationalen Appropriationen oder Macht eines traditionalen Verwaltungsstabes entstandenen kollegialen Behörden können umgekehrt irrational wirken. Die im Beginn der Entwicklung des *Fach*beamtentums stehende Kollegialität der Finanzbehörden hat im ganzen wohl zweifellos die (formale) Rationalisierung der Wirtschaft begünstigt.

Der monokratische amerikanische Partei-*Boß*, *nicht* die oft kollegiale, offizielle Parteiverwaltung ist dem interessierten Parteimäzenaten „gut". *Deshalb* ist er unentbehrlich. In Deutschland haben große Teile der sog. „Schwerindustrie" die Herrschaft der Bürokratie gestützt und *nicht* den (in Deutschland bisher kollegial verwalteten) Parlamentarismus: aus dem gleichen Grunde.

2. Die Gewaltenteilung *pflegt*, da sie, wie jede Appropriation, feste, wenn auch noch nicht rationale, Zuständigkeiten schafft und dadurch ein Moment der „Berechenbarkeit" in das Funktionieren des Behördenapparats trägt, der (formalen) Rationalisierung der Wirtschaft günstig zu sein. Die auf Aufhebung der Gewaltenteilung gerichteten Bestrebungen (Räterepublik, Konvents- und Wohlfahrtsausschußregierungen) sind durchweg auf (mehr oder minder) *material* rationale Eingestaltung der Wirtschaft eingestellt und wirken dementsprechend der formalen Rationalität entgegen.

Alle Einzelheiten gehören in die Spezialerörterungen.

9. Parteien.

§ 18. Parteien sollen heißen auf (formal) freier Werbung beruhende Vergesellschaftungen mit dem Zweck, ihren Leitern innerhalb eines Verbandes Macht und ihren aktiven Teilnehmern dadurch (ideelle oder materielle) Chancen (der Durchsetzung an sachlichen Zielen oder der Erlangung von persönlichen Vorteilen oder beides) zuzuwenden. Sie können ephemere oder auf Dauer berechnete Vergesellschaftungen sein, in Verbänden jeder Art auftreten und als Verbände jeder Form: charismatische Gefolgschaften, traditionale Dienerschaften, rationale (zweck- oder wertrationale, „weltanschauungsmäßige") Anhängerschaften entstehen. Sie können mehr an persönlichen Interessen oder an sachlichen Zielen orientiert sein. Praktisch können sie insbesondere offiziell oder effektiv ausschließlich: nur auf Erlangung der Macht für den Führer und Besetzung der Stellen des Verwaltungsstabes durch ihren Stab gerichtet sein (Patronage-Partei). Oder sie können vorwiegend und bewußt im Interesse von Ständen oder Klassen (ständische bzw. Klassen-Partei) oder an konkreten sachlichen Zwecken oder an abstrakten Prinzipien (Weltanschauungs-Partei) orientiert sein. Die Eroberung der Stellen des Verwaltungsstabes für ihre Mitglieder pflegt aber mindestens Nebenzweck, die sachlichen „Programme" nicht selten nur Mittel der Werbung der Außenstehenden als Teilnehmer zu sein.

Parteien sind begrifflich nur *innerhalb* eines Verbandes möglich, dessen Leitung sie beeinflussen oder erobern wollen; jedoch sind interverbändliche Partei-Kartelle möglich und nicht selten.

Parteien können alle Mittel zur Erlangung der Macht anwenden. Da wo die Leitung durch (formal) freie *Wahl* besetzt wird und Satzungen durch Abstimmung geschaffen werden, sind sie primär Organisationen für die Werbung von Wahlstimmen und bei Abstimmungen vorgesehener Richtung legale Parteien. Legale Parteien bedeuten infolge ihrer prinzipiell *voluntaristischen* (auf freier Werbung ruhenden) Grundlage praktisch *stets*: daß der Betrieb der Politik *Interessenten*betrieb ist (wobei hier der Gedanke an „ökonomische" Interessenten noch ganz beiseite bleibt: es handelt sich um *politische*, also ideologisch oder an der *Macht* als solcher, orientierte Interessenten). Das heißt: daß er in den Händen

a) von Parteileitern und Parteistäben liegt, – denen

b) aktive Parteimitglieder meist nur als Akklamanten, unter Umständen als Kontroll-, Diskussions-, Remonstrations-, Parteirevolutions-Instanzen zur Seite treten, – während

c) die nicht aktiv mit vergesellschafteten Massen (der Wähler und Abstimmenden) nur Werbeobjekt für Zeiten der Wahl oder Abstimmung sind (passive „Mitläufer"), deren Stimmung nur in Betracht kommt als Orientierungsmittel für die Werbearbeit des Parteistabes in Fällen aktuellen Machtkampfes.

Regelmäßig (nicht immer) *verborgen* bleiben

d) die Parteimäzenaten.

Andre als formal-legal organisierte Parteien im formal-legalen Verband können primär vor allem sein

a) charismatische Parteien: Zwist über die charismatische Qualität des Herren: über den charismatisch „richtigen" Herrn (Form: Schisma);

b) traditionalistische Parteien: Zwist über die Art der Ausübung der traditionalen Gewalt in der Sphäre der freien Willkür und Gnade des Herren (Form: Obstruktion oder offene Revolte gegen „Neuerungen").

c) Glaubensparteien, regelmäßig, aber nicht unvermeidlich, mit a identisch: Zwist über Weltanschauungs- oder Glaubens-*Inhalte* (Form: Häresie, die auch bei rationalen Parteien – Sozialismus – vorkommen kann);

d) reine Appropriations-Parteien: Zwist mit dem Herrn und dessen Verwaltungsstab über die Art der Besetzung der Verwaltungsstäbe, sehr oft (aber natürlich nicht notwendig) mit b identisch.

Der Organisation nach können Parteien den gleichen Typen angehören wie alle andren Verbände, also charismatisch-plebiszitär (Glauben an den *Führer*) oder traditional (Anhänglichkeit an das soziale *Prestige* des Herren oder präeminenten Nachbarn) oder rational (Anhänglichkeit an die durch „statutenmäßige" Abstimmung geschaffenen Leiter und Stäbe) orientiert sein, sowohl was die Obödienz der Anhänger als was die der Verwaltungsstäbe betrifft.

Alles Nähere (Materiale) gehört in die Staatssoziologie.

Wirtschaftlich ist die Partei-*Finanzierung* eine für die Art der Einflußverteilung und der materiellen Richtung des Parteihandelns zentral wichtige Frage: ob kleine Massenbeiträge, ob ideologischer Mäzenatismus, ob interessierter (direkter und indirekter) Kauf, ob Besteuerung der durch die Partei zugewendeten Chancen oder der ihr unterlegenen Gegner: – auch diese Problematik gehört aber im einzelnen in die Staatssoziologie.

1. Parteien gibt es ex definitione nur *innerhalb* von Verbänden (politischen oder andern) und im Kampf um deren Beherrschung. Innerhalb der Parteien kann es wiederum Unterparteien geben und gibt es sie sehr häufig (als ephemere Vergesellschaftungen typisch bei jeder Nominationskampagne für den Präsidentschaftskandidaten bei amerikanischen Parteien, als Dauer-Vergesellschaftungen z. B. in Erscheinungen wie den „Jungliberalen" bei uns vertreten gewesen). – Für *inter*verbandliche Parteien s. einerseits (ständisch) die Guelfen und Ghibellinen in Italien im 13. Jahrh., und die modernen Sozialisten (Klasse) andrerseits.

2. Das Merkmal der (formal!) freien *Werbung*, der (formal, vom Standpunkt der Verbandsregeln aus) voluntaristischen Grundlagen der Partei, wird hier als das ihr Wesentliche behandelt und bedeutet jedenfalls einen soziologisch tiefgreifenden Unterschied gegen alle von seiten der Verbandsordnungen vorgeschriebenen und geordne-

ten Vergesellschaftungen. Auch wo die Verbandsordnung – wie z. B. in den Vereinigten Staaten und bei unserem Verhältniswahlrecht – von der Existenz der Parteien Notiz nimmt, sogar: ihre Verfassung zu regulieren unternimmt, bleibt doch jenes voluntaristische Moment unangetastet. Wenn eine Partei eine geschlossene, durch die Verbandsordnungen dem Verwaltungsstab eingegliederte Vergesellschaftung wird – wie z. B. die „parte Guelfa" in den trecentistischen Florentiner Statuten es schließlich wurde – so ist sie keine „Partei" mehr, sondern ein Teilverband des politischen Verbandes.

3. Parteien in einem genuin charismatischen Herrschaftsverband sind notwendig schismatische Sekten, ihr Kampf ist ein Glaubenskampf und als solcher nicht endgültig austragbar. Ähnlich kann es im streng patriarchalen Verband liegen. Den Parteien im modernen Sinn sind diese beiden Parteiarten, wo sie *rein* auftreten, normalerweise fremd. Gefolgschaften von Lehens- und Amtsprätendenten, geschart um einen Thronprätendenten, stehen sich in den üblichen erbcharismatischen und ständischen Verbänden typisch gegenüber. Persönliche Gefolgschaften sind auch in den Honoratiorenverbänden (aristokratischen Städtestaaten), aber auch in manchen Demokratien durchaus vorwiegend. Ihren modernen Typus nehmen die Parteien erst im legalen Staat mit Repräsentativverfassung vor. Die Darstellung erfolgt weiterhin in der Staatssoziologie.

4. Beispiele für reine Patronage-Parteien im *modernen* Staat sind in klassischer Art die beiden großen amerikanischen Parteien des letzten Menschenalters. Beispiele für sachliche und „Weltanschauungs"-Parteien lieferten s. Z. der alte Konservatismus, der alte Liberalismus und die alte bürgerliche Demokratie, später die Sozialdemokratie – bei ihnen allen mit sehr starkem Einschlag von Klassen*interesse* – und das Zentrum; das letztere ist seit Durchsetzung fast aller Forderungen sehr stark reine Patronage-Partei geworden. Bei allen, auch bei der reinsten Klassen-Partei pflegt aber für die Haltung der Parteiführer und des Parteistabs das *eigne* (ideelle und materielle) Interesse an Macht, Amtsstellungen und Versorgung mit ausschlaggebend zu sein und die Wahrnehmung der Interessen ihrer Wählerschaft nur soweit stattzufinden, als ohne Gefährdung der Wahlchancen unvermeidlich ist. Dies letztgenannte Moment ist einer der Erklärungsgründe der Gegnerschaft gegen das Parteiwesen.

5. Über die Organisationsformen der Parteien ist s. Z. gesondert zu handeln. Allen gemeinsam ist: daß einem Kern von Personen, in deren Händen die *aktive* Leitung: die Formulierung der Parolen und die Auswahl der Kandidaten liegt, sich „Mitglieder" mit wesentlich

passiverer Rolle zugesellen, während die Masse der Verbandsmitglieder nur eine Objektrolle spielt, und die Wahl zwischen den mehreren von der Partei ihnen präsentierten Kandidaten und Programmen hat. Dieser Sachverhalt ist bei Parteien ihres voluntaristischen Charakters wegen unvermeidlich und stellt das dar, was hier „Interessenten"betrieb genannt ist. (Unter „Interessenten" sind hier, wie gesagt, „politische", nicht etwa „materielle" Interessenten gemeint). Es ist der zweite Hauptangriffspunkt der Opposition gegen das Parteiwesen als solches und bildet die *formale* Verwandtschaft der Parteibetriebe mit dem gleichfalls auf *formal* freier Arbeitswertung ruhenden kapitalistischen Betrieb.

6. Das Mäzenatentum als Finanzierungsgrundlage ist keineswegs nur „bürgerlichen" Parteien eigen. Paul *Singer* z. B. war ein sozialistischer Parteimäzenat (wie übrigens auch ein humanitärer Mäzenat) größten Stils (und: reinsten Wollens, soviel irgend bekannt). Seine ganze Stellung als Vorstand der Partei beruhte darauf. Die russische (Kerenskij-) Revolution ist (in den Parteien) durch ganz große Moskauer Mäzenaten mit finanziert worden. Andre deutsche Parteien (der „Rechten") durch die Schwerindustrie; das Zentrum gelegentlich von katholischen Multimillionären.

Die Parteifinanzen sind aber für die Forschung aus begreiflichen Gründen das wenigst durchsichtige Kapitel der Parteigeschichte und doch eines ihrer wichtigsten. Daß eine „Maschine" (Caucus, über den Begriff später) geradezu „gekauft" wird, ist in Einzelfällen wahrscheinlich gemacht. Im übrigen besteht die Wahl: entweder die Wahl-*Kandidaten* tragen den Löwenanteil der Wahlkosten (englisches System) – Resultat: Plutokratie der Kandidaten –, oder die „Maschine" – Resultat: Abhängigkeit der Kandidaten von Partei*beamten*. In der einen oder anderen Form ist dies so, seit es Parteien als *Dauer*-organisationen gibt, im trecenistischen Italien so gut wie in der Gegenwart. Diese Dinge dürfen nur nicht durch Phrasen verhüllt werden. Eine Partei-Finanzierung hat gewiß Grenzen ihrer Macht: Sie kann im ganzen nur das als Werbemittel auftreten lassen, was „Markt" hat. Aber wie beim kapitalistischen Unternehmertum im Verhältnis zum Konsum ist allerdings heut die Macht des *Angebots* durch die Suggestion der Reklamemittel (namentlich der nach rechts oder links – das ist gleichgültig – „radikalen Parteien") ungeheuer gesteigert.

10. Herrschaftsfremde Verbandsverwaltung und Repräsentanten-Verwaltung.

§ 19. Verbände können bestrebt sein, die – in einem gewissen Minimalumfang unvermeidlich – mit Vollzugsfunktionen verbundenen Herrschaftsgewalten tunlichst – zu reduzieren (Minimisierung der Herrschaft), indem der Verwaltende als *lediglich* nach Maßgabe des Willens, im „Dienst" und kraft Vollmacht der Verbandsgenossen fungierend gilt. Dies ist bei *kleinen* Verbänden, deren sämtliche Genossen örtlich versammelt werden können und sich untereinander kennen und als sozial gleich werten, im Höchstmaß erreichbar, aber auch von größeren Verbänden (insbesondre Stadtverbänden der Vergangenheit und Landbezirksverbänden) versucht worden. Die üblichen technischen Mittel dafür sind

    a) kurze Amtsfristen, möglichst nur zwischen je zwei Genossenversammlungen,

    b) jederzeitiges Abberufungsrecht (recall),

    c) Turnus- oder Los-Prinzip bei der Besetzung, so daß jeder einmal „daran kommt", – also: Vermeidung der Machtstellung des Fach- und des sekretierten Dienstwissens,

    d) streng imperatives Mandat für die Art der Amtsführung (*konkrete*, nicht: generelle, Kompetenz), festgestellt durch die Genossenversammlung,

    e) strenge Rechenschaftspflicht vor der Genossenversammlung,

    f) Pflicht, jede besondersartige und nicht vorgesehene Frage der Genossenversammlung (oder einem Ausschuß) vorzulegen,

    g) zahlreiche nebengeordnete und mit Sonderaufträgen versehene Ämter, – also:

    h) *Neben*berufs-Charakter des Amts.

Wenn der Verwaltungsstab durch Wahl bestellt wird, dann erfolgt sie in einer Genossenversammlung. Die Verwaltung ist wesentlich mündlich, schriftliche Aufzeichnungen finden nur soweit statt, als Rechte urkundlich zu wahren sind. Alle wichtigen Anordnungen werden der Genossenversammlung vorgelegt.

Diese und diesem Typus nahestehende Arten der Verwaltung sollen „*unmittelbare Demokratie*" heißen, *solange* die Genossenversammlung *effektiv* ist.

1. Die nordamerikanische town-ship und der schweizerische Kleinkanton (Glarus, Schwyz, beide Appenzell usw.) stehen bereits der Größe nach an der Grenze der Möglichkeit „unmittelbar demokratischer" Verwaltung (deren Technik hier nicht auseinandergesetzt werden soll). Die attische Bürgerdemokratie überschritt tatsächlich

diese Grenze weit, das parliamentum der frühmittelalterlichen italienischen Stadt erst recht. Vereine, Zünfte, wissenschaftliche, akademische, sportliche Verbände aller Art verwalten sich oft in dieser Form. Aber sie ist ebenso auch übertragbar auf die interne Gleichheit „aristokratischer" Herren-Verbände, die keinen Herrn über sich aufkommen lassen wollen.

2. Wesentliche Vorbedingung ist *neben* der örtlichen oder personalen (am besten: beiden) Kleinheit des Verbandes auch das Fehlen qualitativer Aufgaben, welche nur durch fachmäßige Berufsbeamte zu lösen sind. Mag auch dies Berufsbeamtentum in strengster Abhängigkeit zu halten versucht werden, so enthält es doch den Keim der Bürokratisierung und ist, vor allem, nicht durch die genuin „unmittelbar demokratischen" Mittel anstellbar und abberufbar.

3. Die rationale Form der unmittelbaren Demokratie steht dem primitiven gerontokratischen oder patriarchalen Verband innerlich nahe. Denn auch dort wird „im Dienst" der Genossen verwaltet. Aber es besteht dort a) Appropriation der Verwaltungsmacht, – b) (normal:) strenge Traditionsbindung. Die unmittelbare Demokratie ist ein *rationaler* Verband oder kann es doch sein. Die Übergänge kommen sogleich zur Sprache.

§ 20. „Honoratioren" sollen solche Personen heißen, welche

1. kraft ihrer ökonomischen Lage imstande sind, kontinuierlich nebenberuflich in einem Verband leitend und verwaltend ohne Entgelt oder gegen nominalen oder Ehren-Entgelt tätig zu sein und welche

2. eine, gleichviel worauf beruhende, soziale Schätzung derart genießen, daß sie die Chance haben, bei formaler unmittelbarer Demokratie kraft Vertrauens der Genossen zunächst freiwillig, schließlich traditional, die Ämter inne zu haben.

Unbedingte Voraussetzung der Honoratiorenstellung in dieser primären Bedeutung: *für* die Politik leben zu können, ohne *von* ihr leben zu müssen, ist ein spezifischer Grad von „Abkömmlichkeit" aus den eignen privaten Geschäften. Diesen besitzen im Höchstmaß: Rentner aller Art: Grund-, Sklaven-, Vieh-, Haus-, Wertpapier-Rentner. Demnächst solche Berufstätige, deren Betrieb ihnen die nebenamtliche Erledigung der politischen Geschäfte besonders erleichtert: Saisonbetriebsleiter (daher: Landwirte), Advokaten (weil sie ein „Büro" haben) und einzelne Arten andrer freier Berufe. In starkem Maß auch: patrizische Gelegenheitshändler. Im Mindestmaß: gewerbliche Eigenunternehmer und Arbeiter. Jede unmittelbare Demokratie neigt dazu, zur „Honoratiorenverwaltung" überzugehen. Ideell: weil sie als durch Erfahrung und Sachlichkeit besonders qualifiziert gilt. Materiell: weil sie sehr billig, unter Umständen geradezu: kostenlos, bleibt. Der Honoratiore ist teils im Besitz der sachlichen Verwaltungsmittel bzw. benutzt sein Vermögen als solches, teils werden sie ihm vom Verband gestellt.

1. Als *ständische* Qualität ist die Kasuistik des Honoratiorentums später zu erörtern. Die primäre Quelle ist in allen primitiven Gesellschaften: Reichtum, dessen Besitz allein oft „Häuptlings"-Qualität gibt (Bedingungen s. Kap. IV). Weiterhin kann, je nachdem, erbcharismatische Schätzung oder die Tatsache der Abkömmlichkeit mehr im Vordergrund stehen.

2. Im Gegensatz zu dem auf naturrechtlicher Grundlage für effektiven Turnus eintretenden town-ship der Amerikaner konnte man in den unmittelbar demokratischen Schweizer Kantonen bei Prüfung der Beamtenlisten leicht die Wiederkehr ständig derselben Namen und, erst recht, Familien verfolgen. Die Tatsache der größeren *Abkömmlichkeit* (zum „gebotenen Ding") war auch innerhalb der germanischen Dinggemeinden und der zum Teil anfangs streng demokratischen Städte Norddeutschlands eine der Quellen der Herausdifferenzierung der „meliores" des Ratspatriziats.

3. Honoratiorenverwaltung findet sich in jeder Art von Verbänden, z. B. typisch auch in nicht bürokratisierten politischen Parteien. Sie bedeutet stets: extensive Verwaltung und ist daher, *wenn* aktuelle und sehr dringliche Wirtschafts- und Verwaltungsbedürfnisse präzises Handeln erheischen, zwar „unentgeltlich" für den Verband, aber zuweilen „kostspielig" für dessen einzelne Mitglieder.

Sowohl die genuine unmittelbare Demokratie wie die genuine Honoratiorenverwaltung versagen technisch, wenn es sich um Verbände über eine gewisse (elastische) Quantität hinaus (einige Tausend vollberechtigte Genossen) oder um Verwaltungsaufgaben handelt, welche Fachschulung einerseits, Stetigkeit der Leitung andrerseits fordern. Wird hier nur mit dauernd angestellten Fachbeamten neben wechselnden Leitern gearbeitet, so liegt die Verwaltung *tatsächlich* normalerweise in den Händen der ersteren, die die Arbeit tun, während das Hineinreden der letzteren wesentlich dilettantischen Charakters bleibt.

Die Lage der wechselnden Rektoren, die im Nebenamt akademische Angelegenheiten verwalten gegenüber den Syndiken, unter Umständen selbst den Kanzleibeamten, ist ein typisches Beispiel dafür. Nur der autonom für längeren Termin gekorene Universitätspräsident (amerikanischen Typs) könnte – von Ausnahmenaturen abgesehen – eine nicht nur aus Phrasen und Wichtigtuerei bestehende

„Selbstverwaltung" der Universitäten schaffen, und nur die Eitelkeit der akademischen Kollegien einerseits, das Machtinteresse der Bürokratie andrerseits sträubt sich gegen das Ziehen solcher Konsequenzen. Ebenso liegt es aber, mutatis mutandis, überall.

Herrschaftsfreie unmittelbare Demokratie und Honoratiorenverwaltung bestehen ferner nur so lange genuin, als keine *Parteien* als *Dauer*gebilde entstehen, sich bekämpfen und die Ämter zu appropriieren suchen. Denn sobald dies der Fall ist, sind der *Führer* der kämpfenden und – mit gleichviel welchen Mitteln – siegenden Partei und sein Verwaltungsstab *herrschaftliches* Gebilde, trotz Erhaltung aller Formen der bisherigen Verwaltung.

Eine ziemlich häufige Form der Sprengung der „alten" Verhältnisse.

11. Repräsentation.

§ 21. Unter Repräsentation wird *primär* der (in Kap. I, § 11) erörterte Tatbestand verstanden: daß das Handeln bestimmter Verbandszugehöriger (Vertreter) den übrigen zugerechnet wird oder von ihnen gegen sich als „legitim" geschehen und für sie verbindlich gelten gelassen werden soll und tatsächlich wird.

Innerhalb der Verbands*herrschaften* aber nimmt Repräsentation mehrere typische Formen an:

1. Appropriierte Repräsentation. Der Leiter (oder ein Verbandsstabsmitglied) hat das appropriierte Recht der Repräsentation. In dieser Form ist sie sehr alt und findet sich in patriarchalen und charismatischen (erbcharismatischen, amtscharismatischen) Herrschaftsverbänden der verschiedensten Art. Die Vertretungsmacht hat *traditionalen* Umfang.

Schechs von Sippen oder Häuptlinge von Stämmen, Kastenschreschths, Erbhierarchen von Sekten, Dorf-patels, Obermärker, Erbmonarchen und alle ähnlichen patriarchalen und patrimonialen Leiter von Verbänden aller Art gehören hierher. Befugnis zum Abschluß von Verträgen und zu satzungsartigen Abmachungen mit den Ältesten der Nachbarverbände finden sich schon in sonst primitiven Verhältnissen (Australien).

Der appropriierten Repräsentation sehr nahe steht

2. die ständische (eigenrechtliche) Repräsentation. Sie ist insofern *nicht* „Repräsentation", als sie primär als Vertretung und Geltendma-

chung lediglich *eigner* (appropriierter) Rechte (Privilegien) angesehen wird. Aber sie hat insofern Repräsentationscharakter (und wird daher gelegentlich auch als solche angesehen), als die Rückwirkung der Zustimmung zu einem ständischen Rezeß *über* die Person des Privileginhabers hinaus auf die nicht privilegierten Schichten, nicht nur der Hintersassen, sondern auch anderer, nicht durch Privileg ständisch Berechtigter, wirkt, indem ganz regelmäßig deren *Gebundenheit* durch die Abmachungen der Privilegierten als selbstverständlich vorausgesetzt oder ausdrücklich in Anspruch genommen wird.

Alle Lehenshöfe und Versammlungen ständisch privilegierter Gruppen, κατ' εξοχην aber die „Stände" des deutschen Spätmittelalters und der Neuzeit gehören hierher. Der Antike und den außereuropäischen Gebieten ist die Institution nur in einzelnen Exemplaren bekannt, nicht aber ein allgemeines „Durchgangsstadium" gewesen.

3. Den schärfsten Gegensatz hierzu bildet die *gebundene Repräsentation*: gewählte (oder durch Turnus oder Los oder andere ähnliche Mittel bestimmte) Beauftragte, deren Vertretungsgewalt durch *imperative Mandate* und Abberufungsrecht nach Innen und Außen begrenzt und an die Zustimmung der Vertretenen gebunden ist. Diese „Repräsentanten" sind in Wahrheit: Beamte der von ihnen Repräsentierten.

Das imperative Mandat hat von jeher und in Verbänden der allerverschiedensten Art eine Rolle gespielt. Die gewählten Vertreter der Kommunen z. B. in Frankreich waren fast immer durchaus an ihre „cahiers des doléances" gebunden. – Zurzeit findet sich diese Art der Repräsentation besonders in den Räterepubliken, für welche sie Surrogat der in Massenverbänden unmöglichen unmittelbaren Demokratie ist. Gebundene Mandatare sind sicherlich Verbänden der verschiedensten Art auch außerhalb des mittelalterlichen und modernen Okzidents bekannt, doch nirgends von großer historischer Bedeutung gewesen.

4. *Freie Repräsentation.* Der Repräsentant, in aller Regel gewählt (eventuell formell oder faktisch durch Turnus bestimmt) ist an keine Instruktion gebunden, sondern Eigenherr über sein Verhalten. Er ist pflichtmäßig nur an *sachliche* eigene Überzeugungen, nicht an die Wahrnehmung von Interessen seiner Deleganten gewiesen.

Freie Repräsentation in diesem Sinn ist nicht selten die unvermeidliche Folge der Lücken oder des Versagens der Instruktion. In andern Fällen aber ist sie der sinngemäße Inhalt der Wahl eines Repräsentanten, der dann insoweit: der von den Wählern gekorene *Herr* derselben, nicht: ihr „Diener", ist. Diesen Charakter haben insbesondere die modernen parlamentarischen Repräsentationen angenommen, welche die allgemeine Versachlichung: Bindung an abstrakte (politische, ethische) *Normen*: das Charakteristikum der legalen Herrschaft, in dieser Form teilen.

Im Höchstmaß gilt diese Eigenart für die Repräsentativ-*Körperschaften* der modernen politischen Verbände: die Parlamente. Ihre Funktion ist ohne das voluntaristische Eingreifen der *Parteien* nicht zu erklären: diese sind es, welche die Kandidaten und Programme den politisch passiven Bürgern präsentieren und durch Kompromiß oder Abstimmung innerhalb des Parlaments die Normen für die Verwaltung schaffen, diese selbst kontrollieren, durch ihr Vertrauen stützen, durch dauernde Versagung ihres Vertrauens stürzen, *wenn* es ihnen gelungen ist, die *Mehrheit* bei den Wahlen zu erlangen.

Der Parteileiter und der von ihm designierte Verwaltungsstab: die Minister, Staats- und, eventuell, Unterstaatssekretäre, sind die „politischen", d. h. vom Wahlsieg ihrer Partei in ihrer Stellung abhängigen, durch eine Wahlniederlage zum Rücktritt gezwungenen Staatsleiter. Wo die Parteiherrschaft voll durchgedrungen ist, werden sie dem formalen Herren: dem Fürsten, durch die Parteiwahl zum Parlament oktroyiert, der von der Herrengewalt expropriierte Fürst wird auf die Rolle beschränkt:

1. durch Verhandlungen mit den Parteien den leitenden Mann auszuwählen und formal durch Ernennung zu legitimieren, im übrigen

2. als legalisierendes Organ der Verfügungen des jeweils leitenden Parteihaupts zu fungieren.

Das „Kabinett" der Minister, d. h. der Ausschuß der Mehrheitspartei, kann dabei material mehr monokratisch oder mehr kollegial organisiert sein; letzteres ist bei Koalitionskabinetten unumgänglich, ersteres die präziser fungierende Form. Die üblichen Machtmittel: Sekretierung des Dienstwissens und Solidarität nach außen dienen gegen Angriffe stellensuchender Anhänger oder Gegner. Im Fall des Fehlens *materialer* (effektiver) Gewaltenteilung bedeutet dies System die volle Appropriation aller Macht durch die jeweiligen Parteistäbe: die leitenden, aber oft weitgehend auch die Beamtenstellen werden Pfründen der Anhängerschaft: *parlamentarische Kabinettsregierung*.

Auf die *Tatsachen*-Darlegungen der glänzenden politischen Streitschrift *W. Hasbachs* gegen dies System (fälschlich eine „politische Beschreibung" genannt) ist mehrfach zurückzukommen. *Meine* eigne Schrift über „Parlament und Regierung im neu geordneten Deutschland" hat ausdrücklich ihren Charakter als einer *nur* aus der Zeitlage heraus geborenen Streitschrift betont.

Ist die Appropriation der Macht durch die Parteiregierung nicht vollständig, sondern bleibt der Fürst (oder ein ihm entsprechender, z. B. plebiszitär gewählter, Präsident) eine Eigenmacht, insbesondre in der Amtspatronage (einschließlich der Offiziere), so besteht: *konstitutionelle Regierung.* Sie kann insbesondre bei formeller *Gewaltenteilung* bestehen. Ein Sonderfall ist das Nebeneinanderstehen plebiszitärer Präsidentschaft mit Repräsentativparlamenten *plebiszitär-repräsentative Regierung.*

Die Leitung eines rein parlamentarisch regierten Verbandes kann andrerseits schließlich auch lediglich durch Wahl der Regierungsbehörden (oder des Leiters) durch das Parlament bestellt werden: *rein repräsentative Regierung.*

Die Regierungsgewalt der Repräsentativorgane kann weitgehend durch Zulassung der direkten Befragung der Beherrschten begrenzt und legitimiert sein: *Referendums-Satzung.*

1. Nicht die Repräsentation *an sich,* sondern die *freie* Repräsentation und ihre Vereinigung in parlamentarischen Körperschaften ist dem Okzident eigentümlich, findet sich in der Antike und sonst nur in Ansätzen (Delegiertenversammlungen bei Stadtbünden, grundsätzlich jedoch mit gebundenen Mandaten).

2. Die Sprengung des imperativen Mandats ist sehr stark durch die Stellungnahme der Fürsten bedingt gewesen. Die französischen Könige verlangten für die Delegierten zu den Etats généraux bei Ausschreibung der Wahlen regelmäßig die *Freiheit*: für die Vorlagen des Königs votieren zu können, da das imperative Mandat sonst alles obstruiert hätte. Im englischen Parlament führte die (s. Z. zu besprechende) Art der Zusammensetzung und Geschäftsführung zum gleichen Resultat. Wie stark sich infolgedessen, bis zu den Wahlreformen von 1867, die Parlamentsmitglieder als einen privilegierten *Stand* ansahen, zeigt sich in nichts so deutlich wie in dem rigorosen Ausschluß der Öffentlichkeit (schwere Bußen für Zeitungen, die über die Verhandlungen berichteten, noch Mitte des 18. Jahrhunderts). Die Theorie: daß der parlamentarische Deputierte „Vertreter des ganzen Volkes" sei, *das heißt*: daß er an Aufträge nicht gebunden (nicht „Diener", sondern eben – ohne Phrase gesprochen – Herr) sei, war in der Literatur schon entwickelt, ehe die französische Revolution ihr die seitdem klassisch gebliebene (phrasenhafte) Form verlieh.

3. Die Art, wie der englische König (und nach seinem Muster andere) durch die uroffizielle, rein parteiorientierte, Kabinettsregierung allmählich expropriiert wurde, und die Gründe für diese an sich

singuläre (bei dem Fehlen der *Bürokratie* in England, nicht so „zufällige" wie oft behauptet wird), aber universell bedeutsam gewordene Entwicklung sind hier noch nicht zu erörtern. Ebenso nicht das amerikanische plebiszitär-repräsentative System der funktionalen Gewaltenteilung, die Entwicklung des Referendums (wesentlich: eines Mißtrauensinstruments gegen korrupte Parlamente) und die in der Schweiz und jetzt in manchen deutschen Staaten damit kopulierte *rein* repräsentative Demokratie. Hier waren nur einige der Haupttypen festzustellen.

4. Die sog. „konstitutionelle" Monarchie, zu deren Wesenheiten vor allem die Appropriation der Amtspatronage einschließlich der Minister und der Kommandogewalt an den Monarchen zu zählen pflegt, kann *faktisch* der rein parlamentarischen (englischen) sehr ähnlich sein, wie umgekehrt diese einen politisch *befähigten* Monarchen keineswegs, als Figuranten, aus effektiver Teilnahme an der Leitung der Politik (Eduard VII.) ausschaltet. Über die Einzelheiten später.

5. Repräsentativ-Körperschaften sind nicht etwa notwendig „demokratisch" im Sinn der Gleichheit der Rechte (Wahlrechte) Aller. Im geraden Gegenteil wird sich zeigen, daß der klassische Boden für den Bestand der parlamentarischen Herrschaft eine Aristokratie oder Plutokratie zu sein pflegte (so in England).

Zusammenhang mit der Wirtschaft: Dieser ist höchst kompliziert und späterhin gesondert zu erörtern. Hier ist vorweg nur folgendes allgemein zu sagen:

1. Die Zersetzung der ökonomischen Unterlagen der alten Stände bedingte den Übergang zur „freien" Repräsentation, in welcher der zur Demagogie Begabte ohne Rücksicht auf den Stand freie Bahn hatte. Grund der Zersetzung war: der moderne Kapitalismus.

2. Das Bedürfnis nach *Berechenbarkeit* und Verläßlichkeit des Fungierens der Rechtsordnung und Verwaltung, ein vitales Bedürfnis des rationalen Kapitalismus, führte das Bürgertum auf den Weg des Strebens nach Beschränkung der Patrimonialfürsten und des Feudaladels durch eine Körperschaft, in der *Bürger* ausschlaggebend mitsaßen und welche die Verwaltung und Finanzen kontrollierte und bei Änderungen der Rechtsordnung mitwirken sollte.

3. Die Entwicklung des Proletariats war zur Zeit dieser Umbildung noch keine solche, daß es als *politische* Macht ins Gewicht gefallen wäre und dem Bürgertum gefährlich erschienen wäre. Außerdem wurde unbedenklich durch Zensuswahlrecht jede Gefährdung der Machtstellung der Besitzenden ausgeschaltet.

4. Die *formale* Rationalisierung von Wirtschaft und Staat, dem Interesse der kapitalistischen Entwicklung günstig, konnte durch Parlamente stark begünstigt werden. Einfluß auf die Parteien schien leicht zu gewinnen.

5. Die Demagogie der einmal bestehenden Parteien ging den Weg der Ausdehnung des Wahlrechts. Die Notwendigkeit der Gewinnung des Proletariats bei auswärtigen Konflikten und die – enttäuschte – Hoffnung auf dessen, gegenüber den Bürgern, „konservativen" Charakter veranlaßten Fürsten und Minister überall, das (schließlich:) *gleiche* Wahlrecht zu begünstigen.

6. Die Parlamente fungierten normal, solange in ihnen die Klassen von „Bildung und Besitz": – *Honoratioren* also, – sozusagen „unter sich waren", rein klassenorientierte Parteien nicht, sondern nur ständische und durch die verschiedene *Art* des Besitzes bedingte Gegensätze vorherrschten. Mit dem Beginn der Macht der reinen Klassenparteien, insbesondere der proletarischen, wandelte und wandelt sich die Lage der Parlamente. Ebenso stark aber trägt dazu die Bürokratisierung der *Parteien* (Caucus-System) bei, welche spezifisch *plebiszitären* Charakters ist und den Abgeordneten aus einem „Herren" des Wählers zum *Diener der Führer der Parteimaschine macht*. Davon wird gesondert zu reden sein.

§ 22. 5. *Repräsentation durch Interessenvertreter* soll diejenige Art der Repräsentantenkörperschaften heißen, bei welcher die Bestellung der Repräsentanten nicht frei und ohne Rücksicht auf die berufliche oder ständische oder klassenmäßige Zugehörigkeit erfolgt, sondern nach Berufen, ständischer oder Klassen-Lage gegliedert Repräsentanten durch je ihresgleichen bestellt werden, und zu einer – wie jetzt meist gesagt wird: – „berufsständischen Vertretung" zusammentreten.

Eine solche Repräsentation kann Grundverschiedenes bedeuten

1. je nach der Art der zugelassenen Berufe, Stände, Klassen,

2. je nachdem Abstimmung oder Kompromiß das Mittel der Erledigung von Streit ist,

3. im ersteren Fall: je nach der Art der ziffernmäßigen Anteilnahme der einzelnen Kategorien.

Sie kann hochrevolutionären sowohl wie hochkonservativen Charakters sein. Sie ist in jedem Fall das Produkt der Entstehung von großen *Klassen*parteien.

Normalerweise verbindet sich mit der Absicht der Schaffung dieser Art von Repräsentation die Absicht: bestimmten Schichten das

Wahlrecht zu *entziehen*. Entweder:

a) den durch ihre Zahl immer überwiegenden Massen durch die Art der Verteilung Mandate auf die Berufe *material*,

b) den durch ihre ökonomische Machtstellung überwiegenden Schichten durch Beschränkung des Wahlrechts auf die Nichtbesitzenden *formal* (sog. *Rätestaat*).

Geschwächt wird – theoretisch wenigstens – durch diese Art der Repräsentation der ausschließliche Interessenten*betrieb* (der Parteien) der Politik, wennschon, nach allen bisherigen Erfahrungen, nicht beseitigt. Geschwächt *kann*, theoretisch – die Bedeutung der finanziellen Wahlmittel werden, auch dies in zweifelhaftem Grade. Der Charakter der Repräsentativkörperschaften dieser Art neigt zur *Führerlosigkeit*. Denn als *beruf*smäßige Interessenvertreter werden nur solche Repräsentanten in Betracht kommen, welche ihre Zeit ganz in den Dienst der Interessenvertretung stellen können, bei den nicht bemittelten Schichten also: besoldete Sekretäre der Interessentenverbände.

1. Repräsentation mit dem *Kompromiß* als Mittel der Streitschlichtung ist *allen* historisch älteren „ständischen" Körperschaften eigen. Es herrscht heut in den „Arbeitsgemeinschaften" und überall da, wo „itio in partes" und Verhandlung zwischen den gesondert beratenden und beschließenden Einzelgremien die Ordnung ist. Da sich ein Zahlenausdruck für die „Wichtigkeit" eines Berufs nicht finden läßt, da vor allem die Interessen der Arbeiter*massen* und der (zunehmend wenigeren) Unternehmer, deren Stimmen, als besonders sachkundig, – aber allerdings auch: besonders persönlich interessiert, – irgendwie *abgesehen* von ihrer Zahl ins Gewicht fallen muß, oft weitestgehend antagonistisch sind, so ist ein formales „Durchstimmen" bei Zusammensetzung aus klassenmäßig oder ständisch sehr heterogenen Elementen ein mechanisiertes Unding: der Stimmzettel als ultima ratio ist das Charakteristikum streitender und über Kompromisse verhandelnder *Parteien*, nicht aber: von „Ständen".

2. Bei „Ständen" ist der Stimmzettel da adäquat, wo die Körperschaft aus *sozial* ungefähr *gleich* geordneten Elementen: z. B. nur aus Arbeitern, besteht, wie in den „Räten". Den Prototyp gibt da die Mercadanza der Zeit der Zunftkämpfe: zusammengesetzt aus Delegierten der einzelnen Zünfte, abstimmend nach Mehrheit, *aber* faktisch unter dem Druck der Separationsgefahr bei Überstimmen besonders mächtiger Zünfte. Schon der Eintritt der „Angestellten" in die Räte zeitigt Probleme: regelmäßig hat man ihren Stimmenanteil mechanisch beschränkt. Vollends wo Vertreter von Bauern und Hand-

werkern eintreten sollen, kompliziert sich die Lage. Sie wird durch *Stimmzettel* gänzlich unentscheidbar, wo die sogenannten „höhern" Berufe und die Unternehmer mit einbezogen werden sollen. „Paritätische" Zusammensetzung einer Arbeitsgemeinschaft mit Durch*stimmen* bedeutet: daß gelbe Gewerkschafter den Unternehmern, liebedienerische Unternehmer den Arbeitern zum Siege verhelfen: also die klassen*würde*losesten Elemente den Ausschlag geben.

Aber auch *zwischen* den Arbeitern in *rein* proletarischen „Räten" würden ruhige Zeiten scharfe Antagonismen schaffen, die wahrscheinlich eine faktische Lahmlegung der Räte, jedenfalls aber alle Chancen für eine geschickte Politik des Ausspielens der Interessenten gegeneinander bewirken würden: dies ist der Grund, weshalb die Bürokratie dem Gedanken so freundlich gesonnen ist. Vollends bestünde die gleiche Chance für Bauernvertreter gegen Arbeitervertreter. Jedenfalls kommt jegliche *nicht* strikt revolutionäre Zusammensetzung solcher Repräsentativkörperschaften letztlich *nur* auf eine neue Chance der „Wahlkreisgeometrie" in anderer Form hinaus.

3. Die *Chancen* der „berufsständischen" Vertretungen sind nicht gering. In Zeiten der Stabilisierung der technisch-ökonomischen Entwicklung werden sie *überaus* groß sein. Dann wird das „Parteileben" aber ohnedies weitgehend abflauen. Solange diese Voraussetzung *nicht* besteht, ist selbstverständlich kein Gedanke daran, daß berufsständische Repräsentativkörperschaften die Parteien eliminieren würden. Von den „Betriebsräten" angefangen – wo wir den Vorgang schon jetzt sehen – bis zum Reichswirtschaftsrat werden im Gegenteil eine Unmasse neuer Pfründen für bewährte Parteizugehörige geschaffen, die auch ausgenützt werden. Das Wirtschaftsleben wird politisiert, die Politik ökonomisiert. Zu all diesen Chancen kann man je nach dem letzten Wertstandpunkt grundverschieden stehen. Nur: die Tatsachen liegen so und nicht anders.

Sowohl die genuine parlamentarische Repräsentation mit voluntaristischem Interessentenbetrieb der Politik, wie die daraus entwickelte plebiszitäre Parteiorganisation mit ihren Folgen, wie der moderne Gedanke *rationaler* Repräsentation durch Interessenvertreter sind dem Okzident eigentümlich und nur durch die dortige Stände- und Klassen-Entwicklung erklärlich, welche schon im Mittelalter hier, und nur hier, die Vorläufer schuf. „Städte" und „Stände" (rex et regnum), „Bürger" und „Proletarier" gab es *nur* hier.

Kapitel IV. Stände und Klassen.

1. Begriffe.

§ 1. „*Klassenlage*" soll die typische Chance
1. der Güterversorgung,
2. der äußeren Lebensstellung,
3. des inneren Lebensschicksals

heißen, welche aus Maß und Art der Verfügungsgewalt (oder des Fehlens solcher) über Güter oder Leistungsqualifikationen und aus der gegebenen Art ihrer Verwertbarkeit für die Erzielung von Einkommen oder Einkünften innerhalb einer gegebenen Wirtschaftsordnung folgt.

„*Klasse*" soll jede in einer gleichen Klassenlage befindliche Gruppe von Menschen heißen.

a) *Besitzklasse* soll eine Klasse insoweit heißen, als Besitzunterschiede Klassenlage primär bestimmen.

b) *Erwerbsklasse* soll eine Klasse insoweit heißen, als die Chancen der Marktverwertung von Gütern oder Leistungen die Klassenlage primär bestimmen.

c) *Soziale Klasse* soll die Gesamtheit derjenigen Klassenlagen heißen, *zwischen* denen ein Wechsel

α. persönlich,

β. in der Generationenfolge

leicht möglich ist und typisch stattzufinden pflegt.

Auf dem Boden aller drei Klassenkategorien können Vergesellschaftungen der Klasseninteressenten (Klassenverbände) entstehen. Aber dies muß nicht der Fall sein: Klassenlage und Klasse bezeichnet an sich nur Tatbestände *gleicher* (oder ähnlicher) typischer Interessenlagen, in denen der einzelne sich ebenso wie zahlreiche andere befindet. Prinzipiell konstituiert die Verfügungsgewalt über jede Art von Genußgütern, Beschaffungsmitteln, Vermögen, Erwerbsmitteln, Leistungsqualifikation je eine besondere Klassenlage und nur gänzliche „Ungelerntheit" Besitzloser, auf Arbeitserwerb Angewiesener bei Unstetheit der Beschäftigung eine einheitliche. Die Übergänge von der einen zur anderen sind sehr verschieden leicht und labil, die Einheit der „sozialen" Klasse daher sehr verschieden ausgeprägt.

a) Die primäre Bedeutung einer positiv privilegierten *Besitz*klasse liegt in

α. der Monopolisierung hoch im Preise stehender (kostenbelasteter) Verbrauchsversorgung beim Einkauf,

β. der Monopollage und der Möglichkeit planvoller Monopolpo-
litik beim Verkauf,

γ. der Monopolisierung der Chance der Vermögensbildung durch
unverbrauchte Überschüsse,

δ. der Monopolisierung der Kapitalbildungschancen durch Sparen, also der Möglichkeit von Vermögensanlage als Leihkapital,
damit der Verfügung über die leitenden (Unternehmer-)Posi-
tionen,

ε. ständischen (Erziehungs-)Privilegien, soweit sie kostspielig sind.

I. Positiv privilegierte Besitzklassen sind typisch: *Rentner*. Sie können sein:

    a) Menschenrentner (Sklavenbesitzer),

    b) Bodenrentner,

    c) Bergwerksrentner,

    d) Anlagenrentner (Besitzer von Arbeitsanlagen und Appara-
ten),

    e) Schiffsrentner,

    f) Gläubiger, und zwar:

        α. Viehgläubiger,

        β. Getreidegläubiger,

        γ. Geldgläubiger;

    g) Effektenrentner.

II. Negativ privilegierte Besitzklassen sind typisch

    a) Besitzobjekte (Unfreie, – s. bei „Stand"),

    b) Deklassierte („proletarii" im antiken Sinn),

    c) Verschuldete,

    d) „Arme".

Dazwischen stehen die „Mittelstandsklassen", welche die mit Besitz oder Erziehungsqualitäten ausgestatteten, daraus ihren Erwerb
ziehenden Schichten aller Art umfassen. Einige von ihnen *können*
„Erwerbsklassen" sein (Unternehmer mit wesentlich positiver, Proletarier mit negativer Privilegierung). Aber nicht alle (Bauern, Handwerker, Beamte) sind es.

Die reine Besitzklassengliederung ist nicht „dynamisch", d. h. sie
führt *nicht* notwendig zu Klassen*kämpfen* und Klassenrevolutionen.
Die stark positiv privilegierte Besitzklasse der Menschenrentner z. B.
steht neben der weit weniger positiv privilegierten der Bauern, ja der
Deklassierten oft *ohne* alle Klassengegensätze, zuweilen mit Solidarität (z. B. gegenüber den Unfreien). Nur *kann* der Besitzklassenge-
gensatz:

    1. Bodenrentner – Deklassierter,

2. Gläubiger – Schuldner (oft = stadtsässiger Patrizier – landsässiger Bauer oder stadtsässiger Kleinhandwerker),
zu revolutionären Kämpfen führen, die aber *nicht* notwendig eine Änderung der Wirtschaftsverfassung, sondern primär lediglich der Besitzausstattung und -verteilung bezwecken (Besitzklassenrevolutionen).

Für das Fehlen des Klassengegensatzes war die Lage des „poor white trash" (sklavenlose Weiße) zu den Pflanzern in den Südstaaten klassisch. Der poor white trash war noch *weit* negerfeindlicher als die in ihrer Lage oft von patriarchalen Empfindungen beherrschten Pflanzer. Für den Kampf der Deklassierten gegen die Besitzenden bietet die Antike die Hauptbeispiele, ebenso für den Gegensatz: Gläubiger – Schuldner und: Bodenrentner – Deklassierter.

§ 2. b) Die primäre Bedeutung einer positiv privilegierten *Erwerbsklasse* liegt in:

α. der Monopolisierung der Leitung der Güterbeschaffung im Interesse der Erwerbsinteressen ihrer Klassenglieder durch diese,

β. der Sicherung ihrer Erwerbschancen durch Beeinflussung der Wirtschaftspolitik der politischen und andern Verbände.

I. Positiv privilegierte Erwerbsklassen sind typisch: *Unternehmer*:

a) Händler,

b) Reeder,

c) gewerbliche Unternehmer,

d) landwirtschaftliche Unternehmer,

e) Bankiers und Finanzierungsunternehmer, *unter Umständen*:

f) mit bevorzugten Fähigkeiten oder bevorzugter Schulung ausgestattete „freie Berufe" (Anwälte, Ärzte, Künstler),

g) Arbeiter mit monopolistischen Qualitäten (eigenen oder gezüchteten und geschulten).

II. Negativ privilegierte Erwerbsklassen sind typisch: *Arbeiter* in ihren verschiedenen qualitativ besonderten Arten:

a) gelernte,

b) angelernte,

c) ungelernte.

Dazwischen stehen auch hier als „*Mittelklassen*" die selbständigen und Handwerker. Ferner sehr oft:

a) Beamte (öffentliche und private),

b) die unter I f erwähnte Kategorie und die Arbeiter mit ausnahmsweisen (eignen oder gezüchteten oder geschulten) monopolistischen Qualitäten.

c) *Soziale* Klassen sind

α. die Arbeiterschaft als Ganzes, je automatisierter der Arbeitsprozeß wird,

β. das Kleinbürgertum und

γ. die besitzlose Intelligenz und Fachgeschultheit (Techniker, kommerzielle und andere „Angestellte", das Beamtentum, untereinander eventuell sozial *sehr* geschieden, je nach den Schulungs*kosten*),

d) die Klassen der Besitzenden und durch Bildung Privilegierten.

Der abgebrochene Schluß von K. Marx' Kapital wollte sich offenbar mit dem Problem der Klasseneinheit des Proletariats trotz seiner qualitativen Differenzierung befassen. Die steigende Bedeutung der an den Maschinen selbst innerhalb nicht allzu ausgedehnter Fristen *an*gelernten auf Kosten der „gelernten" sowohl, wie zuweilen der „ungelernten" Arbeit ist dafür maßgebend. Immerhin sind auch angelernte Fähigkeiten oft Monopolqualitäten (Weber erreichen zuweilen typisch das Höchstmaß der Leistung nach 5 Jahren!). Der Übergang zum „selbständigen" Kleinbürger wurde früher von jedem Arbeiter als Ziel erstrebt. Aber die Möglichkeit der Realisierung ist immer geringer. In der Generationenfolge ist sowohl für a wie für b der „Aufstieg" zur sozialen Klasse c (Techniker, Kommis) relativ am leichtesten. Innerhalb der Klasse d kauft Geld zunehmend – mindestens in der Generationenfolge – *Alles*. Klasse c hat in den Banken und Aktienunternehmungen, die Beamten die Chancen des Aufstiegs zu d.

Vergesellschaftetes Klassen*handeln* ist am leichtesten zu schaffen

a) gegen den *unmittelbaren* Interessengegner (Arbeiter gegen Unternehmer, nicht: Aktionäre, die wirklich „arbeitsloses" Einkommen beziehen, auch nicht: Bauern gegen Grundherren),

b) nur bei typisch *massenhaft* ähnlicher Klassenlage,

c) bei technischer Möglichkeit leichter Zusammenfassung, insbesondere bei örtlich gedrängter Arbeitsgemeinschaft (Werkstattgemeinschaft),

d) nur bei *Führung* auf einleuchtende Ziele, die regelmäßig von Nicht-Klassenzugehörigen (Intelligenz) oktroyiert oder interpretiert werden.

§ 3. *Ständische Lage* soll heißen eine typisch wirksam in Anspruch genommene positive oder negative Privilegierung in der sozialen *Schätzung*, begründet auf:

a) Lebensführungsart, – daher

b) formale Erziehungsweise, und zwar

α. empirische oder:

β. rationale *Lehre* und den Besitz der entsprechenden Lebensformen;

c) Abstammungsprestige oder Berufsprestige.

Praktisch drückt sich ständische Lage aus vor allem in:

α. connubium,

β. Kommensalität, – eventuell:

γ. oft: monopolistischer Appropriation von privilegierten Erwerbschancen oder Perhorreszierung bestimmter Erwerbsarten,

d) ständischen Konventionen („Traditionen") anderer Art.

Ständische Lage *kann* auf Klassenlage bestimmter oder mehrdeutiger Art ruhen. Aber sie ist *nicht* durch sie allein bestimmt: Geldbesitz und Unternehmerlage sind nicht schon *an sich* ständische Qualifikationen, – obwohl sie dazu führen können –, Vermögenslosigkeit nicht schon *an sich* ständische Disqualifikation, obwohl sie dazu führen kann. Andrerseits kann ständische Lage eine Klassenlage mitoder selbst allein bedingen, ohne doch mit ihr identisch zu sein. Die Klassenlage eines Offiziers, Beamten, Studenten, bestimmt durch sein Vermögen, kann ungemein verschieden sein, ohne die ständische Lage zu differenzieren, da die Art der durch Erziehung geschaffenen Lebensführung in den ständisch entscheidenden Punkten die gleiche ist.

„Stand" soll eine Vielheit von Menschen heißen, die innerhalb eines Verbandes wirksam

a) eine ständische Sonderschätzung, – eventuell also auch

b) ständische Sondermonopole in Anspruch nehmen.

Stände können entstehen

a) primär, durch eigene ständische Lebensführung, darunter insbesondere durch die Art des *Berufs* (Lebensführungsbzw. Berufsstände),

b) sekundär, erbcharismatisch, durch erfolgreiche Prestigeansprüche kraft ständischer Abstammung (Geburtsstände),

c) durch ständische Appropriation von politischen oder hierokratischen Herrengewalten als Monopole (politische bzw. hierokratische Stände).

Die geburtsständische Entwicklung ist regelmäßig eine Form der (erblichen) Appropriation von Privilegien an einen Verband oder an qualifizierte einzelne. Jede feste Appropriation von Chancen, insbesondere Herrenchancen, neigt dazu, zur Ständebildung zu führen. Jede Ständebildung neigt dazu, zur monopolistischen Appropriation von Herrengewalten und Erwerbschancen zu führen.

Während Erwerbsklassen auf dem Boden der marktorientierten Wirtschaft wachsen, entstehen und bestehen Stände vorzugsweise auf dem Boden der monopolistisch leiturgischen oder der feudalen oder der ständisch patrimonialen Bedarfsdeckung von Verbänden. „Ständisch" soll eine Gesellschaft heißen, wenn die soziale Gliederung vorzugsweise nach Ständen, „klassenmäßig", wenn sie vorzugsweise nach Klassen geschieht. Dem „Stand" steht von den „Klassen" die *„soziale"* Klasse am nächsten, die „Erwerbsklasse" am fernsten. Stände werden oft ihrem Schwerpunkt nach durch Besitzklassen gebildet.

Jede ständische Gesellschaft ist *konventional*, durch Regeln der Lebensführung, geordnet, schafft daher ökonomisch irrationale Konsumbedingungen und hindert auf diese Art durch monopolistische Appropriationen und durch Ausschaltung der freien Verfügung über die eigne Erwerbsfähigkeit die freie Marktbildung. Davon gesondert.

ZWEITER TEIL.

TYPEN DER VERGEMEINSCHAFTUNG UND VERGESELLSCHAFTUNG.

Vorwort.

Die in dieser und den beiden folgenden Lieferungen erscheinende Fortsetzung von „Wirtschaft und Gesellschaft" fand sich im Nachlaß des Verfassers. Diese Schriften sind *vor* dem Inhalt der ersten Lieferung: der systematischen soziologischen Begriffslehre fixiert, wesentlich, d. h. bis auf einige später eingeschobene Ergänzungen in den Jahren 1911-13. Der systematische Teil, der vermutlich noch fortgeführt worden wäre, setzte ja für den *Forscher* die Bewältigung des empirischen Stoffs, den er in eine möglichst prägnante soziologische Begriffslehre einbauen wollte, voraus; dagegen wird deren Verständnis und Aufnahme für den *Leser* wesentlich erleichtert durch die mehr schildernde Darstellung soziologischer Erscheinungen. Auch in diesen Teilen, die als „konkrete" Soziologie im Unterschied zur „abstrakten" des ersten Teils bezeichnet werden könnten, ist der riesenhafte historische Stoff schon „systematisch", d. h. im Unterschied zu bloß schildernder Darstellung, durch „idealtypische" Begriffe geordnet. (Eine vorwiegend darstellende Form ist nur für die in sich geschlossene Abhandlung „Die Stadt" gewählt.) Während aber im ersten, abstrakten Teil das auch dort überall herangezogene Historische wesentlich als Mittel zur Veranschaulichung der Begriffe dient, so treten nunmehr, umgekehrt, die idealtypischen Begriffe in den Dienst der verstehenden Durchdringung welthistorischer Tatsachenreihen, Einrichtungen und Entwicklungen. –

Die Herausgabe dieses nachgelassenen Hauptwerkes des Verfassers bot naturgemäß manche Schwierigkeiten. Für den Aufbau des Ganzen lag kein Plan vor. Der ursprüngliche, auf S. X und XI Band I des Grundrisses der Sozialökonomik skizzierte gab zwar noch Anhaltspunkte, war aber in wesentlichen Punkten verlassen. Die Reihenfolge der Kapitel mußte deshalb von der Herausgeberin und ihrem Mitarbeiter entschieden werden. Einige Abschnitte sind unvollendet und müssen so bleiben. Die Inhaltsangabe der Kapitel war nur für die „Rechtssoziologie" fixiert. Einige zur Erläuterung wichtiger typischer Vorgänge herangezogene Beispiele, ebenso einige besonders bedeutsame Thesen wiederholen sich mehrere Male, allerdings immer in anderer Beleuchtung. Es ist möglich, daß der Verfasser, wenn ihm die zusammenhängende Überarbeitung des Gesamtwerks vergönnt worden wäre, einiges herausgelöst hätte. Die Herausgeberin durfte sich dies nur an vereinzelten Stellen gestatten. – Die Entzifferung der Manuskripte, für welche den Setzern des Verlages ein großes Verdienst zukommt, namentlich die richtige Lesart der zahlreichen fremdsprachigen Fachwörter außereuropäischer Einrichtungen u. dgl. gab zu mancherlei Zweifeln und Nachfragen Anlaß, und es ist möglich, daß trotz des freundlichen Beistands verschiedener Fachgelehrter Unstimmigkeiten unterlaufen.

Der Herausgeberin stand bei der Lösung ihrer Aufgabe Herr Dr. *Melchior Palyi* zur Seite. Sie wäre nicht möglich gewesen ohne die aufopfernde hingebende Mitarbeit dieses Fachgelehrten, der sich dadurch ein bleibendes Verdienst erworben hat. Herr Dr. Palyi wird sich auch der mühevollen Herstellung eines Sachregisters unterziehen.

Heidelberg, Oktober 1921. Marianne Weber.

Kapitel I. Wirtschaft und Gesellschaft im allgemeinen.

§ 1. Wesen der Wirtschaft. Wirtschafts-, wirtschaftende und wirtschaftsregulierende Gemeinschaft.

Die Vergemeinschaftungen haben ihrer ganz überwiegenden Mehrzahl nach irgendwelche Beziehungen zur Wirtschaft. Unter Wirtschaft soll hier nicht, wie ein unzweckmäßiger Sprachgebrauch will, jedes zweckrational angelegte Handeln verstanden werden. Ein nach den Lehren irgendeiner Religion zweckmäßig eingerichtetes Gebet um ein inneres „Gut" ist für uns kein Akt des Wirtschaftens. Auch nicht jedes Handeln oder Schaffen, welches dem Prinzip der Sparsamkeit folgt. Nicht nur ist eine, noch so bewußt bei einer Begriffsbildung geübte, Denkökonomie gewiß kein Wirtschaften, sondern auch etwa die Durchführung des künstlerischen Prinzips der „Ökonomie der Mittel" hat mit Wirtschaften nichts zu tun und ist, an Rentabilitätsmaßstäben gemessen, ein oft höchst unökonomisches Produkt immer erneuter vereinfachender Umschaffensarbeit. Und ebenso ist die Befolgung der universellen technischen Maxime des „Optimum": relativ größter Erfolg mit geringstem Aufwand, rein an sich noch nicht Wirtschaften, sondern: zweckrational orientierte *Technik*. Von Wirtschaft wollen wenigstens wir hier vielmehr nur reden, wo einem Bedürfnis oder einem Komplex solcher, ein, im Vergleich dazu, nach der Schätzung des Handelnden, *knapper* Vorrat von Mitteln und möglichen Handlungen zu seiner Deckung gegenübersteht und dieser Sachverhalt Ursache eines spezifisch mit ihm rechnenden Verhaltens wird. Entscheidend ist dabei für zweckrationales Handeln selbstverständlich: daß diese Knappheit *subjektiv* vorausgesetzt und das Handeln daran orientiert ist. Alle nähere Kasuistik und Terminologie bleiben hier außer Erörterung. Man kann unter zwei verschiedenen Gesichtspunkten wirtschaften. Einmal zur Deckung eines gegebenen eigenen Bedarfs. Dieser kann Bedarf für alle denkbaren Zwecke, von der Nahrung bis zur religiösen Erbauung sein, wenn dafür im Verhältnis zum Bedarf knappe Güter oder mögliche Handlungen erforderlich werden. Es ist an sich konventionell, daß man allerdings in spezifisch betontem Sinn an die Deckung der Alltagsbedürfnisse, an den sog. materiellen Bedarf denkt, wenn von Wirtschaft die Rede ist. Gebete und Seelenmessen *können* in der Tat ebensogut Gegenstände der Wirtschaft werden, wenn die für ihre Veranstaltung qualifizierten Personen und deren Handeln knapp und daher nur ebenso gegen Entgelt zu beschaffen sind, wie das tägliche

Brot. Die künstlerisch meist hochgewerteten Zeichnungen der Busch-
männer sind nicht Objekte der Wirtschaft, überhaupt nicht Produkte
von Arbeiten im ökonomischen Sinn. Wohl aber werden Produkte
künstlerischen Schaffens, die meist weit niedriger gewertet zu werden
pflegen, Gegenstände wirtschaftlichen Handelns, wenn der spezifisch
ökonomische Sachverhalt: Knappheit im Verhältnis zum Begehr, sich
einstellt. Gegenüber der Wirtschaft zur Deckung des eigenen Bedarfs
ist die zweite Art des Wirtschaftens Wirtschaft zum Erwerb: die Ausnutzung des spezifisch ökonomischen Sachverhalts: Knappheit begehrter Güter, zur Erzielung eigenen Gewinns an Verfügung über
diese Güter.

Das soziale Handeln kann nun zur Wirtschaft in verschiedenartige Beziehung treten.

Gesellschaftshandeln kann, seinem von den Beteiligten subjektiv
irgendwie erfaßten Sinne nach, ausgerichtet sein auf rein wirtschaftliche Erfolge: Bedarfsdeckung oder Erwerb. Dann begründet es Wirtschaftsgemeinschaft. Oder es kann sich des eigenen Wirtschaftens als
Mittels für die anderweiten Erfolge, auf die es ausgerichtet ist, bedienen: wirtschaftende Gemeinschaften. Oder es finden sich wirtschaftliche mit außerwirtschaftlichen Erfolgen in der Ausgerichtetheit
eines Gemeinschaftshandelns kombiniert. Oder endlich: es ist keins
von alledem der Fall. Die Grenze der beiden erstgenannten Kategorien ist flüssig. Ganz streng genommen ist der erstgenannte Tatbestand ja nur bei solchen Gemeinschaften vorhanden, welche durch
Ausnutzung des spezifisch ökonomischen Sachverhalts Gewinn zu
erzielen streben. Also bei den Erwerbswirtschaftsgemeinschaften.
Denn alle auf Bedarfsdeckung, gleichviel welcher Art, gerichteten
Gemeinschaften bedienen sich des Wirtschaftens nur soweit, als dies
nach Lage der Relation von Bedarf und Gütern unumgänglich ist.
Die Wirtschaft einer Familie, einer milden Stiftung oder Militärverwaltung, einer Vergesellschaftung zur gemeinsamen Rodung von
Wald oder zu einem gemeinsamen Jagdzuge stehen darin einander
gleich. Gewiß scheint ein Unterschied zu bestehen: ob ein Gemeinschaftshandeln wesentlich deshalb überhaupt zur Existenz gelangt,
um dem spezifisch ökonomischen Sachverhalt bei der Bedarfsdek-
kung gerecht zu werden, wie dies unter den Beispielen z. B. bei der
Rodungsvergesellschaftung der Fall ist, oder ob primär andere
Zwecke (Abrichtung für den Kriegsdienst) verfolgt werden, die nur,
weil sie eben faktisch auf den ökonomischen Sachverhalt stoßen, das
Wirtschaften erzwingen. Tatsächlich ist das aber eine sehr flüssige
und nur so weit deutlich vollziehbare Scheidung, als das Gemein-

schaftshandeln Züge aufweist, die auch beim Fortdenken des ökonomischen Sachverhalts, bei Unterstellung also einer Verfügung über praktisch unbeschränkte Vorräte von Gütern und möglichen Handlungen der möglichen Art, die gleichen bleiben müßten.

Auch ein weder wirtschaftliche noch wirtschaftende Gemeinschaften darstellendes Gemeinschaftshandeln aber kann in seiner Entstehung, seinem Fortbestand, der Art seiner Struktur und seines Ablaufs durch wirtschaftliche Ursachen, welche auf den ökonomischen Sachverhalt zurückgehen, mitbestimmt sein und ist insoweit ökonomisch determiniert. Umgekehrt kann es seinerseits für die Art und den Verlauf eines Wirtschaftens ein ins Gewicht fallendes ursächliches Moment bilden: ökonomisch relevant sein. Meist wird beides zusammentreffen. Gemeinschaftshandeln, welches weder eine Wirtschaftsgemeinschaft noch eine wirtschaftende Gemeinschaft darstellt, ist nichts Ungewöhnliches. Jeder gemeinsame Spaziergang kann ein solches konstituieren. Gemeinschaften, die nicht ökonomisch relevant sind, sind ebenfalls recht häufig. Einen Sonderfall innerhalb der wirtschaftlich relevanten Gemeinschaften bilden solche, welche zwar ihrerseits keine „Wirtschaftsgemeinschaften" sind, d. h.: deren Organe nicht durch eigene Mitarbeit oder durch konkrete Anordnungen, Gebote und Verbote, den Verlauf einer Wirtschaft kontinuierlich bestimmen, deren Ordnungen aber das wirtschaftliche Verhalten der Beteiligten regulieren: „wirtschaftsregulierende Gemeinschaften", wie alle Arten politischer, viele religiöse und zahlreiche andere Gemeinschaften, darunter solche, welche eigens zu dem Zweck der Wirtschaftsregulierung vergesellschaftet sind (Fischerei- und Markgenossenschaften u. dgl.). Gemeinschaften, die nicht irgendwie ökonomisch determiniert sind, sind wie gesagt höchst selten. Dagegen ist der Grad, in dem dies der Fall ist, sehr verschieden und vor allem fehlt – entgegen der Annahme der sog. materialistischen Geschichtsauffassung – die Eindeutigkeit der ökonomischen Determiniertheit des Gemeinschaftshandelns durch ökonomische Momente. Erscheinungen, welche die Analyse der Wirtschaft als „gleich" beurteilen muß, sind sehr häufig mit einer, für die soziologische Betrachtung sehr stark verschiedenen Struktur der sie umschließenden oder mit ihnen koexistierenden Gemeinschaften aller Art, auch der Wirtschafts- und wirtschaftenden Gemeinschaften, vereinbar. Auch die Formulierung: daß ein „funktioneller" Zusammenhang der Wirtschaft mit den sozialen Gebilden bestehe, ist ein historisch nicht allgemein begründbares Vorurteil, wenn darunter eine eindeutige gegenseitige Bedingtheit verstanden wird. Denn die Strukturformen des Gemeinschaftshandelns haben, wie wir immer wieder sehen werden, ihre „Eigengesetzlichkeit" und können auch davon abgesehen im Einzelfall stets durch andere als wirtschaftliche Ursachen in ihrer Gestaltung mitbestimmt sein. Dagegen pflegt allerdings an irgendeinem Punkt für die Struktur fast aller, und jedenfalls aller „kulturbedeutsamen" Gemeinschaften der Zustand der Wirtschaft ursächlich bedeutsam, oft ausschlaggebend wichtig, zu werden. Umgekehrt pflegt aber auch die Wirtschaft irgendwie durch die eigengesetzlich bedingte Struktur des Gemeinschaftshandelns, innerhalb dessen sie sich vollzieht, beeinflußt zu sein. Darüber, wann und wie dies der Fall sei, läßt sich etwas ganz Allgemeines von Belang nicht aussagen. Wohl aber läßt sich Allgemeines über den Grad der Wahlverwandtschaft konkreter Strukturformen des Gemeinschaftshandelns mit konkreten Wirtschaftsformen aussagen, d. h. darüber: ob und wie stark sie sich gegenseitig in ihrem Bestande begünstigen oder umgekehrt einander hemmen oder ausschließen: einander „adäquat" oder „inadäquat" sind. Solche Adäquanzbeziehungen werden wir immer wieder zu besprechen haben. Und ferner lassen sich wenigstens einige allgemeine Sätze über die Art, wie ökonomische Interessen überhaupt zu Gemeinschaftshandeln bestimmten Charakters zu führen pflegen, aufstellen.

§ 2. „Offene" und „geschlossene" Wirtschaftsbeziehungen.

Eine bei allen Formen von Gemeinschaften sehr häufig vorkommende Art von wirtschaftlicher Bedingtheit wird durch den Wettbewerb um ökonomische Chancen: Amtsstellungen, Kundschaft, Gelegenheit zu okkupatorischem oder Arbeitsgewinn und dergleichen, geschaffen. Mit wachsender Zahl der Konkurrenten im Verhältnis zum Erwerbsspielraum wächst hier das Interesse der an der Konkurrenz Beteiligten, diese irgendwie einzuschränken. Die Form, in der dies zu geschehen pflegt, ist die: daß irgendein äußerlich feststellbares Merkmal eines Teils der (aktuell oder potenziell) Mitkonkurrierenden: Rasse, Sprache, Konfession, örtliche oder soziale Herkunft, Abstammung, Wohnsitz usw. von den anderen zum Anlaß genommen wird, ihren Ausschluß vom Mitbewerb zu erstreben. Welches im Einzelfall dies Merkmal ist, bleibt gleichgültig: es wird jeweils an das nächste sich darbietende angeknüpft. Das so entstandene Gemeinschaftshandeln der einen kann dann ein entsprechendes der anderen, gegen die es sich wendet, hervorrufen. – Die gemeinsam handelnden Konkurrenten sind nun unbeschadet ihrer fortdauernden Konkurrenz untereinander doch nach außen eine „Interessentengemeinschaft" geworden, die Tendenz, eine irgendwie geartete „Vergesellschaftung" mit rationaler Ordnung entstehen zu lassen, wächst, und bei Fortbestand des monopolistischen Interesses kommt der Zeitpunkt, wo sie selbst oder eine andere Gemeinschaft, deren Handeln die Interessenten beeinflussen können (z. B. die politische Gemeinschaft), eine Ordnung setzen, welche Monopole zugunsten der Begrenzung des Wettbewerbs schafft, und daß fortan zu deren Durchführung, eventuell mit Gewalt, sich bestimmte Personen ein für allemal als „Organe" bereithalten. Dann ist aus der Interessentengemeinschaft eine „Rechtsgemeinschaft" geworden: die Betreffenden sind „Rechtsgenossen". Dieser Prozeß der „Schließung" einer Gemeinschaft, wie wir ihn nennen wollen, ist ein typisch sich wiederholender Vorgang, die Quelle des „Eigentums" am Boden ebenso wie aller zukünftigen und anderen Gruppenmonopole. Handle es sich um die „genossenschaftliche Organisation", und das heißt stets: um den nach außen geschlossenen, monopolistischen Zusammenschluß von z. B. ihrer örtlichen Provenienz nach bezeichneten Fischereiinteressenten eines bestimmten Gewässers, oder etwa um die Bildung eines „Verbandes der Diplomingenieure", welcher das rechtliche oder faktische Monopol auf bestimmte Stellen für seine Mitglieder gegen die Nichtdiplomierten zu erzwingen sucht, oder um die Schließung der Teilnahme an den Äckern, Weide- und Allmendnutzungen eines Dorfs gegen Außenstehende, oder um „nationale" Handlungsgehilfen, oder um landes- oder ortsgebürtige Ministerialen, Ritter, Universitätsgraduierte, Handwerker, oder um Militäranwärter oder was sie sonst seien, die zunächst ein Gemeinschaftshandeln, dann eventuell eine Vergesellschaftung entwickeln, – stets ist dabei als treibende Kraft die Tendenz zum Monopolisieren bestimmter, und zwar der Regel nach ökonomischer Chancen beteiligt. Eine Tendenz, die sich gegen andere Mitbewerber, welche durch ein gemeinsames positives oder negatives Merkmal gekennzeichnet sind, richtet. Und das Ziel ist: in irgendeinem Umfang stets *Schließung* der betreffenden (sozialen und ökonomischen) Chancen gegen Außenstehende. Diese Schließung kann, wenn erreicht, in ihrem Erfolg sehr verschieden weit gehen. Namentlich insofern, als die Zuteilung monopolistischer Chancen an die *einzelnen* Beteiligten dabei in verschiedenem Maße definitiv sein kann. Jene Chancen können dabei *innerhalb* des Kreises der monopolistisch Privilegierten entweder ganz „offen" bleiben, so daß diese unter sich frei darum weiter konkurrieren. So z. B. bei den auf Bildungspatentbesitzer bestimmter Art: geprüfte Anwärter auf irgendwelche Anstellungen bezüglich dieser, oder z. B. Handwerker mit Meisterprüfung bezüglich des Kundenwettbewerbs oder der Lehrlingshaltung, in ihrer Zugänglichkeit beschränkten Chancen. Oder sie können irgendwie *auch nach innen* „geschlossen" werden. Entweder so, daß ein „Turnus" stattfindet: die kurzfristige Ernennung mancher Amtspfründeninhaber gehörte dem Zweck nach dahin. Oder so, daß die einzelnen Chancen nur auf Widerruf an Einzelne vergeben werden. So bei den in der „strengen" Flurgemeinschaft z. B. des russischen Mir an die Einzelnen vergebenen Verfügungsgewalten über Äcker. Oder so, daß sie lebenslänglich vergeben werden – die Regel bei allen Präbenden, Ämtern, Monopolen von Handwerksmeistern, Allmendackerrechten, namentlich auch ursprünglich den Ackerzuteilungen innerhalb der meisten flurgemeinschaftlichen Dorfverbände u. dgl. Oder so, daß sie endgültig an den Einzelnen und seine Erben vergeben werden und nur eine Verfügungsgewalt des einzelnen Prätendenten im Wege der Abtretung an andere nicht zugelassen wird oder doch die Abtretung auf den Kreis der Gemeinschaftsgenossen beschränkt ist: der κλῆρος, die Kriegerpräbende des Altertums, die Dienstlehen der Ministerialen, Erbämter- und Erbhandwerkermonopole gehören dahin. Oder schließlich so, daß nur die Zahl der Chancen geschlossen bleibt, der Erwerb jeder einzelnen aber auch ohne Wissen und Willen der anderen Gemeinschafter durch jeden Dritten vom jeweiligen Inhaber möglich ist, so wie bei den Inhaberaktien. Wir wollen diese verschiedenen Stadien der mehr oder minder definitiven inneren Schließung der Gemeinschaft Stadien der *Appropriation* der von der Gemeinschaft monopolisierten sozialen und ökonomischen Chancen nennen. Die völlige Freigabe der appropriierten Monopolchancen zum Austausch auch nach außen: ihre Verwandlung in völlig „freies" *Eigentum*, bedeutet natürlich die Sprengung der alten monopolisierten Vergemeinschaftung, als deren caput mortuum nun sich appropriierte Verfügungsgewalten als „erworbene Rechte" in der Hand der Einzelnen im Güterverkehr befinden. Denn ausnahmslos alles „Eigentum" an Naturgütern ist historisch aus der allmählichen Appropriation monopolistischer Genossenanteile entstanden und Objekt der Appropriation waren, anders als heute, nicht nur konkrete Sachgüter, sondern ganz ebenso soziale und ökonomische Chancen aller denkbaren Art. Selbstverständlich ist Grad und Art der Appropriation und ebenso die Leichtigkeit, mit der sich der Appropriationsprozeß im Innern der Gemeinschaft überhaupt vollzieht, sehr verschieden je nach der technischen Natur der Objekte und der Chancen, um die es sich handelt und welche die Appropriation, in sehr verschiedenem Grade nahelegen können. Die Chance z. B. aus einem bestimmten Ackerstück durch dessen Bearbeitung Unterhalts- oder Erwerbsgüter zu gewinnen, ist an ein sinnfälliges und eindeutig abgrenzbares sachliches Objekt: eben das konkrete unvermehrbare Ackerstück gebunden, was in dieser Art etwa bei einer „Kundschaft" nicht der Fall ist. Daß das Objekt selbst erst durch Meliorierung Er- trag bringt, also in gewissem Sinn selbst „Arbeitsprodukt" der Nut- zenden wird, motiviert dagegen die Appropriation nicht. Denn das pflegt bei einer acquirierten „Kundschaft" zwar in anderer Art, aber in noch weit höherem Maß zuzutreffen. Sondern rein technisch ist eine „Kundschaft" nicht so leicht – sozusagen – „einzutragen" wie ein Stück Grund und Boden. Es ist naturgemäß, daß auch das Maß der Appropriation darnach verschieden weit zu gehen pflegt. Aber hier kommt es darauf an, festzuhalten: daß prinzipiell die Appropria- tion in einem wie im andern Fall der gleiche, nur verschieden leicht durchführbare Vorgang ist: die „Schließung" der monopolisierten, sozialen oder ökonomischen, Chancen auch nach Innen, den Genos- sen gegenüber. Die Gemeinschaften sind darnach in verschiedenem Grade nach außen und „innen" oder „geschlossen".

§ 3. Gemeinschaftsformen und ökonomische Interessen.

Diese monopolistische Tendenz nimmt nun spezifische Formen an, wo es sich um Gemeinschaftsbildungen von Menschen handelt, wel- che andern gegenüber durch eine gleiche, vermittelst Erziehung, Leh- re, Übung *zu erwerbende* periodische Qualität ausgezeichnet sind: durch ökonomische Qualifikationen irgendwelcher Art, durch gleiche oder ähnliche Amtsstellung, durch ritterliche oder asketische oder sonst irgendwie spezifizierte Richtung der Lebensführung und ähnliches. Hier pflegt das Gemeinschaftshandeln, wenn es eine Vergesellschaf- tung aus sich hervortreibt, dieser die Formen der „*Zunft*" zu geben. Ein Kreis von Vollberechtigten monopolisiert die Verfügung über die betreffenden ideellen, sozialen und ökonomischen Güter, Pflich- ten und Lebensstellungen als „Beruf". Er läßt nur den zur vollen Ausübung des gleichen Berufs zu, der 1. ein Noviziat zwecks geregel- ter Vorbildung durchgemacht, 2. seine Qualifikation dargetan, 3. even- tuell noch weitere Karenzzeiten und Leistungen hinter sich hat. In

ganz typischer Art wiederholt sich das von den pennalistischen Vergesellschaftungen des Studententums bis zu den Rittereinungen einerseits, den Zünften der Handwerker andererseits und den Qualifikationserfordernissen der modernen Beamten und Angestellten. Dabei
kann zwar überall auch das Interesse an der Sicherung der guten Leistung mitspielen, an welcher alle Beteiligten unbeschadet ihrer eventuell fortbestehenden Konkurrenz untereinander ideell und materiell
mitinteressiert sein können: die örtlichen Handwerker im Interesse
des guten Rufs ihrer Waren, Ministerialen und Ritter einer bestimmten Einung im Interesse des Rufs ihrer Tüchtigkeit und auch direkt
im eigensten Interesse ihrer militärischen Sicherheit, Asketengemein-
schaften aus dem Interesse heraus, daß die Götter und Dämonen nicht
durch falsche Manipulationen gegen alle Beteiligten erzürnt werden
(wer z. B. bei einem rituellen Singtanz falsch singt, wird ursprünglich
bei fast allen „Naturvölkern" alsbald zur Sühne erschlagen). Normalerweise aber steht voran das Interesse an der Einschränkung des
Angebots von Anwärtern auf die Pfründen und Ehren der betreffenden Berufsstellung. Die Noviziate und Karenzzeiten ebenso wie
„Meisterstücke" und was sonst gefordert wird (namentlich: ausgiebige Regalierung der Genossen) stellen oft mehr ökonomische als
eigentliche Qualifikationsansprüche an die Anwärter.

Solche monopolistischen Tendenzen und ihnen verwandte ökonomische Erwägungen haben historisch oft eine bedeutende Rolle
bei der *Hemmung* der Ausbreitung von Gemeinschaften gespielt. Die
attische Bürgerrechtspolitik der Demokratie z. B., welche den Kreis
der an den Vorteilen des Bürgerrechts Teilnehmenden zunehmend
zu schließen trachtete, hat der politischen Machtexpansion Schranken gesetzt. Eine ökonomische Interessenkonstellation anderer, aber
letztlich doch ähnlicher Art brachte die Propaganda des Quäkertums
zum Stillstand. Das ursprüngliche religiös gebotene Bekehrungs-
interesse des Islam fand seine Schranken an dem Interesse der erobernden Kriegerschicht: daß eine nicht islamische und daher min-
derberechtigte Bevölkerung dabliebe, welcher die für den Unterhalt
der vollberechtigten Gläubigen erforderlichen Abgaben und Lasten
auferlegt werden konnten – ein Sachverhalt, welcher den Typus abgibt für sehr viele ähnliche Erscheinungen.

Typisch ist auf der andern Seite der Fall, daß Menschen „von"
der Übernahme der Interessenvertretung oder in anderer Art von der
Existenz einer Gemeinschaft ideell oder auch ökonomisch ihre Existenz fristen und daß infolgedessen das Gemeinschaftshandeln propagiert wird, fortbesteht und sich zur Vergesellschaftung entwickelt in

Fällen, wo dies sonst vielleicht nicht eingetreten wäre. Ideell kann ein solches Interesse in der verschiedensten Art begründet sein: die Ideologen der Romantik und ihre Nachzügler z. B. haben im 19. Jahrhundert zahlreiche verfallende Sprachgemeinschaften „interessanter" Völkerschaften erst zu bewußter Pflege ihres Sprachbesitzes erweckt. Deutsche Gymnasiallehrer und Professoren haben kleine slawische Sprachgemeinschaften, mit denen sie sich beschäftigten und über die sie Bücher zu schreiben das ideelle Bedürfnis fühlten, vor dem Untergang bewahren helfen. Immerhin ist dieses rein ideologische „Leben" einer Gemeinschaft ein nicht so tragfähiger Hebel wie ihn die ökonomische Interessiertheit abgibt. Wenn insbesondre eine Gruppe von Menschen jemanden dafür bezahlt, daß er zu planvoller Wahrnehmung der allen gemeinsamen Interessen sich ständig (als „Organ") bereit hält und handelt, oder wenn eine solche Interessenvertretung sich sonstwie direkt oder indirekt „bezahlt" macht, so ist damit eine Vergesellschaftung geschaffen, die unter allen Umständen eine starke Garantie für den Fortbestand des Gemeinschaftshandelns darstellt. Mag es sich etwa um die entgeltliche Propaganda von (verhüllten oder unverhüllten) Sexualinteressen oder von anderen „ideellen" oder endlich von ökonomischen Interessen (Gewerkschaften, Arbeitgeberverbänden, und ähnlichen Organisationen) handeln, sei es in Gestalt von in Stücklohn bezahlten Vortragsrednern oder von Gehalt entlohnten „Sekretären" und dergleichen, immer sind nun Personen da, welche „berufsmäßig" an der Erhaltung der vorhandenen und der Gewinnung neuer Mitglieder interessiert sind. Ein planmäßiger rationaler „Betrieb" ist an die Stelle des intermittierenden und irrationalen Gelegenheitshandelns getreten und funktioniert weiter, auch wenn der ursprüngliche Enthusiasmus der Beteiligten selbst für ihre Ideale längst verflogen ist.

Eigentlich „kapitalistische" Interessen können in der allerverschiedensten Art an der Propaganda eines bestimmten Gemeinschaftshandelns interessiert sein. So z. B. wie die Besitzer von Vorräten deutschen Frakturdruckmaterials an der fortdauernden Verwendung dieser „nationalen" Schriftform. Oder so, wie diejenigen Gastwirte, welche trotz des Militärboykotts ihre Räume für sozialdemokratische Versammlungen zur Verfügung halten, an der Mitgliederzahl der Partei. Ungezählte Beispiele dieses Typus liegen für jede Art von Gemeinschaftshandeln jedermann nahe.

Das allen Fällen derartiger ökonomischer Interessiertheit, sei es seitens der Angestellten oder seitens kapitalistischer Mächte, Gemeinsame ist: daß das Interesse am „Inhalt" der gemeinsamen Ideale der

Mitglieder notwendig hinter dem Interesse an dem Fortbestand oder der Propaganda der Gemeinschaft rein als solchem, gleichviel welches der Inhalt ihres Handelns ist, zurücktritt. Ein großartiges Beispiel dieser Art ist die vollkommene Entleerung der amerikanischen Parteien von festen sachlichen Idealen. Das größte ist aber natürlich die typische Verknüpfung kapitalistischer Interessen mit der Expansion politischer Gemeinschaften, wie es von jeher bestanden hat. Einerseits ist die Möglichkeit der Beeinflussung des Wirtschaftslebens durch diese Gemeinschaften außerordentlich groß, und andererseits können sie sich zwangsweise ungeheure Einkünfte verschaffen und darüber disponieren, so daß sich an ihnen, direkt und indirekt, am meisten verdienen läßt; direkt durch entgeltliche Übernahme von Leistungen oder durch Bevorschussung von Einkünften, indirekt durch Ausbeutung von Objekten, welche sie politisch okkupieren. Das Schwergewicht des kapitalistischen Erwerbs lag in der Antike und in der beginnenden Neuzeit in solchen durch Beziehungen zur politischen Gewalt rein als solcher zu erzielenden „imperialistischen" Gewinnen, und er verschiebt sich heute wieder zunehmend nach dieser Richtung hin. Jede Ausdehnung des Machtgebiets einer solchen Gemeinschaft vermehrt dann die Gewinnchancen der betreffenden Interessenten.

Diesen ökonomischen Interessen, welche in der Richtung der Propagierung einer Gemeinschaft wirken, treten nun, außer den schon besprochenen monopolistischen Tendenzen, unter Umständen andere Interessen entgegen, welche gerade umgekehrt durch die Geschlossenheit und Exklusivität einer Gemeinschaft gespeist werden. Wir stellten schon früher allgemein fest, daß fast jeder auf rein freiwilligem Beitritt ruhende Zweckverband über den primären Erfolg hinaus, auf den das vergesellschaftete Handeln ausgerichtet ist, Beziehungen zwischen den Beteiligten zu stiften pflegt, welche Grundlage eines unter Umständen auf ganz heterogene Erfolge ausgerichteten Gemeinschaftshandelns werden können: an die Vergesellschaftung knüpft sich regelmäßig eine „übergreifende" Vergemeinschaftung. Natürlich nur bei einem Teil der Vergesellschaftungen, demjenigen nämlich, deren Gemeinschaftshandeln eine irgendwelche, nicht rein geschäftliche, „persönliche" gesellschaftliche Berührung voraussetzt. Die Qualität eines „Aktionärs" zum Beispiel erwirbt man ohne alle Rücksicht auf persönlich-menschliche Eigenschaften und regelmäßig ohne Wissen und Willen der Mitbeteiligten rein kraft eines ökonomischen Tauschakts über die Aktie. Ähnliches gilt für alle diejenigen Vergesellschaftungen, welche den Beitritt von einer rein formalen Bedingung oder Leistung abhängig machen und auf die

Prüfung der Person des Einzelnen verzichten. Dies ist besonders häufig bei gewissen Arten von reinen Wirtschaftsgemeinschaften, ebenso bei manchen Vereinen mit rein politischem Zweck der Fall und wird im allgemeinen überall um so mehr zur Regel, je rationaler und spezialisierter der Zweck der Vereinigung ist. Immerhin gibt es der Vergesellschaftungen sehr viele, bei denen einerseits die Zulassung, ausdrücklich oder stillschweigend, gewisse spezifische Qualifikationen voraussetzt und bei denen andererseits, im Zusammenhang damit, jene übergreifende Vergemeinschaftung regelmäßig stattfindet. Dies ist natürlich besonders dann der Fall, wenn die Gemeinschafter die Zulassung jedes neuen Beteiligten an eine Prüfung und Zustimmung zur Aufnahme seiner Person knüpfen. Der einzelne Beteiligte wird dann, normalerweise wenigstens, nicht nur nach seinen Funktionen und nach seiner für den ausdrücklichen Zweck des Verbandes wesentlichen Leistungsfähigkeit, sondern auch nach seinem „Sein", nach der Wertschätzung seiner Gesamtpersönlichkeit von seiten der anderen Mitbeteiligten geprüft. Es ist hier nicht der Ort, die einzelnen Vergesellschaftungen darnach zu klassifizieren, wie stark oder wie schwach dieses Auslesemoment bei ihnen wirkt. Genug, daß es bei den allerverschiedensten Arten tatsächlich existiert. Eine religiöse Sekte nicht nur, sondern ebenso ein geselliger Verein, etwa ein Kriegerverein, selbst ein Kegelklub läßt im allgemeinen niemanden zur Beteiligung zu, dessen Gesamtpersönlichkeit von den anderen Beteiligten verworfen wird. Eben dies nun „legitimiert" den Zugelassenen nach außen, Dritten gegenüber, weit über seine für den Zweck des Verbandes wichtigen Qualitäten hinaus. Die Beteiligung am Gemeinschaftshandeln ferner schafft ihm Beziehungen („Konnexionen"), welche zu seinen Gunsten ebenfalls weit über den Kreis der speziellen Verbandszwecke wirksam werden. Es ist daher etwas Alltägliches, daß Leute einem religiösen oder studentischen oder politischen oder anderen Verband angehören, obwohl ihnen die dort gepflegten Interessen an sich durchaus gleichgültig sind, lediglich um jener wirtschaftlich nutzbaren „Legitimationen" und „Konnexionen" willen, welche diese Zugehörigkeit mit sich bringt. Während nun diese Motive an sich einen starken Anreiz zur Beteiligung an der Gemeinschaft zu enthalten und also ihre Propagierung zu fördern scheinen, wirkt in gerade entgegengesetztem Sinn das Interesse der Beteiligten daran, jene Vorteile zu monopolisieren und auch in ihrem ökonomischen Nutzwert dadurch zu steigern, daß sie auf einen möglichst kleinen und exklusiven Kreis beschränkt bleiben. Und je kleiner und exklusiver er ist, desto höher steht neben dem direkten

Nutzwert überdies auch das soziale Prestige, welches die Zugehörigkeit verleiht.

Endlich ist noch eine häufige Beziehung zwischen Wirtschaft und Gemeinschaftshandeln kurz zu streifen: die bewußte Inaussichtstellung konkreter wirtschaftlicher Vorteile im Interesse der Propagierung und Erhaltung einer primär außerwirtschaftlichen Gemeinschaft. Sie pflegt naturgemäß besonders da aufzutreten, wo mehrere Gemeinschaften ähnlicher Art miteinander um Mitglieder konkurrieren. So namentlich politische Parteien und religiöse Gemeinschaften. Die amerikanischen Sekten konkurrieren durch Arrangement von künstlerischen und anderen Darbietungen und Unterhaltungen aller Art einschließlich des Sports, durch Unterbietung in den Bedingungen der Zulassung geschiedener Gatten zur Einsegnung neuer Ehen (das schrankenlose Unterbieten auf diesem Gebiet ist neuestens durch eine reguläre „Kartell"bildung eingeschränkt worden). Die religiösen und politischen Parteien veranstalten neben Landpartien und ähnlichem noch allerhand Gründungen von „Jugendverbänden", „Frauengruppen" u. dgl., und überall beteiligen sie sich eifrig an rein kommunalen oder andern an sich unpolitischen Angelegenheiten, die ihnen Gelegenheit geben, in Konkurrenz miteinander lokalen Privatinteressenten ökonomische Gefälligkeiten zu erweisen. Die Invasion kommunaler oder genossenschaftlicher oder anderer Gemeinschaften durch solche politische, religiöse und andere Gruppen ist in sehr starkem Maße ganz direkt dadurch ökonomisch bedingt, daß sie Gelegenheit gibt, Funktionäre der Gemeinschaft direkt durch Amtspfründen und soziales Prestige zu versorgen und damit zugleich die Kosten des eignen Betriebs auf andre Gemeinschaften zu überwälzen. Kommunale oder genossenschaftliche oder Konsumvereinsämter, Ämter in Krankenkassen und Gewerkschaften und Ähnliches sind Objekte, die sich dazu eignen. Und in größtem Maßstab selbstverständlich politische Ämter und Pfründen oder andre, von der politischen Gewalt zu vergebende, soziale oder als Versorgungsgelegenheiten geschätzte Stellungen, die Universitätsprofessuren eingeschlossen. Das „parlamentarische" System bietet Gemeinschaften aller Art, wenn sie hinlänglich stark an Zahl sind, die Möglichkeit, sich ähnlich den politischen Parteien selbst – zu deren normalem Wesen gerade dies gehört – derartige Versorgungsmittel für ihre Führer und Mitglieder zu verschaffen. In unserem Zusammenhang ist speziell nur die allgemeine Tatsache festzustellen: daß auch die direkte Schaffung ökonomischer Organisationen, namentlich zu propagandistischen Zwecken, seitens außerökonomischer Gemeinschaften verwendet wird. Ein beträchtlicher Teil des mo-

dernen karitativen Betriebs der religiösen Gemeinschaften dient ihm.
Erst recht die Gründung von „christlichen", „liberalen", „sozialistischen", „nationalen" Gewerkschaften und Hilfskassen, die Gewährung von Gelegenheit zum Sparen und zur Versicherung. In sehr
großem Maßstabe ferner die Konsumvereins- und Genossenschafts-
gründung: bei manchen italienischen Genossenschaften mußte der
Beichtzettel vorgelegt werden, um Arbeit zu erhalten. Für die Polen
in Deutschland* ist die Organisation des Kredits, der Entschuldung,
der Ansiedlung in ungewöhnlich großartiger Weise entwickelt, und die
russischen Parteien aller Richtungen beschritten in der Revolutionszeit** sofort systematisch ähnliche höchst moderne Wege. Gründung
von Erwerbsbetrieben: Banken, Hotels (wie die sozialistische „Hotel-
lerie du Peuple" in Ostende) und schließlich auch von gewerblichen
Produktionsbetrieben (auch in Belgien) kommen ebenfalls vor. Die
im Besitz der Macht innerhalb einer politischen Gemeinschaft befindlichen Gruppen, namentlich also das Beamtentum, pflegen dann zur
Erhaltung ihrer eigenen Machtstellung ähnliche Wege zu beschreiten,
von der Züchtung „patriotischer" Vereine und Veranstaltungen aller
Art mit Gewährung ökonomischer Vorteile angefangen bis zur
Schaffung von bürokratisch kontrollierten Kreditfonds („Preußen-
kasse") und ähnlichem. Die technischen Einzelheiten aller dieser
Mittel der Propaganda gehören nicht hierher.

Das Mit- und Gegeneinanderwirken von einerseits propagandistisch, andererseits monopolistisch wirkenden ökonomischen Interessen innerhalb aller möglichen Arten von Gemeinschaften war hier
nur im allgemeinen festzustellen und durch einige besonders typische Beispiele zu illustrieren. Es weiter ins Einzelne zu verfolgen
müssen wir uns versagen, da dies eine Spezialuntersuchung aller einzelnen Arten von Vergesellschaftungen bedingen würde.

§ 4. Wirtschaftsformen.

Wir haben vielmehr nur noch in Kürze der allernächst liegenden Art
der Verknüpfung von Gemeinschaftshandeln mit „Wirtschaft" zu
gedenken: des Umstandes, daß außerordentlich viele Gemeinschaf-

---

* Vor 1918 (Anm. d. Herausgeb.).
** 1905-1906 (Anm. d. Herausgeb.).

ten „wirtschaftende" Gemeinschaften sind. Damit sie dies sein können, ist allerdings normalerweise ein gewisses Maß von rationaler Vergesellschaftung erforderlich. Nicht unentbehrlich: den aus der Hausgemeinschaft emporwachsenden, später zu erörternden Gebilden fehlt sie. Aber sie ist das durchaus Normale.

Ein zur rationalen „Vergesellschaftung" entwickeltes Gemeinschaftshandeln besitzt, wenn es ökonomischer Güter und Leistungen für das Gesellschaftshandeln bedarf, eine gesatzte Regel, nach der jene aufgebracht werden. Prinzipiell kann dies geschehen in folgenden „reinen" Typen (deren Beispiele wir möglichst dem politischen Gemeinschaftsleben entlehnen, weil dieses die entwickeltsten Systeme für ihre Aufbringung besitzt): 1. „oikenmäßig", d. h. rein gemeinwirtschaftlich und rein naturalwirtschaftlich: Auferlegung direkter persönlicher Naturalleistungen der Gemeinschafter nach festen Regeln, gleich für alle oder spezifiziert („allgemeine" Wehrpflicht der Kriegstauglichen und spezifizierte Militärdienstpflicht als „Ökonomiehandwerker") und Umlegung der sachlichen Bedarfsgegenstände (z. B. für die fürstliche Tafel oder für die Heeresverwaltung) in Form von festen pflichtmäßigen Naturalabgaben. Ihre Verwendung erfolgt in Form einer nicht für den Absatz arbeitenden Gemeinwirtschaft, welche einen Teil des Gemeinschaftshandelns bildet (z. B.: ein rein eigenwirtschaftlicher grundherrschaftlicher oder fürstlicher Haushalt, [der reine Typus des „Oikos"] oder z. B. im speziellen eine ganz auf Naturaldienst und Naturalabgaben ruhende Ordnung der Heeresverwaltung, wie – annähernd – in Altägypten). – 2. *Abgaben* und (marktmäßig): als Pflicht auferlegte Steuern, (regelmäßige) Beiträge oder an bestimmte Vorgänge geknüpfte Gelegenheitsabgaben in Geldform seitens der Gemeinschafter nach bestimmten Regeln, geben die Möglichkeit zur Beschaffung der Mittel für die Bedarfsdeckung auf dem Markt, also durch Ankauf von sachlichen Betriebsmitteln, Miete von Arbeitern, Beamten, Söldnern. – Die Abgaben können daher auch Kontributionscharakter haben. So die Belastung aller Personen, auch der am Gemeinschaftshandeln sonst nicht beteiligten, welche entweder a) an gewissen Vorteilen und Chancen, welche die Gemeinschaft darbietet, namentlich an Leistungen eines durch die Gemeinschaft geschaffenen gesellschaftlichen Gebildes (z. B. einer Grundbuch- oder anderen „Behörde") oder wirtschaftlichen Guts (z. B. einer von ihr gebauten Chaussee) teilnehmen, nach dem Prinzip eines speziellen Leistungsentgelts (Gebühren im technischen Wortsinn) – oder welche b) einfach rein physisch in die faktische Machtsphäre der Gemeinschaft geraten (Abgaben von bloßen Gebietsinsassen, Zölle von

Personen und Gütern beim Passieren des beherrschten Gebiets). – 3. *Erwerbswirtschaftlich*: durch Marktabsatz von Produkten oder Dienstleistungen eines eigenen Betriebs, der einen Teilbestandteil des Gemeinschaftshandelns darstellt und dessen Gewinne für die Gesellschaftszwecke verwendet werden. Dieser kann ein „freier" Betrieb ohne formelle Monopolgarantie sein (Preußische Seehandlung, Grande Chartreuse) oder ein monopolistischer Betrieb, wie sie in der Vergangenheit und auch in der Gegenwart (Post) zahlreich vorhanden waren und sind. Es liegt auf der Hand, daß zwischen diesen drei rein begrifflich konsequentesten Typen jede Art von Kombination möglich ist. Naturalleistungen können in Geld „abgelöst", Naturalien auf dem Markt in Geld verwandelt werden, die Sachgüter des Erwerbsbetriebs können direkt durch Naturalabgaben oder auf dem Markt aus den durch Geldabgaben aufgebrachten Mitteln beschafft, überhaupt die Bestandteile dieser einzelnen „Typen" miteinander kombiniert werden, wie dies tatsächlich die Regel ist. – 4. *Mäzenatisch*: durch rein freiwillige Beiträge ökonomisch dazu befähigter und irgendwie am Gesellschaftszweck materiell oder ideell interessierter, seien sie nun im übrigen Teilnehmer der Gemeinschaft oder nicht (typische Form der Bedarfsdeckung von religiösen und Parteigemeinschaften: Stiftungen für religiöse Zwecke, Subventionierung von Parteien durch Großgeldgeber; ebenso aber: Bettelorden und die freiwilligen „Geschenke" an die Fürsten der Frühzeit). Es fehlt die feste Regel und Verpflichtung und der Zusammenhang von Leistung und sonstiger Beteiligung am Gemeinschaftshandeln: der Mäzen kann ganz außerhalb des Kreises der Beteiligten stehen. – 5. Durch *privilegierende Belastung* – und zwar positiv oder negativ privilegierend. a) Die positiv privilegierende Belastung findet nicht nur, aber hauptsächlich statt gegen Garantie eines bestimmten ökonomischen oder sozialen Monopols und umgekehrt: bestimmte privilegierte Stände oder monopolisierte Gruppen sind ganz oder teilweise abgabenfrei. Die Abgaben und Leistungen werden also nicht nach allgemeinen Regeln der einzelnen Vermögens- und Einkommensstufen oder den (prinzipiell wenigstens) frei zugänglichen Besitz und Erwerbsarten auferlegt, sondern sie werden gefordert je nach der Art der bestimmten, Einzelnen oder Gruppen durch die Gemeinschaft garantierten, spezifisch ökonomischen oder politischen oder anderen Machtstellungen und Monopole (Rittergutsbesitz, zünftige und ständische Steuerprivilegien oder Spezialabgaben). Und zwar als „Korrelat" oder als „Entgelt" dieser privilegierenden Garantie oder Appropriation. Die Art der Bedarfsdeckung schafft oder fixiert dann also eine monopolistische

Gliederung der Gemeinschaftsbeteiligten auf der Grundlage der „Schließung" der sozialen und ökonomischen Chancen der einzelnen Schichten. Zu dieser Form der Bedarfsdeckung gehören begrifflich auch, als wichtiger Sonderfall, alle unter sich höchst verschiedenen Formen der „feudalen" oder „patrimonialen" Deckung des Bedarfs an politischen Machtmitteln, welche mit appropriierten Machtstellungen für die Leistung des vergesellschafteten Handelns selbst verknüpft sind (der Fürst als solcher hat im ständischen Gemeinwesen prinzipiell die Lasten des politischen Gemeinschaftshandelns aus seinem patrimonialen Besitz zu bestreiten, die feudalen Teilhaber an der politischen oder patrimonialen Gewalt und sozialen Ehre: Vasallen, Ministerialen usw. bringen die Kriegs- und Amtsbedürfnisse aus eignen Mitteln auf). Bei dieser Art der Bedarfsdeckung handelt es sich meist um Abgaben und Leistungen in natura (ständisch-naturale privilegierende Bedarfsdeckung). Es können aber, auf dem Boden des Kapitalismus, ganz analoge Vorgänge privilegierender Bedarfsdeckung auftreten: die politische Gewalt garantiert z. B. einer Gruppe von Unternehmern ausdrücklich oder indirekt ein Monopol und legt ihnen dafür direkt oder in Abgabenform Kontributionen auf. Diese in der „merkantilistischen" Epoche verbreitete Form der privilegierenden Belastung hat in der Gegenwart wieder eine zunehmende Rolle zu spielen begonnen (Branntweinsteuer in Deutschland). – b) Die *negativ* privilegierende Bedarfsdeckung ist die *leiturgische*: es werden ökonomisch kostspielige Leistungen spezifizierter Art an eine bestimmte Höhe des nackten nicht monopolistisch privilegierten Vermögensbesitzes rein als solchen, eventuell unter den Qualifizierten im Turnus umgehend, geknüpft (Trierarchen und Choregen in Athen, Zwangssteuerpächter in den hellenistischen Staaten): *Klassenleiturgie*; – oder sie werden mit bestimmten Monopolgemeinschaften derart verbunden, daß die Pflichtigen im Interesse der gesellschaftlichen Bedarfsdeckung diesen Monopolgemeinschaften sich nicht einseitig entziehen dürfen, sondern an sie gebunden sind (solidarisch haftend). Zwangszünfte Altägyptens und des späten Altertums, erbliche Gebundenheit der russischen Bauern an die für die Steuern haftende Dorfgemeinschaft, mehr oder minder starke Schollenfestigkeit der Colonen und Bauern aller Zeiten und Solidarhaft ihrer Gemeinden für die Steuern und eventuell: Rekruten, Solidarhaft der römischen Dekurionen für die von ihnen zu erhebenden Abgaben usw.: *Standesleiturgie*. Die zuletzt (Nr. 5) genannten Arten der Aufbringung des Gemeinschaftsbedarfs sind der Natur der Sache nach normalerweise auf anstaltsmäßige Zwangsgemeinschaften (vor allen die politischen) beschränkt.

Die Arten der Bedarfsdeckung, stets das Resultat von Interessen-kämpfen, haben oft weittragende Bedeutung jenseits ihres direkten Zweckes. Denn sie können in starkem Maße „wirtschaftsregulieren-de" Ordnungen zur Folge haben (wie namentlich die zuletzt genann-ten Arten) und, wo dies nicht direkt der Fall ist, dennoch die Ent-wicklung und Richtung des Wirtschaftens sehr stark beeinflussen. So z. B. die standesleiturgische Bedarfsdeckung, für die „Schließung" der sozialen und ökonomischen Chancen und die Fixierung der Stän-debildung, damit für die Ausschaltung der privaten Erwerbskapital-bildung. So ferner jede umfassende gemeinwirtschaftliche oder er-werbswirtschaftliche oder Monopole schaffende Bedarfsdeckung. Die beiden ersteren stets in der Richtung der Ausschaltung der privaten Erwerbswirtschaft, die letztere je nach den Umständen sehr verschieden, immer natürlich in der Richtung der Verschiebung, zu-weilen in der der Stimulierung, zuweilen der Hemmung der privatka-pitalistischen Gewinnchancen. Das kommt auf Maß, Art und Rich-tung des staatlich geförderten Monopolismus an. Der zunehmende Übergang des Römerreichs zur standesleiturgischen (und daneben teilweise zur gemeinwirtschaftlichen) Bedarfsdeckung erstickte den antiken Kapitalismus. Die erwerbswirtschaftlichen Gemeinde- und Staatsbetriebe der Gegenwart verschieben teils, teils verdrängen sie den Kapitalismus: die Tatsache, daß die deutschen Börsen seit der Verstaatlichung der Eisenbahnen keine Eisenbahnpapiere mehr no-tieren, ist für ihre Stellung nicht nur, sondern für die Art der Vermö-gensbildung wichtig. Jede Begünstigung und Stabilisierung von Mo-nopolen in Verbindung mit staatlichen Kontributionen (wie etwa in der deutschen Branntweinsteuer usw.) schränkt die Expansion des Kapitalismus ein (ein Beispiel: die Entstehung rein gewerblicher Bren-nereien). Die Handels- und Kolonialmonopole des Mittelalters und der beginnenden Neuzeit stimulierten umgekehrt zunächst – da un-ter den gegebenen Umständen nur durch Monopolisierung ausrei-chender Gewinnspielraum für eine kapitalistische Unternehmung zu sichern war – die Entstehung des Kapitalismus. Im weiteren Verlauf aber – so in England im 17. Jahrhundert – wirkten sie dem Rentabi-litätsinteresse des das Optimum der Anlagechancen suchenden Ka-pitals entgegen und stießen daher auf erbitterte Opposition, der sie erlagen. Die Wirkung ist also im Fall der steuerbedingten Monopol-privilegien nicht eindeutig. Eindeutig der kapitalistischen Entwick-lung günstig ist dagegen die rein abgabenmäßige und marktmäßige

Bedarfsdeckung, also, ins Extreme gesteigert gedacht, die Deckung möglichst alles Bedarfs an der Verwaltung durch Vergebung auf dem freien Markt. Mit Einschluß z. B. auch der Vergebung der Heeresanwerbung und „Ausbildung" an private Unternehmer (wie die condottieri in der beginnénden Neuzeit es waren) und der Aufbringung aller Mittel durch Geldsteuern. Dies System setzt natürlich vollentwickelte Geldwirtschaft, ferner aber, rein verwaltungstechnisch, einen streng rationalen und präzis funktionierenden und das heißt: „bürokratischen" Verwaltungsmechanismus voraus. Speziell gilt dies für die Besteuerung des beweglichen „Besitzes", welche überall, und gerade in der „Demokratie", eigenartigen Schwierigkeiten begegnet. Diese sind hier kurz zu erörtern, weil sie unter den gegebenen Bedingungen der abendländischen Zivilisation in hohem Maße an der Entwicklung des spezifisch modernen Kapitalismus mitbeteiligt waren. Jede Art von Belastung des Besitzes als solchen ist überall, auch wo die Besitzlosen den Einfluß in Händen haben, an gewisse Schranken gebunden, wenn den Besitzenden das Ausscheiden aus der Gemeinschaft möglich ist. Das Maß dieser Möglichkeit hängt nicht nur, wie selbstverständlich, von dem Grade der Unentbehrlichkeit der Zugehörigkeit gerade zu dieser konkreten Gemeinschaft für sie ab, sondern ebenso von der durch die Eigenart des Besitzes bestimmten, ökonomischen Gebundenheit an eben jene Gemeinschaft. Innerhalb der anstaltsmäßigen Zwangsgemeinschaften, also in erster Linie der politischen Gebilde, sind alle Arten von gewinntragender Besitzverwertung, welche in besonders starkem Maße an Grundbesitz gebunden sind, spezifisch abwandrungsunfähig, im Gegensatz zu den „beweglichen", das heißt: den in Geld oder spezifisch leicht in Geld austauschbaren Gütern bestehenden, nicht ortsgebundenen Vermögen. Austritt und Abwanderung von besitzenden Schichten aus einer Gemeinschaft läßt nicht nur die Abgabelast der darin Verbleibenden stark anwachsen, sondern kann auch in einer auf dem Markttausch und namentlich auf dem Arbeitsmarkttausch ruhenden Gemeinschaft die unmittelbaren Erwerbschancen der Besitzlosen (namentlich ihre Arbeitsgelegenheit) so stark beeinträchtigen, daß sie um dieser unmittelbaren Wirkung willen auf den Versuch einer rücksichtslosen Heranziehung des Besitzes zu den Gemeinschaftslasten verzichten, ja ihn sogar ganz bewußt privilegieren. Ob dies geschieht hängt von der ökonomischen Struktur der betreffenden Gemeinschaft ab. Für den attischen Demos, der in starkem Maß von Tributen der Untertanen lebte und unter einer Wirtschaftsordnung stand, für welche der Arbeitsmarkt im modernen Sinn des Wortes noch nicht die Klassenlage der Massen beherrschend bestimmte, traten die erwähnten Motive und Rücksichten hinter dem stärker wirkenden Anreiz direkter Auferlegung von Kontributionen auf den Besitz zurück. Unter modernen Verhältnissen ist es meist umgekehrt. Gerade solche Gemeinschaften, in welchen die Besitzlosen den maßgebenden Einfluß ausüben, verfahren heute nicht selten sehr schonsam gegen den Besitz. Speziell in den Händen sozialistischer Parteien befindliche Gemeinwesen, wie etwa die Stadt Catania, haben Fabriken durch weitgehende Privilegierung geradezu gezüchtet, weil die erhoffte Erweiterung der Arbeitsgelegenheit, also die unmittelbare Besserung ihrer Klassenlage, den Anhängern wichtiger war als die „gerechte" Besitzverteilung und Besteuerung. Wohnungsvermieter, Baugeländebesitzer, Detaillisten, Handwerker pflegen trotz aller Interessengegensätze im Einzelfall ebenso zuerst an das nächstliegende, durch die Klassenlage direkt bestimmte Interesse zu denken, und alle Arten von „Merkantilismus" sind daher eine bei allen Gattungen von Gemeinschaften verbreitete, im einzelnen sehr abwandlungsfähige und in den mannigfachsten Formen bestehende Erscheinung. Um so mehr als auch das Interesse an der Erhaltung der „Steuerkraft" und an dem Vorhandensein von großen, zur Kreditgewährung fähigen Vermögen innerhalb der eigenen Gemeinschaft, den an der Machtstellung der Gemeinschaft als solcher andern Gemeinschaften gegenüber Interessierten, eine ähnliche Behandlung des irgendwie „beweglichen" Besitzes aufnötigt. Der „bewegliche" Besitz hat daher, selbst wo die Macht in einer Gemeinschaft in den Händen der Besitzlosen liegt, wenn nicht immer für direkte „merkantilistische" Privilegierung, so doch für weitgehende Verschonung mit leiturgischer oder abgabemäßiger Belastung überall da eine weitgehende Chance, wo eine Vielzahl von Gemeinschaften, zwischen denen er für seine Ansiedelung die Wahl hat, miteinander konkurrieren, wie etwa die Einzelstaaten der amerikanischen Union – deren partikularistische Selbständigkeit der wesentliche Grund des Scheiterns aller ernstlichen Einigung der bedarfskapitalistischen Interessen ist – oder in beschränktem, aber dennoch fühlbarem Maße, die Kommunen eines Landes oder schließlich die ganz und namentlich unabhängig nebeneinanderstehenden politischen Gebilde.

Im übrigen ist natürlich die Art der Lastenverteilung im stärksten Maße mitbestimmt einerseits durch die Machtlage der verschiedenen Gruppen innerhalb einer Gemeinschaft zueinander, andererseits durch die Art der Wirtschaftsordnung. Jedes Anwachsen oder Vorwalten naturalwirtschaftlicher Bedarfsdeckung drängt zum Leiturgiesystem. So stammt das ägyptische Leiturgiesystem aus der Pharaonenzeit und ist die Entwicklung des spätrömischen Leiturgiestaats nach ägyptischem Muster durch den stark naturalwirtschaftlichen Charakter der Binnengebiete, welche einverleibt wurden und die relativ sinkende Bedeutung und Gewichtigkeit der kapitalistischen Schichten bedingt, welche ihrerseits wieder durch die den Steuerpächter und die Auswucherung der Untertanen ausschaltende Umwandlung der Herrschaftsstruktur und Verwaltung herbeigeführt wurde. Vorwaltender Einfluß des „beweglichen" Besitzes führt umgekehrt überall zur Abwälzung der leiturgiemäßigen Deckung der Lasten seitens der Besitzenden und zu einem Leistungs- und Abgabensystem, welches die Massen belastet. An Stelle der leiturgisch nach dem Besitz abgestuften, auf Selbstausrüstung der vermögenden Bürger ruhenden Wehrpflicht trat in Rom die faktische Militärdienstfreiheit der Leute vom Ritterzensus und das staatlich equipierte Proletarierheer, anderwärts das Soldheer, dessen Kosten durch Massenbesteuerung gedeckt wurden. An Stelle der Aufbringung des außerordentlichen Bedarfs durch Vermögenssteuer oder zinslose Zwangsanleihe, also leiturgisches Einstehen der Besitzenden für den Notbedarf der Gemeinschaftswirtschaft, tritt im Mittelalter überall die Deckung durch verzinsliche Anleihen, Verpfändung von Land, Zöllen und andern Abgaben, – also die Fruktifizierung des Notbedarfs der Gemeinschaftswirtschaft durch die Besitzenden als Gewinn- und Rentenquelle, ein Zustand, der zuweilen – so zeitweise in Genua – fast den Charakter der Verwaltung der Stadt und ihrer Steuerkraft im Interesse der Staatsgläubigerinstitutionen an sich trägt. Und endlich: die mit wachsendem politisch bedingtem Geldbedarf zunehmende Gesuchtheit des Kapitals seitens der verschiedenen miteinander um die Macht konkurrierenden, ihren Bedarf immer mehr geldwirtschaftlich deckenden, politischen Gebilde zu Beginn der Neuzeit führten damals jenes denkwürdige Bündnis zwischen den staatenbildenden Gewalten und den umworbenen und privilegierten Kapitalmächten herbei, welches zu den wichtigsten Geburtshelfern der modernen kapitalistischen Entwicklung gehörte und der Politik jener Epoche mit Recht den Namen der „merkantilistischen" eingetragen hat. Obwohl es an sich, wie wir sahen, „Merkantilismus" im Sinn der faktischen Schonung und Privilegierung des „beweglichen" Besitzes überall und immer gab und auch heute gibt, wo überhaupt mehrere selbständige Zwangsgebilde nebeneinander stehen und mit den Mitteln der Steigerung der Steuerkraft und zur Kreditgewährung fähigen Kapitalkraft ihrer Mitglieder miteinander konkurrieren, in der Antike wie in der

Neuzeit. Daß dieser „Merkantilismus" in der beginnenden Neuzeit einen spezifischen Charakter annahm und spezifische Wirkungen hatte, war die Folge teils der später zu erörternden Eigenart der Herrschaftsstruktur der konkurrierenden politischen Gebilde und ihrer Gemeinschaftswirtschaft, teils aber und namentlich der andersartigen Struktur des damals im Entstehen begriffenen modernen Kapitalismus gegenüber dem antiken, speziell der Entwicklung des dem Altertum unbekannten modernen Industriekapitalismus, dem jene Privilegierung auf die Dauer besonders zugute kam. Jedenfalls aber blieb seitdem der Konkurrenzkampf großer, annähernd gleich starker, rein politischer Machtgebilde eine politische Macht nach außen und ist, wie bekannt, eine der wichtigsten spezifischen Triebkräfte jener Privilegierung des Kapitalismus, die damals entstand und, in anderer Form, bis heute anhält. Weder die Handels- noch die Bankpolitik der modernen Staaten, also die am engsten mit den zentralen Interessen der heutigen Wirtschaftsform verknüpften Richtungen der Wirtschaftspolitik, sind nach Genesis und Verlauf ohne jene sehr eigenartige politische Konkurrenz- und „Gleichgewichts"-Situation der europäischen Staatenwelt des letzten halben Jahrtausends zu verstehen, welche schon Rankes Erstlingsschrift als das ihr welthistorisch Spezifische erkannt hat.

Kapitel II. Typen der Vergemeinschaftung und Vergesellschaftung.

§ 1. Die Hausgemeinschaft.

Die Erörterung der speziellen, oft höchst verwickelten Wirkungen der Bedarfsdeckung der Gemeinschaften gehört nicht in diese allgemeine, auf alles einzelne nur exemplifizierende Betrachtung.

Wir wenden uns vielmehr, unter Verzicht auf jede systematische Klassifikation der einzelnen Gemeinschaftsarten nach Struktur, Inhalt und Mitteln des Gemeinschaftshandelns – welche zu den Aufgaben der allgemeinen Soziologie gehört* – zunächst einer kurzen Feststellung des Wesens der für unsere Betrachtung wichtigsten Gemeinschaftsarten zu. An dieser Stelle ist dabei nicht die Beziehung der Wirtschaft zu den einzelnen Kultur*inhalten* (Literatur, Kunst, Wissenschaft

---

* Vgl. Teil 1 dieses Werkes.

usw.), sondern lediglich ihre Beziehung zur „Gesellschaft", das heißt in diesem Fall: den allgemeinen Struktur*formen* menschlicher Gemeinschaften zu erörtern. Inhaltliche Richtungen des Gemeinschaftshandelns kommen daher nur soweit in Betracht, als sie aus sich heraus spezifisch geartete Strukturformen desselben erzeugen, welche zugleich ökonomisch relevant sind. Die dadurch gegebene Grenze ist zweifellos durchaus flüssig, bedeutet aber unter allen Umständen: daß nur einige sehr universelle Arten von Gemeinschaften behandelt werden. Dies geschieht im folgenden zunächst nur in allgemeiner Charakteristik, während – wie wir sehen werden – ihre Entwicklungsformen in einigermaßen präziser Art erst später im Zusammenhang mit der Kategorie der „Herrschaft" besprochen werden können.

Als besonders „urwüchsig" erscheinen uns heute die durch *sexuelle Dauergemeinschaft* gestifteten Beziehungen zwischen Vater, Mutter und Kindern. Allein losgelöst von der ökonomischen Versorgungsgemeinschaft, dem gemeinsamen „Haushalt", welcher doch wenigstens begrifflich davon getrennt zu halten ist, sind jedenfalls die rein sexuell zwischen Mann und Weib und die nur physiologisch begründeten Beziehungen zwischen Vater und Kindern in ihrem Bestande gänzlich labil und problematisch; die Vaterbeziehung fehlt ohne stabile Versorgungsgemeinschaft zwischen Vater und Mutter überhaupt gänzlich und ist selbst da, wo jene besteht, nicht immer von großer Tragweite. „Urwüchsig" ist von den auf dem Boden des Geschlechtsverkehrs erwachsenen Gemeinschaftsbeziehungen nur die zwischen Mutter und Kind und zwar, weil sie eine Versorgungsgemeinschaft ist, deren naturgegebene Dauer die Zeit bis zur Fähigkeit des Kindes zur selbständigen ausreichenden Nahrungssuche umfaßt. Demnächst die Aufzuchtsgemeinschaft der Geschwister. „Milchgenossen" (ομο–γαλακτες) ist daher ein spezifischer Name, für die Nächstversippten. Auch hier ist nicht die Naturtatsache: der gemeinsame Mutterleib, sondern die ökonomische Versorgungsgemeinschaft entscheidend. Gemeinschaftsbeziehungen aller Art kreuzen erst recht die sexuellen und physiologischen Beziehungen, sobald es sich um die Entstehung der „Familie" als eines spezifischen sozialen Gebildes handelt. Der historisch durchaus vieldeutige Begriff ist nur brauchbar, wenn im Einzelfall sein Sinn klargestellt ist. Darüber später. Wenn die „Muttergruppe" (Mutter und Kinder) unvermeidlich als die primitivste im heutigen Sinn „familienartige" Gemeinschaftsbildung angesehen werden muß, so ist damit in keiner Art gesagt, sondern vielmehr direkt undenkbar: daß es je eine menschliche Existenzform gegeben habe, welche an Gemeinschaftsbildungen nichts als nebeneinanderstehende

Muttergruppen gekannt hätte. Stets, soviel wir wissen, stehen bei Vorwalten der Muttergruppe als „Familienform" daneben die Vergemeinschaftungen der Männer unter sich: ökonomische und militärische – und solche der Männer mit den Frauen: sexueller und ökonomischer Art. Als eine normale, aber offensichtlich sekundäre Gemeinschaftsform kommt die „reine" Muttergruppe grade da nicht selten vor, wo das Alltagsdasein der Männer zunächst zu militärischen, auch zu andern Zwecken in der Dauergemeinschaft des „Männerhauses" kaserniert ist, wie dies bei vielen Völkern der verschiedensten Gebiete als einer spezifischen Form militaristischer Entwicklung, also sekundär bedingt, sich findet.

Von einer „Ehe" kann man im Sinne einer bloßen Kombination einer sexuellen mit einer Aufzuchtsgemeinschaft von Vater, Mutter, Kindern begrifflich überhaupt nicht reden. Denn der Begriff der „Ehe" selbst ist nur durch Bezugnahme auf noch andere als jene Gemeinschaften zu definieren. „Ehe" entsteht als gesellschaftliche Institution überall erst durch den Gegensatz zu anderen, *nicht* als Ehe angesehenen sexuellen Beziehungen. Denn ihr Bestehen bedeutet: 1. daß das Entstehen einer Beziehung gegen den Willen: entweder der Sippe einer Frau oder derjenigen des schon in deren Besitz befindlichen Mannes, also von einem *Verband*, – in ältester Zeit: der Sippe entweder des Mannes oder der Frau oder beider, nicht geduldet und eventuell gerächt wird, – namentlich aber 2. daß nur die Abkömmlinge bestimmter sexueller Dauergemeinschaften im Kreise einer umfassenderen ökonomischen, politischen, religiösen oder sonstigen Gemeinschaft, welcher ein Elternteil (oder jeder von beiden) angehört, kraft ihrer Abstammung als geborene gleichstehende Verbandsgenossen (Hausgenossen, Markgenossen, Sippegenossen, politische Genossen, Standesgenossen, Kultgenossen) behandelt werden, Abkömmlinge eines Elternteils aus anderen Sexualbeziehungen dagegen nicht. Einen andern Sinn hat – was wohl zu beachten ist – die Unterscheidung von „ehelich" und „unehelich" überhaupt nicht. Welche Voraussetzungen die „Ehelichkeit" hat: welche Klassen von Personen in jenem Sinn gültige Dauergemeinschaften nicht miteinander eingehen können, welche Zustimmungen, welche Sippen- oder noch andere Verbandsgenossen für die Gültigkeit erfordert werden, welche Formen erfüllt werden müssen, dies alles regeln die als heilig geltenden Traditionen oder gesatzte Ordnungen jener anderen Verbände. Die Ehe trägt also ihre spezifische Qualität stets von solchen Ordnungen anderer als bloßer Sexual- und Aufzuchtsgemeinschaften zu Lehen. Die Wiedergabe der ethnographisch ungemein wichtigen Entwicklung dieser Ordnungen ist hier nicht beabsichtigt, sie gehen uns nur in ihren wichtigsten ökonomischen Beziehungen an.

Die sexuellen und die durch Gemeinsamkeit beider Eltern oder eines von ihnen zwischen den Kindern gestifteten Beziehungen gewinnen ihre normale Bedeutung für die Erzeugung eines Gemeinschaftshandelns nur dadurch, daß sie die normalen, wenn auch nicht die einzigen, Grundlagen eines spezifisch ökonomischen Verbandes werden: der Hausgemeinschaft.

Die Hausgemeinschaft ist nichts schlechthin Primitives. Sie setzt nicht ein „Haus" in der heutigen Bedeutung, wohl aber einen gewissen Grad planmäßiger Ackerfruchtgewinnung voraus. Unter den Bedingungen rein okkupatorischer Nahrungssuche scheint sie nicht existiert zu haben. Aber auch auf der Grundlage eines technisch schon weit entwickelten Ackerbaus ist die Hausgemeinschaft oft so gestaltet, daß sie als eine sekundäre Bildung gegenüber einem vorangehenden Zustand erscheinen kann, welcher einerseits den umfassenden Gemeinschaften der Sippe und des Nachbarverbandes mehr Gewalt, andrerseits dem Einzelnen mehr Ungebundenheit gegenüber der Gemeinschaft von Eltern, Kindern, Enkeln, Geschwistern zuteilte. Namentlich die, gerade bei geringer gesellschaftlicher Differenzierung, sehr häufige fast völlige Trennung der Güter und des Erwerbes der Frau von dem des Mannes scheint dahin zu weisen, ebenso die zuweilen vorkommende Sitte, daß Frau und Mann prinzipiell mit dem Rücken gegeneinander gekehrt oder ganz getrennt essen und daß auch innerhalb des politischen Verbandes selbständige Frauenorganisationen mit weiblichen Häuptlingen neben der Männerorganisation sich finden. Indessen muß man sich hüten, daraus auf Verhältnisse eines individualistischen „Urzustandes" zu schließen. Denn sehr oft handelt es sich um sekundäre, durch militärorganisatorisch bedingte Aushäusigkeit des Mannes während seiner „Militärdienstzeit" entstandene, daher zu einer männerlosen Haushaltführung der Frauen und Mütter führende Zustände, wie sie in Resten noch in der, auf Aushäusigkeit des Mannes und Gütertrennung ruhenden, Familienstruktur der Spartiaten erhalten war. Die Hausgemeinschaft ist nicht universell gleich umfassend. Aber sie stellt dennoch die universell verbreitetste „Wirtschaftsgemeinschaft" dar und umfaßt ein sehr kontinuierliches und intensives Gemeinschaftshandeln. Sie ist die urwüchsige Grundlage der Pietät und Autorität, der Grundlage zahlreicher menschlicher Gemeinschaften außerhalb ihrer. Der „Autorität" 1. des Stärkeren, 2. des Erfahreneren, also: der Männer gegen Frauen und Kinder, der Wehrhaften und Arbeitsfähigen gegenüber den dazu Unfähigen, der Erwachsenen gegen die Kinder, der Alten gegenüber den Jungen. Der „Pietät" sowohl der Autoritätsunterworfenen gegen die Autoritätsträger wie untereinander. Als Ahnenpietät geht sie in die religiösen Beziehungen, als Pietät des Patrimonialbeamten, Gefolgsmanns, Vasallen, in diese Beziehungen über, die ursprünglich häuslichen Charakter haben. Hausgemeinschaft bedeutet ökonomisch und persönlich in ihrer „reinen" – wie schon bemerkt, vielleicht nicht immer „primitiven" – Ausprägung: Solidarität nach außen und kommunistische Gebrauchs- und Verbrauchsgemeinschaft der Alltagsgüter (Hauskommunismus) nach innen in ungebrochener Einheit auf der Basis einer streng persönlichen Pietätsbeziehung. Das Solidaritätsprinzip nach außen findet sich rein entwickelt noch in den periodisch kontraktlich regulierten, kapitalistische Unternehmungen betreibenden, Hausgemeinschaften der mittelalterlichen, und zwar gerade der kapitalistisch fortgeschrittensten, nord- und mittelitalienischen Städte: die solidarische Haftung gegenüber den Gläubigern mit Besitz und Person (unter Umständen auch kriminell) trifft alle Hausangehörigen, einschließlich zuweilen selbst der kontraktlich in die Gemeinschaft aufgenommenen Kommis und Lehrlinge. Dies ist die historische Quelle der für die Entwicklung moderner kapitalistischer Rechtsformen wichtigen Solidarhaftung der Inhaber einer offenen Handelsgesellschaft für die Schulden der Firma. – Etwas unserem „Erbrecht" Entsprechendes kennt der alte Hauskommunismus nicht. An dessen Stelle steht vielmehr der einfache Gedanke: daß die Hausgemeinschaft „unsterblich" ist. Scheidet eins ihrer Glieder aus durch Tod, Ausstoßung (wegen religiös unsühnbaren Frevels), Überlassung in eine andere Hausgemeinschaft (Adoption), Entlassung („emancipatio") oder freiwilligen Austritt (wo dieser zulässig ist), da ist bei „reinem" Typus von keiner Abschichtung eines „Anteils" die Rede. Sondern der lebend Ausscheidende läßt durch sein Ausscheiden eben seinen Anteil im Stich und im Todesfall geht die Kommunionwirtschaft der Überlebenden einfach weiter. Dergestalt ist noch bis heute die Schweizer „Gemeinderschaft" konstituiert. – Der hauskommunistische Grundsatz, daß nicht „abgerechnet" wird, sondern daß der Einzelne nach seinem Kräften beiträgt und nach seinen Bedürfnissen genießt (soweit der Gütervorrat reicht), lebt noch heute als wesentlichste Eigentümlichkeit der Hausgemeinschaft unserer „Familie" fort, freilich meist nur als ein auf den Haushaltskonsum beschränkter Rest.

Dem reinen Typus ist Gemeinschaft der Wohnstätte essentiell. Vergrößerung der Zahl zwang dann zur Teilung und Entstehung gesonderter Hausgemeinschaften. Doch konnte im Interesse des Zusammenhalts der Arbeitskräfte und des Besitzes der Mittelweg einer örtlichen Dezentralisation ohne Teilung eingeschlagen werden, mit der unvermeidlichen Folge einer Entstehung von irgendwelchen Sonderrechten für die einzelnen Sonderhaushalte. Eine solche Zerlegung kann bis zur völligen rechtlichen Trennung und Selbständigkeit in der Leitung des Erwerbs getrieben werden und dabei dennoch ein überraschend großes Stück Hauskommunismus erhalten bleiben. Es kommt in Europa, besonders in den Alpengebieten vor, z. B. bei Schweizer Hoteliersfamilien, aber auch anderwärts gerade bei ganz großen, in Familien erblichen Welthandelsgeschäften, daß als Rest der, im äußeren Sinn des Wortes, völlig geschwundenen Hausgemeinschaft und Hausautorität gerade nur noch der Kommunismus des Risikos und Ertrages: das Zusammenwerfen des Gewinns und Verlustes sonst gänzlich selbständiger Geschäftsbetriebe weiterbesteht. Mir sind Verhältnisse von Welthäusern mit Millionenerträgnissen bekannt, deren Kapitalien überwiegend, aber nicht einmal vollständig, Verwandten sehr verschiedenen Grades gehören und deren Geschäftsführung überwiegend, aber nicht ausschließlich, in den Händen von Familiengliedern liegt. Die einzelnen Betriebe arbeiten in ganz verschiedenen und wechselnden Branchen, haben ein ungemein verschieden großes Maß von Kapital, Arbeitsanspannung und höchst verschiedene Erträge. Dennoch aber wird der bilanzmäßige Jahresgewinn aller nach Abzug des üblichen Kapitalzinses einfach in einen Topf geworfen und nach verblüffend einfachen Teilungsschlüsseln (oft nach Köpfen) repartiert. Die Aufrechterhaltung des Hauskommunismus auf dieser Stufe geschieht um des gegenseitigen ökonomischen Rückhalts willen, der den Ausgleich von Kapitalbedarf und Kapitalüberschuß zwischen den Geschäften gewährleistet und so die Inanspruchnahme des Kredits Außenstehender erspart. Die „Rechenhaftigkeit" hört also auf, sobald der Bilanzstrich überschritten ist, sie herrscht nur innerhalb des „Betriebes", welcher den Gewinn erzeugt. Dort freilich unbedingt: ein noch so naher Verwandter, der, kapitallos, als Angestellter tätig ist, erhält nie mehr als jeder andere Kommis, denn hier handelt es sich um kalkulierte Betriebskosten, die zugunsten eines Einzelnen nicht ohne Unzufriedenheit der Anderen alteriert werden können. Unterhalb des Bilanzstrichs aber beginnt für die glücklichen Beteiligten das Reich der „Gleichheit und Brüderlichkeit".

§ 2. Nachbarschaftsgemeinschaft, Wirtschaftsgemeinschaft und Gemeinde.

Der Hausverband ist die Gemeinschaft, welche den regulären Güter- und Arbeitsbedarf des Alltages deckt. Wichtige Teile des außerordentlichen Bedarfs an Leistungen bei besonderen Gelegenheiten, akuten Notlagen und Gefährdungen, deckt unter den Verhältnissen agrarischer Eigenwirtschaft ein Gemeinschaftshandeln, welches über die einzelne Hausgemeinschaft hinausgreift: die Hilfe der „Nachbarschaft". Wir wollen darunter nicht nur die „urwüchsige" Form: die durch Nachbarschaft der ländlichen Siedelung, sondern ganz allgemein jede durch räumliche Nähe und dadurch gegebene chronische oder ephemere Gemeinsamkeit einer Interessenlage verstehen, wenn wir auch, und wo nichts näheres gesagt ist, a potiori die Nachbarschaft von nahe beieinander angesiedelten Hausgemeinschaften meinen wollen.

Die „Nachbarschaftsgemeinschaft" kann dabei natürlich äußerlich, je nach der Art der Siedelung, um die es sich handelt: Einzelhöfe oder Dorf oder städtische Straßen oder „Mietskaserne", sehr verschieden aussehen und auch das Gemeinschaftshandeln, welches sie darstellt, kann sehr verschiedene Intensität haben und unter Umständen, speziell unter modernen städtischen Verhältnissen, zuweilen bis dicht an den Nullpunkt sinken. Obwohl das Maß von Gegenseitigkeitsleistungen und Opferfähigkeit, welches noch heute zwischen den Insassen der Mietskasernen der Armenviertel oft genug heimisch ist, jeden in Erstaunen setzen kann, der zum erstenmal damit in Berührung tritt, so ist es doch klar, daß das Prinzip nicht nur der ephemeren Tramway- oder Eisenbahn- oder Hotelgemeinsamkeit, sondern auch der perennierenden Mietshaus-Gemeinsamkeit im ganzen eher auf Innehaltung möglichster *Distanz* trotz (oder auch gerade wegen) der physischen Nähe als auf das Gegenteil gerichtet ist und nur in Fällen gemeinsamer Gefahr mit einiger Wahrscheinlichkeit auf ein gewisses Maß von Gemeinschaftshandeln gezählt werden kann. Warum dieser Sachverhalt gerade unter den modernen Lebensbedingungen als Folge einer durch diese geschaffenen spezifischen Richtung des „Würdegefühls" besonders auffällig hervortritt, ist hier nicht zu erörtern. Vielmehr haben wir nur festzustellen, daß auch die stabilen Verhältnisse ländlicher Siedlungs-Nachbarschaft und zwar von jeher, die gleiche Zwiespältigkeit aufweisen: der einzelne Bauer ist weit davon entfernt, eine noch so wohlgemeinte Einmischung in seine Angelegenheiten zu wünschen. Das „Gemeinschaftshandeln" ist nicht die Regel, sondern die, sei es auch typisch wiederkehrende,

Ausnahme. Immer ist es weniger intensiv und namentlich diskontinuierlich im Vergleich mit demjenigen der Hausgemeinschaft, ganz abgesehen davon, daß es schon in der Umgrenzung der jeweils am Gemeinschaftshandeln Beteiligten weit labiler ist. Denn die Nachbarschaftsgemeinschaft ruht, allgemein gesprochen, noch auf der einfachen Tatsache der Nähe des faktischen kontinuierlichen Aufenthaltsortes. Innerhalb der ländlichen Eigenwirtschaft der Frühzeit ist das „Dorf", eine Gruppe dicht zusammengesiedelter Hausgemeinschaften, der typische Nachbarschaftsverband. Die Nachbarschaft kann aber auch über die sonst festen Grenzen anderer, z. B. politischer Bildungen hin wirksam werden. Nachbarschaft bedeutet praktisch, zumal bei unentwickelter Verkehrstechnik, Aufeinanderangewiesensein in der Not. Der Nachbar ist der typische Nothelfer, und „Nachbarschaft" daher Trägerin der „Brüderlichkeit" in einem freilich durchaus nüchternen und unpathetischen, vorwiegend wirtschaftsethischen Sinne des Wortes. In der Form gegenseitiger Aushilfe nämlich in Fällen der Unzulänglichkeit der Mittel der eigenen Hausgemeinschaft, durch „Bittleihe", d. h. unentgeltliche Leihe von Gebrauchsgütern, zinsloses Darlehen von Verbrauchsgütern, unentgeltliche „Bittarbeit", d. h. Arbeitsaushilfe im Fall besonders dringlichen Bedarfs werden in seiner Mitte geboren, aus dem urwüchsigen Grundprinzip der ganz unsentimentalen Volksethik der ganzen Welt heraus: „wie du mir, so ich dir" (was der römische Name „mutuum" für das zinslose Darlehen hübsch andeutet). Denn jeder kann in die Lage kommen, der Nothilfe des anderen zu bedürfen. Wo ein Entgelt gewährt wird, besteht er – wie bei der „Bittarbeit", in typischer Form bei der überall auf den Dörfern, z. B. auch noch unseres Ostens, verbreiteten Hausbaubeihilfe der Dorfnachbarn – im Regalieren der Bittarbeiter. Wo ein Tausch stattfindet, gilt der Satz: „Unter Brüdern feilscht man nicht", der das rationale „Marktprinzip" für die Preisbestimmung ausschaltet. „Nachbarschaft" gibt es nicht ausschließlich unter Gleichstehenden. Die praktisch so ungemein wichtige „Bittarbeit" wird nicht nur dem ökonomisch Bedürftigen, sondern auch dem ökonomisch Prominenten und Übermächtigen freiwillig gewährt, als Erntebeihilfe zumal, deren grade der Besitzer großer Landstrecken am dringendsten bedarf. Man erwartet dafür vor allem Vertretung gemeinsamer Interessen gegen Bedrohung durch andere Mächtige, daneben unentgeltliche oder gegen die übliche Bittarbeitshilfe gewährte Leihe von überschüssigem Land (Bittleihe: „precarium"); Aushilfe aus seinen Vorräten in Hungersnot und andere karitative Leistungen, die er seinerseits gewährt, weil auch er immer wieder in die Lage kommt, auf den guten Willen seiner Umwelt angewiesen zu sein. Jene rein konventionelle Bittarbeit zugunsten der Honoratioren kann dann im weiteren Verlauf der Entwicklung Quelle einer herrschaftlichen Frohnwirtschaft, also eines patrimonialen Herrschaftsverhältnisses, werden, wenn die Macht des Herrn und die Unentbehrlichkeit seines Schutzes nach außen steigt und es ihm gelingt, aus der „Sitte" ein „Recht" zu machen. Daß die Nachbarschaftsgemeinschaft die typische Stätte der „Brüderlichkeit" sei, bedeutet natürlich nicht etwa, daß unter Nachbarn der Regel nach ein „brüderliches" Verhältnis herrsche. Im Gegenteil: wo immer das von der Volksethik postulierte Verhalten durch persönliche Feindschaft oder Interessenkonflikte gesprengt wird, pflegt die entstandene Gegnerschaft, gerade weil sie sich als im Gegensatz zu dem von der Volksethik Geforderten stehend weiß und zu rechtfertigen sucht und auch weil die persönlichen Beziehungen besonders enge und häufige sind, zu ganz besonders scharfem und nachhaltigem Grade sich zuzuspitzen.

Die Nachbarschaftsgemeinschaft kann ein amorphes, in dem Kreise der daran Beteiligten flüssiges, also „offenes" und intermittierendes Gemeinschaftshandeln darstellen. Sie pflegt in ihrem Umfang nur dann feste Grenzen zu erhalten, wenn eine „geschlossene" Vergesellschaftung stattfindet, und dies geschieht regelmäßig dann, wenn eine Nachbarschaft zur „Wirtschaftsgemeinschaft" oder die Wirtschaft der Beteiligten regulierenden Gemeinschaft vergesellschaftet wird. Das erfolgt in der uns generell bekannten typischen Art aus ökonomischen Gründen, wenn z. B. die Ausbeutung von Weide und Wald, weil sie knapp werden, „genossenschaftlich" und das heißt: monopolistisch reguliert wird. Aber sie ist nicht notwendig Wirtschaftsgemeinschaft oder wirtschaftsregulierende Gemeinschaft, und wo sie es ist, in sehr verschiedenem Maße. Das nachbarschaftliche Gemeinschaftshandeln kann seine, das Verhalten der Beteiligten regulierende, Ordnung entweder selbst sich durch Vergesellschaftung setzen (wie die Ordnung des „Flurzwangs") oder von Außenstehenden, Einzelnen oder Gemeinwesen, mit denen die Nachbarn als solche ökonomisch oder politisch vergesellschaftet sind, oktroyiert bekommen (z. B. Hausordnungen vom Mietshausbesitzer). Aber all das gehört nicht notwendig zu seinem Wesen. Nachbarschaftsgemeinschaft, Waldnutzungsordnungen von politischen Gemeinschaften, aber namentlich: Dorf, ökonomischer Gebietsverband (z. B.: Markgemeinschaft) und politischer Verband fallen auch unter den Verhält-nissen der reinen Hauswirtschaft der Frühzeit nicht notwendig zusammen, sondern können sich sehr verschieden zueinander verhalten. Die ökonomischen Gebietsverbände können je nach den Objekten, die sie umfassen, sehr verschiedenen Umfang haben. Acker, Weide, Wald, Jagdgründe unterliegen oft der Verfügungsgewalt ganz verschiedener Gemeinschaften, die sich untereinander und mit dem politischen Verband kreuzen. Wo das Schwergewicht der Nahrungsgewinnung auf friedlicher Arbeit beruht, wird die Trägerin gemeinsamer Arbeit: die Hausgemeinschaft, wo auf speergewonnenem Besitz, der politische Verband Träger der Verfügungsgewalt sein und ebenso eher für extensiv genutzte Güter: Jagdgründe und Wald größerer Gemeinschaften als für Wiesen und Äcker. Ganz allgemein wirkt ferner mit: daß die einzelnen Kategorien von Landbesitz in sehr verschiedenen Stadien der Entwicklung im Verhältnis zum Bedarf knapp und also Gegenstand einer die Benutzung ordnenden Vergesellschaftung werden – der Wald kann noch „freies" Gut sein, wenn Wiesen und ackerbares Land schon „wirtschaftliche" Güter und in der Art ihrer Benutzung reguliert und „appropriiert" sind. Daher können sehr verschiedene Gebietsverbände die Träger der Appropriation für jede dieser Arten von Land sein.

Die Nachbarschaftsgemeinschaft ist die urwüchsige Grundlage der „Gemeinde" – eines Gebildes, welches, wie später zu erörtern, in vollem Sinn erst durch die Beziehung zu einem, eine Vielzahl von Nachbarschaften umgreifenden politischen Gemeinschaftshandeln gestiftet wird. Sie kann ferner, wenn sie ein „Gebiet" beherrscht wie das „Dorf", auch selbst die Basis für ein politisches Gemeinschaftshandeln darstellen und überhaupt, im Wege fortschreitender Vergesellschaftung, Tätigkeiten aller Art (von der Schulerziehung und der Übernahme religiöser Aufgaben bis zur systematischen Ansiedelung notwendiger Handwerker) in das Gemeinschaftshandeln einbeziehen oder von der politischen Gemeinschaft als Pflicht oktroyiert erhalten. Aber das ihrem generellen Wesen nach eigene spezifische Gemeinschaftshandeln ist nur jene nüchterne ökonomische „Brüderlichkeit" in Notfällen mit ihren spezifischen Folgen.

§ 3. Die sexuellen Beziehungen in der Hausgemeinschaft.

Wir kehren nun zunächst zur Hausgemeinschaft, als dem urwüchsigsten nach außen „geschlossenen" Gemeinschaftshandeln, zurück. Der typische Entwicklungsgang vom alten vollen Hauskommunismus aus ist der gerade umgekehrte gegenüber demjenigen von dem vorhin erwähnten Beispiel der Erhaltung der Ertragsgemeinschaft trotz äußerer Trennung der Haushalte: innere Lockerung des Kommunismus, Fortschreiten also der „Schließung" der Gemeinschaft auch nach innen bei Fortbestand der äußerlichen Einheit des Hauses.

Die frühesten tiefgreifenden Abschwächungen der ungebrochenen kommunistischen Hausgewalt gehen nicht direkt von ökonomischen Motiven, sondern offenbar von der Entwicklung exklusiver *sexueller* Ansprüche der Hausteilhaber an die der gemeinsamen Hausautorität unterworfenen Frauen aus, die zu einer, gerade bei sonst wenig rationalisiertem Gemeinschaftshandeln oft höchst kasuistischen, immer aber sehr streng innegehaltenen Regulierung der Geschlechtsverhältnisse geführt hat. Auch Sexualgewalten zwar finden sich gelegentlich „kommunistisch" (polyandrisch). Aber wo sie vorkommen, stellen diese polyandrisch geteilten Rechte in allen bekannten Fällen nur einen relativen Kommunismus dar: einen nach außen exklusiven Mitbesitz eines bestimmt begrenzten Personenkreises (Brüder oder Insassen eines „Männerhauses") kraft gemeinsamen Erwerbs einer Frau.

Nirgends, auch nicht wo Sexualverhältnisse zwischen Geschwistern als anerkannte Institution bestehen, findet sich eine ordnungsfremde amorphe sexuelle Promiskuität innerhalb des Hauses. Wenigstens nie der Norm nach. Im Gegenteil ist gerade das im Güterbesitz kommunistische Haus diejenige Stätte, aus welcher kommunistische Freiheit des Geschlechtsverkehrs am vollständigsten verbannt ist. Die Abschwächung des Sexualreizes durch das Zusammenleben von Kind auf gab die Möglichkeit und Gewöhnung daran. Die Durchführung als bewußter „Norm" lag dann offensichtlich im Interesse der Sicherung der Solidarität und des inneren Hausfriedens gegen Eifersuchtskämpfe. Wo durch die gleich zu erwähnende „Sippenexogamie" die Hausgenossen verschiedenen Sippen zugewiesen wurden, so daß Geschlechtsverkehr innerhalb des Hauses nach sippenexogamen Grundsätzen zulässig wäre, müssen gerade die betreffenden Mitglieder des Hauses einander persönlich meiden: die Hausexogamie ist gegenüber der Sippenexogamie die ältere, neben ihr fortbestehende Institution. Vielleicht ist die Durchführung der Hausexogamie durch Frauentauschkartelle von Hausgemeinschaften und den durch deren Teilung entstehenden Sippengemeinschaften der Anfang der regulierten Exogamie gewesen. Jedenfalls besteht die konventionelle Mißbilligung des Sexualverkehrs auch für solche nahe Verwandte, welche nach dem Blutsbandekodex der Sippenstruktur davon nicht ausgeschlossen sind (z. B. sehr nahe väterliche Verwandte bei ausschließlicher Mutterfolge in der Sippenexogamie). Die Geschwister- und Verwandtenehe als Institution dagegen ist normalerweise auf sozial prominente Geschlechter, speziell Königshäuser, beschränkt. Sie dient dem Zusammenhalt der ökonomischen Machtmittel des Hauses, daneben wohl dem Ausschluß politischer Prätendentenkämpfe, endlich auch der Reinerhaltung des Bluts, ist also sekundär. – Das durchaus normale ist also: wenn ein Mann ein von ihm erworbenes Weib in seine Hausgemeinschaft zieht oder wenn er, weil er die Mittel dazu nicht hat, seinerseits zu einem Weibe in dessen Hausgemeinschaft eintritt, so erwirbt er die sexuellen Rechte an der Frau für seinen exklusiven Gebrauch. Tatsächlich ist oft genug auch diese sexuelle Exklusivität prekär gegenüber dem autokratischen Inhaber der Hausgewalt: die Befugnisse, welche sich z. B. der Schwiegervater innerhalb einer russischen Großfamilie bis in die Neuzeit herausnahm, sind bekannt. Trotzdem gliedert sich die Hausgemeinschaft innerlich normalerweise in sexuelle Dauergemeinschaften mit ihren Kindern. Die Gemeinschaft der Eltern mit ihren Kindern bildet mit persönlicher Dienerschaft, allenfalls der einen oder anderen unverehelichten Verwandten, den bei uns normalen Umfang der Hausgemeinschaft. Die Hausgemeinschaften älterer Epochen sind keineswegs immer sehr große Gebilde. Im Gegenteil zeigen diese namentlich, wenn die Art des Nahrungserwerbs zur Zerstreuung nötigte, oft kleine Hauseinheiten. Allerdings aber weist die Vergangenheit massenhafte Hausgemeinschaften auf, welche zwar auf Eltern- und Kindesverhältnissen als Kern ruhen, aber weit darüber hinausgreifen durch Einbeziehung von Enkeln, Brüdern, Vettern, gelegentlich auch Blutsfremden in einem heute bei Kulturvölkern mindestens sehr seltenen Umfang ("Großfamilie"). Sie herrscht einerseits, wo Arbeitskumulation angewendet wird – daher beim arbeitsintensiven Ackerbau –, außerdem aber da, wo der Besitz im Interesse der Behauptung der sozialen und ökonomischen Machtstellung zusammengehalten werden soll, also in aristokratischen und plutokratischen Schichten.

Abgesehen von dem sehr frühen Ausschluß des Geschlechtsverkehrs innerhalb der Hausgemeinschaft, ist die Sexualsphäre gerade bei sonst wenig entfalteter Kultur sehr häufig besonders stark eingeengt durch soziale Gebilde, welche die Hausgewalt derart durchkreuzen, daß man sagen kann: die erste entscheidende prinzipielle Durchbrechung ihrer Schrankenlosigkeit liege gerade auf diesem Gebiet. Der Begriff der Blutschande greift mit steigender Beachtung des

„Blutsbandes" über das Haus hinaus auf weitere Kreise aushäusiger Blutsverwandter und wird Gegenstand kasuistischer Regulierung durch die *Sippe*.

§ 4. Die Sippe und die Regelung der Sexualbeziehungen.

Die *Sippe* ist keine so „urwüchsige" Gemeinschaft, wie die Hausgemeinschaft und der Nachbarverband es sind. Ihr Gemeinschaftshandeln ist regelmäßig diskontinuierlich und entbehrt der Vergesellschaftung, es ist geradezu ein Beispiel dafür, daß Gemeinschaftshandeln bestehen kann, auch wo sich die Beteiligten gar nicht kennen und kein aktives Handeln, sondern nur ein Unterlassen (sexuellen Verkehrs) stattfindet. Die „Sippe" setzt den Bestand *anderer* Sippen neben sich innerhalb einer umfassenden Gemeinschaft voraus. Der Sippenverband ist der urwüchsige Träger aller „Treue". Freundesbeziehungen sind ursprünglich künstliche Blutsbrüderschaften. Und der Vasall wie der moderne Offizier sind nicht nur Untergebene, sondern auch Brüder, „Kameraden" (= Hausgenossen ursprünglich) des Herren. Dem Inhalt ihres Gemeinschaftshandelns nach ist die Sippe eine auf dem Sexualgebiet und in der Solidarität nach außen mit der Hausgemeinschaft konkurrierende, unsere Sicherheits- und Sittenpolizei ersetzende Schutzgemeinschaft und zugleich regelmäßig auch eine Besitzanwartsgemeinschaft derjenigen früheren Hauszusammengehörigen, die aus der Hausgemeinschaft durch Teilung oder Ausheirat ausgeschieden sind und deren Nachfahren. Sie ist also Stätte der Entwicklung der außerhäuslichen „Vererbung". Sie schafft vermittelst der Blutrachepflicht eine persönliche Solidarität ihrer Angehörigen gegen Dritte und begründet so, auf ihrem Gebiet, eine der Hausautorität gegenüber unter Umständen stärkere Pietätspflicht. Festzuhalten ist: daß die Sippe nicht etwa generell als eine erweiterte oder dezentralisierte Hausgemeinschaft oder als ein ihr übergeordnetes, mehrere Hausgemeinschaften zu einer Einheit verbindendes, soziales Gebilde verstanden werden darf. Das kann sie sein, ist es aber nicht der Regel nach. Denn ob im Einzelfall ihr Umkreis quer durch die Hausgemeinschaften hindurchschneidet oder die Gesamtheit der Hausgenossen umschließt, hängt – wie später zu erörtern – von ihrem Strukturprinzip ab, welches unter Umständen Väter und Kinder verschiedener Sippen zuweist. Die Wirkung der Gemeinschaft kann sich beschränken auf das Verbot der Heirat unter den Genossen (Exogamie) und zu diesem Zweck können gemeinsame Erkennungszeichen und der Glaube an die Abstammung von einem als solches dienenden Naturobjekt (meist ein Tier) bestehen, dessen Genuß dann den Sippengenossen verboten zu sein pflegt (Totemismus). Dazu tritt das Verbot des Kampfes gegeneinander und die (unter Umständen auf bestimmte nähere Verwandtschaftsgrade begrenzte) Blutrachepflicht und Blutrachehaftung füreinander. Aus dieser wieder folgt die gemeinsame Erhebung der Fehde im Fall des Totschlags und das Recht und die Pflicht der Sippegenossen, im Fall der Sühne durch Wehrgeld an diesem empfangend und zahlend beteiligt zu sein. Wie gegenüber der Rache der Menschen, so haftet die Sippe, indem sie im Rechtsgang die Eideshelfer stellt, auch gegenüber der Rache der Götter für einen Falscheid solidarisch. Sie ist auf diese Art die Garantie für die Sicherheit und Rechtsgeltung des Einzelnen. Es ist nun ferner auch möglich, daß der durch die Siedelung geschaffene Nachbarverband (Dorf, Markgenossenschaft) mit dem Umkreis der Sippengemeinschaft zusammenfällt und dann in der Tat das Haus als der engere Umkreis innerhalb des weiteren der Sippe erscheint. Aber auch ohne dies können oft sehr fühlbare Rechte der Sippengenossen gegenüber der Hausgewalt dauernd fortbestehen: Einspruchsrecht gegen Veräußerung von Hausvermögen, Recht der Mitwirkung beim Verkauf von Töchtern in die Ehe und Beteiligung am Brautpreis, Recht, den Vormund zu stellen u. dgl.

Die urwüchsige Form der Geltendmachung von verletzten Interessen ist die solidarische Selbsthilfe der Sippe. Und die ältesten Kategorien eines dem „Prozeß" verwandten Verfahrens sind einerseits die Schlichtung von Streit *innerhalb* der Zwangsgemeinschaften: des Hauses durch den Inhaber der Hausautorität, der Sippe durch den „Ältesten" als den, der den Brauch am besten kennt, andererseits *zwischen* mehreren Häusern und Sippen, der vereinbarte Schiedsspruch. Als eine, aus wirklicher oder fiktiver oder künstlich durch Blutsbrüderschaft geschaffenen Abstammung abgeleitete, Pflichten- und Pietätsbeziehung zwischen Menschen, die unter Umständen nicht nur verschiedenen häuslichen, sondern auch verschiedenen politischen Einheiten und selbst verschiedenen Sprachgemeinschaften angehören können, steht die Sippe dem politischen Verband in konkurrierender, ihn durchkreuzender Selbständigkeit gegenüber. Sie kann ganz unorganisiert, eine Art passives Gegenbild des autoritär geleiteten Hauses sein. Sie bedarf an sich für ihre normalen Funktionen keines dauernden Leiters mit irgendwelchem Herrenrecht, untersteht auch faktisch der Regel nach keinem solchen, sondern bildet einen amorphen Personenkreis, dessen äußeres Einigungsmerkmal allenfalls in einer positiven Kultgemeinschaft oder einer negativen Scheu vor Verletzung oder Genuß des gemeinsamen heiligen Objekts (Tabu) besteht, deren religiöse Gründe später zu erörtern sind. Die kontinuierlich mit einer Art von Regierung an der Spitze organisierten Sippen als die ältere Form anzunehmen, wie es z. B. Gierke tat, ist als Regel jedenfalls kaum möglich, – das Umgekehrte: daß auch die Sippe nur da „vergesellschaftet" ist, wo es ökonomische oder soziale Monopole nach außen zu „schließen" gilt, muß vielmehr als Regel angesehen werden. Existiert ein Sippenhaupt und funktioniert die Sippe überhaupt als politischer Verband, so ist dies zuweilen nicht aus den inneren Bedingungen des Sippenverbands erwachsen, sondern Folge seiner Ausnutzung für ihm ursprünglich fremde, politische, militärische oder andere gemeinwirtschaftliche Zwecke und seiner dadurch bedingten Stempelung zu einer Unterabteilung ihm an sich heterogener sozialer Einheiten (so die „gens" als Unterabteilung der „curia", die „Sippen" als Heeresabteilungen usw.). – Es ist auch und vielfach gerade für Epochen sonst wenig entfalteten Gemeinschaftshandelns charakteristisch, daß Haus, Sippe, Nachbarschaftsverband, politische Gemeinschaft einander derart kreuzen, daß die Haus- und Dorfangehörigen verschiedenen Sippen, die Sippenangehörigen verschiedenen politischen Gemeinschaften und selbst verschiedenen Sprachgemeinschaften zugehören und also gegebenenfalls Nachbarn, politische Genossen, selbst Hausgemeinschafter in die Lage kommen, gegeneinander Blutrache üben zu sollen. Erst die allmähliche Monopolisierung der Anwendung von physischer Gewalt durch die politische Gemeinschaft beseitigt diese drastischen „Pflichtenkonflikte". Für Verhältnisse aber, welche das politische Gemeinschaftshandeln nur als intermittierendes Gelegenheitshandeln, im Fall der akuten Bedrohung, oder als einen Zweckverband von Beutelustigen kennt, ist die Bedeutung der Sippe und der Grad der Rationalisierung ihrer Struktur und Pflichten oft – so z. B. in Australien – zu einer fast scholastischen Kasuistik entwickelt.

Wichtig ist die Art der Ordnung der Sippenbeziehungen und der durch sie regulierten Sexualbeziehungen durch deren Rückwirkung auf die Entwicklung der persönlichen und ökonomischen Struktur der Hausgemeinschaften. Je nachdem das Kind zur Sippe der Mutter zählt („Mutterfolge") oder zu der des Vaters („Vaterfolge"), gehört es der Hausgewalt an, und hat Anteil an dem Besitz einer anderen Hausgemeinschaft und insbesondre an dem dieser innerhalb anderer Gemeinschaften (ökonomischer, ständischer, politischer) appropriierten Erwerbschancen. Jene andren Gemeinschaften sind daher an der Art der Regelung der Zugehörigkeit zum Hause mitinteressiert und aus dem Zusammenwirken der, in erster Linie ökonomisch, daneben politisch, bedingten Interessen ihrer aller erwächst diejenige Ordnung, welche im Einzelfall dafür gilt. Es ist wichtig, sich von vornherein klar zu machen, daß die einzelne Hausgemeinschaft, sobald neben ihr noch andere, sie mit einschließende, Verbände bestehen, welche über ökonomische und andre Chancen verfügen, keineswegs schlechthin autonom ist in der Verfügung über die Art der Zurechnung und, je knapper jene Chancen werden, desto weniger autonom bleiben kann. Die mannigfachsten, hier im einzelnen unmöglich zu analysierenden Interessen bestimmen die Frage: ob Vater- oder Mutterfolge, mit ihren Konsequenzen. Im Fall der Mutterfolge sind es – da eine förmliche Hausherrschaft der Mutter selbst zwar vorkommt, aber zu den durch besondere Umstände bedingten Ausnahmen zählt – nächst dem Vater die Brüder der Mutter, deren Schutz und Zuchtgewalt das Kind untersteht und von denen ihm sein Erbe kommt („Avunculat"). Im Fall der Vaterfolge untersteht es nächst seinem Vater der Gewalt der väterlichen Verwandten und erbt von dorther. Während in der heutigen Kultur Verwandtschaft und Erbfolge normalerweise „kognatisch", d. h. zweiseitig nach der Vater- und Mutterseite hin gleichmäßig wirken, die Hausgewalt aber stets den Vater und, wenn er fehlt, einem meist, aber nicht notwendig, aus den nächsten Kognaten berufenen, durch die öffentliche Gewalt bestätigten und kontrollierten Vormund zusteht, findet in der Vergangenheit sehr häufig ein schroffes Entweder-Oder jener beiden Prinzipien statt. Aber nicht notwendig so, daß innerhalb einer Gemeinschaft eins von beiden für alle Hausgemeinschaften allein gälte, sondern auch so, daß innerhalb derselben Hausgemeinschaft teils das eine, teils das andere, aber natürlich in jedem Einzelfall stets nur eins von beiden durchgreift. Der einfachste Fall dieser Konkurrenz ist durch Vermögensdifferenzierung bedingt. Die Töchter gelten, wie alle Kinder, als nutzbarer Besitz der Hausgemeinschaft, in der sie geboren sind. Sie verfügt über ihre Hand. Der Leiter kann sie, ebenso wie seine Frau, seinen Gästen sexuell zur Verfügung stellen, sie zeitweilig oder dauernd gegen Abgaben oder Dienste sexuell nutzen lassen. Diese prostitutionsartige Verwertung der Haustöchter bildet einen beträchtlichen Teil der unter dem unklaren Sammelnamen des „Mutterrechts" verstandenen Fälle: Mann und Frau bleiben in diesem Fall jeder in seiner Hausgemeinschaft, die Kinder in der der Mutter, der Mann bleibt ihnen ganz fremd und leistet nur, in der heutigen Sprache ausgedrückt: „Alimente" an ihren Hausherrn. Es besteht also keine Gemeinschaft des Hauses von Mann, Frau und Kindern. Diese kann auf der Basis von Vater- oder Mutterfolge entstehen. Der Mann, welcher Mittel besitzt eine Frau bar zu bezahlen, nimmt sie aus ihrem Haus und ihrer Sippe in das seinige. Seine Hausgemeinschaft wird ihr voller Eigentümer und damit Besitzer ihrer Kinder. Der Zahlungsunfähige muß dagegen, wenn ihm die häusliche Vereinigung mit dem begehrten Mädchen von dessen Hausherren gestattet wird, in dessen Hausgemeinschaft eintreten, entweder zeitweise, um sie abzuverdienen („Dienstehe") oder dauernd, und der Hausgemeinschaft der Frau verbleibt dann die Gewalt über sie und die Kinder. Das Haupt einer vermögenden Hausgemeinschaft also kauft einerseits von minder vermögenden andern Hausgemeinschaften Frauen für sich und seine Söhne (sog. „Digaehe") und zwingt andererseits unvermögende Freier seiner Töchter zum Eintritt in den eigenen Hausverband („Binaehe"). Vaterfolge, d. h. Zurechnung zum Hause und zur Sippe des Vaters und Mutterfolge, d. h. Zurechnung zum Hause und zur Sippe der Mutter, Vaterhausgewalt, d. h. Gewalt des Manneshauses und Mutterhausgewalt, d. h. Gewalt der Hausgemeinschaft der Frau, bestehen dann nebeneinander für verschiedene Personen innerhalb *einer und derselben* Hausgemeinschaft. In diesem, einfachsten, Fall aber immer: Vaterfolge mit Gewalt des Vaterhauses und Mutterfolge mit Gewalt des Mutterhauses verbunden. Dies Verhältnis kompliziert sich nun, wenn zwar der Mann die Frau in seine Hausgemeinschaft überführt und also Vaterhausgewalt entsteht, dennoch aber Mutterfolge, also: ausschließliche Zurechnung der Kinder zur Sippe der Mutter als ihres exogamen Sexualverbandes, ihrer Blutrachegemeinschaft und als der Gemeinschaft, von der allein sie erben, bestehen bleibt. Auf diesen Fall sollte man den Namen „Mutterrecht" im technischen Sinn beschränken. In dieser Form, welche die Stellung des Vaters zu den Kindern ja auf das engste einschnürt, Vater und Kinder trotz der Hausgewalt des ersteren einander rechtlich fremd leben läßt, kommt der Zustand, soviel bekannt, nicht vor. Wohl aber in mannigfachen Zwischenstufen: das Mutterhaus behält, indem es die Frau in das Haus des Mannes gibt, dennoch bestimmte Teile seiner Anrechte an Frau und Kindern zurück. Besonders oft besteht, infolge der Festigkeit der einmal eingelebten superstitiösen Angst vor der Blutschande, die nach der Mutterseite gerechnete Sippenexogamie für die Kinder fort. Oft auch verschieden große Bestandteile der Erbfolgegemeinschaft mit dem Mutterhaus. Speziell auf diesem Gebiet kämpfen Vater- und Muttersippe einen Kampf, dessen sehr verschiedener Ausgang durch Bodenbesitzverhältnisse, speziell auch die Beeinflussung des dörflichen Nachbarschaftsverbandes und durch militärische Ordnungen bedingt ist.

§ 5. Beziehungen zur Wehr- und Wirtschaftsverfassung. Das „eheliche Güterrecht" und Erbrecht.

Leider gehören die Beziehungen von Sippe, Dorf, Markgenossenschaft und politischer Gliederung noch zu den dunkelsten und wenigst erforschten Gebieten der Ethnographie und Wirtschaftsgeschichte. Es gibt bisher keinen Fall, für den diese Beziehungen wirklich restlos aufgeklärt wären, weder für die primitiven Verhältnisse der Kulturvölker, noch für die sog. Naturvölker, insbesondere auch z. B. nicht, trotz Morgans Arbeiten, die Indianer. Der Nachbarschaftsverband eines Dorfs kann im einzelnen durch Zerspaltung einer Hausgemeinschaft im Erbgang entstanden sein. In Zeiten des Übergangs vom nomadisierenden zum seßhaften Bodenanbau kann die Landzuteilung sich an die Sippengliederung halten, da diese in der Heeresgliederung berücksichtigt zu werden pflegt, so daß die Dorfgemarkung als Sippenbesitz gilt. Dies scheint im germanischen Altertum nicht selten gewesen zu sein, da die Quellen von „genealogiae" als Besitzern von Gemarkungen auch da sprechen, wo anscheinend nicht eine Landnahme durch ein adliges Geschlecht mit seinem Gefolge gemeint ist. Aber die Regel war dies schwerlich. Die Militärverbände (Tausendschaften und Hundertschaften), welche aus Personalcadres zu Gebietsverbänden wurden, standen mit den Sippen und diese wieder mit den Markgemeinschaften, soviel bekannt, in keiner eindeutigen Beziehung.

Allgemein läßt sich nur sagen: Der Grund und Boden kann 1. entweder in erster Linie als Arbeitsstätte gelten. In diesem Fall wird, solange der Anbau vornehmlich auf Frauenarbeit ruht, im Verhältnis zwischen den Sippen oft aller Bodenertrag und Bodenbesitz den Frauen zugerechnet. Der Vater hat den Kindern alsdann Bodenbesitz nicht zu hinterlassen, die Erbfolge an ihm geht durch Mutterhaus und Muttersippe, vom Vater erbt man nur militärische Gebrauchsgüter, Waffen, Pferde und Werkzeuge männlicher gewerblicher Arbeit. In ganz reiner Form kommt freilich dieser Fall kaum vor. Oder umgekehrt: 2. der Boden gilt als mit dem Speer gewonnener und behaupteter Männerbesitz, an dem Waffenlose und also insbesondere Frauen keinen Anteil haben können. Dann kann der lokale politische Verband des Vaters das Interesse haben, dessen Kinder als militärischen Nachwuchs in seiner Mitte festzuhalten, und da die Söhne in die Waffengemeinschaft des Vaters eintreten, so wird dann das Land vom Vater her auf sie vererbt und nur beweglicher Besitz kann nach Mutterfolge erben. Stets hält ferner 3. der Nachbarverband des Dorfes oder einer Markgenossenschaft als solcher die Hand über den durch gemeinsame Rodung, also Mannesarbeit, gewonnenen Boden und duldet nicht, daß der Boden im Erbgang an Kinder geht, die nicht in jeder Hinsicht dauernd an den Pflichten ihres Verbandes teilnehmen. Der Kampf dieser und unter Umständen noch verwickelterer Determinanten ergibt sehr verschiedene Resultate. Es läßt sich aber 4. auch nicht sagen – wie es darnach scheinen könnte –, daß der vorwiegend militärische Charakter einer Gemeinschaft schon an sich eindeutig in der Richtung der Vaterhausgewalt und einer rein vaterrechtlichen („agnatischen") Verwandtschafts- und Vermögenszurechnung wirkte. Sondern das hängt durchaus von der Art der Militärorganisation ab. Wo diese in einem dauernden exklusiven Zusammenschluß der waffenfähigen Jahrgänge der Männer zu einer besondren kasernen- oder kasinoartigen Gemeinschaft führt, wie sie das von Schurtz geschilderte typische „Männerhaus" und die spartiatischen Syssitien als reinste Typen darstellen – da konnte sehr wohl und hat recht oft dieses Ausscheiden des Mannes aus dem infolgedessen als „Muttergruppe" konstituierten Familienhaushalt entweder die Zurechnung der Kinder und des Erwerbs zum Mutterhause oder doch eine relativ selbständige Stellung der Hausmutter herbeigeführt, wie sie z. B. für Sparta berichtet wird. Die zahlreichen, eigens zur Einschüchterung und Plünderung der Frauen erfundenen superstitiösen Mittel (z. B. das periodische Erscheinen und der Plünderungszug des Duk-Duk) stellen die Reaktion der aushäusig gewordenen Männer gegen diese Gefährdung ihrer Autorität dar. Wo dagegen die Glieder der Militärkaste als Grundherren über das Land zerstreut saßen, ist die Tendenz zur patriarchalen und zugleich agnatischen Struktur von Haus und Sippe fast durchweg alleinherrschend geworden. Die großen Reichsgründungsvölker im fernen Orient und in Indien ebenso wie in Vorderasien, am Mittelmeer und im europäischen Norden, haben, soweit historische Kunde reicht, sämtlich (die Ägypter *nicht*, wie oft angenommen wird, ausgeschlossen) die Vaterfolge einschließlich (außer bei den Ägyptern) der exklusiv agnatischen Verwandtschafts- und Vermögenszurechnung entwickelt. Dies hat seinen

Grund im wesentlichen darin, daß die Gründung *großer* politischer Gebilde dauernd nicht leicht von stabartig zusammengesiedelten und monopolistischen kleinen Kriegergemeinschaften nach Art des „Männerhauses" getragen werden kann, sondern – unter naturalwirtschaftlichen Bedingungen – normalerweise die patrimoniale und grundherrliche Unterwerfung der Landgebiete bedingt, auch wo sie von örtlich eng zusammengesiedelten Kriegern ausging, wie in der Antike. Die Entwicklung der Grundherrschaft mit ihrem Amtsapparat geht naturgemäß von der unter einem Vater als Hausherrn sich zum Herrschaftsapparat organisierenden Hausgemeinschaft aus und erwächst also überall aus der Vatergewalt heraus. Keinerlei ernsthafte Beweise stützen dementsprechend die Behauptung, daß diesem Zustand vorherrschenden „Vaterrechts" bei jenen Völkern jemals ein anderer vorangegangen sei, seitdem überhaupt bei ihnen die Familienbeziehungen Gegenstand einer *Rechts*bildung waren. Insbesondere ist die Hypothese von der einst universellen Herrschaft einer „Ehe nach Mutterrecht" eine wertlose Konstruktion, welche ganz Heterogenes: das primitive *Fehlen* jeder rechtlichen Regelung der Kindesbeziehungen und das dann allerdings normalerweise bestehende nähere persönliche Verhältnis der Kinder zur Mutter, die sie säugt und erzieht, mit demjenigen *Rechts*zustande, der allein den Namen Mutterrecht verdient, vermischt. Ganz ebenso irrig ist natürlich die Vorstellung: daß von einer „ursprünglichen" universellen Mutterfolge zur Geltung des „Vaterrechts" ein Zustand der „Raubehe" als universelle Zwischenstufe geführt habe. Rechtsgültig kann eine Frau nur durch Tausch oder Kauf aus einem fremden Haus erworben werden. Der Frauenraub führt zu Fehde und Sühne. Den Helden freilich schmückt, wie der Skalp des Feindes, so die geraubte Frau als Trophäe, und daher ist der Hochzeitsritus oft ein fingierter Frauenraub, ohne daß realer Frauenraub doch eine rechtshistorische „Stufe" darstellte.

Die Entwicklung der inneren vermögensrechtlichen Struktur der Hausgemeinschaft ist demgemäß bei den großen Reichsgründungsvölkern eine stete *Abschwächung* der schrankenlosen Vatergewalt. Zu den Folgen ihrer ursprünglichen Schrankenlosigkeit gehörte namentlich das Fehlen der Unterscheidung „legitimer" und „illegitimer" Kinder, wie es sich, als Rest der einst freien Willkür des Hausherrn in der Bestimmung darüber: wer „sein" Kind sei, noch im nordischen Recht des Mittelalters findet. Erst das Eingreifen politischer oder ökonomischer Gemeinschaften, welche die Zugehörigkeit zu *ihrem* Verband an die Abstammung aus „legitimen" Verbindungen, d. h. Dauerverbindungen mit Frauen aus dem eigenen Kreise, knüpfen, ändert dies endgültig. Die wichtigste Etappe auf dem Wege der Herstellung dieses Prinzips aber: eben jene Scheidung „legitimer" und „illegitimer" Kinder und die erbrechtliche Sicherung der ersteren, wird meist dann erreicht, wenn innerhalb der *besitzenden* oder ständisch privilegierten Schichten, nach Zurücktreten der Schätzung der Frau lediglich als Arbeitskraft, die Tendenz erwacht: die rechtliche Stellung der in die Ehe verkauften Haustochter, und vor allem diejenige ihrer Kinder, durch Kontrakt gegen jene ursprüngliche freie Willkür des Käufers der Frau zu sichern: sein Vermögen soll an die Kinder aus dieser Ehe und nur an sie erben. Nicht das Bedürfnis des Mannes, sondern dasjenige der Frau nach „Legitimität" ihrer Kinder also ist die treibende Kraft. Das Haus stattet, weiterhin mit zunehmenden Ansprüchen an die Lebenshaltung und demnach wachsender Kostspieligkeit „standesgemäßen" Haushaltens das in die Ehe verkaufte Mädchen, welches nun nicht mehr Arbeitskraft, sondern Luxusbesitz ist, zunehmend mit einer „Mitgift" aus, welche zugleich seine Abfindung vom Besitz seiner Hausgemeinschaft darstellt (in dieser Art besonders klar im altorientalischen und althellenischen Recht entwickelt) und ihm dem kaufenden Mann gegenüber auch das „materielle Schwergewicht" verleiht, seine schrankenlose Willkür zu brechen, da er sie im Fall der Verstoßung zurückerstatten muß. In höchst verschiedenem Grade und nicht immer in der Form eigentlicher Rechtssätze wird dieser Zweck allmählich erreicht, oft aber so vollständig, daß nur die Mitgiftehe als Vollehe (εγγραφος γαμος in Ägypten) gilt. Auf die weitere Entwicklung des „ehelichen Güterrechts" soll hier nicht eingegangen werden. Entscheidende Wendungen finden sich überall dort, wo die militärische Bewertung des Bodenbesitzes als speererworbenen Guts oder als Basis für die Ausstattung ökonomisch wehrfähiger (zur Selbstequipierung fähiger) Existenzen zurücktritt, und der Grundbesitz, wie namentlich unter städtischen Verhältnissen, vorwiegend ökonomisch gewertet wird, mithin auch die Töchter zum Bodenerbrecht gelangen. Je nachdem der Schwerpunkt der Existenz mehr auf dem gemeinsamen *Erwerb* der Familie ruht oder umgekehrt auf der Rente des ererbten *Besitzes*, gestaltete sich das Kompromiß zwischen den in Betracht kommenden Interessen des Mannes und denen der Frau und ihrer Sippe höchst mannigfaltig.

Im ersteren Fall ist im okzidentalen Mittelalter oft eine Entwicklung zur „Gütergemeinschaft" erfolgt, im letzteren die sog. „Verwaltungsgemeinschaft" (Verwaltung und Nutznießung des Mannes am Frauengut) vorgezogen worden, während in den feudalen Schichten das Streben, die Grundstücke nicht aus der Familie gelangen zu lassen, die (in typischer Art in England entwickelte) „Wittumsehe" (Versorgung der Witwe durch eine Rente, die am Grundbesitz haftet) erzeugte. Im übrigen greifen die mannigfaltigsten Determinanten ein. Römische und englische Aristokratie zeigen in ihrer sozialen Lage manche Ähnlichkeit. Aber in der römischen Antike entstand die völlige ökonomische und persönliche Emanzipation der Ehefrau durch Entwicklung der jederzeit kündbaren „freien Ehe", erkauft durch ihre völlige Unversorgtheit als Witwe und gänzliche Rechtlosigkeit als Mutter gegenüber der schrankenlosen Gewalt des Vaters über ihre Kinder – in England blieb die Ehefrau ökonomisch und persönlich in der ihre Rechtspersönlichkeit gänzlich vernichtenden „coverture", bei zugleich – für sie – fast völliger Unlöslichkeit der feudalen „Wittumsehe". Die größere Stadtsässigkeit des Römeradels und die Einwirkung des christlichen Ehepatriarchalismus in England dürften den Unterschied bedingt haben. Dem Fortbestand des feudalen Eherechts in England und der kleinbürgerlich und militaristisch (im Code Napoleon durch den persönlichen Einfluß seines Inspiratoren) motivierten Gestaltung des französischen Eherechts stehen bürokratische Staaten (Österreich und namentlich Rußland) mit starker Nivellierung der Geschlechtsunterschiede im Ehegüterrecht gegenüber, die im übrigen da am weitesten fortzuschreiten pflegt, wo der Militarismus in den maßgebenden Klassen am weitesten zurückgedrängt ist. Im übrigen wird die Vermögensstruktur der Ehe bei entwickeltem Güterverkehr wesentlich durch das Bedürfnis nach Sicherung der Gläubiger mitbedingt. Die höchst bunten Einzelergebnisse dieser Entwicklungsmomente gehören nicht hierher.

Die aus Interessen der Frau heraus entstandene „legitime" Ehe muß dabei keineswegs alsbald die Alleinherrschaft der Monogamie mit sich bringen. Die in bezug auf das Erbrecht ihrer Kinder privilegierte Frau kann als „Hauptfrau" aus dem Kreise der übrigen Frauen herausgehoben werden, wie dies im Orient, in Ägypten und in den meisten asiatischen Kulturgebieten der Fall war. Selbstverständlich aber ist die Polygamie auch in dieser Form („Halbpolygamie") überall Privileg der Besitzenden. Denn der Besitz einer Mehrzahl von Frauen ist zwar da, wo im Ackerbau noch die Frauenarbeit vorwiegt, und allenfalls auch da, wo die textilgewerbliche Arbeit der Frau besonders einträglich ist, (wie dies noch der Talmud voraussetzt) lukrativ: der große Frauenbesitz der Kaffernhäuptlinge gilt als nutzbare Kapitalanlage, setzt aber beim Mann auch den Besitz der zum Frauenkauf nötigen Mittel voraus. In Verhältnissen mit vorwiegender Bedeutung der Männerarbeit und vollends in sozialen Schichten, in welchen sich die Frauen an der für freie Leute unwürdig geltenden Arbeit nur als Dilettantinnen oder für Luxusbedarf beteiligen, verbietet die Kostspieligkeit der Polygamie diese für alle mittleren Vermögen von selbst. Die Monogamie als Institution ist zuerst bei den Hellenen (aber bei diesen in den fürstlichen Schichten, selbst der Diadochenzeit, noch ziemlich labil) und den Römern durchgeführt worden, in der Epoche des Übergangs zur Herrschaft eines patrizischen Stadtbürgertums, dessen Haushaltsformen sie adäquat war. Alsdann hat das Christentum sie aus asketischen Gründen zur absoluten Norm erhoben, im Gegensatz zu (ursprünglich) allen anderen Religionen. Die Polygamie behauptete sich namentlich da, wo die streng patriarchale Struktur der politischen Gewalt auch der Erhaltung der Willkür des Hausherren zugute kam.

Für die Entwicklung der Hausgemeinschaft als solcher kommt jene Entwicklung der Mitgiftehe zwiefach in Betracht: einmal dadurch, daß nun die „legitimen" Kinder als Anwärter auf das väterliche Vermögen durch eine Sonderrechtsstellung innerhalb des Hauses gegenüber Konkubinenkindern differenziert sind. Ferner und namentlich dadurch, daß die Einbringung der, je nach dem Reichtum der Frauenfamilie verschieden großen Mitgiften seitens der in das Haus einheiratenden Mädchen, die naturgemäße Tendenz hat, die ökonomische Lage ihrer Männer zu differenzieren. Die eingebrachten Mitgiften pflegen zwar formell (so namentlich auch im römischen Recht) einfach der Gewalt des Hausherrn anheimzufallen. Materiell aber pflegt doch irgendwie dem betreffenden Mann die Mitgift seiner Frau auf ein „Sonderkonto" zugerechnet zu werden. Das „Rechnen" beginnt so in die Beziehungen der Gemeinschafter einzudringen.

Diese Entwicklung zur Zersetzung der Hausgemeinschaft pflegt aber auf dieser Stufe regelmäßig bereits von anderen ökonomischen Motiven her in Gang gekommen zu sein. Die ökonomisch bedingten Abschwächungen des undifferenzierten Kommunismus liegen in ihren Anfängen weit zurück, so weit, daß seine völlige Ungebrochenheit historisch vielleicht nur in Grenzfällen bestanden hat. Bei Gebrauchsgütern, welche Artefakte sind, Werkzeugen, Waffen, Schmuck, Kleidungsstücken u. dgl. ist das Prinzip, daß der individuelle Hersteller sie, als Ertrag seiner individuellen Arbeit, allein oder vorzugsweise zu benutzen befugt sei und daß sie nach seinem Tode nicht notwendig der Gesamtheit, sondern bestimmten anderen, für ihre Nutzung spezifisch qualifizierten Einzelnen zufallen (so: Reitpferd und Schwert, im Mittelalter das „Heergewäte", die „Gerade" usw.). Diese ersten Formen *individuellen* „Erbrechts" sind auch innerhalb des autoritären

Hauskommunismus sehr früh entwickelt, stammen wahrscheinlich aber aus den Zuständen vor der Entwicklung der Hausgemeinschaft selbst und sind überall verbreitet, wo und soweit individuelle Werkzeugherstellung stattfand. Bei manchen, z. B. den Waffen, beruht die gleiche Entwicklung wohl auch auf dem Eingreifen des Interesses militärischer Gewalten an der ökonomischen Ausstattung des Diensttauglichsten.

§ 6. Die Auflösung der Hausgemeinschaft: Änderungen ihrer funktionellen Stellung und zunehmende „Rechenhaftigkeit". Entstehung der modernen Handelsgesellschaften.

Die inneren und äußeren Motive, welche das Schrumpfen der straffen Hausgewalt bedingen, steigern sich im Verlauf der Kulturentwicklung. Von innen her wirkt die Entfaltung und Differenzierung der Fähigkeiten und Bedürfnisse in Verbindung mit der quantitativen Zunahme der ökonomischen Mittel. Denn mit Vervielfältigung der Lebensmöglichkeiten erträgt schon an sich der Einzelne die Bindung an feste undifferenzierte Lebensformen, welche die Gemeinschaft vorschreibt, immer schwerer und begehrt zunehmend, sein Leben individuell zu gestalten und den Ertrag seiner individuellen Fähigkeiten nach Belieben zu genießen. Von außen her wird die Zersetzung gefördert durch Eingriffe konkurrierender sozialer Gebilde: z. B. auch rein fiskalischer Interessen an intensiverer Ausnutzung der individuellen Steuerkraft – welche den Interessen an der Zusammenhaltung des Besitzes zugunsten der militärischen Prästationsfähigkeit entgegenwirken können.

Die normale Folge jener Zersetzungstendenzen ist zunächst die Zunahme der *Teilung* der Hausgemeinschaften im Erbfall oder bei Heirat von Kindern. Die historische Entwicklung hat, nachdem in der Frühzeit, also bei relativ werkzeuglosem Ackerbau, die Arbeitskumulation das einzige ertragssteigernde Mittel gewesen war, und der Umfang der Hausgemeinschaften eine Periode der Zunahme durchgemacht hatte, mit der Entwicklung des individualisierten Erwerbs im ganzen seine stetige Abnahme herbeigeführt, bis heute die Familie von Eltern und Kindern ihr normales Ausmaß bildet. Dahin wirkte die grundstürzende Änderung der funktionellen Stellung der Hausgemeinschaft, welche derart verschoben ist, daß für den Einzelnen zunehmend weniger Anlaß besteht, sich einem kommunistischen großen Haushalt zu fügen. Abgesehen davon, daß die Sicherheitsgarantie für ihn nicht mehr durch Haus und Sippe, sondern durch den anstaltmäßigen Verband der politischen Gewalt geleistet wird, haben „Haus" und „Beruf" sich auch örtlich geschieden und ist der Haushalt nicht mehr Stätte gemeinsamer Produktion, sondern Ort gemeinsamen Konsums. Der Einzelne empfängt ferner seine gesamte Schulung für das Leben, auch das rein persönliche, zunehmend von außerhalb des Hauses und durch Mittel, welche nicht das Haus, sondern „Betriebe" aller Art: Schule, Buchhandel, Theater, Konzertsaal, Vereine, Versammlungen, ihm liefern. Er kann die Hausgemeinschaft nicht mehr als die Trägerin derjenigen objektiven Kulturgüter anerkennen, in deren Dienst er sich stellt, und es ist nicht eine als sozialpsychische „Stufe" auftretende Zunahme des „Subjektivismus", sondern der die Zunahme bedingende *objektive* Sachverhalt, welcher jene Verkleinerung der Hausgemeinschaften begünstigt. Dabei ist nicht zu übersehen, daß es auch Hemmungen dieser Entwicklung gibt und zwar gerade auf den „höchsten" Stufen der ökonomischen Skala. Auf agrarischem Gebiet ist die Möglichkeit freier Teilung des Bodens an technisch-ökonomische Bedingungen geknüpft: ein mit wertvollen Baulichkeiten belastetes in sich abgerundetes Gut, selbst ein großes Bauerngut, kann nur mit Verlusten geteilt werden. Die Teilung wird technisch erleichtert durch Gemengelage von Äckern und Dorfsiedelung, erschwert durch isolierte Lage. Einzelhöfe und größere kapitalintensive Besitzungen neigen daher zur Einzelerbfolge, der kleine, im Gemenge liegende arbeitsintensiv bewirtschaftete Besitz zur immer weiteren Zersplitterung, um so mehr als der erstere ein weit geeigneteres Objekt für die Belastung mit Tributrechten an den beweglichen Besitz in Gestalt unserer zur Vermögensanlage geeigneten Dauerhypotheken und Pfandbriefe ist, die ihn zugunsten der Gläubiger zusammenschmieden. Der große Besitzer ferner lockt, einfach weil er Besitz und als solcher Träger einer sozialen Position ist, schon an sich zur Zusammenhaltung in der Familie, im Gegensatz zu dem kleinbäuerlichen Boden, der bloße Arbeitsstätte ist. Das seigneuriale Niveau der Lebensführung, welches seinen Stil in festgefügten Konventionen findet, begünstigt das subjektive Ertragen großer Hausgemeinschaften, welche, in der Weiträumigkeit etwa eines Schlosses und bei der auf diesem Unterbau sich von selbst einstellenden „inneren Distanz" auch zwischen den nächsten Angehörigen, den Einzelnen nicht in dem Maße in der von ihm beanspruchten Freiheitssphäre beengt, wie ein an Personenzahl ebensogroßer, räumlich aber begrenzterer und des adligen Distanzgefühls entbehrender bürgerlicher Haushalt es gegenüber seinen, in ihren Lebensinteressen meist weit mehr differenzierten Insassen tut. Außerhalb jener seigneurialen Lebensformen ist die große Hausgemeinschaft heute nur etwa auf dem Boden intensivster ideeller Gemeinschaft einer sei es religiösen oder etwa sozial-ethischen oder auch künstlerischen Sekte eine adäquate Lebensform – entsprechend Klöstern und klosterartigen Gemeinschaften der Vergangenheit.

Auch dort wo die Hauseinheit äußerlich ungetrennt erhalten bleibt, schreitet im Verlauf der Kulturentwicklung der *innere* Zersetzungsprozeß des Hauskommunismus durch die zunehmende „Rechenhaftigkeit" unaufhaltsam fort. Wir betrachten hier die Art der Wirkung dieses Motivs noch etwas näher.

In den großen kapitalistischen Hausgemeinschaften der mittelalterlichen Städte (z. B. Florenz) hat schon jeder Einzelne sein „Konto". Er hat ein Taschengeld (danari borsinghi) zur freien Verfügung. Für bestimmte Ausgaben (z. B. Logierbesuch, den der Einzelne einlädt) sind Maxima vorgeschrieben. Im übrigen wird mit ihm abgerechnet, wie in jedem modernen Handelsgeschäft unter den Teilhabern. Er hat Kapitalanteile „innerhalb" der Gemeinschaft und Vermögen („fuori della compagnia"), welches er zwar in ihren Händen läßt und welches sie ihm verzinst, das aber nicht als Kapital gerechnet wird und daher nicht am Gewinn teilnimmt. An die Stelle der „geborenen" Teilnahme am Gemeinschaftshandeln des Hauses mit seinen Vorteilen und Pflichten ist also eine rationale Vergesellschaftung getreten. Der Einzelne wird in die Hausgemeinschaft zwar „hineingeboren", aber er ist als Kind schon potentieller „Kommis" und „Kompagnon" des rational geordneten Erwerbsgeschäfts, welches durch die Gemeinschaft getragen wird. Es liegt offen zutage, daß eine solche Behandlung erst auf dem Boden reiner *Geldwirtschaft* möglich wurde und daß deren Entfaltung also die führende Rolle bei dieser inneren Zersetzung spielt. Die Geldwirtschaft ergibt einerseits die objektive *Berechenbarkeit* der individuellen Erwerbsleistungen der Einzelnen und ihres Verbrauchs und eröffnet ihnen nach der anderen Seite – durch die Entfaltung des geldvermittelten „indirekten Tauschs" überhaupt erst die Möglichkeit, individuelle Bedürfnisse frei zu befriedigen.

Keineswegs freilich ist der Parallelismus von Geldwirtschaft und Schwächung der Hausautorität ein auch nur annähernd vollständiger. Hausgewalt und Hausgemeinschaft stellen vielmehr den jeweiligen ökonomischen Bedingungen gegenüber trotz deren großer Bedeutung ein an sich selbständiges, von ihnen aus gesehen: irrationales, Gebilde dar, welches oft seinerseits durch seine historisch gegebene Struktur die ökonomischen Beziehungen stark beeinflußt. Die ungebrochene Fortdauer der patria potestas des römischen Familienhaupts bis an sein Lebensende z. B. ist in ihrer Entstehung teils ökonomisch und sozial, teils politisch, teils religiös bedingt gewesen (Zusammenhalt des Vermögens des vornehmen Hauses, militärische Gliederung nach Sippen und, vermutlich, Häusern, Hauspriesterstellung des Vaters). Sie hat aber die denkbar verschiedensten ökonomischen Entwicklungsstadien überdauert, ehe sie, unter den politischen Bedingungen der Kaiserzeit, auch den Kindern gegenüber Abschwächungen erfuhr. In China ist der gleichartige Zustand durch das, von dem Pflichtenkodex ins Extrem gesteigerte, von der Staatsgewalt und bürokratischen Standesethik des Konfuzianismus auch aus Zwecken politischer Domestikation der Untertanen geförderte, Pietätsprinzip bedingt, dessen Durchführung teilweise (so in den Trauervorschriften) immer wieder zu nicht nur ökonomisch, sondern auch politisch undurchführbaren und bedenklichen Konsequenzen führte (massenhafte Ämtervakanzen, weil die Pietät gegen den toten Hausvater – ursprünglich: die Angst vor dem Neid des Toten – wie die Nichtbenutzung andren Besitzes, so den Verzicht auf das Amt fordert). Ganz ebenso ist die Antwort auf die Frage: ob nach dem Tode des Hausherrn Einzelnachfolge (oder Anerbenrecht) oder Teilung stattfindet, zwar, wie dargelegt, in ihrem Ursprung sehr stark ökonomisch bedingt gewesen und unter ökonomischen Einflüssen auch wandelbar, aber (wie namentlich die modernen Arbeiten Serings u. A. gezeigt haben) schlechterdings nicht rein ökonomisch, vollends aber nicht aus den heutigen ökonomischen Bedingungen, ableitbar. Denn unter gleichartigen Bedingungen und in unmittelbarer Nachbarschaft bestehen darin sehr oft, speziell nach der ethnischen Zugehörigkeit (z. B. Polen oder Deutsche) ganz verschiedene Systeme. Die weittragenden ökonomischen Folgen dieser verschiedenen Strukturen resultieren also aus ökonomisch oft weitgehend, entweder von Anfang an irrationalen oder, infolge Änderung der ökonomischen Bedingungen, irrational gewordenen Motiven.

Unbeschadet dessen greifen aber doch die ökonomischen Tatbestände in einschneidender Weise ein. Vor allem bestehen charakteristische Unterschiede, je nachdem der Erwerb mehr dem Ertrag gemeinsamer Arbeit oder mehr dem gemeinsamen Besitze zugerechnet wird. Ersterenfalls ist die Hausgewalt, mag sie an sich noch so autokratisch sein, oft labil in ihrem Bestande. Die bloße Trennung vom Elternhaus zwecks Begründung eines eigenen Haushalts genügt, um sich der Hausgewalt zu entziehen. So meist bei den großen Hausgemeinschaften primitiver Ackerbauvölker. Die sog. „emancipatio legis Saxonicae" des deutschen Rechts hat ihren ökonomischen Grund sicherlich in der zur Zeit ihrer Entstehung vorwiegenden Bedeutung der persönlichen Arbeitsleistung. Dagegen ist die Hausgewalt dort besonders unzerbrechlich, wo Viehbesitz, überhaupt aber Besitz als solcher die vornehmliche Grundlage der Existenz bildet. Namentlich der Bodenbesitz, sobald der Bodenüberfluß sich in Bodenknappheit verwandelt hat. Überall ist der feste Zusammenhalt des Geschlechtes, aus den schon mehrfach erwähnten Gründen, ein spezifisches Attribut des Grundadels und der grundbesitzlose oder grundbesitzarme Mann entbehrt überall auch des Geschlechtsverbandes. Der gleiche Unterschied aber findet sich auf kapitalistischer Stufe wieder. Zur gleichen Zeit, wo die Florentiner und andere norditalienischen großen Hausgemeinschaften das Prinzip der Solidarhaft und der Zusammenhaltung des Besitzes vertraten, war in Handelsplätzen des Mittelmeers, speziell auch Siziliens und Süditaliens, das gerade Umgekehrte der Fall: jeder erwachsene Hausgenosse konnte jederzeit die Abschichtung mit seinem Anteil schon bei Lebzeiten des Erblassers verlangen, und auch die persönliche Solidarhaft nach außen bestand nicht. Bei jenen norditalienischen Familienbetrieben stellte das ererbte Kapital schon in höherem Grade die Grundlage der ökonomischen Machtstellung dar als die persönliche Erwerbsarbeit der Beteiligten. Im Süden dagegen war das Umgekehrte der Fall und wurde der gemeinsame Besitz daher als Produkt gemeinsamer Arbeit behandelt. Mit steigender Bedeutung des Kapitals gewann die erstere Behandlung an Boden. Die in einer theoretisch konstruierbaren Reihe der Entwicklungsstufen, vom ungebrochenen Gemeinschaftshandeln an gerechnet, „spätere", kapitalistische, Wirtschaftsform bedingt hier die theoretisch „frühere" Struktur: größere Gebundenheit der Haushörigen und größere Ungebrochenheit der Hausgewalt. – Eine weit gewichtigere und dem *Okzident eigentümliche* Umformung der Hausgewalt und Hausgemeinschaft aber hatte sich deutlich schon in diesen Florentiner und den ihnen gleichartigen kapitalistisch erwerbenden Hausgemeinschaften des Mittelalters vollzogen. Die Ordnungen für das gesamte ökonomische Leben der großen Hausgemeinschaft werden periodisch durch *Kontrakte* geregelt. Und während ursprünglich dabei die Regelung des „Taschengeldes" mit der Regelung der Geschäftsorganisation in Eins geht, änderte sich das allmählich. Der kontinuierlich gewordene kapitalistische Erwerb wurde ein gesonderter „Beruf", ausgeübt innerhalb eines „*Betriebes*", der sich im Wege einer Sondervergesellschaftung aus dem hausgemeinschaftlichen Handeln zunehmend in der Art aussonderte, daß die alte Identität von Haushalt, Werkstatt und Kontor, wie sie der ungebrochenen Hausgemeinschaft und auch dem später zu erörternden „Oikos" des Altertums selbstverständlich war, zerfiel. Zunächst schwand die reale Hausgemeinschaft als notwendige Basis der Vergesellschaftung im gemeinsamen Geschäft. Der Kompagnon ist nicht mehr notwendig (oder doch normalerweise) Hausgenosse. Damit mußte man notwendig das Geschäftsvermögen vom Privatbesitz des einzelnen Teilhabers trennen. Ebenso schied sich nun der Angestellte des Geschäfts vom persönlichen Hausdiener. Vor allem mußten die Schulden des Handlungshauses als solche von den privaten Haushaltsschulden der einzelnen Teilhaber unterschieden und die Solidarhaft der Teilhaber auf die ersteren beschränkt werden, welche man nun daran erkannte, daß sie unter der „Firma", dem Gesellschaftsnamen des Geschäftsbetriebes abgeschlossen waren. Das Ganze ist offensichtlich eine genaue Parallelentwicklung zu der bei der Analyse der „Herrschaft" zu besprechenden Sonderung des bürokratischen Amtes als „Berufs" aus dem Privatleben, des „Büros" aus dem Privathaushalt des Beamten, des aktiven und passiven Amtsvermögens von seinem Privatvermögen, der Amtshandlungen von seinen Privatgeschäften. Der kapitalistische „Betrieb", den derart die Hausgemeinschaft aus sich heraus setzt und aus dem sie sich zurückzieht, zeigt so im Keime schon die Ansätze der Verwandtschaft mit dem „Büro" und zwar jener heute offensichtlichen Bürokratisierung auch des Privatwirtschaftslebens. Aber nicht etwa die *räumliche* Sonderung des Haushalts von der Werkstatt und dem Laden ist hier das entscheidende Entwicklungsmoment. Denn diese ist gerade dem Bazarsystem des Orients, welches durchweg auf der für islamische Städte charakteristischen Trennung von Burg (Kasbeh), Bazar (Suk) und Wohnstätten beruht, eigentümlich. Sondern die „buchmäßige" und *recht*liche Scheidung von „Haus" und „Betrieb" und die Entwicklung eines auf diese Trennung zugeschnittenen Rechts: Handelsregisters, Abstreifung der Familiengebundenheit der Assoziation und der Firma, Sondervermögen der offenen und Kommanditgesellschaft und entsprechende Gestaltung des Konkursrechts. Daß diese fundamental wichtige Entwicklung dem Okzident eigentümlich ist und nur hier die Rechtsformen unseres noch heute geltenden Handelsrechts fast alle schon im Mittelalter entwickelt sind, – während sie dem Recht des Altertums mit seinem quantitativ in manchen Zeiten großartiger entwickelten Kapitalismus fast ganz fremd geblieben waren, – dies gehört in den Kreis jener zahlreichen Erscheinungen, welche die *qualitative* Einzigartigkeit der Entwicklung zum *modernen* Kapitalismus mit am deutlichsten kennzeichnen. Denn sowohl die Zusammenhaltung des Vermögens der Familien zum Zweck gegenseitiger ökonomischer Stützung wie die Ansätze der Entwicklung einer „Firma" aus dem Familiennamen finden wir z. B. auch in China. Auch hier steht die Solidarhaft der Familie hinter den Schulden des Einzelnen. Die im Geschäftsverkehr übliche Bezeichnung einer Handlung gibt auch hier über den wirklichen Inhaber keine Auskunft: die „Firma" ist auch hier an den Geschäftsbetrieb und nicht an den Haushalt gebunden. Aber die konsequente Entwicklung eines Sondervermögens- und entsprechenden Konkursrechts nach europäischer Art scheint zu fehlen. Vor allem aber gilt zweierlei: Assoziation ebenso wie Kredit waren bis in die Gegenwart der Tatsache nach im höchsten Grade an Sippengemeinschaft gebunden. Und auch die Zwecke der Zusammenhaltung des Vermögens in den wohlhabenden Sippen und der gegenseitigen Kreditgewährung innerhalb der Sippe waren spezifisch andre. Nicht vornehmlich um kapitalistischen Gewinn, sondern vornehmlich um Zusammenbringung der Kosten für die Vorbereitung von Familiengliedern zum Examen und nachher für den Kauf eines Amts für ihn handelte es sich. War das Amt einmal erlangt, dann gab es den Verwandten die Chance, aus den legalen und noch mehr den illegalen Einkünften die es abwarf, ihre Auslagen mit Gewinn erstattet zu erhalten und daneben noch die Protektion des Amtsinhabers sich zunutze zu machen. Die Chancen des politisch, nicht des ökonomisch bedingten Erwerbs also waren es, die hier zum „kapitalistischen" Zusammenhält der, auch und gerade der ökonomisch starken, Familie führten. – Die wenigstens formal völlig von aller sippenhaften und persönlichen Unterlage losgelöste Art der kapitalistischen Assoziation, unserer „Aktiengesellschaft" entsprechend, findet ihre Antezedenzien im Altertum wesentlich nur auf dem Gebiet des politisch orientierten Kapitalismus: für die Steuerpächtergesellschaften, im Mittelalter zunächst ebenfalls teils für kolonisatorische Unternehmungen (wie die Großkommanditen der Maone in Genua), teils für Staatskredit (wie die Gläubigerassoziation in Genua, welche die Stadtfinanzen faktisch in Sequester hatte). Innerhalb des Privaterwerbs ist die rein geschäftliche und rein kapitalistische Assoziation zunächst ganz der Art des Gelegenheitshandelns entsprechend – nur in Form der Gelegenheitsgesellschaft (commenda) für den Fernhandel (Kapitaleinlage eines Geldgebers bei einem reisenden Kaufmann für die konkrete Reise mit Gewinn- und Verlustteilung) entwickelt, die sich schon im altbabylonischen Recht und dann ganz universell findet. Die von der politischen Gewalt monopolistisch privilegierten Unternehmungen, namentlich die Kolonialunternehmungen in Form von Aktiengesellschaften bildeten dann den Übergang zur Verwendung dieser Formen auch im rein privaten Geschäft.

§ 7. Die Entwicklung zum „Oikos".

Diese Unternehmungsformen, welche als Unterlage eines kapitalistischen Betriebs, dessen radikalste Loslösung von der urwüchsigen Identität mit der Hausgemeinschaft bedeuten, haben uns hier nicht speziell zu beschäftigen. Vielmehr geht uns jetzt eine Evolution der Hausgemeinschaft an, welche einen, in den entscheidenden Punkten gerade entgegengesetzten, Typus zeigt. Der inneren Zersetzung der Hausgewalt und Hausgemeinschaft durch – im weitesten Sinn – „Tausch nach außen" und seine Folgen bis zur Geburt des kapitalistischen „Betriebes" steht als eine gerade entgegengesetzte Art der Entwicklung gegenüber: die *innere Gliederung* der Hausgemeinschaft: ihre Ausgestaltung zum *„Oikos"*, wie Rodbertus die hier zu besprechende Erscheinung genannt hat. Ein „Oikos" im technischen Sinne ist nicht etwa einfach jede „große" Hausgemeinschaft oder jede solche, die mannigfache Produkte, z. B. gewerbliche neben landwirtschaftlichen, in Eigenproduktion herstellt, sondern er ist der autoritär geleitete Großhaushalt eines Fürsten, Grundherrn, Patriziers, dessen letztes Leitmotiv nicht kapitalistischer *Gelderwerb*, sondern organisierte naturale *Deckung des Bedarfs des Herrn* ist. Dazu kann er sich aller Mittel, auch des Tauschs nach außen, in größtem Maßstab bedienen. Entscheidend bleibt: daß das formende Prinzip für ihn „Vermögensnutzung" und nicht „Kapitalverwertung" ist. Der „Oikos" bedeutet seinem entscheidenden Wesen nach: organisierte Bedarfsdeckung, mögen ihm zu diesem Zweck auch erwerbswirtschaftliche Einzelbetriebe angegliedert sein. Zwischen beiden Prinzipien gibt es natürlich eine Skala unmerklicher Übergänge und auch ein häufiges Gleiten und Umschlagen vom einen in das andre. In der Realität des Empirischen ist der „Oikos", bei irgend entwickelter materieller Kultur, in wirklich rein gemeinwirtschaftlicher Form notwendig selten. Denn ganz rein, d. h. unter dauernder Ausschaltung des Tauscherwerbsgesichtspunkts kann er allerdings nur bestehen, wenn er, mindestens dem Streben nach, in ökonomischer „Autarkie", d. h. also: als mög-

lichst tauschlose Eigenwirtschaft auftritt. Ein Apparat von haushörigen Arbeitskräften mit oft sehr weitgehender Arbeitsspezialisierung
erzeugt dann den gesamten, nicht nur ökonomischen, sondern auch
militärischen und sakralen, Bedarf des Herrn an Gütern und persönlichen Diensten, der eigene Boden gibt alle Rohstoffe her, eigene
Werkstätten mit eigenhörigen Arbeitskräften erzeugen alle anderen
Sachgüter, eigenhörige Dienstboten, Beamte, Hauspriester, Kriegs-
mannen beschaffen die sonstigen Leistungen, und der Tausch dient
nur allenfalls der Abstoßung gelegentlicher Überschüsse und der
Ergänzung des schlechterdings nicht selbst Erzeugbaren. Dies ist ein
Zustand, welchem in der Tat die Königswirtschaften des Orients,
namentlich Ägyptens, und in kleinerem Maßstab die Wirtschaft der
Adligen und Fürsten des homerischen Typus sich weitgehend annähern und mit dem die Hofhaltungen der Perser- und auch der Frankenkönige starke Verwandtschaft besitzen, in dessen Richtung sich die
Grundherrschaften der römischen Kaiserzeit mit zunehmendem Umfang, zunehmender Knappheit der Sklavenzufuhr und zunehmender
bürokratischer und leiturgischer Einengung des kapitalistischen Erwerbs zunehmend entwickelten – während die mittelalterlichen
Grundherrschaften im ganzen mit wachsender allgemeiner Bedeutung des Güterverkehrs, der Städte und der Geldwirtschaft die gerade entgegengesetzte Entwicklungstendenz zeigten. Rein eigenwirtschaftlich ist aber der Oikos in all diesen Formen niemals gewesen.
Der Pharao trieb auswärtigen Handel und ebenso die große Mehrzahl gerade der primitiven Könige und Adligen des Mittelmeer-
beckens: sehr wesentlich auch auf dessen Erträgen beruhten ihre
Schätze. Die Einnahmen der Grundherren enthielten schon im Frankenreich zum erheblichen Teil Geld oder geldeswerte Bezüge und
Renten aller Art. Die Kapitularien setzen den Verkauf der für den
Bedarf des Hofes und Heeres nicht erforderlichen Überschüsse der
königlichen fisci als ziemlich regelmäßige Erscheinung voraus. Die
unfreie Arbeitskräfte der großen Boden- und Menschenbesitzer
sind in allen näher bekannten Beispielen nur zum Teil gänzlich in die
Herrenwirtschaft gebannt gewesen. Im strengen Sinn gilt dies für die
persönlichen Dienstboten und für diejenigen anderen Arbeitskräfte,
welche in einer gänzlich der naturalen Bedarfsdeckung des Herrn
dienenden Wirtschaft tätig sind und vom Herrn vollständig verpflegt
werden auf der einen Seite: „eigenwirtschaftliche Verwendung" – andererseits aber gerade auch für solche unfreie Arbeiter, welche der
Herr in einem eigenen Betrieb für den Markt arbeiten ließ, wie die
karthagischen, sizilianischen und römischen Grundherren ihre kaser-

nierten Sklaven in den Plantagen oder wie etwa der Vater des Demosthenes seine Sklaven in seinen beiden Ergasterien, und wie in moderner Zeit russische Grundherren ihre Bauern in ihren „Fabriken": – „erwerbswirtschaftliche Verwendung". Diese Plantagen- und Ergasterien-Sklaven aber sind zum sehr bedeutenden Bruchteil Kaufsklaven, also ein auf dem Markt gekauftes, nicht selbst erzeugtes Produktionsmittel. Im eignen Haushalt erzeugte unfreie Arbeiter setzen die Existenz von unfreien „Familien" voraus, also eine Dezentralisierung der Hausgebundenheit und normalerweise einen teilweisen Verzicht auf restlose Ausnutzung der Arbeitskraft für den Herren. Weitaus die Mehrzahl solcher erblich unfreien Arbeitskräfte wird daher nicht in zentralisierten Betrieben verwendet, sondern hat dem Herrn nur einen Teil ihrer Leistungsfähigkeit zur Verfügung zu stellen oder liefert ihm Abgaben in mehr oder minder willkürlicher oder traditionsgebundener Höhe, sei es in Naturalien, sei es in Geld. Ob der Herr vorzieht, die Unfreien als Arbeitskräfte oder als Rentenfonds zu benutzen, hängt vor allem davon ab, wie er sie am einträglichsten verwerten kann. Familienlose Kasernensklaven setzen zur Ergänzung des Arbeiterbedarfs große Billigkeit und Stetigkeit des Sklavenangebots, also stetige Menschenraubkriege und billige Ernährung der Sklaven: südliches Klima, voraus. Erblich abhängige Bauern ferner können Geldabgaben nur zahlen, wenn sie ihre Produkte auf einen ihnen zugänglichen, also im allgemeinen: einen lokalen, Markt bringen können, wenn mithin die Städte des Gebiets entwickelt sind. Wo die städtische Entwicklung dürftig war und also die Ernte nur durch Export voll verwertet werden konnte, – wie im deutschen und europäischen Osten in der beginnenden Neuzeit im Gegensatz zum Westen und auf der „schwarzen Erde" Rußlands im 19. Jahrhundert, – da war die Benutzung der Bauern als Arbeitskräfte in einer eigenen Fronwirtschaft des Herrn oft der einzige Weg, sie zur Erzielung von Geldeinnahmen nutzbar zu machen und entwickelte sich daher innerhalb des „Oikos" ein landwirtschaftlicher „Großbetrieb". Die Schaffung von eignen gewerblichen Großbetrieben mit unfreien Arbeitskräften oder unter Zuhilfenahme oder ausschließlicher Verwendung gemieteter unfreier oder noch freier Arbeitskräfte in eignen oder auch in gemieteten Ergasterien kann den Herren eines Oikos, der sich solche Betriebe angliedert, ganz dicht an einen kapitalistischen Unternehmer heranrücken oder ganz in einen solchen umschlagen lassen, wie dies z. B. bei den Schöpfern der schlesischen „Starosten-Industrie" vollständig geschehen ist. Denn nur der letzte *Sinn*: rentenbringende Nutzung eines vorhandenen Vermögensbestandes, charakterisiert

den „Oikos", und dieser kann von einem primären Verwaltungs-
interesse vom Unternehmerkapital tatsächlich ununterscheidbar und
schließlich auch inhaltlich mit ihm identisch werden. Innerhalb einer
„Starosten-Industrie" wie der schlesischen ist z. B. der Umstand, der
an die grundherrliche Entstehung erinnert, vor allem die Art der
Kombination verschiedener Unternehmungen: etwa riesiger Forstbe-
triebe mit Ziegeleien, Brennereien, Zuckerfabriken, Kohlengruben,
also: von Betrieben, welche nicht so verknüpft sind, wie etwa eine
Reihe von Betrieben die miteinander in einer modernen „kombinierten" oder „gemischten" Unternehmung vereinigt werden, weil sie
verschiedene Verarbeitungsstadien der gleichen Rohstoffe: Ausnutzung von Nebenprodukten und Abfall enthalten oder sonst durch
*Markt*bedingungen verbunden werden. Allein der Grundherr, der an
seine Kohlengruben ein Hüttenwerk und eventuell Stahlwerke, an
seine Forstwirtschaft Sägmühlen und Zellulosefabriken angliedert,
kann praktisch dasselbe Ergebnis herbeiführen und nur der Ausgangspunkt, nicht das Resultat, sind dann hier und dort verschieden.
Ansätze zu durch den Besitz eines Rohstoffs gegebenen Kombinationen finden sich schon auf dem Boden der Ergasterien der Antike.
Der Vater des Demosthenes, einer attischen Kaufmannsfamilie ent-
stammend, war Importeur von Elfenbein, welches er (τω βουλομε-
ῶω) verkaufte und das zur Einlage sowohl in Messergriffe wie in Mö-
bel verwendet wurde. Er hatte schon begonnen, eigne angelernte
Sklaven in eigner Werkstatt Messer herstellen zu lassen und mußte
von einem zahlungsunfähigen Möbeltischler dessen Ergasterion,
d. h. wesentlich: die darin arbeitenden Sklaven, übernehmen. Er kombinierte von dem Besitze je ein Messerschmiede- und ein Tischler-
Ergasterion. Die Entwicklung der Ergasterien hat dann auf helleni-
stischem, besonders wohl alexandrischem und auch noch auf altisla-
mischem Boden Fortschritte gemacht. Die Ausnutzung *gewerb*licher
unfreier Arbeitskräfte als Rentenquelle ist im ganzen Altertum, im
Orient wie im Okzident, im frühen Mittelalter und in Rußland bis
zur Aufhebung der Leibeigenschaft üblich gewesen. Der Herr vermietet seine Sklaven als Arbeitskräfte: so tat Nikias mit ungelernten
Sklaven in größtem Maßstab an die Bergwerksbesitzer. Er läßt sie
eventuell zum Zweck besserer Verwertung zu gelernten Handwerkern
ausbilden, was sich im ganzen Altertum, angefangen von einem
Kontrakt, in dem der Kronprinz Kambyses als Besitzer des Lehr-
meisters genannt ist, bis zu den Pandekten ganz wie noch in Rußland
im 18. und 19. Jahrhundert findet. Oder er überläßt es ihnen, nachdem er sie hat ausbilden lassen, ihre Arbeitskraft als Handwerker zu

eigenem Nutzen zu verwerten, und sie müssen ihm dafür eine Rente (griechisch: apophora, babylonisch: mandaku, deutsch: Halssteuer, russisch: obrok) zahlen. Der Herr kann ihnen dabei auch die Arbeitsstätte stellen und sie mit Betriebsmitteln (peculium) und Erwerbskapital (merx peculiaris) ausrüsten. Von einer, der Tatsache nach, fast völligen Bewegungsfreiheit bis zu gänzlicher Einschnürung in eine kasernenartige Existenz im Eigenbetrieb des Herrn sind alle denkbaren Zwischenstufen historisch bezeugt. Die nähere ökonomische Eigenart der so, sei es in der Hand des Herren, sei es in der der Abhängigen, auf dem Boden des Oikos erwachsenen „Betriebe" gehört im einzelnen in einen anderen Problemkreis. Die Entwicklung des „Oikos" zur patrimonialen Herrschaft dagegen werden wir im Zusammenhang mit der Analyse der Herrschaftsformen zu betrachten haben.

Kapitel III. Ethnische Gemeinschaften.

§ 1. Die „Rasse".

Eine weit problematischere Quelle für Gemeinschaftshandeln als die bisher ermittelten Tatbestände ist der wirklich auf Abstammungsgemeinsamkeit beruhende Besitz gleichartiger ererbter und vererblicher Anlagen, die „Rassenzugehörigkeit". Sie führt zu einer „Gemeinschaft" natürlich überhaupt nur dann, wenn sie subjektiv als gemeinsames Merkmal empfunden wird, und dies geschieht nur, wenn örtliche Nachbarschaft oder Verbundenheit Rassenverschiedener zu einem (meist: politischen) gemeinsamen Handeln oder umgekehrt: irgendwelche gemeinsame Schicksale des rassenmäßig Gleichartigen mit irgendeiner *Gegensätzlichkeit* der Gleichgearteten gegen *auffällig* Andersgeartete verbunden ist. Das dann entstehende Gemeinschaftshandeln pflegt sich generell nur rein negativ: als Absonderung und Verachtung oder umgekehrt abergläubische Scheu gegenüber den in auffälliger Weise Andersgearteten zu äußern. Der seinem äußeren Habitus nach Andersartige wird, mag er „leisten" und „sein" was er wolle, schlechthin als solcher verachtet oder umgekehrt, wo er dauernd übermächtig bleibt, abergläubisch verehrt. Die Abstoßung ist dabei das Primäre und Normale. Nun ist aber 1. diese Art von „Abstoßung" nicht nur den Trägern anthropologischer Gemeinsamkeiten gegeneinander eigen, und auch ihr Maß wird keineswegs durch den

Grad der anthropologischen Verwandtschaft bestimmt, und 2. knüpft sie auch und vor allem keineswegs nur an ererbte, sondern ganz ebenso an andere auffällige Unterschiede des äußeren Habitus an.

Wenn man den Grad von objektiver Rassenverschiedenheit rein physiologisch unter anderem auch darnach bestimmen kann, ob die Bastarde sich in annähernd normalem Maße fortpflanzen oder nicht, so könnte man die subjektive gegenseitige rassenmäßige Anziehung und Abstoßung in ihrem Stärkegrade darnach bemessen wollen, ob Sexualbeziehungen gern oder selten, normalerweise als Dauerbeziehungen oder wesentlich nur temporär und irregulär, angeknüpft werden. Das bestehende oder fehlende Konnubium wäre dann naturgemäß bei allen zu einem „ethnischen" Sonderbewußtsein entwickelten Gemeinschaften eine normale Konsequenz rassemäßiger Anziehung oder Absonderung. Die Erforschung der sexuellen Anziehungs- und Abstoßungsbeziehungen zwischen verschiedenen ethnischen Gemeinschaften steht heute erst im Anfang exakter Beobachtungen. Es ist nicht der mindeste Zweifel, daß für die Intensität des Sexualverkehrs und für die Bildung von Konnubialgemeinschaften *auch* rassenmäßige, also durch Abstammungsgemeinschaft bedingte Momente eine Rolle spielen, zuweilen die ausschlaggebende. Aber gegen die „Urwüchsigkeit" der sexuellen Rassenabstoßung, selbst bei einander sehr fernstehenden Rassen, sprechen schließlich doch z. B. die mehreren Millionen Mulatten in den Vereinigten Staaten deutlich genug. Die, neben den direkten Eheverboten der Südstaaten, jetzt von beiden Seiten, neuerdings auch von derjenigen der Neger, durchgeführte Perhorreszierung jeder sexuellen Beziehung zwischen den beiden Rassen überhaupt ist erst das Produkt der mit der Sklavenemanzipation entstandenen Prätentionen der Neger, als gleichberechtigte Bürger behandelt zu werden, also: *sozial* bedingt durch die, uns dem Schema nach bekannten, in diesem Fall an die Rasse anknüpfenden, Tendenzen zur Monopolisierung von sozialer Macht und Ehre. Das „Konnubium" überhaupt, also der Tatbestand: daß Abkömmlinge aus sexuellen Dauergemeinschaften von einer politischen oder ständischen oder ökonomischen Gemeinschaft des Vaters zur gleichartigen Beteiligung am Gemeinschaftshandeln und seinen Vorteilen für die Beteiligten zugelassen werden, hängt von mannigfachen Umständen ab. Unter der Herrschaft der ungebrochenen väterlichen Hausgewalt, von der später zu reden sein wird, lag es gänzlich im Ermessen des Vaters, beliebige Sklavinnenkinder als gleichberechtigt zu behandeln. Die Verklärung des Frauenraubs des Helden vollends machte die Rassenmischung in der Herrenschicht direkt zur Regel. Erst die, uns dem Schema nach bekannte Tendenz zur monopolistischen Abschließung politischer oder ständischer oder anderer Gemeinschaften und zur Monopolisierung der Ehechancen schränkt diese Macht des Hausvaters zunehmend ein und schafft die strenge Einschränkung des Konnubium auf die Abkömmlinge aus sexuellen Dauergemeinschaften innerhalb der eigenen (ständischen, politischen, kultischen, ökonomischen) Gemeinschaft, damit zugleich aber eine höchst wirksame Inzucht. Die „Endogamie" einer Gemeinschaft – wenn man darunter nicht das bloße Faktum, daß geschlechtliche Dauerbeziehungen vorwiegend auf der Basis der Zugehörigkeit zu einem wie immer gearteten Verband zustande kommen, sondern einen Ablauf des Gemeinschaftshandelns versteht, derart, daß nur endogen gezeugte Abkömmlinge als gleichstehende Genossen des Gemeinschaftshandelns akzeptiert werden – ist wohl überall sekundäres Produkt solcher Tendenzen. (Von einer „Sippen"-Endogamie sollte man nicht reden; sie existiert nicht oder nur dann, wenn man Erscheinungen wie die Leviratsehe und das Erbtochterrecht, die sekundären, religiösen und politischen Ursprungs sind, mit diesem Namen bezeichnen wollte.) Die Reinzüchtung anthropologischer Typen ist sehr oft sekundäre Folge derartiger, wie immer bedingter Abschließungen, bei Sekten (Indien) sowohl wie bei „Pariavölkern", d. h. Gemeinschaften, welche zugleich sozial verachtet und dennoch um einer unentbehrlichen, von ihnen monopolisierten Sondertechnik willen als Nachbarn gesucht werden.

Nicht nur die Tatsache, daß, sondern auch der Grad, in welchem das reale Blutsband als solches beachtet wird, ist durch andere Gründe als das Maß der objektiven Rassenverwandtschaft mitbestimmt. Der winzigste Tropfen Negerblut disqualifiziert in den Vereinigten Staaten unbedingt, während sehr beträchtliche Einschüsse indianischen Blutes es nicht tun. Neben dem zweifellos mitspielenden, ästhetisch gegenüber den Indianern noch fremdartigeren Gepräge der Vollblutneger wirkt dabei ohne alle Frage die Erinnerung mit, daß es sich bei den Negern im Gegensatz zu den Indianern um ein Sklavenvolk, also eine ständisch disqualifizierte Gruppe handelt. Ständische, also anerzogene Unterschiede und namentlich Unterschiede der „Bildung" (im weitesten Sinn des Wortes) sind ein weit stärkeres Hemmnis des konventionellen Konnubium als Unterschiede des anthropologischen Typus. Der bloße anthropologische Unterschied entscheidet, von den extremen Fällen ästhetischer Abstoßung abgesehen, durchweg nur in geringem Maße.

Die Frage aber, ob die als auffällig abweichend und also scheidend empfundenen Differenzen auf „Anlage" oder „Tradition" beruhen, ist für ihre Wirksamkeit auf die gegenseitige Anziehung oder Abstoßung normalerweise gänzlich bedeutungslos. Dies gilt für die Entwicklung endogamer Konnubialgemeinschaften, und es gilt natürlich erst recht für die Anziehung und Abstoßung im sonstigen „Verkehr", dafür also, ob freundschaftliche, gesellige oder ökonomische Verkehrsbeziehungen und Gemeinschaftsbildungen aller Art zwischen solchen Gruppen leicht und auf dem Fuße gegenseitigen Vertrauens und gegenseitiger Behandlung als gleichartig und gleichwertig oder nur schwer und unter Vorkehrungen, welche Mißtrauen bekunden, angeknüpft werden. Die größere oder geringere Leichtigkeit des Entstehens einer sozialen *Verkehrsgemeinschaft* (im möglichst weiten Sinn des Wortes) knüpft erst recht an die größten Äußerlichkeiten der aus irgend einem zufälligen historischen Grunde eingelebten Unterschiede der äußeren Lebensgewohnheiten genau ebenso an, wie an das rassenmäßige Erbgut. Entscheidend ist vielfach neben der Ungewohntheit abweichender Gepflogenheiten rein als solcher, daß die abweichende „Sitte" in ihrem subjektiven „Sinn" nicht durchschaut wird, weil dazu der Schlüssel fehlt. Aber nicht alle Abstoßung beruht auf dem Fehlen von „Verständnis"-Gemeinschaft, wie wir bald sehen werden. Unterschiede der Bart- und Haartracht, Kleidung, Ernährungsweise, der gewohnten Arbeitsteilung der Geschlechter und alle überhaupt ins Auge fallenden Differenzen, – zwischen deren „Wichtigkeit" oder „Unwichtigkeit" es für die unmittelbare Anziehungs- oder Abstoßungsempfindung ebensowenig Gradunterschiede gibt wie für naive Reisebeschreibungen oder für Herodot oder für die ältere vorwissenschaftliche Ethnographie –, können im Einzelfall Anlaß zur Abstoßung und Verachtung der Andersgearteten und, als positive Kehrseite, zum Gemeinsamkeitsbewußtsein der Gleichgearteten geben, welches dann ganz ebenso leicht Träger einer Vergemeinschaftung werden kann, wie andererseits jede Art von Gemeinschaft, von Haus- und Nachbarverband bis zur politischen und religiösen Gemeinschaft, Träger gemeinsamer Sitte zu sein pflegt. Alle Unterschiede der „Sitten" können ein spezifisches „Ehr"- und „Würde"-Gefühl ihrer Träger speisen. Die ursprünglichen Motive der Entstehung von Verschiedenheiten der Lebensgepflogenheiten werden vergessen und die Kontraste bestehen als „Konventionen" weiter. Wie auf diese Art alle und jede Gemeinschaft sittenbildend wirken kann, so wirkt auch jede in irgendeiner Weise, indem sie mit den einzelnen ererbten Qualitäten verschieden günstige Lebens-, Überlebens- und Fortpflanzungschancen verknüpft, auf die Auslese der anthropologischen Typen, also züchtend, ein, und zwar unter Umständen in höchst wirksamer Art. Wie bei der inneren Ausgleichung steht es auch bei der Unterscheidung nach außen. Die uns dem Schema nach bekannte Tendenz zur monopolistischen Abschließung nach außen kann an jedes noch so äußerliche Moment anknüpfen. Die universelle Macht der „Nachahmung" wirkt im allgemeinen dahin, daß ebenso wie durch Rassenmischung die anthropologischen Typen, so die bloß traditionellen Gepflogenheiten von Ort zu Ort nur in allmählichen Übergängen sich zu ändern pflegen. Scharfe Grenzen zwischen den Verbreitungsgebieten von äußerlich wahrnehmbaren Lebensgepflogenheiten sind daher entweder durch eine bewußte monopolistische Abschließung, welche an kleine Unterschiede anknüpfte, und diese dann geflissentlich pflegte und vertiefte, entstanden. Oder durch friedliche oder kriegerische Wanderungen von Gemeinschaften, welche bis dahin weit entfernt gelebt und sich an heterogene Bedingungen der Existenz in ihren Traditionen angepaßt hatten. Ganz ebenso also, wie auffällig verschiedene, durch Züchtung in der Isolierung entstandene Rassentypen entweder durch monopolistische Abschließung oder durch Wanderung in scharf abgegrenzte Nachbarschaft miteinander geraten. Gleichartigkeit und Gegensätzlichkeit des Habitus und der Lebensgewohnheiten sind, wie sich aus alledem ergibt, ganz einerlei, ob als Erb- oder Traditionsgut beide im Prinzip in ihrer Entstehung und Änderung der Wirksamkeit durchaus den gleichen Bedingungen des Gemeinschaftslebens unterstellt und auch in ihrer eigenen gemeinschaftsbildenden Wirkung gleichartig. Der Unterschied liegt einerseits in der überaus großen Verschiedenheit der Labilität beider, je nachdem sie Erb- oder Traditionsgut sind, und andererseits in der festen (wenn auch im einzelnen oft unbekannten) Grenze der Anzüchtung von neuen Erbqualitäten überhaupt, – der gegenüber, trotz der immerhin auch starken Unterschiede der Übertragbarkeit von Traditionen, doch für die „Angewöhnung" von „Sitten" ein ungemein viel größerer Spielraum besteht.

Fast jede Art von Gemeinsamkeit und Gegensätzlichkeit des Habitus und der Gepflogenheiten kann Anlaß zu dem subjektiven Glauben werden, daß zwischen den sich anziehenden oder abstoßenden Gruppen Stammverwandtschaft oder Stammfremdheit bestehe. Nicht jeder Stammverwandtschaftsglaube zwar beruht auf Gleichheit der Sitten und des Habitus. Es kann auch trotz starker Abweichungen auf diesem Gebiet dann ein solcher bestehen und eine gemeinschaftsbildende Macht entfalten wenn er durch die Erinnerung an reale Abwanderung: Kolonisation oder Einzelauswanderung gestützt wird. Denn die Nachwirkung der Angepaßtheit an das Gewohnte und an Jugenderinnerungen besteht als Quelle des „Heimatsgefühls" bei den Auswanderern auch dann weiter, wenn sie sich der neuen Umwelt derart vollständig angepaßt haben, daß ihnen selbst eine Rückkehr in die Heimat unerträglich wäre (wie z. B. den meisten Deutschamerikanern). In Kolonien überdauert die innere Beziehung zur Heimat der Kolonisten auch sehr starke Mischungen mit den Bewohnern des Koloniallandes und erhebliche Änderungen des Traditionsguts sowohl wie des Erbtypus. Entscheidend dafür ist bei politischer Kolonisation das politische Rückhaltsbedürfnis; allgemein ferner die Fortdauer der durch Konnubium geschaffenen Verschwägerungen und endlich, soweit die „Sitte" konstant geblieben ist, die Absatzbeziehungen, welche, solange diese Konstanz des Bedürfnisstandes dauert, zwischen Heimat und Kolonie, und zwar gerade bei Kolonien in fast absolut fremdartiger Umgebung und innerhalb eines fremden politischen Gebietes, in besonderer Intensität bestehen können. Der Stammverwandtschaftsglaube kann – ganz einerlei natürlich, ob er objektiv irgendwie begründet ist – namentlich für die politische Gemeinschaftsbildung wichtige Konsequenzen haben. Wir wollen solche Menschengruppen, welche auf Grund von Ähnlichkeiten des äußeren Habitus oder der Sitten oder beider oder von Erinnerungen an Kolonisation und Wanderung einen subjektiven Glauben an eine Abstammungsgemeinsamkeit hegen, derart, daß dieser für die Propagierung von Vergemeinschaftungen wichtig wird, dann, wenn sie nicht „Sippen" darstellen, „ethnische" Gruppen nennen, ganz einerlei, ob eine Blutsgemeinsamkeit objektiv vorliegt oder nicht. Von der „Sippengemeinschaft" scheidet sich die „ethnische" Gemeinsamkeit dadurch, daß sie eben an sich nur (geglaubte) „Gemeinsamkeit", nicht aber „Gemeinschaft" ist, wie die Sippe, zu deren Wesen ein reales Gemeinschaftshandeln gehört. Die ethnische Gemeinsamkeit (im hier gemeinten Sinn) ist demgegenüber nicht selbst Gemeinschaft, sondern nur ein die Vergemeinschaftung erleichterndes Moment. Sie kommt der allerverschiedensten, vor allem freilich erfahrungsgemäß: der politischen Vergemeinschaftung, fördernd entgegen. Andererseits pflegt überall in erster Linie die politische Gemeinschaft, auch in ihren noch so künstlichen Gliederungen, ethnischen Gemeinsamkeitsglauben zu wecken und auch nach ihrem Zerfall zu hinterlassen, es sei denn, daß dem drastische Unterschiede der Sitte und des Habitus oder, und namentlich, der Sprache im Wege stehen.

Diese „künstliche" Art der Entstehung eines ethnischen Gemeinsamkeitsglaubens entspricht ganz dem uns bekannten Schema der Umdeutung von rationalen Vergesellschaftungen in persönliche Gemeinschaftsbeziehungen. Unter Bedingungen geringer Verbreitung rational versachlichten Gesellschaftshandelns attrahiert fast jede, auch eine rein rational geschaffene, Vergesellschaftung ein übergreifendes Gemeinschaftsbewußtsein in der Form einer persönlichen Verbrüderung auf der Basis „ethnischen" Gemeinsamkeitsglaubens. Noch dem Hellenen wurde jede noch so willkürlich vollzogene Gliederung der Polis zu einem persönlichen Verband mindestens mit Kultgemeinschaft, oft mit künstlichem Ahn. Die 12 Stämme Israels sind Unterabteilungen der politischen Gemeinschaft, welche umschichtig monatsweise gewisse Leistungen übernahmen, die hellenischen Phylen und ihre Unterabteilungen ebenfalls. Aber auch die letzteren gelten durchaus als ethnische Abstammungsgemeinsamkeiten. Sicherlich kann nun die ursprüngliche Einteilung sehr wohl an politische oder schon vorhandene ethnische Unterschiede angeknüpft haben. Auch wo sie aber unter Zerreißung alter Verbände und Verzicht auf lokalen Zusammenhalt ganz rational und schematisch konstruiert wurde – wie die kleisthenische – wirkte sie ganz im gleichen Sinne ethnisch. Dies bedeutet also nicht, daß die hellenische Polis real oder der Entstehung nach in der Regel ein Stammes- oder Geschlechterstaat war, sondern es ist ein Symptom für den im ganzen geringen Grad der Rationalisierung des hellenischen Gemeinschaftslebens überhaupt. Umgekehrt ist es für die größere Rationalisierung der römischen politischen Gemeinschaftsbildung ein Symptom, daß ihre alten schematischen Unterabteilungen (curiae) jene religiöse, einen ethnischen Ursprung vortäuschende Bedeutsamkeit nur in geringerem Maße attrahiert hat.

Der „ethnische" Gemeinsamkeitsglaube ist sehr oft, aber nicht immer Schranke „sozialer Verkehrsgemeinschaften"; diese wiederum ist nicht immer identisch mit endogamer Konnubialgemeinschaft, denn die von jeder von beiden umfaßten Kreise können sehr verschieden groß sein. Ihre nahe Verwandtschaft beruht nur auf dem gleichartigen Fundament: dem Glauben an eine spezifische, von den Außenstehenden nicht geteilte „Ehre" – der „ethnischen Ehre" – des Zugehörigen, deren Verwandtschaft mit der „ständischen" Ehre wir später erörtern werden. Hier begnügen wir uns mit diesen wenigen Feststellungen. Jede eigentlich soziologische Untersuchung müßte die Begriffe ungemein viel feiner differenzieren, als wir es hier für unseren begrenzten Zweck tun. Gemeinschaften können ihrerseits

Gemeinsamkeitsgefühle erzeugen, welche dann dauernd, auch nach dem Verschwinden der Gemeinschaft, bestehen bleiben und als „ethnisch" empfunden werden. Insbesondere kann die politische Gemeinschaft solche Wirkungen üben. Am unmittelbarsten aber ist dies bei derjenigen Gemeinschaft der Fall, welche Träger eines spezifischen „*Massen*kulturguts ist und das gegenseitige „Verstehen" begründet oder erleichtert: die Gemeinschaft der Sprache.

Unzweifelhaft ist da, wo die Erinnerung an die Entstehung einer auswärtigen Gemeinschaft durch friedliche Abspaltung oder Fortwanderung („Kolonie", „Ver sacrum" und ähnliche Vorgänge) aus einer Muttergemeinschaft aus irgendwelchen Gründen dauernd lebendig geblieben ist, ein sehr spezifisches „ethnisches" Gemeinschaftsgefühl von oft sehr großer Tragfähigkeit vorhanden. Aber dies ist dann durch die politische Erinnerungsgemeinschaft oder, in der Frühzeit noch stärker, durch die fortdauernde Bindung an die alten Kultgemeinschaften, ferner die fortdauernde Erstarkung der Sippenverbände und anderer Vergemeinschaftungen durch die alte wie neue Gemeinschaft hindurch oder durch andere fortdauernde, ständig fühlbare Beziehungen bedingt. Wo diese fehlen oder aufhören, fehlt auch das „ethnische" Gemeinschaftsgefühl, einerlei, wie nahe die Blutsverwandtschaft ist.

Versucht man generell zu ermitteln, welche „ethnischen" Differenzen übrig bleiben, wenn man absieht von der keineswegs immer mit objektiver oder subjektiv geglaubter Blutsverwandtschaft zusammenfallenden Sprachgemeinschaft und von der ebenfalls davon unabhängigen Gemeinsamkeit des religiösen Glaubens, sowie vorläufig auch von der Wirkung gemeinsamer rein politischer Schicksale und der Erinnerungen daran, die wenigstens objektiv mit Blutsverwandtschaft nichts zu tun hat, – dann bleiben einerseits, wie erwähnt, ästhetisch auffällige Unterschiede des nach außen hervortretenden Habitus, andererseits und zwar durchaus gleichberechtigt neben jenen, in die Augen fallende Unterschiede in der *Lebensführung des Alltags*. Und zwar, da es sich bei den Gründen der „ethnischen" Scheidung stets um äußerlich erkennbare drastische Differenzen handelt, gerade solche Dinge, welche sonst von untergeordneter sozialer Tragweite erscheinen können. Es ist klar, daß die Sprachgemeinschaft und nächst ihr die, durch ähnliche religiöse Vorstellungen bedingte, Gleichartigkeit der rituellen Lebensreglementierung außerordentlich starke, überall wirkende Elemente von „ethnischen" Verwandtschaftsgefühlen bilden, namentlich weil die sinnhafte „Verständlichkeit" des Tuns des Anderen die elementarste Voraussetzung der Vergemeinschaftung ist. Aber wir wollen diese beiden Elemente hier ausscheiden und fragen, was dann übrigbleibt. Und es ist ja auch zuzugeben, daß wenigstens starke Dialektunterschiede und Unterschiede der Religion die ethnischen Gemeinschaftsgefühle nicht absolut ausschließen. Neben wirklich starken Differenzen der ökonomischen Lebensführung spielten bei ethnischem Verwandtschaftsglauben zu allen Zeiten solche der äußerlichen Widerspiegelungen, wie die Unterschiede der typischen Kleidung, der typischen Wohn- und Ernährungsweise, der üblichen Art der Arbeitsteilung zwischen den Geschlechtern und zwischen Freien und Unfreien: – alle solche Dinge also, bei denen es sich fragt: was für „schicklich" gilt und was, vor allem, das Ehr- und Würdegefühl des Einzelnen berührt –, eine Rolle. Alle diejenigen Dinge mit anderen Worten, welche wir später auch als Gegenstände spezifisch „ständischer" Unterschiede wiederfinden werden. In der Tat ist die Überzeugung von der Vortrefflichkeit der eigenen und der Minderwertigkeit fremder Sitten, durch welche die „ethnische Ehre" gespeist wird, den „ständischen" Ehrbegriffen durchaus analog. „Ethnische" Ehre ist die spezifische Massenehre, weil sie jedem, der der subjektiv geglaubten Abstammungsgemeinschaft angehört, zugänglich ist. Der „poor white trash", die besitzlosen und, bei dem Mangel an Arbeitsgelegenheit für freie Arbeit, sehr oft ein elendes Dasein fristenden, Weißen der amerikanischen Südstaaten waren in der Sklavereiepoche die eigentlichen Träger der den Pflanzern selbst ganz fremden Rassenantipathie; weil gerade ihre soziale „Ehre" schlechthin an der sozialen Deklassierung der Schwarzen hing. Und hinter allen „ethnischen" Gegensätzen steht ganz naturgemäß irgendwie der Gedanke des „auserwählten Volks", der nur ein in das horizontale Nebeneinander übersetztes Pendant „ständischer" Differenzierungen ist und seine Popularität eben davon entlehnt, daß er im Gegensatz zu diesen, die stets auf Subordination beruhen, von jedem Angehörigen jeder der sich gegenseitig verachtenden Gruppen für sich subjektiv in gleichem Maße prätendiert werden kann. Daher klammert sich die ethnische Abstoßung an alle denkbaren Unterschiede der „Schicklichkeits"vorstellungen und macht sie zu „ethnischen Konventionen". Neben jenen vorhin erwähnten, immerhin noch näher mit der Wirtschaftsordnung zusammenhängenden Momenten wird etwa auch die Bart- und Haartracht und ähnliches von der Konventionalisierung – ein erst später zu erörternder Begriff – erfaßt und wirken Gegensätze darin nun „ethnisch" abstoßend, weil sie als Symbole ethnischer Zugehörigkeit gelten. Nicht immer freilich wird die Abstoßung nur durch den „symbolischen" Charakter der Unterscheidungsmerkmale bedingt. Daß die Skytinnen ihre Haare mit Butter, welche dann ranzig roch, einfetteten, die Helleninnen dagegen mit parfümiertem Öl, machte, nach einer antiken Überlieferung, einen gesellschaftlichen Annäherungsversuch vornehmer Damen von beiden Seiten unmöglich. Der Buttergeruch wirkte sicher intensiver trennend als selbst die drastischsten Rassenunterschiede, als etwa der – soviel ich selbst bemerken konnte – fabulöse „Negergeruch" es hätte tun können. Die „Rassenqualitäten" kommen für die Bildung „ethnischen" Gemeinsamkeitsglaubens generell nur als Grenzen: bei allzu heterogenem, ästhetisch nicht akzeptiertem äußerem Typus, in Betracht, nicht als positiv gemeinschaftsbildend.

Starke Differenzen der „Sitte", die hiernach bei der Bildung ethnischer Gemeinschaftsgefühle und Blutsverwandtschaftsvorstellungen eine dem ererbten Habitus durchaus gleichwertige Rolle spielen, sind, neben den sprachlichen und religiösen Unterschieden, ganz regelmäßig durch verschiedene ökonomische oder politische Existenzbedingungen, an die eine Menschengruppe sich anzupassen hat, hervorgerufen. Denken wir scharfe Sprachgrenzen, scharf begrenzte politische oder religiöse Gemeinschaften als Rückhalt von Unterschieden der „Sitte" fort – wie sie ja in weiten Gebieten des afrikanischen und südamerikanischen Kontinents wirklich vielfach fehlen – so gibt es nur allmähliche Übergänge der „Sitte" und auch keinerlei feste „ethnische Grenzen", außer solche, die durch drastische Raumunterschiede bedingt sind. Scharfe Abgrenzungen des Geltungsgebiets von „ethnisch" relevanten Sitten, welche nicht entweder politisch oder ökonomisch oder religiös bedingt sind, entstehen regelmäßig durch Wanderungen oder Expansionen, welche bisher dauernd oder doch zeitweise weit voneinander getrennt lebende und daher an sehr heterogene Bedingungen angepaßte Menschengruppen in unmittelbare Nachbarschaft miteinander bringen. Der so entstehende deutliche Kontrast der Lebensführung pflegt dann auf beiden Seiten die Vorstellung gegenseitiger „Blutsfremdheit" zu wecken, ganz unabhängig vom objektiven Sachverhalt.

Die Einflüsse, welche die hiernach im spezifischen Sinn „ethnischen" Momente, also: der auf Gemeinsamkeiten oder Unterschieden des äußeren Eindrucks der Person und ihrer Lebensführung ruhende Glaube an Blutsverwandtschaft oder das Gegenteil in Gemeinschaftsbildungen hineintragen, ist natürlich generell sehr schwer bestimmbar und auch in jedem Einzelfall von problematischer Bedeutung. Die „ethnisch" relevante „Sitte" wirkt generell nicht anders als Sitte – von deren Wesen anderwärts zu reden ist – überhaupt. Der Glaube an die Abstammungsverwandtschaft ist geeignet, in Verbindung mit der Ähnlichkeit der Sitte, die Ausbreitung eines von einem Teil der „ethnisch" Verbundenen rezipierten Gemeinschaftshandelns innerhalb des Restes zu begünstigen, da das Gemeinschaftsbewußtsein die „Nachahmung" fördert. Dies gilt insbesondere für die Propaganda religiöser Gemeinschaften. Aber über derart unbestimmte Sätze kommt man nicht hinaus. Der Inhalt des auf „ethnischer" Basis möglichen Gemeinschaftshandelns bleibt unbestimmt. Dem entspricht nun die geringe Eindeutigkeit derjenigen Begriffe, welche ein lediglich „ethnisch", also durch den Glauben an Blutsverwandtschaft bedingtes Gemeinschaftshandeln anzudeuten scheinen: „Völkerschaft", „Stamm", „Volk", – von denen jeder gewöhnlich im Sinn einer ethnischen Unterabteilung des folgenden (aber die beiden ersten auch umgekehrt) gebraucht wird. Ganz regelmäßig wird, wenn diese Ausdrücke gebraucht werden, entweder eine, sei es noch so lose, gegenwärtige politische Gemeinschaft oder Erinnerungen an eine früher einmal gewesene, wie sie die gemeinsame Heldensage aufbewahrt, oder Sprach- bzw. Dialektgemeinschaften oder endlich eine Kultgemeinschaft, mit hinzugedacht. Speziell irgendwelche Kultgemeinschaften waren in der Vergangenheit geradezu die typischen Begleiterscheinungen eines auf geglaubter Blutsverwandtschaft ruhenden „Stammes"- oder „Volks"-Bewußtseins. Aber wenn diesem eine politische, gegenwärtige oder vergangene, Gemeinschaft gänzlich fehlte, so war schon die äußere Abgrenzung des Gemeinschaftsumfangs meist ziemlich unbestimmt. Die Kultgemeinschaften germanischer Stämme, noch in später Zeit der Burgunder, waren wohl Rudimente politischer Gemeinschaften und daher anscheinend leidlich fest umgrenzt. Das delphische Orakel dagegen ist zwar das unbezweifelte kultische Wahrzeichen des Hellenentums als eines „Volkes". Aber der Gott gibt auch Barbaren Auskunft und läßt sich ihre Verehrung gefallen, und andererseits sind an der vergesellschafteten Verwaltung seines Kultes nur kleine Teile der Hellenen, und gerade die mächtigsten ihrer politischen Gemeinschaften gar nicht, beteiligt. Die Kultgemeinschaft als Exponent des „Stammesgefühls" ist also im allgemeinen entweder Rest einer einst bestehenden engeren, durch Spaltung und Kolonisation zerfahrenen Gemeinschaft meist politischer Art, oder sie ist, – wie beim delphischen Apollon – vielmehr Produkt einer, durch andere als rein „ethnische" Bedingungen, herbeigeführten „Kulturgemeinschaft", welche ihrerseits den Glauben an Blutsgemeinschaft entstehen läßt. Wie außerordentlich leicht speziell politisches Gemeinschaftshandeln die Vorstellung der „Blutsgemeinschaft" erzeugt – falls nicht allzudrastische Unterschiede des anthropologischen Typus im Wege stehen, – zeigt der ganze Verlauf der Geschichte.

§ 3. Verhältnis zur politischen Gemeinschaft.

Eindeutig wird der „Stamm" nach außen natürlich da begrenzt, wo er Unterabteilung eines politischen Gemeinwesens ist. Aber dann ist diese Abgrenzung auch meist künstlich von der politischen Gemeinschaft her geschaffen. Schon die runden Zahlen, in denen er aufzutreten pflegt, weisen darauf hin, z. B. die schon erwähnte Einteilung des Volkes Israel in 12 Stämme, ebenso die drei dorischen und die an Zahl verschiedenen „Phylen" der übrigen Hellenen. Sie wurden bei Neugründung oder Neuorganisation des Gemeinwesens künstlich neu eingeteilt und der „Stamm" ist hier also, obwohl er alsbald die ganze Symbolik der Blutsgemeinschaften, insbesondere den Stammeskult, attrahiert, erst Kunstprodukt der politischen Gemeinschaft. Die Entstehung eines spezifischen, blutsverwandtschaftsartig reagierenden Gemeingefühls für rein künstlich abgegrenzte politische Gebilde ist noch heute nichts seltenes. Die allerschematischsten politischen Gebilde: die nach Breitengraden quadratisch abgegrenzten „Staaten" der amerikanischen Union z. B. zeigen ein sehr entwickeltes Sonderbewußtsein: daß Familien von New York nach Richmond reisen, nur damit das erwartete Kind dort geboren und also ein „Virginier" werde, ist nicht selten. Das Künstliche solcher Abgrenzungen schließt nun gewiß nicht aus, daß z. B. die hellenischen Phylen ursprünglich einmal irgendwo und irgendwie selbständig vorhanden gewesen waren und dann jene Poliseinteilung bei ihrer ersten Durchführung schematisierend an sie angeknüpft hatte, als sie zu einem politischen Verband zusammengeschlossen wurden. Aber dann ist der Bestand jener vor der Polis existierenden Stämme (sie werden dann auch nicht „Phylen", sondern „Ethnos" genannt) entweder identisch mit den entsprechenden politischen Gemeinschaften gewesen, die sich dann zur „Polis" vergesellschafteten oder, wenn dies nicht der Fall war, so lebte doch in vermutlich sehr vielen Fällen der politisch unorganisierte Stamm als geglaubte „Blutsgemeinschaft" von der Erinnerung daran, daß er früher einmal Träger eines politischen Gemeinschaftshandelns, meist wohl eines nur gelegentlichen, eine einzelne erobernde Wanderung oder Verteidigung dagegen in sich schließenden, gewesen war, und dann waren eben diese politischen Erinnerungen das prius gegenüber dem „Stamm". Dieser Sachverhalt: daß das „Stammesbewußtsein" der Regel nach primär durch politisch gemeinsame Schicksale und nicht primär durch „Abstammung" bedingt ist, dürfte nach allem Gesagten eine sehr häufige Quelle „ethnischen" Zusammengehörigkeitsglaubens sein. Nicht die einzige: denn die Gemeinsamkeit der „Sitte" kann die verschiedensten Quellen haben und entstammt letztlich in hohem Grade der Anpassung an die äußeren Naturbedingungen und der Nachahmung im Kreise der Nachbarschaft. Praktisch aber pflegt die Existenz des „Stammesbewußtseins" wiederum etwas spezifisch Politisches zu bedeuten: daß nämlich bei einer kriegerischen Bedrohung von außen oder bei genügendem Anreiz zu eigener kriegerischer Aktivität nach außen, ein politisches Gemeinschaftshandeln besonders leicht auf dieser Grundlage, also als ein solches der einander gegenseitig subjektiv als blutsverwandte „Stammesgenossen" (oder „Volksgenossen") Empfindenden entsteht. Das potentielle Aufflammen des Willens zum politischen Handeln ist demnach nicht die einzige, aber eine derjenigen Realitäten, welche hinter dem im übrigen inhaltlich vieldeutigen Begriff von „Stamm" und „Volk" letztlich steckt. Dieses politische Gelegenheitshandeln kann sich besonders leicht auch trotz des Fehlens jeder darauf eingestellten Vergesellschaftung zu einer als „sittliche" Norm geltenden Solidaritätspflicht der Volks- oder Stammesgenossen im Fall eines kriegerischen Angriffes entwickeln, deren Verletzung, selbst wenn keinerlei gemeinsames „Organ" des Stammes existiert, den betreffenden politischen Gemeinschaften danach das Los der Sippen der Segestes und Inguiomar (Austreibung aus ihrem Gebiet) zuzieht. Ist aber dieses Stadium der Entwicklung erreicht, dann ist der Stamm tatsächlich eine politische Dauergemeinschaft geworden, mag diese auch in Friedenszeiten latent und daher natürlich labil bleiben. Der Übergang vom bloß „Gewöhnlichen" zum Gewohnten und deshalb „Gesollten" ist auf diesem Gebiet auch unter günstigen Verhältnissen ganz besonders gleitend. Alles in allem finden wir in dem „ethnisch" bedingten Gemeinschaftshandeln Erscheinungen vereinigt, welche eine wirklich exakte soziologische Betrachtung – wie sie hier gar nicht versucht wird – sorgsam zu scheiden hätte: die faktische subjektive Wirkung der durch Anlage einerseits, durch Tradition andererseits bedingten „Sitten", die Tragweite aller einzelnen verschiedenen Inhalte von „Sitte", die Rückwirkung sprachlicher, religiöser, politischer Gemeinschaft, früherer und jetziger, auch die Bildung von Sitten, das Maß, in welchem solche einzelnen Komponenten Anziehungen und Abstoßungen und insbesondere Blutsgemeinschafts- oder Blutsfremdheitsglauben wecken, dessen verschiedene Konsequenzen für das Handeln, für den Sexualverkehr der verschiedenen Art, für die Chancen der verschiedenen Arten von Gemeinschaftshandeln, sich auf dem Boden der Sittengemeinschaft oder des Blutsverwandtschaftsglaubens zu entwickeln, – dies alles wäre einzeln und gesondert zu untersuchen. Dabei würde der Sammelbegriff „ethnisch" sicherlich ganz über Bord geworfen werden. Denn er ist ein für jede wirklich exakte Untersuchung ganz unbrauchbarer Sammelname. Wir aber treiben nicht Soziologie um ihrer selbst willen und begnügen uns daher, in Kürze aufzuzeigen, welche sehr verzweigte Probleme sich hinter dem vermeintlich ganz einheitlichen Phänomen verbergen.

Der bei exakter Begriffsbildung sich verflüchtigende Begriff der „ethnischen" Gemeinschaft entspricht nun in dieser Hinsicht bis zu einem gewissen Grade einem der mit pathetischen Empfindungen für uns am meisten beschwerten Begriffe: demjenigen der „*Nation*", sobald wir ihn soziologisch zu fassen suchen.

§ 4. „Nation" und „Volk".

Die „Nationalität" teilt mit dem „Volk" im landläufigen „ethnischen" Sinn wenigstens normalerweise die vage Vorstellung, daß dem als „gemeinsam" Empfundenen eine Abstammungsgemeinschaft zugrunde liegen müsse, obwohl in der Realität der Dinge Menschen, welche sich als Nationalitätsgenossen betrachten, sich nicht nur gelegentlich, sondern sehr häufig der Abstammung nach weit ferner stehen, als solche, die verschiedenen und feindlichen Nationalitäten sich zurechnen. Nationalitätsunterschiede können z. B. trotz zweifellos starker Abstammungsverwandtschaft bestehen, nur weil Unterschiede der religiösen Konfessionen vorliegen, wie zwischen Serben und Kroaten. Die realen Gründe des Glaubens an den Bestand einer „nationalen" Gemeinsamkeit und des darauf sich aufbauenden Gemeinschaftshandelns sind sehr verschieden. Heute gilt vor allem „Sprachgemeinschaft", im Zeitalter der Sprachenkämpfe, als ihre normale Basis. Was sie gegenüber der bloßen „Sprachgemeinschaft" inhaltlich mehr besitzt, kann dann natürlich in dem spezifischen Erfolg, auf den ihr Gemeinschaftshandeln ausgerichtet ist, gesucht werden, und dies kann dann nur der gesonderte *politische Verband* sein. In der Tat ist heute „Nationalstaat" mit „Staat" auf der Basis der Spracheinheitlichkeit begrifflich identisch geworden. In der Realität stehen neben politischen Verbänden und zwar solchen modernen Gepräges auf „nationaler" Basis in diesem sprachlichen Sinn in erheblicher Zahl solche, die mehrere Sprachgemeinschaften umschließen und meist, aber nicht immer, für den politischen Verkehr eine Sprache bevorzugen. Aber auch für das sog. „Nationalgefühl" – wir lassen es vorerst undefiniert – genügt Sprachgemeinschaft nicht – wie neben dem eben erwähnten Beispiel die Iren, Schweizer und deutschsprachlichen Elsässer zeigen, welche sich nicht, mindestens nicht in vollem Sinn, als Glieder der durch ihre Sprache bezeichneten „Nation" fühlen. Andererseits sind auch Sprachunterschiede kein absolutes Hindernis für das Gefühl einer „nationalen" Gemeinschaft: die deutschsprachlichen Elsässer fühlten sich seinerzeit und fühlen sich zum großen Teil noch als Bestandteil der französischen „Nation". Aber doch nicht in vollem Sinne, nicht so, wie der französisch redende Franzose. Also gibt es „Stufen" der qualitativen Eindeutigkeit des „nationalen" Gemeinsamkeitsglaubens. Bei den Deutsch-Elsässern ist die unter ihnen weit verbreitete Gemeinsamkeitsempfindung mit den Franzosen neben gewissen Gemeinsamkeiten der „Sitte" und gewisser Güter der „Sinnenkultur" – auf die namentlich Wittich hingewiesen hat – durch politische Erinnerungen bedingt, die jeder Gang durch das, an jenen für den Unbeteiligten ebenso trivialen, wie für den Elsässer pathetisch gewerteten Reliquien (Trikolore, Pompier- und Militärhelme, Erlasse Louis Philippe's, vor allem Revolutionsreliquien) reiche, Kolmarer Museum zeigt. Gemeinsame politische, zugleich indirekt soziale, als Wahrzeichen der Vernichtung des Feudalismus, von den Massen hochgewertete Schicksale haben diese Gemeinschaft gestiftet und ihre Legende vertritt die Heldensage primitiver Völker. Die „grande Nation" war die Befreierin von feudaler Knechtung, galt als Trägerin der „Kultur", ihre Sprache als die eigentliche „Kultursprache", das Deutsche als „Dialekt" für den Alltag, und das Attachement an die Kultursprechenden ist also eine spezifische, dem auf Sprachgemeinschaft ruhenden Gemeinschaftsgefühl ersichtlich verwandte, aber doch nicht mit ihm identische, sondern auf partieller „Kulturgemeinschaft" und politischer Erinnerung ruhende innere Haltung. Bei den oberschlesischen Polen ferner war im allgemeinen bis vor kurzem kein bewußtes polnisches „Nationalgefühl" in dem Sinne verbreitet – wenigstens nicht in relevantem Maße –, daß sie sich im Gegensatz zu dem, wesentlich auf der

Basis einer deutschen Sprachgemeinschaft stehenden, preußischen politischen Verband gefühlt hätten. Sie waren loyale, wenn auch passive, „Preußen", so wenig sie auch am Bestand des nationalen politischen Verbands des „Deutschen Reichs" irgendwie interessierte „Deutsche" waren und hatten, in ihrer Masse wenigstens, kein bewußtes oder doch kein starkes Bedürfnis der Absonderung von deutschsprachlichen Mitbürgern. Hier fehlte also das auf dem Boden der Sprachgemeinschaft sich entwickelnde „Nationalgefühl" gänzlich, und von „Kulturgemeinschaft" konnte bei dem Kulturmangel noch keine Rede sein. Bei den baltischen Deutschen ist weder „Nationalgefühl" im Sinne einer positiven Wertung der Sprachgemeinschaft mit den Deutschen rein als solcher, noch die Sehnsucht nach politischer Vereinigung mit dem „Deutschen Reich" verbreitet, die sie vielmehr überwiegend perhorreszieren würden.* Dagegen sondern sie sich, teils und zwar sehr stark aus „ständischen" Gegensätzen heraus, teils aus Gründen der Gegensätzlichkeit und gegenseitigen „Unverständlichkeit" und Mißachtung der beiderseitigen „Sitten" und Kulturgüter, von der slavischen Umwelt, einschließlich speziell auch der russischen, sehr schroff ab, obwohl und sogar zum Teil weil sie überwiegend eine intensive loyale Vasallentreue gegenüber dem Herrscherhause pflegen und an der Machtstellung der von diesem geleiteten, von ihnen selbst mit Beamten versorgten (und wiederum ihren Nachwuchs ökonomisch versorgenden) politischen Gemeinschaft sich so interessiert gezeigt haben, wie irgendein „Nationalrusse". Hier fehlt also ebenfalls alles, was man im modernen, sprachlich oder auch kulturell orientierten Sinn „Nationalgefühl" nennen könnte. Es ist hier, wie bei den rein proletarischen Polen: Loyalität gegenüber der politischen Gemeinschaft in Verschmelzung mit einem auf die innerhalb dieser vorhandene lokale Sprachgemeinschaft begrenzten, aber stark „ständisch" beeinflußten und modifizierten Gemeinschaftsgefühl verbreitet. Auch ständisch ist freilich keinerlei Einheitlichkeit mehr vorhanden, wenn die Gegensätze auch nicht so krasse sind, wie sie innerhalb der weißen Bevölkerung der amerikanischen Südstaaten waren. Die inneren ständischen und Klassengegensätze treten aber vorerst, gegenüber der gemeinsamen Bedrohung der Sprachgemeinschaft zurück. Und schließlich gibt es Fälle, wo der Name nicht recht passen will, wie schon bei dem Gemeinschaftsgefühl der Schweizer und Belgier oder etwa der Luxemburger und Lichten-

---

* Vor dem Krieg geschrieben. (Anm. d. Herausgeb.)

steiner. Nicht die quantitative „Kleinheit" des politischen Verbandes ist dafür maßgebend, daß wir den Namen auf ihn anzuwenden Bedenken tragen: – die Holländer sind uns eine „Nation" –, sondern der bewußte Verzicht auf die „Macht", den jene „neutralisierten" politischen Gemeinwesen vollzogen haben, läßt uns unwillkürlich jenes Bedenken auftauchen. Die Schweizer sind keine eigene „Nation", wenn man auf die Sprachgemeinschaft oder auf die Kulturgemeinschaft im Sinne der Gemeinsamkeit literarischer oder künstlerischer Kulturgüter sehen will. Das trotzdem, auch trotz aller neuerdings auftauchenden Lockerungen, bei ihnen verbreitete starke Gemeinschaftsgefühl ist aber nicht nur durch Loyalität gegen das politische Gemeinwesen motiviert, sondern auch durch Eigenart der „Sitten", die – gleichviel, welches der objektive Sachverhalt sein mag – subjektiv als weitgehend gemeinsam empfunden werden und ihrerseits sehr stark durch die sozialen Strukturgegensätze, namentlich gegen Deutschland, überhaupt aber gegen jedes „große" und daher militaristische politische Gebilde mit seinen Konsequenzen für die Art der inneren Herrschaftstruktur, bedingt, daher auch durch die Sonderexistenz allein garantiert erscheint. Die Loyalität der kanadischen Franzosen gegenüber der englischen politischen Gemeinschaft ist heute ebenfalls vor allem bedingt durch die tiefe Antipathie gegen die ökonomischen und sozialen Strukturverhältnisse und Sitten in der benachbarten amerikanischen Union, denen gegenüber die Zugehörigkeit zu Kanada als Garantie der überkommenen Eigenart gewertet wird. Die Kasuistik ließe sich leicht vermehren und müßte von jeder exakten soziologischen Untersuchung weiter vermehrt werden. Sie zeigt, daß die mit dem Sammelnamen „national" bezeichneten Gemeinsamkeitsgefühle nichts Eindeutiges sind, sondern aus sehr verschiedenen Quellen gespeist werden können: Unterschiede der sozialen und ökonomischen Gliederung und der inneren Herrschaftsstruktur mit ihren Einflüssen auf die „Sitten" können eine Rolle spielen, müssen es aber nicht – denn innerhalb des Deutschen Reichs sind sie so verschieden wie nur möglich – gemeinsame politische Erinnerungen, Konfession und endlich Sprachgemeinschaft können als Quellen wirken und endlich natürlich auch der rassenmäßig bedingte Habitus. Dieser oft in eigentümlicher Weise. Ein gemeinsames „Nationalgefühl" verbindet in den Vereinigten Staaten, von der Seite des Weißen aus gesehen, diesen mit dem Schwarzen schwerlich, während die Schwarzen ein amerikanisches „Nationalgefühl" zum mindesten in dem Sinn hatten und haben, als sie das Recht darauf prätendierten. Und doch ist z. B. bei den Schweizern das stolze Selbstbewußtsein auf ihre Eigenart und die Bereitschaft, sich rückhaltlos für sie einzusetzen, weder qualitativ anders geartet noch quantitativ unter ihnen weniger verbreitet als bei irgendeiner quantitativ „großen" und auf „Macht" abgestellten „Nation". Immer wieder finden wir uns bei dem Begriff „Nation" auf die Beziehung zur politischen „Macht" hingewiesen und offenbar ist also „national" – wenn überhaupt etwas Einheitliches – dann eine spezifische Art von Pathos, welches sich in einer durch Sprach-, Konfessions-, Sitten- oder Schicksalsgemeinschaft verbundenen Menschengruppe mit dem Gedanken einer ihr eigenen, schon bestehenden oder von ihr ersehnten politischen Machtgebildeorganisation verbindet, und zwar je mehr der Nachdruck auf „Macht" gelegt wird, desto spezifischer. Dieser pathetische Stolz auf die besessene oder dies pathetische Sehnen; nach der abstrakten politischen „Macht" der Gemeinschaft als solcher kann in einer quantitativ „kleinen" Gemeinschaft, wie der Sprachgemeinschaft der heutigen Ungarn, Tschechen, Griechen weit verbreiteter sein als in einer andern, qualitativ gleichartigen und dabei quantitativ weit größeren, z. B. der Deutschen vor anderthalb Jahrhunderten, die damals ebenfalls wesentlich Sprachgemeinschaft waren, aber keinerlei „nationale" Machtprätension hatten.

Kapitel IV. Religionssoziologie. (Typen religiöser Vergemeinschaftung).

§ 1. Die Entstehung der Religionen.

Eine Definition dessen, was Religion „ist", kann unmöglich an der Spitze, sondern könnte allenfalls am Schlusse einer Erörterung wie der nachfolgenden stehen. Allein wir haben es überhaupt nicht mit dem „Wesen" der Religion, sondern mit den Bedingungen und Wirkungen einer bestimmten Art von Gemeinschaftshandeln zu tun, dessen Verständnis auch hier nur von den subjektiven Erlebnissen,

Vorstellungen, Zwecken des Einzelnen – vom „Sinn" – aus gewonnen werden kann, da der äußere Ablauf ein höchst vielgestaltiger ist. Religiös oder magisch motiviertes Handeln ist, in seinem urwüchsigen Bestande, *diesseitig* ausgerichtet. „Auf daß es dir wohl gehe und du lange lebest auf Erden", sollen die religiös oder magisch gebotenen Handlungen vollzogen werden. Noch solche, zumal bei einem Stadtvolk außerordentlichen, Leistungen wie Menschenopfer wurden in den phönikischen Seestädten ohne alle und jede Jenseitserwartung gespendet. Religiös oder magisch motiviertes Handeln ist ferner gerade in seiner urwüchsigen Gestalt, ein mindestens relativ rationales Handeln: wenn auch nicht notwendig ein Handeln nach Mitteln und Zwecken, so doch nach Erfahrungsregeln. Wie das Quirlen den Funken aus dem Holz, so lockt die „magische" Mimik des Kundigen den Regen aus dem Himmel. Und der Funken, den der Feuerquirl erzeugt, ist genau ebenso ein „magisches" Produkt wie der durch die Manipulationen des Regenmachers erzeugte Regen. Das religiöse oder „magische" Handeln oder Denken ist also gar nicht aus dem Kreise des alltäglichen Zweckhandelns auszusondern, zumal auch seine Zwecke selbst überwiegend ökonomische sind. Nur wir, vom Standpunkt unserer heutigen Naturanschauung aus, würden dabei objektiv „richtige" und „unrichtige" Kausalzurechnungen unterscheiden und die letzteren als irrational, das entsprechende Handeln als „Zauberei" ansehen können. Der magisch Handelnde selbst unterscheidet zunächst nur nach der größeren oder geringeren Alltäglichkeit der Erscheinungen. Nicht jeder beliebige Stein z. B. ist als Fetisch zu brauchen. Nicht jeder Beliebige hat die Fähigkeit in Ekstase zu geraten und also diejenigen Wirkungen meteorologischer, therapeutischer, divinatorischer, telepathischer Art herbeizuführen, welche man erfahrungsgemäß nur dann erreicht. Nicht immer nur diese, aber vornehmlich diese *außeralltäglichen* Kräfte sind es, welchen gesonderte Namen: „mana", „orenda", bei den Iraniern: „maga" (davon: magisch) beigelegt werden, und für die wir hier ein für allemal den Namen „Charisma" gebrauchen wollen. Das Charisma kann entweder – und nur dann verdient es in vollem Sinn diesen Namen – eine schlechthin an dem Objekt oder der Person, die es nun einmal von Natur besitzt, haftende, durch nichts zu gewinnende, Gabe sein. Oder es kann und muß dem Objekt oder der Person durch irgendwelche, natürlich außeralltägliche, Mittel künstlich verschafft werden. Die Vermittlung bildet die Annahme: daß die charismatischen Fähigkeiten zwar in nichts und Niemandem entwickelt werden können, der sie nicht im Keime hat, daß aber dieser Keim verborgen bleibt, wenn man ihn nicht zur Entwicklung bringt, das Charisma – z. B. durch „Askese" – „weckt". Alle Formen der religiösen Gnadenlehre: von der gratia infusa bis zur strengen Werkgerechtigkeit liegen so schon in diesem Stadium im Keim beschlossen. Diese streng naturalistische (neuerdings sog. präanimistische) Vorstellung verharrt in der Volksreligiosität hartnäckig. Kein Konzilsbeschluß, der die „Anbetung" Gottes von der „Verehrung" von Heiligenbildern als bloßen Mitteln der Andacht scheidet, hat gehindert, daß der Südeuropäer noch heute das Heiligenbild selbst verantwortlich macht und ausspuckt, wenn trotz der üblichen Manipulationen der beanspruchte Erfolg ausbleibt.

Immerhin ist dabei meist bereits eine nur scheinbar einfache Abstraktion vollzogen: die Vorstellung von irgendwelchen „hinter" dem Verhalten der charismatisch qualifizierten Naturobjekte, Artefakte, Tiere, Menschen, sich verbergenden und ihr Verhalten irgendwie bestimmenden Wesenheiten: der *Geisterglaube*. Der „Geist" ist zunächst weder Seele, noch Dämon oder gar Gott, sondern dasjenige unbestimmt: materiell und doch unsichtbar, unpersönlich und doch mit einer Art von Wollen ausgestattet gedachte Etwas, welches dem konkreten Wesen seine spezifische Wirkungskraft erst verleiht, in dasselbe hineinfahren und aus ihm – aus dem Werkzeug, welches unbrauchbar wird, aus dem Zauberer, dessen Charisma versagt – auch irgendwie wieder heraus, ins Nichts oder, in einen anderen Menschen oder in ein andres Objekt hinein fahren kann. Es erscheint nicht nachweisbar, daß allgemeine ökonomische Bedingungen für die Entwicklung zum Geisterglauben Vorbedingung sind. Gefördert wird sie, wie alle Abstraktion auf diesem Gebiet, am stärksten dadurch, daß die von Menschen besessenen „magischen" Charismata nur besonders Qualifizierten anhaften und daß sie dadurch die Unterlage des ältesten aller „Berufe" wird, des berufsmäßigen Zauberers. Der Zauberer ist der dauernd charismatisch qualifizierte Mensch im Gegensatz zum Alltagsmenschen, dem „Laien" im magischen Sinn des Begriffs. Er hat insbesondre die spezifisch das Charisma repräsentierende oder vermittelnde Zuständlichkeit: die *Ekstase*, als Objekt eines „Betriebs" in Pacht genommen. Dem Laien ist die Ekstase nur als Gelegenheitserscheinung zugänglich. Die soziale Form, in der dies geschieht, die *Orgie*, als die urwüchsige Form religiöser Vergemeinschaftung, im Gegensatz zum rationalen Zaubern, ist ein Gelegenheitshandeln gegenüber dem kontinuierlichen „Betrieb" des Zauberers, der für ihre Leitung unentbehrlich ist. Der Laie kennt die Ekstase nur als einen, gegenüber den Bedürfnissen des Alltagslebens notwendig nur gelegentlichen Rausch, zu dessen Erzeugung alle alkoholischen Getränke, ebenso der Tabak und ähnliche Narkotika, die alle ursprünglich Orgienzwecken dienten, daneben vor allem die Musik, verwendet werden. Wie man sie verwendet, bildet neben der rationalen Beeinflussung der Geister im Interesse der Wirtschaft, den zweiten, wichtigen, aber entwicklungsgeschichtlich sekundären Gegenstand der naturgemäß fast überall zu einer Geheimlehre werdenden Kunst des Zauberers. Auf Grund der Erfahrungen an den Zuständlichkeiten bei Orgien und sicherlich überall in starkem Maße unter dem Einfluß seiner Berufspraxis vollzieht sich die Entwicklung des Denkens zunächst zu der Vorstellung von der „Seele" als eines vom Körper verschiedenen Wesens, welches hinter, bei oder in den Naturobjekten in ähnlicher Art vorhanden sei, wie im menschlichen Körper etwas steckt, was ihn im Traum, in Ohnmacht und Ekstase, im Tode verläßt. Die verschiedenen Möglichkeiten der Beziehung jener Wesenheiten zu den Dingen, hinter denen sie stecken oder mit denen sie irgendwie verbunden sind, können hier nicht erörtert werden. Sie können bei einem oder innerhalb eines konkreten Objekts oder Vorgangs mehr oder minder dauernd und exklusiv „hausen". Oder umgekehrt: sie können bestimmte Vorgänge und bestimmte Dinge oder Kategorien solcher irgendwie „haben" und also über deren Verhalten und Wirksamkeit maßgebend verfügen: diese und ähnliche sind die eigentlich „animistischen" Vorstellungen. Oder sie können in Dingen: Pflanzen, Tieren oder Menschen sich zeitweise „verkörpern" – eine weitere erst allmählich erreichte Stufe der Abstraktion – oder endlich: sie können durch sie – die höchste sehr selten festgehaltene Stufe der Abstraktion – nur „symbolisiert", selbst aber als irgendwie nach eigenen Gesetzen lebende, aber normalerweise unsichtbare Wesen gedacht sein. Dazwischen gibt es natürlich die mannigfachsten Übergänge und Kombinationen. Schon durch die zuerst genannten, einfacheren Abstraktionsformen sind „übersinnliche" Mächte, welche in die Geschicke der Menschen eingreifen können, ähnlich wie ein Mensch in die Geschicke seiner Außenwelt, im Prinzip konzipiert.

Auch die „Götter" oder „Dämonen" sind aber noch nichts Persönliches oder Dauerndes, nicht einmal immer etwas besonders Benanntes. Ein „Gott" kann als eine über den Verlauf eines einzelnen konkreten Vorgangs verfügende Macht konzipiert werden (Useners „Augenblicksgötter"), an welche nachher niemand mehr denkt, oder der erst dann wieder erneut in Frage kommt, wenn der betreffende Vorgang sich wiederholt. Er kann umgekehrt diejenige Macht sein, die noch nach dem Tode eines großen Helden irgendwie von diesem ausgeht. Sowohl die Personifikation wie die Verunpersönlichung kann im Einzelfall der spätere Akt sein. Sowohl Götter ohne alle Eigennamen, benannt nur nach dem Vorgang, über den sie Gewalt haben, kommen vor, deren Bezeichnung erst allmählich, wenn sie sprachlich nicht mehr verstanden wird, den Charakter eines Eigennamens annimmt, wie umgekehrt Eigennamen mächtiger Häuptlinge oder Propheten zur Bezeichnung göttlicher Mächte geworden sind, ein Vorgang, aus welchem nun umgekehrt der Mythos wieder das Recht schöpft, reine Götterbezeichnungen zu Personennamen vergötterter Heroen zu machen. Ob eine bestimmte Konzeption einer „Gottheit" zu einer perennierenden gedeiht und nun bei ähnlichen Gelegenheiten immer erneut durch magische oder symbolische Mittel angegangen wird, hängt von den allerverschiedensten Umständen, in erster Linie aber wiederum davon ab, ob und in welcher Form entweder die magische Praxis der Zauberer oder das persönliche Attachement eines weltlichen Potentaten auf Grund persönlicher Erfahrungen ihn rezipiert.

Wir registrieren hier lediglich als Resultat des Prozesses die Entstehung einerseits der „Seele", andrerseits der „Götter" und „Dämonen", „übernatürlicher" Mächte also, deren Beziehungen zu den Menschen zu ordnen nun das Reich des *religiösen" Handelns* ausmacht. Die „Seele" ist dabei zunächst ein weder persönliches noch unpersönliches Wesen. Nicht nur, weil sie sehr vielfach naturalistisch identifiziert wird mit dem, was nach dem Tode nicht mehr da ist, mit dem Hauch oder mit dem Puls des Herzens, in dem sie sitzt und durch dessen Verspeisung man sich z. B. den Mut des Feindes aneignen kann. Sondern vor allem, weil sie oft gar nichts Einheitliches ist: die Seele, die den Menschen im Traum verläßt, ist etwas anderes als die, welche in der „Ekstase" aus ihm oben, wo dann das Herz im Halse schlägt und der Atem keucht, herausfährt, oder die, welche seinen Schatten bewohnt oder die, welche nach dem Tode im Leichnam oder nahe beim Leichnam, solange noch etwas von ihm übrig ist, haust oder die, welche im Ort seines gewöhnlichen Aufenthalts noch irgendwie fortwirkt, mit Neid und Zorn sieht, wie die Erben das einst dem Toten gehörige genießen, oder den Nachfahren im Traum oder als Vision erscheint, drohend oder beratend, oder in irgendein Tier oder in einen anderen Menschen hineinfahren kann, vor allem in ein neugeborenes Kind – all dies je nachdem zum Segen oder Unsegen. Daß die „Seele" als eine dem „Körper" gegenüber selbständige Einheit konzipiert wird, ist ein selbst in den Erlösungsreligionen nicht durchweg akzeptiertes Resultat – ganz abgesehen davon, daß einzelne von diesen (der Buddhismus) gerade diese Vorstellung wieder ablehnen.

Nicht die Persönlichkeit oder Unpersönlichkeit oder Überpersönlichkeit „übersinnlicher" Mächte ist das zunächst Spezifische dieser ganzen Entwicklung, sondern: daß jetzt nicht nur Dinge und Vorgänge eine Rolle im Leben spielen, die da sind und geschehen, sondern außerdem solche, welche und weil sie etwas „bedeuten". Der Zauber wird dadurch aus einer direkten Kraftwirkung zu einer *Symbolik*. Neben die unmittelbar physische Angst vor dem physischen Leichnam – wie sie auch die Tiere haben – welche so oft für die Bestattungsformen maßgebend war (Hockerstellung, Verbrennung), ist zunächst die Vorstellung getreten, daß man die Totenseele unschädlich machen, also sie fort oder in das Grab bannen, ihr dort ein erträgliches Dasein verschaffen oder ihren Neid auf den Besitz der Lebenden beseitigen oder endlich sich ihr Wohlwollen sichern müsse, um in Ruhe vor ihr zu leben. Unter den mannigfach abgewandelten Arten des Totenzaubers hatte die ökonomisch weittragendste Konsequenz die Vorstellung, daß dem Toten seine gesamte persönliche Habe ins Grab folgen müsse. Sie wird allmählich abgeschwächt zu der Forderung, daß man wenigstens eine gewisse Zeit nach seinem Tode die Berührung seines Besitzes meiden, oft auch den eigenen Besitz möglichst nicht genießen solle, um seinen Neid nicht zu wecken. Die chinesischen Trauervorschriften bewahren noch sehr vollständig diesen Sinn mit seinen ökonomisch und politisch (da auch die Wahrnehmung eines Amts als während der Trauerzeit zu meidenden Besitzes – Pfründe – galt) gleich irrationalen Konsequenzen. Ist nun aber einmal ein Reich der Seelen, Dämonen und Götter entstanden, welches ein nicht im Alltagssinn greifbares, sondern ein regelmäßig nur durch Vermittlung von Symbolen und Bedeutungen zugängliches hinterweltliches Dasein führt, – ein Dasein, welches infolgedessen als schattenhaft und immer wieder einmal direkt als unwirklich sich darstellte, – so wirkt das auf den Sinn der magischen Kunst zurück. Steckt hinter den realen Dingen und Vorgängen noch etwas anderes, eigentliches, Seelenhaftes, dessen Symptome oder gar nur Symbole jene sind, so muß man nicht die Symptome oder Symbole, sondern die Macht die sich in ihnen äußert zu beeinflussen suchen durch Mittel, die zu einem Geist oder einer Seele sprechen, also etwas „bedeuten": durch Symbole. Es ist dann nur eine Frage des Nachdrucks, welchen die berufsmäßigen Kenner dieser Symbolik ihrem Glauben und dessen gedanklicher Durchbildung zu geben vermögen, der Machtstellung also, welche sie innerhalb der Gemeinschaft erringen, je nach der Bedeutsamkeit der Magie als solcher für die besondere Eigenart der Wirtschaft und je nach der Stärke der Organisation, – welche sie sich zu schaffen wissen – und eine Flutwelle symbolischen Handelns begräbt den urwüchsigen Naturalismus unter sich. Das hat dann weittragende Konsequenzen.

Wenn der Tote nur durch symbolische Handlungen zugänglich ist und nur in Symbolen der Gott sich äußert, so kann er auch mit Symbolen statt mit Realitäten zufriedengestellt werden. Schaubrote, puppenbildliche Darstellungen der Weiber und der Dienerschaft treten an die Stelle der wirklichen Opferung: das älteste Papiergeld diente nicht der Bezahlung von Lebenden, sondern von Toten. Nicht anders in den Beziehungen zu den Göttern und Dämonen. Immer mehr Dinge und Vorgänge attrahieren außer der ihnen wirklich oder vermeintlich innewohnenden realen Wirksamkeit noch „Bedeutsamkeiten", und durch bedeutsames Tun sucht man reale Wirkungen zu erzielen. Schon jedes rein magisch, im naturalistischen Sinn, als wirksam erprobte Verhalten wird – natürlich streng in der einmal erprobten Form wiederholt. Das erstreckt sich nun auf das ganze Gebiet symbolischer Bedeutsamkeiten. Die geringste Abweichung vom Erprobten kann sie unwirksam machen. Alle Kreise menschlicher Tätigkeit werden in diesen symbolistischen Zauberkreis hineingerissen. Daher werden die größten Gegensätze rein dogmatischer Anschauungen auch innerhalb der rationalisierten Religionen leichter ertragen, als Neuerungen der Symbolik, welche die magische Wirkung der Handlung gefährden oder – die beim Symbolismus neu hinzutretende Auffassung – gar den Zorn des Gottes oder der Ahnenseele erwecken könnten. Fragen wie die: ob ein Kreuz mit zwei oder drei Fingern zu schlagen sei, waren der wesentliche Grund noch des Schismas in der russischen Kirche des 17. Jahrhunderts; die Unmöglichkeit, zwei Dutzend Heilige in einem Jahre durch Fortfall der ihnen heiligen Tage gefährlich zu kränken, hindert die Annahme des gregorianischen Kalenders in Rußland noch heute. Falsches Singen zog bei den rituellen Singtänzen der indianischen Magier die sofortige Tötung des Betreffenden nach sich, um den bösen Zauber oder den Zorn des Gottes zu beschwichtigen. Die religiöse Stereotypierung der Produkte der bildenden Kunst als älteste Form der Stilbildung ist bedingt sowohl direkt durch magische Vorstellungen als indirekt durch die im Gefolge der magischen Bedeutsamkeit des Produkts eintretende berufsmäßige Herstellung, welche schon an sich das Schaffen nach Vorlagen an die Stelle des Schaffens nach dem Naturobjekt setzt; wie groß aber die Tragweite des Religiösen dabei war, zeigt sich z. B. in Ägypten darin, daß die Entwertung der traditionellen Religion durch den monotheistischen Anlauf Amenophis' IV. (Echnaton) sofort: dem Naturalismus Luft schafft. Die magische Verwendung der Schriftsymbole; – die Entwicklung jeder Art von Mimik und Tanz als sozusagen homöopathischer, apotropäisch oder exorzistisch oder magisch-zwingender, Symbolik; – die Stereotypierung der zulässigen Tonfolgen oder wenigstens Grundtonfolgen („raga" in Indien, im Gegensatz zur Koloratur); – der Ersatz der oft ziemlich entwickelten empirischen Heilmethoden (die ja vom Standpunkt des Symbolismus und der animistischen Besessenheitslehre nur ein Kurieren der Symptome waren) durch eine vom Standpunkt dieser Anschauungen aus rationale Methode der exorzistischen oder symbolistisch-homöopathischen Therapie, welche sich zu jener ebenso verhielten, wie die aus gleichen Wurzeln entsprungene Astrologie zur empirischen Kalenderrechnung: – all dies gehört der gleichen, für die inhaltliche Kulturentwicklung unermeßlich folgereichen, hier aber nicht weiter zu erörternden Erscheinungswelt an. Die erste und grundlegende Einwirkung „religiöser" Vorstellungskreise auf die Lebensführung und die Wirtschaft ist also generell *stereotypierend*. Jede Änderung eines Brauchs, der irgendwie unter dem Schutz übersinnlicher Mächte sich vollzieht, kann die Interessen von Geistern und Göttern berühren. Zu den natürlichen Unsicherheiten und Gehemmtheiten jedes Neuerers fügt so die Religion mächtige Hemmungen hinzu: das Heilige ist das spezifisch Unveränderliche.

Im einzelnen sind die Übergänge vom präanimistischen Naturalismus bis zum Symbolismus durchaus flüssig. Wenn dem geschlachteten Feinde das Herz aus der Brust oder die Geschlechtsteile vom Leibe oder das Gehirn aus dem Schädel gerissen, sein Schädel im eigenen Hause aufgestellt oder als kostbarstes Brautgeschenk verehrt, jene Körperteile aber oder diejenigen besonders schneller oder starker Tiere verspeist werden, so glaubt man sich wirklich damit die betreffenden Kräfte direkt naturalistisch anzueignen. Der Kriegstanz ist zunächst Produkt der aus Wut und Angst gemischten Aufregung vor dem Kampf und erzeugt direkt die Heldenekstase: insoweit ist auch er nicht symbolisch. Sofern er aber (nach Art etwa unserer „sympathetischen" Zauberwirkungen) den Sieg mimisch antizipiert und dadurch magisch verbürgen soll, und soweit jene Schlachtung von Tieren und Menschen in die Form fester Riten gebracht und nun die Geister und Götter des eigenen Stammes zur Teilnahme an der Mahlzeit aufgefordert werden, soweit endlich die Teilnehmer an der

Verspeisung eines Tiers sich als untereinander besonders nahe verwandt glauben, weil die „Seele" des gleichen Tiers in sie gefahren ist, steht der Übergang zur „Symbolik" vor der Tür.

Man hat die Denkweise, welche dem voll entwickelten symbolistischen Vorstellungskreis zugrunde liegt, als „mythologisches Denken" bezeichnet und dessen Eigenart dann im einzelnen näher zu kennzeichnen gesucht. Uns kann das hier nicht beschäftigen und nur die eine generell wichtige Eigenart dieser Denkweise: die Bedeutung der Analogie, in der wirksamsten Form: des Gleichnisses, ist für uns wichtig, weil sie lange nachwirkend nicht nur religiöse Ausdrucksformen, sondern auch das juristische Denken, noch bis in die Präjudizienbehandlung bei rein empirischen Kunstlehren des Rechts hinein, beherrscht hat, und der syllogistischen Begriffsbildung durch rationale Subsumtion erst langsam gewichen ist. Die ursprüngliche Heimat dieses analogischen Denkens ist die symbolistisch rationalisierte Magie, die ganz auf ihm beruht.

Auch „Götter" werden durchaus nicht von Anfang an als „menschenartige" Wesen vorgestellt. Sie gewinnen die Gestalt perennierender Wesen, die ihnen essentiell ist, natürlich erst nach Überwindung der noch in die Veden hineinspielenden rein naturalistischen Vorstellung, daß z.B. das konkrete Feuer der Gott, oder doch der Körper eines konkreten Feuergottes sei, zugunsten der anderen, daß der ein für allemal mit sich identische Gott entweder die einzelnen Feuer habe, hergebe, über sie verfüge oder sich in ihnen jedesmal irgendwie verkörpere. Wirklich sicher aber wird diese abstrakte Vorstellung erst durch ein kontinuierlich ein und demselben Gott gewidmetes Tun, den „Kultus", und durch seine Verbindung mit einem kontinuierlichen Verband von Menschen; eine Dauergemeinschaft, für die er als Dauerndes solche Bedeutung hat. Wir werden auf diesen Vorgang bald zurückzukommen haben. Ist einmal die Kontinuierlichkeit der Göttergestalten gesichert, so kann das Denken der berufsmäßig mit ihnen Befaßten sich mit der systematisierenden Ordnung dieser Vorstellungsgebiete beschäftigen.

Die „Götter" stellen oft, und zwar keineswegs immer nur bei geringer gesellschaftlicher Differenzierung, ein ordnungsloses Durcheinander zufällig durch Kultus erhaltener Zufallsschöpfungen dar. Noch die vedischen Götter bilden keinerlei geordneten Götterstaat. Aber die Regel ist, sobald einerseits systematisches Denken über die religiöse Praxis und andererseits die Rationalisierung des Lebens überhaupt mit ihren zunehmend typischen Ansprüchen an die Leistungen der Götter eine gewisse im einzelnen sehr verschiedene Stufe erreicht haben, die „Pantheonbildung", d. h. die Spezialisierung und feste Charakterisierung bestimmter Göttergestalten einerseits, ihre Ausstattung mit festen Attributen und irgendwelche Abgrenzung ihrer „Kompetenzen" gegeneinander andererseits. Dabei ist aber zunehmende anthropomorphisierende Personifikation der Göttergestalten keineswegs identisch oder parallelgehend mit zunehmender Abgrenzung und Festigkeit der Kompetenzen. Oft im Gegenteil. Die Kompetenzen der römischen numina sind ungleich fester und eindeutiger abgegrenzt als die der hellenischen Göttergestalten; dagegen ist die Vermenschlichung und plastische Veranschaulichung der letzteren als eigentlicher „Persönlichkeiten" ungleich weitergegangen als in der genuinen römischen Religion. Der wesentlichste soziologische Grund liegt in diesem Fall darin, daß die genuine römische Vorstellung vom Übersinnlichen in ihrer allgemeinen Struktur weit stärker die einer nationalen Bauern- und Patrimonialherrenreligion geblieben war, die hellenische dagegen der Entwicklung zu einer *inter*lokalen Ritterkultur wie der des homerischen Zeitalters mit ihren Heldengöttern ausgesetzt wurde. Die teilweise Übernahme dieser Konzeptionen und ihr indirekter Einfluß auf römischem Boden ändert an der nationalen Religion nichts, viele von ihnen gewannen dort nur ein ästhetisches Dasein, während die römische Tradition in ihren Hauptcharakterzügen unangetastet in der rituellen Praxis fortbestand und, aus später zu erörternden Gründen, sich auch der orgiastisch-ekstatischen und Mysterienreligiosität gegenüber im Gegensatz zum Hellenentum dauernd ablehnend verhielt. Ganz naturgemäß ist aber jede Abzweigung von magischen Wirksamkeiten weit weniger elastisch als die „Kompetenz" eines als Person gedachten „Gottes". Die römische Religion blieb „religio", d. h. einerlei ob dieses Wort etymologisch von religare oder von relegere abzuleiten ist: Gebundenheit an die erprobte kultische Formel und „Rücksichtnahme" auf die überall im Spiel befindlichen numina aller Art. Neben dem Zuge zum Formalismus, der darin begründet war, stützte die spezifisch römische Religiosität noch eine weitere wichtige Eigentümlichkeit gegenüber dem Hellenentum: das Unpersönliche hat eine innere Verwandtschaft zum Sachlich-Rationalen. Das gesamte Alltagsleben des Römers und jeder Akt seines Handelns war durch die religio mit einer sakralrechtlichen Kasuistik umgeben, welche seine Aufmerksamkeit rein quantitativ ebenso in Anspruch nahm, wie die Ritualgesetze der Juden und Hindus und das taoistische Sakralrecht der Chinesen. Die Zahl der Gottheiten, welche in den priesterlichen indigitamenta aufgezählt wurden, ist unendlich in ihrer sachlichen

Spezialisierung: jede Handlung nicht nur, sondern jeder konkrete Teil einer solchen stand unter dem Einfluß besonderer numina, und der Vorsicht halber mußten bei allen wichtigen Akten neben den alii cuti, den traditionell in ihrer kausalen Bedeutung und Kompetenz feststehenden auch die in dieser Hinsicht mehrdeutigen (incubi) und die, deren Geschlecht und Wirkung oder Existenz überhaupt zweifelhaft war, angerufen und verehrt werden, für gewisse Akte der Feldbestellung allein ein Dutzend der ersteren. Wie dem Römer die Ekstasis (römisch: superstitio) der Hellenen eine ordnungswidrige abalienatio mentis, so war diese Kasuistik der römischen (und der darin noch weitergehenden etruskischen) religio dem Hellenen eine unfreie Deisidämonie. Die Sorge um die Befriedigung der numina wirkte dahin, alle einzelnen Handlungen gedanklich in ihre begrifflich auffindbaren Teilmanipulationen zu zerlegen und jeder solchen ein numen zuzuschreiben, unter dessen besonderer Fürsorge sie stand. Analogien finden sich in Indien und auch sonst, nirgends aber ist – weil die Aufmerksamkeit der rituellen Praxis sich gänzlich hierauf konzentrierte – die Zahl der durch rein begriffliche Analyse, also durch gedankliche *Abstraktion* gewonnenen numina, welche zu indizitieren waren, eine so große wie bei den Römern. Die dadurch bedingte spezifische Eigentümlichkeit der römischen Lebenspraxis ist nun – und darin liegt der Gegensatz etwa gegen die Wirkung der jüdischen und asiatischen Rituale – die unausgesetzte Pflege einer praktisch *rationalen* sakralrechtlichen Kasuistik, eine Art von sakraler Kautelarjurisprudenz und die Behandlung dieser Dinge gewissermaßen als Advokatenprobleme. Das Sakralrecht wurde so zur Mutter rationalen juristischen Denkens, und noch die livianische Historiographie z. B. verleugnet jenes religiös bedingte unterscheidende Merkmal des Römertums nicht, wenn, gegenüber der Pragmatik etwa der jüdischen, der Nachweis der sakral- und staatsrechtlichen „Korrektheit" der einzelnen institutionellen Neuerungen für sie überall im Mittelpunkt steht: nicht Sünde, Strafe, Buße, Rettung, sondern juristische Etikettenfragen.

Für die Gottesvorstellungen aber, mit denen wir uns hier zunächst zu befassen haben, knüpfen jene teils parallel, teils aber konträr verlaufenden Prozesse der Anthropomorphisierung einerseits, der Kompetenzabgrenzung andererseits zwar an die schon vorhandenen Gottheitsgattungen an, tragen aber beide die Tendenz in sich, zu einer immer weiteren Rationalisierung teils der Art der Gottesverehrung, teils der Gottesbegriffe selbst zu führen.

Es bietet nun für unsere Zwecke geringes Interesse, die einzelnen Arten von Göttern und Dämonen hier durchzugehen, obwohl oder vielmehr weil sie natürlich, ähnlich wie der Wortschatz einer Sprache, ganz direkt vor allem von der ökonomischen Situation und den historischen Schicksalen der einzelnen Völker bedingt sind. Da diese sich für uns in Dunkel verlieren, ist sehr oft nicht mehr erkennbar, warum von den verschiedenen Arten von Gottheiten gerade diese den Vorrang behauptet haben. Es kann dabei auf die für die Wirtschaft wichtigen Naturobjekte ankommen, von den Gestirnen angefangen, oder auf organische Vorgänge, welche von Göttern oder Dämonen besessen oder beeinflußt, hervorgerufen oder verhindert werden: Krankheit, Tod, Geburt, Feuer, Dürre, Regen, Gewitter, Ernteausfall. Je nach der überwiegenden ökonomischen Bedeutung bestimmter einzelner Ereignisse kann dabei ein einzelner Gott innerhalb des Pantheon den Primat erringen, wie etwa der Himmelsgott, je nachdem mehr als Herr des Lichts und der Wärme oder, besonders oft bei den Viehzüchtern, als Herr der Zeugung aufgefaßt. Daß die Verehrung der chthonischen Gottheiten (Mutter Erde) im allgemeinen ein gewisses Maß relativer Bedeutung des Ackerbaus voraussetzt, ist klar, doch geht sie nicht immer damit parallel. Auch läßt sich nicht behaupten, daß die Himmelsgötter – als Vertreter des sehr oft in den Himmel verlegten Heldenjenseits – überall die adligen im Gegensatz zu den bäuerlichen Erdgöttern gewesen seien. Noch weniger, daß die „Mutter Erde" als Gottheit mit mutterrechtlicher Sippenordnung parallel ginge. Allerdings aber pflegen die chthonischen Gottheiten, die den Ernteausfall beherrschen, stärker lokalen und volkstümlichen Charakter zu haben als die andern. Und allerdings ist das Übergewicht der himmlischen, auf Wolken oder auf Bergen residierenden persönlichen Götter gegenüber den Erdgottheiten sehr oft bedingt durch die Entwicklung ritterlicher Kultur und hat die Tendenz, auch ursprüngliche Erdgottheiten den Aufstieg unter die Himmelsbewohner antreten zu lassen. Demgegenüber pflegen die chthonischen Götter, bei vorwaltendem Ackerbau, oft zwei Bedeutungen miteinander zu verbinden: sie beherrschen den Ernteausfall und spenden also den Reichtum, und sie sind die Herrscher der unter die Erde bestatteten Toten. Daher hängen oft, z. B. in den eleusinischen Mysterien die beiden wichtigsten praktischen Interessen: Reichtum und Jenseitsschicksal von ihnen ab. Andererseits sind die himmlischen Götter die Herren über den Gang der Gestirne. Die festen Regeln, an welche diese offenbar gebunden sind, lassen daher ihre Herrscher besonders oft zu Herren alles dessen werden, was feste Regeln hat oder haben sollte, so vor allem Rechtsfindung und gute Sitte.

Die zunehmende objektive Bedeutung und subjektive Reflexion über die typischen Bestandteile und Arten des Handelns führen zu *sachlicher* Spezialisierung. Und zwar entweder in ganz abstrakter Art wie bei den Göttern des „Antreibens" und vielen ähnlichen in Indien oder zu qualitativer Spezialisierung nach den inhaltlichen einzelnen Richtungen des Handelns, wie etwa Beten, Fischen, Pflügen. Das klassische Beispiel für diese schon ziemlich abstrakte Form der Götterbildung ist die höchste Konzeption des altindischen Götterpantheons: Brahma, der „Gebetsherr". Wie die Brahmanenpriester die Fähigkeit wirksamen Gebets, d. h. wirksamen magischen Götterzwangs, monopolisiert haben, so monopolisiert nun dieser Gott wieder die Verfügung über dessen Wirksamkeit und damit, konsequent weitergedacht, über das allem religiösen Handeln Wichtigste; er wird damit schließlich, wenn nicht der einzige, so doch der höchste Gott. In wesentlich unscheinbarerer Art hat in Rom Janus, als der Gott des richtigen „Anfangs", der über alles entscheidet, eine relativ universelle Bedeutung gewonnen. Es gibt aber, wie keinerlei individuelles Handeln, so auch kein *Gemeinschaftshandeln*, das nicht seinen Spezialgott hätte und auch, wenn die Vergesellschaftung dauernd verbürgt sein soll, bedürfte. Wo immer ein Verband oder eine Vergesellschaftung nicht als eine persönliche Machtstellung eines *einzelnen* Gewalthabers erscheint, sondern als ein „Verband", da hat sie ihren besonderen Gott nötig. Das gilt zunächst für die Verbände des Hauses und der Sippe. Hier ist die Anknüpfung an die Geister der (wirklichen oder fiktiven) Ahnen das Gegebene, dem die numina und Gottheiten des Herdes und Herdfeuers zur Seite treten. Das Maß von Bedeutung, welches ihrem vom Haupt des Hauses, bzw. der „gens" zu vollziehenden Kult zukam, ist historisch höchst verschieden und von der Struktur und praktischen Bedeutung der Familie abhängig. In aller Regel geht eine Hochentwicklung speziell des häuslichen Ahnenkults mit patriarchaler Struktur der Hausgemeinschaft parallel, weil nur diese das Haus zum Mittelpunkt auch der männlichen Interessen macht. Aber beides ist, wie schon das Beispiel Israels beweist, nicht schlechthin miteinander verknüpft, denn es können die Götter anderer, namentlich politischer oder religiöser Verbände, gestützt auf die Macht ihrer Priester, den Hauskult und das Hauspriestertum des Familienhauptes weit zurückdrängen oder ganz vernichten. Wo deren Macht und Bedeutung ungebrochen dasteht, bildet sie natürlich ein außerordentlich starkes, die Familie und gens fest und nach außen streng exklusiv zusammenschließendes und auch die inneren ökonomischen Verhältnisse der Hausgemeinschaften auf das tiefste beeinflussendes streng persönliches Band. Alle rechtlichen Beziehungen der Familie, die Legitimität der Ehefrau und des Erben, die Stellung der Haussöhne zum Vater und der Brüder zueinander, sind dann von hier aus mit determiniert und stereotypiert. Die religiöse Bedenklichkeit des Ehebruchs vom Standpunkt der Familie und Sippe aus liegt darin, daß dadurch ein nicht Blutsverwandter in die Lage kommt, den Ahnen der Sippe zu opfern und dadurch deren Zorn gegen die Blutsverwandten zu erregen. Denn die Götter und numina eines streng persönlichen Verbandes verschmähen die Opfer, welche von Unberechtigten dargebracht werden. Die starre Durchführung des Agnatenprinzips hängt sicher hiermit sehr stark zusammen, wo sie besteht. Ebenso alle anderen Fragen, welche die priesterliche Legitimation des Hausherrn angehen. Das Erbrecht, zumal das Einzelerbrecht des Ältesten oder dessen Bevorzugung hat neben den militärischen und ökonomischen regelmäßig auch diese sakralen Motive. Vor allem die ostasiatische (chinesische und japanische) und im Okzident die römische Hausgemeinschaft und Sippe verdanken die Erhaltung ihrer patriarchalen Struktur unter allem Wandel der ökonomischen Bedingungen ganz vornehmlich dieser sakralen Grundlage. Wo diese religiöse Gebundenheit der Hausgemeinschaft und des Geschlechts besteht, da können umfassendere, insbesondere politische, Vergesellschaftungen nur den Charakter 1. entweder einer sakral geweihten Konföderation von (wirklichen oder fiktiven) Sippen oder 2. einer patrimonialen, nach Art einer abgeschwächten Hausherrschaft konstruierten Herrschaft eines (königlichen) Großhaushalts über diejenigen der „Untertanen" haben. Im zweiten Fall ist die Konsequenz, daß die Ahnen, numina, genii oder persönliche Götter jenes mächtigsten Haushalts neben die Hausgötter der Untertanenhaushalte treten und die Stellung des Herrschers sakral legitimieren. Das letztere ist in Ostasien, in China in Kombination mit der Monopolisierung des Kults der höchsten Naturgeister für den Kaiser als Oberpriester, der Fall. Die sakrale Rolle des „genius" des römischen Princeps sollte, mit der dadurch bedingten universellen Aufnahme der kaiserlichen Person in den Laienkult, Ähnliches leisten. Im ersten Fall entsteht dagegen ein Sondergott des politischen Verbandes als solchen. Ein solcher war Jahve. Daß er ein Konföderationsgott, nach der Überlieferung ursprünglich ein solcher des Bundes der Juden und Midianiter war, führte zu der so überaus wichtigen Konsequenz, daß seine Beziehung zum israelitischen Volk, welches ihn zugleich mit der politischen Konföderation und der sakralrechtlichen Ordnung seiner sozialen Verhältnisse durch Eidschwur angenommen hatte, als ein

„berith", ein – von Jahve oktroyiertes und durch Unterwerfung akzeptiertes – Vertragsverhältnis galt, aus dem rituelle, sakralrechtliche und sozialethische Pflichten der menschlichen, aber auch sehr bestimmte Verheißungen des göttlichen Partners folgten, an deren Unverbrüchlichkeit ihn, in den einem Gott von ungeheurer Machtfülle gegenüber gebotenen Formen, zu mahnen man sich berechtigt fühlen durfte. Der ganz spezifische *Verheißungs*charakter der israelitischen Religiosität, in dieser Intensität trotz noch so vieler sonstiger Analogien in keiner anderen wiederkehrend, hatte hier seine erste Wurzel. Die Erscheinung dagegen, daß eine politische Verbandsbildung die Unterstellung unter einen Verbandsgott bedingt, ist universell. Der mittelländische „Synoikismos" ist, wenn nicht notwendig die erstmalige Schaffung, so die Neukonstituierung einer Kultgemeinschaft unter einer Polisgottheit. Die Polis ist zwar die klassische Trägerin der wichtigen Erscheinung des politischen „Lokalgottes". Keineswegs die einzige. Im Gegenteil hat in aller Regel jeder politische Dauerverband seinen Spezialgott, der den Erfolg des politischen Verbandshandelns verbürgt. Er ist bei voller Entwicklung durchaus exklusiv nach außen. Er nimmt, im Prinzip wenigstens, nur von den Verbandsgenossen Opfer und Gebete an. Wenigstens sollte er es tun. Da man dessen nicht völlig sicher sein kann, so ist sehr oft der Verrat der Art ihn wirksam zu beeinflussen, streng verpönt. Der Fremde ist eben nicht nur politischer, sondern auch religiöser Ungenosse. Auch der an Namen und Attributen gleiche Gott des fremden Verbandes ist nicht identisch mit dem des eigenen. Die Juno der Vejienter ist nicht die Juno der Römer, so wenig wie für den Neapolitaner die Madonna der einen Kapelle die der anderen ist: die eine verehrt, die andere verachtet und beschimpft er, wenn sie Konkurrenten hilft. Oder er sucht sie diesen abspenstig zu machen. Man verspricht den Göttern des Feindes Aufnahme und Verehrung im eigenen Land, wenn sie die Feinde verlassen („evocare Deos"), wie es z. B. Camillus vor Veji tat. Oder man stiehlt oder erobert die Götter. Nur lassen sich das nicht alle gefallen. Die eroberte Lade Jahves bringt Plagen über die Philister. In aller Regel ist der eigene Sieg auch der Sieg des eigenen stärkeren Gottes über den fremden schwächeren Gott. Nicht jeder politische Verbandsgott ist ein an den Sitz der Leitung des Verbandes rein örtlich gebundener Lokalgott. Die Darstellung der Wüstenwanderung Israels läßt ihn mit dem Volke und vor ihm her ziehen, ebenso wie die Laren der römischen Familie den Ort mit dieser wechseln. Und – im Widerspruch mit jener Darstellung – es gilt als ein Spezifikum Jahves, daß er ein „aus der Ferne", nämlich vom Sinai her, den er als Völkergott bewohnt, wirkender, nur in den Kriegsnöten des Volkes mit den Heerscharen (Zebaoth) im Gewittersturm heranziehender Gott ist. Man nimmt wohl mit Recht an, daß diese spezifische, aus der Annahme eines fremden Gottes durch Israel folgende Qualität der „Fernwirkung" mitbeteiligt war bei der Entwicklung der Vorstellung von Jahve als dem universellen, allmächtigen Gott überhaupt. Denn in aller Regel ist die Qualität eines Gottes als Lokalgott und auch die exklusive „Monolatrie", welche er zuweilen von seinen Anhängern in Anspruch nimmt, keineswegs der Weg zum Monotheismus, sondern umgekehrt oft eine Stärkung des Götterpartikularismus. Und umgekehrt bedeutet die Entwicklung der Lokalgötter eine ungemeine Stärkung des politischen Partikularismus. Zumal auf dem Boden der Polis. Exklusiv nach außen, wie eine Kirche gegen die andere, jeder Bildung eines durch die verschiedenen Verbände hindurchgreifenden einheitlichen Priestertums absolut hinderlich, bleibt sie unter seiner Herrschaft im Gegensatz zu unserem als „Anstalt" gedachten „Staat" ein ganz wesentlich *persönlicher* Verband von Kultgenossen des Stadtgottes, seinerseits wieder gegliedert in persönliche Kultverbände von Stammes-, Geschlechts- und Hausgottheiten, die gegeneinander wiederum exklusiv sind in bezug auf ihre Spezialkulte. Exklusiv aber auch nach innen, gegen diejenigen, welche außerhalb all dieser Spezialkultverbände der Sippen und Häuser stehen. Wer keinen Hausgott (Zeus herkeios) hat, ist in Athen amtsunfähig, wie in Rom, wer nicht zu dem Verband der patres gehört. Der plebejische Sonderbeamte (trib. plebis) ist nur durch menschlichen Eidschwur gedeckt (sacro sanctus), hat keine auspicien und daher kein legitimes imperium, sondern eine „potestas". Den Höchstgrad von Entwicklung erreicht die lokale Ortsbindung der Verbandsgottheit da, wo das Gebiet des Verbandes als solcher als dem Gott spezifisch heilig gilt. So zunehmend Palästina dem Jahve derart, daß die Tradition den in der Fremde Wohnenden, der an seinem Kultverband teilnehmen und ihn verehren will, sich einige Fuhren palästinensischer Erde holen läßt.

Die Entstehung von eigentlichen Lokalgöttern ist ihrerseits an die feste Siedelung nicht nur, sondern auch an weitere, den lokalen Verband zum Träger politischer Bedeutsamkeiten stempelnde, Voraussetzungen geknüpft. Zur vollen Entwicklung gelangte er normalerweise auf dem Boden der Stadt als eines vom Hofhalt und Person des Herrschers unabhängig bestehenden politischen Sonderverbandes mit korporativen Rechten. Daher nicht in Indien, Ostasien, Iran und nur in geringem Maße, als Stammesgott, in Nordeuropa. Dagegen außerhalb des Gebietes der rechtlichen Städteorganisationen in

Ägypten, schon im Stadium der zoolatrischen Religiosität, für die Gaueinteilung. Von den Stadtstaaten aus griff die Lokalgottheit auf Eidgenossenschaften wie die der Israeliten, Aitoler usw. über, die an ihrem Vorbild orientiert sind. Ideengeschichtlich ist diese Auffassung des Verbandes als lokalen Kultträgers ein Zwischenglied zwischen der rein patrimonialen Betrachtung des politischen Gemeinschaftshandelns und dem rein sachlichen Zweckverbands- und Anstaltsgedanken etwa der modernen „Gebietskörperschafts"-Idee.

Nicht nur die politischen Verbände, sondern ebenso die beruflichen Vergesellschaftungen haben ihre Spezialgottheiten oder Spezialheiligen. Sie fehlen im vedischen Götterhimmel noch ganz, entsprechend dem Zustand der Wirtschaft. Dagegen der altägyptische Schreibergott ist ebenso Zeichen des Aufstiegs der Bürokratisierung wie die über die ganze Erde verbreiteten Spezialgötter und -heiligen für Kaufleute und alle Arten von Gewerben die zunehmende Berufsgliederung anzeigen. Noch im 19. Jahrhundert setzte das chinesische Heer die Kanonisierung seines Kriegsgottes durch: ein Symptom für die Auffassung des Militärs als eines gesonderten „Berufs" neben anderen. Im Gegensatz zu den Kriegsgöttern der mittelländischen Antike und der Meder, die stets große Nationalgötter sind.

Wie ja nach den natürlichen und sozialen Existenzbedingungen die Göttergestalten selbst, ebenso verschiedenartig sind die Chancen eines Gottes, den Primat im Pantheon oder schließlich das Monopol der Göttlichkeit für sich zu erobern. Streng „monotheistisch" ist im Grunde nur das Judentum und der Islam. Sowohl der hinduistische wie der christliche Zustand des oder der höchsten göttlichen Wesen sind theologische Verhüllungen der Tatsache, daß ein sehr wichtiges und eigenartiges religiöses Interesse: die Erlösung durch die Menschwerdung eines Gottes, dem strikten Monotheismus im Wege stand. Vor allem hat nirgends der mit sehr verschiedener Konsequenz begangene Weg zum Monotheismus das Vorhandensein der Geisterwelt und der Dämonen dauernd ausgerottet – auch nicht in der Reformation – sondern sie nur der Übermacht des alleinigen Gottes, theoretisch wenigstens, unbedingt untergeordnet. Praktisch aber kam und kommt es darauf an: wer innerhalb des *Alltages* stärker in die Interessen des Einzelnen eingreift, ob der theoretisch „höchste" Gott oder die „niederen" Geister und Dämonen. Sind dies die letzteren, dann wird die Religiosität des Alltages durch die Beziehung zu ihnen vorwiegend bestimmt; ganz einerlei wie der offizielle Gottesbegriff der rationalisierten Religion aussieht. Wo ein politischer Lokalgott existiert, gerät der Primat natürlich oft in dessen Hände. Wenn sich dann innerhalb einer zur Lokalgötterbildung vorgeschrittenen Vielheit seßhafter Gemeinschaften der Umkreis des politischen Verbandes durch Eroberung erweitert, so ist die regelmäßige Folge, daß die verschiedenen Lokalgötter der verschmolzenen Gemeinschaften dann zu einer Gesamtheit vergesellschaftet werden. Innerhalb deren tritt ihre ursprüngliche oder auch eine inzwischen durch neue Erfahrungen über ihre spezielle Einflußsphäre bedingte, sachliche oder funktionelle Spezialisierung, in sehr verschiedener Schärfe, arbeitsteilig hervor. Der Lokalgott des größten Herrscher- oder Priestersitzes: der Marduk von Babel, der Ammon von Theben steigen dann zum Range größter Götter auf, um mit dem etwaigen Sturz oder der Verlegung der Residenz oft auch wieder zu verschwinden, wie: Assur mit dem Untergang des assyrischen Reichs. Denn wo einmal die politische Vergesellschaftung als solche als ein gottgeschützter Verband gilt, da erscheint eine solche politische Einheit so lange als nicht gesichert, bis auch die Götter der Einzelglieder mit einverleibt und vergesellschaftet, oft auch lokal synoikisiert sind: Was dem Altertum in dieser Hinsicht geläufig war, hat sich noch bei der Überführung der großen Heiligenreliquien der Provinzialkathedralen in die Hauptstadt des geeinigten russischen Reiches wiederholt.

Die sonst möglichen Kombinationen der verschiedenen Prinzipien der Pantheon- und Primatbildung sind unermeßlich und die Göttergestalten meist ebenso labil in ihren Kompetenzen, wie die Beamten patrimonialer Gebilde. Die Kompetenzabgrenzung wird gekreuzt durch die Gepflogenheit des religiösen Attachements an einen speziellen, jeweils besonders bewährten Gott oder der Höflichkeit gegen den Gott, an den man sich gerade wendet, diesen als funktionell universell zu behandeln, ihm also alle möglichen, sonst an andere Götter vergebenen Funktionen zuzumuten: den von Max Müller mit Unrecht als besondere Entwicklungsstufe angenommenen sog. „Henotheismus". Für die Primatbildung spielen rein rationale Momente stark mit. Wo immer ein erhebliches Maß von Festigkeit bestimmter Vorschriften irgendwelcher Art, besonders oft: stereotypierte religiöse Riten, in dieser ihrer Regelmäßigkeit besonders stark hervortritt und einem rationalen religiösen Denken bewußt wird, da pflegen diejenigen Gottheiten, welche am meisten feste Regeln in ihrem Verhalten zeigen, also die Himmels- und Gestirngötter, die Chance des Primats zu haben. In der Alltagsreligiosität spielen diese Gottheiten, welche sehr universelle Naturerscheinungen beeinflussen und daher der metaphysischen Spekulation als sehr groß, zuweilen selbst als Weltschöpfer gelten, gerade weil diese Naturerscheinungen in ihrem Verlauf nicht allzu stark schwanken, folglich in der Praxis des Alltags nicht das praktische Bedürfnis erwecken, durch die Mittel der Zauberer und Priester beeinflußt zu werden, meist keine erhebliche Rolle. Es kann ein Gott die ganze Religiosität eines Volkes maßgebend prägen (wie Osiris in Ägypten), wenn er einem besonders starken religiösen – in diesem Falle soteriologischen – Interesse entspricht, ohne doch den Primat im Pantheon zu gewinnen. Die „ratio" fordert den Primat der universellen Götter und jede konsequente Pantheonbildung folgt in irgendeinem Maße auch systematisch-rationalen Prinzipien, weil sie stets mit unter dem Einfluß entweder eines berufsmäßigen Priesterrationalismus oder des rationalen Ordnungsstrebens weltlicher Menschen steht. Und vor allem die schon früher erwähnte Verwandtschaft der rationalen Regelmäßigkeit des durch göttliche Ordnung verbürgten Laufs des Gestirnes mit der Unverbrüchlichkeit der heiligen Ordnung auf Erden macht sie zu berufenen Hütern dieser beiden Dinge, an welchen einerseits die rationale Wirtschaft und andererseits die gesicherte und geordnete Herrschaft der heiligen Normen in der sozialen Gemeinschaft hängen. Die Interessenten und Vertreter dieser heiligen Norm sind zunächst die Priester und deshalb ist die Konkurrenz der Gestirngötter Varuna und Mitra, welche die heilige Ordnung schützen, mit dem waffengewaltigen Gewittergott Indra, dem Drachentöter, ein Symptom der Konkurrenz der nach fester Ordnung und ordnungsgemäßer Beherrschung des Lebens strebenden Priesterschaft mit der Macht des kriegerischen Adels, welchem der tatendurstige Heldengott und die ordnungsfremde Irrationalität der Aventiure und des Verhängnisses adäquate Beziehungen zu überirdischen Mächten sind. Wir werden diesen wichtigen Gegensatz noch mehrfach wirksam finden. Systematisierte heilige Ordnungen, wie sie eine Priesterschaft propagiert (Indien, Iran, Babel) und rational geordnete Untertanenbeziehungen, wie sie der Beamtenstaat schafft (China, Babel) dienen meist den himmlischen oder astralen Gottheiten zum Aufstieg im Pantheon. Wenn in Babel die Religiosität in steigender Eindeutigkeit in den Glauben an die Herrschaft der Gestirne, speziell der Planeten, über alle Dinge, von den Wochentagen angefangen bis zum Jenseitsschicksal und damit in den astrologischen Fatalismus ausmündet, so ist das freilich erst ein Produkt der späteren Priesterwissenschaft und der nationalen Religion des politisch freien Staates noch fremd. – Ein Pantheon-Herrscher oder Pantheon-Gott ist an sich noch kein „universeller", internationaler Weltgott. Aber natürlich ist er regelmäßig auf dem Wege dazu. Jedes entwickelte Denken über die Götter verlangt zunehmend, daß die Existenz und Qualität eines Wesens als Gott eindeutig feststehe, der Gott also in diesem Sinn „universell" sei. Auch die Weltweisen der Hellenen deuteten ja die Gottheiten ihres leidlich geordneten Pantheon in alle anderwärts vorgefundenen Gottheiten hinein. Die Tendenz jener Universalisierung steigert sich mit steigendem Übergewicht des Pantheonherrschers: je mehr dieser also „monotheistische" Züge annimmt. Die Weltreichbildung in China, die Erstreckung des Priesterstandes der Brahmanen durch alle politischen Einzelbildungen hindurch in Indien, die persische und die römische Weltreichbildung haben alle die Entstehung des Universalismus und Monotheismus – in irgendwelchem Maße beide, wenn auch nicht immer beide gleichmäßig – begünstigt, wenn auch mit höchst verschiedenem Erfolg.

Die Weltreichbildung (oder die gleichartig wirkende irdische soziale Angeglichenheit) ist keineswegs der einzige und unentbehrliche Hebel dieser Entwicklung gewesen. Zum mindesten die Vorstöße des universalistischen Monotheismus: die Monolatrie, findet sich gerade in dem religionsgeschichtlich wichtigsten Fall, dem Jahvekult, als Konsequenz ganz konkreter historischer Ereignisse: einer Eidgenossenschaftsbildung. Der Universalismus ist in diesem Fall Produkt der internationalen Politik, deren pragmatische Interpreten die prophetischen Interessenten des Jahvekults und der Jahvesittlichkeit waren, mit der Konsequenz, daß auch die Taten der fremden Völker, welche Israels Lebensinteressen so mächtig berührten, als Taten Jahves zu gelten begannen. Hier ist ganz greifbar der spezifisch und eminent *historische* Charakter, welcher der Spekulation der jüdischen Prophetie anhaftet, im schroffen Gegensatz gegen die Naturspekulation der Priesterschaften in Indien und Babylon, die aus Jahves Verheißungen sich unabweisbar ergebende Aufgabe: die Gesamtheit der so bedrohlich und, angesichts dieser Verheißungen, so befremdlich verlaufenden Entwicklung des in die Völkergeschicke verflochtenen eigenen Volksschicksals als „Taten Jahves", als einer „Weltgeschichte" also, zu erfassen, was dem zum Lokalgott der Polis Jerusalems umgewandelten, alten kriegerischen Gott der Eidgenossenschaft die prophetischen universalistischen Züge überweltlicher heiliger Allmacht und Unerforschlichkeit lieh. Der monotheistische und damit der Sache nach, universalistische Anlauf des Pharao Amenophis IV. (Echnaton) zum Sonnenkult entstammte gänzlich anderen Situationen: einerseits auch hier einem weitgehenden priesterlichen und wohl auch Laienrationalismus, der im scharfen Gegensatz gegen die israelitische Prophetie, rein naturalistischen Charakters ist, andererseits dem praktischen Bedürfnis des an der Spitze eines bürokratischen Einheitsstaates stehenden Monarchen, mit der Beseitigung der Vielheit der Priestergötter auch die Übermacht der Priester selbst zu brechen und die alte Machtstellung der vergotteten Pharaonen durch Erhebung des Königs zum höchsten Sonnenpriester herzustellen. Der universalistische Monotheismus der christlichen und islamischen und der relative Monotheismus in zarathustrischer Verkündigung sind, die ersten beiden historisch als Fortentwicklungen vom Judentum abhängig, die letztere sehr wahrscheinlich durch außeriranische (vorderasiatische) Einflüsse mitbestimmt. Sie sind alle durch die Eigenart der „ethischen" im Gegensatz zur „exemplarischen" Prophetie – ein später zu erörternder Unterschied – bedingt. Alle andern relativ monotheistischen und universalistischen Entwicklungen sind also Produkte philosophischer Spekulation von Priestern und Laien, welche praktische religiöse Bedeutung nur da gewannen, wo sie mit soteriologischen (Erlösungs-)Interessen sich vermählten (wovon später).

Die praktischen Hemmungen der in irgendeiner Form fast überall in Gang gekommenen Entwicklung zum strengen Monotheismus, welche seine Durchsetzung in der Alltagsreligion überall, außer im Judentum, Islam und Protestantismus, relativiert haben, lagen durchweg in den mächtigen ideellen und materiellen Interessen der an den Kulten und Kultstätten der Einzelgötter interessierten Priesterschaften einerseits, und den religiösen Interessen der Laien an einem greifbaren, nahen, zu der konkreten Lebenslage oder dem konkreten Personenkreis unter Ausschluß anderer in Beziehung zu bringenden, vor allem: einem der *magischen* Beeinflussung zugänglichen religiösen Objekt andererseits. Denn die Sicherheit der einmal erprobten Magie ist viel größer als die Wirkung der Verehrung eines magisch nicht zu beeinflussenden, weil übermächtigen Gottes. Die Konzeption der „übersinnlichen" Gewalten als Götter, selbst als eines überweltlichen Gottes, beseitigt daher die alten magischen Vorstellungen keineswegs schon an sich (auch im Christentum nicht), aber sie läßt allerdings eine nun zu besprechende doppelte Möglichkeit der Beziehung zu ihnen entstehen.

Eine irgendwie nach Analogie des beseelten Menschen gedachte Macht kann entweder, ebenso wie die naturalistische „Kraft" eines Geistes, in den Dienst des Menschen *gezwungen* werden: Wer das Charisma dazu hat, die richtigen Mittel anzuwenden, der ist stärker auch als ein Gott und kann ihn nach seinem Willen nötigen. Das religiöse Handeln ist dann nicht „Gottesdienst", sondern „Gotteszwang", die

Anrufung des Gottes nicht Gebet, sondern magische Formel: eine unausrottbare Grundlage der volkstümlichen vor allem der indischen Religiosität, aber sehr universell verbreitet, wie ja auch der katholische Priester noch etwas von dieser Zaubermacht in der Vollziehung des Meßwunders und in der Schlüsselgewalt übt. Die orgiastischen und mimischen Bestandteile des religiösen Kultus, vor allem Gesang, Tanz, Drama, daneben die typischen festen Gebetsformeln, haben, nicht ausschließlich, aber dem Schwerpunkt nach, hier ihren Ursprung. Oder die Anthropomorphisierung geht dahin, die freie, durch Bitten, Gaben, Dienste, Tribute, Schmeicheleien, Bestechungen, und schließlich namentlich durch eigenes seinem Willen entsprechendes Wohlverhalten zu gewinnende Gnade eines mächtigen irdischen Herrn auch auf das Verhalten der Götter zu übertragen, die nach seiner Analogie, als gewaltige, zunächst nur quantitativ stärkere Wesen gedacht sind. Dann entsteht die Notwendigkeit des „Gottesdienstes".

Natürlich sind auch die spezifischen Elemente des „Gottesdienstes": Gebet und Opfer, zunächst magischen Ursprungs. Bei dem Gebet bleibt die Grenze zwischen magischer Formel und Bitte flüssig und gerade der technisch rationalisierte Gebetsbetrieb in Form von Gebetsmühlen und ähnlichen technischen Apparaten, von in den Wind gehängten oder an die Götterbilder gesteckten oder an die Heiligenbilder gehefteten Gebetsstreifen oder von rein quantitativ bemessenen Rosenkranzleistungen (fast alles Produkte der indischen Rationalisierung des Gotteszwangs) stehen überall der ersteren mehr als der letzteren nahe. Dennoch kennen auch sonst undifferenzierte Religionen das eigentliche individuelle Gebet, als „Bitte", meist in der rein geschäftlichen rationalen Form, daß dem Gott die Leistungen des Betenden für ihn vorgehalten und Gegenleistungen dafür begehrt werden. Auch das Opfer taucht zunächst auf als magisches Mittel. Teils direkt im Dienst des Götterzwangs: auch die Götter brauchen den die Ekstase erregenden Somasaft der Zauberpriester, um Taten zu verrichten, daher kann man sie, nach der alten Vorstellung der Arier, durch das Opfer zwingen. Oder aber man kann mit ihnen sogar einen Pakt schließen, der beiden Teilen Pflichten auferlegt: die folgenschwere Vorstellung namentlich der Israeliten. Oder das Opfer ist Mittel der magischen Ablenkung des einmal entstandenen Grimms des Gottes auf ein anderes Objekt, sei dies ein Sündenbock oder (und namentlich) ein Menschenopfer. Noch wichtiger und wahrscheinlich auch älter ist aber das andere Motiv: das Opfer, speziell das Tieropfer, soll eine „communio", eine als Verbrüderung wirkende Tischgemeinschaft zwischen den Opfernden und dem Gott herstellen: eine Bedeutungswandlung der noch älteren Vorstellung: daß das Zerreißen und Essen eines starken, später eines heiligen, Tiers dessen Kraft den Essenden mitteile. Ein magischer Sinn solcher oder anderer Art – denn es gibt der Möglichkeiten viele – kann, auch wenn eigentlich „kultische" Vorstellungen stark sinnbestimmend einwirken, dennoch der Opferhandlung das Gepräge geben. Er kann auch an Stelle eigentlich kultischen Sinns wieder herrschend werden: die Opferrituale schon der Atharva Veda, erst recht aber der Brahmanas sind, im Gegensatz zum altnordischen Opfer, fast reine Zauberei. Eine Abwendung vom Magischen bedeutet dagegen die Vorstellung des Opfers entweder als eines Tributs, z. B. der Erstlingsfrüchte, auf daß die Gottheit den Menschen den Rest gönne, oder vollends als einer selbst auferlegten „Strafe" zur rechtzeitigen Abwendung der Rache des Gottes als Bußopfer. Auch dies involviert freilich noch kein „Sündenbewußtsein"; es vollzieht sich zunächst (so in Indien) in kühler Geschäftlichkeit. Steigende Vorstellungen von der Macht eines Gottes und dessen Charakter als persönlichen Herrn bedingen dann steigendes Vorwiegen der nicht magischen Motive. Der Gott wird ein großer Herr, der nach Belieben auch versagen kann und dem man also nicht mit magischen Zwangsmaßregeln, sondern nur mit Bitten und Geschenken nahen darf. Alles aber, was diese Motive dem einfachen „Zauber" gegenüber neu hinzubringen, sind zunächst ebenso nüchterne rationale Elemente wie die Motive des Zauberns selbst. „Do ut des" ist der durchgehende Grundzug. Dieser Charakter haftet der Alltags- und Massenreligiosität aller Zeiten und Völker und auch allen Religionen an. Abwendung „diesseitigen" äußerlichen Übels und Zuwendung „diesseitiger" äußerlicher Vorteile ist der Inhalt aller normalen „Gebete", auch der allerjenseitigsten Religionen. Jeder Zug der darüber hinausführt, ist das Werk eines spezifischen Entwicklungsprozesses mit eigentümlich zwiespältiger Eigenart. Einerseits eine immer weitergehende rationale Systematisierung der Gottesbegriffe und ebenso des *Denkens* über die möglichen Beziehungen des Menschen zum Göttlichen. Andrerseits aber, im Resultat, zu einem charakteristischen Teil ein Zurücktreten jenes ursprünglichen *praktischen* rechnenden Rationalismus. Denn der „Sinn" des spezifisch religiösen Sichverhaltens wird, parallel mit jener Rationalisierung des Denkens, zunehmend weniger in rein äußeren Vorteilen des ökonomischen Alltags gesucht, und insofern also das Ziel des religiösen Sichverhaltens „irrationalisiert", bis schließlich diese „außerweltlichen", d. h. zunächst: außerökonomischen Ziele als das dem religiösen Sichverhalten Spezifische gelten. Eben deshalb aber ist das Vorhandensein spezifischer persönlicher Träger dieser in dem eben angegebenen Sinn „außerökonomischen" Entwicklung eine von deren Voraussetzungen.

Man kann diejenigen Formen der Beziehungen zu den übersinnlichen Gewalten, die sich als Bitte, Opfer, Verehrung äußert, als „Religion" und „Kultus" von der „Zauberei" als dem magischen Zwange scheiden und dementsprechend als „Götter" diejenigen Wesen bezeichnen, welche religiös verehrt und gebeten, als „Dämonen" diejenigen, welche magisch gezwungen und gebannt werden. Die Scheidung ist fast nirgends restlos durchführbar, denn auch das Ritual des in diesem Sinn „religiösen" Kultus enthält fast überall massenhafte magische Bestandteile. Und die historische Entwicklung jener Scheidung ist sehr oft einfach so erfolgt, daß bei Unterdrückung eines Kultes durch eine weltliche oder priesterliche Gewalt zugunsten einer neuen Religion die alten Götter als „Dämonen" fortexistieren.

§ 2. Zauberer – Priester.

Die soziologische Seite jener Scheidung aber ist die Entstehung eines „Priestertums" als etwas von den „Zauberern" zu Unterscheidendem. Der Gegensatz ist in der Realität durchaus flüssig, wie fast alle soziologischen Erscheinungen. Auch die Merkmale der begrifflichen Abgrenzung sind nicht eindeutig feststellbar. Man kann entsprechend der Scheidung von „Kultus" und „Zauberei" als „Priester" diejenigen berufsmäßigen Funktionäre bezeichnen, welche durch Mittel der Verehrung die „Götter" beeinflussen, im Gegensatz zu den Zauberern, welche „Dämonen" durch magische Mittel zwingen. Aber der Priesterbegriff zahlreicher großer Religionen, auch der christlichen, schließt gerade die magische Qualifikation ein. Oder man nennt „Priester" die Funktionäre eines regelmäßigen organisierten stetigen *Betriebs* der Beeinflussung der Götter, gegenüber der individuellen Inanspruchnahme der Zauberer von Fall zu Fall. Der Gegensatz ist durch eine gleitende Skala von Übergängen überbrückt, aber in seinen „reinen" Typen eindeutig und man kann dann als Merkmal des Priestertums das Vorhandensein irgendwelcher fester Kultstätten, verbunden mit irgendwelchem sachlichen Kultapparat behandeln. Oder aber man behandelt als entscheidend für den Priesterbegriff: daß die Funktionäre, sei es erblich oder individuell angestellt, im Dienst eines vergesellschafteten sozialen Verbandes, welcher Art immer er sei, tätig werden, also als dessen Angestellte oder Organe und lediglich im Interesse seiner Mitglieder, nicht wie die Zauberer, welche einen freien Beruf ausüben. Auch dieser begrifflich klare Gegensatz ist natürlich in der Realität flüssig. Die Zauberer sind nicht selten zu einer festen Zunft, unter Umständen zu einer erblichen Kaste, zusammengeschlossen, und diese kann innerhalb bestimmter Gemeinschaften das Monopol der Magie haben. Auch der katholische Priester ist nicht immer „angestellt", sondern z. B. in Rom nicht selten ein armer Vagant, der von der Hand in den Mund von den einzelnen Messen lebt, deren Wahrnehmung er nachgeht. Oder man scheidet die Priester als die durch spezifisches Wissen und festgeregelte Lehre und Berufsqualifikation Befähigten von den kraft persönlicher Gaben (Charisma) und deren Bewährung durch Wunder und persönliche Offenbarung wirkenden, also einerseits den Zauberern, andererseits den „Propheten". Aber die Scheidung zwischen den meist ebenfalls und zuweilen sehr hochgelernten Zauberern und den keineswegs immer besonders hochgelernten wirkenden Priestern ist dann nicht einfach. Der Unterschied müßte qualitativ, in der Verschiedenheit des allgemeinen Charakters der Gelerntheit hier und dort gefunden werden. In der Tat werden wir später (bei Erörterung der Herrschaftsformen) die teils durch irrationale Mittel auf Wiedergeburt ausgehende „Erweckungserziehung", teils auch eine rein empirische Kunstlehre darstellende Schulung der charismatischen Zauberer von der rationalen Vorbildung und Disziplin der Priester zu scheiden haben, obwohl in der Realität auch hier beides ineinandergleitend übergeht. Nähme man aber dabei als Merkmal der „Lehre" als einer das Priestertum auszeichnenden Differenz die Entwicklung eines rationalen religiösen Gedankensystems und, was für uns vor allem wichtig ist, die Entwicklung einer systematisierten spezifisch religiösen „Ethik" auf Grund einer zusammenhängenden, irgendwie festgelegten, als „Offenbarung" geltenden Lehre an, etwa so wie der Islam seine Unterscheidung von Buchreligionen und einfachem Heidentum machte, so wären nicht nur die japanischen Schintopriester, sondern z. B. auch die machtvollen Hierokratien der Phöniker aus dem Begriff der Priesterschaft ausgeschlossen und eine allerdings grundlegend wichtige, aber nicht universelle Funktion des Priestertums zum Begriffsmerkmal gemacht.

Den verschiedenen, niemals glatt aufgehenden, Möglichkeiten der Unterscheidung wird es für unsere Zwecke am meisten gerecht, wenn wir hier die Eingestelltheit eines *gesonderten Personen*kreises auf den *regelmäßigen*, an bestimmte Normen, Orte und Zeiten gebundenen und auf bestimmte *Verbände* bezogenen *Kultusbetrieb* als wesentliches Merkmal festhalten. Es gibt kein Priestertum ohne Kultus, wohl aber Kultus ohne gesondertes Priestertum: so in China, wo ausschließlich die Staatsorgane und der Hausvater den Kultus der offiziell anerkannten Götter und Ahnengeister besorgen. Unter den typisch reinen „Zauberern" andererseits gibt es zwar Noviziat und Lehre, wie etwa in der Bruderschaft der Hametzen bei den Indianern und ähnliche in der ganzen Welt, welche zum Teil eine sehr starke Macht in Händen haben und deren dem Wesen nach magische Feiern eine zentrale Stellung im Volksleben einnehmen, denen aber ein kontinuierlicher Kultusbetrieb fehlt und die wir deshalb nicht „Priester" nennen wollen. Sowohl beim priesterlosen Kultus aber wie beim kultlosen Zauberer fehlt regelmäßig eine Rationalisierung der metaphysischen Vorstellungen, ebenso wie eine spezifisch religiöse Ethik. Beides pflegt in voller Konsequenz nur eine selbständige und auf dauernde Beschäftigung mit dem Kultus und den Problemen praktischer Seelenleitung eingeschulte Berufspriesterschaft zu entwickeln. Die Ethik ist daher in der klassisch chinesischen Denkweise zu etwas ganz anderem als einer metaphysisch rationalisierten „Religion" entwickelt. Ebenso die Ethik des kultus- und priesterlosen alten Buddhismus. Und die Rationalisierung des religiösen Lebens ist, wie später zu erörtern, überall da gebrochen oder ganz hintangehalten worden, wo das Priestertum es nicht zu einer eigenen ständischen Entwicklung und Machtstellung gebracht hat, wie in der mittelländischen Antike. Sie hat sehr eigenartige Wege da eingeschlagen, wo ein Stand ursprünglicher Zauberer und heiliger Sänger die Magie rationalisierte, aber nicht eine eigentlich priesterliche Amtsverfassung entwickelte, wie die Brahmanen in Indien. Aber nicht jede Priesterschaft entwickelt das der Magie gegenüber prinzipiell Neue: eine rationale Metaphysik und religiöse Ethik. Diese setzt vielmehr der – nicht ausnahmslosen – Regel nach das Eingreifen außerpriesterlicher Mächte voraus. Einerseits eines Trägers von metaphysischen oder religiös-ethischen „Offenbarungen": des *Propheten*. Andererseits die Mitwirkung der nicht priesterlichen Anhänger eines Kultus: der „*Laien*". Ehe wir die Art betrachten, wie durch die Einwirkung dieser außerpriesterlichen Faktoren die Religionen nach Überwindung der überall auf der Erde sehr ähnlichen Stufen der Magie fortentwickelt werden, müssen wir gewisse typische Entwicklungstendenzen feststellen, welche durch das Vorhandensein priesterlicher Interessenten eines Kultus in Bewegung gesetzt werden.

Die einfachste Frage: ob man einen bestimmten Gott oder Dämon überhaupt durch Zwang oder Bitte zu beeinflussen versuchen soll, ist zunächst lediglich eine Frage des Erfolgs. Wie der Zauberer sein Charisma, so hat der Gott seine Macht zu *bewähren*. Zeigt sich der Versuch der Beeinflussung dauernd nutzlos, so ist entweder der Gott machtlos oder die Mittel seiner Beeinflussung sind unbekannt und man gibt ihn auf. In China genügen noch heute wenige eklatante Erfolge um einem Götterbild den Ruf, Macht (Schen ling) zu besitzen, und damit die Frequenz der Gläubigen zu verschaffen. Der Kaiser als Vertreter der Untertanen gegenüber dem Himmel verleiht den Göttern im Fall der Bewährung Titel und andere Auszeichnungen. Aber wenige eklatante Enttäuschungen genügen eventuell, einen Tempel für immer zu leeren. Der historische Zufall, daß der, aller Wahrscheinlichkeit spottende, felsenfeste Prophetenglaube des Jesaia: sein Gott werde Jerusalem, wenn nur der König fest bleibe, dem Assyrerheer nicht in die Hände fallen lassen, wirklich eintraf, war das seitdem unerschütterliche Fundament der Stellung dieses Gottes sowohl wie seiner Propheten. Nicht anders erging es schon dem präanimistischen Fetisch und dem Charisma des magisch Begabten. Erfolglosigkeit büßt der Zauberer eventuell mit dem Tode. Eine Priesterschaft ist ihm gegenüber dadurch im Vorteil, daß sie die Verantwortung der Mißerfolge von sich persönlich auf den Gott abschieben kann. Aber mit dem Prestige ihres Gottes sinkt auch das ihrige. Es sei denn, daß sie Mittel findet, diese Mißerfolge überzeugend so zu deuten, daß die Verantwortung dafür nicht mehr auf den Gott, sondern auf das Verhalten seiner Verehrer fällt. Und auch dies ermöglicht die Vorstellung vom „Gottesdienst" gegenüber dem „Gotteszwang". Die Gläubigen haben den Gott nicht genügend geehrt, seine Begierde nach Opferblut oder Somasaft nicht genügend gestillt, womöglich ihn darin zugunsten anderer Götter zurückgesetzt. Daher erhört er sie nicht. Aber unter Umständen hilft auch erneute und gesteigerte Verehrung nicht: die Götter der Feinde bleiben die stärkeren. Dann ist es um seine Reputation geschehen. Man fällt zu diesen stärkeren Göttern ab, es sei denn, daß es auch jetzt noch Mittel gibt, das renitente Verhalten des Gottes derart zu motivieren, daß sein Prestige nicht gemindert, ja sogar noch gefestigt wird. Auch solche Mittel auszudenken ist aber einer Priesterschaft unter Umständen gelungen. Am eklatantesten derjenigen Jahves, dessen Beziehung zu seinem Volke sich aus Gründen, die noch zu erörtern sein werden, um so fester knüpfte, in je tieferes Ungemach es verstrickt wurde. Damit dies aber geschehen könne, bedarf es zunächst der Entwicklung einer Reihe von neuen Attributen des Göttlichen.

Den anthropomorphisierten Göttern und Dämonen kommt zunächst eine eigentlich qualitative Überlegenheit dem Menschen gegenüber nur relativ zu. Ihre Leidenschaften sind maßlos wie die starker Menschen und maßlos ihre Gier nach Genuß. Aber sie sind weder allwissend noch allmächtig – im letzteren Fall könnten ihrer ja nicht mehrere sein – noch auch, weder in Babylon noch bei den Germanen, notwendig ewig: nur wissen sie sich oft die Dauer ihrer glanzvollen Existenz durch magische Speisen oder Tränke, die sie sich vorbehalten haben, zu sichern, so wie ja auch der Zaubertrank des Medizinmannes den Menschen das Leben verlängert. Qualitativ geschieden werden unter ihnen die für die Menschen nützlichen von den schädlichen Mächten und natürlich die ersteren regelmäßig als die guten und höheren „Götter", die man anbetet, den letzteren entgegengesetzt als den niederen „Dämonen", die nun oft mit allem Raffinement einer irgend ausdenkbaren, verschmitzten Tücke ausgestattet, nicht angebetet, sondern magisch gebannt werden. Aber nicht immer vollzieht sich eine Scheidung auf dieser Basis und erst recht nicht immer in Form einer solchen Degradation der Herren der schädlichen Mächte zu Dämonen. Das Maß von kultischer Verehrung, welches Götter genießen, hängt nicht von ihrer Güte und auch nicht einmal von ihrer universellen Wichtigkeit ab. Gerade den ganz großen guten Göttern des Himmels fehlt ja oft jeder Kultus, nicht weil sie dem Menschen „zu fern" sind, sondern weil ihr Wirken zu gleichmäßig und durch seine feste Regelmäßigkeit auch ohne besondere Einwirkung gesichert erscheint. Mächte von ziemlich ausgeprägt diabolischem Charakter dagegen, wie etwa der Seuchengott Rudra in Indien, sind nicht immer die schwächeren gegenüber den „guten" Göttern, sondern können mit ungeheurer Machtfülle bekleidet werden.

Neben die unter Umständen wichtige qualitative Differenzierung von guten und diabolischen Gewalten tritt nun aber – und darauf kommt es uns hier an – innerhalb des Pantheons die Entwicklung spezifisch *ethisch* qualifizierter Gottheiten. Die ethische Qualifikation der Gottheit ist keineswegs dem Monotheismus vorbehalten. Sie gewinnt bei ihm weittragendere Konsequenzen, ist aber an sich auf den verschiedensten Stufen der Pantheonbildung möglich. Zu den ethischen Gottheiten gehört naturgemäß besonders oft der spezialisierte Funktionsgott für die *Rechtsfindung* und derjenige, welcher über die *Orakel* Gewalt hat.

Die Kunst der „Divination" erwächst zunächst direkt aus der Magie des Geisterglaubens. Die Geister wirken, wie alle anderen Wesen, nicht schlechthin regellos. Kennt man die Bedingungen ihrer Wirksamkeit, so kann man ihr Verhalten aus Symptomen: omina, welche erfahrungsgemäß ihre Disposition andeuten, kombinieren. Die Anlage von Gräbern, Häusern und Wegen, die Vornahme von wirtschaftlichen und politischen Handlungen müssen an dem nach früheren Erfahrungen günstigen Ort und zu günstiger Zeit geschehen. Und wo eine Schicht, wie die sog. taoistischen Priester in China, von der Ausübung dieser Divinationskunst lebt, kann ihre Kunstlehre (das Fung-schui in China) eine unerschütterliche Macht gewinnen. Alle ökonomische Rationalität scheitert dann an dem Widerspruch der Geister: keine Eisenbahn- oder Fabrikanlage, die nicht auf Schritt und Tritt mit ihnen in Konflikt geriete. Erst der Kapitalismus in seiner Vollkraft hat es vermocht, mit diesem Widerstand fertig zu werden. Noch im russisch-japanischen Kriege scheint aber das japanische Heer einzelne Gelegenheiten aus Gründen ungünstiger Divination verpaßt zu haben, – während schon Pausanias bei Plataiai offenbar die Gunst oder Ungunst der Vorzeichen geschickt den Bedürfnissen der Taktik entsprechend zu „stilisieren" gewußt hat. Wo nun die politische Gewalt den Rechtsgang an sich zieht, den bloßen unmaßgebenden Schiedsspruch bei der Sippenfehde in ein Zwangsurteil oder bei religiösen oder politischen Freveln die alte Lynchjustiz der bedrohten Gesamtheit in ein geordnetes Verfahren gebracht hat, ist es fast immer göttliche Offenbarung (Gottesurteil), welche die Wahrheit ermittelt. Wo eine Zaubererschaft es verstanden hat die Orakel und die Gottesurteile und ihre Vorbereitung in die Hand zu bekommen, ist ihre Machtstellung oft eine dauernd überwältigende.

Ganz der Realität der Dinge im Leben entsprechend ist der Hüter der *Rechtsordnung* keineswegs notwendig der stärkste Gott: weder Varuna in Indien, noch Maat in Ägypten, noch weniger Lykos in Attika oder Dike oder Themis und auch nicht Apollon waren dies. Nur ihre ethische Qualifikation, dem Sinn der „Wahrheit", die das Orakel oder Gottesurteil doch immer irgendwie verkünden soll, entsprechend, zeichnet sie aus. Aber nicht weil er ein Gott ist, schützt der „ethische" Gott die Rechtsordnung und die gute Sitte – mit „Ethik"

haben die anthropomorphen Götter zunächst nichts Besonderes, jedenfalls aber weniger als die Menschen, zu schaffen. Sondern weil er
nun einmal diese besondere Art von *Handeln* in seine Obhut genommen hat. Die ethischen Ansprüche an die Götter steigen nun aber 1.
mit steigender Macht und also steigenden Ansprüchen an die Qualität der geordneten Rechtsfindung innerhalb großer befriedeter politischer Verbände, – 2. mit steigendem Umfang der durch meteorologische Orientierung der Wirtschaft bedingten rationalen Erfassung
des naturgesetzlichen Weltgeschehens als eines dauernd sinnvoll geordneten Kosmos, – 3. mit steigender Reglementierung immer neuer
Arten von menschlichen Beziehungen durch konventionelle Regeln
und steigender Bedeutung der gegenseitigen Abhängigkeit der Menschen von der Innehaltung dieser Regeln, insbesondere aber 4. mit
steigender sozialer und ökonomischer Bedeutung der Verläßlichkeit
des gegebenen Wortes: des Wortes des Freundes, Vasallen, Beamten,
Tauschpartners, Schuldners oder wessen es sei, – mit einem Wort:
mit steigender Bedeutung der ethischen Bindung des Einzelnen an
einen Kosmos von „Pflichten", welche sein Verhalten berechenbar
machen. Auch die Götter, an die man sich um Schutz wendet, müssen nun offenbar entweder selbst einer Ordnung unterworfen sein
oder ihrerseits, wie große Könige, eine solche geschaffen und zum
spezifischen Inhalt ihres göttlichen Willens gemacht haben. Im ersten Fall tritt hinter ihnen eine übergeordnete unpersönliche Macht
auf, die sie innerlich bindet und den Wert ihrer Taten mißt, ihrerseits
aber verschieden geartet sein kann. Universelle unpersönliche Mächte übergöttlicher Art treten zunächst als „Schicksals"-Gewalten auf.
So das „Verhängnis" (Moira) der Hellenen, eine Art von irrationaler,
insbesondere ethisch indifferenter Prädestination der großen Grundzüge jedes Einzelschicksals, die innerhalb gewisser Grenzen elastisch, deren allzu flagrante Verletzung aber durch verhängniswidrige
Eingriffe auch für die größten Götter gefährlich (υπερμορον) ist. Das
erklärt dann neben anderen Dingen auch die Erfolglosigkeit so vieler Gebete. So geartet ist die normale innere Stellungnahme kriegerischen Heldentums, dem der rationalistische Glaube an eine rein
ethisch interessierte, sonst aber parteilose, weise und gütige „Vorsehung" besonders fremd ist. Es tritt hier wiederum jene schon kurz
berührte tiefe Spannung zwischen Heldentum und jeder Art von religiösem oder auch rein ethischem Rationalismus zutage, der wir immer wieder begegnen werden. Denn ganz anders sieht die unpersönliche Macht bürokratischer oder theokratischer Schichten, z. B. der
chinesischen Bürokratie oder der indischen Brahmanen aus. Sie ist

eine providentielle Macht harmonischer und rationaler Ordnung der Welt, je nachdem im Einzelfall mehr kosmischen oder mehr ethischen sozialen Gepräges, regelmäßig aber beides umfassend. Kosmischen, aber doch zugleich auch spezifisch ethisch-rationalen Charakter hat die übergöttliche Ordnung der Konfuzianer ebenso wie die der Taoisten, beides unpersönliche providentielle Mächte, welche die Regelmäßigkeit und glückliche Ordnung des Weltgeschehens verbürgen: die Anschauung einer rationalistischen Bürokratie. Noch stärker ethisch ist der Charakter der indischen Rita, der unpersönlichen Macht der festen Ordnung des religiösen Zeremoniells ebenso wie des Kosmos und daher auch des Tuns der Menschen im allgemeinen: die Anschauung der vedischen, eine wesentlich empirische Kunst mehr des Gotteszwangs als der Gottesverehrung übenden Priesterschaft. Oder die spätere indische übergöttliche Alleinheit des allein dem sinnlosen Wechsel und der Vergänglichkeit aller Erscheinungswelt nicht unterworfenen Seins: die Anschauung einer dem Welttreiben indifferent gegenüberstehenden Intellektuellenspekulation. Auch wo aber die Ordnung der Natur und der damit regelmäßig gleichgesetzten sozialen Verhältnisse, vor allem des Rechts, nicht als den Göttern übergeordnet, sondern als Schöpfung von Göttern gelten, – wir werden später fragen: unter welchen Bedingungen dies eintritt –, wird als selbstverständlich vorausgesetzt, daß der Gott diese von ihm geschaffenen Ordnungen gegen Verletzung sichern werde. Die gedankliche Durchführung dieses Postulats hat weitgehende Konsequenzen für das religiöse Handeln und die allgemeine Stellungnahme der Menschen zum Gott. Sie gibt den Anlaß zur Entwicklung einer religiösen Ethik, der Scheidung der göttlichen Anforderung an den Menschen, gegenüber jenen Anforderungen oft unzulänglicher „Natur". Neben die beiden urwüchsigen Arten der Beeinflussung übersinnlicher Mächte: ihrer magischen Unterwerfung unter menschliche Zwecke oder ihrer Gewinnung dadurch, daß man sich ihnen nicht etwa durch Übung irgendwelcher ethischen Tugenden, sondern durch Befriedigung ihrer egoistischen Wünsche angenehm macht, tritt jetzt die Befolgung des religiösen Gesetzes als das spezifische Mittel, das Wohlwollen des Gottes zu erringen.

Nicht freilich erst mit dieser Auffassung beginnt eine religiöse Ethik. Im Gegenteil gibt es eine solche, und zwar von höchst wirksamer Art, gerade in Gestalt von rein magisch motivierten Normen des Verhaltens, deren Verletzung als religiöser Greuel gilt. Bei entwickeltem Geisterglauben wird ja jeder spezifische, zumal jeder nicht alltägliche, Lebensprozeß dadurch hervorgebracht, daß ein spezifi-

scher Geist in den Menschen hineingefahren ist: bei Krankheit ebenso wie etwa bei Geburt, Pubertät, Menstruation. Dieser Geist kann
nun als „heilig" oder als „unrein" gelten – das ist wechselnd und oft
zufällig bedingt, gilt aber im praktischen Effekt fast völlig gleich.
Denn jedenfalls muß man es unterlassen, diesen Geist zu reizen und
dadurch zu veranlassen, entweder in den unberufenen Störer selbst
hineinzufahren oder diesen oder auch den jeweils von ihm Besessenen magisch zu schädigen. Also wird der Betreffende physisch und
sozial gemieden und muß andere, ja unter Umständen die Berührung
seiner eigenen Person meiden, aus diesem Grunde z. B. zuweilen – wie
polynesische charismatische Fürsten – vorsichtig gefüttert werden, um
seine eigene Speise nicht magisch zu infizieren. Besteht einmal diese
Vorstellungsweise, dann können natürlich auch durch zauberische
Manipulationen von Menschen, welche das magische Charisma besitzen, Gegenstände oder Personen für andere mit der Qualität des
„*Tabu*" versehen werden: ihre Berührung würde bösen Zauber zur
Folge haben. Diese charismatische Tabuierungsgewalt ist nun vielfach ganz rational und systematisch ausgeübt worden, in größtem
Maßstab besonders im indonesischen und Südseegebiet. Zahlreiche
ökonomische und soziale Interessen: Wald- und Wildschutz (nach
Art der vom frühmittelalterlichen König gebannten Forsten), Sicherung von knapp werdenden Vorräten in Teuerungszeiten gegen unwirtschaftlichen Verzehr, Schaffung von Eigentumsschutz, speziell
für bevorrechtigtes priesterliches oder adeliges Sondereigentum, Sicherung der gemeinsamen Kriegsbeute gegen individuelles Plündern
(so durch Josua im Fall des Achan), sexuelle und persönliche Trennung von Ständen im Interesse der Reinhaltung des Blutes oder der
Erhaltung des ständischen Prestige stehen unter der Garantie des
Tabu. In der zum Teil unglaublichen Irrationalität seiner, oft gerade
für die durch Tabu Privilegierten selbst, qualvoll lästigen Normen
zeigt dieser erste und allgemeinste Fall einer direkten Dienstbarmachung der Religion für außerreligiöse Interessen zugleich auch die
höchst eigenwillige Eigengesetzlichkeit des Religiösen. Die Rationalisierung des Tabu führt eventuell zu einem System von Normen,
nach denen ein für allemal gewisse Handlungen als religiöse Greuel
gelten, für welche irgendeine Sühne, unter Umständen die Tötung dessen, der sie beging, eintreten muß, wenn nicht der böse Zauber alle
Volksgenossen treffen soll, und es entsteht so ein System tabuistisch
garantierter Ethik: Speiseverbote, Verbot der Arbeit an tabuierten
„Unglückstagen" (wie der Sabbat ursprünglich war) oder Heiratsverbote innerhalb bestimmter Personen-, speziell Verwandtenkreise.

Immer natürlich in der Art, daß das einmal, sei es aus rationalen oder konkreten irrationalen Gründen: Erfahrungen über Krankheiten und anderen bösen Zauber, üblich Gewordene zum „Heiligen" wird. In einer anscheinend nicht hinlänglich aufzuklärenden Art haben sich nun tabuartige Normen speziell mit der Bedeutsamkeit gewisser in einem einzelnen Objekt, besonders in Tieren, hausenden Geistern für bestimmte soziale Kreise verknüpft. Daß Tierinkarnationen von Geistern als heilige Tiere zu Kultmittelpunkten lokaler, politischer Verbände werden können, dafür ist Ägypten das hervorragendste Beispiel. Sie und andere Objekte oder Artefakte können aber auch zu Mittelpunkten anderer, je nachdem mehr naturgewachsener oder mehr künstlich geschaffener sozialer Verbände werden. Zu den verbreitetsten hieraus sich entwickelnden sozialen Institutionen gehört der sog. *Totemismus*: eine spezifische Beziehung zwischen einem Objekt, meist einem Naturobjekt, im reinsten Typus: einem Tier, und einem bestimmten Menschenkreise, dem es als Symbol der Verbrüderung, ursprünglich wohl: der durch gemeinsame Verzehrung des Tieres erworbenen, gemeinsamen Besessenheit von dessen „Geist", gilt. Die inhaltliche Tragweite der Verbrüderung schwankt ebenso wie der Inhalt der Beziehung der Genossen zum Totemobjekt. Bei voll entwickeltem Typus enthalten die ersteren alle Brüderlichkeitspflichten einer exogamen Sippe, die letzteren das Tötungs- und Speiseverbot, außer bei kultischen Mahlen der Gemeinschaft, und eventuell, meist auf Grund des häufigen (aber nicht universellen) Glaubens, von dem Totemtier abzustammen, auch noch andere kultartige Pflichten. Über die Entwicklung dieser weithin über die Erde verbreiteten totemistischen Verbrüderungen herrscht ungeschlichteter Streit. Für uns muß im wesentlichen genügen: daß das Totem, der Funktion nach, das animistische Gegenstück der Götter jener Kultgenossenschaften ist, welche, wie früher erwähnt, mit den verschiedensten Arten von sozialen Verbänden sich deshalb zu verbinden pflegen, weil das nicht „versachlichte" Denken auch einen rein künstlichen und sachlichen „Zweckverband" der persönlichen und religiös garantierten Verbrüderung nicht entbehren konnte. Daher attrahierte die Reglementierung des Sexuallebens insbesondere, in deren Dienst die Sippe sich stellte, überall eine tabuartige religiöse Garantie, wie sie am besten die Vorstellungen des Totemismus boten. Aber das Totem ist nicht auf sexualpolitische Zwecke und überhaupt nicht auf die „Sippe" beschränkt und keineswegs notwendig auf diesem Gebiet zuerst erwachsen, sondern eine weitverbreitete Art, Verbrüderungen unter magische Garantie zu stellen. Der Glaube an die einst universelle Geltung und erst recht die Ableitung fast aller sozialen Gemeinschaften und der gesamten Religion aus dem Totemismus, ist als eine gewaltige Übertreibung heute wohl durchweg aufgegeben. Allein für die magisch geschützte und erzwungene Arbeitsteilung der Geschlechter und die Berufsspezialisierung und damit für die Entwicklung und Reglementierung des Tausches als regulärer *Binnen*erscheinung (im Gegensatz zum Außenhandel) haben diese Motive eine oft sehr bedeutende Rolle gespielt.

Die Tabuierungen, speziell die magisch bedingten Speiseverbote, zeigen uns eine neue Quelle der so weittragenden Bedeutung des Instituts der Tischgemeinschaft. Die eine war, wie wir sahen, die Hausgemeinschaft. Die zweite ist die durch den tabuistischen Unreinheitsgedanken bedingte Beschränkung der Tischgemeinschaft auf Genossen der gleichen magischen Qualifikation. Beide Quellen der Tischgemeinschaft können in Konkurrenz und Konflikt miteinander geraten. Wo beispielsweise die Frau einer anderen Sippe zugerechnet wird als der Mann, darf sie sehr häufig den Tisch mit dem Mann nicht teilen, unter Umständen ihn gar nicht essen sehen. Ebenso aber darf der tabuierte König oder dürfen tabuierte privilegierte Stände (Kasten) oder religiöse Gemeinschaften weder den Tisch mit anderen teilen noch dürfen die höher privilegierten Kasten bei ihren Kultmahlen oder unter Umständen sogar bei ihrer täglichen Mahlzeit den Blicken „unreiner" Außenstehender ausgesetzt sein. Andererseits ist daher die Herstellung der Tischgemeinschaft sehr oft eins derjenigen Mittel, religiöse und damit unter Umständen auch ethnische und politische Verbrüderung herbeizuführen. Der erste große Wendepunkt in der Entwicklung des Christentums war die in Antiochia zwischen Petrus und den unbeschnittenen Proselyten hergestellte Tischgemeinschaft, auf welche Paulus daher in seiner Polemik gegen Petrus das entscheidende Gewicht legt. Außerordentlich groß sind andererseits die Hemmungen des Verkehrs und der Entwicklung der Marktgemeinschaft ebenso wie anderer sozialer Vergemeinschaftung, welche durch tabuartige Normen geschaffen werden. Die absolute Unreinheit des außerhalb der eigenen Konfession Stehenden, wie sie der Schiitismus im Islam kennt, hat für seine Anhänger bis in die Neuzeit hinein, wo man durch Fiktionen aller Art abhalf, elementare Verkehrshindernisse gebildet. Die Tabuvorschriften der indischen Kasten haben mit weit elementarerer Gewalt den Verkehr zwischen den Personen gehemmt, als das Fung-schui-System des chinesischen Geisterglaubens dem Güterverkehr sachliche Hindernisse in den Weg gelegt hat. Natürlich zeigen sich die Schranken der

Macht des Religiösen gegenüber den elementaren Bedürfnissen des Alltags auch auf diesem Gebiet: „Die Hand eines Handwerkers ist (nach indischem Kastentabu) immer rein", ebenso Minen und Ergasterien und was im Laden zum Verkauf ausliegt oder was ein Bettelstudent (asketischer Brahmanenschüler) an Nahrung in seine Hand nimmt. Nur das sexuelle Kastentabu pflegt in sehr starkem Maße zugunsten der polygamen Interessen der Besitzenden durchbrochen zu werden: die Töchter niederer Kasten waren in begrenztem Maß meist als Nebenweiber zugelassen. Und wie das Fung-schui in China, so wird auch das Kastentabu in Indien durch die bloße Tatsache des sich durchsetzenden Eisenbahnverkehrs langsam aber sicher illusorisch gemacht. Die Kastentabuvorschriften hätten den Kapitalismus formell nicht unmöglich gemacht. Aber daß der ökonomische Rationalismus da, wo die Tabuierungsvorschriften eine derartige Macht einmal gewonnen hatten, nicht seine bodenständige Heimat finden konnte, liegt auf der Hand. Dazu waren trotz aller Erleichterungen schon die inneren Hemmungen der arbeitsteiligen Zusammenfügung von Arbeitern getrennter Berufe und das heißt: getrennter Kasten, in einem Betriebe doch immerhin zu wirksam. Die Kastenordnung wirkt, wenn auch nicht den positiven Vorschriften, so doch ihrem „Geiste" und ihren Voraussetzungen nach, in der Richtung fortgesetzter, immer weiterer handwerksmäßiger Arbeits*spezialisierung*. Und die spezifische Wirkung der religiösen Weihe der Kaste auf den „Geist" der Wirtschaftsführung ist eine dem Rationalismus gerade entgegengesetzte. Die Kastenordnung macht die einzelnen arbeitsteiligen Tätigkeiten, soweit sie diese zum Unterschiedsmerkmal der Kasten nimmt, zu einem religiös zugewiesenen und daher geweihten „Beruf". Jede, auch die verachtetste, Kaste Indiens sieht in ihrem Gewerbe – das Diebsgewerbe nicht ausgenommen – eine von spezifischen Göttern oder doch von einem spezifischen göttlichen Willen gestiftete und ihr ganz speziell zugewiesene Lebenserfüllung und speist ihr Würdegefühl aus der technisch vollendeten Ausführung dieser „Berufsaufgabe". Aber diese „Berufsethik" ist, mindestens für das Gewerbe, in einem bestimmten Sinn spezifisch „traditionalistisch" und nicht rational. Ihre Erfüllung und Bewährung findet sie auf dem Gebiet der gewerblichen Produktion in der absoluten qualitativen Vollkommenheit des *Produkts*. Fern liegt ihr der Gedanke der Rationalisierung der Vollzugs*weise*, die aller modernen rationalen Technik oder der Systematisierung des Betriebs zur rationalen Erwerbswirtschaft, die allem modernen Kapitalismus zugrunde liegt. Die ethische Weihe dieses Wirtschaftsrationalismus, des „Unternehmers", gehört der Ethik des asketischen Protestantismus an. Die Kastenethik verklärt den „Geist" des Handwerks, den Stolz nicht auf den in Geld qualifizierten Wirtschafts*ertrag* oder auf die in rationaler Arbeitsverwendung sich bewährenden Wunder der rationalen Technik, sondern den Stolz auf die in der Schönheit und Güte des Produkts sich bewährende persönliche, virtuose, kastenmäßige Handfertigkeit des Produzenten. Für die Wirkung der indischen Kastenordnung im speziellen war – wie zur Erledigung, dieser Zusammenhänge schon hier erwähnt sein mag – vor allem entscheidend der Zusammenhang mit dem Seelenwanderungsglauben, daß die Verbesserung der Wiedergeburtschancen *nur* durch Bewährung *innerhalb* der für die eigene Kaste vorgeschriebenen Berufstätigkeit möglich ist. Jedes Heraustreten aus der eigenen Kaste, insbesondere jeder Versuch, in die Tätigkeitssphären anderer, höherer, Kasten einzugreifen, bringt bösen Zauber und die Chance ungünstiger Wiedergeburt mit sich. Dies erklärt es, daß, nach häufigen Beobachtungen in Indien, *gerade* die untersten Kasten – denen natürlich die Besserung ihrer Wiedergeburtschancen besonders am Herzen liegt – am festesten an ihren Kasten und den Pflichten hingen und (im ganzen) nie daran dachten, die Kastenordnung etwa durch „soziale Revolutionen" oder „Reformen" umstürzen zu wollen. Das biblische, auch von Luther stark betonte: „*bleibe* in deinem Beruf", ist hier zu einer religiösen Kardinalpflicht erhoben und durch schwere religiöse Folgen sanktioniert.

Wo der Geisterglauben zum Götterglauben rationalisiert wird, also nicht mehr die Geister magisch gezwungen, sondern Götter kultisch verehrt und gebeten sein wollen, schlägt die magische Ethik des Geisterglaubens in die Vorstellung um: daß denjenigen, welcher die gottgewollten Normen verletzt, das ethische Mißfallen des Gottes trifft, welcher jene Ordnungen unter seinen speziellen Schutz gestellt hat. Es wird nun die Annahme möglich, daß es nicht Mangel an Macht des eigenen Gottes sei, wenn die Feinde siegen oder anderes Ungemach über das eigene Volk kommt, sondern daß der Zorn des eigenen Gottes über seine Anhänger durch die Verletzungen der von ihm geschirmten ethischen Ordnungen erregt, die eigenen *Sünden* also daran schuld seien und daß der Gott mit einer ungünstigen Entscheidung gerade sein Lieblingsvolk hat züchtigen und erziehen wollen. Immer neue Missetaten Israels, eigene der jetzigen Generation oder solche der Vorfahren, wissen seine Propheten aufzufinden, auf welche der Gott mit seinem schier unersättlichen Zorn reagiert, indem er sein eigenes Volk anderen, die ihn gar nicht einmal anbeten, unterliegen läßt. Dieser Gedanke, in allen denkbaren Abwandlungen überall verbreitet, wo die Gotteskonzeption universalistische Züge annimmt, formt aus den magischen, lediglich mit der Vorstellung des bösen Zaubers operierenden Vorschriften die „religiöse Ethik": Verstoß gegen den Willen des Gottes wird jetzt eine ethische „Sünde", die das „Gewissen" belastet, ganz unabhängig von den unmittelbaren Folgen. Übel, die den einzelnen treffen, sind gottgewollte Heimsuchungen und Folgen der Sünde, von denen der Einzelne durch ein Gott wohlgefälliges Verhalten: „Frömmigkeit", befreit zu werden, „Erlösung" zu finden, hofft. Fast nur in diesem elementaren rationalen Sinn der Befreiung von ganz konkreten Übeln tritt der folgenschwere Gedanke der „Erlösung" noch im Alten Testament auf. Und die religiöse teilt mit der magischen Ethik zunächst durchaus auch die andere Eigenart: daß es ein Komplex oft höchst heterogener, aus den allerverschiedensten Motiven und Anlässen entstandener, nach unserer Empfindungsart „Wichtiges" und „Unwichtiges" überhaupt nicht scheidender, Gebote und Verbote ist, deren Verletzung die „Sünde" konstituiert. Nun aber kann eine Systematisierung dieser ethischen Konzeptionen eintreten, welche von dem rationalen Wunsch: durch gottgefälliges Tun sich persönliche äußere Annehmlichkeiten zu sichern, bis zu der Auffassung der Sünde als einer einheitlichen Macht des Widergöttlichen führt, in deren Gewalt der Mensch fällt, der „Güte" aber als einer einheitlichen Fähigkeit zur heiligen Gesinnung und einem aus ihr einheitlich folgenden Handeln und der Erlösungshoffnung als einer irrationalen Sehnsucht, „gut" sein zu können lediglich oder doch primär um des bloßen beglückenden Besitzes des Bewußtseins willen, es zu sein. Eine lückenlose Stufenfolge der allerverschiedensten, immer wieder mit rein magischen Vorstellungen gekreuzten Konzeptionen führt zu diesen sehr selten und von der Alltagsreligiosität nur intermittierend in voller Reinheit erreichten Sublimierungen der Frömmigkeit als einer kontinuierlich, als konstantes Motiv wirkenden Grundlage einer spezifischen *Lebensführung*. Noch dem Vorstellungskreis des Magischen gehört jene Konzeption der „Sünde" und „Frömmigkeit" als einheitlicher Mächte an, welche beide, als eine Art von materiellen Substanzen auffaßt, welche das Wesen des „böse" oder „gut" Handelnden nach Art eines Gifts oder eines dagegen wirkenden Heilserums oder nach Art etwa einer Körpertemperatur auffassen, wie sich das in Indien findet: „tapas", die (durch Askese erreichte) Macht des Heiligen, die ein Mensch im Leibe hat, heißt ursprünglich jene „Hitze", welche der Vogel beim Brüten, der Weltschöpfer bei der Erzeugung der Welt, der Magier bei der durch Mortifikation erzeugten heiligen Hysterie, welche zu übernatürlichen Fähigkeiten führt, in sich entwickelt. Von den durch die Vorstellungen: daß der gut Handelnde eine besondere „Seele" göttlicher Provenienz in sich aufgenommen habe und weiter bis zu den später zu erörternden Formen des innerlichen „Habens" des Göttlichen ist ein weiter Weg. Und ebenso von der Auffassung der „Sünde" als eines magisch zu kurierenden Gifts im Leibe des Übeltäters durch die Vorstellung eines bösen Dämons, von dem er besessen ist, bis zur teuflischen Macht des „radikal Bösen", mit der er kämpft und der er in Gefahr ist zu verfallen.

Bei weitem nicht jede religiöse Ethik hat den Weg bis zu diesen Konzeptionen durchlaufen. Die Ethik des Konfuzianismus kennt das radikal Böse und überhaupt eine einheitliche widergöttliche Macht der „Sünde" nicht. Die hellenische und römische ebenfalls nicht. In beiden Fällen hat außer einem selbständigen organisierten Priestertum auch jene historische Erscheinung gefehlt, welche nicht unbedingt immer, aber allerdings normalerweise die Zentralisierung der Ethik unter dem Gesichtspunkt religiöser Erlösung schafft: die *Prophetie*. In Indien hat die Prophetie nicht gefehlt, aber – wie noch zu erörtern – einen sehr spezifischen Charakter gehabt, und dementsprechend auch die dort sehr hoch sublimierte Erlösungsethik. Prophetie und Priestertum sind die beiden Träger der Systematisierung und Rationalisierung der religiösen Ethik. Daneben aber fällt als dritter, die Entwicklung bestimmender Faktor der Einfluß derjenigen ins Gewicht, auf welche Propheten und Priester ethisch zu wirken suchen: der „Laien". Wir müssen die Art des Mit- und Gegeneinanderwirkens dieser drei Faktoren zunächst ganz allgemein in Kürze erörtern.

§ 4. „Prophet".

Was ist, soziologisch gesprochen, ein Prophet? Wir unterlassen hier, die Frage der „Heilbringer", welche Breysig s. Zt. angeschnitten hat, allgemein zu erörtern. Nicht jeder anthropomorphe Gott ist ein vergötterter Bringer äußeren oder inneren Heils und bei weitem nicht jeder Bringer von solchem ist zu einem Gott oder auch nur Heiland geworden, so weitverbreitet die Erscheinung auch gewesen ist.

Wir wollen hier unter einem „Propheten" verstehen einen rein *persönlichen* Charismaträger, der kraft seiner Mission eine religiöse *Lehre* oder einen göttlichen Befehl verkündet. Wir wollen dabei hier keinen grundsätzlichen Unterschied darnach machen: ob der Prophet eine (wirklich oder vermeintlich) alte Offenbarung neu verkündet oder füglich neue Offenbarungen zu bringen beansprucht, ob er also als „Religionserneuerer" oder als „Religionsstifter" auftritt. Beides kann ineinander übergehen und insbesondere ist nicht die Absicht des Propheten selbst maßgebend dafür, ob aus seiner Verkündigung eine neue *Gemeinschaft* entsteht; dazu können auch die Lehren unprophetischer Reformatoren den Anlaß geben. Auch ob mehr die Anhängerschaft an die Person wie bei Zarathustra, Jesus, Muhammed oder mehr an die Lehre als solche – wie bei Buddha und der israelitischen Prophetie – hervortritt, soll uns in diesem Zusammenhang nichts angehen. Entscheidend ist für uns die „persönliche" Berufung. Das scheidet ihn vom Priester. Zunächst und vor allem, weil dieser im Dienst einer heiligen Tradition, der Prophet dagegen kraft persönlicher Offenbarung oder Gesetzes Autorität beansprucht. Es ist kein Zufall, daß mit verschwindenden Ausnahmen, kein Prophet aus der Priesterschaft auch nur hervorgegangen ist. Die indischen Heilslehrer sind regelmäßig keine Brahmanen, die israelitischen keine Priester, und nur Zarathustra könnte vielleicht aus Priesteradel stammen. Im Gegensatz zum Propheten spendet der Priester Heilsgüter kraft seines Amts. Freilich kann das Priesteramt an ein persönliches Charisma geknüpft sein. Aber auch dann bleibt der Priester als Glied eines vergesellschafteten Heilsbetriebs durch sein Amt legitimiert, während der Prophet ebenso wie der charismatische Zauberer lediglich kraft persönlicher Gabe wirkt. Vom Zauberer unterscheidet er sich dadurch, daß er inhaltliche Offenbarungen verkündet, der Inhalt seiner Mission nicht in Magie, sondern in Lehre oder Gebot besteht. Äußerlich ist der Übergang flüssig. Der Zauberer ist sehr häufig Divinationskündiger, zuweilen nur dies. Die Offenbarung funktioniert in diesem Stadium kontinuierlich als Orakel oder als Traumeingebung. Ohne Befragung der Zauberer kommen Neuregelungen von Gemeinschaftsbeziehungen ursprünglich kaum irgendwo zustande. In Teilen Australiens sind es noch heute nur die im Traum eingegebenen Offenbarungen von Zauberern, welche den Versammlungen der Sippenhäupter zur Annahme unterbreitet werden, und es ist sicherlich eine „Säkularisation", wenn dies dort vielfach schon jetzt fortgefallen ist. Und ferner: ohne jede charismatische, und das heißt normalerweise: magische, Beglaubigung hat ein Prophet nur unter besonderen

Umständen Autorität gewonnen. Zum mindesten die Träger „neuer" Lehren haben ihrer fast immer bedurft. Es darf keinen Augenblick vergessen werden, daß Jesus seine eigene Legitimation und den Anspruch, daß er und nur er den Vater kenne, daß nur der Glaube an ihn der Weg zu Gott sei, *durchaus* auf das magische Charisma stützte, welches er in sich spürte, daß dieses Machtbewußtsein weit mehr als irgend etwas anderes es zweifellos auch war, was ihn den Weg der Prophetie betreten ließ. Die Christenheit des apostolischen und nachapostolischen Zeitalters kennt den wandernden Propheten als eine reguläre Erscheinung. Immer wird dabei der Beweis des Besitzes der spezifischen Gaben des Geistes, bestimmter magischer oder ekstatischer Fähigkeiten verlangt. Sehr oft wird die Divination ebenso wie die magische Therapeutik und Beratung „berufsmäßig" ausgeübt. So von den im Alten Testament, besonders in den Chroniken und prophetischen Büchern, massenhaft erwähnten „Propheten" (nabi, nabijim). Aber eben von ihnen unterscheidet sich der Prophet im hier gemeinten Sinn des Worts rein ökonomisch: durch die *Unentgeltlichkeit* seiner Prophetie. Zornig wehrt sich Amos dagegen, ein „nabi" genannt zu werden. Und der gleiche Unterschied besteht auch gegenüber den Priestern. Der typische Prophet propagiert die „Idee" um ihrer selbst willen, nicht – wenigstens nicht erkennbar und in geregelter Form – um Entgelts willen. Die Unentgeltlichkeit der prophetischen Propaganda, z. B. der ausdrücklich festgehaltene Grundsatz: daß der Apostel, Prophet, Lehrer des alten Christentums kein Gewerbe aus seiner Verkündigung mache, nur kurze Zeit die Gastfreundschaft seiner Getreuen in Anspruch nehmen, entweder von seiner Hände Arbeit oder (wie der Buddhist) von dem ohne ausdrückliche Bitte Gegebenen leben muß, wird in den Episteln des Paulus (und, in jener anderen Wendung, in der buddhistischen Mönchsregel) immer erneut mit größtem Nachdruck betont („wer nicht arbeitet, soll nicht essen" gilt den *Missionaren*) und ist natürlich auch eines der Hauptgeheimnisse des Propagandaerfolges der Prophetie selbst. –

Die Zeit der älteren israelitischen Prophetie, etwa des Elia, ist in ganz Vorderasien und auch in Hellas eine Epoche stark prophetischer Propaganda gewesen. Vielleicht im Anschluß an die Neubildung der großen Weltreiche in Asien und der nach längerer Unterbrechung wieder zunehmenden Intensität des internationalen Verkehrs beginnt, namentlich in Vorderasien, die Prophetie in allen ihren Formen. Griechenland ist damals der Invasion des thrakischen Dionysoskultes ebenso wie der allerverschiedensten Prophetien ausgesetzt gewesen. Neben den halbprophetischen Sozialreformern brachen rein religiöse Bewegungen in die schlichte magische und kultische Kunstlehre der homerischen Priester ein. Emotionale Kulte ebenso wie die emotionale, auf „Zungenreden" beruhende Prophetie und die Schätzung der Rauschekstasen brachen die Entwicklung von theologisierendem Rationalismus (Hesiod) und den Anfängen der kosmogonischen und philosophischen Spekulationen, der philosophischen Geheimlehren und Erlösungsreligionen und gingen parallel mit der überseeischen Kolonisation und vor allem der Polisbildung und Umbildung auf der Basis des Bürgerheeres. Wir haben hier diese von Rohde glänzend analysierten Vorgänge des 8. und 7. Jahrhunderts, die teilweise bis ins 6. und selbst 5. Jahrhundert hinabreichen – also zeitlich sowohl der jüdischen wie der persischen wie der indischen Prophetie, wahrscheinlich auch den uns nicht mehr bekannten vorkonfuzianischen Leistungen der chinesischen Ethik darin entsprachen, – nicht zu schildern. Sowohl was die ökonomischen Merkmale: Gewerbsmäßigkeit oder nicht, betrifft, und was das Vorhandensein einer „Lehre" anlangt, sind diese hellenischen „Propheten" untereinander sehr verschieden. Auch der Hellene (Sokrates) unterschied gewerbsmäßige Lehre und unentgeltliche Ideenpropaganda. Und auch in Hellas war die einzige wirkliche *Gemeinde*religiosität: die orphische und ihre Erlösung durch das Merkmal einer wirklichen Heils*lehre* von aller anderen Art von Prophetie und Erlösungstechnik, insbesondere derjenigen der Mysterien, klar unterschieden. Wir haben hier vor allem die Typen der Prophetie von denen der sonstigen religiösen oder anderen Heilbringer zu sondern.

Auch in historischer Zeit oft flüssig ist der Übergang vom „Propheten" zum „Gesetzgeber", wenn man unter diesem eine Persönlichkeit versteht, welche im Einzelfall mit der Aufgabe betraut wird, ein Recht systematisch zu ordnen oder neu zu konstituieren, wie namentlich die hellenischen Aisymneten (Solon, Charondas usw.). Es gibt keinen Fall, daß ein solcher Gesetzgeber oder sein Werk nicht mindestens die nachträgliche göttliche Gutheißung erhalten hätte. Ein „Gesetzgeber" ist etwas anderes als der italienische Podestà, den man von auswärts, nicht um eine soziale Neuordnung zu schaffen, sondern um einen koteriefreien unparteiischen Herrn zu haben, berief, also im Fall von Geschlechterfehden innerhalb der *gleichen* Schicht. Die Gesetzgeber werden dagegen, wenn nicht immer, so in aller Regel, dann zu ihrem Amt berufen, wenn *soziale* Spannungen bestehen. Besonders oft, wenn der überall typische früheste Anlaß planvoller „Sozialpolitik" eingetreten ist: ökonomische Differenzierung der Kriegerschaft durch neuentstandenen Geldreichtum der einen und

Schuldverknechtung der andern und eventuell daneben unausgeglichene politische Aspirationen der durch ökonomischen Erwerb reich gewordenen Schichten gegenüber dem alten Kriegeradel. Der Aisymnet soll den Ständeausgleich vollziehen und ein für immer gültiges neues „heiliges" Recht schaffen und göttlich beglaubigen lassen. Es ist sehr wahrscheinlich, daß Moses eine historische Figur war. Ist dies der Fall, dann gehört er seiner Funktion nach zu den Aisymneten. Denn die Bestimmungen des ältesten israelitischen heiligen Rechts setzen Geldwirtschaft und dadurch entweder schon entstandene oder doch drohende scharfe Interessengegensätze innerhalb der Eidgenossen voraus. Der Ausgleich oder die Vorbeugung gegen diese Gegensätze (z. B. die Seisachthie des Erlaßjahrs) und die Organisation der israelitischen Eidgenossenschaft mit einem einheitlichen Nationalgott sind sein Werk, welches, dem Charakter nach, zwischen demjenigen Muhammeds und der antiken Aisymneten etwa in der Mitte steht. An dieses Gesetz knüpft sich denn auch, ganz wie an den Ständeausgleich in so vielen anderen Fällen, (vor allem in Rom und Athen) die Expansionsperiode des neugeeinigten Volks nach außen. Und es war nach Moses in Israel „kein Prophet gleich ihm"; das heißt kein Aisymnet. Nicht nur nicht alle Propheten sind also Aisymneten in jenem Sinn, sondern gerade die üblicherweise sogenannte Prophetie gehört nicht hierher. Gewiß erscheinen auch die späteren Propheten Israels als „sozialpolitisch" interessiert. Das „Wehe" ertönt über diejenigen, welche die Armen bedrücken und versklaven, Acker an Acker fügen, die Rechtsfindung gegen Geschenke beugen, – durchaus die typischen Ausdrucksformen aller antiken Klassendifferenzierung, verschärft wie überall durch die inzwischen eingetretene Organisation der Polis Jerusalem. Dieser Zug darf aus dem Bilde der meisten israelitischen Propheten nicht gestrichen werden. Um so weniger, als z. B. der indischen Prophetie jeder derartige Zug fehlt, obwohl man die Verhältnisse Indiens zur Zeit Buddhas als den hellenischen des 6. Jahrhunderts relativ ziemlich ähnlich bezeichnet hat. Der Unterschied folgt aus noch zu erörternden religiösen Gründen. Für die israelitische Prophetie sind aber diese sozialpolitischen Argumentationen, was andererseits auch nicht verkannt werden darf, nur Mittel zum Zweck. Sie sind in erster Linie an der auswärtigen Politik als der Tatenbühne ihres Gottes interessiert. Das dem Geist des mosaischen Gesetzes widerstreitende Unrecht, auch das soziale, kommt für sie nur als Motiv und zwar als eins der Motive für Gottes Zorn in Betracht, nicht aber als Grundlage eines sozialen Reformprogramms. Charakteristischerweise ist gerade der einzige soziale Reformtheoretiker: Hesekiel, ein priesterlicher Theoretiker und kaum noch Prophet zu nennen. Jesus vollends ist an sozialer Reform als solcher schlechterdings nicht interessiert. Zarathustra teilt den Haß seines viehzüchtenden Volks gegen die räuberischen Nomaden, aber er ist zentral religiös, an dem Kampf gegen den magischen Rauschkult und für den Glauben an seine eigene göttliche Mission interessiert, deren Konsequenzen lediglich die ökonomischen Seiten seiner Prophetie sind. Erst recht trifft dies bei Muhammed zu, dessen Sozialpolitik, von Omar in ihre Konsequenzen getrieben, fast ganz an dem Interesse der inneren Einigung der Gläubigen zum Kampf nach außen, zum Zweck der Erhaltung eines Maximum von Gottesstreitern hängt.

Den Propheten spezifisch ist, daß sie ihre Mission nicht kraft menschlichen Auftrags übernehmen, sondern usurpieren. Das tun freilich auch die „Tyrannen" der hellenischen Polis, welche funktionell oft den legalen Aisymneten sehr nahestehen und auch ihre spezifische Religionspolitik (häufig z. B. die Förderung emotionalen, bei der Masse im Gegensatz zum Adel populären Dionysoskults) gehabt haben. Aber die Propheten usurpieren ihre Gewalt kraft göttlicher Offenbarung und dem Schwerpunkt nach zu religiösen Zwecken, und die für sie typische religiöse Propaganda liegt ferner in der gerade entgegengesetzten Richtung wie die typische Religionspolitik der hellenischen Tyrannen: in dem Kampf *gegen* die Rauschkulte. Muhammeds von Grund aus politisch orientierte Religion und seine Stellung in Medina, welche zwischen derjenigen eines italienischen Podestà und etwa der Stellung Calvins in Genf in der Mitte steht, wächst dennoch aus primär rein prophetischer Mission heraus: er, der Kaufmann, war zuerst ein Leiter pietistischer bürgerlicher Konventikel in Mekka, bis er zunehmend erkannte, daß die Organisation des Beuteinteresses der Kriegergeschlechter die gegebene äußere Grundlage für seine Mission sei.

Andererseits ist der Prophet durch Übergangsstufen verbunden mit dem ethischen, speziell dem sozialethischen *Lehrer*, der, neuer oder erneuten Verständnisses alter Weisheit voll, Schüler um sich sammelt, Private in privaten Fragen, Fürsten in öffentlichen Dingen der Welt berät und eventuell zur Schöpfung ethischer Ordnungen zu bestimmen sucht. Die Stellung des Lehrers religiöser oder philosophischer Weisheit zum Schüler ist namentlich in den asiatischen heiligen Rechten außerordentlich fest und autoritär geregelt und gehört überall zu den festesten Pietätsverhältnissen, die es gibt. Die magische wie die Heldenlehre ist in aller Regel so geordnet, daß der Novize einem einzelnen erfahrenen Meister zugewiesen wird oder ihn sich – etwa so wie der „Leibfuchs" den „Leibburschen" im deutschen Couleur-wesen – aussuchen darf, dem er nun in persönlicher Pietät attachiert ist und der seine Ausbildung überwacht. Alle Poesie der hellenischen Knabenliebe stammt aus dieser Pietätsbeziehung und bei Buddhisten und Konfuzianern und in aller Mönchserziehung pflegt ähnlich ver-fahren zu werden. Der Typus ist am konsequentesten in der Stellung des „Guru" im indischen heiligen Recht durchgeführt, des brahma-nischen Lehrers, dessen Lehre und Lebensleitung jeder zur vorneh-men Gesellschaft Gehörige jahrelang sich rückhaltlos hingeben muß. Er hat souveräne Gewalt und das Obödienzverhältnis, welches etwa der Stellung eines Famulus des okzidentalen Magisters entspricht, wird der Familienpietät vorangestellt, ebenso wie die Stellung des Hof-brahmanen (Purohita) offiziell in einer Art geordnet ist, welche dessen Machtstellung weit über die mächtigsten Beichtväter des Abendlan-des erhebt. Allein der Guru ist lediglich ein Lehrer, der erworbenes, nicht nur offenbartes, Wissen weitergibt und nicht kraft eigener Au-torität, sondern im Auftrag lehrt. Auch der philosophische Ethiker und Sozialreformer aber ist kein Prophet in unserem Sinn, so nahe er ihm stehen kann. Gerade die ältesten, legendenumwobenen Weisen der Hellenen, Empedokles und ähnliche, vor allem Pythagoras, stehen freilich dem Prophetentum am nächsten und haben teilweise auch Gemeinschaften mit eigener Heilslehre und Lebensführung hinter-lassen, auch die Heilandsqualität, zum Teil wenigstens, prätendiert. Es sind Typen von Intellektuellenheilslehrern, welche den indischen Parallelerscheinungen vergleichbar sind, nur bei weitem nicht deren Konsequenz in der Abstellung von Leben und Lehre auf „Erlösung" erreicht haben. Noch weniger können die Stifter und Häupter der eigentlichen „Philosophenschulen" als „Propheten" in unserem Sinn aufgefaßt werden, so nahe sie ihnen zuweilen kamen. Gleitende Über-gänge führen von Konfuzius, in dessen Tempel selbst der Kaiser den Kotau vollzieht, zu Platon. Beide waren lediglich schulmäßig lehren-de Philosophen, getrennt durch die bei Konfuzius zentrale, bei Pla-ton mehr gelegentliche Abgestelltheit auf bestimmenden sozialrefor-merischen Einfluß auf Fürsten. Von dem Propheten aber trennt sie das Fehlen der aktuellen emotionalen *Predigt*, welche, einerlei, ob durch Rede oder Pamphlete oder schriftlich verbreitete Offenbarungen nach Art der Suren Muhammeds, dem Propheten eigentümlich ist. Dieser steht stets dem Demagogen oder politischen Publizisten nä-her als dem „Betrieb" eines Lehrers, und andererseits ist die Tätigkeit etwa des Sokrates, der sich ebenfalls im Gegensatz gegen das pro-fessionelle Weisheitsgewerbe stehend fühlt, begrifflich von der Prophetie durch das Fehlen einer direkt offenbarten religiösen Mission geschieden. Das „Daimonion" reagiert bei Sokrates auf konkrete Situationen, und zwar vorwiegend abmahnend und warnend. Es findet sich bei ihm als Schranke seines ethischen, stark utilitarischen Rationalismus etwa an der Stelle, wo bei Konfuzius die magische Divination steht. Es ist schon aus jenem Grunde nicht einmal mit dem „Gewissen" der eigentlich religiösen Ethik gleichzusetzen, geschweige denn, daß es als ein prophetisches Organ gelten dürfte. Und so ist es mit allen Philosophen und ihren Schulen, wie sie China, Indien, die hellenische Antike, das jüdische, arabische und christliche Mittelalter in untereinander, soziologisch betrachtet, ziemlich ähnlicher Form gekannt haben. Sie können, wie bei den Pythagoräern, mehr der mystagogisch-rituellen, oder, wie bei den Kynikern, der exemplarischen Heilsprophetie (im bald zu erörternden Sinn) in der von ihnen produzierten und propagierten Lebensführung nahestehen. Sie können, wie die Kyniker, in ihrem Protest sowohl gegen die weltlichen Kulturgüter wie gegen die Sakramentsgnade der Mysterien, äußere und innere Verwandtschaft mit indischen und orientalischen asketischen Sekten zeigen. Der Prophet im hier festgehaltenen Sinn fehlt ihnen überall da, wo die Verkündigung einer religiösen Heilswahrheit kraft persönlicher Offenbarung fehlt. Diese soll hier als das entscheidende Merkmal des Propheten festgehalten werden. Die indischen Religionsreformer endlich nach Art des Cankara und Ramanjua, und die Reformatoren von der Art Luthers, Zwinglis, Calvins, Wesleys sind von der Kategorie der Propheten dadurch getrennt, daß sie weder kraft einer inhaltlich neuen Offenbarung noch wenigstens kraft eines speziellen göttlichen Auftrags zu sprechen prätendieren, wie dies z. B. der Stifter der Mormonenkirche, – der, auch in rein technischer Hinsicht mit Muhammed Ähnlichkeit zeigt, – und vor allem die jüdischen Propheten, aber auch z. B. Montanus und Novatianus und auch, allerdings mit einem stark rational lehrhaften Anflug, Mani und Manus, mit mehr emotionalem George Fox, taten.

Scheidet man alle bisher genannten, oft sehr dicht angrenzenden Formen aus dem Begriff aus, dann bleiben immer noch verschiedene Typen.

Zunächst der *Mystagoge*. Er praktiziert Sakramente, d. h. magische Handlungen, welche Heilsgüter verbürgen. Durch die ganze Welt hat es Erlöser dieser Art gegeben, die sich von dem gewöhnlichen Zauberer nur graduell durch die Sammlung einer speziellen *Gemeinde* um sich unterscheiden. Sehr oft haben sich dann auf Grund eines für erblich geltenden, sakramentalen Charisma Dynastien von Mystagogen entwickelt, welche durch Jahrhunderte hindurch ihr Prestige behaupteten, Schüler mit Vollmachten ausstatteten und so eine Art von Hierarchiestellung einnahmen. Namentlich in Indien, wo der Titel Guru auch auf solche Heilsspender und ihre Bevollmächtigten angewendet wird. Ebenso in China, wo z. B. der Hierarch der Taoisten und einige geheime Sektenhäupter erblich eine solche Rolle spielten. Der gleich zu erwähnende Typus der exemplarischen Prophetie schlägt in der zweiten Generation sehr regelmäßig in Mystagogentum um. Massenhaft sind sie auch in ganz Vorderasien zu Hause gewesen und in dem erwähnten prophetischen Zeitalter nach Hellas hinübergekommen. Aber z. B. auch die weit älteren Adelsgeschlechter, welche erbliche Leiter der Eleusinischen Mysterien waren, repräsentieren wenigstens noch einen Grenzfall nach der Seite der einfachen Erbpriestergeschlechter hin. Der Mystagoge spendet magisches Heil, und es fehlt ihm oder bildet doch nur ein untergeordnetes Anhängsel: die ethische *Lehre*. Statt dessen besitzt er eine vornehmlich erblich fortgepflanzte magische Kunstlehre. Auch pflegt er von seiner vielbegehrten Kunst ökonomisch existieren zu wollen. Wir wollen daher auch ihn aus dem Prophetenbegriff ausscheiden, selbst wenn er neue Heilswege offenbart.

Dann bleiben noch zwei Typen von Prophetentum in unserem Sinn, deren einer am klarsten durch Buddha, deren anderer besonders klar durch Zarathustra und Muhammed repräsentiert wird. Entweder ist nämlich der Prophet, wie in den letzten Fällen, ein im Auftrag eines Gottes diesen und seinen Willen – sei dies ein konkreter Befehl oder eine abstrakte Norm – verkündendes Werkzeug, der kraft Auftrags Gehorsam als ethische Pflicht fordert (*ethische Prophetie*). Oder er ist ein exemplarischer Mensch, der anderen an seinem eigenen Beispiel den Weg zum religiösen Heil zeigt, wie Buddha, dessen Predigt weder von einem göttlichen Auftrag, noch von einer ethischen Gehorsamspflicht etwas weiß, sondern sich an das eigene Interesse der Heilsbedürftigen wendet, den gleichen Weg wie er selbst zu betreten (*exemplarische Prophetie*). Dieser zweite Typus eignet vornehmlich der indischen, in vereinzelten Exemplaren auch der chinesischen (Laotse) und vorderasiatischen, der erste aber ausschließlich der vorderasiatischen Prophetie, und zwar ohne Unterschied der Rasse. Denn weder die Veden, noch die chinesischen klassischen Bücher, deren älteste Bestandteile in beiden Fällen aus Preis- und Dankliedern heiliger Sänger und aus magischen Riten und Zeremonien bestehen, lassen es irgend wahrscheinlich erscheinen, daß dort jemals eine Prophetie des ethischen Typus nach der Art der vorderasiatischiranischen bestanden haben könnte. Der entscheidende Grund dafür liegt in dem Fehlen des persönlichen überweltlichen ethischen Gottes, welcher in Indien überhaupt nur in sakramental-magischer Gestalt innerhalb der späteren volkstümlichen hinduistischen Religiosität seine Heimat hatte, im Glauben derjenigen sozialen Schichten aber, innerhalb welcher sich die entscheidenden prophetischen Konzeptionen des Mahavira und Buddha vollzogen, nur intermittierend und stets wieder pantheistisch umgedeutet auftauchte, in China vollends in der Ethik der sozial ausschlaggebenden Schicht ganz fehlte. Inwieweit dies vermutlich mit der sozial bedingten intellektuellen Eigenart jener Schichten zusammenhing, darüber später. Soweit innerreligiöse Momente mitwirkten, war für Indien wie für China entscheidend, daß die Vorstellung einer rational geregelten Welt ihren Ausgangspunkt nahm von der zeremoniellen Ordnung der Opfer, an deren unwandelbaren Regelmäßigkeit alles hängt: vor allem die unentbehrliche Regelmäßigkeit der meteorologischen Vorgänge, animistisch gedacht: das normale Funktionieren und die Ruhe der Geister und Dämonen, welche sowohl nach klassischer wie nach heterodoxer chinesischer Anschauung durch eine ethisch richtig geführte Regierung, wie sie dem echten Tugendpfad (Tao) entspricht, verbürgt wird und ohne die auch nach vedischer Lehre alles fehlschlägt. Rita und Tao sind daher in Indien bzw. China übergöttliche unpersönliche Mächte. Der überweltliche persönliche ethische Gott dagegen ist eine vorderasiatische Konzeption. Sie entspricht so sehr dem auf Erden allmächtigen einen König mit seinem rationalen bürokratischen Regiment, daß ein Kausalzusammenhang nicht gut abweisbar ist. Über die ganze Erde hin ist der Zauberer in erster Linie Regenmacher, denn von rechtzeitigem, genügendem und auch nicht übermäßigem Regen hängt die Ernte ab. Der pontifikale chinesische Kaiser ist es bis in die Gegenwart geblieben, denn wenigstens in Nordchina überwiegt die Bedeutung des unsicheren Wetters diejenige der Bewässerungsanlage, so groß deren Wichtigkeit dort ist. Mauer- und Binnenschifffahrtskanalbauten, die eigentliche Quelle der kaiserlichen Bürokratie, waren noch wichtiger. Meteorologische Störungen sucht er durch Opfer, öffentliche Buße und Tugendübungen, z. B. durch Abstellung von Mißbräuchen in der Verwaltung, etwa durch eine Razzia auf unbestrafte Verbrecher, abzuwenden, weil stets der Grund der Erregung der Geister und der Störung der kosmischen Ordnung entweder in persönlichen Verfehlungen des Monarchen oder in sozialer Unordnung vermutet wird. Zu den Dingen, die Jahve, gerade in den älteren Teilen der Überlieferung, als Lohn für seine damals noch wesentlich bäuerlichen Anhänger in Aussicht stellt, gehört ebenfalls: der Regen. Nicht zu wenig und auch nicht zu viel (Sintflut) davon verspricht er. Aber rundum, in Mesopotamien wie Arabien, war nicht der Regen der Erzeuger der Ernte, sondern ausschließlich die künstliche Bewässerung. Sie allein ist in Mesopotamien, ähnlich wie in Ägypten die Stromregulierung, die Quelle der absoluten Herrschaft des Königs, der seine Einkünfte gewinnt, indem er durch zusammengeraubte Untertanen Kanäle und an diesen Städte bauen läßt. In den eigentlichen Wüsten- und Wüstenrandgebieten Vorderasiens ist dies wohl eine der Quellen der Vorstellung von einem Gott, der die Erde und den Menschen nicht, wie sonst meist, gezeugt, sondern aus dem Nichts „gemacht" hat: auch die Wasserwirtschaft des Königs schafft ja die Ernte im Wüstensand aus dem Nichts. Der König schafft sogar das Recht durch Gesetze und rationale Kodifikationen, – etwas, was die Welt hier in Mesopotamien zum ersten Male erlebte. Und so erscheint es, auch abgesehen von dem Fehlen jener sehr eigenartigen Schichten, welche Träger der indischen und chinesischen Ethik waren, und die dortige „gottlose" religiöse Ethik schufen, sehr begreiflich, daß unter diesem Eindruck auch die Ordnung der Welt als das Gesetz eines frei schaltenden, überweltlichen, persönlichen Herrn konzipiert werden konnte. Zwar in Ägypten, wo ursprünglich der Pharao selbst ein Gott war, scheiterte später der Anlauf Echnatons zum astralen Monotheismus an der schon unüberwindlichen Macht der Priesterschaft, welche den volkstümlichen Animismus systematisiert hatte. Und im Zweistromlande stand das alte, ebenfalls schon politisch und durch Priester systematisierte Pantheon und die feste Ordnung des Staats dem Monotheismus ebenso wie jeder demagogischen Prophetie im Wege. Aber der Eindruck des pharaonischen sowohl wie des mesopotamischen Königtums auf die Israeliten war eher noch gewaltiger als der des persischen Königs, des „Basileus" κατ εξοχην, auf die Hellenen (wie er sich trotz seiner Niederlage z. B. in der Ausgestaltung einer pädagogischen Schrift zur „Kyrupaideia" ausspricht). Die Israeliten waren dem „Diensthause" des irdischen Pharao nur entronnen, weil ein göttlicher König half. Die Errichtung des irdischen Königtums wird ausdrücklich als Abfall von Jahve als dem eigentlichen Volkskönig erklärt, und die israelitische Prophetie ist ganz und gar an dem Verhältnis zu den politischen Großmächten: den großen Königen, orientiert, welche Israel zuerst als Zuchtruten Gottes zerschmetterten, dann wieder, kraft göttlicher Eingebung, ihm die Heimkehr aus dem Exil gestatten. Auch Zarathustras Vorstellungskreis scheint an den Konzeptionen westlicher Kulturländer orientiert. Die erste Entstehung sowohl der dualistischen wie der monotheistischen Prophetie scheint daher, neben anderen konkreten historischen Einflüssen, in ihrer Eigenart stark mitbedingt durch den Eindruck der relativ nahegelegenen großen Zentren straffer sozialer Organisation auf minder rationalisierte Nachbarvölker, welche Zorn und Gnade eines himmlischen Königs in ihrer eigenen beständigen Gefährdung durch die erbarmungslose Kriegsführung furchtbarer Nachbarn erblickten.

Mag aber die Prophetie mehr ethischen oder mehr exemplarischen Charakter haben, immer bedeutet – das ist das Gemeinsame – die prophetische Offenbarung, zunächst für den Propheten selbst, dann für seine Helfer: einen einheitlichen Aspekt des Lebens, gewonnen durch eine bewußt *einheitliche sinnhafte* Stellungnahme zu ihm. Leben und Welt, die sozialen wie die kosmischen Geschehnisse, haben für den Propheten einen bestimmten systematisch einheitlichen „Sinn", und das Verhalten der Menschen muß, um ihnen Heil zu bringen, daran orientiert und durch die Beziehung auf ihn einheitlich sinnvoll gestaltet werden. Die Struktur dieses „Sinnes" kann höchst verschieden sein, und er kann logisch heterogen scheinende Motive zu einer Einheit zusammenschmieden, denn nicht in erster Linie logische Konsequenz, sondern praktische Wertungen beherrschen die ganze Konzeption. Immer bedeutet sie, nur in verschiedenem Grade und mit verschiedenem Erfolge, einen Versuch der Systematisierung aller Lebensäußerungen, der Zusammenfassung also des praktischen Verhaltens zu einer *Lebensführung*, gleichviel, wie diese im Einzelfall aussehen möge. Immer enthält er ferner die wichtige religiöse Konzeption der „Welt", als eines „Kosmos", an welchen nun die Anforderung gestellt wird, daß er ein irgendwie „sinnvoll" geordnetes Ganze bilden müsse, und dessen Einzelerscheinungen an diesem Postulat gemessen und gewertet werden. Alle stärksten Spannungen der inneren Lebensführung sowohl wie der äußeren Beziehung zur Welt entstammen dann dem Zusammenstoß dieser Konzeption der Welt als eines, dem religiösen Postulat nach, sinnvollen Ganzen mit den empirischen Realitäten. Die Prophetie ist allerdings keineswegs die einzige Instanz, welche mit diesem Problem zu schaffen hat. Auch alle Priesterweisheit und ebenso alle priesterfreie Philosophie, intellektualistische und vulgäre, befaßt sich irgendwie mit ihm. Die letzte Frage aller Metaphysik lautete von jeher so: *wenn* die Welt als Ganzes und das Leben im besonderen einen „Sinn" haben soll, – welches kann er sein und wie muß die Welt aussehen, um ihm zu entsprechen? Aber die religiöse Problematik der Propheten und Priester ist der Mutterschoß, welcher die priesterfreie Philosophie, wo sie sich überhaupt entwickelte, aus sich entlassen hat, um sich dann mit ihr, als einer sehr wichtigen Komponente religiöser Entwicklung, auseinandersetzen zu müssen. Wir müssen daher die gegenseitigen Beziehungen von Priestern, Propheten und Nichtpriestern näher erörtern.

§ 5. Gemeinde.

Der Prophet gewinnt sich, wenn seine Prophetie Erfolg hat, ständige Helfer: Sodalen (wie Bartholomae den Terminus der Gathas übersetzt), Schüler (alttestamentlich und indisch), Gefährten (indisch und islamisch), Jünger (bei Jesaja und neutestamentlich), welche im Gegensatz zu den zünftig oder durch Amtshierarchie vergesellschafteten Priestern und Wahrsagern ihm rein persönlich anhängen, – eine Beziehung, die bei der Kasuistik der Herrschaftsformen noch zu erörtern sein wird. Und neben diesen ständigen, an seiner Mission aktiv mitarbeitenden, auch ihrerseits meist irgendwie charismatisch qualifizierten Helfern besteht der Kreis von Anhängern, welche ihn durch Unterkunft, Geld, Dienste unterstützen und von seiner Mission ihr Heil erwarten, daher auch ihrerseits je nachdem nur von Fall zu Fall zum Gelegenheitshandeln sich verbinden oder dauernd, zu einer *Gemeinde*, vergesellschaftet sein können. Die „Gemeinde" in diesem religiösen Sinn – die zweite Kategorie von Gemeinde neben dem aus ökonomischen, fiskalischen oder anderen politischen Gründen vergesellschafteten Nachbarschaftsverband – taucht ebenfalls nicht *nur* bei Prophetie im hier festgehaltenen Sinne auf und entsteht andrerseits auch nicht bei jeder Prophetie. Sie entsteht bei ihr überhaupt erst als ein Produkt der Veralltäglichung, indem entweder der Prophet selbst oder seine Schüler den Fortbestand der Verkündigung und Gnadenspendung dauernd sichern, daher auch die *ökonomische* Existenz der Gnadenspendung und ihrer Verwalter dauernd sicherstellen und nun für die dadurch mit Pflichten Belasteten auch die Rechte monopolisieren. Sie findet sich deshalb auch bei Mystagogen und bei Priestern unprophetischer Religionen. Für den Mystagogen ist ihre Existenz ein normales Merkmal im Gegensatz zum bloßen Zauberer, der entweder einen freien Beruf ausübt, oder, zünftig organisiert, einen bestimmten – nachbarschaftlichen oder politischen Verband, nicht eine besondere religiöse Gemeinde, versorgt. Nur pflegt die Mystagogengemeinde, wie diejenige der eleusinischen Mysten, meist im Zustand einer nach außen nicht geschlossenen und in ihrem Bestand wechselnden Vergemeinschaftung zu verharren. Wer gerade des Heils bedürftig ist, tritt in eine oft nur zeitweilige Beziehung zum Mystagogen und seinen Helfern. Immerhin bilden doch z. B. die eleusinischen Mysten eine Art von interlokaler Gemeinschaft. Anders wiederum steht es bei der exemplarischen Prophetie. Der exemplarische Prophet zeigt einen Heilsweg durch persönliches Beispiel. Nur wer diesem Beispiel unbedingt folgt – z. B. die Bettelmönche Mahaviras und Buddhas – gehört zu einer engeren, der „exemplarischen" Gemeinde, innerhalb deren dann wieder noch persönlich mit dem Propheten verbundene Jünger mit besonderer Autorität stehen können. Außerhalb der exemplarischen Gemeinde aber stehen fromme Verehrer (in Indien die „Upasakas"), welche für ihre Person den vollen Heilsweg nicht beschreiten, aber ein relatives Optimum von Heil durch Bezeugung von Devotion gegenüber den exemplarisch Heiligen erlangen wollen. Entweder entbehren sie jeder dauernden Vergemeinschaftung, wie ursprünglich die buddhistischen Upasakas, oder sie sind irgendwie auch ihrerseits mit festen Rechten und Pflichten vergesellschaftet, wie dies regelmäßig geschieht, wenn aus der exemplarischen Gemeinde besondere Priester oder priesterartige Seelsorger oder Mystagogen, wie die buddhistischen Bonzen, ausgeschieden und mit Besorgung von Kultpflichten (die der älteste Buddhismus nicht kannte) betraut wurden. Die Regel bleibt aber die freie Gelegenheitsvergesellschaftung, und dieser Zustand ist der Mehrzahl der Mystagogen und exemplarischen Propheten mit den Tempelpriesterschaften der einzelnen, zu einem Pantheon vergesellschafteten Gottheiten gemeinsam. Sie alle sind durch Stiftungen materiell gesichert und werden durch Opfergaben und Geschenke sustentiert, welche der jeweils Bedürftige spendet. Von einer dauernden Laiengemeinde ist dann noch nicht die Rede, und unsere Vorstellungen von einer religiösen Konfessionszugehörigkeit sind unbrauchbar. Anhänger eines Gottes ist der Einzelne nur im gleichen Sinn, wie etwa ein Italiener Anhänger eines bestimmten Heiligen. Unausrottbar scheint freilich das grobe Mißverständnis, z. B. die Mehrzahl oder gar alle Chinesen im konfessionellen Sinn als Buddhisten anzusehen, weil ein großer Teil von ihnen, in der Schule mit der allein offiziell approbierten konfuzianischen Ethik auferzogen, zwar für jeden Hausbau taoistische Divinationspriester zu Rate zieht und für tote Verwandte nach konfuzianischem Ritus trauert, aber daneben buddhistische Seelenmessen für sie lesen läßt. Außer den dauernd am Kult des Gottes Mitwirkenden und eventuell einem engen Kreis dauernder Interessenten gibt es hier nur Gelegenheitslaien, „Mitläufer", – wenn man den modernen parteitechnischen Ausdruck für die nichtorganisierten Mitwähler analog anwenden will.

Allein naturgemäß entspricht dieser Zustand, schon rein ökonomisch, im allgemeinen nicht dem Interesse der den Kult Besorgenden, und diese suchen daher auf die Dauer überall wo es angeht zur Gemeindebildung, d. h. also zu einer dauernden Vergesellschaftung der Anhängerschaft mit festen Rechten und Pflichten überzugehen. Die Umbildung der persönlichen Anhängerschaft in eine Gemeinde ist demnach die normale Form, in welcher die Lehre der Propheten in den Alltag, als Funktion einer ständigen Institution, eingeht. Die Schüler oder Jünger des Propheten werden dann Mystagogen oder Lehrer oder Priester oder Seelsorger (oder alles zusammen) einer ausschließlich religiösen Zwecken dienenden Vergesellschaftung: der *Laiengemeinde*. Das gleiche Resultat kann aber auch von anderen Ausgangspunkten her erreicht werden. Wir sahen, daß die Priester, im Übergang von der Zaubererfunktion zum eigentlichen Priestertum, entweder selbst grundherrliche Priestergeschlechter waren oder Haus- und Hofpriester von Grundherren und Fürsten oder ständisch organisierte gelernte Opferpriester, an die sich im Bedarfsfall sowohl der Einzelne wie die Verbände wenden, welche aber im übrigen sich jeder nicht standeswidrigen Beschäftigung hingeben können. Oder endlich: Verbandspriester eines, sei es beruflichen oder anderen, vor allem auch: eines politischen Verbandes. Eine eigentliche „Gemeinde", gesondert von anderen Verbänden, besteht in all diesen Fällen nicht. Sie kann indessen entstehen, wenn es entweder einem Opferpriestergeschlecht gelingt, die Spezialanhängerschaft seines Gottes als Gemeinde exklusiv zu organisieren, oder – und meist – wenn der politische Verband vernichtet wird, die religiöse Anhängerschaft an den Verbandsgott und seine Priester aber als Gemeinde fortbesteht. Der erste von beiden Typen findet sich in Indien und Vorderasien durch mannigfache Zwischenstufen, verbunden mit dem Übergang mystagogischer oder exemplarischer Prophetie oder von religiösen Reformbewegungen zur Dauerorganisation von Gemeinden. Viele kleine hinduistische Denominationen sind durch Vorgänge dieser Art entstanden. Der Übergang vom politischen Verbandspriestertum zur religiösen Gemeinde dagegen ist zuerst in größerem Umfang mit der Entstehung der vorderasiatischen Weltreiche, vor allem des persischen, verknüpft gewesen. Die politischen Verbände wurden vernichtet, die Bevölkerung entwaffnet, die Priesterschaften dagegen, mit gewissen politischen Befugnissen ausgestattet, in ihrer Stellung garantiert. Ähnlich, wie die Zwangsgemeinde aus dem Nachbarschaftsverband zur Sicherung fiskalischer Interessen, so wurde hier die religiöse Gemeinde als ein Mittel der Domestikation der Unterworfenen verwertet. So entstand durch Erlasse der persischen Könige von Kyros bis Ataxerxes das Judentum als eine vom König anerkannte religiöse Gemeinde mit einem theokratischen Zentrum in Jerusalem. Ein Sieg der Perser hätte vermutlich dem delphischen Apollon und den Priestergeschlechtern anderer Götter, vielleicht auch orphischen Propheten, ähnliche Chancen gebracht. In Ägypten entwickelte das nationale Priestertum nach dem Untergang der politischen Selbständigkeit eine Art „kirchlicher" Organisation, die erste dieser Art, wie es scheint, mit Synoden. In Indien dagegen entstanden die religiösen Gemeinden in dem dortigen enger begrenzten Sinn als „exemplarische" Gemeinden, indem durch die Vielheit der ephemeren politischen Gebilde hindurch zunächst die ständische Einheit des Brahmanentums und der Asketenregeln perennierte und infolgedessen auch die entstehenden Erlösungsethiken durch die politischen Grenzen hindurchgriffen. In Iran gelang es den zarathustrischen Priestern im Lauf der Jahrhunderte eine geschlossene religiöse Organisation zu propagieren, welche unter den Sassaniden politische „Konfession" wurde (die Achaemeniden waren nur Mazdasnanier, aber keine Zarathustrier, wie ihre Dokumente zeigen).

Die Beziehungen zwischen politischer Gewalt und religiöser Gemeinde, aus welcher der Begriff der „Konfession" entsteht, gehören in die Analyse der „Herrschaft". Hier ist nur festzustellen: *„Gemeindereligiosität"* ist eine verschieden eindeutig ausgeprägte und labile Erscheinung. Wir wollen nur da von ihrem Bestand reden, wo die Laien 1. zu einem *dauernden* Gemeinschaftshandeln vergesellschaftet sind, auf dessen Ablauf sie 2. irgendwie auch *aktiv* einwirken. Ein bloßer Verwaltungssprengel, der die Kompetenzen der Priester abgrenzt, ist eine Parochie, aber noch keine Gemeinde. Aber selbst der Parochiebegriff fehlt, als etwas von der weltlichen, politischen oder ökonomischen, Gemeinde gesondertes, der chinesischen, altindischen und im allgemeinen auch der hinduistischen Religiosität. Die hellenischen und sonstigen antiken Phratrien und ähnliche Kultgemeinschaften sind keine Parochien, sondern politische oder sonstige Verbände, deren Gemeinschaftshandeln der Fürsorge eines Gottes untersteht. Die altbuddhistische Parochie ferner ist nur ein Bezirk, innerhalb dessen die wandernden Mönche, die sich jeweils gerade darin aufhalten, an den Halbmonatsversammlungen teilzunehmen verbunden sind. Die mittelalterliche okzidentale, anglikanische, lutherische, orientalische, christliche und islamische Parochie ist im wesentlichen ein passiver kirchlicher Lastenverband und Kompetenzbezirk des Pfarrers. In diesen Religionen hatte im allgemeinen auch die Gesamtheit aller Laien überhaupt keinerlei Gemeindecharakter. Kleine Reste von Gemeinderechten sind in einigen orientalischen christlichen Kirchen erhalten und fanden sich auch im katholischen Okzident und im Luthertum. Dagegen waren sowohl das altbuddhistische Mönchtum, wie die altislamische Kriegerschaft, wie das Judentum, wie die alte Christenheit Gemeinden mit freilich sehr verschieden strafferer, hier im einzelnen noch nicht zu erörternder Art der Vergesellschaftung. Übrigens ist ein gewisser *faktischer* Einfluß der Laien, der im Islam namentlich bei den Schiiten relativ groß, wenn auch rechtlich nicht verbürgt ist, – der Schah pflegt keinen Priester zu bestellen ohne der Zustimmung der örtlichen Laienschaft sicher zu sein, – mit dem *Fehlen* einer fest geregelten *örtl*ichen Gemeindeorganisation vereinbar. Dagegen bildet es die später zu besprechende Eigenart jeder „Sekte", im eigentlich technischen Wortsinn, daß sie auf der geschlossenen Vergesellschaftung der einzelnen *örtl*ichen Gemeinden geradezu als auf ihrer Grundlage beruht. Von diesem Prinzip, welches innerhalb des Protestantismus die Täufer und „Independenten", dann die „Kongregationalisten" vertraten, führen gleitende Übergänge bis zur typischen Organisation der reformierten Kirche, welche auch da, wo sie tatsächlich universelle Organisation ist, doch die Zugehörigkeit von dem vertragsmäßigen Eintritt in die einzelne Gemeinde abhängig macht. Auf die Problematik, welche sich aus diesen Verschiedenheiten ergibt, kommen wir zurück. Hier interessiert uns von den Konsequenzen der folgenschweren Entwicklung einer eigentlichen *Gemeinde*religiosität vor allem die eine: daß nun innerhalb der Gemeinde die Beziehung zwischen Priestern und Laien für die praktische Wirkung der Religiosität maßgebende Bedeutung gewinnt. Der großen Machtstellung der Priester steht, je mehr die Organisation spezifischen Gemeindecharakter trägt, desto mehr die Notwendigkeit gegenüber, im Interesse der Erhaltung und Propagierung der Anhängerschaft den Bedürfnissen der Laien Rechnung zu tragen. Im gewissen Umfang ist freilich jede Art von Priesterschaft in ähnlicher Lage. Um ihre Machtstellung zu behaupten, muß sie oft in weitgehendem Maße den Laienbedürfnissen entgegenkommen. Die drei im Kreise der Laien wirksamen Mächte aber, mit welchen das Priestertum sich auseinanderzusetzen hat, sind 1. die Prophetie, – 2. der Laientraditionalismus, – 3. Der Laienintellektualismus. Diesen Mächten gegenüber wirken sich die Notwendigkeiten und Tendenzen des priesterlichen Betriebs rein als solchen als eine ebenfalls wesentlich mitbestimmende Macht aus. Wir sprechen zunächst von diesem letzteren Faktor in Verbindung mit dem zuerst genannten.

Der ethische und exemplarische Prophet ist regelmäßig selbst Laie und stützt seine Machtstellung jedenfalls auf die Laienanhängerschaft. Kraft ihres Sinns entwertet jede Prophetie, nur in verschiedenem Maße, die magischen Elemente des Priesterbetriebs. Der Buddha und seinesgleichen lehnen ebenso wie die israelitischen Propheten nicht nur die Zugehörigkeit zu den gelernten Magiern und Wahrsagern (die in den israelitischen Quellen ebenfalls Propheten genannt werden), sondern die Magie überhaupt als nutzlos ab. Nur die spezifisch religiöse, sinnhafte Beziehung zum Ewigen gibt das Heil. Zu den buddhistischen Todsünden gehört es, sich grundlos magischer Fähigkeiten zu rühmen, deren Existenz an sich, gerade auch bei den Ungläubigen, weder die indischen Propheten noch die israelitischen noch die christlichen Apostel und die altchristliche Tradition überhaupt je bezweifelt hat. Infolge jener Ablehnung stehen sie aber auch, nur in verschieden ausgeprägter Art, skeptisch zum eigentlichen Priesterbetrieb. Nicht Brandopfer will der Gott der israelitischen Propheten, sondern Gehorsam gegen sein Gebot. Mit vedischem Wissen und Ritual ist für die Erlösung des Buddhisten nichts getan, und das ehrwürdige Somaopfer ist dem Ahuramazda der ältesten Gathas ein Greuel. Daher besteht überall Spannung zwischen den Propheten, seinem Laienanhang und den Vertretern der priesterlichen Tradition, und es ist Machtfrage, zuweilen auch, wie in Israel, durch die außenpolitische Lage bedingt, inwieweit der Prophet seiner Mission ungestört nachgehen kann oder zu ihrem Märtyrer wird. Zarathustra stützte sich neben seiner eigenen Familie auf Adels- und Fürstengeschlechter gegen die ungenannten Gegenpropheten, die indischen Propheten und Muhammed ebenso, die israelitischen auf den bürgerlichen und bäuerlichen Mittelstand. Alle aber nützten das Prestige aus, welches das prophetische Charisma als solches gegenüber den Technikern des Alltagskultes, bei den Laien fanden: die Heiligkeit neuer Offenbarung steht gegen die Heiligkeit der Tradition und je nach dem Erfolge der beiderseitigen Demagogie schließt die Priesterschaft mit der neuen Prophetie Kompromisse, rezipiert oder überbietet ihre Lehre, beseitigt sie oder wird selbst beseitigt.

In jedem Fall aber tritt an die Priesterschaft die Aufgabe heran, die siegreiche neue Lehre oder die gegen prophetische Angriffe behauptete alte Lehre systematisch festzulegen, abzugrenzen, was als heilig gilt oder nicht und dies dem Glauben der Laien einzuprägen, um ihre eigene Herrschaft zu sichern. Nicht immer ist es akute Gefährdung durch eine direkt priesterfeindliche Prophetie, was diese in Indien besonders uralte Entwicklung in Fluß bringt. Auch das bloße Interesse an der Sicherung der eigenen Stellung gegen mögliche Angriffe und die Notwendigkeit, die eigene bewährte Praxis gegenüber der Skepsis der Laien zu sichern, kann ähnliche Ergebnisse herbeiführen. Wo immer aber diese Entwicklung einsetzt, zeitigt sie zwei Erscheinungen: kanonische Schriften und Dogmen. Beide freilich, namentlich die letztere, in sehr verschiedenem Umfang. Kanonische Schriften enthalten die Offenbarungen und heiligen Traditionen selbst, Dogmen sind Priesterlehren über den Sinn beider. Die Sammlung der religiösen Offenbarung einer Prophetie oder umgekehrt des überlieferten Besitzes an heiligem Wissen kann in Form mündlicher Tradition geschehen. Lange Jahrhunderte hindurch ist das brahmanische heilige Wissen nur mündlich überliefert und die Schriftform direkt perhorresziert worden, – was der literarischen Form jenes Wissens dauernd den Stempel aufgedrückt und im übrigen auch die nicht ganz geringen Abweichungen der Texte der einzelnen Çakas (Schulen) bedingt hat. Der Grund war, daß jenes Wissen nur der Qualifizierte, zweimal Geborene besitzen durfte. Es dem Unwiedergeborenen, kraft seiner Kaste Ausgeschlossenen (dem Çudra) mitzuteilen, war schwerer Frevel. Diesen Charakter des Geheimwissens hat die magische Kunstlehre im Zunftinteresse ursprünglich überall. Aber überall gibt es Bestandteile schon des Wissens der Zauberer, welche zum Gegenstand einer systematischen Erziehung gerade auch der übrigen Volksgenossen gemacht wurden. Die Grundlage des ältesten, überall verbreiteten magischen Erziehungssystems ist die animistische Annahme: daß ebenso wie der Magier selbst für seine Kunst einer Wiedergeburt, des Besitzes einer neuen Seele bedürfe, so auch das Heldentum auf Charisma beruhe, daher geweckt, erprobt, durch magische Manipulationen in den Helden gebannt werden, daß auch der Held zum Heldentum wiedergeboren werden müsse. Die charismatische Erziehung in diesem Sinn, mit ihren Noviziaten, Mutproben, Torturen, Graden der Weihe und Würde, ihrer Jünglingsweihe und Wehrhaftmachung ist eine in Rudimenten fast überall erhaltene universelle

Institution aller kriegerischen Vergesellschaftung. Wenn aus den zünftigen Zauberern in gleitendem Übergang Priester werden, so hört diese überaus wichtige Funktion der Laienerziehung nicht auf zu bestehen, und das Bestreben der Priesterschaft geht überall dahin, sie in der Hand zu behalten. Dabei schwindet das Geheimwissen als solches zunehmend, und aus der Priesterlehre wird eine literarisch fixierte Tradition, welche die Priesterschaft durch Dogmen interpretiert. Eine solche Buchreligion wird nun Grundlage eines Bildungssystems nicht nur für die eigenen Angehörigen der Priesterschaft, sondern auch und gerade für die Laien. –

Nicht alle, aber die meisten kanonischen heiligen Sammlungen haben ihren Abschluß gegen profane oder doch religiös unverbindliche Elaborate im Kampf zwischen mehreren um die Herrschaft in der Gemeinde konkurrierenden Gruppen und Prophetien empfangen. Wo ein solcher Kampf nicht bestand, oder doch den Inhalt der Tradition nicht bedrohte, ist daher die Kanonisation der Schriften formell oft sehr allmählich erfolgt. So ist der jüdische Kanon charakteristischerweise erst, und zwar vielleicht als Damm gegen apokalyptische Prophetien auf der Synode von Jamnia (90 n. Chr.) bald nach dem Untergang des theokratischen Staats, und auch da noch nur dem Prinzip nach beschlossen worden. Die Veden offenbar erst infolge des Gegensatzes gegen intellektuelle Heterodoxie. Der christliche Kanon infolge der Gefährdung der auf die Frömmigkeit der Kleinbürgermassen aufgebauten Religiosität durch die intellektuelle Soteriologie der Gnostiker. Die alte buddhistische Intellektuellensoteriologie im Pali-Kanon umgekehrt infolge ihrer Gefährdung durch die propagandistische volkstümliche Erlösungsreligion des Mahayana. Die klassischen Schriften des Konfuzianismus sind ebenso wie Esras Priestergesetz von der politischen Gewalt oktroyiert, empfingen aber eben deshalb auch, die ersteren gar nicht, die letzteren erst spät, die Qualität eigentlicher Heiligkeit, welche stets Priesterwerk ist. Nur der Koran mußte schon deshalb auf Befehl des Khalifen redigiert werden und war sofort heilig, weil für den Halbanalphabeten Muhammed die Existenz eines heiligen Buchs als solchen als Merkmal des Prestiges einer Religion gegolten hatte. Dies hing mit verbreiteten Tabu-Vorstellungen über die magische Bedeutung von Schrifturkunden zusammen, wie sie auch, schon lange vor Schließung des Kanon, für die Thora und die als authentisch geltenden prophetischen Schriften bestanden, durch deren Berührung man sich „die Hände verunreinigte". Im einzelnen interessiert uns der Vorgang hier nicht. Ebenso nicht, was alles in kanonisierte heilige Schriften aufgenommen wird. Die magische Dignität der Sänger bedingt es, daß in die Veden neben Heldenepen auch Spottlieder auf den trunkenen Indra, und Gedichte allen möglichen Inhalts, in den alttestamentlichen Kanon ein Liebeslied, die persönliche Bedeutsamkeit aller Äußerungen der Propheten, daß in den (neutestamentlichen ein reiner Privatbrief des Paulus, in den Koran offenbar Suren über höchst menschliche Familienverdrießlichkeiten des Propheten hineingelangt sind. Die Schließung eines Kanons pflegt durch die Theorie gedeckt zu werden, daß, eine bestimmte vergangene Epoche allein mit dem prophetischen Charisma gesegnet gewesen sei: so nach der rabbinischen Theorie die Zeit von Moses bis Alexander, nach der römischen nur das apostolische Zeitalter. Darin spricht sich das Bewußtsein des Gegensatzes prophetischer und priesterlicher Systematik im ganzen richtig aus. Ein Prophet ist Systematisator im Sinn der Vereinheitlichung der Beziehung des Menschen zur Welt aus letzten einheitlichen Wertpositionen heraus. Die Priesterschaft systematisiert den Gehalt der Prophetie oder der heiligen Überlieferungen im Sinn kasuistisch-rationaler Gliederung und Adaptierung an die Denk- und Lebensgewohnheiten ihrer eignen Schicht und der von ihr beherrschten Laien.

Das praktisch Wichtige an der Entwicklung einer Religiosität zur Buchreligion – sei es im vollen Sinne des Worts: Gebundenheit an einen als heilig geltenden Kanon oder in dem abgeschwächten Sinn der Maßgeblichkeit schriftlich fixierter heiliger Normen, wie etwa im ägyptischen Totenbuch, – ist die Entwicklung der priesterlichen Erziehung von dem ältesten rein charismatischen Stadium hinweg zur literarischen Bildung. Je wichtiger die Schriftkunde für die Führung auch rein weltlicher Geschäfte wird, je mehr diese also den Charakter der bürokratischen, nach Reglements und Akten prozedierenden Verwaltung annehmen, desto mehr gleitet die Erziehung auch der weltlichen Beamten und Gebildeten in die Hände der schriftkundigen Priesterschaft hinüber oder aber diese selbst besetzt – wie in den Kanzleien des Mittelalters – ihrerseits die auf Schriftlichkeit des Verfahrens beruhenden Ämter. In welchem Maße eines von beiden geschieht, hängt neben dem Grade der Bürokratisierung der Verwaltung auch von dem Grade ab, in welchem andere Schichten, vor allem der Kriegsadel, ein eigenes Erziehungssystem entwickeln und in die eigenen Hände nehmen. Von der Gabelung der Erziehungssysteme, welche daraus resultieren kann, ferner von der gänzlichen Unterdrückung oder Nichtentwicklung eines rein priesterlichen Erziehungssystems, welche die Folge von Machtlosigkeit der Priester oder vom Fehlen einer Prophetie oder einer Buchreligion sein kann, wird später zu sprechen sein. –

Auch für die Entwicklung des spezifischen Inhalts der Priesterlehre bildet nicht den einzigen, wohl aber den stärksten Anreiz, die religiöse Gemeindebildung. Sie schafft die spezifische Wichtigkeit der Dogmen. Denn mit ihr tritt das Bedürfnis, gegen fremde konkurrierende Lehren sich abzugrenzen und propagandistisch die Oberhand zu behalten, beherrschend hervor und damit die Bedeutung der Unterscheidungslehre. Diese Bedeutung kann freilich durch außerreligiöse Motive wesentlich verstärkt werden. Daß Karl der Große für die fränkische Kirche auf dem filioque bestand – einem der Trennungsgründe zwischen Orient und Okzident, – und den bilderfreundlichen Kanon ablehnte, hatte politische gegen die byzantinische Kirchensuprematie gerichtete Gründe. Die Anhängerschaft an gänzlich unverständliche dogmatische Formeln, wie die monophysitische Lehre grade bei den breiten Massen im Orient und Ägypten, war Ausdruck des antikaiserlichen und antihellenischen separatistischen Nationalismus, wie ja später die monophysitische koptische Kirche die Araber als Herrscher den Römern vorzog. Und so oft. Aber regelmäßig ist es in der Hauptsache doch die priesterliche Bekämpfung des tiefverhaßten Indifferentismus, der Gefahr, daß der Eifer der Anhängerschaft erlahmt, ferner die Unterstreichung der Wichtigkeit der Zugehörigkeit zur eigenen Denomination und die Erschwerung des Übergangs zu anderen, was die Unterscheidungszeichen und Lehren so stark in den Vordergrund schiebt. Das Vorbild geben die magisch bedingten Tätowierungen der Totem- oder Kriegsverbandsgenossen. Die Unterscheidungsbemalung der hinduistischen Sekten steht ihr äußerlich am nächsten. Aber die Beibehaltung der Beschneidung und des Sabbattabu wird im Alten Testament wiederholt als auf die Unterscheidung von anderen Völkern abgezweckt hingestellt und hat jedenfalls mit unerhörter Stärke so gewirkt. Daß der christliche Wochenfeiertag auf den Tag des Sonnengottes gelegt wurde, war vielleicht durch die Übernahme des soteriologischen Mythos mystagogischer vorderasiatischer Erlösungslehren der Sonnenreligion mitbedingt, wirkte aber schroff scheidend gegen die Juden. Daß Muhammed seinen wöchentlichen Gottesdienst auf den Freitag verlegte, war, nachdem die Gewinnung der Juden mißglückte, vielleicht vornehmlich durch den Wunsch nach Unterscheidung bedingt, während sein absolutes Weinverbot in alter und neuer Zeit, schon bei den Rechabiten, bei Gottesstreitern, zu viel Analogien hat, um notwendig durch das Bedürfnis, einen Damm gegen die unter Weinzwang (beim Abendmahl) stehenden christlichen Priester aufzurichten, bedingt sein zu müssen, wie man geglaubt hat. Entsprechend dem Charakter der exemplarischen Prophetie haben die Unterscheidungslehren in Indien durchweg mehr rein praktisch-ethischen, oder, ihrer inneren Verwandtschaft mit der Mystagogie entsprechend, rituellen Charakter. Die berüchtigten 10 Punkte, welche auf dem Konzil von Vesali die große Spaltung des Buddhismus hervorriefen, enthalten lediglich Fragen der Mönchsregel, darunter offensichtlich Details, die nur zum Zweck der Begründung der mahayanischen Sonderorganisation betont wurden. Dagegen kennen die asiatischen Religionen fast gar keine Dogmatik als Unterscheidungsmerkmal. Zwar verkündet der Buddha seine vierfache Wahrheit über die großen Illusionen als Begründung der praktischen Erlösungslehre des edlen achtfältigen Pfades. Aber die Erfassung jener Wahrheiten um ihrer praktischen Konsequenzen willen ist Ziel der Erlösungsarbeit, nicht eigentlich ein Dogma im Sinn des Okzidents. Ebensowohl bei der Mehrzahl der älteren indischen Prophetien. Und während in der christlichen Gemeinde eins der allererstens wirklich bindenden Dogmen charakteristischerweise die Erschaffung der Welt durch Gott aus dem Nichts war, die Festlegung also des überweltlichen Gottes gegenüber der gnostischen Intellektuellenspekulation, bleiben in Indien die kosmologischen und sonstigen metaphysischen Spekulationen eine Angelegenheit der Philosophenschulen, denen in bezug auf Orthodoxie eine zwar nicht schrankenlose, aber immerhin weitgehende Latitüde gewährt wurde. In China lehnte die konfuzianische Ethik die Bindung an metaphysische Dogmen schon deshalb gänzlich ab, weil die Magie und der Geisterglauben im Interesse der Erhaltung der Ahnenkulte: der Grundlage der patrimonial-bürokratischen Obödienz (wie ausdrücklich gesagt ist) unantastbar bleiben muß. Auch innerhalb der ethischen Prophetie und ihrer Gemeindereligiosität ist das Maß von eigentlicher Dogmenproliferation verschieden stark. Der alte Islam begnügte sich mit dem Bekenntnis zu Gott und dem Propheten und den wenigen praktisch rituellen Hauptgeboten als Bedingung der Zugehörigkeit. Je mehr aber die Gemeinde und die Priester oder Gemeindelehrer Träger einer Religion sind, desto umfangreicher werden die dogmatischen Unterscheidungen praktischer und theoretischer Art. So bei den späteren Zarathustriern, den Juden, den Christen. Aber die Glaubenslehre der Juden teilt mit derjenigen des Islam die Eigenschaft so großer Einfachheit, daß für eigentlich dogmatische Erörterungen nur ausnahmsweise Anlaß war. Nur die Gnadenlehre, im übrigen aber praktischsittliche, rituelle und rechtliche Fragen stellen in beiden Fällen das Streitgebiet dar. Bei den Zarathustriern steht es erst recht so. Nur bei den Christen hat sich eine umfangreiche, streng bindende und systematisch rationalisierte Dogmatik theoretischer Art teils über kosmologische Dinge, teils über den soteriologischen Mythos (Christologie), teils über die Priestergewalt (die Sakramente) gebildet, zunächst auf dem Boden der hellenistischen Reichshälfte, im Mittelalter umgekehrt, im Abendland wesentlich stärker als in den orientalischen Kirchen, in beiden Fällen da am stärksten, wo eine starke Organisation der Priesterschaft gegenüber den politischen Gewalten das größte Maß von Selbständigkeit besaß. Aber vor allem die Eigenart des von der hellenischen Bildung herkommenden Intellektuellentums, die besonderen metaphysischen Voraussetzungen und Spannungen, welche der Christuskult schuf, und die Notwendigkeit der Auseinandersetzung mit der zunächst außerhalb der Christengemeinde gebliebenen Bildungsschicht einerseits, andrerseits die wieder sozial bedingte, den reinen Intellektualismus, im Gegensatz zu den asiatischen Religionen, mißtrauisch ablehnende Art der Stellung der christlichen Kirchen als einer *Gemeinde*religiosität von stark kleinbürgerlichen *Laien*, auf deren Stellung die Bischöfe Rücksicht zu nehmen hatten, waren es, welche im Altertum dieses Maß und diese Tendenz zur starken Dogmenentwicklung provozierten. Mit der Vernichtung der Ελληνικη παιδεια durch die im Orient stark aus kleinbürgerlichen unhellenischen Kreisen aufsteigenden Mönche war auch die rationale Dogmenbildung im Orient zu Ende. Daneben aber sprach auch die Organisationsform der Religionsgemeinschaften mit; das völlige und absichtsvolle Fehlen jeglicher hierarchischen Organisation im alten Buddhismus würde jede Einigung über eine rationale Dogmatik nach christlicher Art, wenn die Erlösungslehre einer solchen überhaupt bedurft hätte, gehemmt haben. Denn damit die priesterliche Gedankenarbeit und der mit ihr konkurrierende, durch die priesterliche Erziehung geweckte Laienrationalismus die Einheit der Gemeinde nicht gefährde, pflegt eine Instanz postuliert zu werden, welche über die Orthodoxie einer Lehre entscheidet. In einer hier nicht zu erörternden langen Entwicklung hat die römische, aus der Hoffnung, daß Gott die Gemeinde der Welthauptstadt nicht werde irren lassen, das unfehlbare Lehramt ihres Bischofs entstehen lassen. Nur hier besteht diese konsequente Lösung, welche die Inspiration des Lehramtsträgers in Fällen der Lehrentscheidung voraussetzt. Sowohl der Islam wie die orientalische Kirche – der erstere in Anknüpfung an die Zuversicht des Propheten: daß Gott die Gemeinde der Gläubigen nie in einem Irrtum werde übereinstimmen lassen, die letztere in Anlehnung an die altkirchliche Praxis – hielten aus mehrfachen heterogenen, später zu erwähnenden Motiven an dem „Konsens" der berufenen Träger der kirchlichen Lehrorganisation, je nachdem also mehr der Priester oder mehr der Theologen, als Bedingung der Gültigkeit dogmatischer Wahrheit fest und haben damit die Dogmenproliferation gehemmt. Der Dalai Lama andererseits hat zwar neben der politischen eine kirchenregimentliche, aber bei dem magisch-ritualistischen Charakter der Religiosität keine eigentliche Lehramtsgewalt. Die Exkommunikationsgewalt hinduistischer Gurus wird aus ähnlichen Gründen, schwerlich aus dogmatischen Anlässen angewendet. –

Die priesterliche Arbeit an der Systematisierung der heiligen Lehre erhält ihre Nahrung fortwährend neu aus den neuen Bestandteilen der Berufspraxis der Priester gegenüber derjenigen der magischen Zauberer. Es entsteht in der ethischen Gemeindereligion die Predigt als etwas gänzlich neues und die rationale Seelsorge als etwas der Art nach, gegenüber der magischen Nothilfe, wesentlich anderes.

Predigt, d. h. Kollektivbelehrung über religiöse und ethische Dinge im eigentlichen Sinn des Worts ist normalerweise Spezifikum der Prophetie und der prophetischen Religion. Wo sie außerhalb ihrer auftaucht, ist sie ihr nachgeahmt. Ihre Bedeutung schrumpft regelmäßig, wo immer die offenbarte Religion sich durch Veralltäglichung in einen Priesterbetrieb verwandelt hat und steht in umgekehrter Proportion zu den magischen Bestandteilen einer Religiosität. Der Buddhismus bestand, soweit die Laien in Betracht kamen, ursprünglich lediglich in Predigt, und in den christlichen Religionen bedeutet sie um so mehr, je vollständiger die magisch-sakramentalen Bestandteile eliminiert sind. Am meisten daher innerhalb des Protestantismus, wo der Priesterbegriff gänzlich durch den Predigerbegriff ersetzt ist.

Die *Seelsorge*, die religiöse Pflege der Individuen, ist in ihrer rationalsystematischen Form gleichfalls ein Produkt prophetischer offenbarter Religion. Ihre Quelle ist das Orakel und die Beratung durch den Zauberer in Fällen, wo Krankheit oder andere Schicksalsschläge auf magische Versündigung schließen lassen, und es sich nun fragt, durch welche Mittel der erzürnte Geist oder Dämon oder Gott zu beruhigen sei. Hier ist auch die Quelle der „Beichte". Ursprünglich hat dies mit „ethischen" Einwirkungen auf die Lebensführung gar nichts zu tun. Das bringt erst die ethische Religiosität, vor allem die Prophetie. Die Seelsorge kann auch dann verschiedene Formen annehmen. Soweit sie charismatische Gnadenspendung ist, steht sie den magischen Manipulationen innerlich nahe. Sie kann aber auch individuelle Belehrung über konkrete religiöse Pflichten in Zweifelsfällen sein, oder endlich, in gewissem Sinn, zwischen beiden stehen,

Spendung von individuellem religiösem Trost in innerer oder äußerer Not.

In dem Maß ihrer praktischen Einwirkung auf die Lebensführung verhalten sich Predigt und Seelsorge verschieden. Die Predigt entfaltet ihre Macht am stärksten in Epochen prophetischer Erregung. Schon weil das Charisma der Rede individuell ist, sinkt sie im Alltagsbetrieb ganz besonders stark bis zu völliger Wirkungslosigkeit auf die Lebensführung herab. Dagegen ist die Seelsorge in allen Formen das eigentliche Machtmittel der Priester gerade gegenüber dem Alltagsleben und beeinflußt die Lebensführung um so stärker, je mehr die Religion ethischen Charakter hat. Namentlich die Macht ethischer Religionen über die Massen geht ihrer Entfaltung parallel. Wo ihre Macht ungebrochen ist, da wird, wie in magischen Religionen (China) der berufsmäßige Divinationspriester, so hier der Seelsorger, in allen Lebenslagen um Rat angegangen, von Privaten sowohl wie von den Funktionären der Verbände. Die Ratschläge der Rabbinen im Judentum, der katholischen Beichtväter, pietistischen Seelenhirten und gegenreformatorischen Seelendirektoren im Christentum, der brahmanischen Purohitas an den Höfen, der Gurus und Gosains im Hinduismus, der Muftis und Derwisch-Scheikhs im Islam sind es, welche die Alltagslebensführung der Laien und die Haltung der politischen Machthaber kontinuierlich und oft sehr entscheidend beeinflußt haben. Die private Lebensführung namentlich da, wo die Priesterschaft eine ethische Kasuistik mit einem rationalen System kirchlicher Bußen verknüpft hat, wie es die an der römisch-rechtlichen Kasuistik geschulte, abendländische Kirche in virtuoser Weise getan hat. Vornehmlich diese praktischen Aufgaben von Predigt und Seelsorge sind es auch, welche die Systematisierung der kasuistischen Arbeit der Priesterschaft an den ethischen Geboten und Glaubenswahrheiten in Gang erhalten und sie überhaupt erst zur Stellungnahme zu den zahllosen konkreten Problemen zwingen, welche in der Offenbarung selbst nicht entschieden sind. Sie sind es daher auch, welche die inhaltliche Veralltäglichung der prophetischen Anforderungen in Einzelvorschriften einerseits kasuistischen und insofern (gegenüber der Prophetenethik) rationaleren Charakters, andererseits den Verlust derjenigen inneren Einheit mit sich ziehen, welche der Prophet in die Ethik gebracht hatte: der Ableitung des Gesollten aus einem spezifisch „sinnhaften" Verhältnis zu seinem Gott, wie er selbst es besitzt und kraft dessen er, statt nach der äußeren Erscheinung der einzelnen Handlung, nach deren sinnhafter Bedeutung für das Gesamtverhältnis zu Gott fragte. Die Priesterpraxis bedarf der positiven Vorschriften und der Laienkasuistik, und der gesinnungsethische Charakter der Religiosität pflegt daher unvermeidlich zurückzutreten.

Es versteht sich schon an sich, daß die positiven inhaltlichen Vorschriften der prophetischen und der sie kasuistisch umgestaltenden priesterlichen Ethik letztlich ihr Material den Problemen entnehmen müssen, welche die Gewohnheiten und Konventionen und die sachlichen Notwendigkeiten der Laienumwelt ihnen an Problematik zur seelsorgerischen Entscheidung vorlegen. Je mehr also eine Priesterschaft die Lebenspraxis auch der Laien dem göttlichen Willen entsprechend zu reglementieren und, vor allem, darauf ihre Macht und ihre Einkünfte zu stützen trachtet, desto weiter muß sie in der Gestaltung ihrer Lehre und ihres Handelns dem *traditionellen* Vorstellungskreise der Laien entgegenkommen. Dies ist ganz besonders dann der Fall, wenn keine prophetische Demagogie den Glauben der Massen aus seiner magisch motivierten Traditionsgebundenheit geworfen hat. Je mehr die breite Masse alsdann Objekt der Beeinflussung und Stütze der Macht der Priester wird, desto mehr muß deren systematisierende Arbeit gerade die traditionellsten, also die magischen Formen religiöser Vorstellungen und Praktiken ergreifen. Mit steigenden Machtansprüchen der ägyptischen Priesterschaft ist daher gerade der animistische Tierkult zunehmend in den Mittelpunkt des Interesses geschoben worden. Die systematische Denkschulung der Priester an sich in Ägypten war dabei gegenüber der Frühzeit sicher gewachsen. Ebenso war die Systematisierung des Kultus in Indien seit der Verdrängung des Hotar, des heiligen charismatischen Sängers, aus der ersten Stelle durch den Brahmanen, den geschulten Zeremonienmeister des Opfers, gestiegen. Der Atharvaveda ist als literarisches Produkt viel jünger als der Rigveda, und die Brahmanas sind abermals wesentlich jünger. Aber das im Atharvaveda systematisierte religiöse Material ist weit älterer Provenienz als das Ritual der vornehmen vedischen Kulte und als die sonstigen Bestandteile der älteren Veden; es ist wesentlich mehr reines Zauberritual als diese, und in den Brahmanas hat sich dieser Prozeß der Popularisierung und zugleich Magisierung der priesterlich systematisierten Religiosität noch weiter fortgesetzt. Die älteren vedischen Kulte sind eben – wie Oldenberg hervorhebt – Kulte der Besitzenden, das Zauberritual dagegen alter Massenbesitz. Ebenso ergeht es aber auch den Prophetien. Gegenüber dem auf den sublimsten Höhen vornehmer Intellektuellenkontemplation gewachsenen, alten Buddhismus ist die Mahayanareligiosität eine Popularisierung, welche zunehmend sich reiner Zauberei oder doch sakramentalem Ritualismus annäherte. Nicht anders ist es der Lehre Zarathustras, Laotses und der hinduistischen Religionsreformer, in weitem Umfang auch der Lehre Muhammeds, ergangen, sobald ihr Glaube Laienreligion wurde. Das Zendavesta hat selbst den von Zarathustra ausdrücklich und vornehmlich bekämpften Harmakult, nur vielleicht einiger von ihm perhorreszierten bacchantischen Bestandteile entkleidet, sanktioniert. Der Hinduismus zeigte immer wieder die Tendenz, zunehmend stärker zur Magie oder allenfalls zur halbmagischen Sakramentssoteriologie hinüberzugleiten. Die Propaganda des Islam in Afrika beruht vornehmlich auf der vom alten Islam verworfenen Unterschicht massiver Magie, durch die er alle andere Religiosität unterbietet. Dieser meist als „Verfall" oder „Verknöcherung" der Prophetien bewertete Prozeß ist fast unvermeidlich. Denn zwar der Prophet selbst ist regelmäßig ein selbstherrlicher Laiendemagoge, der die überlieferte ritualistische Priestergnade durch gesinnungsethische Systematisierung ersetzen will. Aber seine Beglaubigung bei den Laien beruht regelmäßig darauf, daß er ein Charisma hat, und das bedeutet in aller Regel: daß er ein Zauberer ist, nur ein viel größerer und mächtigerer als andere es auch sind, daß er noch nicht dagewesene Macht über die Dämonen, selbst über den Tod hat, Tote auferweckt, womöglich selbst von den Toten aufersteht oder andere Dinge tut, welche andere Zauberer nicht können. Es hilft ihm nichts, wenn er sich gegen solche Zumutungen verwahrt. Denn nach seinem Tode geht die Entwicklung über ihn hinweg. Um bei den breiten Laienschichten irgendwie fortzuleben, muß er entweder selbst Kultobjekt, also Inkarnation eines Gottes werden, oder die Bedürfnisse der Laien sorgen wenigstens dafür, daß die ihnen angepaßteste Form seiner Lehre im Wege der Auslese überlebt.

Diese beiden Arten von Einflüssen: die Macht des prophetischen Charismas und die beharrenden Gewohnheiten der Masse wirken also, in vieler Hinsicht in entgegengesetzter Richtung, auf die systematisierende Arbeit der Priesterschaft ein. Allein auch abgesehen von der fast immer aus Laienkreisen hervorgehenden oder sich auf sie stützenden Prophetie existieren nun innerhalb der Laien nicht ausschließlich traditionalistische Mächte. Neben ihnen bedeutet auch der *Rationalismus der Laien* eine Macht, mit welcher die Priesterschaft sich auseinanderzusetzen hat. Träger dieses Laienrationalismus können verschiedene Schichten sein.

§ 7. Stände, Klassen und Religion.

Das Los des Bauern ist so stark naturgebunden, so sehr von organischen Prozessen und Naturereignissen abhängig und auch ökonomisch aus sich heraus so wenig auf rationale Systematisierung eingestellt, daß er im allgemeinen nur da Mitträger einer Religiosität zu werden pflegt, wo ihm durch innere (fiskalische oder grundherrliche) oder äußere (politische) Mächte Versklavung oder Proletarisierung droht. Sowohl das eine wie das andere, zuerst äußere Bedrohung und dann Gegensatz gegen grundherrliche – und wie immer in der Antike zugleich stadtsässige – Mächte traf z. B. auf die altisraelitische Religion zu. Die ältesten Dokumente, besonders das Deboralied, zeigen, daß der Kampf der dem Schwerpunkt nach bäuerlichen Eidgenossen, deren Verband etwa den Aitolern, Samniten, Schweizern zu vergleichen ist – den letzteren auch insofern, als die große, das Land durchschneidende Handelsstraße von Ägypten zum Euphrat eine dem „Paßstaat"-Charakter der Schweiz ähnliche Situation (frühe Geldwirtschaft und Kulturberührung) schuf –, sich gegen die stadtsässigen philistäischen und kanaanitischen Grundherren, von eisernen Wagen kämpfende Ritter, geschulte „Kriegsleute von Jugend auf" (wie es von Goliath heißt) richtete, welche versuchten, die Bauernschaft der Gebirgsabhänge, auf denen „Milch und Honig fließt", sich zinsbar zu machen. Es war eine Konstellation von großer Tragweite, daß dieser Kampf, ebenso wie die Ständeeinigung und Expansion der mosaischen Periode, sich immer erneut vollzog unter der Führung von Heilanden der Jahvereligion (Moschuach, Messias, wie Gideon und seinesgleichen, die sog. „Richter", genannt werden). Durch diese Beziehung kam schon in die alte Bauernfrömmigkeit eine über das Niveau der sonst üblichen Bauernkulte hinausreichende religiöse Pragmatik hinein. Zur eigentlich ethischen Religion wurde der mit den mosaischen Sozialgesetzen verknüpfte Jahvekult endgültig erst auf dem Boden der Polis Jerusalem. Freilich, wie der soziale Einschlag der Prophetie zeigt, auch hier wieder unter Mitbeteiligung von ackerbürgerlichem, gegen die stadtsässigen Großgrund- und Geldbesitzer gerichteten, Sozialmoralismus und unter Berufung auf die sozialen Bestimmungen des mosaischen Ständeausgleichs. Aber die prophetische Religiosität ist jedenfalls nicht spezifisch bäuerlich beeinflußt. Für den Moralismus des ersten und einzigen Theologen der offiziellen hellenischen Literatur: Hesiod, war ebenfalls ein typisches Plebejerschicksal mitverantwortlich. Aber auch er war ganz gewiß kein typischer „Bauer". Je stärker bäuerlich orientiert eine Kulturentwicklung ist: im Okzident in Rom, im fernen Osten in Indien, in Vorderasien in Ägypten, desto stärker fällt gerade dies Bevölkerungselement in die Waagschale des Traditionellen und desto mehr entbehrt wenigstens die Volksreligiosität der ethischen Rationalisierung. Auch in der späteren jüdischen und der christlichen Religionsentwicklung kommen die Bauern als Träger rational ethischer Bewegungen teils gar nicht oder direkt negativ, wie im Judentum, teils wie im Christentum, nur ausnahmsweise und dann in kommunistisch-revolutionärer Form vor. Die puritanische Donatistensekte im römischen Afrika, der Provinz der stärksten Bodenakkumulation, scheint allerdings stark in bäuerlichen Kreisen verbreitet gewesen zu sein, steht aber damit im Altertum wohl allein. Die Taboriten, soweit sie bäuerlichen Kreisen entstammen, ferner die Propaganda des „göttlichen Rechts" im deutschen Bauernkrieg, die englischen radikalen kleinbäuerlichen Kommunisten und vor allem die russischen Bauernsektierer haben regelmäßig in mehr oder minder ausgeprägten feldgemeinschaftlichen Institutionen agrarkommunistische Anknüpfungspunkte, sind mit Proletarisierung bedroht und wenden sich gegen die offizielle Kirche in erster Linie in deren Eigenschaft als Zehntempfängerin und Stütze fiskalischer und grundherrlicher Gewalten. Ihre Verbindung mit religiösen Forderungen ist in dieser Art überhaupt nur möglich gewesen auf dem Boden einer schon bestehenden ethischen Religiosität, welche spezifische Verheißungen enthält, die zu Anknüpfungspunkten für ein revolutionäres *Naturrecht* dienen können, – wovon anderwärts. Also nicht auf asiatischem Boden, wo Kombination religiöser Prophetie mit revolutionären Strömungen (in China) in ganz anderer Art, nicht als eigentliche Bauernbewegung vorkommt. Die Bauern sind nur sehr selten die Schicht, welche irgendeine nicht magische Religiosität ursprünglich getragen hat. Die Prophetie Zarathustras appelliert allerdings dem Anscheine nach an den (relativen) Rationalismus der bäuerlichen geordneten Arbeit und Viehzucht, im

Kampf gegen die tierquälerische (vermutlich, wie bei dem Rauschkult, gegen den Moses kämpfte, mit bacchantischer Zerreißung von Rindern verknüpfte) Orgienreligiosität der falschen Propheten. Da dem Parsismus nur der beackerte Boden als magisch „rein", der Ackerbau also als das absolut Gottgefällige galt, so hat er auch nach der stark umgestaltenden Adaptierung an den Alltag, den er gegenüber der Urprophetie bedeutete, einen ausgeprägt agrarischen und infolgedessen in seinen sozialethischen Bestimmungen einen spezifisch antibürgerlichen Zug beibehalten. Aber soweit die zarathustrische Prophetie selbst ökonomische Interessen für sich in Bewegung setzte, dürften dies ursprünglich mehr solche von Fürsten und Grundherren an der Prästationsfähigkeit ihrer Bauern gewesen sein, als die von Bauern selbst. In aller Regel bleibt die Bauernschaft auf Wetterzauber und animistische Magie oder Ritualismus, auf dem Boden einer ethischen Religiosität aber auf eine streng formalistische Ethik, des „do ut des" dem Gott und Priester gegenüber, eingestellt.

Daß gerade der Bauer als der spezifische Typus des gottwohlgefälligen und frommen Menschen gilt, ist – vom Zarathustrismus und den Einzelbeispielen einer meist durch patriarchalistisch-feudale oder umgekehrt durch intellektualistisch-weltschmerzliche Literatenopposition gegen die Stadtkultur und ihre Konsequenzen abgesehen – eine durchaus moderne Erscheinung. Keine der bedeutenderen ostasiatischen Erlösungsreligionen weiß davon etwas. Der indischen, am konsequentesten der buddhistischen Erlösungsreligiosität ist er religiös verdächtig oder direkt verpönt (wegen der ahimsa, des absoluten Tötungsverbots). Die israelitische Religiosität der vorprophetischen Zeit ist noch stark Bauernreligiosität. Die Verklärung des Ackerbaus als gottwohlgefällig dagegen in der nachexilischen Zeit ist literatenhafte und patriarchalistische Opposition gegen die bürgerliche Entwicklung. Die wirkliche Religiosität sah wohl schon damals anders aus und vollends später, zur Zeit der pharisäischen Epoche. Der spätjüdischen Gemeindefrömmigkeit der Chaberim ist „Landmann" und „gottlos" einfach identisch, der Nichtstädter sowohl politisch wie religiös ein Jude zweiter Klasse. Denn wie beim buddhistischen und hinduistischen, so ist es beim jüdischen Ritualgesetz praktisch so gut wie unmöglich, als Bauer wirklich korrekt zu leben. Die nachexilische und vollends die talmudische Rabbinentheologie ist in ihren praktischen Konsequenzen direkt landbauerschwerend. Die zionistische Besiedelung Palästinas stieß z. B. noch jetzt auf das spätjüdische Theologenprodukt des Sabbatjahrs als absolutes Hindernis, für welches die osteuropäischen Rabbinen (im Gegensatz zu dem Doktrinarismus

der deutschen Orthodoxie) erst einen durch die spezifische Gottwohlgefälligkeit dieser Siedelung begründeten Dispens konstruieren
mußten. Dem Frühchristentum heißt der Heide einfach Landmann
(paganus). Noch die mittelalterlichen Kirchen in ihrer offiziellen
Doktrin (Thomas v. Aquin) behandeln den Bauer im Grunde als
Christen minderen Ranges, jedenfalls mit äußerst geringer Schätzung.
Die religiöse Verklärung des Bauern und der Glaube an den ganz
spezifischen Wert seiner Frömmigkeit ist erst Produkt einer sehr modernen Entwicklung. Sie ist zunächst dem Luthertum, in einem ziemlich stark fühlbaren Gegensatz zum Calvinismus und den meisten
protestantischen Sekten, demnächst der modernen, slawophil beeinflußten, russischen Religiosität, spezifisch. Kirchlichen Gemeinschaften also, welche durch die Art ihrer Organisation in besonders starkem
Maß mit fürstlichen und adeligen, autoritären Interessen verknüpft
und von ihnen abhängig sind. Für das modernisierte Luthertum –
denn die Stellung von Luther selbst ist das noch nicht – war der
Kampf gegen den intellektualistischen Rationalismus und politischen
Liberalismus, für die slawophile religiöse Bauernideologie daneben
noch der Kampf gegen den Kapitalismus und modernen Sozialismus
das leitende Interesse, während die Verklärung des russischen Sektie-
rertums durch die „Narodniki" den antirationalistischen Protest des
Intellektualismus mit der Revolte des proletarisierten Bauernstandes
gegen die den herrschenden Gewalten dienstbare Bürokratenkirche
in Beziehung setzen und dadurch beide religiös verklären möchten.
In allen Fällen handelt es sich also dabei in sehr starkem Maße um
Rückschläge gegen die Entwicklung des modernen Rationalismus, als
dessen Träger die Städte gelten. Ganz im Gegensatz dazu gilt in der
Vergangenheit die Stadt als Sitz der Frömmigkeit, und noch im 17.
Jahrhundert erblickt Baxter in den (durch hausindustrielle Entwicklung herbeigeführten) Beziehungen der Weber von Kidderminster
zur Großstadt London ausdrücklich eine Förderung der Gottseligkeit
unter ihnen. Tatsächlich ist die frühchristliche Religiosität städtische
Religiosität, die Bedeutung des Christentums steigt unter sonst gleichen Umständen, wie Harnack überzeugend dargetan hat, mit der
Größe der Stadt. Und im Mittelalter ist die Kirchentreue ebenso wie
die sektiererische Religiosität ganz spezifisch auf dem Boden der
Städte entwickelt. Es ist ganz unwahrscheinlich, daß eine organisierte
Gemeindereligiosität wie die frühchristliche es wurde, sich so wie geschehen, außerhalb eines städtischen, und das heißt: eines im okzidentalen Sinn „städtischen" Gemeindelebens hätte entwickeln können. Denn sie setzt jene Sprengung der Tabuschranken zwischen den

Sippen, jenen Amtsbegriff, jene Auffassung der Gemeinde als einer „Anstalt", eines sachlichen Zwecken dienenden körperschaftlichen Gebildes, welches sie ihrerseits verstärkte und deren Wiederaufnahme durch die entstehende Städteentwicklung des europäischen Mittelalters sie sehr stark erleichterte, doch auch wieder als schon vorhandene Konzeptionen voraus. Diese Konzeptionen aber sind in der Welt ausschließlich auf dem Boden der Mittelmeerkultur, speziell des hellenistischen und endgültig des römischen Stadtrechts wirklich voll entwickelt worden. Aber auch die spezifischen Qualitäten des Christentums als ethischer Erlösungsreligion und persönlicher Frömmigkeit fanden ihren genuinen Nährboden auf dem Boden der Stadt und haben dort immer wieder neue Triebe angesetzt, im Gegensatz gegen die ritualistische, magische oder formalistische Umdeutung, welche durch das Übergewicht der feudalen Mächte begünstigt wurde.

Der Kriegsadel und alle feudalen Mächte pflegen nicht leicht Träger einer rationalen religiösen Ethik zu werden. Der Lebensführung des Kriegers ist weder der Gedanke einer gütigen Vorsehung noch derjenige systematischer ethischer Anforderungen eines überweltlichen Gottes wahlverwandt. Begriffe wie „Sünde", „Erlösung", religiöse „Demut" pflegen dem Würdegefühl aller politisch herrschenden Schichten, vor allem aber des Kriegsadels, nicht nur fern zu liegen, sondern es direkt zu verletzen. Eine Religiosität, welche mit diesen Konzeptionen arbeitet, zu akzeptieren und sich vor dem Propheten oder Priester zu beugen, muß einem Kriegshelden oder vornehmen Mann – dem Römeradel noch der taciteischen Zeit wie dem konfuzianischen Mandarinen – unvornehm und würdelos erscheinen. Den Tod und die Irrationalitäten des menschlichen Schicksals innerlich zu bestehen, ist dem Krieger eine alltägliche Sache, und die Chancen und Abenteuer des Diesseits erfüllen sein Leben derart, daß er etwas anderes als den Schutz gegen bösen Zauber und zeremonielle, dem ständischen Würdegefühl adäquate und zu Bestandteilen der Standeskonvention werdende Riten, allenfalls priesterliche Gebete für Sieg oder glücklichen, in einen Heldenhimmel führenden Tod von einer Religiosität nicht verlangt und ungern akzeptiert. Stets ist, wie schon in anderem Zusammenhang erwähnt, der gebildete Hellene, mindestens der Idee nach, auch ein Krieger geblieben. Der schlichte animistische Seelenglaube, der die Art der Jenseitsexistenz und letztlich diese selbst durchaus dahingestellt sein läßt, aber jedenfalls dessen ziemlich sicher ist, daß das dürftigste irdische Dasein dem Königtum über den Hades vorzuziehen sei, ist bei den Hellenen bis in die Zeit völliger Entpolitisierung der normale Glaube geblieben, über den nur die Mysterien mit ihrer Darbietung von Mitteln zur ritualistischen Verbesserung des Diesseits- und Jenseitsloses in gewissem Umfang, radikal aber nur die orphische Gemeindereligiosität mit ihrer Seelenwanderungslehre hinausführten. Zeiten starker prophetischer oder reformatorischer religiöser Erregung reißen allerdings auch und oft gerade den Adel in die Bahn der prophetischen ethischen Religiosität, weil sie eben alle ständischen und Klassenschichten durchbricht und weil der Adel der erste Träger der Laienbildung zu sein pflegt. Allein die Veralltäglichung der prophetischen Religiosität pflegt sehr bald den Adel aus dem Kreise der religiös erregten Schichten wieder auszuscheiden. Schon die Zeit der Religionskriege in Frankreich zeigt die ethischen Konflikte der Hugenottensynoden, z. B. mit einem Führer wie Condé über ethische Fragen. Der schottische ebenso wie der englische und französische Adel ist aus der calvinistischen Religiosität, innerhalb deren er oder wenigstens einige seiner Schichten anfänglich eine erhebliche Rolle gespielt hatte, schließlich fast vollständig wieder ausgeschieden.

Mit ritterlichem Standesgefühl vereinbar ist die prophetische Religiosität naturgemäß da, wo sie ihre Verheißungen dem *Glaubenskämpfer* spendet. Diese Konzeption setzt die Exklusivität des einen Weltgottes und die sittliche Verworfenheit der Ungläubigen als seiner Feinde, deren unbehelligte Existenz seinen gerechten Zorn erregt, voraus. Sie fehlt daher der Antike im Okzident ebenso wie aller asiatischen Religiosität bis auf Zarathustra. Aber auch hier fehlt noch der direkte Zusammenhang des Kampfs gegen den Unglauben mit den religiösen Verheißungen. Diesen hat zuerst der Islam geschaffen. Vorstufe und wohl auch Vorlage dafür waren die Verheißungen des jüdischen Gottes an sein Volk, wie sie Muhammed, nachdem er von einem pietistischen Konventikelführer in Mekka zum Podestà von Jathrib-Medina geworden und von den Juden als Prophet endgültig abgelehnt war, verstand und umdeutete. Die alten Kriege der israelitischen Eidgenossenschaft unter Jahves Heilanden galten der Überlieferung als „heilige" Kriege. Der heilige Krieg, d. h. der Krieg im Namen eines Gottes zur speziellen Sühnung eines Sakrilegs ist der Antike, speziell der hellenischen, mit seinen Konsequenzen: Bannung und absolute Vernichtung der Feinde und aller ihrer Habe, auch sonst nicht fremd. Aber hier war das Spezifikum: daß das Volk Jahves als dessen spezielle Gemeinde dessen Prestige an seinen Feinden bewährt. Als Jahve der Universalgott geworden war, schuf daher die Prophetie und die Psalmenreligiosität statt des Besitzes des verheißenen Landes die weitergehende Verheißung der Erhöhung Israels als des Volkes Jahves über die anderen Völker, die alle dereinst Jahve zu dienen und Israel zu Füßen zu liegen gezwungen werden sollen. Hieraus machte Muhammed das Gebot des Glaubenskriegs bis zur Unterwerfung der Ungläubigen unter die politische Gewalt und Zinsherrschaft der Gläubigen. Ihre Vertilgung wird, soweit sie „Buchreligionen" angehören, nicht verlangt, im Gegenteil ihre Schonung schon im Interesse der Finanzen geboten. Erst der christliche Glaubenskrieg steht unter der augustinischen Devise „coge intrare": die Ungläubigen oder Ketzer haben nur die Wahl zwischen Konversion und Ausgerottetwerden. Der islamische Glaubenskrieg noch mehr, weil noch ausdrücklicher, als derjenige der Kreuzritter – denen Papst Urban die Notwendigkeit der Expansion zur Gewinnung von Lehen für den Nachwuchs sehr nachdrücklich nahezulegen nicht versäumte – war eine wesentlich an feudalen Renteninteressen orientierte Unternehmung zur grundherrlichen Landnahme. Der Glaubenskrieg ist in den Regeln für die Vergebung von Spahipfründen noch im türkischen Lehensrecht wichtiges Qualifikationsmerkmal für Vorzugsansprüche. Die Verheißungen, welche, abgesehen von der Herrscherstellung, selbst im Islam an die kriegerische Propaganda geknüpft sind, insbesondere also das islamische Paradies als Lohn für den Tod im Glaubenskrieg, sind natürlich so wenig Erlösungsverheißungen im eigentlichen Sinne dieses Wortes, wie die Verheißung von Walhall, des Heldenparadieses, welches dem indischen Kshatriya, der in der Schlacht fällt – wie dem Kriegshelden, der des Lebens, sobald er den Sohn seines Sohnes sieht, satt wird, – verheißen ist, oder die irgendeines anderen Kriegerhimmels. Und diejenigen religiösen Elemente des alten Islam, welche den Charakter einer ethischen Erlösungsreligion darstellen, traten demgegenüber denn auch, solange er wesentlich Kriegerreligion blieb, stark zurück. Die Religiosität der dem islamischen Kriegsorden entsprechenden, in den Kreuzzügen zunächst gegen den Islam geschaffenen, mittelalterlichen zölibatären Ritterorden aber, besonders der Templer, ebenso die der indischen, aus der Verbindung islamischer Ideen mit einem anfänglich streng pazifistischen Hinduismus entstandenen und durch die Verfolgung zum Ideal des rücksichtslosen Glaubenskampfes getriebenen Sikhs und endlich diejenige der zeitweilig politisch wichtigen japanischen kriegerischen Buddha-Mönche hatten ebenfalls mit „Erlösungsreligiosität" im allgemeinen nur formal etwas zu tun. Selbst ihre formale Orthodoxie war oft von zweifelhafter Echtheit.

Wenn so der Kriegerstand in den Formen des Rittertums der Erlösungs- und Gemeindereligiosität fast durchweg negativ gegenübersteht, so ist dies Verhältnis teilweise anders innerhalb „stehender", d. h. wesentlich bürokratisch organisierter Berufsheere mit „Offizieren". Das chinesische Heer allerdings hat einfach, wie jeder andere Beruf, seinen Spezialgott, einen staatlich kanonisierten Heros. Und die leidenschaftliche Parteinahme des byzantinischen Heeres für die Bilderstürmer entstammte nicht etwa puritanischen Prinzipien, sondern lediglich der durch den Islam beeinflußten Stellungnahme seiner Rekrutierungsprovinzen. Aber im römischen Heere des Prinzipats spielte, seit dem 2. Jahrhundert, neben gewissen anderen, hier nicht interessierenden, bevorzugten Kulten, die Gemeindereligion des Mithras, die Konkurrentin des Christentums, mit ihren Jenseitsverheißungen eine sehr bedeutende Rolle. Vor allem (aber nicht nur) innerhalb der Zenturionenschicht, also der Subalternoffiziere mit Zivilversorgungsanspruch. Nur sind die eigentlich ethischen Anforderungen der Mithrasmysterien bescheiden und sehr allgemein gehaltene: sie ist wesentlich ritualistische Reinheitsreligion, exklusiv männlich – die Frauen sind ausgeschlossen – in scharfem Gegensatz zum Christentum, überhaupt eine der maskulinsten Erlösungslehren, dabei in eine Hierarchie von Weihen und religiösen Rangordnungen abgestuft und im Gegensatz zum Christentum nicht exklusiv gegen die Teilnahme an anderen Kulten und Mysterien – welche vielmehr nicht selten vorkommt –, daher seit Commodus, der zuerst die Weihen nahm (etwa so wie früher die Preußenkönige die Logenmitgliedschaft), bis auf ihren letzten begeisterten Vertreter Julianus, von den Kaisern protegiert. Neben den Diesseitsverheißungen, welche auch hier wie immer mit den Verheißungen des Jenseits verknüpft waren, spielte bei der Anziehungskraft dieses Kults auf die Offiziere gewiß der wesentlich magisch-sakramentale Charakter der Gnadenspendung und das hierarchische Avancement in den Weihen eine Rolle.

Die gleichen Momente haben den Kult sicherlich den außermilitärischen *Beamten* empfohlen, in deren Kreisen er gleichfalls beliebt war. Zwar finden sich auch sonst innerhalb des Beamtentums Ansätze zu Neigungen für spezifische Erlösungsreligiosität. Die pietistischen deutschen Beamten – der Ausdruck dafür, daß die bürgerlich-asketische Frömmigkeit in Deutschland als Vertreter spezifisch „bürgerlicher" Lebensführung nur die Beamten, nicht ein bürgerliches Unternehmertum vorfand – und die allerdings mehr gelegentlich auftauchenden wirklich „frommen" preußischen Generale des 18. und 19. Jahrhunderts sind Beispiele dafür. Aber in aller Regel ist nicht dies die Haltung einer herrschenden Bürokratie zur Religiosität. Sie ist stets Träger eines weitgehenden nüchternen Rationalismus einerseits, des Ideals der disziplinierten „Ordnung" und Ruhe als absoluten Wertmaßstabes andererseits. Eine tiefe Verachtung aller irrationalen Religiosität, verbunden mit der Einsicht in ihre Brauchbarkeit als Domestikationsmittel pflegt die Bürokratie zu kennzeichnen. So im Altertum schon die römischen Beamten. So heute die bürgerliche ebenso wie die militärische Bürokratie*. Die spezifische Stellungnahme einer Bürokratie zu den religiösen Dingen ist klassisch im Konfuzianismus niedergeschlagen: Absolutes Fehlen jeglichen „Erlösungsbedürfnisses" und überhaupt aller über das Diesseits hinausgreifenden Verankerungen der Ethik, die durch eine inhaltlich rein opportunistisch-utilitarische, aber ästhetisch vornehme Kunstlehre eines bürokratischen Standeskonventionalismus ersetzt ist, Ekrasierung jeder emotionellen und irrationalen individuellen, über den traditionellen Geisterglauben hinausgehenden Religiosität, Erhaltung des Ahnenkults und der Kindespietät als der universellen Grundlage der Subordination, „Distanz von den Geistern", deren magische Beeinflussung der aufgeklärte Beamte verachtet, der superstitiöse ähnlich mitmacht wie bei uns etwa den Spiritismus, beide aber als Volksreligiosität mit geringschätziger Gleichgültigkeit wuchern lassen und beide, soweit er in anerkannten Staatsriten seinen Ausdruck findet, als Teil der ständisch-konventionellen Pflichten äußerlich respektieren. Die ungebrochene Erhaltung der Magie, speziell des Ahnenkults als Garantie der Fügsamkeit ermöglichte der Bürokratie hier die völlige Niederhaltung einer selbständigen kirchlichen Entwicklung und aller Gemeindereligiosität. Die europäische Bürokratie sieht sich, bei durchschnittlich etwa gleicher innerer Verachtung aller ernst genommenen Religiosität, im Interesse der Massendomestikation zur offiziellen Respektierung der bestehenden kirchlichen Religiosität genötigt. –

Wenn für die religiöse Stellung der normalerweise am stärksten positiv privilegierten Schichten, des Adels und der Bürokratie, sich bei allen sehr starken Unterschieden doch gewisse gleichartige Tendenzen angeben lassen, so zeigen die eigentlich „bürgerlichen" Schichten die

---

* Ich erlebte es, daß Offizierkasinos beim ersten Auftreten des Herrn v. Egidy (Oberstleutnant a. D.) die bestimmte Erwartung hegten, S. M. würde, da doch das Recht dieser Kritik eines Kameraden an der Orthodoxie ganz offenkundig sei, die Initiative dazu ergreifen, daß im Militärgottesdienst fortan nicht mehr die alten Kindermärchen, die doch kein ehrlicher Kerl zu glauben behaupten könne, aufgetischt würden. Als dies natürlich keineswegs geschah, lag dann die Einsicht nahe, daß für die Rekruten die Kirchenlehre, wie sie sei, das beste Futter bilde.

stärksten Kontraste. Und zwar auch ganz abgesehen von den überaus starken ständischen Gegensätzen, welche diese Schichten in sich selbst entfalten. Denn zunächst die „Kaufleute" sind teils Angehörige der höchstprivilegierten Schicht, so der antike städtische Patriziat, teils Parias, wie die besitzlosen Wanderhändler, teils privilegierte, aber hinter dem Adel oder dem Beamtentum ständisch zurückstehende, oder nicht oder selbst negativ privilegierte, aber faktisch mächtige Schichten, wie der Reihe nach die römische „Ritterschaft", die hellenischen Metöken, die mittelalterlichen Gewandschneider und verwandte Händlerschichten, ferner die Geldleute und großen Kaufleute in Babel, die chinesischen und indischen Händler, schließlich die „Bourgeoisie" der beginnenden Neuzeit.

Die Stellung des kaufmännischen Patriziats zur Religiosität zeigt, unabhängig von diesen Unterschieden der Lage, in allen Epochen eigentümliche Kontraste. Die energisch diesseitige Einstellung ihres Lebens legt ihnen an sich den Anschluß an eine prophetische oder ethische Religiosität wenig nahe. Die Großkaufleute der Antike und des Mittelalters sind Träger des spezifischen, unstetigen, nicht betriebsmäßigen „Gelegenheitsgelderwerbes", Kapitalgeber der kapitallosen reisenden Händler, in historischer Zeit teils ein stadtsässiger, durch diesen Gelegenheitserwerb reich gewordener Adel mit ursprünglich grundherrlicher Basis, teils umgekehrt ein zu Grundbesitz gelangter Händlerstand mit Tendenz zum Aufstieg in die Adelsgeschlechter. Dazu treten mit geldwirtschaftlicher Deckung des politischen Bedarfs die Vertreter des politisch an Staatslieferungen und Staatskredit orientierten und des Kolonialkapitalismus, wie er in allen geschichtlichen Epochen sich fand. Alle diese Schichten sind nirgends primäre Träger einer ethischen oder Erlösungsreligiosität gewesen. Je privilegierter die Lage der Händlerschaft war, desto weniger zeigt sie überhaupt Neigung zur Entwicklung einer Jenseitsreligion. Die Religion der adeligen plutokratischen phönikischen Händlerstädte ist rein diesseitig gewendet und soweit bekannt gänzlich unprophetisch. Dabei aber ist die Intensität der Religiosität und die Angst vor den mit düsteren Zügen ausgestatteten Göttern sehr bedeutend. Der althellenische kriegerische, dabei aber halb seeräuberische, halb händlerische Seefahreradel dagegen hat das religiöse Dokument dessen, was ihm behagte, in der Odyssee mit ihrer immerhin starken Respektlosigkeit gegenüber den Göttern hinterlassen. Der chinesische taoistische Reichtumsgott, der von der Kaufmannschaft ziemlich universell verehrt wird, zeigt keine ethischen Züge, sondern ist rein magischen Charakters. Auch der Kult des hellenischen, freilich vorwiegend agrarischen Reichtumsgottes Pluto bildet einen Teil der eleusinischen Mysterien, welche abgesehen von ritueller Reinheit und Freiheit von Blutschuld keinerlei ethische Anforderungen stellen. Die Freigelassenenschicht mit ihrer sehr starken Kapitalkraft suchte Augustus in charakteristischer Politik zu spezifischen Trägern des Kaiserkults durch Schaffung der Augustalenwürde zu machen; eigene, ihr spezifische Richtungen religiösen Interesses weist diese Schicht sonst nicht auf. Der Teil der Kaufmannschaft in Indien, welcher hinduistischer Religiosität ist, namentlich auch jene Bankierskreise, die aus den alten staatskapitalistischen Geldgeber- oder Großhändlerkreisen hervorgegangen sind, sind meist Vallabhacharis, d. h. Anhänger der von Vallabha Swami reformierten, vischnuitischen Priesterschaft der Gokulastha Gosains und pflegen eine Form der erotomorphen Krischna- und Radhadevotion, deren Kultmahle zu Ehren des Heilandes zu einer Art von erlesenem Diner raffiniert sind. Die Großhändlerschaften der Guelfenstädte des Mittelalters, wie etwa die Arte di Calimala, sind zwar gut päpstlich in der Politik, fanden sich aber oft durch ziemlich mechanische und direkt wie Spott wirkende Mittel mit dem Wucherverbote der Kirche ab. Die großen und vornehmen Handelsherren des protestantischen Holland waren, als Arminianer, religiös spezifisch realpolitisch und die Hauptgegner des calvinistischen ethischen Rigorismus. Skepsis oder Gleichmut sind und waren überall eine sehr weit verbreitete Stellungnahme der Großhändler und Großgeldgeberkreise zur Religiosität.

Diesen leicht verständlichen Erscheinungen steht nun aber gegenüber: daß in der Vergangenheit die Neubildungen von Kapital, genauer ausgedrückt: von kontinuierlich betriebsmäßig in rationaler Weise zur Gewinnerzeugung verwertetem Geldbesitz, und zwar zumal von industriellem, also spezifisch modern verwertetem Kapital, in höchst auffallender Art und Häufigkeit mit rationaler ethischer Gemeindereligiosität der betreffenden Schichten verknüpft waren. Schon in den Handel Indiens teilen sich (geographisch) die Anhänger der noch in ihrer Modernisierung, welche die ritualistischen Reinheitsgebote als hygienische Vorschriften interpretiert, ethisch, besonders durch ihr bedingungsloses Wahrheitsgebot, rigoristischen Religion Zarathustras (Parsis), deren Wirtschaftsmoral ursprünglich nur den Ackerbau als Gott wohlgefällig anerkannte und allen bürgerlichen Erwerb perhorreszierte einerseits und andererseits die Jainasekte, also die am spezifischsten asketische Religiosität, welche es in Indien überhaupt gibt, mit den schon oben erwähnten Vallabhachianern (immerhin, bei allem antirationalen Charakter der Kulte, einer als Gemeindereligiosität konstituierten Erlösungslehre). Ob es richtig ist, daß die islamische Kaufmannsreligiosität besonders häufig Derwischreligiosität ist, kann ich nicht kontrollieren, doch ist es nicht unwahrscheinlich. Die ethisch rationale jüdische Gemeindereligiosität ist schon im Altertum sehr stark Händler- und Geldgeberreligiosität. In geringerem, aber doch merklichem Maße ist auch die mittelalterliche christliche, ketzerisch-sektiererische oder an das Sektentum streifende Gemeindereligiosität zwar nicht Händler-, aber doch „bürgerliche" Religiosität, und zwar je ethisch rationaler sie war, desto mehr. Vor allem aber haben sich die sämtlichen Formen des west- und osteuropäischen asketischen Protestantismus und Sektentums: Zwinglianer, Calvinisten, Reformierte, Baptisten, Mennoniten, Quäker, reformierte und in geringerer Intensität auch lutherische Pietisten, Methodisten, ebenso die russischen schismatischen und ketzerischen, vor allem die rationalen pietistischen Sekten, unter ihnen speziell die Stundisten und die Skopzen, zwar in sehr verschiedener Art, durchweg aber auf das engste mit ökonomisch rationalen und – wo solche ökonomisch möglich waren – kapitalistischen Entwicklungen verknüpft. Und zwar wird die Neigung zur Anhängerschaft an eine ethisch rationale Gemeindereligiosität im allgemeinen um so stärker, je mehr man von jenen Schichten sich entfernt, welche Träger des vornehmlich politisch bedingten Kapitalismus waren, wie er seit Hammurabis Zeit überall, wo es Steuerpacht, Staatslieferantenprofit, Krieg, Seeraub, Großwucher, Kolonisation gab, existierte, und je mehr man sich denjenigen Schichten nähert, welche Träger moderner, rationaler Betriebsökonomik, d. h. also Schichten mit bürgerlichem ökonomischem Klassencharakter (im später zu erörternden Sinn) waren. Die bloße Existenz von „Kapitalismus" irgendwelcher Art genügt offensichtlich ganz und gar nicht, um ihrerseits eine einheitliche Ethik, geschweige denn eine ethische Gemeindereligiosität aus sich zu erzeugen. Sie wirkt von sich aus offenbar nicht eindeutig. Die Art des Kausalzusammenhangs der religiösen rationalen Ethik mit der besonderen Art des kaufmännischen Rationalismus da, wo dieser Zusammenhang besteht, lassen wir vorläufig noch außer betracht und stellen zunächst nur fest: daß eine, außerhalb der Stätte des ökonomischen Rationalismus, also außerhalb des Okzidents, nur gelegentlich, innerhalb seiner aber deutlich, und zwar je mehr wir uns den klassischen Trägern des ökonomischen Rationalismus nähern, desto deutlicher zu beobachtende Wahlverwandtschaft zwischen ökonomischem Rationalismus einerseits und gewissen, später näher zu charakterisierenden Arten von ethischrigoristischer Religiosität zu beobachten ist.

Verlassen wir nun die sozial oder ökonomisch privilegierten Schichten, so steigert sich anscheinend das Untypische der religiösen Haltung. Innerhalb der Schicht des Kleinbürgertums, speziell des Handwerks, bestehen die größten Gegensätze nebeneinander. Kastentabu und magische oder mystagogische Sakraments- oder Orgienreligiosität in Indien, Animismus in China, Derwischreligiosität im Islam, die pneumatisch-enthusiastische Gemeindereligiosität des antiken Christentums, namentlich im Osten des römischen Weltreichs, Deisidämonie neben Dionysosorgiastik im antiken Hellenentum, pharisäische Gesetzestreue im antiken großstädtischen Judentum, ein wesentlich idolatrisches Christentum neben allen Arten von Sektenreligiosität im Mittelalter und alle Arten von Protestantismus in der beginnenden Neuzeit – dies sind wohl die größten Kontraste, welche sich untereinander denken lassen. Eine spezifische Handwerkerreligiosität war allerdings von Anfang an das alte Christentum. Sein Heiland, ein landstädtischer Handwerker, seine Missionare wandernde Handwerksburschen, der größte von ihnen, ein wandernder Zelttuchmachergeselle, schon so sehr dem Lande entfremdet, daß er in einer seiner Episteln ein Gleichnis aus dem Gebiete des Okulierens handgreiflich verkehrt anwendet, endlich die Gemeinden, wie wir schon sahen, in der Antike ganz prononziert städtisch, vornehmlich aus Handwerkern, freien und unfreien, rekrutiert. Und auch im Mittelalter ist das Kleinbürgertum die frömmste, wenn auch nicht immer die orthodoxeste, Schicht. Aber auch im Christentum besteht nun die Erscheinung, daß innerhalb des Kleinbürgertums sowohl die antike pneumatische, Dämonen austreibende Prophetie, die unbedingt orthodoxe (anstaltskirchliche) mittelalterliche Religiosität und das Bettelmönchtum, wie andererseits gewisse Arten der mittelalterlichen Sektenreligiosität und zum Beispiel der lange der Heterodoxie verdächtige Orden der Humiliaten, ebenso aber das Täufertum aller Schattierungen und andererseits wieder die Frömmigkeit der verschiedenen Reformationskirchen, auch der lutherischen, bei den Kleinbürgern, scheinbar gleichmäßig, einen außerordentlich festen Rückhalt fanden. Also eine höchst bunte Mannigfaltigkeit, welche wenigstens dies beweist, daß eine eindeutige ökonomische Bedingtheit der Religiosität des Handwerkertums nie bestand. Immerhin liegt höchst deutlich eine ausgesprochene Neigung sowohl zur Gemeindereligiosität, wie zur Erlösungsreligiosität und schließlich auch zur rationalen ethischen Religiosität vor, verglichen mit den bäuerlichen Schichten, und es ist nur nachdrücklich daran zu erinnern, daß auch dieser Gegensatz von eindeutiger Determiniertheit sehr weit entfernt ist, wie denn die Ausbreitungsgebiete zum Beispiel der täuferischen Gemeindere-ligiosität anfänglich in sehr starkem Maße besonders auf dem platten Lande (Friesland) gelegen haben und in der Stadt (Münster) zunächst gerade ihre sozialrevolutionäre Form eine Stätte fand.

Daß nun speziell im Okzident Gemeindereligiosität und mittleres und kleineres Stadtbürgertum miteinander eng verknüpft zu sein pflegen, hat seinen natürlichen Grund zunächst in dem relativen Zurücktreten der Blutsverbände, namentlich der Sippe, innerhalb der okzidentalen Stadt.* Den Ersatz dafür findet der Einzelne neben den Berufsverbänden, die im Okzident zwar, wie überall, kultische, aber nicht mehr tabuistische Bedeutung haben, in frei geschaffenen religiösen Vergemeinschaftungen. Diesen letzteren Zusammenhang determiniert aber nicht etwa die ökonomische Eigenart des bloßen Stadtlebens als solchen von sich aus. Sondern, wie leicht einzusehen, sehr häufig umgekehrt. In China halten die exklusive Bedeutung des Ahnenkults und die Sippenexogamie den einzelnen Stadtinsassen dauernd in fester Verbindung mit Sippe und Heimatsdorf. In Indien erschwert das religiöse Kastentabu die Entstehung oder beschränkt die Bedeutung der soteriologischen Gemeindereligiosität, in den stadtartigen Siedelungen ganz ebenso wie auf dem Lande. Und in beiden Fällen hemmten jene Momente sogar, sahen wir, die Entwicklung der Stadt zu einer „Gemeinde" weit stärker als die des Dorfes. Aber die Kleinbürgerschicht neigt allerdings begreiflicherweise relativ stark, und zwar aus Gründen ihrer ökonomischen Lebensführung, zur rationalen ethischen Religiosität, wo die Bedingungen für deren Entstehung gegeben sind. Es ist klar, daß das Leben des Kleinbürgers, zumal des städtischen Handwerkers und Kleinhändlers, der Naturgebundenheit, verglichen mit den Bauern, weit ferner steht, so daß die Abhängigkeit von magischer Beeinflussung der irrationalen Naturgeister für ihn nicht die gleiche Rolle spielen kann, wie für jene, daß umgekehrt seine ökonomischen Existenzbedingungen ganz wesentlich rationaleren, d. h. hier: der Berechenbarkeit und der zweckrationalen Beeinflussung zugänglicheren Charakter haben. Ferner legt seine ökonomische Existenz namentlich dem Handwerker, unter bestimmten spezifischen Bedingungen auch dem Händler, den Gedanken nahe, daß Redlichkeit in seinem eigenen Interesse liege, treue Arbeit und Pflichterfüllung ihren „Lohn" finde und daß sie auch ihres gerechten Lohnes „wert" sei, also eine ethisch rationale

---

* Vgl. dazu das Schlußkapitel: „Die Stadt". (Anm. d. Herausgeb.)

Weltbetrachtung im Sinn der Vergeltungsethik, die allen nicht privilegierten Schichten, wie noch zu erörtern, ohnehin naheliegt. Ungleich näher jedenfalls als den Bauern, die sich dem „ethischen" Vergeltungsglauben überall erst nach Ausrottung der Magie durch andere Gewalten zuwenden, während der Handwerker diese Ausrottung sehr oft aktiv mit vollzogen hat. Und vollends ungleich näher als dem Krieger oder ganz großen, am Kriege und politischen Machtentfaltungen ökonomisch interessierten Geldmagnaten, welche gerade den ethisch rationalen Elementen einer Religiosität am wenigsten zugänglich sind. Der Handwerker speziell ist zwar in den Anfängen der Berufsdifferenzierung ganz besonders tief in magische Schranken verstrickt. Denn alle spezifizierte, nicht alltägliche, nicht allgemein verbreitete, „Kunst" gilt als magisches Charisma, persönliches oder, und in aller Regel, erbliches, dessen Erwerb und Erhaltung durch magische Mittel garantiert wird, seinen Träger tabuistisch, zuweilen totemistisch, aus der Gemeinschaft der Alltagsmenschen (Bauern) absondert, oft vom Bodenbesitz ausschließt. Und der namentlich die in der Hand alter Rohstoffvölker, welche zuerst als „Störer", dann als einzelne ansässige Fremdbürtige, ihre Kunst anbieten, verbliebenen Gewerbe zur Bindung an Pariakasten verurteilt und auch die Manipulationen des Handwerkers, seine Technik, magisch stereotypiert. Wo immer aber dieser Zustand einmal durchbrochen ist – und das vollzieht sich am leichtesten auf dem Boden städtischer Neusiedelungen –, da kann dann der Umstand seine Wirkung entfalten: daß der Handwerker und ebenso der Kleinhändler, der erstere über seine Arbeit, der letztere über seinen Erwerb wesentlich mehr rational zu denken hat als irgendein Bauer. Der Handwerker speziell hat ferner während der Arbeit wenigstens bei gewissen, in unserem Klima besonders stark stubengebundenen Gewerben – so in den Textilhandwerken, die daher überall besonders stark mit sektenhafter Religiosität durchsetzt sind – Zeit und Möglichkeit zum Grübeln. Selbst für den modernen maschinellen Webstuhl trifft dies in begrenztem Umfange unter Umständen noch zu, vollends aber für den Webstuhl der Vergangenheit. Überall, wo die Gebundenheit an rein magische oder rein ritualistische Vorstellungen durch Propheten oder Reformatoren gebrochen wird, neigen daher die Handwerker und Kleinbürger zu einer Art von freilich oft sehr primitiver, ethischer und religiös rationalistischer Lebensbetrachtung. Sie sind ferner schon kraft ihrer beruflichen Spezialisierung Träger einer spezifisch geprägten einheitlichen „Lebensführung". Die Determiniertheit der Religiosität durch diese allgemeinen Bedingungen der Handwerker- und Kleinbürgerexistenz ist in keiner Weise eine eindeutige. Die chinesischen, überaus „rechenhaften" Kleinhändler sind nicht Träger einer rationalen Religiosität, die chinesischen Handwerker, soviel bekannt, ebenfalls nicht. Sie hängen, neben der magischen, allenfalls der buddhistischen Karmanlehre an. Dies Fehlen einer ethisch rationalen Religiosität ist aber hier das Primäre und scheint seinerseits die immer wieder auffallende Begrenztheit des Rationalismus ihrer Technik beeinflußt zu haben. Die bloße Existenz von Handwerkern und Kleinbürgern hat aber nirgends genügt, die Entstehung einer ethischen Religiosität eines noch so allgemein zu umschreibenden Typus aus sich zu gebären. Wir sahen umgekehrt, wie das Kastentabu in Verbindung mit dem Seelenwanderungsglauben die indische Handwerkerethik beeinflußt und stereotypiert hat. Nur wo eine Gemeindereligiosität und speziell eine rational ethische Gemeindereligiosität entstand, da konnte sie dann begreiflicherweise gerade in städtischen Kleinbürgerkreisen ganz besonders leicht Anhänger gewinnen und dann die Lebensführung dieser Kreise ihrerseits unter Umständen nachhaltig beeinflussen, wie dies tatsächlich geschehen ist.

Endlich die ökonomisch am meisten negativ privilegierten Schichten: Sklaven und freie Tagelöhner, sind bisher nirgends in der Geschichte Träger einer spezifischen Religiosität gewesen. Die Sklaven in den alten Christengemeinden waren Bestandteile des städtischen Kleinbürgertums. Denn die hellenistischen Sklaven und z. B. die im Römerbrief erwähnten Leute des Narzissus (vermutlich des berühmten kaiserlichen Freigelassenen) gehören entweder – wie wahrscheinlich die letzteren – dem relativ gut und selbständig gestellten Hausbeamtentum und der Dienerschaft eines sehr reichen Mannes an, oder und meist, sind sie umgekehrt selbständige Handwerker, welche ihrem Herrn Zins zahlen und sich das Geld für ihren Freikauf aus ihren Ersparnissen zu erarbeiten hoffen, wie dies in der ganzen Antike und in Rußland bis in das 19. Jahrhundert üblich war, oder endlich wohl auch gutgestellte Staatssklaven. Auch die Mithrasreligion zählte, wie die Inschriften lehren, unter dieser Schicht zahlreiche Anhänger. Daß der delphische Apollon (ebenso wie sicherlich andere Götter) offenbar als, ihrer sakralen Geschütztheit wegen, gesuchte Sklavensparkasse fungierte und dann die Sklaven aus diesen Ersparnissen von ihrem Herrn „in die Freiheit" kaufte, soll nach Deissmanns ansprechender Hypothese von Paulus als Bild für den Loskauf der Christen mit dem Blut des Heilandes in die Freiheit von Gesetzes- und Sündenknechtschaft verwertet sein. Ist dies richtig – es ist immerhin die alttestamentliche Wendung *gaal* oder *pada* wohl auch als mögliche Quelle in Betracht zu ziehen –, dann zeigt es, wie sehr die christliche Propaganda gerade auch auf dieses ökonomisch rational lebende, weil strebsame unfreie Kleinbürgertum mitzählte. Das „sprechende Inventar" der antiken Plantagen dagegen, diese unterste Schicht des Sklaventums, war kein Boden für eine Gemeindereligiosität oder irgendwelche religiöse Propaganda überhaupt. Die Handwerksgesellen aller Zeiten ferner, als normalerweise nur durch eine Karenzzeit vom selbständigen Kleinbürgertum getrennt, haben die spezifische Kleinbürgerreligiosität meist geteilt. Allerdings besonders oft mit noch ausgesprochenerer Neigung zur unoffiziellen sektenhaften Religiosität, für deren sämtliche Formen die mit der Not des Tages, den Schwankungen des Brotpreises und der Verdienstgelegenheit kämpfende, auf „Bruderhilfe" angewiesene gewerbliche Unterschicht der Städte überall ein höchst dankbares Feld dargeboten hat. Die zahlreichen geheimen oder halb tolerierten Gemeinschaften der „armen Leute" mit ihrer bald revolutionären, bald pazifistisch-kommunistischen, bald ethisch-rationalen Gemeindereligiosität umfassen regelmäßig gerade auch die Kleinhandwerkerschicht und das Handwerksgesellentum. Vor allem aus dem technischen Grunde, weil die wandernden Handwerksgesellen die gegebenen Missionare jedes Gemeindeglaubens der Massen sind. Die ungeheuer schnelle Expansion des Christentums über die gewaltige Entfernung vom Orient bis Rom hin in wenigen Jahrzehnten illustriert diesen Vorgang hinlänglich.

Das moderne Proletariat aber ist, soweit es religiös eine Sonderstellung einnimmt, ebenso wie breite Schichten der eigentlich modernen Bourgeoisie durch Indifferenz oder Ablehnung des Religiösen ausgezeichnet. Die Abhängigkeit von der eigenen Leistung wird hier durch das Bewußtsein der Abhängigkeit von rein gesellschaftlichen Konstellationen, ökonomischen Konjunkturen und gesetzlich garantierten Machtverhältnissen zurückgedrängt oder ergänzt. Dagegen ist jeder Gedanke an Abhängigkeit von dem Gang der kosmisch-meteorologischen oder anderen, als magisch oder als providenziell bewirkt zu deutenden, Naturvorgängen ausgeschaltet, wie es s. Z. schon Sombart in schöner Form ausgeführt hat. Der proletarische Rationalismus ebenso wie der Rationalismus einer im Vollbesitz der ökonomischen Macht befindlichen, hochkapitalistischen Bourgeoisie, dessen Komplementärerscheinung er ist, kann daher aus sich heraus nicht leicht religiösen Charakter tragen, jedenfalls eine Religiosität nicht leicht erzeugen. Die Religion wird hier vielmehr normalerweise durch andere ideelle Surrogate ersetzt. Die untersten, ökonomisch unsteten Schichten des Proletariats, denen rationale Konzeptionen am schwersten zugänglich sind, und ebenso die proletaroiden oder dauernd notleidenden und mit Proletarisierung bedrohten sinkenden Kleinbürgerschichten können allerdings religiöser Mission besonders leicht anheimfallen. Aber religiöser Mission ganz besonders in magischer Form, oder, wo die eigentliche Magie ausgerottet ist, von einem Charakter, welcher Surrogate für die magisch-orgiastische Begnadung bietet; dies tun z. B. die soteriologischen Orgien methodistischer Art, wie sie etwa die Heilsarmee veranstaltet. Zweifellos können weit leichter emotionale als rationale Elemente einer religiösen Ethik auf diesem Boden wachsen, und jedenfalls entstammt ihnen ethische Religiosität kaum jemals als ihrem primären Nährboden. Es gibt eine spezifische „Klassen"-Religiosität der negativ privilegierten Schichten nur in begrenztem Sinn. Soweit in einer Religion der *Inhalt* „sozialpolitischer" Forderungen als gottgewollt fundamentiert wird, haben wir uns bei Erörterung der Ethik und des „Naturrechts" kurz damit zu befassen. Soweit der Charakter der Religiosität als solcher in Betracht kommt, ist zunächst ohne weiteres verständlich, daß das „Erlösungs"-Bedürfnis, im weitesten Sinn des Worts, in den negativ privilegierten Klassen einen – wie wir später sehen werden–, freilich keineswegs den einzigen oder auch nur den hauptsächlichsten, Standort hat, während es innerhalb der „satten" und positiv privilegierten Schichten wenigstens den Kriegern, Bürokraten und der Plutokratie fern liegt.

Ihren ersten Ursprung kann eine Erlösungsreligiosität sehr wohl innerhalb sozial privilegierter Schichten nehmen. Das Charisma des Propheten ist an ständische Zugehörigkeit nicht gebunden, ja es ist durchaus normalerweise an ein gewisses Minimum auch intellektueller Kultur gebunden. Die spezifischen Intellektuellenprophetien beweisen beides hinlänglich. Aber sie wandelt dann ihren Charakter regelmäßig, sobald sie auf die nicht spezifisch und berufsmäßig den Intellektualismus als solchen pflegenden Laienkreise, noch mehr, wenn sie auf diejenigen negativ privilegierten Schichten übergreift, denen der Intellektualismus ökonomisch und sozial unzugänglich ist. Und zwar läßt sich wenigstens ein normaler Grundzug dieser Wandlung, eines Produkts der unvermeidlichen Anpassung an die Bedürfnisse der Massen, allgemein bezeichnen: das Hervortreten des *persönlichen* göttlichen oder menschlich-göttlichen Erlösers als des Trägers, der religiösen Beziehungen zu ihm als der Bedingung des Heils. Als eine Art der Adaptierung der Religiosität an die Massenbedürfnisse lernten wir schon die Umformung kultischer Religiosität zur reinen Zauberei kennen. Die Heilandsreligiosität ist eine zweite typische

Form und natürlich mit der rein magischen Umformung durch die mannigfachsten Übergänge verbunden. Je weiter man auf der sozialen Stufenleiter nach unten gelangt, desto radikalere Formen pflegt das Heilandsbedürfnis, wenn es einmal auftritt, anzunehmen. Die indischen Kharba Bajads, eine vischnuitische Sekte, welche mit der, vielen Erlösungslehren theoretisch eigenen, Sprengung des Kastentabu am meisten Ernst gemacht und z. B. wenigstens eine begrenzte, auch private (nicht nur rein kultische) Tischgemeinschaft ihrer Angehörigen hergestellt hat, infolge davon aber auch wesentlich eine Sekte der kleinen Leute ist, treibt zugleich die anthropolatrische Verehrung ihres erblichen Guru am weitesten und bis zur Ausschließlichkeit dieses Kults. Und Ähnliches wiederholt sich bei anderen, vornehmlich aus den sozial untersten Schichten rekrutierten oder durch sie beeinflußten Religiositäten. Die Übertragung von Erlösungslehren auf die Massen läßt fast jedesmal den persönlichen Heiland entstehen oder stärker hervortreten. Der Ersatz des Buddhaideals, (d. h. der exemplarischen Intellektuellenerlösung in das Nirwana, durch das Bodhisattvaideal, zugunsten eines zur Erde niedersteigenden Heilands, der auf das eigene Eingehen in das Nirwana verzichtet, um die Mitmenschen zu erlösen, ebenso das Aufkommen der durch die Menschwerdung des Gottes vermittelten Erlösergnade in den hinduistischen Volksreligionen, vor allem im Vischnuismus, und der Sieg dieser Soteriologie und ihrer magischen Sakramentsgnade sowohl über die vornehme atheistische Erlösung der Buddhisten, wie über den alten, an die vedische Bildung gebundenen Ritualismus, sind Erscheinungen, die sich, nur in verschiedener Abwandlung, auch sonst finden. Überall äußert sich das religiöse Bedürfnis des mittleren und kleineren Bürgertums in emotionalerer, speziell in einer zur Innigkeit und Erbaulichkeit neigenden Legende statt der Heldenmythen bildenden Form. Sie entspricht der Befriedung und stärkeren Bedeutung des Haus- und Familienlebens gegenüber den Herrenschichten. Das Aufkommen der gottinnigen „Bhakti"-Frömmigkeit in allen indischen Kulten, in der Schaffung der Bodhisattvafigur so gut wie in den Krischnakulten, die Popularität der erbaulichen Mythen vom Dionysoskinde, vom Osiris, vom Christkind und ihre zahlreichen Verwandten, gehören alle dieser bürgerlichen Wendung der Religiosität ins Genrehafte an. Das Auftreten des Bürgertums als einer, die Art der Frömmigkeit mitbestimmenden Macht unter dem Einfluß des Bettelmönchtums bedeutet zugleich die Verdrängung der vornehmen „Theotokos" der imperialistischen Kunst Nicolo Pisanos durch das Genrebild der heiligen Familie, wie es sein Sohn schuf, ganz wie das Krischnakind in Indien der Liebling der volkstümlichen Kulte ist. Wie die Magie, so ist der soteriologische Mythos und sein menschgewordener Gott oder gottgewordener Heiland eine spezifisch volkstümliche und daher an den verschiedensten Stellen spontan entstandene religiöse Konzeption. Die unpersönliche, übergöttliche ethische Ordnung des Kosmos und die exemplarische Erlösung ist dagegen ein der spezifisch unvolkstümlichen, ethisch rationalen Laienbildung adäquater Intellektuellengedanke. Das gleiche gilt aber für den absolut überweltlichen Gott. Mit Ausnahme des Judentums und des Protestantismus haben alle Religionen und religiösen Ethiken ohne Ausnahme den Heiligen- oder Heroen- oder Funktionsgötterkult bei ihrer Adaptierung an die Massenbedürfnisse wieder aufnehmen müssen. Der Konfuzianismus läßt ihn in Gestalt des taoistischen Pantheon neben sich bestehen, der popularisierte Buddhismus duldet die Gottheiten der Länder seiner Verbreitung als dem Buddha untergeordnete Kultempfänger, Islam und Katholizismus haben Lokalgötter, Funktionsgötter und Berufsgötter als Heilige, denen die eigentliche Devotion des Alltags bei den Massen gilt, rezipieren müssen.

Der Religiosität der negativ Privilegierten ist ferner, im Gegensatz zu den vornehmen Kulten des kriegerischen Adels, die gleichberechtigte Heranziehung der *Frauen* eigen. Der höchst verschieden abgestufte Grad der Zulassung und mehr oder minder aktiven oder passiven Beteiligung oder des Ausschlusses der Frauen von den religiösen Kulten ist wohl überall Funktion des Grades der (gegenwärtigen oder früheren) relativen Befriedung oder Militarisierung. Dabei besagt natürlich die Existenz von Priesterinnen, die Verehrung von Wahrsagerinnen oder Zauberinnen, kurz die äußerste Devotion gegen individuelle Frauen, denen übernatürliche Kräfte und Charismata zugetraut wurden, nicht das geringste für eine kultische Gleichstellung der Frauen als solcher. Und umgekehrt kann die prinzipielle Gleichstellung in der Beziehung zum Göttlichen, wie sie im Christentum und Judentum, in geringerer Konsequenz im Islam und offiziellen Buddhismus besteht, mit völliger Monopolisierung der Priesterfunktion und des Rechts zum aktiven Mitbestimmungsrecht in Gemeindeangelegenheiten durch die allein zur speziellen Berufsvorbildung zugelassenen oder qualifiziert gehaltenen Männer zusammen bestehen, wie dies tatsächlich in jenen Religionen der Fall ist. Die große Empfänglichkeit der Frauen für alle nicht exklusiv militärisch oder politisch orientierte religiöse Prophetie tritt in den unbefangen freien Beziehungen fast aller Propheten, des Buddha ebenso wie des

Christus und etwa des Pythagoras, deutlich hervor. Höchst selten aber behauptet sie sich über diejenige erste Epoche der Gemeinde hinaus, in welcher die pneumatischen Charismata als Merkmale spezifischer religiöser Erhebung geschätzt werden. Dann tritt, mit Veralltäglichung und Reglementierung der Gemeindeverhältnisse, stets ein Rückschlag gegen die nun als ordnungswidrig und krankhaft empfundenen pneumatischen Erscheinungen bei den Frauen ein. So schon bei Paulus. Vollends jede politisch-militärische Prophetie – wie der Islam – wendet sich an die Männer allein. Und oft tritt der Kult eines kriegerischen Geistes (so im indischen Archipel des Duk-Duk und sonst oft ähnlicher periodischer Epiphanien eines Helden-Numen) ganz direkt in den Dienst der Domestikation und regelrechten Ausplünderung der Frauenhaushalte durch die kasino- oder klubartig vergesellschafteten Insassen des Kriegerhauses. Überall, wo die asketische Kriegererziehung mit ihrer „Wiedergeburt" des Helden herrscht oder geherrscht hat, gilt die Frau als der höheren, heldischen Seele entbehrend und ist dadurch religiös deklassiert. So in den meisten vornehmen oder spezifisch militaristischen Kultgemeinschaften. Von den offiziellen chinesischen, ebenso wie von den römischen und den brahmanischen Kulten ist die Frau gänzlich ausgeschlossen, und auch die buddhistische Intellektuellenreligiosität ist nicht feministisch; selbst in der Merowingerzeit konnten christliche Synoden die Gleichwertigkeit der Seele der Frau bezweifeln. Dagegen haben die spezifischen Kulte des Hinduismus sowohl wie ein Teil der chinesischen buddhistisch-taoistischen Sekten und im Okzident vor allem das alte Christentum, wie später die pneumatischen und pazifistischen Sekten in Ost- und Westeuropa gleichmäßig ihre propagandistische Kraft aus der Heranziehung und Gleichstellung der Frauen gezogen. Auch in Hellas hatte der Dionysoskult bei seinem ersten Auftreten ein dort sonst ganz unerhörtes Maß von Emanzipation der an den Orgien beteiligten Frauen von aller Konvention mit sich gebracht, eine Freiheit, die freilich je länger je mehr künstlerisch und zeremoniell stilisiert und reglementiert und damit gebunden, insbesondere auf Prozessionen und einzelne andere Festakte in den verschiedenen Kulten beschränkt wurde und so schließlich in ihrer praktischen Bedeutung gänzlich schwand. Der gewaltige Vorsprung der christlichen Propaganda innerhalb der kleinbürgerlichen Schichten gegenüber ihrem wichtigsten Konkurrenten: der Mithrasreligion, war, daß dieser extrem maskuline Kult die Frauen ausschloß. In einer Zeit universeller Befriedung nötigte dies seine Bekenner dazu, für ihre Frauen einen Ersatz in anderen Mysterien, z. B. denen der Kybele, zu suchen und zerstörte so von vornherein die Einheitlichkeit und Universalität der Religionsgemeinschaft selbst innerhalb der einzelnen Familien, in starkem Kontrast gegen das Christentum. Im Prinzip nicht ganz so, aber im Effekt vielfach ähnlich stand es mit allen eigentlichen Intellektuellenkulten gnostischer, manichäischer und ähnlicher Art. Keineswegs alle Religionen der „Bruder- und Feindesliebe" sind zu dieser Geltung durch Fraueneinfluß gelangt oder feministischen Charakters: die indische Ahimsareligiosität z. B. absolut nicht. Der Fraueneinfluß pflegt nur die emotionellen, hysterisch bedingten Seiten der Religiosität zu steigern. So in Indien. Aber es ist gewiß nicht gleichgültig, daß die Erlösungsreligiosität die unmilitärischen und antimilitärischen Tugenden zu verklären pflegt, wie dies negativ privilegierten Schichten und Frauen naheliegen muß.

Die speziellere Bedeutung der Erlösungsreligiosität für die politisch und ökonomisch negativ privilegierten Schichten im Gegensatz zu den positiv privilegierten läßt sich nun unter noch einige allgemeinere Gesichtspunkte bringen. – Wir werden bei Erörterung der „Stände" und „Klassen" noch davon zu reden haben, daß das Würdegefühl der höchstprivilegierten (und nicht priesterlichen) Schichten, speziell des Adels, die „Vornehmheit" also, auf dem Bewußtsein der „Vollendung" ihrer Lebensführung als eines Ausdrucks ihres qualitativen, in sich beruhenden, nicht über sich hinausweisenden *„Seins"* ruht und, der Natur der Sache nach, ruhen kann, jedes Würdegefühl negativ Privilegierter dagegen auf einer ihnen verbürgten „Verheißung", die an eine ihnen zugewiesene „Funktion", „Mission", „Beruf" geknüpft ist. Was sie zu „sein" nicht prätendieren können, ergänzen sie entweder durch die Würde dessen, was sie einst sein werden, zu sein „berufen" sind, in einem Zukunftsleben im Diesseits oder Jenseits oder (und meist zugleich) durch das, was sie, providentiell angesehen, „bedeuten" und „leisten". Der Hunger nach einer ihnen, so wie sie und so wie die Welt sind, nicht zugefallenen Würde schafft diese Konzeption, aus welcher die rationalistische Idee einer „Vorsehung", einer Bedeutsamkeit vor einer göttlichen Instanz mit anderer Rangordnung der Würde entspringt.

Nach außen, gegen die anderer Schichten gewendet, ergibt diese innere Lage noch einige charakteristische Gegensätze dessen, was Religionen den verschiedenen sozialen Schichten „leisten" mußten. Jedes Erlösungsbedürfnis ist Ausdruck einer „Not" und soziale oder ökonomische Gedrücktheit ist daher zwar keineswegs die ausschließliche, aber naturgemäß eine sehr wirksame Quelle seiner Entstehung. Sozial und ökonomisch positiv privilegierte Schichten empfinden unter sonst gleichen Umständen das Erlösungsbedürfnis von sich aus kaum. Sie schieben vielmehr der Religion in erster Linie die Rolle zu, ihre eigene Lebensführung und Lebenslage zu „legitimieren". Diese höchst universelle Erscheinung wurzelt in ganz allgemeinen inneren Konstellationen. Daß ein Mensch im Glück dem minder Glücklichen gegenüber sich nicht mit der Tatsache jenes Glücks begnügt, sondern überdies auch noch das „Recht" seines Glücks haben will, das Bewußtsein also, es im Gegensatz zu dem minder Glücklichen „verdient" zu haben – während dieser sein Unglück irgendwie „verdient" haben muß –, dieses seelische Komfortbedürfnis nach der Legitimität des Glückes lehrt jede Alltagserfahrung kennen, mag es sich um politische Schicksale, um Unterschiede der ökonomischen Lage, der körperlichen Gesundheit, um Glück in der erotischen Konkurrenz oder um was immer handeln. Die „Legitimierung" in diesem innerlichen Sinne ist das, was die positiv Privilegierten innerlich von der Religion verlangen, wenn überhaupt irgend etwas. Nicht jede positiv privilegierte Schicht hat dies Bedürfnis in gleichem Maße. Gerade dem kriegerischen Heldentum sind die Götter Wesen, denen der Neid nicht fremd ist. Solon und die altjüdische Weisheit sind über die Gefahr gerade der hohen Stellung einig. Trotz der Götter, nicht durch die Götter, oft gegen sie, behauptet der Held seine überalltägliche Stellung. Die homerische und ein Teil der alten indischen Epik steht darin in charakteristischem Gegensatz sowohl gegen die bürokratisch-chinesische, wie gegen die priesterlich-jüdische Chronistik, daß in dieser die „Legitimität" des Glückes, als Lohn Gott wohlgefälliger Tugenden, so außerordentlich viel stärker ausgeprägt ist. Andererseits ist der Zusammenhang von Unglück mit dem Zorn und Neid von Dämonen oder Göttern ganz universell verbreitet. Wie fast jede Volksreligiosität, die altjüdische ebenso wie ganz besonders nachdrücklich z. B. noch die moderne chinesische, körperliche Gebrechen als Zeichen, je nachdem magischer oder sittlicher, Versündigung ihres Trägers oder (im Judentum) seiner Vorfahren behandelt, und wie z. B. bei den gemeinsamen Opfern der politischen Verbände der mit solchen Gebrechen Behaftete oder sonst von Schicksalsschlägen Heimgesuchte, weil er mit dem Zorn des Gottes beladen ist, vor dessen Angesicht im Kreise der Glücklichen und also Gottgefälligen nicht mit erscheinen darf, so gilt fast jeder ethischen Religiosität der positiv privilegierten Schichten und der ihnen dienstbaren Priester die positiv oder negativ privilegierte soziale Lage des Einzelnen als religiös irgendwie verdient, und nur die Formen der Legitimierung der Glückslage wechseln.

Entgegengesetzt entsprechend ist die Lage der negativ Privilegierten. Ihr spezifisches Bedürfnis ist Erlösung vom Leiden. Sie empfinden dies Erlösungsbedürfnis nicht immer in religiöser Form, – so z. B. nicht das moderne Proletariat. Und ihr religiöses Erlösungsbedürfnis kann, wo es besteht, verschiedene Wege einschlagen. Vor allem kann es sich in sehr verschieden ausgeprägter Art mit dem Bedürfnis nach gerechter „Vergeltung" paaren, Vergeltung von eigenen guten Werken und Vergeltung von fremder Ungerechtigkeit. Nächst der Magie und verbunden mit ihr ist daher eine meist ziemlich „rechenhafte" Vergeltungserwartung und Vergeltungshoffnung die verbreitetste Form des Massenglaubens auf der ganzen Erde und sind auch Prophetien, welche ihrerseits wenigstens die mechanischen Formen dieses Glaubens ablehnten, bei ihrer Popularisierung und Veralltäglichung immer wieder dahin umgedeutet worden. Art und Grad der Vergeltungs- und Erlösungshoffnung aber wirken höchst verschieden je nach der Art der durch religiöse Verheißung erweckten Erwartungen, und zwar gerade dann, wenn diese aus dem irdischen Leben des Einzelnen heraus in eine jenseits seiner jetzigen Existenz liegende Zukunft projiziert werden. Ein besonders wichtiges Beispiel für die Bedeutung des Inhalts der religiösen Verheißungen stellt die (exilische und nachexilische) Religiosität des Judentums dar.

Seit dem Exil tatsächlich, und auch formell seit der Zerstörung des Tempels waren die Juden ein „*Pariavolk*", d. h. im hier gemeinten Sinn (der mit der speziellen Stellung der indischen „Pariakaste" so wenig identisch ist wie z. B. der Begriff „Kadi-Justiz" mit den wirklichen Prinzipien der Rechtsprechung des Kadi): eine, durch (ursprünglich) magische, tabuistische und rituelle Schranken der Tisch- und Konnubialvergemeinschaftung nach außen einerseits, durch politische und sozial negative Privilegierung, verbunden mit weitgehender ökonomischer Sondergebarung andererseits, zu einer erblichen Sondergemeinschaft zusammengeschlossene Gruppe ohne autonomen politischen Verband. Die negativ privilegierten, beruflich spezialisierten, indischen Kasten mit ihrem durch Tabuierung garantierten Abschluß nach außen und ihren erblichen religiösen Pflichten der Lebensführung stehen ihnen relativ am nächsten, weil auch bei ihnen mit der Pariastellung als solcher Erlösungshoffnungen verknüpft sind. Sowohl die indischen Kasten wie die Juden zeigen die gleiche spezifische Wirkung einer Pariareligiosität: daß sie ihre Zugehörigen um so enger an sich und an die Pariastellung kettet, je gedrückter die Lage ist, in welcher sich das Pariavolk befindet und je gewaltiger also die Erlösungshoffnungen, die sich an die gottgebotene Erfüllung der religiösen Pflichten knüpfen. Wie schon erwähnt, hingen gerade die niedersten Kasten besonders zähe an ihren Kastenpflichten als der Bedingung ihrer Wiedergeburt in besserer Lage. Das Band zwischen Jahve und seinem Volk wurde um so unzerreißbarer, je mörderischer Verachtung und Verfolgung auf den Juden lasteten. Im offensichtlichen Gegensatz z. B. gegen die orientalischen Christen, welche unter den Ommajaden der privilegierten Religion des Islam in solchen Massen zuströmten, daß die politische Gewalt im ökonomischen Interesse der privilegierten Schicht den Übertritt erschwerte, sind deshalb alle die häufigen zwangsweisen Massenbekehrungen der Juden, welche ihnen doch die Privilegien der herrschenden Schicht verschafften, vergebens geblieben. Das einzige Mittel der Erlösung war eben, für die indische Kaste wie für die Juden, die Erfüllung der religiösen Spezialgebote für das Pariavolk, denen niemand sich entziehen kann ohne bösen Zauber für sich befürchten zu müssen und seine oder seiner Nachfahren Zukunftschancen zu gefährden. Der Unterschied der jüdischen Religiosität aber gegenüber der hinduistischen Kastenreligiosität liegt nun in der Art der Erlösungshoffnung begründet. Der Hindu erwartet von religiöser Pflichterfüllung die Verbesserung seiner persönlichen Wiedergeburtschancen, also Aufstieg oder Neuinkarnation seiner Seele in eine höhere Kaste. Der Jude dagegen für seine Nachfahren die Teilnahme an einem messianischen Reich, welches seine gesamte Pariagemeinschaft aus ihrer Pariastellung zur Herrenstellung in der Welt erlösen wird. Denn mit der Verheißung, daß alle Völker der Erde vom Juden leihen werden und er von niemand, hatte Jahve nicht die Erfüllung in Gestalt kleinen Pfandleihwuchers vom Ghetto aus gemeint, sondern die Lage einer typischen antiken machtvollen Stadtbürgerschaft, deren Schuldner und Schuldknechte die Einwohner unterworfener Dörfer und Kleinstädte sind. Der Hindu arbeitet ebenso für ein künftiges menschliches Wesen, welches mit ihm nur unter den Voraussetzungen der animistischen Seelenwanderungslehre etwas zu tun hat: die künftige Inkarnation seiner Seele, wie der Jude für seine leiblichen Nachfahren, in deren animistisch verstandener Beziehung zu ihm seine „irdische Unsterblichkeit" besteht. Aber gegenüber der Vorstellung des Hindu, welche die soziale Kastengliederung der Welt und die Stellung seiner Kaste als solcher gänzlich unangetastet für immer bestehen läßt und das Zukunftslos seiner individuellen Seele gerade innerhalb dieser selben Rangordnung verbessern will, erwartete der Jude die eigene persönliche Erlösung gerade umgekehrt in Gestalt eines Umsturzes der geltenden sozialen Rangordnung zugunsten seines

Pariavolks. Denn sein Volk ist das zum Prestige, nicht aber zur Pariastellung, berufene und von Gott erwählte.

Und daher gewinnt auf dem Boden der jüdischen ethischen Erlösungsreligiosität ein Element große Bedeutung, welches, von Nietzsche zuerst beachtet, aller magischen und animistischen Kastenreligiosität völlig fehlt: das Ressentiment. Es ist in Nietzsches Sinn Begleiterscheinung der religiösen Ethik der negativ Privilegierten, die sich, in direkter Umkehrung des alten Glaubens, dessen getrösten, daß die ungleiche Verteilung der irdischen Lose auf Sünde und Unrecht der positiv Privilegierten beruhe, also früher oder später gegen jene die Rache Gottes herbeiführen müsse. In Gestalt dieser Theodizee der negativ Privilegierten dient dann der Moralismus als Mittel der Legitimierung bewußten oder unbewußten Rachedurstes. Das knüpft zunächst an die „Vergeltungsreligiosität" an. Besteht einmal die religiöse Vergeltungsvorstellung, so kann gerade das „Leiden" als solches, da es ja gewaltige Vergeltungshoffnungen mit sich führt, die Färbung von etwas rein an sich religiös Wertvollem annehmen. Bestimmte asketische Kunstlehren einerseits, spezifische neurotische Prädispositionen andererseits können dieser Vorstellung in die Hände arbeiten. Allein den spezifischen Ressentimentscharakter erlangt die Leidensreligiosität nur unter sehr bestimmten Voraussetzungen: z. B. nicht bei den Hindus und Buddhisten. Denn dort ist das eigene Leiden auch individuell verdient. Anders beim Juden. Die Psalmenreligiosität ist erfüllt von Rachebedürfnis, und in den priesterlichen Überarbeitungen der alten israelitischen Überlieferungen findet sich der gleiche Einschlag: Die Mehrzahl aller Psalmen enthält – einerlei, ob die betreffenden Bestandteile vielleicht in eine ältere, davon freie Fassung erst nachträglich hineingekommen sind – die moralistische Befriedigung und Legitimierung offenen oder mühsam verhaltenen Rachebedürfnisses eines Pariavolkes ganz handgreiflich. Entweder in der Form: daß dem Gott die eigene Befolgung seiner Gebote und das eigene Unglück und demgegenüber das gottlose Treiben der stolzen und glücklichen Heiden, die infolgedessen seiner Verheißungen und Macht spotten, vorgehalten werden. Oder in der anderen Form: daß die eigene Sünde demutsvoll bekannt, Gott aber gebeten wird, er möge nun endlich von seinem Zorn abstehen und seine Gnade dem Volke, das schließlich doch allein das seinige sei, wieder zuwenden. In beiden Fällen verbunden mit der Hoffnung: daß des endlich versöhnten Gottes Rache nun doppelt die gottlosen Feinde dereinst ebenso zum Schemel der Füße Israels machen werde, wie dies die priesterliche Geschichtskonstruktion den kananäischen Feinden des

Volkes angedeihen läßt, solange dieses nicht Gottes Zorn durch Ungehorsam erweckt und dadurch seine eigene Erniedrigung unter die
Heiden verschuldet. Wenn manche dieser Psalmen vielleicht, wie
moderne Kommentatoren wollen, dem individuellen Zorn phari-
säisch Frommer über die Verfolgungen unter Alexandros Jannaios
entstammen, so ist ihre Auslese und Aufbewahrung das Charakteristische, und andere reagieren ganz offensichtlich auf die Pariastellung der Juden als solcher. In aller Religiosität der Welt gibt es keinen
Universalgott von dem unerhörten Rachedurst Jahves, und den historischen Wert von Tatsachenangaben der priesterlichen Geschichts-
überarbeitung kann man fast genau daran erkennen: daß der betreffende Vorgang (wie etwa die Schlacht von Megiddo) *nicht* in diese
Theodizee der Vergeltung und Rache paßt. Die jüdische Religiosität
ist so die Vergeltungsreligiosität κατ' εξοχην geworden. Die gottgebotene Tugend wird um der Vergeltungshoffnung willen geübt. Und
diese ist in erster Linie eine kollektive: das Volk als Ganzes soll die
Erhöhung erleben, nur dadurch kann auch der Einzelne seine Ehre
wiedergewinnen. Daneben und damit sich vermischend geht natürlich die individuelle Theodizee des persönlichen Einzelschicksals –
selbstverständlich von jeher –, deren Problematik sich vor allem in
dem ganz anderen, unvolkstümlichen Schichten entstammenden
Hiobbuch gipfelt, um dort in dem Verzicht auf eine Lösung des Problems und dem Sichfügen in die absolute Souveränität Gottes über
seine Kreaturen den puritanischen Prädestinationsgedanken zu prä-
ludieren, der hätte entstehen müssen, sobald das Pathos der zeitlich
ewigen Höllenstrafen hinzutrat. Aber er entstand eben nicht und das
Hiobbuch blieb in seinem vom Dichter gemeinten Ergebnis bekanntlich fast völlig unverstanden, so felsenfest stand der kollektive
Vergeltungsgedanke in der jüdischen Religiosität. Die für den frommen Juden mit dem Moralismus des Gesetzes unvermeidlich verbundene, weil fast alle exilischen und nachexilischen heiligen Schriften
durchziehende, Rachehoffnung, welche 2 ½ Jahrtausende lang in fast
jedem Gottesdienst des an den beiden unzerreißbaren Ketten: der
religiös geheiligten Absonderung von der übrigen Welt und der Diesseitsverheißungen seines Gottes, festliegenden Volkes bewußt oder
unbewußt neue Nahrung erhalten mußte, trat, da der Messias auf
sich warten ließ, natürlich im religiösen Bewußtsein der Intellektuellenschicht immer wieder zugunsten des Werts der Gottinnigkeit rein
als solcher oder eines milden stimmungsvollen Vertrauens auf göttliche Güte rein als solche und der Bereitschaft zum Frieden mit aller
Welt zurück. Dies geschah besonders, so oft die soziale Lage der zu

völliger politischer Machtlosigkeit verurteilten Gemeinden eine irgend erträgliche war, – während sie in Epochen, wie etwa den Verfolgungen der Kreuzzugszeit entweder zu einem ebenso penetranten wie fruchtlosen Racheschrei zu Gott wieder aufflammt oder zu dem Gebet: die eigene Seele möge vor den den Juden fluchenden Feinden „zu Staub werden", aber vor bösen Worten und Taten sich wahren und sich allein auf die wortlose Erfüllung von Gottes Gebot und die Offenhaltung des Herzens für ihn beschränken. Eine so unerhörte Verzerrung es nun wäre, im Ressentiment das eigentlich maßgebende Element der historisch stark wandelbaren jüdischen Religiosität finden zu wollen, so darf allerdings sein Einfluß auch auf grundlegende Eigenarten der jüdischen Religiosität nicht unterschätzt werden. Denn es zeigt gegenüber dem ihm mit andern Erlösungsreligionen Gemeinsamen in der Tat einen der spezifischen Züge und spielt in keiner anderen Religiosität negativ privilegierter Schichten eine derartig auffällige Rolle. In irgend einer Form allerdings ist die Theodizee der negativ Privilegierten Bestandteil jeder Erlösungsreligiosität, welche in diesen Schichten vornehmlich ihre Anhängerschaft hat, und die Entwicklung der Priesterethik ist ihr überall da entgegengekommen, wo sie Bestandteil einer vornehmlich innerhalb solcher Schichten heimischen Gemeindereligiosität wurde. Seine fast völlige Abwesenheit, und ebenso das Fehlen fast aller sozialrevolutionären, religiösen Ethik in der Religiosität des frommen Hindu und des buddhistischen Asiaten erklärt sich aus der Art der Wiedergeburtstheodizee; die Ordnung der Kaste als solche bleibt ewig und ist absolut gerecht. Denn Tugenden oder Sünden eines früheren Lebens begründen die Geburt in die Kaste, das Verhalten im jetzigen Leben die Chancen der Verbesserung. Es besteht daher vor allem keine Spur jenes augenfälligen Konflikts zwischen der durch Gottes Verheißungen geschaffenen sozialen Prätension und der verachteten Lage in der Realität, welcher in dem dergestalt in ständiger Spannung gegen Klassenlage Lebenden und in ständiger Erwartung und fruchtloser Hoffung lebenden Juden die Weltunbefangenheit vernichtete, und die religiöse Kritik an den gottlosen Heiden, auf welche dann erbarmungsloser Hohn antwortete, umschlagen ließ in ein immer waches, oft erbittertes, weil ständig von geheimer Selbstkritik bedrohtes Achten auf die eigene Gesetzestugend. Dazu trat kasuistisches, lebenslänglich geschultes Grübeln über die religiösen Pflichten der Volksgenossen – von deren Korrektheit ja Jahves schließliche Gnade abhing – und die in manchen Produkten der nachexilischen Zeit so charakteristisch hervortretende Mischung von Verzagtheit an jeglichem Sinn dieser eitlen Welt, Sichbeugen unter die Züchtigungen Gottes, Sorge, ihn durch Stolz zu verletzen und angstvoller, rituell-sittlicher Korrektheit, die den Juden jenes verzweifelte Ringen nicht mehr um die Achtung der andern, sondern um Selbstachtung und Würdegefühl aufzwang. Ein Würdegefühl, das – wenn schließlich doch die Erfüllung der Verheißungen Jahves der Maßstab des jeweiligen eigenen Werts vor Gott sein mußte, – sich selbst immer prekär werden und damit wieder vor dem Schiffbruch des ganzen Sinnes der eigenen Lebensführung stehen konnte.

Ein greifbarer Beweis für Gottes persönliche Gnade blieb in der Tat für den Ghetto-Juden in steigendem Maße der Erfolg im Erwerb. Allein es paßt gerade der Gedanke der „Bewährung" im gottgewollten „Beruf" für den Juden nicht in dem Sinn, in welchem die innerweltliche Askese ihn kennt. Denn der Segen Gottes ist in weit geringerem Maße als bei dem Puritaner in einer systematischen asketischen rationalen Lebensmethodik als der dort *einzig* möglichen Quelle der certitudo salutis verankert. Nicht nur ist z. B. die Sexualethik direkt antiasketisch und naturalistisch geblieben und war die altjüdische Wirtschaftsethik in ihren postulierten Beziehungen stark traditionalistisch, erfüllt von einer, jeder Askese fremden, unbefangenen Schätzung des Reichtums, sondern die gesamte Werkheiligkeit der Juden ist ritualistisch unterbaut und überdies häufig kombiniert mit dem spezifischen Stimmungsgehalt der Glaubensreligiosität. Nur gelten die traditionalistischen Bestimmungen der innerjüdischen Wirtschaftsethik selbstverständlich, wie bei aller alten Ethik, in vollem Umfang nur dem Glaubensbruder gegenüber, nicht nach außen. Alles in allem aber haben Jahves Verheißungen innerhalb des Judentums selbst in der Tat einen starken Einschlag von Ressentimentsmoralismus gezeitigt. Sehr falsch wäre es aber, sich das Erlösungsbedürfnis, die Theodizee oder die Gemeinderereligiosität überhaupt als nur auf dem Boden der negativ privilegierten Schichten oder gar nur aus Ressentiment erwachsen vorzustellen, also lediglich als Produkt eines „Sklavenaufstandes in der Moral". Das trifft nicht einmal für das alte Christentum zu, obwohl es seine Verheißungen mit größtem Nachdruck grade an die geistig und materiell „Armen" richtet. An dem Gegensatz der Prophetie Jesus und ihren nächsten Konsequenzen kann man vielmehr erkennen, was die Entwertung und Sprengung der rituellen, absichtsvoll auf Abschluß nach außen abgezweckten Gesetzlichkeit und dessen Folge: *Lösung* der Verbindung der Religiosität mit der Stellung der Gläubigen als eines kastenartig geschlossenen Pariavolkes für Konsequenzen haben mußte. Gewiß enthält die urchristliche Prophetie sehr spezifische Züge von „Vergeltung" im Sinne des künftigen Ausgleichs der Lose (am deutlichsten in der Lazaruslegende) und der Rache, die Gottes Sache ist. Und das Reich Gottes ist auch hier ein irdisches Reich, zunächst offenbar ein speziell oder doch in erster Linie ein den Juden, die ja von alters her an den wahren Gott glauben, bestimmtes Reich. Aber gerade das spezifisch penetrante Ressentiment des Pariavolks ist das, was durch die Konsequenzen der neuen religiösen Verheißungen ausgeschaltet wird. Und die Gefahr des Reichtums für die Erlösungschance wird wenigstens in den als eigene Predigt Jesu überlieferten Bestandteilen selbst in keiner Art asketisch motiviert und ist erst recht nicht – wie die Zeugnisse der Tradition über seinen Verkehr nicht nur mit Zöllnern (das sind in Palästina meist Kleinwucherer) sondern mit andern wohlhabenden Vornehmen beweisen – aus Ressentiment motivierbar. Dazu ist die Weltindifferenz bei der Wucht der eschatologischen Erwartungen viel zu groß. Freilich, wenn er „vollkommen", das heißt: *Jünger* werden will, muß der reiche Jüngling bedingungslos aus der „Welt" scheiden. Aber ausdrücklich wird gesagt, daß bei Gott alles, auch das Seligwerden des Reichen, der von seinen Gütern zu scheiden sich nicht entschließen kann, wie immer erschwert, dennoch möglich sei. „Proletarische Instinkte" sind dem Propheten akosmistischer Liebe, der den geistig und materiell Armen die frohe Botschaft von der unmittelbaren Nähe des Gottesreiches und Freiheit von der Gewalt der Dämonen bringt, ebenso fremd wie etwa dem Buddha, dem das absolute Ausscheiden aus der Welt unbedingte Voraussetzung der Erlösung ist. Die Schranke der Bedeutung des „Ressentiments" und die Bedenklichkeit der allzu universellen Anwendung des „Verdrängungs"-Schemas zeigt sich aber nirgends so deutlich wie in dem Fehler Nietzsches, der sein Schema auch auf das ganz unzutreffende Beispiel des Buddhismus anwendet. Dieser aber ist das radikalste Gegenteil jedes Ressentimentsmoralismus, vielmehr die Erlösungslehre einer stolz und vornehm die Illusionen des diesseitigen wie des jenseitigen Lebens gleichmäßig verachtenden, zunächst fast durchweg aus den privilegierten Kasten, speziell der Kriegerkaste, rekrutierten Intellektuellenschicht und kann allenfalls mit der hellenistischen, vor allem der neuplatonischen oder auch der manichäischen oder der gnostischen Erlösungslehre, so gründlich verschieden diese von ihnen sind, der sozialen Provenienz nach verglichen werden. Wer die Erlösung zum Nirwana nicht will, dem gönnt der buddhistische bikkshu die ganze Welt einschließlich der Wiedergeburt im Paradiese. Gerade dies Beispiel zeigt, daß das Erlösungsbedürfnis und die ethische Religiosität noch eine andere Quelle hat, als die soziale Lage der negativ Privilegierten und den durch die praktische Lebenslage bedingten Rationalismus des Bürgertums: den Intellektualismus rein als solchen, speziell die metaphysischen Bedürfnisse des Geistes, welcher über ethische und religiöse Fragen zu grübeln nicht durch materielle Not gedrängt wird, sondern durch die eigene innere Nötigung, die Welt als einen *sinnvollen* Kosmos erfassen und zu ihr Stellung nehmen zu können.

In außerordentlich weitgehendem Maße ist das Schicksal der Religionen durch die verschiedenen Wege, welche der Intellektualismus dabei einschlägt und durch dessen verschiedenartige Beziehungen zu der Priesterschaft und den politischen Gewalten und sind diese Umstände wiederum durch die Provenienz derjenigen Schicht bedingt gewesen, welche in spezifischem Grade Träger des Intellektualismus war. Das war zunächst das *Priestertum* selbst, insbesondere, wo es durch den Charakter der heiligen Schriften und die Notwendigkeit, diese zu interpretieren und ihren Inhalt, ihre Deutung und ihren richtigen Gebrauch zu lehren, eine Literatenzunft geworden war. Das ist gar nicht in den Religionen der antiken Stadtvölker, speziell der Phöniker, Hellenen, Römer einerseits, in der chinesischen Ethik andererseits geschehen. Hier geriet das infolge dessen nur bescheiden entwickelte, eigentlich theologische (Hesiod) und alles metaphysische und ethische Denken ganz in die Hände von Nichtpriestern. In höchstem Maße dagegen war das Gegenteil der Fall in Indien, Ägypten und Babylonien, bei den Zarathustriern, im Islam und im alten und mittelalterlichen, für die Theologie auch im modernen Christentum. Die ägyptische, zarathustrische und zeitweise die altchristliche und während des vedischen Zeitalters, also vor Entstehung der laienasketischen und der Upanishad-Philosophie auch die brahmanische, in geringerem, durch Laienprophetie stark durchbrochenen Maße auch die jüdische, in ähnlich begrenztem, durch die sufitische Spekulation teilweise durchbrochenen, Grade auch die islamische Priesterschaft haben die Entwicklung der religiösen Metaphysik und Ethik in sehr starkem Maße zu monopolisieren gewußt. Neben den Priestern oder statt ihrer sind es in allen Zweigen des Buddhismus, im Islam und im alten und mittelalterlichen Christentum vor allen Dingen Mönche oder mönchsartig orientierte Kreise, welche nicht nur das theologische und ethische, sondern alles metaphysische und beträchtliche Bestandteile des wissenschaftlichen Denkens überhaupt und außerdem der literarischen Kunstproduktion okkupierten und literarisch pflegten. Die Zugehörigkeit der Sänger zu den kultisch wichtigen Personen hat die Hineinbeziehung der epischen, lyrischen, satyrischen Dichtung Indiens in die Veden, der erotischen Dichtung Israels in die heiligen Schriften, die psychologische Verwandtschaft der mystischen und pneumatischen mit der dichterischen Emotion, die Rolle des Mystikers in der Lyrik im Orient und Okzident bedingt. Aber hier soll es nicht auf die literarische Produktion und ihren Charakter, sondern auf die Prägung der Religiosität selbst durch die Eigenart der sie beeinflussenden Intellektuellenschichten ankommen. Da ist nun der Einfluß des Priestertums als solcher auch da, wo es Hauptträger der Literatur war, sehr verschieden stark gewesen, je nach den nichtpriesterlichen Schichten, die ihm gegenüberstanden und seiner eigenen Machtstellung. Wohl am stärksten spezifisch priesterlich beeinflußt ist die spätere Entwicklung der zarathustrischen Religiosität. Ebenso die ägyptische und babylonische. Prophetisch, dabei aber doch intensiv priesterlich geprägt ist das Judentum des deuteronomistischen und auch des exilischen Zeitalters. Für das Spätjudentum ist statt des Priesters der Rabbiner eine ausschlaggebende Figur. Sehr stark priesterlich, daneben mönchisch geprägt ist die christliche Religiosität der spätesten Antike und des Hochmittelalters, dann wieder die Gegenreformation. Intensiv pastoral beeinflußt ist die Religiosität des Luthertums und auch des Frühcalvinismus. In ganz außerordentlich starkem Grade brahmanisch geprägt und beeinflußt ist der Hinduismus im Schwerpunkt wenigstens seiner institutionellen und sozialen Bestandteile, vor allem das Kastenwesen, welches überall entstand, wo Brahmanen zuwanderten und dessen soziale Hierarchie letztlich überall durch die Rangordnung, welche die Schätzung der Brahmanen den einzelnen Kasten zuweist, bedingt ist. Durch und durch mönchisch beeinflußt ist der Buddhismus in allen seinen Spielarten mit Einschluß vor allem des Lamaismus, in geringerem Maße auch breite Schichten der orientalisch-christlichen Religiosität. Uns interessiert nun aber hier speziell das Verhältnis einerseits der nicht priesterlichen, also neben der Mönchs-der Laienintelligenz zur priesterlichen und dann die Beziehungen von Intellektuellenschichten zu den Religiositäten und ihre Stellung innerhalb der religiösen Gemeinschaften. Da ist vor allem die grundlegend wichtige Tatsache, festzustellen: daß die großen asiatischen religiösen Lehren alle Intellektuellenschöpfungen sind. Die Erlösungslehre des Buddhismus ebenso wie die des Jainismus und alle ihnen verwandte Lehren wurden getragen von vornehmen Intellektuellen mit (wenn auch nicht immer streng fachmäßiger) vedischer Bildung, wie sie zur vornehmen indischen Erziehung gehörte, von Angehörigen vor allem des Kschatriya-Adels, der sich im Gegensatz zum brahmanischen fühlte. In China waren sowohl die Träger des Konfuzianismus, vom Stifter selbst angefangen, wie der offiziell als Stifter des Taoismus geltende Laotse, entweder selbst klassisch-literarisch gebildete Beamte oder Philosophen mit entsprechender Bildung. Fast alle prinzipiellen Richtungen der hellenischen Philosophie finden in China wie in Indien ihr freilich oft stark modifiziertes Gegenbild. Der Konfuzianismus als geltende Ethik ist durchaus von der klassisch-literarisch gebildeten Amtsanwärterschicht getragen, während allerdings der Taoismus zu einer populären magischen Praxis geworden ist. Die großen Reformen des Hinduismus sind von brahmanisch gebildeten vornehmen Intellektuellen geschaffen worden, obwohl allerdings die Gemeindebildung nachher teilweise in die Hände von Mitgliedern niederer Kasten geriet, darin also anders verlief als die gleichfalls von fachmäßig geistlich gebildeten Männern ausgehende Kirchenreformation in Nordeuropa, die katholische Gegenreformation, welche zunächst in dialektisch geschulten Jesuiten, wie Salmeron und Lainez, ihre Stützen fand, und die, Mystik und Orthodoxie verschmelzende Umbildung der islamitischen Doktrin (Al Ghazali), deren Leitung in den Händen teils der offiziellen Hierarchie, teils einer aus theologisch Gebildeten, neu sich bildenden Amtsaristokratie blieb. Ebenso aber sind die vorderasiatischen Erlösungslehren des Manichäismus und der Gnosis beide ganz spezifische Intellektuellenreligionen, sowohl was ihre Schöpfer wie was ihre wesentlichen Träger und auch was den Charakter ihrer Erlösungslehre angeht. Und zwar sind es bei aller Verschiedenheit untereinander in allen diesen Fällen Intellektuellenschichten relativ sehr vornehmen Charakters, mit philosophischer Bildung, etwa den hellenischen Philosophenschulen oder dem durchgebildetsten Typus der klösterlichen oder auch der weltlich-humanistischen Universitätsschulung des ausgehenden Mittelalters entsprechend, welche die Träger der betreffenden Ethik oder Erlösungslehre sind. Intellektuellenschichten nun bilden innerhalb einer gegebenen religiösen Lage entweder einen schulmäßigen Betrieb aus, ähnlich etwa der platonischen Akademie und den verwandten hellenischen Philosophenschulen und nehmen, wie diese, offiziell gar keine Stellung zur bestehenden Religionspraxis, der sie sich äußerlich nicht direkt entziehen, die sie aber philosophisch umdeuten oder auch einfach ignorieren. Die offiziellen Kultvertreter ihrerseits, also in China die mit den Kultpflichten belastete Staatsbeamtenschaft, in Indien das Brahmanentum, behandelten deren Lehre dann entweder als orthodox oder (wie in China z. B. die materialistischen Lehren, in Indien die dualistische Samkhya-Philosophie) als heterodox. Diese vornehmlich wissenschaftlich gerichteten und nur indirekt mit der praktischen Religiosität zusammenhängenden Bewegungen gehen uns in unserem Zusammenhang nicht näher an. Sondern die anderen, ganz speziell auf Schaffung einer religiösen Ethik gerichteten oben erwähnten Bewegungen, zu denen in der okzidentalen Antike uns die Pythagoräer und Neuplatoniker die nächstliegenden Parallelen darstellen, – Intellektuellenbewegungen also, welche den sozial privilegierten Schichten entweder ausschließlich entstammen oder doch von Abkömmlingen jener geleitet oder vorwiegend beeinflußt werden.

Eine Erlösungsreligiosität entwickeln sozial privilegierte Schichten eines Volkes normalerweise dann am nachhaltigsten, wenn sie entmilitarisiert und von der Möglichkeit oder vom Interesse an politischer Betätigung ausgeschlossen sind. Daher tritt sie typisch dann auf, wenn die, sei es adligen, sei es bürgerlichen herrschenden Schichten entweder durch eine bürokratisch-militaristische Einheitsstaatsgewalt entwickelt und entpolitisiert worden sind, oder sich selbst aus irgendwelchen Gründen davon zurückgezogen haben, wenn also die Entwicklung ihrer intellektuellen Bildung in ihre letzten gedanklichen und psychologischen inneren Konsequenzen für sie an Bedeutung über ihre praktische Betätigung in der äußeren diesseitigen Welt das Übergewicht gewonnen hat. Nicht daß sie erst dann entständen. Im Gegenteil erwachsen die betreffenden gedanklichen Konzeptionen unter Umständen zeitlich gerade in politisch und sozial bewegten Zeiten als Folge voraussetzungslosen Nachdenkens. Aber die Herrschaft pflegen diese, zunächst unterirdisch bleibenden Stimmungen regelmäßig erst mit dem Eintritt der Entpolitisierung des Intellektuellentums zu gewinnen. Der Konfuzianismus, die Ethik eines machtvollen Beamtentums lehnt jede Erlösungslehre ab. Jainismus und Buddhismus – das radikale Gegenstück zur konfuzianischen Weltanpassung – waren greifbarer Ausdruck einer radikal antipolitisch, pazifistisch und weltablehnend gearteten Intellektuellengesinnung. Aber wir wissen nicht, ob ihre zeitweilig erhebliche Anhängerschaft in Indien durch Zeitereignisse vermehrt wurde, welche entpolitisierend wirkten. Die jeglichen politischen Pathos entbehrende Zwergstaaterei der indischen Kleinfürsten vor Alexanders Zeiten, welcher die imponierende Einheit des damals allmählich überall vordringenden Brahmanentums gegenüberstand, war an sich geeignet, die intellektuell geschulten Kreise des Adels ihre Interessen außerhalb der Politik suchen zu lassen. Die vorschriftsmäßige Weltentsagung des Brahmanen als Vanaprastha, sein Altenteil und dessen populäre Heilighaltung fand daher in der Entwicklung der nicht brahmanischen Asketen (Sramanas) Nachfolge – falls nicht umgekehrt die Empfehlung der Weltentsagung an den Brahmanen, der den Sohn seines Sohns sieht, die jüngere von beiden Erscheinungen und eine Übertragung ist. Jedenfalls übertrafen die Sramanas, als Inhaber asketischen Charismas, in der populären Schätzung bald das offizielle Priestertum. Der mönchische Apolitismus der Vornehmen war in Indien in dieser Form schon seit sehr frühen Zeiten endemisch, längst ehe die apolitischen philosophischen Erlösungslehren entstanden. Die vorderasiatischen Erlösungsreligionen, sei es mystagogischen, sei es prophetischen Charakters und ebenso die vom Laienintellektualismus getragenen, orientalischen und hellenistischen, sei es mehr religiösen, sei es mehr philosophischen Erlösungslehren, sind (soweit sie überhaupt sozial privilegierte Schichten erfassen) fast ausnahmslos Folgeerscheinung der erzwungenen oder freiwilligen Abwendung der Bildungsschichten von politischem Einfluß und politischer Betätigung. Die Wendung zur Erlösungsreligiosität hat die babylonische Religion, gekreuzt mit Bestandteilen außerbabylonischer Provenienz, erst im Mandäismus, die vorderasiatische Intellektuellenreligiosität zuerst durch Beteiligung an den Mithras- und anderen soteriologischen Kulten, dann in der Gnosis und im Manichäismus vollzogen, auch hier, nachdem jedes politische Interesse der Bildungsschicht abgestorben war. Erlösungsreligiosität hat es wohl schon vor der pythagoreischen Sekte, innerhalb der hellenischen Intellektuellenschicht immer gegeben. Aber nicht sie beherrschte deren politisch maßgebende Schichten. Der Erfolg der Propaganda der Erlösungskulte und der philosophischen Erlösungslehre in den vornehmen Laienkreisen des Späthellenen- und des Römertums geht parallel der endgültigen Abwendung dieser Schichten von politischer Betätigung. Und das etwas geschwätzige sog. „religiöse" Interesse unserer deutschen Intellektuellenschichten in der Gegenwart hängt intim mit politischen Enttäuschungen und dadurch bedingter politischer Desinteressiertheit zusammen.

Der vornehmen, aus den privilegierten Klassen stammenden Erlösungssehnsucht ist generell die Disposition für die, mit spezifisch intellektualistischer Heilsqualifikation verknüpfte, später zu analysierende „Erleuchtungs"-Mystik eigen. Das ergibt eine starke Deklassierung des Naturhaften, Körperlichen, Sinnlichen, als – nach psychologischer Erfahrung – einer Versuchung zur Ablenkung von diesem spezifischen Heilsweg. Steigerung, anspruchsvolle Raffinierung und gleichzeitig Abdrängung der normalen Geschlechtlichkeit zugunsten von Ersatz-Abreaktionen dürften dabei ebenfalls, bedingt durch die Lebensführung des Nichts-als-Intellektuellen, zuweilen eine heute anscheinend von der Psychopathologie noch nicht in eindeutigen Regeln erfaßbare Rolle spielen, wie gewisse Erscheinungen, namentlich der gnostischen Mysterien – ein sublimer masturbatorischer Ersatz für die Orgien des Bauern – handgreiflich nahezulegen scheinen. Mit diesen rein psychologischen Bedingungen einer Irrationalisierung des Religiösen kreuzt sich das natürliche rationalistische Bedürfnis des Intellektualismus, die Welt als sinnvollen Kosmos zu begreifen, deren Produkt ebenso die (bald zu erwähnende) indische Karmanlehre und ihre buddhistische Abwandlung, wie etwa in Israel das vermutlich aus vornehmen Intellektuellenkreisen stammende Hiobbuch, verwandte Problemstellungen in der ägyptischen Literatur, die gnostische Spekulation und der manichäische Dualismus sind.

Die intellektualistische Provenienz einer Erlösungslehre und ebenso einer Ethik hat, wenn dann die betreffende Religiosität Massenreligion wird, ganz regelmäßig die Konsequenz, daß entweder eine Esoterik oder doch eine vornehme Standesethik für die Bedürfnisse der intellektuell Geschulten innerhalb der popularisierten, magisch heilandssoteriologisch umgeformten und den Bedürfnissen der Nichtintellektuellen angepaßten, offiziellen Religiosität entsteht. So die ganz erlösungsfremde konfuzianische Standesethik der Bürokratie, neben welcher die taoistische Magie und die buddhistische Sakraments- und Ritualgnade als Volksreligiositäten petrifiziert, verachtet von den klassisch Gebildeten, weiterbestehen. Ebenso die buddhistische Erlösungsethik des Mönchstandes neben der Zauberei und Idolatrie der Laien, dem Fortbestand der tabuistischen Magie und der Neuentwicklung der hinduistischen Heilandsreligiosität. Oder aber es nimmt die Intellektuellenreligiosität die Form der Mystagogie mit einer Hierarchie von Weihen an – wie in der Gnosis und verwandten Kulten – von deren Erreichung der unerleuchtete „Pistiker" ausgeschlossen bleibt.

Stets ist die Erlösung, die der Intellektuelle sucht, eine Erlösung von „innerer Not" und daher einerseits lebensfremderen, andrerseits prinzipielleren und systematischer erfaßten Charakters, als die Erlösung von äußerer Not, welche den nicht privilegierten Schichten eignet. Der Intellektuelle sucht auf Wegen, deren Kasuistik ins Unendliche geht, seiner Lebensführung einen durchgehenden „Sinn" zu verleihen, also „Einheit" mit sich selbst, mit den Menschen, mit dem Kosmos. Er ist es, der die Konzeption der „Welt" als eines „Sinn"-Problems vollzieht. Je mehr der Intellektualismus den Glauben an die Magie zurückdrängt, und so die Vorgänge der Welt „entzaubert" werden, ihren magischen Sinngehalt verlieren, nur noch „sind" und „geschehen", aber nichts mehr „bedeuten", desto dringlicher erwächst die Forderung an die Welt und „Lebensführung" je als Ganzes, daß sie bedeutungshaft und „sinnvoll" geordnet seien.

Die Konflikte dieses Postulats mit den Realitäten der Welt und ihren Ordnungen und den Möglichkeiten der Lebensführung in ihr bedingen die spezifische Intellektuellenweltflucht, welche sowohl eine Flucht in die absolute Einsamkeit, oder – moderner – in die durch menschliche Ordnungen unberührte „Natur" (Rousseau) und die weltflüchtige Romantik, wie eine Flucht unter das durch menschliche Konvention unberührte „Volk" (das russische Umodnitschestwo) sein, mehr kontemplativ oder mehr aktiv asketisch sich wenden, mehr individuelles Heil oder mehr kollektiv-ethisch-revolutionäre Weltänderung suchen kann. Alle diese dem apolitischen Intellektualismus gleich zugänglichen Tendenzen nun können auch als religiöse Erlösungslehren auftreten und haben dies gelegentlich getan. Der spezifisch weltflüchtige Charakter der Intellektuellenreligiosität hat auch hier eine ihrer Wurzeln.

Diese philosophische, von – durchschnittlich – sozial und ökonomisch versorgten Klassen, vornehmlich von apolitischen Adligen oder Rentnern, Beamten, kirchlichen, klösterlichen, Hochschul- oder anderen Pfründnern irgendwelcher Art getragene Art von Intellektualismus ist aber nicht die einzige und oft nicht die vornehmlich religiös relevante. Daneben steht: der proletaroide Intellektualismus, mit dem vornehmen Intellektualismus überall durch gleitende Übergänge verbunden, und nur in der Art der typischen Sinnesrichtung von ihm verschieden. Die am Rande des Existenzminimums stehenden, meist nur mit einer als subaltern geltenden Bildung ausgerüsteten kleinen Beamten und Kleinpfründner aller Zeiten, die nicht zu den privilegierten Schichten gehörigen Schriftkundigen in Zeiten, wo das Schreiben ein Spezialberuf war, die Elementarlehrer aller Art, die wandernden Sänger, Vorleser, Erzähler, Rezitatoren und ähnliche freie proletaroide Berufe gehören dazu. Vor allem aber: die autodidaktische Intelligenz der negativ privilegierten Schichten, wie sie in der Gegenwart in Europa im Osten am klassischsten die russische proletaroide Bauernintelligenz, außerdem im Westen die sozialistische und anarchistische Proletarierintelligenz repräsentiert, zu deren Beispiel aber – mit gänzlich anderm Inhalt – auch die berühmte Bibelfestigkeit der holländischen Bauern noch in der ersten Hälfte des 19. Jahrhunderts, im 17. Jahrhundert diejenige der kleinbürgerlichen Puritaner Englands, ebenso aber diejenige der religiös interessierten Handwerksgesellen aller Zeiten und Völker, vor allem und wiederum in ganz klassischer Art die jüdischen Frommen (Pharisäer, Chassidäer, und die Masse der Frommen, täglich im Gesetz lesenden Juden überhaupt) gehören. Soweit es sich hier um „Paria"-Intellektualismus handelt, – wie bei allen proletaroiden Kleinpfründnern, den russischen Bauern, den mehr oder minder „fahrenden" Leuten, – beruht dessen Intensität darauf, daß die außerhalb oder am unteren Ende der sozialen Hierarchie stehenden Schichten gewissermaßen auf dem archimedischen Punkt gegenüber den gesellschaftlichen Konventionen, sowohl was die äußere Ordnung wie was die üblichen Meinungen angeht, stehen. Sie sind daher einer durch jene Konvention nicht gebundenen originären Stellungnahme zum „Sinn" des Kosmos und eines starken, durch materielle Rücksicht nicht gehemmten, ethischen und religiösen Pathos fähig. Soweit sie den Mittelklassen angehören, wie die religiös autodidaktischen Kleinbürgerschichten, pflegt ihr religiöses Bedürfen entweder eine ethisch-rigoristische oder okkultistische Wendung zu nehmen. Der Handwerksburschenintellektualismus steht in der Mitte zwischen beiden und hat seine Bedeutung in der Qualifikation des wandernden Handwerksburschen zur Mission.

In Ostasien und Indien fehlt der Paria-, ebenso wie der Kleinbürgerintellektualismus, so viel bekannt, fast gänzlich, weil das Gemeingefühl des Stadtbürgertums, welches für den zweiten, und die Emanzipation von der Magie, welche für beide Voraussetzung ist, fehlt. Ihre Ghatas nehmen sich selbst die auf dem Boden niederer Kasten entstandenen Formen der Religiosität ganz überwiegend von den Brahmanen. Einen selbständigen, inoffiziellen Intellektualismus gegenüber der konfuzianischen Bildung gibt es in China nicht. Der Konfuzianismus also ist die Ethik des „vornehmen Menschen", des „Gentleman" (wie schon Dvořák mit Recht übersetzt). Er ist ganz ausgesprochenermaßen eine Standesethik, richtiger: ein System von Anstandsregeln, einer vornehmen literarisch gebildeten Schicht. Ähnlich steht es im alten Orient und in Ägypten, soviel bekannt; der dortige Schreiberintellektualismus gehört, soweit er zu ethisch-religiösen Reflexionen geführt hat, durchaus dem Typus des, unter Umständen apolitischen, stets aber vornehmen und antibanausischen Intellektualismus an. Anders in Israel. Der Verfasser des Hiob setzt als Träger des religiösen Intellektualismus auch die vornehmen Geschlechter voraus. Die Spruchweisheit und was ihr nahe steht, zeigt ihren von der Internationalisierung und gegenseitigen Berührung der höheren apolitischen Bildungsschichten, wie sie nach Alexander im Orient eintrat, stark berührten Charakter schon in der Form: die Sprüche geben sich teilweise direkt als Produkte eines nichtjüdischen Königs, und überhaupt hat ja alle mit „Salomo" abgestempelte Literatur irgend etwas von einem internationalen Kulturcharakter. Wenn der Siracide gerade die Weisheit der Väter gegenüber der Hellenisierung betonen möchte, so beweist eben dies das Bestehen jener Tendenz. Und, wie Bousset mit Recht hervorhebt, der „Schriftgelehrte" jener Zeit ist dem Sirachbuch nach der weitgereiste Gentleman und Kulturmensch, es geht – wie auch Meinhold betont – ein ausgesprochen antibanausischer Zug, ganz nach Hellenenart, durch das Buch: wie kann der Bauer, der Schmied, der Töpfer die „Weisheit" haben, die nur Muße zum Nachdenken und zur Hingabe an das Studium zu erschließen vermag? Wenn Ezra als „erster Schriftgelehrter" bezeichnet wird, so ist doch einerseits die einflußreiche Stellung der um die Propheten sich scharenden, rein religiös interessierten Mönche, Ideologen, ohne welche die Oktroyierung des Deuteronomium nicht hätte gelingen können, weit älter, andererseits aber die überragende, dem Mufti des Islam praktisch fast gleichkommende Stellung der Schriftgelehrten, das heißt aber zunächst: der hebräisch verstehenden Ausleger der göttlichen Gebote, doch wesentlich jünger als die Stellung dieses vom Perserkönig bevollmächtigten offiziellen Schöpfers der Theokratie. Der soziale Rang der Schriftgelehrten hat nun aber Veränderungen erfahren. In der Zeit des Makkabäerreiches ist Frömmigkeit – im Grunde eine recht nüchterne Lebensweisheit, etwa wie die Xenophilie – und „Bildung" identisch, diese (musar, παιδεια)ist der Weg zur Tugend, die in demselben Sinn als lehrbar gilt, wie bei den Hellenen. Allerdings fühlt sich der fromme Intellektuelle schon der damaligen Zeit ganz ebenso wie die meisten Psalmisten im scharfen Gegensatz gegen die Reichen und Hochmütigen, bei denen Gesetzestreue selten ist. Aber sie selbst sind eine mit diesen sozial gleichstehende Klasse. Dagegen produzierten die Schriftgelehrtenschulen der herodianischen Zeit mit zunehmender innerer Bedrücktheit und Spannung durch die offensichtliche Unabwendbarkeit der Fremdherrschaft eine proletaroide Schicht von Gesetzesinterpreten, welche als seelsorgerische Berater, Prediger und Lehrer in den Synagogen – auch im Sanhedrin saßen Vertreter – die Volksfrömmigkeit der engen gesetzestreuen Gemeindejuden (Chaberim) im Sinne der Peruschim (Pharisaioi) prägten; diese Art des Betriebs geht dann in das Gemeindebeamtentum des Rabbinats der talmudischen Zeit über. Im Gegensatz zu ihnen ist eine ungeheure Verbreitung des kleinbürgerlichen und des Pariaintellektualismus durch sie erfolgt, wie sie in keinem andern Volk ihresgleichen sich findet: die Verbreitung der Schreibkunst ebenso wie die systematische Erziehung im kasuistischen Denken durch eine Art „allgemeiner Volksschulen" galt schon Philo für das Spezifikum der Juden. Der Einfluß dieser Schicht erst ist es, der beim jüdischen Stadtbürgertum die Prophetentätigkeit durch den Kult der Gesetzestreue und des buchreligiösen Gesetzesstudiums ersetzt hat.

Diese populäre jüdische, allem Mysterienwesen durchaus fremde Intellektuellenschicht steht sozial entschieden unter dem Philosophen- und Mystagogentum der vorderasiatisch-hellenistischen Gesellschaft. Aber zweifellos gab es andererseits schon in vorchristlicher Zeit im hellenistischen Orient einen durch die verschiedenen sozialen Schichten hindurchreichenden Intellektualismus, welcher in den verschiedenen sakramentalen Erlösungskulten und Weihen durch Allegorie und Spekulation ähnliche soteriologische Dogmatiken produziert, wie die wohl gleichfalls meist den Mittelschichten angehörigen Orphiker es getan haben. Mindestens einem Diasporaschriftgelehrten wie Paulus waren diese Mysterien und soteriologischen Spekulationen – der Mithraskult war in Kilikien als Seeräuberglauben zu Pompejus' Zeit verbreitet, wenn er auch speziell in Tarsos erst in nachchristlicher Zeit ausdrücklich inschriftlich bezeugt ist – sicher wohl bekannt und verhaßt. Wahrscheinlich aber liefen soteriologische Hoffnungen der verschiedensten Prägung und Provenienz auch innerhalb des Judentums, zumal des Provinzialjudentums, seit langem nebeneinander; sonst hätte neben den Zukunftsmonarchen des herrschenden jüdischen Volks nicht schon in prophetischer Zeit der auf dem Lastesel einziehende König der armen Leute stehen und die Idee des „Menschensohns" (eine grammatikalisch ersichtlich semitische Bildung) konzipiert werden können. An jeglicher komplizierten, über den reinen am Naturvorgang orientierten Mythos oder die schlichte Weissagung eines guten Zukunftskönigs, der irgendwo schon verborgen sitzt, hinausgehenden, Abstraktionen entfaltenden und kosmische Perspektiven eröffnenden Soteriologie aber ist stets Laienintellektualismus, je nachdem der vornehme, oder der Pariaintellektualismus, irgendwie beteiligt.

Jenes Schriftgelehrtentum nun und der dadurch gepflegte Kleinbürgerintellektualismus drang vom Judentum aus auch in das Frühchristentum ein. Paulus, ein Handwerker, wie dies anscheinend viele der spätjüdischen Schriftgelehrten, sehr im Gegensatz gegen die antibanausische Weisheitslehre der siracidischen Zeit, auch waren, ist ein sehr hervorragender Vertreter des Typus (nur daß in ihm freilich mehr und Spezifischeres als nur dies Element steckt); seine „Gnosis" konnte, obwohl sie dem, was das spekulative hellenistisch-orientalische Intellektuellentum darunter verstand, sehr fremd ist, immerhin später dem Marcionitismus Anhaltspunkte geben. Das Element von Intellektualismus, welches in dem Stolz darauf, daß nur die von Gott Berufenen den Sinn der Gleichnisse des Meisters verstanden, steckt, ist auch bei ihm in dem Stolz darauf, daß die wahre Erkenntnis „den Juden ein Ärgernis, den Hellenen eine Torheit ist", sehr ausgeprägt. Sein Dualismus von „Fleisch" und „Geist", obwohl in eine andere Konzeption eingebettet, hat demnach auch Verwandtschaft mit der Stellungnahme der typischen Intellektuellensoteriologie zur Sinnlichkeit; eine vermutlich etwas oberflächliche Bekanntschaft mit hellenischer Philosophie scheint vorhanden. Vor allem ist seine Bekehrung nicht nur eine Vision im Sinne des halluzinatorischen Sehens, sondern zugleich des inneren pragmatischen Zusammensehens des persönlichen Schicksals des Auferstandenen mit den ihm wohlbekannten allgemeinen Konzeptionen der orientalischen Heilandssoteriologie und ihrer Kultpragmatiken, in welche sich ihm nun die Verheißungen der jüdischen Prophetie einordnen. Seine Episteln sind in ihrer Argumentation höchste Typen der Dialektik des kleinbürgerlichen Intellektualismus: man staunt, welches Maß von direkt „logischer Phantasie" in einem Schriftstück wie dem Römerbrief bei den Schichten, an die er sich wendet, vorausgesetzt wird, und allerdings ist ja wohl nichts sicherer, als daß nicht seine Rechtfertigungslehre, sondern seine Konzeptionen der Beziehung zwischen Pneuma und Gemeinde und die Art der relativen Anpassung an die Alltagsgegebenheiten der Umwelt damals wirklich rezipiert wurden. Aber die rasende Wut des Diasporajudentums, dem seine dialektische Methode als ein schnöder Mißbrauch der Schriftgelehrtenschulung erscheinen mußte, gerade gegen ihn, zeigt nur, wie genau jene Methodik dem Typus dieses Kleinbürgerintellektualismus entsprach. Er hat sich dann noch in der charismatischen Stellung der „Lehrer" (διδασκαλοι) in den alten Christengemeinden (noch in der Didache) fortgesetzt und Harnack findet im Hebräerbrief ein specimen seiner Auslegungsmethodik. Dann ist er mit dem allmählich immer stärker hervortretenden Monopol der Bischöfe und Presbyter auf die geistliche Leitung der Gemeinden geschwunden, und ist das Intellektuellentum der Apologeten, dann der hellenistisch gebildeten, fast durchweg dem Klerus angehörigen Kirchenväter und Dogmatiker, der theologisch dilettierenden Kaiser an die Stelle getreten, bis schließlich, im Osten, das aus den untersten, nichthellenischen sozialen Schichten rekrutierte Mönchtum, nach dem Siege im Bilderstreit die Oberhand gewann. Niemals ist jene Art von formalistischer Dialektik, welche allen diesen Kreisen gemeinsam war, verbunden mit dem halbintellektualistischen, halb primitiv-magischen Selbstvergottungsideal in der östlichen Kirche ganz wieder auszurotten gewesen. Aber das Entscheidende für das Schicksal des alten Christentums war doch, daß es nach Entstehung, typischem Träger und dem von diesem für entscheidend angesehenen Gehalt seiner religiösen Lebensführung, eine Erlösungslehre war, welche, mochte sie manche Teile ihres soteriologischen Mythos mit dem allgemein orientalischen Schema gemein, vielleicht manches direkt umbildend, entlehnt und mochte Paulus schriftgelehrte Methodik übernommen haben, dennoch mit der größten Bewußtheit und Konsequenz sich vom ersten Anbeginn an *gegen* den Intellektualismus stellte. Sie stellte sich gegen die jüdische ritual-juristische Schriftgelehrsamkeit ebenso wie gegen die Soteriologie der gnostischen Intellektuellenaristokratie und vollends gegen die antike Philosophie. Daß die gnostische Degradation der „Pistiker" abgelehnt wurde, daß die „Armen am Geist" die pneumatisch Begnadeten, und nicht die „Wissenden" die exemplarischen Christen sind, daß der Erlösungsweg nicht über das geschulte Wissen, weder vom Gesetz noch von den kosmischen und psychologischen Gründen des Lebens und Leidens, noch von den Bedingungen des Lebens in der Welt, noch von den geheimen Bedeutungen von Riten, noch von den Zukunftsschicksalen der Seele im Jenseits führt, – dies, und der Umstand, daß ein ziemlich wesentlicher Teil der inneren Kirchengeschichte der alten Christenheit einschließlich der Dogmenbildung, die Selbstbehauptung gegen den Intellektualismus in allen seinen Formen darstellt, ist dem Christentum charakteristisch eigen. Will man die Schichten, welche Träger und Propagatoren der sog. Weltreligionen waren, schlagwörtlich zusammenfassen, so sind dies für den Konfuzianismus der weltordnende Bürokrat, für den Hinduismus der weltordnende Magier, für den Buddhismus der weltdurchwandernde Bettelmönch, für den Islam der weltunterwerfende Krieger, für das Judentum der wandernde Händler, für das Christentum aber der wandernde Handwerksbursche, sie alle nicht als Exponenten ihres Berufes oder materieller „Klasseninteressen", sondern als ideologische Träger einer solchen Ethik oder Erlösungslehre, die sich besonders leicht mit ihrer sozialen Lage vermählte.

Der Islam hätte außerhalb der offiziellen Rechts- und Theologenschulen und der zeitweiligen Blüte wissenschaftlicher Interessen, also im Charakter seiner eigentlichen ihm spezifischen Religiosität, einen intellektualistischen Einbruch nur gleichzeitig mit dem Eindringen des Sufismus erleben können. Allein nach dieser Seite lag dessen Orientierung nicht; gerade der rationale Zug fehlt der volkstümlichen Derwischfrömmigkeit ganz und nur einzelne heterodoxe Sekten im Islam, wenn auch gelegentlich recht einflußreiche, trugen spezifisch intellektualistischen Charakter. Im übrigen entwickelte er, ebenso, wie das mittelalterliche Christentum, an seinen Hochschulen Ansätze einer Scholastik.

Wie es mit den Beziehungen des Intellektualismus zur Religiosität im mittelalterlichen Christentum bestellt war, konnte hier nicht erörtert werden. Die Religiosität wurde in ihren soziologisch-relevanten Wirkungen jedenfalls nicht durch intellektualistische Mächte orientiert, und die starke Wirkung des Mönchsrationalismus liegt auf dem Gebiet der Kulturinhalte und könnte nur durch einen Vergleich des okzidentalen Mönchtums mit dem orientalischen und asiatischen klargestellt werden, der hier erst später sehr kurz skizziert werden kann. Denn vornehmlich in der Eigenart ihres Mönchtums liegt auch die Eigenart der Kulturwirkung der Kirche des Okzidents begründet. Einen religiösen Laienintellektualismus kleinbürgerlichen Charakters oder einen Pariaintellektualismus hat das okzidentale Mittelalter (in einem relevanten Maß) nicht gekannt. Er fand sich gelegentlich innerhalb der Sekten. Die Rolle der vornehmen Bildungsschichten innerhalb der kirchlichen Entwicklung ist nicht gering gewesen. Die imperialistischen Bildungsschichten der karolingischen, ottonischen und salisch-staufischen Zeit wirkten im Sinne einer kaiserlich-theokratischen Kulturorganisation, so wie die ossipijanischen Mönche im 16. Jahrhundert in Rußland es taten, vor allem aber war die gregorianische Reformbewegung und der Machtkampf des Papsttums getragen von der Ideologie einer vornehmen Intellektuellenschicht, welche mit dem entstehenden Bürgertum gemeinsam Front gegen die feudalen Gewalten machte. Mit zunehmender Verbreitung der Universitätsbildung und dem Streben des Papsttums nach Monopolisierung der Besetzung des gewaltigen Bestandes von Pfründen, welche diese Schicht ökonomisch trugen, zu fiskalischen oder bloßen Patronagezwecken, wendete sich die zunehmend verbreitete Schicht dieser Pfründeninteressenten zunächst wesentlich im ökonomischen nationalistischen Monopolinteresse, dann, nach dem Schisma, auch ideologisch von der Papstgewalt ab und gehörte zu den „Trägern" konziliarer Reformbewegung und weiterhin des Humanismus. Die an sich nicht uninteressante Soziologie der Humanisten, vor allem des Umschlags der ritterlichen und geistlichen in eine höfisch-mäzenatisch bedingte

Bildung mit ihren Konsequenzen, gehört nicht hierher. Vornehmlich ideologische Motive bedingten ihr zwiespältiges Verhalten bei der Glaubensspaltung. Soweit diese Gruppe sich nicht in den Dienst der Bildung der Reformations- oder Gegenreformationskirchen stellte, wobei sie in Kirche, Schule und Entwicklung der Lehre überaus wichtige organisatorische und systematisierende, nirgends aber die ausschlaggebende Rolle spielte, sondern soweit sie Träger spezifischer Religiosität (in Wahrheit: einer ganzen Reihe von religiösen Einzeltypen) wurde, sind diese ohne dauernde Nachwirkung gewesen. Ihrem Lebensniveau entsprechend waren die klassisch gebildeten Humanistenschichten im ganzen antibanausisch und antisektiererisch gesinnt, dem Gezänk und vor allem der Demagogie der Priester und Prädikanten abhold, daher im ganzen erastianisch oder irenäisch gesinnt und schon dadurch zur zunehmenden Einflußlosigkeit verurteilt.

Neben geistreicher Skepsis und rationalistischer Aufklärung findet sich bei ihnen, besonders auf anglikanischem Boden, eine zarte Stimmungsreligiosität oder, so im Kreise von Port Royal, ein ernster, oft asketischer Moralismus, oder, so gerade in der ersten Zeit in Deutschland und auch in Italien, individualistische Mystik. Aber der Kampf der mit ihren Macht- und ökonomischen Existenzinteressen Beteiligten wurde, wo nicht direkt gewaltsam, dann naturgemäß mit den Mitteln einer Demagogie geführt, der jene Kreise gar nicht gewachsen waren. Gewiß bedurften mindestens diejenigen Kirchen, welche die herrschenden Schichten, und vor allem die Universitäten in ihren Dienst stellen wollten, der klassisch gebildeten, d. h. theologischen Polemiker und eines ähnlich gebildeten Predigerstandes. Innerhalb des Luthertums zog sich, seinem Bunde mit der Fürstengewalt entsprechend, die Kombination von Bildung und religiöser Aktivität schnell wesentlich auf die Fachtheologie zurück. Die puritanischen Kreise verspottet dagegen noch der Hudibras wegen ihrer ostensiblen philosophischen Gelehrsamkeit. Aber bei ihnen, und vor allen Dingen bei den täuferischen Sekten, war nicht der vornehme, sondern der plebejische und gelegentlich (bei den Täufern in den Anfängen der durch wandernde Handwerksburschen oder Apostel getragenen Bewegung) der Pariaintellektualismus das, was die unzerbrechliche Widerstandskraft gab. Eine spezifische Intellektuellenschicht mit besonderen Lebensbedingungen existierte hier nicht, es ist, nach dem Abschluß der kurzen Periode der missionierenden Wanderprediger, der Mittelstand, der davon durchtränkt wird. Die unerhörte Verbreitung der Bibelkenntnis und des Interesses für äußerst abstruse und sublime dogmatische Kontroversen, bis tief selbst in bäuerliche Kreise hinein, wie sie im 17. Jahrhundert in den puritanischen Kreisen sich fand, schuf einen religiösen Massenintellektualismus, wie er später nie wieder seinesgleichen gefunden hat und in der Vergangenheit nur mit dem spätjüdischen und dem religiösen Massenintellektualismus der paulinischen Missionsgemeinden zu vergleichen ist. Er ist, im Gegensatz zu Holland, Teilen von Schottland und den amerikanischen Kolonien, wenigstens in England selbst auch bald wieder kollabiert, nachdem die Machtsphären und -chancen im Glaubenskampf erprobt und festgestellt schienen. Aber die ganze Eigenart des angelsächsischen vornehmen Intellektualismus, namentlich seine traditionelle Deferenz gegenüber einer deistisch-aufklärerisch, in unbestimmter Milde, aber nie kirchenfeindlich gefaßten Religiosität, hat von jener Zeit her ihre Prägung behalten, welche an dieser Stelle nicht zu erörtern ist. Sie bildet aber in ihrer Bedingtheit durch die traditionelle Stellungnahme des politisch mächtigen Bürgertums und seiner moralistischen Interessen, also durch religiösen Plebejerintellektualismus, den schärfsten Gegensatz zu der Entwicklung der wesentlich höfischen, vornehmen Bildung der romanischen Länder zu radikaler Kirchenfeindschaft oder absoluter Kirchenindifferenz. Und beide, im Endeffekt gleich antimetaphysischen Entwicklungen bilden einen Gegensatz zu der durch sehr konkrete Umstände und nur in sehr geringem (wesentlich negativem) Maß durch solche soziologischer Art bedingten *deutschen* unpolitischen und doch nicht apolitischen oder antipolitischen vornehmen Bildung, die metaphysisch, aber nur wenig an spezifisch religiösen, am wenigsten an „Erlösungs"-Bedürfnissen orientiert war. Der plebejische und Pariaintellektualismus Deutschlands dagegen nahm ebenso wie derjenige der römischen Völker, aber im Gegensatz zu demjenigen der angelsächsischen Gebiete, in welchen seit der Puritanerzeit die ernsteste Religiosität nicht anstaltsmäßig-autoritären, sondern sektiererischen Charakters war, zunehmend und seit dem Entstehen des sozialistischen ökonomisch eschatologischen Glaubens definitiv eine radikal-antireligiöse Wendung.

Nur diese antireligiösen Sekten verfügen über eine deklassierte Intellektuellenschicht, welche einen religionsartigen Glauben an die sozialistische Eschatologie wenigstens zeitweise zu tragen vermochte. Je mehr die ökonomischen Interessenten selbst ihre Interessenvertretung in die Hand nehmen, desto mehr tritt gerade dies „akademische" Element zurück; die unvermeidliche Enttäuschung der fast superstitiösen Verklärung der „Wissenschaft" als möglicher Produzentin oder doch als Prophetin der sozialen gewaltsamen oder friedlichen Revolution im Sinn der Erlösung von der Klassenherrschaft tut das Übrige, und die einzige in Westeuropa als wirklich einem religiösen Glauben äquivalent anzusprechende Spielart des Sozialismus: der Syndikalismus, gerät infolgedessen leicht in die Lage, in jenem zu einem romantischen Sport von Nichtinteressenten zu werden.

Die letzte große, von einem nicht einheitlichen, aber doch in wichtigen Punkten gemeinsamen Glauben getragene, insofern also religionsartige Intellektuellenbewegung war die der russischen revolutionären Intelligenz. Vornehme, akademische und adlige Intelligenz stand hier neben plebejischem Intellektualismus, der getragen wurde von dem in seinem soziologischen Denken und universellen Kulturinteressen sehr hochgeschulten proletaroiden unteren Beamtentum, speziell der Selbstverwaltungskörper, (das sog. „dritte Element"), von Journalisten, Volksschullehrern, revolutionären Aposteln und einer aus den russischen sozialen Bedingungen entspringenden Bauernintelligenz. Dies hatte die in den 70er Jahren des vorigen Jahrhunderts mit der Entstehung des sog. Narodnitschestwo (Volkstümlerei) beginnende, naturrechtliche, vorwiegend agrarkommunistisch orientierte Bewegung im Gefolge, welche in den 90er Jahren mit der marxistischen Dogmatik teils in scharfen Kampf geriet, teils sich in verschiedener Art verschmolz und mehrfach zuerst mit slawophil-romantischer, dann mit mystischer Religiosität oder doch Religionsschwärmerei in eine meist wenig klare Verbindung zu bringen gesucht wurde, bei manchen und zwar relativ breiten Intelligentenschichten aber, unter dem Einfluß Dostojewskys und Tolstois, eine asketische oder akosmistische persönliche Lebensführung bewirkte. In welcher Art diese Bewegung, sehr stark mit jüdischer, zu jedem Opfer bereiter proletaroider Intelligenz durchsetzt, nach der Katastrophe der russischen Revolution (von 1906) noch Leben gewinnen wird, steht dahin.

In Westeuropa haben aufklärerisch-religiöse Schichten schon seit dem 17. Jahrhundert, sowohl im angelsächsischen wie neuerdings auch französischen Kulturgebiet, unitarische, deistische oder auch synkretistische, atheistische, freikirchliche Gemeinden geschaffen, bei denen zuweilen buddhistische (oder dafür geltende) Konzeptionen mitgespielt haben. Sie haben in Deutschland auf die Dauer fast in den gleichen Kreisen wie das Freimaurertum Boden gefunden, d. h. bei ökonomischen Nichtinteressenten, besonders bei Kommunalviristen, daneben bei deklassierten Ideologen und einzelnen halb oder ganz proletarischen Bildungsschichten: Ein Produkt der Berührung mit europäischer Kultur ist andererseits die hinduistische (Brahma-Samaj) und persische Aufklärung in Indien. Die praktische Kulturbedeutung war in der Vergangenheit größer als sie wenigstens zur

Zeit ist. Das Interesse der privilegierten Schichten an der Erhaltung der bestehenden Religion als Domestikationsmittel, ihr Distanzbedürfnis und ihr Abscheu gegen die ihr Prestige zerstörende Massenaufklärungsarbeit, ihr begründeter Unglaube daran, daß an überkommenen Glaubensbekenntnissen, von deren Wortlaut beständig jeder etwas fortdeutet, die „Orthodoxie" 10%, die „Liberalen" 90%, ein wirklich *wörtlich* von breiten Schichten zu akzeptierendes neues Bekenntnis substituiert werden könne, vor allem die verachtende Indifferenz gegenüber religiösen Problemen und der Kirche, deren schließlich höchst wenig lästige Formalitäten zu erfüllen kein schweres Opfer kostet, da jedermann weiß, daß es eben Formalitäten sind, die am besten von den offiziellen Hütern der Orthodoxie und Standeskonvention und weil der Staat sie für die Karriere fordert, erfüllt werden, – all dies läßt die Chancen für die Entstehung einer ernsthaften Gemeindereligiosität, die von den Intellektuellen getragen würde, ganz ungünstig erscheinen. Das Bedürfnis des literarischen, akademisch-vornehmen oder auch Kaffeehausintellektualismus aber, in dem Inventar seiner Sensationsquellen und Diskussionsobjekte die „religiösen" Gefühle nicht zu vermissen, das Bedürfnis von Schriftstellern Bücher über diese interessanten Problematiken zu schreiben und das noch weit wirksamere von findigen Verlegern, solche Bücher zu verkaufen, vermögen zwar den Schein eines weit verbreiteten „religiösen Interesses" vorzutäuschen, ändern aber nichts daran, daß aus derartigen Bedürfnissen von Intellektuellen und ihrem Geplauder noch niemals eine neue Religion entstanden ist und daß die Mode diesen Gegenstand der Konversation und Publizistik, den sie aufgebracht hat, auch wieder beseitigen wird.

§ 8. Das Problem der Theodizee.

Die monotheistische Gottesidee und die Unvollkommenheit der Welt S. 491. – Verschiedene Typen der Theodizee: Messianische Eschatologie S. 492. – Jenseitsglaube, Vorsehungsglaube; Vergeltungsglaube, Prädestinationsglaube S. 492. – Die verschiedenen Lösungsversuche des Problems der Weltunvollkommenheit. S. 495.

Streng „monotheistisch" sind im Grunde überhaupt nur Judentum und Islam, selbst dieser mit Abschwächungen durch den später eingedrungenen Heiligenkult. Nur wirkt die christliche Trinität im Gegensatz zu der tritheistischen Fassung der hinduistischen, spätbuddhistischen und taoistischen Trinitäten wesentlich monotheistisch, während der katholische Messen- und Heiligenkult faktisch dem Polytheismus sehr nahe steht. Ebensowenig ist jeder ethische Gott notwendig mit absoluter Unwandelbarkeit, Allmacht und Allwissenheit, kurz absoluter Überweltlichkeit ausgestattet. Spekulation und ethisches Pathos leidenschaftlicher Propheten verschafft ihnen diese Qualitäten, die von allen Göttern, in voller Rücksichtslosigkeit der Konsequenz, nur der Gott der jüdischen Propheten, welcher auch der Gott der Christen und Muhammeds wurde, erlangt hat. Nicht jede ethische Gotteskonzeption hat zu diesen Konsequenzen und überhaupt zum ethischen Monotheismus geführt, nicht jede Annäherung an den Monotheismus beruht auf einer Steigerung der ethischen Inhalte der Gotteskonzeption, und erst recht nicht jede religiöse Ethik hat einen überweltlichen, das gesamte Dasein aus dem Nichts schaffenden und allein lenkenden, persönlichen Gott ins Leben gerufen. Aber allerdings ruht jede spezifisch ethische Prophetie, zu deren Legitimation stets ein Gott gehört, der mit Attributen einer großen Erhabenheit über die Welt ausgestattet ist, normalerweise auf einer Rationalisierung auch der Gottesidee in jener Richtung. Art und Sinn dieser Erhabenheit kann freilich ein verschiedener sein, und dies hängt teils mit fest gegebenen metaphysischen Vorstellungen zusammen, teils ist es Ausdruck der konkreten ethischen Interessen des Propheten. Je mehr sie aber in der Richtung der Konzeption eines universellen überweltlichen Einheitsgottes verläuft, desto mehr entsteht das Problem: wie die ungeheure Machtsteigerung eines solchen Gottes mit der Tatsache der Unvollkommenheit der Welt vereinbart werden könne, die er geschaffen hat und regiert. Das so entstehende Problem der Theodizee ist in der altägyptischen Literatur wie bei Hiob und bei Äschylos, nur in jedesmal besonderer Wendung, lebendig. Die ganze indische Religiosität ist von ihm in der durch die dort gegebenen Voraussetzungen bestimmten beeinflußt: auch eine sinnvolle unpersönliche and übergöttliche Ordnung der Welt stieß ja auf das Problem ihrer Unvollkommenheit. In irgendeiner Fassung gehört das Problem überall mit zu den Bestimmungsgründen der religiösen Entwicklung und des Erlösungsbedürfnisses. Nicht durch naturwissenschaftliche Argumente, sondern mit der Unvereinbarkeit einer göttlichen Vorsehung mit der Ungerechtigkeit und Unvollkommenheit der sozialen Ordnung motivierten noch in den letzten Jahren bei einer Umfrage Tausende von deutschen Arbeitern die Unannehmbarkeit der Gottesidee.

Das Problem der Theodizee ist verschieden gelöst worden und diese Lösungen stehen im intimsten Zusammenhang mit der Gestaltung der Gotteskonzeption und auch der Art der Prägung der Sünden- und Erlösungsideen. Wir greifen die möglichst rational „reinen" Typen heraus.

Entweder der gerechte Ausgleich wird gewährt durch Verweisung auf einen diesseitigen künftigen Ausgleich: messianische Eschatologien. Der eschatologische Vorgang ist dann eine politische und soziale Umgestaltung des Diesseits. Ein gewaltiger Held, oder ein Gott, wird – bald, später, irgendwann – kommen und seine Anhänger in die verdiente Stellung in der Welt einsetzen. Die Leiden der jetzigen Generation sind Folge der Sünden der Vorfahren, für die der Gott die Nachfahren verantwortlich macht, ebenso wie ja der Bluträcher sich an die ganze Sippe hält und wie noch Papst Gregor VII. die Nachfahren bis in das siebente Glied mit exkommunizierte. Ebenso werden vielleicht nur die Nachfahren des Frommen infolge seiner Frömmigkeit das messianische Reich sehen. Der vielleicht nötige Verzicht auf eigenes Erleben der Erlösung schien nichts Befremdliches. Die Sorge für die Kinder war überall ein organisch gegebenes Streben, welches über die eigenen persönlichen Interessen auf ein „Jenseits" wenigstens des eigenen Todes hinwies. Den jeweils Lebenden bleibt die exemplarisch strenge Erfüllung der positiven göttlichen Gebote, einerseits um sich selbst wenigstens das Optimum von Lebenschancen kraft göttlichen Wohlwollens zu erwerben, andererseits um den eigenen Nachfahren die Teilnahme am Reich der Erlösung zu erringen. „Sünde" ist Bruch der Gefolgschaftstreue gegen den Gott, ein abtrünniger Verzicht auf Gottes Verheißungen. Der Wunsch, auch selbst am messianischen Reich teilnehmen zu können, treibt weiter. Gewaltige religiöse Erregung entsteht, wenn das Kommen des diesseitigen Gottesreiches unmittelbar bevorzustehen scheint. Immer wieder treten Propheten auf, die es verkünden. Aber wenn sein Kommen sich allzusehr hinauszieht, so ist eine Vertröstung auf eigentliche „Jenseits"-Hoffnungen fast unumgänglich.

Die Vorstellung von einem „Jenseits" ist im Keim mit der Entwicklung der Magie zum Seelenglauben gegeben. Zu einem besonderen Totenreich aber verdichtet sich die Existenz der Totenseelen keineswegs immer. Eine sehr häufige Vorstellung ließ vielmehr die Totengeister in Tieren und Pflanzen sich verkörpern, verschieden je nach Lebens- und Todesart, Sippe und Stand, – die Quelle der Seelenwanderungsvorstellungen. Wo ein Totenreich, zunächst an einem geographisch entlegenen Ort, später unter- oder überirdisch, geglaubt wird, ist das Leben der Seelen dort keineswegs notwendig zeitlich ewig. Sie können gewaltsam vernichtet werden oder durch Unterlassen der Opfer untergehen oder einfach irgendwann sterben (anscheinend die altchinesische Vorstellung). Eine gewisse Fürsorge für das eigene Schicksal nach dem Tode taucht, dem „Grenznutzgesetz" entsprechend, meist da auf, wo die notwendigsten diesseitigen Bedürfnisse gedeckt sind und ist daher zunächst auf die Kreise der Vornehmen und Besitzenden beschränkt. Nur sie, zuweilen nur Häuptlinge und Priester, nicht die Armen, selten die Frauen, können sich die jenseitige Existenz sichern und scheuen dann freilich oft die ungeheuersten Aufwendungen nicht, es zu tun. Vornehmlich ihr Beispiel propagiert die Beschäftigung mit den Jenseitserwartungen. Von einer „Vergeltung" im Jenseits ist keine Rede. Wo der Gedanke auftaucht, sind es zunächst nur rituelle Fehler, welche Nachteile nach sich ziehen: so in umfassendstem Maße noch im indischen heiligen Recht. Wer das Kastentabu verletzt, ist, der Höllenpein sicher. Erst der ethisch qualifizierte Gott verfügt auch über die Schicksale im Jenseits unter ethischen Gesichtspunkten. Die Scheidung von Paradies und Hölle tritt nicht erst damit auf, ist aber ein relativ spätes Entwicklungsprodukt. Mit wachsender Macht der Jenseitshoffnungen, je mehr also das Leben in der diesseitigen Welt als eine nur provisorische Existenzform gegenüber der jenseitigen angesehen, je mehr jene als von Gott aus dem Nichts geschaffen und ebenso wieder vergänglich und der Schöpfer selbst als den jenseitigen Zwecken und Werten unterstellt gedacht und je mehr also das diesseitige Handeln auf das jenseitige Schicksal hin ausgerichtet wurde, desto mehr drängte sich auch das Problem des prinzipiellen Verhältnisses Gottes zur Welt und ihren Unvollkommenheiten in den Vordergrund des Denkens. Die Jenseitshoffnungen schalten zuweilen eine direkte Umkehrung der urwüchsigen Auffassung, welche die Frage des Jenseits zu einer Angelegenheit der Vornehmen und Reichen machte, nach der Formel, „die Letzten werden die Ersten sein". Konsequent durchgeführt ist dies selbst in den religiösen Vorstellungen von Pariavölkern selten eindeutig. Aber es hat z. B. in der alten jüdischen Ethik eine große Rolle gespielt und die Annahme, daß Leiden, vor allem auch freiwilliges Leiden, die Gottheit milde stimme und die Jenseitschancen bessere, findet sich unter sehr verschiedenen Motiven, zum Teil vielleicht auch aus den Mutproben der Heldenaskese und der magischen Mortifikationspraxis heraus, entwickelt, in viele Jenseitshoffnungen eingesprengt. Die Regel, zumal bei Religionen, die unter dem Einfluß herrschender Schichten stehen, ist umgekehrt die Vorstellung, daß auch im Jenseits die diesseitigen Standesunterschiede nicht gleichgültig bleiben werden, weil auch sie gottgewollt waren, bis zu den christlichen „hochseligen" Monarchen hinab. Die spezifisch ethische Vorstellung aber ist „Vergeltung" von konkretem Recht und Unrecht auf Grund eines Totengerichts und der eschatologische Vorgang ist also normalerweise ein universeller Gerichtstag. Dadurch muß die Sünde den Charakter eines „crimen" annehmen, welches nun in eine rationale Kasuistik gebracht werden kann, und für welches im Diesseits oder Jenseits irgendwie Genugtuung gegeben werden muß, auf daß man schließlich gerechtfertigt vor dem Totenrichter stehe. Die Strafen und Belohnungen müßten der Bedeutung von Verdienst und Vergehen entsprechend abgestuft werden – wie es noch bei Dante in der Tat der Fall ist –, sie könnten also eigentlich nicht ewig sein. Bei der Blaßheit und Unsicherheit der Jenseitschancen aber gegenüber der Realität des Diesseits ist der Verzicht auf ewige Strafen von Propheten und Priestern fast immer für unmöglich gehalten worden; sie allein entsprachen auch dem Rachebedürfnis gegen ungläubige, abtrünnige, gottlose und dabei auf Erden straflose Frevler. Himmel, Hölle und Totengericht haben fast universelle Bedeutung erlangt, selbst in Religionen, deren ganzem Wesen sie ursprünglich so fremd waren wie dem alten Buddhismus. Mochten nun aber „Zwischenreiche" (Zarathustra) oder „Fegefeuer" die Konsequenz zeitlich unbegrenzter ewiger „Strafen" für eine zeitlich begrenzte Existenz abschwächen, so blieb doch stets die Schwierigkeit bestehen, überhaupt eine „Bestrafung" von Handlungen der Menschen mit einem ethischen und zugleich *allmächtigen*, also schließlich für diese Handlungen allein verantwortlichen Schöpfer der Welt zu vereinbaren. Denn diese Konsequenz: einen unerhört großen *ethischen* Abstand des jenseitigen Gottes gegenüber den unausgesetzt in neue Schuld verstrickten Menschen, mußten diese Vorstellungen ja um so mehr nach sich ziehen, je mehr man über das unlösbare Problem der Unvollkommenheit der Welt angesichts der göttlichen Allmacht grübelte. Es blieb dann letztlich nichts übrig, als jene Folgerung, in welche der Allmacht- und Schöpferglaube schon bei Hiob umzuschlagen im Begriff steht: diesen allmächtigen Gott jenseits aller ethischen Ansprüche seiner Kreaturen zu stellen, seine Ratschläge für derart jedem menschlichen Begreifen verborgen, seine absolute Allmacht über seine Geschöpfe als so schrankenlos und also die Anwendung des Maßstabs kreatürlicher Gerechtigkeit auf sein Tun für so unmöglich anzusehen, daß das Problem der Theodizee als solches überhaupt fortfiel. Der islamitische Allah ist von seinen leidenschaftlichsten Anhängern so gedacht worden, der christliche „Deus absconditus" gerade von den Virtuosen christlicher Frömmigkeit ebenfalls. Gottes souveräner, gänzlich unerforschlicher und – eine Konsequenz seiner Allwissenheit – von jeher feststehender, freier Ratschluß hat entschieden, wie für das Schicksal auf Erden, so auch für das Schicksal nach dem Tode. Die Determiniertheit des irdischen, ebenso wie die Prädestination zum jenseitigen Schicksal stehen von Ewigkeit her fest. So gut wie die Verdammten über ihre durch Prädestination feststehende Sündhaftigkeit könnten die Tiere sich darüber beklagen, daß sie nicht als Menschen geschaffen sind (so ausdrücklich der Calvinismus). Ethisches Verhalten kann hier nie den Sinn haben, die eigenen Jenseits- oder Diesseitschancen zu verbessern, wohl aber den anderen, praktisch-psychologisch unter Umständen noch stärker wirkenden: *Symptom* für den eigenen, durch Gottes Ratschluß feststehenden Gnadenstand zu sein. Denn gerade die absolute Souveränität dieses Gottes zwingt das praktische religiöse Interesse, ihm wenigstens im Einzelfall dennoch in die Karten sehen zu wollen, und speziell das eigene Jenseitsschicksal zu wissen ist ein elementares Bedürfnis des Einzelnen. Mit der Neigung zur Auffassung Gottes als des schrankenlosen Herrn über seine Kreaturen geht daher die Neigung parallel, überall seine „Vorsehung", sein ganz persönliches Eingreifen in den Lauf der Welt zu sehen und zu deuten. Der „Vorsehungsglaube" ist die konsequente Rationalisierung der magischen Divination, an die er anknüpft, die aber eben deshalb gerade er prinzipiell am relativ vollständigsten entwertet. Es kann keinerlei Auffassung der religiösen Beziehung geben, die 1. so radikal aller Magie entgegengesetzt wäre, theoretisch wie praktisch, wie dieser, die großen theistischen Religionen Vorderasiens und des Okzidents beherrschende Glaube, keine auch, die 2. das Wesen des Göttlichen so stark in ein aktives „Tun", in die persönliche providentielle Regierung der Welt verlegte und dann keine, für welche 3. die göttliche, frei geschenkte Gnade und die Gnadenbedürftigkeit der Kreaturen, der ungeheure Abstand alles Kreatürlichen gegen Gott und daher 4. die Verwerflichkeit der „Kreaturvergötterung" als eines Majestätsfrevels an Gott so feststünde. Gerade weil dieser Glaube *keine* rationale Lösung des praktischen Theodizeeproblems enthält, birgt er die größten Spannungen zwischen Welt und Gott, Sollen und Sein.

Systematisch durchdachte Erledigungen des Problems der Weltunvollkommenheit geben außer der Prädestination nur noch zwei Arten religiöser Vorstellungen. Zunächst der Dualismus, wie ihn die spätere Entwicklung der zarathustrischen Religion und zahlreiche, meist von ihr beeinflußte vorderasiatische Glaubensformen mehr oder minder konsequent enthielten, namentlich die Endformen der babylonischen (jüdisch und christlich beeinflußten) Religion im Mandäertum und in der Gnosis, bis zu den großen Konzeptionen des Manichäismus, der um die Wende des 3. Jahrhunderts auch in der mittelländischen Antike dicht vor dem Kampf um die Weltherrschaft zu stehen schien. Gott ist nicht allmächtig und die Welt nicht seine Schöpfung aus dem Nichts. Ungerechtigkeit, Unrecht, Sünde, alles also was das Problem der Theodizee entstehen läßt, sind Folgen der Trübung der lichten Reinheit der großen und guten Götter durch Berührung mit der ihnen gegenüber selbständigen Macht der Finsternis und, was damit identifiziert wird, der unreinen Materie, welche einer satanischen Macht Gewalt über die Welt gibt und die durch einen Urfrevel von Menschen oder Engeln oder – so bei manchen Gnostikern – durch die Minderwertigkeit eines subalternen Weltschöpfers (Jehovas oder des „Demiurgos") entstanden ist. Der schließliche Sieg der lichten Götter in dem nun entstehenden Kampf steht meist – eine Durchbrechung des strengen Dualismus – fest. Der leidensvolle, aber unvermeidliche Weltprozeß ist eine fortgesetzte Herausläuterung des Lichtes aus der Unreinheit. Die Vorstellung des Endkampfs entwickelt naturgemäß ein sehr starkes eschatologisches Pathos. Die allgemeine Folge solcher Vorstellungen muß ein aristokratisches Prestigegefühl der Reinen und Erlesenen sein. Die Auffassung des Bösen, welche bei Voraussetzung eines schlechthin allmächtigen Gottes stets die Tendenz zu einer rein *ethischen* Wendung zeigt, kann hier einen stark spirituellen Charakter annehmen, weil der Mensch ja nicht als Kreatur einer absoluten Allmacht gegenübersteht, sondern Anteil am Lichtreich hat, und weil die Identifikation des Lichtes mit dem im Menschen Klarsten: dem Geistigen, der Finsternis dagegen mit dem alle gröberen Versuchungen an sich tragenden Materiellen, Körperlichen fast unvermeidlich ist. Die Auffassung knüpft dann leicht an den „Unreinheits"-Gedanken der tabuistischen Ethik an. Das Böse erscheint als Verunreinigung, die Sünde, ganz nach Art der magischen Frevel, als ein verächtlicher, in Schmutz und gerechte Schande führender Absturz, aus dem Reich der Reinheit und Klarheit in das Reich der Finsternis und Verworrenheit. Uneingestandene Einschränkungen der göttlichen Allmacht in Gestalt von Elementen dualistischer Denkweise finden sich in fast allen ethisch orientierten Religionen.

Die formal vollkommenste Lösung des Problems der Theodizee ist die spezifische Leistung der indischen „„Karman"-Lehre, des sog. Seelenwanderungsglaubens. Die Welt ist ein lückenloser Kosmos ethischer Vergeltung. Schuld und Verdienst werden innerhalb der

Welt unfehlbar vergolten durch Schicksale in einem künftigen Leben, deren die Seele unendlich viele, in anderen tierischen oder menschlichen oder auch göttlichen Existenzen, neu zur Welt kommend, zu führen haben wird. Ethische Verdienste in diesem Leben können die Wiedergeburt im Himmel bewirken, aber stets nur auf Zeit, bis das Verdienstkonto aufgebraucht ist. Ebenso ist die Endlichkeit alles irdischen Lebens die Folge der Endlichkeit der guten oder bösen Taten in dem früheren Leben der gleichen Seele und sind die vom Vergeltungsstandpunkt aus ungerecht scheinenden Leiden des gegenwärtigen Lebens Bußen für Sünden in einem vergangenen Leben. Der Einzelne schafft sich sein eigenes Schicksal im strengsten Sinne ausschließlich selbst. Der Seelenwanderungsglaube knüpft an sehr geläufige animistische Vorstellungen von dem Übergang der Totengeister in Naturobjekte an. Er rationalisiert sie und damit den Kosmos unter rein ethischen Prinzipien. Die naturalistische „Kausalität" unserer Denkgewohnheiten wird also ersetzt durch einen universellen Vergeltungsmechanismus, bei dem keine *ethisch* relevante Tat jemals verloren geht. Die dogmatische Konsequenz liegt in der völligen Entbehrlichkeit und Undenkbarkeit eines in diesen Mechanismus eingreifenden allmächtigen Gottes: denn der unvergängliche Weltprozeß erledigt die ethischen Aufgaben eines solchen durch seine eigene Automatik. Sie ist daher die konsequente Folgerung aus der Übergöttlichkeit der ewigen „Ordnung" der Welt, gegenüber der zur Prädestination drängenden Überweltlichkeit des persönlich regierenden Gottes. Bei voller Durchführung des Gedankens in seine letzten Konsequenzen, im alten Buddhismus, ist auch die „Seele" gänzlich eliminiert: es existieren nur die einzelnen, mit der Illusion des „Ich" verbundenen, für den Karmanmechanismus relevanten guten oder bösen *Handlungen*. Alle Handlungen aber sind ihrerseits Produkte des immer gleich ohnmächtigen Kampfs alles geformten und dadurch allein schon zur Vergänglichkeit verurteilten Lebens um seine eigene, der Vernichtung geweihte Existenz, des „Lebensdurstes", dem die Jenseitssehnsucht ebenso wie alle Hingabe an die Lust im Diesseits entspringt, und der, als unausrottbare Grundlage der Individuation, immer erneut Leben und Wiedergeburt schafft, solange er besteht. Eine „Sünde" gibt es streng genommen nicht, nur Verstöße gegen das wohlverstandene eigene Interesse daran, aus diesem endlosen „Rade" zu entrinnen oder wenigstens sich nicht einer Wiedergeburt zu noch peinvollerem Leben auszusetzen. Der Sinn ethischen Verhaltens kann nur entweder, bei bescheidenen Ansprüchen, in der Verbesserung der Wiedergeburtschancen oder, wenn der sinnlose Kampf um das bloße Dasein beendet werden soll, in der Aufhebung der Wiedergeburt als solcher bestehen. Die Zerspaltung der Welt in zwei Prinzipien besteht hier nicht, wie in der ethisch-dualistischen Vorsehungsreligiosität, in dem Dualismus der heiligen und allmächtigen Majestät Gottes gegen die ethische Unzulänglichkeit alles Kreatürlichen, und nicht wie im spiritualistischen Dualismus, in der Zerspaltung alles Geschehens in Licht und Finsternis, klaren und reinen Geist und finstere und befleckende Materie, sondern in dem ontologischen Dualismus vergänglichen Geschehens und Handelns der Welt und beharrenden ruhenden Seins der ewigen Ordnung und des mit ihr identischen, unbewegten, in traumlosem Schlaf ruhenden Göttlichen. Diese Konsequenz der Seelenwanderungslehre hat in vollem Sinne nur der Buddhismus gezogen, sie ist die radikalste Lösung der Theodizee, aber eben deshalb ebensowenig wie der Prädestinationsglaube eine Befriedigung ethischer Ansprüche an einen Gott.

§ 9. Erlösung und Wiedergeburt.

Nur wenige Erlösungsreligionen haben von den vorstehend skizzierten reinsten Typen der Lösung des Problems der Beziehung Gottes zu Welt und Menschen einen einzelnen rein ausgebildet und, wo es geschah, ist diese meist nur für kurze Zeit festgehalten worden. Die meisten haben infolge gegenseitiger Rezeption und vor allem unter dem Druck der Notwendigkeit, den mannigfachen ethischen und intellektuellen Bedürfnissen ihrer Anhänger gerecht zu werden, verschiedene Denkformen miteinander kombiniert, so daß ihre Unterschiede solche im Grade der Annäherung an den einen oder anderen dieser Typen sind.

Die verschiedenen ethischen Färbungen des Gottes- und Sündengedankens stehen nun in innigstem Zusammenhang mit dem Streben nach „*Erlösung*", dessen Inhalt höchst verschieden gefärbt sein kann, je nachdem „wovon" und „wozu" man erlöst sein will. Nicht jede rationale religiöse Ethik ist überhaupt Erlösungsethik. Der Konfuzianismus ist eine „religiöse" Ethik, weiß aber gar nichts von einem Erlösungsbedürfnis. Der Buddhismus umgekehrt ist ganz ausschließlich Erlösungslehre, aber er kennt keinen Gott. Zahlreiche andere Religionen kennen „Erlösung" nur als eine in engen Konventikeln gepflegte Sonderangelegenheit, oft als einen Geheimkult. Auch bei religiösen Handlungen, welche als ganz spezifisch „heilig" gelten und ihren Teilnehmern ein nur auf diesem Wege erreichbares Heil versprechen, stehen sehr oft die massivsten utilitarischen Erwartungen an Stelle von irgend etwas, was wir gewohnt sind „Erlösung" zu nennen. Die pantomimisch musikalische Feier der großen Erdgottheiten, welche zugleich den Ernteausfall und das Totenreich beherrschen, stellte den rituell reinen eleusinischen Mysten vor allem *Reichtum* in Aussicht, daneben eine Verbesserung des Jenseitsloses, aber ohne alle Vergeltungsideen, rein als Folge der Meßandacht. *Reichtum*, das, nächst langem Leben, höchste Gut in der Gütertafel des Schu King, hängt für die chinesischen Untertanen an der richtigen Ausführung des offiziellen Kultes und der eigenen Erfüllung der religiösen Pflichten, während irgendwelche Jenseitshoffnungen und Vergeltungen ganz fehlen. *Reichtum* vor allem erwartet neben massiven Jenseitsverheißungen, Zarathustra für sich und seine Getreuen von der Gnade seines Gottes. Geehrtes und langes Leben und *Reichtum* stellt der Buddhismus als Lohn der Laiensittlichkeit hin, in voller Übereinstimmung mit der Lehre aller indischen religiösen innerweltlichen Ethik. Mit *Reichtum* segnet Gott den frommen Juden. *Reichtum* ist aber – wenn rational und legal erworben – auch eins der Symptome der „Bewährung" des Gnadenstandes bei den asketischen Richtungen des Protestantismus (Calvinisten, Baptisten, Mennoniten, Quäker, reformierte Pietisten, Methodisten). Freilich befinden wir uns mit diesen letzten Fällen bereits innerhalb einer Auffassung, welche trotzdem den Reichtum (und irgendwelche anderen diesseitigen Güter) sehr entschieden als ein „religiöses Ziel" ablehnen würden. Aber praktisch ist der Übergang bis zu diesem Standpunkt flüssig. Die Verheißungen einer Erlösung von Druck und Leid, wie sie die Religionen der Pariavölker, vor allem der Juden, ebenso aber auch Zarathustra und Muhammed, in Aussicht stellen, lassen sich nicht streng aus den Erlösungskonzeptionen dieser Religionen aussondern, weder die Verheißung der Weltherrschaft und des sozialen Prestiges der Gläubigen, welche der Gläubige im alten Islam als Lohn für den heiligen Krieg gegen alle Ungläubigen im Tornister trug, noch das Versprechen jenes spezifischen religiösen Prestiges, welches den Israeliten, als Gottes Verheißung überliefert wurde. Insbesondere den Juden ist ihr Gott zunächst deshalb ein Erlöser, weil er sie aus dem ägyptischen Diensthaus befreit hat und aus dem Ghetto erlösen wird. Neben solchen ökonomischen und politischen Verheißungen tritt vor allem die Befreiung von der Angst vor den bösen Dämonen und bösem Zauber überhaupt, der ja für die Mehrzahl aller Übel des Lebens verantwortlich ist. Daß der Christus die Macht der Dämonen durch die Kraft seines Pneuma gebrochen habe und seine Anhänger aus ihrer Gewalt erlöse, war in der Frühzeit des Christentums eine der sehr im Vordergrunde stehenden und wirksamsten seiner Verheißungen. Und auch das schon gekommene oder unmittelbar vor der Tür stehende Gottesreich Jesus' von Nazareth war ein Reich der von menschlicher Lieblosigkeit, Angst und Not befreiten Seligkeit auf dieser Erde, und erst später traten Himmel und Hades hervor. Denn alle diesseitigen Eschatologien haben naturgemäß durchweg die Tendenz zur Jenseitshoffnung zu werden, sobald die Parusie sich verzögert und nun der Nachdruck darauf fällt, daß die jetzt Lebenden, die sie nicht mehr im Diesseits schauen, sie nach dem Tode, von den Toten auferstehend, erleben wollen.

Der spezifische Inhalt der „jenseitigen" Erlösung kann mehr die Freiheit von dem physischen oder seelischen oder sozialen Leiden des Erdendaseins bedeuten, oder mehr Befreiung von der sinnlosen Unrast und Vergänglichkeit des Lebens als solchem, oder mehr von der unvermeidlichen persönlichen Unvollkommenheit, werde diese nun mehr als chronische Befleckheit oder als akute Neigung zur Sünde oder mehr spirituell als Gebanntheit in die dunkle Verworrenheit der irdischen Unwissenheit aufgefaßt.

Für uns kommt die Erlösungssehnsucht, wie immer sie geartet sei, wesentlich in Betracht, sofern sie für das *praktische Verhalten* im Leben Konsequenzen hat. Eine solche positive und diesseitige Wendung gewinnt sie am stärksten durch Schaffung einer, durch einen zentralen Sinn oder ein positives Ziel zusammengehaltenen, spezifisch religiös determinierten „*Lebensführung*", dadurch also, daß, aus religiösen Motiven, eine Systematisierung des praktischen Handelns in Gestalt seiner Orientierung an einheitlichen Werten entsteht. Ziel und Sinn dieser Lebensführung können rein jenseitig oder auch, mindestens teilweise, diesseitig gerichtet sein. In höchst verschiedenem Grade und in typisch verschiedener Qualität ist dies bei den einzelnen Religionen und innerhalb jeder einzelnen von ihnen wieder bei ihren einzelnen Anhängern der Fall. Auch die religiöse Systematisierung der Lebensführung hat natürlich, soweit sie Einfluß auf das ökonomische Verhalten gewinnen will, feste Schranken vor sich. Und religiöse Motive, insbesondere die Erlösungshoffnung, *müssen* keineswegs notwendig Einfluß auf die Art der Lebensführung gewinnen, insbesondere nicht auf die ökonomische, aber sie können es in sehr starkem Maße.

Die weitgehendsten Konsequenzen für die Lebensführung hat die Erlösungshoffnung dann, wenn die Erlösung selbst als ein schon im Diesseits seine Schatten vorauswerfender oder gar als ein gänzlich diesseitiger *innerlicher* Vorgang verläuft. Also wenn sie entweder selbst als „Heiligung" gilt oder doch Heiligung herbeiführt oder zur Vorbedingung hat. Der Vorgang der Heiligung kann dann entweder als ein allmählicher Läuterungsprozeß oder als eine plötzlich eintretende Umwandlung der Gesinnung (Metanoia), eine „Wiedergeburt" auftreten.

Der Gedanke der Wiedergeburt als solcher ist sehr alt und findet sich gerade im magischen Geisterglauben klassisch entwickelt. Der Besitz des magischen Charisma setzt fast stets Wiedergeburt voraus: die ganz spezifische Erziehung der Zauberer selbst und der Kriegshelden durch sie und die spezifische Art der Lebensführung der ersteren erstrebt Wiedergeburt und Sicherung des Besitzes einer magischen Kraft, vermittelt durch „Entrückung" in Form der Ekstase und Erwerb einer neuen „Seele", die meist auch Namensänderung zur Folge hat, – wie diese ja als Rudiment solcher Vorstellungen noch bei der Mönchsweihe vorkommt. Die „Wiedergeburt" wird zunächst nur für den berufsmäßigen Zauberer, aus einer magischen Voraussetzung zauberischen oder heldischen Charisma, in den konsequentesten Typen der „Erlösungsreligionen", zu einer für das religiöse Heil unentbehrlichen *Gesinnungs*qualität, die der Einzelne sich aneignen und in seiner Lebensführung bewähren muß.

§ 10. Die Erlösungswege und ihr Einfluß auf die Lebensführung.

Der Einfluß einer Religion auf die Lebensführung und insbesondere die Voraussetzungen der Wiedergeburt sind nun je nach dem Erlösungs*weg* und – was damit aufs engste zusammenhängt – der psychischen Qualität des erstrebten Heilsbesitzes sehr verschieden.

I. Die Erlösung kann eigenstes, ohne alle Beihilfe überirdischer Mächte zu schaffendes Werk des Erlösten sein, wie z. B. im alten Buddhismus. Dann können die Werke, durch welche die Erlösung errungen wird,

1. rein *rituelle* Kulthandlungen und Zeremonien sein, sowohl innerhalb eines Gottesdienstes, wie im Verlauf des Alltags. Der reine *Ritualismus* ist an sich von der Zauberei in seiner Wirkung auf die *Lebensführung* nicht verschieden und steht zuweilen in dieser Hinsicht sogar insofern hinter der magischen Religiosität zurück, als diese unter Umständen eine bestimmte und ziemlich einschneidende Methodik der Wiedergeburt entwickelt hat, was der Ritualismus oft, aber nicht immer vollbringt. Eine Erlösungsreligion kann die rein formalen rituellen Einzelleistungen systematisieren zu einer spezifischen Gesinnung, der „Andacht", in welcher die Riten als Symbole des Göttlichen vollzogen werden. Dann ist diese Gesinnung der in Wahrheit erlösende Heilsbesitz. Sobald man sie streicht, bleibt der nackte formale magische Ritualismus übrig und dies ist dann auch naturgemäß im Verlauf der Veralltäglichung aller Andachtsreligiosität immer wieder geschehen.

Die Konsequenzen einer ritualistischen Andachtsreligiosität können sehr verschiedene sein. Die restlose rituelle Reglementierung des Lebens des frommen Hindu, die für europäische Vorstellungen ganz ungeheuerlichen Ansprüche, welche Tag für Tag an den Frommen gestellt werden, würden bei wirklich genauer Durchführung die Vereinigung eines exemplarisch frommen, innerweltlichen Lebens mit intensivem Erwerb nahezu ausschließen. Dieser äußerste Typus der Andachtsfrömmigkeit bildet darin den äußersten Gegenpol gegen den Puritanismus. Nur der Besitzende, von intensiver Arbeit Entbundene könnte diesen Ritualismus durchführen.

Tieferliegend aber als diese immerhin vermeidbare Konsequenz ist der Umstand: daß die rituelle Erlösung, speziell dann, wenn sie den Laien auf die Rolle des Zuschauers oder auf eine Beteiligung nur durch einfache oder wesentlich rezeptive Manipulationen beschränkt und zwar gerade da, wo sie die rituelle Gesinnung möglichst zu stimmungsvoller Andacht sublimiert, den Nachdruck auf den „Stimmungsgehalt" des frommen Augenblicks legt, der das Heil zu verbürgen scheint. Erstrebt wird dann der Besitz einer inneren *Zuständlichkeit*, welche ihrer Natur nach *vorübergehend* ist und welche kraft jener eigentümlichen „Verantwortungslosigkeit", die etwa dem Anhören einer Messe oder eines mystischen Mimus anhaftet, auf die Art des Handelns, nachdem die Zeremonie vorüber ist, oft fast ebensowenig einwirkt, wie die noch so große Rührung eines Theaterpublikums beim Anhören eines schönen und erbaulichen Theaterstücks dessen Alltagsethik zu beeinflussen pflegt. Alle Mysterienerlösung hat diesen Charakter des Unsteten. Sie gewärtigt ihre Wirkung ex opere operato von einer frommen Gelegenheitsandacht. Es fehlen die inneren Motive eines *Bewährungs*anspruchs, der eine „Wiedergeburt" verbürgen könnte. Wo dagegen die rituell erzeugte Gelegenheitsandacht, zur perennierenden Frömmigkeit gesteigert, auch in den Alltag zu retten versucht wird, da gewinnt diese Frömmigkeit am ehesten einen mystischen Charakter: der Besitz einer *Zuständlichkeit* als Ziel bei der Andacht leitet ja dazu hinüber. Die Disposition zur Mystik aber ist ein individuelles Charisma. Es ist daher kein Zufall, daß gerade mystische Erlösungsprophetien, wie die indischen und anderen orientalischen, bei ihrer Veralltäglichung alsbald immer wieder in reinen Ritualismus umschlugen. Der letztlich erstrebte seelische Habitus ist beim Ritualismus – darauf kommt es für uns an – vom *rationalen Handeln* direkt *ab*führend. Fast alle Mysterienkulte wirkten so. Ihr typischer Sinn ist die Spendung von „Sakramentsgnade": Erlösung von Schuld durch die Heiligkeit der Manipulation als solcher, also durch einen Vorgang, welcher die Tendenz jeder Magie teilt, aus dem Alltagsleben herauszufallen und dieses nicht zu beeinflussen. Ganz anders freilich kann sich die Wirkung eines „Sakraments" dann gestalten, wenn dessen Spendung an die Voraussetzung geknüpft ist, daß sie nur dem vor Gott ethisch Gereinigten zum Heil gereicht, anderen zum Verderben. Die furchtbare Angst vor dem Abendmahl wegen der Lehre: „Wer aber nicht glaubt und doch ißt, der ißt und trinkt ihm selber zum Gericht", war bis an die Schwelle der Gegenwart in weiten Kreisen lebendig und konnte beim Fehlen einer „absolvierenden" Instanz, wie im asketischen Protestantismus und bei häufigem Abendmahlsgenuß – der deshalb ein wichtiges Merkmal der Frömmigkeit war – das Alltagsverhalten in der Tat stark beeinflussen. Die Vorschrift der *Beichte* vor dem Sakrament innerhalb aller christlichen Konfessionen hing damit zusammen. Allein es kommt bei dieser Institution entscheidend darauf an, welches diejenige religiös vorgeschriebene Verfassung ist, in welcher das Sakrament mit Nutzen empfangen werden kann. Fast alle antiken und die meisten außerchristlichen Mysterienkulte haben dafür lediglich rituelle Reinheit verlangt, daneben galten unter Umständen schwere Blutschuld oder einzelne spezifische Sünden als disqualifizierend. Diese Mysterien kannten also meist keine Beichte. Wo aber die Anforderung ritueller Reinheit zur seelischen Sündenreinheit rationalisiert worden ist, da kommt es nun weiter auf die Art der Kontrolle und, wo die Beichte besteht, auf deren möglicherweise sehr verschiedenen Charakter für die Art und das Maß der ihr möglichen Einwirkung auf das Alltagsleben an. In jedem Fall aber ist dann der Ritus als solcher, praktisch angesehen, nur noch das Vehikel, um das außerrituelle Handeln zu beeinflussen und auf dieses Handeln kommt in Wahrheit alles an. So sehr, daß gerade bei vollster Entwertung des magischen Charakters des Sakraments und bei gänzlichem Fehlen aller Kontrolle durch Beichte – beides bei den Puritanern – das Sakrament dennoch, und zwar unter Umständen gerade deshalb, jene ethische Wirkung entfalten kann.

Auf einem anderen und indirekten Wege kann eine ritualistische Religiosität da ethisch wirken, wo die Erfüllung der Ritualgebote das *aktive* rituelle Handeln (oder Unterlassen) des Laien fordert und nun die formalistische Seite des Ritus zu einem umfassenden „Gesetz" derart systematisiert wird, daß es einer besonderen *Schulung* und Lehre bedarf, um es überhaupt genügend zu kennen, wie es im Judentum der Fall war. Daß der Jude schon im Altertum, wie Philo hervorhebt, im Gegensatz zu allen anderen Völkern, von früher Jugend an, nach Art unserer Volksschule, fortgesetzt intellektuell systematisch-kasuistisch trainiert wurde, daß auch in der Neuzeit z. B. in Osteuropa aus diesem Grunde nur die Juden systematische Volksschulbildung genossen, ist die Folge dieses Schriftgelehrsamkeitscharakters des jüdischen Gesetzes, welches die jüdischen Frommen schon im Altertum veranlaßte, den im Studium des Gesetzes Ungebildeten, den Amhaarez, mit den Gottlosen zu identifizieren. Eine derartige kasuistische Schulung des Intellekts kann sich natürlich auch im Alltag fühlbar machen, um so mehr, wenn es sich nicht mehr – wie vorwiegend im indischen Recht – um bloß rituelle kultische Pflichten, sondern um eine systematische Reglementierung auch der Alltagsethik handelt. Die Erlösungswerke sind dann eben bereits vorwiegend andere als kultische Leistungen, insbesondere

2. *soziale Leistungen.* Sie können sehr verschiedenen Charakter haben. Die Kriegsgötter z. B. nehmen sehr oft in ihr Paradies nur die in der Schlacht Gefallenen auf oder diese werden doch prämiiert. Für den König empfahl die brahmanische Ethik direkt, daß er den Tod in der Schlacht suchen möge, wenn er den Sohn seines Sohnes sehe. Auf der andern Seite können sie Werke der „Nächstenliebe" sein. In jedem Fall aber kann die Systematisierung einsetzen, und es ist wie wir sahen regelmäßig die Funktion der Prophetie, eben dies zu finden. Die Systematisierung einer Ethik der „guten Werke" kann aber zweierlei verschiedenen Charakter annehmen. Die Einzelnen Tugend- und Untugendhandlungen können entweder als einzelne gewertet und dem Erlösungsbedürftigen positiv und negativ zugerechnet werden. Der Einzelne als Träger seines Handelns erscheint dann

als ein in seinem ethischen Standard labiles, je nach der inneren oder äußeren Situation den Versuchungen gegenüber bald stärkeres, bald schwächeres Wesen, dessen religiöses Schicksal von den tatsächlichen Leistungen in ihrem Verhältnis zueinander abhängt. Dies ist am eindeutigsten der Standpunkt der zarathustrischen Religion gerade in den ältesten Gathas des Stifters selbst, welche den Totenrichter Schuld und Verdienst der einzelnen Handlungen in genauer Buchführung gegeneinander abwägen und je nach dem Ergebnis dieser Kontokorrentrechnung dem Einzelnen sein religiöses Schicksal zumessen lassen. Es ist in noch gesteigertem Maße die Konsequenz der indischen Karmanlehre: daß innerhalb des ethischen Mechanismus der Welt keine einzelne gute oder böse Handlung jemals verloren geht, jede vielmehr unabwendbar und rein mechanisch ihre Konsequenzen, sei es in diesem Leben, sei es bei einer künftigen Wiedergeburt nach sich ziehen müsse. Das Kontokorrent-Prinzip ist im wesentlichen auch die populäre Grundanschauung des Judentums von dem Verhältnis des Einzelnen zu Gott geblieben. Und endlich stehen auch, wenigstens in ihrer Praxis, der römische Katholizismus und die orientalischen Kirchen diesem Standpunkt nahe. Denn die „intentio", auf welche es nach der Sündenlehre des Katholizismus für die ethische Bewertung des Handelns ankommt, ist nicht eine einheitliche Persönlichkeitsqualität, deren Ausdruck die Handlung ist, sondern sie ist, im Sinne etwa von bona fides, mala fides, culpa, dolus des römischen Rechts, die „Meinung" bei der konkreten einzelnen Handlung. Wo diese Auffassung konsequent bleibt, verzichtet sie auf das Verlangen der „Wiedergeburt" im strengen gesinnungsethischen Sinn. Die Lebensführung bleibt ein ethisch unmethodisches Nacheinander einzelner Handlungen.

Oder die ethische Systematisierung behandelt die Einzelleistung nur als Symptom und Ausdruck einer entsprechenden ethischen Gesamtpersönlichkeit, die sich darin ausspricht. Bekannt ist, daß der rigoristische Teil der Spartiaten einen Genossen, der den Tod in der Schlacht gefunden, aber auch gesucht hatte, um eine frühere Feigheit zu sühnen, – als eine Art von „Reinigungsmensur" also – für nicht rehabilitiert ansah, weil er „aus Gründen" tapfer gewesen sei, und nicht „aus der Gesamtheit seines Wesens heraus", würden wir uns etwa ausdrücken. Religiös gewendet heißt das: an Stelle der formalen Werkheiligkeit durch äußere Einzelleistungen tritt auch hier der Wert des persönlichen Gesamthabitus, in diesem Fall: der habituellen Heldengesinnung. Ähnlich steht es mit allen sozialen Leistungen, sie mögen aussehen wie sie wollen. Sind sie solche der „Nächstenliebe", so fordert die Systematisierung den Besitz des Charisma der „Güte". In jedem Fall aber kommt es dann letztlich auf die Art der einzelnen Handlung nur soweit an, als sie wirklich „symptomatischen" Charakter hat, sonst aber, wenn sie ein Produkt des „Zufalls" ist, nicht. Die Gesinnungsethik kann also gerade nach ihrer systematisiertesten Form bei hoch gesteigerten Ansprüchen an das Gesamtniveau gegen einzelne Verstöße duldsamer sein. Aber sie ist es durchaus nicht immer, vielmehr ist sie meist die spezifische Form des ethischen Rigorismus. Der religiös positiv qualifizierte Gesamthabitus kann dabei entweder reines göttliches Gnadengeschenk sein, dessen Existenz sich eben in jener generellen Gerichtetheit auf das religiös Geforderte: einer einheitlich *methodisch* orientierten Lebensführung äußern. Oder sie kann umgekehrt durch „Einübung" des Guten im Prinzip erwerbbar sein. Auch diese Einübung kann aber naturgemäß nur durch rationale *methodische* Richtung der Gesamtlebensführung, nicht durch einzelne zusammenhangslose Handlungen erfolgen. Das Resultat ist also praktisch in beiden Fällen sehr ähnlich. Damit rückt dann aber die sozial-ethische Qualität des Handelns gänzlich in die zweite Linie. Auf die religiöse Arbeit an der eigenen Person kommt vielmehr alles an. Die religiös qualifizierten, sozial gewendeten guten Werke sind dann lediglich Mittel

3. der *Selbstvervollkommnung*: der „Heilsmethodik". Heilsmethodik kennt nicht erst die ethische Religiosität. Im Gegenteil spielt sie in oft hochgradig systematisierter Form eine sehr bedeutende Rolle bei der Erweckung zu jener charismatischen Wiedergeburt, welche den Besitz der magischen Kräfte, in animistischer Wendung: die Verkörperung einer neuen Seele innerhalb der eigenen Person, oder die Besessenheit von einem starken Dämon oder die Entrücktheit in das Geisterreich, in beiden Fällen aber die Möglichkeit übermenschlicher Wirkungen verbürgt. Nicht nur liegt dabei ein „jenseitiges" Ziel ganz fern. Sondern man braucht die Fähigkeit zur Ekstase zu den verschiedensten Zwecken: auch der Kriegsheld muß ja, um übermenschliche Heldentaten zu vollbringen, durch Wiedergeburt eine neue Seele erwerben. In all jenen Resten von Jünglingsweihe, von Bekleidung mit den Mannesinsignien (China, Indien – die der höheren Kasten heißen bekanntlich: die zweimal Geborenen), Rezeptionen in die religiöse Bruderschaft der Phratrie, Wehrhaftmachung haben ursprünglich den Sinn der „Wiedergeburt", je nachdem als „Held" oder als „Magier". Sie sind ursprünglich alle verknüpft mit Handlungen, welche *Ekstase* erzeugen oder symbolisieren und die Vorübung darauf hat den Zweck, die Fähigkeit dafür zu erproben und zu wecken.

Die Ekstase als Mittel der „Erlösung" oder „Selbstvergottung", als welches sie uns hier allein angeht, kann mehr den Charakter einer akuten Entrücktheit und Besessenheit oder mehr den chronischen eines, je nachdem, mehr kontemplativ oder mehr aktiv gesteigerten spezifisch religiösen Habitus, sei es im Sinne einer größeren Lebensintensität oder auch Lebensfremdheit haben. Für die Erzeugung der lediglich akuten Ekstase war natürlich nicht die planvolle Heilsmethodik der Weg, sondern ihr dienten vorzüglich die Mittel zur Durchbrechung aller organischen Gehemmtheiten: die Erzeugung akuten toxischen (alkoholischen oder durch Tabak oder andere Gifte erzielten) oder musikalisch-orchestrischen oder erotischen Rausches (oder aller drei Arten zusammen): die *Orgie*. Oder man provozierte bei dazu Qualifizierten hysterische oder epileptoide Anfälle, welche die orgiastischen Zustände bei den andern hervorriefen. Diese akuten Ekstasen sind aber der Natur der Sache und auch der Absicht nach transitorisch. Sie hinterlassen für den Alltagshabitus wenig positive Spuren. Und sie entbehren des „sinnhaften" Gehalts, den die prophetische Religiosität entfaltet. Die milderen Formen einer, je nachdem, mehr traumhaft (mystischen) als „Erleuchtung" oder mehr aktiv (ethischen) als Bekehrung empfundenen *Euphorie*, scheinen dagegen den *dauernden* Besitz des charismatischen Zustands sicherer zu verbürgen, ergeben eine sinnhafte Beziehung zur „Welt" und entsprechen qualitativ den Wertungen einer „ewigen" Ordnung oder eines ethischen Gottes, wie ihn die Prophetie verkündet. Schon die Magie kennt, wie wir sahen, eine systematische Heilsmethodik zur „Erweckung" der charismatischen Qualitäten neben der nur akuten Orgie. Denn der Berufszauberer und Berufskrieger bedarf nicht nur der akuten Ekstase, sondern des charismatischen Dauerhabitus. Die Propheten einer ethischen Erlösung bedürfen aber des orgiastischen Rausches nicht nur nicht, – er steht der systematischen ethischen Lebensführung, die sie verlangen, geradezu im Wege. Gegen ihn vornehmlich, gegen den menschenunwürdigen und tierquälerischen Rauschkult des Somaopfers, wendet sich daher der zornige ethische Rationalismus Zarathustras ganz ebenso wie derjenige des Moses gegen die Tanzorgie und wie die meisten Stifter oder Propheten ethisch rationaler Religionen gegen die „Hurerei", d. h. gegen die orgiastische Tempelprostitution sich gewendet haben. Mit zunehmender Rationalisierung wird das Ziel der religiösen Heilsmethodik daher immer mehr die Herabstimmung des durch die Orgie erreichten akuten Rauschs in einen chronisch und vor allem *bewußt* besessenen Habitus. Die Entwicklung ist dabei auch durch die Art der Konzeption des

„Göttlichen" bedingt. Überall bleibt zunächst natürlich der höchste Zweck, dem die Heilsmethodik dienen kann, der gleiche, dem in akuter Form auch die Orgie dient: die Inkarnation übersinnlicher Wesen, nunmehr also: eines Gottes, im Menschen: die *Selbstvergottung*. Nur soll dies jetzt möglichst zu einem Dauerhabitus werden. Die Heilsmethodik ist also auf diesseitigen *Besitz* des Göttlichen selbst ausgerichtet. Wo nun aber ein allmächtiger überweltlicher Gott den Kreaturen gegenübersteht, da kann Ziel der Heilsmethodik *nicht* mehr die Selbstvergottung in diesem Sinn sein, sondern die Erringung der von jenem Gott geforderten religiösen Qualitäten: sie wird damit jenseitig und ethisch orientiert, will nicht Gott „besitzen" – das kann man nicht – sondern entweder 1. Gottes „*Werkzeug*" oder 2. von ihm zuständlich erfüllt sein. Der zweite Habitus steht ersichtlich der Selbstvergottungsidee näher als der erste. Dieser Unterschied hat, wie später zu erörtern sein wird, wichtige Folgen für die Art der Heilsmethodik selbst. Aber zunächst besteht in wichtigen Punkten Übereinstimmung. Das Nichtgöttliche ist es ja in beiden Fällen, das vom Alltagsmenschen abgestreift werden muß, damit er einem Gott gleich sein könne. Und das Nichtgöttliche ist vor allem der Alltagshabitus des menschlichen Körpers um die Alltagswelt so, wie beide naturhaft gegeben sind. Hier knüpft die soteriologische Heilsmethodik direkt an ihre magische an, deren Methoden sie nur rationalisiert und ihren andersartigen Vorstellungen vom Wesen des Übermenschlichen und von dem Sinn des religiösen Heilsbesitzes anpaßt. Die Erfahrung lehrte, daß durch hysterisierende „Abtötung" es bei Qualifizierten möglich war, den Körper unempfindlich oder kataleptisch starr zu machen, ihm allerhand Leistungen zuzumuten, welche eine normale Innervation niemals hervorbringen konnte, daß gerade dann besonders leicht alle Arten visionärer und pneumatischer Vorgänge, Zungenreden, hypnotische und andere suggestive Macht bei dem einen, Leibhaftigkeitsgefühle, Dispositionen zur mystischen Erleuchtung und ethischen Bekehrung, zu tiefem Sündenschmerz und frohem Gottinnigkeitsgefühl, oft in jähem Wechsel miteinander, bei den andern sich einstellten, daß dagegen all dies bei rein „naturhafter" Hingabe an die Funktionen und Bedürfnisse des Körpers oder an ablenkende Alltagsinteressen wieder dahinschwand. Die Konsequenzen daraus für das Verhalten zur naturhaften Körperlichkeit und zum sozialen und ökonomischen Alltag sind bei entwickelter Erlösungssehnsucht überall irgendwie gezogen worden.

Die spezifischen Mittel der soteriologischen Heilsmethodik sind in ihrer raffiniertesten Entwicklung fast alle indischer Provenienz. Sie sind dort in unbezweifelbarer Anlehnung an die Methodik magischen Geisterzwangs entfaltet worden. In Indien selbst haben diese Mittel zunehmend die Tendenz gehabt, zur Selbstvergottungsmethodik zu werden und haben dort auch diesen Charakter nie wieder ganz verloren. Er ist vorherrschend vom Soma-Rauschkult der altvedischen Zeit bis zu den sublimen Methoden der Intellektuellenekstase einerseits und andererseits zu der die volkstümlichste hinduistische Religiosität: den Krischnakult, noch bis heute in grober oder feiner Form beherrschenden erotischen (realen oder in der Phantasie im Kult innerlich vollzogenen) Orgie. Durch den Sufismus ist die sublimierte Intellektuellenekstase sowohl wie andererseits auch die Derwischorgie, wenn auch in gemilderter Form, in den Islam getragen worden. Inder sind, bis nach Bosnien hinein (nach einer authentischen Mitteilung Dr. Franks* aus den letzten Monaten) noch jetzt dort deren typische Träger. Die beiden größten religiös-rationalistischen Mächte der Geschichte: die römische Kirche im Okzident, der Konfuzianismus in China haben sie in diesen Gebieten konsequent unterdrückt oder doch zu den Formen der bernhardinischen halberotischen Mystik, der Marieninbrunst und des Quietismus der Gegenreformation oder dem Zinzendorfschen Gefühlspietismus sublimiert. Der spezifisch außeralltägliche, das Handeln im Alltag entweder gar nicht oder jedenfalls nicht im Sinne einer gesteigerten Rationalisierung und Systematisierung beeinflussende Charakter aller orgiastischen und speziell aller erotischen Kulte ist in der negativen Bedeutung der hinduistischen und ebenso (im allgemeinen) der Derwisch-Religiosität für die Schaffung einer Methodik der Alltagslebensführung greifbar.

Die Entwicklung zur Systematisierung und Rationalisierung der Aneignung religiöser Heilsgüter richtete sich aber gerade auf die Beseitigung dieses Widerspruchs zwischen alltäglichem und außeralltäglichem religiösem Habitus. Aus der unermeßlichen Fülle jener inneren Zuständlichkeiten, welche die Heilsmethodik erzeugen konnte, schälten sich schließlich einige wenige deshalb als eigentlich zentral heraus, weil sie nicht nur eine außeralltägliche, seelisch-körperliche Einzelverfassung darstellten, sondern das *sichere* und kontinuierliche Haben des spezifischen religiösen Heilsguts in sich zu schließen schienen: die *Gnadengewißheit* („certitudo salutis", „perseverantia gratiae"). Die Gnadengewißheit mochte nun mehr mystische oder mehr aktiv ethische Färbung haben – wovon sehr bald zu reden sein wird –, in

---

* Etwa 1912-13 geschrieben.

jedem Fall bedeutete sie den *bewußten* Besitz einer *dauernden* einheitlichen Grundlage der *Lebensführung*. Im Interesse der *Bewußtheit* des religiösen Besitzes tritt an Stelle der Orgie einerseits, der irrationalen, lediglich irritierenden und emotionellen Abtötungsmittel andererseits, zunächst die planvolle Herabsetzung der körperlichen Funktionen: kontinuierliche Unterernährung, sexuelle Enthaltung, Regulierung der Atemfrequenz u. dgl. Ferner das Trainieren der seelischen Vorgänge und des Denkens in der Richtung systematischer Konzentration der Seele auf das religiös allein Wesentliche: die indische Yoga-Technik, die kontinuierliche Wiederholung heiliger Silben (des „Om"), das Meditieren über Kreise und andere Figuren, das Bewußtsein planmäßig „entleerende" Exerzitien u. dgl. Im Interesse der *Dauer* und *Gleichmäßigkeit* des religiösen Besitzes aber führt die Rationalisierung der Heilsmethodik schließlich wieder auch darüber hinaus und, scheinbar gerade umgekehrt, zu einer planvollen Begrenzung der Übungen auf solche Mittel, welche die *Kontinuierlichkeit* des religiösen Habitus verbürgten und das bedeutete: zur Ausschaltung aller hygienisch irrationalen Mittel. Denn wie jede Art von Rausch, die orgiastische Heldenekstase ebenso wie die erotischen Orgien und der Tanzrausch unvermeidlich mit physischem Kollaps wechselte, so die hysterische Erfülltheit vom Pneuma mit dem psychischen Kollaps, religiös gewendet: mit Zuständen tiefster Gottverlassenheit. Und wie deshalb die Pflege disziplinierten kriegerischen Heldentums bei den Hellenen die Heldenekstase schließlich zur stetigen Ausgeglichenheit der „Sophrosyne" ausbalancierte, welche nur die rein musikalisch-rhythmisch erzeugten Formen der Ekstasis duldete und auch dabei – ganz ebenso, nur nicht so weitgehend wie der die Pentatonik allein zulassende konfuzianische Rationalismus – sehr sorgsam das „Ethos" der Musik, als „politisch" richtig abwog, so entwickelte sich die mönchische Heilsmethodik immer rationaler, in Indien ebenso bis zu derjenigen des alten Buddhismus, wie im Abendland bis zu der Methodik des historisch wirksamsten Mönchsordens: der Jesuiten. Immer mehr wird die Methodik dabei zu einer Kombination physischer und psychischer Hygienik mit ebenso methodischer Regulierung alles Denkens und Tuns, nach Art und Inhalt, im Sinn der vollkommensten *wachen*, willensmäßigen und triebfeindlichen *Beherrschung* der eigenen körperlichen und seelischen Vorgänge und einer systematischen Lebensreglementierung in Unterordnung unter den religiösen Zweck. Der Weg zu diesem Ziel und der nähere Inhalt des Zieles selbst sind an sich nicht eindeutig, und die Konsequenz der Durchführung der Methodik ist ebenfalls sehr schwankend.

Gleichviel aber nun, mit welchem Ziel und wie sie durchgeführt wird, so ist dabei die Grunderfahrung aller und jeder auf einer systematischen Heils*methodik* ruhenden Religiosität die *Verschiedenheit der religiösen Qualifikation* der Menschen. Wie nicht jeder das Charisma besaß, die Zustände, welche die Wiedergeburt zum magischen Zauberer herbeiführten, in sich hervorzurufen, so auch nicht jeder das Charisma, jenen spezifisch religiösen Habitus im Alltag kontinuierlich festzuhalten, welcher die dauernde Gnadengewißheit verbürgte. Die Wiedergeburt schien also nur einer Aristokratie der religiös Qualifizierten zugänglich. Ebenso wie die magisch qualifizierten Zauberer, so bildeten daher die ihre Erlösung methodisch erarbeitenden religiösen *Virtuosen* überall einen besonderen religiösen „Stand" innerhalb der Gemeinschaft der Gläubigen, dem oft auch das spezifische jeden Standes, eine besondere soziale Ehre, innerhalb ihres Kreises zukam. In Indien befassen sich in diesem Sinne alle heiligen Rechte mit den Asketen, die indischen Erlösungsreligionen sind Mönchsreligionen, im frühen Christentum werden sie in den Quellen als eine Sonderkategorie unter den Gemeindegenossen aufgeführt und bilden später die Mönchsorden, im Protestantismus die asketischen Sekten oder die pietistischen ecclesiae, unter den Juden bilden die Peruschim (Pharisaioi) eine Heilsaristokratie gegenüber den Amhaarez, im Islam die Derwische und innerhalb ihrer wieder deren Virtuosen, die eigentlichen Sufis, im Skopzentum die esoterische Gemeinde der Kastraten. Wir werden uns mit diesen wichtigen soziologischen Konsequenzen noch zu befassen haben.

In ihrer gesinnungsethischen Interpretation bedeutet die Heilsmethodik praktisch stets: Überwindung bestimmter Begehrungen oder Affekte der religiös nicht bearbeiteten rohen Menschennatur. Ob mehr die Affekte der Feigheit oder die der Brutalität und Selbstsucht oder die der sexuellen Sinnlichkeit oder welche sonst das vornehmlich zu Bekämpfende, weil am meisten vom charismatischen Habitus Ablenkende ist, bleibt Frage des speziellen Einzelfalls und gehört zu den wichtigsten inhaltlichen Charakteristiken jeder Einzelreligion. Stets aber ist eine in diesem Sinn methodische religiöse Heilslehre eine *Virtuosenethik*. Stets verlangt sie, wie das magische Charisma, die *Bewährung* des Virtuosentums. Ob der religiöse Virtuose ein welteroberender Ordensbruder, wie der Moslem in der Zeit Omars, oder ein Virtuose der weltablehnenden Askese, wie meist der christliche und, in geringerer Konsequenz, der jainistische, oder ein solcher der weltablehnenden Kontemplation, wie der buddhistische Mönch, ein Virtuose des passiven Märtyrertums wie der antike Christ oder ein

Virtuose der innerweltlichen Berufstugend, wie der asketische Protestant, der formalen Gesetzlichkeit wie der pharisäische Jude oder der akosmistischen Güte wie der heilige Franz ist, in jedem Fall hat er – wie wir schon feststellten – die echte Heilsgewißheit nur dann, wenn sich seine Virtuosengesinnung unter Anfechtungen ihm selbst stets erneut bewährt. Diese Bewährung der Gnadengewißheit sieht nun aber verschieden aus je nach dem Charakter, den das religiöse Heil selbst hat. Immer schließt sie die Behauptung des religiösen und ethischen Standard, also die Vermeidung wenigstens ganz grober Sünden ein, für den buddhistischen Arhat ebenso wie für den Urchristen. Ein religiös Qualifizierter, im Urchristentum also: ein Getaufter, kann, und folglich: darf nicht mehr in eine Todsünde fallen. „Todsünden" sind diejenigen Sünden, welche die religiöse Qualifikation aufheben, deshalb unvergebbar oder doch nur durch einen charismatisch Qualifizierten, auf dem Wege ganz neuer Begnadung mit dem religiösen Charisma, dessen Verlust sie dokumentieren, absolvierbar sind. Als diese Virtuosenlehre innerhalb der altchristlichen Massengemeinden praktisch unhaltbar wurde, hielt die Virtuosenreligiosität des Montanismus konsequent die eine Forderung fest: daß zum mindesten die Feigheitssünde unvergebbar bleiben müsse, – ganz ebenso wie die islamische kriegerische Heldenreligion die Apostasie ausnahmslos mit dem Tode bestrafte, – und trennte sich von der Massenkirche der Alltagschristen, als innerhalb dieser die dezianische und diokletianische Verfolgung auch diese Forderung vom Standpunkt der Interessen des Priesters an der quantitativen Erhaltung des Gemeindebestandes undurchführbar machte. Im übrigen aber ist der positive Charakter der Heilsbewährung und also auch des praktischen Verhaltens, wie schon mehrfach angedeutet, grundsätzlich verschieden vor allem je nach dem Charakter jenes Heilsguts, dessen Haben die Seligkeit verbürgt.

Entweder ist dies eine spezifische Gabe aktiv ethischen *Handelns* mit dem Bewußtsein, daß Gott dies Handeln lenke: daß man Gottes Werkzeug sei. Wir wollen für unsere Zwecke diese Art der durch religiöse Heilsmethodik bedingten Stellungnahme eine religiös-*„asketische"* nennen – ohne irgendwie zu bestreiten, daß man den Ausdruck sehr wohl auch in anderem, weiterem Sinn brauchen kann und braucht: der Gegensatz dazu wird später deutlich werden. Dann führt die religiöse Virtuosität stets dazu, neben der Unterwerfung der Naturtriebe unter die systematisierte Lebensführung auch die Beziehung zum sozialen Gemeinschaftsleben mit seinen unvermeidlich nicht heroischen, sondern utilitarisch konventionellen Tugenden einer ganz radikalen, religiös-*ethischen* Kritik zu unterwerfen. Die bloße „natürliche" Tugend innerhalb der Welt gewährleistet nicht nur das Heil nicht, sie gefährdet es durch Hinwegtäuschen über das eine, was allein not tut. Die sozialen Beziehungen, die „Welt" im Sinne des religiösen Sprachgebrauchs, ist daher Versuchung nicht nur als Stätte der vom Göttlichen gänzlich abziehenden, ethisch irrationalen Sinnenlust, sondern noch mehr als Stätte selbstgerechter Genügsamkeit mit der Erfüllung jener landläufigen Pflichten des religiösen Durchschnittsmenschen auf Kosten der alleinigen Konzentration des Handelns auf die aktiven Erlösungsleistungen. Diese Konzentration kann ein förmliches Ausscheiden aus der „Welt", aus den sozialen und seelischen Banden der Familie, des Besitzes, der politischen, ökonomischen, künstlerischen, erotischen, überhaupt aller kreatürlichen Interessen notwendig, jede Betätigung in ihnen als ein von Gott entfremdendes Akzeptieren der Welt erscheinen lassen: *weltablehnende Askese*. Oder sie kann umgekehrt die Betätigung der eigenen spezifisch heiligen Gesinnung, der Qualität als erwähltes Werkzeugs Gottes gerade innerhalb und gegenüber den Ordnungen der Welt verlangen: *innerweltliche Askese*. Die Welt wird im letzteren Fall eine dem religiösen Virtuosen auferlegte „Pflicht". Entweder in dem Sinn, daß die Aufgabe besteht, sie den asketischen Idealen gemäß umzugestalten. Dann wird der Asket ein rationaler „naturrechtlicher" Reformer oder Revolutionär, wie ihn das „Parlament der Heiligen" unter Cromwell, der Quäkerstaat und in anderer Art der radikale pietistische Konventikel-Kommunismus gekannt hat. Stets aber wird dann, infolge der Verschiedenheit der religiösen Qualifikation, ein solcher Zusammenschluß des Asketentums eine aristokratische Sonderorganisation innerhalb oder eigentlich außerhalb der Welt der Durchschnittsmenschen, die sie umbrandet – darin von „Klassen" prinzipiell nicht unterschieden. Sie kann die Welt vielleicht beherrschen, aber nicht in ihrer Durchschnittsqualität auf die Höhe des eigenen Virtuosentums heben. Alle religiös rationalen Vergesellschaftungen haben diese Selbstverständlichkeit, wenn sie sie ignorieren, in ihren Konsequenzen an sich erfahren müssen. Die Welt als Ganzes bleibt, asketisch gewertet, eine „massa perditionis". Also bleibt die andere Alternative eines Verzichts darauf, daß sie den religiösen Ansprüchen genüge. Wenn nun dennoch die Bewährung *innerhalb* ihrer Ordnungen erfolgen soll, so wird sie eben gerade, *weil* sie unvermeidlich natürlich Gefäß der Sünde bleibt, gerade um der Sünde willen und zu deren möglichster Bekämpfung in ihren Ordnungen eine „Aufgabe" für die Bewährung der asketischen Gesinnung. Sie verharrt in ihrer kreatürlichen Entwertetheit: eine genießende Hingabe an ihre Güter gefährdet die Konzentration auf das Heilsgut und dessen Besitz und wäre Symptom unheiliger Gesinnung und fehlender Wiedergeburt. Aber die Welt ist dennoch, als Schöpfung Gottes, dessen Macht sich in ihr trotz ihrer Kreatürlichkeit auswirkt, das einzige Material, an welcher das eigene religiöse Charisma durch rationales ethisches Handeln sich bewähren muß, um des eigenen Gnadenstandes gewiß zu werden und zu bleiben. Als Gegenstand dieser aktiven Bewährung werden die Ordnungen der Welt für den Asketen, der in sie gestellt ist, zum „Beruf", den es rational zu „erfüllen" gilt. Verpönt also ist der Genuß von Reichtum, – „Beruf" aber die *rational* ethisch geordnete, in strenger Legalität geführte Wirtschaft, deren Erfolg, also: Erwerb, Gottes Segen für die Arbeit des Frommen und also die Gottgefälligkeit seiner ökonomischen Lebensführung sichtbar macht. Verpönt ist jeder Überschwang des Gefühls für Menschen als Ausdruck einer den alleinigen Wert der göttlichen Heilsgabe verleugnenden Vergötterung des Kreatürlichen, – „Beruf" aber die rational nüchterne Mitarbeit an den durch Gottes Schöpfung gesetzten sachlichen Zwecken der *rationalen Zweckverbände* der Welt. Verpönt ist die kreaturvergötternde Erotik, – gottgewollter Beruf „eine nüchterne Kindererzeugung" (wie die Puritaner es ausdrücken) innerhalb der Ehe. Verpönt ist Gewalt des Einzelnen gegen Menschen, aus Leidenschaft oder Rachsucht, überhaupt aus persönlichen Motiven – gottgewollt aber die rationale Niederhaltung und Züchtigung der Sünde und Widerspenstigkeit im zweckvoll geordneten Staate. Verpönt ist persönlicher weltlicher Machtgenuß als Kreaturvergötterung, – gottgewollt die Herrschaft der rationalen Ordnung des Gesetzes. Der „innerweltliche Asket" ist ein Rationalist sowohl in dem Sinn rationaler Systematisierung seiner eigenen persönlichen Lebensführung, wie in dem Sinn der Ablehnung alles ethisch Irrationalen, sei es Künstlerischen, sei es persönlich Gefühlsmäßigen innerhalb der Welt und ihrer Ordnung. Stets aber bleibt das spezifische Ziel vor allem: „wache" methodische Beherrschung der eigenen Lebensführung. In erster Linie, aber je nach seinen einzelnen Abschattierungen in verschiedener „Konsequenz", der asketische Protestantismus, welcher die Bewährung innerhalb der Ordnungen der Welt als einzigen Erweis der religiösen Qualifikationen kannte, gehörte diesem Typus der „innerweltlichen Askese" an.

Oder: das spezifische Heilsgut ist nicht eine aktive Qualität des Handelns, also nicht das Bewußtsein der Vollstreckung eines göttlichen Willens, sondern eine *Zuständlichkeit* spezifischer Art. In vorzüglichster Form: „mystische Erleuchtung". Auch sie ist nur von einer Minderheit spezifisch Qualifizierter und nur durch eine systematische Tätigkeit besonderer Art: „Kontemplation", zu erringen. Die Kontemplation bedarf, um zu ihrem Ziel zu gelangen, stets der Ausschaltung der Alltagsinteressen. Nur wenn das Kreatürliche im Menschen völlig schweigt, kann Gott in der Seele reden, nach der Erfahrung der Quäker, mit welcher nicht den Worten, wohl aber der Sache nach, alle kontemplative Mystik, von Laotse und Buddha bis zu Tauler, übereinstimmt. Die Konsequenz kann die absolute Weltflucht sein. Diese kontemplative Weltflucht, wie sie dem alten Buddhismus und in gewissem Maße fast allen asiatischen und vorderasiatischen Formen der Erlösung eigentümlich ist, sieht der asketischen Weltanschauung ähnlich, ist aber dennoch streng von ihr zu scheiden. Die weltablehnende Askese im hier gebrauchten Sinn des Worts ist primär auf Aktivität eingestellt. Nur Handeln bestimmter Art hilft dem Asketen diejenigen Qualitäten erreichen, welche er erstrebt und diese wiederum sind solche eines aus göttlicher Gnade heraus Handeln-Könnens. In dem Bewußtsein, daß ihm die Kraft zum Handeln aus dem Besitz des zentralen religiösen Heils zufließe und er Gott damit diene, gewinnt er stets erneut die Versicherung seines Gnadenstandes. Er fühlt sich als Gotteskämpfer, einerlei, wie der Feind und die Mittel seiner Bekämpfung aussehen, und die Weltflucht selbst ist psychologisch keine Flucht, sondern ein immer neuer Sieg über immer neue Versuchungen, mit denen er immer erneut aktiv zu kämpfen hat. Der weltablehnende Asket hat mindestens die negative innere Beziehung vorausgesetzten *Kampfes* zur „Welt". Man spricht deshalb bei ihm zweckmäßigerweise von „Welt*ablehnung*", nicht von „Welt*flucht*", die vielmehr den kontemplativen Mystiker kennzeichnet. Die Kontemplation dagegen ist primär das Suchen eines „Ruhens" im Göttlichen und nur in ihm. *Nicht*handeln, in letzter Konsequenz Nichtdenken, Entleerung von allem, was irgendwie an die „Welt" erinnert, jedenfalls absolutes Minimisieren alles äußeren und inneren Tuns sind der Weg, denjenigen inneren Zustand zu erreichen, der als Besitz des Göttlichen, als unio mystica mit ihm, genossen wird: einen spezifischen Gefühlshabitus also, der ein „Wissen" zu vermitteln scheint. Mag dabei nun subjektiv mehr der besondere außerordentliche Inhalt dieses Wissens oder mehr die gefühlsmäßige Färbung seines Besitzes im Vordergrunde stehen, objektiv entscheidet die letztere. Denn das mystische Wissen ist, jemehr es den spezifischen Charakter eines solchen hat, desto inkommunikabler: daß es *trotzdem* als Wissen auftritt, gibt ihm gerade seinen spezifischen Charakter. Es ist keine neue Erkenntnis irgendwelcher Tatsachen oder Lehrsätze, sondern das Erfassen eines einheitlichen Sinnes der Welt und in dieser Wortbedeutung, wie immer wieder in mannigfachster Formulierung von den Mystikern ausgesagt wird, ein *praktisches* Wissen. Seinem zentralen Wesen nach ist es: vielmehr ein „Haben", von dem aus jene praktische Neuorientierung zur Welt, unter Umständen auch neue kommunikable „Erkenntnisse" gewonnen werden. Diese Erkenntnisse aber sind Erkenntnisse von Werten und Unwerten innerhalb der Welt. Sie interessieren uns hier nicht, sondern jene negative Wirkung auf das Handeln, welche im Gegensatz zur Askese im hier gebrauchten Wortsinn aller Kontemplation eigen ist. Der Gegensatz ist selbstverständlich, wie, vorbehaltlich eingehender Erörterung, schon hier sehr nachdrücklich betont sei, überhaupt und in ganz besonderem Maße zwischen weltablehnender Askese und weltflüchtiger Kontemplation flüssig. Denn zunächst muß die weltflüchtige Kontemplation zum mindesten mit einem erheblichen Grade systematisch rationalisierter Lebensführung verbunden sein. Nur diese führt ja zur Konzentration auf das Heilsgut. Aber sie ist nur das Mittel, das Ziel der Kontemplation zu erreichen, und die Rationalisierung ist wesentlich negativer Art und besteht in der *Abwehr* der Störungen durch Natur und soziale Umwelt. Damit wird die Kontemplation keineswegs ein passives Sichüberlassen an Träume, auch nicht eine einfache Autohypnose, obwohl sie dieser in der Praxis nahekommen kann. Sondern der spezifische Weg zu ihr ist eine sehr energische Konzentration auf gewisse „Wahrheiten", wobei nur für den Charakter des Vorgangs entscheidend ist: daß nicht der Inhalt dieser, für den Nichtmystiker oft sehr einfach aussehenden, Wahrheiten, sondern die Art ihrer Betontheit und die zentrale Stellung, in welche sie dadurch innerhalb des Gesamtaspekts der Welt rücken und diesen einheitlich bestimmen, entscheidet. Durch noch so eindeutiges Begreifen und selbst durch ausdrückliches Fürwahrhalten der scheinbar höchst trivialen Sätze des buddhistischen Zentraldogmas wird jemand noch kein Erleuchteter. Die Denkkonzentration und eventuelle sonstige heilsmethodische Mittel sind aber nur der Weg zum Ziel. Dieses Ziel selbst besteht vielmehr ausschließlich in der einzigartigen Gefühlsqualität, praktisch gewendet: in der gefühlten Einheit von Wissen und praktischer Gesinnung, welche dem Mystiker die entscheidende Versicherung seines religiösen Gnadenstandes bietet. Auch dem Asketen ist die gefühlte und bewußte Erfassung des Göttlichen von zentraler Bedeutung. Nur ist dies Fühlen ein sozusagen „motorisch" bedingtes. Es ist dann vorhanden, wenn er in dem Bewußtsein lebt, daß ihm das einheitlich auf Gott bezogene, rational ethische Handeln als Gottes Werkzeug gelingt. Dies ethische – positiv oder negativ – kämpfende Handeln aber ist für den kontemplativen Mystiker, der niemals „Werkzeug", sondern nur „Gefäß" des Göttlichen sein will und kann, eine stete Veräußerlichung des Göttlichen an eine periphere Funktion: Nichthandeln, jedenfalls aber Vermeidung jedes rationalen Zweckhandelns („Handeln mit einem Ziel") als der gefährlichsten Form der Verweltlichung empfiehlt der alte Buddhismus als Vorbedingung der Erhaltung des Gnadenstandes. Dem Asketen erscheint die Kontemplation des Mystikers als träger und religiös steriler, asketisch verwerflicher Selbstgenuß, als kreaturvergötternde Schwelgerei in selbstgeschaffenen Gefühlen. Der Asket wird, vom Standpunkt des kontemplativen Mystikers aus gesehen, durch sein, sei es außerweltliches, Sichquälen und Kämpfen, vollends aber durch asketisch-rationales innerweltliches Handeln stetig in alle Belastetheit des geformten Lebens mit unlösbaren Spannungen zwischen Gewaltsamkeit und Güte, Sachlichkeit und Liebe verwickelt, dadurch stetig von der Einheit in und mit Gott entfernt und in heillose Widersprüche und Kompromisse hineingezwungen. Der kontemplative Mystiker denkt, vom Standpunkt des Asketen aus gesehen, nicht an Gott und die Mehrung von dessen Reich und Ruhm und an die aktive Erfüllung seines Willens, sondern ausschließlich an sich selbst; er existiert überdies, sofern er überhaupt lebt, schon durch die bloße Tatsache seiner unvermeidlichen Lebensfürsorge in konstanter Inkonsequenz. Am meisten aber dann, wenn der kontemplative Mystiker innerhalb der Welt und ihrer Ordnungen lebt. In gewissem Sinn ist ja schon der weltflüchtige Mystiker von der Welt „abhängiger" als der Asket. Dieser kann sich als Anachoret selbst erhalten und zugleich in der Arbeit, die er darauf verwendet, seines Gnadenstandes gewiß werden. Der kontemplative Mystiker dürfte, wenn er ganz konsequent bleiben wollte, nur von dem leben, was ihm *freiwillig* von Natur oder Menschen dargeboten wird: Beeren im Walde und, da diese nirgends dauernd zulänglich sind, von Almosen, – wie dies bei den indischen Sramanen in ihren konsequentesten Spielarten tatsächlich der Fall war (daher das besonders strenge Verbot aller indischen Bhikkshu-Regeln [auch der Buddhisten] irgend etwas nicht freiwillig Gegebenes zu nehmen). Jedenfalls lebt er von irgendwelchen Gaben der Welt und könnte also nicht leben, wenn die Welt nicht konstant eben das täte, was er für sündig und gottentfremdend hält: Arbeit. Dem buddhistischen Mönch insbesondere ist Ackerbau, weil er gewaltsame Verletzung von Tieren im Boden bedingt, die verwerflichste aller Beschäftigungen, – aber das Almosen, das er einsammelt, besteht in erster Linie, aus Ackerbauprodukten. Der unvermeidliche Heilsaristokratismus des Mystikers, der die Welt dem für alle Unerleuchteten, der vollen Erleuchtung Unzugänglichen nun einmal unvermeidlichen Schicksal überläßt – die zentrale, im Grunde einzige Laientugend der Buddhisten ist ursprünglich: Verehrung und Almosenversorgung der allein zur Gemeinde gehörigen Mönche – tritt gerade darin drastisch hervor. Ganz generell „handelt" aber irgend wer, auch der Mystiker selbst unvermeidlich und minimisiert sein Handeln nur, weil es ihm niemals die Gewißheit des Gnadenstandes geben, wohl aber ihn von der Vereinigung mit dem Göttlichen abziehen kann, während dem Asketen eben durch sein Handeln sich sein Gnadenstand bewährt. Am deutlichsten wird der Kontrast zwischen beiden Verhaltungsweisen, wenn die Konsequenz voller Weltablehnung oder Weltflucht nicht gezogen wird. Der Asket muß, wenn er innerhalb der Welt handeln will, also bei der innerweltlichen Askese, mit einer Art von glücklicher Borniertheit für jede Frage nach einem „Sinn" der Welt geschlagen sein und darum sich nicht kümmern. Es ist daher kein Zufall, daß die innerweltliche Askese sich gerade auf der Basis der absoluten Unerforschlichkeit seiner Motive des jedem menschlichen Maßstab entrückten, calvinistischen Gottes am konsequentesten entwickeln konnte. Der innerweltliche Asket ist daher der gegebene „Berufsmensch", der nach dem Sinn seiner sachlichen Berufsausübung innerhalb der *Gesamt*welt, – für welche ja nicht er, sondern sein Gott die Verantwortung trägt – weder fragt noch zu fragen nötig hat, weil ihm das Bewußtsein genügt, in seinem persönlichen rationalen Handeln in dieser Welt den für ihn in seinem letzten Sinn unerforschlichen Willen Gottes zu vollstrecken. Dem kontemplativen Mystiker umgekehrt kommt es gerade auf das Erschauen jenes „Sinnes" der Welt an, den er in rationaler Form zu „begreifen" eben um deswillen außerstande ist, weil er ihn als eine Einheit *jenseits* aller realen Wirklichkeit erfaßt. Nicht immer hat die mystische Kontemplation die Konsequenz von Weltflucht im Sinn einer Meidung jeder Berührung mit der sozialen Umwelt. Auch der Mystiker kann umgekehrt als Bewährung der Sicherheit seines Gnadenstandes dessen Behauptung gerade *gegenüber* den Ordnungen der Welt von sich fordern: auch für ihn wird dann die Stellung in diesen Ordnungen zum „Beruf". Aber mit sehr anderer Wendung als bei der innerweltlichen Askese. Die Welt als solche wird weder von der Askese noch von der Kontemplation bejaht. Aber vom Asketen wird ihr kreatürlicher, ethisch irrationaler empirischer Charakter, ihre ethischen Versuchungen der Weltlust, des Genießens und Ausruhens auf ihren Freuden und Gaben, abgelehnt. Dagegen wird das eigene rationale Handeln innerhalb ihrer Ordnungen als Aufgabe und Mittel der Gnadenbewährung bejaht. Dem innerweltlich lebenden kontemplativen Mystiker dagegen ist Handeln, und vollends Handeln innerhalb der Welt, rein an sich eine Versuchung, gegen die er seinen Gnadenstand zu behaupten hat. Er minimisiert also sein Handeln, indem er sich in die Ordnungen der Welt, so wie sie sind, „schickt", in ihnen sozusagen inkognito lebt, wie die „Stillen im Lande" es zu aller Zeit getan haben, weil Gott es nun einmal so gefügt hat, daß wir darin leben müssen. Eine spezifische, demutsvoll gefärbte „Gebrochenheit" zeichnet das innerweltliche Handeln des kontemplativen Mystikers aus, von welchem hinweg er sich immer wieder in die Stille der Gottinnigkeit flüchten möchte und flüchtet. Der Asket ist, wo er in Einheit mit sich selbst handelt, sich dessen sicher, Gottes Werkzeug zu sein. Seine eigene pflichtgemäße kreatürliche „Demut" ist daher stets von zweifelhafter Echtheit. Der Erfolg seines Handelns ist ja ein Erfolg Gottes selbst, zu dem er beigetragen hat, mindestens aber ein Zeichen seines Segens ganz speziell für ihn und sein Tun. Für den echten Mystiker kann dagegen der Erfolg seines *innerweltlichen* Handelns keinerlei Heilsbedeutung haben und ist die Erhaltung echter Demut in der Welt in der Tat die *einzige* Bürgschaft dafür, daß seine Seele ihr nicht anheimgefallen ist. Je mehr er innerhalb der Welt steht, desto „gebrochener" wird im allgemeinen seine Haltung zu ihr im Gegensatz zu dem stolzen Heilsaristokratismus der *außer*weltlichen irdischen Kontemplation. Für den Asketen bewährt sich die Gewißheit des Heils stets im rationalen, nach Sinn, Mittel und Zweck eindeutigen Handeln, nach Prinzipien und Regeln. Für den Mystiker, der im realen Besitz des zuständlich erfaßten Heilsgutes ist, kann die Konsequenz dieses Zustandes gerade umgekehrt der Anomismus sein: das Gefühl, welches sich ja nicht an dem Tun und dessen Art, sondern in einem gefühlten Zustand und dessen Qualität manifestiert, an keine Regel des Handelns mehr gebunden zu sein, vielmehr in allem und jedem, was man auch tue, des Heils gewiß zu bleiben. Mit dieser Konsequenz (dem παντα μοι εξεστιν) hatte unter anderem Paulus sich auseinanderzusetzen, und sie ist immer wieder gelegentlich Folge mystischer Heilssuche gewesen.

Dem Asketen können sich ferner die Anforderungen seines Gottes an die Kreatur bis zur Forderung einer bedingungslosen Beherrschung der Welt durch die Norm der religiösen Tugend und bis zu deren revolutionärer Umgestaltung zu diesem Zweck steigern. Aus der weltabgewendeten Klosterzelle heraus tritt dann der Asket als Prophet der Welt gegenüber. Immer aber wird es eine ethisch rationale Ordnung und Disziplinierung der Welt sein, die er dabei, entsprechend seiner methodisch rationalen Selbstdisziplin, verlangt. Gerät dagegen der Mystiker auf eine ähnliche Bahn, d. h. schlägt seine Gottinnigkeit, die chronische stille Euphorie seines kontemplativen einsamen Besitzes des göttlichen Heilsguts in ein akutes Gefühl heiliger Besessenheit durch den Gott oder heiligen Besitzes des Gottes um, der in und aus ihm spricht, der kommen und das ewige Heil bringen will, jetzt sofort, wenn nur die Menschen so wie der Mystiker selbst ihm die Stätte auf Erden und das heißt: in ihren Seelen bereiten würden, – dann wird er entweder als ein Magier Götter und Dämonen in seiner Gewalt fühlen und der praktischen Folge nach zum Mystagogen werden, wie es so oft geschehen ist. Oder wenn er diesen Weg nicht beschreiten kann – auf die möglichen Gründe dafür kommen wir noch zu sprechen – sondern von seinem Gotte nur durch Lehre zeugen kann, dann wird seine revolutionäre Predigt an die Welt chiliastisch irrational, jeden Gedanken einer rationalen „Ordnung" verschmähend. Die Absolutheit seines eigenen universellen akosmistischen Liebesgefühls wird ihm die völlig zulängliche und allein gottgewollte, weil allein aus göttlicher Quelle stammende Grundlage der mystisch erneuerten Gemeinschaft der Menschen sein. Der Umschlag vom weltabgewendeten mystischen zum chiliastisch-revolutionären Habitus ist oft eingetreten, am eindrucksvollsten bei der revolutionären Spielart der Täufer im 16. Jahrhundert. Für den entgegengesetzten Vorgang gibt z. B. die Bekehrung John Lilburnes zu den Quäkern den Typus ab.

Soweit eine innerweltliche Erlösungsreligion durch kontemplative Züge determiniert ist, ist die normale Folge mindestens relativ weltindifferente, jedenfalls aber demütige Hinnahme der gegebenen sozialen Ordnung. Der Mystiker Taulerschen Gepräges sucht nach des Tages Arbeit des Abends die kontemplative Einigung mit Gott und geht am anderen Morgen, wie Tauler stimmungsvoll ausführt, in der richtigen inneren Verfassung an seine gewohnte Arbeit. An der Demut und dem sich Kleinmachen vor dem Menschen erkennt man bei Laotse den Mann, der die Einigung mit dem Tao gefunden hat. Der mystische Einschlag in der lutherischen Religiosität, deren höchstes diesseitiges Heilsgut letztlich die unio mystica ist, bedingte (neben noch anderen Motiven) die Indifferenz gegenüber der Art der äußeren Organisation der Wortverkündung und auch ihren antiasketischen und traditionalistischen Charakter. Der typische Mystiker ist weder ein Mann starken sozialen Handelns überhaupt, noch vollends der rationalen Umgestaltung der irdischen Ordnungen an der Hand einer auf den äußeren Erfolg gerichteten methodischen Lebensführung. Wo auf dem Boden genuiner Mystik Gemeinschaftshandeln entsteht, da ist es der Akosmismus des mystischen Liebesgefühls, der seinen Charakter prägt. In diesem Sinn kann die Mystik, entgegen dem „logisch" Deduzierbaren, psychologisch gemeinschaftsbildend wirken. Die feste Überzeugung, daß die christliche Bruderliebe, wenn hinlänglich rein und stark, zur Einheit in allen Dingen, auch im dogmatischen Glauben führen müsse, daß also Menschen, die sich hinlänglich, im johanneischen Sinne, mystisch lieben, auch gleichartig denken und gerade aus der Irrationalität dieses Fühlens heraus, solidarisch gottgewollt handeln, ist die Kernidee des orientalisch-mystischen Kirchenbegriffs, der deshalb die unfehlbare rationale Lehrautorität entbehren kann, und auch dem slavophilen Gemeinschaftsbegriff innerhalb und außerhalb der Kirche zugrunde liegt. In gewissem Maße war der Gedanke der alten Christenheit noch gemeinsam, er liegt Muhammeds Glauben an die Unnötigkeit formaler Lehrautoritäten und – neben andern Motiven – auch der Minimisierung der Organisation der altbuddhistischen Mönchsgemeinde zugrunde. – Wo dagegen eine innerweltliche Erlösungsreligion spezifisch asketische Züge trug, hat sie stets den praktischen Rationalismus im Sinn der Steigerung des rationalen Handelns als solchen, der methodischen Systematik der äußeren Lebensführung und der rationalen Versachlichung und Vergesellschaftung der irdischen Ordnungen, seien dies Mönchsgemeinschaften oder Theokratien, gefordert. Es ist nun der historisch entscheidende Unterschied, der vorwiegend morgenländischen und asiatischen, gegenüber den vorwiegend okzidentalen Arten der Erlösungsreligiosität, daß die ersteren wesentlich in Kontemplation, die letzteren in Askese ausmünden. Daß der Unterschied ein flüssiger ist, daß ferner die mannigfachen stets wiederkehrenden Kombinationen von mystischen und asketischen Zügen, z. B. in der Mönchsreligiosität des Abendlands, die Vereinbarkeit dieser an sich heterogenen Elemente zeigen, dies alles ändert nichts an der großen Bedeutung des Unterschiedes selbst für unsere rein empirische Betrachtung. Denn der Effekt im Handeln ist es, der uns angeht. In Indien gipfelt selbst eine so asketische Heilsmethodik wie die der Jainamönche in einem rein kontemplativen mystischen letzten Ziel, in Ostasien ist der Buddhismus die spezifische Erlösungsreligiosität geworden. Im Okzident dagegen schlägt, wenn von den vereinzelten Vertretern eines spezifischen Quietismus, die erst der Neuzeit angehören, abgesehen wird, selbst ausgesprochen mystisch gefärbte Religiosität immer erneut in aktive und dann natürlich meist asketische Tugend um, oder vielmehr: es werden im Wege einer inneren Auslese der Motive die vorwiegend zu irgendeinem aktiven Handeln, gewöhnlich zur Askese weisenden bevorzugt und in die Praxis umgesetzt. Sowohl die bernhardinische wie die franziskanisch-spiritualistische, wie die täuferische und die jesuitische Kontemplation wie die Gefühlsschwelgerei Zinzendorfs hinderten nicht, daß bei der Gemeinde und oft beim Mystiker selbst, Handeln und Bewährung der Gnade im Handeln immer wieder, wenn auch freilich in sehr verschiedenem Maße, asketisch rein oder kontemplativ gebrochen, die Oberhand behielten, und Meister Eckhardt stellt schließlich Martha über Maria, dem Heiland zum Trotz. In einem gewissen Grade ist dies aber dem Christentum von Anfang an eigentümlich. Schon in der Frühzeit, als alle Arten von irrationalen charismatischen Gaben des Geistes als das entscheidende Merkmal der Heiligkeit galten, beantwortet dennoch die Apologetik die Frage: woran man denn die göttliche und nicht etwa satanische oder dämonische Provenienz jener pneumatischen Leistungen des Christus und der Christen erkennen könne, dahin: daß die offensichtliche Wirkung des Christentums auf die Sittlichkeit seiner Anhänger, deren göttliche Herkunft bewähre. So hätte kein Inder antworten können.

Von den Gründen dieses fundamentalen Unterschieds ist an dieser Stelle auf folgende hinzuweisen:

1. Die Konzeption des einen überweltlichen, schrankenlos allmächtigen Gottes, und der Kreatürlichkeit der von ihm aus dem Nichts geschaffenen Welt, welche, von Vorderasien aus, dem Okzident oktroyiert wurde. Der Erlösungsmethodik war damit der Weg zur Selbstvergottung und zum genuin mystischen Gottesbesitz wenigstens im eigentlichen Sinne des Worts als blasphemische Kreaturvergötterung und ebenso zu den letzten pantheistischen Konsequenzen verschlossen und hat stets als heterodox gegolten. Alle Erlösung mußte immer erneut den Charakter einer ethischen „Rechtfertigung" vor jenem Gott annehmen, die letztlich nur durch ein irgendwie aktives Handeln zu leisten und zu gewähren war. Die „Bewährung" der wirklich göttlichen Qualität des mystischen Heilsbesitzes (vor dem eigenen Forum des Mystikers) führt eben nur durch diesen Weg, der in die Mystik selbst wieder Paradoxien, Spannungen und Ausschließung der letzten Abstandslosigkeit von Gott hineinträgt, welche der indischen Mystik erspart blieben. Die Welt des okzidentalen Mysti-

kers ist ein „Werk", ist „geschaffen", nicht, auch nicht in ihren Ordnungen für alle Ewigkeit schlechthin gegeben, wie die des Asiaten. Weder konnte daher im Okzident die mystische Erlösung restlos im Bewußtsein der absoluten Einheit mit einer höchsten weisen „Ordnung" als dem einzig wahren „Sein" gefunden werden, noch war andererseits ein Werk von göttlicher Provenienz jemals in dem Sinn möglicher Gegenstand absolutester Flucht wie dort.

2. Diese Gegensätzlichkeit aber hing ferner mit dem Charakter der asiatischen Erlösungsreligionen als reiner Intellektuellenreligionen zusammen, welche die „Sinnhaftigkeit" der empirischen Welt nie aufgaben. Für den Inder konnte daher tatsächlich durch „Einsicht" in die letzten Konsequenzen der Karmankausalität ein Weg zur Erleuchtung und Einheit von „Wissen" und Handeln führen, der jeder Religiosität, welche vor der absoluten Paradoxie der „Schaffung" einer feststehendermaßen unvollkommenen Welt durch einen vollkommenen Gott stand, also durch intellektuelle Bewältigung dieser nicht zu Gott hin, sondern von ihm fortgeführt wurde, ewig verschlossen blieb. Die rein philosophisch unterbaute Mystik des Abendlands steht daher, praktisch angesehen, der asiatischen weitaus am nächsten.

3. Von praktischen Momenten kommt in Betracht, daß aus noch zu erörternden Gründen, der römische Okzident allein auf der gesamten Erde ein rationales Recht entwickelt hatte und behielt. Die Beziehung zu Gott wurde in spezifischem Maß eine Art von rechtlich definierbarem Untertanenverhältnis, die Frage der Erlösung entschied sich in einer Art von Rechtsverfahren, wie dies ja noch bei Anselm von Canterbury charakteristisch entwickelt ist. Eine unpersönliche göttliche Macht oder ein Gott, der nicht schlechthin über, sondern innerhalb einer ewigen, sich selbst durch die Karmankausalität regulierenden Welt stand, oder das Tao, oder die himmlischen Ahnengeister des chinesischen Kaisers, und vollends die asiatischen Volksgötter konnten eine solche Wendung der Heilsmethodik nie produzieren. Die höchsten Formen der Frömmigkeit wendeten sich hier immer pantheistisch und in ihren praktischen Antrieben kontemplativ.

4. Teils römischer, teils jüdischer Provenienz war der rationale Charakter der Erlösungsmethodik auch in anderer Hinsicht. Das Hellenentum schätzte, trotz aller Bedenken des Stadtpatriziates gegen den dionysischen Rauschkult, die Ekstase, die akut orgiastische als göttlichen Rausch, die milde Form der Euphorie, wie sie vor allem Rhythmus und Musik vermittelten, als ein Innewerden des spezifisch Göttlichsten im Menschen. Gerade die Herrenschicht der

Hellenen lebte mit dieser milden Form der Ekstasis von Kindheit auf. Es fehlt in Hellas seit der Herrschaft der Hoplitendisziplin eine Schicht von solchem sozialen Prestige, wie der Amtsadel Roms es war. Die Verhältnisse waren in jeder Hinsicht kleiner und minder feudal. Das Würdegefühl des Römeradels, der ein rationaler Amtsadel war, auf zunehmend größtem Piedestal, schließlich mit Städten und Ländern in der Klientel der einzelnen Familien, lehnte dagegen schon in der Terminologie den der Ekstasis entsprechenden Begriff: die „superstitio", als das des vornehmen Mannes spezifisch unwürdige, unschickliche ebenso ab, wie den Tanz. Kultischer Tanz findet sich nur bei den ältesten Priesterkollegien und im eigentlichen Sinne des Tanzreigens nur bei den fratres arvales, und zwar charakteristischerweise hinter verschlossenen Türen nach Entfernung der Gemeinde. Im übrigen aber galt für den Römer das Tanzen als unschicklich, ebenso wie die Musik, in welcher daher Rom absolut unproduktiv blieb, und wie das nackte Ringen im Gymnasion, welches der spartiatische Exerzierplatz geschaffen hatte. Die dionysischen Rauschkulte verbot der Senat. Die Ablehnung jeder Art der Ekstase ebenso wie jeder Befaßtheit mit individueller Heilsmethodik seitens des weltbeherrschenden militärischen Amtsadels Roms – entsprechend etwa der jeder Heilsmethodik ebenfalls streng feindlichen konfuzianischen Bürokratie – war nun eine der Quellen jenes durchaus praktisch politisch gewendeten, streng sachlichen Rationalismus, den die Entwicklung der okzidentalen Christengemeinden als feststehenden Charakterzug aller auf eigentlich römischem Boden möglichen Religiosität vorfand und den die römische Gemeinde speziell ganz bewußt und konsequent übernahm. Von der charismatischen Prophetie angefangen bis zu den größten Neuerungen der Kirchenmusik hat diese Gemeinde keinerlei irrationales Element aus eigener Initiative der Religiosität oder der Kultur eingefügt. Sie war unendlich viel ärmer an theologischen Denkern nicht nur, sondern dem Eindruck der Quellen nach, ebenso an jeder Art von Äußerungen des „Pneuma", als der hellenistische Orient und etwa die Gemeinde von Korinth. Dennoch und eben deshalb aber hat ihr praktisch nüchterner Rationalismus, das wichtigste Erbteil des Römertums in der Kirche, bei der dogmatischen und ethischen Systematisierung des Glaubens bekanntlich fast überall den Ausschlag gegeben. Entsprechend war auch die weitere Entwicklung der Heilsmethodik im Okzident. Die asketischen Ansprüche der alten Benediktinerregel, ebenso aber der kluniazensischen Reform sind, an indischen und auch altorientalischen Maßstäben gemessen, äußerst bescheiden und auf Novizen aus vornehmen Kreisen zugeschnitten; als wesentliches Charakteristikum aber tritt andererseits, gerade im Okzident als hygienisch-asketisches Mittel die *Arbeit* hervor und steigert sich dann an Bedeutung in der ganz methodisch die rationalste Schlichtheit pflegenden Zisterzienserregel. Das Bettelmönchtum wird im Gegensatz zu den indischen Bettelmönchen alsbald nach seinem Entstehen in den hierarchischen Dienst gezwungen und dient rationalen Zwecken: systematischer Caritas – der im Okzident zum sachlichen „Betrieb" entwickelt wurde – oder der Predigt und der Ketzerjurisdiktion. Der Jesuitenorden endlich streifte die antihygienischen Elemente der alten Askese völlig ab und ist die vollendetste rationale Disziplinierung für Zwecke der Kirche. Diese Entwicklung aber hing offensichtlich ihrerseits damit zusammen, daß

5. die Kirche hier eine einheitliche rationale Organisation ist mit monarchischer Spitze und zentralisierter Kontrolle der Frömmigkeit, daß also neben dem persönlichen überweltlichen Gott auch ein innerweltlicher Herrscher von ungeheurer Machtfülle und der Fähigkeit aktiver Lebensreglementierung stand. Den ostasiatischen Religionen fehlt dies teils aus historischen Gründen, teils aus solchen der Religiosität. Der straff organisierte Lamaismus hat, wie später zu erörtern, nicht die Straffheit einer bürokratischen Organisation. Die asiatischen Hierarchen, etwa der taoistischen oder andere Erbpatriarchen chinesischer und indischer Sekten werden immer teils Mystagogen, teils Objekte anthropolatrischer Verehrung, teils, wie der Dalai Lama und Taschilama, Chefs einer reinen Mönchsreligion magischen Charakters. Die außerweltliche Askese des Mönchstums ist nur im Okzident, wo sie undisziplinierte Truppe einer rationalen Amtsbürokratie wurde, zunehmend zu einer Methodik aktiv rationaler Lebensführung systematisiert worden. Der Okzident allein aber hat dann weiter auch die Übertragung der rationalen Askese in das Weltleben selbst im asketischen Protestantismus gesehen. Denn die innerweltlichen Derwischorden des Islam pflegen eine unter sich verschiedene, letztlich aber immer noch an der indisch-persischen entweder direkt orgiastischen oder pneumatischen oder kontemplativen, dem Wesen nach jedenfalls nicht in dem hier gebrauchten Sinne des Wortes asketischen, sondern mystischen Heilssuche der Sufis orientierte Heilsmethodik. Inder pflegen bei Derwischorgien führend beteiligt zu sein bis nach Bosnien hinein. Die Derwischaskese ist nicht, wie die Ethik des asketischen Protestanten eine religiöse „Berufsethik", denn die religiösen Leistungen stehen mit den weltlichen Berufsansprüchen oft in gar keinem, höchstens aber in einem äußerlichen

heilsmethodischen Zusammenhang. Gewiß kann jene Heilsmethodik indirekt Wirkungen auf das Berufsleben entfalten. Der schlicht fromme Derwisch ist unter sonst gleichen Umständen als Handwerker zuverlässiger als der irreligiöse, ebenso etwa wie der fromme Parse wegen des strengen Wahrheitsgebots als Kaufmann prosperiert. Aber eine prinzipielle und systematische ungebrochene Einheit von innerweltlicher Berufsethik und religiöser Heilsgewißheit hat in der ganzen Welt nur die Berufsethik des asketischen Protestantismus gebracht. Die Welt ist eben nur hier in ihrer kreatürlichen Verworfenheit ausschließlich und allein religiös bedeutsam als Gegenstand der Pflichterfüllung durch rationales Handeln, nach dem Willen eines schlechthin überweltlichen Gottes. Der rationale nüchterne, nicht an die Welt hingegebene Zweckcharakter des Handelns und sein Erfolg ist das Merkmal dafür, daß Gottes Segen darauf ruht. Nicht Keuschheit, wie beim Mönch, aber Ausschaltung aller erotischen „Lust", nicht Armut, aber Ausschaltung alles rentenziehenden Genießens und der feudalen lebensfrohen Ostentation des Reichtums, nicht die asketische Abtötung des Klosters, aber wache, rational beherrschte Lebensführung und Vermeidung aller Hingabe an die Schönheit der Welt oder die Kunst oder an die eigenen Stimmungen und Gefühle sind die Anforderungen, Disziplinierung und Methodik der Lebensführung das eindeutige Ziel, der „Berufsmensch" der typische Repräsentant, die rationale Versachlichung und Vergesellschaftung der sozialen Beziehungen die spezifische Folge der okzidentalen innerweltlichen Askese im Gegensatz zu aller anderen Religiosität der Welt. –

II. Die Erlösung kann ferner vollbracht werden nicht durch eigene Werke – welche dann als zu diesem Zweck völlig unzulänglich gelten –, sondern durch Leistungen, die entweder ein begnadeter Heros oder geradezu ein inkarnierter Gott vollbracht hat und die seinen Anhängern als Gnade ex opere operato zugute kommen. Entweder als direkt magische Gnadenwirkungen oder indem aus dem Überschuß der durch Leistungen verdienten Gnaden des menschlichen oder göttlichen Heilandes Gnade gespendet wird.

Im Dienst dieser Art von Erlösung steht die Entwicklung der soteriologischen Mythen, vor allen der Mythen vom kämpfenden oder leidenden, vom menschwerdenden oder zur Erde niedersteigenden oder in das Totenreich hinabfahrenden Gott in seinen mannigfachen Formen. Statt eines Naturgotts, besonders eines Sonnengotts, der mit anderen Naturmächten, namentlich also mit Finsternis und Kälte ringt und dessen Sieg den Frühling bringt, ersteht auf dem Boden der Erlösungsmythen ein Retter, der aus der Gewalt der Dämonen (wie Christus), oder aus der Verknechtung unter die astrologische Determiniertheit des Schicksals (die sieben Archonten der Gnostiker), oder, im Auftrag des verborgenen gnädigen Gottes, aus der ihrer Anlage nach durch den minderwertigen Schöpfungsgott (Demiurg oder Jehova) verderbten Welt (Gnosis), oder aus der hartherzigen Verstocktheit und Werkgerechtigkeit der Welt (Jesus) und der Bedrücktheit von dem durch das Wissen um die Verbindlichkeit ihrer unerfüllbaren Gesetzesforderungen erst entstandene Sündenbewußtsein (Paulus, etwas anders auch Augustin, Luther) von der abgrundtiefen Verderbtheit der eigenen sündigen Natur (Augustin) den Menschen zur sicheren Geborgenheit in der Gnade und Liebe des gütigen Gottes führt. Der Heiland bekämpft dazu, je nach dem Charakter der Erlösung, Drachen und böse Dämonen, muß unter Umständen, da er ihnen nicht alsbald gewachsen ist (er ist oft ein sündenreines Kind), erst im Verborgenen heranwachsen oder von den Feinden geschlachtet werden und in das Totenreich hinab, um von dort erst wieder siegreich aufzuerstehen. Daraus kann sich die Vorstellung entwickeln, daß sein Tod ein Ablösungstribut für das durch die Sünde erworbene Anrecht des Teufels auf die Seele des Menschen sei (altchristlich). Oder umgekehrt sein Tod ist das Mittel, den Zorn Gottes zu versöhnen, bei dem er Fürsprecher ist, wie Christus, Muhammed und andere Propheten und Heilande. Oder er bringt den Menschen, wie die alten Heilande der magischen Religionen, die verbotene Kenntnis des Feuers oder der technischen Künste oder der Schrift, so seinerseits die Kenntnis der Mittel, die Dämonen in der Weltode auf dem Wege zum Himmel zu überwinden (Gnosis). Oder endlich seine entscheidende Leistung liegt nicht in seinem konkreten Kämpfen und Leiden, sondern in der letzten, metaphysischen Wurzel des ganzen Vorgangs: in der Menschwerdung eines Gottes rein als solcher (Abschluß der hellenischen Erlösungsspekulation bei Athanasius) als dem einzigen Mittel, die Kluft zwischen Gott und aller Kreatur zu schließen: Gottes Menschwerdung gab die Möglichkeit, den Menschen wesenhaften Anteil an Gott zu verschaffen, „die Menschen zu Göttern werden zu lassen", heißt es schon bei Irenäus, und die nachathanasianische Philosophenformel: er habe durch Menschwerdung das Wesen (die platonische Idee) des Menschentums an sich genommen, zeigt die metaphysische Bedeutung des „ομοουσιος". Oder der Gott begnügt sich nicht mit einem einmaligen Akt der Menschwerdung, sondern in Konsequenz der Ewigkeit der Welt, wie sie dem asiatischen Denken fast durchweg feststeht, inkarniert er sich in Zwischenräumen oder auch kontinuierlich aufs neue: so die Idee des Bodhisattva, konzipiert im mahayanischen Buddhismus (einzelne Anknüpfungen schon in gelegentlichen Äußerungen des Buddha selbst, in welchem der Glaube an die begrenzte Dauer seiner Lehre auf Erden hervorzutreten scheint). Der Bodhisattva wird dabei gelegentlich als das höhere Ideal gegenüber dem Buddha hingestellt, weil er auf das nur exemplarisch bedeutsame eigene Eingehen in das Nirwana verzichtet zugunsten seiner universellen Funktion im Dienst der Menschen: auch hier also „opfert" sich der Erlöser. Wie nun aber seinerzeit der Jesuskult den Erlösern der anderen konkurrierenden soteriologischen Kulte schon dadurch überlegen war, daß hier der Heiland ein leibhaftiger, von den Aposteln persönlich als von den Toten auferstanden gesehener Mensch war, so ist die kontinuierlich leibhaftig lebende Gottesinkarnation im Dalai Lama das logische Schlußglied jeder Inkarnationssoteriologie. Aber auch wo der göttliche Gnadenspender als Inkarnation lebt und erst recht wo er nicht mehr kontinuierlich auf Erden weilt, bedarf es angebbarer Mittel für die Masse der Gläubigen, seiner Gnadengaben nun auch persönlich teilhaftig zu werden. Und diese Mittel erst entscheiden über den Charakter der Religiosität, sind aber untereinander sehr mannigfaltig.

Wesentlich magisch ist die Vorstellung, daß man durch physischen Genuß einer göttlichen Substanz, eines heiligen Totemtiers, in dem ein machtvoller Geist inkarniert war, oder einer durch Magie in den göttlichen Leib verwandelten Hostie sich selbst Götterstärke einverleiben oder daß man durch irgendwelche Mysterien seines Wesens direkt teilhaftig und dadurch gegen die bösen Mächte gefeit werden könne („Sakramentsgnade"). Die Aneignung der Gnadengüter kann dann magische oder ritualistische Wendung nehmen und bedarf jedenfalls neben dem Heiland oder dem inkarnierten lebenden Gott noch der menschlichen Priester oder Mystagogen. Der Charakter der Gnadenspendung hängt dann weiter erheblich davon ab, ob von diesen Mittlern zwischen den Menschen und dem Heiland auch ihrerseits der persönliche Besitz und die Bewährung charismatischer Gnadengaben verlangt wird, so daß derjenige, der ihrer nicht teilhaftig ist, der Priester z. B., der in Todsünde lebt, die Gnade nicht vermitteln, das Sakrament nicht gültig spenden kann. Diese strenge Konsequenz (*charismatische Gnadenspendung*) zog z. B. die Prophetie der Montanisten, Donatisten und überhaupt die aller, auf dem Boden der prophetisch-charismatischen Herrschaftsorganisation der Kirche stehenden, Glaubensgemeinschaften der Antike: nicht jeder bloß durch „Amt" anstaltsmäßig und äußerlich beglaubigte Bischof, sondern allein der durch Prophetie oder die anderen Zeugnisse des Geistes Beglaubigte kann wirksam Gnade spenden, zum mindesten im Fall einer Todsünde des Gnadesuchenden. Sobald von dieser Forderung abgesehen wird, befinden wir uns bereits auf dem Boden einer anderen Auffassung. Die Erlösung erfolgt dann durch Gnaden, welche eine ihrerseits durch göttliche oder prophetische Stiftung beglaubigte, Anstaltsgemeinschaft kontinuierlich spendet: *Anstaltsgnade*. Sie kann ihrerseits wieder direkt durch rein magische Sakramente oder kraft der ihr übertragenen Verfügung über den Thesaurus der überschüssigen, gnadenwirkenden Leistungen ihrer Beamten oder Anhänger wirken. Immer aber gelten bei konsequenter Durchführung die drei Sätze: 1. extra ecclesiam nulla salus. Nur durch Zugehörigkeit zur Gnadenanstalt kann man Gnade empfangen. – 2. Das ordnungsmäßig verliehene Amt und nicht die persönliche charismatische Qualifikation des Priesters entscheidet über die Wirksamkeit der Gnadenspendung. – 3. Die persönliche religiöse Qualifikation des Erlösungsbedürftigen ist grundsätzlich gleichgültig gegenüber der gnadenspendenden Macht des Amts. Die Erlösung ist also universell und nicht nur den religiösen Virtuosen zugänglich. Der religiöse Virtuose kann sogar leicht und muß jedenfalls dann, wenn er auf eigenem besonderen Wege zu Gott zu gelangen hofft, statt letztlich auf die Anstaltsgnade zu vertrauen, in seinen Heilschancen und in der Echtheit seiner Religiosität sehr gefährdet erscheinen. Das, was Gott verlangt, so weit zu erfüllen, daß das Hinzutreten der gespendeten Anstaltsgnade zum Heil genügt, müssen prinzipiell alle Menschen zulänglich sein. Das Niveau der erforderlichen eigenen ethischen Leistung kann also dann nur nach der Durchschnittsqualifikation, und d. h. ziemlich tief gegriffen werden. Wer mehr leistet, also der Virtuose, kann dadurch außer dem eigenen Heil noch Werke für den Thesaurus der Anstalt vollbringen, aus dem diese dem Bedürftigen spendet. – Dies ist der spezifische Standpunkt der *katholischen* Kirche, der ihren Charakter als Gnadenanstalt konstituiert und in jahrhundertelanger Entwicklung, abschließend seit Gregor dem Großen, festgelegt ist, in der Praxis schwankend zwischen mehr magischer und mehr ethisch-soteriologischer Auffassung. – Wie nun aber die charismatische Gnadenspendung und die Anstaltsgnadenspendung die Lebensführung beeinflussen, hängt von den Voraussetzungen ab, an welche die Gewährung der Gnadenmittel geknüpft wird. Die Verhältnisse liegen also ähnlich wie beim Ritualismus, mit welchem Sakramentsgnade und Anstaltsgnade denn auch intime Wahlverwandtschaft zeigen. Und noch in einem unter Umständen wichtigen Punkt fügt jede Art von eigentlicher Gnadenspendung durch eine Person, einerlei ob charismatisch oder amtlich legitimiert, der ethischen Religiosität eine in der gleichen Richtung wirkende, die ethischen Anforderungen abschwächende Besonderheit hinzu. Sie bedeutet stets eine innere *Entlastung* des Erlösungsbedürftigen, erleichtert ihm also das Ertragen von Schuld und erspart ihm unter sonst gleichen Verhältnissen wesentlich mehr die Entwicklung einer eigenen ethisch-systematisierten Lebensmethodik. Denn der Sündigende weiß, daß er von allen Sünden immer wieder durch ein religiöses Gelegenheitshandeln Absolution erhalten kann. Und vor allem bleiben die Sünden einzelne Handlungen, denen andere einzelne Handlungen als Kompensation oder Buße gegenübergestellt werden. Nicht der gesamte, durch Askese oder Kontemplation oder beständig wache Selbstkontrolle und Bewährung stets neu festzustellende Habitus der Persönlichkeit, sondern das konkrete einzelne Tun wird gewertet. Es fehlt daher die Nötigung, die certitudo salutis selbst, aus eigener Kraft, zu erringen und diese ganze, ethisch so wirksame Kategorie tritt überhaupt an Bedeutung zurück. Die unter Umständen sehr nachdrücklich wirksam gewesene ständige Kontrolle der Lebensführung durch einen Gnadenspender (Beichtvater, Seelendirektor) wird sehr oft weit überkompensiert durch den Umstand, daß eben immer erneut Gnade gespendet wird. Insbesondere das Institut der mit Sündenvergebung verbundenen Beichte zeigt in seiner praktischen Wirkung ein doppeltes Gesicht und fungiert verschieden, je nach der Handhabung. Die ganz allgemeine, wenig spezialisierte Art des Sündenbekenntnisses – oft in Form eines kollektiven Zugeständnisses, gesündigt zu haben –, welche speziell die russische Kirche praktiziert, ist kein Mittel nachhaltiger Einwirkung auf die Lebensführung und auch die altlutherische Beichtpraxis war zweifellos wenig wirksam. Die Sünden- und Bußkataloge der indischen heiligen Schriften knüpfen den Ausgleich in gleicher Weise ritueller und ethischer Sünden fast durchweg an rein rituelle (oder durch das Standesinteresse der Brahmanen eingegebene) Obödienzleistungen, so daß von hier aus die Alltagslebensführung nur im Sinne des Traditionalismus beeinflußt werden konnte, und die Sakramentsgnade der hinduistischen Gurus schwächte die etwaige Nachhaltigkeit der Einwirkung eher noch weiter ab. Die katholische Kirche des Okzidents hat durch ihr in seiner Art in der ganzen Welt unerreichtes, unter Verbindung der römischen Rechtstechnik mit germanischen Wergeldsgedanken entwickeltes, Beicht- und Bußsystem die Christianisierung der westeuropäischen Welt mit einzigartiger Wucht durchgesetzt. Aber die

Schranke der Wirksamkeit im Sinn der Entwicklung einer rationalen Lebensmethodik hätte auch ohne die unvermeidlich drohende laxe Ablaßpraxis bestanden. Dennoch ist z. B. etwa in der fühlbaren Hintanhaltung des Zweikindersystems bei frommen Katholiken die Beichteinwirkung noch heute zuweilen „ziffernmäßig" greifbar, so sehr sich in Frankreich die Schranken der kirchlichen Macht auch hierin zeigen. Aber daß das Judentum einerseits, der asketische Protestantismus andererseits keinerlei Beichte und Gnadenspendung durch irgendeine menschliche Person und keinerlei magische Sakramentsgnade kennen, hat historisch jenen ungeheuer scharfen Druck im Sinn der Entwicklung einer ethisch rationalen Lebensgestaltung geübt, der beiden Arten von Religiosität, so stark sie sonst voneinander abweichen, gemeinsam ist. Es fehlt eine solche Möglichkeit einer Entlastung, wie sie das Beichtinstitut und die Anstaltsgnade verschafft hatte. Nur etwa das Sündenbekenntnis in den Zwölferversammlungen der Methodisten war eine derart wirkende Beichte, nur in stark abweichendem Sinn und mit abweichender Wirkung. Allerdings aber konnte daraus die halb orgiastische Bußpraxis der Heilsarmee erwachsen.

Die Anstaltsgnade hat endlich und namentlich, der Natur der Sache nach, auch die Tendenz, als Kardinaltugend und entscheidende Heilsbedingung den Gehorsam, die Unterwerfung unter die Autorität, sei es der Anstalt als solcher oder des charismatischen Gnadespendenden, in Indien z. B. des zuweilen schrankenlose Autorität ausübenden Guru, zu entwickeln. Die Lebensführung ist in diesem Fall nicht eine Systematisierung von innen und aus einem Zentrum heraus, welches der Einzelne selbst errungen hätte, sondern sie speist sich aus einem außer ihr liegenden Zentrum. Das kann für den Inhalt der Lebensführung an sich keine auf ethische Systematisierung drängende Wirkung äußern, sondern nur das Gegenteil. Dagegen macht es allerdings, nur mit anderer Wirkung als die Gesinnungsethik, die Anpassung konkreter heiliger Gebote an veränderte äußere Bedingungen durch Steigerung ihrer Elastizität praktisch leichter. Beispielsweise ist in der katholischen Kirche im 19. Jahrhundert das Zinsverbot trotz seiner biblischen und durch päpstliche Dekretalen festgelegten ewigen Geltung dennoch faktisch außer Kraft gesetzt. Nicht offen in Gestalt seiner (unmöglichen) Aufhebung, sondern durch eine unscheinbare interne Anweisung des heiligen Offizium an die Beichtväter, fortan nach Verstößen gegen das Zinsverbot im Beichtstuhl nicht weiter zu forschen und die Absolution zu erteilen, *vorausgesetzt*: daß die Gewißheit bestehe, das Beichtkind würde, falls der Heilige Stuhl künftig einmal auf die alten Grundsätze zurückgreifen sollte, sich diesem Entscheid in Gehorsam fügen. In Frankreich agitierte zeitweilig der Klerus für eine ähnliche Behandlung des Zweikindersystems. Der rein als solcher verdienstliche Anstaltsgehorsam also, nicht die konkrete inhaltliche ethische Pflicht, aber auch nicht die methodisch selbst gewonnene ethische Virtuosenqualifikation ist der letzte religiöse Wert. Formale Gehorsamsdemut ist das einzige, die Lebensführung einheitlich umspannende, in der Wirkung mit der Mystik durch die spezifische „Gebrochenheit" des Frommen verwandte Prinzip bei konsequenter Durchführung der Anstaltsgnade. Der Satz Mallinckrodts: die Freiheit des Katholiken bestehe darin, dem Papst gehorchen zu dürfen, ist in dieser Hinsicht von universeller Geltung.

Oder es wird die Erlösung an den *Glauben* geknüpft. Sofern dieser Begriff nicht identisch gesetzt wird mit der Unterwerfung unter praktische Normen, setzt er stets irgendein Fürwahrhalten irgendwelcher metaphysischer Tatsachen, also irgendeine Entwicklung von „Dogmen" voraus, deren Annahme als wesentliches Merkmal der Zugehörigkeit gilt. Wie wir sahen, ist aber das Maß der Dogmenentwicklung innerhalb der einzelnen Religionen ein sehr verschiedenes. Aber irgendein Maß von „Lehre" ist Unterscheidungsmerkmal der Prophetie und Priesterreligiosität gegenüber der reinen Magie. Natürlich beansprucht schon jede Magie den Glauben an die magische Macht des Zauberers. Zunächst seinen eigenen Glauben an sich selbst und sein Können. Das gilt für jede, auch die frühchristliche Religiosität. Weil die Jünger an ihrer eigenen Macht zweifelten, konnten sie, so belehrt sie Jesus, einen Besessenen nicht heilen. Wer dagegen vollkommen von seiner Fähigkeit überzeugt ist, ein Wunder zu tun, dessen Glaube kann Berge versetzen. Auf der anderen Seite aber benötigt auch die Magie – noch heute – den Glauben derjenigen, welche das magische Wunder verlangen. In seiner Heimat und gelegentlich in anderen Städten vermag Jesus kein Wunder zu tun und „wundert sich ihres Unglaubens". Weil Besessene und Krüppel an ihn und seine Macht glauben, heilt er sie, wie er wiederholt erklärt. Dies wird nun einerseits nach der ethischen Seite sublimiert. Weil die Ehebrecherin an seine Macht zur Sündenvergebung glaubt, kann er ihr die Sünden vergeben. Andererseits aber – und darum handelt es sich hier zunächst – entwickelt sich der Glaube zum Fürwahrhalten intellektuell verstandener Lehrsätze, die ihrerseits Produkt intellektueller Überlegung sind. Der Konfuzianismus, der von Dogmen gar nichts weiß, ist eben deshalb auch keine Erlösungsethik. Der alte Islam und das alte Judentum stellten keine eigentlich dogmatischen Ansprüche, sondern verlangen nur, wie die urwüchsige Religion überall, den Glauben an die Macht (und also: Existenz) des eigenen, jetzt als „einzig" angesehenen Gottes und die Mission seiner Propheten. Da sie aber Buchreligionen sind, so müssen immerhin die heiligen Bücher für inspiriert, im Islam sogar als gottgeschaffen, und also auch ihr Inhalt für wahr gehalten werden. Allein außer kosmogonischen, mythologischen und geschichtlichen Erzählungen enthalten Gesetz und Propheten und der Koran wesentlich praktische Gebote und verlangen an sich keine intellektuelle Einsicht bestimmter Art. Den Glauben als bloßes heiliges Wissen kennen nur die unprophetischen Religionen. Bei ihnen ist die Priesterschaft noch, wie die Zauberer, Hüterin des mythologischen und kosmogonischen Wissens und, als heilige Sänger, zugleich der Heldensage. Die vedische und die konfuzianische Ethik knüpfen die ethische Vollqualifikation an die schulmäßig überlieferte literarische Bildung, die im weitesten Umfang mit bloßem gedächtnismäßigem Wissen identisch ist. Das intellektuelle „Verstehen" als Anforderung führt bereits zur philosophischen oder gnostischen Erlösungsform hinüber. Damit ist aber eine ungeheure Kluft zwischen den intellektuell voll Qualifizierten und den Massen geschaffen. Eine eigentlich offizielle „Dogmatik" gibt es damit aber noch nicht; nur mehr oder minder als orthodox geltende Philosophenmeinungen, wie das orthodoxe Vedanta, das heterodoxe Sankhya im Hinduismus. Dagegen haben die christlichen Kirchen mit zunehmendem Eindringen des Intellektualismus und zunehmender Auseinandersetzung mit ihm ein sonst unerreichtes Maß offizieller bindender rationaler Dogmen, einen Theologenglauben, entwickelt. Die Forderung universellen Wissens, Verstehens und Glaubens dieser Dogmen ist praktisch undurchführbar. Es fällt uns heute sogar schwer, uns vorzustellen, daß selbst nur der komplizierte Inhalt etwa des Römerbriefs von einer (vorwiegenden) Kleinbürgergemeinde wirklich intellektuell voll angeeignet worden sei, wie es doch anscheinend der Fall gewesen sein muß. Immerhin wird hier noch mit soteriologischen Vorstellungen gearbeitet, welche innerhalb einer an das Grübeln über die Bedingungen der Erlösung gewöhnten städtischen, dabei mit jüdischer oder hellenischer Kasuistik irgendwie vertrauten Proselytenschicht gangbar waren, und es ist andererseits bekannt, daß auch im 16. und 17. Jahrhundert breite Kleinbürgerkreise die Dogmen der Dordrechter und der Westminstersynode und die vielen komplizierten Kompromißformeln der Reformationskirchen sich intellektuell angeeignet haben. Allein unter normalen

Verhältnissen ist eine solche Anforderung in Gemeindereligionen undurchführbar ohne die Konsequenz, entweder des Ausschlusses aller nicht zu den philosophisch Wissenden (Gnostikern) gehörigen (der „Hyliker" und der mystisch unerleuchteten „Psychiker") vom Heil oder doch der Beschränkung auf eine Seligkeit geringeren Grades für die unintellektuellen Frommen (Pistiker), wie sie in der Gnosis und ähnlich auch bei indischen Intellektuellenreligionen vorkommt. Im alten Christentum geht denn auch durch die ersten Jahrhunderte der Streit darüber: ob theologische „Gnosis" oder schlichter Glaube: „Pistis", die das höhere oder das einzige Heil verbürgende Qualität sei, ausdrücklich oder latent hindurch, im Islam sind die Mutaziliten die Vertreter der Theorie, daß das im gewöhnlichen Sinn „gläubige", nicht dogmatisch geschulte Volk gar nicht zur eigentlichen Gemeinschaft der Gläubigen gehöre, und überall haben die Beziehungen zwischen theologischem Intellektuellentum, dem intellektuellen Virtuosen der religiösen Erkenntnis und der Frömmigkeit der Unintellektuellen, vor allem aber der Virtuosenreligiosität der Askese und Kontemplation, die beide „totes Wissen" gleich wenig zur Erlösung qualifizierend finden mußten, die Eigenart einer Religiosität jeweils bestimmend geprägt.

Schon in den Evangelien selbst wird die Gleichnisform der Verkündigung Jesus als absichtliche Esoterik hingestellt. Soll diese Konsequenz einer Intellektuellenaristokratie nicht gezogen werden, dann muß der Glaube etwas anderes sein als ein wirkliches Verstehen und Fürwahrhalten eines theologischen Dogmensystems. Und tatsächlich ist er dies in allen prophetischen Religionen entweder von Anfang an gewesen oder mit Ausbildung der Dogmatik namentlich dann geworden, wenn sie Gemeindereligion wurde. Die Annahme der Dogmen ist, außer in den Augen der asketischen oder – und namentlich – der mystischen Virtuosen, zwar nirgends irrelevant. Aber die ausdrückliche persönliche Anerkennung von Dogmen, im Christentum technisch „fides explicita" genannt, pflegt lediglich für bestimmte, im Gegensatz zu anderen Dogmen als absolut wesentlich angesehene „Glaubensartikel" gefordert zu werden. Verschieden weit für andere Dogmen. Die Ansprüche, welche in dieser Hinsicht der Protestantismus, auf Grund der „Rechtfertigung durch den Glauben", stellte, waren besonders hohe, und zwar namentlich (wenn auch nicht nur) der asketische Protestantismus, für den die Bibel eine Kodifikation göttlichen Rechts war. Die Einrichtung universeller Volksschulen nach jüdischer Art, die intensive Schulung namentlich des Sektennachwuchses, ist sehr wesentlich dieser religiösen Anforderung zu danken, die „Bibelfestigkeit" der Holländer etwa, ebenso der angelsächsischen Pietisten und Methodisten (im Gegensatz zu den sonstigen englischen Volksschulzuständen), erregte noch in der Mitte des 19. Jahrhunderts das Staunen der Reisenden. Hier war eben die Überzeugung von der dogmatischen Eindeutigkeit der Bibel die Grundlage des weitgehenden Verlangens eigener Kenntnis des Glaubens. Der Masse der Dogmen gegenüber kann in einer dogmenreichen Kirche dagegen nur die fides implicita, die allgemeine Bereitschaft der Unterstellung aller eigenen Überzeugung unter die im Einzelfall maßgebende Glaubensautorität verlangt werden, wie dies die katholische Kirche in weitestem Umfang tat und tut. Eine fides implicita aber ist tatsächlich eben kein persönliches Fürwahrhalten von Dogmen mehr, sondern eine Erklärung des Vertrauens und der Hingabe an einen Propheten oder an eine anstaltsmäßig geordnete Autorität. Damit verliert der religiöse Glaube aber seinen intellektualistischen Charakter. Sobald die Religiosität vorwiegend ethisch rational wird, besitzt er diesen ohnehin nur in nebensächlichem Maße. Denn das bloße Fürwahrhalten von Erkenntnissen genügt einer „Gesinnungsethik" höchstens als unterste Stufe des Glaubens, wie dies u. a. Augustin betont. Auch der Glaube muß eine Gesinnungsqualität werden. Die persönliche Anhänglichkeit an einen Sondergott ist mehr als „Wissen" und wird eben deshalb als „Glaube" bezeichnet. So im Alten wie Neuen Testament. Der „Glaube", welcher Abraham „zur Gerechtigkeit gerechnet" wird, ist kein intellektuelles Fürwahrhalten von Dogmen, sondern Vertrauen auf die *Verheißungen* Gottes. Genau das gleiche bedeutet der Glaube seinem zentralen Sinne nach bei Jesus und Paulus. Das Wissen und die Dogmenkenntnis treten weit zurück. Bei einer anstaltsmäßig organisierten Kirche pflegt mindestens in der Praxis, die Zumutung der fides explicita auf den dogmatisch geschulten Priester, Prediger, Theologen beschränkt zu werden. Jede systematisch theologisierte Religiosität läßt diese Aristokratie der *dogmatisch* Gebildeten und Wissenden in ihrer Mitte entstehen, welche nun, in verschiedenem Grade und mit verschiedenem Erfolge, den Anspruch erheben, deren eigentliche Träger zu sein. Die noch heute vielfach populäre Vorstellung der Laien, daß der Pfarrer mehr zu verstehen und zu glauben sich imstande zeigen müsse, als der gewöhnliche Menschenverstand fasse – eine namentlich bei den Bauern verbreitete Konzeption –, ist nur eine der Formen, in welchen die „ständische" Qualifikation durch „Bildung", die in der staatlichen, militärischen, kirchlichen und auch jeder Privatbürokratie sich äußert, hervortritt. Das Urwüchsigere ist demgegenüber die erwähnte, auch neutestamentliche Vorstellung von dem Glauben als einem spezifischen Charisma eines außeralltäglichen *Vertrauens* auf Gottes ganz persönliche Providenz, welches die Seelenhirten oder Glaubenshelden haben sollen. Kraft dieses Charisma eines über die gewöhnliche Menschenkraft hinausgehenden Vertrauens auf Gottes Beistand kann der Vertrauensmann der Gemeinde, als Glaubensvirtuose, praktisch anders handeln und praktisch andere Dinge vollbringen als der Laie vermag. Der Glaube gibt hier eine Art von Surrogat magischer Fähigkeiten.

Diese spezifisch antirationale innere Haltung aber einer Religiosität des schrankenlosen Gottvertrauens, welche zuweilen bis zu akosmistischer Indifferenz gegen verstandesmäßig praktische Erwägungen, sehr oft zu jenem bedingungslosen Zutrauen auf Gottes Vorsehung führt, welches die Folgen des eigenen, als gottgewollt empfundenen Tuns grundsätzlich ihm allein anheimstellt, steht sowohl im Christentum wie im Islam und überall im schroffen Gegensatz zum „Wissen", gerade zum theologischen Wissen. Sie kann stolze Glaubensvirtuosität sein oder umgekehrt, wo sie diese Gefahr kreaturvergötternden Dünkels meidet, eine Haltung unbedingter religiöser Hingabe und gottinniger Demut, welche vor allem anderen die Abtötung des intellektuellen Hochmuts verlangt. Sie spielt besonders im alten Christentum bei Jesus und Paulus, weiterhin im Kampf gegen die hellenische Philosophie, dann in der Theologenfeindschaft der mystisch-pneumatischen Sekten des 17. Jahrhunderts in Westeuropa, des 18. und 19. in Osteuropa eine beherrschende Rolle. Jede, wie immer geartete, genuin religiöse Glaubensfrömmigkeit schließt direkt oder indirekt an irgendeinem Punkte das „Opfer des Intellekts" ein, zugunsten jener überintellektuellen spezifischen Gesinnungsqualität der absoluten Hingabe und des vertrauensvollen: credo, non quod, *sed quia* absurdum est. Hier wie überall betont die Erlösungsreligiosität der Religionen mit überweltlichem Gott die Unzulänglichkeit der eigenen intellektuellen Kraft gegenüber der Erhabenheit Gottes und ist daher etwas spezifisch gänzlich anderes als der buddhistische Verzicht auf das Wissen vom Jenseits – weil es der allein erlösenden Kontemplation nicht frommt – oder den allen Intellektuellenschichten aller Zeiten, den hellenistischen Grabschriften so gut wie den höchsten Renaissanceprodukten (etwa Shakespeare), wie der europäischen, chinesischen, indischen Philosophie, wie dem modernen Intellektualismus gemeinsamen, skeptischen Verzicht auf die Kenntnis eines „Sinns" der Welt, den sie vielmehr schroff bekämpfen muß. Der Glaube an das „Absurde", der schon in den Reden Jesus hervortretende Triumph darüber, daß es die Kinder und Unmündigen, nicht die Wissenden, sind, denen dies Charisma des Glaubens von Gott gegeben ist, deutet die ungeheure Spannung dieser Religiosität gegen den Intellektualismus an, den sie doch zugleich immer wieder für ihre eigenen Zwecke zu verwenden trachtet. Sie fördert kraft ihrer zunehmenden Durchtränkung mit hellenischen Denkformen schon im Altertum, dann erneut und weit stärker noch im Mittelalter Schaffung der Universitäten eigens als Stätten der Pflege der *Dialektik* die sie, unter dem Eindruck der Leistungen der romanistischen Juristen für die konkurrierende Macht des Kaisertums, ins Leben rief. Glaubensreligiosität setzt jedenfalls stets einen persönlichen Gott, Mittler, Propheten voraus, zu dessen Gunsten an irgendeinem Punkt auf Selbstgerechtigkeit und eigenes Wissen verzichtet wird. Sie ist daher den asiatischen Religiositäten in dieser Form spezifisch fremd.

Der „Glaube" kann, sahen wir, je nach seiner spezifischen Wendung verschiedene Formen annehmen. Nicht dem urwüchsigen, noch in der Jahvereligion und im alten Islam vorwaltenden, Vertrauen des Kriegers auf die gewaltige Macht des eigenen Gottes, wohl aber der „Erlösung" suchenden Glaubensreligiosität befriedeter Schichten ist eine gewisse, freilich sehr verschieden starke Verwandtschaft mit der kontemplativen Mystik gemeinsam. Denn stets hat ein solches als „Erlösung" erstrebtes Heilsgut wenigstens die Tendenz, zu einer vorwiegend „zuständlichen" Beziehung zum Göttlichen, einer unio mystica, zu werden. Und gerade je systematischer dann der praktische Gesinnungscharakter des Glaubens herauspräpariert wird, desto leichter können, ganz wie bei aller Mystik, direkt anomistische Konsequenzen auftreten. Schon die Paulusbriefe zeigen, ebenso wie gewisse Widersprüche in den überlieferten Äußerungen von Jesus, die große Schwierigkeit eine, auf „Glauben" in diesem Sinn einer Vertrauensbeziehung ruhende, eigentliche „Erlösungs"-Religiosität mit bestimmten ethischen Anforderungen in eindeutige Beziehung zu setzen. Mit den naheliegenden Konsequenzen seiner eigenen Anschauung hat denn auch Paulus fortwährend in sehr komplizierten Deduktionen zu kämpfen. Die konsequente Durchführung der paulinischen Glaubenserlösung im Marcionitismus vollends zeigte die anomistischen Folgerungen. Normalerweise wirkt die Glaubenserlösung, je mehr der Nachdruck auf sie fällt, innerhalb einer Alltagsreligion nicht leicht in der Richtung ethisch aktiver Rationalisierung der Lebensführung, wie dies beim Propheten persönlich naturgemäß sehr wohl der Fall sein kann. Unter Umständen wirkt sie direkt im antirationalen Sinn, im einzelnen sowohl wie im Prinzip. Wie im kleinen manchen gläubigen Lutheranern der Abschluß von Versicherungsverträgen als Bekundung ungläubigen Mißtrauens in Gottes Vorsehung erschien, so erscheint im großen jede rationale Heilsmethodik, jede Art von Werkgerechtigkeit, vor allem jede Überbietung der normalen Sittlichkeit durch asketische Leistungen der Glaubensreligiosität als frevelhaftes Pochen auf Menschenkraft. Wo sie konsequent entwickelt ist, lehnt sie – wie der alte Islam – jedenfalls die überweltliche Askese, insbesondere das Mönchtum, ab. Sie kann dadurch, wie es der lutherische Protestantismus getan hat, der religiösen Wertung der innerweltlichen Berufsarbeit direkt zugute kommen und deren Antriebe namentlich dann stärken, wenn sie auch die priesterliche Buß- und Sakramentsgnade zugunsten der alleinigen Wichtigkeit der persönlichen Glaubensbeziehung zu Gott entwertet. Dies hat das Luthertum prinzipiell von Anfang an, noch verstärkt in seiner späteren Entwicklung nach völliger Beseitigung der Beichte und speziell in den Formen des von Spener und Francke her asketisch, durch quäkerische und andere ihnen selbst wenig bewußte Kanäle, beeinflußten Pietismus getan. Aus der lutherischen Bibelübersetzung zuerst stammt überhaupt das deutsche Wort „Beruf" und die Wertung der innerweltlichen Berufstugend als einziger Form gottwohlgefälligen Lebens ist dem Luthertum von Anfang an durchaus wesentlich. Da aber die „Werke" weder als Realgrund der Seelenrettung, wie im Katholizismus, noch als Erkenntnisgrund der Wiedergeburt, wie im asketischen Protestantismus, in Betracht kamen, und da überhaupt der Gefühlshabitus des Sichgeborgenwissens in Gottes Güte und Gnade die vorwaltende Form der Heilsgewißheit blieb, so blieb auch die Stellung zur Welt ein geduldiges „Sich-Schicken" in deren Ordnungen, im ausgeprägten Gegensatz gegen alle jene Formen des Protestantismus, die zur Heilsgewißheit eine Bewährung (bei den Pietisten fides efficax, bei den islamischen Charidschiden „'amal") in guten Werken oder einer spezifisch methodischen Lebensführung forderten, und vollends zu der Virtuosenreligion der asketischen Sekten. Es fehlen dem Luthertum jegliche Antriebe zu sozial oder politisch revolutionärer oder auch nur rational-reformerischer Haltung. Es gilt in der Welt und gegen sie das Heilsgut des Glaubens zu bewahren, nicht sie rational ethisch umzugestalten. Wo nur das Wort rein und lauter verkündet wird, findet sich alles für den Christen Wesentliche von selbst, und es ist die Gestaltung der äußeren Ordnung der Welt, selbst der Kirche, ein Adiaphoron. Dieser fügsame, relativ weltindifferente, im Gegensatz zur Askese „weltoffene" Gefühlscharakter des Glaubens ist allerdings erst Entwicklungsprodukt. Die spezifische Glaubensreligiosität kann nicht leicht antitraditionalistisch rationale Züge der Lebensführung erzeugen, und es fehlt ihr aus sich heraus jeder Antrieb zu einer rationalen Beherrschung und Umgestaltung der Welt.

Der „Glaube" in der Form, wie ihn die Kriegerreligionen des alten Islam und auch der älteren Jahvereligion kennen, trägt das Gepräge der einfachen Gefolgschaftstreue gegen den Gott oder Propheten, ganz wie sie allen Beziehungen zu anthropomorphen Göttern urwüchsig eigen ist. Für die Gefolgschaftstreue lohnt der Gott, Untreue straft er. Andere Qualitäten gewinnt diese persönliche Beziehung zu Gott erst, wo befriedete Gemeinden und speziell Anhänger aus bürgerlichen Schichten Träger einer Erlösungsreligiosität sind. Dann erst kann der Glaube als Erlösungsmittel seinen gefühlsmäßigen Charakter gewinnen und dabei die Züge der Gottes- oder Heilandsliebe annehmen, wie sie schon in der exilischen und nachexilischen Religiosität des Judentums und verstärkt im frühen Christentum, vor allem bei Jesus und Johannes, auftreten. Gott erscheint als gnädiger Dienstherr oder als Hausvater. Zwar ist es ein gröblicher Unfug, wenn man in der Vaterqualität des Gottes, den Jesus verkündet, einen Einschlag unsemitischer Religiosität hat finden wollen, weil die Götter der (meist semitischen) Wüstenvölker die Menschen „schaffen", die hellenischen sie „zeugen". Denn der christliche Gott hat niemals daran gedacht, Menschen zu zeugen (γεννηϑεντα μη ποιη–ϑεντα, gezeugt und nicht geschaffen, ist gerade das auszeichnende Prädikat des trinitarisch vergotteten Christus im Gegensatz zum Menschen) und er ist, obwohl er die Menschen mit übermenschlicher Liebe umfängt, ganz und gar kein zärtlicher moderner Papa, sondern vorwiegend ein wohlwollender, aber auch zorniger und strenger königlicher Patriarch wie schon der jüdische Gott. Aber allerdings kann nun das Stimmungsmäßige der Glaubensreligiosität durch das Gotteskindschaftsbewußtsein (statt der asketischen Gotteswerkzeugvorstellung) weiter gesteigert, die Einheit der Lebensführung dadurch noch mehr im gefühlsmäßigen Stimmungsgehalt und Gottvertrauen, statt im ethischen Bewährungsbewußtsein gesucht und so ihr praktisch rationaler Charakter noch weiter abgeschwächt werden. Schon der mit der „Sprache Kanaans" seit der Renaissance des Pietismus eingerissene, winselnde Tonfall typischer lutherischer Kanzelreden in Deutschland deutet jene Gefühlsforderung an, die kraftvolle Männer so oft aus der Kirche gescheucht hat.

Vollends antirational wirkt auf die Lebensführung die Glaubensreligiosität normalerweise da, wo die Beziehung zu Gott oder Heiland den Charakter der leidenschaftlichem Devotion, der Glaube also einen latent oder offen erotischen Einschlag zeigt. So in den verschiedenen Spielarten der sufistischen Gottesliebe und der bernhardinischen Hohe-Lied-Mystik, im Marien- und Herz-Jesu-Kult und anderen hierher gehörigen Devotionsformen und auch in einzelnen gefühlsschwelgerischen Entfaltungen des spezifisch lutherischen Pietismus (Zinzendorf). Vor allem aber in der spezifisch hinduistischen, die stolze und vornehme Intellektuellenreligiosität des Buddhismus seit dem 5./6. Jahrhundert radikal verdrängenden Bhakti-(Liebes-)Frömmigkeit, der dort populären Form der Massenerlösungsreligion, insbesondere der soteriologisehen Formen des Vischnuismus. Die Devotion zu dem aus dem Mahabharata durch Apotheose zum Heiland erhobenen Krischna, namentlich zum Krischnakinde, wird hier durch die vier Stufen der Kontemplation: Dienerschafts-, Freundschafts-, Kindes-(oder Eltern-)Liebe bis zur höchsten Stufe der ausdrücklich erotisch, nach Art der Gopisliebe (der Liebe von Krischnas Maitressen zu ihm), gefärbten Devotion gesteigert. Diese Religiosität, welche überdies schon infolge ihrer alltagsfeindlichen Form der Heilsgewinnung stets irgendwelchen Grad sakramental-priesterlicher Gnadenvermittlung durch die Gurus und Gosains voraussetzt, ist, auf ihre praktische Wirkung hin angesehen, ein sublimierteres Seitenstück der in den untersten Schichten populären hinduistischen Saktireligiosität, einer Devotion für die Götterweiber, welche nicht selten erotischen Orgienkult einschloß, immer aber der Orgienreligiosität nahesteht. Sie steht namentlich den christlichen Formen der reinen Glaubensreligiosität: dem kontinuierlichen unerschütterlichen Zutrauen in Gottes Vorsehung, in jeder Hinsicht fern. Die erotisch gefärbte Heilandsbeziehung wird wesentlich technisch, durch Devotionsübung, erzeugt. Der christliche Vorsehungsglaube dagegen ist ein *willens*mäßig festzuhaltendes Charisma.

Die Erlösung kann endlich ganz freies grundloses Gnadengeschenk eines in seinen Ratschlüssen unerforschlichen, kraft seiner Allwissenheit notwendig unwandelbaren, durch menschliches Verhalten überhaupt nicht zu beeinflussenden Gottes sein: *Prädestinationsgnade*. Sie setzt den überweltlichen Schöpfergott am unbedingtesten voraus und fehlt daher aller antiken und asiatischen Religiosität. Sie scheidet sich von der in kriegerischen Heldenreligionen sich findenden Vorstellung an ein übergöttliches Verhängnis durch ihren Charakter als Vorsehung, d. h. als eine zwar vom Menschen aus gesehen irrationale, dagegen von Gott aus gesehen rationale Ordnung, an ein Weltregiment. Dagegen schaltet sie die Güte Gottes aus. Er wird zu einem harten majestätischen König. Sie selbst teilt mit dem Verhängnisglauben die Konsequenz, Vornehmheit und Härten zu erziehen, obwohl oder vielmehr gerade weil diesem Gott gegenüber die völlige Entwertung aller eigenen Kraft des Einzelnen die Voraussetzung der Errettung allein aus freier Gnade ist. Leidenschaftslose, ernst sittliche Naturen wie Pelagius konnten an die Zulänglichkeit der eigenen Werke glauben. Die Prädestination ist unter den Propheten der Glaube von Menschen, die entweder, wie Calvin und Muhammed, ein rationaler religiöser Machttrieb übermächtig beseelt: die Sicherheit der eigenen, weniger aus persönlicher Fleckenlosigkeit als aus der Situation der Welt und aus Gottes Willen folgenden Mission, oder die, wie Augustinus und ebenfalls wieder Muhammed, ungeheure Leidenschaften zu bändigen hatten und in dem Gefühle lebten, daß dies, soweit überhaupt, nur durch eine außer ihnen und über ihnen waltende Macht gelungen sei. In der gewaltig erregten Zeit nach seinen schweren Sündenkämpfen kannte sie daher auch Luther, um sie später mit zunehmender Weltanpassung zurücktreten zu lassen.

Die Prädestination gewährt dem Begnadeten das Höchstmaß von Heilsgewißheit, *wenn* er einmal sicher ist, zu der Heilsaristokratie der wenigen zu gehören, die auserwählt sind. Ob aber der Einzelne dies unvergleichlich wichtige Charisma besitzt, dafür muß es – da die absolute Ungewißheit dauernd nicht ertragen wird – Symptome geben. Da nun Gott sich herbeigelassen hat, immerhin einige positive Gebote für das ihm wohlgefällige Handeln zu offenbaren, so können jene Symptome nur in der hier, wie für jedes religiös aktive Charisma, ausschlaggebenden Bewährung der Fähigkeit liegen, als Gottes Werkzeug an ihrer Erfüllung mitzuwirken, und zwar kontinuierlich und methodisch, da man die Gnade entweder immer hat oder nie. Nicht einzelne Verstöße – die dem Prädestinierten als Kreatur wie allen Sündern widerfahren –, sondern das Wissen, daß nicht diese Verstöße, sondern das gottgewollte Handeln aus der eigentlichen, durch die geheimnisvolle Gnadenbeziehung gestifteten inneren Beziehung zu Gott fließen, die zentrale und konstante Qualität der Persönlichkeit also, gibt Gewißheit des Heils und der Gnadenperseveranz. Anstatt der scheinbaren „logischen" Konsequenz des Fatalismus hat daher der Prädestinationsglaube gerade bei seinen konsequentesten Anhängern die denkbar stärksten Motive gottgewollten Handelns anerzogen. Naturgemäß je nach dem primären Inhalt der Prophetie verschieden geartet. Die rücksichtslose Selbstvergessenheit der unter dem religiösen Gebot des Glaubenskrieges zur Welteroberung stehenden, islamistischen Glaubenskämpfer der ersten Generationen, ebenso wie der ethische Rigorismus, die Legalität und rationale Lebensmethodik der unter dem christlichen Sittengesetz stehenden Puritaner folgten beide aus dem Einfluß jenes Glaubens. Disziplin im Glaubenskriege war die Quelle der Unüberwindlichkeit der islamischen ebenso wie der Cromwellschen Kavallerie, innerweltliche Askese und disziplinierte Heilssuche im gottgewollten Beruf die Quelle der Erwerbsvirtuosität bei den Puritanern. Die radikale und wirklich endgültige Entwertung aller magischen, sakramentalen und anstaltsmäßigen Gnadenspende gegenüber Gottes souveränem Willen ist die unvermeidliche Folge jeder konsequent durchgeführten Prädestinationsgnade und ist auch, wo immer sie in voller Reinheit bestand und erhalten blieb, eingetreten. Die weitaus stärkste Wirkung hatte sie in dieser Hinsicht im Puritanismus. Die islamische Prädestination kannte einerseits das doppelte Dekret nicht: die Prädestination zur Hölle wagte man Allah nicht zuzuschreiben, sondern nur die Entziehung seiner Gnade und damit die „Zulassung" des – bei der Unzulänglichkeit des Menschen – unvermeidlichen Irrens. Und sie hatte, dem Charakter der Kriegerreligion entsprechend, insofern die Färbung der hellenischen „moira", als einerseits die spezifisch rationalen Elemente des „Weltregiments" und andererseits die Determination des religiösen Jenseitsschicksals des Einzelnen dabei weit schwächer entwickelt waren. Die Vorstellung waltete vor, daß nicht das jenseitige, sondern gerade das diesseitige außeralltägliche Schicksal, die Frage z. B. (und namentlich): ob der Glaubenskämpfer in der Schlacht falle oder nicht, durch Prädestination bestimmt sei. Das jenseitige Schicksal des Einzelnen war dagegen schon durch seinen bloßen Glauben an Allah und den Propheten hinlänglich gesichert und bedurfte daher – nach der älteren Vorstellung wenigstens – keiner Bewährung in der Lebensführung: ein rationales System der Alltagsaskese war dieser Kriegerreligion ursprünglich fremd. Daher entfaltete die Prädestination im Islam ihre Macht zwar stets erneut in den Glaubenskämpfen, wie noch in denen des Mahdi, büßte sie dagegen mit jeder „Verbürgerlichung" des Islam ein, weil sie keine inneralltägliche Lebensmethodik stiftete, wie im Puritanismus, wo die Prädestination gerade das Jenseitsschicksal betraf und also die „certitudo salutis" gerade an der *inner*alltäglichen Tugendbewährung hing, daher allein mit der Verbürgerlichung der Religiosität Calvins ihre Bedeutung gegenüber dessen eigenen ursprünglichen Anschauungen stieg. Höchst charakteristischerweise ist – während der puritanische Prädestinationsglaube den Autoritäten überall als staatsgefährlich und autoritätsfeindlich, weil jeder weltlichen Legitimität und Autorität gegenüber skeptisch, galt – das als spezifisch „weltlich" verschriene Ommajadengeschlecht Anhänger des Prädestinationsglaubens gewesen, weil es seine eigene illegitim erworbene Herrschaft durch den prädestinierenden Willen Allahs legitimiert zu sehen erwartete: man sieht, wie die Wendung zur Determination konkreter Weltvorgänge, statt auf das Jenseitsschicksal, sofort den ethisch rationalen Charakter der Prädestination schwinden läßt. Und soweit sie asketisch wirkte – was bei den alten schlichten Glaubenskämpfern immerhin auch der Fall war –, wurde diese Wirkung im Islam, der an die Sittlichkeit überdies vornehmlich äußere und im übrigen rituelle Anforderungen stellte, im Alltag zurückgedrängt und nahm ihres weniger rationalen Charakters halber in der Volksreligiosität leicht fatalistische Züge (Kismet) an, verdrängte auch eben deshalb die Magie aus der Volksreligion nicht. Dem Charakter der konfuzianischen Ethik der chinesischen Patrimonialbürokratie endlich entspricht es, daß dort das Wissen um ein „Verhängnis" einerseits als das gilt, was die vornehme Gesinnung garantiert, andererseits dies Verhängnis im magischen Massenglauben zuweilen fatalistische Züge, im Glauben der Gebildeten aber eine gewisse Mittelstellung zwischen Vorsehung und „moira" annimmt. Wie die moira und der Trotz, sie zu bestehen, den kriegerischen Heldenstolz, so speist die Prädestination den („pharisäischen") Stolz heroistischer bürgerlicher Askese. Nirgends aber ist der Stolz der prädestinierten Heilsaristokratie so eng mit dem Berufsmenschentum und mit der Idee: daß der Erfolg *rationalen* Handelns Gottes Segen erweise, verknüpft, nirgends daher die Wirkung der asketischen Motive auf die Wirtschaftsgesinnung so intensiv wie im Geltungsbereich der puritanischen Prädestinationsgnade. Auch die Prädestinationsgnade ist der Glaube religiösen Virtuosentums, welches allein den Gedanken des „doppelten Dekrets" von Ewigkeit her erträgt. Mit zunehmendem Einströmen in den Alltag und in die Massenreligiosität wird der düstere Ernst der Lehre immer weniger ertragen, und als caput mortuum blieb schließlich im okzidentalen asketischen Protestantismus jener Beitrag zurück, den speziell auch diese Gnadenlehre in der rational kapitalistischen Gesinnung: dem Gedanken der methodischen Berufsbewährung im Erwerbsleben, als Einschlag zurückgelassen hat. Der Kuypersche Neocalvinismus wagt die reine Lehre nicht mehr voll zu vertreten. Aber wirklich ausgerottet ist der Glaube als solcher nicht. Er wechselt nur die Form. Denn unter allen Umständen war der Prädestinationsdeterminismus ein Mittel der denkbar intensivsten systematischen Zentralisierung der „Gesinnungsethik". Die „Gesamtpersönlichkeit", wie wir heute sagen würden, ist durch „göttliche Wahl" mit dem Ewigkeitswertakzent versehen, nicht irgendeine einzelne Handlung. Das religionslose, auf diesseitig gewendetem Determinismus ruhende Pendant dieser religiösen Glaubenswertung ist jene spezifische Art von „Scham" und – sozusagen – gottlosem Sündengefühl, welche dem modernen Menschen ebenfalls kraft einer, einerlei wie metaphysisch unterbauten, ethischen Systematisierung zur Gesinnungsethik eignen. Nicht daß er dies getan hat, sondern daß er, ohne sein Zutun, kraft seiner unabänderlichen Geartetheit so „*ist*", daß er es tun *konnte*, ist die geheime Qual, die er trägt, und ebenso das, was der deterministisch gewendete „Pharisäismus" der anderen in ihrer Ablehnung ihm zum Ausdruck bringt, – ebenso menschlichkeitsfremd, weil ebenso ohne die sinnvolle Möglichkeit einer „Vergebung" und „Reue" oder eines „Wiedergutmachens", in ganz der gleichen Art wie der religiöse Prädestinationsglauben selbst es war, der immerhin irgendeine geheime göttliche ratio vorstellen konnte.

§ 11. Religiöse Ethik und „Welt".

Die Erlösungsreligiosität bedeutet, je systematischer und „gesinnungsethisch" verinnerlichter sie geartet ist, eine desto tiefere Spannung gegenüber den Realitäten der Welt. Solange sie einfach rituelle oder Gesetzesreligiosität ist, tritt diese Spannung in wenig prinzipieller Art hervor. Sie wirkt in dieser Form wesentlich ebenso, wie die magische Ethik. Das heißt, allgemein gesprochen: sie gibt erst den von ihr rezipierten Konventionen die unverbrüchliche Weihe, weil auch hier an der Vermeidung des göttlichen Zornes, also an der Bestrafung des Übertretens der Normen die Gesamtheit der Anhänger des Gottes als solche interessiert ist. Wo daher einmal ein Gebot die Bedeutung einer göttlichen Ordnung erlangt hat, steigt es damit aus dem Kreise veränderlicher Konventionen zum Rang der Heiligkeit auf. Es hat nun, wie die Ordnungen des Kosmos, von jeher gegolten und wird für immer gelten; es kann nur interpretiert, nicht geändert werden, es sei denn, daß der Gott selbst ein neues Gebot offenbart. Wie der Symbolismus in bezug auf bestimmte inhaltliche Kulturelemente und die magischen Tabuvorschriften in bezug auf konkrete Arten von Beziehungen zu Menschen und Sachgütern stereotypierend wirken, so die Religion in diesem Stadium auf das gesamte Gebiet der Rechtsordnung und der Konventionen. Die heiligen Bücher sowohl der Inder wie des Islam, der Parsen wie der Juden und ebenso die klassischen Bücher der Chinesen behandeln Zeremonial- und Ritualnormen und Rechtsvorschriften völlig auf gleicher Linie. Das Recht ist „heiliges" Recht. Die Herrschaft religiös stereotypierten Rechtes bildet eine der allerwichtigsten Schranken für die Rationalisierung der Rechtsordnung und also der Wirtschaft. Auf der anderen Seite kann die Durchbrechung von stereotypierten magischen oder rituellen Normen durch ethische Prophetie tiefgreifende – akute oder allmähliche – Revolutionen auch der Alltagsordnung des Lebens und insbesondere der Wirtschaft nach sich ziehen. In beiden Richtungen hat selbstverständlich die Macht des Religiösen ihre Schranken. Bei weitem nicht überall, wo sie mit Umgestaltung Hand in Hand geht, ist sie das treibende Element. Sie stampft insbesondere nirgends ökonomische Zustände aus dem Boden, für welche nicht mindestens die Möglichkeiten, oft sehr intensive Antriebe in den bestehenden Verhältnissen und Interessenkonstellationen gegeben waren. Und ihre konkurrierende Gewalt ist mächtigen ökonomischen Interessen gegenüber auch hier begrenzt. Eine allgemeine Formel für die relative inhaltliche Macht der verschiedenen Entwicklungskomponenten und der Art ihrer „Anpassung" aneinander ist nicht zu geben. Die Bedürfnisse des ökonomischen Lebens machen sich entweder durch Umdeutung der heiligen Gebote geltend oder durch ihre kasuistisch motivierte Umgehung, zuweilen auch durch einfache praktische Beseitigung, im Wege der Praxis der geistlichen Buß- und Gnadenjurisdiktion, die z. B. innerhalb der katholischen Kirche eine so wichtige Bestimmung wie das Zinsverbot in bald zu erwähnender Weise auch in foro conscientiae völlig ausgeschaltet hat, ohne es doch – was unmöglich gewesen wäre – ausdrücklich zu abrogieren. Dem ebenso verpönten „Onanismus matrimonialis" (Zweikindersystem) dürfte es ebenso ergehen. Die Konsequenz der an sich naturgemäß häufigen Vieldeutigkeit oder des Schweigens religiöser Normen gegenüber neuen Problemen und diesen Praktiken ist das unvermittelte Nebeneinanderstehen absolut unerschütterlicher Stereotypierungen einerseits mit außerordentlicher Willkür und völliger Unberechenbarkeit des davon wirklich Geltendem andererseits. Von der islamischen Scheri'a ist im Einzelfall kaum angebbar, was heut noch in der Praxis gilt, und das gleiche trifft für alle heiligen Rechte und Sittengebote zu, welche formal ritualistisch-kasuistischen Charakter haben, vor allem auch für das jüdische Gesetz. Demgegenüber schafft nun gerade die prinzipielle Systematisierung des religiös Gesollten zur *„Gesinnungsethik"* eine wesentlich veränderte Situation. Sie sprengt die Stereotypierung der Einzelnormen zugunsten der „sinnhaften" Gesamtbeziehung der Lebensführung auf das religiöse Heilsziel. Sie kennt kein „heiliges Recht", sondern eine „heilige Gesinnung", welche je nach der Situation verschiedene Maximen des Verhaltens sanktionieren kann, also elastisch und anpassungsfähig ist. Statt stereotypierend kann sie, je nach der Richtung der Lebensführung, die sie schafft, von innen heraus revolutionierend wirken. Aber sie erkauft diese Fähigkeit um den Preis einer wesentlich verschärften und „verinnerlichten" Problematik. Die innere Spannung des religiösen Postulats gegen die Realitäten der Welt nimmt in Wahrheit nicht ab, sondern zu. An Stelle des äußerlichen Ausgleichspostulats der Theodizee treten mit steigender Systematisierung und Rationalisierung der Gemeinschaftsbeziehungen und ihrer Inhalte die Konflikte der Eigengesetzlichkeiten der einzelnen Lebenssphären gegenüber dem religiösen Postulat und gestalten so die „Welt", je intensiver das religiöse Bedürfen ist, desto mehr zu einem Problem; dieses müssen wir zunächst an den Hauptkonfliktspunkten uns verdeutlichen.

Die religiöse Ethik greift in die Sphäre der sozialen Ordnung sehr verschieden tief ein. Nicht nur die Unterschiede der magischen und rituellen Gebundenheit und der Religiosität entscheiden hier, sondern vor allem ihre prinzipielle Stellung zur Welt überhaupt. Je systematisch-rationaler diese unter religiösen Gesichtspunkten zu einem Kosmos geformt wird, desto prinzipieller kann ihre ethische Spannung gegen die innerweltlichen Ordnungen werden, und zwar um so mehr, je mehr diese selbst ihrerseits nach ihrer Eigengesetzlichkeit systematisiert werden. Es entsteht die weltablehnende religiöse Ethik und dieser fehlt, eben als solcher, der stereotypierende Charakter der heiligen Rechte. Gerade die Spannung, welche sie in die Beziehungen zur Welt hineinträgt, ist ein starkes dynamisches Entwicklungsmoment.

Soweit die religiöse Ethik lediglich die allgemeinen Tugenden des Weltlebens übernimmt, bedürfen diese hier keiner Erörterung. Die Beziehungen innerhalb der Familie, daneben Wahrhaftigkeit, Zuverlässigkeit, Achtung fremden Lebens und Besitzes, einschließlich desjenigen an Weibern, versteht sich von selbst. Aber der Akzent der verschiedenen Tugenden ist charakteristisch verschieden. So die ungeheure Betonung der Familienpietät im Konfuzianismus, magisch motiviert infolge der Bedeutung der Ahnengeister, praktisch geflissentlich gepflegt von einer patriarchalen und patrimonialbürokratischen politischen Herrschaftsorganisation, welcher, nach einem Ausspruch des Konfuzius, „Insubordination schlimmer als gemeine Gesinnung" gilt und daher die Subordination den Familienautoritäten gegenüber, wie dies ebenfalls ausdrücklich gesagt wird, auch als Merkmal der gesellschaftlichen und politischen Qualitäten gelten mußte. Im polaren Gegensatz dazu die Sprengung aller Familienbande durch die radikalere Form der Gemeindereligiosität: wer nicht seinen Vater hassen kann, kann nicht Jesu Jünger sein. Oder etwa die strengere Wahrheit der indischen und zarathustrischen Ethik gegenüber der des jüdisch-christlichen Dekalogs (Beschränkung auf die gerichtliche Zeugenaussage) und andererseits das völlige Zurücktreten der Wahrheitspflicht gegenüber den zeremoniellen Schicklichkeitsgeboten in der Standesethik der konfuzianischen chinesischen Bürokratie. Oder das, über die ursprünglich durch die antiorgiastische Stellung des Zarathustra bedingte, Tierquälereiverbot seiner Religion weit hinausgehende, in animistischen (Seelenwanderungs-) Vorstellungen begründete, absolute Verbot der Tötung irgendeines lebenden Wesens (ahimsa) bei aller spezifisch indischen Religiosität im Gegensatz zu fast allen anderen.

Im übrigen ist der Inhalt jeder, über magische Einzelvorschriften und die Familienpietät hinausgehenden, religiösen Ethik zunächst bedingt durch die beiden einfachen Motive, welche das nicht familiengebundene Alltagshandeln bestimmen: gerechte Talion gegen Verletzer und brüderliche Nothilfe für den befreundeten Nachbarn. Beides ist Vergeltung: der Verletzende „verdient" die Strafe, deren Vollziehung den Zorn besänftigt, ebenso wie der Nachbar die Nothilfe. Daß man den Feinden Böses mit Bösem vergelte, versteht sich für die chinesische, vedische und zarathustrische Ethik ebenso wie bis in die nachexilische Zeit für die der Juden. Alle gesellschaftliche Ordnung scheint ja auf gerechter Vergeltung zu beruhen, und daher lehnt die weltanpassende Ethik des Konfuzius die in China teils mystisch, teils sozialutilitarisch motivierte Idee der Feindesliebe direkt als gegen die Staatsräson gehend ab. Akzeptiert wird sie von der jüdischen nachexilischen Ethik im Grunde, wie Meinhold ausführt, auch nur im Sinn einer um so größeren, vornehmen Beschämung des Feindes durch eigene Guttaten und vor allem mit dem wichtigen

Vorbehalt, den auch das Christentum macht: daß die Rache Gottes ist und er sie um so sicherer besorgen wird, je mehr der Mensch sich ihrer enthält. Den Verbänden der Sippe, der Blutsbrüder und des Stammes fügt die Gemeindereligiosität als Stätte der Nothilfepflicht den Gemeindegenossen hinzu. Oder vielmehr, sie setzt ihn an die Stelle des Sippengenossen: wer nicht Vater und Mutter verlassen kann, kann nicht Jesu Jünger sein, und in diesem Sinn und Zusammenhang fällt auch das Wort, daß er gekommen sei, nicht um den Frieden zu bringen, sondern das Schwert. Daraus erwächst dann das Gebot der „Brüderlichkeit", welches der Gemeindereligiosität – nicht etwa aller, aber doch gerade ihr – spezifisch ist, weil sie die Emanzipation vom politischen Verbande am tiefsten vollzieht. Auch in der frühen Christenheit, z. B. bei Klemens von Alexandrien, gilt die Brüderlichkeit in vollem Umfang nur innerhalb des Kreises der Glaubensgenossen, nicht ohne weiteres nach außen. Die brüderliche Nothilfe stammt, sahen wir, aus dem Nachbarverband. Der „Nächste" hilft dem Nachbar, denn auch er kann seiner einmal bedürfen. Erst eine starke Mischung der politischen und ethnischen Gemeinschaften, und die Loslösung der Götter als universeller Mächte vom politischen Verband führt zur Möglichkeit des Liebesuniversalismus. Gegen die fremde Religiosität wird sie gerade bei Hervortreten der Konkurrenz der Gemeindereligiositäten und dem Anspruch auf Einzigkeit des eigenen Gottes sehr erschwert. Die Jainamönche wundern sich in der buddhistischen Überlieferung, daß der Buddha seinen Jüngern geboten hat, auch ihnen Speise zu geben.

Wie nun die Gepflogenheiten nachbarschaftlicher Bittarbeit und Nothilfe bei ökonomischer Differenzierung auch auf die Beziehungen zwischen den verschiedenen sozialen Schichten übertragen werden, so schon sehr früh auch in der religiösen Ethik. Die Sänger und Zauberer als die ältesten vom Boden gelösten „Berufe" leben von der Freigebigkeit der Reichen. Diese preisen sie zu allen Zeiten, den Geizigen aber trifft ihr Fluch. In naturalwirtschaftlichen Verhältnissen nobilitiert aber überhaupt, sehen wir, nicht der Besitz als solcher, sondern die freigebig gastfreie Lebensführung. Daher ist das *Almosen* universeller und primärer Bestandteil auch aller ethischen Religiosität. Die ethische Religiosität wendet dies Motiv verschieden. Das Wohltun an den Armen wird noch von Jesus gelegentlich ganz nach den Vergeltungsprinzipien so motiviert: daß gerade die Unmöglichkeit diesseitiger Vergeltung seitens des Armen die jenseitige durch Gott um so sicherer mache. Dazu tritt der Grundsatz der Solidarität der Glaubensbrüder, der unter Umständen bis zu einer an „Liebeskommunismus" grenzenden Brüderlichkeit geht. Das Almosen gehört im Islam zu den fünf absoluten Geboten der Glaubenszugehörigkeit, es ist im alten Hinduismus ebenso wie bei Konfuzius und im alten Judentum das „gute Werk" schlechthin, im alten Buddhismus ursprünglich die einzige Leistung des frommen Laien, auf die es wirklich ankommt und hat im antiken Christentum nahezu die Dignität eines Sakraments erlangt (noch in Augustins Zeit gilt Glaube ohne Almosen als unecht). Der unbemittelte islamische Glaubenskämpfer, der buddhistische Mönch, die unbemittelten Glaubensbrüder des alten Christentums (zumal der jerusalemitischen Gemeinde) sind ja alle, ebenso wie die Propheten, Apostel und oft auch die Priester der Erlösungsreligionen selbst vom Almosen abhängig, und die Chance des Almosens und der Nothilfe ist im alten Christentum und später bei den Sekten, bis in die Quäkergemeinden hinein, als eine Art von religiösem Unterstützungswohnsitz, eines der ökonomischen Hauptmomente der Propaganda und des Zusammenhalts der religiösen Gemeinde. Daher verliert es sofort mehr oder minder an Bedeutung und mechanisiert sich ritualistisch, wenn eine Gemeindereligiosität diesen ihren Charakter einbüßt. Dennoch bleibt es grundsätzlich bestehen. Im Christentum erscheint trotz dieser Entwicklung das Almosen für einen Reichen als so unbedingt erforderlich zur Seligkeit, daß die Armen geradezu als ein besonderer und unentbehrlicher „Stand" innerhalb der Kirche gelten. In ähnlicher Weise kehren die Kranken, die Witwen und Waisen als religiös wertvolle Objekte ethischen Tuns wieder. Denn die Nothilfe erstreckt sich natürlich weit über das Almosen hinaus: unentgeltlicher Notkredit und Notversorgung seiner Kinder erwartet man vom Freund und Nachbar, daher auch vom Glaubensbruder – noch die an die Stelle der Sekten tretenden säkularisierten Vereine in Amerika stellen vielfach diese Ansprüche. Und speziell erwartet er dies von der Generosität der Mächtigen und der eigenen Gewalthaber. Innerhalb bestimmter Grenzen ist ja Schonung und Güte auch gegen die eigenen Gewaltunterworfenen ein eigenes wohlverstandenes Interesse des Gewalthabers, da von deren Gutwilligkeit und Zuneigung, in Ermangelung rationaler Kontrollmittel, seine Sicherheit und Einkünfte weitgehend abhängen. Die Chance, Schutz und Nothilfe von einem Mächtigen zu erlangen, ist andererseits für jeden Besitzlosen, speziell die heiligen Sänger, ein Anreiz, ihn aufzusuchen und seine Güte zu preisen. Überall, wo patriarchale Gewaltverhältnisse die soziale Gliederung bestimmen, haben daher – besonders im Orient – die prophetischen Religionen eine Art von „Schutz der Schwachen", Frauen, Kinder, Sklaven, auch schon in Anknüpfung an jene rein praktische Situation schaffen können. So namentlich die mosaische und islamische Prophetie. Dies erstreckt sich nun auch auf die Klassenbeziehungen. Im Kreise der minder mächtigen Nachbarn gilt rücksichtslose Ausnutzung derjenigen Klassenlage, welche der vorkapitalistischen Zeit typisch ist: rücksichtslose Schuldverknechtung und Vermehrung des eigenen Landbesitzes (was beides annähernd identisch ist), Ausnutzung der größeren Kaufkraft durch Aufkauf von Konsumgütern zur spekulativen Ausnutzung der Zwangslage der anderen, ein mit schwerer sozialer Mißbilligung, daher auch mit religiösem Tadel beantworteter Verstoß gegen die Solidarität. Andererseits verachtet der alte Kriegsadel den durch Gelderwerb Emporgekommenen als Parvenu. Überall wird deshalb diese Art des „Geizes" religiös perhorresziert, in den indischen Rechtsbüchern ganz ebenso wie im alten Christentum und im Islam; im Judentum mit dem charakteristischen Institut des Schulderlaß- und Freilassungsjahres zugunsten der Glaubensgenossen, aus welchem dann theologische Konsequenzmacherei und Mißverstand einer rein stadtsässigen Frömmigkeit das „Sabbatjahr" konstruierte. Die gesinnungsethische Systematisierung konzipiert aus all diesen Einzelansprüchen die spezifisch religiöse Liebesgesinnung: die „caritas".

In fast allen ethischen Lebensreglementierungen kehrt nun auf ökonomischem Gebiet als Ausfluß dieser zentralen Gesinnung die Verwerfung des Zinses wieder. Gänzlich fehlt sie in der religiösen Ethik außerhalb des Protestantismus nur da, wo, wie im Konfuzianismus, diese eine reine Weltanpassung geworden ist oder, wie in der altbabylonischen Ethik und in den antiken Mittelmeerethiken, das Stadtbürgertum, insbesondere der stadtsässige und am Handel interessierte Adel die Entwicklung einer durchgreifenden karitativen Ethik überhaupt verhindert. In den indischen religiösen Rechtsbüchern gilt wenigstens für die beiden höchsten Kasten das Zinsnehmen als verpönt. Bei den Juden unter Volksgenossen, im Islam und im alten Christentum zunächst unter Glaubensbrüdern, dann unbedingt. Im Christentum ist das Zinsverbot als solches vielleicht nicht ursprünglich. Gott wird nicht vergelten, wo man ohne Risiko leiht, – so wird bei Jesus die Vorschrift: auch den Unbemittelten zu leihen, motiviert. Aus dieser Stelle hat dann ein Lehr- und Übersetzungsfehler das Verbot des Zinses gemacht (μηδεν statt μηδενα απελπιζοντες, daraus die Vulgata: „nihil inde sperantes"). Der ursprüngliche Grund der Zinsperhorreszierung liegt durchweg in dem Bittleistungscharakter des primitiven Notdarlehens, welche den Zins „unter Brüdern" als Verstoß gegen die Nothilfepflicht erscheinen lassen mußte. Für die steigende Einschärfung des Verbots im Christentum unter ganz anderen Bedingungen aber waren teilweise andere Motive maßgebend. Nicht etwa das Fehlen des Kapitalzinses infolge der allgemeinen Bedingungen der Naturalwirtschaft, deren „Wiederspiegelung" angeblich das Verbot (nach geschichtsmaterialistischer Schablone) sein sollte. Denn wir sehen gerade im Gegenteil, daß die christliche Kirche und ihre Diener, einschließlich des Papstes, selbst im frühen Mittelalter, also gerade im Zeitalter der Naturalwirtschaft, ganz unbedenklich Zins genommen und erst recht ihn geduldet haben, und daß vielmehr fast genau parallel mit dem Beginn der Entwicklung wirklich kapitalistischer Verkehrsformen und speziell des Erwerbskapitals im Überseehandel die kirchliche Verfolgung des Darlehenszinses entstand und immer schärfer einsetzte. Es handelt sich also um einen prinzipiellen Kampf der ethischen mit der ökonomischen Rationalisierung der Wirtschaft. Erst im 19. Jahrhundert mußte die Kirche, wie wir sahen, den nunmehr unabänderlichen Tatsachen gegenüber das Verbot in der früher erwähnten Art beseitigen.

Der eigentlich religiöse Grund der Antipathie gegen den Zins lag tiefer und hing mit der Stellung der religiösen Ethik zu der Gesetzlichkeit des rationalen geschäftlichen Erwerbs als solchem zusammen. Jeder rein geschäftliche Erwerb wird in urwüchsigen Religionen, gerade solchen, welche den Besitz von Reichtum an sich sehr stark positiv werten, fast durchweg sehr ungünstig beurteilt. Und zwar ebenfalls nicht nur unter vorherrschender Naturalwirtschaft und dem Einfluß des Kriegsadels. Sondern gerade unter relativ entwickeltem Geschäftsverkehr und in bewußtem Protest dagegen. Zunächst führt jede ökonomische Rationalisierung des Tauscherwerbs zur Erschütterung der Tradition, auf welcher die Autorität des heiligen Rechts überhaupt beruht. Schon deshalb ist der Trieb nach Geld als Typus rationalen Erwerbsstrebens religiös bedenklich. Wenn möglich, hat daher die Priesterschaft (so anscheinend in Ägypten) die Erhaltung der Naturalwirtschaft begünstigt, wo nicht etwa die eigenen ökonomischen Interessen der Tempel als sakral geschützter Depositen- und Darlehenskassen dem allzusehr entgegenstanden. Vor allem aber ist es der *unpersönliche*, ökonomisch rationale, eben deshalb aber ethisch irrationale, Charakter rein geschäftlicher Beziehungen als solcher, der auf ein niemals ganz klar ausgesprochenes, aber um so sicherer gefühltes Mißtrauen gerade bei ethischen Religionen stößt. Jede rein persönliche Beziehung von Mensch zu Mensch, wie immer sie sei, einschließlich der völligsten Versklavung, kann ethisch reglementiert, an sie können ethische Postulate gestellt werden, da ihre

Gestaltung von dem individuellen Willen der Beteiligten abhängt, also der Entfaltung karitativer Tugend Raum gibt. Nicht so aber geschäftlich rationale Beziehungen, und zwar je rational differenzierter sie sind, desto weniger. Die Beziehungen eines Pfandbriefbesitzers zu dem Hypothekenschuldner einer Hypothekenbank, eines Staatsschuldscheininhabers zum Staatssteuerzahler, eines Aktionärs zum Arbeiter der Fabrik, eines Tabakimporteurs zum fremden Plantagenarbeiter, eines industriellen Rohstoffverbrauchers zum Bergarbeiter sind nicht nur faktisch, sondern prinzipiell nicht karitativ reglementierbar. Die Versachlichung der Wirtschaft auf der Basis der Marktvergesellschaftung folgt durchweg ihren eigenen sachlichen Gesetzlichkeiten, deren Nichtbeachtung die Folge des ökonomischen Mißerfolgs, auf die Dauer des ökonomischen Untergangs nach sich zieht. Rationale ökonomische Vergesellschaftung ist immer Versachlichung in diesem Sinn, und einen Kosmos sachlich rationalen Gesellschaftshandelns kann man nicht durch karitative Anforderungen an konkrete Personen beherrschen. Der versachlichte Kosmos des Kapitalismus vollends bietet dafür gar keine Stätte. An ihm scheitern die Anforderungen der religiösen Karitas nicht nur, wie überall im einzelnen, an der Widerspenstigkeit und Unzulänglichkeit der konkreten Personen, sondern sie verlieren ihren Sinn überhaupt. Es tritt der religiösen Ethik eine Welt interpersonaler Beziehungen entgegen, die sich ihren urwüchsigen Normen grundsätzlich gar nicht fügen *kann.* In eigentümlicher Doppelseitigkeit hat daher die Priesterschaft immer wieder, auch im Interesse des Traditionalismus, den Patriarchalismus gegenüber den unpersönlichen Abhängigkeitsbeziehungen gestützt, obwohl andererseits die Prophetie die patriarchalen Verbände sprengt. Je prinzipieller aber eine Religiosität ihren Gegensatz gegen den ökonomischen Rationalismus als solchen empfindet, desto näher liegt dem religiösen Virtuosentum als Konsequenz die *antiökonomische Weltablehnung.*

In der Welt der Tatsachen hat dabei die religiöse Ethik infolge der unvermeidlichen Kompromisse, verschiedene Schicksale gehabt. Von jeher ist sie ganz direkt für rationale ökonomische Zwecke, insbesondere auch der Gläubiger, benutzt worden. Namentlich da, wo die Schuld rechtlich noch streng an der Person des Schuldners haftete. Dann wurde die Ahnenpietät der Erben ausgenutzt. Die Pfändung der Mumie des Toten in Ägypten oder die in manchen asiatischen Religiositäten verbreitete Vorstellung, daß wer ein Versprechen, also auch ein Schuldversprechen, namentlich ein eidliches, nicht halte, im Jenseits gequält werde und daher seinerseits die Ruhe der Nachfahren durch bösen Zauber stören könne, gehören dahin. Im Mittelalter ist, worauf Schulte hinwies, der Bischof besonders kreditwürdig, weil ein Fall des Bruchs der Zusage, zumal der eidlichen, die Exkommunikation seine ganze Existenz vernichtete (darin ähnlich der spezifischen Kreditwürdigkeit unserer Leutnants und Couleurstudenten). In eigentümlicher Paradoxie gerät vor allen Dingen, wie schon mehrfach erwähnt, die Askese immer wieder in den Widerstreit, daß ihr rationaler Charakter zur Vermögensakkumulation führt. Namentlich die Unterbietung, welche die billige Arbeit asketischer Zölibatäre gegenüber dem, mit dem Existenzminimum einer Familie belasteten, bürgerlichen Erwerb bedeutet, führt zur Expansion des eigenen Erwerbs, im Spätmittelalter, wo die Reaktion des Bürgertums gegen die Klöster eben auf deren gewerblicher „Kulikonkurrenz" beruht, wie bei der Unterbietung der weltlichen verheirateten Lehrer durch die Klostererziehung. Sehr oft erklären sich Stellungnahmen der Religiosität aus ökonomischen Erwerbsgründen. Die byzantinischen Mönche waren an den Bilderdienst ökonomisch gekettet wie die chinesischen es an die Produkte ihrer Buchdruckereien und Werkstätten sind, und die moderne Fabrikation von Schnaps in Klöstern – ein Hohn auf die religiöse Alkoholbekämpfung – ist nur ein extremes Beispiel in ähnlichem Sinne. Derartige Momente wirken jeder prinzipiellen antiökonomischen Weltablehnung entgegen. Jede Organisation, insbesondere jede Anstaltsreligiosität bedarf auch der ökonomischen Machtmittel, und kaum eine Lehre ist mit so fürchterlichen päpstlichen Flüchen bedacht worden, namentlich durch den größten Finanzorganisator der Kirche, Johann XXII., wie die konsequente Vertretung der biblisch beglaubigten Wahrheit: daß Christus seinen echten Jüngern Besitzlosigkeit geboten habe, durch die Franziskanerobservanten. Schon von Arnold von Brescia angefangen zieht sich die Zahl der Märtyrer dieser Lehre durch die Jahrhunderte.

Die praktische Wirkung der christlichen Wucherverbote und des für den geschäftlichen, speziell den kaufmännischen Erwerb, geltenden Satzes: „Deo placere non potest", ist generell schwer abzuschätzen. Das Wucherverbot zeitigte juristische Umgehungsformen aller Art. So gut wie unverhüllten Zins mußte schließlich die Kirche selbst nach hartem Kampf in den karitativen Anstalten der Montes pietatis (endgültig seit Leo X.) für Pfandleihegeschäfte zugunsten der Armen zulassen. Für den nur gegen festen Zins zu deckenden Notkreditbedarf des Mittelstandes sorgte das Judenprivileg. Im übrigen aber ist zu bedenken, daß im Mittelalter der feste Zins zunächst gerade bei den damals sehr stark risikobelasteten, namentlich den für überseeische Geschäfte geschlossenen, Erwerbskreditverträgen (wie sie z. B. auch für Mündelgelder in Italien universell benutzt wurden) ohnehin die seltene Ausnahme war gegenüber einer verschieden begrenzten und zuweilen (im Pisaner Constitutum Usus) tarifierten Teilnahme an Risiko und Gewinn des Geschäfts (commenda dare ad proficuum de mari). Die großen Händlergilden jedoch schützten sich gegen die Einrede der usuraria pravitas teils durch Ausschluß aus der Gilde, Boykott und schwarze Listen (wie etwa gegen den Differenzeinwand unserer Börsengesetzgebungen), die Mitglieder aber für ihr persönliches Seelenheil durch von der Zunft beschaffte Generalablässe (so in der Acta di Calimala) und massenhafte testamentarische Gewissensgelder oder Stiftungen. Der tiefe Zwiespalt zwischen den geschäftlichen Unvermeidlichkeiten und dem christlichen Lebensideal wurde indessen oft sehr tief gefühlt und hielt jedenfalls gerade die frömmsten und ethisch rationalsten Elemente dem Geschäftsleben fern, wirkte vor allem immer wieder in der Richtung einer ethischen Deklassierung und Hemmung des rationalen Geschäftsgeistes. Die Auskunft der mittelalterlichen Anstaltskirche: die Pflichten ständisch abzustufen je nach religiösem Charisma und ethischem Beruf und daneben die Ablaßpraxis ließen jedoch eine geschlossene ethische Lebensmethodik auf ökonomischem Gebiete überhaupt nicht entstehen. (Der Ablaßdispens und die äußerst laxen Prinzipien der jesuitischen probabilistischen Ethik nach der Gegenreformation änderten daran nichts, daß eben ethisch lax denkende, nicht aber ethisch rigoristische Menschen dem Erwerb als solchem sich zuwenden konnten.) Die Schaffung einer kapitalistischen Ethik leistete – durchaus nicht der Absicht nach – erst die innerweltliche Askese des Protestantismus, welche gerade den frömmsten und ethisch rigorosesten Elementen den Weg in das Geschäftsleben und vor allem den Erfolg im Geschäftsleben als Frucht rationaler Lebensführung zuwendete. Das Zinsverbot selbst wurde vom Protestantismus, speziell vom asketischen Protestantismus, auf Fälle konkreter Lieblosigkeit beschränkt. Der Zins wurde jetzt gerade da, wo ihn die Kirche selbst in den Montes pietatis faktisch geduldet hatte: bei Kredit an die Armen, als liebloser Wucher perhorresziert, – die Juden sowohl wie die christliche Geschäftswelt empfanden seit langem deren Konkurrenz als lästig, – dagegen wurde er als eine Form der Teilnahme des Kapitalgebers an den mit geliehenem Gelde gemachten Geschäftsprofit und überhaupt für den Kredit an die Mächtigen und Reichen (politischer Kredit an Fürsten) legitimiert. Theoretisch ist dies die Leistung des Salmasius. Vor allem vernichtete aber ganz allgemein der Calvinismus die überkommenen Formen der Karitas. Das planlose Almosen war das erste, was er beseitigte. Allerdings war schon seit der Einführung fester Normen für die Verteilung der Gelder des Bischofs in der späteren Kirche und dann durch die Einrichtung des mittelalterlichen Spitals der Weg zur Systematisierung der Karitas betreten, wie im Islam die Armensteuer eine rationale Zentralisation bedeutet hatte. Aber seine Bedeutung als gutes Werk hatte das planlose Almosen behauptet. Die zahllosen karitativen Stiftungen aller ethischen Religionen haben der Sache nach ebenfalls entweder zu einer direkten Züchtung des Bettels geführt und überdies, wie etwa in der fixierten Zahl der täglichen Armensuppen in byzantinischen Klosterstiftungen und in dem chinesischen offiziellen Suppentage, die Karitas zu einer rein rituellen Geste werden lassen. Der Calvinismus machte dem allen ein Ende. Vor allem der freundlichen Beurteilung der Bettler. Für ihn hat der unerforschliche Gott seine guten Gründe, wenn er die Glücksgüter ungleich verteilt und bewährt sich der Mensch ausschließlich in der Berufsarbeit. Der Bettel wird direkt als eine Verletzung der Nächstenliebe gegen den Angebettelten bezeichnet, und vor allem gehen alle puritanischen Prediger von der Auffassung aus, daß Arbeitslosigkeit Arbeitsfähiger ein für allemal selbstverschuldet sei. Für Arbeitsunfähige aber, für Krüppel und Waisen, ist die Karitas rational zu organisieren zu Gottes Ehre, nach Art etwa der noch jetzt in einer eigentümlich auffallenden, an Narrentrachten erinnernden Kleidung, möglichst ostensibel durch die Straßen Amsterdams zum Gottesdienst geführten Waisenhausinsassen. Die Armenpflege wird unter dem Gesichtspunkt der Abschreckung von Arbeitsscheuen gestellt, wofür etwa die englische puritanische Armenpflege im Gegensatz zu den von H. Levy sehr gut geschilderten anglikanischen Sozialprinzipien den Typus abgibt. Jedenfalls wird Karitas selbst nur ein rationaler „Betrieb" und ihre religiöse Bedeutung ist damit entweder ausgeschaltet oder direkt in ihr Gegenteil verkehrt. So die konsequente asketisch-rationale Religiosität.

Den entgegengesetzten Weg gegenüber der Rationalisierung der Wirtschaft muß eine mystische Religiosität gehen. Gerade das prinzipielle Scheitern der Brüderlichkeitspostulate an der lieblosen Realität der ökonomischen Welt, sobald in ihr rational gehandelt wird, steigert hier die Forderung der Nächstenliebe zu dem Postulat der schlechthin wahllosen „Güte", die nach Grund und Erfolg der absoluten Selbsthingabe, nach Würdigkeit und Selbsthilfefähigkeit des Bittenden überhaupt nicht fragt und das Hemd gibt, wo der Mantel erbeten ist, für die aber eben deshalb in ihren letzten Konsequenzen auch der einzelne Mensch, für den sie sich opfert, sozusagen fungibel und in seinem Wert nivelliert wird, der „Nächste" der jeweils zufällig in den Weg kommende ist, relevant nur durch seine Not und seine Bitte: eine eigentümliche Form mystischer Weltflucht in Gestalt objektlos liebender Hingabe nicht um des Menschen, sondern um der Hingabe, der „heiligen Prostitution der Seele" (Baudelaire), willen.

Gleich scharf und aus gleichen Gründen gerät der religiöse Liebesakosmismus, in irgendeiner Weise aber jede rationale ethische Religiosität in Spannung mit dem Kosmos des *politischen* Handelns, sobald eine Religion dem politischen Verband gegenüber überhaupt einmal Distanz gewonnen hat.

Der alte politische Lokalgott freilich, auch ein ethischer und universell mächtiger Gott, ist lediglich für den Schutz der politischen Interessen seines Verbandes da. Auch der Christengott wird ja noch heute als „Schlachtengott" oder „Gott unserer Väter" wie ein Lokalgott einer antiken Polis angerufen, ganz ebenso wie etwa der christliche Pfarrer am Nordseestrand jahrhundertelang um „gesegneten Strand" (zahlreiche Schiffbrüche) zu beten hatte. Die Priesterschaft ihrerseits hängt meist direkt oder indirekt von dem politischen Verbande ab, sehr stark schon in den heutigen auf Staatspension gesetzten Kirchen, erst recht aber wo die Geistlichen Hof- oder Patrimonialbeamte der Herrscher oder Grundherren, wie in Indien der purohita oder wie der byzantinische Hofbischof Konstantins, oder wo sie selbst weltlich belehnte Feudalherren wie im Mittelalter oder adelige Priestergeschlechter mit weltlicher Macht waren. Die heiligen Sänger, deren Produkte fast überall in die heiligen Schriften eingingen, in die chinesischen und indischen wie in die jüdischen, preisen den Heldentod, der den brahmanischen heiligen Rechtsbüchern für den Kshatryia in dem Alter, in welchem er „den Sohn seines Sohnes sieht", als ebenso ideale Kastenpflicht gilt, wie im gleichen Fall für den Brahmanen die Zurückziehung zur Meditation in den Wald. Den Begriff des „Glaubenskampfs" freilich konzipiert eine magische Religiosität nicht. Aber politischer Sieg und vor allem Rache an den Feinden sind für sie und auch für die alte Jahvereligion der eigentliche Gotteslohn.

Je mehr aber die Priesterschaft sich selbständig gegenüber der politischen Gewalt zu organisieren versucht und je rationaler ihre Ethik wird, desto mehr verschiebt sich diese ursprüngliche Position. Der Widerspruch zwischen der Predigt der Brüderlichkeit der Genossen und der Verherrlichung des Krieges den Außenstehenden gegenüber pflegt freilich für die Deklassierung der kriegerischen Tugenden nicht entscheidend zu sein, da hier ja der Ausweg der Unterscheidung von „gerechten" und „ungerechten" Kriegen blieb, – ein pharisäisches Produkt, von welchem die alte genuine Kriegerethik nichts wußte. Weit wichtiger war die Entstehung von Gemeinindereligionen politisch entwaffneter und priesterlich domestizierter Völker, wie etwa der Juden, und das Entstehen breiter, mindestens relativ unkriegerischer, aber für den Unterhalt und die Machtstellung der Priesterschaft, wo sie sich selbständig organisierte, zunehmend bedeutsamer Schichten. Die Priesterschaft mußte die spezifischen Tugenden dieser Schichten um so exklusiver rezipieren, als diese: Einfachheit, geduldiges Sichschicken in die Not, demütige Hinnahme der gegebenen Autorität, freundliches Verzeihen und Nachgiebigkeit gegenüber dem Unrecht, gerade auch diejenigen Tugenden waren, welche der Unterwerfung unter die Fügung des ethischen Gottes und der Priester selbst zugute kamen, und als sie alle ferner in gewissem Maß Komplementärtugenden der religiösen Grundtugend der Mächtigen: der großmütigen Karitas, darstellten, und als solche von den patriarchalen Nothelfern selbst bei den von ihnen Unterstützten erwartet und gewünscht werden. Politische Umstände wirken mit, die Ethik des Beherrschten religiös um so mehr zu verklären, je mehr eine Religiosität „Gemeinde"-Religiosität wird. Die jüdische Prophetie, in realistischer Erkenntnis der außenpolitischen Lage, hat das Sichschicken in das gottgewollte Schicksal der Herrschaft der Großmächte gepredigt. Und die Domestikation der Massen, welche sowohl Fremdherrschaften (so zuerst systematisch die Perser) wie schließlich auch die eigenen heimischen Gewalthaber den von ihnen anerkannten Priestern zuweisen, gibt, verbunden mit der Eigenart ihrer persönlichen unkriegerischen Tätigkeit und der Erfahrung von der überall besonders intensiven Wirkung religiöser Motive auf Frauen, mit zunehmender Popularisierung der Religion zunehmende Gründe, jene wesentlich femininen Tugenden der Beherrschten als spezifisch religiös zu werten. Aber nicht dieser priesterlich organisierte „Sklavenaufstand" in der Moral allein, sondern jedes Emporwachsen asketischer und vor allem mystischer persönlicher Heilssuche des Einzelnen, von der Tradition Gelösten führt, wie wir sahen, kraft Eigengesetzlichkeit in die gleiche Richtung. Typische äußere Situationen aber wirken verstärkend. Sowohl der sinnlos scheinende Wechsel der, gegenüber einer universalistischen Religiosität und (relativen) sozialen Einheitskultur (wie in Indien), partikulären und ephemeren, kleinen politischen Machtgebilde, wie gerade umgekehrt auch die universelle Befriedung und Austilgung alles Ringens um Macht in den großen Weltreichen, und speziell die Bürokratisierung der politischen Herrschaft (wie im

Römerreich), alle Momente also, welche den politischen und sozialen, am kriegerischen Machtkampf und sozialen Ständekampf verankerten Interessen den Boden entziehen, wirken sehr stark in der gleichen Richtung der *antipolitischen Weltablehnung* und der Entwicklung gewaltablehnender religiöser Brüderlichkeitsethik. Nicht aus „sozialpolitischen" Interessen, womöglich aus „proletarischen" Instinkten heraus, sondern gerade aus dem völligen Wegfall dieser Interessen erwuchs die Macht der apolitischen christlichen Liebesreligion ebenso wie die zunehmende Bedeutung aller Erlösungslehren und Gemeindereligiositäten seit dem ersten und zweiten Jahrhundert der Kaiserzeit überhaupt. Es sind dabei keineswegs nur, oft nicht einmal vorwiegend, die beherrschten Schichten und ihr moralistischer Sklavenaufstand, sondern vor allem die politisch desinteressierten, weil einflußlosen oder degoutierten Schichten der Gebildeten, welche Träger speziell antipolitischer Erlösungsreligiositäten werden.

Die ganz universelle Erfahrung: daß Gewalt stets Gewalt aus sich gebiert, daß überall soziale oder ökonomische Herrschaftsinteressen sich mit den idealsten Reform- und vollends Revolutionsbewegungen vermählen, daß die Gewaltsamkeit gegen das Unrecht im Endergebnis zum Sieg nicht des größeren Rechts, sondern der größeren Macht oder Klugheit führt, bleibt mindestens der Schicht der intellektuellen Nichtinteressenten nicht verborgen und gebiert immer neu die radikalste Forderung der Brüderlichkeitsethik: dem Bösen nicht mit Gewalt zu widerstehen, welche dem Buddhismus mit der Predigt Jesu gemeinsam ist. Sie eignet aber auch sonst speziell mystischen Religiositäten, weil die mystische Heilssuche mit ihrer das Inkognito in der Welt als einzige Heilsbewährung suchenden Minimisierung des Handelns diese Haltung der Demut und Selbstaufgabe fordert und sie überdies auch rein psychologisch aus dem akosmistischen objektlosen Liebesempfinden, welches ihr eignet, erzeugen muß. Jeder reine Intellektualismus aber trägt die Chance einer solchen mystischen Wendung in sich. Die innerweltliche Askese dagegen kann mit der Existenz der politischen Gewaltordnung paktieren, die sie als Mittel rationaler ethischer Umgestaltung der Welt und der Bändigung der Sünde schätzt. Allein das Handinhandgehen ist hier bei weitem nicht so leicht wie mit den ökonomischen Erwerbsinteressen. Denn in ungleich höherem Maße als der private ökonomische Erwerb nötigt die auf menschliche Durchschnittsqualitäten, Kompromisse, List und Verwendung anderer ethisch anstößiger Mittel und vor allem Menschen, daneben auf Relativierung aller Zwecke abgestellte, eigentlich politische Tätigkeit zur Preisgabe ethisch-rigoristischer Forderungen. So sehr fällt dies in die Augen, daß unter der ruhmvollen Makkabäerherrschaft, nachdem der erste Rausch des Freiheitskriegs verraucht war, gerade unter den frömmsten Juden eine Partei entstand, welche die Fremdherrschaft dem nationalen Königtum ähnlich vorzog, wie manche puritanischen Denominationen nur die Kirchen unter dem Kreuz, also unter ungläubiger Herrschaft, als solche von erprobter Echtheit der Religiosität ansahen. In beiden Fällen wirkte einerseits der Gedanke, daß die Echtheit nur im Martyrium bewährt werden könne, andererseits aber die prinzipielle Vorstellung: daß echt religiöse Tugenden, sowohl die kompromißlose rationale Ethik wie andererseits die akosmistische Brüderlichkeit, innerhalb des politischen Gewaltapparats unmöglich eine Stätte finden können. Die Verwandtschaft der innerweltlichen Askese mit der Minimisierung der Staatstätigkeit („Manchestertum") hat hier eine ihrer Quellen.

Der Konflikt der asketischen Ethik sowohl wie der mystischen Brüderlichkeitsgesinnung mit dem allen politischen Bildungen zugrunde liegenden Gewaltapparat hat die verschiedensten Arten von Spannung und Ausgleich gezeigt. Die Spannung zwischen Religion und Politik ist natürlich da am geringsten, wo, wie im Konfuzianismus, die Religion Geisterglauben oder schlechthin Magie, die Ethik aber lediglich kluge Weltanpassung des gebildeten Mannes ist. Ein Konflikt besteht andererseits da gar nicht, wo eine Religiosität die gewaltsame Propaganda der wahren Prophetie zur Pflicht macht, wie der alte Islam, der auf Universalismus der Bekehrung bewußt verzichtete und die Unterjochung wie die Unterwerfung der Glaubensfremden unter die Herrschaft eines dem Glaubenskampf als Grundpflicht gewidmeten herrschenden Ordens, nicht aber die Erlösung der Unterworfenen als Ziel kennt. Denn dies ist dann eben keine universalistische Erlösungsreligion. Der gottgewollte Zustand ist gerade die Gewaltherrschaft der Gläubigen über die geduldeten Ungläubigen, und also die Gewaltsamkeit als solche kein Problem. Eine gewisse Verwandtschaft damit, zeigt die innerweltliche Askese dann, wenn sie, wie der radikale Calvinismus, die Herrschaft der zur „reinen" Kirche gehörigen religiösen Virtuosen über die sündige Welt zu deren Bändigung als gottgewollt hinstellt, wie dies z. B. der neuenglischen Theokratie, wenn nicht ausgesprochenermaßen, so doch in der Praxis, natürlich mit allerhand Kompromissen, zugrunde lag. Ein Konflikt fehlt aber auch da, wo, wie in den indischen intellektualistischen Erlösungslehren, (Buddhismus, Jainismus) jede Beziehung zur Welt und zum Handeln in ihr abgebrochen, eigene Gewaltsamkeit ebenso wie Widerstand gegen die Gewalt absolut verboten, aber auch gegenstandslos ist. Nur faktische Einzelkonflikte konkreter Staatsanforderungen mit konkreten religiösen Geboten entstehen da, wo eine Religiosität Pariareligion einer von der politischen Gleichberechtigung ausgeschlossenen Gruppe, ihre Verheißung aber die gottgewirkte Wiederherstellung des richtigen Kastenranges ist, wie das Judentum, welches Staat und Gewalt nie verworfen, im Gegenteil mindestens bis zur hadrianischen Tempelzerstörung im Messias einen eigenen politischen Gewaltherrscher erwartet hatte.

Der Konflikt führt zum Martyrium oder zu passiver antipolitischer Duldung der Gewaltherrschaft, wo eine Gemeindereligiosität jede Gewaltsamkeit als widergöttlich verwirft, und die Fernhaltung davon für ihre Mitglieder wirklich durchsetzen, dabei aber doch nicht die Konsequenz der absoluten Weltflucht ziehen, sondern irgendwie innerhalb der Welt bleiben will. Der religiöse Anarchismus hat nach historischer Erfahrung bisher nur als kurzlebige Erscheinung bestanden, weil die Intensität der Gläubigkeit, die ihn bedingt, persönliches Charisma ist. Selbständige politische Bildungen auf einer nicht schlechthin anarchistischen, aber prinzipiell pazifistischen Grundlage haben existiert. Die wichtigste war das Quäkergemeinwesen in Pennsylvanien, dem es zwei Menschenalter lang tatsächlich gelang, im Gegensatz zu allen Nachbarkolonien, ohne Gewaltsamkeit gegen die Indianer auszukommen und zu prosperieren. Bis zuerst die bewaffneten Konflikte der Kolonialgroßmächte den Pazifismus zu einer Fiktion machten, und schließlich der amerikanische Unabhängigkeitskrieg, welcher im Namen grundlegender Prinzipien des Quäkertums, aber unter Fernhaltung der orthodoxen Quäker wegen des Nichtwiderstandsprinzips, geführt wurde, dies Prinzip auch innerlich tief diskreditierte. Und die ihm entsprechende, tolerante Zulassung Andersdenkender hatte in Pennsylvanien selbst die Quäker zunächst zu einer immer peinlicher empfundenen Wahlkreisgeometrie, schließlich aber zur Abdikation vom Mitregiment gezwungen. Der grundsätzlich passive Apolitismus, wie ihn typisch das genuine Mennonitentum und ähnlich die meisten täuferischen Gemeinden, überhaupt aber zahlreiche, besonders russische, Sekten in verschieden motivierter Art, in den verschiedensten Teilen der Erde festgehalten haben, hat bei der absoluten Fügsamkeit, welche aus der Verwerfung der Gewaltsamkeit folgt, zu akuten Konflikten vornehmlich nur da geführt, wo persönliche militärische Dienstleistungen verlangt wurden. Das Verhalten auch der nicht absolut apolitischen religiösen Denominationen zum Kriege im speziellen ist ein verschiedenes gewesen, je nachdem es sich um Schutz der Glaubensfreiheit gegen Eingriffe der politischen Gewalt oder um rein politische Kriege handelte. Für beide Arten der kriegerischen Gewaltsamkeiten sind zwei extreme Maximen vertreten: einerseits rein passive Duldung fremder Gewalt und Renitenz gegen die Zumutung eigener Beteiligung an Gewaltsamkeiten mit der eventuellen Konsequenz des persönlichen Martyriums. Dies ist nicht nur die Stellung des absolut weltindifferenten mystischen Apolitismus und der prinzipiell pazifistischen Arten der innerweltlichen Askese, sondern für die religiöse Vergewaltigung eignet sich auch die reine persönliche Glaubensreligiosität ihn öfters als Konsequenz an, da sie eine gottgewollte rationale äußere Ordnung und eine gottgewollte rationale Beherrschung der Welt nicht kennt. Luther verwarf wie den Glaubenskrieg so auch die Glaubensrevolution schlechthin. Auf der anderen Seite steht der Standpunkt des gewaltsamen Widerstandes wenigstens gegen Vergewaltigung des Glaubens. Die Glaubensrevolution liegt dem innerweltlichen asketischen Rationalismus, der heilige, gottgewollte Ordnungen der Welt kennt, am nächsten. So innerhalb des Christentums namentlich im Calvinismus, der die gewaltsame Verteidigung des Glaubens gegen Tyrannen zur Pflicht macht (wenn auch, dem anstaltskirchlichen Charakter entsprechend, bei Calvin selbst nur auf Initiative berufener – ständischer – Instanzen). Die Propagandakampfreligionen und ihre Derivate, wie die mahdistischen und andere islamische Sekten, auch die islamisch beeinflußte, eklektische, anfangs sogar pazifistische hinduistische Sekte der Sikhs, kennen selbstverständlich auch die Pflicht der Glaubensrevolution. Bezüglich des religiös indifferenten rein politischen Krieges stellen sich dagegen die Vertreter der beiden entgegengesetzten Standpunkte unter Umständen praktisch genau umgekehrt. Religiositäten, welche ethisch rationale Anforderungen an den politischen Kosmos stellen, müssen zu rein politischen Kriegen einen wesentlich negativeren Standpunkt einnehmen, als solche, welche die Ordnungen der Welt als gegeben und relativ indifferent hinnehmen. Die unbesiegte Cromwellsche Armee petitionierte beim Parlament um Abschaffung der Zwangsaushebung, weil der Christ nur an Kriegen teilnehmen dürfe, deren Recht sein eigenes Gewissen bejahe. Das Soldheer muß von diesem Standpunkt aus als eine relativ sittliche Einrichtung gelten, weil es der Söldner mit Gott und seinem eigenen Gewissen abzumachen hat, ob er diesen Beruf ergreifen will. Staatliche Gewaltsamkeit aber ist nur soweit sittlich, als sie zu Gottes Ehre die Sünde bändigt und göttlichem Unrecht entgegentritt, also zu Glaubenszwecken. Für Luther dagegen, der Glaubenskrieg, Glaubensrevolution und aktiven Widerstand absolut verwirft, ist bei politischen Kriegen die weltliche Obrigkeit, deren Sphäre durch rationale Postulate der Religion gar nicht berührt wird, allein verantwortlich für das Recht eines Krieges, und der Untertan belastet sein Gewissen nicht, wenn er ihr hier wie in allem, was nicht seine Beziehung zu Gott zerstört, auch aktiv gehorcht.

Die Stellung des alten und mittelalterlichen Christentums aber zum Staat als Ganzem hat geschwankt oder richtiger gesagt: den Schwerpunkt gewechselt, zwischen mehreren Standpunkten: 1. Völlige Perhorreszierung des bestehenden Römerreichs, dessen Dauer bis ans Ende der Welt in der ausgehenden Antike jedermann, auch den Christen, für selbstverständlich galt, als der Herrschaft des Antichrist. – 2. Völlige Staatsindifferenz, also passive Duldung der (stets und immer unrechtmäßigen) Gewalt, daher auch aktive Erfüllung aller religiös nicht direkt das Heil gefährdenden Zwangsnotwendigkeiten, so insbesondere der Steuerzahlung; daß man „dem Kaiser geben solle, was des Kaisers ist", bedeutet nicht etwa, wie moderne Harmonisierung will, positive Anerkennung, sondern gerade die absolute Gleichgültigkeit des Treibens dieser Welt. – 3. Fernhaltung vom konkreten politischen Gemeinwesen, weil und insoweit die Beteiligung an ihm notwendig in Sünde (Kaiserkult) bringt, aber positive Anerkennung der Obrigkeit, auch der ungläubigen, als immerhin gottgewollt, wenn auch selbst sündig, aber, wie alle Ordnungen der Welt eine gottverordnete Sündenstrafe, die durch Adams Fall über uns gebracht ist und die der Christ gehorsam auf sich nehmen muß. – 4. Positive Wertung der Obrigkeit, auch der ungläubigen, als im Sündenstande unentbehrliches Bändigungsmittel der schon kraft der gottgegebenen natürlichen Erkenntnis des religiös unerleuchteten Heiden verwerflichen Sünden und als allgemeine Bedingung aller gottgewollten irdischen Existenz. – Die beiden erstgenannten von diesen Standpunkten gehören vornehmlich der Periode eschatologischer Erwartung an, sind aber auch später immer erneut gelegentlich hervorgetreten. Über den zuletzt genannten Standpunkt ist das antike Christentum auch nach seiner Anerkennung als Staatsreligion prinzipiell nicht wirklich hinausgekommen. Die große Wandelung in den Beziehungen zum Staat vollzieht sich vielmehr erst in der mittelalterlichen Kirche, wie es Tröltschs Untersuchungen glänzend beleuchtet haben. Das Problem aber, in welchem sich das Christentum dabei befand, gehört zwar nicht ausschließlich ihm an, ist aber teils aus innerreligiösen, teils aus außerreligiösen Gründen nur in ihm zu derartig konsequenter Problematik gediehen. Es handelt sich um die

Stellung des sogenannten „Naturrechts" einerseits zur religiösen Offenbarung, andererseits zu den positiven politischen Gebilden und ihrem Gebaren. Wir werden darauf teils gelegentlich der Erörterung der religiösen Gemeinschaftsformen, teils bei Besprechung der Herrschaftsformen noch kurz einzugehen haben. Prinzipiell ist hier nur über die Art der Lösung für die individuelle Ethik zu sagen: Das allgemeine Schema, nach welchem eine Religion, wenn sie in einem politischen Verbande die vorherrschende, von ihm privilegierte, und namentlich dann, wenn sie eine Religiosität der Anstaltsgnade ist, die Spannungen zwischen religiöser Ethik und den anethischen oder antiethischen Anforderungen des Lebens in der staatlichen und ökonomischen Gewaltordnung der Welt zu lösen pflegt, ist die Relativierung und Differenzierung der Ethik in Form der „organischen" – im Gegensatz zur asketischen – *Berufsethik*. Teils nimmt sie, wie z. B. Thomas von Aquino im Gegensatz – wie Tröltsch mit Recht betont – zur stoischen antik-christlichen Lehre vom goldenen Zeitalter und seligen Urstand der allgemeinen anarchischen Gleichheit der Menschen, die schon dem animistischen Seelen- und Jenseitsglauben vielfach geläufige Vorstellung von der natürlichen, auch von allen Folgen der Sünde abgesehen, rein natürlichen Verschiedenheit der Menschen, welche ständische Unterschiede des Diesseits- und Jenseitsschicksals bedingt, auf. Daneben aber deduziert sie die Gewaltverhältnisse des Lebens metaphysisch. Entweder kraft Erbsünde oder kraft individueller Karmankausalität oder kraft dualistisch motivierten Weltverderbs sind die Menschen verurteilt, Gewalt, Mühsal, Leiden, Lieblosigkeit zu ertragen, insbesondere auch die Unterschiede der ständischen und Klassenlage. Providenziell sind nun die Berufe oder Kasten derart eingerichtet, daß jedem von ihnen seine spezifische unentbehrliche, gottgewollte oder von der unpersönlichen Weltordnung vorgeschriebene Aufgabe zufällt und damit für jeden andere ethische Anforderungen gelten. Sie gleichen den einzelnen Teilen eines Organismus. Menschliche Gewaltverhältnisse, die sich daraus ergeben, sind gottgewollte Autoritätsbeziehungen, und die Auflehnung dagegen oder die Erhebung anderer Lebensansprüche, als sie der ständischen Rangfolge entsprechen, gottwidriger und die heilige Tradition verletzender kreatürlicher Hochmut. Innerhalb dieser organischen Ordnung ist den Virtuosen der Religiosität, seien sie asketischen oder kontemplativen Charakters, ebenso ihre spezifische Aufgabe: die Schaffung des Thesaurus der überschüssigen guten Werke, aus dem die Anstaltsgnade spendet, zugewiesen, ebenso wie den Fürsten, Kriegern und Richtern, dem Handwerk und den Bauern ihre besonderen Funktionen. Durch Unterwerfung unter die offenbarte Wahrheit und rechte Liebesgesinnung erwirbt gerade innerhalb dieser Ordnungen der Einzelne diesseitiges Glück und jenseitigen Lohn. Für den Islam war diese „organische" Konzeption und die ganze Problematik weit fernliegender, weil er auf Universalismus verzichtend, die ideale ständische Schichtung der Welt als eine solche in herrschende Gläubige und Ungläubige, den Gläubigen den Unterhalt reichende, im übrigen aber in der Art der Regulierung ihrer religiös ganz indifferenten eigenen Lebensverhältnisse ganz und gar sich selbst überlassene Pariavölker konzipierte. Hier gibt es wohl den Konflikt mystischer Heilssuche und asketischer Virtuosenreligiosität mit der Anstaltsorthodoxie, ferner den überall, wo positive heilige Rechtsnormen bestehen, entstehenden Konflikt heiligen und profanen Rechts und Fragen der Orthodoxie in der theokratischen Verfassung, aber nicht das grundsätzlich letzte religiös naturrechtliche Problem der Beziehung zwischen religiöser Ethik und weltlicher Ordnung überhaupt. Dagegen statuieren die indischen Rechtsbücher die organisch traditionalistische Berufsethik im Schema ähnlich, nur konsequenter als die mittelalterlich katholische Lehre und vollends als die höchst dürftige lutherische Doktrin vom status ecclesiasticus, politicus und oeconomicus. Und in der Tat ist die ständische Ordnung in Indien, wie wir früher sahen, gerade als Kastenethik mit einer spezifischen Erlösungslehre: der Chance des immer weiteren Aufstiegs in einem künftigen Erdenleben eben durch die Erfüllung der sei es auch noch so sozial verachteten Pflichten der eigenen Kaste, vereinigt. Sie hat dadurch am radikalsten im Sinne der Akzeptierung der irdischen Ordnung, und zwar gerade bei den niedrigsten Kasten, gewirkt, welche bei der Seelenwanderung am meisten zu gewinnen haben. Die christlich-mittelalterliche Perpetuierung der ständischen Unterschiede des kurzen Erdendaseins in eine zeitlich „ewige" jenseitige Existenz hinein dagegen – wie sie etwa Beatrice im Paradiso erläutert – würde der indischen Theodizee absurd erschienen sein und nimmt dem strikten Traditionalismus der organischen Berufsethik ja in der Tat gerade alle unbegrenzten Zukunftshoffnungen des an die Seelenwanderung und also die Möglichkeit stets weiter gehobener irdischer Existenz glaubenden frommen Hindu. Ihre Wirkung ist daher, auch rein religiös angesehen, in weit unsichererem Maße eine Stütze der traditionellen Berufsgliederung gewesen als die eisenfeste Verankerung der Kaste an andersartigen Verheißungen der Seelenwanderungslehre. Überdies aber ruhte die mittelalterliche wie die lutherische traditionalistische Berufsethik auch rein faktisch auf einer zunehmend schwindenden allgemeinen Voraussetzung, welche beiden mit der konfuzianischen Ethik gemeinsam ist: dem rein personalistischen Charakter ebenso der ökonomischen wie der politischen Gewaltverhältnisse, bei welchem die Justiz und vor allem die Verwaltung ein Kosmos des Sichauswirkens persönlicher Unterwerfungsverhältnisse ist, beherrscht durch Willkür und Gnade, Zorn und Liebe, vor allem aber durch gegenseitige Pietät des Herrschenden und Unterworfenen nach Art der Familie. Ein Charakter der Gewaltbeziehungen also, an welche man ethische Postulate in dem gleichen Sinn stellen kann wie an jede andere rein persönliche Beziehung. Aber nicht nur die „herrenlose Sklaverei" (Wagner) des modernen Proletariats, sondern vor allem der Kosmos der rationalen Staatsanstalt, des von der Romantik perhorreszierten „Rackers von Staat", hat absolut nicht mehr diesen Charakter, wie wir s. Zt. zu erörtern haben werden. Daß man nach Ansehen der Person verschieden verfahren müsse, versteht sich der personalistischen ständischen Ordnung von selbst und nur in welchem Sinn wird gelegentlich, auch bei Thomas von Aquino, zum Problem. „Ohne Ansehen der Person", „sine ira et studio", ohne Haß und deshalb ohne Liebe, ohne Willkür und deshalb ohne Gnade, als sachliche Berufspflicht und nicht kraft konkreter persönlicher Beziehung erledigt der homo politicus ganz ebenso wie der homo oeconomicus heute seine Aufgabe gerade dann, wenn er sie in idealstem Maße im Sinn der rationalen Regeln der modernen Gewaltordnung vollzieht. Nicht aus persönlichem Zorn oder Rachebedürfnis, sondern persönlich ganz unbeteiligt und um sachlicher Normen und Zwecke willen bringt die moderne Justiz den Verbrecher vom Leben zum Tode, einfach kraft ihrer immanenten rationalen Eigengesetzlichkeit, etwa wie die unpersönliche Karmanvergeltung im Gegensatz zu Jahves wildem Rachedurst. Zunehmend versachlicht sich die innerpolitische Gewaltsamkeit zur „Rechtsstaatsordnung", – religiös angesehen nur der wirksamsten Art von Mimicry der Brutalität. Die gesamte Politik aber orientiert sich an der sachlichen Staatsräson, der Pragmatik und dem absoluten – religiös angesehen fast unvermeidlich völlig sinnlos erscheinenden – Selbstzweck der Erhaltung der äußeren und inneren Gewaltverteilung. Erst damit gewinnt sie einen Aspekt und ein eigentümlich rationales, von Napoleon gelegentlich glänzend formuliertes fabulistisches Eigenpathos, das jeglicher Brüderlichkeitsethik als in der Wurzel ebenso fremd erscheinen wird, wie die rationalen ökonomischen Ordnungen. – Die Anpassungen nun, welche die heutige kirchliche Ethik dieser Situation gegenüber vornimmt, sind hier nicht näher zu schildern. Im wesentlichen bedeuten sie ein Sichabfinden damit von Fall zu Fall und, namentlich soweit die katholische Kirche in Betracht kommt, vor allem eine Salvierung der eigenen, ebenfalls zunehmend zur „Kirchenräson" versachlichten priesterlichen Machtinteressen mit den gleichen und ähnlichen modernen Mitteln, wie sie dies weltliche Machtstreben benützt. Wirklich innerlich adäquat ist der Versachlichung der Gewaltherrschaft mit ihren rationalen ethischen Vorbehalten, in welchen die Problematik steckt – nur die Berufsethik der innerweltlichen Askese. Zu den tatsächlichen Folgen der Gewaltsamkeitsrationalisierung aber, die in verschieden starkem Grade und auch in der Art unterschiedlich sich äußernd, überall da aufzutreten pflegten, wo jene Hinwegentwicklung der Gewaltsamkeit von der personalistischen Helden- und Gesellschaftsgesinnung zum nationalen „Staat" sich entfaltete, gehört die gesteigerte Flucht in die Irrationalitäten des apolitischen Gefühls. Entweder in die Mystik und akosmistische Ethik der absoluten „Güte" oder in die Irrationalitäten der außerreligiösen Gefühlssphäre, vor allem der Erotik. Mit den Mächten dieser letzteren Sphäre geraten nun aber die Erlösungsreligionen gleichfalls in spezifische Spannungen. Vor allem mit der gewaltigsten Macht unter ihnen, der geschlechtlichen Liebe, der neben den „wahren" oder ökonomischen, und den sozialen Macht- und Prestigeinteressen universellsten Grundkomponente des tatsächlichen Ablaufes menschlichen Gemeinschaftshandelns.

Die Beziehungen der Religiosität zur *Sexualität* sind, teils bewußt, teils unbewußt, teils direkt, teils indirekt, ganz außerordentlich intime. Wir lassen die zahllosen Zusammenhänge magischer und animistischer Vorstellungen und Symboliken, bei denen solche bestehen, als für uns unwichtig beiseite und halten uns an ganz wenige soziologisch relevante Züge. Zunächst ist der sexuelle Rausch in typischer Art Bestandteil des primitiven religiösen Gemeinschaftshandelns des Laien: der Orgie. Er behält diese Funktion auch in relativ systematisierter Religiosität, gelegentlich ganz direkt und beabsichtigt. So bei der Saktireligiosität in Indien noch fast nach Art der alten Phalluskulte und Riten der die Zeugung (der Menschen, des Viehs, des Samenkorns) beherrschenden sehr verschiedenen Funktionsgottheiten. Teils und häufiger aber ist die erotische Orgie wesentlich ungewollte Folgeerscheinung der durch andere orgiastische Mittel, namentlich Tanz, erzeugten Ekstase. So von modernen Sekten noch bei der Tanzorgiastik der Chlysten, – was, wie wir sahen, die Veranlassung zur Bildung der Skopzensekte gab, die eben diese askesefeindliche Konsequenz auszuschalten trachtete. Gewisse, viel mißdeutete Institutionen, so namentlich die Tempelprostitution, knüpfen an orgiastische Kulte an. In ihrer praktischen Funktion hat die Tempelprostitution dann sehr häufig die Rolle eines Bordells für die reisenden, sakral geschützten Kaufleute angenommen, die ja auch heute der Natur der Sache nach überall typisches Bordellpublikum sind. Die Zurückführung der sexuellen außeralltäglichen Orgiastik auf eine endogene Sippen- oder Stammes-„Promiscuität" als eigentlich primitive Institution des Alltags ist schlechthin töricht.

Die sexuelle Rauschorgie kann nun, wie wir sahen, zur, ausgesprochen oder unausgesprochen, erotischen Gottes- oder Heilandsliebe sublimiert werden. Es können aber auch aus ihr und daneben aus magischen Vorstellungen anderer Art oder aus der Tempelprostitution religiöse Verdienstlichkeiten der sexuellen Selbstpreisgabe herauswachsen, die uns hier nicht interessieren. Andererseits ist aber zweifellos, daß auch ein erheblicher Bruchteil gerade der antierotischen mystischen und asketischen Religiositäten eine stellvertretende Befriedigung sexual bedingter physiologischer Bedürfnisse darstellt. Indessen interessieren uns an der religiösen Sexualfeindschaft nicht die in wichtigen Punkten noch ziemlich strittigen neurologischen, sondern für unsere Zwecke die „sinnhaften" Zusammenhänge. Denn der „Sinn", welcher in die sexualfeindliche Haltung hineingedeutet wird, kann bei neurologisch gänzlich gleicher Lage sehr erhebliche praktische Verschiedenheiten des Verhaltens zur Konsequenz haben, die uns hier übrigens auch nur zum Teil angehen. Ihre begrenzteste Form: die lediglich kultische Keuschheit, also eine zeitweilige Abstinenz der fungierenden Priester oder auch der Kultteilnehmer als Vorbedingung der Sakramentsspendung, hängt wohl vornehmlich in mannigfacher Art, mit Tabunormen zusammen, denen aus magischen und deisidämonischen, im einzelnen hier nicht interessierenden Motiven die Sexualsphäre unterworfen wird. Die charismatische Keuschheitsaskese der Priester und Religionsvirtuosen dagegen, also die dauernde Abstinenz, geht wohl vornehmlich von der Vorstellung aus, daß die Keuschheit als ein höchst außeralltägliches Verhalten teils Symptom von charismatischen, teils Quelle von ekstatischen Qualitäten sei, welche ihrerseits als Mittel magischen Gotteszwangs verwertet werden. Später, speziell im Christentum des Abendlandes, ist dann für das Priesterzölibat wesentlich einerseits die Notwendigkeit, die ethische Leistung der Amtsträger nicht hinter den asketischen Virtuosen (Mönche) zurückstehen zu lassen, andererseits aber das hierarchische Interesse von der Vermeidung des faktischen Erblichwerdens der Pfründe maßgebend gewesen. Auf der Stufe der ethischen Religiosität entwickeln sich nun an Stelle der verschiedenen Arten magischer Motive zwei andere typische sinnhafte Beziehungen der Sexualfeindschaft. Entweder gilt die sexuelle Abstinenz als zentrales und unentbehrliches Mittel mystischer Heilssuche durch kontemplative Abscheidung von der Welt, deren intensivste Versuchung eben dieser stärkste, an das Kreatürliche bindende Trieb darstelle: Standpunkt der mystischen Weltflucht. Oder die asketische Annahme: daß die rationale asketische Wachheit, Beherrschtheit und Lebensmethodik durch die spezifische Irrationalität dieses einzigen, wenigstens in seiner letzten Gestalt niemals rational formbaren Aktes am meisten gefährdet werde. Oft natürlich durch beides motiviert. Allein auch ausnahmslos alle eigentlichen Prophetien und auch die unprophetischen priesterlichen Systematisierungen befassen sich aus solchen Motiven mit den Sexualbeziehungen und zwar durchweg im gleichen Sinn: zunächst Beseitigung der sexuellen Orgie (der „Hurerei" der jüdischen Priester) – wie dies der erörterten allgemeinen Stellung speziell der Prophetien zur Orgiastik entspricht, – aber weiterhin auch Beseitigung der freien Sexualbeziehungen überhaupt zugunsten reglementierter und sakral legitimierter „Ehe". Dies gilt selbst für einen Propheten, der persönlich und in der Art seiner Jenseitsverheißungen an die Glaubenskrieger der sexuellen Sinnlichkeit so rücksichtslos Raum gab wie Muhammed (welcher sich für seine Person bekanntlich durch eine eigene Sure von der sonst gültigen Maximalzahl von Weibern dispensieren ließ). Die bis dahin legalen Formen eheloser Liebe und die Prostitution sind im orthodoxen Islam mit einem bis heute sonst kaum zu findenden durchschlagenden Erfolge proskribiert. Für die christliche und indische außerweltliche Askese versteht sich die ablehnende Stellung von selbst. Die mystischen indischen Prophetien der absoluten kontemplativen Weltflucht lehnen natürlich als Voraussetzung der vollen Erlösung jede Sexualbeziehung ab. Aber auch der konfuzianischen Ethik der absoluten Weltanpassung gilt die irreguläre Erotik als minderwertige Irrationalität, weil sie die innere Contenance des Gentleman stört und das Weib ein irrationales, schwer zu regierendes Wesen ist. Der mosaische Dekalog wie die hinduistischen heiligen Rechte und die relativistischen Laienethiken der indischen Mönchsprophetien verpönen den Ehebruch, und die Prophetie Jesus geht mit der Forderung der absoluten und unlöslichen Monogamie in der Einschränkung der zulässigen legitimen Sexualität über alle anderen hinaus; Ehebruch und Hurerei gelten im frühesten Christentum fast als die einzige absolute Todsünde, die „Univira" als ein Spezifikum der Christengemeinde innerhalb der durch Hellenen und Römer zwar zur Monogamie, aber mit freier Scheidung, erzogenen mittelländischen Antike. Die persönliche Stellung zur Frau und dieser in der Gemeinde ist bei den Propheten naturgemäß sehr verschieden, je nach dem Charakter ihrer Prophetie, insbesondere je nachdem diese spezifisch femininer Emotionalität entspricht. Dadurch freilich, daß der Prophet (auch Buddha) geistreiche Frauen gern zu seinen Füßen sieht und als Propagandistinnen ausnützt (wie Pythagoras), ist allein noch nichts für die Stellung der Gattung getan. Das individuelle Weib ist dann „heilig", die Gattung Gefäß der Sünde. Immerhin: fast alle orgiastische und Mystagogenpropaganda einschließlich der des Dionysos hat wenigstens temporär und relativ eine „Emanzipation" der Frauen befördert, wo nicht andere Religionstendenzen und die Ablehnung hysterischer Frauenprophetie sie überdeckten, wie bei den Jüngern Buddhas, ebenso wie im Christentum schon bei Paulus, oder mönchische Weiberfurcht, wie am extremsten bei Sexualneurasthenikern z. B. Alfons von Liguori. Am stärksten ist die Bedeutung der Frauen in pneumatischen (hysterischen oder sakramentalen), wie z. B. auch manchen chinesischen Sektenkulten. Wo ihre Bedeutung für die Propaganda ganz fehlt wie bei Zarathustra und in Israel, ist die Lage von vornherein anders. Die legal reglementierte Ehe selbst gilt der prophetischen und priesterlichen Ethik durchweg, übrigens durchaus in Übereinstimmung mit der hellenischen, römischen und überhaupt mit allen sich selbst darüber Rechenschaft gebenden Ethiken der Erde, nicht als „erotischer" Wert, sondern in Anknüpfung an die nüchterne Auffassung der sog. „Naturvölker" lediglich als eine ökonomische Institution zur Erzeugung und Aufzucht von Kindern als Arbeitskräften und Trägern des Totenkults. Die altjüdische Motivierung der Freiheit des jungen Ehemanns von politischen Pflichten: daß er seiner jungen Liebe froh werden solle, steht sehr vereinsamt. Der alttestamentliche Fluch über die Sünde Onans (coitus interruptus), den die katholische Perhorreszierung der sterilisierten Begattung als Todsünde übernahm, zeigt, daß auch im Judentum keine Konzessionen an die in bezug auf die Folgen rational von jenem Sinn losgelöste Erotik gemacht wurden. Daß die Beschränkung des legitimen Geschlechtslebens auf jenen rationalen Zweck der Standpunkt jeder innerweltlichen Askese ist, vor allem des Puritanismus, versteht sich von selbst. Auf seiten der Mystik andererseits haben die anomistischen und halborgiastischen Konsequenzen, zu welchen ihr akosmistisches Liebesgefühl sie unter Umständen führen kann, die Eindeutigkeit nur gelegentlich verschoben. Die wertende Stellungnahme der prophetischen und auch der priesterlich rationalen Ethik zum (legitimen und normalen) Geschlechtsverkehr rein als solchen endlich, also die letzte Beziehung zwischen Religiösem und Organischem, ist nicht eindeutig. Wenn im Konfuzianismus wie im alten Judentum teils animistische, teils ihnen nachgebildete, sehr universell (auch in der vedischen und hinduistischen Ethik) verbreitete Vorstellungen von der Bedeutung der Nachkommenschaft ein direktes Gebot der Kinderzeugung zur Folge hatten, so ist dagegen das gleiche positive Ehegebot schon im talmudischen Judentum, ebenso im Islam, wenigstens teilweise schon ebenso motiviert, wie der Ausschluß der ehelosen Ordinierten von den (niederen) Pfarrpfründen in den orientalischen Kirchen, nämlich durch die Vorstellung von der absoluten Unüberwindlichkeit des Geschlechtstriebs für den Durchschnittsmenschen, dem daher ein legitim reglementierter Kanal geöffnet werden müsse. Diesem Standpunkt entspricht nicht nur die Relativierung der Laienethik der indischen kontemplativen Erlösungsreligionen mit ihrem Ehebruchsverbot für die Upasakas, sondern auch der Standpunkt des Paulus, dem die, bei ihm auch aus einer hier nicht interessierenden mystischen Motivierung gefolgerte, Würde der absoluten Abstinenz als ein rein persönliches Charisma der religiösen Virtuosen gilt, ebenso diejenige der Laienethik des Katholizismus. Es ist aber auch der Standpunkt Luthers, der die innereheliche Sexualität letztlich doch nur als das geringere Übel zur Vermeidung der Hurerei ansah und die Notwendigkeit für Gott, dieser Art von legitimer Sünde „durch die Finger zu sehen", als eine Folge der durch die Erbsünde geschaffenen absoluten Unüberwindlichkeit der Konkupiszenz, – eine Annahme, die zum Teil seinen, demjenigen Muhammeds ähnlichen, zunächst nur relativ ablehnenden, Standpunkt gegenüber dem Mönchtum erklärt. Im Gottesreiche Jesus, wohlgemerkt: einem irdischen Zukunftsreich, gibt es keine Sexualität, und alle offizielle christliche Theorie hat gerade die innere, gefühlsmäßige Seite aller Sexualität als „Konkupiszenz" und Folge des Sündenfalls perhorresziert.

Dem immer noch verbreiteten Glauben, daß dies eine Spezialität des Christentums sei, steht die Tatsache gegenüber, daß es keinerlei spezifische Erlösungsreligiosität gibt, deren Standpunkt prinzipiell ein anderer wäre. Dies aber erklärt sich aus einer Anzahl ganz allgemeiner Ursachen. Zunächst aus der Art der Entwicklung, welche durch Rationalisierung der Lebensbedingungen die Sexualsphäre innerhalb des Lebens selbst zunehmend einnimmt. Auf der Stufe des Bauern ist der Geschlechtsakt ein Alltagsvorgang, der bei vielen Naturvölkern weder die geringsten Schamgefühle zuschauenden Reisenden gegenüber noch irgendwelchen als überalltäglich empfundenen Gehalt in sich schließt. Die für unsere Problematik entscheidende Entwicklung ist nun, daß die Geschlechtssphäre zur Grundlage spezifischer Sensationen, zur „Erotik" sublimiert, damit eigenwertgesättigt und *außer*alltäglich wird. Die beiden erheblichsten Momente, welche dahin wirken, sind einerseits die durch ökonomische Sippeninteressen und weiterhin durch ständische Konventionen zunehmend eingeschalteten Hemmungen für den Geschlechtsverkehr, der zwar auf gar keiner bekannten Stufe der Entwicklung von sakraler und ökonomischer Reglementierung frei ist, aber ursprünglich meist weniger mit den, an die ökonomischen sich allmählich angliedernden, konventionellen Schranken umgeben wird, die ihm später spezifisch sind. Der Einfluß speziell der modernen „ethischen" Schranken als angeblicher Quelle der Prostitution ist freilich fast immer falsch eingeschätzt worden. Gewerbliche „Prostitution", heterosexuelle und auch homosexuelle (Abrichtung von Tribaden) findet sich, da irgendeine sakrale oder militärische oder ökonomisch bedingte Schranke nirgends fehlt, auch auf den primitivsten Kulturstufen. Nur ihre absolute Proskribierung datiert erst vom Ende des 15. Jahrhunderts. Aber die Ansprüche der Sippe für die Sicherung der Kinder des Mädchens und die Lebenshaltungsansprüche der jungen Eheleute selbst steigen mit raffinierter Kultur fortwährend. Damit tritt ein weiteres Entwicklungselement immer mehr hervor. Denn weit tiefer noch, wenn auch weit weniger bemerkt, wirkt auf die Beziehung zur Ethik das Heraustreten des zunehmend rationalisierten Gesamtdaseinsinhalts des Menschen aus dem organischen Kreislauf des einfachen bäuerlichen Daseins.

Wie zu der stärksten irrationalen Macht des persönlichen Lebens gerät nun die ethische, speziell die Brüderlichkeitsreligiosität auch zur Sphäre der *Kunst* in tiefe innere Spannung. Die ursprüngliche Beziehung beider zueinander ist freilich die denkbar intimste. Idole und Ikonen aller Art, die Musik als Mittel der Ekstase oder des Exorzismus oder apotropäischer Kulthandlungen, als heilige Sänger, als Zauberer, die Tempel und Kirchen als größte künstlerische Bauten, die Paramente und Kirchengeräte aller Art als Hauptobjekte der kunstgewerblichen Arbeit machen die Religion zu einer unerschöpflichen Quelle künstlerischer Entfaltungsmöglichkeit. Je mehr aber die Kunst als eine eigengesetzliche Sphäre sich konstituiert, – ein Produkt der Laienbildung, – desto mehr pflegt sie gegenüber den religiös-ethischen ganz disparaten Rangordnungen der Werte, welche damit konstituiert werden, hervorzutreten. Alle unbefangene rezeptive Stellung zur Kunst geht zunächst von der Bedeutsamkeit des Inhalts aus und dieser kann Gemeinschaft stiften. Das spezifisch Künstlerische überhaupt *bewußt* zu entdecken ist intellektualistischer Zivilisation vorbehalten. Eben damit aber schwindet das Gemeinschaftsstiftende der Kunst ebenso wie ihre Verträglichkeit mit dem religiösen Erlösungswillen. Nicht nur wird dann jene innerweltliche Erlösung, welche die Kunst nur rein als Kunst zu geben beansprucht, als widergöttlich und jeder Erlösung von der ethischen Irrationalität der Welt feindlich von der ethischen Religiosität ebenso wie von der echten Mystik perhorresziert, und vollends der eigentlichen Askese ist jede Hingabe an künstlerische Werte rein als solche eine bedenkliche Verletzung der rationalen Systematisierung der Lebensführung. Sondern noch mehr steigert sich die Spannung mit Zunahme der dem Intellektualismus eigenen, der ästhetischen nachgebildeten Haltung in ethischen Dingen. Die Ablehnung der Verantwortung für ein ethisches Urteil und die Scheu vor dem Schein beschränkter Traditionsgebundenheit, wie sie intellektualistische Zeitalter hervorbringen, veranlaßt dazu, ethisch gemeinte in ästhetisch ausgedeutete Urteile umzuformen (in typischer Form: „geschmacklos" statt „verwerflich"). Aber die subjektivistische Inappellabilität jedes Geschmacksurteils über menschliche Beziehungen, wie es in der Tat der Kultus des Ästhetentums anzuerziehen pflegt, kann gegenüber der religiös-ethischen Norm der sich der Einzelne, ethisch ablehnend, aber im Wissen von der eigenen Kreatürlichkeit menschlich miterlebend, für sich selbst ebenso unterstellt wie denjenigen, dessen Tun er im Einzelfall beurteilt und deren Konsequenzen und Berechtigung vor allem dem Prinzip nach diskussionsfähig erscheinen, von der Religiosität sehr wohl als eine tiefste Form von spezifischer Lieblosigkeit, verbunden mit Feigheit, angesehen werden. Jedenfalls bereitet der ästhetischen Stellungnahme als solcher die konsequente Brüderlichkeitsethik, welche ihrerseits stets direkt antiästhetisch orientiert ist, keine Stätte und umgekehrt gilt das gleiche.

Die so bedingte religiöse Entwertung der Kunst geht naturgemäß im ganzen ziemlich genau parallel mit der Entwertung der magischen, orgiastischen, ekstatischen und ritualistischen Elemente der Religiosität zugunsten von asketischen und spiritualistisch-mystischen. Ferner mit dem rationalen und literarischen Charakter der Priester- und Laienbildung, wie ihn eine Buchreligion stets nach sich zu ziehen pflegt. Vor allem aber wirkt bei der eigentlichen Prophetie zweierlei in antiästhetischer Richtung. Einmal die ihr stets selbstverständliche Ablehnung der Orgiastik und, meist, der Magie. Die ursprünglich magisch bedingt gewesene jüdische Scheu vor dem „Bildnis und Gleichnis" deutet die Prophetie spiritualistisch aus ihrem absolut überweltlichen Gottesbegriff heraus um. Und irgendwann zeigt sich dann die Spannung der zentral ethisch religiösen Orientierung der prophetischen Religion gegen das „Menschenwerk", die aus dessen, vom Propheten aus gesehen, Scheinerlösungsleistung folgt. Die Spannung ist um so unversöhnlicher, je überweltlicher und gleichzeitig je heiliger der prophetisch verkündete Gott vorgestellt wird.

Auf der anderen Seite findet sich die Religiosität immer wieder vor die Empfindung der unablehnbaren „Göttlichkeit" künstlerischer Leistungen gestellt und gerade die Massenreligion ist auf „künstlerische" Mittel für die erforderliche Drastik ihrer Wirkungen immer wieder direkt hingewiesen und zu Konzessionen an die überall magisch idolatrischen Massenbedürfnisse geneigt. Ganz abgesehen davon, daß eine organisierte Massenreligiosität nicht selten mit der Kunst durch ökonomische Interessen eng verknüpft ist, wie z. B. bei dem Ikonenhandel der byzantinischen Mönche, welche Gegner der, auf das bilderstürmerische, weil aus den Grenzprovinzen des damals noch streng spiritualistischen Islam rekrutierte Heer gestützten cäsaropapistischen Kaisergewalt waren, während diese ihrerseits umgekehrt gerade durch Abschneidung dieser Verdienstquelle diesem gefährlichsten Gegner ihrer Kirchenherrschaftspläne die Existenz abschneiden wollte. Und innerlich führt von jeder orgiastischen oder ritualistischen Stimmungsreligiosität, aber auch von der auf mystische Sprengung der Individuation ausgehenden Liebesreligiosität bei aller Heterogenität des letztlich gemeinten „Sinnes" psychologisch der Weg äußerst leicht zur Kunst zurück; von der ersteren besonders zu Sang und Musik, von der zweiten zur bildenden Kunst, von der letzten zur Lyrik und Musik. Alle Erfahrungen, von der indischen Literatur und Kunst und den weltoffenen sangesfrohen Sufis bis zu den Liedern des Franziskus und den unermeßlichen Einflüssen religiöser Symbolik und gerade mystisch bedingter Stimmungen zeigen diesen Zusammenhang. Aber nicht nur die einzelnen Formen der empirischen Religiosität verhalten sich grundverschieden zur Kunst, sondern innerhalb jeder auch deren verschiedene Strukturformen, Schichten und Träger: Propheten anders als Mystagogen und Priester, Mönche anders als fromme Laien, Massenreligionen anders als Virtuosensekten, und von diesen die asketischen sehr anders und zwar im Effekt naturgemäß prinzipiell kunstfeindlicher als die mystischen. Dies gehört nicht mehr in unseren Zusammenhang. Ein wirklicher innerer Ausgleich religiöser und künstlerischer Stellungnahme aber, dem letzten (subjektiv gemeinten) Sinne nach, wird allerdings zunehmend erschwert, wo immer das Stadium der Magie oder des reinen Ritualismus endgültig verlassen ist.

Für uns ist nur wichtig die Bedeutung der Ablehnung aller eigentlich künstlerischen Mittel durch bestimmte, in diesem Sinn spezifisch rationale Religionen in starkem Maße im Synagogengottesdienst und dem alten Christentum, dann wieder im asketischen Protestantismus. Sie ist, je nachdem, Symptom oder Mittel der Steigerung des rationalisierenden Einflusses einer Religiosität auf die Lebensführung. Daß das zweite Gebot geradezu die entscheidende Ursache des jüdischen Rationalismus sei, wie manche Vertreter einflußreicher jüdischer Reformbewegungen annehmen, geht wohl zu weit. Daß aber die systematische Verdammung aller unbefangenen Hingabe an die eigentlichen Formungswerte der Kunst, deren Wirksamkeit ja durch Maß und Art der Kunstproduktivität der frommen jüdischen und puritanischen Kreise genügend belegt ist, in der Richtung intellektualistischer und rationaler Lebensmethodik wirken muß, ist andererseits nicht im mindesten zu bezweifeln.

§ 12. Die Kulturreligionen und die „Welt".

Die dritte in gewissem Sinn „weltangepaßte", jedenfalls aber „weltzugewendete", nicht die „Welt", sondern nur die geltende soziale Rangordnung in ihr ablehnende Religion ist das Judentum in seiner uns hier allein angehenden nachexilischen, vor allem talmudischen Form, über deren soziologische Gesamtstellung bereits früher einiges gesagt wurde. Seine Verheißungen sind, dem gemeinten Sinn nach, Diesseitsverheißungen, und kontemplative, oder asketische Weltflucht ist ihnen in ähnlicher Art nur als Ausnahmeerscheinung bekannt, wie der chinesischen Religiosität und dem Protestantismus. Vom Puritanismus unterscheidet es sich durch das (wie immer: *relative*) Fehlen systematischer Askese überhaupt. Die „asketischen" Elemente der frühchristlichen Religiosität entstammen nicht etwa dem

Judentum, sondern finden sich gerade in den heidenchristlichen Gemeinden der Paulusmission. Die Erfüllung des jüdischen „Gesetzes" ist sowenig „Askese" wie die Erfüllung irgendwelcher Ritual- und Tabunormen. Die Beziehung der jüdischen Religiosität zum Reichtum einerseits, zum Sexualleben andererseits ist nicht im mindesten asketisch, vielmehr höchst naturalistisch. Reichtum ist eine Gabe Gottes, die Befriedigung des Sexualtriebs, natürlich in legaler Form, ist geradezu unabweislich, so sehr, daß der nach einem bestimmten Lebensalter Nichtverehelichte dem Talmud direkt als moralisch verdächtig gilt. Die Auffassung der Ehe als bloß ökonomischer, der Erzeugung und Aufzucht von Kindern bestimmten Einrichtung ist an sich nichts spezifisch Jüdisches, sondern universell. Daß der nicht legale Geschlechtsverkehr strikt (und innerhalb der frommen Kreise höchst wirksam) verpönt ist, teilt das Judentum mit dem Islam und allen prophetischen Religionen, außerdem mit dem Hinduismus, die Reinigungsschonzeiten mit der Mehrzahl der ritualistischen Religionen, so daß von einer *spezifischen* Bedeutung der Sexualaskese nicht gesprochen werden darf. Die von Sombart zitierten Reglementierungen reichen nicht an die katholische Kasuistik des 17. Jahrhunderts heran und finden in manchen anderen Tabukasuistiken Analogien. Unbefangener Lebensgenuß, selbst Luxus, ist an sich nirgends verboten, sofern die positiven Verbote und Tabuierungen des „Gesetzes" dabei innegehalten werden. Das soziale, dem Geist des mosaischen Gesetzes widersprechende *Unrecht*, welches so oft bei der Erwerbung des Reichtums gegen den jüdischen Volksgenossen begangen wird, und ferner die Versuchung zur Laxheit in der Gesetzestreue, zu hoffärtiger Verachtung der Gebote und damit der Verheißungen Jahves sind es, was den Reichtum bei den Propheten, in den Psalmen, in der Spruchweisheit und später als etwas sehr leicht Bedenkliches erscheinen läßt. Es ist nicht leicht, den Versuchungen des Reichtums zu entgehen, aber eben deshalb um so verdienstlicher: „Heil dem Reichen, der unsträflich erfunden wird". Da der Prädestinationsgedanke oder entsprechend wirkende Vorstellungen fehlen, so kann die restlose Arbeit und der Erfolg im Erwerbsleben andererseits auch nicht in dem Sinn als Zeichen der „Bewährung" gewertet werden, wie dies am stärksten den calvinistischen Puritanern, in gewissem Maße aber (wie z. B. John Wesleys Bemerkung darüber zeigt) allem asketischen Protestantismus eigen war. Immerhin liegt der Gedanke, in erfolgreichem Erwerb ein Zeichen gnädiger göttlicher Fügung zu erblicken, selbstverständlich der jüdischen Religiosität nicht nur ebenso nahe, wie etwa der chinesischen, laienbuddhistischen und überhaupt jeder nicht weltablehnenden Religiosität der Welt, sondern noch wesentlich näher in einer Religion, welche sehr spezifische Verheißungen eines überweltlichen Gottes, in Verbindung mit sehr sichtbaren Zeichen seines Zornes über das doch von ihm selbst erwählte Volk vor sich hatte. Es ist klar, daß die Bedeutung des, unter Innehaltung der Gebote Gottes, erreichten Erwerbs in der Tat als Symptom persönlicher Gottwohlgefälligkeit gewertet werden konnte und mußte. Dies ist denn in der Tat auch wieder und wieder geschehen. Aber die Situation für den erwerbenden (frommen) Juden war dennoch eine von der des Puritaners grundsätzlich gänzlich verschiedene, und diese Verschiedenheit ist nicht ohne praktische Wirkungen für die wirtschaftsgeschichtliche Bedeutung des Judentums geblieben. Zunächst: worin ungefähr bestand diese Bedeutung?

Es hätte in der Polemik gegen Sombarts geistvolles Buch die Tatsache nicht ernstlich bestritten werden sollén: daß das Judentum an der Entfaltung des kapitalistischen Wirtschaftssystems in der Neuzeit sehr stark mitbeteiligt gewesen ist. Nur bedarf diese These Sombarts m. E. einer etwas weiteren Präzisierung. Was sind die *spezifischen* ökonomischen Leistungen des Judentums im Mittelalter und Neuzeit? Darlehen, vom Pfandleihgeschäft bis zur Finanzierung von Großstaaten, bestimmte Arten des Warenhandels mit sehr starkem Hervortreten des Kleinkram- und Wanderhandels und des spezifisch ländlichen „Produktenhandels", gewisse Teile des Engros- und vor allem der Wertpapierhandel, beide speziell in Form des Börsenhandels, Geldwechsel und die damit üblicherweise zusammenhängenden Geldüberweisungsgeschäfte, Staatslieferungen, Kriegs- und in sehr hervorragendem Maße Kolonialgründungsfinanzierung, Steuerpacht, (natürlich außer der Pacht verpönter Steuern, wie der an die Römer), Kredit- und Bankgeschäfte und Emissionsfinanzierungen aller Art. Von diesen Geschäften sind nun dem *modernen* okzidentalen Kapitalismus (im Gegensatz zu dem der Antike, des Mittelalters, der ostasiatischen Vergangenheit) eigentümlich gewisse (allerdings höchst wichtige) *Formen* der Geschäfte, rechtliche sowohl wie ökonomische. So, auf der rechtlichen Seite: die Wertpapier- und kapitalistischen Vergesellschaftungsformen. Diese aber sind nicht spezifisch jüdischer Provenienz. Sondern soweit die Juden in spezifischer Art sie im Okzident neu eingeführt haben, sind sie vielleicht gemeinorientalischer (babylonischer) und dadurch vermittelt: hellenistischer und byzantinischer und erst durch dies Medium hindurch jüdischer Herkunft, überdies meist Juden und Arabern gemeinsam. Zum anderen Teil aber sind sie okzidental-mittelalterliche Schöpfungen mit zum

Teil sogar spezifisch germanischem Einschlag. Der Nachweis führte hier im einzelnen zu weit. Ökonomisch aber ist z. B. die Börse als „Markt der Kaufleute" nicht von Juden, sondern von christlichen Kaufleuten geschaffen, ist die besondere Art, wie die mittelalterlichen Rechtsformen rationalen Betriebszwecken adaptiert, wie z. B. Kommanditen, Maonen, privilegierte Kompagnien aller Art, schließlich Aktiengesellschaften geschaffen wurden, von spezifisch jüdischem Einfluß nicht abhängig, so sehr später die Juden sich an der Gründung beteiligten. Endlich sind die spezifisch neuzeitlichen Prinzipien der öffentlichen und privaten Kreditbedarfsdeckung auf dem Boden der mittelalterlichen Städte zuerst keimhaft entwickelt und dann ist ihre zum Teil gänzlich unjüdische mittelalterliche Rechtsform ökonomisch den Bedürfnissen der modernen Staaten und sonstigen Kreditnehmer angepaßt worden. Aber vor allem: es fehlt in der gewiß großen Liste der jüdischen ökonomischen Betätigung eine Sparte, wenn auch nicht völlig, so doch relativ in auffallendstem Maße, und zwar die dem modernen Kapitalismus gerade eigentümliche: die Organisation der *gewerblichen* Arbeit in Hausindustrie, Manufaktur, Fabrik. Wie kommt es doch, angesichts des massenhaften Ghettoproletariats in Zeiten, wo für jede Industriegründung fürstliche Patente und Privilegien (gegen entsprechende pekuniäre Leistungen) zu haben waren, und wo auch zunft*freie* Betätigungsgebiete für industrielle Neuschöpfungen durchaus hinlänglich zur Verfügung standen, – wie kommt es, daß angesichts alles dessen kein frommer Jude darauf verfiel, mit frommen jüdischen Arbeitskreisen im Ghetto ganz ebenso eine Industrie zu schaffen, wie es so viele fromme puritanische Unternehmer mit frommen christlichen Arbeitern und Handwerkern taten? Und daß auch auf dem Boden breiter notleidender jüdischer Handwerkerschichten noch bis an die Schwelle der neuesten Zeit keine spezifisch moderne, und das heißt: *industrielle*, jene jüdische Arbeit hausindustriell ausnutzende Bourgeoisie von irgendwelcher erheblichen Bedeutung entstanden war? Staatslieferungen, Steuerpachten, Kriegsfinanzierung, Kolonie- und speziell Plantagenfinanzierung, Zwischenhandel, Darlehenswucher hat es ja seit Jahrtausenden fast in der ganzen Welt immer wieder als Form kapitalistischer Besitzverwertung gegeben. Gerade an dieser, fast allen Zeiten und Ländern, insbesondere auch der ganzen Antike geläufigen Geschichte sind nun die Juden beteiligt, in denjenigen spezifisch modernen Rechts- und Betriebsformen, welche schon das Mittelalter, aber nicht die Juden, geschaffen hatte. Dagegen bei dem spezifisch Neuen des modernen Kapitalismus: der rationalen Organisation der Arbeit, vor allem der gewerblichen, im industriellen „Betrieb" fehlen sie (relativ betrachtet) so gut wie gänzlich. Und vor allem: jene Wirtschaftsgesinnung, welche allem urwüchsigen Händlertum, dem antiken, ostasiatischen, indischen, mittelalterlichen Händlertum, dem Krämertum im kleinen, dem Großgeldgebertum im großen, typisch war und ist: der Wille und das Verständnis, rücksichtslos jede Chance des Gewinns auszunutzen – „um Gewinnes willen durch die Hölle zu fahren, und wenn sie die Segel versengt" –, diese ist auch den Juden recht stark eigen. Aber gerade sie ist weit entfernt davon, etwas dem *modernen* Kapitalismus gegenüber *anderen* kapitalistischen Epochen Eigentümliches zu sein. Im graden Gegenteil. Weder das spezifisch Neue des modernen Wirtschafts*systems* noch das spezifisch Neue an der modernen Wirtschafts*gesinnung* sind spezifisch jüdisch. Die letzten prinzipiellen Gründe dafür hängen wieder mit dem besonderen Pariavolkscharakter des Judentums und seiner Religiosität zusammen. Zunächst schon die rein äußeren Schwierigkeiten der Beteiligung an der Organisation der gewerblichen Arbeit: die rechtlich und faktisch prekäre Lage der Juden, die wohl der Handel, vor allem der Geldhandel, nicht aber ein rationaler gewerblicher Dauerbetrieb mit stehendem Kapital erträgt. Dann aber auch die innerliche ethische Situation. Das Judentum, als Pariavolk, bewahrte die doppelte Moral, welche im Wirtschaftsverkehr jeder Gemeinschaft urwüchsig ist. Was „unter Brüdern" perhorresziert ist, ist dem Fremden gegenüber erlaubt. Den Mitjuden gegenüber ist die jüdische Ethik durchaus unbezweifelbar traditionalistisch, vom Standpunkt der „Nahrung" ausgehend, und soweit auch – worauf Sombart gewiß mit Recht hinweist – die Rabbinen dabei Konzessionen, und zwar auch für das innerjüdische Geschäftsgebaren machten: es blieben eben Zugeständnisse an die Laxheit, durch deren Benutzung diejenigen, welche sie sich machen ließen, eben hinter den höchsten Anforderungen der jüdischen Geschäftsethik zurückblieben, nicht jedoch: sich „bewährten". Das Gebiet des geschäftlichen Verhaltens zu Fremden aber ist bei Dingen, welche unter Juden verpönt waren, weitgehend eine Sphäre des ethisch Indifferenten. Dies ist nicht nur in der ganzen Welt bei allen Völkern die urwüchsige Geschäftsethik, sondern daß es dauernd so blieb, ist für den Juden, dem der Fremde schon im Altertum, fast überall als „Feind" entgegentrat, einfach eine Selbstverständlichkeit. Alle wohlbekannten Ermahnungen der Rabbinen zu Treu und Glauben gerade auch gegenüber dem Fremden konnten doch natürlich an dem Eindruck der Tatsache nichts ändern, daß das Gesetz den Zins von Juden verbot, von Fremden dagegen erlaubte, und daß (wie wiederum Sombart mit Recht hervorhob) der Grad der *vorschrifts*mäßigen Legalität (z. B. bei der Benutzung von Irrtümern des anderen) dem Fremden, und das heißt: dem Feinde, gegenüber nun einmal ein geringerer war. Und es bedarf gar keines Beweises (denn das Gegenteil wäre schlechthin unbegreiflich), daß auf die durch die Verheißungen Jahves, wie wir sahen, geschaffene Pariastellung und die daraus folgende stete Verachtung von seiten der Fremden, ein Volk gar nicht anders reagieren konnte als dadurch, daß seine Geschäftsmoral im Fremd-Verkehr dauernd eine andere blieb wie dem Mitjuden gegenüber.

Die gegenseitige Situation von Katholiken, Juden und Puritanern beim wirtschaftlichen Erwerb läßt sich also etwa so zusammenfassen: der strenggläubige Katholik bewegte sich im Erwerbsleben fortwährend in der Sphäre oder an der Grenze eines Verhaltens, welches teils gegen päpstliche Konstitutionen verstieß und nur rebus sic stantibus im Beichtstuhl ignoriert oder nur durch laxe (probabilistische) Moral gestattet, teils direkt bedenklich, teils wenigstens nicht positiv gottwohlgefällig war. Der fromme Jude kam dabei unvermeidlich in die Lage, Dinge zu tun, welche unter Juden direkt gesetzwidrig oder traditionell bedenklich oder nur kraft laxer Interpretation zulässig und nur dem Fremden gegenüber erlaubt, nie aber mit positiven ethischen Wertvorzeichen versehen waren; sein ethisches Verhalten konnte nur, als dem Durchschnitt des Üblichen entsprechend und formal nicht gesetzwidrig, von Gott erlaubt und als sittlich indifferent gelten. Eben hierauf beruht ja das, was an den Behauptungen von dem geringeren Legalitätsstandard der Juden wirklich wahr gewesen ist. Daß Gott es mit Erfolg krönte, konnte zwar ein Zeichen dafür sein, daß er auf diesem Gebiet nichts direkt Verbotenes getan und auf *anderen* Gebieten sich an Gottes Gebote gehalten hatte, nicht leicht aber konnte er gerade durch das spezifisch moderne ökonomische Erwerbshandeln sich ethisch bewähren. Eben dies letztere aber war bei dem frommen Puritaner der Fall, der gerade nicht kraft laxer Interpretation oder doppelter Moral oder weil er etwas ethisch Indifferentes und auf dem eigentlichen Geltungsgebiet des Ethischen Verpöntes tat, sondern umgekehrt mit dem denkbar besten Gewissen, eben dadurch, daß er, rechtlich und sachlich handelnd, die rationale Methodik seiner gesamten Lebensführung im „Betrieb" objektivierte, sich vor sich selbst und im Kreise seiner Gemeinde legitimierte und eben auch nur soweit und dadurch legitimierte, als und weil die absolute, nicht relativierte, Unanfechtbarkeit seines Verhaltens völlig feststand. Kein wirklich frommer Puritaner – darauf kommt es an – hätte je durch Pfandwucher, durch Ausnutzung des Irrtums des Gegenparts (was dem Juden gegen den Fremden zustand); durch Feilschen und Schachern, durch Beteiligung an politischen oder kolonialen Raubverdiensten erworbenes Geld für gottwohlgefälligen Gewinn halten können. Der feste Preis, die absolut sachliche, jeden Durst nach Geld verschmähende, bedingungslos legale Geschäftsgebarung jedermann gegenüber ist es, deren Bewährtheit vor den Menschen die Quäker und Baptisten es zugeschrieben haben, daß gerade die Gottlosen bei ihnen und nicht ihresgleichen kauften, ihnen, nicht ihresgleichen ihr Geld in Verwahrung und in Kommandite anvertrauten und sie reich machten, und eben diese Qualitäten bewährten sie vor ihrem Gott. Das Fremdenrecht, in der Praxis: das Pariarecht der Juden dagegen gestattete, trotz noch so vieler Vorbehalte, dem Nichtjuden gegenüber die Betätigung gerade derjenigen Gesinnung, welche der Puritaner als erwerbsdurstigen Krämergeist verabscheute, die aber beim frommen Juden mit der strengsten Rechtlichkeit, mit voller Erfüllung des Gesetzes und mit der ganzen Gottinnigkeit seiner Religiosität und der opferbereitesten Liebe zu den ihm in Familie und Gemeinde Verbundenen und mit Erbarmen und Milde gegen alle Gottesgeschöpfe vereinbar war. Niemals galt, gerade in der Praxis des Lebens, der jüdischen Frömmigkeit die Sphäre jenes erlaubten Erwerbs im Geltungsbereich des Fremdenrechts als diejenige, in welcher sich die Echtheit des Gehorsams gegen Gottes Gebote bewährt. Niemals hat ein frommer Jude den inneren Standard seiner Ethik daran bemessen, was er hier für erlaubt hielt. Sondern wie dem Konfuzianer der zeremoniell und ästhetisch allseitig entwickelte, literarisch gebildete und sein Leben lang weiter die Klassiker studierende Gentleman, so ist dem Juden der kasuistisch Gesetzeskundige, der Schriftgelehrte, der auf Kosten seines Geschäfts, das er sehr oft der Frau überläßt, immer weiter in den heiligen Schriften und Kommentaren forschende „Intellektuelle" das eigentliche Lebensideal.

Gegen eben diesen intellektualistischen, schriftgelehrtenhaften Zug des genuinen Spätjudentums lehnt sich Jesus auf. Nicht die in ihn hineininterpretierten „proletarischen" Instinkte, sondern die Art der Gläubigkeit und das Niveau der Gesetzeserfüllung des Kleinstädters und Landhandwerkers, im Gegensatz zu den Virtuosen des Gesetzeswissens ist es, was in dieser Hinsicht seinen Gegensatz bildet gegen die auf dem Boden der Polis Jerusalem gewachsenen Schichten, die ganz wie jeder Großstadtbürger der Antike fragen: „Was kann von Nazareth Gutes kommen?" Seine Art der Gesetzeserfüllung und Gesetzeskenntnis ist jener Durchschnitt, welchen der praktisch arbeitende Mann, der auch am Sabbat nicht sein Schaf im Brunnen liegen lassen kann, wirklich leistet. Die für den eigentlich Frommen obligatorische jüdische Gesetzeskenntnis dagegen geht, schon in der Art der Jugenderziehung, nicht nur quantitativ, sondern qualitativ weit über die Bibelfestigkeit des Puritaners hinaus und ist nur allenfalls mit den Ritualgesetzen der Inder und Perser zu vergleichen, nur daß sie eben in weit größerem Umfang neben bloßen rituellen und Tabunormen auch sittliche Gebote enthält. Das ökonomische Verhalten der Juden bewegte sich einfach in der Richtung des geringsten Widerstandes, den diese Normen ihnen ließen und das hieß eben praktisch: daß der in *allen* Schichten und Nationen verbreitete, nur verschieden wirkende, „Erwerbstrieb" auf den Handel mit Fremden, also „Feinden", ausgerichtet wurde. Der fromme Jude schon der Zeit des Josias, erst recht der nachexilische Jude ist ein Stadtmensch. Das ganze Gesetz ist darauf zugeschnitten. Weil ein Schächten notwendig war, lebte der orthodoxe Jude nicht isoliert, sondern möglichst in Gemeinden (auch jetzt Spezifikum der Orthodoxie gegenüber den Reformjuden z. B. in Amerika). Das Sabbatjahr – in der jetzigen Fassung der Bestimmungen doch wohl sicher eine nachexilische Schöpfung städtischer Schriftgelehrter – machte, in seinem Geltungsbereich, die rationelle intensive Landwirtschaft unmöglich: noch jetzt haben die deutschen Rabbinen seine Anwendung auf die zionistische Palästinasiedelung, die daran gescheitert wäre, erzwingen wollen, und der Epoche der Pharisäer war ein „Landmann" gleichbedeutend mit einem Juden zweiten Ranges, der das Gesetz nicht voll hält und halten kann. Die Teilnahme an den Gelagen einer Zunft, überhaupt jede Tischgemeinschaft mit den Nichtjuden, in der Antike wie im Mittelalter die unentbehrliche Grundlage jeder Einbürgerung in die Umwelt, verbot das Gesetz. Dagegen begünstigte (und begünstigt) die gemeinorientalische, ursprünglich auf dem Ausschluß der Töchter vom Erbe beruhende Sitte des „Brautschatzes" die Tendenz, sich gleichzeitig mit der Verheiratung als Kleinkrämer zu etablieren (das wirkt teilweise noch jetzt nach in Form des geringen „Klassenbewußtseins" der jüdischen Handlungsgehilfen). In allen anderen Hantierungen ist, wie der fromme Hindu, so der Jude auf Schritt und Tritt gehemmt durch Rücksichten auf das Gesetz. Wirkliches Gesetzesstudium konnte – das hat Golfmann mit Recht hervorgehoben – am leichtesten mit dem relativ wenig stetige Arbeit erfordernden Geldleihgeschäft vereinigt werden. Die Wirkung des Gesetzes und der intellektualistischen Gesetzesschulung ist die „Lebensmethodik" des Juden und sein „Rationalismus". „Nie ändere der Mensch einen Brauch" ist ein Talmudgrundsatz. Einzig und allein auf dem Gebiet des ökonomischen Verkehrs mit Fremden hat die Tradition die Lücke des ethisch (relativ) Irrelevanten gelassen. Sonst nirgends. Die Tradition und ihre Kasuistik herrscht auf dem ganzen Gebiet des vor Gott Relevanten, nicht ein rational, voraussetzungslos, aus einem „Naturrecht" heraus, selbstorientiertes methodisches Zweckhandeln. Die „rationalisierende" Wirkung der Gesetzesangst ist eine überaus penetrante, aber gänzlich indirekte. „Wach" und immer bei sich, stets beherrscht und gleichmäßig ist auch der Konfuzianer, der Puritaner, der buddhistische und jeder Mönch, der arabische Scheich, der römische Senator. Grund und Sinn der Selbstbeherrschtheit aber sind das Verschiedene. Die wache Beherrschtheit des Puritaners folgt aus der Notwendigkeit der Unterwerfung des Kreatürlichen unter die rationale Ordnung und Methodik im Interesse der eigenen Heilsgewißheit, die des Konfuzianers aus der Verachtung pöbelhafter Irrationalität seitens des zu Anstand und Würde erzogenen klassisch Gebildeten, die des altfrommen Juden aus dem Grübeln über dem Gesetz, an dem sein Intellekt geschult ist, und der Notwendigkeit steter Aufmerksamkeit auf seine genaue Erfüllung. Dies aber gewann seine spezifische Färbung und Wirkung durch das Bewußtsein des frommen Juden daran: daß nur er und sein Volk dies Gesetz haben und um deswillen von aller Welt verfolgt und mit Schmutz beworfen sind, daß es gleichwohl verbindlich ist und daß eines Tages durch eine Tat, die über Nacht kommt, deren Zeitpunkt niemand wissen, zu dessen Beschleunigung auch niemand beitragen kann, Gott die Rangordnung der Erde umkehren wird in ein messianisches Reich für die, welche in allem dem Gesetz treu geblieben sind. Er wußte: daß nun schon ungezählte Geschlechter allem Spott zum Trotz so gewartet haben und warten, und mit dem Gefühl einer gewissen „Überwachheit", die daraus folgte, verband sich für ihn die Notwendigkeit, je länger voraussichtlich noch weiter vergeblich gewartet werden müßte, desto mehr das eigene Würdegefühl aus dem Gesetz und seiner peinlichen Befolgung, um seiner selbst willen, zu speisen. Endlich und nicht zuletzt die Notwendigkeit, stets auf der Hut zu sein und nie seiner Leidenschaft freien Lauf zu lassen gegen ebenso übermächtige wie erbarmungslose Feinde, verbunden mit der früher besprochenen Wirkung des „Ressentiment" als eines in Jahves Verheißungen und in den dadurch verschuldeten, in aller Geschichte unerhörten Schicksalen dieses Volks begründeten unvermeidlichen Einschlags. – Diese Umstände sind es, welche, im wesentlichen, den „Rationalismus" des Judentums begründen. Nicht aber „Askese". „Asketische" Züge gibt es im Judentum, aber sie sind allerdings nicht ihrerseits das Zentrale, sondern nur teils Konsequenzen des Gesetzes, teils aus der eigentümlichen Problematik der jüdischen Frömmigkeit gekommen, jedenfalls aber ebenso sekundär wie alles, was es an eigentlicher Mystik besitzt. Über die letztere ist hier nicht zu reden, da weder ihre kabbalistische noch ihre chassidistische noch andere Formen typische Motive für das praktische Verhalten der Juden zur Wirtschaft abgegeben haben, so symptomatisch wichtig die beiden genannten religiösen Erzeugnisse sind. Die „asketische" Abwendung von allem Künstlerischen hat, neben dem zweiten Gebot, welches in der Tat das Umschlagen der s. Z. weit entwickelten Angelologie in künstlerische Formung hinderte, vor allem in dem reinen Lehr- und Gebotscharakter des typischen synagogalen Gottesdienstes (in der Diaspora schon lange vor der Zerstörung des Tempelkults) seinen Grund: schon die Prophetie hatte gerade die plastischen Elemente des Kults herabgesetzt, die orgiastischen und orchestrischen im Erfolg so gut wie gänzlich ausgemerzt. Das Römertum und der Puritanismus sind (aber aus sehr verschiedenen Motiven) darin im Effekt ähnliche Wege gegangen. Plastik, Malerei, Drama entbehrten also der überall normalen religiösen Anknüpfungspunkte und das starke Zurückebben alles (weltlich) Lyrischen und speziell der erotischen Sublimierung des Sexuellen gegenüber dem noch ganz derben sinnlichen Höhepunkt, welchen das Hohelied darstellt, hat in dem Naturalismus der ethischen Behandlung dieser Sphäre seinen Anlaß. Für alle diese Ausfälle im ganzen aber gilt: daß die stumme, glaubende und fragende Erwartung einer Erlösung aus der Hölle dieser Existenz eines doch von Gott erwählten Volks sich immer wieder nur auf das Gesetz und die alten Verheißungen hingewiesen fand und daß demgegenüber, auch wenn entsprechende Aussprüche der Rabbinen nicht überliefert wären, in der Tat alle unbefangene Hingabe an die künstlerische und poetische Verklärung einer Welt, deren Schöpfungszweck schon den Zeitgenossen des späteren Makkabäerreichs gelegentlich recht problematisch geworden war, als höchst eitel und von den Wegen und Zielen des Herrn abführend erscheinen mußte. Aber gerade was der „innerweltlichen Askese" ihren entscheidenden Zug verleiht: die einheitliche Beziehung zur „Welt" aus dem Gesichtspunkt der certitudo salutis als Zentrum, aus welchem alles gespeist wird, fehlt. Der Pariacharakter der Religiosität und die Verheißungen Jahves sind auch hier der letzte entscheidende Grund. Eine innerweltlich asketische Behandlung der Welt – dieser jetzt, infolge der Sünden Israels, so grundverkehrten, aber eben nur durch ein von Menschen nicht zu erzwingendes und nicht zu beschleunigendes freies Wunder Gottes zurechtzurückenden Welt – als einer „Aufgabe" und als des Schauplatzes eines religiösen „Berufs", der diese Welt, gerade auch die Sünde in ihr, unter die rationalen Normen des geoffenbarten göttlichen Willens zwingen will, zu Gottes Ruhm und zum Wahrzeichen der eigenen Erwählung, – diese calvinistische Stellungnahme war natürlich das Allerletzte, was einem traditionell frommen Juden je hätte in den Sinn kommen können. Er hatte ein weit schwereres inneres Schicksal zu überwinden als der seiner „Erwählung" für das Jenseits sichere Puritaner. Der Einzelne muß sich mit der Tatsache der Verheißungswidrigkeit der bestehenden Welt, solange Gott sie zuläßt, eben abfinden und sich genügen lassen, wenn Gott ihm Gnade und Erfolg schenkt, im Verkehr mit den Feinden seines Volks, denen er, wenn er den Ansprüchen seiner Rabbinen genügen will, legal und nüchtern rechnend, ohne Liebe und ohne Haß, „sachlich" gegenübertritt und sie so behandelt, wie es ihm Gott erlaubt hat. Unrichtig ist es, wenn gesagt wird: nur die Äußerlichkeit der Gesetzesbefolgung sei religiöses Erfordernis gewesen. Das ist der naturgemäße Durchschnitt. Aber das Postulat stand höher. Allerdings aber ist es die einzelne Handlung, welche als einzelne mit anderen einzelnen verglichen und aufgerechnet wird. Und wenn auch die Auffassung der Beziehung zu Gott als eines Kontokorrentes (sie findet sich übrigens gelegentlich auch bei Puritanern) der einzelnen guten und bösen Werke mit ungewissem Gesamtergebnis nicht die offiziell herrschende war, so ist allerdings die zentrale methodisch-asketische Orientiertheit der Lebensführung, wie sie den Puritanismus kennzeichnet, von den schon erwähnten Gründen abgesehen, einmal infolge der doppelten Moral eine unvermeidlich ungleich schwächere als dort. Dann aber deshalb: weil hier in der Tat, wie im Katholizismus, das Tun des einzelnen Gesetzmäßigen ein Produzieren der eigenen Heilschancen ist, mag auch (hier wie dort) Gottes Gnade die menschliche Unzulänglichkeit – die übrigens (wie im Katholizismus) durchaus nicht universell anerkannt war – ergänzen müssen. Die kirchliche Anstaltsgnade war, seit dem Verfall der alten palästinensischen Beichte (theschuba) weit unentwickelter als im Katholizismus, und diese Selbstverantwortlichkeit und Mittlerlosigkeit gab der jüdischen Lebensführung in der Tat notwendig etwas wesentlich Eigenmethodischeres, Systematischeres als der durchschnittlichen katholischen. Aber das Fehlen der spezifisch puritanischen asketischen Motive und der im Prinzip ungebrochene Traditionalismus der jüdischen Binnenmoral setzte auch da der Methodisierung eine Grenze. Es sind also zahlreiche nach Art der Asketen wirkende Einzelmotive da, nur fehlt gerade das religionseinigende Band des asketischen Grundmotivs. Denn die höchste Form der Frömmigkeit des Juden liegt nach der Seite der „Stimmung" und nicht des aktiven Handelns: wie sollte er sich in dieser grundverkehrten und – wie er seit der Zeit Hadrians weiß – nicht durch menschliche Tat zu ändernden, ihm feindlichen Welt jemals als Vollstrecker von Gottes Willen durch deren rationale Neuordnung fühlen? Das kann der jüdische Freigeist tun, nie der fromme Jude. Das Puritanertum hat denn auch stets die innere Verwandtschaft sowohl wie deren Grenze empfunden. Die Verwandtschaft ist bei aller Grundverschiedenheit in der Bedingtheit doch prinzipiell die gleiche wie schon beim Christentum der Anhänger des Paulus. Die Juden waren für die Puritaner wie für die Urchristen stets das einmal von Gott erwählt gewesene Volk. Die für das Urchristentum unerhört folgenreiche Tat des Paulus war aber: einerseits das jüdische heilige Buch zu einem – damals: dem einzigen – heiligen Buch der Christen zu machen und damit allen Einbrüchen des hellenischen (gnostischen) Intellektualismus eine ganz feste Grenze zu setzen (wie namentlich Wernle betont hat). Andererseits hie und da unter Mithilfe einer Dialektik, wie sie nur ein Rabbine besitzen konnte – gerade das Spezifische und im Judentum spezifisch Wirkende am „Gesetz": die Tabunormen und die ganz spezifischen, in ihrer Wirkung so furchtbaren messianischen Verheißungen, welche die Kettung der ganzen religiösen Würde des Juden an die Pariastellung begründeten, als durch den geborenen Christus teils abrogiert, teils erfüllt herauszubrechen, unter dem triumphierenden, höchst eindrucksvollen Hinweis: daß gerade die Erzväter Israels ja vor dem Erlaß jener Normen dem göttlichen Willen gemäß gelebt und dennoch, kraft ihres Glaubens, der das Unterpfand von Gottes Erwählung war, selig geworden seien. Der ungeheure Schwung, den das Bewußtsein, dem Parialose entronnen, den Hellenen ebenso ein Hellene wie den Juden ein Jude sein zu können und dies nicht auf dem Wege der glaubensfeindlichen Aufklärung, sondern innerhalb der Paradoxie des Glaubens selbst erreicht zu haben, – dieses leidenschaftliche Befreiungsgefühl ist die treibende Kraft der unvergleichlichen paulinischen Missionsarbeit. Er war tatsächlich frei geworden von den Verheißungen des Gottes, von dem sein Heiland sich am Kreuze verlassen fühlte. Der hinlänglich bezeugte furchtbare Haß gerade der Diasporajudenschaft gegen diesen einen Mann, Schwanken und Verlegenheit der christlichen Urgemeinde, der Versuch des Jakobus und der „Säulenapostel", im Anschluß an die Laiengesetzlichkeit von Jesus selbst ein „ethisches Minimum" von Gesetzesgeltung als allgemeinverbindlich zu konstruieren, schließlich die offene Feindschaft der Judenchristen, waren die Begleiterscheinung einer solchen Sprengung gerade der entscheidenden, die Pariastellung des Judentums festlegenden Ketten. Den menschenbezwingenden Jubel des aus dem hoffnungslosen „Sklavengesetz" mit dem Blut des Messias in die Freiheit Erkauften fühlen wir aus jeder Zeile, die Paulus schrieb. Die Möglichkeit christlicher Weltmission aber war die Folge. Ganz ebenso übernahmen die Puritaner gerade nicht das talmudische und auch nicht das alttestamentliche spezifisch jüdische rituelle Gesetz, sondern die sonstigen im Alten Testament bezeugten – schwankend, in welchem Umfang noch maßgebenden – Willensäußerungen Gottes, oft bis in Einzelheiten, und fügten sie zusammen mit den neutestamentlichen Normen. Nicht die frommen, orthodoxen Juden, wohl aber die der Orthodoxie entronnenen Reformjuden, noch jetzt z. B. Zöglinge der Educational Alliance, und vollends die getauften Juden werden in der Tat gerade von den puritanischen Völkern, speziell den Amerikanern, früher ohne weiteres und trotz allem auch noch jetzt relativ leicht bis zur absoluten Spurlosigkeit des Unterschieds resorbiert, während sie etwa in Deutschland durch lange Generationen eben „Assimilationsjuden" bleiben. Auch darin manifestiert sich die tatsächliche „Verwandtschaft" des Puritanismus mit dem Judentum. Aber gerade das Unjüdische am Puritanismus ist es, was diesen zu seiner Rolle in der Entwicklung der Wirtschaftsgesinnung ebenso befähigt hat, wie zu diesen Resorptionen von jüdischen Proselyten, welche religiös anders orientierten Völkern nicht gelungen ist.

Wieder in einem gänzlich anderen Sinne „weltangepaßt" ist der durch alttestamentliche und judenchristliche Motive stark mitbedingte Spätling des vorderasiatischen Monotheismus: der Islam. Die in seiner ersten mekkanischen Periode noch in einem weltabgewendeten städtischen Pietistenkonventikel auftretende eschatologische Religiosität Muhammeds schlug schon in Medina und dann in der Entwicklung der frühislamitischen Gemeinschaft in eine national-arabische und dann vor allem: ständisch orientierte Kriegerreligion um. Diejenigen Bekenner, deren Übertritt den entscheidenden Erfolg des Propheten darstellte, waren durchweg Anhänger mächtiger Geschlechter. Das religiöse Gebot des heiligen Krieges galt nicht in erster Linie Bekehrungszwecken, vielmehr: „bis sie (die Anhänger fremder Buchreligionen) in Demut den Zins (dschizja) zahlen", bis also der Islam der an sozialem Prestige in dieser Welt Erste gegenüber Tributpflichtigen anderer Religionen sein wird. Nicht nur dies alles in Verbindung mit der Bedeutung der Kriegsbeute in den Ordnungen, Verheißungen und, vor allem, Erwartungen gerade des ältesten Islam, stempelte ihn zur Herrenreligion, sondern auch die letzten Elemente seiner Wirtschaftsethik sind rein feudal. Gerade die Frömmsten schon der ersten Generation waren die Reichsten oder richtiger: die durch Kriegsbeute (im weitesten Sinn) am meisten Bereicherten von allen Genossen. Die Rolle aber, die dieser durch Kriegsbeute und politische Bereicherung geschaffene Besitz und der Reichtum überhaupt im Islam spielt, ist höchst entgegengesetzt der puritanischen Stellungnahme. Die Tradition schildert mit Wohlgefallen den Kleiderluxus, die Parfüms und die sorgsame Bartcoiffüre der Frommen, und es ist das äußerste Gegenteil aller puritanischen Wirtschaftsethik, entspricht dagegen feudalen Standesbegriffen, wenn die Überlieferung Muhammed begüterten Leuten, die vor ihm im dürftigen Aufzug erscheinen, sagen läßt: daß Gott, wenn er einen Menschen mit Wohlstand segne, es liebe, daß „dessen Spuren auch an ihm sichtbar seien", in unserer Sprache etwa: daß ein Reicher auch „standesgemäß zu leben" verpflichtet sei. Die strikte Ablehnung zwar nicht aller und jeder Askese (vor Fastern, Betern, Büßern bekundet Muhammed seinen Respekt), wohl aber jedes Mönchtums (rahbanija) im Koran mag, soweit dabei die Keuschheit in Betracht kommt, bei Muhammed persönlich ähnliche Gründe gehabt haben wie in den bekannten Aussprüchen, in denen Luthers derb-sinnliche Natur hervortritt; also in der auch dem Talmud eigenen Überzeugung, daß, wer mit einem bestimmten Alter nicht verheiratet sei, ein Sünder sein müsse. Aber wenn ein Prophetenspruch den Charakter dessen anzweifelt, der 40 Tage kein Fleisch genießt, oder wenn einer anerkannten, teilweise als Mahdi gefeierten Säule des alten Islam auf die Frage, warum er, im Gegensatz zu seinem Vater Ali, Haarkosmetika brauche, die Antwort „um bei den Frauen Erfolg zu haben" in den Mund gelegt wird – so stände Derartiges wohl einzig in der Hagiologie einer ethischen „Erlösungsreligion" da. Allein eine solche ist der Islam in dieser Ausprägung eben überhaupt nicht. Der Begriff „Erlösung" im ethischen Sinn des Worts ist ihm direkt fremd. Sein Gott ist ein unbegrenzt machtvoller, aber auch ein gnädiger Herr, und seinen Geboten zu entsprechen geht durchaus nicht über Menschenkraft. Die Beseitigung der Privatfehde im Interesse der Stoßkraft nach außen, die Regulierung des legitimen Geschlechtsverkehrs im streng patriarchalen Sinn und die Verpönung aller illegitimen Formen (infolge des Fortbestandes des Konkubinats mit Sklavinnen und der Leichtigkeit der Scheidung faktisch eine ausgeprägte sexuelle Privilegierung der Begüterten), die Verpönung des „Wuchers" sowie die Abgaben für den Krieg und die Unterstützung Verarmter waren Maßregeln wesentlich politischen Charakters. Zu ihnen traten als spezifische Unterscheidungspflichten im wesentlichen: das bloße Bekenntnis zum einen Gott und seinem Propheten als einzige dogmatische Anforderung, die einmalige Pilgerschaft nach Mekka, das Fasten unter Tags im Fastenmonat, die einmal wöchentliche Gottesdienstpräsenz und die täglichen Gebete; ferner für das Alltagsleben: Bekleidung (eine ökonomisch wichtige Vorschrift noch jetzt bei Bekehrungen wilder Völkerschaften), die Meidung gewisser unreiner Speisen, des Weins und des Hasardspiels (was ebenfalls, für die Haltung zu Spekulationsgeschäften, wichtig wurde). Individuelle Heilssuche und Mystik ist dem alten Islam fremd. Reichtum, Macht, Ehre sind die altislamitischen Verheißungen für das Diesseits: Soldatenverheißungen also, und ein sinnliches Soldatenparadies sein Jenseits. Ähnlich feudal orientiert erscheint der ursprünglich genuine „Sünden"-Begriff. Die „Sündlosigkeit" des starken sinnlichen Leidenschaften und Zornausbrüchen aus kleinem Anlaß unterworfenen Propheten ist späte theologische Konstruktion, ihm selbst im Koran ganz fremd, ebenso aber auch seit seiner Übersiedelung nach Medina jede Art einer „Tragik" des Sündengefühls, und dieser letztere Zug ist dem orthodoxen Islam geblieben: „Sünde" ist ihm teils rituelle Unreinheit, teils Religionsfrevel (wie die schirk: die Vielgötterei), teils Ungehorsam gegen die positiven Gebote des Propheten, teils ständische Würdelosigkeit durch Verletzung der Sitte und Schicklichkeit. Die Selbstverständlichkeit der Sklaverei und der Hörigkeit, die Polygamie und die Art der Frauenverachtung und -domestikation, der vorwiegend ritualistische Charakter der religiösen Pflichten, verbunden mit großer Einfachheit der hierher gehörigen Ansprüche und noch größerer Bescheidenheit in den ethischen Anforderungen sind ebenso viele Merkmale spezifisch ständischen feudalen Geistes. Die große Spannweite, welche der Islam durch Entstehung der theologisch-juristischen Kasuistik und der teils aufklärerischen, teils pietistischen Philosophenschulen einerseits, durch das Eindringen des persischen, von Indien herkommenden Sufismus und die Bildung der noch bis heute sehr stark von Indern beeinflußten Derwischorden andererseits gewann, hat ihn dem Judentum und Christentum in den entscheidenden Punkten nicht näher gebracht. Diese waren ganz spezifisch bürgerlich-städtische Religiositäten, während für den Islam die Stadt nur politische Bedeutung hatte. Die Art des offiziellen Kultus sowohl wie die sexuellen und rituellen Gebote können in der Richtung einer gewissen Nüchternheit der Lebensführung wirken. Das Kleinbürgertum ist in sehr starkem Maß Träger der fast universell verbreiteten Derwischreligiosität, welche, stets zunehmend an Macht, die offizielle Kirchenreligiosität überragte. Aber diese teils orgiastische, teils mystische, stets aber außeralltägliche und irrationale Religiosität und ebenso die durch ihre große Einfachheit propagandistisch wirksame offizielle, durchaus traditionalistische Alltagsethik weisen die Lebensführung in Bahnen, welche im Effekt gerade entgegengesetzt der puritanischen und jeder innerweltlich-asketischen Lebensmethodik verlaufen. Gegenüber dem Judentum fehlt die Anforderung einer umfassenden Gesetzeskenntnis und jene kasuistische Denkschulung, welche dessen „Rationalismus" speist. Der Krieger, nicht der Literat, ist das Ideal der Religiosität. Und es fehlen auch alle jene Verheißungen eines messianischen Reichs auf Erden in Verbindung mit der peinlichen Gesetzestreue, welche im Zusammenhang mit der priesterlichen Lehre von der Geschichte, Erwählung, Sünde und Verbannung Israels, den Pariacharakter der jüdischen Religiosität und alles was aus ihm folgte begründeten. Asketische Sekten hat es gegeben. Ein gewisser Zug zur „Einfachheit" war breiten Kreisen der altislamischen Kriegerschaft eigen und ließ sie von Anfang an in Gegensatz gegen die Ommajadenherrschaft treten. Ihre heitere Weltfreude galt als Verfall gegenüber der straffen Zucht in den Lagerfestungen, in denen Omar die islamische Kriegerschaft im Eroberungsgebiet konzentriert hatte, und an deren Stelle nun die Entstehung einer Feudalaristokratie trat. Aber es ist eben Askese des Kriegslagers oder eines kriegerischen Ritterordens, nicht mönchische und erst recht nicht bürgerliche asketische Systematik der Lebensführung – immer nur periodisch wirklich herrschend und stets zum Umschlagen in Fatalismus disponiert. Über die durchaus andere Wirkung, welche unter solchen Verhältnissen der Vorsehungsglaube entfalten mußte, wurde schon gesprochen. Das Eindringen des Heiligenkults und schließlich der Magie hat vollends von jeder eigentlichen Lebensmethodik abgeführt.

Diesen im Effekt spezifisch ökonomisch-innenweltlichen religiösen Ethiken steht als extremste Ethik der Weltablehnung gegenüber die mystische Erleuchtungskonzentration des genuinen alten Buddhismus, nicht natürlich die völlig umgestalteten Abwandlungen, die er in der tibetanischen, chinesischen, japanischen Volksreligiosität erfuhr. Auch diese Ethik ist „rational" im Sinn einer stetigen wachen Beherrschung aller natürlichen Triebhaftigkeit, aber mit gänzlich anderem Ziel. Nicht Erlösung von Sünde und Leid allein, sondern von der Vergänglichkeit an sich, von dem „Rade" der Karmankausalität in die ewige Ruhe wird gesucht. Diese ist und kann nur sein das eigenste Werk des einzelnen Menschen. Es gibt keine Prädestination, aber auch keine göttliche Gnade, kein Gebet und keinen Gottesdienst. Die Karmankausalität des kosmischen Vergeltungsmechanismus setzt automatisch Prämien und Strafen auf jede einzelne gute und böse Tat, immer proportional, daher immer zeitlich begrenzt, und immer wieder, solange der Lebensdurst zum Handeln treibt, muß der Einzelne aus tierischem, himmlischem oder höllischem Dasein in immer neuem menschlichen Leben die Früchte seines Handelns auskosten und sich neue Zukunftschancen schaffen. Der edelste Enthusiasmus wie die schmutzigste Sinnlichkeit führen beide gleichmäßig immer wieder hinein in diese Verkettung der Individuation (für die buddhistische Metaphysik, die keine Seele kennt, sehr mit Unrecht „Seelenwanderung" genannt), solange nicht der „Durst" nach Leben, diesseitigem wie jenseitigem, der ohnmächtige Kampf um die eigene individuelle Existenz mit all ihren Illusionen, vor allem derjenigen einer einheitlichen Seele und „Persönlichkeit", absolut ausgerottet ist. Jedes rationale Zweckhandeln als solches – außer der inneren Tätigkeit konzentrierter, die Seele vom Weltdurst entleerender Kontemplation – und jede Verbindung mit welchen Interessen der Welt auch immer führt vom Heil ab. Dies Heil zu erreichen ist aber nur wenigen selbst von denjenigen beschieden, welche sich entschließen, besitzlos, keusch, arbeitslos (denn Arbeit ist Zweckhandeln), also vom Bettel lebend und außer in der großen Regenzeit ewig unstät wandernd, losgelöst von allen persönlichen Banden an Familie und Welt, in Erfüllung der Vorschriften des richtigen Weges (Dharma) das Ziel der mystischen Erleuchtung zu erstreben. Ist es erreicht, so gibt es durch die hohe Freude und das zarte objektlose Liebesgefühl, welches ihr eignet, die höchste diesseitige Seligkeit bis zum Eingehen in den ewigen traumlosen Schlaf des Nirvana, den einzigen, keinem Wechsel unterworfenen Zustand. Alle anderen mögen durch Annäherung an die Vorschriften der Regel und Enthaltung von groben Sünden die Chancen desjenigen künftigen Lebens verbessern, welches nach der Karmankausalität vermöge des nicht ausgeglichenen ethischen Kontos und des sozusagen nicht „abreagierten" Lebensdurstes durch neue Individuation unvermeidlich irgendwo zusammenschießt, wenn ihr eigenes erlischt, das wahrhafte ewige Heil aber bleibt ihnen unvermeidlich verschlossen. – Keinerlei Weg führt von dieser einzigen wirklich konsequent weltflüchtigen Position zu irgendeiner Wirtschafts- oder rationalen Sozialethik. Die universelle, auf alle Kreatur sich erstreckende „Mitleidsstimmung", rational die Konsequenz der durch die gemeinschaftliche Karmankausalität hergestellten Solidarität aller lebenden und daher vergänglichen Wesen und psychologisch der Ausfluß des mystischen, euphorischen, universellen und akosmistischen Liebesempfindens, trägt keinerlei rationales Handeln, sondern führt von ihm direkt ab.

Der Buddhismus gehört in den Kreis jener Erlösungslehren, wie sie der Intellektualismus vornehmer indischer Laienbildungsschichten in größerer Zahl vorher und nachher geschaffen hat, und ist nur deren konsequenteste Form. Seine kühle und stolze, den Einzelnen auf sich selbst stellende Befreiung vom Dasein als solchen konnte nie ein Massenerlösungsglaube werden. Seine Wirkung über den Kreis der Gebildeten hinaus knüpfte an das gewaltige Prestige an, welches der „Sramana" (Asket) von jeher dort genoß und welches vorwiegend magisch-anthropolatrische Züge trug. Sobald er selbst eine missionierende „Volksreligiosität" wurde, verwandelte er sich demgemäß in eine Heilandsreligion auf der Basis der Karmanvergeltung mit Jenseitshoffnungen, welche durch Andachtstechniken, Kultus- und Sakramentsgnade und Werke der Barmherzigkeit garantiert werden und zeigt naturgemäß die Neigung, rein magische Vorstellungen zu rezipieren. In Indien selbst erlag er in den Oberschichten der Renaissance der auf vedischem Boden stehenden Erlösungsphilosophie, bei den Massen der Konkurrenz der hinduistischen Heilandsreligionen, namentlich der verschiedenen Formen des Vischnuismus, der tantristischen Zauberei und der orgiastischen Mysterienreligiosität, vor allem der Bhakti-(Gottesliebe-)Frömmigkeit. Im Lamaismus wurde der Buddhismus eine reine Mönchsreligiosität, deren religiöse Macht über die theokratisch beherrschten Laien durchaus magischen Charakters ist. In seinem ostasiatischen Verbreitungsgebiet ist er in sehr starker Umwandlung seines genuinen Charakters, konkurrierend und in mannigfachen Kreuzungen kombiniert mit dem chinesischen Taoismus, die spezifische, über das diesseitige Leben und den Ahnenkult hinausweisende, Gnade und Erlösung darbietende Volksreligiosität geworden. Aber weder die buddhistische noch die taoistische noch die hinduistische Frömmigkeit enthalten Antriebe zur rationalen Lebensmethodik. Die letztere insbesondere ist, wie schon früher ausgeführt, nach ihren Voraussetzungen die stärkste traditionalistische Macht, welche es überhaupt geben kann, weil sie die konsequenteste religiöse Begründung der „organischen" Gesellschaftsauffassung und die schlechthin bedingungslose Rechtfertigung der gegebenen, aus Schuld und Verdienst in einem früheren Dasein der

Beteiligten, kraft mechanisch proportionaler Vergeltung folgenden Verteilung von Macht und Glück ist. Alle diese asiatischen volkstümlichen Religiositäten gaben dem „Erwerbstrieb" des Krämers ebenso wie dem „Nahrungs"-Interesse des Handwerkers und dem Traditionalismus des Bauern Raum und ließen daneben die philosophische Spekulation und ständisch konventionelle Lebensorientierung der privilegierten Schichten ihre eigenen Wege gehen, welche in Japan feudale, in China patrimonial-bürokratische und daher stark utilitarische, in Indien teils ritterliche, teils patrimoniale, teils intellektualistische Züge behielten. Keine von ihnen konnte irgendwelche Motive und Anweisungen zu einer *rationalen* ethischen Formung einer kreatürlichen „Welt" gemäß einem göttlichen Gebot enthalten. Denn für alle war diese Welt vielmehr etwas fest Gegebenes, die beste aller möglichen Welten, und für den höchsten Typus des Frommen: den Weisen, stand nur die Wahl frei: entweder sich dem „Tao", dem Ausdruck der unpersönlichen Ordnung dieser Welt, als dem einzigen spezifisch Göttlichen, anzupassen, oder gerade umgekehrt aus ihrer unerbittlichen Kausalverkettung sich selbst durch eigene Tat in das einzig Ewige: den traumlosen Schlaf des Nirwana, zu erlösen.

„*Kapitalismus*" hat es auf dem Boden all dieser Religiositäten gegeben. Eben solchen, wie es in der okzidentalen Antike und in unserem Mittelalter auch gab. Aber keine Entwicklung, auch *keine Ansätze* einer solchen, zum *modernen* Kapitalismus und vor allem: keinen „kapitalistischen Geist" in dem Sinn, wie er dem asketischen Protestantismus eignete. Es hieße den Tatsachen in das Gesicht schlagen, wollte man dem indischen oder chinesischen oder islamischen Kaufmann, Krämer, Handwerker, Kuli einen geringeren „Erwerbstrieb" zuschreiben als etwa dem protestantischen. So ziemlich das gerade Gegenteil ist wahr: gerade die rationale ethische Bändigung der „Gewinnsucht" ist das dem Puritanismus Spezifische. Und jede Spur eines Beweises dafür fehlt: daß geringere natürliche „Begabung" für technischen und ökonomischen „Rationalismus" den Grund des Unterschieds abgeben. Alle diese Völker lassen sich heut eben dies „Gut" als wichtigstes Erzeugnis des Okzidents importieren, und die Hemmungen dabei liegen nicht auf dem Gebiet des Könnens oder Wollens, sondern der gegebenen festen Traditionen, ebenso wie bei uns im Mittelalter. Soweit dabei nicht die später zu erörternden rein politischen Bedingungen (die inneren Strukturformen der „Herrschaft") mitspielen, ist der Grund vornehmlich in der Religiosität zu suchen. Nur der asketische Protestantismus machte der Magie, der Außerweltlichkeit der Heilssuche und der intellektualistischen kontemplativen „Erleuchtung" als deren höchster Form wirklich den Garaus, nur er schuf die religiösen Motive, gerade in der Bemühung im innerweltlichen „Beruf" – und zwar im Gegensatz zu der streng traditionalistischen Berufskonzeption des Hinduismus: in methodisch *rationalisierter* Berufserfüllung – das Heil zu suchen. Für die asiatische volkstümliche Religiosität jeder Art blieb dagegen die Welt ein großer Zaubergarten, die Verehrung oder Bannung der „Geister" oder ritualistische, idolatrische, sakramentale Heilssuche der Weg, sich in ihr, für das Diesseits und Jenseits, praktisch zu orientieren und zu sichern. Und so wenig wie von der Weltanpassung des Konfuzianismus oder der Weltablehnung des Buddhismus oder der Weltwaltung des Islam oder den Pariahoffnungen und dem ökonomischen Pariarecht des Judentums führte von jener magischen Religiosität der asiatischen Nichtintellektuellen ein Weg zur rationalen Lebensmethodik.

Magie und Dämonenglauben stehen nun auch an der Wiege der zweiten großen, in einem spezifischen Sinn „weltablehnenden" Religion: des alten *Christentums*. Sein Heiland ist vor allen Dingen ein Magier, das magische Charisma eine nie fortzudatierende Stütze seines spezifischen Selbstgefühls. Aber dessen Eigenart ist nun im besonderen bedingt einmal durch die in aller Welt einzigartigen Verheißungen des Judentums – das Auftreten Jesu fällt in eine Epoche intensivster messianischer Hoffnungen – einerseits und durch den intellektualistischen Schriftgelehrsamkeitscharakter der jüdischen Frömmigkeit höchster Ordnung. Das christliche Evangelium entstand demgegenüber als eine Verkündigung eines *Nicht*intellektuellen nur an Nichtintellektuelle, an die „geistlich Armen". Das „Gesetz", von dem Jesus keinen Buchstaben fortnehmen wollte, handhabe und verstand er so, wie die Unvornehmen und Ungelehrten, die ländlichen und kleinstädtischen Frommen es meist verstanden und den Bedürfnissen ihres Berufs anpaßten, im Gegensatz zu den hellenisierten Vornehmen und Reichen und zu dem kasuistischen Virtuosentum der Schriftgelehrten und Pharisäer: meist, so namentlich in den rituellen Vorschriften, speziell in der Sabbatheiligung, milde, in einigen Hinsichten, so in den Ehescheidungsgrundsätzen, strenger. Und es scheint, daß hier der paulinischen Auffassung insofern präludiert ist, wenn die Anforderungen des mosaischen Gesetzes als durch die Sündhaftigkeit der angeblich Frommen bedingt, bezeichnet werden. In jedem Fall stellt Jesus gelegentlich so eigene Gebote pointiert der alten Tradition gegenüber. Nicht angebliche „proletarische Instinkte" aber geben ihm jenes spezifische Selbstgefühl, das Wissen: daß er eins ist mit dem göttlichen Patriarchen, daß durch ihn und nur durch ihn der Weg zu jenem führt. Sondern daß er, der Nichtschriftgelehrte, das Charisma der Dämonenherrschaft und seiner gewaltigen Predigt besitzt, so besitzt, wie beide keinem Schriftgelehrten und Pharisäer zu Gebote stehen, daß er die Dämonen zwingen kann, wo die Menschen an ihn glauben, nur dort, sonst nicht, aber dann auch bei den Heiden, daß er in seiner Vaterstadt, bei seiner Familie, bei den Reichen und Vornehmen des Landes, bei den Schriftgelehrten und Gesetzesvirtuosen diesen Glauben, der ihm die magische Wunderkraft gibt, nicht findet, wohl aber bei den Armen und Bedrängten, bei Zöllnern, Sündern und selbst bei römischen Soldaten, – *dies* sind, was nie vergessen werden sollte, absolut entscheidende Komponenten seines messianischen Selbstgefühls. Deshalb erklingt das „Wehe" über die Galiläerstädte ganz ebenso wie der zornige Fluch über den widerspenstigen Feigenbaum, und deshalb wird ihm die Erwählung Israels immer wieder problematisch, die Bedeutung des Tempels zweifelhaft und die Verwerfung der Pharisäer und Schriftgelehrten zur Sicherheit.

Zwei absolute „Todsünden" kennt Jesus: die eine ist die „Sünde gegen den Geist", die der Schriftgelehrte begeht, der das Charisma und seine Träger verachtet. Die andere ist: zum Bruder zu sagen: „Du Narr" – der unbrüderliche Hochmut des Intellektuellen gegen den geistlich Armen. Dieser antiintellektualistische Zug, die Verwerfung der hellenischen wie der rabbinischen Weisheit, ist das einzige „ständische" und höchst spezifische Element der Verkündigung. Diese ist im übrigen weit davon entfernt, eine Verkündigung für Jedermann und alle Schwachen zu sein. Gewiß, das Joch ist leicht, aber nur für die, welche wieder werden können wie die Kinder. In Wahrheit stellt sie gewaltige Anforderungen und ist streng heilsaristokratisch. Nichts liegt Jesus ferner als der Gedanke an einen Universalismus göttlicher Gnade, gegen den vielmehr seine ganze Verkündigung streitet: *wenige* sind auserwählt, durch die enge Pforte zu gehen, sie, die Buße tun und an ihn glauben; die anderen verstockt und verhärtet Gott selbst, und es sind naturgemäß gerade die Stolzen und Reichen, die am meisten diesem Schicksal verfallen. Das war gegenüber anderen Prophetien nichts völlig Neues: auch die altjüdische Prophetie hatte schließlich angesichts der Hoffart der Großen dieser Erde den Messias als einen König kommen sehen, der auf dem Lasttier der Armen in Jerusalem einzieht. Keinerlei „soziale" Position spricht daraus. Jesus speist bei wohlhabenden Leuten, die den Gesetzesvirtuosen ein Greuel sind. Auch dem reichen Jüngling wird das Verschenken des Reichtums ausdrücklich nur für den Fall geboten, daß er „vollkommen", d. h.: ein Jünger, sein wolle. Das freilich setzt die Loslösung aus allen Banden der Welt voraus, aus der Familie so gut wie aus dem Besitz, wie bei Buddha und allen ähnlichen Propheten auch. Aber freilich – obwohl bei Gott alles möglich ist – bleibt die Anhänglichkeit an den „Mammon" eins der schwersten Hemmnisse für die Errettung zum Gottesreich. Sie lenkt von dem religiösen Heil, auf das allein alles ankommt, ab. Nicht ausdrücklich gesagt ist: daß sie auch zur Unbrüderlichkeit führe. Aber der Gedanke liegt in der Sache. Denn die verkündeten Gebote enthalten an sich auch hier die urwüchsige Nothilfeethik des Nachbarschaftsverbandes der kleinen Leute. Aber freilich ist alles „gesinnungsethisch" zur brüderlichen Liebesgesinnung systematisiert, dies Gebot „universalistisch" auf jeden, der jeweils gerade der „Nächste" ist, bezogen und zur akosmistischen Paradoxie gesteigert an der Hand des Satzes: daß Gott allein vergelten wolle und werde. Bedingungsloses Verzeihen, bedingungsloses Gehen, bedingungslose Liebe auch des Feindes, bedingungsloses Hinnehmen des Unrechts, ohne dem Übel mit Gewalt zu widerstehen, – diese Forderungen an den religiösen Heroismus könnten ja Produkt eines mystisch bedingten Liebesakosmismus sein. Aber es darf doch nicht, wie es oft geschieht, übersehen werden, daß sie bei Jesus überall mit dem jüdischen Vergeltungsgedanken in Beziehung gesetzt werden: Gott wird dereinst vergelten, rächen und lohnen, darum soll es der Mensch nicht tun und sich auch seiner Guttat nicht rühmen: sonst hat er sich seinen Lohn vorweggenommen. Deshalb, um sich Schätze im Himmel zu sammeln, soll man auch dem leihen, von dem man vielleicht nichts wiederbekommen wird, – denn sonst ist es kein Verdienst. Mit dem gerechten Ausgleich der Schicksale wird stark in der Lazaruslegende und auch sonst gelegentlich operiert: schon deshalb also ist Reichtum eine gefährliche Gabe. Im übrigen ist aber völlig entscheidend die absolute Indifferenz der Welt und ihrer Angelegenheiten. Das Himmelreich, ein Reich der leidlosen und schuldlosen Freude auf Erden ist ganz nahe herbeigekommen, dies Geschlecht wird nicht aussterben ohne es zu sehen, es wird kommen wie der Dieb in der Nacht, ja es ist eigentlich schon mitten unter den Menschen im Anbruch begriffen. Man mache sich Freunde mit dem ungerechten Mammon, statt an ihm zu hängen. Man gebe dem Kaiser was sein ist, – was liegt an solchen Dingen? Man bete zu Gott um das tägliche Brot und sorge sich nicht um den kommenden Tag. Das Kommen des Reichs kann ein menschliches Tun nicht beschleunigen. Aber man bereite sich darauf vor, daß es komme. Und hier wird dann, obwohl das Gesetz formell nicht aufgehoben wird, allerdings doch schlechthin alles auf die Art der Gesinnung abgestellt, der ganze Inhalt von Gesetz und Propheten mit dem einfachen Gebot der Gottes- und Nächstenliebe identifiziert und der weittragende Satz hinzugefügt: daß man die echte Gesinnung an ihren Früchten, an ihrer Bewährung also, erkennen solle.

Nachdem dann die Auferstehungsvisionen, wohl sicher mit unter dem Einfluß der rundum weit verbreiteten soteriologischen Mythen, einen gewaltigen Ausbruch pneumatischer Charismata und die Gemeindebildung, mit der eigenen, bisher ungläubigen Familie an der Spitze, und die folgenschwere Bekehrung des Paulus die Zerbrechung der Pariareligiosität unter Erhaltung der Kontinuität mit der alten Prophetie und die Heidenmission zur Folge gehabt hatte, blieb für die Stellung der Gemeinden des Missionsgebiets zur „Welt" die Wiederkunftserwartung einerseits, die überwältigende Bedeutung der charismatischen Gaben des „Geistes" andererseits, maßgebend. Die Welt bleibt wie sie ist, bis der Herr kommt. Der Einzelne bleibe ebenso in seiner Stellung und seinem „Beruf" (κλησις) untertan der Obrigkeit, es sei denn, daß sie die Sünde von ihm verlangt*.

Kapitel V. Markt.
(Unvollendet)

Allen bisher besprochenen Gemeinschaftsgebilden, welche regelmäßig nur eine partielle Rationalisierung ihres Gemeinschaftshandelns in sich schließen, im übrigen aber in ihrer Struktur höchst verschieden geartet sind, – mehr oder minder amorph oder vergesellschaftet, mehr oder minder kontinuierlich oder diskontinuierlich, mehr oder minder offen oder geschlossen, tritt nun als der Typus alles rationalen Gesellschaftshandelns die Vergesellschaftung durch Tausch auf dem *Markt* gegenüber. Von einem Markt soll gesprochen werden, sobald auch nur auf einer Seite eine Mehrheit von Tauschreflektanten um Tauschchancen konkurrieren. Daß sie sich örtlich auf dem Lokalmarkt, Fernverkehrsmarkt (Jahrmarkt, Messe), Kaufmannsmarkt (Börse) zusammenfinden, ist nur die konsequenteste Form der Marktbildung, welche allerdings allein die volle Entfaltung der spezifischen Erscheinung des Markts: des Feilschens, ermöglicht. Da die Erörte-

---

* Nach Notizen im Manuskript sollte dieser Abschnitt weitergeführt werden.

rung der Marktvorgänge den wesentlichen Inhalt der Sozialökonomik bildet, sind sie hier nicht darzustellen. Soziologisch betrachtet, stellt der Markt ein Mit- und Nacheinander rationaler Vergesellschaftungen dar, deren jede insofern spezifisch ephemer ist, als sie mit der Übergabe der Tauschgüter erlischt, sofern nicht etwa bereits eine Ordnung oktroyiert ist, welche den Tauschenden ihren Tauschgegnern gegenüber die Garantie des rechtmäßigen Erwerbs des Tauschgutes (Eviktionsgarantie) auferlegt. Der realisierte Tausch konstituiert eine Vergesellschaftung nur mit dem Tauschgegner. Das vorbereitende Feilschen aber ist stets ein Gemeinschaftshandeln, insofern die beiden Tauschreflektanten ihre Angebote an dem potentiellen Handeln unbestimmt vieler realer oder vorgestellter mitkonkurrierender anderer Tauschinteressenten, nicht nur an dem des Tauschgegners, orientieren, und um so mehr, je mehr dies geschieht. Jeder Tausch mit Geldgebrauch (Kauf) ist überdies Gemeinschaftshandeln kraft der Verwendung des Geldes, welches seine Funktion lediglich kraft der Bezogenheit auf das potentielle Handeln anderer versieht. Denn daß es genommen wird, beruht ausschließlich auf den Erwartungen, daß es seine spezifische Begehrtheit und Verwendbarkeit als Zahlmittel bewahren werde. Die Vergemeinschaftung kraft Geldgebrauchs ist der charakteristische Gegenpol jeder Vergesellschaftung durch rational paktierte oder oktroyierte Ordnung. Es wirkt vergemeinschaftend kraft realer Interessenbeziehungen von aktuellen und potentiellen Markt- und Zahlungsinteressenten, daß das Resultat: bei Vollentwicklung die sog. Geldwirtschaft, die sehr spezifischer Art ist, sich so verhält, als ob eine auf seine Herbeiführung abgezweckte Ordnung geschaffen worden wäre. Dies eben ist die Konsequenz davon, daß innerhalb der Marktgemeinschaft der Tauschakt, zumal aber der Geldtauschakt, sich nicht isoliert an dem Handeln des Partners, sondern, je rationaler er erwogen wird, desto mehr an dem Handeln aller potentiellen Tauschinteressenten orientiert. Die Marktgemeinschaft als solche ist die unpersönlichste praktische Lebensbeziehung, in welche Menschen miteinander treten können. Nicht weil der Markt einen Kampf unter den Interessenten einschließt. Jede, auch die intimste, menschliche Beziehung, auch die noch so unbedingte persönliche Hingabe ist in irgendeinem Sinn relativen Charakters und kann ein Ringen mit dem Partner, etwa um dessen Seelenrettung, bedeuten. Sondern weil er spezifisch sachlich, am Interesse an den Tauschgütern und nur an diesen, orientiert ist. Wo der Markt seiner Eigengesetzlichkeit überlassen ist, kennt er nur Ansehen der Sache, kein Ansehen der Person, keine Brüderlichkeits- und

Pietätspflichten, keine der urwüchsigen von den persönlichen Gemeinschaften getragenen menschlichen Beziehungen. Sie alle bilden Hemmungen der freien Entfaltung der nackten Marktvergemeinschaftung und deren spezifische Interessen wiederum die spezifische Versuchung für sie alle. Rationale Zweckinteressen bestimmen die Marktvorgänge in besonders hohem Maße und rationale Legalität, insbesondere: formale Unverbrüchlichkeit des einmal Versprochenen, ist die Qualität, welche vom Tauschpartner erwartet wird und den Inhalt der Marktethik bildet, welche in dieser Hinsicht ungemein strenge Auffassungen anerzieht: in den Annalen der Börse ist es fast unerhört, daß die unkontrollierteste und unerweislichste, durch Zeichen geschlossene Vereinbarung gebrochen wird. Eine solche absolute Versachlichung widerstrebt, wie namentlich Sombart wiederholt in oft glänzender Form betont hat, allen urwüchsigen Strukturformen menschlicher Beziehungen. Der „freie", d. h. der durch ethische Normen nicht gebundene Markt mit seiner Ausnutzung der Interessenkonstellation und Monopollage und seinem Feilschen gilt jeder Ethik als unter Brüdern verworfen. Der Markt ist in vollem Gegensatz zu allen anderen Vergemeinschaftungen, die immer persönliche Verbrüderung und meist Blutsverwandtschaften voraussetzen, jeder Verbrüderung in der Wurzel fremd. Der freie Tausch findet zunächst nur nach außerhalb der Nachbargemeinschaft und aller persönlichen Verbände statt; der Markt ist eine Beziehung zwischen Orts-, Bluts- und Stammgrenzen, ursprünglich die einzige formell friedliche Beziehung zwischen ihnen. Einen Handel mit der Absicht, Tauschgewinn zu erzielen, kann es ursprünglich zwischen Gemeinschaftsgenossen nicht geben, wie er ja auch unter ihnen, in Zeiten agrarischer Eigenwirtschaften, kein Bedürfnis ist. Eine der charakteristischen Formen unentwickelten Handelns: der stumme Tausch – Tausch unter Vermeidung persönlicher Berührung, bei dem das Angebot durch Niederlegung von Waren an üblicher Stelle, das Gegenangebot ebenso, das Feilschen durch Vermehrung der beiderseits angebotenen Objekte erfolgt, bis eine Partei entweder unbefriedigt abzieht oder befriedigt die Waren des Gegners mitnimmt – bringt den Gegensatz gegen die persönliche Verbrüderung drastisch zum Ausdruck. Die Garantie der Legalität des Tauschpartners beruht letztlich auf der beiderseits normalerweise mit Recht gemachten Voraussetzung, daß jeder von beiden an der Fortsetzung der Tauschbeziehungen, sei es mit diesem, sei es mit anderen Tauschpartnern auch für die Zukunft ein Interesse habe, daher gegebene Zusagen halten und mindestens eklatante Verletzungen von Treu und Glauben unterlassen werde. Soweit jenes Interesse besteht, gilt der Satz: „honesty is the best policy", der natürlich keineswegs universale rationale Richtigkeit und daher auch schwankende empirische Geltung besitzt, die höchste natürlich für rationale Betriebe mit dauernd gegebenem Kundenkreis. Denn auf dem Boden fester und daher einer Verknüpfung mit gegenseitiger persönlicher Würdigung in bezug auf die ethischen Marktqualitäten fähiger Kundschaftsverhältnisse können die Tauschbeziehungen, getragen von dem Interesse der Beteiligten, den Charakter des schrankenlosen Feilschens am leichtesten wieder zugunsten einer im eigenen Interesse relativen Beschränkung der Preisschwankungen und der Ausnutzung der Augenblickskonstellation abstreifen. Die Einzelheiten der für die Preisbildung wichtigen Konsequenzen gehören nicht hierher. Der feste, d. h. der für alle Abnehmer gleiche Preis und die strikte Reellität ist nicht nur den regulierten lokalen Nachbarschaftsmärkten des Mittelalters im Okzident in spezifisch hohem Grade und im Gegensatz zum Orient und fernen Osten eigen, sondern er ist außerdem eine Voraussetzung und dann auch wieder Produkt eines bestimmten Stadiums kapitalistischer, nämlich der frühkapitalistischen Wirtschaft. Sie fehlt, wo dies Stadium nicht mehr besteht. Sie fehlt ferner allen denjenigen Ständen und anderen Gruppen, welche nicht regelmäßig und aktiv, sondern nur gelegentlich und passiv am Tausch beteiligt sind. Der Satz: caveat emptor gilt z. B. erfahrungsgemäß am meisten für den Verkehr mit feudalen Schichten oder etwa beim Pferdekauf unter Kameraden von der Kavallerie, wie jeder Offizier weiß. Die spezifische Marktethik ist ihnen fremd, der Handel für ihre Vorstellung wie für den bäuerlichen Nachbarverband ein für allemal identisch mit einem Gebaren, bei dem die Frage lediglich die ist, wer betrogen wird.

Typische Schranken des Marktes sind durch sakrale Tabuierungen oder durch ständisch monopolistische Vergesellschaftungen, welche den Gütertausch nach außen unmöglich machen, gegeben. Gegen diese Schranken brandet nun unausgesetzt die Marktgemeinschaft an, deren bloße Existenz die Versuchung zur Teilnahme an ihren Gewinnchancen enthält. Ist der Appropriationsprozeß in einer monopolistischen Gemeinschaft einmal so weit fortgeschritten, daß sie nach außen geschlossen ist, sind also der Grund und Boden oder die Marktnutzungsrechte in einer Dorfgemeinschaft definitiv und erblich appropriiert, so entsteht mit steigender Geldwirtschaft, welche steigende Differenzierung der durch indirekten Tausch zu befriedigenden Bedürfnisse und eine Existenz losgelöst vom Bodenbesitz ermöglicht, ein normalerweise steigendes Interesse der einzelnen Beteiligten daran, den appropriierten Besitz auch nach außen hin durch Tausch meistbietend verwerten zu können. Genau wie etwa Mitteilhaber einer ererbten Fabrik auf die Dauer fast stets zur Aktiengründung schreiten, um ihre Anteile frei veräußern zu können. Und von außen her andererseits verlangt eine entstehende kapitalistische Erwerbswirtschaft, je mehr sie erstarkt, desto mehr die Möglichkeit, sachliche Produktionsmittel und Arbeitsleistungen auf dem Markt, ungehemmt durch sakrale oder ständische Bindung, einhandeln und ihre Absatzchancen von den Schranken ständischer Absatzmonopole befreit zu sehen. Die kapitalistischen Interessenten sind solange Interessenten der zunehmenden Erweiterung des freien Marktes, bis es einigen von ihnen gelingt, entweder durch Einhandelung von Privilegien aus der Hand der politischen Gewalt, oder lediglich kraft ihrer Kapitalmacht ihrem Güterabsatz oder auch für die Gewinnung ihrer sachlichen Produktionsmittel Monopole zu erringen und nun ihrerseits den Markt zu schließen. Der vollen Appropriation aller sachlichen Produktionsmittel folgt daher, – wenn die Interessenten des Kapitalismus in der Lage sind, die den Güterbesitz und die Art seiner Verwertung regulierenden Gemeinschaften zugunsten ihrer Interessen zu beeinflussen oder wenn innerhalb ständischer Monopolgemeinschaften die Interessen an der Verwertung des appropriierten Besitzes auf dem Markt die Übermacht gewinnen, – zunächst die Sprengung der ständischen Monopole. Ferner die Beschränkung der durch den Zwangsapparat der den Güterbesitz regulierenden Gemeinschaft garantierten erworbenen und erwerbbaren Rechte lediglich auf sachliche Güter und Ansprüche aus Schuldverhältnissen mit Einschluß vereinbarter Arbeitsleistungen. Dagegen werden alle anderen Appropriationen, insbesondere alle Kundschaftsappropriationen und ständischen Absatzmonopole, vernichtet. Dies ist der Zustand, den wir freie Konkurrenz nennen und der solange dauert, bis andere: kapitalistische Monopole, auf dem Markt durch die Macht des Besitzes errungen, an seine Stelle treten. Diese kapitalistischen Monopole aber unterscheiden sich von den ständischen durch ihre rein ökonomisch rationale Bedingtheit. Die ständischen Monopole schließen durch Beschränkung entweder der Verkaufsmöglichkeit überhaupt, oder der zulässigen Verkaufsbedingungen den Marktmechanismus mit seinem Feilschen und vor allem mit seiner rationalen Kalkulation innerhalb ihres Machtbereichs aus. Die durch die Macht des Besitzes allein bedingten Monopole dagegen beruhen gerade umgekehrt auf rationaler Monopolistenpolitik, also auf einer durch rationalen Kalkül geleiteten Beherrschung der möglicherweise formell gänzlich freibleibenden Marktvorgänge. Die sakralen, ständischen und traditionellen Gebundenheiten sind die allmählich beseitigten Schranken der rationalen Marktpreisbildung, die rein ökonomisch bedingten Monopole sind umgekehrt deren letzte Konsequenz. Die ständischen Monopolisten behaupten ihre Macht gegen den Markt, schränken ihn ein, der rationale ökonomische Monopolist herrscht durch den Markt. Wir wollen diejenigen Interessenten, deren ökonomische Lage sie in den Stand setzt, vermöge der formalen Marktfreiheit zur Macht zu gelangen, die Marktinteressenten nennen.

Ein konkreter Markt kann einer autonom von den Marktbeteiligten vereinbarten oder einer von den verschiedensten Gemeinschaften, namentlich von politischen oder religiösen Verbänden oktroyierten Ordnung unterworfen sein. Soweit diese nicht eine Einschränkung der Marktfreiheit, d. h. des Feilschens und Konkurrierens, enthält oder Garantien für die Innehaltung der Marktlegalität, die Art der Zahlungen und Zahlungsmittel festsetzt, bezweckt sie in Epochen interlokaler Unsicherheit vor allem die Gewährleistung des Marktfriedens, dessen Garantie, da der Markt ursprünglich eine Vergesellschaftung mit Ungenossen, also Feinden, ist, zunächst regelmäßig, ebenso wie die völkerrechtsartigen Kriegsbräuche, göttlichen Mächten anheimgegeben wird. Sehr oft wird der Marktfrieden unter den Schutz eines Tempels gestellt, weiterhin pflegt aber dieser Friedensschutz vom Häuptling oder Fürsten zu einer Gebührenquelle gemacht zu werden. Denn der Tausch ist die spezifisch friedliche Form der Gewinnung ökonomischer Macht. Selbstverständlich kann es sich mit Gewaltsamkeit alternativ verbinden. Der Seefahrer der Antike und des Mittelalters nimmt sehr gern unentgeltlich, was er gewaltsam bekommen kann, und verlegt sich auf das friedliche Feilschen nur da, wo er dies entweder gegenüber ebenbürtiger Macht tun muß oder im Interesse sonst gefährdeter künftiger Tauschchancen es zu tun für klug hält. Die intensive Expansion der Tauschbeziehungen geht aber überall parallel mit einer relativen Befriedung. Die Landfrieden des Mittelalters stehen alle im Dienst von Tauschinteressen, und die Aneignung von Gütern durch freien, rein ökonomisch rationalen Tausch ist in der Form, wie Oppenheimer immer wieder betont hat, der begriffliche Gegenpol der Aneignung von Gütern durch Zwang irgendwelcher Art, am meisten: physischen Zwang, dessen geregelte Ausübung insbesondere für die politische Gemeinschaft konstitutiv ist.

Kapitel VI. Die Wirtschaft und die Ordnungen.

§ 1. Rechtsordnung und Wirtschaftsordnung.

Der soziologische Begriff und Sinn der Rechtsordnung S. 602. – Soziologische und ökonomische Wirkungen der Rechtsordnung für den Einzelnen S. 605. – Staatliches und außerstaatliches Recht S. 608.

Wenn von „Recht", „Rechtsordnung", „Rechtssatz" die Rede ist, so muß besonders streng auf die Unterscheidung juristischer und soziologischer Betrachtungsweise geachtet werden. Die erstere fragt: was als Recht ideell gilt. Das will sagen: welche Bedeutung, und dies wiederum heißt: welcher *normative Sinn* einem als Rechtsnorm auftretenden sprachlichen Gebilde logisch *richtiger* Weise zukommen *sollte*. Die letztere dagegen fragt: was innerhalb einer Gemeinschaft *faktisch* um deswillen *geschieht*, weil die *Chance* besteht, daß am Gemeinschaftshandeln beteiligte Menschen, darunter insbesondere solche, in deren Händen ein sozial relevantes Maß von faktischem Einfluß auf dieses Gemeinschaftshandeln liegt, bestimmte Ordnungen als geltend *subjektiv* ansehen und praktisch behandeln, also ihr eigenes Handeln an ihnen orientieren. – Darnach bestimmt sich auch die prinzipielle Beziehung zwischen *Recht und Wirtschaft*.

Die juristische, genauer: die rechtsdogmatische, Betrachtung stellt sich die Aufgabe: Sätze, deren Inhalt sich als eine Ordnung darstellt, welche für das Verhalten eines irgendwie bezeichneten Kreises von Menschen maßgebend sein soll, auf ihren richtigen Sinn und das heißt: auf die Tatbestände, welche ihr und die Art, wie sie ihr unterliegen, zu untersuchen. Dabei verfährt sie dergestalt, daß sie die verschiedenen einzelnen Sätze jener Art, ausgehend von ihrer unbezweifelten empirischen Geltung, ihren logisch richtigen Sinn dergestalt zu bestimmen trachtet, daß sie dadurch in ein logisch in sich widerspruchsloses System gebracht werden. Dies System ist die „Rechtsordnung" im juristischen Sinn des Wortes. – Die Sozialökonomik dagegen betrachtet dasjenige tatsächliche Handeln der Menschen, welches durch die Notwendigkeit der Orientierung am „wirtschaftlichen Sachverhalt" bedingt ist, in seinen tatsächlichen Zusammenhängen. Die durch die Art des Interessenausgleichs jeweils einverständnismäßig entstandene Verteilung der faktischen Verfügungsgewalt über Güter und ökonomische Dienste und die Art, wie beide kraft jener auf Einverständnis ruhenden faktischen Verfügungsgewalt dem gemeinten Sinn nach tatsächlich verwendet werden, nennen wir

„Wirtschaftsordnung". Es liegt auf, der Hand, daß beide Betrachtungsweisen sich gänzlich heterogene Probleme stellen und ihre „Objekte" unmittelbar gar nicht in Berührung miteinander geraten können, daß die ideelle „Rechtsordnung" der Rechtstheorie direkt mit dem Kosmos des faktischen wirtschaftlichen Handelns nichts zu schaffen hat, da beide in verschiedenen Ebenen liegen: die eine in der des ideellen Geltensollens, die andere in der des realen Geschehens. Wenn nun trotzdem Wirtschafts- und Rechtsordnung in höchst intimen Beziehungen zueinander stehen, so ist eben diese letztere dabei nicht in juristischem, sondern in soziologischem Sinne verstanden: als *empirische* Geltung. Der Sinn des Wortes „Rechtsordnung" ändert sich dann völlig. Sie bedeutet dann nicht einen Kosmos logisch als „richtig" erschließbarer Normen, sondern einen Komplex von faktischen Bestimmungsgründen realen menschlichen Handelns. Dies bedarf der näheren Interpretation.

Daß irgendwelche Menschen sich in einer bestimmten Art verhalten, *weil* sie dies als durch Rechtssätze so vorgeschrieben ansehen, ist allerdings eine wesentliche Komponente des realen *empirischen* Inslebentretens und auch des Fortbestandes einer „Rechtsordnung". Aber natürlich – wie das früher über die Bedeutung der „Existenz" sozialer Ordnungen Gesagte ergibt – gehört keineswegs dazu: daß *alle* oder auch nur die Mehrzahl der an jenem Verhalten Beteiligten dies Verhalten aus jenem Motiv heraus einschlagen. Das pflegt vielmehr niemals der Fall zu sein. Die breiten Schichten der Beteiligten verhalten sich der Rechtsordnung entsprechend, entweder weil die Umwelt dies billigt und das Gegenteil nicht billigt, oder nur aus stumpfer Gewohnheit an die als Sitte eingelebten Regelmäßigkeiten des Lebens, nicht aber aus einer als Rechtspflicht gefühlten Obödienz. Wäre diese letztere Haltung universell, dann würde allerdings das Recht seinen subjektiven Charakter als solches gänzlich einbüßen und subjektiv als bloße Sitte beachtet werden. So gering objektiv die Chance, daß der Zwangsapparat gegebenenfalls jene Normen erzwingt, auch sein mag, so würden sie uns dennoch als „Recht" gelten müssen. Unnötig ist ebenfalls – nach dem früher Gesagten –, daß alle, welche die Überzeugung von einer bestimmten Art der Normiertheit eines bestimmten Handelns durch einen Rechtssatz teilen, dem nun auch wirklich immer nachleben. Das ist ebenfalls nie der Fall und, da nach unserer allgemeinen Definition die Tatsache einer „Orientiertheit" des Handelns an einer Ordnung, nicht aber: deren „Erfolge", über die „Geltung" entscheiden, nicht nötig. „Recht" ist für uns eine „Ordnung" mit gewissen spezifischen Garantien für die

Chance ihrer empirischen Geltung. Und zwar soll unter „garantiertem objektiven Recht" der Fall verstanden werden: daß die Garantien in dem Bestehen eines „Zwangsapparates" im früher definierten Sinn, also einer oder mehrerer sich eigens zur Durchsetzung der Ordnung durch speziell dafür vorgesehene Zwangsmittel (Rechtszwang) bereithaltenden Personen besteht. Die Zwangsmittel können psychischer oder physischer Art, direkt oder indirekt wirkende sein, sich im Einzelfall gegen die an der Einverständnisgemeinschaft oder Vergesellschaftung, dem Verband oder der Anstalt, für welche die Ordnung (empirisch) gilt, Beteiligten oder auch nach außen richten. Sie sind die „Rechtsordnungen" der betreffenden Vergemeinschaftung. Bei weitem nicht alle Ordnungen, welche einverständnismäßig für eine Vergemeinschaftung gelten, sind – wie später zu erörtern – „Rechtsordnungen". Auch nicht alles geordnete „Organhandeln" der den Zwangsapparat einer Vergemeinschaftung bildenden Personen geht auf Rechtszwang, sondern nur jenes wollen wir darunter begreifen, dessen geltender Sinn dahin zielt: die Befolgung einer Ordnung durchzusetzen lediglich *als solche*, also rein formal *um deswillen*, *weil* sie als verbindlich *geltend* in Anspruch genommen wird, nicht aber – dem geltenden Sinn nach – je nach Zweckmäßigkeits- oder andern materialen Bedingungen. Es versteht sich, daß die Durchsetzung der Geltung einer Ordnung faktisch im Einzelfall durch die allermannigfachsten Motive bedingt sein kann: als garantiertes „Recht" wollen wir sie aber nur da bezeichnen, wo die Chance besteht, es werde gegebenenfalls „um ihrer selbst willen" Zwang, „Rechtszwang" eintreten. Nicht jedes (objektive) „Recht" ist – wie wir noch mehrfach sehen werden – „garantiertes" Recht. Wir wollen von Recht – „indirekt garantiertem" oder „ungarantiertem" Recht – auch überall da sprechen, wo die Bedeutung der Geltung einer Norm darin besteht: daß die Art der Orientierung des Handelns an ihr überhaupt irgendwelche „Rechtsfolgen" hat. Das heißt: wo irgendwelche andere Normen gelten, welche an die „Befolgung" oder „Verletzung" jener ersten bestimmte, ihrerseits durch Rechtszwang garantierte Chancen eines Einverständnishandelns knüpfen. Wir werden diesen für ein sehr breites Gebiet des Rechtslebens zutreffenden Fall gelegentlich durch Beispiele zu illustrieren haben, wollen aber zur Vereinfachung a potiori, wenn von „Recht" geredet wird, an direkt durch Rechtszwang garantierte Normen denken. Bei weitem nicht jedes garantierte (objektive) Recht ist ferner durch „Gewalt" (Inaussichtstehen von physischem Zwang) garantiert. Diese oder gar die der heutigen Prozeßtechnik angehörige Art der Geltendmachung von Privatrechtsansprüchen:

„Klage" vor einem „Gericht" mit darauffolgender Zwangsvollstrekkung ist uns nicht das soziologisch entscheidende Merkmal des Rechts oder auch nur des „garantierten Rechts". Das Gebiet des heutigen sogenannten „öffentlichen" Rechts, das heißt: der Normen für das Organhandeln und für das anstaltsbezogene Handeln in der Staatsanstalt kennt heute zahlreiche subjektive Rechte und objektive Rechtsnormen, gegen deren Verletzung nur, im Wege einer „Beschwerde" oder nur durch Remonstration von dazu berufenen Personenkreisen ein Zwangsapparat in Bewegung gesetzt werden kann, sehr oft ein solcher, dem jedes Mittel materiellen physischen Zwanges gänzlich fehlt. Die Frage, ob dann ein garantiertes „Recht" vorliegt, entscheidet sich für die Soziologie darnach, ob der Zwangsapparat für diese nicht gewaltsame Ausübung von Rechtszwang *geordnet* ist und ob er faktisch ein solches Gewicht besitzt, daß durchschnittlich eine *Chance*: die geltende Norm werde infolge Anspruch jenes Rechtszwanges Nachachtung finden, in praktisch relevantem Maße besteht. Heute ist der gewaltsame Rechtszwang Monopol der Staatsanstalt. In bezug auf den gewaltsamen Rechtszwang gelten heute alle anderen, einen solchen ausübenden Vergemeinschaftungen als heteronom und meist auch heterokephal. Dies ist aber eine Eigenart bestimmter Entwicklungsstufen. Von „staatlichem", das heißt: staatlich garantiertem Recht wollen wir da und insoweit sprechen, als die Garantie dafür der Rechtszwang durch die spezifischen, im Normalfall also: direkt *physischen* Zwangsmittel der politischen Gemeinschaft geübt wird. Im Sinne des „staatlichen" Rechts bedeutet also das empirische Bestehen eines „Rechtssatzes": daß für den Fall des Eintritts bestimmter Ereignisse auf Grund eines Einverständnisses mit Wahrscheinlichkeit darauf gezählt werden kann, daß ein Verbandshandeln von Organen des politischen Verbandes eintritt, welches durch die bloße Tatsache, daß es eventuell in Aussicht steht, geeignet ist, den aus jenem Rechtssatz, nach der *gangbaren* Art seiner Deutung, zu entnehmenden Anordnungen Nachachtung oder wo dies unmöglich geworden ist, „Genugtuung" und „Entschädigung" zu verschaffen. Jenes Ereignis, an welches sich diese Folge: der staatliche Rechtszwang knüpft, kann in einem bestimmten menschlichen Verhalten (Vertragsschluß, Vertragsverletzung, Delikt) bestehen. Doch ist dies nur ein Sonderfall. Denn auch z. B. für den Fall des Steigens eines Flusses über einen bestimmten Pegelstand kann kraft empirisch geltender Rechtssätze die Anwendung der spezifischen Zwangsmittel der politischen Gewalt gegen Personen und Sachen in Aussicht stehen. Ganz und gar *nicht* zum Begriffe der Geltung eines „Rechtssatzes" in diesem normalen Sinn gehört: daß etwa diejenigen, welche sich der Ordnung, die er enthält, fügen, dies tun vorwiegend oder auch nur überhaupt um deswillen schon, *weil* ein Zwangsapparat (im erörterten Sinn) dafür zur Verfügung steht. Davon ist – wie bald noch zu erörtern – keine Rede. Vielmehr können die Motive der Fügsamkeit gegenüber dem Rechtssatz die denkbar verschiedensten sein. In ihrer Mehrzahl haben sie – je nachdem – mehr utilitarischen oder mehr ethischen oder subjektiv konventionellen, die Mißbilligung der Umwelt scheuenden Charakter. Die jeweils vorwaltende Art dieser Motive ist von sehr großer Wichtigkeit für die Geltungsart und die Geltungschancen des Rechtes selbst. Aber für seinen formalen soziologischen Begriff, so wie wir ihn verwenden wollen, sind diese psychologischen Tatbestände irrelevant, es kommt vielmehr – beim garantierten Recht – nur darauf an, daß eine hinlänglich starke Chance des Eingreifens eines eigens hierauf eingestellten Personenkreises auch in Fällen, wo *nur* der Tatbestand der Normverletzung rein als solcher vorliegt, also auf Grund der Geltendmachung lediglich dieses formalen Anlasses tatsächlich besteht.

Durch das empirische „Gelten" einer Ordnung als eines „Rechtssatzes" werden die Interessen der Einzelnen in mannigfachem Sinn berührt. Insbesondere können Einzelpersonen daraus *berechenbare Chancen* erwachsen, ökonomische Güter in ihrer Verfügung zu behalten oder künftig, unter bestimmten Voraussetzungen, die Verfügung über solche zu erwerben. Solche Chancen zu eröffnen oder zu sichern ist bei gesatztem Recht naturgemäß normalerweise der Zweck, den die, eine Rechtsnorm Vereinbarenden oder Oktroyierenden damit verbinden. Die Art der Zuwendung der Chance aber kann doppelten Charakter haben. Entweder sie ist bloße „Reflexwirkung" der empirischen Geltung der Norm: der einverständnismäßig geltende Sinn dieser geht nicht dahin, dem *Einzelnen* die tatsächlich ihm zufallenden Chancen zu *garantieren*. Oder umgekehrt, der einverständnismäßig geltende Sinn der Norm geht gerade dahin, dem Einzelnen eine solche Garantie: ein „subjektives" Recht, zu geben. Daß jemand kraft staatlicher Rechtsordnung ein (subjektives) „Recht" hat, bedeutet also im Normalfall, den wir hier zunächst zugrunde legen, für die soziologische Betrachtung: er hat die durch den einverständnismäßig geltenden Sinn einer Rechtsnorm faktisch garantierte Chance, für bestimmte (ideelle oder materielle) Interessen die Hilfe eines dafür bereitstehenden „Zwangsapparates" zu verlangen. Die Hilfe besteht, im Normalfall wenigstens, darin, daß bestimmte Personen sich dafür bereit halten, falls jemand sich in den dafür üblichen Formen an sie wendet und geltend macht, daß ein „Rechtssatz" ihm jene „Hilfelei-stung" garantiere, sie zu leisten. Und zwar rein infolge jener „Gel-tung", ohne Rücksicht darauf, ob bloße Zweckmäßigkeitsgründe da-für sprechen und auch nicht nach freiem Belieben und Gnade oder Willkür. Rechtsgeltung besteht, wo die Rechtshilfe in diesem Sinne des Wortes in einem relevanten Maße funktioniert, sei es auch ohne alle physische oder andere drastische Zwangsmittel. Oder (ungaran-tiertes Recht) wenn ihre Mißachtung (z. B. die Nichtachtung von Wahlrechten bei Wahlen) kraft einer empirisch geltenden Norm Rechts*folgen* (z. B. Ungültigkeit einer Wahl) hat, für deren Durchfüh-rung eine entsprechende Instanz mit Rechtszwang besteht. Wir las-sen die nur in Fällen von „Reflexwirkungen" gewährten Chancen hier der Einfachheit halber zunächst ganz beiseite. Ein subjektives Recht im „staatlichen" Sinn des Worts steht unter der Garantie der Macht-mittel der politischen Gewalt. Wo andere Zwangsmittel einer ande-ren als der politischen Gewalt in Aussicht stehen – z. B. einer hiero-kratischen Gewalt – und die Garantie eines „Rechtes" bilden, soll von „außerstaatlichem" Recht gesprochen werden, dessen verschie-dene Kategorien zu erörtern hier nicht die Aufgabe ist. Hier ist zu-nächst nur daran zu erinnern, daß es auch *nicht* gewaltsame Zwangs-mittel gibt, welche mit der gleichen oder unter Umständen mit stär-kerer Gewalt wirken wie jene. Die Androhung eines Ausschlusses aus einem Verband, eines Boykotts oder ähnlicher Mittel, und ebenso das Inaussichtstellen diesseitiger magisch bedingter Vorteile oder Unannehmlichkeiten oder jenseitiger Belohnungen oder Strafen für den Fall eines bestimmten Verhaltens wirken unter gegebenen Kul-turbedingungen häufig – für ziemlich große Gebiete: regelmäßig – sehr viel sicherer, als der in seinen Funktionen nicht immer bere-chenbare politische Zwangsapparat. Der gewaltsame Rechtszwang durch die Zwangsapparate der politischen Gemeinschaft hat sehr häufig gegenüber den Zwangsmitteln anderer, z. B. religiöser Mächte den Kürzeren gezogen und überhaupt ist es durchaus Frage des Ein-zelfalles, wie weit sich ihre faktische Tragweite erstreckt. Sie bleiben als „Rechtszwang" in ihrer soziologischen Realität trotzdem beste-hen, solange ihre Machtmittel eine sozial *relevante* Wirkung ausüben. Davon, daß ein „Staat" nur dann und da „bestehe", wo die Zwangs-mittel der politischen Gemeinschaft faktisch gegenüber *jeder* anderen die stärkeren sind, weiß die Soziologie nichts. Das „Kirchenrecht" ist Recht auch da, wo es mit dem „staatlichen" Recht in Konflikt gerät, was wieder und wieder der Fall gewesen ist und z. B. bei der katho-lischen – aber auch bei anderen – Kirchen dem modernen Staat gegenüber unvermeidlich immer wieder geschehen wird. Die slawische „Zadruga" in Österreich entbehrte nicht etwa nur der staatlichen Rechtsgarantie, sondern ihre Ordnungen standen zum Teil sogar in Widerspruch mit dem offiziellen Recht. Da das sie konstituierende Einverständnishandeln für seine Ordnungen einen eigenen Zwangsapparat besitzt, stellen diese letzteren dennoch „Recht" dar, welches nur im Fall der Anrufung des staatlichen Zwangsapparates von diesem nicht anerkannt, sondern zerbrochen wurde. Besonders außerhalb des europäisch-kontinentalen Rechtskreises ist es andererseits gar nichts Seltenes, daß das moderne staatliche Recht auch die Normen anderer Verbände ausdrücklich als „gültig" behandelt und konkrete Entscheidungen dieser überprüft. So schützt das amerikanische Recht vielfach die „label" der Gewerkschaften, normiert die Bedingungen, unter denen ein Wahlkandidat einer Partei als „gültig" aufgestellt zu betrachten ist, greift der englische Richter auf Anrufen in die Gerichtsbarkeit des Klubs ein, untersucht selbst der deutsche Richter in Beleidigungsprozessen die „Kommentmäßigkeit" der Ablehnung einer Forderung zum Zweikampf, obwohl doch dieser gesetzlich verboten ist usw. Wir gehen hier in die Kasuistik: inwieweit dadurch jene Ordnungen zu „staatlichem Recht" werden, nicht ein. Aus all diesen Gründen, außerdem aber aus der hier festgehaltenen Terminologie heraus, wird von uns selbstredend abgelehnt, wenn man von „Recht" nur da spricht, wo kraft Garantie der politischen Gewalt Rechtszwang in Aussicht steht. Dazu besteht für uns kein praktischer Anlaß. Wir wollen vielmehr überall da von „Rechtsordnung" sprechen, wo die Anwendung irgendwelcher, physischer oder psychischer, Zwangsmittel in Aussicht steht, die von einem Zwangs-*apparat*, d. h. von einer oder mehreren Personen ausgeübt wird, welche sich zu diesem Behuf für den Fall des Eintritts des betreffenden Tatbestandes bereithalten, wo also eine spezifische Art der Vergesellschaftung zum Zweck des „Rechtszwanges" existiert. Der Besitz eines solchen Apparates für die Ausübung physischen Zwanges war nicht immer ein Monopol der politischen Gemeinschaft. Für psychischen Zwang besteht ein solches Monopol – wie die Bedeutung des nur kirchlich garantierten Rechts zeigt – auch heute nicht. Es wurde ferner schon gesagt, daß direkte Garantie objektiven Rechts und subjektiven Rechts durch einen Zwangsapparat nur einen Fall des Bestehens von „Recht" und „Rechten" bildet. Selbst innerhalb dieses engeren Gebiets aber kann der Zwangsapparat sehr verschieden geartet sein. Im Grenzfall kann er in der einverständnismäßig geltenden Chance der Zwangshilfe *jedes* an einer Vergemeinschaftung Beteiligten im

Fall der Bedrohung einer geltenden Ordnung bestehen. Als „Zwangs-apparat" kann er alsdann freilich nur in dem Fall noch gelten, wenn die Art der Verbindlichkeit zu dieser Zwangshilfe fest geordnet ist. Der Zwangsapparat und die Art des Zwanges kann auch bei Rechten, welche die politische Anstalt durch ihre Organe verbürgt, außerdem durch die Zwangsmittel von Interessentenverbänden verstärkt werden: die scharfen Zwangsmaßregeln der Kreditoren- und Hausbesitzerverbände: organisierter Kredit- bzw. Wohnungs-Boykott (schwarze Listen) gegen unzuverlässige Schuldner wirken oft stärker als die Chance der gerichtlichen Klage. Und natürlich kann sich dieser Zwang auch auf staatlich gar nicht garantierte Ansprüche erstrecken: dann sind diese trotzdem subjektiven Rechts, nur mit anderen Gewalten. Das Recht der Staatsanstalt stellt sich Zwangsmitteln anderer Verbände nicht selten in den Weg: so macht die englische „libel act" schwarze Listen durch Ausschluß des Wahrheitsbeweises unmöglich. Aber nicht immer mit Erfolg. Die auf dem „Ehrenkodex" des Duells als Mittel des Streitaustrages beruhenden, dem Wesen nach meist ständischen Verbände und Gruppen mit ihren Zwangsmitteln: im wesentlichen Ehrengerichte und Boykott, sind im allgemeinen die stärkeren und erzwingen meist mit spezifischem Nachdruck (als „Ehrenschulden") gerade staatsanstaltlich nicht geschützte oder perhorreszierte, aber für ihre Gemeinschaftszwecke unentbehrliche Verbindlichkeiten (Spielschulden, Duellpflicht). Die Staatsanstalt hat vor ihnen teilweise die Segel gestrichen. Es ist zwar juristisch schief, wenn das Verlangen gestellt wird, ein spezifisch beschaffenes Delikt, wie der Zweikampf, solle einfach als „Totschlagsversuch" oder als „Körperverletzung" bestraft werden – Delikte, deren Merkmal es nicht teilt –; aber die Tatsache bleibt bestehen, daß die Zweikampfbereitschaft, trotz der Strafgesetze, in Deutschland für die Offiziere noch heute* staatliche *Rechts*pflicht ist, weil staatliche Rechtsfolgen an ihr Fehlen geknüpft sind. Anders steht es außerhalb des Offizierstandes. Das typische Rechtszwangsmittel „privater" Gemeinschaften gegen renitente Mitglieder ist der Ausschluß aus dem Verband und seinen materiellen oder ideellen Vorteilen. Bei Berufsverbänden von Ärzten und Anwälten ebenso wie bei geselligen und politischen Klubs ist es die ultima ratio. Der moderne politische Verband hat sehr vielfach den Charakter dieser Zwangsmittel usurpiert. So ist den Ärzten und Anwälten jenes äußerste Mittel auch bei uns abgespro-

---

* Vor der Revolution geschrieben.

chen, in England die Überprüfung des Ausschlusses aus Klubs, in Amerika selbst für politische Parteien, ferner die Prüfung der Rechtmäßigkeit der „Label"-Führung auf Anrufung den staatlichen Gerichten zugewiesen. Dieser Kampf zwischen den Zwangsmitteln verschiedener Verbände ist so alt wie das Recht. Er hat in der Vergangenheit sehr oft nicht mit dem Siege der Zwangsmittel des politischen Verbandes geendet und auch heute ist dies nicht immer der Fall. So ist eine Handhabe, die Unterbietungs-Konkurrenz gegen einen Kontraktbrüchigen zu unterbinden, heute nicht gegeben. Ebenso sind die schwarzen Listen der Börsenhändler gegen solche, die den Differenzeinwand erheben, bei uns nicht antastbar, während im Mittelalter die entsprechenden Statutenbestimmungen der Kaufleute gegen die Anrufung der geistlichen Gerichte sicher kanonisch-rechtlich nichtig waren, dennoch aber fortbestanden. Und auch da muß das staatliche Recht heute die Zwangsmacht der Verbände weitgehend dulden, wo sie nicht nur gegen Mitglieder, sondern auch oder gerade gegen Außenstehende sich wendet und diese ihre Norm zu überwachen trachtet (Kartelle nicht nur gegen Mitglieder, sondern gegen solche, die sie zum Eintritt zu zwingen beabsichtigen, Gläubigerverbände gegen Schuldner und Mieter).

Es stellt einen wichtigen solchen Grenzfall des soziologischen Begriffs von zwangsgarantiertem „Recht" dar, wenn seine Garanten nicht, wie in den modernen politischen (und ebenso den eignes „Recht" anwendenden religiösen) Gemeinschaften durchweg, den Charakter eines „Richters" oder anderen „Organs", also prinzipiell eines *nicht* durch „persönliche" Beziehungen mit dem Prätendenten des subjektiven Rechts verknüpften, sondern eines „unparteiischen" und persönlich „uninteressierten" Dritten haben, sondern wenn gerade umgekehrt *nur* die durch bestimmte nahe persönliche Beziehungen mit dem Rechtsprätendenten verknüpften Genossen, also z. B. seine „Sippe", ihm die Zwangsmittel zur Verfügung halten, und wenn also, wie der „Krieg" im modernen Völkerrecht, so hier die „Rache" und „Fehde" des Interessenten und seiner Blutsfreunde die einzige oder normale Form zwangsweiser Geltendmachung subjektiver Rechte ist. In diesem Fall besteht das subjektive „Recht" des oder der Einzelnen für die soziologische Betrachtung lediglich vermöge der Chance, daß die Sippengenossen ihrer (primär ursprünglich durch die Scheu vor dem Zorn übersinnlicher Autoritäten garantierten) Pflicht der Fehdehilfe und Blutrache nachkommen und daß sie auch die Macht besitzen, seinem prätendierten Recht Nachdruck, wenn auch nicht notwendig endgültigen Sieg, zu verleihen. – Den Sachverhalt: daß die „Beziehungen", das heißt: das aktuelle oder potentielle Handeln konkreter oder nach Merkmalen konkret angebbarer Personen den Inhalt subjektiver Rechte bildet, wollen wir die Existenz eines „Rechtsverhältnisses" zwischen den betreffenden Personen nennen. Sein Inhalt an subjektiven Rechten kann je nach dem stattfindenden faktischen Handeln wechseln. In diesem Sinne kann auch ein konkreter „Staat" als „Rechtsverhältnis" bezeichnet werden, auch dann, wenn (im theoretischen Grenzfall) der Herrscher allein als subjektiv – zum Befehlen – berechtigt gilt und also die Chancen aller andern Einzelnen nur als Reflexe seiner „Reglements" bestehen.

§ 2. Rechtsordnung, Konvention und Sitte.

Bedeutung des Gewohnten für die Rechtsbildung S. 611. – Seine Neuordnung durch Eingebung und Einfühlung S. 613. – Flüssige Übergänge zwischen Konvention, Sitte und Recht S. 617.

Ein Gebiet, in welches die Rechtsordnung in lückenloser Stufenleiter übergeht, ist dasjenige der „*Konvention*" und weiterhin – was wir begrifflich davon scheiden wollen – der „*Sitte*". Wir wollen unter „Sitte" den Fall eines typisch gleichmäßigen Verhaltens verstehen, welches *lediglich* durch seine „Gewohntheit" und unreflektierte „Nachahmung" in dem überkommenen Geleise gehalten wird, ein „Massenhandeln" also, dessen Fortsetzung dem Einzelnen von Niemanden in irgendeinem Sinn „zugemutet" wird. Unter „Konvention" wollen wir dagegen den Fall verstehen, daß auf ein bestimmtes Verhalten zwar eine Hinwirkung stattfindet, aber durch keinerlei physischen oder psychischen Zwang, und überhaupt zum mindesten normalerweise und unmittelbar durch gar keine andere Reaktion als durch die bloße Billigung oder Mißbilligung eines Kreises von Menschen, welche eine spezifische „Umwelt" des Handelnden bilden. Streng zu scheiden ist die „Konvention" von dem Fall des „Gewohnheitsrechts". Diesen wenig brauchbaren Begriff selbst kritisieren wir hier nicht. Die Geltung als Gewohnheitsrecht soll nach der üblichen Terminologie ja gerade die Chance bedeuten, daß für die Realisierung einer nicht kraft Satzung, sondern nur kraft Einverständnis geltenden Norm ein Zwangsapparat sich einsetzen wird. Bei der Konvention dagegen fehlt gerade der „Zwangsapparat": der (wenigstens relativ) fest abgegrenzte Umkreis von Menschen, welche sich für die spezielle Aufgabe des Rechtszwangs (bedient sich dieser nun auch nur psychischer Mittel) ein für allemal bereit halten. Schon der Tatbestand der bloßen nackten konventionsfreien „Sitte" kann auch ökonomisch von weittragender Bedeutung sein. Der ökonomische Bedürfnisstand insbesondere, die Grundlage aller „Wirtschaft", ist in der umfassendsten Weise durch bloße „Sitte" bestimmt, welche der Einzelne, in gewissem Umfang, wenigstens, ohne irgendwelche Mißbilligung zu finden, abschütteln könnte, der er aber sich faktisch meist sehr schwer entzieht und deren Alterationen gewöhnlich nur langsam auf dem Wege der Nachahmung irgendeiner anderen „Sitte" eines anderen Menschenkreises sich vollziehen. Wir sahen schon*, daß Gemeinsamkeiten bloßer „Sitten" für die Entstehung sozialer Verkehrsgemeinschaften und für das Konnubium wichtig werden können und daß sie auch einen gewissen, allerdings in seiner Tragweite schwer bestimmbaren, Einschuß in die Bildung von „ethnischen" Gemeinsamkeitsgefühlen zu geben pflegen und dadurch gemeinschaftsbildend wirken können. Vor allem aber ist die Innehaltung des faktisch „gewohnten" Gewordenen als solchem ein so überaus starkes Element alles Handelns und folglich auch alles Gemeinschaftshandelns, daß der Rechtszwang da, wo er aus einer „Sitte" (z. B. durch Berufung auf das „Übliche") eine „Rechtspflicht" macht, ihrer Wirksamkeit oft fast nichts hinzufügt und, wo er sich gegen sie wendet, sehr oft in dem Versuch, das faktische Handeln zu beeinflussen, gescheitert ist. Erst recht aber kann der Tatbestand der „Konvention", da der einzelne in unzähligen Lebensbeziehungen auf durchaus freiwilliges, durch keinerlei diesseitige oder jenseitige Autorität garantiertes Entgegenkommen seiner Umwelt angewiesen ist, für sein Verhalten oft weit bestimmender werden, als die Existenz eines Rechtszwangsapparates.

Der Übergang von bloßer „Sitte" zur „Konvention" ist natürlich gänzlich flüssig. Je weiter rückwärts, desto umfassender ist die Art des Handelns und speziell auch des Gemeinschaftshandelns ausschließlich durch die Eingestelltheit auf das „Gewohnte" rein als solches bestimmt, und scheinen Abweichungen davon ähnlich beunruhigend und auf den Durchschnittsmenschen psychisch ganz ähnlich zu wirken wie Störungen organischer Funktionen und hierdurch verursacht zu sein. Der Fortschritt von hier zu dem zunächst zweifellos vage und dumpf empfundenen „Einverständnis"-Charakter des Gemeinschaftshandelns, d. h. zur Konzeption einer „Verbindlichkeit"

---

* Vgl. oben Kap. II.

bestimmter gewohnter Arten des Handelns ist nach Umfang und Inhalt des Gebiets, das er ergreift, heute aus den Arbeiten der Ethnographie meist höchst unbestimmt erkennbar und kümmert uns deshalb hier nicht. Es wäre absolut Frage der Terminologie und Zweckmäßigkeit, in welchem Stadium dieses Prozesses man dann die subjektive Konzeption einer „Rechtspflicht" annehmen will. Objektiv gab es die Chance des faktischen Eintritts gewaltsamen Reagierens gegen bestimmte Arten des Handelns, wie bei den Tieren, so bei den Menschen von jeher, ohne daß man aber im mindesten behaupten könnte: daß in solchen Fällen subjektiv so etwas wie eine „Einverständnisgeltung" vorliege oder überhaupt ein deutlich erfaßter „gemeinter Sinn" des betreffenden Handelns. Rudimente einer „Pflicht"-Konzeption bestimmen das Verhalten mancher Haustiere in vielleicht größerem Umfang als das eines „Urmenschen", wenn wir diesen höchst bedenklichen Begriff hier einmal als in diesem Fall unmißverständlich zulassen. Wir kennen aber die „subjektiven" Vorgänge im „Urmenschen" nicht und mit der stets wiederkehrenden Redensart von der angeblichen absoluten Urtümlichkeit oder gar „Apriorität" des „Rechts" oder der Konvention kann keine empirische Soziologie etwas anfangen. Nicht weil eine „Regel" oder „Ordnung" als „verbindlich" gilt, zeigt das Sichverhalten des „Urmenschen" nach außen, insbesondere zu seinesgleichen, faktische „Regelmäßigkeiten", sondern umgekehrt: an die von uns in ihrer psychophysischen Realität hinzunehmenden, organisch bedingten Regelmäßigkeiten knüpft sich die Konzeption „natürlicher Regeln" an. Daß die innere seelische „Eingestelltheit" auf jene Regelmäßigkeiten fühlbare „Hemmungen" gegen Neuerungen in sich schließt, – wie jeder das auch heute in seinem Alltag an sich erfahren kann – das, müssen wir annehmen, ist für den Glauben an jene „Verbindlichkeit" eine sehr starke Stütze. Wir fragen bei diesem Anlaß: Wie entstehen in dieser Welt der Eingestelltheit auf das „Regelmäßige" und das „Geltende" irgendwelche „Neuerungen"? Von außen her: durch Änderung der äußeren Lebensbedingungen, das ist kein Zweifel. Aber diese geben nicht die geringste Gewähr, daß nicht der Untergang des Lebens statt einer Neuordnung ihnen antwortet; und vor allem sind sie keineswegs die unentbehrliche, gerade bei vielen höchst weittragenden Fällen von Neuordnungen nicht einmal eine mitwirkende Bedingung. Sondern nach allen Erfahrungen der Ethnologie scheint die wichtigste Quelle der Neuordnung der Einfluß von Individuen zu sein, welche bestimmt gearteter „abnormer" (vom Standpunkt der heutigen Therapie nicht selten – aber auch: nicht etwa immer regelmäßig – als „pathologisch" gewerteter) Erlebnisse und, durch diese, bedingter Einflüsse auf andere fähig sind. Wir sprechen hier nicht von der Art, wie die infolge ihrer „Abnormität" als „neu" erscheinenden Erlebnisse entstehen, sondern von der Art ihrer Wirkung. Diese Einflüsse, welche die „Trägheit" des Gewohnten überwinden, können auf verschiedene psychologische Weise vor sich gehen. Zwei Formen in ihrer, bei allen Übergängen, Gegensätzlichkeit terminologisch klar herausgehoben zu haben, ist das Verdienst von Hellpach. Die eine ist: plötzliche Erweckung der Vorstellung eines Handelns des Beeinflußten als eines *„gesollten"*, durch drastisch wirkende Mittel: „Eingebung". Die andere: Miterleben eigenen inneren Verhaltens des Beeinflussenden durch die Beeinflußten: „Einfühlung". Die Art des durch diese Vermittlung entstehenden Handelns kann im Einzelfall die allerverschiedenste sein. Sehr häufig aber entsteht ein auf den Beeinflussenden und sein Erleben bezogenes massenhaftes „Gemeinschaftshandeln", aus dem sich dann „Einverständnisse" entsprechenden Inhalts entwickeln können. Sind sie den äußeren Lebensbedingungen „angepaßt", so überdauern sie diese. Die Wirkungen von „Einfühlung" und namentlich „Eingebung" – meist unter dem vieldeutigen Namen „Suggestion" zusammengefaßt – gehören zu den „Hauptquellen" der Durchsetzung von faktischen Neuerungen, deren „Einübung" als Regelmäßigkeit dann bald wieder das Gefühl der „Verbindlichkeit" stützt, von dem sie – eventuell – begleitet sind. Zwar „Verbindlichkeitsgefühl" selbst aber kann – sobald auch nur die Rudimente einer solchen sinnhaften Konzeption vorhanden sind – unzweifelhaft auch bei Neuerungen als das originäre, und primäre auftreten, insbesondere als ein psychologischer Bestandteil der „Eingebung". Es ist verwirrend, wenn als primärer und grundlegender Vorgang die „Nachahmung" eines neuartigen Verhaltens als Weg seiner Verbreitung angesehen wird. Diese ist gewiß von ganz außerordentlicher Wichtigkeit. Aber sie ist in der Regel sekundär und immer nur ein Spezialfall. Es ist doch nicht eine Nachahmung des Menschen, wenn der Hund – sein ältester Gefährte – sich sein Verhalten von ihm „eingeben" läßt. Genau so aber ist in einem sehr breiten Umkreis von Fällen die Beziehung zwischen Beeinflussenden und Beeinflußten geartet. In anderen dürfte sie sich mehr dem Typus der „Einfühlung", in noch anderen dem der „Nachahmung" – der zweckrationalen oder der „massenpsychologisch" bewirkten – annähern. In jedem Fall aber befindet sich die entstehende Neuerung dann am meisten auf dem Wege dazu, „Einverständnis" und schließlich „Recht" entstehen zu lassen, wenn eine nachhaltige „Eingebung" oder eine intensive „Einfühlung" ihre Quelle war. Sie schafft dann „Konvention" oder, unter Umständen, direkt einverständnismäßiges Zwangshandeln gegen Renitente. Aus der „Konvention", der Billigung oder Mißbilligung der Umwelt heraus entwickelt sich nach aller historischen Erfahrung, solange religiöser Glaube stark ist, immer wieder die Hoffnung und Vorstellung, daß auch die übersinnlichen Mächte jenes von der Umwelt gebilligte oder mißbilligte Verhalten belohnen und bestrafen werden. Weiterhin – in geeigneten Fällen –; die Annahme, daß nicht nur der Nächstbeteiligte, sondern auch seine Umwelt unter der Rache jener übersinnlichen Gewalten zu leiden haben könnten, also dagegen entweder Jeder einzeln oder durch den Zwangsapparat eines Verbandes zu reagieren habe. Oder die infolge stets wiederholter Innehaltung einer bestimmten Art von Handeln erwachsende Vorstellung der speziellen Ordnungsgaranten, daß es sich schon jetzt nicht nur um eine Sitte oder Konvention, sondern um eine zu erzwingende Rechtspflicht handle: eine derart praktisch geltende Norm nennt man Gewohnheitsrecht. Oder schließlich das rational erwogene Verlangen von Interessenten, daß die konventionelle oder auch die gewohnheitsrechtliche Pflicht, um sie gegen Erschütterungen zu sichern, ausdrücklich unter die Garantie eines Zwangsapparates gestellt, also ein gesatztes Recht werde. Vor allem gleitet erfahrungsgemäß auf dem Gebiet der internen Gewaltverteilung zwischen den „Organen" eines anstaltsmäßigen Zweckverbandes fortwährend der Inhalt von nur konventionell garantierten Regeln des Verhaltens in das Gebiet der rechtlich geforderten und garantierten hinüber: die Entwicklung der englischen „Verfassung" ist ein Hauptbeispiel dafür. Und endlich kann jede Auflehnung gegen die Konvention dazu führen, daß die Umwelt gegen den Rebellen von ihren zwangsmäßig garantierten subjektiven Rechten einen ihm lästigen Gebrauch macht, z. B. der Hausherr gegen jemanden, der die rein konventionellen Regeln des geselligen Zusammenseins verletzt, von seinem Hausrecht, der Kriegsherr gegen Verletzungen des Ehrenkodex vom Recht der Dienstentlassung. Dann ist die Konventionalregel tatsächlich indirekt durch Zwangsmittel gestützt. Der Unterschied vom „ungarantierten" *Recht* beruht dann darin, daß der Eintritt dieser Zwangsmittel zwar eventuelle faktische, aber nicht „Rechtsfolge" der Konventionsverletzung ist: das „Hausrecht" hat der Hausherr rechtlich ohnehin, während ein direkt garantieloser Rechtssatz seine Bedeutung als solcher dadurch empfängt, daß seine Nichtachtung irgendwie kraft einer *garantierten* „*Rechts*norm" Folgen hat. Wo andererseits ein Rechtssatz auf die „guten Sitten", d. h. auf billigenswerte Konventionen Bezug nimmt, ist die Innehaltung der konventionellen Pflichten zugleich Rechtspflicht (indirekt garantiertes Recht) geworden. Es existieren ferner in nicht ganz geringer Zahl solche Zwischenbildungen, wie etwa die s. Z. in der Provence mit „Gerichtsbarkeit" in erotischen Dingen betrauten „Liebeshöfe" der Trobadors, ferner der „Richter" in seiner ursprünglichen, schiedsrichterlichen, nur Vermittelung zwischen den Fehdeparteien übernehmenden, gegebenenfalls einen Wahrspruch abgebenden, aber jeder eigenen Zwangsgewalt entbehrenden Stellung oder etwa heute die internationalen „Schiedsgerichte". In solchen Fällen ist aus der rein amorphen Billigung oder Mißbilligung der Umwelt ein autoritär formuliertes Gebieten, Verbieten und Erlauben geworden, also ein konkret organisierter Zwang, und man wird in solchen Fällen daher wenigstens dann von „Recht" sprechen, wenn es sich nicht – wie bei den „Liebeshöfen" – um bloßes Spiel handelt und wenn hinter dem Urteil mehr als nur die unmaßgebliche Ansicht des Urteilenden steht, also zum mindesten die irgendwie von einem Apparat von Personen getragene Boykott-„Selbsthilfe" (der Sippe oder des verletzten Staats) als normale Folge zu verstehen ist, wie in den beiden zuletzt genannten Fällen. Für den Begriff der „Konvention" ist nach unserer Begriffsbestimmung nicht genügend, daß ein Handeln bestimmter Art überhaupt, sei es auch von noch so vielen Einzelnen „gebilligt", ein entgegengesetztes „mißbilligt" wird, sondern: daß in einer „spezifischen Umwelt" – worunter natürlich nicht eine örtliche Umwelt gemeint ist – des Handelnden die Chance einer solchen Stellungnahme bestehe. Das heißt: es muß irgendein Merkmal angebbar sein, welches den betreffenden Umkreis von Personen, der diese „Umwelt" ausmacht, begrenzt, sei jenes nun beruflicher, verwandtschaftlicher, nachbarschaftlicher, ständischer, ethnischer, religiöser, politischer oder welcher Art immer und sei die Zugehörigkeit eine noch so labile. Dagegen ist für die Konvention in unserem Sinn nicht Voraussetzung, daß jener Umkreis einen „Verband" (in unserem Sinne) bildet; das Gegenteil ist vielmehr gerade bei ihr sehr häufig. Die Geltung von „Recht" in unserem Sinne ist dagegen, weil es nach unserer Definition einen „Zwangsapparat" voraussetzt, stets ein Bestandteil eines (aktuellen oder potentiellen) „Verbandshandelns" – was, wie wir wissen, natürlich nicht etwa bedeutet, daß lediglich „Verbandshandeln" (oder selbst nur: lediglich „Gemeinschaftshandeln") durch den Verband rechtlich geregelt: „verbandsgeregeltes" Handeln wird. In diesem Sinn kann man den „Verband" als „Träger" des Rechts bezeichnen. Andererseits aber ist Gemeinschaftshandeln, Einverständnis- oder Gesellschaftshandeln, Verbandshandeln, Anstaltshandeln – welches ja seinerseits schon einen Ausschnitt aus dem soziologisch *relevanten* Geschehen, Sichverhalten, Handeln darstellt – außerordentlich weit davon entfernt, sich subjektiv nur in „*Rechts*regeln" im hier angenommenen Sinn des Wortes zu orientieren, wie wir immer wieder an Beispielen sehen werden. Wenn man unter der „Ordnung" eines Verbandes alle tatsächlich feststellbaren *Regelmäßigkeiten* des Sichverhaltens versteht, welche für den faktischen Verlauf des ihn konstituierenden oder von ihm beeinflußten Gemeinschaftshandelns charakteristisch oder als Bedingung wesentlich sind, dann ist diese „Ordnung" nur zum verschwindenden Teil die Folge der Orientierung an „Rechtsregeln". Soweit sie überhaupt bewußt an „Regeln" orientiert sind, – und nicht bloßer dumpfer „Gewöhnung" entspringen – sind es teils solche der „Sitte" und „Konvention", teils aber, und sehr oft gänzlich überwiegend, Maximen subjektiv *zweckrationalen* Handelns im eigenen Interesse jedes der daran Beteiligten, auf dessen Wirksamkeit sie oder die andern zählen und oft auch ohne weiteres, sehr häufig aber überdies noch kraft spezieller, aber nicht rechtszwanggeschützter Vergesellschaftungen oder Einverständnisse objektiv zählen können. Die Chance des Rechtszwangs, welche, wie schon erwähnt, das „rechtmäßige" Verhalten des Handelnden nur in geringem Grade bestimmt, steht als eventuelle Garantie auch objektiv nur hinter einem Bruchteil des tatsächlichen Ablaufs des Einverständnishandelns.

Ersichtlich ist für die Soziologie der Übergang von bloßer „Sitte" zu „Konvention" und von dieser zum „Recht" flüssig.

1. Es ist sogar außerhalb der soziologischen Betrachtungsweise unrichtig, wenn der Unterschied von „Recht" und „Sittlichkeit" darin gesucht wird, daß die Rechtsnorm „äußeres" Verhalten und nur dies, die sittliche Norm dagegen „nur" die Gesinnung reguliere. Das Recht behandelt die Art der Gesinnung, aus der ein Handeln resultiert zwar keineswegs immer als relevant, und es gibt und gab Rechtssätze und ganze Rechtsordnungen, welche Rechtsfolgen, auch Strafen, nur an den äußeren Kausalzusammenhang knüpfen. Aber dies ist nicht im mindesten das Normale. Rechtsfolgen knüpfen sich an die „bona" oder „mala fides", die „Absicht" oder die aus dem Gesinnungstatbestand zu ermittelnde „Ehrlosigkeit" eines Verhaltens und an zahlreiche andere rein gesinnungsmäßige Tatbestände. Und die „sittlichen" Gebote richten sich ja gerade darauf, daß die als Bestandteil der „Gesinnung" faktisch ebenfalls vorhandenen, normwidrigen Gelüste im praktischen Handeln, also in etwas normalerweise sich äußerlich

realisierenden, „überwunden" werden. Die normative Betrachtung hätte für die Unterscheidung von Sittlichkeit und Recht gewiß nicht von „äußerlich" und „innerlich", sondern von den Unterschieden der normativen Dignität beider auszugehen. Für die soziologische Betrachtung aber ist normalerweise „sittlich" mit aus „religiösen Gründen" oder „kraft Konvention" geltend identisch. Als eine im Gegensatz dazu „ausschließlich" ethische Norm könnte ihr nur die subjektive Vorstellung von einem abstrakten, aus letzten Axiomen des Geltenden zu entfaltenden Maßstab des Sichverhaltens gelten, sofern diese Vorstellung praktische Bedeutung für das Handeln gewinnt. In oft weitgehendem Maße haben derartige Vorstellungen in der Tat reale Bedeutung gehabt. Sie waren aber überall, wo dies der Fall war, ein relativ junges Produkt philosophischer Lenkarbeit. In der Vergangenheit wie in der Gegenwart sind in der Realität des Alltags „sittliche Gebote" im Gegensatz zu „Rechtsgeboten", soziologisch betrachtet, normalerweise entweder religiös oder konventionell bedingte Maximen des Verhaltens und ist ihre Grenze gegenüber dem Recht flüssig. Es gibt kein sozial wichtiges „sittliches" Gebot, welches nicht irgendeinmal irgendwo ein Rechtsgebot gewesen wäre.

2. Ganz unbrauchbar ist Stammlers Scheidung der „Konvention" von der Rechtsnorm darnach: ob die Erfüllung der Norm in den freien Willen des Einzelnen gestellt sei oder nicht. Es ist unrichtig, daß die Erfüllung konventioneller „Pflichten", z. B. einer gesellschaftlichen Anstandsregel, dem Einzelnen *nicht* „zugemutet", ihre Nichterfüllung *nur* die Folge des dadurch ipso facto herbeigeführten freiwilligen, jederzeit freistehenden Ausscheidens aus einer freiwilligen Vergesellschaftung zur Folge habe. Zugestanden, daß es Normen dieses Charakters gäbe – aber keineswegs nur auf dem Boden der „Konvention", sondern auch des Rechts (die „clausula rebus sic stantibus" hat faktisch oft diesen Sinn) –, so findet jedenfalls das, was Stammlers eigene Soziologie als Konventionalregeln von den Rechtsnormen scheiden muß, ganz gewiß nicht in Derartigem seinen Schwerpunkt. Nicht nur eine theoretisch konstruierbare anarchistische Gesellschaft, deren „Theorie" und „Kritik" Stammler mit Hilfe seiner scholastischen Begriffe entwickelt hat, sondern zahlreiche, in der realen Welt existierende Vergesellschaftungen verzichten auf den Rechtscharakter ihrer konventionellen Ordnungen einfach deshalb, weil angenommen wird: die bloße Tatsache der sozialen Mißbilligung ihrer Verletzung mit ihren oft höchst realen indirekten Konsequenzen für den Verletzenden, werde und müsse als Sanktion genügen. Rechtsordnung und konventionelle Ordnung sind also für die Soziologie –

auch ganz abgesehen von den selbstverständlichen Übergangserscheinungen – keineswegs grundsätzliche Gegensätze, da auch die Konvention teils durch psychischen, teils sogar, wenigstens indirekt, durch physischen Zwang gestützt ist. Sie scheiden sich nur in der soziologischen *Struktur* des Zwanges durch das Fehlen des eigens für die Handhabung der Zwangsgewalt sich bereit haltenden Menschen (des „Zwangsapparats": „Priester", „Richter", „Polizei", „Militär" usw.).

Vor allem aber geht bei Stammler zunächst die *ideelle*, vom Rechtsdogmatiker oder Ethiker wissenschaftlich deduzierbare „Geltung" einer „Norm" mit der zum Objekt einer empirischen Betrachtung zu machenden *realen* Beeinflussung des empirischen Handelns durch *Vorstellungen* vom Gelten der Normen durcheinander. Und weiterhin dann gar noch die *normative* „Geregeltheit" eines Verhaltens durch Regeln, welche als „gelten *sollend*" von einer Vielheit von Menschen faktisch behandelt werden, mit den *faktischen* Regelmäßigkeiten des menschlichen Verhaltens. Beides ist begrifflich streng zu scheiden.

Konventionelle Regeln sind normalerweise der Weg, auf welchem bloß faktische Regelmäßigkeiten des Handelns: bloße „Sitte" also, in die Form verbindlicher, meist zunächst durch psychischen Zwang garantierter, „Normen" überführt werden: der *Traditions*bildung. Schon die bloße Tatsache der regelmäßigen Wiederkehr von Vorgängen, und zwar sowohl von Naturereignissen wie von organisch oder durch unreflektierte Nachahmung oder Anpassung an die äußeren Lebensumstände bedingten Handlungen verhilft diesen Vorgängen äußerst leicht zur Dignität von etwas normativ Gebotenem, mag es sich um den von göttlichen Mächten vorgeschriebenen gewohnten Gang der Gestirne oder etwa der Nilüberschwemmung oder um die gewohnte Art der Entlohnung von rechtlich bedingungslos der Gewalt des Herrn überlieferten unfreien Arbeitskräften handeln. Sobald die Konvention sich der Regelmäßigkeiten des Handelns bemächtigt hat, aus einem „Massenhandeln" also ein „Einverständnishandeln" geworden ist – denn das ist ja die Bedeutung des Vorgangs, in unsere Terminologie übersetzt –, wollen wir von „Tradition" sprechen. Schon die bloße Eingeübtheit der gewohnten Art des Handelns und die Eingestelltheit auf die Erhaltung dieser Gewöhnung, erst recht aber die Tradition, wirkt, wie immer wieder gesagt werden muß, im ganzen stärker auf den Fortbestand auch einer durch Satzung entstandenen, eingelebten, Rechtsordnung als die Reflexion auf die zu gewärtigenden Zwangsmittel und andere Folgen, zumal diese mindestens einem Teil der nach der „Norm" Handelnden gar nicht bekannt zu sein pflegen. Der Übergang von der bloßen dumpf hingenommenen Gewöhnung an ein Handeln zur Aneignung der bewußten Maxime normgemäßen Handelns ist überall flüssig. Wie derart die bloße faktische Regelmäßigkeit eines Handelns sittliche und Rechtsüberzeugungen entsprechenden Inhalts zur Entstehung bringt, so läßt andererseits der Umstand, daß physische und psychische Zwangsmittel ein bestimmtes Verhalten oktroyieren, faktische Gewöhnungen und dadurch Regelmäßigkeiten des Handelns entstehen.

Das Recht und die Konvention sind als Ursache und Wirkung verflochten in das Mit-, Neben- und Gegeneinanderhandeln der Menschen. Es ist gröblich irreführend, wenn man es – wie Stammler tut – dem „Inhalt" dieses Handelns (der „Materie" desselben) als dessen „Form" gegenüberstellt. Vielmehr ist der Glaube an das rechtliche oder konventionelle Gebotensein eines bestimmten Verhaltens, soziologisch angesehen, zunächst nur ein Superadditum, welches dem Grade von Wahrscheinlichkeit, mit welchem der Handelnde auf bestimmte *Folgen* seines Handelns zählen kann, hinzugefügt wird. Die ökonomische Theorie wenigstens sieht daher von der Analyse des Charakters der Normen zunächst mit Recht gänzlich ab. Daß jemand etwas „besitzt", bedeutet für sie lediglich: er kann darauf zählen, daß seiner faktischen Verfügung darüber seitens anderer nichts in den Weg gelegt wird. Warum diese gegenseitige Respektierung der Verfügungsmacht stattfindet, ob mit Rücksicht auf eine konventionelle oder Rechtsnorm oder aus irgendwelchen Erwägungen des eigenen Vorteils seitens aller Beteiligten, ist ihr primär gleichgültig. Daß jemand einem anderen ein Gut „schuldet", bedeutet soziologisch: das Bestehen der Chance, daß der eine der durch einen bestimmten Vorgang: Versprechen, schuldhafte Schädigung oder was immer, nach dem üblichen Verlauf der Dinge begründeten Erwartung des anderen: er werde diesem zu einem bestimmten Zeitpunkt jenes Gut in die faktische Verfügung geben, entsprechen werde. Aus welchen psychologischen Motiven dies geschieht, ist für die Ökonomik primär gleichgültig. Daß Güter „getauscht" werden bedeutet: daß nach Vereinbarung das eine aus der faktischen Verfügung des einen in die des anderen um deswillen gegeben wird, weil nach dem vom ersteren gemeinten Sinn das andere aus der Verfügung des anderen in die des einen überführt wird oder werden soll. Die am Schuldverhältnis oder am Tausch Beteiligten hegen jeder die Erwartung, daß der *andere* Teil sich in einer der eigenen Absicht entsprechenden Art verhalten werde. Irgendeine außerhalb ihrer beiderseitigen Personen liegende „Ordnung", welche dies garantiert, anbefiehlt, durch einen Zwangsapparat oder durch soziale Mißbilligung erzwingt, ist dabei begrifflich weder notwendig vorhanden, noch auch ist die subjektive Anerkennung irgendwelcher Norm als „verbindlich" oder der Glaube daran, daß der Gegenpart dies tue, bei den Beteiligten irgendwie notwendig vorausgesetzt. Denn der Tauschende kann sich z. B. beim Tausch auf das der Neigung zum Bruch des Versprechens entgegenwirkende egoistische *Interesse* des Gegenparts an der künftigen Fortsetzung von Tauschbeziehungen mit ihm verlassen (wie dies in plastischer Deutlichkeit beim sogenannten „stummen Tausch" mit wilden Völkerschaften und übrigens in allerweitestem Umfang in jedem modernen Geschäftsverkehr, speziell der Börse, geschieht) oder auf irgendwelche anderen dahin wirkenden Motive. Der Tatbestand liegt im Fall reiner Zweckrationalität so, daß jeder der Beteiligten darauf zählt und normalerweise mit Wahrscheinlichkeit darauf zählen kann: der Gegenpart werde sich so verhalten, *„als ob"* er eine Norm des Inhalts: daß man das gegebene Versprechen „halten" müsse, als für sich „verbindlich" anerkenne. Begrifflich genügt das völlig. Aber selbstverständlich ist es von unter Umständen großer faktischer Tragweite, ob die Beteiligten für jenes Zählen auf ein solches Verhalten des Gegenparts Garantien besitzen: 1. dadurch, daß der subjektive Glaube an die objektive Geltung solcher Normen tatsächlich in ihrer Umwelt verbreitet ist (Einverständnis), 2. noch weiter dadurch, daß die Rücksicht auf soziale Billigung oder Mißbilligung eine konventionelle oder die Existenz eines Zwangsapparats eine „Rechtsgarantie" schafft. Ohne die Rechtsgarantie ist ein gesicherter privater wirtschaftlicher Verkehr moderner Art zwar nicht einfach „undenkbar". Im Gegenteil fällt es bei der Mehrzahl aller geschäftlichen Transaktionen niemand ein, an die Frage der Klagbarkeit auch nur zu denken. Und die Börsenabschlüsse z. B. spielen sich, wie schon gesagt, auf der Börse selbst zwischen den Berufshändlern in Formen ab, welche in einer ganz überwältigenden Mehrzahl der Fälle jeden „Beweis" bei Böswilligkeit, geradezu, ausschließen: mündlich oder durch Zeichen und Notizen im (eigenen) Notizbuch. Es kommt praktisch gleichwohl nicht vor, daß eine Bestreitung versucht wird. Ebenso gibt es *Verbände*, die rein ökonomische Zwecke verfolgen und deren Ordnungen dennoch des staatlichen Rechtsschutzes ganz oder fast ganz entbehren. Gewisse Kategorien von „Kartellen" gehörten seinerzeit dahin; besonders oft lag andererseits die Sache so, daß auch die getroffenen, an sich gültigen privatrechtlichen Abreden jedenfalls mit Auflösung des Verbandes dahinfielen, weil dann kein formal legitimierter Kläger mehr da war. Hier war also dieser Verband mit seinem Zwangsapparat Träger eines „Rechts", welchem der gewaltsame Rechtszwang gänzlich fehlte oder nur solange er bestand zur Seite stand. Den Kartellverträgen fehlte aber oft, aus Gründen, welche in der eigenartigen inneren Haltung der Beteiligten lagen, selbst eine wirksame Konventionalgarantie und die betreffenden Vergesellschaftungen funktionierten dennoch lange Zeit höchst wirksam infolge des konvergierenden Interesses aller Beteiligten. – Aber natürlich ist trotzdem die gewaltsame, speziell die staatliche Rechtsgarantie selbst für solche Bildungen nicht gleichgültig. Der Tauschverkehr ist heute ganz überwiegend zwangsrechtlich garantiert. Es wird normalerweise beabsichtigt, durch den Tauschakt subjektive „Rechte", also, soziologisch ausgedrückt: die Chance der Unterstützung des staatlichen Zwangsapparats für Verfügungsgewalten, zu erwerben. Die „wirtschaftlichen Güter" sind heute normalerweise zugleich *legitim erworbene subjektive Rechte*, die „Wirtschaftsordnung" baut ihren Kosmos aus diesem Material. Dennoch besteht auch heute nicht die Gesamtheit der Tauschobjekte daraus. Auch solche ökonomischen Chancen, welche nicht durch die Rechtsordnung garantiert sind und deren Garantierung sie sogar grundsätzlich ablehnt, sind Gegenstände des Tauschverkehrs, und zwar nicht etwa eines „illegitimen", sondern eines ganz legitimen Tauschverkehrs. Dahin gehört z. B. die entgeltliche Übertragung der „Kundschaft" eines Geschäftsmannes. Der Verkauf einer Kundschaft hat zur privatrechtlichen Folge normalerweise heute noch bestimmte Ansprüche des Verkäufers gegen den Käufer: daß er sich gewisser Handlungen enthalte, eventuell auch andere („Einführung" des Käufers) leiste. Aber sie gewährt Ansprüche gegen Dritte nicht. Es gab und gibt aber Fälle, in welchen die Zwangsapparate der politischen Gewalt sich zur Verfügung halten, um einen direkten Zwang (z. B. beim „Zunftbann" oder rechtlich geschützten „Monopole") zugunsten des Besitzers und Erwerbers von Absatzchancen auszuüben. Es ist bekannt, wie Fichte im „Geschlossenen Handelsstaat" das Spezifische der modernen Rechtsentwicklung gerade darin fand, daß im Gegensatz dazu heute im Prinzip nur noch Ansprüche auf konkrete nutzbare Sachgüter oder Arbeitsleistungen Gegenstand des staatlichen Rechtsschutzes sind: die sog. „freie Konkurrenz" drückt sich, rechtlich betrachtet, in der Tat eben hierin aus. Obwohl also hier die gegen Dritte nicht mehr rechtlich geschützte Chance trotzdem ökonomisches Verkehrsgut geblieben ist, hat die Versagung der Rechtsgarantie ersichtlich dennoch weittragende ökonomische Folgen. Prinzipiell aber – das ist begrifflich festzuhalten – bleibt für die soziologische und ökonomische Betrachtung ihr Eingreifen zunächst lediglich eine Steigerung der Sicherheit, mit welcher auf das Eintreten des ökonomisch relevanten Eingriffes gezählt werden kann.

Die rechtliche Geordnetheit eines Sachverhalts, d. h. immer: das Vorhandensein einer menschlichen Instanz, wie immer geartet sie sei, welche im Fall des Eintritts der betreffenden Tatsache als (prinzipiell) in der Lage befindlich gilt, nach irgendwelchen Normvorstellungen anzugeben: was nun „von Rechts wegen" zu geschehen habe, ist aber überhaupt nirgends bis in die letzten Konsequenzen durchgeführt. Und zwar soll nicht davon hier die Rede sein: daß jede rationale Vergesellschaftung, und also auch: Ordnung des Gemeinschaftsund Einverständnishandelns diesen selbst gegenüber das posterius zu sein pflegt, wie wir früher sahen. Auch nicht davon, daß die Entwicklung des Gemeinschafts- und Einverständnishandelns fortwährend einzelne ganz neue Sachlagen entstehen läßt, welche mit den als geltend anerkannten Normen und den üblichen logischen Mitteln der Jurisprudenz gar nicht oder nur scheinbar und gewaltsam zu entscheiden sind (These der „freirechtlichen" Bewegung). Sondern davon, daß oft gerade „grundlegende" Fragen einer sonst sehr stark durchrationalisierten Rechtsordnung rechtlich überhaupt gar nicht geregelt zu sein pflegen. Um zwei spezifische Typen dieses Sachverhalts durch Beispiele zu illustrieren, so ist z. B. 1. die Frage: was „von Rechts wegen" zu geschehen habe, falls ein „konstitutioneller" Monarch seine verantwortlichen Minister entläßt, aber es unterläßt, an ihrer Stelle irgendwelche anderen zu ernennen, so daß also niemand zur Gegenzeichnung seiner Akte vorhanden ist, nirgendswo in irgendeiner „Verfassung" der Welt rechtlich geregelt. Fest steht nur: daß dann gewisse Regierungsakte „gültig" nicht möglich sind. Das gleiche gilt – in den meisten Verfassungen wenigstens – 2. für die Frage: was zu geschehen habe, wenn ein nur durch freiwillige Vereinbarung der betreffenden Faktoren festzustellendes „Staatsbudget" nicht zustande kommt. Die erstere Frage erklärt Jellinek mit Recht für praktisch „müßig", – aber das uns hier Interessierende muß gerade sein: *warum* sie denn eigentlich „müßig" ist. Die zweite Art von „Verfassungslücke" dagegen ist bekanntlich sehr praktisch geworden. Man kann geradezu die These aufstellen: daß es für jede „Verfassung" im soziologischen Sinn, d. h. für die Art der faktischen, die Möglichkeit, das Gemeinschaftshandeln durch Anordnungen zu beeinflussen, bestimmende, Machtverteilung in einem Gemeinwesen charakteristisch ist, wo und welcher Art derartige, gerade die Grundfragen betreffende, „Lücken" seine „Verfassung" im juristischen Sinne des Worts aufweist. Solche Lücken des zweiten Typus werden daher zuweilen bei der rationalen Satzung einer Verfassung durch Vereinbarung oder Oktroyierung durchaus absichtsvoll bestehen gelassen. Deshalb natürlich, weil der (oder die) im Einzelfall bei der Schaffung der Verfassung ausschlaggebenden Interessenten die Erwartung hegen, daß gegebenenfalls er (oder sie) dasjenige Maß von Macht besitzen werden, um das, rechtlich angesehen, alsdann der gesatzten „Ordnung" entbehrende, dennoch aber unvermeidlich weiter ablaufende Gemeinschaftshandeln *nach ihrem Willen* zu lenken, im Beispiel also: budgetlos zu regieren. Lücken des *ersten* oben illustrierten Typus aber pflegt man um deswillen nicht auszufüllen, weil die begründete Überzeugung besteht: das eigene Interesse des oder der Betreffenden, im Beispiel also: des Monarchen, werde jederzeit ausreichen, sein Handeln so zu bestimmen, daß der rechtlich mögliche „absurde" Tatbestand des Fehlens verantwortlicher Minister tatsächlich eben nie eintreten werde. Es gilt trotz jener „Lücke" einverständnismäßig zweifellos als eine „Pflicht" des Monarchen, Minister zu ernennen. Und zwar als eine „indirekt garantierte" Rechtspflicht. Denn es gibt Rechtsfolgen: die Unmöglichkeit, gewisse Akte „gültig" zu vollziehen, also dafür die Chance der Garantie des Zwangsapparats zu erlangen, welche die Konsequenz davon sind. Aber im übrigen ist nicht geregelt, weder rechtlich noch konventionell, was geschehen soll, um die Staatsverwaltung fortzuführen, wenn er dieser Pflicht nicht nachlebt, und da der Fall noch niemals eingetreten ist, so fehlt auch eine „Sitte", welche Quelle einer Entscheidung werden könnte. Dies zeigt wiederum besonders deutlich, daß Recht, Konvention und Sitte keineswegs die einzigen Mächte sind, auf welche man als Garanten eines von einem anderen erwarteten, von ihm zugesagten oder sonst für ihn als pflichtmäßig geltenden Verhaltens zählt und zählen kann, sondern daneben vor allem: das *eigene Interesse* des anderen an dem Fortlaufen eines bestimmten Einverständnishandelns als solchem. Die Sicherheit mit der man darauf rechnet: daß der Monarch jene als geltend vorausgesetzte Pflicht erfüllen werde, ist gewiß größer, aber doch nur graduell größer, als die Sicherheit, mit welcher in unserem früheren Beispiel der eine Tauschpartner bei einem gänzlich jeder Normierung und Zwangsgarantie entbehrenden Verkehr auf ein seinen Intentionen entsprechendes Verhalten des andern zählt und, bei fortgesetztem Verkehr, auch ohne alle Rechtsgarantie gewöhnlich zählen kann. Worauf es hier ankam, war nur die Feststellung: daß die rechtliche und ebenso die konventionelle Ordnung eines Einverständnis- oder Gesellschaftshandelns prinzipiell und unter Umständen ganz bewußt nur Fragmente desselben erfaßt. Die

Orientierung des Gemeinschaftshandelns an einer Ordnung ist zwar konstitutiv für jede Vergesellschaftung, aber der Zwangsapparat ist es nicht für die Gesamtheit alles perennierenden und anstaltsmäßig geordneten Verbandshandelns. Träte der absurde Fall des Beispieles Nr. 1 ein, so würde er sicherlich sofort die juristische Spekulation in Bewegung setzen und vielleicht eine konventionelle oder auch rechtliche Regelung eintreten. Aber inzwischen hätte irgendein, je nach der Lage vielleicht sehr verschiedenes Gemeinschafts- oder Einverständnis- oder Gesellschaftshandeln den konkreten Fall bereits praktisch erledigt. Die normative Regelung ist eine wichtige, aber nur eine kausale *Komponente* des Einverständnishandelns, nicht aber – wie Stammler möchte – dessen universelle „*Form*".

§ 3. Bedeutung und Grenzen des Rechtszwangs für die Wirtschaft.

Die Rechtsgarantien und also diejenigen Normvorstellungen, auf denen sie als Motiv ihrer Schaffung, Auslegung, Anwendung beruhen oder mitberuhen, kommen für eine nach empirischen Regelmäßigkeiten und Typen forschende Disziplin, wie die Soziologie es ist, in Betracht sowohl als Folge, wie, vor allem, als Ursache oder Mitursache von Regelmäßigkeiten, sowohl des soziologisch direkt relevanten Handelns von Menschen wie, dadurch hervorgerufen, der soziologisch indirekt relevanten Naturgeschehnisse. Faktische Regelmäßigkeiten *des* Verhaltens („Sitte") können, sahen wir, Quelle der Entstehung von Regeln *für* das Verhalten („Konvention", „Recht") werden. Ebenso aber umgekehrt. Nicht nur solche Regelmäßigkeiten werden durch die (konventionellen oder) Rechtsnormen erzeugt oder miterzeugt, welche direkt den Inhalt ihrer Anordnungen ausmachen, sondern auch andere. Daß z. B. ein Beamter täglich regelmäßig auf seinem Büro erscheint, ist direkt Folge der Anordnung einer praktisch als „geltend" behandelten rechtlichen Norm. Daß dagegen der „Reisende" einer Fabrik sich jährlich regelmäßig zur Entgegennahme von Aufträgen bei den „Detaillisten" einstellt, ist nur indirekt, durch die faktische Zulassung der Konkurrenz um die Kundschaft und die durch diese Zulassung mitbedingte Nötigung dazu, von Rechtsnormen mitbestimmt. Daß weniger Kinder zu sterben pflegen, wenn das Fernbleiben der stillenden Mütter von der Arbeit als konventionelle oder rechtliche „Norm" gilt, ist gewiß Folge des Geltens jener Norm, und wenn sie eine gesatzte Rechtsnorm ist, auch einer der rationalen Zwecke von deren Schöpfern. Aber „anordnen" können sie natürlich nur dieses Fernbleiben, nicht jenes Wenigersterben. Und auch für das direkt befohlene oder verbotene Handeln ist die praktische Wirksamkeit der Geltung einer Zwangsnorm natürlich problematisch: ihre Befolgung ist nur ihre „adäquate", nicht ihre ausnahmslose Folge. Starke Interessen können vielmehr dazu führen, daß trotz des Zwangsapparats nicht nur vereinzelt, sondern überwiegend und dauernd der durch diesen „geltenden" Rechtsnorm ungestraft zuwidergehandelt wird. Die garantierende Zwangsgewalt pflegt, wenn ein Zustand dieser Art konstant geworden ist und die Beteiligten infolgedessen die Überzeugung von der Normgemäßheit ihres Tuns, statt des durch die prätendierend geltende Rechtsregel geforderten, gewonnen haben, schließlich diese letztere nicht mehr zu erzwingen und der Rechtsdogmatiker spricht dann von „Derogation durch Gewohnheitsrecht".

Allein auch ein Zustand chronischen Konflikts zwischen nebeneinander „geltenden" Rechtsnormen, die der Zwangsapparat der politischen Gewalt garantiert, und konventionellen Regeln ist – wie auf dem Gebiet des Zweikampfs als einer konventionellen Umbildung des Privatrechts – möglich und bereits früher besprochen worden. Und während es allerdings nichts Seltenes ist, daß Rechtsnormen rational gesatzt werden, um bestehende „Sitten" und Konventionen zu ändern, ist dennoch der normale Sachverhalt der: daß die Rechtsordnung nicht etwa infolge des Bestehens der Zwangsgarantie in der Realität empirisch „gilt", sondern deshalb, weil ihre Geltung als „Sitte" eingelebt und „eingeübt" ist und die Konvention die flagrante Abweichung von dem ihr entsprechenden Verhalten meist mißbilligt. Für den Rechtsdogmatiker ist die (ideelle) Geltung der Rechtsnorm das begriffliche prius, ein Verhalten, welches rechtlich nicht (direkt) normiert ist, ist ihm rechtlich „erlaubt" und also insofern von der Rechtsordnung (ideell) dennoch mitbetroffen. Für den Soziologen ist umgekehrt die rechtliche, und insbesondere die rational gesatzte, Regelung eines Verhaltens empirisch nur eine Komponente in der Motivation des Gemeinschaftshandelns, und zwar eine historisch meist spät auftretende und sehr verschieden stark wirkende. Die überall im Dunkel liegenden Anfänge faktischer Regelmäßigkeiten und „Sitten" des Gemeinschaftshandelns betrachtet er, wie wir sahen, als entstanden durch die auf Trieben und Instinkten ruhende Einübung eines den gegebenen Lebensnotwendigkeiten „angepaßten" Sichverhaltens, welches zunächst jedenfalls nicht durch eine gesatzte Ordnung bedingt war und auch nicht durch eine solche verändert wurde. Das zunehmende Eingreifen gesatzter Ordnungen aber ist für unsere Betrachtung nur ein besonders charakteristischer Bestandteil jenes Rationalisierungs- und Vergesellschaftungsprozesses, dessen fortschreitendes Umsichgreifen in allem Gemeinschaftshandeln wir auf allen Gebieten als wesentlichste Triebkraft der Entwicklung zu verfolgen haben werden.

Zusammenfassend ist über die hier allein zu erörternden allgemeinsten Beziehungen von Recht und *Wirtschaft* zu sagen: 1. Das Recht (immer im soziologischen Sinn) garantiert keineswegs nur ökonomische, sondern die allerverschiedensten Interessen, von den normalerweise elementarsten: Schutz rein persönlicher Sicherheit bis zu rein ideellen Gütern wie der eigenen „Ehre" und derjenigen göttlicher Mächte. Es garantiert vor allem auch politische, kirchliche, familiäre oder andere Autoritätsstellungen, und überhaupt soziale Vorzugslagen aller Art, welche zwar in den mannigfachsten Beziehungen ökonomisch bedingt und relevant sein mögen, aber selbst nichts Ökonomisches und auch nichts notwendig oder vorwiegend aus ökonomischen Gründen Begehrtes sind.

2. Eine „Rechtsordnung" kann unter Umständen unverändert bestehen bleiben, obwohl die Wirtschaftsbeziehungen sich radikal ändern. Theoretisch, und in der Theorie operiert man zweckmäßig mit extremen Beispielen – könnte ohne die Änderung auch nur eines einzigen Paragraphen unserer Gesetze eine „sozialistische" Produktionsordnung durchgeführt werden, wenn man einen sukzessiven Erwerb der Produktionsmittel durch die politische Gewalt im Wege freier Verträge sich durchgeführt denkt –, ein gewiß höchst unwahrscheinlicher, aber (was theoretisch genügt) keineswegs sinnloser Gedanke. Die Rechtsordnung würde dann mit ihrem Zwangsapparat nach wie vor bereitstehen müssen für den Fall, daß zur Erzwingung der für die privatwirtschaftliche Produktionsordnung charakteristischen Verpflichtungen ihre Hilfe angerufen würde. Nur würde dieser Fall tatsächlich nie eintreten.

3. Die rechtliche Ordnung eines Tatbestandes kann vom Standpunkt der juristischen Denkkategorien aus betrachtet fundamental verschieden sein, ohne daß die Wirtschaftsbeziehungen dadurch in irgend erheblichem Maß berührt werden, wenn nämlich nur in den ökonomisch der Regel nach relevanten Punkten der praktische *Effekt* für die Interessenten der gleiche ist. Das ist, obwohl an *irgendeinem* Punkte wohl jede Verschiedenheit der Rechtskonstruktion irgendwelche ökonomischen Folgen zeitigen kann, in sehr weitem Maße möglich und auch der Fall. Je nachdem etwa eine „Bergwerkspacht"

juristisch als „Pacht" oder als „Kauf" zu konstruieren wäre, hätte man in Rom ein gänzlich verschiedenes Klageschema verwenden müssen. Aber der praktische Effekt des Unterschiedes für die Wirtschaftsordnung wäre sicher sehr gering gewesen.

4. Natürlich steht die Rechtsgarantie in weitestem Umfang direkt im Dienst ökonomischer Interessen. Und soweit dies scheinbar oder wirklich nicht direkt der Fall ist, gehören ökonomische Interessen zu den allermächtigsten Beeinflussungsfaktoren der Rechtsbildung, da jede eine Rechtsordnung garantierende Gewalt irgendwie vom Einverständnishandeln der zugehörigen sozialen Gruppen in ihrer Existenz getragen wird und die soziale Gruppenbildung in hohem Maße durch Konstellationen materieller Interessen mitbedingt ist.

5. Das Maß von Erfolgen, welches durch die hinter der Rechtsordnung stehende Eventualität des Zwanges erzielt werden kann, speziell auf dem Gebiet des wirtschaftlichen Handelns, ist außer durch andere Umstände auch durch dessen Eigenart begrenzt. Zwar ist es bloßer Wortstreit, wenn man versichert: das Recht könne überhaupt „Zwang" zu einem bestimmten wirtschaftlichen Handeln nicht ausüben, weil für alle seine Zwangsmittel der Satz bestehe: coactus tamen voluit. Denn das gilt für ausnahmslos allen Zwang, welcher den zu Zwingenden nicht lediglich wie ein totes Naturobjekt behandelt. Auch die drastischsten Zwangs- und Strafmittel versagen, wo die Beteiligten sich ihnen schlechterdings nicht fügen. Dies heißt aber innerhalb eines weiten Bereiches immer: wo sie nicht zu dieser Fügsamkeit „erzogen" sind. Die Erziehung zur Fügsamkeit in das jeweils geltende Recht ist im allgemeinen mit steigender Befriedung stark gestiegen. Also müßte, scheint es, auch die Erzwingbarkeit des Wirtschaftshandelns prinzipiell gestiegen sein. *Trotzdem* aber ist gleichzeitig die Macht des Rechts über die Wirtschaft in vieler Hinsicht nicht stärker, sondern schwächer geworden, als sie es unter anderen Verhältnissen war. Preistaxen z. B. sind zwar stets in ihrer Wirksamkeit prekär gewesen, sie haben aber unter den heutigen Bedingungen im ganzen noch weit weniger Chancen des Erfolgs als jemals früher. Der Grad der Möglichkeit, das wirtschaftliche Verhalten der Menschen zu beeinflussen, ist also nicht einfach Funktion der generellen Fügsamkeit gegenüber dem Rechtszwang. Die Schranken des faktischen Erfolgs des Rechtszwangs auf dem Gebiet der Wirtschaft ergeben sich vielmehr teils aus den Schranken des ökonomischen Könnens der Betroffenen: nicht nur der Gütervorrat selbst ist jeweils beschränkt, sondern auch seine jeweils möglichen Verwendungsarten sind begrenzt durch die eingeübten Arten der Verwendung und des

Verkehrs der Wirtschaften untereinander, welche sich heteronomen Ordnungen, wenn überhaupt, dann nur nach schwierigen Neuorientierungen aller ökonomischen Dispositionen und meist mit Verlusten, jedenfalls also unter Reibungen fügen können. Diese werden um so stärker, je entwickelter und universeller eine spezifische Form des Einverständnishandelns: die Marktverflechtung der Einzelwirtschaften, und also ihre Abhängigkeit von fremdem Handeln ist. Zum anderen Teil liegen sie auf dem Gebiet des relativen Stärkeverhältnisses zwischen den privaten ökonomischen und den an der Befolgung der Rechtsvorschriften engagierten Interessen. Die Neigung, ökonomische Chancen preiszugeben, nur um legal zu handeln, ist naturgemäß gering, wo nicht eine sehr lebendige Konvention die Umgehung des formalen Rechtes stark mißbilligt, und das wird, wenn die von einer gesetzlichen Neuerung benachteiligten Interessen sehr verbreitet sind, nicht leicht der Fall sein, Umgehungen eines Gesetzes sind gerade auf ökonomischem Gebiet oft leicht verhehlbar. Ganz besonders unzugänglich aber sind erfahrungsgemäß dem Einfluß des Rechts die direkt aus den letzten Quellen ökonomischen Handelns fließenden Wirkungen: die ökonomischen Güterwertschätzungen, und damit die Preisbildung. Besonders dann, wenn ihre Determinanten in Produktion und Konsum nicht innerhalb eines vollkommen übersehbaren und direkt beherrschbaren Kreises von Einverständnishandelnden liegen. Ferner aber ist die rationale Kenntnis der Markt- und Interessenlage generell naturgemäß weit größer bei den am Marktverkehr mit ihren eigenen ökonomischen Interessen kontinuierlich Beteiligten, als bei den nur ideell interessierten Schöpfern und ausführenden Organen von Rechtsvorschriften. In einer auf universeller Marktverschlungenheit ruhenden Wirtschaft entziehen sich namentlich die möglichen und ungewollten Nebenerfolge einer Rechtsvorschrift weitgehend der Voraussicht der Schöpfer der letzteren, weil sie ja in der Hand der privaten Interessenten liegen. Gerade sie können aber den beabsichtigten Zweck der Vorschrift im Erfolg bis zur Umkehrung ins gerade Gegenteil entstellen, wie dies oft geschehen ist. Wieweit diesen Schwierigkeiten gegenüber in der Realität jeweils die faktische Macht des Rechts in bezug auf die Wirtschaft reicht, ist nicht generell, sondern nur für die einzelnen Fälle zu ermitteln und also bei den Einzelproblemen der Sozialökonomik zu erörtern. Generell läßt sich nur sagen, daß, rein theoretisch betrachtet, die vollkommene Monopolisierung und also Übersichtlichkeit eines Markts auch die Beherrschung des betreffenden Ausschnitts der Wirtschaft durch Rechtszwang normalerweise technisch erleichtert. Wenn sie trotzdem faktisch die Chancen dafür keineswegs immer erhöht, so liegt dies regelmäßig an dem Partikularismus des Rechts infolge des Bestehens konkurrierender politischer Verbände – wovon noch zu reden sein wird – und daneben an der Macht der durch die Monopolisten beherrschbaren privaten Interessen, welche sich seiner Anwendung widersetzen.

6. Die „*staatliche*" Garantie der Rechte ist rein theoretisch betrachtet für keine grundlegende ökonomische Erscheinung unentbehrlich. Besitzschutz leistet auch die Sippenhilfe. Den Schutz der Schuldverpflichtungen haben zuweilen religiöse Gemeinschaften (durch Androhung von Kirchenbann) wirksamer als politische dargeboten. Und auch „Geld" hat es, in fast allen seinen Formen, ohne staatliche Garantie seiner Annahme als Zahlungsmittel gegeben. Auch „chartales", d. h. nicht durch den Stoffgehalt, sondern durch die Zeichnung von Stücken des Zahlungsmittels geschaffenes Geld ist ohne sie denkbar. Und gelegentlich kommt trotz staatlichen Rechtsschutzes chartales Geld *nicht*staatlichen Ursprungs vor: die „Münze" im Sinn eines durch die politische Gewalt mit Zwangskurs für Schulden versehenen Zahlungsmittels fehlt der altbabylonischen Zeit; aber es scheinen sich Kontrakte zu finden, wonach z. B. Fünftelschekelstücke mit dem Stempel einer bestimmten „Firma" (wie wir sagen würden) zur Zahlung zu verwenden sind; die „proklamatorisch" in Aussicht gestellte staatliche Garantie also fehlt, auch die gewählte „Werteinheit" ist nicht staatlichen, sondern kontraktlichen Ursprungs, – dennoch aber ist das Zahlungsmittel von „chartaler" Qualität und steht die staatliche Zwangsgarantie wenigstens hinter der getroffenen konkreten Vereinbarung. Rein „begrifflich" notwendig ist der „Staat" für die Wirtschaft also nirgends. Aber allerdings ist speziell eine Wirtschaftsordnung moderner Art ohne eine Rechtsordnung von sehr besonderen Eigenschaften, wie sie praktisch nur als „staatliche" Ordnung möglich ist, zweifellos nicht durchführbar. Die heutige Wirtschaft beruht auf durch Kontrakte erworbenen Chancen. Soweit auch das eigene *Interesse* an der „Vertragslegalität" und die gemeinsamen Interessen der Besitzenden am gegenseitigen Besitzschutz reichen und so stark Konvention und Sitte den Einzelnen in gleichem Sinne auch heute noch bestimmen, so hat doch der Einfluß dieser Mächte infolge der Erschütterung der Tradition – einerseits der traditionsgeordneten Verhältnisse und andrerseits des Glaubens an ihre Heiligkeit – auch außerordentlich an Bedeutung eingebüßt, auf der andern Seite sind die Interessen der Klassen so scharf wie je voneinander geschieden, verlangt die moderne Ver-

kehrsgeschwindigkeit ein prompt und sicher funktionierendes, d. h.: ein durch die stärkste Zwangsgewalt garantiertes Recht und hat, vor allem, die moderne Wirtschaft kraft ihrer Eigenart die andern Verbände, welche Träger von Recht und also Rechtsgarantie waren, vernichtet. Dies ist das Werk der Marktentwicklung. Die universelle Herrschaft der *Markt*vergesellschaftung verlangt einerseits ein nach rationalen Regeln *kalkulierbares* Funktionieren des Rechts. Und andererseits begünstigt die Marktverbreiterung, die wir als charakteristische Tendenz jener kennen lernen werden, kraft der ihr immanenten Konsequenzen die Monopolisierung und Reglementierung aller „legitimen" Zwangsgewalt durch *eine* universalistische Zwangsanstalt, durch die Zersetzung aller partikulären, meist auf ökonomischen Monopolen ruhenden ständischen und anderen Zwangsgebilde.

Kapitel VII. Rechtssoziologie. (Wirtschaft und Recht).

§ 1. Die Differenzierung der sachlichen Rechtsgebiete.

Die heutige Rechtstheorie und Rechtspraxis kennt als eine der wichtigsten Scheidungen diejenige von „öffentlichem" und „Privatrecht". Zwar herrscht über das Prinzip der Abgrenzung Streit.

1. Das öffentliche Recht einfach, der soziologischen Scheidung entsprechend, als den Inbegriff der Normen für das seinem von der Rechtsordnung zu unterstellendem Sinne nach staatsanstaltbezogene, d. h.: dem Bestande, der Ausdehnung und der direkten Durchführung der jeweiligen kraft Satzung oder einverständnismäßig geltenden, Zwecke der Staatsanstalt als solcher dienenden Handeln zu definieren, das Privatrecht aber als den Inbegriff der Normen für das, seinem von der Rechtsordnung unterstelltem Sinne nach, nicht staatsanstaltsbezogene, sondern nur von der Staatsanstalt durch Normen geregelte Handeln anzusehen, scheint durch den unformalen Charakter dieser Scheidung technisch erschwert. Dennoch liegt diese Art der Unterscheidung letztlich fast allen Grenzabsteckungen zugrunde.

2. Diese Scheidung verschlingt sich oft mit einer anderen: Man könnte „öffentliches" Recht identifizieren mit der Gesamtheit der „Reglements", also: der ihrem richtigen juristischen Sinn nach nur Anweisungen an die Staatsorgane enthaltenden, nicht aber erworbene subjektive Rechte Einzelner begründenden Normen, im Gegensatz zu den „Anspruchsnormierungen", welche solche subjektive Rechte begründen. Der Gegensatz müßte aber zunächst richtig verstanden werden. Auch öffentlich-rechtliche Normen, z. B. diejenigen über eine Präsidentenwahl, können subjektive und dabei dennoch „öffentliche" Rechte Einzelner begründen, zum Beispiel: das Recht zu wählen. Aber dieses öffentliche Recht des Einzelnen gilt heute allerdings dem juristischen Sinne nach nicht als ein erworbenes Recht im gleichen Sinn wie etwa das Eigentum, welches prinzipiell als für den Gesetzgeber selbst unantastbar gilt und eben deshalb von ihm anerkannt wird. Denn die subjektiven öffentlichen Rechte des Einzelnen gelten dem juristischen Sinne nach in Wahrheit als subjektive Zuständigkeiten des Einzelnen, für bestimmt begrenzte Zwecke als Organe der Staatsanstalt zu handeln. Sie können also trotz der Form des subjektiven Rechts, die sie annehmen, in Wahrheit dennoch als bloße Reflexe eines Reglements, nicht als Ausfluß einer objektiven Anspruchsnormierung angesehen werden. Allein auch bei weitem nicht alle jeweils in einer Rechtsordnung bestehenden, in dem oben unter 1. bezeichneten Sinn privatrechtlichen Ansprüche sind „erworbene" subjektive Rechte. Selbst der jeweils zugelassene Inhalt des Eigentumsrechts kann als „Reflex" der Rechtsordnung gelten und die Frage, ob ein Recht als „erworben" gilt, reduziert sich oft praktisch nur auf die Frage: ob seine Beseitigung Entschädigungsansprüche nach sich ziehe. Man könnte also vielleicht behaupten, daß alles öffentliche Recht dem juristischen Sinne nach nur Reglement sei, nicht aber, daß jedes Reglement nur öffentliches Recht schaffe. In Rechtsordnungen aber, wo die Regierungsgewalt als erworbenes patrimoniales Recht eines Monarchen gilt, oder wo umgekehrt gewisse subjektive Bürgerrechte als schlechthin in gleichem Sinn wie das „erworbene" Privatrecht unentziehbar gelten (z. B. kraft „Naturrecht"), träfe auch nicht einmal dies zu.

3. Und endlich könnte man die Scheidung so vornehmen, daß man alle die Rechtsangelegenheiten, bei denen einander mehrere, dem juristischen Sinne nach als „gleichgeordnet geltende Parteien gegenübertreten, deren Rechtssphären abzugrenzen der juristisch „richtige" Sinn der Tätigkeit, sei es des Gesetzgebers, sei es des Richters, sei es der betreffenden Parteien selbst (durch Rechtsgeschäft) ist, als

„privatrechtliche" von den öffentlich-rechtlichen scheidet, bei welchem ein, dem juristischen Sinne nach, präeminenter Gewaltenträger mit autoritärer Befehlsgewalt anderen ihm, dem juristischen Sinn der Normen nach, „unterworfenen" Personen gegenübertritt. Allein nicht jedes Organ der Staatsanstalt hat Befehlsgewalt, und das öffentlich-rechtlich geregelte Handeln der staatlichen Organe ist nicht immer ein Befehl. Sodann ist offenkundig gerade die Regulierung der Beziehungen zwischen mehreren Staatsorganen, also gleichmäßig präeminenten Gewaltenträgern, die eigentlich interne Sphäre des „öffentlichen" Rechts. Und ferner müssen nicht nur die unmittelbar zwischen Gewaltenträgern und Gewaltunterworfenen bestehenden Beziehungen, sondern auch dasjenige Handeln der Gewaltunterworfenen, welches der Bestellung und Kontrolle des oder der präeminenten Gewaltenträger dient, zur Sphäre des „öffentlich-rechtlich" regulierten Handelns geschlagen werden. Dann aber führt diese Art der Scheidung offenbar weitgehend in die Bahnen der oben zuerst angegebenen zurück. Sie behandelt nicht jede autoritäre Befehlsgewalt und deren Beziehungen zu den Gewaltunterworfenen als öffentlich-rechtlich. Diejenige des Arbeitgebers offenbar deshalb nicht, weil sie durch „Rechtsgeschäfte" zwischen formal „Gleichgeordneten" entsteht. Aber auch diejenige des Hausvaters wird als privatrechtliche Autorität behandelt, offenbar nur deshalb, weil die Staatsanstalt allein als Quelle legitimer Gewalt gilt und daher nur dasjenige Handeln, welches seinem von der Rechtsordnung zu unterstellendem Sinn nach auf die Erhaltung der Staatsanstalt und die Durchführung der von ihr sozusagen in eigene Regie genommenen Interessen bezogen ist, als „öffentlich"-rechtlich relevant gilt. Welche Interessen nun jeweils als von der Staatsanstalt selbst wahrzunehmende gelten, ist bekanntlich auch heute wandelbar. Und vor allem kann ein Interessengebiet durch gesatztes Recht absichtlich derart geregelt werden, daß die Schaffung von Privatansprüchen Einzelner und von Befehlsgewalten oder anderen Funktionen von Staatsorganen sogar für ein und denselben Sachverhalt konkurrierend nebeneinanderstehen.

Auch heute also ist die Abgrenzung der Sphäre von öffentlichem und privatem Recht nicht überall eindeutig. Noch weit weniger war dies in der Vergangenheit der Fall. Die Möglichkeit der Scheidung kann geradezu fehlen. Dann nämlich, wenn alles Recht und alle Zuständigkeiten, insbesondere auch alle Befehlsgewalten gleichmäßig den Charakter des persönlichen Privilegs (beim Staatsoberhaupt meist „Prärogative" genannt) an sich tragen. Dann ist die Befugnis, in einer bestimmten Sache Recht zu sprechen oder jemanden zum

Kriegsdienst aufzubieten oder von ihm sonst Gehorsam zu verlangen, genau so ein „erworbenes" subjektives Recht und eventuell ganz ebenso Gegenstand eines Rechtsgeschäfts, einer Veräußerung oder Vererbung, wie etwa die Befugnis, ein bestimmtes Stück Acker zu nutzen. Die politische Gewalt hat dann eben juristisch keine anstaltsmäßige Struktur, sondern wird durch konkrete Vergesellschaftungen und Kompromisse der verschiedenen Inhaber und Prätendenten subjektiver Befehlsbefugnisse dargestellt. Die politische Befehlsgewalt gilt dann als von derjenigen des Hausvaters, Grundherrn, Leibherrn nicht wesensverschieden: der Zustand des „Patrimonialismus". Soweit eine solche Struktur des Rechts jeweils reicht – und sie war niemals in alle letzten Konsequenzen durchgeführt –, soweit ist juristisch alles, was unserem „öffentlichen" Recht entspricht, Gegenstand von subjektivem Recht konkreter Gewalthaber, genau wie ein Privatrechtsanspruch.

Die Gestaltung des Rechts kann aber auch den gerade entgegengesetzten Charakter annehmen und das in dem zuletzt verwendeten Sinn „private" Recht auf weiten Gebieten, die ihm heute zufallen, gänzlich fehlen. Dann nämlich, wenn alle Normen fehlen, welche den Charakter *anspruchs*verleihenden objektiven Rechts haben, wenn also der gesamte überhaupt geltende Normenkomplex juristisch den Charakter des „Reglements" hat, d. h. also: alle privaten Interessen nicht als garantierte subjektive Ansprüche, sondern nur als Reflexe der Geltung jener Reglements die Chance des Schutzes besitzen. Soweit dieser Zustand reicht – und auch er hat nie universell geherrscht –, soweit löst sich alles Recht in einen Zweck der Verwaltung: die „*Regierung*" auf. „*Verwaltung*" ist kein Begriff nur des öffentlichen Rechts. Es gibt private Verwaltung, etwa des eigenen Haushalts oder eines Erwerbsbetriebs, und öffentliche, d. h. durch die Anstaltsorgane des Staats oder anderer, durch ihn dazu legitimierter, also heteronomer öffentlicher Anstalten, geführte Verwaltung. Der Kreis der „öffentlichen" Verwaltung umfaßt nun in seinem weitesten Sinne dreierlei: Rechtsschöpfung, Rechtsfindung und das, was an öffentlicher Anstaltstätigkeit nach Abzug jener beiden Sphären übrig bleibt: „Regierung", wollen wir hier sagen. Die „Regierung" kann an Rechtsnormen gebunden und durch erworbene subjektive Rechte beschränkt sein. Dies teilt sie dann mit der Rechtsschöpfung und Rechtsfindung. Aber darin liegt nur zweierlei: 1. *positiv*: der Legitimitätsgrund ihrer eigenen Zuständigkeit: eine moderne Regierung entfaltet ihre Tätigkeit kraft legitimer „Kompetenz", welche juristisch letztlich stets als auf der Ermächtigung durch die „Verfassungs"-Normen der Staatsanstalt beruhend gedacht wird. Und ferner ergibt jene Gebundenheit an geltendes Recht und erworbene Rechte 2. *negativ*: die Schranken ihrer freien Bewegung, mit denen sie sich abzufinden hat. Ihr spezifisches eigenes Wesen aber besteht positiv gerade darin, daß sie nicht *nur* die Respektierung oder Realisierung von geltendem objektivem Recht, lediglich deshalb, weil es einmal als solches gilt und erworbene Rechte darauf beruhen, zum Objekt hat, sondern die Realisierung von anderen, materialen, Zwecken: politischen, sittlichen, utilitarischen oder welchen Charakters immer. Der Einzelne und seine Interessen sind für die „Regierung", dem juristischen Sinn nach, grundsätzlich Objekt, nicht Rechtssubjekt. Gerade im modernen Staat besteht allerdings die Tendenz, Rechtsfindung und „Verwaltung" (im Sinn von „Regierung") einander formal anzunähern. Innerhalb der Rechtspflege nämlich wird dem heutigen Richter teils durch positive Rechtsnormen, teils durch Rechtstheorien nicht selten zugemutet, nach materialen Grundsätzen, Sittlichkeit, Billigkeit, Zweckmäßigkeit zu entscheiden. Und gegenüber der „Verwaltung" gibt die heutige Staatsorganisation dem Einzelnen, der im Prinzip nur ihr Objekt ist, dennoch Mittel der Wahrung seiner Interessen an die Hand, welche mindestens formell denjenigen der Rechtsfindung gleichartig sind: die „Verwaltungsgerichtsbarkeit". Aber alle diese Garantien vermögen dennoch den erwähnten letzten Gegensatz von Rechtspflege und „Regierung" nicht zu beseitigen. Der Rechtsschöpfung andererseits nähert sich die „Regierung" überall da an, wo sie auf die ganz freie Verfügung von Fall zu Fall verzichtend, generelle Reglements für die Art der Erledigung typischer Geschäfte schafft, und zwar in einem gewissen Grade selbst dann, wenn sie selbst sich an diese nicht gebunden hält. Denn immerhin wird diese Bindung als das Normale auch dann von ihr erwartet und das Gegenteil als „Willkür" normalerweise zum mindesten konventionell mißbilligt.

Der urwüchsige Träger aller „Verwaltung" ist die Hausherrschaft. In ihrer primitiven Schrankenlosigkeit gibt es subjektive Rechte der Gewaltunterworfenen dem Hausherrn gegenüber nicht und objektive Normen für sein Verhalten ihnen gegenüber nur allenfalls als heteronomen Reflex sakraler Schranken seines Handelns. Urwüchsig ist demgemäß auch das Nebeneinanderstehen der prinzipiell ganz schrankenlosen Verwaltung des Hausherrn innerhalb der Hausgemeinschaft auf der einen Seite und des auf Sühne- und Beweisvertrag beruhenden Schiedsverfahrens zwischen den Sippen andererseits. Nur hier wird über „Ansprüche", subjektive Rechte also, verhandelt und ein Wahrspruch abgegeben. Nur hier finden sich – wir werden sehen weshalb – feste Formen, Fristen, Beweisregeln, kurz die Anfänge einer „juristischen" Behandlung. Das Verfahren des Hausvaters im Umkreis seiner Gewalt weiß von alledem nichts. Es ist ebenso die primitive Form der „Regierung", wie jenes die der Rechtsfindung. Beide scheiden sich auch der Sphäre nach voneinander. An der Schwelle des Hauses machte noch die antike römische Justiz unbedingt Halt. Wir werden sehen, wie das Hausherrschaftsprinzip über seinen ursprünglichen Umkreis hinaus auch auf gewisse Arten der politischen Gewalt: das Patrimonialfürstentum, und dadurch auch der Rechtsfindung übertragen worden ist. Wo immer dies der Fall ist, wird die Schranke zwischen Rechtsschöpfung, Rechtsfindung und Regierung durchbrochen. Die Folge kann aber eine doppelte sein: entweder die Rechtsfindung nimmt formal und sachlich den Charakter von „Verwaltung" an, vollzieht sich wie diese ohne feste Formen und Fristen, nach Zweckmäßigkeits- und Billigkeitsgesichtspunkten durch einfache Bescheide und Befehle des Herrn an die Unterworfenen. In voller Durchführung findet sich dieser Zustand nur in Grenzfällen, Annäherungen daran aber bietet der „Inquisitions"-Prozeß und jede Anwendung der „Offizialmaxime". Oder umgekehrt: „Verwaltung" nimmt die Form eines Prozeßverfahrens an – dies war sehr weitgehend in England der Fall und ist es teilweise noch. Das englische Parlament verhandelt über „private bills", d. h. reine Verwaltungsakte (Konzessionen u. dgl.) im Prinzip ganz so wie über „Gesetzentwürfe", und die Nichtscheidung beider Sphären ist dem älteren Parlamentsverfahren durchweg eigentümlich, für die Stellung des Parlaments geradezu entscheidend gewesen: es war eben als eine Gerichtsbehörde entstanden und wurde in Frankreich ganz zu einer solchen. Politische Umstände bedingten diese Verwischung der Grenzen. Aber auch bei uns wird das Budget, eine Verwaltungsangelegenheit, nach englischem Muster und aus politischen Gründen, als „Gesetz" behandelt. Flüssig wird andererseits der Gegensatz zwischen „Verwaltung" gegenüber dem „Privatrecht" da, wo das Organhandeln der Verbandsorgane die gleichen Formen wie die Vergesellschaftung zwischen Einzelnen annimmt: wenn also Verbandsorgane kraft ihrer Pflicht als solche eine „Vereinbarung" (Kontrakt) mit einzelnen, es sei Verbandszugehörigen oder anderen, schließen über Leistungen und Gegenleistungen zwischen Verbandsvermögen und Vermögen des Einzelnen. Diese Beziehungen werden dann nicht selten den Normen des „Privatrechts" entzogen und abweichend sowohl inhaltlich wie in der Art ihrer Garantie geordnet, den Normen der „Verwaltung" unterstellt. Dadurch hören die Ansprüche der beteiligten Einzelnen, falls sie nur durch Zwangschancen garantiert sind, nicht auf, „subjektive Rechte" zu sein und die Unterscheidung ist insoweit nur technischer Natur. Als solche kann sie freilich praktisch erhebliche Tragweite gewinnen. Aber es bedeutet doch eine völlige Verkennung der Gesamtstruktur des römischen (antiken) „Privatrechts", wenn man zu diesen nur die mittelst des ordentlichen Geschworenenverfahrens auf Grund der „lex" zu verfolgenden Ansprüche und nicht die durch magistratische Kognition zu erledigenden Rechte einbezieht, welchen zeitweilig eine praktisch ungeheuer überwiegende ökonomische Bedeutung zukam.

Ähnlich frei von Beschränkungen durch subjektive Rechte und objektive Normen wie die primitive Macht des Hausherrn kann die Autorität von Magiern und Propheten und unter Umständen auch die Macht der Priester sein, soweit ihre Quelle konkrete Offenbarung ist. Davon ist teils schon gesprochen, teils wird davon noch zu reden sein. Der magische Glaube ist aber auch eine der urwüchsigen Quellen des „Strafrechts" im Gegensatz zum „Zivilrecht". Die uns heute geläufige Sonderung: daß in der Strafjustiz ein öffentliches, sei es sittliches oder utilitarisches Interesse an der Sühnung eines Verstoßes gegen objektive Normen durch Strafe von seiten der Organe der Staatsanstalt gegen den Verdächtigen unter den Garantien einer geordneten Prozedur wahrgenommen wird, während die Wahrnehmung privater Ansprüche dem Verletzten überlassen bleibt und nicht Strafe, sondern Herstellung des vom Recht garantierten Zustandes zur Folge hat, ist selbst heute nicht ganz eindeutig durchgeführt. Der urwüchsigen Rechtspflege ist sie fremd. Wir werden sehen, daß bis tief in sonst sehr entwickelte Rechtszustände hinein ursprünglich schlechthin *jede* Klage eine Klage ex delicto war, „Verpflichtungen" und „Verträge" dem Recht ursprünglich gänzlich unbekannt waren. Ein Recht wie das chinesische zeigt noch heute die Nachwirkungen dieses in allen Rechtsentwicklungen sehr wichtigen Tatbestandes. Jede Verletzung der Prätensionen der eigenen Sippe auf Unverletzlichkeit von Person und beanspruchtem Besitz durch Sippenfremde erheischt im Prinzip Recht oder Sühne und diese sich zu verschaffen ist Sache des Verletzten unter dem Beistand seiner Sippe. Das Sühneverfahren zwischen den Sippen kennt zunächst eine Scheidung des racheheischenden Frevels von bloßen restitutionspflichtigen Unrechtmäßigkeiten nicht oder nur in Ansätzen. Die Ungeschiedenheit von bloßer, nach unseren Begriffen „zivilrechtlicher" Anspruchsverfolgung und der Erhebung einer auf „Strafe" antragenden Anklage in dem einheitlichen Begriff der „Sühne" für geschehenes Unrecht findet ihre Stütze in zwei Eigentümlichkeiten des primitiven Rechts und Rechtszwangs: 1. dem Fehlen der Berücksichtigung der „Schuld" und also auch des durch die „Gesinnung" definierten Schuldgrades. Der Rachedurstige fragt nicht nach dem subjektiven Motiv, sondern nach dem sein Gefühl beherrschenden objektiven Erfolg des sein Rachebedürfnis erregenden fremden Handelns. Sein Zorn wütet gegen tote Naturobjekte, an denen er sich unerwartet beschädigt, gegen Tiere, die ihn unerwartet verletzen (so auch im ursprünglichen Sinn der römischen actio de pauperiae: – Haftung dafür, daß das Tier sich anders verhält als es sollte! – und der noxae datio von Tieren zur Rache) und gegen Menschen, die ihn unwissentlich, fahrlässig, vorsätzlich kränken, ganz gleichmäßig. Jedes Unrecht ist daher sühnepflichtiges „Delikt" und kein Delikt ist etwas mehr als ein sühnepflichtiges „Unrecht". Ferner aber 2. wirkt die Art der „Rechtsfolgen" des „Urteils", der „Exekution" – wie wir sagen würden – im Sinn der Erhaltung dieser Ungeschiedenheit. Denn sie ist die gleiche, mag es sich um den Streit um ein Grundstück oder um Totschlag handeln. Eine Exekution des Urteils „von Amts wegen" gibt es ursprünglich, oft auch bei schon leidlich fest geordnetem Sühneverfahren, nicht. Man erwartet von dem unter Benutzung von Orakeln und Zaubermitteln, eidlicher Anrufung der magischen oder göttlichen Gewalten zustandegekommenen Wahrspruch, daß seine durch Scheu vor bösem Zauber geschützte Autorität sich Geltung verschaffe, weil seine Verletzung ein schwerer Frevel ist. Da, wo – infolge bestimmter bald zu erwähnender militärischer Entwicklungen – dies Sühneverfahren die Form eines Rechtsgangs vor einer Dinggenossenschaft angenommen hat und diese als „Umstand" an der Entstehung des Urteils beteiligt ist – wie bei den Germanen in historischer Zeit –, darf überdies auch als Folge dieser Assistenz gewürdigt werden, daß kein Dinggenosse dem Vollzug des einmal gesprochenen und nicht oder nicht mit Erfolg gescholtenen Urteils etwas in den Weg legen werde. Aber mehr als dies passive Verhalten hat der obsiegende Teil nicht zu erwarten. Es ist an ihm und seiner Sippe, durch Selbsthilfe dem ihnen günstigen Urteil Nachachtung zu verschaffen, wenn diese nicht alsbald von selbst erfolgt, und bei den Germanen wie in Rom erfolgt diese Selbsthilfe normalerweise – einerlei ob Streit um ein Sachgut oder um Totschlag vorlag – durch Pfandnahme der Person des Verurteilten bis zur Begleichung der durch den Wahrspruch festgesetzten oder aber nunmehr erst zu vereinbarenden Sühne. Das imperium des Fürsten oder Magistrats erst schreitet im politischen Interesse der Befriedung gegen den ein, der die Vollstreckung stört und bedroht von sich aus den Widerstand des Verurteilten mit Rechtsnachteilen bis zur völligen Friedloslegung, stellt schließlich direkt amtliche Apparate zur Vollstreckung zur Verfügung. Alles aber zunächst ohne Scheidung „zivilrechtlicher" von „kriminellen" Prozeduren. Diese ursprüngliche völlige Ungeschiedenheit wirkt in denjenigen Rechten, welche, unter dem Einfluß spezifischer Rechtshonoratioren, wie wir sehen werden, am längsten gewisse Elemente der Kontinuität der Entwicklung aus der alten Sühnejustiz bewahrte und am wenigsten „bürokratisiert" wurden: dem römischen und dem englischen, z. B. auch noch in der Ablehnung der Realexekution zur Wiedererlangung konkreter Objekte. Die Verurteilung erfolgt grundsätzlich, bei einer Eigentumsklage um ein Grundstück z. B., in Geld. Dies ist nicht etwa Folge einer vorgeschrittenen Marktentwicklung, die alles in Geld abzuschätzen gelehrt hat, sondern Konsequenz des urwüchsigen Prinzips, daß Unrechtmäßigkeit, auch unrechtmäßiger Besitz, Sühne und nur Sühne heischt und der Einzelne dafür mit seiner Person einzustehen hat. Die Realexekution ist auf dem Kontinent im frühen Mittelalter, entsprechend der schnell steigenden Macht des fürstlichen imperium relativ früh durchgeführt worden. Dagegen ist bekannt, durch welche eigentümlichen Fiktionen sich der englische Prozeß bis in die neueste Zeit half, um sie bei Grundstücken zu ermöglichen. In Rom war die allgemeine Minimisierung der Offizialtätigkeit, wie wir später sehen werden, eine Folge der Honoratiorenherrschaft – der Grund für das Fortbestehen der Geldkondemnation statt der Realexekution.

Der gleiche Umstand: daß grundsätzlich eine Klage ursprünglich stets nicht nur ein objektiv bestehendes Unrecht, sondern einen Frevel des Verklagten voraussetzte, hat auch das materielle Recht sehr tiefgehend beeinflußt. Alle „Obligationen" ohne Ausnahme waren ursprünglich Deliktobligationen; die Kontraktobligationen sind daher, wie wir noch sehen werden, durchweg zuerst deliktartig konstruiert worden, in England noch im Mittelalter formell an fiktive Delikte angeknüpft worden. Daß Schulden ursprünglich nicht auf den „Erben" als solchen übergehen, hat, neben dem Fehlen der Vorstellung von einem „Erbrecht" überhaupt, auch darin seinen Grund, und nur auf dem Wege über die Mithaftung zuerst der Sippengenossen, dann der Hausgenossen und Gewaltunterworfenen oder Gewalthaber für Unrecht ist, mit höchst verschiedenem Resultat, wie wir sehen, die Erbenhaftung für Kontraktschuld konstruiert worden. Ein solcher Rechtssatz ferner, wie das dem heutigen Handelsverkehr angeblich unentbehrliche Prinzip „Hand muß Hand wahren" – der Schutz des gutgläubigen Erwerbes von Sachen gegen den Zugriff des Eigentümers – folgte ursprünglich ganz direkt aus dem Grundsatz, daß man eine Klage nur ex delicto gegen den Dieb oder Hehler hatte, machte dann freilich mit der Entwicklung der Kontraktsklagen und der Scheidung „dinglicher" und „persönlicher" Klagen in den einzelnen Rechtssystemen sehr verschiedene Schicksale durch. So hatte ihn sowohl das antike römische, wie das englische, wie das, im Gegensatz zum chinesischen, relativ rational entwickelte indische Recht, zugunsten der Vindikation beseitigt, und er ist in den beiden letzteren dann erst wieder, und zwar nun rational, im Interesse der Verkehrssicherheit, zugunsten des Kaufs auf dem offenen Markt, neu geschaffen worden. Seine Nichtgeltung im römischen und englischen im Gegensatz zum deutschen Recht ist wiederum ein Beispiel für die Möglichkeit der Anpassung der Verkehrsinteressen an sehr verschieden geartetes materielles Recht und die weitgehende Eigengesetzlichkeit der Rechtsentwicklung. Auch das „malo ordine tenes" der Grundstücksklage in den fränkischen Formeln hat man – unbestimmt mit welchem Recht – auf das Erfordernis eines Delikts für den Prozeß gedeutet. Immerhin lassen die doppelseitige römische Vindikation und die hellenische Diadikasie ebenso wie die germanischen, ganz anders konstruierten Grundbesitzklagen darauf schließen, daß hier, wo es sich ursprünglich um Rekursklagen handelte: um die Frage der Zugehörigkeit zur Gemeinschaft der kraft Bodenbesitzes vollberechtigten Genossen („fenites" heißt „Genossen", κληρος Genossenanteil), besondere Rechtsgrundsätze obwalteten. Ebensowenig wie eine eigentliche amtliche Exekution an Urteilen gibt es ursprünglich eine Verfolgung von Delikten „von Amts wegen". Innerhalb der Hausherrschaft andererseits erfolgt jede Züchtigung kraft der Hausgewalt des Herrn. Konflikte unter Sippengenossen entscheiden die Sippenältesten. Da aber Grund, Art und Maß in all diesen Fällen im freien Ermessen der Gewalthaber steht, gibt es kein „Strafrecht". Ein solches entwickelte sich in primitiver Form außerhalb des Hauses, und zwar da, wo das Handeln eines Einzelnen einen nachbarschaftlichen oder sippenmäßigen oder politischen Verband, dem er zugehört, in der *Gesamtheit* seiner Mitglieder gefährdete. Dies konnte vor allem durch zwei Arten von Handeln geschehen: Religions- und Militärfrevel. Einmal also dadurch, daß eine magische, z. B. eine Tabunorm verletzt wurde und dies den Zorn der magischen Gewalten, Geister oder Götter, außer auf den Frevler selbst auch auf die Gemeinschaft, welche ihn in ihrer Mitte duldete, in Gestalt bösen Zaubers herabziehen konnte. Dann reagierten auf Veranlassung der Magier oder Priester die Genossen dagegen durch Verstoßung (Friedlosigkeit) oder durch Lynchjustiz (wie es die Steinigung der Juden war) oder durch ein sakrales Sühneverfahren. Der Religionsfrevel also war die eine Hauptquelle der „internen Strafe", wie man diese Prozedur im Gegensatz zur „Rache", die zwischen den Sippen stattfindet, nennen kann. Die zweite Hauptquelle der „internen" Strafe war politischen, ursprünglich also: militärischen, Ursprungs. Wer durch Verrat oder, nach dem Aufkommen des disziplinierten Kampfs, durch Disziplinbruch oder durch Feigheit die Sicherheit des Wehrverbandes gefährdete, setzte sich der strafenden Reaktion von Kriegführer und Heer nach einer meist sehr summarischen Feststellung des Tatbestandes aus.

Vornehmlich von der Rache aus aber führte direkt ein Weg zu einem „Kriminalverfahren", welches – wir werden sehen aus welchen Gründen – an feste Formen und Regeln gebunden war. Die hausväterliche, religiöse, militärische Reaktion auf Frevel weiß prinzipiell von Formen und Regeln zunächst nichts. Bei der hausväterlichen Gewalt bleibt dies im allgemeinen so. Sie wird zwar durch das Eingreifen anderer Gewalten: zunächst: Sippengewalt, dann religiöser und militärischer Gewalt – unter Umständen in Schranken gebannt, aber innerhalb ihres Bereichs nur sehr vereinzelt an Rechtsregeln gebunden. Dagegen die primitiven außerhäuslichen Gewalten mit Einschluß der auf außerhäusliche Beziehungen übertragenen hausherrschaftsartigen („patrimonialfürstlichen") Gewalt, alle jene nicht innerhäuslichen Gewalten also, die wir unter dem gemeinsamen Namen „imperium" zusammenfassen wollen, verfielen, nur in verschiedenem Grade, allmählich der Bindung an Regeln. Welcher Provenienz diese Regeln waren, inwieweit sie sich der Träger des imperium im eigenen Interesse setzte oder mit Rücksicht auf die faktischen Schranken der Obödienz setzen mußte oder durch andere Gewalten gesetzt erhielt, lassen wir vorläufig dahingestellt: es gehört in die Erörterung der Herrschaft. Die Macht zu strafen, insbesondere Ungehorsam nicht nur durch direkte Gewalt zu brechen, sondern auch durch Androhung von Nachteilen, ist – in der Vergangenheit fast noch mehr als jetzt – ein normaler Bestandteil jedes imperium. Sie kann sich gegen andere, dem betreffenden Träger eines imperium untergeordnete „Organe" wenden (Disziplinargewalt) oder gegen die „Untertanen" (Bußgewalt). An diesem Punkt berührt sich das öffentliche „Recht" direkt mit dem „Strafrecht". Jedenfalls aber entsteht ein „öffentliches Recht" ebenso wie ein „Strafrecht", „Strafprozeßrecht", „Sakralrecht" als gesondertes Objekt wissenschaftlicher Betrachtung auch im Keime erst da, wo wenigstens irgendwelche derartige Regeln als Komplex von faktisch verbindlich geltenden Normen feststellbar sind.

Stets bedeuten solche Normen ebensoviele Schranken des betreffenden imperiums, obwohl andererseits nicht jede Schranke desselben „Norm"-Charakter hat. Die Art dieser Schranken kann nun aber eine doppelte sein: 1. Gewalt*begrenzung*, – 2. Gewalten*teilung*. Entweder (1) stößt ein konkretes imperium kraft heilig geltender Tradition oder durch Satzung auf die subjektiven Rechte der ihm Unterworfenen: daß dem Gewalthaber nur Befehle einer bestimmten Art oder auch Befehle aller mit Ausnahme bestimmter Arten und nur unter bestimmten Voraussetzungen zustehen, also nur dann legitim und verbindlich sind. Für die Frage: ob es sich dabei um eine „rechtliche" oder um eine „konventionelle" oder nur „gewohnheitsmäßige" Begrenzung handle, ist entscheidend: ob ein Zwangsapparat die Innehaltung dieser Schranken irgendwie garantiert, einerlei mit welchen noch so prekären Zwangsmitteln, oder nur die konventionelle Mißbilligung oder ob endlich eine einverständnismäßige Schranke ganz fehlt. Oder aber (2) das imperium stößt auf ein anderes, ihm gleich oder in bestimmten Hinsichten übergeordnetes imperium, an dessen Geltung es seine Schranken findet. Beides kann zusammentreffen und auf dieser Kombination beruht die Eigentümlichkeit der modernen, nach „Kompetenzen" gegliederten Staatsanstalt. Sie ist ihrem Wesen nach: eine anstaltsmäßige Vergesellschaftung der, nach bestimmten Regeln ausgelesenen, Träger bestimmter, ebenfalls durch allgemeine Regeln der Gewaltenteilung nach außen gegeneinander abgegrenzten imperia, welche zugleich auch sämtlich durch gesatzte Gewaltenbegrenzung innere Schranken der Legitimität ihrer Befehlsgewalt haben. Beide: sowohl die Gewaltenteilung als die Gewaltenbegrenzung können nun aber eine von der für die moderne Staatsanstalt charakteristischen Form höchst verschiedene Struktur haben. Speziell gilt dies auch für die Gewaltenteilung. Sie ist im antik römischen Intercessionsrecht der „par majore potestas", im patrimonialen, ständischen, feudalen politischen Gebilde absolut verschieden geartet, wie später zu erörtern sein wird. Durchweg aber gilt allerdings, richtig verstanden, Montesquieus Satz: daß erst die Gewaltenteilung die Konzeption eines „öffentlichen Rechts" möglich mache, nur nicht notwendig eine solche von der Art, wie er sie in England vorzufinden glaubte. Andererseits schafft aber auch nicht jede Art von Gewaltenteilung schon den Gedanken eines öffentlichen Rechts, sondern erst die der rationalen Staatsanstalt spezifische. Eine wissenschaftliche Lehre vom öffentlichen Recht hat nur der Okzident entwickelt, weil nur hier der politische Verband ganz den Charakter der Anstalt mit rational gegliederten Kompetenzen und Gewaltenteilung angenommen hat. Die Antike kennt genau so viel von wissenschaftlichem Staatsrecht, als rationale Gewaltenteilung vorhanden war: die Lehre von den imperia der einzelnen römischen Beamten ist wissenschaftlich gepflegt worden. Alles andere war wesentlich Staatsphilosophie, nicht Staatsrecht. Das Mittelalter kennt die Gewaltenteilung nur als Konkurrenz subjektiver Rechte (Privilegien oder feudaler Ansprüche) und daher keine gesonderte Behandlung eines Staatsrechts. Was es daneben gab, steckt im „Lehen"- und „Dienstrecht". Erst die Kombination von mehreren Momenten: in der Welt der Tatsachen die Vergesellschaftung der Privilegierten zur öffentlichen Korporation im Ständestaat, welcher Gewaltenbeschränkung und Gewaltenteilung zunehmend mit anstaltsmäßiger Struktur verbindet, auf dem Boden der Theorien der römische Korporationsbegriff, das Naturrecht und schließlich die französische Doktrin schufen die entscheidenden juristischen Konzeptionen des modernen öffentlichen Rechts. Wir werden von der Entwicklung desselben, soweit sie uns angeht, bei Besprechung der Herrschaft zu reden kommen. Daher soll im Nachfolgenden vorwiegend von der Rechtsschöpfung und Rechtsfindung auf den ökonomisch direkt relevanten Gebieten, welche heute dem „Privatrecht" und „Zivilprozeß" überlassen sind, gehandelt werden.

Unseren heutigen juristischen Denkgepflogenheiten zerfällt die Tätigkeit der öffentlichen Verbände von „Recht" in zweierlei: „Rechtsschöpfung" und „Rechtsfindung", an deren letztere sich, als rein technisch, die „Vollstreckung" anschließt. Unter „Rechtsschöpfung" aber stellen wir uns heute die Setzung einer generellen Norm vor, deren jede in der Sprache der Juristen den Charakter eines (oder mehrerer) rationaler „Rechtssätze" annimmt. Und die „Rechtsfindung" denken wir uns als „Anwendung" jener gesetzten Normen und der durch die Arbeit des juristischen Denkens aus ihnen abzuleitenden einzelnen „Rechtssätze" auf konkrete „Tatbestände", welche unter sie „subsumiert" werden. Keineswegs alle Epochen der Rechtsgeschichte haben so gedacht. Der Unterschied zwischen Rechtsschöpfung: Schaffung von „Rechtsnormen" und Rechtsfindung: deren „Anwendung" auf den Einzelfall, besteht überall da nicht, wo alle Rechtspflege freie, von Fall zu Fall entscheidende „Verwaltung" ist. Hier fehlt die Rechtsnorm sowohl wie das subjektive Recht auf ihre „Anwendung". Ebenso aber auch da, wo das objektive Recht als subjektives „Privileg" gilt und also der Gedanke einer „Anwendung" objektiver Rechtsnormen als der Grundlagen der subjektiven Rechtsansprüche nicht konzipiert ist. Außerdem aber überall da und soweit, als die Rechtsfindung nicht durch Anwendung von generellen Rechtsnormen auf den konkreten Fall, durch dessen Subsumtion unter die Norm also, stattfindet. Dies ist bei aller irrationalen Rechtsfindung der Fall, welche, wie wir gesehen haben, die ursprüngliche Art der Rechtsfindung überhaupt darstellt und wie wir noch sehen werden, die ganze Vergangenheit, außerhalb des Anwendungsgebietes des römischen Rechts, teils gänzlich, teils mindestens in Rudimenten beherrscht hat. Ebenso ist auch die Scheidung zwischen Normen des (durch Rechtsfindung zur Anwendung zu bringenden) Rechts und solchen des Hergangs der Rechtsfindung selbst nicht immer so klar vollzogen worden, wie heute der Unterschied zwischen materiellem und Prozeßrecht. Wo der Rechtsgang auf dem Einfluß des imperiums auf die Prozeßinstruktion beruhte, wie z. B. im älteren römischen Recht und, in technisch ganz anderer Art, auch im englischen Recht, liegt die Auffassung nahe, daß der materielle Rechtsanspruch mit dem Recht auf Benutzung eines prozessualen Klageschemas: der römischen „actio", des englischen „writ" identisch sei. In der Tat scheidet daher die ältere römische Rechtssystematik Prozeßrecht und Privatrecht nicht in der Art wie wir. Aus ganz anderen formalen Gründen konnte eine wenigstens ähnliche Mischung von, nach unseren Begriffen, prozessual- und materiell-rechtlichen Fragen da entstehen, wo die Rechtsfindung auf irrationalen Beweismitteln: Eid und Eideshilfe und ihrer ursprünglichen magischen Bedeutung oder auf Ordalien ruhte. Dann erscheint Recht oder Pflicht zu diesem magisch bedeutsamen Akt als Teil des materiellen Rechtsanspruchs oder, sehr leicht, als mit ihm identisch. Immerhin ist trotzdem die Scheidung von Normen für den Rechtsgang und den materiellen Rechtsnormen in der Sonderung der Richtsteige von den Rechtsbüchern anders, aber in ihrer Art ungefähr ebenso klar durchgeführt, wie in der älteren römischen Systematik.

Wie das Gesagte zeigt, ist die Art der Herausdifferenzierung der einzelnen uns heute geläufigen Grundkonzeptionen von Rechtssphären in hohem Maße von rechtstechnischen Momenten, teils von der Art der Struktur des politischen Verbandes abhängig und kann daher nur indirekt als ökonomisch bedingt gelten. Ökonomische Momente spielen insofern hinein, als die Rationalisierung der Wirtschaft auf der Basis der Marktvergemeinschaftung und der freien Kontrakte und damit die immer weitere Kompliziertheit der durch Rechtsschöpfung und Rechtsfindung zu schließenden Interessenkonflikte sowohl die Entwicklung der fachmäßigen Rationalisierung des Rechtes als solcher wie die Entwicklung des Anstaltscharakters des politischen Verbandes auf das allerstärkste beförderte, wie wir stets erneut sehen werden. Alle andern rein ökonomischen Einflüsse sind konkret bedingt und nicht auf allgemeine Regeln zu bringen. Andererseits werden wir immer erneut auch sehen, daß die von intern rechtstechnischen und politischen Momenten bedingten Eigenschaften des Rechts stark auf die Gestaltung der Wirtschaft zurückwirken. Im Nachfolgenden sollen nur die wichtigsten der auf die allgemeinen formellen Qualitäten des Rechts, der Rechtsschöpfung und Rechtsfindung einwirkenden Umstände kurz betrachtet werden. Und zwar kommt es uns unter diesen Qualitäten speziell an auf Maß und Art der *Rationalität* des Rechts, vor allem natürlich: des ökonomisch relevanten Rechts (des heutigen „Privatrechts").

Ein Recht kann aber in sehr verschiedenem Sinne „rational" sein, je nachdem, welche Richtungen der Rationalisierung die Entfaltung des Rechtsdenkens einschlägt. Zunächst: im Sinne der (scheinbar) elementarsten Denkmanipulation: des *Generalisierens*, was in diesem Fall bedeutet: der Reduktion der für die Entscheidung des Einzelfalls maßgebenden Gründe auf eine oder mehrere „Prinzipien": diese sind die „Rechtssätze". Diese Reduktion ist normalerweise bedingt durch eine vorhergehende oder gleichzeitige Analyse des Tatbestandes auf diejenigen letzten Bestandteile hin, welche für die rechtliche Beurteilung in Betracht kommen. Und umgekehrt wirkt die Herausläuterung immer weiterer „Rechtssätze" wieder auf die Abgrenzung der einzelnen, möglicherweise relevanten Merkmale der Tatbestände zurück: sie beruht auf *Kasuistik* und fördert sie ihrerseits. Allein keineswegs jede entwickelte Kasuistik verläuft in der Richtung oder parallel mit der Entwicklung von logisch hoch sublimierten „Rechtssätzen". Vielmehr gibt es auch auf dem Boden bloßen parataktischen und anschaulichen Assoziierens der „Analogie" sehr umfassende Rechtskasuistiken. Hand in Hand mit der analytischen Gewinnung von „Rechtssätzen" und den Einzelfällen geht bei uns die synthetische Arbeit der „juristischen Konstruktion" von „Rechtsverhältnissen" und „Rechtsinstituten", das heißt: die Feststellung: was an einem in typischer Art verlaufenden Gemeinschafts- oder Einverständnishandeln *rechtlich* relevant sei und in welcher in sich logisch widerspruchslosen Weise diese relevanten Bestandteile *rechtlich* geordnet, also als im „Rechtsverhältnis", zu denken seien. So eng die Manipulation mit den früheren zusammenhängt, so kann doch eine sehr hochgradige Sublimierung der Analyse mit sehr geringer konstruktiver Erfassung der rechtlich relevanten Lebensverhältnisse parallel gehen und umgekehrt eine Synthese eines „Rechtsverhältnisses" praktisch relativ befriedigend trotz sehr geringer Entwicklung der Analyse, zuweilen sogar infolge Einschränkung der Pflege der reinen Analyse, gelingen. Dieser letztere Widerspruch ist die Folge davon, daß aus der Analyse eine weitere logische Aufgabe zu entspringen pflegt, welche sich mit der synthetischen „Konstruktions"-Arbeit zwar prinzipiell verträgt, faktisch aber nicht selten in Spannungen zu ihr steht: die *Systematisierung*. Sie ist in jeder Form ein Spätprodukt. Das urwüchsige „Recht" kennt sie nicht. Nach unserer heutigen Denkgewohnheit bedeutet sie: die Inbeziehungsetzung aller durch Analyse gewonnenen Rechtssätze derart, daß sie untereinander ein logisch klares, in sich logisch widerspruchsloses und, vor allem, prinzipiell lückenloses System von Regeln bilden, welches also beansprucht: daß alle denkbaren Tatbestände unter eine seiner Normen müssen logisch subsumiert werden können, widrigenfalls ihre Ordnung der wesentlichen Garantie entbehre. Einen solchen Anspruch erhebt selbst heute nicht jedes Recht (z. B. das englische nicht), und noch viel weniger regelmäßig haben ihn die Rechte der Vergangenheit erhoben. Auch wo sie ihn erhoben, da war sehr oft die logische Sublimierung des Systems äußerst unentwickelt. In der Regel aber war die Systematisierung vorwiegend ein äußeres Schema der Ordnung des Rechtsstoffes und nur von geringem Einfluß auf die Art der analytischen Bildung der Rechtssätze sowohl wie auf die Konstruktion der Rechtsverhältnisse. Die spezifisch moderne (vom römischen Recht entwickelte) Systematisierung geht eben von „logischer Sinndeutung" sowohl der Rechtssätze des rechtlich relevanten Sichverhaltens aus, die Rechtsverhältnisse und die Kasuistik dagegen sträuben sich dieser Manipulation gegenüber nicht selten, da sie ihrerseits zunächst von „anschaulichen" Merkmalen aus erwachsen sind.

Mit all diesen Gegensätzen teils zusammenhängend, teils sie kreuzend aber gehen die Verschiedenheiten der rechtstechnischen Mittel, mit welchen die Rechtspraxis im gegebenen Fall zu arbeiten hat. Folgende einfachste Fälle ergeben sich:

Rechtsschöpfung und Rechtsfindung können entweder rational oder irrational sein. Irrational sind sie formell dann, wenn für die Ordnung von Rechtsschöpfung und Rechtsfindungsproblemen andere als verstandesmäßig zu kontrollierende Mittel angewendet werden, z. B. die Einholung von Orakeln oder deren Surrogaten. Materiell sind sie irrational insoweit, als ganz konkrete Wertungen des Einzelfalls, seien sie ethische oder gefühlsmäßige oder politische, für die Entscheidung maßgebend sind, nicht aber generelle Normen.

„Rationale" Rechtsschöpfung und Rechtsfindung können wieder in formeller oder in materieller Hinsicht rational sein. Formell mindestens relativ rational ist jedes formale Recht. „Formal" aber ist ein Recht insoweit, als ausschließlich eindeutige generelle Tatbestandsmerkmale materiell-rechtlich und prozessual beachtet werden. Dieser Formalismus aber kann wieder doppelten Charakter haben. Entweder nämlich können die rechtlich relevanten Merkmale sinnlich anschaulichen Charakter besitzen. Das Haften an diesen äußerlichen Merkmalen: z.B. daß ein bestimmtes Wort gesprochen, eine Unterschrift gegeben, eine bestimmte, ein für allemal in ihrer Bedeutung feststehende symbolische Handlung vorgenommen ist, bedeutet die strengste Art des Rechtsformalismus. Oder die rechtlich relevanten Merkmale werden durch logische Sinndeutung erschlossen und darnach feste Rechtsbegriffe in Gestalt streng abstrakter Regeln gebildet und angewendet. Bei dieser logischen Rationalität ist zwar die Strenge des anschaulichen Formalismus abgeschwächt, da die Eindeutigkeit des äußeren Merkmals schwindet. Aber der Gegensatz gegen die *materielle* Rationalität ist damit nur gesteigert. Denn diese letztere bedeutet ja gerade: daß Normen anderer qualitativer Dignität als logische Generalisierungen von abstrakten Sinndeutungen auf die Entscheidung von Rechtsproblemen Einfluß haben sollen: ethische Imperative oder utilitarische oder andere Zweckmäßigkeitsregeln oder politische Maximen, welche sowohl den Formalismus des äußeren Merkmals wie denjenigen der logischen Abstraktion durchbrechen. Eine spezifisch fachmäßige juristische Sublimierung des Rechts im heutigen Sinne ist aber nur möglich, soweit dieses *formalen* Charakter hat. Soweit der absolute Formalismus des sinnlichen Merkmals reicht, ist sie auf Kasuistik beschränkt. Erst die sinndeutende Abstraktion läßt die spezifisch systematische Aufgabe entstehen: die einzelnen anerkanntermaßen geltenden Rechtsregeln durch die Mittel der Logik zu einem in sich widerspruchslosen Zusammenhang von abstrakten Rechtssätzen zusammenzufügen und zu rationalisieren. Wir wollen nun sehen, wie die an der Rechtsbildung beteiligten Mächte auf die Entfaltung der formellen Qualitäten des Rechts einwirken. Die heutige juristische Arbeit, wenigstens diejenige ihrer Formen, welche den Höchstgrad methodisch-logischer Rationalität erreicht hatte: die von der gemeinrechtlichen Jurisprudenz geschaffene, geht von dem Postulate aus 1. daß jede konkrete Rechtsentscheidung „Anwendung" eines abstrakten Rechtssatzes auf einen konkreten „Tatbestand" sei, – 2. daß für jeden konkreten Tatbestand mit den Mitteln der Rechtslogik eine Entscheidung aus den geltenden abstrakten

Rechtssätzen zu gewinnen sein müsse, – 3. daß also das geltende objektive Recht ein „lückenloses" System von Rechtssätzen darstellen oder latent in sich enthalten oder doch als ein solches für die Zwecke der Rechtsanwendung behandelt werden müsse, – 4. daß das, was sich juristisch nicht rational „konstruieren" lasse, auch rechtlich nicht relevant sei, – 5. daß das Gemeinschaftshandeln der Menschen durchweg als „Anwendung" oder „Ausführung" von Rechtssätzen oder umgekehrt „Verstoß" gegen Rechtssätze gedeutet werden müsse (diese Konsequenz ist namentlich von Stammler – wenn auch nicht expressis verbis – vertreten, da entsprechend der „Lückenlosigkeit" des Rechtssystems ja auch die „rechtliche Geordnetheit" sozialen Geschehens sei).

Wir kümmern uns zunächst gar nicht um diese Postulate des Denkens, sondern wollen einige der für das Funktionieren des Rechts wichtige, allgemeine formale Qualitäten desselben untersuchen.

§ 2. Der Formcharakter des objektiven Rechtes.

Problem der Neuentstehung von Rechtsnormen. Das „Gewohnheitsrecht" S. 648. – Die tatsächlichen Komponenten der Rechtsentwicklung. Interessentenhandeln und Rechtszwang S. 649. – Irrationaler Charakter der urwüchsigen Streitschlichtung S. 654. – Charismatische Rechtsschöpfung und Rechtsfindung S. 657. – Dinggenossenschaftliche Rechtsfindung S. 660. – Die „Rechtshonoratioren" und Träger der Rechtsschöpfung S. 664.

Wie entstehen *neue* Rechtsregeln? Heute normalerweise durch Gesetz, d. h. menschliche Satzung in den dafür kraft gewohnter oder oktroyierter Verfassung eines Verbandes als legitim geltenden Formen. Daß dies nichts Urwüchsiges ist, versteht sich von selbst. Allein auch unter ökonomisch und sozial weitgehend differenzierten Verhältnissen ist es nicht das Normale. Das englische Common Law wird dem durch Satzung entstandenen Recht: „Statute Law", direkt entgegengesetzt. Bei uns pflegt man das nichtgesatzte Recht als „Gewohnheitsrecht" zu bezeichnen. Allein das ist ein relativ sehr moderner Begriff, der im römischen Recht erst spät auftaucht und bei uns Produkt der gemeinrechtlichen Jurisprudenz ist. Vollends sind die Voraussetzungen: 1. faktische gemeinsame Übung, 2. gemeinsame Überzeugung von der Rechtmäßigkeit, 3. Rationalität, – an welche die gemeinrechtliche Wissenschaft seine Geltung zu knüpfen pflegte, Produkt des theoretischen Denkens. Auch alle seine heute üblichen

Definitionen gelten als juristische Konstruktion. Für diese ist allerdings der Begriff in der sublimierten Form, die etwa Zitelmann oder auch Gierke ihm gegeben haben, nicht entbehrlich, es sei denn durch die Beschränkung alles nicht statutarischen Rechts auf bindende Präjudizien. Auf juristischem Gebiet ist der heftige Kampf der Rechtssoziologen (Lambert, Ehrlich) gegen ihn m. E. durchaus unbegründet und bedeutet eine Vermischung juristischer und soziologischer Betrachtungsweise. Ganz anders, wenn es sich um die uns hier beschäftigende Frage handelt: inwieweit die überkommene juristische Konstruktion der Geltungsbedingungen des „Gewohnheitsrechts" etwas Richtiges über die *faktische* Entstehung der empirischen „Geltung" nicht durch Satzung geschaffenen Rechts aussagen. Das ist in der Tat nur in sehr geringem Maß der Fall. Als Aussagen über die tatsächliche Entwicklung von Recht in der Vergangenheit, gerade in den Zeiten ganz oder fast ganz fehlender „Gesetzgebung" wären diese juristischen Begriffe unbrauchbar und historisch unwirklich. Zwar finden sie ihren Anhalt sowohl in spätrömischen wie in mittelalterlichen, kontinentalen sowohl wie englischen Aussprüchen über die Bedeutung und die Voraussetzungen der „consuetudo" als Rechtsquelle. Allein dabei handelte es sich stets um das typische Problem des Ausgleichs zwischen einem, universale Geltung beanspruchenden, rationalen Recht und den vorgefundenen lokalen (oder nationalen) Rechten. Im spätrömischen Reich um den Gegensatz zwischen dem Reichsrecht und den nationalen Rechten der Provinzialen. In England um den Gegensatz zwischen dem Reichsrecht (lex terrae) des Common Law und den örtlichen Rechten, auf dem Kontinent um die Beziehung des rezipierten römischen Rechts zu den nationalen Rechten. Nur diese dem universalen Recht widerstrebenden Partikularrechte wurden von den Juristen unter jene Definition gebracht und in ihrer Geltung an jene Voraussetzungen gebunden, wie dies – da das universale Recht als allein legitim auftrat – nicht wohl anders sein konnte. Dagegen hat nie jemand daran gedacht, etwa das englische Common Law, welches ganz gewiß kein „Gesetzesrecht" ist, durch die übliche Definition des „Gewohnheitsrechts" zu qualifizieren. Und die Definition islamischen „idschma" als „tacitus consensus omnium" hat mit „Gewohnheitsrecht" schon deshalb nichts zu tun, weil sie ja „heiliges" Recht zu sein prätendiert.

Die urwüchsige Konzeption von Rechtsnormen könnte – sahen wir früher – rein theoretisch am einfachsten so gedacht werden: daß anfangs rein faktische Gewohnheiten des Sichverhaltens infolge der psychologischen „Eingestelltheit" 1. als „verbindlich" empfunden und mit dem Wissen von ihrer überindividuellen Verbreitung 2. als „Einverständnisse" in das halb oder ganz bewußte „Erwarten" des sinnhaft entsprechenden Handelns anderer hineingehoben werden, denen dann 3. die sie gegenüber den „Konventionen" auszeichnende Garantie von Zwangsapparaten zuteil wird. Allein schon rein theoretisch fragt es sich dann: wie kam Bewegung in eine träge Masse derart kanonisierter „Gewohnheiten", welche ja aus sich heraus, gerade weil sie als „verbindlich" galten, nichts Neues gebären zu können scheint? Die historische Schule der Juristen neigte dazu, Evolutionen eines „Volksgeistes" anzunehmen, als deren Träger dann eine überindividuelle organische Einheit hypostasiert wurde. Dazu neigte z. B. auch Karl Knies. Mit dieser Auffassung ist wissenschaftlich nichts anzufangen. „Unbewußte", d. h. von den Beteiligten nicht als Neuschöpfungen empfundene Entstehung von empirisch geltenden Regeln, auch Rechtsregeln, für das Handeln ist freilich zu jeder Zeit vor sich gegangen und geht noch vor sich. Vor allem im Wege des unbemerkten Bedeutungswandels. Also durch Verwirklichung des Glaubens, daß faktisch neuartige Tatbestände tatsächlich für die rechtliche Beurteilung nichts Neues enthielten. Aber auch so, daß auf alte oder neuartige Tatbestände tatsächlich neues Recht angewendet wurde, in dem Glauben, es habe immer so gegolten und sei immer so angewendet worden. Allein daneben steht von jeher die breite Schicht all derjenigen Fälle, in welchen beides: sowohl der Tatbestand als das auf ihn angewendete Recht, als – in verschiedenem Sinn und Grade – „neu" gewertet wurde. Woher stammt dies Neue? Man wird antworten: es entstand durch Änderung der äußeren Existenzbedingungen, welche Änderungen der bisher empirisch geltenden Einverständnisse nach sich ziehen. Die bloße Änderung der äußeren Bedingungen ist dafür aber weder ausreichend noch unentbehrlich. Entscheidend ist vielmehr stets ein neuartiges *Handeln*, welches zu einem Bedeutungswandel von geltendem Recht oder zur Neuschaffung von Recht führt. An diesem, im Erfolg, rechtumbildenden Handeln sind nun verschiedene Kategorien von Personen beteiligt. Zunächst die einzelnen Interessenten eines konkreten Gemeinschaftshandelns. Teils um unter „*neuen*" äußeren Bedingungen seine Interessen zu wahren, ganz ebenso aber auch um unter den alten Bedingungen sie besser als bisher zu wahren, ändert der einzelne Interessent sein Handeln, insbesondere sein Gemeinschaftshandeln. Dadurch entstehen neue Einverständnisse oder auch rationale Vergesellschaftungen mit inhaltlich neuem Sinngehalt, die dann ihrerseits wieder neue rein faktische Gewohnheiten entstehen lassen. Allerdings können auch ganz ohne solche Neuorientierungen des Handelns durch veränderte Existenzbedingungen Änderungen im Gesamtzustand des Gemeinschaftshandelns entstehen. Es kann entweder von mehreren schon bestehenden Arten des Sichverhaltens diejenige, welche unter den veränderten Bedingungen die für die ökonomischen oder sozialen Chancen der betreffenden Interessenten günstigste Art des Gemeinschaftshandelns darstellt, zu ungunsten anderer, unter den bisherigen Bedingungen ebenso „angepaßt" gewesener Arten durch einfache „Auslese" überleben, um schließlich Gemeingut zu werden, ohne daß – im theoretischen Grenzfall – irgendein Einzelner sein Handeln geändert hätte. Im Ausleseprozeß zwischen ethnischen oder religiösen, besonders zäh an ihren Sitten festhaltenden Gruppen kommt Derartiges wenigstens annäherungsweise wohl vor. Aber im ganzen häufiger wird ein neuer Inhalt des Gemeinschaftshandelns und der Vergesellschaftungen von Einzelnen durch „Erfindung" geschaffen und verbreitet sich dann durch Nachahmung und Auslese. Dieser letztere Fall ist speziell als Quelle ökonomischer Neuorientierung auf allen auch nur mäßig rationalisierten Stufen der Lebensführung, nicht erst in moderner Zeit, von der hervorragendsten Bedeutung. Diese Vereinbarungen kümmern sich aber um die Frage, ob sie die Chance haben durch Rechtszwang, wenigstens durch politischen Rechtszwang, garantiert zu sein, zunächst vielfach gar nicht. Den politischen Rechtszwang halten die Interessenten sehr oft entweder für unnötig oder für selbstverständlich, und noch häufiger hält jeder Beteiligte, je nachdem, mehr das Eigeninteresse oder mehr die Loyalität der anderen Beteiligten oder beides und daneben den Druck der Konvention für eine ausreichende Bürgschaft. Tatsächlich ist die „rechtliche" Garantie einer Norm vor dem Bestehen irgendeines Zwangsapparats, ja selbst vor geregelter Garantie durch die Sippenrachepflicht zweifellos dadurch ersetzt worden, daß der nach allgemeiner Konvention für „im Recht" befindlich Angesehene die Chance hatte, Helfer gegen den Verletzer zu finden. Wo aber besondere Garantien erwünscht scheinen, ersetzte den Interessenten noch unter sehr differenzierten Verhältnissen in weitestem Umfang die magische Selbstverfluchung: der Eid, jede andere Garantie, auch die schon bestehende Rechtszwangsgarantie. Für die meisten Epochen vollzog sich wohl der überwiegende Teil der einverständnismäßigen Ordnung auch ökonomischer Dinge auf diese Art ohne Rücksicht wenigstens auf die Chancen eines staatlichen Rechtszwangs, ein erheblicher Teil ohne Rücksicht auf Zwangsmöglichkeiten überhaupt. Institute wie die südslawische „Zadruga" (Hauskommunion) freilich, an denen man die Entbehrlichkeit des Rechtszwangs zu demonstrieren pflegt, entbehrten in Wahrheit nur des staatlichen Rechtsschutzes, standen dagegen ohne Zweifel in der Zeit ihrer universellen Verbreitung unter einem höchst wirksamen Zwangsschutz der Dorfautorität. Jahrhundertelang können derartige einmal eingelebte Formen des Einverständnishandelns ohne alle Rücksicht auf staatlichen Rechtszwang fortexistieren. Die Zadruga war dem gerichtlich anerkannten Recht Österreichs nicht nur unbekannt, sondern stand mit manchen seiner Normen direkt im Widerspruch, beherrschte aber dennoch das praktische Handeln der Bauernschaft. Solche Beispiele dürfen allerdings keineswegs zum Normalfall verallgemeinert werden. Zunächst ist selbst bei Anerkennung der völligen Gleichberechtigung mehrerer nebeneinander bestehender und gleichmäßig für ihre Anhänger religiös legitimierter Rechtssysteme und bei Freistellung des Anschlusses an jedes derselben die Tatsache, daß einem von ihnen außer der religiösen Verbindlichkeit noch der staatliche Rechtszwang zur Verfügung steht, selbst bei streng traditionalistischen Bedingungen in Staat und Wirtschaft für ihre Chancen im Konkurrenzkampf ausschlaggebend. So galten die vier orthodoxen Rechtsschulen des Islam offiziell als gleich geduldet, und es gilt unter ihnen der Grundsatz der Personalität des Rechts so, wie etwa im fränkischen Reich für die Stammesrechte, auch sind sie z. B. an der Universität in Kiew alle vier vertreten. Aber der Umstand, daß bei den weltlichen Behörden und Gerichten die persönliche Rechtskonfession der osmanischen Sultane: das Hanefitentum, den Zwangsschutz genießt, hat das früher einmal ebenso privilegierte, jetzt aber dieses Schutzes entbehrende Malekitentum und vollends die beiden andern Rechtssekten trotz des Fehlens aller und jeder sonstigen Störung ihrer Existenz doch zum langsamen Absterben verurteilt. Und die Unbekümmertheit der Interessenten um die Chance des politischen Rechtszwanges gilt auch in ziemlich geringem Maße für das eigentliche „Geschäfts"-Leben, das heißt für die Kontrakte des Gütermarkts. Hier vollzieht und vollzog sich vielmehr von jeher gerade die Neubildung von Formen der Vergesellschaftung ganz regelmäßig so, daß die Chance des Rechtszwanges durch die Gerichte als politische Gewalt sehr genau kalkuliert und der abzuschließende „Zweckkontrakt" ihnen angepaßt wird, namentlich auch die Erfindung neuer Kontraktschemata mit Rücksicht auf diese Chancen vor sich geht. Der Bedeutungswandel des geltenden Rechts wird dann also zwar durch die Tätigkeit der einzelnen Rechtsinteressenten – oder vielmehr regelmäßig durch die Tätigkeit ihrer berufsmäßigen Berater – herbeigeführt, aber dabei ganz bewußt und rational an die Erwartungen bezüglich der Rechtsfindung angepaßt. Die älteste Art der Tätigkeit eigentlich „berufsmäßiger" rational arbeitender „Juristen" besteht gerade in dieser Tätigkeit (dem römischen „cavere"). Die Berechenbarkeit des Funktionierens der Zwangsapparate ist unter den Bedingungen sich entwickelnder Marktwirtschaft die technische Voraussetzung und eine der Triebkräfte für die Erfindungsgabe der „Kautelarjuristen", die wir als ein selbständiges Element der Rechtsneubildung durch private Initiative überall, am entwickeltsten und kontrollierbarsten im römischen und englischen Recht, tätig finden.

Andererseits wird natürlich überall die Chance des Rechtszwangs ihrerseits im stärksten Maße durch die Tatsache der Verbreitung von Einverständnissen und rationalen Vereinbarungen eines bestimmten Typus beeinflußt. Denn nur das Singuläre pflegt unter normalen Verhältnissen keine Garantie durch einen Zwangsapparat zu finden. Einmal universell verbreitete Gepflogenheiten und Einverständnisse werden dagegen von den Zwangsapparaten dauernd nur dann ignoriert, wenn bestimmte formale Gründe oder ein Eingreifen autoritärer Gewalten sie absolut dazu nötigen. Oder wenn die Organe des Rechtszwanges, sei es, weil sie durch die Macht eines ethnisch oder politisch fremden Herrschers den Beherrschten aufgezwungen oder sei es, weil sie durch berufliche und sachliche Spezialisierung dem privaten Geschäftsleben entrückt sind, diesen fremd gegenüberstehen, wie dies namentlich unter Bedingungen weitgehender gesellschaftlicher Differenzierung der Fall sein kann. Der gemeinte Sinn von Vereinbarungen kann strittig oder ihre Verbreitung eine noch prekäre Neuerung sein. Dann ist der „Richter", wie wir hier a potiori den Rechtszwangsapparat nennen wollen, eine zweite selbständige Instanz. Aber auch davon abgesehen drückt er keineswegs nur sein Siegel auf die schon faktisch einverständnismäßig oder vereinbartermaßen geltenden Ordnungen. Sondern in allen Fällen beeinflußt er die Auslese des als Recht überlebenden, oft sehr stark durch die über den Einzelfall hinauswirkenden Konsequenzen einer einmal getroffenen Entscheidung. Wir werden zwar bald sehen, daß die Quelle „richterlicher" Entscheidungen zunächst entweder gar nicht oder doch nur für gewisse formale Vorfragen durch generelle Normen – „Entscheidungsnormen" – irgendwelcher Art gebildet werden, welche er auf den konkreten Fall „anwenden" könnte. Sondern gerade umgekehrt: indem der Richter in einem konkreten Fall aus noch so konkreten Gründen die Zwangsgarantie eintreten läßt, schafft er unter Umständen die empirische Geltung einer generellen Norm als „objektives Recht", weil seine Maxime über diesen Einzelfall hinaus Bedeutung gewinnt. Auch dies ist keineswegs etwas Urwüchsiges oder Allgemeines. Es fehlt ganz bei der urwüchsigen Entscheidung durch magische Mittel der Rechtsoffenbarung. Aber in aller noch nicht formaljuristisch rationalisierten Rechtsfindung, auch wo sie das Stadium des Gottesurteils verlassen hat, wirkt zunächst sehr stark die Irrationalität des Einzelfalls. Weder wird eine generelle „Rechtsnorm" auf ihn angewendet noch gilt die Maxime der konkreten Entscheidung – soweit eine solche überhaupt vorhanden ist und bewußt wird – als eine, nachdem sie einmal „erkannt" ist, auch für kirchliche „Erkenntnisse" maßgebende Norm. Muhammed widerruft in den Suren mehrfach die früher gegebenen Anweisungen, obwohl diese doch göttlichen Ursprungs waren und auch Jahve „gereut" seine Entschlüsse. Auch in bezug auf Rechtsentscheidungen kommt dies vor. Ein Orakel Jahves ordnet das Töchtererbrecht (Num. 27). Aber auf Remonstration der Interessenten wird dies Orakel korrigiert (Num. 36). Hier sind also sogar Weistümer über generelle Regeln labil. Wo vollends der Einzelfall durch Los (Urim und Thummim bei den Juden) oder Zweikampf oder andere Gottesurteile oder konkretes Orakel entschieden wird, da ist von „Regelhaftigkeit" der Entscheidung weder im Sinne von Regelanwendung noch von Regelschaffung die Rede. Aber auch die Rechtssprüche von Laienrichtern entwickeln sich recht schwer und spät zu der Vorstellung, daß dies Urteil eine „Norm" über den einzelnen Fall hinaus bedeute, wie z. B. Wladimirski-Budanows Untersuchungen zeigen. Denn die Entscheidung ergeht, jemehr sie eine Angelegenheit von „Laien" ist, destoweniger „ohne", destomehr im Gegenteil „mit Ansehen der Person" und der ganz konkreten Lage der Sache. Ein gewisses Maß von Stabilität und Stereotypierung zu Normen tritt immerhin ganz unvermeidlich ein, sobald die Entscheidung Gegenstand irgendeiner Diskussion wird oder rationale Gründe dafür gesucht oder vorausgesetzt werden, also mit jeder Abschwächung des ursprünglichen rein irrationalen Orakelcharakters. Allerdings wirkt, wie wir sehen werden, zunächst innerhalb gewisser Grenzen gerade noch der magische Charakter des Beweisrechts der Frühzeit: die Notwendigkeit „richtiger" Formulierung der zu stellenden Frage mit. Zum andern Teil aber die Natur der Sache. Denn offenbar ist es für einen Richter, dem eine bestimmte Maxime einmal bewußt und erkennbar als Entscheidungsnorm gedient hat, sehr erschwert, oft fast unmöglich, in anderen gleichartigen Fällen die in jenem Fall gewählte Zwangsgarantie zu versagen, ohne sich dem Verdachte der Befangenheit auszusetzen. Auch für andere Richter nach ihm gilt das gleiche und zwar je ungebrochener im allgemeinen die „Tradition" das

Leben beherrscht, desto mehr. Denn gerade dann erscheint naturgemäß jede getroffene Entscheidung, einerlei wie sie zustande kam, als Ausfluß, also entweder als Ausdruck oder als Bestandteil der allein, also dauernd richtigen Tradition, und wird so ein Schema, welches dauernde Geltung zum mindesten prätendiert. In diesem Sinn ist der subjektive *Glaube*, nur schon geltende Normen anzuwenden, in der Tat urwüchsig für jede dem prophetischen Zeitalter entwachsene Rechtsfindung und durchaus nichts „Modernes". Das Typischwerden bestimmter Einverständnisse und vor allem: zwecksozialer Vereinbarungen, welche das Handeln der Einzelnen zunehmend bewußt schafft, indem sie ihre Interessensphären gegeneinander, unter Mithilfe des geschulten „Anwalts", abgrenzen und die „Präjudizien" der „Richter" sind also primäre Quellen der Rechtsnormbildung. So ist in Wirklichkeit z. B. die breite Masse des englischen Common Law entstanden. Die weitgehende Mitwirkung rechtserfahrener und geschulter, in zunehmendem Umfang „berufsmäßig" sich diesem Zweck widmender Experten als Anwälte und Richter stempeln die Masse des auf diesem Wege entstehenden Rechts zum „Juristenrecht". Die Mitwirkung rein „gefühlsmäßiger" Determinanten: des sogenannten „Billigkeitsgefühls", bei der Rechtsbildung ist damit keineswegs geleugnet. Aber die Beobachtung lehrt, wie außerordentlich labil das „Rechtsgefühl" funktioniert, soweit ihm nicht das feste Pragma einer äußeren oder inneren Interessenlage die Bahnen weist. Es ist, wie man noch heute leicht erfahren kann, jäher Umschläge fähig und nur wenige sehr allgemeine und inhaltsleere Maximen sind ihm universell eigen: gerade die Besonderheiten „nationaler" Rechtsentwicklungen dagegen lassen sich aus einer Verschiedenheit des Funktionierens „gefühlsmäßiger" Quellen, so viel bisher bekannt, nirgends ableiten. Stark emotional, ist gerade das „Gefühl" sehr wenig geeignet, stabil sich behauptende Normen zu stützen, sondern vielmehr eine der verschiedenen Quellen irrationaler Rechtsfindung. Nur so kann vielmehr die Frage gestellt werden: inwiefern „volkstümliche", d. h. unter den Rechtsinteressenten verbreitete Anschauungen sich im *Gegensatze* zum „Juristenrecht" der ständig mit der Kontraktserfindung und Rechtsfindung befaßten Rechtspraktiker („Anwälte" und „Richter") sich durchzusetzen vermögen. Das eben ist eine je nach der Art des Hergangs der Rechtsfindung, wie wir sehen werden, verschieden sich lösende Frage.

Außer durch den Einfluß und (meist) das Zusammenwirken dieser verschiedenen Faktoren: durch eine um die Chance des Rechtszwangs zunächst ganz unbekümmerte Neuorientierung des Gemeinschaftshandelns von Rechtsinteressenten, welches dann die Rechtsfindung vor neue Situationen stellt, durch die an der Chance des Funktionierens der Rechtsfindung und des Zwangsapparats sich orientierende Tätigkeit (Rechtserfindung) der berufsmäßigen Parteiberater (Anwälte), durch die Konsequenzen der Entscheidungen (Präjudizien) der Rechtsfindung (Richter), kann aber die Neubildung von Rechtsregeln auch durch spontane Oktroyierung von solchen (Rechtsschöpfung) erfolgen. Freilich geschieht diese zunächst in sehr anderen Formen, als wir sie heute gewohnt sind. Denn überall fehlt ursprünglich der Gedanke: daß man Regeln für das Handeln, welche den Charakter von „Recht" besitzen, also durch „Rechtszwang" garantiert sind, als *Normen* absichtlich schaffen könne, vollständig. Es fehlt den Rechtsentscheidungen zunächst, wie wir sahen, der Begriff der „Norm" überhaupt. Sie geben sich durchaus nicht als „Anwendung" feststehender Regeln, wie wir das heute für die Urteile als selbstverständlich ansehen. Wo also die Vorstellung von für das Handeln „geltenden" und für die Streitentscheidung *verbindlichen* Normen konzipiert ist, werden diese vielmehr zunächst nicht als Produkte oder auch nur als möglicher Gegenstand menschlicher Satzungen aufgefaßt. Sondern ihre „legitime" Existenz beruht entweder auf der absoluten Heiligkeit bestimmter Gepflogenheiten als solcher, von denen abzuweichen bösen Zauber oder die Unruhe der Geister oder den Zorn der Götter hervorrufen kann. Sie gelten als „Tradition" wenigstens theoretisch als unabänderlich. Sie müssen erkannt und richtig, den Gepflogenheiten entsprechend, interpretiert werden, aber man kann sie nicht schaffen. Sie zu interpretieren fällt denen zu, welche sie am längsten kennen, also den physisch ältesten Leuten oder den Sippenältesten, oder – und besonders oft – den Zauberern und Priestern, weil sie allein kraft ihrer fachmäßigen Kenntnis der magischen Kräfte bestimmte Regeln: Kunstregeln für den Verkehr mit den übersinnlichen Mächten, kennen und kennen müssen. Trotzdem nun entstehen Normen auch bewußt als *oktroyierte* neue Regeln. Dies aber kann geschehen nur auf dem hierfür ausschließlich möglichen Wege einer neuen charismatischen *Offenbarung*: entweder der Offenbarung einer nur individuellen Entscheidung, was im konkreten Einzelfall rechtens sei. Das ist das Ursprüngliche. Oder auch einer generellen Norm, was künftig in allen ähnlichen Fällen zu geschehen habe. Die Rechtsoffenbarung in diesen Formen ist das urwüchsige revolutionierende Element gegenüber der Stabilität der Tradition und die Mutter aller „Setzung" des Rechts. Die Eingebung neuer Normen kann dem charismatisch Qualifizierten wirklich oder wenigstens scheinbar ganz unvermittelt durch konkrete Anlässe, insbesondere also ohne alle Änderung der äußeren Bedingungen, kommen. Derartiges hat sich tatsächlich oft ereignet. Die Regel aber ist, daß, wenn Verschiebungen der ökonomischen oder sonstigen Lebensbedingungen neue Normen für bisher *nicht* geordnete Probleme fordern, man sie künstlich sich verschafft durch Zaubermittel der verschiedenen möglichen Art. Normaler Träger dieser primitiven Form einer Anpassung von Ordnungen an neu entstandene Situationen ist der Zauberer oder der Priester eines Orakelgottes oder ein Prophet. Der Übergang von der Interpretation der alten Tradition zur Offenbarung neuer Ordnungen ist dabei natürlich flüssig. Denn auch für jene gibt es, sobald die Weisheit der Ältesten oder Priester versagt, nur den gleichen Weg. Der gleiche Weg aber ist auch im Rechtsgang für die *Tatsachen*feststellung, wo diese streitig ist, unentbehrlich.

Uns interessieren nun hier die Konsequenzen dieser Wege der Rechtserfindung, Rechtsfindung und Rechtsschöpfung für die formalen Qualitäten des Rechts. Die Folge des Hineinragens der Magie in alle Schlichtung von Streitigkeiten und in alle Schaffung neuer Normen ist der allem primitiven Rechtsgang eigentümliche streng *formale* Charakter. Denn nur auf die formal richtig gestellte Frage geben ja die Zaubermittel die richtige Antwort. Und man kann nicht jede beliebige Frage nach Recht oder Unrecht jedem beliebigen Zaubermittel unterwerfen, sondern für jede Art von Rechtsfragen gibt es spezifische Mittel. Daher zunächst der aller urwüchsigen und dabei doch zu fester Regelung gelangten Justiz gewiesene Grundsatz: daß jeder kleinste Fehler in der von der Partei zu vollziehenden Aussprache der irgendeinen Prozeßakt begründenden feierlichen Formeln den Verlust des betreffenden Rechtsmittels, eventuell des ganzen Prozesses, zur Folge hat. Er gehört den römischen legisactiones ebenso wie dem frühmittelalterlichen Recht an. Der Prozeß aber war, sahen wir, das älteste „Rechtsgeschäft" (weil er auf einem Kontrakt – Sühnevertrag – beruht). Daher besteht das entsprechende Prinzip in den in feierlicher Form vollzogenen privaten Rechtsgeschäften des strengen Rechts in Rom wie im frühen Mittelalter: sie sind nichtig, falls die geringste Abweichung von der (magisch) wirksamen Formel vorfällt. Vor allem aber steht am Anbeginn des Rechtsformalismus im Prozeß das formal gebundene *Beweis*recht. Einen prozessualen „Beweis" im heutigen Sinn reglementiert dasselbe überhaupt nicht. Man bringt nicht Beweismittel vor, durch welche eine „Tatsache" als „wahr" oder „falsch" erwiesen werden soll. Sondern es handelt sich darum: welche Partei und in welchen Formen sie die Frage über ihr *Recht* an die magischen Gewalten soll stellen dürfen oder müssen. Dem *forma-*

len Charakter der Prozedur selbst steht also der durchaus *irrationale* Charakter der Entscheidungsmittel gegenüber. Und auch das in den Wahrsprüchen sich realisierende „objektive Recht" ist daher, soweit nicht ganz strenge Traditionsnormen allgemein anerkannt sind, durchaus flüssig und biegsam. Es fehlen alle logisch rationalen Begründungen der konkreten Entscheidung. Dies auch da, wo nicht ein Gott oder ein magisches Beweismittel, sondern der Wahrspruch eines charismatisch qualifizierten Weisen oder, später, eines traditionskundigen Alten oder eines Sippenältesten oder gewählten Schiedsrichters oder eines ein für allemal gewählten Rechtsweisers (Gesetzessprechers) oder eines von politischen Herren oktroyierten Richters entscheidet. Denn ein solcher Wahrspruch könnte immer nur entweder dahin lauten: so ist es immer gehalten worden, oder: so hat der Gott befohlen es diesmal, oder: es jetzt und in Zukunft bei solchen Fällen zu halten. Und ganz ähnlich steht es auch mit der bekannten großen Neuerung König Heinrichs II. von England: der Quelle der Jury im Zivilprozeß. Die „assisa novae disciplinae", welche durch königlichen „writ" auf Anrufung der Partei gewährt wird, bedeutet den Ersatz der Entscheidung von Grundbesitzklagen durch die alten magisch-rationalen Beweismittel: Eideshilfe und Zweikampf insbesondere, durch die Befragung von 12 vereidigten Nachbarn über den Besitzstand. Indem die Parteien späterhin für alle möglichen Streitigkeiten sich freiwillig (faktisch aber bald: gezwungen) darauf einigten, statt der Extraktion der assisa und des alten irrationalen Verfahrens sich einem Spruch von 12 Geschworenen zu unterwerfen, wurde daraus die „jury". Sie tritt also gewissermaßen an Stelle der Befragung des Orakels und gibt so wenig wie dieses rationale Gründe ihrer Entscheidung an. Zwischen dem leitenden „Richter" und der jury teilt sich die Erledigung des Verfahrens. Daß die populäre Ansicht: die Geschworenen hätten dabei die „Tatfrage", der Richter die „Rechtsfrage" zu erledigen, irrig ist, steht fest. Was die Rechtspraktiker an der jury (gerade in Zivilsachen) schätzen, ist vielmehr: daß sie auch gewisse konkrete Rechtsfragen entscheidet, *ohne* daß daraus aber im künftigen Urteile in anderen Sachen bindendes „Präjudiz" entsteht, also der irrationale Charakter ihrer Entscheidungen über *Rechts*fragen. Im englischen Recht beruht auf dieser Bedeutung der Ziviljury die sehr allmähliche Entwicklung mancher praktisch längst geltenden Regeln zur Dignität von rechtlich „geltenden" Normen. Je nachdem nämlich der Richter Bestandteile des Wahrspruchs, welche, als ungeschieden von der Tatfrage in ihrer Unerkennbarkeit vorhanden, aus diesem Inkognito heraushob und zu Prinzipien des Urteils stempelte, wurden sie Bestandteile geltenden Rechts. Ein großer Teil des geltenden Handelsrechts ist so durch die Richtertätigkeit Lord Mansfields präjudiziell formuliert und dadurch mit der Dignität eines Rechtssatzes ausgestattet worden, während man sich vorher auf das konkrete „Rechtsgefühl" der jury verlassen hatte, welche die betreffenden Rechtsprobleme gleichzeitig mit der Tatfrage erledigte und, wenn sie erfahrene Geschäftsleute enthielt, auch ganz sachgemäß erledigen konnte. Im römischen Rechtsleben beruhte eben hierauf: auf der Beratung der Zivilgeschworenen, die schöpferische Tätigkeit der respondierenden Juristen. Mit dem Unterschiede, daß hier die Analyse der Rechtsfragen eben durch eine selbständige rechtskundige Instanz außerhalb des Gerichts erledigt wurde, und daher die Tendenz zur Abwälzung der Arbeit von Geschworenen auf den Respondenten hier ebenso die Auswertung von „Gefühls"-Maximen zu rationalen Rechtssätzen beförderte, wie im englischen Verfahren die Versuchung, die Arbeit vom vorsitzenden Richter auf die jury abzuwälzen, den umgekehrten Effekt haben konnte und vielfach hatte. In der Form der jury ragt also die urwüchsige Irrationalität der Entscheidungsmittel und dadurch auch des „geltenden Rechts" selbst im englischen Prozeß bis in die Gegenwart hinein. – Auch soweit aber sich typische „Tatbestände", welche nach typischen Regeln beurteilt werden, aus dem Zusammenwirken der privaten Geschäftspraxis und der Präjudizien des „Richters" entwickelt haben, tragen diese nicht den rationalen Charakter eines von dem modernen Rechtsdenken herauspräparierten „Rechtssatzes" an sich.

Durchaus anschaulich, nach handgreiflichen Merkmalen, nicht aber nach dem durch Rechtslogik zu erschließenden Sinngehalt, werden dabei die rechtlich relevanten Tatbestände voneinander geschieden, stets nur unter dem Gesichtspunkt: welche Frage und welcher Weg der Befragung der Götter oder der charismatischen Instanzen in jedem der Fälle zulässig sein solle und welcher von den interessierten Parteien das Recht und die Pflicht zukomme, das betreffende Beweismittel zur Anwendung zu bringen. Der primitive Rechtszwang mündet daher, wo er streng formal und konsequent entwickelt ist, in ein „bedingtes Beweisurteil" aus, entsprechend am meisten den Fällen, wo heute auf einen Parteieid erkannt wird. Es wird einer von beiden Parteien ein bestimmter Beweis als Pflicht (und: Recht) zugesprochen und daran als Rechtsfolge (ausdrücklich oder stillschweigend) der Gewinn oder Verlust der Sache geknüpft. Sowohl das prätorische Formularverfahren in Rom wie der englische writ-Prozeß mit jury knüpfen mit ihrer Zweiteilung des Verfahrens (obwohl sie sonst technisch verschieden ist) an diese Grundlage an. Mit der Frage: Was eigentlich für eine *Frage* an die magischen Instanzen zu richten ist, wird daher der erste Weg der Bildung von technischen „Rechtsbegriffen" beschritten. Weder aber werden dabei Tatfrage und Rechtsfrage geschieden, noch objektive Normen vom subjektiven, durch sie gewährten „Anspruch" des Einzelnen, noch der Anspruch auf Erfüllung einer Verbindlichkeit von dem Verlangen nach Rache wegen eines Delikts – denn schlechthin alles, was einen Grund zur Klage geben kann, ist ursprünglich Delikt –, noch öffentliche von privaten Rechten, noch Rechtsschöpfung von Rechtsanwendung, noch auch immer – trotz dem, was darüber früher gesagt worden ist – „Recht" im Sinne einer den einzelnen Interessenten „Ansprüche" zuweisenden Norm von „Verwaltung" im Sinn rein technischer Anordnungen, als deren „Reflex" den Einzelnen bestimmte Chancen zufließen. Alle diese Unterscheidungen finden sich zwar – wie es nicht anders sein kann – sozusagen „latent" und in Ansätzen. Aber wesentlich so, daß die verschiedene Art der Zwangsmittel und eventuell die Verschiedenheit der zwingenden Instanzen sich, von uns aus gesehen, bis zu einem gewissen, sehr verschieden hohen Grade mit einigen von ihnen deckt. So entspricht – wie wir schon sahen – in einem begrenzten Sinn die religiöse Lynchjustiz der durch die Tat eines Genossen von magischen Übeln bedrohten Gemeinschaft in ihrem Verhältnis zum Sühneverfahren zwischen den Sippen der heutigen Scheidung krimineller Ahndung „von Amts wegen" von privater Rechtsverfolgung. Und ebenso lernten wir die an formale Schranken und Grundsätze nicht gebundene hausherrliche Streitschlichtung als primitiven Sitz aller „Verwaltung" kennen im Gegensatz zum streng formalen Sühneverfahren beim Streit zwischen Sippen als dem Vorläufer der geordneten „Rechtspflege", welche nur einen Wahrspruch über das „Geltende" modifiziert. Wo ferner eine in ihren Funktionen spezifisch besonderte, also eine andre, als die schrankenlose innerhäusliche Gewalt entsteht, ein *„imperium"*, wollen wir sagen, scheint zwar im Prinzip der Unterschied zwischen „legitimem" Befehl und diesen „legitimierenden" Normen konzipiert. Denn die geheiligte Tradition oder die konkrete charismatische Qualifikation ergeben ja dann *entweder* die sachliche *oder* die persönliche Legitimität der einzelnen Befehle und also auch die Schranken ihrer „Berechtigung". Aber in der Auffassung bleibt beides doch ungeschieden: das imperium wird als eine konkrete rechtliche „Qualität" seines Trägers angesehen, nicht als eine sachliche „Kompetenz". Auch legitimer Befehl, legitimer Anspruch und beide legitimierende Norm scheiden sich also nicht wirklich deutlich. Die Abgrenzung der Sphäre der unabänderlichen Tradition gegen diejenige des *imperium* ist ebenfalls durchaus schwankend, weil keine wichtige Entschließung von dessen Träger, wie „legitim" er auch zu herrschen beanspruchen möge, gefaßt wird, ohne nach Möglichkeit eine spezielle Offenbarung einzuholen.

Und auch innerhalb der „Tradition" bleibt das praktisch zur Anwendung gelangende Recht nicht etwa wirklich stabil. Solange wenigstens, als die Tradition noch nicht einer Schicht von spezifisch geschulten Trägern mit festen empirischen Kunstregeln anheimfällt – regelmäßig zunächst den Magiern und Priestern –, kann sie auf weiten Gebieten relativ labil sein. Als „Recht" gilt, was als solches „angewendet" worden ist. Die Entscheidungen der afrikanischen „Palaver" werden durch Generationen hindurch überliefert und als „geltendes Recht" behandelt und Munzinger berichtet desgleichen von den ostafrikanischen Rechtssprüchen („buthas"). Das Präjudizienrecht ist die älteste Form der Neubildung von „Gewohnheitsrecht". Inhalt dieser Rechtsbildung sind freilich zunächst, sahen wir, wesentlich bewährte Kunstregeln der magischen Befragung. Erst mit dem Zurücktreten der Bedeutung der Magier gewinnt die Tradition den Charakter, welchen sie z. B. im Mittelalter vielfach an sich trug: das Bestehen einer als Recht geltenden Übung kann Gegenstand eines „Beweises" durch die Parteien werden, ganz wie „Tatsachen". Von der charismatischen Offenbarung neuer Gebote führt über das *imperium* hinweg der direkteste Weg der Entwicklung zur Rechtsschöpfung durch vereinbarte und oktroyierte *„Satzung"*. Denn Träger solcher Vereinbarungen sind zunächst die Sippenhäupter oder lokalen Häuptlinge. Wo immer aus irgendwelchen politischen oder ökonomischen Gründen neben Dorf und Sippe umfassendere, politische Verbände oder Einverständnisgemeinschaften, welche weitere Gebiete beherrschen, bestehen, pflegen deren Angelegenheiten durch gelegentliche oder regelmäßige Zusammenkünfte jener Autoritäten geregelt zu werden. Die von ihnen getroffenen Verabredungen pflegen rein technischer und ökonomischer Natur zu sein, nach unseren Begriffen also bloße „Verwaltung" oder bloße private Abmachungen zu betreffen. Sie können aber von da aus auf die verschiedensten anderen Gebiete übergreifen. Die versammelten Autoritäten können vor allem die Neigung gewinnen, ihren gemeinsamen Erklärungen eine erhöhte Autorität zur Interpretation der heiligen Tradition zuzusprechen, und es unter Umständen wagen, selbst in streng magisch garantierte Normen, wie z. B. die der Sippenexogamie, interpretierend einzugreifen. Zunächst freilich geschieht dies in aller Regel so, daß charismatisch qualifizierte Zauberer oder Weise der Versammlung die Offenbarung der neuen Grundsätze, die ihnen in der Ekstase oder auch im Traum eingegeben wurden, vorlegen und die Mitglieder, weil sie die charismatische Qualifikation anerkennen, diese zur Nachachtung und Mitteilung an ihre Verbände mit nach Hause nehmen. Da aber die Grenzen zwischen technischer Anordnung, Interpretation der Tradition durch Rechtsspruch und Neuoffenbarung von Regeln nicht eindeutig sind und das Prestige der Zauberer labil ist, so kann – wie dies z. B. in Australien zu beobachten ist – die Säkularisierung der Rechtssatzung Fortschritte machen, die Offenbarung faktisch ausgeschaltet oder nur zur nachträglichen Legalisierung der Vereinbarungen angewendet werden und so schließlich weite Gebiete der ursprünglich nur durch Offenbarung möglichen Rechtsschöpfung der einfachen Vereinbarung der versammelten Autoritäten anheimfallen. Auch bei den afrikanischen Stämmen ist der Gedanke der „Satzung" von Recht nicht selten schon voll entwickelt. Zwar gelingt es den Ältesten und Honoratioren unter Umständen nicht, das zwischen ihnen vereinbarte neue Recht den Volksgenossen aufzuzwingen. An der Guineaküste fand Menrad, daß die Vereinbarungen der Honoratioren zwar den ökonomisch Schwachen gegenüber durch Geldbußen durchgeführt wurden, die Reichen und Angesehenen sich ihnen tatsächlich völlig entzogen, sofern sie ihnen nicht freiwillig zugestimmt hatten – ganz wie oft in den ständischen Gebilden des Mittelalters. Andererseits pflegten die Ahentas und die Dahomeyneger teils periodisch, teils nach Gelegenheit die alten Satzungen zu revidieren oder neue zu beschließen. Indessen dieser Zustand ist nichts Urwüchsiges mehr. In aller Regel fehlt die Rechtssatzung gänzlich oder, wo sie faktisch besteht, bringt die Ungeschiedenheit von Rechtsfindung und Rechtsschöpfung es mit sich, daß der Gedanke des „Gesetzes" als einer durch einen Richter „anzuwendenden" Regel im allgemeinen noch ganz fehlt. Der Rechtsspruch hat einfach die Autorität eines Präjudizes. Diesen Typus der Zwischenstufe von der Interpretation schon geltenden Rechts zur Neuschaffung von Recht weist z. B. noch das germanische „Weistum" auf, der Wahrspruch von Autoritäten, deren Legitimation auf persönlichem Charisma oder auf Alter oder auf Wissen oder auf Honoratiorenqualität ihrer Geschlechter oder schließlich auf Amt ruht, über konkrete oder abstrakte Rechtsfragen. Auch das Weistum (wie beim nordgermanischen „Gesetzessprecher") scheidet zunächst weder objektives von subjektivem Recht, noch Rechtssatzung von Urteil, noch öffentliches von privatem Recht, noch sogar Verwaltungsanordnungen von normativer Regel. Nur der Sache nach ist es bald mehr das eine, bald mehr das andere. Auch der englische Parlamentsbeschluß hat bis fast an die Schwelle der Gegenwart einen ähnlichen Charakter bewahrt. Wie zunächst der Name assisa besagt, hatte er in der Zeit der Plantagenets und im Grunde bis ins 17. Jahrhundert nur den Charakter jedes anderen Rechtsspruchs. Der König selbst band sich an seine eigenen assisae nicht unbedingt. Die Parlamente suchten mit verschiedenen Mitteln dem zu steuern. Die Protokollierung und die Schaffung der verschiedenen rolls dienten dem Zweck, den königlich bestätigten Parlamentssprüchen Achtung als Präjudizien zu verschaffen. Dauernd aber blieb ihnen dadurch bis heute der Charakter eines bloßen Amendements des bestehenden Rechts anhaften im Gegensatz zu dem Kodifikationscharakter des modernen kontinentalen Gesetzes, welches im Zweifel beansprucht, seinen Gegenstand erschöpfend neu zu regeln unter Beseitigung des bisherigen Rechtes. Der Grundsatz, daß neu geschaffenes Recht das bisherige aufhebt, ist daher im englischen Recht noch heute nicht voll durchgedrungen.

Der materielle Gesetzesbegriff, welchen in England der Rationalismus der Puritaner und dann der Whigs protegierte, entstammt dem römischen Recht. In diesem selbst aber hatte er seine ursprüngliche Wurzel in dem Amtsrecht und also in dem ursprünglich militärisch bedingten imperium der Magistrate. Lex rogata war derjenige Erlaß des Magistrats, den die Zustimmung des Bürgerheeres für die Bürger und nur für diese bindend und um deswillen auch für den Nachfolger im Amt des Magistrats unverbrüchlich gemacht hatte. Die Urquelle des heutigen Gesetzesbegriffs war also die römische Disziplin und die Eigenart der römischen Wehrgemeinde. Auf dem mittelalterlichen Kontinent haben nach den Ansätzen der Karolinger zuerst die Hohenstaufen (Friedrich I.) mit dem römischen Begriff des Gesetzes operiert. Aber auch jenes Stadium des frühmittelalterlichen, speziell englischen Gesetzesbegriffs als einer gesatzten Rechtsamendierung wurde keineswegs früh erreicht. Die charismatische Epoche der Rechtsschaffung und Rechtsfindung ragt vielmehr, wie wir schon mehrfach sahen, in zahlreichen Institutionen in die Zeit rein rationaler Rechtssatzung und Rechtsanwendung hinein und ist noch heute nicht überall ganz beseitigt. Noch Blackstone nennt die englischen Richter eine Art lebendes Orakel und tatsächlich entspricht wenigstens die Rolle, welche die decisions als unentbehrliche und spezifische Form der Fleischwerdung des Common Law spielen, in diesen Sinn derjenigen des Orakels im alten Recht: „was vorher ungewiß war (die Existenz des Rechtsprinzips) ist nun (durch die

Entscheidung) eine dauernde Regel geworden." Nur wenn die Entscheidung offenbar „absurd" oder „gegen gutes Gebot" ist, entbehrt sie des charismatischen Charakters und kann man also ohne Gefahr von ihr abweichen. Nur durch das Fehlen rationaler Begründungen unterschied sich das echte Orakel vom englischen Präjudiz. Diese Eigenschaft aber teilt es mit dem Geschworenenverdikt. Historisch freilich sind die Geschworenen als solche nicht etwa Rechtsnachfolger charismatischer Rechtspropheten, sondern ganz im Gegenteil vielmehr ein Ersatz der irrationalen Beweismittel der dinggenossenschaftlichen Justiz durch das Zeugnis der Nachbarn (insbesondere über Besitzstände), im Königsgericht also ein Produkt fürstlichen Rationalismus. Eine wirkliche Deszendenz von der charismatischen Rechtsweisung liegt dagegen sowohl in der Stellung der germanischen Schöffen zum Richter wie in der Institution des Gesetzessprechers im nordischen Recht vor. Die auffallende, die Entwicklung der genossenschaftlichen und ständischen Autonomie im mittelalterlichen Okzident, wie wir sahen, so außerordentlich befördernde Tatsache: daß in aller Regel der Gerichtsherr oder seine Stellvertreter im Gericht nur den Vorsitz führen und Ordnung gebieten, das Urteil aber ohne ihre Beteiligung zustandekommt, durch charismatische Rechtsweiser oder später durch ernannte Schöffen aus dem Kreise derjenigen, innerhalb dessen das Urteil Recht schaffen soll, geschaffen wird, dieser mit großer Konsequenz festgehaltene Grundsatz hat zwar zum Teil politische, schon erwähnte Gründe. Zu einem Teil aber führt er auf die Natur der charismatischen Rechtsfindung zurück. Der Richter, der das Gericht kraft seines Amts beruft und hegt, konnte gar nicht in den Bereich der Rechtsfindung eingreifen, weil nach der charismatischen Rechtsauffassung ihm sein Amt eben nicht auch den Verstand: das Charisma der Rechtsweisheit, gab. Seine Aufgabe war erschöpft, wenn er die Parteien dazu gebracht hatte, die Sühne der Rache, den gerichtlichen Frieden der Selbsthilfe vorzuziehen und diejenigen Formalitäten vorzunehmen, welche sie zur Innehaltung des Prozeßvertrages verbindlich machten und welche zugleich die Voraussetzung einer richtigen und wirksamen Befragung der Götter oder der durch ihr Charisma qualifizierten Weisen schufen. Diese Rechtswissenden aber waren ursprünglich durchweg magisch Qualifizierte, die nur im Einzelfall kraft ihrer charismatischen Autorität zugezogen wurden, weiterhin entweder Priester – wie die Brehons in Irland, die Druiden bei den Galliern – oder durch Wahl als Autoritäten anerkannte Rechtshonoratioren, wie die Gesetzessprecher bei den Nordgermanen oder die Rachimburgen bei den

Franken. Der charismatische Gesetzessprecher wurde später ein durch periodische Wahl, schließlich auch durch tatsächliche Ernennung legitimierter Beamter, und an Stelle der Rachimburgen traten als königlich patentierte Rechtshonoratioren die Schöffen. Der Grundsatz aber: daß nicht die Obrigkeit als solche, sondern nur der durch sein Charisma Qualifizierte das Recht weisen könne, blieb bestehen. Der nordische Gesetzessprecher war seiner charismatischen Würde entsprechend, ebenso wie die Schöffen in Deutschland, ein auch politisch oft höchst wirksamer Vertreter der Gerichtsgemeinden gegen die Macht der Obrigkeit. So namentlich in Schweden. Stets gehörte er, ebenso wie die Schöffen in Deutschland, vornehmen Familien an, und naturgemäß wurde speziell das Schöffenamt sehr oft gentilcharismatisch an ein Geschlecht gebunden. Der Gesetzessprecher, seit dem 10. Jahrhundert nachweisbar, war nie ein Richter. Er hatte mit Vollstreckung nichts zu schaffen, besaß überhaupt ursprünglich gar keine, erst später in Norwegen eine begrenzte Zwangsgewalt. Der Zwang, soweit in Rechtssachen ein solcher bestand, lag vielmehr in den Händen der politischen Beamten. Aus dem im Einzelfall angerufenen Rechtsfinder war der Gesetzessprecher ein dauernder Beamter geworden und mit dem rationalen Bedürfnis nach Vorherberechenbarkeit, also Regelhaftigkeit des geltenden Rechts entwickelte sich seine Pflicht, jährlich einmal alle jene Normen, nach denen er Recht fand, der versammelten Gemeinde vorzusprechen, sowohl zu deren Kenntnis wie zu seiner eigenen Kontrolle. Bei aller Abweichung hat man mit Recht die Ähnlichkeit mit der jährlichen Publikation des prätorischen Ediktes hervorgehoben. Der Nachfolger war an die Lögsaga seines Vorgängers nicht gebunden. Denn kraft seines Charisma konnte jeder Gesetzessprecher neues Recht schaffen. Er konnte dabei Anregungen und Beschlüsse der Volksgemeinde berücksichtigen, aber er mußte es nicht, und solche Beschlüsse schufen solange kein Recht, als die Aufnahme in die Lögsaga nicht erfolgt war. Denn Recht konnte nur offenbart werden: diesen charakteristischen Grundsatz und die daraus folgende Art der Entstehung von Rechtsschöpfung und Rechtsweisung greift man hier mit Händen. Spuren ähnlicher Einrichtungen finden sich außer bei den Thüringern in den meisten germanischen Rechten, speziell in Friesland (der Asega), und es wird wohl mit Grund angenommen, daß die von der Vorrede der Lex salica erwähnten Redaktoren als solche Rechtspropheten zu denken sind und daß die Art der Entstehung der Capitula legibus addenda der fränkischen Königszeit mit der Verstaatlichung des Rechtsprophetentums zusammenhängt.

Spuren ähnlicher Entwicklung finden sich fast überall. Die ursprüngliche Entscheidung von Rechtshändeln durch Einholung eines Orakels ist massenhaft auch für sonst stark rationalisierte politische und soziale Zustände bezeugt. Z. B. auch für Ägypten (Ammons Orakel) und für Babylon. Sie bildete sicherlich auch einen der ursprünglichen Pfeiler der Machtstellung der hellenischen Orakel. Die israelitischen Rechtsmittel haben ähnliche Funktionen versehen. Die Herrschaft der Rechtsprophetie ist vermutlich eine ganz allgemeine Erscheinung. Die Macht der Priester beruhte überall zum sehr großen Teil auf ihrer Funktion als Spender von Orakeln oder Leitern der Prozedur bei Gottesurteilen, und deshalb stieg sie oft ganz gewaltig mit steigender Befriedung infolge des zunehmenden Ersatzes der Rache durch Sühne und schließlich Klageprozeduren. Obwohl in Afrika die Bedeutung der irrationalen Beweismittel durch die Häuptlingsprozedur relativ schon weit zurückgedrängt ist, ruht die oft furchtbare Macht der Fetischpriester bis heute auf dem verbliebenen Rest: dem sakralen Zaubereiprozeß mit Gottesurteil unter ihrer Leitung, der es ihnen gestattet, jeden ihnen selbst oder einem anderen, der sie zu gewinnen weiß, Mißliebigen durch Erhebung einer Zaubereiklage um Leben und Gut zu bringen. Aber auch rein weltliche Justizverwaltungen haben unter Umständen dauernd wichtige Züge der alten charismatischen Rechtsfindung behalten. Auch die Thesmotheten Athens deutet man wohl mit Recht als Produkt einer Reglementierung und Umwandlung ursprünglich charismatischer Rechtsprophetie in ein gewähltes Beamtenkolleg. Inwieweit in Rom die Beteiligung der Pontifices an der Rechtspflege ursprünglich in einer der sonstigen Rechtsprophetie ähnlichen Art geregelt war, entzieht sich der Feststellung. Der Grundsatz der Trennung von formaler Prozeßleitung und Rechtsweisung jedenfalls galt auch in Rom, wenn auch freilich in technisch stark von der germanischen Urteilsfindung abweichender Art. Was das prätorische und ädilische Edikt anlangt, so tritt seine Verwandtschaft mit der Lögsaga auch darin hervor, daß seine den Beamten selbst bindende Kraft an die Stelle einer ursprünglich großen Ungebundenheit der Beamten trat. Rechtlich ist der Grundsatz: daß der Prätor sich an sein Edikt zu binden habe, endgültig erst in der Kaiserzeit durchgeführt, und es muß angenommen werden, daß die ursprünglich auf esoterischer Kunstlehre beruhende pontifikale Rechtsweisung sowohl wie die Prozeßinstruktionen des Prätors infolgedessen zunächst ziemlich stark irrationalen Charakter hatten. Die Tradition läßt sich das Verlangen der Plebs nach Kodifikation und Publizität des Rechts gegen beide richten.

Die Trennung von Rechtsfindung und Rechtszwang, welche man oft als Eigentümlichkeit der deutschen Rechtspflege und Quelle der Machtstellung der Genossenschaften anspricht, war an sich nichts nur Deutsches. Sondern das deutsche Schöffenkolleg trat an die Stelle der alten charismatischen Rechtsprophetie. Das Spezifische an der germanischen Entwicklung ist vielmehr die Erhaltung und die Art der technischen Ausgestaltung dieses Prinzips, und diese steht mit einigen anderen wichtigen Besonderheiten im Zusammenhang. Vor allem mit der ziemlich lange Zeit erhaltenen Bedeutung des „Umstandes", d. h. der Teilnahme der nicht zu den Rechtshonoratioren gehörigen Rechtsgenossen an der Rechtsfindung in der Form, daß die Ratifikation des von den Urteilern gefundenen Rechtsspruchs durch ihre Akklamation als unentbehrlich galt und daß prinzipiell das Recht zur Urteilsschelte einem jeden Rechtsgenossen zustand. Das erstere: die Beteiligung des Umstandes durch Akklamation, findet sich auch außerhalb des germanischen Rechtsgebietes: man darf annehmen, daß die Schilderung der Prozeßhergänge bei Homer auf dem Schilde des Achilleus Reste davon enthält, und auch anderwärts (Israel, Prozeß des Jeremia) finden sich Spuren. Spezifisch ist die Urteilsschelte. Diese reglementierte Teilnahme der Gemeinfreien am Urteil ist aber keineswegs notwendig als etwas Urwüchsiges anzusprechen, sondern sehr wahrscheinlich ein Produkt besonderer, und zwar militärischer Entwicklungen.

Von den Mächten, welche die Säkularisierung des Denkens über das Geltensollende, speziell seine Emanzipation von der magisch garantierten Tradition, befördern, ist eine der stärksten die *kriegerische* Umwälzung.

Das imperium des erobernden Kriegsführers ist, mag seine Handhabung auch für alle wichtigen Fälle an die freie Zustimmung seines Heeres gebunden sein, unvermeidlich inhaltlich sehr umfassend und bezieht sich der Natur der Sache nach ungewöhnlich oft auf die Ordnung von Verhältnissen, welche in befriedeten Zeiten nur durch offenbarte Norm hätten geregelt werden können, die aber nur durch vereinbarte oder oktroyierte Satzung aus dem Nichts zu schaffen sind. Über Gefangene, Beute und vor allem erobertes Land wird von Kriegsfürst und Kriegsheer verfügt und dadurch sowohl Rechte Einzelner wie unter Umständen geltende Regeln neu geschaffen. Und andererseits muß der Kriegsfürst im Interesse der gemeinsamen Sicherheit auch gegen Disziplinbruch und Anzettelung inneren Unfriedens weit umfassendere Vollmachten haben als ein „Richter" in Friedenszeiten. Der Bereich des imperium wächst also schon dadurch auf Kosten der Tradition. Und der Umsturz der bestehenden ökonomischen und sozialen Verhältnisse, welche der Krieg bringt, macht es jedem handgreiflich, daß das Gewohnte als solches nicht das schlechthin ewig Geltende und Heilige sein kann. Systematische Feststellungen schon geltenden oder neu gesatzten Rechtes finden sich daher auf den allerverschiedensten Entwicklungsstufen gerade im Anschluß an kriegerische Expansion besonders häufig. Rechtsschöpfung und Rechtsfindung aber zeigen dann unter dem Einfluß der zwingenden Bedürfnisse der Sicherheit gegen äußere und innere Feinde die Tendenz, rationaler gestaltet zu werden. Vor allem gewinnen auch die verschiedenen möglichen Träger des Rechtsgangs ein neues Verhältnis zueinander. Behält der auf dem Boden des Krieges und der Kriegsbereitschaft entstehende politische Verband dauernd militärischen Charakter, so behält auch der Wehrverband als solcher den entscheidenden Einfluß auf die Schlichtung von Streitigkeiten der ihm Zugehörigen und damit auch auf die Fortentwicklung des Rechts. Das Prestige des Alters und in gewissem Umfang auch das Prestige der Magie pflegen dann zu sinken. Der Ausgleich zwischen dem imperium des Kriegsfürsten einerseits, den weltlichen oder geistigen Hütern der heiligen Tradition andererseits und endlich den Ansprüchen der Wehrgemeinde, welche der Tradition gegenüber relativ ungebunden dasteht, auch ihrerseits an der Kontrolle der Anordnungen beteiligt zu sein, vollzieht sich mit sehr verschiedenen Resultaten. Die Art der Militärverfassung ist dabei stets sehr wichtig. Die germanische Dinggemeinde des einzelnen Gaues ebenso wie die große Landesgemeinde des politischen Verbandes sind Aufgebote der wehrhaften und deshalb am Grundbesitz beteiligten Genossen, ebenso wie der römische populus ursprünglich das versammelte, in seinen taktischen Gliederungen „angetretene" Grundbesitzerheer ist. In der Zeit der großen Umwälzungen der Völkerwanderung scheint sich die germanische politische Landesgemeinde die Beteiligung an der Schöpfung neuen Rechts zugeeignet zu haben: – es ist ganz unwahrscheinlich, daß, wie Sohm annimmt, alles gesatzte Recht Königsrecht sei. An dieser Art von Satzung scheint vielmehr dem Träger des imperium keinerlei vorwiegender Anteil zugekommen zu sein. Sondern bei den mehr seßhaften Völkern bleibt die Gewalt der charismatischen Rechtsweise ungebrochener bestehen, bei den durch kriegerische Wanderungen in neue Verhältnisse überführten (den Franken und Longobarden speziell) steigert sich dagegen das Machtgefühl der Wehrgemeinde, welche das Recht der aktiven beschließenden Teilnahme an Rechtssatzungen und Urteil in Anspruch nimmt und durchsetzt.

Im frühmittelalterlichen Europa war andererseits die christliche Kirche mit ihrem Beispiel: der Machtstellung der Bischöfe, überall eine Stütze der Eingriffe des Fürsten in die Rechtspflege und Rechtssatzung, die sie oft ihrerseits im kirchlichen und ethischen Interesse direkt angeregt hat. Die Kapitularien der Frankenkönige gehen mit der Entwicklung der subtheokratischen Sendgerichte parallel. Und in Rußland ist sehr bald nach der Einführung des Christentums, in der zweiten Redaktion der Russkaja Prawda, die in der ersten noch ganz fehlende Ingerenz des Fürsten in Rechtsfindung und Rechtssatzung und sofort auch ein sehr umfangreiches neues materielles Fürstenrecht entwickelt. Immerhin stieß diese Tendenz des Imperium im Okzident auf das feste Gefüge der charismatischen und genossenschaftlichen Justiz innerhalb der Wehrgemeinde. Dagegen hat der römische populus, der Entwicklung der Disziplin des Hoplitenheeres entsprechend, nur anzunehmen oder zu verwerfen, was ihm der Träger des imperium vorschlägt, und das sind neben Rechtssatzungen nur Entscheidungen in Kapitalsachen im Fall der Provokation. In der germanischen Dinggemeinde gehörte zu einem gültigen Urteil die Akklamation des „Umstands". An den römischen populus dagegen gelangten zunächst lediglich die Gesuche um gnadenweise Kassation magistratischer Kapitalurteile. Der geringeren Entwicklung der militärischen Disziplin entsprach in der germanischen Dingversammlung das Recht aller Einzelnen zur Urteilsschelte: das Charisma der Rechtsfindung ist nicht exklusiv an seine beruflichen Träger gebunden, sondern jeder einzelne Dinggenosse kann im Einzelfall den Versuch machen, durch einen Gegenvorschlag gegen die Urteilsweisung jenes sein besseres Wissen zur Geltung zu bringen. Der Austrag kann dann ursprünglich nur durch Gottesurteil zwischen den Vertretern der beiden Vorschläge erfolgen, oft mit Strafsanktionen für den Unterliegenden: denn falsches Urteil ist Frevel gegen die das Recht schützenden Götter. Tatsächlich fiel natürlich stets auch Akklamation oder Murren der Gemeinde (deren Stimme in diesem Sinn „Gottes Stimme" ist) ins Gewicht. Der straffen Disziplin der Römer entspricht die ausschließlich magistratische Prozeßinstruktion ebenso wie das ausschließliche Initiativrecht (agere cum populo) der verschiedenen miteinander konkurrierenden Kategorien von Beamten. Die germanische Scheidung von Rechtsfindung und Rechtszwang ist eine, die römische Konkurrenz verschiedener, gegeneinander mit dem Interzessionsrecht versehener Beamter und die Verteilung der Prozeßführung zwischen Beamten und judex ist eine andere Form der „*Gewaltenteilung*" in der Rechtspflege. Diese war aber vor allem auch durch die, hier und dort in der geschilderten Art verschieden geordnete, Notwendigkeit des Zusammenwirkens von Beamten, Rechtshonoratioren und Wehr- und Dinggemeinde garantiert. Darauf beruht die Erhaltung des *formalistischen* Charakters des Rechts und der Rechtsfindung. Wo es dagegen „amtlichen" Gewalten, also entweder dem imperium des Fürsten und seiner Beamten, oder der Macht der Priester als der amtlichen Hüter des Rechts gelungen ist, die selbständigen charismatischen Träger des Rechtswissens einerseits, die Beteiligung der Dinggemeinde oder ihrer Repräsentanten andererseits gänzlich zugunsten ihrer eigenen Omnipotenz auszuschalten, da hat die Rechtsbildung früh jenen theokratisch-patrimonialen Charakter angenommen, dessen Konsequenzen für die formalen Qualitäten des Rechts wir bald kennen lernen werden. Anders, aber im formalen Erfolg für die Rechtsbildung, wie wir sehen werden, ähnlich verlief die Entwicklung da, wo die politisch allmächtig werdende Dinggemeinde, wie etwa in der hellenischen Demokratie, alle magistratischen und charismatischen Träger der Rechtsfindung ihrerseits gänzlich beiseite schob und sich selbst als alleinigen souveränen Träger von Rechtssetzung und, namentlich, Rechtsfindung an die Stelle setzte. Wir wollen den Zustand – der namentlich in der germanischen, in schon stark rational verändertem Sinn in der römischen Wehrgemeinde realisiert ist: – daß die Gemeinde der Rechtsgenossen an der Rechtsfindung zwar beteiligt ist, die Gemeinde aber die Rechtsfindung nicht souverän beherrscht, sondern nur den Urteilsvorschlag des charismatischen oder amtlichen Trägers des Rechtswissens akzeptieren oder verwerfen, also auch, zumal durch besondere Mittel, wie die Urteilsschelte, beeinflussen kann – die „dinggenossenschaftliche" Rechtsfindung nennen. Nicht entscheidend für ihre Existenz ist die Assistenz der Gemeinde bei der Rechtsfindung überhaupt. Denn diese findet sich sehr verbreitet, z. B. auch bei den Togonegern und ebenso bei den Russen zur Zeit der ersten vorchristlichen Redaktion der Russkaja Prawda. Und es findet sich in beiden Fällen auch ein dem Schöffenkolleg entsprechender engerer Kreis von Urteilsfindern (bei den Russen: 12). Bei den Togonegern stellen diese die Sippenältesten oder auch die Ortschaftsältesten, und dies dürfte sehr oft der Anfang der Entwicklung eines Urteilsfindergremiums gewesen sein. Eine Beteiligung des Fürsten fehlt in der Russkaja Prawda – wie früher erwähnt – noch ganz, bei den Togonegern ist er der Vorsitzende und das Urteil wird in gemeinsamer – aber hier schon geheimer – Beratung der Ältesten mit ihm gefunden. Was aber in beiden Fällen fehlt, ist die prinzipiell gleichberechtigte

Mitwirkung des „Umstandes" bei der Rechtsfindung unter Wahrung des charismatischen Charakters dieser letzteren. Doch scheint in Afrika und auch sonst etwas Ähnliches gelegentlich vorzukommen. Wo die Gemeinde besteht, da wird einerseits der formale Charakter des Rechts und der Rechtsfindung weitgehend gewahrt: denn die Rechtsfindung ist nicht Sache des Beliebens oder der Gefühlsemotionen derjenigen, für die das Recht gelten, denen es nicht zu „dienen", sondern die es zu beherrschen prätendiert, sondern Produkt der Offenbarung des Rechtsweisen. Andererseits steht dessen Weisheit, wie jedes echte Charisma, unter dem Zwang, sich durch Überzeugungskraft „bewähren" zu müssen und kann indirekt, durch diese Notwendigkeit, das „Billigkeits"-Gefühl und die Alltagserfahrung, der Rechtsgenossen sehr nachhaltig zur Geltung gelangen. Das gesamte Recht ist auch dann formell „Juristenrecht", denn ohne spezifische Sachkunde nimmt es die Form der rationalen Regel nicht an. Aber es ist zugleich materiell „Volksrecht". Der Epoche „dinggenossenschaftlicher" Justiz – die übrigens, in ihrem hier gemeinten präzisen Sinne: als eine (verschiedenartig mögliche) Gewaltenteilung zwischen Autorität des Rechtscharisma und Ratifikation der Ding- und Wehrgemeinde keineswegs universelle Verbreitung gehabt hat – dürfen wir wohl mit großer Wahrscheinlichkeit die Entstehung der „Rechtssprichwörter" zuschreiben. Ihr regelmäßiges Spezifikum ist: daß sie die formalen Rechtsnormen zusammen mit einer anschaulich-populären Begründung enthalten, nach Art etwa des Satzes: „Wo Du deinen Glauben gelassen hast, mußt Du ihn suchen", oder kürzer: „Hand muß Hand wahren." Sie entspringt einerseits der durch die Beteiligung der Gemeinde bedingten Popularität und den relativ großen Laienkenntnissen vom Recht, andrerseits ist ihre Formulierung Produkt einzelner, geschult oder dilettantisch über die Maximen häufig wiederkehrender Entscheidungen nachgrübelnder Köpfe, besonders oft sicherlich der Rechtspropheten. Sie sind fragmentarische „Rechtssätze" in Form von „Parolen".

Ein formell irgendwie entwickeltes „Recht" dagegen, als Komplex bewußter Entscheidungsmaximen, hat es ohne die maßgebende Mitwirkung geschulter Rechtskundiger nie und nirgends gegeben. Ihre Kategorien lernten wir schon kennen. Zusammen mit den beamteten Trägern der Rechtspflege bilden die „Rechtshonoratioren": die Gesetzessprecher, Rachimburgen, Schöffen, eventuell Priester, die mit der Rechtsfindung befaßte Schicht der „Rechtspraktiker". Mit zunehmenden Ansprüchen der Rechtspflege an Erfahrung und schließlich an fachmäßige Kenntnis treten ihnen die privaten Berater und Sachwalter (Fürsprecher, Advokaten) der Rechtsinteressenten als eine weitere Kategorie von oft für die Rechtsgestaltung durch „Rechtserfindung" sehr einflußreichen Rechtspraktikern zur Seite, von deren Entwicklungsbedingungen wir noch zu reden haben werden. Der zunehmende Bedarf nach juristischer Fachkenntnis schuf den Berufsanwalt. Diese steigenden Ansprüche an Erfahrung und Fachkenntnis der Rechtspraktiker und damit der Anstoß zur Rationalisierung des Rechts im allgemeinen gehen aber fast immer aus von steigender Bedeutung des Güterverkehrs und derjenigen Rechtsinteressenten, welche an ihm beteiligt sind. Denn von hier erwachsen die immer neuen Probleme, für deren Erledigung fachmäßige und d. h. rationale Schulung unabweisbares Erfordernis wurde. Uns gehen hier speziell die Wege und Schicksale der *Rationalisierung* des Rechts, der Entwicklung seiner heutigen spezifisch „juristischen" Qualitäten also, an. Wir werden sehen, daß ein Recht in verschiedener Art, und keineswegs notwendig in der Richtung der Entfaltung seiner „juristischen" Qualitäten, rationalisiert werden kann. Die Richtung, in welcher diese formalen Qualitäten sich entwickeln, ist aber bedingt direkt durch sozusagen „innerjuristische" Verhältnisse: die Eigenart der Personenkreise, welche auf die Art der Rechtsgestaltung *berufsmäßig* Einfluß zu nehmen in der Lage sind, und erst indirekt durch die allgemeinen ökonomischen und sozialen Bedingungen. Allen voran steht die Art der Rechts*lehre*, d. h. hier: der Schulung der Rechtspraktiker.

§ 3. Die Formen der Begründung subjektiver Rechte.

Die Einschmelzung aller andern Verbände, welche Träger einer „Rechtsbildung" waren, in die eine staatliche Zwangsanstalt, welche nun für sich in Anspruch nimmt, Quelle jeglichen „legitimen" Rechts zu sein, äußert sich charakteristisch in der formellen Art, wie das Recht in den Dienst der Interessen der Rechtsinteressenten, speziell auch der ökonomischen Gesichtspunkte, tritt. Wir haben früher das

Bestehen eines konkreten Rechts a potiori nur betrachtet als die Gewährung eines Superadditum von Chance dafür: daß bestimmte Erwartungen nicht enttäuscht werden, zugunsten der durch das „objektive" Recht mit „subjektiven Rechten" ausgestatteten Individuen. Wir nehmen auch weiterhin die Schaffung eines solchen „subjektiven Rechts" des einzelnen Rechtsinteressenten a potiori als den Normalfall, der durch, soziologisch betrachtet, gleitende Übergänge mit dem Fall verbunden ist: daß die rechtlich gesicherte Chance dem Einzelnen nur in der Form eines „Reflexes", eines „Reglements" zugewendet ist, ihm also kein „subjektives Recht" gewährt. Der faktisch im Besitz der Verfügungsgewalt über eine Sache oder Person Befindliche gewinnt also durch die Rechtsgarantie eine spezifische Sicherheit für deren Dauer; derjenige, welchem etwas versprochen ist, dafür, daß die Vereinbarung auch erfüllt werde. Dies sind in der Tat die elementarsten Beziehungen zwischen Recht und Wirtschaft. Aber nicht die einzig möglichen. Das Recht kann vielmehr auch so funktionieren – soziologisch ausgedrückt: das Handeln des Zwangsapparats durch empirisch geltende Ordnungen derart gestaltet sein –, daß es die Entstehung bestimmter Wirtschaftsbeziehungen: Ordnungen der ökonomischen Verfügungsgewalt oder der auf Vereinbarung beruhenden ökonomischen Erwartungen, überhaupt erst mit Zwangswirkung ermöglicht, indem eigens zu diesem Zweck objektives Recht rational geschaffen wird. Dies setzt freilich einen sehr spezifischen Zustand des „Rechts" voraus und über diese Voraussetzung ist zunächst einiges zu sagen.

Juristisch angesehen, besteht ein modernes Recht aus „*Rechtssätzen*", d. h.: abstrakten Normen mit dem Inhalt, daß ein bestimmter Sachverhalt bestimmte Rechtsfolgen nach sich ziehen solle. Die geläufigste Einteilung der „Rechtssätze" ist, wie bei allen Ordnungen, die in „gebietende", „verbietende" und „erlaubende" Rechtssätze, denen die subjektiven Rechte der Einzelnen entspringen, anderen ein Tun zu gebieten oder zu verbieten oder zu erlauben. Dieser rechtlich garantierten und begrenzten Macht über deren Tun entsprechen soziologisch die Erwartungen: 1. daß andere etwas Bestimmtes tun oder 2. daß sie etwas Bestimmtes lassen werden – die beiden Formen der „Ansprüche" – oder 3. daß man selbst ohne Störung durch Dritte etwas tun oder nach Belieben auch lassen dürfe: „Ermächtigungen". Ein jedes subjektive Recht ist eine Machtquelle, welche durch die Existenz des betreffenden Rechtssatzes im Einzelfall auch dem, der ohne ihn gänzlich machtlos wäre, zufallen kann. Schon dadurch ist er Quelle gänzlich neuer Situationen innerhalb des Gemeinschaftshandelns. Aber nicht davon ist hier die Rede, sondern von der qualitativen Auswirkung der Verfügungssphäre des Einzelnen durch Rechtssätze eines bestimmten Typus. Die soeben zuletzt genannte Art von rechtlich garantierten Erwartungen, die „Ermächtigungen", ihr Umfang und ihre Art, sind heute ganz allgemein für die Entwicklung der Wirtschaftsordnung besonders wichtig. Sie begreifen zweierlei unter sich. Einerseits die sog. „Freiheitsrechte", d. h. die einfache Sicherstellung gegen bestimmte Arten von Störungen durch Dritte, insbesondere auch: durch den Staatsapparat, innerhalb des Bereichs des rechtlich erlaubten Verhaltens (Freizügigkeit, Gewissensfreiheit, freies Schalten mit einer im Eigentum besessenen Sache usw.). Ferner aber stellen ermächtigende Rechtssätze es in das Belieben der Einzelnen, durch Rechtsgeschäfte ihre Beziehungen zueinander innerhalb bestimmter Grenzen autonom zu regeln. Soweit dies Belieben von einer Rechtsordnung zugelassen wird, soweit reicht das Prinzip der „*Vertragsfreiheit*". Das Maß der Vertragsfreiheit, d. h. der von der Zwangsgewalt als „gültig" garantierten Inhalte von Rechtsgeschäften, die relative Bedeutung also der zu solchen rechtsgeschäftlichen Verfügungen „ermächtigenden" Rechtssätze innerhalb der Gesamtheit einer Rechtsordnung ist natürlich Funktion in erster Linie der Marktverbreiterung. Bei vorherrschender tauschloser Eigenwirtschaft hat das Recht naturgemäß weit stärker die Funktion, durch gebietende und verbietende Sätze diejenigen Situationen, in welche die Einzelnen hineingeboren oder hineinerzogen oder durch andere als rein ökonomische Vorgänge hineingestellt werden, als einen Komplex von Rechtsverhältnissen nach außen abzugrenzen und dem Einzelnen dergestalt eine „angeborene" oder durch außerökonomische Momente bestimmte Freiheitssphäre zuzuweisen. „Freiheit" heißt im Rechtssinn: Rechte haben, aktuelle und potentielle, die aber in einer marktlosen Gemeinschaft naturgemäß vorwiegend nicht auf „Rechtsgeschäften", welche er abschließt, sondern eben direkt auf gebietenden und verbietenden Sätzen des Rechts beruhen. Tausch dagegen ist, unter der Herrschaft einer Rechtsordnung, ein „Rechtsgeschäft": Erwerb, Abtretung, Verzicht, Erfüllung von Rechtsansprüchen. Mit jeder Erweiterung des Markts vermehren und vervielfältigen sich diese. Die Vertragsfreiheit ist dabei in keiner Rechtsordnung eine schrankenlose, dergestalt, daß das Recht für jeden beliebigen Inhalt einer Vereinbarung seine Zwangsgarantie zur Verfügung stellte. Charakteristisch für die einzelne Rechtsordnung ist vielmehr: für welche Vertragsinhalte dies geschieht und für welche nicht. Auf diese Frage haben, je nach der Struktur der Wirtschaft, sehr verschiedene Interessenten den ausschlaggebenden Einfluß. Mit zunehmender Marktverbreiterung aber zunächst und vor allem die Marktinteressenten. Deren Einfluß vornehmlich bestimmt daher heute die Art derjenigen Rechtsgeschäfte, welche das Recht durch Ermächtigungssätze ordnet.

Der heute normale Zustand weitgehender „Vertragsfreiheit" hat keineswegs immer bestanden. Und soweit Vertragsfreiheit bestand, hat sie sich keineswegs immer auf dem Gebiet entwickelt, welches sie heut vornehmlich beherrscht, sondern zum sehr wesentlichen Teil auf solchen Gebieten, wo sie jetzt nicht mehr oder doch in sehr viel eingeschränkterem Maße als früher besteht. Wir wollen in kurzer Skizze die Entwicklungsstadien durchgehen. Die wesentlichste materielle Eigentümlichkeit des modernen Rechtslebens, speziell des Privatrechtslebens, gegenüber dem älteren ist vor allem die stark gestiegene Bedeutung des Rechts*geschäfts*, insbesondere des *Kontrakts*, als Quelle zwangsrechtlich garantierter Ansprüche. Der Privatrechtssphäre ist dies derart charakteristisch, daß man die heutige Art der Vergemeinschaftung, soweit jene Sphäre reicht, a potiori geradezu als „Kontrakt" bezeichnen kann. Rechtlich angesehen, bestimmt sich die legitime ökonomische Lage, d. h.: die Summe der im Rechtssinn legitim erworbenen Rechte und legitimen Verpflichtungen des Einzelnen heute einerseits durch Erbanfälle, die ihm kraft familienrechtlicher Beziehungen zufallen, andererseits – direkt oder indirekt – durch Kontrakte, welche er abschließt oder die in seinem Namen abgeschlossen werden. Derjenige Rechtserwerb, welcher dem Erbrecht entstammt, bildet nun in der heutigen Gesellschaft das wichtigste Überlebsel jener Art von Besitzgrund legitimer Rechte, die einst – gerade auch in der ökonomischen Sphäre – ganz oder nahezu alleinherrschend war. Denn in der Sphäre des Erbrechts kamen und kommen, wenigstens dem Schwergewicht nach, für den Einzelnen Tatbestände zur Geltung, auf welche sein eigenes Rechtshandeln, prinzipiell wenigstens, keinen Einfluß übt, die für jenes vielmehr in weitem Umfang die von vornherein gegebene Grundlage darstellen. Nämlich seine Zugehörigkeit zu einem Personenkreise, welcher in aller Regel durch „Geburt" als Glied einer Familie, also durch die ihm vom Recht zugerechneten Naturbeziehungen, begründet wird und daher innerhalb der sozialen Ordnung und ökonomisch wie eine ihm anhaftende soziale „Qualität" erscheint, als etwas also, was er privatrechtlich, unabhängig von seinem eigenen Tun, kraft Einverständnisses oder oktroyierter Ordnung, originär „ist", nicht aber: welche privatrechtlichen „Beziehungen" er durch Akte der Vergesellschaftung absichtsvoll sich geschaffen hat.

Der Gegensatz ist selbstverständlich relativ, denn auch Erbansprüche können durch Kontrakt (Erbvertrag) begründet werden und bei testamentarischer Erbfolge ist juristisch nicht die Zugehörigkeit zum Verwandtenkreise, sondern eine einseitige Verfügung des Erblassers der Rechtsgrund des Erwerbs. Allein Erbverträge sind heute nicht häufig und ihr normaler (nach manchen Gesetzgebungen – so der österreichischen – einziger) Anwendungsfall ist der Erbvertrag zwischen Ehegatten, meist bei Eingehung der Ehe unter gleichzeitiger Regelung der güterrechtlichen Verhältnisse der Nupturienten geschlossen, also im Zusammenhang mit dem Eintritt in eine Familienbeziehung. Und die große Mehrzahl aller Testamente bezweckt heute – neben Munifizenzen, die als Anstandspflicht empfunden werden – den Ausgleich der Interessen von Familiengliedern gegenüber ökonomischen Notwendigkeiten, welche entweder durch die Art der Zusammensetzung des Vermögens oder durch individuelle persönliche Verhältnisse bedingt sind, und ist überdies außerhalb des angelsächsischen Rechtsgebiets durch die Pflichtteilsrechte der nächsten Verwandten in der Bewegungsfreiheit eng begrenzt. Die weitergehende Testierfreiheit gewisser antiker und moderner Gesetzgebungen und die wesentlich größere Bedeutung der kontraktlichen Vereinbarungen auf dem Gebiet der Familienbeziehungen in der Vergangenheit sind in ihrer Bedeutung und den Gründen ihres Schwindens an anderer Stelle erörtert. Heute ist auf dem Gebiet des Familien- und Erbrechts die Bedeutung des im Einzelfall inhaltlich frei, nach Belieben der Parteien gestalteten Rechtsgeschäfts eine relativ begrenzte. Auf dem Gebiet der öffentlichen Rechtsbeziehungen ist zwar auch heute die Stellung kontraktlicher Vereinbarungen rein quantitativ keineswegs gering. Denn jede Beamtenanstellung erfolgt kraft Kontrakts, und auch manche sehr wichtige Vorgänge der konstitutionellen Verwaltung: so vor allem die Feststellung eines Budgets, setzen, wenn auch nicht der Form, so um so mehr der Sache nach, durchaus eine freie Vereinbarung zwischen mehreren selbständigen Organen der Staatsanstalt voraus, von denen von Rechts wegen keines das andere zwingen kann. Allein juristisch pflegt heute der Anstellungsvertrag des Beamten nicht in dem Sinn als „causa" seiner gesetzlich festgestellten Pflichten angesehen zu werden, wie ein beliebiger privatrechtlicher Vertrag, sondern als ein Akt der Unterwerfung des Beamten unter die Dienstgewalt. Und die faktisch freie Vereinbarung des Budgets pflegt nicht als „Kontrakt", die Vereinbarung überhaupt nicht als der rechtlich wesentliche Vorgang behandelt zu werden. Aus dem Grunde, weil – aus gut juristischen Motiven – die „Souveränität" als wesentliches Attribut der heutigen Staatsanstalt, diese als eine „Einheit", die Akte ihrer Organe aber als Pflichtakte gelten. Der Ort freier Kontrakte ist im Gebiet der öffentlich-rechtlichen Beziehungen heute wesentlich das Völkerrecht. Diese Auffassung bestand nicht immer und wurde auch den tatsächlichen Verhältnissen der politischen Verbände der Vergangenheit nicht gerecht. Zwar – um bei den Beispielen zu bleiben – die Beamtenstellung entsprach in der Vergangenheit wesentlich weniger als jetzt einem freien Kontraktverhältnis als causa, ruhte vielmehr – wie wir später sehen werden – wesentlich mehr auf Unterwerfung unter eine ganz persönliche, familienartige Herrengewalt. Aber andere politische Akte, wie z. B. gerade die Bereitstellung von Mitteln für öffentliche Zwecke, aber auch zahlreiche andere Verwaltungsakte, waren unter den Verhältnissen des ständischen politischen Gebildes gar nichts anderes als Kontrakte zwischen den kraft ihrer subjektiven Rechte: Privilegien und Prärogativen als Glieder des politischen Verbandes zusammengeschlossenen Mächte: Fürsten und Ständen, und wurden auch rechtlich so aufgefaßt. Der Lehensnexus ist seinem innersten Wesen nach auf Kontrakten aufgebaut. Und wenn sich die Feststellungen geltenden Rechts, wie sie die „leges barbarorum" enthalten – „Kodifikationen von Gesetzen", nach unserer Terminologie –, oft als „Pactus" bezeichnen, so war auch dies durchaus ernst gemeint: ein wirklich „neues" Recht konnte damals in der Tat nur durch freie Vereinbarung der Amtsgewalt mit den Dinggenossenschaften ins Leben treten. Und endlich ruhen gerade urwüchsige, rein politische Verbände der Rechtsform nach oft auf freier Vereinbarung zwischen mehreren auch weiterhin intern selbständigen Gruppen („Häusern" bei den Irokesen). Auch die „Männerhäuser" sind primär freie Vergesellschaftungen, nur sind diese bereits auf die Dauer berechnet, gegenüber den urwüchsigen Gelegenheitsvergesellschaftungen zum Zweck der Aventiure, welche formal ganz und gar auf freier Vereinbarung beruhten. Nicht minder ist die freie Vereinbarung auf dem Gebiet der eigentlichen Rechtsfindung urwüchsig und geradezu der Anfang von allem. Der aus den Sühneverträgen der Sippen hervorgegangene Schiedsvertrag: die freiwillige Unterwerfung unter den Rechtsspruch oder ein Gottesurteil ist Quelle nicht nur alles Prozeßrechts, sondern, wie gleich zu erörtern, in sehr weitgehendem Sinn gehen auch die ältesten Typen der privatrechtlichen Verträge auf Prozeßverträge zurück. Und ferner sind die meisten der wichtigen technischen Fortschritte des Prozeßverfahrens, formal wenigstens, Produkte freier Vereinbarungen der Prozeßparteien, und die obrigkeitlichen Eingriffe in das Verfahren (durch den Lord-Mayor oder Prätor) vollzogen sich in weitem Umfang in der sehr charakteristischen Form des Zwanges gegen die Parteien gewisse Vereinbarungen abzuschließen, welche den Fortgang des Prozesses ermöglichten: als „Rechtszwang zum Kontrahieren" also – der übrigens, namentlich als „Leihezwang", auch auf dem Gebiet des politischen (Lehen-) Rechts eine erhebliche Rolle gespielt hat.

Die Bedeutung des „Kontrakts" im Sinn einer freien Vereinbarung als Rechtsgrund der Entstehung von Ansprüchen und Pflichten ist also auch in früheren und frühesten Epochen und Stadien der Rechtsentwicklung weit verbreitet. Und zwar gerade auf solchen Gebieten, auf welchen heute die Bedeutung der freien Vereinbarung geschwunden oder weit zurückgetreten ist: dem öffentlichen und Prozeßrecht, dem Familien- und Erbrecht. Dagegen ist von einer Bedeutung des Kontrakts für den wirtschaftlichen Gütererwerb aus anderen als familien- und erbrechtlichen Quellen in der Art, wie er heute grundlegend ist, in der Vergangenheit je weiter zurück, desto weniger die Rede. Die heutige Bedeutung des Kontrakts auf diesem Gebiete ist in erster Linie Produkt der intensiven Steigerung der Marktvergesellschaftung und der *Geld*verwendung. Nicht nur also stellt der Aufstieg der Bedeutung des privatrechtlichen Kontrakts im allgemeinen die juristische Seite der Marktgemeinschaft, sondern der durch die Marktgemeinschaft projizierte Kontrakt ist auch von innerlich anderem Wesen, als jener urwüchsige Kontrakt, der auf dem Gebiet des öffentlichen und des Familienrechts früher eine so viel größere Rolle spielte als heute. Dieser tiefgreifenden Wandlung des allgemeinen Charakters der freien Vereinbarung entsprechend wollen wir jene urwüchsigen Kontrakttypen als „Status"-Kontrakte, die dem Güterverkehr, also der Marktgemeinschaft, spezifischen dagegen als „Zweck"-Kontrakte bezeichnen. Der Unterschied äußert sich folgendermaßen: Alle jene urwüchsigen Kontrakte, durch welche z. B. politische oder andere persönliche Verbände, dauernde oder zeitweilige, oder Familienbeziehungen geschaffen wurden, hatten zum Inhalt eine Veränderung der rechtlichen Gesamtqualität, der universellen Stellung und des sozialen Habitus von Personen. Und zwar sind sie, um dies bewirken zu können, ursprünglich ausnahmslos entweder direkt magische oder doch irgendwie magisch bedeutsame Akte und behalten Reste dieses Charakters in ihrer Symbolik noch lange bei. Die Mehrzahl von ihnen (namentlich die soeben beispielsweise erwähnten) sind „Verbrüderungsverträge". Jemand soll fortan Kind, Vater, Frau, Bruder, Herr, Sklave, Sippengenosse, Kampfgenosse,

Schutzherr, Klient, Gefolgsmann, Vasall, Untertan, Freund, mit dem weitesten Ausdruck: „Genosse", eines anderen werden. Sich derart miteinander „Verbrüdern" aber heißt nicht: daß man sich gegenseitig für konkrete Zwecke nutzbare, bestimmte Leistungen gewährt oder in Aussicht stellt, auch nicht nur, wie wir es ausdrücken würden: daß man fortan ein neues, in bestimmter Art sinnhaft qualifiziertes Gesamtverhalten zueinander in Aussicht stellt, sondern: daß man etwas qualitativ Anderes „wird" als bisher – denn sonst wäre jenes neue Verhalten gar nicht möglich. Die Beteiligten müssen eine andere „Seele" in sich einziehen lassen. Das Blut oder der Speichel müssen gemischt und getrunken werden – ein schon relativ spätes Symbol – oder durch andere äquivalente Zaubermittel muß die animistische Prozedur der Schaffung einer neuen Seele vollzogen werden. Eine andere Garantie dafür, daß die Beteiligten wirklich ihr Gesamtverhalten zueinander dem Sinn der Verbrüderung entsprechend gestalten, ist dem magisch orientierten Denken gar nicht zugänglich. Oder zum mindesten – so wandelt sich der Vorgang mit zunehmender Herrschaft der Göttervorstellungen an Stelle des Animismus – muß jeder Beteiligte unter die Gewalt einer alle gemeinsam schirmenden und im Fall des verbrüderungswidrigen Handelns bedrohenden „übersinnlichen" Macht gestellt werden: die ursprünglich magisch, als bedingte Selbstüberlieferung an bösen Zauber, gedachte Gewalt des Eides nimmt etwa diesen Charakter der Selbstverfluchung und Herabrufung göttlichen Zornes an. Der Eid ist daher auch späterhin eine der universellsten Formen aller Verbrüderungsverträge. Aber nicht nur solcher. Denn er ist – im Gegensatz zu jenen genuin magischen Formen der Verbrüderung – technisch geeignet, auch als Garantiemittel für „Zweck"-Kontrakte, d. h. für solche Vereinbarungen zu dienen, welche nur die Herbeiführung konkreter, meist ökonomischer, Leistungen oder Erfolge zum Zweck haben, den „Status" der beteiligten Persönlichkeiten aber unberührt, also – wie z. B. der Tausch – keine neuen „Genossen"-Qualitäten derselben entstehen lassen. Urwüchsig ist das nicht. Der Tausch, der Archetypus aller bloßen Zweckkontrakte, ist ursprünglich zwischen Genossen einer ökonomischen oder politischen Gemeinschaft typisch geordnete Massenerscheinung wohl nur auf nichtökonomischem Gebiet: als Frauentausch zwischen exogamen Sippen, die also dabei in einer eigentümlichen Doppelstellung als teils Genossen, teils Ungenossen einander gegenüberstehen. Dieser Tausch erscheint im Fall der Exogamie zugleich auch als „Verbrüderungsakt", denn so sehr die Frau dabei in aller Regel nur als Objekt auftritt, so pflegt doch der Gedanke, daß eine magisch zu befördernde Statusänderung vorliegt, selten ganz zu fehlen. Denkbarerweise würde jene eigentümliche Doppelstellung, welche die Entstehung der geregelten Exogamie für die kartellierten exogamen Sippen im Verhältnis zueinander schafft, die viel erörterte Erscheinung erklären, daß zuweilen die Eingehung der Ehe mit der Hauptfrau formlos, dagegen diejenige mit Unterfrauen in festen Formen erfolgt: die Stellung der Hauptfrau wäre, weil urwüchsig und schon prä-exogam, der Form unbedürftig geblieben, weil der Tausch ursprünglich, vor der Exogamie, noch nichts mit Verbrüderungsakten zu schaffen hatte. Doch scheint es plausibler, daß vielmehr die Notwendigkeit der speziellen ökonomischen Sicherung der Nebenfrauen durch Kontrakt gegenüber der generell feststehenden ökonomischen Stellung der Hauptfrau, die festen Kontraktformen bedingte. Der ökonomische Tausch ist nicht nur stets Tausch mit Nichtgenossen des eigenen Hauses, sondern auch, dem Schwerpunkt nach, Tausch nach außen, mit Fremden, Nichtversippten und auch nicht Verbrüderten, also Ungenossen schlechthin. Schon deshalb entbehrt er, in der früher erörterten Form des „stummen" Tausches, jeden magischen Formalismus und wird erst allmählich, in Form des Marktrechts, auch sakralem Schutz unterstellt, – was in geregelten Formen im allgemeinen erst möglich wurde, nachdem die Göttervorstellung neben Magie getreten war, mit deren Mitteln wenigstens direkt eigentlich nur „Status"-Kontrakte zu garantieren geeignet waren. Es kam vor, daß auch der Tausch durch spezielle Verbrüderungsakte oder ihnen äquivalente Handlungen unter die Garantie der Statuskontrakte gestellt wurde. Im allgemeinen aber nur, wo es sich um Grundbesitz handelt, von dessen Sonderstellung bald zu sprechen sein wird. Das Normale aber war die – wenigstens relative – Garantielosigkeit des Tausches und überhaupt das Fehlen aller Vorstellungen von der Möglichkeit der Übernahme einer „Verpflichtung", die nicht Ausfluß einer, naturgegebenen oder künstlichen, universellen Verbrüdertheit gewesen wäre. Dies bedingte es, daß der Tausch zunächst stets und ausschließlich als eine alsbaldige beiderseitige Besitzübergabe der Tauschgüter Wirkung erlangte. Der Besitz aber ist geschützt durch den Rache- und Sühneanspruch gegen den Dieb. Auch der „Rechtsschutz", den der Tausch genießt, ist also kein „Obligationenschutz", sondern Besitzschutz. Denn die spätere Gewährschaftspflicht wird, wo sie praktisch wird, ursprünglich nur indirekt (in Form der Diebstahlsklage gegen den unberechtigten Verkäufer) geschützt.

Eine eigentlich juristische Konstruktion formalistischen Charakters beginnt sich an den Tausch erst anzusetzen, wenn die Geldfunktion bestimmter Güter, und zwar speziell der Metalle entfaltet und also der Kauf entstanden ist. Nicht erst mit dem Auftauchen des chartalen oder gar erst staatlichen Geldes geschieht dies, sondern, wie speziell auch das römische Recht zeigt, schon auf dem Boden pensatorischer Zahlungsmittel. Die Geschäfte per aes et libram sind die eine der beiden urwüchsigen Rechtsgeschäftsformen des alten römischen Zivilrechts. Diese Form des Barkaufs hat auf dem Boden der römischen Städteentwicklung geradezu universelle Funktionen für fast alle Arten privater Rechtsgeschäfte an sich gerissen, einerlei, ob sie familien- und erbrechtlichen oder eigentlich tauschhaften Inhaltes waren. Den stets auf universelle Qualitäten des sozialen Status der Person, ihrer Eingeordnetheit in einen die ganze Persönlichkeit umfassenden Verband abzielenden Verbrüderungs- oder anderen Statuskontrakten mit den, spezifische Gesinnungsqualitäten begründenden, universalen Rechten und Pflichten tritt eben hier der Geldkontrakt als die nach Wesen und Funktion spezifische, quantitativ begrenzte und bestimmte, ihrem Sinn nach qualitätsfremde, abstrakte und normalerweise rein ökonomisch bedingte Vereinbarung als Archetypus des Zwangskontrakts gegenüber. Als ein solcher anethischer Zwangskontrakt war der Geldkontrakt geeignet zum Mittel der Ausschaltung des magischen oder sakramentalen Charakters von Rechtsakten, also als Mittel der Rechtsprofanierung (so die römische Zivilehe in Form der coemtio gegenüber der sakramentalen confarreatio). Er war dazu nicht das einzig geeignete, aber das geeignetste Mittel. Ja, als spezifisches Bargeschäft, welches ursprünglich wenigstens keinerlei über den Akt selbst hinaus in die Zukunft weisendes Element promissorischen Charakters enthielt, war er sogar stark konservativer Natur. Denn auch er schuf nur gesicherten Besitz, garantierte erworbenes Gut, gab aber ursprünglich keine Garantien für die Erfüllung gegebener Versprechungen. Der Gedanke der Obligation durch Kontrakt war den urwüchsigen Rechten gänzlich fremd. Verpflichtungen zur Leistung und Forderungsrechte gab es in ihnen durchweg nur in einer einzigen Form: als Forderungen ex delicto. Der Anspruch des Verletzten war durch die Praxis des Sühneverfahrens und des daran anschließenden Herkommens fest tarifiert. Die vom Richter festgestellte Sühneschuld war die älteste wirkliche Schuld, und aus ihr sind alle anderen Schuldverhältnisse erwachsen. Und in diesem Sinne waren umgekehrt auch ursprünglich alle gerichtlich verfolgbaren Ansprüche nur Obligationenansprüche. Ein förmliches Prozeßverfahren, welches sich auf die Herausgabe von Sachen gerichtet hätte, gab es ursprünglich, soweit es sich um Streitigkeiten zwischen Angehörigen verschiedener Sippen handelte, nicht. Jede Klage stützte sich notwendig auf die Behauptung, daß der Verklagte persönlich dem Kläger ein zu sühnendes Unrecht zugefügt habe. Daher konnte es nicht nur keine Kontraktklage und keine reipersekutorische Klage, sondern auch keine Statusklage geben. Ob sich jemand mit Recht zu einem Hausverband, einer Sippe, einem politischen Verband zählte, ging diese Verbände als interne Angelegenheit allein an. Aber eben in dieser Hinsicht wandelten sich die Zustände. Denn zu den Grundnormen jeder Art von Verbrüderung oder Pietätsgemeinschaft gehörte, daß der Bruder den Bruder, der Sippengenosse den Sippengenossen, der Gildegenosse den Gildengenossen, der Patron den Klienten und umgekehrt nicht vor den Richter fordern und nicht gegen ihn zeugen konnte, so wenig wie zwischen ihnen Blutrache möglich war. Frevel unter ihnen zu rächen war Sache der Geister und Götter, der priesterlichen Banngewalt, der Hausgewalt oder der Lynchjustiz des Verbandes. Wenn nun aber der politische Verband sich als Wehrgemeinde konstituiert hatte, und nun die Wehrfähigkeit und das politische Recht in Zusammenhang trat mit der Geburt in einer von ihm als vollwertig anerkannten Ehe, Unfreie und Unebenbürtige also kein Wehrrecht und kein Beuteanteilsrecht haben sollten, so mußte ein Rechtsmittel gegeben werden, welches den umstrittenen Status einer Person festzustellen gestattete. In engem Zusammenhang damit steht daher die Entstehung von Klagen, welche Grundbesitz betrafen. Die Verfügung über bestimmte Gebiete nutzbaren Bodens wurde mit steigender Knappheit steigend wichtige Grundlage jeden Verbandes: des politischen Verbandes ebenso wie der Hausgemeinschaft. Die vollberechtigte Anteilnahme am Verband gab das Anrecht auf Teilnahme am Bodenbesitz und umgekehrt war nur der Bodenbesitzer Vollbürger des Verbandes. Streitigkeiten zwischen den Verbänden über Bodenbesitz mußten daher stets reipersekutorische Wirkung haben: der siegende Verband erhielt das strittige Land. Bei steigender Individualappropriation des Bodens aber war Kläger nicht mehr der Verband, sondern ein einzelner Genosse gegen den anderen Genossen und berief sich jeder von beiden Genossen darauf, daß er kraft Genossenrecht den Boden besitze. Einer von den Streitenden in einem Prozeß, der das Genossenrecht auf Land betraf, mußte das Streitobjekt, die Basis seiner ganzen politisch-sozialen Existenz zugesprochen erhalten. Denn nur einer von beiden konnte als Genosse dazu berechtigt sein, ebenso wie jemand nur entweder Genosse oder Ungenosse, Freier oder Unfreier sein konnte. Zumal in den militaristischen Verbänden, wie der antiken

Polis, mußte der Streit um den Fundus oder Kleros diese Form eines notwendig doppelseitigen Prozesses annehmen, bei welchem nicht einer als Täter des Unrechts vom angeblich Verletzten verfolgt wurde und seine Unschuld zu erhärten suchte, sondern jeder von beiden bei Vermeidung der Sachfälligkeit behaupten mußte, der Berechtigte zu sein. Sobald es sich dergestalt um die Frage des Genossenrechtes als solchen handelte, war das Schema der Deliktklage unanwendbar. Einen Fundus konnte man nicht stehlen, nicht etwa nur aus natürlichen Gründen, sondern weil man jemandem seine Qualität als Genosse nicht stehlen konnte. Daher trat, wo es sich um Statusfragen oder Grundbesitz handelte, neben die einseitige Deliktklage die zweiseitige Klage, die hellenische Diadikasie und römische Vindicatio mit obligatorischer Gegenklage des Verklagten gegen die Inanspruchnahme seitens des Klägers. Hier, in den Statusstreitigkeiten, zu welchen der Streit über das Recht an der Hufe gehörte, war die Wurzel der Scheidung dinglicher von persönlichen Ansprüchen. Diese Unterscheidung war Entwicklungsprodukt und trat erst mit dem Zerfall der alten Personalverbände, vor allem der strengen Herrschaft der Sippe über den Güterbesitz auf. Man darf sagen: ungefähr auf dem Entwicklungsstadium der Marktgenossenschaft und des Hufenrechts oder eines entstehenden Stadiums der Besitzorganisation. Das urwüchsige Rechtsdenken kannte statt jenes Gegensatzes zweierlei grundlegende Sachverhalte: 1. Ich bin kraft Geburt oder Aufzucht im Hause des X, kraft Ehe oder Kindesannahme, Verbrüderung, Wehrhaftmachung, Jünglingsweihe Genosse des Verbandes Y und darf kraft dessen die Nutzung des Gutes Z für mich beanspruchen; – 2. X, der Genosse des Verbandes Y, hat mir, dem A oder einem Genossen meines Verbandes B die Verletzung C zugefügt (die arabische Rechtssprache sagt nicht: das Blut des A ist vergossen, sondern unser, der Versippten Blut ist vergossen), dafür schuldet er und seine Verbandsgenossen uns, den Verbandsgenossen des A, die Sühne. Aus dem ersten Tatbestand entwickelte sich mit fortschreitender Individualappropriation der dingliche Anspruch (vor allem Erbschafts- und Eigentumsklage) gegen jeden Dritten. Aus dem zweiten der persönliche Anspruch gegen den, dem irgendwelche, insbesondere auch durch Versprechen übernommene, ihm und nur ihm obliegende Leistungspflichten gegen den Berechtigten und nur diesem gegenüber zu tun zugemutet werden muß. Gekreuzt wird die Klarheit des ursprünglichen Tatbestandes und die Gradlinigkeit der Entwicklung von da aus durch den Dualismus der Rechtsbeziehung zwischen den Sippenverbänden und innerhalb der Sippenverbände. Zwischen Sippengenossen sahen wir, gab es keine Rache, also auch keinen Rechtsstreit, sondern nur Schlichtung durch die Sippenältesten und gegen den Widerstrebenden den Boykott. Alle magischen Rechtsförmlichkeiten des Verfahrens fehlen hier: die interne Streitschlichtung der Sippe war eine Verwaltungsangelegenheit. Rechtsgang und Recht im Sinne des durch Rechtsfindung und daran anschließenden Zwang garantierten Anspruchs gab es nur zwischen verschiedenen Sippenverbänden und deren Angehörigen, welche dem gleichen politischen Verband angehörten. Zerfiel nun aber die Sippe zugunsten des Ineinanderbestehens von Hausgemeinschaften, Ortsgemeinden und politischem Verband, so fragte es sich, inwieweit nunmehr der Rechtsgang des politischen Verbandes auch auf die Beziehungen zwischen Sippengenossen und schließlich Hausgenossen übergriff. Soweit dies der Fall war, wurden nun die individuellen Bodenansprüche der Einzelnen auch Gegenstand von Prozessen unter den Genossen selbst vor dem Richter. Zunächst in der erwähnten Form der doppelseitigen Vindikation. Andererseits aber konnte die politische Gewalt patriarchalen Charakter annehmen und also die Methode der Streitschlichtung mehr oder minder allgemein dem ursprünglich nur für die interne Streitschlichtung anwendbaren Typus der Verwaltung zugehören. Dann konnte dieser Typus sich auch dem Rechtsgang des politischen Verbandes mitteilen. Dadurch verwischte sich oft die klare Typik der alten sowohl wie der neuen Auffassung in der Scheidung der beiden Kategorien von Ansprüchen. Die technische Gestaltung der Abgrenzung beider soll uns hier nicht beschäftigen. Wir kehren vielmehr zu der Frage zurück, wie sich aus der Personalhaftung für Delikte die Kontraktsobligation entwickelt hat und wie aus dem deliktischen Verschulden als Klagegrund die kontraktliche Schuld entstand. Das Mittelglied war die im Rechtsgang festgestellte oder in ihm anerkannte Sühneschuldhaftung.

Einer der frühesten typischen Fälle, in welchem die Anerkennung der Zwangskontraktschuld ein ökonomisches Bedürfnis werden mußte, ist die Darlehensschuld. Gerade hier aber zeigte sich die Langsamkeit der Emanzipation aus dem ursprünglichen Zustand der ausschließlichen Personalhaftung. Darlehen war ursprünglich nur unter Brüdern als stets zinslose Nothilfe typisch, wie wir sahen. Dafür konnte es also wie unter Brüdern, d. h. Sippen- und Gildegenossen, durch Klientel oder sonstige Pietätsbeziehungen Verbundenen gar keine Klage geben. Ein außerhalb des Verbrüderungsverbandes gegebenes Darlehen unterstand, wo es vorkam, dem Gebot der Unentgeltlichkeit rechtlich an sich nicht. Aber es war unter der Herrschaft der Personalhaftung ursprünglich klaglos. Als Zwangsmittel hatte der getäuschte Gläubiger nur magische Prozeduren zur Verfügung, zum Teil in einer uns grotesk erscheinenden Form, wie sie in Resten lange Zeit erhalten blieben. In China drohte der Gläubiger mit Selbstmord und beging diesen eventuell in der Erwartung, den Schuldner dann nach dem Tode zu verfolgen. In Indien setzte sich der Gläubiger vor das Haus des Schuldners und verhungerte oder erhängte sich dort, hier aber deshalb, weil damit die Rachepflicht der Sippe gegen den Schuldner begründet war und wenn der Gläubiger Brahmane war, der Schuldner als Brahmanenmörder auch dem Einschreiten des Richters verfiel. In Rom war die Improbität der 12 Tafeln und die spätere Infamia bei Fällen schweren Bruchs der Fides wohl ein Rest des im Fall der Nichtinnehaltung von Treu und Glauben an Stelle des fehlenden Rechtszwanges eintretenden sozialen Boykotts. Die Entwicklung eines einheitlichen Schuldrechtes hat sicher an die Deliktsklage angeknüpft. Der Deliktshaftung der Sippe entstammt z. B. ursprünglich die Entwicklung der weit verbreiteten Solidarhaft aller Sippengenossen oder Hausgenossen beim Kontrakt eines von ihnen. Die Entwicklung der klagbaren Kontraktsobligation ist aber dann meist ihre eigenen Wege gegangen. Oft spielte der Eintritt des Geldes in das Wirtschaftsleben hier die entscheidende Rolle des nexum, der Schuldkontrakt per aes et libram und die stipulatio, der Schuldkontrakt durch symbolische Pfandgabe, die beiden urwüchsigen Kontraktformen des römischen ius civile, waren zugleich beide Geldkontrakte. Denn auch für die stipulatio scheint mir wenigstens dies sicher. Beide verleugnen aber die Anknüpfung an den vorkontraktlichen Zustand des Rechts nicht. Beide waren streng formale, mündlich und nur persönlich vollziehbare Akte. Beide haben die gleiche Herkunft. Was die stipulatio anlangt, so ist auf Grund der Analogie der auch im germanischen Recht bekannten Rechtsentwicklung mit Mitteis anzunehmen, daß sie aus dem Prozeß stammt, außerhalb dessen sie ursprünglich nur eine bescheidene Rolle, und zwar wesentlich zum Zweck von Nebenvereinbarungen (Zinsen u. dgl.) gespielt zu haben scheint. Denn neben dem Tausch liegt ja der Sühnevertrag, auf dem der Prozeß beruht, schon insofern auch auf dem Wege zum Zwangskontrakt, als er ein Vertrag unter Feinden und kein Verbrüderungsvertrag ist, präzise Formulierung des Streitpunktes und vor allem des Beweisthemas erheischt. Der Prozeß selbst aber bot, je festere Form er annahm, desto mehr Anlässe zur Entwicklung von Rechtsgeschäften, welche Kontraktspflichten schufen. Dahin gehörte vor allem die Sicherheitsleistung der Prozeßpartei dem Prozeßgegner gegenüber. Der Prozeß, welcher die Selbsthilfe abwenden wollte, begann in vielen Rechten mit Akten der Selbsthilfe. Der Kläger schleppt den Verklagten vor Gericht und läßt ihn nur los, nachdem Sicherheit gegeben ist, daß er sich der Sühne, wenn der Richter ihn schuldig findet, nicht entziehen werde. Stets richtet sich dabei die Selbsthilfe gegen die Person des Gegners, denn die Klage gründete sich ja zunächst stets auf die Behauptung nicht nur objektiv unrechtmäßigen Handelns, sondern, was damit völlig identifiziert wurde, eines Frevels des Verklagten gegen den Kläger, für welchen er mit seiner Person einzustehen habe. Die Sicherheit, welche der Verklagte zu leisten hatte, um bis zum Richterspruch unbehelligt zu bleiben, leistete er durch einen Bürgen (sponsor) oder durch Pfand. Diese beiden Rechtsinstitute tauchen hier im Prozeß zuerst als erzwingbare Rechtsgeschäfte auf. An Stelle der Bürgschaft eines Dritten wurde später dem Verklagten selbst gestattet, die Erfüllung des Urteils zuzusagen, und die rechtliche Auffassung davon war: daß der sein eigener Bürge sei, ebenso wie die älteste juristische Form des freien Arbeitsvertrages überall ein Selbstverkauf in die befristete Sklaverei war, statt des normalen Verkaufs durch Vater oder Herrn. Die ältesten, rein auf Vertrag gegründeten Schuldenobligationen waren Übernahme prozessualer Vorgänge in das außerprozessuale Rechtsleben. Pfand- oder Geiselstellung waren auch im germanischen Recht die ältesten Mittel, Schulden zu kontrahieren, nicht nur ökonomisch, sondern gerade dem Rechtsformalismus nach. Die Bürgschaft, aus welcher hier wie dort die Selbstbürgschaft abgeleitet wurde, lehnte sich aber für das Rechtsdenken zweifellos an die persönliche solidarische Haftung der Sippen und der Hausgenossen an. Das Pfand jedoch, die zweite Form der Sicherheitsleistung für künftige Verpflichtungen, war im römischen wie im deutschen Recht zunächst entweder genommenes Pfand (Exekutionspfand) oder Pfandbestellung, um der persönlichen Klage oder Exekutionshaftung zu entgehen, also nicht wie heute eine Sicherheit für eine gesondert daneben bestehende Forderung. Die Pfandbestellung enthält vielmehr eine Besitzverfügung über solche Güter, welche solange die gesicherte Schuld nicht abgetragen wird, rechtmäßiger, nachdem sie rechtzeitig abgetragen worden ist, unrechtmäßiger Besitz des Gläubigers am Pfande waren, im letzteren Fall also einen Frevel gegen den früheren Schuldner ergab. Es fügte sich demnach in das dem Rechtsdenken geläufige Schema der ältesten Klagegründe: tatsächliche Verletzung der Person oder tatsächliche Verletzung ihres Besitzes ebenfalls relativ zwanglos ein. Teils direkt an die mögliche Art der Exekution, teils an die aus dem

Prozeß stammende Geiselstellung lehnte sich endlich das ebenfalls sehr universell verbreitete Rechtsgeschäft des bedingten Selbstverkaufs in die Schuldknechtschaft an. Der Leib des Schuldners selbst war hier das Pfand des Gläubigers und verfiel endgültig zu rechtmäßigem Besitz, wenn die Schuld nicht bezahlt wurde. Die Schuldhaftung aus Kontrakten war ebenso wie die Rache- und Sühnehaftung, an die sie anknüpfte, ursprünglich nicht nur eine in unserem Sinn persönliche Haftung mit dem Vermögen, sondern eine Haftung des Schuldners mit seiner physischen Person und nur mit dieser. Einen Zugriff auf das Vermögen des Schuldners gab es ursprünglich überhaupt nicht. Im Fall der Nichtzahlung konnte der Gläubiger sich nur an die Person halten. Er tötete ihn oder setzte ihn als Geisel in Gefangenschaft, behielt ihn als Schuldknecht, verkaufte ihn als Sklaven, mehrere Gläubiger mochten, wie die 12 Tafeln anheimstellten, ihn in Stücke schneiden, oder der Gläubiger setzte sich in das Haus des Schuldners und dieser mußte ihn bewirten (Einleger) – schon ein Übergang zur Vermögenshaftung. Diese selbst aber stellte sich sehr zögernd ein, und die Personalhaft als Folge der Zahlungsunfähigkeit ist in Rom erst im Verlauf des Ständekampfs, bei uns erst im 19. Jahrhundert verschwunden. Die ältesten rein obligatorischen Kontrakte, das Nexum und die Stipulatio, wadiatio der Germanen, bedeutete jedenfalls die freiwillige Unterwerfung unter eine für künftig versprochene Vermögensleistung, um der sofortigen persönlichen Haftbarmachung zu entgehen. Aber wenn sie nicht erfüllt wurde, war ursprünglich wiederum nur der Rückgriff auf die Person selbst die Folge.

Alle ursprünglichen Kontrakte waren Besitzwechselkontrakte. Daher waren auch alle Rechtsgeschäfte, welche wirklich alte Formen der kontraktlichen Schuldhaftung, namentlich die überall besonders streng formale Geldschuldhaftung repräsentierten, stets mit einem rechtsförmlichen Besitzübergang symbolisch verbunden. Manche von diesen Symboliken beruhten zweifellos auf magischen Vorstellungen. Dauernd aber blieb maßgebend, daß das Rechtsdenken zunächst als relevant keine unsichtbaren Tatbestände nach Art bloßer Schuldversprechungen kannte, sondern nur Frevel, und das waren Verletzungen gegen Götter oder Leib und Leben oder den sichtbaren Besitzstand. Ein Vertrag, der rechtlich relevant sein sollte, mußte daher normalerweise eine Besitzverfügung über sichtbare Güter enthalten oder doch so gedeutet werden können. War dies der Fall, so konnte er im Verlauf der Entwicklung die allerverschiedensten Inhalte einbeziehen. Als nicht in jene Form zu kleidende Geschäfte aber waren zunächst nur alle Bargeldgeschäfte rechtswirksam oder allenfalls insoweit, als ein Angeld als Teilleistung gegeben wurde, welches den Gesinnungswandel des Versprechenden ausschloß. Es hat sich daraus das in sehr vielen Rechten urwüchsige Prinzip: daß nur entgeltliche Zwangskontrakte dauernd bindend sein könnten, ergeben. Diese Vorstellung wirkte so nachhaltig, daß noch zu Ende des Mittelalters (15. Jahrhundert, offiziell seit Heinrich VIII.) die englische Lehre von der consideration an jenes Bedürfnis anknüpft: wo ein realer Entgelt (consideration), sei es auch nur ein Scheinentgelt, real gezahlt worden war, da konnte der Kontrakt fast jeden nicht rechtlich verpönten Inhalt annehmen. Er war gültig, auch wenn es ohne jene Voraussetzung keinerlei Rechtsschema gäbe, dem er entspräche. Die in ihrem Sinn viel umstrittenen 12 Tafelsätze über die Manzipationsgeschäfte waren wohl der Sache nach eine freilich wesentlich primitivere Sanktionierung materieller Verfügungsfreiheit von allerdings begrenzterer Entwicklungsfähigkeit unter einer dem Prinzip nach ähnlichen formalen Voraussetzung.

Neben der Entwicklung der aus den rechtsförmlichen Geldgeschäften einerseits, den Prozeßbürgschaften andererseits überkommenen Schemata hat sich das Bedürfnis des Rechtslebens noch einer dritten Möglichkeit bedient: des Zwangskontraktes. Die Garantie des Rechts, Zwang zu schaffen: künstlich neue Kontraktklagen aus Deliktsklagen zu entwickeln. Dies ist selbst in technisch schon hoch entwickelten Rechten wie dem englischen, noch auf der Höhe des Mittelalters geschehen. Die ökonomische Rationalisierung des Rechts begünstigte die Entstehung der Vorstellung, daß die Sühnehaftung nicht sowohl Abkauf der Rache (die ursprüngliche Auffassung) wie Ersatz des Schadens sei. Nichterfüllung eines Kontrakts konnte nun ebenfalls als sühnepflichtige Schädigung qualifiziert werden. Die Anwaltspraxis und die Rechtsprechung der königlichen Gerichte in England nun qualifiziert seit dem 13. Jahrhundert die Nichterfüllung von immer mehr Kontrakten als einen trespass und schuf jenen dadurch Rechtsschutz (namentlich mittels des writ of assumpsit), ähnlich wie in freilich technisch ganz anderer Art die prätorische Rechtspraxis der Römer zunächst durch Erklärung der Dilatioklagen, dann durch den Dolusbegriff den Rechtsschutz über sein ursprüngliches Gebiet ausdehnte.

Mit der Schaffung klagbarer und ihrem Inhalt nach frei zu differenzierender Kontraktforderungen ist noch lange nicht derjenige Rechtszustand erreicht, welchen ein entwickelter, rein geschäftlicher Verkehr erfordert. Jeder rationale Betrieb insbesondere bedarf der Möglichkeit, durch Stellvertreter – solche für den Einzelfall sowohl wie dauernd angestellte – vertragsmäßige Rechte zu erwerben und Verpflichtungen einzugehen. Und ein entwickelter Verkehr bedarf darüber hinaus der Übertragbarkeit der Forderungsrechte, und zwar einer letzten und für den Erwerb rechtssicheren, die Nachprüfung der Berechtigung des Rechtsvorgängers ersparenden Übertragbarkeit. Wie die heutigen, für den modernen Kapitalisten unentbehrlichen Rechtsinstitutionen sich entwickelt haben, wird an anderer Stelle erörtert (G. Leist in Abteilung IV dieses Werkes). Hier sei nur kurz des Verhaltens der früheren Vergangenheit gedacht. Die direkte Stellvertretung bei Rechtsgeschäften hat von den antiken Rechten das römische Recht im Gegensatz zum griechischen, dem sie wohl bekannt war, für die Eingehung von Obligationen fast unmöglich gemacht. Offenbar ermöglichten diese Rechtszustände, welche mit dem Formalismus der zivilrechtlichen Klage zusammenhingen, die Verwendung von Sklaven in den eigentlich kapitalistischen Betrieben, für welche die Stellvertretung praktisch weitgehend anerkannt war. Eine Zession der Forderungsrechte kannte infolge des streng politischen Charakters der Schuldbeziehung weder das antike römische noch das germanische Recht. Das römische Recht schuf dafür erst spät durch Vermittlung der indirekten Stellvertretung Ersatz und gelangte schließlich zu einem Zessionsrecht, dessen Brauchbarkeit für den eigentlichen Geschäftsverkehr aber durch die materialethischen Tendenzen der späteren Kaisergesetzgebung wieder durchkreuzt wurde. Ein hinlänglich starkes, praktisches Bedürfnis bestand für die Abtretbarkeit der Forderung bis an die Schwelle der Gegenwart in der Tat nur für diejenigen Forderungsrechte, welche Gegenstand regelmäßigen Umsatzes waren oder direkt dem Zweck der Übermittlung von Ansprüchen an Dritte dienten. Für diese Bedürfnisse wurde die Kommerzialisierung durch die Order- und Inhaberpapiere geschaffen, welche sowohl für die Übertragung von Forderungen, speziell Geldforderungen, wie für die Übertragung von Verfügungsgewalten über Handelsgut und über Anteile an Unternehmungen funktionieren. Dem römischen Recht waren sie durchaus unbekannt. Es ist noch heute unsicher, ob, wie Goldschmidt annimmt, irgendwelche von den hellenistischen und ebenso ob, wie Köhler glaubt, die schon in Hammurabis Zeit hinauf reichenden babylonischen, auf den Inhaber lautenden Urkunden echte Inhaberpapiere waren. In jedem Fall aber ermöglichten sie tatsächlich die Zahlung an und durch Dritte in einer Art, wie sie das offizielle römische Recht nur indirekt ermöglichen konnte. Das klassische römische Recht kannte eigenschaftliche dispositive Beurkundung, wenn man nicht den Literalkontrakt, die Bankiersbuchung, so nennen will, gar nicht. Für das hellenistische und spätrömische Recht ist vielleicht durch den staatlichen Registerzwang, der zunächst wesentlich fiskalischen Steuerzwecken diente, die im Orient von ältester Zeit her entwickelte Urkundentechnik zur obligatorischen Beurkundung gewisser Geschäfte und zu wertpapierartigen Erscheinungen fortentwickelt worden. In den hellenischen und hellenistischen Städten wurde im Publizitätsinteresse die Urkundentechnik durch zwei den Römern unbekannte Institute: Gerichtsmerker und Notare gehandhabt. Die Institution der Notare nun ist von der Osthälfte des Reichs her nach dem Westen übernommen worden. Aber erst das Urkundenwesen der nachrömischen Zeit seit dem 7. Jahrhundert brachte im Okzident eine Fortentwicklung der spätrömischen Urkundenpraxis, welche vielleicht durch die starke Einwanderung orientalischer, besonders syrischer Händler befördert worden war. Dann freilich hat sich die Urkunde als Rechtsträger, sowohl als Order- wie als Inhaberpapier ungemein rasch entwickelt, überraschenderweise also gerade in einer Zeit, deren Verkehrsintensität wir uns, verglichen mit der klassischen Antike als äußerst begrenzt vorzustellen haben. Mithin scheint die Rechtstechnik hier wie sonst oft ihre eigenen Wege gegangen zu sein. Das Entscheidende war dabei freilich wohl, daß jetzt nach Fortfall des Einheitsrechts die Interessenten der Verkehrsmittelpunkte und ihre nur technisch geschulten Notare die Entwicklung bestimmten, überhaupt das Notariat als einziger Träger der Verkehrsrechtstradition der Antike übrig blieb und sich schöpferisch betätigte. Allein es haben dabei, wie schon angedeutet, gerade im Urkundenwesen auch die irrationalen Denkformen des germanischen Rechts die Entwicklung begünstigt. Die Urkunde erschien der volkstümlichen Auffassung als eine Art von Fetisch, dessen rechtsförmliche Übergabe zunächst vor Zeugen spezifische Rechtswirkungen ebenso hervorbrachte wie andere ursprünglich halbmagische Symbole: der Gerwurf und die Vestuka der germanischen oder das dieser letzteren entsprechende Barkonu des babylonischen Rechts. Nicht etwa mit der beschriebenen Urkunde, sondern mit dem unbeschriebenen Pergament wurde ursprünglich von den Beteiligten die symbolische Traditionshandlung vorgenommen und dann erst das Protokoll darauf geschrieben. Während aber das italienische Recht infolge des Zusammenwirkens der germanischen Rechtssymbolik mit der Notariatspraxis schon im frühen Mittelalter den Urkundenbeweis sehr stark begünstigte, kannte ihn das englische Recht noch lange Zeit nicht und spielte dort das Siegel die entscheidende rechtsbegründende Rolle. Die Entwicklung der Wertpapiertypen des modernen Handelsrechts aber ist zum erheblichen Teil unter arabischer Mitwirkung infolge teils kommerzieller, teils administrativer Bedürfnisse im Verlauf des Mittelalters vor sich gegangen. Der antike römische Handel hat sich anscheinend ohne diese wichtigen, uns heute unentbehrlich scheinenden technischen Mittel behelfen können und müssen.

Der heute grundsätzlich bestehende Zustand endlich: daß jeder beliebige Inhalt eines Vertrages, sofern ihm nicht Schranken der Vertragsfreiheit entgegenstehen, zwischen den Parteien Recht schafft und daß besondere Formen dabei nur soweit erforderlich sind, als das Recht dies aus Zweckmäßigkeitsgründen, insbesondere um der eindeutigen Beweisbarkeit der Rechte und also der Rechtssicherheit willen zwingend vorschreibt, ist überall erst sehr spät erreicht worden, in Rom durch die allmähliche Internationalisierung des Rechts, in der Neuzeit durch den Einfluß der gemeinrechtlichen Doktrin und der Handelsbedürfnisse. Wenn nun trotz dieser heute generell bestehenden Vertragsfreiheit die moderne Gesetzgebung sich durchweg nicht mit der Feststellung: daß man vorbehaltlich besonderer Einschränkungen prinzipiell gültig vereinbaren könne, was immer man wolle, begnügt, sondern durch allerlei spezielle Ermächtigungssätze einzelne Typen von Vereinbarungen speziell derart regelt, daß die gesetzlichen Folgen eintreten, wo die Parteien nichts anderes vereinbaren (dispositives Recht), so sind dafür zwar zunächst und im allgemeinen reine Zweckmäßigkeitsgesichtspunkte entscheidend: die Parteien denken in aller Regel nicht daran, alle möglicherweise relevanten Punkte wirklich ausdrücklich zu regeln, und es entspricht auch einer Bequemlichkeit, sich an erprobte und vor allem bekannte Typen halten zu können. Ohne solche wäre ein moderner Rechtsverkehr kaum möglich. Aber damit ist die Bedeutung der Ermächtigungsnormen und der Vertragsfreiheit bei weitem nicht erschöpft. Sie kann vielmehr eine noch prinzipiellere Bedeutung haben.

Die Ordnung durch Ermächtigungsnormen greift nämlich – und das soll uns hier beschäftigen – in gewissen Fällen notwendig über die Sphäre bloßer Abgrenzung des gegenseitigen individuellen Freiheitsbereichs grundsätzlich hinaus. Denn die zugelassenen Rechtsgeschäfte schließen in aller Regel die Ermächtigung zugunsten der Interessenten in sich, *auch Dritte*, an dem betreffenden Akt nicht Beteiligte, zu binden. In irgendeinem Maß und Sinn wirkt fast jedes Rechtsgeschäft zwischen zwei Personen, indem es die Art der Verteilung der Verfügung der rechtlich garantierten Verfügungsgewalten verschiebt, auf die Beziehungen zu unbestimmt vielen Dritten zurück. Aber immerhin in sehr verschiedener Art. Soweit es nur zwischen denjenigen, welche es abschließen, Ansprüche und Verbindlichkeiten schafft, scheint dies rein äußerlich überhaupt nicht der Fall zu sein, denn hier scheint in der Tat nur die Chance, daß das Zugesagte erfüllt wird, rechtlich garantiert. Soweit es sich dabei – wie in aller Regel – um rechtsgeschäftliche Übertragungen von Besitz aus einer Hand in die andere handelt, erscheint das Interesse Dritter dadurch nur wenig berührt, daß jetzt ein anderer Inhaber des auch bisher für sie nicht zugänglichen Objekts von ihnen zu respektieren ist. In Wahrheit ist diese Unberührtheit der Interessen Dritter stets nur eine relative. So werden die Interessen der etwaigen Gläubiger eines Jeden, der eine Schuldverpflichtung eingeht, durch dessen vermehrte Belastung mit Verbindlichkeiten berührt und die Interessen der Nachbarn bei einem Grundstücksverkauf z. B. durch jene Änderungen, die der neue Besitzer im Gegensatz zum bisherigen in der Art von dessen Benutzung vorzunehmen ökonomisch in der Lage oder umgekehrt nicht in der Lage ist. Dies sind faktisch mögliche *Reflex*wirkungen des generell vom Recht zugelassenen und garantierten subjektiven Rechts. Die Rechtsordnungen ignorieren sie keineswegs immer, wie z. B. das Verbot der Zession von Forderungen an „Mächtigere" im spätrömischen Recht beweist. Indessen nun gibt es Fälle, in welchen die Interessen Dritter durch Ausnutzung der Vertragsfreiheit in noch spezifisch anderer Art berührt werden können. Wenn z. B. durch Vertrag jemand sich in die „Sklaverei" verkauft oder ein Weib sich durch Ehevertrag in die „Ehegewalt" begibt, oder wenn ein Grundstück zum „Fideikommiß" erklärt wird, oder wenn eine Anzahl von Personen eine „Aktiengesellschaft" gründen – dann werden davon die Interessen Dritter zwar rein faktisch im Einzelfall dem Grade nach sehr verschieden und oft weniger als in den obigen Beispielen berührt, immer aber in *qualitativ* anderer Art als dort. Denn im Gegensatz zu dort werden hier die bis dahin für bestimmte Personen und Sachgüter *generell* geltenden Regeln des *Rechts*verkehrs, z. B. über die Gültigkeit von Verträgen und über den zwangsweisen Zugriff der Gläubiger auf Vermögensobjekte, infolge dieser Vereinbarungen zugunsten der Vertragschließenden durch ganz neue und andersartige, auch jeden Dritten in seinen Ansprüchen und Chancen bindende rechtliche Spezial*normen* soweit ersetzt, als dem freien Belieben der Vertragschließenden rechtliche Geltung und Zwangsgarantie zugestanden wird. Mindestens alle künftigen, oft aber auch die bisherigen Verträge des Sklaven, der Ehefrau, des zum Fideikommißherr gewordenen Gutsbesitzers und gewisse Verträge der die neue Gesellschaft vertretenden Personen unterstehen fortan gänzlich anderen Rechtssätzen, als bisher nach den generell geltenden Regeln anwendbar waren: einem *Sonderrecht.* Die juristische Ausdruckstechnik des Rechts verschleiert dabei die Art der Berührtheit der Interessen Dritter und den Sinn des Sonderrechts oft. Daß z. B. eine Aktiengesellschaft ein bestimmt anzugebendes „Kapital" gesetzlich haben muß und daß sie dies Kapital unter bestimmten Kautelen durch Beschluß der Generalversammlung „herabsetzen" kann, bedeutet praktisch: kraft Gesetzes muß, von Leuten, welche einen Zweckverband dieser Art vereinbaren, zugunsten der Gläubiger und der später in jenen Verband eintretenden Gesellschafter ein bestimmter Überschuß des gemeinsamen Besitzes an Sachgütern und Forderungen über die „Schulden" als dauernd vorhanden deklariert werden. An diese ihre Deklaration sind die geschäftsleitenden und sonst beteiligten Gesellschafter bei der Berechnung des zur Verteilung kommenden „Gewinns" durch Androhung krimineller Rechtsfolgen derart gebunden, daß ein Gewinn nur verteilt werden darf, wenn dabei jener als „Kapital" deklarierte Betrag bei Anwendung der Regeln der ordnungsmäßigen Taxierung und Buchführung (durch Sachgüter oder Forderungen) gedeckt bleibt; unter gewissen Kautelen sind aber die jeweils beteiligten Gesellschafter berechtigt, jene Deklaration zu widerrufen und also auch die entsprechende Garantie für die Gläubiger und später eintretenden Gesellschafter herabzusetzen, d. h. also: von nun an trotz Nichtdeckung des anfänglich deklarierten Betrages dennoch Gewinn zu verteilen. Es ist klar, daß die durch solche und ähnliche ermächtigende Sonderrechtssätze gegebene Möglichkeit der Schaffung einer „Aktiengesellschaft", die Interessen dritter, zu dem jeweiligen Bestande der Gesellschafter nicht gehöriger, Personen: Gläubiger oder späterer Erwerber von Aktien, in qualitativ sehr spezifischer Art berührt. Ebenso natürlich die mit einer Ergebung in die Sklaverei eintretende Beschränkung der Vertragsfähigkeit des Sklaven Dritten gegenüber oder z. B. die mit Eintritt einer Frau in eine Ehe entstehenden Generalhypotheken, welche diese nach manchen Rechten selbst auf Kosten älterer pfandgesicherter Verbindlichkeiten am Vermögen des Mannes erwirbt. Und es ist ferner klar, daß diese Art von Beeinflussung der Rechtslage Dritter diejenigen „*Reflexwirkungen*", welche im Gefolge fast jeden Rechtsgeschäfts irgendwie über den Kreis der Beteiligten hinaus eintreten können, überschreitet, weil sie von sonst geltenden *Rechts*regeln *abweicht.* In welchem Maße diese Gegensätze durch flüssige Übergänge verbunden sind, bleibt hier unerörtert. Jedenfalls bedeutet „Vertragsfreiheit" im Sinn der Ermächtigung zur gültigen und durch relativ wenige, das Interesse der „*Dritten*" schützende, Bestimmungen eingeengten Eingehung solcher Rechtsgeschäfte, die über die interne Beziehung der Vertragschließenden nicht nur reflexmäßig, sondern kraft spezifischen *Sonderrechts* hinausgreifen, *mehr* als die bloße Einräumung eines „Freiheitsrechts" im Sinne einer bloßen Ermächtigung zum beliebigen Tun und Lassen konkreter Handlungen.

Auf der anderen Seite kann das Recht auch Vereinbarungen die rechtliche Gültigkeit versagen, welche Interessen Unbeteiligter direkt gar nicht zu berühren scheinen, mindestens keinerlei Sonderregeln gegenüber dem sonst gültigen Recht in sich schließen oder welche Dritten nur Vorteile, aber keine Schädigung zu versprechen scheinen. Die Gründe für solche Einschränkungen der Vertragsfreiheit können die allerverschiedensten sein. So schloß das klassische römische Recht nicht nur alle die Interessen Dritter direkt in Sonderrechtsform berührenden und ein abnormes Recht konstituierenden Formen beschränkter Haftung (Aktiengesellschaft und ähnliche) und auch die Sondernormen der offenen Handelsgesellschaft (Solidarhaft und Sondervermögen) aus, sondern versagte z. B. auch die nur reflexmäßig auf Dritte wirkende Möglichkeit der Begründung ewiger Renten, also z. B. den Rentenkauf und die Erbpachtverhältnisse (wenigstens für Private, – das Institut des ager vectigalis war ursprünglich nur den Kommunen, erst später auch den Grundherrn zugänglich). Es kannte ferner die Inhaber- und Orderpapiere nicht und ließ ursprünglich nicht einmal die Zession von Forderungsrechten an Dritte zu. Und auch das spezifisch moderne Recht lehnt z. B. nicht nur die Anerkennung von Verträgen, welche eine Unterwerfung in ein sklavenartiges persönliches Verhältnis, also Sonderrecht, enthalten, ab, sondern schloß z. B. in Deutschland bis vor kurzem, ganz wie das römische Recht, auch jede Belastung von Grundstücken mit ewigen Renten aus (die jetzt unter bestimmten Voraussetzungen zulässig ist). Es stempelt ferner zahlreiche Verträge als „gegen die guten Sitten" verstoßend zu nichtigen Vereinbarungen, welche Dritte weder sonderrechtsmäßig noch reflexmäßig berühren und der Antike als ganz normal bekannt waren. Namentlich sind individuelle Vereinbarungen über sexuelle Beziehungen, für welche z. B. im antiken Ägypten fast völlige Vertragsfreiheit gegolten hatte, zugunsten der heute allein zugelassenen legalen Ehe ausgeschlossen, ebenso andere familienrechtliche Abmachungen, so die meisten der Antike bekannten Vereinbarungen über die väterliche und eheherrliche Gewalt.

Die Gründe für diese jeweilig verschiedenen Grenzen der Vertragsfreiheit nun sind sehr verschiedene. Das Fehlen bestimmter Ermächtigungen kann darin begründet sein, daß die rechtliche Anerkennung der betreffenden Institutionen der Verkehrstechnik der betreffenden Epoche noch kein unbedingtes Bedürfnis waren. So würde sich wohl das Fehlen der Inhaber- und Orderpapiere im antiken oder, vorsichtiger ausgedrückt: im offiziellen römischen Reichsrecht erklären. Denn unbekannt waren Urkunden rein äußerlich ähnlicher Art der Antike, schon der altbabylonischen Zeit, nicht. Ebenso das Fehlen der modernen kapitalistischen Vergesellschaftungsformen, für welche Parallelen nur in den staatskapitalistischen Assoziationen der Antike zu finden sind: weil der antike Kapitalismus seinem Schwerpunkt nach vom Staat lebte. Aber aus dem fehlenden ökonomischen Bedürfnis heraus ist das Fehlen eines Rechtsinstituts in der Vergangenheit durchaus nicht immer zu erklären. Die rationalen rechtstechnischen Verkehrsschemata, welchen das Recht seine Garantie gewähren soll, müssen vielmehr ganz ebenso wie gewerblichtechnische Manipulationen erst einmal „erfunden" werden, um in den Dienst aktueller ökonomischer Interessen treten zu können. Daher ist die spezifische rechtstechnische Eigenart einer Rechtsordnung, die Art der Denkformen, mit denen sie arbeitet, für die Chance, daß ein bestimmtes Rechtsinstitut in ihrer Mitte erfunden werde, von weit erheblicherer Bedeutung, als man oft anzunehmen pflegt. Ökonomische Situationen gebären neue Rechtsformen nicht einfach automatisch aus sich, sondern enthalten nur eine Chance dafür, daß eine rechtstechnische Erfindung, wenn sie gemacht wird, auch Verbreitung finde. Daß so viele unserer spezifisch kapitalistischen Rechtsinstitute mittelalterlichen und nicht römischen Ursprungs sind – obwohl doch das römische Recht in logischer Hinsicht wesentlich stärker rationalisiert war als das mittelalterliche –, hat zwar auch einige ökonomische, daneben aber verschiedene rein rechtstechnische Gründe. Die Denkformen des okzidentalen mittelalterlichen Rechts: seine Auffassung z. B. der Urkunde nicht rein logisch als eines rationalen Beweismittels, sondern rein anschaulich (ursprünglich: magisch) als eines sinnlichen „Trägers" von Rechten – eine Art von juristischem „Animismus" –, seine aus der Rechtspartikularität folgende Gewöhnung ferner an Solidarhaftpflichten aller möglichen Gemeinschaftskreise für ihre Mitglieder nach außen hin, ferner seine Vertrautheit mit der Scheidung von Sondervermögensmassen auf den allerverschiedensten Gebieten – beides erklärlich nur aus bestimmten politischen Bedingungen –, diese „Rückständigkeiten" der logischen und staats*anstalt*lichen Rechtsentwicklung gestatteten dem Geschäftsverkehr die Entwicklung eines weit größeren Reichtums von praktisch brauchbaren rechtstechnischen Schemata, als sie dem weit mehr logisch und technisch-politisch rationalisierten römischen Recht zugänglich waren. Und ganz allgemein konnten jene Sonderbildungen, welche – wie namentlich die mittelalterlichen Handelsrechtsinstitute – dem entstehenden modernen Kapitalismus so besonders gut auf den Leib paßten, im allgemeinen leichter auf dem Boden einer aus politischen Gründen überhaupt zahlreiche, den Interessen ganz konkreter Interessentenkreise entsprechende, Sonderrechte erzeugenden Gesellschaft entwickelt werden. Aber allerdings spielte unter anderem auch der Umstand mit, daß jenem noch nicht logisch rationalisierten Recht die Maxime der spezifisch „wissenschaftlichen" Behandlung des Rechts: daß, was der Jurist mit seinem Begriffsvorrat nicht „konstruieren", also nicht „denken" könne, auch rechtlich nicht zu existieren vermöge, noch fremd war. Der Rechtsrationalismus bedeutet in der Tat – so leicht dieser Gesichtspunkt heute übertrieben wird – unter Umständen eine „Verarmung" an Formenreichtum. – Andere Schranken der Vertragsfreiheit sind, wie z. B. der Ausschluß oder die Begrenzung derselben in Familienangelegenheiten, welcher den meisten modernen Rechten eigentümlich ist und wie auch die Ablehnung der vertragsmäßigen Ergebung in die Sklaverei, durch vorwiegend ethische oder politische Interessen und Vorstellungen bedingt.

Sexuelle Vertragsfreiheit ist nichts Primitives. Die von Werkzeugen am meisten entblößten und am wenigsten gesellschaftlich und ökonomisch differenzierten Stämme leben in faktisch lebenslänglicher patriarchaler Polygamie. Die Perhorreszierung der Endogamie begann offenbar in engstem Kreis innerhalb der Hausgemeinschaft, anschließend an die relative Herabsetzung des Geschlechtstriebes durch die gemeinsame Aufzucht. Der Austausch der eigenen Schwester gegen die Schwester des anderen Teiles dürfte der älteste Sexualkontrakt sein, aus dem sich dann der Eintausch von ihrer Sippe gegen Naturalien und schließlich die normale Eheform: der Kauf der Frau entwickelte, der z. B. in Indien ebenso wie in Rom als spezifisch plebejische Form der Eheschließung neben der vornehmen Eheschließung: Raub- oder Sakramentalehe sich behauptete. Die Raub- und Sakramentalehe aber sind beide Produkte sozialer Verbandsbildung: die erste die Folge der militärischen Männervergesellschaftung, welche den jungen Mann aus der Familiengemeinschaft riß und die Frau mit den Kindern als Muttergruppe zusammenschloß. Im Männerhaus wurde der Raub der Frau die heldenwürdige Art ihrer Gewinnung. Der Kauf von Weibern für die gemeinsam lebenden Männer von auswärts bestand daneben, und in Verbindung mit dem

Raub von auswärts veranlaßte er die Bildung von Frauentauschkartellen und damit vermutlich die Entstehung der Exogamie. Diese wurde totemistisch geregelt da, wo animistische Vorstellungen bestimmter Art sich einbürgerten, ursprünglich namentlich bei Völkern, deren Phratrien zugleich Jägergruppen waren und nun magische Kultgemeinschaften mit Sakramentalriten wurden. Je weniger straff die Phratrien entwickelt wurden oder je mehr sie verfielen, desto mehr trat die patriarchale Ehe in den Vordergrund, bei den Häuptlingen und Bondamenden als Polygynie mit oft ganz freiem Schalten des Hausherrn über alle Hausinsassen, die er beliebig entweder allein zu eigenem Nutzen oder, wo die Sippen stark blieben, unter Abgabe von Anteilen des Ertrages an die Sippengenossen durch Tauschgeschäfte verwertete. Schranken darin legte ihm zunächst die Sippe der Frau auf: angesehene Geschlechter verkauften ihre Töchter nicht als Arbeitstier und nicht zu freier Verfügung, sondern gaben sie nach auswärts nur gegen Sicherstellung ihrer Person und der Vorzugsstellung ihrer Kinder gegenüber den Kindern anderer Frauen und Sklavinnen. Dafür statteten sie die Tochter bei der Hingabe in die Ehe mit Mitgift aus: die legitime Hauptfrau und die legitimen Kinder, die rechtlichen Merkmale also der legitimen Ehe, waren entstanden. Die Mitgift und der schriftliche Kontrakt über die Dauerversorgung der Frau, ihr Witwengeld und ihre Verstoßungsgebühr, sowie Vereinbarungen über die Rechtstellung ihrer Kinder wurden Kennzeichen der vollwertigen Ehe im Gegensatz zu allen anderen Sexualverbindungen. Daneben aber entfaltete sich nun die sexuelle Vertragsfreiheit in den verschiedensten Formen und Graden. Dienstehe, Probeehe, Genußehe auf Zeit tauchen auf und gerade Mädchen aus vornehmen Familien suchten die Unterwerfung unter die patriarchale Mannesgewalt zu vermeiden und sich frei davon zu halten. Daneben existierten alle Formen der eigentlichen Prostitution, d. h. der Leistung erotischer Dienste gegen konkretes Entgelt im Gegensatz zu der ökonomischen Dauerversorgung, welche der Ehe spezifisch blieb. Die Prostitution, heterosexuelle wie homosexuelle, ist so alt wie die Möglichkeit, dafür Entgelt zu gewinnen. Es hat andererseits kaum irgendwo eine Gemeinschaft gegeben, welche diesen Erwerb nicht infamiert hätte. Die spezifisch ethische und politische Wertung der formgerechten Ehe um des militärisch und kultisch wichtigen Zweckes der legitimen Kindererzeugung willen hat diese Infamierung verstärkt, aber nicht erst geschaffen. Zwischen Ehe und Prostitution stand namentlich beim Adel der Konkubinat, die dauernde Sexualbeziehung zu Sklavinnen oder Nebenfrauen oder zu Hetären, Bajaderen und ähnlichen, in Freiheit von der Ehe lebenden Frauen, der groben oder sublimierten „freien" Ehe. Die Stellung der Kinder aus solchen Ehen war, soweit nicht das Monopolrecht der Kinder der Hauptfrau im Wege stand, meist dem Belieben des Vaters anheimgestellt. Engere Schranken zog hier der monopolistische Bürgerverband, welcher die politisch-ökonomischen Bürgervorrechte für die Söhne von Bürgern und Bürgerinnen reservierte, wie dies in besonders starkem Maße die Demokratie der Antike durchführte. Dann die prophetische Religion aus Gründen, die anderwärts besprochen sind. Im Gegensatz zu der sexuellen Vertragsfreiheit des antiken Ägypten, welche durch die politische Rechtlosigkeit der Untertanen bedingt war, verwarf das altrömische Recht alle Sexualkontrakte außer der Ehe und, für bestimmte Situationen, dem Konkubinat, als causae turpes. Der Konkubinat als konzessionierte Ehe mindern Rechts wurde im Okzident vom letzten Laterankonzil und dann von der Reformation endgültig proskribiert. Die freie Verfügung des Vaters über die Kinder ist zunächst wesentlich sakralrechtlich, dann aus militärischen und politischen, schließlich aus ethischen Gründen zunehmend eingeschränkt und schließlich ganz beseitigt worden.

Irgendeine Rückkehr zur sexuellen Vertragsfreiheit ist heute ferner gerückt als je. Die Masse der Frauen würde gegen die Freiheit des sexuellen Konkurrenzkampfes um den Mann, welcher nach den ägyptischen Quellen zu schließen, die ökonomischen Chancen der erotisch anziehendsten Frauen zu ungunsten anderer mächtig steigerte, protestieren, ebenso wie alle traditionell ethischen Mächte, vor allem die Kirche, sich dagegen auflehnen würden. Innerhalb der legitimen Ehe kann freilich ein ähnlicher Zustand durch völlige Freiheit oder sehr starke Erleichterung der Scheidung in Verbindung mit ökonomisch sehr freier und gesicherter Stellung im Ehegüterrecht herbeigeführt werden, wie sie in verschiedener Abstufung das spätrömische, islamische, jüdische und das moderne amerikanische Recht, zeitweise auch die von der Vertragstheorie des rationalistischen Naturrechts und von populationistischen Erwägungen beeinflußten Gesetzgebungen des 18. Jahrhunderts kannten. Der Erfolg war sehr verschieden. Nur in Rom und Amerika hat der rechtlich freien Scheidung auch faktisch eine zeitweilig starke Ehescheidungsbewegung entsprochen. Die Stellung der Frauen dazu ist charakteristisch verschieden. Wie die römischen haben auch die amerikanischen Frauen, diese auf Grund ihrer feststehenden sozialen Machtstellung im Haus und in der Gesellschaft, sowohl die ökonomische wie die Scheidungsfreiheit direkt erstrebt. Umgekehrt perhorreszierte die Traditionsgebundenheit der Mehrzahl der italienischen Frauen noch vor wenigen Jahren die Scheidungsfreiheit als Gefährdung ihrer ökonomischen Versorgung, namentlich für das Alter – etwa nach Art der brotlos werdenden älteren Arbeiter – und wohl auch aus Angst vor der Verschärfung des erotischen Konkurrenzkampfes um den Mann. Im übrigen pflegt bei Männern und Frauen die Vorliebe für die formale autoritäre Gebundenheit und namentlich für die formale Unauflösbarkeit der Ehe parallel zu gehen entweder mit libertinistischer Neigung der eigenen Sexualpraxis oder gerade umgekehrt, speziell bei Männern, mit einer aus Schwäche oder Opportunismus geduldeten zeitweisen Laxheit. Für die bürgerliche öffentliche Meinung ist meist die wirkliche oder vermeintliche Gefährdung der Erziehungschancen der Kinder maßgebend für die Ablehnung der Scheidungsfreiheit, daneben speziell bei den Männern autoritäre Instinkte und, soweit die ökonomische Befreiung der Frau in Frage steht, auch einfache Geschlechtseitelkeit oder Sorge um die in Anspruch genommene Position in der Familie. Dazu treten die autoritären Interessen der politischen und hierokratischen Gewalten, verstärkt durch die gerade infolge der Rationalisierung des Lebens in der Kontraktgesellschaft gesteigerte Vorstellung: daß die formale Geschlossenheit der Familie Quelle gewisser meist ziemlich dunkel vorgestellter irrationaler Werte oder ein Halt überindividueller Gebundenheit des einzelnen, sich darnach sehnenden, schwachen Individuums sein könne. Alle diese ziemlich heterogenen Motive haben im ganzen in der letzten Generation (vor dem Kriege) eine Rückwärtsrevidierung der Scheidungsfreiheit und teilweise auch der innerehelichen ökonomischen Freiheit herbeigeführt.

Tendenzen zur Beseitigung oder Begrenzung hat in der Neuzeit auch die Verfügungsfreiheit auf dem Gebiete der ökonomischen, normalerweise intrafamilialen Verfügungen: der Testamente, erfahren. Die formale Rechtsgeschichte der Entstehung letztwilliger Verfügungen soll hier nicht verfolgt werden. Nur zweimal ist historisch gänzliche oder fast gänzliche materielle Testierfreiheit bezeugt: für das republikanische Rom und für das englische Recht. In beiden Fällen also für stark expansive und zugleich von einer Schicht grundbesitzender Honoratioren regierte Völker. Ihr heutiges praktisches Hauptanwendungsgebiet ist das Gebiet optimaler ökonomischer Chancen: Amerika. In Rom wuchs die Testierfreiheit mit der kriegerischen Expansionspolitik, welche dem enterbten Nachwuchs die Chancen der Versorgung auf erobertem Land in Aussicht stellte und schwand durch die aus hellenischem Recht übernommene Inoffiziositätspraxis, als die Kolonisationsepoche zu Ende ging. Im englischen Recht bezweckte sie die Sicherung des Vermögens in den großen Familien, welcher in anderer Art auch die formal gerade entgegengesetzten Institute: Einordnung in den Immobiliarbesitz, Anerbenrecht, Fideikommiß dienen konnten. Die Beseitigung oder die Einschränkung der Testierfreiheit durch hohe Pflichtteilsquoten sowohl wie die im französischen Code bis zum realen Teilungszwang sich steigernde Verhinderung der Anerbenfolge in Immobilien war und ist in den modernen demokratischen Gesetzgebungen vorzugsweise politisch bedingt. Bei Napoleon stand neben der Absicht, durch den Teilungszwang die alte Aristokratie zu zertrümmern, die Errichtung von Lehen als Träger der von ihm zu schaffenden neuen Aristokratie, und auf diese letztere Institution bezog sich seine bekannte Versicherung, daß die Einführung des Code die Art der sozialen Machtverteilung in die Hand der Regierung lege.

Die Unterdrückung der Sklaverei durch Ausschluß auch der freiwilligen Ergebung in formal sklavenartige Beziehungen war Produkt vor allem der Verschiebung des Schwerpunktes der ökonomischen Weltherrschaft in Gebiete hinein, in welchen die Sklavenarbeit infolge der Kostspieligkeit des Lebensunterhaltes unrentabel ist und zugleich der Entwicklung des indirekten Arbeitszwanges, wie ihn das Lohnsystem mit seiner drohenden Chance der Entlassung und Arbeitslosigkeit bietet, als eines für qualitative Arbeitsleistungen gegenüber dem direkten Zwang wirksameren und zugleich das große Risiko der Sklavenvermögen vermeidenden Mittels galt, Arbeit aus dem Abhängigen herauszupressen. Die religiösen Gemeinschaften, speziell das Christentum, hatten in der Antike an der Zurückdrängung der Sklaverei sehr geringen Anteil, geringeren als z. B. die Stoa, im Mittelalter und in der Neuzeit einen etwas größeren, aber auch damals nicht den entscheidenden. Vielmehr schrumpfte die kapitalistische Sklaverei der Antike mit der Befriedung des Reiches nach außen, welche vorwiegend nur Kinderverkauf als Quelle des Sklavenimports für den Westen offen ließ. Die kapitalistische Sklaverei der amerikanischen Südstaaten war zum Absterben verurteilt, nachdem der freie Boden zu Ende ging und die Schließung des Sklavenimports die Sklavenpreise monopolistisch steigerte. Die Vorwegnahme ihrer Beseitigung durch Bürgerkrieg wurde beschleunigt durch rein politische und soziale Gegnerschaften der Farmerdemokratie und bürgerlichen Plutokratie der Nordstaaten gegen die südliche Pflanzeraristokratie. In Europa führten rein ökonomische Evolutionen der Arbeitsorganisationen, speziell der zünftigen Arbeit, dazu, daß die während des ganzen Mittelalters in Südeuropa nicht völlig verschwundene Sklaverei in das Gewerbe nicht eindrang. Innerhalb der Landwirtschaft hat die Entwicklung der Exportproduktion im Verlauf der Neuzeit noch einmal eine Verstärkung der persönlichen Unfreiheit der Arbeitskräfte des Gutsherrn erlebt, bis die Entwicklung der modernen Produktionstechnik die Unrentabilität der unfreien Arbeit auch hier endgültig machte. Maßgebend für die gänzliche Beseitigung der persönlichen Unfreiheit aber waren letztlich überall starke naturrechtliche ideologische Vorstellungen. Die patriarchale Sklaverei des Orients, des althistorischen und spezifischen Sitzes dieser in Ostasien und Indien relativ weit schwächer verbreiteten Institution, steht infolge der Unterbindung des afrikanischen Sklavenhandels auf dem Aussterbeetat. Nachdem ihre schon im ägyptischen Altertum ebenso wie noch im Spätmittelalter hohe militärische Bedeutung durch die Kriegstechnik bereits der Söldnerheere obsolet geworden war, ist auch ihre von jeher nicht sehr große ökonomische Bedeutung in rapidem Rückgang. Eine solche Rolle wie die Plantagensklaverei im karthagischen und im spätrepublikanischen römischen Gutsbetrieb hat sie im Orient niemals gespielt. Sie ist hier wie ebenso im hellenischen und hellenistischen Gebiet teils Haussklaverei gewesen, teils stellte sie in Babylonien und Persien, ebenso wie in Athen, eine Form zinstragender Vermögensanlage in gewerblichen Arbeitern dar. Im Orient ganz ebenso wie noch jetzt in Innerafrika kam diese patriarchale Sklaverei einem freien Arbeitsverhältnis oft weit näher als die Rechtsform vermuten ließ. Daß der Ankauf eines Sklaven auf dem Markt ohne dessen Zustimmung zur Person des Herrn zu den Ausnahmen gehörte und daß starke Unzufriedenheit des Sklaven mit dem Herrn regelmäßig den Wiederverkauf durch diesen herbeiführte, war, wie Snouch H. Hurgronaje in Mekka beobachtete, eine Folge der starken Abhängigkeit des Herrn von der Gutwilligkeit gerade der Haussklaven, ist allerdings wohl auch im Orient schwerlich allgemein gültig. Allein in Innerafrika weiß der Sklave noch heute den Herrn, mit welchem er unzufrieden ist, zur noxae datio an einen anderen, den er vorzieht, zu zwingen. Auch das ist gewiß nichts Allgemeingültiges. Aber die Natur der orientalischen: theokratischen oder patrimonialen Herrschaft, ihre Neigung zur ethischen Ausgestaltung der patriarchalen Seite aller Abhängigkeitsverhältnisse haben wenigstens im Orient eine so starke konventionelle Sicherung des Sklaven gegen den Herren geschaffen, daß dessen freie Ausbeutung nach Art der spätrömischen Sklaverei taktisch ausgeschlossen ist. Schon im jüdischen Recht der Antike finden wir die Ansätze dazu und gerade der

Umstand, daß die alte Personalexekution und Schuldknechtschaft die Chancen der Versklavung auch über den eigenen Volksgenossen verhängten, bildete den entscheidenden Antrieb für dies Verhalten.

Endlich haben gewisse Schranken der Vertragsfreiheit ihren Grund in sozialen und ökonomischen Interessen maßgebender, gerade „bürgerlicher" Schichten. So der Ausschluß aller feudalen und aller überhaupt eine dauernde Belastung eines Grundstücks zugunsten eines Privatmanns zulassenden Institutionen im republikanischen römischen Recht ebenso wie, seit den preußischen Ablösungsgesetzen, in Preußen: in beiden Fällen wirkten bürgerliche Klasseninteressen und mit diesen assoziierte ökonomische Vorstellungen. Denn die römische Gesetzgebung, welche in republikanischer Zeit Erbpacht nur als „ager vectigalis" auf Land von öffentlichen Körperschaften kennt, war ebenso wie die heutige tatsächliche Beschränkung der „Rentengüter" auf staatliche oder staatlich privilegierte Kolonisation in Deutschland Produkt des Interesses der bürgerlichen Bodeninteressenten an der rechtlichen Mobilisierung des Bodens und dem Ausschluß des Entstehens grundherrschaftsartiger Gebundenheit.

Wie das römische, so erreicht auch das heutige rationalisierte Recht die aus dem Miteinanderwirken all dieser Motive sich ergebende Art der Reglementierung der Vertragsfreiheit technisch in der Regel nicht dadurch, daß es Vereinbarungen der von ihm perhorreszierten Art durch besondere Verbotsgesetze entgegentritt, sondern einfach indem es keine Vertragsschemata (in Rom: keine Klageschemata) für sie zur Verfügung stellt und indem es die in ihren Rechtsfolgen von ihm normierten Tatbestände so gestaltet, daß diese Normen mit Vertragsabreden der vom Recht nicht gebilligten Art logisch unvereinbar sind. Die technische Form andererseits, in welcher Ermächtigungen zu solchen rechtlichen Verfügungen, welche, wie etwa die Gründung einer Aktiengesellschaft, die Interessen Dritter sonderrechtsmäßig berühren, gegeben werden, ist die Aufstellung entsprechender Vertragsschemata, deren Normen jede Vereinbarung von Interessenten als zwingend zugrundelegen muß, um rechtswirksam zu sein, und das heißt in diesem Fall: um vom Rechtszwang auch jedem *Dritten* gegenüber garantiert zu werden: Denn im Verhältnis unter den Vereinbarenden selbst kann sie, wenn nicht andere Gründe ihre Gültigkeit ausschließen, Rechtswirkungen enthalten, auch wo sie Dritte nicht bindet. Diese moderne Form, den Interessenten zu überlassen, durch Benutzung bestimmter Schemata von Vereinbarungen und Erfüllung der vom Recht geforderten *sachlichen* Voraussetzungen, sich mit Wirkung gegen Dritte die Vorteile eines *Sonder-*

rechtsinstituts zu verschaffen, weicht nun von der Art, wie die Vergangenheit Sonderrecht gegenüber den allgemeinen Rechtsregeln zuließ, erheblich ab und ist Produkt der Vereinheitlichung und Rationalisierung des Rechts in Verbindung mit der offiziellen Monopolisierung der Rechtsschöpfung durch die modernen, *anstalts*mäßig organisierten politischen Verbände. Sonderrecht entstand in der Vergangenheit normalerweise in der Form *„gewillkürten"* Rechts, d. h. durch Tradition oder vereinbarte Satzung „ständischer" Einverständnisgemeinschaften oder vergesellschafteter „Einungen": in autonom gesatzten Ordnungen. Daß „Willkür" (gewillkürtes partikuläres Recht im eben erwähnten Sinn) das „Landrecht" (das gemeine, sonst gültige Recht) „bricht" (ihm vorgeht), war ein fast universell geltender Grundsatz und gilt noch heute in fast allen außerokzidentalen Rechtsgebieten und teilweise in Europa, z. B. noch für die russische Bauernschaft. Die politische Anstalt hat freilich fast überall den Anspruch erhoben und meist durchgesetzt, daß diese Sonderrechte nur kraft ihrer Zulassung in Geltung bleiben und also auch nur soweit als sie es erlaubt. Ganz ebenso wie sie die „Gemeinde" zu einem von der politischen Anstalt mit bestimmten Vollmachten ausgestatteten heteronomen Verband gestempelt hat. Allein dies war in beiden Fällen nicht der ursprüngliche Zustand. Die Summe aller innerhalb eines gegebenen Gebiets oder Personenkreises geltenden Rechts war vielmehr in großen Bestandteilen durch autonome Usurpationen verschiedener gegeneinander selbständiger Einverständnisgemeinschaften oder vergesellschafteter Einungen geschaffen und fortgebildet, zwischen denen der stets erneut erforderliche Ausgleich entweder durch gegenseitige Kompromisse geschaffen oder durch die Macht überragender politischer oder kirchlicher Gewalten oktroyiert wurde. Wir kehren damit zu Erscheinungen zurück, welche in anderem Zusammenhang schon zu Beginn dieses Paragraphen erörtert wurden.

Jede Einverständnisgemeinschaft oder Vergesellschaftung, welche Trägerin von Sonderordnungen war und hier fortan dieser ihrer Qualität entsprechend „Rechtsgemeinschaft" heißen möge, war in der Epoche vor dem Siege des Zweckkontrakts, der Vertragsfreiheit im heutigen Sinn und des Anstaltscharakters des politischen Verbandes entweder durch objektive Tatbestände: Geburt, politische, ethnische, religiöse Zugehörigkeit, Lebensführung oder Art des Erwerbs bedingte oder durch ausdrückliche Verbrüderung entstandene *Personen*gruppe. Der urwüchsige Zustand, sahen wir schon oben, war der: daß ein „Rechtsgang", entsprechend unserem „Prozeß", überhaupt nur in Gestalt eines Sühneverfahrens zwischen *verschiedenen*

Verbänden (Sippen) und ihren Zugehörigen stattfand. Innerhalb der Verbände, zwischen den Verbandsgenossen, herrschte patriarchale Streitschlichtung. Der Dualismus des Rechts der Verbände, – vom Standpunkt der erstarkenden politischen Gewalt aus gesprochen –, ihres „autonom" geschaffenen Rechts und der für die Streitschlichtung zwischen Verbandsgenossen geltenden Normen steht also am Anfang aller Rechtsgeschichte. Aber auch bereits derjenige Umstand, der diesen scheinbar einfachen Sachverhalt trübte: der Einzelne gehört schon auf den frühesten uns zugänglichen Entwicklungsstufen oft *mehreren* Personalverbänden an, nicht nur einem. Allein trotzdem war die Unterstellung unter das Sonderrecht eine zunächst streng persönliche Qualität, ein durch Usurpation oder Verleihung erworbenes „*Privileg*" und also ein Monopol ihrer Teilhaber, welche durch den Anspruch auf seine Anwendung „Rechtsgenossen" wurden. Dementsprechend war in politisch durch gemeinsame Herrengewalt zusammengefügten Verbänden, wie dem Perserreich, dem Römerreich, dem Frankenreich, den islamischen Reichen, das von den Rechtsfindungsinstanzen der einheitlichen politischen Gewalt anzuwendende Recht ein je nach dem ethnischen oder religiösen oder dem unterworfenen politischen Teilverband (rechtlich oder politisch autonomer Stadt oder Stamm) verschiedenes. Auch das römische Recht war im Römerreich zunächst ein Recht der römischen Bürger und im Verkehr mit den zum Reich gehörigen, ihm unterworfenen Nichtbürgern kommt es teils nicht zur Anwendung. Die nichtmoslemischen Unterworfenen der islamischen Reiche und ebenso die Angehörigen der vier orthodoxen Rechtsschulen leben nach ihren eigenen Rechten – wenn allerdings sie nicht ihre eigenen Instanzen, sondern den islamischen Richter anrufen, entscheidet dieser nach islamischem Recht, da er kein anderes zu kennen verpflichtet ist: die Nichtmuselmanen sind eben bloße „Untertanen". Denn für den Streit zwischen den verschiedenen Personalrechtszugehörigen mußten sich bei jeder Art von Regelung dieses Falles Unzuträglichkeiten und das Bedürfnis gewisser gemeinsamer Rechtsgrundsätze herausstellen, welches mit steigender Verkehrsintensität schnell stieg. Entweder entsteht dann wie in Rom ein „jus gentium" unter dem nur den Verbandsgenossen zugänglichen „jus civile" jedes einzelnen Verbandes. Oder der politische oder hierokratische Herrscher oktroyiert ein seine Gerichte allein bindendes „Amtsrecht" kraft seines Imperium (wie in England). Oder ein neuer, meist ein lokaler, politischer Verband verschmilzt die Personalrechte miteinander inhaltlich. Die ältesten italienischen Stadtrechte wissen zwar noch gut, daß die Bürger nach longobardischem Recht zu leben erklärt haben, aber, in charakteristischer Abweichung von den älteren Rechtsgedanken, ist es die „civitas", die Gesamtheit der Bürger, welche dies Recht und in sachlicher Ergänzung desselben: römisches Recht (oder umgekehrt) als „Konfession" angenommen hat. Die Angehörigen des mittelalterlichen Imperium dagegen hatten den positiven Anspruch, nach dem Recht des Stammes überall beurteilt zu werden, nach dem zu leben sie „bekennen" (profiteri). Der Einzelne trägt diese Rechtskonfession mit sich herum. Das Recht ist nicht eine „lex terrae" – wie sie das englische Recht der Königsgerichte alsbald nach der normannischen Eroberung wurde –, sondern Privileg eines Personenverbandes. In absoluter Konsequenz galt freilich dieser Grundsatz der Rechtspersonalität damals ebensowenig wie heute der entgegengesetzte. Andererseits erstrebten alle gewillkürten Einungen für die von ihnen gesatzten Rechte immer wieder die Anwendung des Personalitätsprinzips, freilich mit sehr verschiedenem Erfolg. Jedenfalls aber war das Ergebnis die Existenz zahlreicher „Rechtsgemeinschaften", deren Autonomien sich kreuzten und von denen der politische Verband – sofern er sich überhaupt schon als Einheit darstellte – nur einer war. Wenn nun die Rechtsgenossen eines Sonderrechts kraft dieser Qualität bestimmte Objekte, z. B. Grundstücke bestimmter Art (Hofleihegüter, Lehen), monopolisierten, so konnte sich, wenn die persönliche Geschlossenheit der Gemeinschaft nach außen unter der Einwirkung der uns bekannten Interessen aufgegeben wurde und vor allem mit Vermehrung der Verbände, dem ein Einzelner *zugleich* angehörte, das Sonderrecht derart an den Besitz dieser Objekte heften, daß nun umgekehrt die Tatsache dieses Besitzes für die Teilhaberschaft am Sonderrecht entscheidend wurde. Es war dies freilich bereits eine Übergangsstufe zur heutigen formal allgemeinen Zugänglichkeit der einem Sonderrecht unterliegenden Beziehungen. Immerhin aber nur die Übergangsstufe dazu. Denn alles Sonderrecht jener älteren Art galt als eine rechtlich privilegierende Dauerqualität entweder gewisser, einem Personenverband zugehöriger Personen direkt als solcher oder bestimmter Objekte, deren Besitz diese Zugehörigkeit vermittelt. Gewisse rein technische oder ökonomische Qualitäten von Dingen oder Personen geben auch im heutigen Recht zu Sonderbestimmungen Anlaß: z. B. für „Fabriken" etwa oder für „landwirtschaftliche Grundstücke" oder für „Anwälte", „Apotheker", „Gewerbetreibende" bestimmter Art. Natürlich finden sich in jedem Recht aller Zeiten auch solche an technische und ökonomische Tatbestände geknüpfte Sondernormen. Aber die hier gemeinten

Sonderrechte waren anderen Charakters. Nicht ökonomische oder technische, sondern „ständische", d. h. durch Geburt oder Lebensführung oder Zugehörigkeit zu einem Verband bestimmte Qualitäten von Personen („Adelige" oder „ritterlich Lebende" oder „Gildegenossen") und bestimmte soziale Beziehungen von Sachen („Dienstlehen", „Rittergut") definierte – und zwar durch die Art ihrer Definition indirekt ebenfalls durch bestimmte ständische Verhältnisse bedingte – Qualitäten dieser waren es, welche die Geltung dieser Art von Sonderrecht für sie begründeten. Stets waren es daher individuelle Qualitäten von Personen und Beziehungen individueller Sachen, welche sich in dieser rechtlichen Sonderstellung befanden. Das „Privileg" konnte dabei im Grenzfall auch ein solches einer einzelnen Person oder Sache sein und war es oft genug. In diesem Fall aber fielen „subjektive" Rechte und „objektive" Normen praktisch in eins: der individuell Privilegierte kann als sein *subjektives* Recht die Behandlung nach der ihm zuständigen *objektiven* Bestimmung verlangen. Aber auch wo ein bestimmter ständischer Personenkreis oder ein Kreis von ständisch bedeutsamen Sachen Träger des Sonderrechts war, ging die übliche Auffassung des Rechts ganz naturgemäß dahin: daß für die Beteiligten die Anwendung der Sonderrechtsnormen persönliches *subjektives* Recht der Interessenten sei. Der Gedanke generell „geltender" Normen fehlt zwar nicht, aber er bleibt unvermeidlich unentwickelt: alles „Recht" erscheint als „Privileg" von einzelnen Personen oder Sachen oder individuellen Komplexen solcher. Zu dieser Auffassung nun stellte sich der Rechtsbegriff der staatlichen „Anstalt" als solcher in grundsätzlichen Gegensatz. Teilweise – namentlich in der ersten Zeit der aufkommenden „bürgerlichen" Schichten im antiken Rom und in der modernen Welt – in so schroffen Gegensatz, daß die Möglichkeit von „Privileg"-Recht völlig negiert wurde. Privilegien durch Volksbeschluß zu schaffen, galt in Rom als rechtlich unmöglich, und die Revolutionszeit des 18. Jahrhunderts sah eine Gesetzgebung, welche jegliche Vereinsautonomie und alle Rechtspartikularitäten zu vernichten sich anschickte. Das gelang nicht vollständig, und wir werden später sehen, daß und wie das moderne Recht sogar eine Fülle von Rechtspartikularitäten neu geschaffen hat. Aber freilich auf einer in wichtigen Punkten anderen Basis als diejenige der alten Standesprivilegien.

Die zunehmende Einordnung aller einzelnen Personen und Tatbestände in eine, heute wenigstens, prinzipiell auf formaler „Rechtsgleichheit" beruhende Anstalt ist das Werk der beiden großen rationalisierenden Mächte: der Markterweiterung einerseits, der Bürokratisierung des Organhandelns der Einverständnisgemeinschaften andererseits. Sie ersetzen jene auf Eigenmacht oder verliehenem Privileg von monopolistisch abgegrenzten Personenverbänden ruhende, durchweg *individuelle* Entstehung gewillkürten Rechts: – die Autonomie der dem Schwerpunkt nach ständischen Einungen – durch zweierlei. Einerseits durch eine formal allgemein zugängliche, durch Rechtsregeln eng begrenzte Autonomie von „Vereinen", die von beliebigen Personen geschaffen werden können, und andererseits durch Herstellung von schematischen Ermächtigungen für Jedermann, gewillkürtes Recht durch private sachliche Rechtsgeschäfte bestimmter Art zu schaffen. Die entscheidende Triebkraft für diese Veränderung der technischen Formen autonomer Rechtsschöpfung waren: politisch das Machtbedürfnis der Herrscher und Beamten der erstarkenden politischen Staatsanstalt, ökonomisch aber – zwar nicht ausschließlich, jedoch in stärkstem Maße – die Interessen der Marktmachtinteressenten, d. h. also: der durch Besitz als solchen („Klassenlage") im formal „freien" Preis- und Konkurrenzkampf auf dem Markt ökonomisch Privilegierten. Denn z. B. die einer formalen Rechtsgleichheit entsprechende allgemeine „Ermächtigung": daß „Jedermann ohne Ansehen der Person" z. B. eine Aktiengesellschaft gründen oder etwa ein Fideikommiß stiften dürfe, bedeutet natürlich in Wahrheit die Schaffung einer Art von faktischer „Autonomie" der *besitzenden* Klassen *als solcher*, die ja allein davon Gebrauch machen können.

Diese amorphe Autonomie verdient freilich diesen Namen nur im bildlichen Sinn. Denn der Begriff der Autonomie ist, um nicht jeder Schärfe zu entbehren, an das Bestehen eines nach Merkmalen, sei es auch wechselnden, jeweilig irgendwie abgrenzbaren Personenkreises geknüpft, welcher kraft Einverständnis oder Satzung einem von ihm prinzipiell selbständig abänderbaren Sonderrecht untersteht. Wie dieser Personenkreis aussieht, ob er ein Verein oder eine Aktiengesellschaft oder eine Gemeinde oder ein Stand, eine Innung oder Gewerkschaft oder ein Vasallenstaat ist, macht für den Begriff nichts aus. Stets ist dieser Begriff Produkt beginnender Monopolisierung der Rechtssetzung durch den politischen Verband. Denn er enthält stets den Gedanken: daß dieser Verband die Schaffung von objektivem Recht durch andere als die eigenen Organe dulde oder direkt gewährleiste. Die kraft Einverständnis oder gesatzter Ordnung einem Personenkreis zustehende Autonomie ist aber auch etwas qualitativ anderes als bloße Vertragsfreiheit. Die Grenze beider liegt da, wo die Grenze des Normbegriffs liegt, wo also die, kraft Einverständnis oder rationaler Vereinbarung der Beteiligten, geltende Ordnung nicht mehr als die einem Personenkreis auferlegte, objektiv geltende Regel, sondern als die Begründung gegenseitiger subjektiver Ansprüche aufgefaßt wird, so etwa die Vereinbarungen zweier Firmeninhaber über Arbeitsteilung, Gewinnteilung, Rechtsstellung nach innen und außen. Die Flüssigkeit des Begriffs des objektiven gegenüber dem subjektiven Recht tritt dabei auf das deutlichste hervor. Eine Grenze läßt sich für unsere am gesatzten Recht orientierten Denkgewohnheiten auch theoretisch nur so finden, daß auf dem Gebiet des Privatrechts, welches uns hier allein angehen soll, Autonomie da ausgeübt werde, wo die normale Herkunft der gesatzten Regel ein Beschluß ist, während da, wo eine Vereinbarung zwischen konkreten Einzelpersonen diese Rolle spielt, für uns ein Sonderfall der Regelung kraft Vertragsfreiheit vorliegt. Diese Scheidung war auch für die Vergangenheit, wie wir noch sehen werden, nicht bedeutungslos, aber doch nicht allein entscheidend. Solange die Unterscheidung von objektiver Norm und subjektivem Anspruch nur unvollständig entwickelt war und solange das Recht als eine durch Verbandszugehörigkeit bestimmte Qualität der Person galt, konnte vielmehr nur geschieden werden zwischen solchen Regeln, welche in einem auf Statusqualitäten der Teilhaber ruhenden Verbande oder Personenkreise galten, und solchen, welche kraft Zwangskontrakt und also für das Handeln der direkt Beteiligten maßgebend waren. Alles Sonderrecht war ja ursprünglich Recht eines durch Statusqualitäten abgegrenzten Personenkreises. Dies wandelte sich, wie schon kurz erwähnt wurde, mit zunehmender Differenzierung und ökonomischer Knappheit der von den einzelnen Personenkreisen munifistisch appropriierten Güter, und zwar so stark, daß im Endresultat fast die umgekehrte Regel galt: Sonderrechte waren fast durchweg Rechte, welche je für eine soziale oder ökonomische Sonderbeziehung galten. Dieser Auffassung stand schon das Mittelalter ziemlich nahe, wie der, aber in der Leugnung von Staatsrechten zu weitgehenden, Auffassung Heuslers zugegeben werden muß. Das Lehenrecht war das Recht, welches für die Lehensbeziehung galt. Es war nie das Recht eines Vasallenstaates, denn diesen gab es nicht. Das Hofrecht für die Beziehungen grundherrlicher Hilfe, das Dienstrecht für Dienstlehen, das Handelsrecht für Kaufmannsgut und Kaufmannsgeschäfte, das Recht der Handwerker für die Geschäfte und den Betrieb des Handwerks. Neben diesen Sonderrechten aber war der Lehensmann, Kaufmann, Ministeriale, Grundholde, Eigenhörige zugleich außerhalb jener rein sachlichen Beziehungen durchweg dem Landrecht unterworfen. Ein Mann konnte freie und grundherrliche Hufen nebeneinander besitzen und war dann für die einen dem Hofrecht, für die anderen dem Landrecht unterstellt. Ebenso unterstand ein Nichtkaufmann, der Geld in Commenda oder als Seedarlehen gab, hierfür und nur hierfür dem Handelsrecht allein. Diese rein sachliche Art der Behandlung war dennoch keineswegs die universelle. Fast alle jene Beziehungen, für welche solche Sonderrechte galten, hatten irgendwelche ständischen, d. h. die Gesamtrechtsstellung berührenden Konsequenzen, so z. B. meist der Besitz hofrechtlicher und dienstrechtlicher Güter. Manche von ihnen galten als miteinander in der gleichen Person unvereinbar, und der Tendenz zur Sprengung dieser ständischen Gebundenheit wirkte die Tendenz zur Abschließung des Rechtsgenossenkreises nach außen immer erneut entgegen. Welche von beiden Tendenzen die stärkere war, bestimmte sich durchaus nach der konkreten Konstellation der Interessen im Einzelfall. In Deutschland gibt auch Heusler für das Stadtrecht zu, daß es ein ständisches Recht der Bürger, nicht ein Recht für städtischen Bodenbesitz und andere sachliche Beziehungen war. In England aber sind die Städte fast rein private Korporationen geworden. Im allgemeinen ist allerdings richtig, daß die Tendenz zur Behandlung der Sonderrechte als Rechte für bestimmte Objekte und Tatbestände im ganzen überwog und daß dadurch die Einordnung der Sonderrechte als sachlicher Spezialrechtssätze in das Landrecht, die lex terrae, sehr erleichtert wurde. Ob sie tatsächlich stattfand, hing aber vorwiegend von politischen Umständen ab. Soweit diese Einordnung nicht völlig durchgeführt wurde, regelte sich das Problem des Verhältnisses der verschiedenen Sonderrechte und der für sie bestehenden Sondergerichte zum Landrecht und den landrechtlichen Gerichten im Einzelfall höchst verschieden. Landrechtlich war der Grundherr und nicht der Hörige der Inhaber der Gewere am Gut. Aber schon beim Lehen regulierte sich die Beziehung nicht so einfach und war z. B. im Sachsenspiegel zwischen Spiegler und Glosse teilweise streitig. Auch im römischen Recht hat das Problem Spuren hinterlassen. Das römische ius civile war insofern das Recht der römischen Bürger, als niemand, der nicht entweder Bürger oder kraft vertragsmäßiger Zulassung dem Bürger gleichgestellt war, vor den römischen Gerichten als Partei auftreten, die spezifischen Rechtsgeschäfte des Zivilrechts abschließen oder nach den Sätzen desselben beurteilt werden konnte. Keine römische Lex galt außerhalb des Kreises der Bürger. Der Satz, daß sie sich auf Nichtbürger gar nicht beziehen könne, war politisch von sehr bedeutender Tragweite, weil er für das gesamte unterworfene, nicht zugleich dem Recht einverleibte Gebiet die souveräne Macht der Beamten und des Senats etablierte. Andererseits wurde der römische Bürger nun zwar von jeher keineswegs nur nach Zivilrecht beurteilt und hatte seinen Gerichtsstand nicht nur vor solchen Gerichten, welche Zivilrecht anwendeten. Für die historische Zeit vielmehr ist das ius civile als dasjenige Sonderrecht zu definieren, für welches Jemand nur in seiner Eigenschaft als Bürger, also als Mitglied dieses spezifischen Statusverbandes rechtlich in Betracht kommt. Daneben aber existierten Rechtskreise, an welchen teils nicht nur Bürger, teils nicht alle Bürger teilnahmen und deren Recht teils als Recht von Statusverbänden, teils als sachliches Sonderrecht erscheint. Dahin gehörten zunächst alle verwaltungsrechtlich normierten Tatbestände, deren Zahl ungemein groß und praktisch wichtig war. Zivilrechtliches Bodeneigentum gab es bis zur Gracchenzeit nur auf dem Teil des Landes, welcher durch regelrechte Assignation dazu gemacht worden war. Die Besitzstände auf dem ager publicus waren weder zivilrechtlich geregelt noch ein möglicher Gegenstand zivilrechtlicher Klage, denn an ihnen nahmen nicht nur Bürger, sondern auch Bundesgenossen teil. Als in der Gracchenzeit die Bürgerschaft Miene machte, die Verhältnisse dieser Domänen durch Bürgerstatut (lex) zu regeln, entstand sofort das Verlangen der Bundesgenossen in den Bürgerverband aufgenommen zu werden. Diese Besitzbestände unterstanden also lediglich der magistratischen Kognition, welche nach Regeln verfuhr, die dem Zivilrecht fremd waren. Denn dieses kannte z. B. weder Erbpacht noch Reallasten noch Dienstland, während beides dem Verwaltungsrecht des öffentlichen Landes wohl bekannt war. Ebenso kannte das staatliche Vermögensrecht im Verkehr mit Privaten Institute, die dem Zivilrecht fremd waren und wo sie zivilrechtlichen Instituten rechtlich entsprachen, dennoch einen anderen Namen führten (praes für den Lizitationsbürgen, praedium für das verwaltungsrechtliche Grundstückspfand). Die Zuständigkeit des Vermittlungsbeamten war hier der Träger dieses reinen sachlichen Sonderrechts. Ein Verband von Rechtsgenossen desselben existierte nicht, sondern wurde durch die jeweiligen Interessenten konstituiert. Einen Sonderrechtsbezirk konstituierte ferner die Zuständigkeit desjenigen Prätors, welcher zwischen Bürgern und Fremden Recht sprach. Zivilrecht konnte er anwenden, aber nicht kraft Bürgerstatuts (lex), sondern kraft seiner Amtsgewalt. Er wendete ein Recht anderer Provenienz und anderen Geltungsgrundes an: das ius gentium. Dieses Recht aber war nicht etwa erst mit der Einrichtung dieses Amtes entstanden. Sondern es war das internationale Verkehrsrecht, nach welchem von jeher die Streitigkeiten des Marktes geschlichtet wurden, welche ursprünglich vermutlich nur sakral durch Eid geschützt waren. Kein möglicher Gegenstand von Zivilprozessen waren ferner die der Sache nach lehensrechtlichen, praktisch in der Frühzeit höchst wichtigen Beziehungen zwischen Patron und Klient. Ganz wie im deutschen Recht bei der Gewere berührte sich im römischen Recht die Sphäre des Zivilrechts und des Lehenrechts bei der possessio (praecarium). Das Zivilrecht kennt aber die Beziehung auch im übrigen und Strafbestimmungen nahmen von ihr Notiz. Aber sie war nicht zivilrechtlich geregelt. Eigentliches Sonderrecht innerhalb des Zivilrechts bildeten andererseits gewisse nur für Kaufleute und bestimmte Gewerbetreibende geltende Rechtsinstitute: die actio exerbitoria, das receptum, das Sonderrecht der Argentarii.

Sowohl dem Verkehrsrecht wie dem Klientelrecht gehört ein für die spätere Rechtsentwicklung sehr wichtiger Begriff an: die Fides. Sie umfaßte in eigentümlicher Art einerseits die Pflichten, welche aus Pietätsbeziehungen folgten, andererseits, als fides bona, den guten Glauben und die Redlichkeit des reinen Geschäftsverkehrs. Das Zivilrecht wußte von ihr im Prinzip nichts. Aber dies wurde von Anfang an nicht streng festgehalten. Die 12 Tafeln drohen für gewisse fraudulente Akte die Qualität als improbus intestabilisque an. Zahlreiche Gesetze verhängten ausdrücklich die infamia. Deren private Rechtsfolgen waren im allgemeinen Ausschluß vom Zeugnis, Unfähigkeit also zu bezeugen oder sich etwas bezeugen zu lassen, was praktisch weitgehend mit Geschäftsboykott und Begrenzung des testamentarischen Erbschaftserwerbs identisch war. Außerdem die Versagung bestimmter Klagen durch den Prätor. Die Prinzipien der fides stellten trotz ihres unformalen Charakters keineswegs vage Gefühlsprodukte dar, weder im Gebiete der Klientel noch vollends des Geschäftsverkehrs. Die ganze Serie scharf umrissener Kontrakte, auf deren ausgeprägter Eigenart das uns überlieferte römische Verkehrsrecht so wesentlich beruht, sind auf Grund von Prinzipien der fides entwickelt. Sowohl so altertümliche Institute wie die Fiducia, wie noch in der Kaiserzeit das Fideicommissum ruhten ganz auf Fides. Daraus, daß z. B. für diese letztgenannte Schöpfung der Grund in dem Fehlen zivilrechtlicher Klagen lag (bei Legaten an Nichtbürger oder an verbotene Personen) und daß zunächst nur konventionelle Regeln die Erstellung garantierten, folgt keineswegs, daß die Fides von jeher nur ein Lückenbüßer des ius civile und also jünger als dieses gewesen sei. Das Rechtsinstitut der Klientel war sicher so alt wie der Rechtsbegriff des ius civile selbst, stand aber außerhalb desselben. Niemals also war das ius civile der Inbegriff alles geltenden Privatrechts. Aber allerdings war die fides in keiner Weise ein einheitliches Prinzip der Regelung gesetzlicher Beziehungen. Was man der Fides zuliebe anderen schuldete, hing vielmehr von der sachlichen Natur der konkreten Beziehung ab und auch in dieser Spezialisierung fehlte der Fides im Fall der Verletzung die gleichmäßig geordnete Rechtsfolge, zunächst natürlich innerhalb der bürgerlichen Ordnung. Die Infamie war Folge bestimmter spezifischer Handlungen, nicht etwa aller Verstöße gegen die fides. Die verschiedenen Arten der Reaktion gegen anstößiges Verhalten: z. B. zensorische Rüge und konsularische Versagung der Aufnahme unter die Amtskandidaten hatten eine jede ihre besonderen, weder mit den Fällen der Infamie noch mit den Prinzipien der fides identische, überdies schwankende Voraussetzungen und waren niemals an Verletzungen der fides rein als solche geknüpft. Verletzungen der klientelen Pflichten ahndete ursprünglich der Herr im Hausgericht. Später waren sie sakral oder konventional und schließlich bei der reinen geschäftlichen freigelassenen Klientel auch zivilrechtlich geschützt. Wie es mit der Fides des Verkehrs ursprünglich stand, wissen wir nicht. Wir kennen die Mittel nicht, durch welche die bonae fidei-Kontrakte gesichert wurden, ehe sie vom Prätor kraft Amtsgewalt durch Klageschemata anerkannt waren, wie die anderen prätorisch geschützten Institute des jus gentium. Vermutlich traten individuell oder generell beschworene Schiedsverträge ein, deren Verletzung ebenso infamierte, wie dies später noch der Bruch eines eidlichen Vergleichsvertrages tat. Die Schaffung der Klageschemata für die Institute des ius gentium bedeutete keineswegs die Beseitigung der Scheidung vom ius civile. Dieses blieb nun reines Standesrecht der Bürger. Gelegentlich vollzog der Prätor in der Form: si civis romanus essit Rezeptionen in die Klageschemata für Nichtbürger. Andere Institute gingen stillschweigend in das ius gentium über. Erst in der Kaiserzeit schwindet mit anderen Privilegien der Bürger der Unterschied ganz.

Keiner der Interessentenkreise der Fides bildete einen geschlossenen ständischen Verband. Nicht die Klienten, die Mommsen, wie an anderer Stelle zu erörtern ist, mit Unrecht mit dem Verband der Plebs identifiziert hat, erst recht natürlich nicht die Interessenten der ständischen, ganz indifferenten bonae fidei-Kontrakte oder des ius gentium. Endlich: das prätorische Recht als solches ist natürlich weit entfernt davon, mit dem jus gentium identisch zu sein und die Rezeption des ius gentium ist keineswegs nur durch prätorisches Recht, sondern weitgehend auch durch Hineinarbeiten seiner Grundsätze in das Zivilrecht durch die Juristen erfolgt. Ebenso entbehrten die eigentlichen Stände: Sklaven, Freigelassene, Ritter, Senatsgeschlechter in der Republik wie in der Kaiserzeit einer Verbandsorganisation, welche Träger einer eigentlichen Autonomie hätte sein können. Die republikanische Zeit hatte aus politischen und polizeilichen Gründen immer wieder mit Schärfe gegen die Privatverbände einschreiten müssen. Perioden der Unterdrückung hatten mit Perioden der Duldung gewechselt. Die Zeit der Monarchie war den Privatverbänden an sich naturgemäß ungünstig. Die Demokratie hatte von Vereinigungen der sozialökonomisch Mächtigen, die Monarchie von jeder Art von unkontrollierten Verbänden politisch zu fürchten. Das römische Recht der republikanischen wie der Kaiserzeit kennt im Effekt eine Autonomie nur als Vereinsrecht oder Korporationsrecht im modernen Sinn. Soweit Vereine und Korporationen geduldet oder privilegiert bestanden, soweit bestand auch Autonomie. Wieweit sie bestanden, ist im Zusammenhang der allgemeinen Erörterungen eines anderen Problems: der Rechtsfähigkeit von Personenverbänden zu besprechen.

Die allgemeine Umwandlung und Mediatisierung der eigenrechtlichen Personenverbände der Epoche der Rechtspersonalität zugunsten des Rechtsschöpfungsmonopols der Staatsanstalt drückt sich in dem Wandel der Form juristischer Behandlung solcher Verbände als Träger subjektiver Rechte aus. Rechtstechnisch kann eine solche Behandlung jedenfalls dann nicht entbehrt werden, wenn einerseits monopolistisch appropriierte Vermögensobjekte vorhanden sind, welche nur den Rechtsgenossen als solchen, aber nur zu einer irgendwie gemeinsamen Nutzung zur Verfügung stehen oder andererseits rechtsgeschäftliche Akte über diese ökonomisch notwendig werden, die autonomen Personenverbände also innerhalb einer politischen Anstalt einem gemeinsamen, friedlich durch geordnete Rechtsfindung anzuwendenden Recht unterworfen sind. Solange und soweit dies nicht der Fall ist, erledigt sich das Problem einfach: die Glieder des einen Verbandes machen die des anderen solidarisch für das Tun jedes ihrer Mitglieder, also auch der Verbandsorgane verantwortlich. Neben der urwüchsigen Blutfehde steht daher als universelle Erscheinung die Repressalie, die Festhaltung von Person und Gütern eines Rechtsgenossen wegen Verbindlichkeiten Einzelner oder aller anderen. Im Mittelalter ist die Verhandlung über Repressalien, ihre Vermeidung durch gegenseitige Zulassung bei den Gerichten und gegenseitige Rechtshilfe ein ständiger Gegenstand der Erörterung zwischen den Städten. Ebenso urwüchsig wie die Blutfehde ist ferner der Vergleich. Wer nun zum Abschluß eines solchen und zur Vertretung der Rechtsgenossen nach außen überhaupt als legitimiert gilt, richtet sich lediglich nach den Erfahrungen, welche die Außenstehenden darüber gemacht haben: wessen Anordnungen sich die Rechtsgenossen faktisch zu fügen pflegen. Die ursprüngliche Vorstellung war dabei auch im frühen mittelalterlichen Recht: daß alle, die nicht an einem Beschluß der Dorfgenossen, Gildebrüder, Marktgenossen oder um welche Gesamtheit es sich sonst handelt, teilgenommen haben, dadurch gebunden werden, daß das Auftreten des Verbandes nach außen kraft einer durch Beschluß erzielten Willenseinigung erfolge und erfolgen müsse, um spezifische Rechtswirkungen zu haben. Man wird also Heusler zustimmen dürfen, daß die Notwendigkeit eines Beschlusses und seine verbindliche Kraft ein charakteristisches Entwicklungselement des Verbandsrechtes war. Dabei blieb die Scheidung zwischen Beschluß und Vertrag zweifellos vielfach flüssig, wie die Scheidung der Begriffe objektiver Normen und subjektiver Ansprüche überhaupt. Satzungen auf Grund von Beschlüssen werden oft als pactus bezeichnet. Aber immerhin war der Keim der Scheidung vorhanden. Und zwar gerade durch die überall urwüchsige Vorstellung: daß ein Beschluß nur den binde, der daran teilgenommen und sich ihm angeschlossen habe, daß also Einstimmigkeit erforderlich sei, was offenbar zunächst so aussieht, als ob ein Beschluß der Vorstellung nach nur als Vertrag zustandekommen könne. In Wahrheit war aber jene Vorstellung vielmehr durch den Offenbarungscharakter alles geltenden Rechts bedingt. Nur *ein* Recht konnte nach dieser Voraussetzung richtig sein. Schwanden die magischen und charismatischen Mittel zur Auffindung des richtigen Rechtes, so konnte die Vorstellung entstehen und entstand: daß die Mehrheit das richtige Recht erzeuge und also die Minderheit die Pflicht habe, sich dem durch die Mehrheit bezeugten anzuschließen. Aber ehe sie das getan hatte, wozu sie eventuell durch drastische Mittel genötigt wurde, war immerhin der Mehrheitsbeschluß noch nicht Recht und niemand dadurch gebunden: dies war die praktische Bedeutung jener Vorstellungsweise. Dagegen galt natürlich Niemand für verpflichtet, einen beliebigen Kontrakt mit einem anderen abzuschließen. In diesen Denkformen war also der Unterschied von Satzung als Schöpfung objektiven Rechts und Vertrag als Schöpfung subjektiver Rechte trotz aller Flüssigkeit der Übergänge auch den Vorstellungen der Frühzeit immerhin vertraut. Der Beschluß forderte dann als Komplimentärbegriff das Organ zu seiner Ausführung. Die Art seiner Bestellung: Wahl im Einzelfall, Wahl auf Dauer, erbliche Appropriation der Organfunktion konnte dabei sehr verschieden aussehen. Sobald der Differenzierungs- und Appropriationsprozeß zwischen und in den verschiedenen Verbänden soweit fortgeschritten war, daß einerseits der Einzelne verschiedenen Verbänden zugleich angehörte, andererseits auch im inneren Verhältnis zwischen den Rechtsgenossen selbst das Maß der Verfügungsgewalt der Verbandsorgane sowohl als auch der einzelnen festen und zunehmend rationalen Regeln unterstellt wurde; und sobald ferner die Zunahme der Zweckkontrakte einerseits der einzelnen, andererseits der Gesamtheit der Verbandsgenossen nach außen hin – eine Folge zunehmender Tauschwirtschaft – eindeutige Bestimmtheit der Tragweite jeder Handlung jedes Mitgliedes und Verbandsorgans forderte, mußte die Frage der Stellung des Verbandes und der Legitimation seiner Organe im Kontraktverkehr und im Rechtsgang irgendwie auftauchen. Eine rechtstechnische Lösung dieses Problems war die Konzeption des Begriffs der juristischen Person. Juristisch betrachtet ist der Name eine Tautologie, denn der Rechtsbegriff der Person ist stets ein juristischer. Wenn ein Embryo ebenso wie ein Vollbürger als Träger subjektiver Rechte und Pflichten behandelt wird, ein Sklave aber nicht, so ist beides ein rechtstechnisches Mittel zur Erzielung bestimmter Effekte. In diesem Sinn ist die Rechtspersönlichkeit stets ebenso künstlich wie die Frage, was im Rechtssinn „Sachen" sein können, ausschließlich nach zweckvoll gewählten juristischen Merkmalen bestimmt wird. Die sehr viel reicheren Alternativen aber, welche für die rechtliche Stellung von Verbänden und Vergesellschaftungen zur Verfügung stehen, machten dies bei ihnen zu einem Problem.

Die rationalste Durchführung des Gedankens der Rechtspersönlichkeit von Verbänden ist die völlige Scheidung der Rechtssphäre der Mitglieder von einer gesondert konstituierten Rechtssphäre des Verbandes: bestimmte nach Regeln bezeichnete Personen gelten rechtlich allein als legitimiert, den Verband zu verpflichten und zu berechtigen, diese Rechtsbeziehungen aber berühren Personen und Vermögen der Einzelnen gar nicht, gelten nicht als ihre Kontrakte, sondern werden rechtlich einem ganz gesonderten Verbandsvermögen zugerechnet. Ebenso sind, was die Mitglieder als solche (verbandsstatutenmäßig) fordern oder an ihn zu leisten haben, Ansprüche und Pflichten ihres vom Verbandsvermögen rechtlich völlig gesonderten Privatvermögens. Einzelne Mitglieder als solche können den Verband weder berechtigen noch verpflichten. Dies ist rechtlich nur den Organen und nur durch ein Handeln im Namen des Verbandes möglich, und nur die nach feststehenden Regeln berufene und beschließende Versammlung berechtigter Mitglieder kann, muß aber nicht, die Befugnis haben, bindende Beschlüsse daraus zu fassen. Der Rechtspersönlichkeitsbegriff kann von da aus noch weiter auch zur Unterstützung der Verfügung über solche ökonomische Güter ausgedehnt werden, deren Nutzung einer nur nach Regeln bestimmten, aber nicht zu einem Verband vergesellschafteten Personenvielheit zustehen soll (Stiftung, Zweckvermögen), in dem ein zur selbständigen Vertretung der Interessen jener Personenvielheit im Rechtsverkehr legitimierter, nach Regeln bestimmter Träger vom Recht anerkannt wird.

Ein rechtspersönlicher Verband kann rechtlich so konstruiert sein, daß ein fester, grundsätzlich nur entweder durch rein privatrechtliche Rechtsnachfolge oder durch Beschluß bestimmter Körperschaften zu erweiternder Kreis von Menschen als die allein berechtigten Mitglieder behandelt werden und die Verwaltung rechtlich kraft ihres Auftrags geführt wird: Korporation. Oder der Stiftung im Prinzip verwandt, sodaß rechtlich nur Organe des Verbandes da sind, welche in seinem Namen handeln, die Mitglieder aber vorwiegend als verpflichtet zur Mitgliedschaft, der Eintritt neuer Mitglieder daher unabhängig vom Willen der schon vorhandenen entweder nach Willkür jener Organe oder nach bestimmten Regeln sich vollzieht und diese bloßen Mitglieder: etwa die Kunden einer Schule als solche prinzipiell keinen Einfluß auf die Verwaltung haben: Anstalt im juristischen Sinn (mit dem sozialpolitischen Anstaltsbegriff nur teilweise zusammentreffend).

Der Übergang von der Anstalt einerseits zur Stiftung, andererseits zur Korporation ist auch juristisch flüssig. Ob die Anstalt autokephal oder heterokephal ist, kann nicht, wie Gierke will, entscheiden: eine Kirche ist Anstalt, kann aber autokephal sein.

Rechtstechnisch ganz entbehrlich ist nun der Rechtspersönlichkeitsbegriff überall da, wo einem Verband kein Vermögen zugewiesen ist, über welches in seinem Namen Kontrakte erforderlich werden. Inadäquat ist sie für solche Gesellschaften, welche ihrem sachlichen Wesen nach eine eng begrenzte Zahl von Teilhabern umfassen und zeitlich beschränkt sind, wie etwa für einzelne Handelsgesellschaften. Hier wäre die absolute Sonderung der Rechtssphäre des Einzelnen von derjenigen der Gesamtheit kreditschädlich, da die spezifische Kreditwürdigkeit zwar auch auf der Existenz eines gesonderten Vermögens, in erster Linie aber auf dem Einstehen aller Teilhaber für die Schulden der Gesamtheit beruht. Ebenso wäre die Schaffung besonderer Organe für die Vertretung der letzteren nicht immer zweckmäßig. Für derartige Verbände und Vergesellschaftungen war daher das wenigstens in der Vergangenheit den meisten Rechten irgendwie in Ansätzen bekannt gewesene Prinzip der Gesamthand, d. h. die

Legitimation entweder nur aller Beteiligten durch gemeinsames Rechtshandeln oder auch jedes oder einiger oder eines Einzelnen durch Handeln im Namen aller zur Vertretung der Gesamtheit und die Haftung aller mit ihrer Person und ihrem Vermögen, die gerade den kapitalistischen Kreditinteressen adäquate Form. Sie stammt aus der hausgemeinschaftlichen Solidarhaftung und gewinnt ihren spezifischen Charakter in der fortgesetzten Erbengemeinschaft, sobald eine rechtliche Sonderung des Gesamtvermögens von dem Einzelvermögen der Beteiligten der Gesamthaftung von der Einzelhaftung derart beginnt, wie wir dies als Folge geschäftlicher Zersetzung der Brüderlichkeit früher kennen lernten. Von der Erbengemeinschaft her hat sie sich als Grundlage zahlreicher gewillkürter Gemeinschaften verbreitet, für welche die aus dem Verbrüderungscharakter der Hausgemeinschaft folgenden Innen- und Außenbeziehungen entweder urwüchsig waren oder aus rechtstechnischen Zweckmäßigkeitsgründen übernommen wurden. Das heutige Recht der offenen Handelsgesellschaft ist, wie wir sahen, direkt die rationale Fortbildung der hausgemeinschaftlichen Beziehung für Zwecke des kapitalistischen Betriebes. Die verschiedenen Formen der Kommanditen sind Kombinationen dieses Prinzips mit dem Recht der universell verbreiteten Commenda und Societas maris. Die deutsche Gesellschaft mit beschränkter Haftung ist eine rationale Neuerfindung zum Ersatz der für die Zwecke kleinerer und familienhafter, speziell erbengemeinschaftlicher Unternehmungen rechtlich nicht adäquaten, speziell durch den modernen Publizitätszwang unbequemen Aktiengesellschaft. Die Verbrüderung (agermanament im spanischen Recht) der Kaufleute, Schiffsbesitzer und Schiffsbesatzung war der gemeinsamen Unternehmung einer Seefahrt der Natur der Sache nach urwüchsig. Sie entwickelte sich ganz entsprechend der Entstehung des Betriebes aus der Hausgemeinschaft in der Reederei zu, einer Gesamthandvergesellschaftung der Unternehmer, während sie nach der anderen Seite in der Bodmerei und in den Grundsätzen über den Seewurf in eine rein sachliche Gefahrengemeinschaft der Fahrtinteressenten ausmündete. In all jenen Fällen war das Typische die Verdrängung der Verbrüderungen durch Geschäftsbeziehungen, der Statuskontrakte durch Zweckkontrakte, unter Erhaltung aber der rechtstechnisch zweckmäßigen Behandlung der Gesamtheit als eines gesonderten Rechtssubjektes und der Sonderung des gemeinsam besessenen Vermögens. Andererseits ersparte man die formale Bürokratisierung des Organapparates, wie er bei der Konstituierung als Körperschaft technisch notwendig geworden wäre. In dieser Struktur sind die rational umgebildeten Gesamthandverhältnisse in keinem Rechtssystem so spezifisch entwickelt wie in denjenigen des Okzidents seit dem Mittelalter. Daß sie dem römischen Recht fehlten – das hellenische Handelsrecht, welchem z. B. im rhodischen manche Spezialinstitute des antiken internationalen Handelsrechts entlehnt sind, ist in seiner Entwicklung nicht genau bekannt – hatte teilweise rechtstechnisch in der Eigenart des nationalen Zivilrechts begründete und noch zu besprechende, nicht aber ökonomische Gründe. Wohl aber hängt die relative Entbehrlichkeit dieses Formenreichtums mit der Eigenart des antiken Kapitalismus zusammen. Er war einerseits Sklavenkapitalismus, andererseits vorwiegend politischer, im Staat verankerter Kapitalismus. Die Verwendung von Sklaven als Erwerbsinstrumenten mit unbeschränkter Berechtigung und beschränkter Haftung des Herrn für ihre Kontrakte und mit einer begrenzten Behandlung des peculium nach Art einer Sondervermögensmasse ermöglichte es, wenigstens einen Teil der heute durch die verschiedenen Formen beschränkter Haftung erzielten Effekte zu erreichen. Dabei bleibt freilich die Tatsache bestehen, daß diese Einschränkung, verbunden mit dem völligen Ausschluß aller Gesamthandsprinzipien im Sozietätsrecht und mit der Zulassung von Solidarberechtigung und Verpflichtung nur auf Grund von speziellen Korrealsponsionen zu jenen juristischen Symptomen des Fehlens kapitalistischer gewerblicher Dauerbetriebe mit stetigem Kreditbedarf gehört, welches der römischen Wirtschaftsverfassung spezifisch ist. Die Bedeutung der wesentlich politischen Verankerung des antiken Kapitalismus aber tritt darin hervor, daß die für den Privatverkehr fehlenden Rechtsinstitute für die Staatspächter (Pächter von Steuern, Bergwerken, Salinen: socii vectigalium publicorum) schon in der frühen Kaiserzeit auch privatrechtlich anerkannt waren. Die rechtliche und ökonomische Struktur dieser Gesellschaften war eine Kombination der heute bei der Emission von Wertpapieren durch unsere Banken üblichen Rechtsform der konsortialen Beteiligung von Unternehmern an der von einem oder mehreren führenden Unternehmern dem Emittierenden gegenüber übernommenen Kapitalbeschaffung mit bloßen Kommanditbeziehungen. Die im Interdikt de loco publico fruendo und sonst literarisch vorkommenden socii des Konsortialleiters (manceps) waren Unterkonsortialbeteiligte, die affines bloße Kommanditisten, die faktische Rechtslage nach innen und außen der heutigen sehr ähnlich.

Teils rechtstechnisch, teils politisch bedingt war auf der anderen Seite die Entscheidung der Frage: ob auch die Staatsanstalt selbst als

Rechtspersönlichkeit im Sinne des Zivilrechts zu behandeln sei. Das hieß praktisch in erster Linie: daß die Rechtssphäre der Organe der staatlichen Herrschaft geschieden wurde in eine persönliche Rechtssphäre mit Ansprüchen und Verpflichtungen, die ihnen persönlich zugerechnet werden, und in eine amtliche, deren vermögensrechtliche Beziehungen einem Sonderkomplex, dem Anstaltsvermögen, zugerechnet werden: daß aber ferner auch die Sphäre des amtlichen Auftretens der Organe des Staats ihrerseits geschieden ist in eine Sphäre herrschaftlicher und eine andere Sphäre privatrechtlicher Beziehungen, daß in dieser letzteren ausschließlich vermögensrechtlichen Sphäre die allgemeinen Grundsätze des Rechts des Privatverkehrs maßgebend sind. Eine normale Konsequenz dieser Persönlichkeit des Staates ist es dann, daß er aktiv und passiv als gleichberechtigter Prozeßgegner eines Privatmannes im gewöhnlichen Rechtsgang aufzutreten und in Anspruch genommen zu werden qualifiziert ist. Die Frage der Rechtspersönlichkeit hat mit dieser letzteren Frage an sich juristisch betrachtet nichts zu schaffen. Denn die privatrechtliche Erwerbsfähigkeit des populus romanus z. B. aus Testamenten war zweifellos, prozeßfähig aber war er nicht. Beide Fragen sind auch praktisch verschieden. Im Sinne selbständiger Erwerbsfähigkeit pflegt aber die selbständige Rechtspersönlichkeit aller anstaltsmäßigen, also staatlichen politischen Gebilde außer Zweifel zu stehen, auch wenn sie sich der Unterwerfung unter die ordentliche Rechtspflege entziehen. Ebenso kann die Rechtspersönlichkeit und die Zulässigkeit des Rechtsweges anerkannt sein, aber für die Kontrakte der Staatsanstalt können ganz andere Grundsätze gelten als für Privatkontrakte. Meist freilich pflegt dies letztere, wie in Rom, mit dem Ausschluß der ordentlichen Gerichte und der Entscheidung von Streitigkeiten aus Kontrakten mit dem Staat durch Verwaltungsbeamte zusammenzuhängen. Die Fähigkeit, prozessual als Partei aufzutreten, pflegt nicht nur den Rechtspersönlichkeiten, sondern auch vielen Gesamthandvergesellschaftungen verliehen zu sein. Dennoch aber taucht das Problem der Rechtspersönlichkeit rechtshistorisch meist in enger Verbundenheit mit dem Problem der Prozeßstandschaft auf. Diese gilt speziell für die öffentlichen Verbände. Wo immer die politische Gewalt mit Privaten nicht als Herrscher zum Untertanen verhandeln konnte, sondern genötigt war, sich dessen Leistungen durch freien Kontrakt zu beschaffen, also vor allem durch Verkehr beim Kapitalisten, deren Kredithilfe oder Unternehmerorganisation sie bedurfte und die sie infolge der Freizügigkeit des Kapitals zwischen mehreren konkurrierenden politischen Verbänden nicht leiturgisch zu erzwingen vermochte; ferner beim Verkehr mit freien Handwerkern und Arbeitern, gegen welche sie leiturgische Zwangsmittel nicht anwenden konnte oder wollte. In all diesen Fällen entstanden alle jene Probleme zugleich. Wenn die Frage der Rechtspersönlichkeit des Staats und zugleich der Zuständigkeit der ordentlichen Gerichte bejaht wurde, so bedeutete dies im allgemeinen eine Steigerung der Sicherung der privaten Interessen. Nicht aber mußte umgekehrt die Ablehnung eines von beiden Postulaten notwendig eine Minderung dieser Sicherung bedeuten. Denn es konnte anderweit die Innehaltung der Kontraktpflichten hinlänglich garantiert erscheinen. Daß man den König von England von jeher verklagen konnte, hat die Florentiner Bankiers nicht vor der Repudiation der riesigen Schuldenlast im 14. Jahrhundert geschützt. Das Fehlen jedes prozessualen Zwangsmittels gegen die römische Staatskasse hat deren Gläubiger im allgemeinen nicht gefährdet und als dies im zweiten punischen Kriege doch geschah, wußten sie sich Pfandsicherheiten geben zu lassen, deren Antastung nicht versucht worden ist. Gegen den französischen Staat blieb wenigstens die zwangsweise Anrufung des Rechtsweges auch nach der Revolution ausgeschlossen, ohne seinen Kredit zu gefährden. Die Versagung des Rechtsweges gegen die Staatskasse ist einerseits als Teilerscheinung der prinzipiellen Heraushebung des Staates aus den Kreisen der Verbände mit der Entwicklung des modernen Souveränitätsbegriffs entstanden. So in Frankreich. Auch Friedrich Wilhelm I. hat im Zusammenhang mit seinem Souveränitätsbewußtsein den Versuch gemacht, den „renitenten Adelsleuten" durch „allerhand Schikane" die Anrufung des Reichskammergerichts zu verleiden. Die Gewährung des Rechtsweges war andererseits da und solange selbstverständlich, als die ständische Struktur des politischen Gebildes alle Beschwerde über die Verwaltung als Grenzstreit zwischen Privilegien und wohlerworbenen Rechten in die Form des Rechtsstreits verwies und der Fürst nicht als Souverän, sondern als Inhaber einer bestimmt begrenzten Prärogative, als ein Privilegienträger neben anderen im politischen Verband erschien. So in England und im römisch-deutschen Reich.

Die Versagung der Klage gegen den Staat konnte aber auch die Folge wesentlich rechtstechnischer Umstände sein. So war in Rom der Zensor die Instanz für die Entscheidung aller nach unseren Denkgewohnheiten privatrechtlichen Ansprüche Einzelner an die Staatskasse und umgekehrt. Aber er war auch die zuständige Instanz für die Streitschlichtung zwischen Privaten, soweit es sich um Rechtsfragen handelte, welche aus den Beziehungen zum Staatsgut herrührten.

Alle Besitzstände auf dem Ager publicus und alle Streitigkeiten zwischen den kapitalistischen Interessenten des Staatsgebietes und der Staatslieferungen (publican) oder zwischen ihnen und den Untertanen waren der hohen Geschworenenjustiz dadurch entzogen und dem einfachen verwaltungsrechtlichen Kognitionsverfahren überwiesen, sicherlich der Sache nach nicht ein negatives, sondern ein positives Privileg der ungeheuren staatskapitalistischen Interessen. Das fehlende Geschworenenverfahren und die Qualität der Staatsbeamten als Richter und Parteivertreter in einer Person blieb bestehen und ging im Effekt auch auf den Fiskus der kaiserlichen Verwaltung über, nachdem dieser nach kurzem Schwanken unter Tiberius seit Claudius zunehmend den Charakter eines Staatsgutes und nicht eines persönlichen Besitzes des Kaisers angenommen hatte. Ganz restlos ist dies freilich nicht geschehen und sowohl terminologisch (durch Fortfall der alten verwaltungsrechtlichen Ausdrücke: manceps, praes und ihren Ersatz durch zivilrechtliche) wie in dem Grundsatz: daß der Fiskus prozeßfähig sei, blieb der Unterschied bestehen. Schwankungen zwischen patrimonialer und anstaltsmäßiger Auffassung der Stellung des kaiserlichen Besitzes haben neben verwaltungstechnischen Erwägungen und rein ökonomischen Interessen der Dynastie auch die verschiedenen Umgestaltungen und Unterscheidungen kaiserlicher Vermögensmassen bedingt, welche alle in der Theorie als prozeßfähig galten. Im Effekt ist die Scheidung des Kaisers als Privatperson und als Magistrat trotz allem wohl nur unter den ersten Kaisern durchgeführt worden. Letztlich galt aller Besitz der Kaiser als Krongut und daher wurde es üblich, das Privatvermögen bei der Thronbesteigung den Kindern zu übertragen. Die Behandlung des Konfiskationserwerbs und der zahlreichen zur Stütze der Gültigkeit von Testamenten an die Kaiser hinterlassenen Vermächtnissen ist weder vom Standpunkt einer rein privaten noch einer rein staatsrechtlichen Auffassung ganz klar entwickelt worden.

Für die Stellung des ständischen Fürsten des Mittelalters versteht sich, nach der später noch näher zu erörternden Struktur ständischer Gebilde, die Ungeschiedenheit von Fürstengut, welches politischen Zwecken und solchem, welches privaten Zwecken diente, vom Fürst als Herrscher und Fürst als Privatmann, von selbst. Wie wir sahen, hatte diese Ungeschiedenheit zur Anerkennung der Möglichkeit von Prozessen gegen den englischen König und den deutschen Kaiser geführt. Der gerade umgekehrte Effekt aber trat dann ein, wenn die Souveränitätsansprüche den Staat der Unterstellung unter die Justiz seiner eigenen Organe entzogen. Immerhin hat auch hier die Rechtstechnik den politischen Interessen der Fürsten gegenüber ziemlich wirksamen Widerspruch geleistet. Der rezipierte römische Fiskusbegriff hat in Deutschland als Rechtskonstruktionsmittel für die Möglichkeit, den Staat zu verklagen, gedient und hat infolgedessen freilich in Konsequenz der überkommenen ständischen Auffassung weit über privatrechtliche Streitigkeiten hinaus auch der eigentlichen Verwaltungsrechtspflege als erste Unterlage dienen müssen. Der Fiskusbegriff hätte nun eigentlich schon in der Antike einen Anstaltsbegriff erzeugen können. Diese Konzeption ist jedoch von den klassischen Juristen nicht vollzogen worden, weil sie den gegebenen Kategorien des antiken Privatrechts fremd war. Nicht einmal die Auflage im Sinn des heutigen Rechts war derart entwickelt, daß sie einen Ersatz bilden konnte. Der Stiftungsbegriff vollends blieb dem römischen Recht der Konzeption nach infolgedessen ganz fremd, so daß für diese Zwecke nur der inschriftlich nachweisbare Weg blieb, sie als Korporationsvermögen zu konstituieren. Die Konzeption des Stiftungsbegriffs ist der Sache wie der reinen Technik nach fast überall religiös bedingt gewesen. Die große Masse der Stiftungen war von jeher dem Totenkult oder Werken religiös verdienstlicher Barmherzigkeit gewidmet. Das Interesse an der juristischen Konstruktion hatten daher vorwiegend Priesterschaften, welche mit der Wahrnehmung der stiftungsmäßigen Leistungen betraut waren. Daher entstand ein Stiftungsrecht nur da, wo die Priesterschaften hinlängliche Unabhängigkeit von der Laiengewalt gewannen, um ein heiliges Recht zu entwickeln. In Ägypten sind deshalb die Stiftungen uralt. Rein weltliche, insbesondere Familienstiftungen waren rechtstechnisch und zweifellos auch aus rechtspolitischen Gründen fast überall unbekannt, wenn sie sich nicht der Form der Lehensübertragung oder ähnlicher Formen bedienten, also eine Abhängigkeit der privilegierten Familien vom Fürsten schufen. Innerhalb der Polis fehlten sie deshalb. Erstmalig im byzantinischen Recht wurde das unter rechtstechnischer Benutzung sakraler Normen anders, nachdem das spätrömische Recht in den Fideicommissa begrenzte Ansätze dazu entwickelt hatte. In Byzanz kleidete sich die Sicherung ewiger Renten für die eigene Familie aus Gründen, die noch zu erörtern sein werden, in die Form von Klostergründungen mit Vorbehalt von Verwaltung und Rentenrechten für die eigene Familie. Von da ging diese Art von Stiftungen in die Wakufs des islamischen Rechts über, welche dort eine ganz außerordentliche, auch ökonomisch sehr weittragende Rolle gespielt haben. Im Okzident aber wurde rechtstechnisch zunächst der Heilige als Eigentümer des Stiftungsgutes behandelt und begann sich ein weltlicher Stiftungsbegriff des Mittelalters zu entwickeln, nachdem das kanonische Recht ihn für kirchliche Zwecke vorbereitet hatte.

Die Konzeption des *Anstalts*begriffes ist, rein juristisch betrachtet, erst von der modernen Theorie vollzogen worden. Der Sache nach ist auch er kirchlichen Ursprungs und stammt aus dem spätrömischen Kirchenrecht. Ein Anstaltsbegriff mußte hier irgendwie entstehen, nachdem die charismatische Auffassung der Träger der religiösen Autorität auf der einen Seite und die rein voluntaristischen Organisationen der Gemeinden auf der anderen endgültig zurückgetreten waren zugunsten der Amtsbürokratie der Bischöfe, und diese nun auch die rechtstechnische Legitimation zur Wahrnehmung kirchlicher Vermögensrechte zu erlangen strebten. Dem antiken Recht, welchem die Tempelgüter seit der Säkularisation des Kults durch die Polis rechtlich als deren Besitz galten, war ein kirchlicher Anstaltsbegriff ganz fremd. Die antike Rechtstechnik half daher der christlichen Kirche mit ihrem Körperschaftsbegriff, das frühe Mittelalter, soweit das Kirchengut nicht als eigenkirchlicher Besitz galt, in der erwähnten Art mit der Auffassung des Heiligen als Eigentümer und der Kirchenbeamten als seiner Vertreter aus. Das kanonische Recht aber entwickelte namentlich nach der Kriegserklärung an das Eigenkirchenrecht im Investiturstreit ein geschlossenes kirchliches Korporationsrecht, welches vermöge der soziologisch notwendigen herrschaftlichen und anstaltsmäßigen Struktur der Kirche unvermeidlich abwich von dem Korporationsrecht sowohl der Vereine wie der ständischen Verbände, seinerseits aber die Bildung des weltlichen Korporationsbegriffs im Mittelalter stark beeinflußte. Wesentlich verwaltungstechnische Bedürfnisse der modernen anstaltsmäßigen Staatsverwaltung haben dann zur rechtstechnischen Privikation so massenhafter öffentlicher Betriebe: Schulen, Armenanstalten, Staatsbanken, Versicherungsanstalten, Sparkassen usw. geführt, welche der Konstruktion als Korporationen, da sie keine Mitglieder und Mitgliedschaftsrechte, sondern nur heteronome und heterokephale Organe aufwiesen, unzugänglich waren, daß der selbständige Rechtsbegriff der Anstalt konzipiert wurde.

Der rationale Korporationsbegriff des entwickelten römischen Rechts war ein Produkt der Kaiserzeit, und zwar stammt er aus dem politischen Gemeinderecht. Politische Gemeinden im Gegensatz zum Staat gab es als Massenerscheinung erst seit dem Bundesgenossenkrieg, welcher bis dahin souveräne Städte massenhaft in den Bürgerverband aufnahm, aber ihre korporative Selbständigkeit bestehen ließ. Die Gesetze der ersten Kaiser regelten diese Beziehungen endgültig. Die Gemeinden verloren in Konsequenz ihrer Mediatisierung die Qualität politischer Anstalten: civitates privatorum loco habentur, heißt es schon im 2. Jahrhundert und mit Recht weist Mitteis darauf hin, daß nun der Terminus commune statt publicum für das Gemeindevermögen auftaucht. Ihre Streitsachen waren teils administrative (so die controversia de territorio), teils private aus Kontrakten entstandene, und für diese galt offenbar der gewöhnliche Prozeßweg. Die typische Form des Munizipalbeamtentums verbreitete sich über das Reich. Wir finden nun, daß in den privaten Korporationen der Kaiserzeit sich genau die Titel des Munizipalbeamtentums wiederfinden. Die Bürokratisierung des Korporationsbegriffs nach dem Muster der ursprünglich politischen Gemeindeanstalt, für welche die absolute Trennung von Gemeindegut und Einzelvermögen und der Satz: quod universitati debetur, singulis non debetur, selbstverständlich waren, geht wohl sicher hierauf zurück. Gleichzeitig waren in der Monarchie der Julier alle Vereinsgründungen dem Konzessionszwang unterstellt worden, zweifellos aus politischen Gründen. Ob mit der Konzessionierung allein die volle Rechtspersönlichkeit oder welche Teile davon erworben wurden, scheint fraglich, in der Spätzeit fiel beides zusammen. Wahrscheinlich, wenn auch nicht sicher, bezeichnet der Ausdruck corpus collegii habere die volle Rechtsfähigkeit. Der typische Ausdruck der Theorie war später universitas. Wenn die plausible Annahme von Mitteis zutrifft, daß die internen Verhältnisse der privaten Korporation grundsätzlich nur der administrativen Kognition unterworfen gewesen seien, so wäre auch dies eine bezeichnende Teilerscheinung jener Bürokratisierung des Korporationswesens, welche den gesamten Rechtszustand der Kaiserzeit durchzieht, und zugleich eine jener säkularisierenden Umbiegungen des vorher gültigen Zustandes, wie sie diese ganze Entwicklung charakterisieren. Denn in republikanischer Zeit war der Zustand offensichtlich ein anderer. Es ist nicht sicher, aber nicht unwahrscheinlich, daß die 12 Tafeln nach dem Muster des solonischen Gesetzes die Autonomie der bestehenden Korporationen anerkannten. Gemeinsame Kassen galten, wie gerade spätere Verbotsgesetze beweisen, für etwas selbstverständliches. Andererseits fehlt für eine zivilrechtliche Klage die rechtstechnische Möglichkeit. Auch das Edikt kennt sie sicher erst in der Kaiserzeit. Zwischen den Mitgliedern als solchen über Mitgliedsrechte fehlt ein Klageschema. Der Grund liegt offenbar darin: daß die privaten Korporationen damals teils dem sakralen, teils dem Verwaltungsrecht priesterlicher oder amtlicher Kognition unterlagen, und dies wieder hing mit den ständischen Verhältnissen der antiken Polis, welche den Sklaven und den Metöken wohl im Kollegium, nicht aber in der politischen Bürgerzunft duldeten, zusammen.

Wie die hellenischen Phratrien und gewillkürte Verbände der älteren Zeit und wie die meisten Dauervergesellschaftungen als Rechtsgebiete bis hinauf zu den Totemverbänden, waren auch die ältesten bekannten römischen Vereine durchweg Verbrüderungen (sodalitas, soliditates) und als solche Kultgenossenschaften. Der Bruder aber konnte von dem Bruder so wenig wie irgendein durch Pietätsbeziehungen Verbundener vor Gericht gezogen werden. Noch das Pandektenrecht bewahrt im Ausschluß der Kriminalklagen Spuren davon und für das Zivilrecht kam die Existenz der Verbrüderung gerade in diesen negativen Konsequenzen, als Schranke also, in Betracht. Aus dem gleichen Grunde waren die Gilden und Berufsverbände, deren Existenz in alter republikanischer Zeit in Rom sicher bezeugt ist, als collegia cultorum konstituiert: wie die chinesischen und mittelalterlichen Verbände gleicher Art waren sie Verbrüderungen unter dem Schutz ihres Spezialgottes, der dann in Rom vom Staat durch Zulassung des Kollegiums als legitim anerkannt wurde: so Merkur für das nach der Tradition sehr alte collegium mercatorum. Die gegenseitige Unterstützungspflicht in Notlagen und die Kultmahle, welche ihnen mit den germanischen Gilden ebenso wie mit allen anderen auf Verbrüderung ruhenden Verbänden urwüchsig waren, rationalisierten sich später zur Schaffung von Hilfs- und Sterbekassen, als welche zahlreiche dieser Collegia dann in der Kaiserzeit auftauchen. Mit dem Recht der Bürger hatten sie nichts zu tun. Solange die sakrale Organisation mehr als bloße Form war, ist ihr Vermögen vermutlich sakral geschützt gewesen und wurden Streitigkeiten unter den Genossen als solche durch Schiedsgerichte, Kollisionen nach außen vermutlich durch magistratische Kognition erledigt. Die Ingerenz der Magistrate verstand sich bei demjenigen Teile der Berufsverbände von selbst, welche Bedeutung für staatliche Leiturgien (munera) hatten. Daraus erklärt sich die zwanglose Überführung in die Bürokratisierung der Kaiserzeit. Vornehmlich außerhalb des ordentlichen Geschworenenverfahrens vollzog sich aber auch die Regelung der Verhältnisse derjenigen agrarischen Verbände, deren Fortbestand die Quellen nur vermuten lassen. Der ager compascuus war ein Rudiment der Allmende und die von den Agrarschriftstellern erwähnten Arbitria Reste einer staatlich irgendwie geregelten, aber autonomen Streitschlichtung bei Streitfällen als Nachbarbeziehungen. Nachdem der für das Korporationsrecht zunehmend einflußreiche Typus des

Municipium einmal entstanden war, vollzog sich dann offenbar in der Kaiserzeit die Nivellierung des Rechts der überhaupt noch zugelassenen Korporationen. Die Reste genossenschaftlicher Mitgliedschaftsrechte, soweit man von solchen sprechen darf, schwanden nun, und nur außerhalb des römischen Reichsrechts blieben Erscheinungen möglich, wie die Handwerkerphylen hellenistischer Kleinstädte, deren Erwähnung nur beweist, daß aus dem römischen Reichsrecht ebensowenig auf die Nichtexistenz anderer Strukturformen von Verbänden geschlossen werden darf, wie aus dem Fehlen der Erbpacht und des geteilten Eigentums im alten Zivilrecht auf das Fehlen dieser Institutionen an sich, welche auf dem für die Zensusrolle allein in Betracht kommenden ager optimo iure privatus nicht möglich war.

Das mittelalterliche Recht des Kontinents stand unter dem dreifachen Einfluß der germanischen Genossenschaftsformen, des kanonischen Rechtes und der Form, in welcher das römische Recht stark von der juristischen Praxis rezipiert wurde. Die germanischen Genossenschaftsformen sind in ihrem Reichtum und ihrer Entwicklung durch die großartigen Arbeiten Gierkes historisch neu entdeckt worden und alle Einzelheiten gehören nicht hierher. Sie sind im Zusammenhang mit den einzelnen Wirtschaftsgebieten, speziell in der Agrargeschichte und in der Darstellungsgeschichte der Unternehmungsform zu besprechen. Hier müssen diejenigen wenigen Bemerkungen genügen, welche die formalen Prinzipien der Behandlung, mit welchen wir es jetzt allein zu tun haben, aufklären. Von den einfachen Gesamthandsverhältnissen bis zur rein politischen Gemeinde, vom Haus im Mittelalter bis zur Stadtgemeinde, erstreckten sich in fast lückenlosen Übergängen eine Serie von Gebilden, welche rechtstechnisch die formale Prozeß- und Vermögensfähigkeit gemeinsam haben, bei denen dagegen die Art der Bedingungen zwischen Gesamtheit und Einzelnen in den allermannigfachsten Typen geregelt erscheinen. Ob der Einzelne überhaupt nicht als Inhaber eines Anteils am Gesamtvermögen gilt, oder ob umgekehrt dieser Anteil sein freies, in Wertpapierformen übertragbares Privateigentum ist, aber eben nur einen Anteil am Gesamtkomplex des Vermögens und nicht an dessen Einzelbestandteilen darstellt, oder ob umgekehrt die Einzelobjekte als zu geteiltem Eigentum von den Anteilhabern besessen gelten, inwieweit ferner die Gesamtheit die Rechte der Einzelnen zu begrenzen und ihren Inhalt zu bestimmen hat oder inwieweit umgekehrt die Rechte der Einzelnen den Verfügungen der Gesamtheit im Wege stehen; ob ein Beamter oder ein bestimmtes

Mitglied als solches oder in gewissem Umfang alle Mitglieder die Gesamtheit nach außen vertreten und nach innen verwalten; ob die Mitglieder mit ihrem eigenen Vermögen oder mit persönlichen Diensten beitragspflichtig sind oder nicht; ob die Mitgliedschaft prinzipiell offen oder prinzipiell geschlossen und nur kraft Beschlusses erwerbbar ist – dies war in der allerverschiedensten Art geregelt. Die Verwaltung näherte sich in sehr verschieden starkem Grade denjenigen Formen, welche auch den politischen Verbänden eigen waren, oft so weit, daß ihre eigene Zwangsgewalt nach innen und außen nur durch die Art der Zwangsmittel oder auch nur durch die Heteronomie gegenüber dem politischen Verband sich von dessen eigener Gewalt unterschied. Andererseits wurde die Gesamtheit aber auch als Trägerin persönlicher Rechte und Pflichten behandelt, wie irgendein Privater. Sie konnte Namensrechte, Standesrechte, Erfinderrechte besitzen, war deliktfähig, d. h. bestimmte rechtswidrige Tatbestände, namentlich Handlungen und Unterlassungen ihrer Organe wurden ihr rechtlich ebenso zugerechnet und von ihr gebüßt, wie von einer Privatperson: dies letztere namentlich war so wenig eine Ausnahme, daß es speziell in England ganze Epochen gab, in welchen vorwiegend Gesamtpersönlichkeiten als Pflichtgemeinschaften und bei Nichthaltung der Pflichten als Schuldner der vom König verhängten Strafe auftreten. Die Fassung der Verbandsgesamtheiten konnte fast jede Art Personenform annehmen, welche wir weiterhin für politische Verbände kennenlernen werden: unmittelbare oder repräsentable, auf Gleichheit und Ungleichheit der Rechte der Beteiligten beruhende Verwaltung im Namen der Beteiligten, mit reihum gehenden oder gewählten Amtsträgern oder ein durch Normen oder Tradition begrenztes, im übrigen aber autokratisches Herrenrecht eines einzelnen oder einer fest begrenzten Gruppe von Rechtsträgern, erworben durch periodische Wahl oder anderweitige Kreierung oder kraft Erbrechts oder kraft eines übertragbaren Rechtstitels, der auch an die Innehabung eines bestimmten Besitzobjekts geknüpft sein konnte. Die Struktur der Organe der Gesamtheit konnte mehr als eine aus fest begrenzten Rechten bestehende Prärogative, ein Bündel konkreter, nicht überschreitbarer Privilegien also zur Ausübung einzelner Herrschaftsbefugnisse als subjektiver Rechte oder mehr als eine durch objektive Normen begrenzte, innerhalb dieser aber in ihren Mitteln freie Regierungsgewalt und diese wieder mehr vereinsmäßig oder mehr anstaltsmäßig gestaltet sein. Inhaltlich konnte sie streng zweckverbandsmäßig gebunden oder relativ frei beweglich sein. Danach richtete sich der Umfang der Autonomie. Sie konnte geradezu gänzlich fehlen, der Erwerb von Rechten und die Leistungspflicht sich automatisch nach festen Regeln verteilen, wie dies bei manchen leiturgischen Verbänden in England der Fall war. Oder es konnte autonome Satzung in weitem Umfang nur durch elastische Normen, herkömmliche, gesatzte oder heteronome, begrenzt, stattfinden.

Welche von all diesen Alternativen im Einzelfall stattfand, war und ist auf dem Boden der freien Verbandsbildung noch heute zunächst durch die konkreten Zwecke und insbesondere die ökonomischen Mittel des Einzelverbandes bestimmt. Der Verband kann vorwiegend wirtschaftende Gemeinschaft sein. Dann bestimmt sich die Struktur wesentlich ökonomisch durch Maß und Art der Bedeutung des Kapitals und dessen innere Struktur einerseits, der Kreditbasis und des Risikos andererseits. Kapitalistischer Erwerb als Zweck (vor allem bei der Aktiengesellschaft, bergrechtlichen Gewerkschaft, Reederei, Staatsgläubiger- und Kolonialgesellschaft) bedingt, – infolge der vorwiegenden Bedeutung des Kapitals für die Leistungsfähigkeit des Verbandes und der Gewinnanteilchancen für die Interessen der Einzelnen –, prinzipielle Geschlossenheit der Mitgliedschaft und relativ feste Zweckgebundenheit, dabei aber formal unantastbare, vererbliche und meist frei veräußerliche Mitgliedschaftsrechte, bürokratische Verwaltung und unmittelbare oder repräsentative, dem Recht nach demokratisch, faktisch plutokratisch beherrschte, durch Debatten und Abstimmung nach Kapitalanteilen mitwirkende Mitgliederversammlung. Er bedingt ferner fehlende, weil für die Kreditwürdigkeit an Bedeutung zurücktretende, Haftung der Mitglieder nach außen und im allgemeinen, außer bei der Gewerkschaft infolge der Struktur des Bergbaukapitals, auch nach innen. Naturalwirtschaftliche Eigenbedarfsdeckung andererseits bedingt, je universaler der Gemeinschaftszweck ist desto mehr: Überwiegen der Gewalt der Gesamtheit, Fehlen fester Mitgliedschaftsrechte, Annäherung an kommunistische Wirtschaft, sei es auf unmittelbar demokratischer oder auf patriarchaler Basis (Hausgemeinschaft, Gemeinderschaft, strenge Feldgemeinschaft). Mit zunehmender Geschlossenheit und Appropriation nach innen treten (Dorf- und Marktgemeinschaft) die Mitgliedschaftsrechte zunehmend in den Vordergrund, während die in Gemeinschaftsverwaltung verbliebenen Nutzungspertinenzen der zu individuellem Besitz appropriierten Nutzungen an die Verwaltung, aber je nachdem durch Turnus oder durch erbliche Organe oder herrschaftlich (durch Grundherren), übergeführt werden. Wo es sich endlich um gewillkürte Vergesellschaftungen zur gemeinwirtschaftlichen Ergänzung individueller Produktions- oder Konsumtionswirtschaften handelt, wie bei den sog. Genossenschaften des modernen Rechts, da pflegt die Mitgliedschaft Folge zu sein, da Mitgliederrechte zwar fest appropriiert und ebenso wie die Mitgliedspflichten fest begrenzt, aber regelmäßig nicht frei veräußerlich sind, die persönliche Haftung pflegt dann an Bedeutung für die Kreditwürdigkeit des Verbandes wesentlich stärker hervorzutreten, aber entweder begrenzt oder, wo das Risiko übersehbar bleibt, unbegrenzt zu sein, die Verwaltung formell bürokratisch, faktisch nicht selten honoratiorenmäßig. Die individuellen Mitgliederrechte am Gesamtvermögen müssen ihre strukturgebende Bedeutung zunehmend verlieren, je mehr der Verband den Charakter einer Veranstaltung für eine unbestimmte Vielheit von Interessen und vollends von künstlichen Personen annimmt und die Kapitaleinlage zugunsten dauernder Beitragsleistungen oder Entgelte für die Leistungen der Gesamtheit seitens der Interessenten an Bedeutung zurücktritt. So schon bei den rein ökonomisch orientierten Versicherungsgesellschaften, vollends aber bei Anstalten, welche sozialpolitischen und charitativen Zwecken dienen. Je mehr endlich die Gemeinschaft nur eine wirtschaftende Gemeinschaft im Dienst primär außerökonomischer Zwecke ist, desto bedeutungsloser werden die garantierten Vermögensrechte der Mitglieder und desto weniger geben überhaupt ökonomische Bedingungen für die Struktur den Ausschlag.

Überhaupt aber ist die Entwicklung der Rechtsstruktur der Verbände im ganzen keineswegs vorwiegend ökonomisch bedingt gewesen. Dafür liefert in erster Linie schon der starke Gegensatz zwischen der mittelalterlichen und auch noch der neuzeitlichen englischen gegenüber der kontinentalen, vor allem der deutschen Entwicklung den Beweis. Das englische Recht seit der normannischen Eroberung kannte eine Genossenschaft im Sinne der Gierkeschen Terminologie überhaupt nicht. Einen Körperschaftsbegriff nach Art des kontinentalen hat es erst in der Neuzeit entwickelt. Es kannte weder Autonomie von Verbänden in dem Sinne und Umfang, wie sie dem deutschen Mittelalter selbstverständlich war – sondern nur Ansätze dazu –, noch andererseits eine durch Normen allgemein geregelte Rechtspersönlichkeit von Verbänden. Die Gierkesche Genossenschaftstheorie hat, wie Maitland und nach ihm Hatschek gezeigt haben, im englischen Rechtsgebiet fast keine Stätte gehabt außer in der von Gierke als Herrschaftsverband bezeichneten Form, welche aber leider mit anderen als mit den von Gierke geschaffenen Kategorien juristisch konstruierbar ist und in England auch konstruiert worden ist. Und dieses Fehlen der vermeintlich germanistischen Form des Verbandsrechts bestand dort nicht nur trotz der Nichtrezeption des römischen Rechts, sondern teilweise geradezu infolge derselben. Das Fehlen des römischen Korporationsbegriffs hatte es erleichtert, daß in England zunächst nur die kirchlichen Anstalten vermöge des kanonischen Rechts wirksame Korporationsrechte besaßen, und daß allen englischen Verbänden zunächst die Tendenz innewohnte, einen ähnlichen Charakter aufgeprägt zu erhalten. Die Theorie von der corporation sole, der durch die Reihe der Amtsträger dargestellten dignitas, ermöglichte der englischen Jurisprudenz die Behandlung der staatlichen und kommunalen Verwaltung als einer Rechtspersönlichkeit in gleicher Art wie es die kirchliche Behörde nach kanonischem Recht war. Der König galt bis in das 17. Jahrhundert als eine corporation sole, und wenn noch heut nicht der Staat und nicht der Fiskus, sondern die Krone als Träger aller Rechte und Pflichten des politischen Verbandes gilt, so ist das eine Folge des früheren, durch die politische Struktur des Ständestaates bedingten Fehlens des römisch-rechtlich beeinflußten, deutschen Korporationsbegriffs und zugleich eine Folge des Einflusses des kanonischen Rechts. In der Neuzeit behielt die englische Korporation, nachdem sie überhaupt entstand, wesentlich Anstalts- und nicht Vereinscharakter und wurde jedenfalls keine deutschrechtliche Genossenschaft. Dies läßt vermuten, daß auf dem Kontinent das römische Recht bei dem Prozeß des Absterbens des mittelalterlichen Genossenschaftsrechts nicht die entscheidende Macht war, wie man oft geglaubt hat. In der Tat haben die romanistischen Juristen, so völlig fremd das justinianische Recht den mittelalterlichen Verbänden gegenüberstand, bei der Interpretation, die sie ihm gaben, den Tatsachen der sie umgebenden Praxis auf so vielen Punkten Rechnung tragen müssen, daß ihre Theorie, mochte sie mit noch so fragwürdigen Denkmitteln arbeiten, den mittelalterlichen Verbänden schwerlich die Existenz abgegraben hätte. Sie haben die Konzeption des Korporationsbegriffs an Stelle der immerhin sehr schwankenden deutschrechtlichen Denkform zwar nicht aus eigener Kraft vollzogen, aber doch sehr stark gefördert. Der Grund für die englische Entwicklung einerseits, die kontinentale, speziell deutsche andererseits lag vielmehr sowohl im Mittelalter wie im Beginn der Neuzeit ganz vorwiegend in politischen Umständen. Der Unterschied beider war im wesentlichen durch die starke königliche Zentralgewalt und die technischen Verwaltungsmittel der Plantagenets und ihrer Nachfolger und außerdem durch das Fehlen einer starken politischen Zentralgewalt in Deutschland hervorgerufen. Daneben durch die Nachwirkung bestimmter feudaler Grundlagen des englischen Common law auf dem Gebiete des Immobilienrechts.

Diese extrem anstaltsmäßige und herrschaftliche Struktur des Korporationsbegriffs in England blieb nun zwar nicht die einzige. Neben sie trat als Surrogat der festländischen Korporation die Behandlung bestimmter Personen oder Amtsträger als Treuhänder, denen bestimmte Rechte zugunsten entweder bestimmter Destinatäre oder zugunsten des Publikums im allgemeinen anvertraut sind: so wurde seit Ende des 17. Jahrhunderts der König zeitweilig als trustee des public aufgefaßt, ebenso die Kirchspiel- und Kommunalbehörden, und überall, wo bei uns heute der Begriff des Zweckvermögens auftaucht, ist im englischen Recht der trustee das technische Mittel. Das Spezifische dieser Anstaltskonstruktion ist: daß der Treuhänder nicht nur tun darf, sondern tun soll, was in seiner Kompetenz liegt: ein Surrogat des Amtsbegriffs. Der Ursprung der Trusts in diesem Sinn des Worts lag, etwa wie beim römischen Fideicommissum, zunächst in dem Bedürfnis der Umgehung bestimmter Verbotsgesetze, namentlich der Amortisationsgesetze und anderer Rechtsschranken des geltenden Rechts. Daneben in dem Fehlen eines Korporationsbegriffs im Mittelalter. Als das englische Recht einen solchen konzipierte, verwendete man jenes rechtstechnische Mittel für die nicht als Korporationen konstituierbaren Anstalten weiter. Aber ein ähnlicher Grundzug hat das ganze englische Korporationsrecht dauernd, auch außerhalb dieser Sphäre, grundlegend beherrscht.

Der zuletzt genannte Umstand bedingte es, daß die Markgenossenschaft im englischen Recht weit radikaler als in Deutschland herrschaftliches Gepräge trug, vor allem der Grundherr regelmäßig als Eigentümer des nicht aufgeteilten Landes, die Bauern nur als bewidmet mit Nutzungsrechten an fremder Sache galten. Daß ihnen die Königsgerichte offen standen, nutzte ihnen gegenüber dieser konsequent durchgeführten Auffassung nicht viel, und das Endresultat war die Anerkennung des fee simple als der grundlegenden Form englischen Bodeneigentums in einem weit radikaleren Maße, als der ager optimo jure privatus des römischen Rechts in der Realität der Dinge je geherrscht hat. Ganerbschaften und alle die Gestaltungen, welche im deutschen Recht an sie als Typus anknüpften, wurden dadurch schon infolge des feudalen Primogeniturprinzips ausgeschlossen. Und daß aller Bodenbesitz letztlich auf königliche Verleihung zurückzuführen war, mußte Konsequenzen für die Auffassung der Verfügungsgewalten auch aller Verbände als nur durch Privileg zu erwerbender Spezialrechtstitel bestimmter Personen und ihrer Rechtsnachfolger haben. Die englische Praxis hat, wie nach Maitlands Untersuchungen angenommen werden muß, vermöge der rein automatischen, der alten Hufenverfassung eigentümlichen Verteilung von Rechten und Pflichten an jeden Einzelnen nach Maßgabe seines Anteils, welche sich auf alle ähnlichen Verbände übertrug, zunächst nur ein sehr geringes Bedürfnis nach rechtlicher Behandlung der Gesamtheit der an einer Gemeinschaft Beteiligten als eines selbständigen Rechtssubjektes empfunden. Das steigerte sich durch die teils feudale Teilung spezifisch ständischer Struktur des Staatswesens. Zunächst durch die Amortisationsgesetze, welche im Interesse des Königs und Adels jede Grundbesitzveräußerung an die tote Hand einschließlich der Gemeinden, verboten. Eine Befreiung davon konnte nur durch speziales Privileg erlangt werden und tatsächlich sind die Stadtprivilegien des 15. Jahrhunderts, welche für die betreffenden Städte Korporationsrechte mit positivem Inhalt schufen (zuerst das Privileg für Kingston 1439), mit unter dem Druck eben jener Verbote von den Städten erstrebt worden. Aber das Korporationsrecht blieb damit spezifisches Privilegienrecht und den allgemeinen Konsequenzen der ständischen Rechtsbildung unterstellt. Vom König und Parlament angefangen galt jede Herrschaftsgewalt als ein Komplex bestimmter Prärogativen und Privilegien. Wer immer ein nicht durch reinen Privatkontrakt erwerbbares Recht welcher Art immer ausübte, mußte es rechtlich kraft gültigen Privilegs und konnte es also nur in einem fest begrenzten Umfang besitzen. Nur unvordenkliche Gewohnheit konnte den ausdrücklichen Nachweis des Privilegs ersetzen. Auch nach Entstehung des Korporationsbegriffs blieb daher in der Neuzeit die Doktrin in aller Schroffheit bestehen, wonach jeder Verband, der durch Rechtshandlungen das Gebiet der ihm ausdrücklich eingeräumten Privilegien überschritt, ultra vires handelte, dadurch privilegbrüchig wurde und der Privilegienkassation verfiel, wie sie die Tudors und Stuarts massenhaft haben verfügen lassen. Alle Korporationsbildung, öffentliche wie privatrechtliche – ein dem englischen Recht eigentlich nicht bekannter Gegensatz –, wurde dadurch in die Bahn der speziell konzessionierten und konzessionspflichtigen, der Kontrolle und Aufsicht unterstellten und offiziell ausschließlich auf public utility abzustellenden Zwecksverbandsbildung gedrängt. Alle Korporationen entstanden als politische oder politisch autorisierte Zweckanstalten. Dieser Rechtszustand war historisch offensichtlich in seinem letzten Ursprung Produkt des später zu besprechenden leiturgischen Charakters der normannischen Verwaltung. Der König sicherte sich die für Rechtspflege und Verwaltung erforderlichen Leistungen durch Bildung von Zwangsverbänden mit Kollektivpflichten, denen prinzipiell ähnlich wie sie den chinesischen, hellenistischen, spätrömischen, russischen und anderen Rechten auch bekannt waren. Eine Gemeinde (communaltie) bestand ausschließlich im Sinn eines leiturgischen Pflichtenverbandes im Interesse der königlichen Verwaltung und hatte Rechte lediglich kraft königlicher Verleihung oder Duldung. Andernfalls blieben alle solche Gemeinschaften rechtlich auch in der Neuzeit bodies non corporate. Die Verstaatlichung des Verbandswesens stand also am Anfang der nationalen englischen Rechtsgeschichte infolge der straffen patrimonialen Zentralverwaltung auf dem Gipfel und hat von da aus allmähliche Abschwächungen erfahren, während für die kontinentale Rechtsgeschichte erst der bürokratische Fürstenstaat der Neuzeit die überkommenen korporativen Selbständigkeiten sprengte, Gemeinden, Zünfte, Gilden, Marktgenossenschaften, Kirchen, Vereine aller denkbaren Art seiner Aufsicht unterwarf, konzessionierte, reglementierte und kontrollierte und alle nicht konzessionierten Rechte kassierte und so der Theorie der Legisten: daß alle Verbandsbildung selbständige Gesamtrechte und Rechtspersönlichkeit nur kraft der Funktion des Princeps haben könne, die Herrschaft über die Praxis überhaupt erst ermöglichte.

Die französische Revolution hat dann im Umkreis ihrer bleibenden Einwirkung jede Korporationsbildung nicht nur, sondern auch jede Art einer nicht für ganz eng begrenzte Zwecke ausdrücklich konzessionierten Vereinsbildung und alle Vereinsautonomie überhaupt zerstört. Vornehmlich aus den für jede radikale Demokratie typischen politischen Gründen, daneben aus naturrechtlich doktrinären Vorstellungen heraus, schließlich zu einem Teil auch aus bürgerlichen, ökonomisch bedingten, aber in ihrer Rücksichtslosigkeit ebenfalls stark doktrinär beeinflußten Motiven. Der Code schweigt von dem Begriff der juristischen Person überhaupt, um ihn damit auszuschließen. Erst die ökonomischen Bedürfnisse des Kapitalismus und, für die nichtkapitalistischen Schichten, der Marktwirtschaft einerseits, die politischen Agitationsbedürfnisse der Parteien andererseits, und endlich die steigende sachliche Differenzierung der Kulturansprüche in Verbindung mit der persönlichen Differenzierung der Kulturinteressen unter den Individuen haben diese Entwicklung wieder rückwärts revidiert. Einen solchen schroffen Bruch mit der Vergangenheit hat das englische Korporationsrecht nicht erlebt. Seine Theorie begann seit dem 16. Jahrhundert zunächst für die Städte den Begriff des Organs und Organhandelns als rechtlich gesondert von der Privatsphäre zu entwickeln und bediente sich dabei des Begriffs des body politic (des römischen corpus); sie bezog die Zünfte in den Bereich der Korporationstypen ein, gab den Gemeinden im Fall des Besitzes eines Siegels die Möglichkeit prozessualer und kontraktlicher Selbständigkeit, gestattete den konzessionierten Korporationen bye-laws unter Zulassung des Majoritätsprinzips statt der Einstimmigkeit, also eine begrenzte Autonomie, verneinte im 17. Jahrhundert die Deliktsfähigkeit der Korporationen, behandelte zwar bis ins 18. Jahrhundert die Korporationen vermögensrechtlich nur als trustees zugunsten der Einzelnen, deren Ansprüche gegen sie nach equity geltend zu machen waren, ließ erst Ende des 18. Jahrhunderts und sehr zögernd für die companies Übertragung der Aktien mit der Wirkung zu, daß die Haftung des Aktionärs für Schulden der Korporation damit, jedoch mit Ausnahme des Falls der Insolvenz, erlöschen sollte, und erst bei Blackstone findet sich unter Bezugnahme auf das römische Recht die wirkliche Scheidung zwischen Korporations- und Privatvermögen. In dieser Entwicklung macht sich der allmählich steigende Einfluß kapitalistischer Bedürfnisse geltend. Die großen Companies der merkantilistischen Tudor- und Stuartzeit waren juristisch noch Staatsanstalten. Nicht minder die Bank von England. Das mittelalterliche Erfordernis der Beurkundung durch Siegel für jede gültige Urkunde, welche die Korporation ausstellte, die Behandlung der Aktien als Immobilien, wenn irgendein Bestandteil des Korporationsvermögens aus Grundbesitz bestand, die Begrenzung auf öffentliche oder gemeinnützige Zwecke war für diese Erwerbsgesellschaften undurchführbar und fiel daher im Lauf des 18. Jahrhunderts. Aber erst das 19. Jahrhundert sah die Einführung der limited liability für die Handelskorporationen und die Schaffung von Normativbestimmungen für alle joint stock companies, dann die Schaffung von Spezialnormen für die friendly und benevolent societies, die wissenschaftlichen und Versicherungsgesellschaften und die Sparkassen, endlich für die trade unions der Arbeiterschaft ziemlich parallel mit der entsprechenden kontinentalen Gesetzgebung. Keineswegs durchweg wurden die alten Formen verlassen. Die Stellung von trustees ist für eine ganze Reihe der zugelassenen Vereine (so die friendly societies) noch heute die Vorbedingung gerichtlichen Auftretens, während für nichtinkorporierte Vereine (Clubs) einstimmig erteilte Vollmacht für jedes Rechtsgeschäft nötig ist. Das Verbot des ultra vires und außerhalb der gesetzlichen Schemata auch des Konzessionsprinzips steht noch immer in Kraft. Praktisch weicht aber der Zustand nicht allzusehr von demjenigen ab, welcher auch in Deutschland seit dem bürgerlichen Gesetzbuch besteht.

Daß mit dem allzuviel gebrauchten Schlagwort vom individualistischen Charakter des römischen im Gegensatz zum sozialen Charakter des germanischen Rechts die starken Abweichungen der Rechtsentwicklung *nicht* erklärt sind, zeigt nicht nur diese kurze vergleichende Skizze, sondern auch jeder Blick auf die anderen großen Rechtsgebiete.

Der Reichtum des deutschen mittelalterlichen Genossenschaftswesens, bedingt durch höchst individuelle, und zwar vornehmlich rein politische Schicksale, steht und stand einzig in der Welt da. Das russische und das orientalische einschließlich des indischen Rechts kennen leiturgische Kollektivhaftung und entsprechende Kollektivrechte von Zwangsgenossenschaften, vor allen Dingen von Dorfgemeinden, aber auch von Handwerkern. Sie kennen ferner, nicht überall aber meist, die Solidarhaftung der Familiengemeinschaft und vielfach, so in den russischen Artjels, der durch Verbrüderung geschaffenen familienartigen Arbeitsgemeinschaft. Aber ein differenziertes Genossenschaftsrecht nach Art des mittelalterlichen Okzidents ist ihnen unbekannt geblieben und erst recht der rationale Korporationsbegriff, wie ihn das römische und das mittelalterliche Recht zusammenwirkend erzeugt haben. Das Stiftungsrecht des islamischen Rechts ist, wie wir sahen, durch altorientalische, namentlich ägyptische und vor allem durch byzantinische Rechtsentwicklung vorgebildet und enthielt keinen Ansatz zu einer Korporationstheorie. Endlich das chinesische Recht zeigt in typischer Art das Zusammenwirken der Erhaltung der Familien und Sippen in ihrer Bedeutung als Garantinnen der sozialen Stellung des Einzelnen mit der patrimonialen Fürstenherrschaft. Ein Staatsbegriff unabhängig von der Privatperson des Kaisers existiert nicht, ebensowenig ein privates Korporationsrecht, ein Vereinsrecht, abgesehen von den politisch bedingten Polizeiverboten gegen alle nicht entweder familienhaften oder fiskalischen oder speziell konzessionierten Verbände. Gemeinden existieren für das offizielle Recht nur als Familienhaftungsverbände für Steuern und Lasten. Daß sie tatsächlich, auf der Basis der Sippenverbände, noch immer ihren Mitgliedern gegenüber die denkbar stärkste Autorität üben, für die Wirtschaft gemeinsame Institutionen aller Art schaffen und nach außen eine Geschlossenheit zeigen, mit welcher die Organe der kaiserlichen Herrschaft als mit der stärksten lokalen Gewalt zu rechnen haben, ist eine Tatsache, welche hier so wenig wie anderwärts in Rechtsbegriffen des offiziellen Rechts ausgeprägt ist, die Wirkung von solchen vielmehr gehemmt hat. Denn einen klar umschriebenen Inhalt konnte eine Autonomie, die sich nach außen in Blutfehden der Sippen und Gemeinden äußerte, von dem offiziellen Recht aber nie anerkannt wurde, nicht annehmen. Der Zustand der privaten Verbände aber außerhalb der Sippen und Familien, vor allem das stark entwickelte Darlehens- und Sterbekassenwesen und die Berufsverbände, entspricht teils dem Zustand der römischen Kaiserzeit, teils dem russischen Recht des 19. Jahrhunderts. Trotzdem fehlt der Begriff der Rechtspersönlichkeit im antiken Sinne völlig, und die leiturgische Funktion ist heute im wesentlichen abgestorben, soweit sie einmal existiert haben sollte, was nicht ganz sicher ist. Die kapitalistischen Vermögensgemeinschaften aber sind zwar, ähnlich wie im südeuropäischen Mittelalter, von der formalen Gebundenheit an die Hausgemeinschaft emanzipiert, aber trotz faktischen Gebrauchs solcher Einrichtungen wie der festen Firma doch nicht zu den Rechtsformen entwickelt, wie dort schon im 13. Jahrhundert. Die Gesamthaftung knüpft dem Zustand des Obligationenrechts entsprechend auch hier an die Deliktshaftung der Sippe an, welche überhaupt noch in einzelnen Resten besteht. Aber die Kontrakthaftung, welche noch reine Personalhaftung ist, besteht nicht solidarisch, sondern erschöpft sich in der Pflicht, flüchtige Gesellschafter zu gestellen, welche den übrigen obliegt, die aber sonst materiell nur pro rata der Anteile und nur persönlich haften. Nur das Fiskalrecht kennt die Solidarhaft der Familie und den Zugriff auf ihr Vermögen, während ein Gesamtvermögen der privaten Vergesellschaftungen rechtlich hier ebensowenig existiert wie in der römischen Antike, die modernen Handelsgesellschaften aber, ähnlich wie die antiken Publikanengesellschaften, rechtlich als Konsortial- und Kommanditbeteiligungen mit persönlich haftenden Direktoren behandelt werden. Die Fortdauer der Bedeutung der Sippe, innerhalb deren dem Schwerpunkt nach auch alle ökonomische Sozietätsbildung sich vollzieht, die Hemmung autonomer Korporationen durch den politischen Patrimonialismus und die Verankerung des eigenständigen Kapitals in fiskalischen Gewinnchancen und im übrigen nur im Handel hat hier wie in der Antike und im Orient diesen unentwickelten Zustand des privaten Verbandsrechts und des Rechts der Vermögensgesellschaften bedingt.

Daß die okzidentale mittelalterliche Entwicklung anders verlief, hatte seinen Grund zunächst und vor allem darin: daß hier der Patrimonialismus ständischen und nicht patriarchalen Charakter trug, was, wie später zu erörtern, wesentlich politisch, speziell militärisch und staatswirtschaftlich bedingt war. Dazu trat ferner die Entwicklung und Erhaltung der dinggenossenschaftlichen Form der Justiz, deren historische Stellung bald zu besprechen sein wird. Wo sie fehlte, wie z. B. in Indien seit der übermächtigen Stellung der Brahmanen, da hat sich auch der tatsächliche Reichtum der Körperschafts- und Genossenschaftsformen nicht in einer entsprechend reichen Rechtsentwicklung niedergeschlagen. Das lange dauernde Fehlen rationaler und überhaupt starker Zentralgewalten, welches mit nur zeitweiligen Unterbrechungen immer wieder eintrat, hat zwar auch dort die Autonomie der kaufmännischen, beruflichen und landgemeindschaftlichen Verbände erzeugt, welche das Recht ausdrücklich anerkennt. Aber eine Rechtsbildung von der Art der deutschen ist daraus nicht entstanden. Die praktische Konsequenz der dinggenossenschaftlichen Justiz war der Zwang gegen den Herrn, den politischen wie den Grundherrn, Urteile und Weistümer nicht selbst und auch nicht durch Bekannte, sondern durch Dingleute aus dem Kreise der Rechtsgenossen oder doch unter deren maßgebender Mitwirkung finden zu lassen, widrigenfalls sie nicht als wirklich objektiv verbindliche Rechtsweisung galten. Die Interessenten der einzelnen Rechtskreise also wirkten bei jeder derartigen Feststellung mit: die Grundholden, Hofhörigen, Dienstmannen, über Rechte und Pflichten, die aus ihrem ökonomischen und persönlichen, die Vasallen und Stadtbürger über solche, welche aus ihrem kontraktlichen oder politischen Abhängigkeitsverhältnis folgten. Dies stammte ursprünglich aus dem Wehrverbandscharakter der öffentlichen Gerichtsgemeinden, ist aber von da aus mit dem Zerfall der Zentralgewalt auf alle mit verliehener oder usurpierter Justiz ausgestatteten Verbände übernommen worden. Es ist klar, daß dies eine Garantie autonomer Rechtsbildung und zugleich körperschaftlicher und genossenschaftlicher Organisation darstellte, wie sie stärker nicht gefunden werden konnte. Das Entstehen dieser Garantie und damit auch der tatsächlichen Autonomie der einzelnen Rechtsinteressentenkreise in der Ausgestaltung ihres Rechtes, wie sie der Entwicklung des okzidentalen Genossenschafts- und Körperschaftsrechtes ebenso wie der spezifisch kapitalistischen Assoziationsform erst die Möglichkeit bot, war aber wesentlich politisch und verwaltungstechnisch bedingt: der Herr war in aller Regel militärisch derart in Anspruch genommen und verfügte so wenig über einen rationalen, von ihm abhängigen Verwaltungsapparat zur Kontrolle seiner Untergebenen, daß er von deren Gutwilligkeit abhängig war und auf ihre Mitwirkung bei der Wahrung seiner eigenen Ansprüche, damit aber auch der traditionellen oder usurpierten Gegenansprüche der von ihm Abhängigen angewiesen blieb. Die Stereotypierung und Appropriation der Rechte dieser abhängigen Schichten zu Genossenrechten hatten hier ihre Quelle. Die aus den Formen der dinggenossenschaftlichen Rechtsweisung folgende Gepflogenheit, das geltende Verbandsrecht periodisch durch mündliche Zeugnisse festzustellen und weiterhin urkundlich in Weistümern niederzulegen, und die Gewöhnung der Abhängigen, diese Rechtszustände sich bei günstiger Gelegenheit durch Privileg bestätigen zu lassen, steigerte die Garantien der Verbandsnormen. Diese Vorgänge innerhalb der herrschaftlichen, politischen und ökonomischen Verbände erhöhten naturgemäß die Chancen der Erhaltung genossenschaftlicher Autonomie auch für die nicht herrschaftlichen, freien vereinsmäßigen Einungen. Wo, wie in England, diese Situation fehlte, weil die Königsgerichte der starken patrimonialen Gewalt die alte dinggenossenschaftliche Justiz der Grafschaften, Gemeindeverbände usw. verdrängten, da ist auch die Entwicklung des Genossenschaftsrechts ausgeblieben, fehlen die Weistümer und Autonomieprivilegien oder sind seltener und haben nicht den Charakter der kontinentalen Erscheinungen. Und sobald in Deutschland die politischen und grundherrlichen Gewalten sich die Verwaltungsapparate schaffen konnten, um die Genossenjustiz zu entbehren, ging es mit der genossenschaftlichen Autonomie und mit dem Genossenschaftsrecht selbst auch dort schnell abwärts. Daß dies mit dem Eindringen gerade des romanistisch gebildeten Herrschertums zusammenfiel, war natürlich nicht zufällig, aber das römische Recht als solches hat nicht die entscheidende Rolle gespielt. In England haben germanistische, rechtstechnische Mittel das Genossenschaftsrecht nicht aufkommen lassen. Und übrigens wurden dort die nicht unter die Struktur der corporation sole oder der Trustkorporation oder der konzessionierten Schemata der Vergesellschaftung zu bringenden Verbände ganz ebenso als reine Kontraktbeziehungen der Mitglieder, die Statuten als gültig nur im Sinn einer durch den Eintritt akzeptierten Vertragsofferte angesehen, wie dies einer romanistischen Konstruktion entsprechen würde. Die politische Struktur des rechtsetzenden Verbandes und die Eigenart der beruflichen Träger der Rechtsbildung, von der wir später zu sprechen haben werden, waren die entscheidenden Momente.

Die Entwicklung der rechtlich geordneten Beziehungen zur Kontraktgesellschaft und des Rechts selber zur Vertragsfreiheit, speziell zu einer durch Rechtsschemata reglementierten Ermächtigungsautonomie pflegt man als Abnahme der Gebundenheit und Zunahme individualistischer Freiheit zu charakterisieren. In welchem relativen Sinn dies formal zutrifft, geht aus dem vorstehend Gesagten hervor.

Die Möglichkeit, in Kontraktbeziehungen mit anderen zu treten, deren Inhalt durchaus individuell vereinbart wird, und ebenso die Möglichkeit, von einer wachsend großen Zahl von Schemata nach Belieben Gebrauch zu machen, welchen das Recht für Vergesellschaftung im weitesten Sinne des Wortes zur Verfügung stellt, ist, im modernen Recht wenigstens, auf dem Gebiete des Sachgüterverkehrs und der persönlichen Arbeit und Dienstleistungen ganz außerordentlich gegenüber der Vergangenheit erweitert. Inwieweit dadurch nun auch im praktischen Ergebnis eine Zunahme der individuellen Freiheit in der Bestimmung der Bedingungen der eigenen Lebensführung dargeboten worden ist oder inwieweit trotzdem und, zum Teil vielleicht in Verbindung damit, eine Zunahme der zwangsmäßigen Schematisierung der Lebensführung eintrat, dies kann durchaus nicht aus der Entwicklung der Rechtsformen allein abgelesen werden. Denn die formal noch so große Mannigfaltigkeit der zulässigen Kontraktschemata und auch die formale Ermächtigung, nach eigenem Belieben unter Absehen von allen offiziellen Schemata Kontraktinhalte zu schaffen, gewährleistet an sich in keiner Art, daß diese formalen Möglichkeiten auch tatsächlich Jedermann zugänglich sind. Dies hindert vor allem die vom Recht garantierte Differenzierung der tatsächlichen Besitzverteilung. Das formale Recht eines Arbeiters, einen Arbeitsvertrag jeden beliebigen Inhalts mit jedem beliebigen Unternehmer einzugehen, bedeutet für den Arbeitsuchenden praktisch nicht die mindeste Freiheit in der eigenen Gestaltung der Arbeitsbedingungen und garantiert ihm an sich auch keinerlei Einfluß darauf. Sondern mindestens zunächst folgt daraus lediglich die Möglichkeit für den auf dem Markt Mächtigeren, in diesem Falle normalerweise den Unternehmer, diese Bedingungen nach seinem Ermessen festzustellen, sie dem Arbeitsuchenden zur Annahme oder Ablehnung anzubieten und bei der durchschnittlich stärkeren ökonomischen Dringlichkeit seines Arbeitsangebots für den Arbeitsuchenden diesem zu oktroyieren. Das Resultat der Vertragsfreiheit ist also in erster Linie: die Eröffnung der Chance, durch kluge Verwendung von Güterbesitz auf dem Markt diesen unbehindert durch Rechtsschranken als Mittel der Erlangung von Macht über andere zu nutzen. Die Marktmachtsinteressenten sind die Interessenten einer solchen Rechtsordnung. In ihrem Interesse vornehmlich liegt insbesondere die Schaffung von „Ermächtigungsrechtssätzen", welche Schemata von gültigen Vereinbarungen schaffen, die bei formaler Freiheit der Benutzung durch Alle doch tatsächlich nur den Besitzenden zugänglich sind und also im Erfolge deren und nur deren Autonomie und Machtstellung stützen.

Es ist auch deshalb notwendig, diesen Sachverhalt speziell hervorzuheben, um nicht in den geläufigen Irrtum zu verfallen: daß diejenige Art von „Dezentralisation der Rechtsschöpfung" (ein an sich guter Ausdruck Andreas Voigts), welche in Gestalt dieser modernen Form der schematisch begrenzten Autonomie der Interessenten durch Rechtsgeschäfte vorliegt, etwa identisch sei mit einer Herabsetzung des innerhalb einer Rechtsgemeinschaft geübten Maßes von *Zwang* im Vergleich mit anderen, z. B. „sozialistisch" geordneten Gemeinschaften. Die relative Zurückdrängung des durch Gebots- und Verbotsnormen angedrohten Zwanges durch steigende Bedeutung der „Vertragsfreiheit", speziell der Ermächtigungsgesetze, welche alles der „freien" Vereinbarung überlassen, ist formell gewiß eine Verminderung des Zwangs. Aber offenbar lediglich zugunsten derjenigen, welche von jenen Ermächtigungen Gebrauch zu machen ökonomisch in der Lage sind. Inwieweit dadurch materiell das Gesamtquantum von „Freiheit" innerhalb einer gegebenen Rechtsgemeinschaft vermehrt wird, ist aber durchaus eine Frage der konkreten Wirtschaftsordnung und speziell der Art der Besitzverteilung, jedenfalls aber ist es nicht aus dem Inhalt des Rechts abzulesen. In einer „sozialistischen" Gemeinschaft z. B. würden Ermächtigungsgesetze der hier erörterten Art sicherlich eine geringe Rolle spielen; es würden ferner die Stellen, welche Zwang üben, die Art des Zwanges und diejenigen, gegen welche er sich eventuell richtet, andere sein, als bei der privatwirtschaftlichen Ordnung. In dieser letzteren wird der Zwang zum erheblichen Teil durch den privaten Besitzer der Produktions- und Erwerbsmittel kraft dieses seines ihm vom Recht garantierten Besitzes und in der Form der Machtentfaltung im Marktkampf geübt. Diese Art von Zwang macht mit dem Satz „tractus voluit" insofern besonders konsequent ernst, als er sich aller *autoritärer* Formen enthält. Es steht im „freien" Belieben der Arbeitsmarktsinteressenten, sich den Bedingungen des, kraft der Rechtsgarantie seines Besitzes, ökonomisch Stärkeren zu fügen. In einer sozialistischen Gemeinschaft würden formell die direkten Gebots- und Verbotsanordnungen einer, wie immer zu denkenden einheitlichen, die wirtschaftliche Tätigkeit regelnden Instanz weit stärker hervortreten. Diesen Anordnungen würde im Fall des Widerstrebens Nachachtung durch „Zwang" irgendwelcher Art, nur nicht durch Marktkampf, verschafft werden. Wo aber dabei im Ergebnis das Mehr an Zwang überhaupt und wo das Mehr an faktischer persönlicher Freiheitssphäre liegen würde, das ist jedenfalls nicht durch bloße Analyse des im einen und anderen Fall geltenden oder denkbaren formalen Rechts zu entscheiden. Soziologisch erfaßbar ist heute lediglich jener Unterschied der qualitativen Eigenart des Zwanges und dessen Verteilung unter die an der Rechtsgemeinschaft jeweils Beteiligten.

Eine (demokratisch) sozialistische Ordnung (im Sinn der heute gangbaren Ideologien) lehnt den Zwang nicht nur in der Form ab, wie er auf Grund des privaten Besitzes durch den Marktkampf geübt wird, sondern andrerseits auch den direkten Zwang kraft rein persönlicher Autoritätsansprüche. Sie könnte nur die Geltung vereinbarter abstrakter Gesetze (einerlei ob dieser Name gewählt wird) kennen. Die Marktgemeinschaft ihrerseits kennt formalen Zwang kraft persönlicher Autorität formal ebenfalls nicht. Sie gebiert an seiner Stelle aus sich heraus eine Zwangslage – und zwar diese prinzipiell unterschiedslos gegen Arbeiter wie Unternehmer, Produzenten wie Konsumenten – in der ganz unpersönlichen Form der Unvermeidlichkeit, sich den rein ökonomischen „Gesetzen" des Marktkampfs anzupassen, bei Strafe des (mindestens relativen) Verlustes an ökonomischer Macht, unter Umständen von ökonomischer Existenzmöglichkeit überhaupt. Sie macht, auf dem Boden der kapitalistischen Organisation, auch die tatsächlich bestehenden persönlichen und autoritären Unterordnungsverhältnisse im kapitalistischen „Betrieb" zu Objekten des „Arbeitsmarktverkehrs". Die Entleerung von allen normalen gefühlsmäßigen Inhalten autoritativer Beziehungen aber hindert dabei nicht, daß der autoritäre Charakter des Zwangs dennoch fortbesteht und unter Umständen sich steigert. Je umfassender die Gebilde, deren Bestand in spezifischer Art auf „Disziplin" ruht: die kapitalistischen gewerblichen Betriebe, anwachsen, desto rücksichtsloser kann unter Umständen autoritärer Zwang in ihnen geübt werden und desto kleiner wird der Kreis derjenigen, in deren Händen sich die Macht zusammenballt, Zwang dieser Art gegen andere zu üben und diese Macht sich durch Vermittlung der Rechtsordnung garantieren zu lassen. Eine formell noch so viele „Freiheitsrechte" und „Ermächtigungen" verbürgende und darbietende und noch so wenig Gebots- und Verbotsnormen enthaltende Rechtsordnung kann daher in ihrer faktischen Wirkung einer quantitativ und qualitativ sehr bedeutenden Steigerung, nicht nur des Zwangs überhaupt, sondern auch einer Steigerung des autoritären Charakters der Zwangsgewalten dienen.

§ 4. *Die Typen des Rechtsdenkens und die Rechtshonoratioren.*

Empirische und rationale Rechtslehre: Anwaltsschulung und Universitätsschulung S. 742. – Theokratische Rechtsschulung S. 746. – Die „Rechtsbücher" S. 748. – Die römischen Juristen und die formalen Qualitäten des römischen Rechts S. 752.

Für die Entwicklung eines „fachmäßigen" Rechtslehrgangs und damit auch eines spezifischen Rechtsdenkens gibt es zwei einander entgegengesetzte Möglichkeiten. Entweder: empirische Lehre des Rechts durch Praktiker, ausschließlich oder doch vorwiegend in der Praxis selbst, also „handwerksmäßig" im Sinn von „empirisch". – Oder: theoretische Lehre des Rechts in besonderen Rechtsschulen und in Gestalt rational systematischer Bearbeitung, also: „wissenschaftlich" in diesem rein technischen Sinn. Ein ziemlich reiner Typus der ersten Art von Behandlung war die *englische* zunftmäßige Rechtslehre durch die Anwälte. Das Mittelalter schied scharf den „Fürsprecher" vom „Anwalt". Ersterer entsprang den Eigentümlichkeiten des dinggenossenschaftlichen Prozesses, letzterer trat mit der Rationalisierung des Prozeßverfahrens in den fürstlichen Gerichten mit jury-Verfahren und Beweiskraft der Protokolle (records) auf. Namentlich in der Geschichte des französischen Prozesses tritt der Wortformalismus als Quelle des „Fürsprecher"-Instituts im Zusammenhang mit den strengen Verhandlungsmaximen des dinggenossenschaftlichen Prozesses deutlich hervor. Der Grundsatz: „Fautes volent exploits" und die strenge Gebundenheit der Parteien selbst sowohl wie der Urteiler an das einmal ausgesprochene rechtstümliche Wort nötigten den Laien zur Zuziehung eines „avant rulier", „prolocutor", der aus dem Kreise der Urteiler der Partei, vom Richter auf Antrag beigegeben wurde, um statt ihrer und in ihrem Namen die für den Fortgang des Rechtsgangs erforderlichen Worte „vorzusprechen", wodurch zugleich die Partei – da sie nicht selbst gesprochen hatte – als Vorteil u. a. die Möglichkeit der „Wandelung" (amendement) begangener Versehen gewann. Der Vorsprecher (counsel) steht ursprünglich neben der Partei vor Gericht. Er ist dadurch vom „Anwalt" (avoué, solicitor, attorney, procurator) durchaus geschieden; dieser übernimmt für die Partei den technischen Betrieb der Prozeßvorbereitung und der Herbeischaffung der Beweismittel. Er konnte in dieser Art erst funktionieren, nachdem der Prozeß weitgehend rationalisiert war. Ein „Anwalt" in der heutigen Funktion war ursprünglich im Prozeß gar nicht möglich. Als „Vertreter" der Partei konnte er erst auftreten, nachdem die königlichen Prozeßrechte in England und Frankreich die Prozeßvertretung ermöglicht hatten, und seine Bestellung beruht in aller Regel zunächst auf speziellem Privileg. Der Vorsprecher war durch seine Stellung nicht gehindert, bei der Urteilsfindung mitzuwirken; ja, um einen Urteilsvorschlag machen zu können, muß er sogar den Urteilern mit angehören. Der „Anwalt" dagegen ist Parteivertreter und nichts als dies. Die Anwälte rekrutierten sich in England in den königlichen Gerichten ursprünglich fast ganz aus den einzigen Schreibkundigen: den Klerikern, zu deren Haupterwerbsquelle diese Tätigkeit gehörte. Die Interessen des Kirchendienstes einerseits, die steigende Rechtsbildung der vornehmen Laien andererseits führte zum steigenden Ausschluß der Kleriker vom Anwaltsberuf und dem Zusammenschluß der Laienanwälte in den vier Zünften der „Jures of Court", mit der ausgesprochenen Tendenz zur Monopolisierung der richterlichen und Rechtskunde erfordernden Beamtenstellen, welche tatsächlich im 15./16. Jahrhundert durchgesetzt wurde. Da die alten „prolocutores" mit dem rationalen Prozeßverfahren fortgefallen waren, so bestanden jetzt die vornehmen Rechtshonoratioren der „counsels", „advocates" und „Anwälte". Aber der zur Parteivertretung von den Königsgerichten zugelassene Anwalt übernahm viele Züge der alten Stellung des Vorsprechers. Er unterlag der strengsten ständischen Etikette. Die technischen Betriebsdienste lehnte er ab, schließlich den persönlichen Verkehr mit der Partei überhaupt, die er nie zu sehen bekam. Der „Betrieb" lag in den Händen der „attorneys" und „solicitors", einer berufsmäßigen unzünftigen Schicht von Erwerbsgeschäftsleuten, ohne zünftige juristische Bildung, welche mit den „advocates" verkehren, den status causae soweit vorbereiteten, daß der erstere sie juristisch vor Gericht vertreten konnte. Die wirklich praktizierenden advocates lebten, genossenschaftlich zusammengeschlossen, in den Zunfthäusern gemeinsam; die Richter gingen ausschließlich aus ihrer Mitte hervor und setzten die Lebensgemeinschaft mit ihnen fort. „Bar" und „bench" waren zwei Funktionsformen des geschlossenen Juristenstandes, der sich sehr stark, im Mittelalter vorwiegend, aus Adligen rekrutierte, zunehmend autonom die Aufnahme in die Zunft regelte: – vierjähriges Noviziat, verbunden mit Unterricht an den Innungsschulen, dann „Berufung zur bona", die das Recht des Plaidierens gab, im übrigen rein praktische Schulung – und auf Innehaltung der Etikette (Minimalhonorar, durchaus freiwillig und unklagbar) hielt. Die Vorlesungen der Innungsschulen waren lediglich Produkt des Konkurrenzkampfs gegen den Universitätsunterricht: sobald das

Monopol erreicht war, begannen sie abzusterben und hörten schließlich ganz auf. Seitdem war die Vorbildung rein praktisch-empirisch und führte, wie in den gewerblichen Zünften, zu weitgehender Spezialisierung. Diese Art der Rechtslehre produzierte naturgemäß eine formalistische, an Präjudizien und Analogien gebundene Behandlung des Rechts. Schon die handwerksmäßige Spezialisierung der Anwälte hinderte den systematischen Überblick über die Gesamtheit des Rechtsstoffes. Die Rechtspraxis erstrebte aber auch an sich nicht rationale Systematik, sondern die Schaffung von praktisch brauchbaren, an typisch wiederkehrenden Einzelbedürfnissen der Rechtsinteressenten orientierten Schemata von Kontrakten und Klagen. Sie erzeugte daher das, was man auf römischem Boden „Cautelarjurisprudenz" nannte. Ferner z. B. die Verwendung von prozessualen Fiktionen, welche die Einordnung und Aburteilung neuer Fälle nach dem Schema schon bekannter erleichterte und ähnliche praktische Manipulationen. Aus den ihr immanenten Entwicklungsmotiven geht ein rational systematisiertes Recht nicht hervor. Auch nur in begrenztem Sinn eine Rationalisierung des Rechts überhaupt. Denn die Begriffe, die sie bildete, waren an handfesten, greifbaren, der Alltagserfahrung anschaulich geläufigen und in diesem Sinn formalen Tatbeständen orientiert, welche sie tunlichst nach äußeren eindeutigen Merkmalen gegeneinander abgrenzte und durch die vorhin erwähnten Mittel nach Bedarf erweiterte. Nicht aber waren sie Allgemeinbegriffe, welche durch Abstraktion vom Anschaulichen, durch logische Sinndeutung, durch Generalisierung und Subsumtion gebildet und syllogistisch als Normen angewendet wurden. Der rein empirische Betrieb der Rechtspraxis und der Rechtslehre schließt immer nur vom Einzelnen auf das Einzelne und strebt nie vom Einzelnen zu allgemeinen Sätzen, um dann aus diesen die Einzelentscheidung deduzieren zu können. Vielmehr ist er einerseits an das Wort gebannt, welches er nach allen Seiten wendet, deutet, dehnt, um es dem Bedürfnis anzupassen, andererseits, soweit dies nicht ausreicht, auf die „Analogien" oder technische Fiktionen verwiesen. Waren einmal die von den praktischen Bedürfnissen der Rechtsinteressenten geforderten Kontrakt- und Klageschemata in hinlänglicher Elastizität geschaffen, so konnte daher das offiziell geltende Recht einen hochgradig archaischen Charakter bewahren und die stärksten ökonomischen Wandlungen formell unverändert überdauern. Die archaische Kasuistik des Seisinerechts z. B., heimisch in den Bedingungen der Hufenverfassung und Grundherrschaft der Normannenzeit, hatte sich bis an die Schwelle der Gegenwart mit, theoretisch betrachtet, zuweilen ganz grotesken

Konsequenzen in den Siedelungsgebieten der amerikanischen Zentralstaaten behauptet. Eine rationale Rechtsschulung und Rechtstheorie aber entsteht aus diesem Zustand heraus an sich überhaupt nicht. Denn wo die Rechtspraktiker, speziell die Anwälte, als Träger der Rechtslehre und des zünftigen Monopols der Zulassung zur Rechtspraxis sich behaupten, pflegt für die Stabilisierung des offiziellen Rechts, die Fortbildung seiner Anwendung nur ausschließlich auf empirischem Wege und die Verhinderung seiner legislatorischen oder wissenschaftlichen Rationalisierung auch ein ökonomisches Moment sehr stark ins Gewicht zu fallen: ihr Sportelinteresse. Jeder Eingriff in die überkommenen Formen des Rechtsgangs und damit in den Zustand, daß die Anpassung der Kontrakts- und Klageschemata an die formellen Normen einerseits, die Bedürfnisse der Interessenten andererseits den Praktikern überlassen ist, bedroht deren materielle Interessen. Es war z. B. den englischen Rechtspraktikern, speziell der Anwaltschaft, in starkem Maße gelungen, eine systematisch rationale Rechtsschöpfung ebenso hintanzuhalten wie eine rationale Rechtsschulung nach Art unserer Universitäten, und das Verhältnis zwischen „bar" und „bench" ist in den angelsächsischen Ländern noch heute radikal anders wie etwa bei uns. Insbesondere lag und liegt die Auslegung neuer Rechtsschöpfungen in den Händen von Richtern, die aus der Mitte der „bar" hervorgingen. Der englische Gesetzgeber mußte und muß sich daher noch heute bei jedem neuen Gesetz speziell bemühen, ausdrücklich allerhand mögliche „Konstruktionen" der Rechtspraktiker auszuschließen, welche, wie dies immer wieder geschah, seinen Intentionen direkt zuwiderlaufen können. Diese sozusagen intern und teilweise ökonomisch, im übrigen aber durch den Traditionalismus des Betriebspraktikers bedingte Tendenz hat die allererheblichsten praktischen Folgen gehabt. Das Fehlen des Grundbuchs z. B. und damit des rationalen Hypothekarkredits war durch ökonomische Anwaltsinteressen an den Sporteln, welche die bei der bestehenden Rechtsunsicherheit unumgängliche Prüfung der Besitztitel einbrachte, sehr wesentlich mitbedingt und hat die Grundbesitzverteilung Englands und speziell die Art der Gestaltung der Pacht („joint business") tiefgreifend beeinflußt. In Deutschland fehlte ein derart ständisch abgegrenzter und zünftig organisierter Anwaltstand. Es fehlte sehr lange selbst der Anwaltszwang, der übrigens auch in Frankreich nicht bestand. Der Formalismus der dinggenossenschaftlichen Prozedur hatte allerdings auch hier die Patronage durch „Fürsprecher" und eine Regulierung von deren Pflichten zu einem universellen Bedürfnis werden lassen, dessen ausdrückliche Regelung sich übrigens zuerst in Bayern 1330 fand. Aber die Scheidung von Vorsprecher und Anwalt ist hier früh erreicht worden, wesentlich unter dem Einfluß des Eindringens des römischen Rechts. Anforderungen an die Vorbildung der Anwälte finden sich erst spät, regelmäßig erst auf Beschwerden der Stände hin, in einer Zeit, als schon die römischrechtliche Universitätsbildung den Standard des vornehmen Rechtspraktikers bestimmte, und bei der Dezentralisation der Rechtspflege konnte eine machtvolle Zunft gar nicht entstehen. Fürstliche Reglements, nicht Autonomie, bestimmten die Stellung der Anwälte.

Den reinsten Typus der *zweiten* Art von Schulung des Rechtsdenkens stellt die moderne rationale juristische Universitätsbildung dar. Wo nur derjenige zur Rechtspraxis zugelassen ist, welcher sie absolviert, besitzt sie das Monopol der Rechtslehre. Da sie heute durchweg durch Lehrjahre in der Praxis und daran anschließenden nochmaligen Befähigungsnachweis ergänzt wird – nur in den Hansestädten hatte sich in Deutschland der bloße Doktorgrad als Anwaltsqualifikation bis vor kurzem erhalten –, so ist sie jetzt überall mit der empirischen Rechtslehre kombiniert. Die Begriffe, welche sie bildet, haben den Charakter abstrakter Normen, welche, dem Prinzip nach wenigstens, streng formal und rational durch logische Sinndeutung gebildet und gegeneinander abgegrenzt werden. Ihr rational-systematischer Charakter kann das Rechtsdenken zu einer weitgehenden Emanzipation von den Alltagsbedürfnissen der Rechtsinteressenten führen und ebenso ihr geringer Anschaulichkeitsgehalt. Die Gewalt der entfesselten, rein logischen Bedürfnisse der Rechtslehre und der durch sie beherrschten Rechtspraxis kann die Konsequenz haben, daß Interessentenbedürfnisse als treibende Kraft für die Gestaltung des Rechts weitgehend geradezu ausgeschaltet werden. Es hat z. B. bekanntlich immerhin erheblicher Anstrengungen bedurft, um die Übernahme des, aus den sozialen Machtverhältnissen der Antike übernommenen, Satzes: daß Kauf Miete und Pacht bricht, in das deutsche Bürgerliche Gesetzbuch zu hindern, zu dessen Bestandteil eine rein logische Konsequenzmacherei ihn werden lassen wollte.

Eine eigentümliche Sonderform rationaler und doch nicht juristisch formaler Rechtslehre wird im reinsten Typus durch die Rechtslehre der *Priesterschulen* oder der an Priesterschulen angeschlossenen Rechtsschulen dargestellt. Wir werden sehen*, daß ein Teil dieser Eigentümlichkeiten dadurch bedingt wird, daß die priesterliche (und

---

* Im folgenden Paragraphen. (d. H.)

jede ihr nahestehende) Rechtsbehandlung nicht formale, sondern materiale Rationalisierung des Rechts erstrebt. Hier aber bleiben wir zunächst bei gewissen allgemeinen Folgen, die durch formale Besonderheiten ihrer Existenzbedingungen hervorgerufen werden. Die Rechtslehre solcher Schulen, ausgehend regelmäßig von einem, entweder durch ein heiliges Buch oder durch feste mündliche oder, später, literarische Tradition fixierten, heiligen Recht, pflegt rationalen Charakters in dem speziellen Sinn zu sein: daß sie mit Vorliebe eine rein theoretisch konstruierte, weniger an den praktischen Bedürfnissen der Rechtsinteressenten orientierte, als den Bedürfnissen eines frei bewegten Intellektualismus der Gelehrten entsprungene Kasuistik treibt. Im Fall der Anwendung der „dialektischen" Methode kann sie aber auch abstrakte Begriffe zeitigen und sich dadurch der rational systematischen Rechtslehre annähern. Allein andererseits ist sie traditionsgebunden, wie alle Priesterweisheit. Ihre Kasuistik ist daher, soweit sie praktischen und nicht intellektualistischen Bedürfnissen dient, formalistisch in dem speziellen Sinn, daß sie die traditionellen, für sie unantastbaren Normen gegenüber den sich verschiebenden Bedürfnissen der Rechtsinteressenten durch Umdeutung praktisch anwendbar erhalten muß, nicht dagegen in dem Sinn der Schaffung einer rationalen Rechtssystematik. Und sie schleppt sehr regelmäßig Bestandteile mit sich, welche nur ideale, religiös-ethische Forderungen an die Menschen oder die Rechtsordnung bedeuten, nicht aber die logische Bearbeitung einer empirisch geltenden Ordnung.

Ähnlich pflegt es auch mit den von direkt priesterlicher Leitung ganz oder teilweise emanzipierten, aber an ein heiliges Recht gebundenen Rechtsschulen zu stehen.

Alle „heiligen" Rechte nähern sich in der Form, in welcher sie sich rein äußerlich darstellen, einem Typus, welchen namentlich das indische Recht sehr deutlich wiedergibt. Soweit nicht, wie in der „Buchreligion", bestimmte Gebote durch eine schriftliche Offenbarung oder inspirierte Niederschrift von Offenbarungen fixiert sind, muß dies heilige Recht „authentisch" überliefert sein, d. h. durch eine geschlossene Kette von Zeugen; bei den Buchreligionen aber muß sowohl die authentische Interpretation der heiligen Normen wie ihre Ergänzung durch anderweitige Überlieferung ebenso garantiert sein. Dies ist einer der wesentlichen Gründe für die Ablehnung der schriftlichen Tradition, die z. B. dem hinduistischen mit dem islamischen Recht gemeinsam ist: die Tradition muß unmittelbar von Mund zu Mund durch verläßliche heilige Männer gezogen sein: ein Vertrauen auf schriftliche Aufzeichnungen würde bedeuten: daß man Pergament und Tinte glaubt statt den charismatisch qualifizierten Menschen, den Propheten und Lehrern. Daß der Koran selbst ein Schriftwerk war – schon die Suren wurden ja von Muhammed normalerweise in sorgsamer schriftlicher Fixierung nach Beratung mit Allah publiziert –, sucht daher die islamische Lehre geradezu durch ein Dogma von der physischen Erschaffung der einzelnen Koranexemplare durch Allah selbst zu rechtfertigen. Für die Hadiths galt Mündlichkeit. Erst in einem späteren Stadium pflegt die Schriftlichkeit im Interesse der durch reine mündliche Tradition gefährdeten Einheitlichkeit der Überlieferung vorgezogen zu werden. Dies verbindet sich dann regelmäßig mit der uns schon bekannten typischen Ablehnung neuer Offenbarungen mit der Motivierung: daß das charismatische Zeitalter längst zu Ende sei. Stets pflegt dabei der für den „Anstalts"-Charakter der religiösen Gemeinschaft grundlegende Satz festgehalten zu werden (den neuestens noch Frh. v. Hertling gut formuliert hat): daß nicht die heiligen Schriften die Wahrheit der Tradition und der Kirchenlehre, sondern umgekehrt die Heiligkeit der als Fideikommiß der Wahrheit von Gott gestifteten Kirchen und ihrer Tradition die Echtheit der heiligen Schriften garantiere. Das ist konsequent und praktisch: das umgekehrte (altprotestantische) Prinzip setzt ja die heiligen Quellen der historischen und philologischen Kritik aus. – Für den Hinduismus sind die Veden die heiligen Bücher. „Recht" enthalten sie wenig, noch weit weniger als der Koran und namentlich die Thora. Die Veden galten als „srufi" (Offenbarung). Alle abgeleiteten heiligen Quellen als „smeti" („Erinnerung", Tradition). Die wichtigsten Kategorien der sekundären Literatur, die Dharmasutras und Dharmasastras (letztere versifizierte, erstere prosaische, letztere durchweg zu den smetis gezählt, erstere eine Mittelstellung einnehmend), sind dagegen Kompendien der Dogmatik, Ethik und Rechtslehre und stehen als solche neben der Tradition über die als exemplarisch geltende Lebenspraxis und die Lehre heiliger Männer. Dieser letzten Quelle entsprechen genau die islamischen „hediths": Tradition über exemplarisches Verhalten des Propheten oder seiner Genossen und nicht in den Koran aufgenommene Aussprüche des ersteren. Nur daß das prophetische Zeitalter des Islam als mit dem Leben des Propheten abgeschlossen gilt. Die indischen Dharmabücher dagegen konnten im Islam, dem Charakter der Bücherreligion mit nur einer heiligen Schrift entsprechend, ebensowenig wie im Judentum und Christentum eine Analogie haben. Als „Rechtsbücher", d. h. Privatarbeiten von Rechtsgelehrten, sind sie, namentlich eines der späteren von ihnen – das Rechtsbuch des Manu –, lange Zeit in den Gerichten maßgebend gewesen, bis sie durch die systematischen Kompilationen und Kommentare der Gelehrtenschulen so völlig aus der Praxis verdrängt wurden, daß zur Zeit der englischen Eroberung eine solche tertiäre Quelle: die Mihaksana (aus dem 11. Jahrhundert) tatsächlich die Praxis bestimmte. Ähnlich ist es der islamischen „Sunnah" durch die kanonisch gewordenen systematischen Kompendien und die Kommentare dazu ergangen, wie noch zu erwähnen sein wird; in geringem Grade der Thora durch die Arbeiten der Rabbinen in der Antike (den Talmud) und im Mittelalter. Die rabbinische Rechtsbildung lag aber in der Antike und in gewissem Umfang bis heute, die islamische liegt in starkem Maße bis heute in der Hand respondierender theologischer Juristen, während weder der Hinduismus noch die christlichen Kirchen – nach dem Erlöschen der charismatischen Prophetie und Didaskalien, welche aber nicht rechtlichen, sondern ethischen Charakters waren – etwas Derartiges gekannt haben. Aus entgegengesetzten Gründen. Nach indischem Recht gehört der Hauspriester des Königs dessen Gericht an und büßt falsches Urteil durch Fasten. Alle wichtigen Sachen sind Königsgerichtssachen. Die Einheit der weltlichen und religiösen Justiz ist also gewahrt und für einen konzessionierten Stand von respondierenden Rechtshonoratioren ist kein Raum. Die christliche Kirche des Abendlandes dagegen schuf sich in den Konzilien, dem Amtsapparat der Bischöfe und der Kurie und vor allem der päpstlichen Jurisdiktionsgewalt und dem unfehlbaren Lehramt Organe zu rationaler Rechtsschöpfung, wie sie den sämtlichen anderen großen Religionen fehlen. Daher spielen hier neben Konzilsschlüssen und den Dekretalen der Päpste, die Rechtsauskünfte und Verfügungen der kirchlichen Behörden die Rolle, welche im Islam dem Fetwa des Mufti und im Judentum dem Gutachten der Rabbinen zukommt. Die hinduistische Rechtsgelehrsamkeit war daher sehr stark rein schulmäßig-theoretisch und systematisierend, in den Händen von Philosophen und Theoretikern liegend und trug die typischen Züge eines sozial gebundenen theoretischen und systematischen, aber sehr wenig an der Hand der Praxis sich entwickelnden Rechtswirkens in besonders hohem Grade an sich, wesentlich stärker jedenfalls als das kanonische Recht. Alle typischen „heiligen" Rechte, also namentlich das indische, sind Produkte der Schullehre. In allen ihren Bearbeitungen wird daher eine Fülle von Kasuistik längst veralteter Institute vorgetragen (z. B. die Ordnung der vier Kasten bei Manu, alle veralteten Teile des Schariat in den islamischen Schulen). Nicht selten pflegt, infolge des Primats des Lehrzwecks und der rationalen Natur des priesterlichen Denkens, die Systematik derartiger Rechtsbücher eine rationalere zu sein, als diejenige von priesterfreien Schöpfungen ähnlicher Art. Indische Rechtsbücher sind wesentlich „systematischer" als etwa der Sachsenspiegel. Aber die Systematik ist keine juristische, sondern eine solche nach Ständen oder nach praktischen Lebensproblemen. Denn diese Rechtsbücher sind, da ihnen das Recht im Dienst heiliger Zwecke steht, Kompendien nicht nur des Rechts, sondern zugleich auch des Rituals, der Ethik und unter Umständen der gesellschaftlichen Konvention und Höflichkeitslehre. Kasuistische und deshalb unanschauliche und unkonkrete, dabei aber doch weitgehend juristisch *un*formale und nur relativ rational systematisierte Behandlung des Rechtsstoffs ist die normale Folge. Denn in allen diesen Fällen ist weder wie beim reinen Rechtspraktiker der Geschäftsbetrieb mit seinem konkreten Anschauungsmaterial und seinen Bedürfnissen, noch, wie beim reinen juristischen Doktrinär, die dogmatisch nur an fachmäßige Voraussetzungen gebundene Logik die treibende Kraft, sondern jene anderen, jedem Fachbetrieb der Rechtspflege heterogenen, materialen Grundlagen.

Wiederum anders mußte sich dagegen der Effekt der Rechtsschulung gestalten, wo ihre Träger Honoratioren waren, welche zu der Praxis des Rechtsbetriebs Beziehungen beruflicher, aber nicht in der Art wie die englischen Anwälte spezifisch zünftiger und *erwerbs*beruflicher Art hatten. Eine solche spezifische, mit der Rechtspraxis befaßte Honoratiorenschicht ist im ganzen nur dann möglich, wenn einerseits der Rechtsbetrieb von sakraler Beherrschung frei ist, andererseits der Umfang der beruflichen Belastung noch nicht das durch städtische Verkehrsbedürfnisse bedingte Maß erreicht hat. Dahin gehören die mittelalterlichen empirischen Juristen des nordeuropäischen kontinentalen Okzidents. Zwar in den ökonomischen Zentren des Verkehrs findet nur eine Verschiebung der Rechtshonoratiorenfunktion vom Konsulenten auf den Kautelarjuristen statt. Und auch diese unter eigentümlichen Bedingungen. Nach dem Untergang des Römerreichs blieben in Italien als einzige Schicht, innerhalb deren sich die Traditionen eines entwickelten Verkehrsrechts fortpflanzen und umbilden konnten, die *Notare*. Sie wurden dort die spezifische und lange Zeit beherrschende Rechtshonoratiorenschicht. Innerhalb der schnell wachsenden Städte schlossen sie sich zu Zünften zusammen und waren ein sehr wichtiger Bestandteil des popolo grasso, also eine noch politisch mächtige Honoratiorenschicht. Gerade der kaufmännische Geschäftsverkehr bewegte sich hier von Anfang an in der

Form notarieller Urkunden; die Prozeßordnungen der Städte, so z. B. Venedigs, bevorzugten den Urkundenbeweis als rationales Beweismittel gegenüber den irrationalen Beweisformen des alten dinggenossenschaftlichen Prozesses. Ihren Einfluß auf die Entwicklung der Wertpapiere lernten wir schon kennen. Die Notare waren aber überhaupt eine der für die Rechtsentwicklung maßgebendsten Schichten. Bis zur Entwicklung des gelehrten Richterstandes in Italien wohl *die* maßgebende Schicht. Ebenso wie ihre Vorgänger im hellenistischen Osten der Antike haben sie an der interlokalen Rechtsausgleichung und vor allem an der Rezeption des römischen Rechts, welche hier wie dort zuerst durch die Urkundenpraxis erfolgte, einen sehr entscheidenden Anteil gehabt. Die eigene Tradition, die lange dauernde Verknüpfung mit den kaiserlichen Gerichten, die Notwendigkeit, schnell ein rationales Recht zur Hand zu haben, um den rapide wachsenden Verkehrsbedürfnissen zu genügen, und die soziale Macht der großen Universitäten ließ die italienischen Notare das römische Recht als eigentliches Verkehrsrecht rezipieren, zumal für sie nicht, wie für den nationalen englischen Juristenstand, zünftige und speziell Sportelinteressen im Wege standen. So sind die italienischen Notare eine der wichtigsten und ältesten, an der Schaffung des usus modernus des römischen Rechts interessierten und praktisch beteiligten Schichten von Rechtshonoratioren geworden, nicht aber, wie die englischen Anwälte, Träger eines nationalen Rechts. Denn sie hatten auf den Versuch, durch eine eigene zünftige Rechtslehre den Universitäten Konkurrenz zu machen, schon um deswillen verzichten müssen, weil sie, im Gegensatz zu den englischen Juristen, der nationalen Einheit, welche für diese aus der Konzentration der Justiz bei den Königsgerichten ermöglicht war, entbehrten. Eine Weltmacht blieb aber, dank den Universitäten, in Italien das römische Recht für die formale Struktur des Rechts und der Rechtslehre auch dann, als sein ursprünglicher politischer Interessent: der Kaiser, politisch nichts mehr bedeutete. Schon die Podestate der italienischen Städte waren sehr oft dem universitätsgebildeten Rechtshonoratiorenstande entnommen; die Signorien vollends stützten sich auf politische Doktrinen, welche aus ihm abgeleitet waren. Ebenso stand es mit den Notaren in den französisch-ostspanischen Seestädten.

Ganz anders war dagegen die Lage der deutschen und nordfranzösischen Rechtshonoratioren, welche, zunächst wenigstens, weit weniger auf dem Boden städtischer, weit stärker dagegen im Umkreise ländlich-grundherrlicher Rechtsbeziehungen mit der Handhabung des Rechts als Schöffen oder Beamte befaßt waren. Ihre einflußreichsten Typen, wie etwa Eike von Repgow, Beaumanoir und ihresgleichen, schufen eine auf der anschaulichen Problematik der Alltagspraxis und ihrer wesentlich empirischen, nur wenig durch Abstraktion raffinierten Begriffe ruhende Systematik des Rechts. Die von ihnen zusammengestellten Rechtsbücher wollten Feststellung der Tradition sein, und enthielten zwar gelegentlich Raisonnement, aber wenig spezifisch juristische ratio. Statt dessen enthielt namentlich die bedeutendste dieser Leistungen, der Sachsenspiegel, nicht wenige Konstruktionen von Rechtsinstitutionen, welche in Wahrheit nicht geltendes Recht waren, sondern phantasievolle Ausfüllung von Lücken oder Unfähigkeiten des Rechts, die des Verfassers plastisches Bedürfnis oder seine Vorliebe für heilige Zahlen sich schuf. Formell waren ihre systematischen Rechtsaufzeichnungen Privatarbeiten, ebenso wie diejenigen der indischen, römischen, islamischen Juristen. Auf die Rechtspraxis haben sie aber wie diese als bequeme Kompendien sehr erheblich gewirkt und von den Gerichten sind einzelne von ihnen ganz direkt als maßgebliche Rechtsquellen anerkannt worden. Ihre Schöpfer waren einerseits Vertreter einer Honoratiorenjustiz, andererseits aber bildeten sie nicht, wie die englischen Anwälte und die italienischen Notare, einen zur machtvollen Zunft vereinigten Stand, der, durch seine zünftigen Erwerbsinteressen und die Monopolisierung der Richterstellen einheitlich am Sitz der Zentralgerichte zusammengeschlossen, eine auch durch König und Parlament nicht leicht zu beseitigende Macht in Händen hielt. Daher vermochten sie nicht, wie die englischen Anwälte, Träger einer zünftigen Rechtsschulung und deshalb auch nicht einer festen empirischen Tradition und Rechtsentwicklung zu werden, welche dem Rechtsdenken der rationalen Universitätslehre und den dort geschulten Juristen auf die Dauer hätte Widerstand leisten können. Formal war das empirische Rechtsbücherrecht des Mittelalters ziemlich entwickelt, systematisch und kasuistisch aber von geringer Rationalität, wenig an abstrakter Sinndeutung und Rechtslogik und statt dessen stark an anschaulichen Unterscheidungsmitteln orientiert.

Die Art des Einflusses der antik *römischen* Juristen auf das Recht beruhte zunächst auf dem später unter allgemeinen Gesichtspunkten zu erörternden Umstand, daß die römische Honoratiorenverwaltung mit ihrer Ersparnis an Beamten das Eingreifen des prozeßleitenden Beamten in die konkrete Prozeßleitung minimisierte. Die spezifischen Tendenzen der Honoratiorenherrschaft, welche Rom im Gegensatz z. B. zur hellenischen Demokratie kennzeichnen, schlossen aber auch die „Kadijustiz" der attischen Volksgerichte aus. Die amtliche Prozeßleitung und die Gewaltenteilung zwischen Beamten und Rechtssprecher blieb erhalten. – Dies zusammen schuf die spezifisch römische Praxis der Prozeßinstruktion: eine streng formale Anweisung des Magistrats an den aus der Richterliste ausgelesenen Bürger: unter welchen, rechtlichen und faktischen, Bedingungen er den erhobenen Anspruch als vorhanden anerkennen oder nicht anerkennen solle. Die Schemata dieser Prozeßinstruktionen begannen die Magistrate, speziell die Prätoren und Ädilen, schließlich bei Beginn ihres Amtsjahrs in ihrem „Edikt" niederzulegen, an dessen Inhalt sie übrigens, im Gegensatz zu der bindenden Kraft der nordischen lögsaga, erst spät gebunden wurden. Das Edikt aber wurde naturgemäß unter Mithilfe von Rechtspraktikern konzipiert und dadurch den jeweilig neu auftauchenden Bedürfnissen der Rechtsinteressenten angepaßt, im übrigen aber meist einfach vom Amtsvorgänger übernommen. Die große Mehrzahl der anerkannten Klagegründe mußte dabei naturgemäß nicht durch konkrete Tatbestände, sondern durch *Rechts*begriffe der Alltagssprache definiert werden. Der Gebrauch einer juristisch falschen Formel von seiten der Partei, welche das Klageschema wählte, bedingte infolgedessen den Verlust des Prozesses, im Gegensatz zu unserem Prinzip der „Klagesubstanzierung", bei welcher der Vortrag von Tatsachen zur Begründung der Klage genügt, falls sie unter irgendeinem, einerlei welchem, rechtlichen Gesichtspunkt den erhobenen Anspruch rechtfertigen. Es ist klar, daß beim „Substanzierungsprinzip" die Nötigung zu ganz scharfer juristischer Fixierung der Begriffe eine weit geringere ist als sie im römischen Verfahren war, welches die Praktiker zu einer juristisch ganz strengen und scharfen Scheidung und Abgrenzung der juristischen Alltagsbegriffe nötigte. Und auch wo der instruierende Magistrat seine Prozeßanweisung an rein faktische Tatbestände knüpfte (actiones in factum), nahm infolge jener Technik des juristischen Denkens die Interpretation einen streng formal juristischen Charakter an. Die praktische Entwicklung der Rechtstechnik war bei diesem Zustand zunächst in sehr weitgehendem Maße der „Kautelarjurisprudenz" überlassen, d. h. also der Tätigkeit von Rechtskonsulenten, welche die Vertragsschemata für die Parteien entwarfen, ebenso aber die Magistrate im „consilium", dessen Zuziehung für jeden römischen Beamten typisch war, als Sachverständige bei der Herstellung ihrer Edikte und Klageschemata und endlich den zur Entscheidung berufenen Bürger bei der Behandlung der ihm vom Magistrat vorgelegten Fragen und der Interpretation seiner Prozeßinstruktion berieten.

Die konsultierende Tätigkeit in jeder dieser Bedeutungen lag nach der Tradition zunächst anscheinend in den Händen der pontifices, deren einer jährlich dafür ausgelesen sein soll. Unter diesem priesterlichen Einfluß hätte nun die Justiz trotz der Kodifikation der 12 Tafeln an sich leicht einen Charakter annehmen können, ähnlich demjenigen, welchen die konsultierende Tätigkeit etwa des islamischen Mufti für das muhammedanische Recht erzeugte: sakral gebunden und irrational. Denn es scheint zwar festzustehen, daß für den materiellen Inhalt des altrömischen Rechts religiöse Einflüsse nur eine sehr sekundäre Rolle gespielt haben. Aber gerade für die welthistorisch wichtigsten Qualitäten des römischen Rechts: die rein formalen, ist, wie Demelius wenigstens für wichtige Einzelbeispiele wahrscheinlich gemacht hat, der Einfluß des Sakralrechts offenbar beträchtlich gewesen. Solche wichtigen Institute der Rechtstechnik, wie die Prozeßfiktionen, scheinen unter dem Einfluß des sakralrechtlichen Grundsatzes: „simulata pro veris accipiuntur", entstanden zu sein. Wir erinnern uns, welche Rolle das „Scheingeschäft" im Totenkult vieler Völker spielte und speziell unter Verhältnissen spielen mußte, wo die rituellen Pflichten formal absolut feststanden, die Abneigung einer wesentlich bürgerlichen Gesellschaft aber gegen die materiale Erfüllung dieser ökonomisch höchst lästigen Verpflichtungen ganz besonders stark dazu drängen mußte, sie durch den Schein der Erfüllung abzuwälzen. Die materiale Säkularisierung des römischen Lebens und die politische Machtlosigkeit der Priesterschaft züchten in dieser ein Mittel zu einer rein formalistischen und juristischen Behandlung religiöser Dinge. Die frühe Entwicklung der kautelarjuristischen Methodik im bürgerlichen Verkehr hat selbstverständlich ihrerseits diese Methode auch auf kultischem Gebiet weiter gesteigert. Aber wir dürfen getrost annehmen, daß in ziemlich weitgehendem Maße die Priorität auch auf sakralrechtlichem Gebiet lag. Eine der allerwichtigsten Eigentümlichkeiten schon des frührömischen Rechts war – das wenigstens bleibt an den sonst vielfach veralteten Formulierungen Iherings bestehen – sein eminent analytischer Charakter. Speziell die Zerlegung der prozessualen Fragestellung und damit auch des rechtsgeschäftlichen Formalismus in die logisch „einfachsten" Tatbestände. Ein Prozeß nur über eine Frage, über dieselbe Frage nur ein Prozeß, ein Rechtsgeschäft nur über eine Sache, ein Versprechen nur über eine Leistung; daher nur einseitig usw.: die Zersetzung der plastischen Tatbestandskomplexe des Alltagslebens in lauter juristisch eindeutig qualifizierte Elementarbestandteile ist in der Tat ganz unverkennbar die eine und methodisch überaus folgenreiche Tendenz gerade des alten Zivilrechts. Während die konstruktive Fähigkeit zur Synthese in der Erfassung plastischer Rechtsinstitute, wie sie als Produkte der nicht logisch zersetzten Rechtsphantasie entstehen, darunter empfindlich leidet. Diese Tendenz zur Analytik aber entspricht der ganz urwüchsigen Behandlung der rituellen Pflichten innerhalb der nationalrömischen Religion auf das Genaueste. Wir erinnern uns, daß die Eigentümlichkeit der genuinen römischen „religio", namentlich die begriffliche und abstrakte, durchaus „analytische" Scheidung der Kompetenzen der numina, ein erhebliches Maß von rationaler juristischer Behandlung religiöser Probleme geschaffen hatte. Nach der Tradition hätten schon die pontifices feste Schemata der zulässigen Klagen erfunden. Dabei aber scheint diese pontifikale Rechtskunstlehre ständisch monopolisierte Geheimlehre geblieben zu sein. Erst das 3. Jahrhundert brachte die Emanzipation von der sakralen Rechtsfindung. Ein Freigelassener des nach der Tyrannis strebenden Zensors Ap. Claudius soll nach der Tradition die pontifikalen Klageschemata publiziert haben. Der erste plebejische Pontifex maximus, Ti. Coruncanius, soll auch der erste öffentliche Respondent gewesen sein. Nunmehr erst konnten sich die Edikte der Beamten zu ihrer späteren Bedeutung entwickeln. Und zugleich traten nun Laienhonoratioren als Konsulenten und Sachwalter in die Lücke. Der Bescheid des Rechtskonsulenten wurde den Parteien mündlich erteilt, der ersuchenden Behörde schriftlich, auch bis in die Kaiserzeit aber noch in der Form, wie das Orakel des charismatischen Rechtsweisen oder das Fetwa des Mufti: ohne Beifügung einer Begründung. Aber die zunehmende fachmäßige Schulung und berufsmäßige juristische Tätigkeit mit dem Wachsen des Bedarfs brachte die Entwicklung einer formalen Rechtslehre schon in republikanischer Zeit mit sich. Schüler (auditores) wurden zu den Konsultationen dieser Rechtspraktiker schon in republikanischer Zeit zugelassen. Daß das praktisch geltende Recht und seine prozessuale Behandlung dabei einen sehr hochgradig formalen und rationalen Charakter annehmen mußte, war, außer durch die schon erwähnten Momente, natürlich auch durch die Objekte der Rechtspraxis bestimmt, welche die *städtische*, in Zweckkontrakten sich vollziehende Geschäftstätigkeit darbot, im Gegensatz zu den vorwiegend ländlichen Verhältnissen des deutschen Mittelalters, unter denen das Interesse vorwiegend sich um den sozialen Rang, den Immobiliarbesitz, das Erb- und Familienrecht drehen mußte.

Dagegen fehlte dem römischen Rechtsleben bis in die Kaiserzeit nicht nur der synthetisch-konstruktive, sondern auch der rational systematische Charakter weit mehr als dies zuweilen angenommen wird. Die Systematik hat dem praktisch geltenden Recht erst die byzantinische Bürokratie endgültig verliehen, welche dagegen in bezug auf formale Strenge des juristischen Denkens außerordentlich weit hinter den Leistungen der Rechtskonsulenten der republikanischen und der Prinzipatszeit zurückstand. Und innerhalb der Rechtskonsulentenliteratur selbst fällt ins Auge, daß die systematisch brauchbarste Leistung, die Institutionen des Gajus, ein Kompendium zur Einführung in die Rechtsschulung, einen unbekannten, zu seinen Lebzeiten also sicher autoritätslosen und insbesondere außerhalb des juristischen Honoratiorenkreises stehenden Mann zum Autor hat und etwa die Stellung einnahm, wie die modernen Kompendien der Einpauker neben den Produkten der Rechtsgelehrten. Nur daß eben die literarischen Produkte der römischen praktischen Juristen, neben denen er stand, nicht den Charakter eines rationalen Rechtssystems, wie es akademischer Unterricht entstehen läßt, besaßen, sondern meist mäßig rational geordnete Sammlungen von einzelnen Rechtssprüchen enthielten.

Die konsultierenden Juristen blieben eine spezifische Honoratiorenschicht. Sie waren für die besitzenden Schichten Roms die universellen „Beichtväter" in allen ökonomischen Angelegenheiten. Ob es in der älteren Zeit, wie eine Stelle bei Cicero vermuten lassen könnte, eine förmliche Lizenz zum Respondieren gegeben hat, bleibt unsicher. Später nicht mehr. Die respondierenden Juristen hatten sich mit zunehmendem logischen Raffinement des juristischen Denkens von der Methode der alten Kautelarjurisprudenz und offenbar auch von der persönlichen Identität mit den Urkundenkonzipienten emanzipiert und schlossen sich zu Ende der Republik zu Schulen zusammen. Zwar zeigte die republikanische Zeit auch in Rom, soweit die spezifisch politischen Geschworenengerichte (Repetentengerichte) sich dem Charakter der Volksjustiz annäherten, die aus Akten wohlbekannte Tendenz der Gerichtsredner – wie etwa Cicero –, mehr emotional und „ad hominem" als rational zu wirken und dadurch zur Abschwächung präziser Begriffsbildung beizutragen. In Rom betraf dies aber wesentlich nur politische Prozesse. In der Kaiserzeit wurde die Justiz endgültig zur *Fach*angelegenheit. Ein Teil des Rechtskonsulentenstandes wurde von Augustus durch Verleihung des Privilegs, daß ihre responsa den Richter banden, in eine offizielle Stellung zur Rechtspflege gebracht. Diese Konsulenten waren nun nie mehr Sachwalter (causidici), vollends also nicht eine Anwaltszunft, deren Denkschulung an der Alltagspraxis und den Bedürfnissen der Rechtsinteressenten sich orientierte. Die Gutachten der Konsulenten bezogen sich vielmehr auf die unter Abstreifung aller reinen Anwaltsbetriebsfragen ausschließlich zur rechtlichen Beurteilung vorgelegten, vom Anwalt und Richter oder einem von beiden vorpräparierten Tatbestände: sicherlich eine optimale Chance der Herauspräparierung einer streng abstrakten juristischen Begriffsbildung. Dergestalt trennte die Respondenten vom eigentlichen Rechtsbetrieb eine hinlängliche Distanz, um ihnen die Reduktion des Konkreten auf allgemeine Prinzipien durch wissenschaftliche Methodik nahezulegen. Diese Distanz war größer als die der englischen Advokaten, welche immerhin Parteivertreter blieben. Die Schulkontroversen aber waren das Mittel, sie dazu zu nötigen. Durch ihre bindenden Gutachten beherrschten sie die Rechtspflege. Die responsa wurden auch jetzt noch zunächst ebenso wie das Orakel eines Weisen oder das Fetwa eines Mufti ohne Begründung gegeben. Die Juristen begannen sie aber zu sammeln und, zunehmend mit Beifügung juristischer Gründe, herauszugeben. Schulmäßige Erörterung und Disputation von Rechtsfällen für die „auditores" entwickelte sich aus der Zulassung von solchen bei der Konsultationspraxis. Erst zu Ende der Republik entstand daraus ein fester Lehrgang. Wie für das juristische Denken die zunehmende formale Schulung an der hellenischen Philosophie immerhin eine gewisse Bedeutung gewann, so wurden offenbar auch für die äußere Einrichtung der Juristenschulen die hellenischen Philosophenschulen vielfach Muster. Aus dieser lehrenden und publizistischen Tätigkeit der Juristenschulen entwickelte sich die zunächst bei aller Präzision der Begriffe noch stark empirische, aber zunehmend rationale Technik des römischen Rechts und seine wissenschaftliche Sublimierung. Die durchaus sekundäre Stellung der theoretischen Rechtsschulung gegenüber der Rechtspraxis erklärt es, daß mit hochgradiger Abstraktion des Rechtsdenkens doch eine sehr geringe Entwicklung von abstrakten Rechtsbegriffen überall da verbunden blieb, wo diese nicht praktischen Interessen, sondern wesentlich systematischen Bedürfnissen gedient hatte. Die einheitliche Zusammenfassung zahlreicher scheinbar heterogener Sachverhalte unter der Kategorie „locatio" z. B. hatte gewichtige praktische Folgen. Dagegen die Bildung des Begriffs „Rechtsgeschäft" hat sie direkt wenigstens nicht: sie dient nur zunächst systematischen Bedürfnissen. Daher fehlt dieser Begriff, ebenso wie etwa der des „Anspruchs", der „Verfügung" und ähnliche, dem antiken römischen Recht und ist dessen Systematik überhaupt noch in justinianischer Zeit relativ in recht bescheidenem Maße rationalisiert. Die Sublimierung der Begriffe erfolgte jedoch durchweg im Anschluß an konkrete Klage- und Kontrakts-Schemata. Diese Sublimierung aber führte zu dem uns heut vorliegenden Ergebnis vornehmlich aus zwei Gründen: Zunächst war entscheidend die völlige Säkularisierung der Rechtspflege einschließlich vor allem des Konsulententums. Das Fetwa des islamischen Mufti ist durchaus eine Parallele des bindenden Responsum des römischen Juristen. Denn auch der islamische Mufti ist konzessionierter Rechtskonsulent. Seine Bildung aber empfängt er durch Unterricht an den islamischen Hochschulen, welche zwar nach dem Muster der späteren, offiziell anerkannten oströmischen Rechtsschulen sich entwickelt hatten und zeitweise, unter dem Einfluß der formalen Schulung an der antiken Philosophie, auch eine der antiken ähnliche Methodik entwickelt haben. Allein die Bildung blieb vorwiegend theologisch, die religiöse und Traditionsgebundenheit, die unklare und praktisch höchst unsichere Lage des heiligen Rechts, dessen Geltung weder zu beseitigen noch in der Praxis durchzuführen war, und die sonstigen Eigentümlichkeiten aller theokratischen, an heilige Bücher gebundenen Justiz haben diese Entwicklungsansätze immer wieder verkümmern lassen und die Rechtslehre auf eine stark mechanische und empirische Aneignung des Rechtsstoffs mit rein theoretischer lebensfremder Kasuistik beschränkt. Die Art der Gerichtsorganisation und die politisch bedingten Schranken der Rationalisierung der Wirtschaft taten dazu das Ihrige: in diesen Umständen liegt der zweite Grund des Unterschieds. Der theologische Einschlag fehlt der römischen Rechtsentwicklung völlig. Der rein weltliche und zunehmend bürokratische spätrömische Staat war es, welcher aus den immerhin nur relativ rational systematisierten Produkten des höchst präzisen römischen Rechtsdenkens der Respondenten und ihrer Schüler jene in der Welt einzigartige Sammlung der „Pandekten" auslas und systematisch durch eigene Rechtsschöpfungen ergänzte, die dann noch nach Jahrhunderten das Material für das Rechtsdenken der mittelalterlichen Universitätsbildung darbot. Schon während der Kaiserzeit war neben dem im römischen Recht von alters her heimischen *analytischen* Grundzug ein weiteres Element getreten: der zunehmend *abstrakte* Charakter des Rechtsbegriffs. Dieser abstrakte Charakter lag teils vorgebildet im Wesen der römischen Klageformeln. Diese bezogen sich zwar jede auf einen Rechtsbegriff als Tatbestand. Aber diese Begriffe waren teilweise so gefaßt, daß sie es ermöglichten, und also den Rechtspraktikern, zumal den Kautelarjuristen, Anwälten und Konsulenten, den Anlaß gaben, außerordentlich verschiedene ökonomische Sachverhalte unter einem geeigneten Begriff unterzubringen. Die Anpassung an neue ökonomische Bedürfnisse vollzog sich also zum sehr bedeutenden Teil in der Art, daß die alten Begriffe rational interpretiert, gedehnt und gestreckt wurden. Damit aber wurde die rechtslogische und konstruktive Arbeit erst auf die Höhe gehoben, deren sie, auf dem Boden der rein analytischen Methode, überhaupt fähig ist. Auf die außerordentliche Elastizität von Rechtsbegriffen wie locatio, conductio, emptio, venditio, mandatum (speziell auch der actio quod iussu depositum) und vor allem auf die schrankenlose Aufnahmefähigkeit der stipulatio, des constitutum für die meisten, heute durch Wechsel oder andere formalen, auf feste Verträge lautenden Verpflichtungen hat Goldschmidt mit Recht hingewiesen. Das Spezifische der römischen Rechtslogik, wie sie aus den gegebenen formalen Bedingungen herauswuchs, wird besonders anschaulich, wenn man damit etwa die Art des Vorgehens der englischen Kautelarjurisprudenz vergleicht. Auch sie hat oft mit größter Kühnheit einzelne Rechtsbegriffe benutzt, um mit ihrer Hilfe höchst verschiedenen Sachverhalten die rechtliche Klagbarkeit zu verschaffen. Aber der Unterschied, der vorliegt, wenn etwa auf der einen Seite die römischen Juristen die Kategorie des „iussus" zur Konstruktion von Kreditbürgschaft und Anweisung benutzen oder auf der andern die englischen aus dem Deliktsbegriff des trespass die Klagbarkeit zahlreicher, untereinander ganz verschiedener Kontrakte gewinnen, liegt auf der Hand. Im letzten Fall wird juristisch Heterogenes zusammengeworfen, um auf einem Umweg den Rechtszwang zu erlangen, bei den Römern werden ökonomisch (äußerlich) verschiedene und neue Tatbestände einem ihm adäquaten Rechtsbegriff unterstellt. Allerdings ist der abstrakte Charakter vieler heute als spezifisch „römisch" geltenden Rechtsbegriffe nichts Urwüchsiges, zum Teil nicht einmal etwas Antikes. Der viel besprochene römische Eigentumsbegriff z. B. war erst Produkt der Denationalisierung des römischen Rechts zum Weltrecht. Das nationale römische Eigentum war keineswegs ein besonders „abstrakt" geordnetes, überhaupt kein einheitliches Institut. Erst Justinian hat die radikalen Unterschiede beseitigt oder doch auf wenige Formen reduziert, welche das Bodenrecht aufwies, und erst infolge des Absterbens der alten prozessualen und sozialen Bedingungen des Interdiktenschutzes blieben für die mittelalterliche Analyse des Begriffsgehalts der Pandekten die beiden Institute: dominium und possessio, als ganz abstrakte Tatbestände übrig. Nicht wesentlich anders steht es mit zahlreichen anderen Instituten. Vollends der ursprüngliche Charakter der meisten genuinen römischen Rechtsinstitute war nicht wesentlich abstrakter als derjenige der germanischen. Die eigenartige Form der Pandekten aber entsprang den eigentümlichen Peripetien der römischen Staatsform. Die Sublimierung des juristischen Denkens selbst war, in ihrer Richtung, wie das früher Gesagte ergibt, zum Teil Konsequenz politischer Verhältnisse. Und zwar in verschiedener Art in republikanischer und in spätkaiserlicher Zeit. Die so überaus wichtige technische Eigenart der älteren Rechtspflege und des Konsulententums war, wie wir sahen, zum wesentlichen Teil Produkt der republikanischen Honoratiorenherrschaft. Andererseits war aber diese Herrschaft einer eigentlich juristischen Fachschulung der gewählten kurzfristigen, politischen, vornehmen Beamten nicht unbedingt günstig gewesen. Die Kenntnis der 12 Tafeln war von jeher Schulunterrichtsgegenstand. Die Kenntnis der Gesetze aber eignete sich der republikanische römische Beamte wesentlich nur praktisch an. Seine Konsulenten besorgten ihm das Übrige. Dagegen wurde nun die Notwendigkeit systematischen juristischen Studiums durch die kaiserliche Verwaltung mit ihren ernannten Beamten, ihrer Rationalisierung und Bürokratisierung, vor allem im Provinzialdienst, sehr stark gefördert. Diese allgemeine Wirkung jeder Bürokratisierung der Herrschaft werden wir später noch in größerem Zusammenhang verstehen. Weil sie z. B. in England fehlte, blieb dort auch die systematische Rationalisierung des Rechtes weit stärker im Rückstande. Solange die Konsulenten als juristische Honoratioren die römische Rechtspflege beherrschten, war auch dort das Streben nach Systematik schwach und blieb vor allem das kodifizierende und systematisierende Eingreifen der politischen Gewalt gänzlich aus. Der Sturz des Römeradels unter den Severen bezeichnet zugleich den Rückgang der Bedeutung des Respondentenstandes und geht parallel einer rasch zunehmenden Bedeutung kaiserlicher Reskripte für die Gerichtspraxis. Die Rechtsschulung, in der Spätzeit an staatlich konzessionierten Schulen dargeboten, wurde nun literarischer Unterricht an der Hand der Werke der Juristen. Die Gerichtspraxis arbeitete mit diesen als autoritären Quellen, und die Kaiser stellten durch die sog. „Ciliargesetze" für die Fälle des Dissenses Majoritätsentscheid und Rangfolge der juristischen Werke fest. Die Responsensammlungen vertraten hier also jetzt die Stelle der Präjudiziensammlungen im Common Law. Diese Situation bedingte die Form der Pandekten und die Erhaltung wenigstens des in sie aufgenommenen Teils der klassischen juristischen Literatur.

Wir sind mit diesen Erörterungen bei dem wichtigen, schon gelegentlich gestreiften Problem der Einwirkung der politischen Herrschaftsform auf die formalen Qualitäten des Rechts angelangt. Seine abschließende Erörterung setzt freilich die Analyse der Herrschaftsformen voraus, zu der wir erst weiterhin kommen. Aber einige allgemeine Bemerkungen sind schon hier zu machen. Die alte Volksjustiz, ursprünglich ein Sühneverfahren zwischen den Sippen, wird überall durch die Einwirkung der fürstlichen und magistratischen Gewalt (Bann, imperium) und, unter Umständen, der organisierten Priestergewalt aus ihrer primitiven formalistischen Irrationalität gerissen und zugleich auch der Rechtsinhalt von diesen Mächten nachhaltig beeinflußt. Und zwar verschieden je nach dem Charakter der Herrschaft. Je mehr der Herrschaftsapparat der Fürsten und Hierarchen ein rationaler, durch „Beamte" vermittelter war, desto mehr richtete sich auch ihr Einfluß (im jus honorarium und den prätorischen Prozeßmitteln in der Antike, in den Kapitularien der Frankenkönige, in den prozessualen Schöpfungen der englischen Könige und des Lordkanzlers, in der kirchlichen Inquisitionsprozedur) darauf, der Rechtspflege nach Inhalt und Form rationalen – freilich in verschiedenem Sinn rationalen – Charakter zu verleihen, irrationale Prozeßmittel auszuschalten und das materielle Recht zu systematisieren, und das bedeutete zugleich stets irgendwie: zu rationalisieren. In eindeutiger Weise hatten aber jene Gewalten diese rationalen Tendenzen nur da, wo entweder die Interessen ihrer eigenen rationalen Verwaltung sie auf diesen Weg wiesen (wie das päpstliche Kirchenregiment) oder wo sie im Bunde mit mächtigen Gruppen von Rechtsinteressenten standen, welche an dem rationalen Charakter des Rechts und Prozesses ein starkes Interesse hatten, wie die bürgerlichen Klassen in Rom, im ausgehenden Mittelalter und in der Neuzeit. Wo dies Bündnis fehlte, ist die Säkularisation des Rechts und die Herausdifferenzierung eines streng formal juristischen Denkens entweder in den Anfängen stecken geblieben oder es ist ihr geradezu entgegengewirkt worden. Dies liegt, allgemein gesprochen, darin, daß der „Rationalismus" der Hierarchen sowohl wie der Patrimonialfürsten *materialen* Charakters ist. Nicht die formal juristisch präziseste, für die Berechenbarkeit der

Chancen und die rationale Systematik des Rechts und der Prozedur optimale, sondern die inhaltlich den praktisch-utilitarischen und ethischen Anforderungen jener Autoritäten entsprechendste Ausprägung wird erstrebt; eine Sonderung von „Ethik" und „Recht" liegt, wie wir schon sahen, gar nicht in der Absicht dieser, jeder selbstgenugsam und fachmäßig „juristischen" Behandlung des Rechts durchaus fremd gegenüberstehenden, Faktoren der Rechtsbildung. Speziell gilt dies in aller Regel von der theokratisch beeinflußten Rechtsbildung mit ihrer Kombination ethischer Anforderungen und juristischer Vorschriften. Aus den nichtjuristischen Bestandteilen einer von priesterlichen Einflüssen getragenen Rechtslehre konnten sich allerdings mit zunehmender Rationalisierung des Rechtsdenkens einerseits, der Vergesellschaftungsformen andererseits verschiedenerlei Konsequenzen ergeben. Entweder löste sich das heilige Gebot als „fas" von dem „jus", als dem gesatzten Recht für die Schlichtung der religiös indifferenten Interessenkonflikte der Menschen. Dann war diesem letzteren eine autonome Entwicklung zu einem je nachdem mehr logisch oder mehr empirisch gearteten rationalen und formalen Recht möglich und ist auch in Rom ebenso wie im Mittelalter eingetreten. In welcher Art die Beziehungen zwischen religiös gebundenem Recht und frei gesatztem Recht sich dabei regulierten, wird noch zu erörtern sein. Das religiöse Recht konnte dabei – wie wir noch sehen werden – mit wachsender Säkularisierung des Denkens einen Konkurrenten oder Ersatz in einem philosophisch begründeten „Naturrecht" erhalten, welches neben dem positiven Recht teils als ideales Postulat, teils als eine verschieden starke, die Rechtspraxis beeinflussende Doktrin herging. Oder jene Lösung der heiligen Gebote vom weltlichen Recht fand nicht statt und die spezifisch theokratische Vermischung von religiösen und rituellen mit rechtlichen Anforderungen blieb bestehen. Dann entstand ein verschwommenes Ineinanderschieben von ethischen und rechtlichen Pflichten, sittlichen Vermahnungen und Rechtsgeboten ohne formale Schärfe: spezifisch *unformales* Recht also. Welche Alternative eintrat, hing teils von der früher schon erörterten inneren Eigenart der betreffenden Religion und ihrem prinzipiellen Verhältnis zu Recht und Staat ab, teils – wovon später zu reden sein wird – von der Machtstellung der Priesterschaft im Verhältnis zur politischen Gewalt, teils endlich von der Struktur dieser letzteren. Es ist eine Folge der später zu erörternden Bedingungen der Herrschaftsstrukturen, daß in fast allen asiatischen Rechtsgebieten der zuletzt genannte Zustand eintrat und bestehen blieb.

Gewisse gemeinsame Züge in der logischen Struktur des Rechts können aber Produkt untereinander sehr verschiedener Herrschaftsformen sein. Unformales Recht insbesondere pflegen auf der einen Seite die auf *Pietät* gestützten autoritären Gewalten zu schaffen, die Theokratie sowohl wie der Patrimonialfürst. Auf der anderen Seite können aber auch bestimmte Formen der Demokratie formal sehr ähnliche Konsequenzen haben. Der Grund liegt darin, daß in all diesen Fällen es sich um Mächte handelt, deren Träger – der Hierarch, der Despot (gerade der „aufgeklärte"), der Demagoge – außer an solchen Normen, die von ihnen für schlechthin religiös heilig und daher absolut verbindlich angesehen werden müssen, an keinerlei formale Schranken, auch nicht an die von ihnen selbst gesetzten Regeln, *gebunden* sein wollen. Ihnen allen steht der unvermeidliche Widerspruch zwischen dem abstrakten Formalismus der Rechtslogik und dem Bedürfnis nach Erfüllung materialer Postulate durch das Recht im Wege. Denn indem der spezifische Rechtsformalismus den Rechtsapparat wie eine technisch rationale Maschine funktionieren läßt, gewährt er den einzelnen Rechtsinteressenten das relative Maximum an Spielraum für seine Bewegungsfreiheit und insbesondere für die rationale Berechnung der rechtlichen Folgen und Chancen seines Zweckhandelns. Er behandelt den Rechtsgang als eine spezifische Form befriedeten Interessenkampfs, den er an feste, unverbrüchliche „Spielregeln" bindet. Das urwüchsige Sühneverfahren zwischen den Sippen ebenso wie die dinggenossenschaftliche Justiz haben ein streng formal gebundenes Beweisrecht. Seinem Ursprung nach war dies, wie wir sehen, durch magische Vorstellungen bedingt: die Beweisfrage muß richtig und von der richtigen Seite gestellt werden. Und auch weiterhin bleibt der Gedanke, daß man durch rationale Mittel eine „Tatsache" im Sinn des heutigen Prozesses „feststellen" könne, insbesondere durch das heute wichtigste Mittel der Vernehmung von „Zeugen" oder durch „Indizien", der Rechtspflege lange Zeit fremd. Der „Eideshelfer" des alten Prozesses schwört nicht, daß eine „Tatsache" wahr sei, sondern er bekräftigt das „Recht" seiner Partei durch Einsetzung seiner Person dem göttlichen Fluch gegenüber. Die Praxis selbst ist übrigens mindestens so realistisch wie die heutige: die Mehrzahl aller Zeugen auch im heutigen Prozeß faßt ihre Rolle kaum anders auf, als so: daß sie zu schwören haben, wer „recht" habe. Das alte Recht faßt demgemäß den „Beweis" nicht als eine „Pflicht", sondern als ein Recht der Partei auf, das es ihm mindestens sehr weitgehend zuweist. Der Richter aber ist streng an diese Regeln und an die traditionellen Beweismittel gebunden. Die moderne „Beweislast"-

Theorie noch des „gemeinen" Prozesses unterscheidet sich davon nur durch die Auffassung des Beweises als „Pflicht". Im übrigen aber bindet auch sie den Richter an die Beweisanträge und Beweismittel, welche die Parteien ihm darbieten. Nicht anders in der gesamten Behandlung des Prozeßbetriebs. Kraft der „Verhandlungsmaximen" wartet der Richter die Anträge der Parteien ab. Was diese nicht beantragen oder nicht verbürgen, existiert für ihn nicht, was mit den allgemein geordneten Beweismitteln, irrationalen oder rationalen, nicht ermittelt wird, ebenfalls nicht. Er erstrebt also nur diejenige relative Wahrheit, welche innerhalb der durch Prozeßakte der Parteien gegebenen Grenzen erreichbar ist. Genau dies war auch hier der Charakter der Rechtsfindung in deren ältesten, scharf ausgeprägten zugänglichen Formen: dem Sühne- und Schiedsverfahren zwischen streitenden Sippen, mit Orakel oder Gottesurteil als Prozeßmittel. Streng formal, wie alle auf Anrufung magischer oder göttlicher Mächte ausgerichtete Tätigkeit, erwartete dieser Rechtsgang ein *material* „richtiges" Urteil durch den irrationalen, übernatürlichen Charakter der entscheidenden Prozeßmittel. Wenn aber die Autorität und der Glaube an diese irrationalen Mächte geschwunden ist und nun rationale Beweismittel und logische Urteilsbegründung an ihre Stelle treten müssen, so bleibt der formalen Rechtspflege lediglich der Charakter des in der Richtung einer wenigstens relativ optimalen Chance der Wahrheitsermittlung geregelten Interessenkampfs der Parteien. Deren Angelegenheit, nicht die der öffentlichen Gewalt, ist der Betrieb des Prozesses. Der Richter zwingt sie nicht, etwas zu tun, was sie nicht von sich aus verlangen. Eben deshalb kann er aber dem Bedürfnis nach optimaler Erfüllung *materialer* Anforderungen an eine dem konkreten Zweckmäßigkeits- oder Billigkeitsgefühl für den einzelnen Fall genügende Rechtspflege der Natur der Sache nach gar nicht entsprechen, möge es sich bei jenen materialen Forderungen nun um politisch-zweckrational oder ethisch-gefühlsmäßig motivierte Zumutungen an die Rechtspflege handeln. Denn jene durch formale Justiz gewährte maximale Freiheit der Interessenten in der Vertretung ihrer formal legalen Interessen muß schon infolge der Ungleichheit der ökonomischen Machtverteilung, welche durch sie legalisiert wird, immer wieder den Erfolg haben, daß materiale Postulate der religiösen Ethik oder auch der politischen Räson verletzt erscheinen. Dies aber gibt allen autoritären Gewalten: der Theokratie wie dem Patriarchalismus, Anstoß, schon deshalb, weil es die Abhängigkeit des Einzelnen von der freien Gnade und Macht der Autoritäten lokkert, der Demokratie aber deshalb, weil es die Abhängigkeit der

Rechtspraxis und damit der Einzelnen von Beschlüssen der Genossen mindert: es kann insbesondere die Chance einer zunehmenden Differenzierung der ökonomischen und sozialen Machtlage durch die Gestaltung des Prozesses zu einem friedlichen Interessenkampf noch gesteigert werden. In allen diesen Fällen verletzt sie inhaltliche Gerechtigkeitsideale durch ihren unvermeidlich abstrakten Charakter. In eben diesem abstrakten Charakter aber pflegen andererseits nicht nur die jeweils ökonomisch Mächtigen und daher an der freien Ausbeutung ihrer Macht Interessierten, sondern auch alle ideologischen Träger solcher Bestrebungen, welche gerade die Brechung autoritärer Gebundenheit oder irrationaler Masseninstinkte zugunsten der Entfaltung der individuellen Chancen und Fähigkeiten herbeiführen möchten, einen entscheidenden Vorzug der formalen Justiz, in der unformalen dagegen nur die Chance absoluter Willkür und subjektivistischer Unstätheit sehen. Ihnen werden alle diejenigen politischen und ökonomischen Interessenten zufallen, welchen die Stetigkeit und Kalkulierbarkeit des Rechtsganges wichtig sein muß, also speziell die Träger rationaler ökonomischer und politischer *Dauerbetriebe*. Vor allem den ersteren wird die formale und zugleich rationale Justiz als Garantie der „Freiheit" gelten, eben desjenigen Gutes, welches theokratische oder patriarchal-autoritäre ebenso wie unter Umständen demokratische, jedenfalls alle ideologisch an materialer Gerechtigkeit interessierte Mächte verwerfen müssen. Diesen allen ist nicht mit formaler, sondern mit „Kadijustiz" gedient. Die Volksjustiz in der unmittelbaren attischen Demokratie z. B. war eine solche in hohem Maße. Zwar nicht dem formalen Recht, wohl aber der Wirkung nach ist es nicht selten noch die moderne Geschworenenjustiz. Denn auch bei dieser immerhin stark formal eingeengten Form einer begrenzten Mitwirkung von Volksjustiz besteht die Neigung, sich an formale Rechtsregeln nur soweit zu binden, als der Rechtsgang dazu technisch direkt nötigt. Im übrigen urteilt jede Volksjustiz, je mehr sie dies ist, nach dem konkreten, ethisch oder – besonders in Athen, aber auch heutzutage – politisch oder sozialpolitisch bedingten „Gefühl". Darin begegnen sich die Tendenzen einer souveränen Demokratie mit den autoritären Mächten der Theokratie und des patriarchalen Fürstentums. Denn es ist das gleiche, wenn, dem formalen Recht zuwider, französische Geschworene den Ehemann, der den ertappten Ehebrecher tötet, regelmäßig freisprechen oder wenn Friedrich II. „Kabinettsjustiz" zugunsten des Müllers Arnold übte. Das ganze Wesen der theokratischen Justiz vollends besteht in dem Vorwalten konkreter ethischer Billigkeitsgesichtspunkte, deren unformale und antiformale Tendenz bei ihr nur in dem ausdrücklich festgelegten heiligen Recht ihre Schranke findet. Wo dessen Normen eingreifen, gebiert sie dagegen umgekehrt eine ungemein formalistische Kasuistik zwecks Anpassung an die Bedürfnisse der Rechtsinteressenten. Die weltliche patrimonial-autoritäre Justiz ist, auch wo sie sich ihrerseits an die Tradition binden muß, bei deren immerhin größeren Elastizität wesentlich freier gestellt. Die typische Honoratiorenjustiz endlich zeigt zuweilen ein doppeltes Gesicht, je nachdem es sich um die typischen Rechtsinteressen der Honoratiorenschicht selbst oder der von ihr beherrschten Schichten handelt. Die englische Justiz z. B. war in allen vor die Reichsgerichte gelangenden Angelegenheiten streng formale Justiz. Aber die Friedensrichterjustiz gegenüber den Alltagshändeln und Delikten der Massen war in einem Grade unformal und direkt „Kadijustiz", wie es für uns auf dem Kontinent völlig unbekannt ist. Und die Kostspieligkeit der Anwaltsjustiz bedeutete andererseits für die Unbemittelten im Effekt hier ebenso wie aus andern Gründen die republikanisch-römische Justiz eine faktische Rechtsverweigerung, welche den Interessen der besitzenden, auch der kapitalistischen, Schichten weit entgegenkam. Wo ein solcher Dualismus der Rechtspraxis: formale Justiz für die Konflikte innerhalb der eigenen Schicht, Willkür oder faktische Rechtsverweigerung gegenüber den ökonomisch Schwachen, nicht zu erreichen ist, da pflegen kapitalistische Interessenten natürlich bei universeller Durchführung streng formaler, auf der Verhandlungsmaxime ruhender Justiz am besten zu fahren. Und da die Honoratiorenjustiz mit ihrer unvermeidlich wesentlich empirischen Rechtspraxis, ihrem komplizierten Prozeßmittelsystem und ihrer Kostspieligkeit auch ihren Interessen starke Hemmnisse bereiten kann: – nicht durch, sondern zum Teil auch trotz der Struktur seines Rechts gewann England den kapitalistischen Primat – so pflegen die bürgerlichen Schichten im allgemeinen am stärksten an rationaler Rechtspraxis, und dadurch auch an einem systematisierten, eindeutigen, zweckrational geschaffenen formalen Recht interessiert zu sein, welches Traditionsgebundenheit und Willkür gleichermaßen ausschließt und also subjektives Recht nur aus objektiven Normen hervorgehen läßt. Die englischen Puritaner haben ein solches systematisch kodifiziertes Recht ebenso wie die römischen Plebejer und das deutsche Bürgertum des 15. Jahrhunderts verlangt. Bis dahin war aber ein weiter Weg.

Nicht nur bei der theokratisch, sondern auch bei der durch weltliche Honoratioren, im Wege der Rechtssprechung oder der privaten oder offiziell anerkannten Rechtskonsultation geleiteten Justiz und ebenso bei der auf dem imperium und der Banngewalt der die Prozesse instruierenden Magistrate, Fürsten und Beamten, beruhenden Entwicklung des Rechts und Rechtsganges bleibt zunächst die Vorstellung unangetastet: daß das Recht grundsätzlich etwas von jeher gleichmäßig Geltendes, nur der eindeutigen Interpretation und Anwendung auf den Einzelfall Bedürftiges sei. Immerhin war, wie wir sahen, selbst bei ökonomisch sehr wenig differenzierten Verhältnissen ein Vordringen rational vereinbarter Normen an sich recht wohl möglich, sofern nur die Gewalt der magischen Stereotypierung gebrochen war. Die Existenz irrationaler Offenbarungsmittel als des einzigen Weges zu Neuerungen bedeutete immerhin faktisch oft eine weitgehende Beweglichkeit der Normen, ihr Fortfall nicht selten eine erhöhte Stereotypierung, weil nun die Macht der sakralen Tradition ganz allein als „heilig" auf dem Plan blieb und von den Priestern zu einem System sakralen Rechts sublimiert wurde.

In sehr verschiedenem Maß ist die Herrschaft sakralen Rechts und sakraler Rechtsschöpfung in die einzelnen geographischen und sachlichen Rechtsgebiete eingedrungen und aus ihnen wieder zurückgedrängt worden. Wir lassen hier das durch ursprünglich rein magische Normen begründete spezifische Interesse des heiligen Rechts an allen Straf- und Sühneproblemen, ebenso sein in anderem Zusammenhang zu erörterndes Interesse am politischen Recht und endlich die ebenfalls ursprünglich magisch bedingten Normen über die sakralrechtlich statthaften Zeiten, Orte und Beweismittel der Prozedur ganz beiseite und wollen im wesentlichen nur das Gebiet des „Zivilrechts" im üblichen Sinn betrachten. Hier waren die Grundsätze über Zulässigkeit und Folgen der Eheschließung, das Familienrecht und das ihm dem Wesen nach zugehörige Erbrecht eine Hauptdomäne sakralen Rechts, in China und Indien ebenso wie im römischen fas, im islamischen Schariat und im kanonischen Recht des Mittelalters. Die alten magischen Inzestverbote waren Vorläufer der religiösen Kontrolle der Ehe. Die Wichtigkeit gültiger Ahnenopfer und anderer sacra der Familie traten hinzu und bedingten das Eingreifen des heiligen Rechts im Familien- und Erbrecht. Im Gebiet des Christentums, wo die letztgenannten Interessen teilweise fortfielen, wirkte dann das fiskalische Interesse der Kirche an der Gültigkeit der Testamente in der Richtung der Aufrechterhaltung der Erbrechtskontrolle. Mit dem profanen Verkehrsrecht konnten zunächst die religiösen Normen über die für religiöse Zwecke gewidmeten oder aus anderen Gründen heiligen oder umgekehrt magisch tabuierten Objekte und Örtlichkeiten in Konflikte geraten. In das Gebiet des Kontraktrechts griff das sakrale Recht aus formalen Gründen dann ein, wenn – was ungemein häufig, ursprünglich wohl regelmäßig, geschah – eine religiöse Verpflichtungsform, z. B. Eid, gewählt worden war. Aus materialen Gründen dann, wenn zwingende Normen der religiösen Ethik, wie z. B. das Wucherverbot, in Frage standen. Über diesen letzten Punkt ist bei der Erörterung der ökonomischen Bedeutung der religiösen Ethik zu sprechen. Aus dem dort Gesagten geht auch hervor, daß sich die Beziehung des profanen zum sakralen Recht ganz allgemein höchst verschieden gestaltete, je nach dem prinzipiellen Charakter der religiösen Ethik. Soweit diese im Stadium magischen und ritualistischen Formalismus verharrte, konnte sie unter Umständen durch raffinierte Rationalisierung der magischen Kasuistik mit Hilfe ihrer eigenen Mittel bis zur vollkommenen Wirkungslosigkeit paralysiert werden. Das römische fas ist im Lauf der republikanischen Zeit gänzlich diesem Schicksale verfallen. Es gab schlechthin keine heilige Norm, für deren Ausschaltung nicht ein geeignetes sakraltechnisches Mittel oder eine Umgehungsform erfunden worden wäre. Die religiöse Kassationsgewalt des Augurenkollegiums gegen Volksbeschlüsse – denn darauf lief der Einspruch wegen religiöser Formfehler und böser omina im Ergebnis hinaus – ist in Rom niemals, wie das ebenfalls sakral mitbedingte Kassationsrecht des Areopags in Athen durch Ephialtes und Perikles, formell abgeschafft worden. Aber es diente bei der absoluten Herrschaft des weltlichen Amtsadels über die Priesterschaft wesentlich nur politischen Zwecken, und seine Kasuistik wurde auch in dieser Funktion, ganz ebenso wie die des materialen fas, durch sakraltechnische Mittel so gut wie unschädlich gemacht. Das durchaus säkularisierte „ius" war daher ebenso wie das hellenische Recht der Spätzeit vor Eingriffen von dieser Seite trotz des ungeheuren Raumes, welchen im römischen Leben die Rücksicht auf die rituellen Pflichten einnahm, durchaus gesichert. Die Unterwerfung der priesterlichen unter die profane Gewalt auf dem Boden der antiken Polis entschied, nächst gewissen früher erwähnten Eigentümlichkeiten der römischen Götterwelt und ihrer Behandlung, diese Entwicklung. Ganz anders, wo eine herrschende Priesterschaft das gesamte Leben ritualistisch zu reglementieren vermochte und das gesamte Recht weitgehend unter ihrer Kontrolle behielt, wie namentlich in Indien. Dort ist der Theorie nach das gesamte Recht in den Dharmasutras enthalten. Die rein profane Rechtsbildung blieb daher auf die Entwicklung von Partikularrechten für die einzelnen Berufsstände:

Kaufleute, Handwerker usw., beschränkt. Dies Recht der Berufsverbände und Kasten, sich ihr Recht selbst zu setzen, also der Satz: Willkür bricht Landrecht, war von Niemandem bezweifelt und fast alles praktisch geltende profane Recht entstammt diesen Quellen. Da aber dies praktisch für die meisten profanen Lebensverhältnisse allein in Betracht kommende Recht nicht Gegenstand der Priesterlehre und der philosophischen Schullehre und also überhaupt gar keiner berufsmäßigen Pflege war, entbehrt es jeglicher Rationalisierung und, trotz praktisch oft weitgehender Unbekümmertheit um die sakralen, der Theorie nach auch hier absolut zwingenden Normen, doch in Abweichungsfällen der sicheren Geltungsgarantie. Die indische Rechtsfindung verleugnet die eigentümliche Mischung aus magischen und rationalen Elementen nicht, welche dem Charakter der Religiosität einerseits, der theokratisch-patriarchalen Lebensreglementierung andererseits entspricht. Der Formalismus des Rechtsganges ist im ganzen gering; dinggenossenschaftlichen Charakter besitzen die Gerichte nicht; die Bindung des Königs an das Urteil des Oberrichters und die Vorschrift der Zuziehung von Laienbeisitzern (Kaufleute und Schreiber in den älteren, Zunftmeister und Schreiber in den jüngeren Quellen) entstammt rationaler Ordnung. Der autonomen Rechtssetzung der Verbände entspricht die große Bedeutung der privaten Schiedsgerichte. Andererseits ist aber von den organisierten Gerichten der Verbände prinzipiell die Berufung an die öffentlichen Gerichte zulässig. Die Beweismittel sind heute primär rational: Urkunden und Zeugen. Die Ordale waren für die Fälle der mangelnden Eindeutigkeit des rationalen Beweises reserviert; hier aber waren sie, speziell der Eid (Wartefrist auf die Folgen der Selbstverfluchung) in ihrer ungebrochenen magischen Bedeutung erhalten. Ebenso standen die magischen Zwangsvollstreckungsmittel (Verhungern des Gläubigers vor der Tür des Schuldners) neben der amtlichen Exekution und neben legalisierter Selbsthilfe. Ein ziemlich vollständiger Parallelismus sakralen und profanen Rechts bestand im Kriminalverfahren; aber auch die Tendenz zur Verschmelzung beider fand sich entwickelt und im ganzen waren sakrales und profanes Recht praktisch eine ungeschiedene Einheit geworden, welche die Reste des alten arischen Rechts überdeckten, ihrerseits aber wieder durch die autonome Justiz der Verbände, vor allem aber durch die Kastenjustiz, die über das wirksamste aller Zwangsmittel: die Ausstoßung aus der Kaste, verfügte, durchbrochen wurde. Keineswegs gering war auch der legislatorische Einfluß *buddhistischer* Ethik innerhalb des Geltungsbereichs des Buddhismus als Staatsreligion (Ceylon, Hinterindien, namentlich Kambodscha und Birma). Die Gleichstellung von Mann und Weib (kognatisches Erbrecht, Gütergemeinschaft), die Elternpietät im Interesse des jenseitigen Elternschicksals (daher Schuldenhaftung der Erben), die gesinnungsethische Sublimierung des Rechts, der Sklavenschutz, die Milde des Strafrechts (mit Ausnahme des, im Kontrast dazu, oft höchst grausamen politischen Strafrechts), die Wohlverhaltensbürgschaft kommen auf seine Rechnung. Im übrigen aber war selbst die relativierte Weltethik des Buddhismus so durchaus auf die Gesinnung einerseits, rituellen Formalismus andererseits abgestellt, daß ein eigentliches heiliges „Recht", als Objekt einer besonderen Doktrin, auf diesem Boden schwer entstehen konnte. Immerhin hat sich doch eine Rechtsbuchliteratur hinduistischen Gepräges entwickelt und es ermöglicht, in Birma 1875 das „buddhistische Recht" (d. h. rein buddhistisch modifizierte Recht indischer Provenienz) zum offiziellen Recht zu proklamieren. In China hat umgekehrt die alleinherrschende Bürokratie die magischen und animistischen Pflichten auf das rein rituelle Gebiet beschränkt, von wo aus sie freilich, wie wir schon sahen und noch sehen werden, ziemlich tiefgreifende Einflüsse auch auf die Wirtschaft ausgeübt haben. Die Irrationalitäten der Justiz aber sind dort patrimonial, nicht theokratisch bedingt. Wie die Prophetie überhaupt, so ist auch die Rechtsprophetie in historischer Zeit in China unbekannt. Es findet sich auch keine Schicht respondierender Juristen und überhaupt, scheint es, keine spezifische Rechtsschulung, dem patriarchalen Charakter des politischen Verbandes entsprechend, welcher der Entwicklung eines formalen Rechts widerstrebte. Konsulenten über magische Riten sind die „Wu" und „Wei" („taoistische" Zauberpriester), als Berater in zeremoniellen und rechtlichen Angelegenheiten fungieren für Familien, Sippe, Dorf die examinierten, also literarisch gebildeten Mitglieder aus ihrer Mitte.

Der Islam kennt der Theorie nach so gut wie kein Gebiet des Rechtslebens, auf welchem nicht Ansprüche heiliger Normen der Entwicklung profanen Rechts den Weg versperrten. Der Tatsache nach haben umfassende Rezeptionen hellenischen und römischen Rechts stattgefunden. Offiziell aber wird das gesamte bürgerliche Recht als Interpretation oder gewohnheitsrechtliche Fortbildung des Korans in Anspruch genommen. Dies geschah namentlich, nachdem der Sturz der Ommajaden und die Begründung der Abbassidenherrschaft unter dem Schlagwort der Rückkehr zur heiligen Tradition die cäsaropapistischen Prinzipien der zarathustrischen Sassaniden auf den Islam übertrug. Die Stellung des heiligen Rechts im Islam ist ein geeignetes Paradigma für die Wirkung heiliger Rechte in eigentlichen prophetisch geschaffenen „Buchreligionen". Der Koran enthält eine ganze Reihe rein positiver rechtlicher Vorschriften (etwa die Aufhebung des Eheverbots mit der Adoptivschwiegertochter – Muhammed gab sich selbst diese Freiheit). Aber der Schwerpunkt der juristischen Vorschriften hat einen anderen Ursprung. Formell kleiden sie sich in aller Regel in die Gestalt des „hadîth": exemplarischer Handlungen und Aussprüche des Propheten, deren Authentizität durch Sukzession des Garanten bis zu Zeitgenossen, ursprünglich bis zu besonders qualifizierten Lebensgefährten Muhammeds von Mund zu Mund sich zurückverfolgen läßt. Sie sind oder galten um dieser unentbehrlichen Ununterbrochenheit der persönlichen Garantenreihe willen als ausschließlich mündlich überliefert und bilden die „sunnah". Diese ist nicht etwa „Koraninterpretation", sondern Tradition neben dem Koran; ihr ältester Bestand stammt zum sehr wesentlichen Teil aus der urislamischen Zeit, speziell aus der Coutume von Medina, deren Redaktion als sunnah auf Mâlik-ibn-Anas zurückgeführt wird. Aber weder Koran noch die sunnah sind als solche die unmittelbaren Rechtsquellen, welche der Richter benutzt. Sondern diese werden durch den „fikh" gebildet, die Produkte der spekulativen Arbeit der Juristenschulen, Sammlungen von hadiths entweder nach Autoren geordnet (musnad) oder systematisch nach Gegenständen (mussunaf, von denen 6 den Traditions-Kanon bilden). Der fikh umfaßt sittliche wie rechtliche Gebote und enthält, seit der Immobilisierung des Rechts, immer zahlreichere Partieen völlig obsoleten Charakters. Die Immobilisierung aber vollzog sich offiziell dadurch, daß die charismatische, rechtsprophetische Kraft (itschtihad) der Rechtsauslegung seit dem 7./8. Jahrhundert der Hedschra, dem 13./14. der christlichen Ära, für erloschen galt, – ähnlich der uns bereits bekannten Auffassung der christlichen Kirche und des Judentums über den Abschluß des prophetischen Zeitalters. Die Rechtspropheten: Mudschtahiden, des charismatischen Zeitalters galten noch als Träger der Rechtsoffenbarung, in vollem Umfang allerdings nur noch die Gründer der vier als orthodox anerkannten Rechtsschulen (madhas). Nach dem Erlöschen der itschtihad dagegen gibt es nur noch mugallidin, Kommentatoren, und ist die Stabilität des Rechts absolut. Der Kampf der vier Rechtsschulen war zunächst ein Kampf um die Qualitäten der orthodoxen sunnah, wurde aber im Zusammenhang damit zum Kampf um die Auslegungsmethode und auch ihr Gegensatz wurde seit der Immobilisierung des Rechts zunehmend stereotypiert. Während die kleine henbalitische Schule alle „bida", alles neue Recht, alle neuen hadiths, alle rationalen Mittel der Rechtsauslegung ablehnt und sich auch durch den Grundsatz „coge intrare" von den anderen, prinzipiell gegeneinander toleranten Schulen scheidet, trennt diese wesentlich die Rolle, welche der juristischen Kunst für die Rechtsschöpfung zugewiesen wird. Die, lange Perioden hindurch in Afrika und Arabien herrschende, malekitische Schule war, ihrem Ursprung am ältesten politischen Sitz des Islam (Medina) entsprechend, besonders unbefangen in der Übernahme vorislamischen Rechts, gilt aber gegenüber der hanefitischen, aus dem Irak stammenden, daher stark byzantinisch beeinflußten, am Hof des Khalifen maßgebenden und heute in der Türkei offiziell rezipierten und z. Z. auch in Ägypten offiziell herrschenden Schule stärker traditionsgebunden. Die stärker höfisch adaptierte Jurisprudenz der Hanefiten scheint vornehmlich die empirische Technik der islamischen Juristen, die Verwertung der Analogie (gijas) entwickelt und daneben speziell auch das „raj", die wissenschaftliche Lehrmeinung als eine selbst den rezipierten Koraninterpretationen gegenüber selbständige Quelle zu vertreten. Die schafiitische Schule endlich, von Bagdad ausgegangen, in Südarabien, Ägypten, Indonesien verbreitet, gilt als die wissenschaftliche Technik und die fremdrechtlichen Anleihen der Hanefiten ebenso wie die freie Stellung der Malekiten zur Tradition ablehnend, also traditionalistisch, scheint aber den gleichen Effekt durch massenhafte Rezeption von zweifelwürdigen hadiths in die Tradition zu erreichen. Der Kampf zwischen den Aschab-al-hadîth, den konservativen Traditionalisten und den Aschab-al-fikh, den rationalistischen Juristen, durchzog die ganze islamische Rechtsgeschichte.

Das islamische heilige Recht ist durchweg spezifisches „Juristenrecht". Seine Geltung beruht auf dem „idschmâ" (idschmâh-al-ammah = tacitus consensus omnium), der praktisch als Übereinstimmung der Rechtspropheten, der großen Juristen (fukahâ) also, definiert ist. Offiziell gilt neben der Infallibilität des Propheten selbst nur die Infallibilität des idschmâ. Koran und Sunnah sind nur die historischen Quellen des letzteren. Nicht sie, sondern die Kompilation des idschmâ schlägt der Richter auf; die selbständige Interpretation der heiligen Schriften und Tradition ist ihm untersagt. Die Stellung der Juristen als solcher war an sich derjenigen der römischen ähnlich, an die ja auch die Schulorganisation erinnert: ein Nebeneinander von Konsultationspraxis und Unterricht von Schülern, also Beziehung sowohl zu den praktischen Bedürfnissen der Rechtsinteressenten wie zu den, systematische Gliederung erheischenden, praktisch-pädagogischen Bedürfnissen. Allein die rechtliche Gebundenheit an die festgelegte Interpretationsmethode des Schulhauptes und an die gegebenen Kommentare schloß, seit dem Abschluß der Itschtihadperiode, jede freie Bewegung aus und in den offiziellen Universitäten, wie etwa dem Akhbar in Kairo – der Vertreter jeder der vier orthodoxen Schulen als Lehrer umfaßt –, verwandelte sich die Lehre in ein äußerst mechanisches Vor- und Nachsprechen feststehender Sentenzen. – Wesentlich die Organisation des Islam: das Fehlen sowohl von Konzilien wie eines unfehlbaren Lehramts bedingte diese Entwicklung des heiligen Rechts zu einem stereotypierten Juristenrecht. Im praktischen Effekt blieb die unmittelbare *Geltung* des heiligen Rechts auf bestimmte fundamentale Institutionen, und zwar im ganzen auf einen nicht sehr wesentlich größeren Umkreis sachlicher Rechtsgebiete beschränkt, wie z. B. das mittelalterliche kanonische Recht. Nur hat der prinzipielle Universalismus der Herrschaft der heiligen Tradition die Konsequenz gehabt, daß unabweisliche Neuerungen regelmäßig sich auf ein für den Einzelfall eingeholtes oder erschlichenes Fetwâ oder auf die strittige Kasuistik der verschiedenen konkurrierenden orthodoxen Rechtsschulen stützen konnten. Daraus ergab sich neben der früher erwähnten mangelnden formalen Rationalität des Rechtsdenkens vor allem auch die Unmöglichkeit einer systematischen Rechtsschöpfung zum Zweck der inneren und äußeren Vereinheitlichung des Rechts. Das heilige Recht konnte weder beseitigt noch, trotz aller Adaptierungen, wirklich in der Praxis durchgeführt werden. Die gegebenenfalls vom Kadi oder den Interessenten, ganz nach römischer Analogie, einzuholenden maßgebenden Responsen der amtlich zugelassenen Juristen: Muftis mit dem Scheikh-ül-Islam an der Spitze, sind ungemein stark opportunistisch bedingt, schwankend von Person zu Person, ergehen nach Art der Orakel ohne Angabe rationaler Gründe und haben nicht das geringste zu einer Rationalisierung des Rechts beigetragen, vielmehr die Irrationalität des heiligen Rechts praktisch noch gesteigert. Und dabei gilt das heilige Recht nur als Standesrecht für die Rechtsgenossen des Islam, nicht für die unterworfenen Andersgläubigen. Die Folge war der Fortbestand der Rechtspartikularität in allen ihren Formen: sowohl als ständische für die verschiedenen geduldeten und teils positiv, teils negativ privilegierten Konfessionen, wie als Orts- oder Berufsgebrauch nach dem Satz: Willkür bricht Landrecht, so zweifelhaft hier wie anderwärts dessen Tragweite gegenüber den, ihrem Anspruch nach unbedingt geltenden, dabei aber schwankend interpretierten, heiligen Normen sein mußte. Das islamische Geschäftsrecht speziell hat in Fortbildung der spätantiken Rechtstechnik für den Handel Institutionen entwickelt, welche der Okzident teilweise direkt übernahm. Aber ihre Geltung war innerhalb des Islam zum erheblichen Teil nur durch die Verkehrsloyalität und den ökonomischen Einfluß der Kaufleute auf die Rechtsprechung garantiert, nicht durch Satzungen oder sichere Prinzipien eines rationalen Rechts; die heilige Tradition hätte den meisten dieser Institutionen eher bedrohlich werden können als daß sie sie gefördert hätte. Sie bestanden praeter legem.

Die Hemmung der inneren und äußeren Rechtseinheit ist naturgemäß diejenige Erscheinung, welche überall eintrat, wo mit der Geltung eines heiligen Rechts oder einer unabänderlichen Tradition überhaupt dauernd Ernst gemacht wurde, in China und Indien ebenso wie in den islamischen Rechtsgebieten. Sogar innerhalb des Islam selbst gilt die Rechtspersonalität für die rein orthodoxen Schulen wie im Karolingerreich für die Volksrechte. Die Schaffung einer „lex terrae", wie sie das englische Common Law von der Zeit der Eroberung an und ganz offiziell seit Heinrich II. war, wäre ganz unmöglich gewesen. Praktisch besteht heute in den großen islamischen Reichen überall der Dualismus weltlicher und geistlicher Rechtspflege: neben dem Kadi steht der weltliche Beamte, neben dem Scharîat das weltliche Amtsrecht: Quorum, welches, wie die Kapitulation der Karolinger, stets von Anfang an, schon seit der Ommajadenherrschaft, neben dem geistlichen Juristenrecht erwuchs und steigende Bedeutung gewann, je mehr das letztere sich stereotypierte. Es ist für den weltlichen Richter bindend, der in allen Angelegenheiten außer über Titel, Ehe, Erbrecht, Scheidung, unter Umständen Stiftungsgut und dadurch Grundbesitz überhaupt, entscheidet. Er fragt nach den Verboten des geistlichen Rechts überhaupt nicht, sondern entscheidet – da die Ingerenz des geistlichen Rechts jede systematische Geschlossenheit auch der weltlichen Gesetze ausschließt (der offizielle, von 1869 an publizierte türkische Kodex ist keine „Kodifikation", sondern eine Sammlung der hanefitischen Rechtsregeln) – in der Mehrzahl aller Fälle nach Ortsgebrauch. Eine logische Systematisierung des Rechts in formale juristische Begriffe ist durch diese Zustände ausgeschlossen. Die ökonomische Tragweite dieses Zustandes ist, wie wir sehen werden, nicht gering.

Im Schiitentum, welches in Persien die offizielle Konfession ist, steigert sich die Irrationalität des heiligen Rechts noch weiter. Es fehlen die immerhin relativ festen Anhaltspunkte, welche die sunnah gibt; der Glaube an den unsichtbaren, theoretisch mit Unfehlbarkeit ausgestatteten Imâm [Lehrer] ist dafür gewiß kein Ersatz. Die Zulassung der Richter erfolgt seitens des Schah der Sache nach unter sehr starker – für ihn als religiös illegitimen Herrscher auch unbedingt gebotener – Rücksichtnahme auf die Ansichten der örtlichen Honoratioren. Sie ist, auch der Sache nach, keine amtliche „Anstellung", sondern nur eine Plazierung der von den zünftigen Theologenschulen diplomierten Anwärter, und sie kennt zwar Sprengel, aber, wie es scheint, keine eindeutig feststehende Kompetenz des Einzelrichters. Vielmehr stehen oft mehrere von diesen konkurrierend nebeneinander zur Auswahl der Partei. Der charismatische Charakter dieser Rechtspropheten tritt auch darin deutlich hervor. Die streng sektiererische, durch zarathustrische Einflüsse in diesem Charakter noch gesteigerte Eigenart der Schia würde jeden ökonomischen Güterverkehr mit Ungläubigen als verunreinigend direkt rituell ausschließen, wenn nicht zahlreiche Fiktionen schließlich das praktisch vollständige Aufgeben dieser Ansprüche des heiligen Rechts und damit fast gänzliches Zurückziehen aus der Sphäre des ökonomisch und – seit der Konstitutionalismus durch Fetwas auf Grund von Koranstellen „begründet" wurde – auch des politisch Relevanten herbeigeführt hätten. Allein selbst bis heute ist die Theokratie dennoch weit entfernt davon, ökonomisch eine quantité négligeable zu sein. Für die Wirtschaft war und ist – neben der später zu erörternden Eigenart des orientalischen Patrimonialismus als Herrschaftsform – der theokratische Einschlag in der Justiz trotz aller zunehmenden Begrenztheit ihrer Sphäre von recht erheblicher Bedeutung. Weit weniger – hier ebenso wie anderwärts – kraft der positiven Normen des heiligen Rechts als wegen der prinzipiellen „Gesinnung" der Rechtspflege. Diese erstrebt „materiale" Gerechtigkeit, nicht formale Regelung eines Interessenkampfes. Sie urteilt daher, auch z. B. in Grundbesitzprozessen, soweit diese unter ihre Zuständigkeit fallen, sehr weitgehend nach konkreten Billigkeitsgesichtspunkten, um so leichter, wo ein kodifiziertes Recht fehlt, und entzieht sich daher in ihren Chancen der Berechenbarkeit („Kadijustiz"). Die Folge war z. B. für Tunis, solange und soweit die „Chance" (geistliches Gericht) für Grundbesitzprozesse zuständig blieb, die Unmöglichkeit kapitalistischer Ausbeutung des Bodens. Kapitalistischen Interessen gelang es, die Beseitigung dieser Zuständigkeit durchzusetzen. Der Vorgang ist typisch für die Wirkung, welche theokratische Rechtspflege der rationalen Wirtschaft überall, nur in verschieden fühlbarem Maß, entgegensetzt und kraft ihres immanenten Charakters entgegensetzen muß.

Das *jüdische* heilige Recht befand sich in einer dem islamischen formal ähnlichen, wennschon gerade entgegengesetzt bedingten Lage. Auch hier galt die Thora und die interpretierende und ergänzende heilige Tradition als universelle, dem Anspruch nach den gesamten Umkreis des Rechtslebens beherrschende Norm. Auch hier galt wie im Islam das heilige Recht nur für die Glaubensgenossen: dagegen war nicht, wie im Islam, ein herrschender Stand, sondern ein Pariavolk der Träger. Der Verkehr nach außen war infolgedessen rechtlich Fremdverkehr. Für ihn galten, sahen wir, teilweise andere ethische Normen. Für das Recht aber paßte sich dabei der Jude den in seiner Umwelt geltenden Normen soweit an, als ihm dies einerseits von jener Umwelt ermöglicht wurde und als nicht andererseits auf seiner Seite rituelle Bedenken entgegenstanden. Das alte Landorakel (Urim und Tummim) war schon in der Königszeit durch die lebendige Rechtsprophetie ersetzt, welche hier wirksamer als im germanischen Recht dem König die Zuständigkeit zum Erlaß von Rechtsgeboten bestritten hatte. Nachdem die „Nabi's" – Wahrsager und sicherlich auch Rechtspropheten – der Königszeit nach dem Exil durch das „Schriftgelehrtentum" – anfänglich, wie wir sahen, durchaus eine vornehme Literatenschicht hellenistischen Gepräges, später daneben auch ein Nebenberuf von Kleinbürgern – abgelöst worden waren, entwickelte sich spätestens im letzten vorchristlichen Jahrhundert die schulmäßige Behandlung ritueller und rechtlicher Fragen und damit die juristische Technik der Thoraausleger und konsultierenden Juristen an den beiden orientalischen Zentren des Judentums: Jerusalem und Babylon. Sie waren, ganz ähnlich den islamischen und indischen Juristen, Träger einer die Thora teils interpretierenden, teils aber auch von ihr selbständigen Tradition – Gott hatte sie Moses während seines 40tägigen Verkehrs mit ihm auf dem Sinai mitgeteilt –, durch deren Inhalt die offiziellen Institute, etwa die Leviratsehe, ganz ähnlich stark umgewandelt wurden, wie im Islam und in Indien. Ebenso wie dort war sie zunächst strenge mündliche Tradition. Die schriftliche Fixierung durch die „Tannaim" begann mit zunehmender Zersplitterung der Diaspora und Entwicklung der Schulmäßigkeit seit dem Beginn der christlichen Zeitrechnung (Schulen Hillel's und Schammai's), zweifellos zur Sicherung der Einheitlichkeit, nachdem die Bindung der Richter an die Responsen der konsultierenden Rechtsgelehrten und damit an die Präjudizien durchgeführt war. Wie in Rom und England pflegten die Gewährsmänner der einzelnen Rechtssprüche zitiert zu werden und Lehre, Prüfung und Konzessionierung traten nun endgültig an die Stelle der formell freien Rechtsprophetie. Die Mischna ist noch Produkt der Tätigkeit der Respondenten selbst, gesammelt von dem Patriarchen Judah. Die offiziellen Kommentare dazu (gemara) waren dagegen das Produkt der Tätigkeit *lehrender* Juristen der amoraim, hervorgegangen aus den Interpreten, welche die hebräischen Vorleser der gebotenen Stelle bei den Hörern ins Aramäische übersetzten und interpretierten. Sie führten in Palästina den Titel „Rabbi", in Babylon einen entsprechenden („mor"). Eine „dialektische" Behandlung nach Art der okzidentalen Theologie fand sich wesentlich an der Pambedita-„Akademie" in Babylon; aber diese Methode ist in der späteren Zeit der Orthodoxie grundsätzlich verdächtig geworden und ist heute verpönt: eine spekulative theologische Behandlung der Thora ist seitdem unmöglich. Deutlicher als in Indien und im Islam waren dogmatisch-erbauliche und juristische Bestandteile der Tradition – haggada und halacha – arbeitsteilig und auch literarisch geschieden. Äußerlich rückte das Zentrum der Gelehrtenorganisation zunehmend nach Babylon. Seit der hadrianischen Zeit nachweislich und bis in das 11. Jahrhundert residierte dort der Reschgalat (Exilarch). Sein in der davidischen Familie erbliches Amt war von den pertifischen und persischen, dann den islamischen Fürsten staatlich anerkannt, mit einem pontifikalen Hofhalt ausgestattet und mit Jurisdiktion, lange Zeit auch krimineller, zuletzt unter den Arabern, mit geistlicher Exkommunikationsgewalt ausgestattet. Die Träger der Rechtsentwicklung waren die beiden konkurrierenden Akademien der Sure und der schon erwähnten Pambedita – die erste die vornehmere –, deren Vorsitzende, die Gaonen, richterliche Tätigkeit als Sanhedrinmitglieder mit konsultierender Praxis für die gesamte Diaspora und mit akademischer Rechtslehre verbanden. Der Gaon wurde teils von den zugelassenen Lehrern gewählt, teils vom Exilarchen ernannt. Die äußere akademische Organisation glich den mittelalterlichen und orientalischen Schulen. Die ständigen Studenten lebten im Internat; zu ihnen traten im Kallahmonat massenhaft reifere Hörer, Reflektanten auf Rabbinenstellen, von auswärts, um den seminaristischen Talmuddiskussionen beizuwohnen. Seine Responsen gab der Gaon teils direkt von sich aus, teils nach vorangegangener Diskussion im Kallah oder mit den Studenten. Rein äußerlich trat die literarische Arbeit der Gaonen (etwa seit dem 6. Jahrhundert), als reiner Kommentatoren, wesentlich bescheidener auf als die ihrer Vorgänger, der Amoraim und selbst noch der Nachfolger der letzteren, der Saboraim, von denen die ersteren die Mischna schöpferisch ausgelegt, die letzteren noch relativ frei kommentiert hatten, und vollends der Tannaim. Aber praktisch setzten sie vermöge der festen Organisation ihres Betriebs die Überlegenheit der Geltung des babylonischen gegenüber dem jerusalemitischen Talmud durch. Zwar galt diese Suprematie vornehmlich in den islamischen Ländern, aber bis ins 10. Jahrhundert fügte sich auch der Okzident. Erst seitdem und seit dem Erlöschen des Exiliarchenamts (durch Verfolgung) emanzipierte sich der Westen von dem örtlichen Einfluß. Die fränkischen Rabbinen setzten in der Karolingerzeit z. B. den Übergang zur Monogamie durch und nach den von der Orthodoxie freilich als rationalistisch abgelehnten wissenschaftlichen Arbeiten des Maimonides und des Ascher gelang es schließlich dem spanischen Juden Josef Kare, im „Schulchan Aruch" ein im Vergleich mit den islamischen kanonischen Systemen sehr handliches und kurzes Kompendium zu schaffen, welches der Sache nach die Autorität der talmudischen Responsen ersetzte und z. B. in Algier, aber vielfach auch *im* kontinentalen Europa wie ein Gesetzbuch die Praxis beherrschte. Formell zeigte die eigentlich talmudische Jurisprudenz jene typischen Eigenschaften heiliger Rechte, deren starkes Hervortreten hier aus der starken Schulmäßigkeit und der – gerade in der Zeit der Entstehung der Mischnakommentare – relativ, im Gegensatz zu früheren sowohl wie späteren Epochen, gelockerten Beziehung zur Gerichtspraxis folgen mußten: ein starkes Überwiegen rein theoretisch konstruierter praktisch unlebendiger Kasuistik, welche bei den engen Schranken rein rationaler Konstruktion doch nicht zu einer eigentlichen Systematik sich fortbilden konnte. Die kasuistische Sublimierung des Rechts war an sich keineswegs gering. Lebendes und totes Recht aber wurden ineinander verschlungen, juristisch bindende und ethische Normen nicht geschieden.

Inhaltlich waren schon in vortalmudischer Zeit massenhafte Rezeptionen vollzogen worden: aus der vorderasiatischen, zunächst vorwiegend babylonischen, dann hellenistisch und byzantinisch beeinflußten Umwelt. Aber nicht alles, was im jüdischen Recht dem gemeinen vorderasiatischen Recht entspricht, ist rezipiert und andererseits erscheint die gelegentliche moderne Hypothese, daß die Juden wichtige Rechtsinstitute des kapitalistischen Verkehrsrechtes auf dem Boden ihres eigenen Rechtes entwickelt und dann in den Okzident importiert hätten, etwa: das Inhaberpapier, wie behauptet worden ist, schon an sich unwahrscheinlich. Urkunden mit Teilhaberklausel sind dem babylonischen Recht der Zeit Hammurabis bekannt und fraglich kann nur sein, ob sie rechtlich Legitimations- oder nicht Inhaberpapiere waren. Die ersteren kannte auch das hellenistische Recht. Aber die Rechtskonstruktion ist eine andere als bei den okzidentalen, durch die germanische Auffassung der Urkunde als „Trägers" des Rechts bedingten und dadurch im Sinn der „Kommerzialisierung" ungleich wirksameren Inhaberurkunden, und auch die Provenienz der Vorfahren des okzidentalen Wertpapiers gerade aus Interessen des frühmittelalterlichen *Prozesses* in dessen nationalen Formen ist zu evident, als daß hier ein Einfluß gerade jüdischer Rechtspraxis besonders wahrscheinlich wäre. Denn die Klauseln, welche den „Wertpapier"-Charakter der Urkunde vorbereiteten, dienten ursprünglich keineswegs kommerziellen, sondern rein prozessualen Zwecken; vor allem: die fehlende prozessuale Stellvertretung zu ersetzen. Bisher ist ein Import gerade durch Juden für kein einziges Rechtsinstitut sicher nachweisbar. Nicht im Okzident, sondern im Orient hat das jüdische Recht eine wirkliche Rolle als rezipiertes Recht fremder Völker gespielt. Wichtige Bestandteile des mosaischen Rechts sind mit der Christianisierung in das armenische Recht als eine der Komponenten von dessen weiterer Entwicklung rezipiert worden. Im Kazarenreiche war das Judentum die offizielle Religion und dadurch gewann das jüdische Recht dort in aller Form Geltung. Und endlich scheint die Rechtsgeschichte der Russen wahrscheinlich zu machen, daß auf diesem Wege gewisse Bestandteile auch des ältesten russischen Rechts unter dem Einfluß jüdisch-talmudischer Rechtssätze entstanden sind. Dagegen der Okzident kennt Ähnliches nicht. Soweit sich dort ein Import von Geschäftsformen unter ihrer Vermittlung vollzogen haben sollte – was gewiß nicht als unmöglich gelten kann –, wären dies wohl schwerlich national-jüdische, sondern syrisch-byzantinische und möglicherweise auf dem Umweg über diese hellenistische und schließlich vielleicht gemeinorientalische, im Ursprung auf babylonisches Recht zurückgehende Institutionen gewesen. Es ist zu berücksichtigen, daß beim Import der orientalischen Handelstechnik in den Okzident, wenigstens in der Spätantike, mit den Juden vor allem die Syrer konkurrierten. Das genuin jüdische Recht als solches, gerade auch das Obligationenrecht, ist schon seinem formalen Charakter nach, trotz einer freien Entwicklung der rechtsgeschäftlichen Typen, doch keineswegs ein besonders geeigneter Nährboden für solche Institute gewesen, wie sie der moderne Kapitalismus braucht. Um so mächtiger ist natürlich der Einfluß des jüdischen heiligen Rechts im internen Leben der Familie und Synagoge gewesen. Auch hier insbesondere soweit es „Ritus" war. Denn die ökonomischen Normen waren teils (wie das Sabbatjahr) auf das heilige Land beschränkt (auch hier ist es jetzt durch Dispens der Rabbinen beseitigt), teils wurden sie durch die Veränderung der Wirtschaftsverfassung obsolet oder konnten, wie überall, durch konstruktive Handlungen praktisch umgangen werden. Es war schon vor der Judenemanzipation von Ort zu Ort sehr verschieden, in welchem Umfang und Sinn das heilige Recht noch gültig war. Formal bot es keine Besonderheiten gegenüber anderen seinesgleichen. Als Partikularrecht und als immerhin nur unvollkommen rational systematisiertes und rationalisiertes, kasuistisch und doch nicht rein logisch durchgebildetes Recht zeigt das jüdische heilige Recht vielmehr die allgemeinen Eigenarten eines unter der Kontrolle heiliger Normen und ihrer Bearbeitung durch Priester und theologische Juristen entwickelten Produkts. Wir haben hier, so interessant das Thema an sich ist, keinen Anlaß zu einer speziellen Betrachtung.

Das kanonische Recht des *Christentums* nahm gegenüber allen anderen heiligen Rechten eine mindestens graduelle Sonderstellung ein. Es war zunächst in beträchtlichen Partien wesentlich rationaler und stärker formal juristisch entwickelt als die anderen heiligen Rechte. Und es stand ferner von Anfang an in relativ klarem Dualismus mit leidlich deutlicher Scheidung der beiderseitigen Gebiete, wie sie in dieser Art anderwärts nirgends existiert hat, dem profanen Recht gegenüber. Dies letztere war zunächst die Konsequenz des Umstandes, daß die Kirche in der Antike jahrhundertelang jegliche Beziehung zu Staat und Recht abgelehnt hatte. Der relativ rationale Charakter aber ergab sich als Folge verschiedener Umstände. Als die Kirche ein Verhältnis zu den profanen Mächten zu suchen sich veranlaßt sah, legte sie sich, wie wir sahen, diese Beziehung mit Zuhilfenahme der stoischen Konzeptionen des „Naturrechtes" zurecht, eines rationalen Gedankengebildes also. In ihrer eigenen Verwaltung ferner lebten die rationalen Traditionen des römischen Rechtes weiter. Bei Beginn des Mittelalters suchte alsdann die okzidentale Kirche bei der ersten eigentlich systematischen Rechtsbildung, welche sie schuf: den Bußordnungen, Anlehnung gerade an die am meisten formalen Bestandteile des germanischen Rechtes. Im Mittelalter sonderte dann die abendländische Universitätsbildung den Lehrbetrieb der Theologie auf der einen Seite und den des weltlichen Rechts auf der anderen von der kanonischen Rechtslehre und hemmte so die Entstehung theokratischer Mischbildungen, wie sie überall sonst eingetreten sind. Die streng logische und fachjuristische Methodik, welche an der antiken Philosophie einerseits, an der antiken Jurisprudenz andererseits geschult war, mußte auch auf die Behandlung des kanonischen Rechts sehr stark einwirken. Die Sammlertätigkeit der kirchlichen Rechtskundigen hatte sich daher hier nicht auf Responsen und Präjudizien – wie fast überall sonst –, sondern auf Konzilsschlüsse, amtliche Reskripte und Dekretalen zu richten und, was nur auf dem Boden dieses Kirchentums geschehen ist, solche eventuell zweckbewußt durch Fälschung zu schaffen (Pseudoisidor). Und schließlich und vor allem wirkte auf den Charakter der kirchlichen Rechtssatzung der – nach Ablauf der charismatischen Epoche der alten Kirche – für die kirchliche Organisation charakteristische rationale, bürokratische *Amts*charakter ihrer Funktionäre, der, nach der feudalen Unterbrechung im frühen Mittelalter, seit der gregorianischen Zeit wieder auflebte und alleinherrschend wurde. Auch er war Folge der Anknüpfung an die Antike. In ungleich stärkerem Maße als irgendeine andere religiöse Gemeinschaft hat daher die okzidentale Kirche den Weg der Rechtsschöpfung durch rationale Satzung beschritten. Und die streng rationale hierarchische Organisation der Kirche erleichterte ihr auch, im Wege von allgemeinen Verfügungen ökonomisch undurchführbare und daher lästige Satzungen als dauernd oder zeitweilig obsolet zu behandeln, wie wir dies (in anderem Zusammenhang) für das Wucherverbot sehen. So wenig trotzdem das kanonische Recht in zahlreichen Einzelfällen die spezifische Eigenart theokratischer Rechtsbildung: Vermischung von materialen legislatorischen Motiven und materialen sittlichen Zwecken mit den formal juristisch relevanten Bestandteilen der Satzungen und die daraus folgende Einbuße an Präzision verleugnete, so war es doch von allen heiligen Rechten am meisten an streng formaler juristischer Technik orientiert. Es fehlte hier die Fortbildung durch respondierende Juristen, wie sie dem islamischen und jüdischen Recht eigen war, und das Neue Testament enthielt nur ein solches Minimum formal bindender Normen rituellen oder rechtlichen Charakters – eine Folge der eschatologischen Weltabgewendetheit –, daß eben dadurch die Bahn völlig frei war für rein rationale Satzung. Eine Analogie zu den Muftis, Rabbinen und Gaonen stellten erst die gegenreformatorischen Beichtväter und directeurs de l'âme und, in den altprotestantischen Kirchen, Pastoren dar, deren seelsorgerische Kasuistik denn auch, wenigstens auf katholischem Boden, gewisse entfernte Ähnlichkeiten mit den talmudischen Produkten aufweist. Aber alles unterstand hier der Kontrolle der zentralen Behörden der Kurie und nur durch deren höchst elastische Anordnungen erfolgte die Fortbildung der bindenden ethisch sozialen Normen. Dadurch ist hier das zwischen sakralem und profanem Recht sonst nirgends bestehende Verhältnis entstanden: daß das kanonische Recht für das profane Recht geradezu einer der Führer auf dem Wege zur Rationalität wurde. Und zwar infolge des rationalen „Anstalts"-Charakters der katholischen Kirche, der sonst sich nirgends wiederfindet. Auf dem Gebiet des materiellen Rechts waren neben Einzelheiten, wie der Spolienklage und dem Summariissimum, der Anerkennung des formlosen Vertrages, vor allem aber der Unterstützung der Testierfreiheit im Interesse letztwilliger frommer Stiftungen, prinzipiell von größter Bedeutung die kanonistischen Korporationsbegriffe: die Kirchen waren die ersten „Anstalten" im Rechtssinn und mit von da aus begann die juristische Konstruktion der öffentlichen Verbände als Korporationen. Davon wurde schon gesprochen. Die direkte praktische Tragweite des kanonischen Rechts im Umkreise des uns hier vorwiegend interessierenden materiellen Zivilrechts, vor allem des Geschäftsrechts, war im übrigen schwankend, im ganzen aber, sogar im Mittelalter, gegenüber dem weltlichen Rechte relativ gering. In der Antike, selbst bis zu Justinian, hatte es nicht einmal die wirkliche rechtliche Beseitigung der freien Ehescheidung durchzusetzen vermocht und war die geistliche Gerichtsbarkeit rein freiwillig geblieben. Die prinzipielle Schrankenlosigkeit des Anspruchs auf materiale Beherrschung der gesamten Lebensführung, welche es mit allen theokratischen Rechten teilte, blieb im Okzident für die juristische Technik um deswillen relativ unschädlich, weil in Gestalt des römischen Rechts ein formal zu ungewöhnlicher Vollendung gediehenes und durch die historische Kontinuität zum universalen Weltrecht gestempeltes profanes Recht ihm Konkurrenz machte: die alte Kirche selbst hatte das römische Imperium und sein Recht als für die Dauer der diesseitigen Welt endgültig bestehend behandelt. Gegen die Ansprüche des kanonischen Rechts aber reagierten einerseits die ökonomischen Interessen des Bürgertums, auch der mit dem Papst verbündeten italienischen Städte, sehr energisch und im Resultat erfolgreich. Wir finden in den städtischen und Gildestatuten, in den ersteren auch in Deutschland, in beiden in Italien, scharfe Strafbestimmungen gegen Bürger, welche das geistliche Gericht umgehen und daneben fast zynisch wirkende Reglements über die Pauschalablösung der wegen „Wucher" verwirkten geistlichen Strafen von Zunft wegen. Und daneben erhoben sich in den rationalen Advokatenzünften und Ständeversammlungen gegen das kirchliche Recht die gleichen materiellen und ideellen Klasseninteressen der Rechtsinteressenten und vor allem auch der Rechtspraktiker, wie, teilweise, auch gegen das römische. Sein Einfluß auf die profane Justiz lag, von Einzelinstitutionen abgesehen, hauptsächlich auf dem Gebiet des Prozeßverfahrens. Hier hat das Streben aller theokratischen Justiz nach *materialer* und absoluter, nicht nur formaler, Wahrheit, im Gegensatz zu dem formalistischen und auf der Verhandlungsnexion ruhenden Beweisrecht des profanen Prozesses, besonders frühzeitig eine rationale, aber freilich spezifisch materiale Methodik des Offizialverfahrens entwickelt. Eine theokratische Justiz kann die Wahrheitsermittlung nicht der Parteiwillkür überlassen, ebensowenig wie die Sühne geschehenen Unrechts. Sie verfährt „von Amts wegen" (Offizialmaxime) und schafft sich ein Beweisverfahren, welches ihr die Gewähr optimaler Feststellung des wirklich Geschehenen zu bieten scheint: im Okzident den „Inquisitionsprozeß", den dann die weltliche Strafjustiz übernahm. Der Kampf um das materiale kanonische Recht wurde im Okzident späterhin eine wesentlich politische Angelegenheit und seine heute noch bestehenden Ansprüche liegen in ihrer praktischen Bedeutung nicht mehr auf Gebieten, welche ökonomisch relevant sind.

In den orientalischen Kirchen wurde die Lage, infolge des Fehlens eines unfehlbaren Lehramts und konziliarer Gesetzgebung, seit dem Ausgang der frühbyzantinischen Zeit ähnlich derjenigen im Islam. Nur daß wenigstens der byzantinische Monarch wesentlich stärkere cäsaropapistische Prätensionen erhob, als die Sultane des Ostens sie nach der Loslösung des Sultanats vom abbâsidischen Khalifat erheben konnten und als auch die Türkensultane sie, selbst nach der Übertragung des Khalifats von Mutawakkil auf Sultan Selim, geltend gemacht haben, von der prekären Legitimität der persischen Schahs gegenüber ihren schiitischen Untertanen ganz zu schweigen. Immerhin hat weder der spätbyzantinische noch haben die russischen und sonstigen cäsaropapistischen Herrscher den Anspruch erhoben, neues heiliges Recht setzen zu können. Es fehlte folglich dafür jedes Organ, auch Rechtsschulen nach Art der islamischen, gänzlich, und die Folge war, daß das kanonische Recht hier, auf seine ursprüngliche Sphäre beschränkt, gänzlich stabil, aber auch gänzlich einflußlos auf das ökonomische Leben blieb.

§ 6. Imperium und patrimonialfürstliche Gewalten in ihrem Einfluß auf die formalen Qualitäten des Rechts. Die Kodifikationen.

Die zweite *autoritäre* Macht, welche in den Formalismus und Irrationalismus der alten dinggenossenschaftlichen Justiz eingreift, ist das *Imperium* (Banngewalt, Amtsgewalt) der Fürsten, Magistrate und Beamten. Es bleibt die Erörterung desjenigen Sonderrechts, welches der Fürst für seine persönliche Gefolgschaft, für seine beamteten Untergebenen und vor allem: für sein Heer schafft, und welches in recht wirksamen Resten auch bis heute weiter besteht, hier ganz beiseite. Es haben diese Rechtsschöpfungen in der Vergangenheit zu höchst wichtigen Partikularrechtsbildungen: Klientelrecht, Dienstrecht, Lehenrecht, geführt, welche alle, in der Antike wie im Mittelalter, dem gemeinen Recht und der normalen Judikatur sich entzogen und in sehr verschiedener und komplizierter Art dagegen abgrenzten. Denn ungeachtet der politischen Wichtigkeit dieser Erscheinungen tragen sie keine eigene formale Struktur an sich. Je nach dem allgemeinen Charakter des Rechts unterstanden diese Partikularitäten entweder, wie die Klientel im Altertum, einer Mischung von sakralen Normen einerseits und konventionellen Regeln andererseits, oder trugen sie, wie das Dienst- und Lehenrecht im Mittelalter, ständischen Charakter, oder sind sie endlich, wie das heutige Beamten- und Militärrecht, teils Spezialnormen des Verwaltungs- und Staatsrechts, teils einfach materiellen und prozessualen Sonderinstanzen unterstellt. Für uns handelt es sich vielmehr um die Einwirkung des Imperium auf das *gemeine* Recht selbst, auf dessen Abänderung oder auf die Entstehung eines neben, statt oder gegen das gemeine Recht ebenfalls allgemein geltenden Rechtes und vor allem: um die Einwirkung dieses Zustands auf die formale Struktur des Rechts überhaupt. Nur das eine ist allgemein festzustellen: das Maß der Entwicklung von Sonderrechten dieser Art ist allerdings eine Art von Maßstab für das gegenseitige Kräfteverhältnis des Imperium zu den Schichten, mit denen es als Trägern seiner Macht zu rechnen hat. Das englische Königtum hat durchgesetzt, daß ein Lehenrecht als Sonderrecht in der Art, wie in Deutschland, dort nicht entstand, sondern in der einheitlichen „lex terrae", dem Common Law, aufging. Dafür ist freilich das gesamte Bodenbesitz-, Familien- und Erbrecht stark feudal geprägt. Das römische Statutarrecht hat von der Klientel in einigen Einzelbestimmungen, wesentlich Verfluchungsformeln, Notiz genommen, im übrigen aber dies für die soziale Stellung des römischen Adels wichtige Institut in das Gebiet der Regelung durch das bürgerliche Recht absichtlich nicht einbezogen. Die italienischen Statuten des Mittelalters haben, ähnlich dem englischen Recht, eine einheitliche lex terrae geschaffen. Auf dem mitteleuropäischen Kontinent hat derartiges erst der absolute Fürstenstaat unternommen, und zwar meist unter Schonung des materiellen Bestandes dieser Sonderrechte, welche erst durch die moderne Staats*anstalt* ganz aufgesogen wurde.

Woher der Fürst oder Magistrat oder Beamte die Legitimation und faktische Macht zur Schaffung oder Beeinflussung des gemeinen Rechts nahm und wieweit diese Macht in den einzelnen geographischen und sachlichen Rechtsgebieten reichte, bleibt ebenso wie die Besprechung der Motive seines Eingreifens der Erörterung der Herrschaftsformen vorbehalten. Tatsächlich war jene Macht höchst verschieden geartet und hat dementsprechend auch verschiedene Resultate hervorgebracht. Ganz allgemein pflegt eine der ersten Schöpfungen der fürstlichen Banngewalt ein rationales Strafrecht zu sein. Militärische ebenso wie allgemeine „Ordnungs"-Interessen drängten zur Regelung gerade dieses Gebiets. Nach der religiösen Lynchjustiz ist die fürstliche Amtsgewalt die zweite Hauptquelle eines gesonderten „Strafprozesses". Sehr oft sind direkt priesterliche Einflüsse bei dieser Entwicklung beteiligt gewesen. So im Bereich des Christentums das Interesse an der Ausrottung der Blutrache und des Zweikampfs. Der russische knjás, der in der älteren Zeit bloße Schiedsrichterfunktionen beansprucht, schafft unter dem Einfluß der Bischöfe sofort nach der Christianisierung ein kasuistisches Strafrecht: der Begriff „Strafe" (prodascha) taucht auch terminologisch erst jetzt auf. Ähnlich im Okzident; und auch im Islam und zweifellos in Indien sind die rationalen Tendenzen der Priesterschaft mitbeteiligt. Und es scheint plausibel, daß auch die detaillierten Wergeld- und Bußtarifierungen aller alten Rechtssatzungen stets entscheidend durch fürstliche Einflüsse bestimmt wurden. Das Ursprüngliche scheint, nachdem sich überhaupt typische Sühnebedingungen entwickelt hatten, überall – wie Binding für das deutsche Recht gezeigt hat – das Nebeneinander eines Hauptbußsatzes für den Totschlag und äquivalente, Blutrache heischende Verletzungen und eines weit kleineren Bußsatzes für unterschiedslos alle anderen Frevel zu sein. Wohl unter fürstlichem Einfluß entstanden nun jene fast grotesken Taxen für alle nur erdenklichen Frevel, die Jedermann gestatteten, sich sowohl vor Begehung der Tat wie vor Beschreitung des Rechtswegs zu überlegen, ob es sich „lohne". Das starke Vorwalten rein ökonomischer Betrachtung der Straftaten und der Strafe ist allen bäuerlichen Schichten aller Zeiten gemeinsam. Der Formalismus der festen Abmessung der Bußen aber entspringt der Ablehnung der Willkür des Herren. Dieser strenge Formalismus macht daher überall erst bei patriarchaler Entwicklung der Justiz einer elastischeren, schließlich zuweilen völlig arbiträren Strafzumessung Platz.

Auf dem Gebiet des „bürgerlichen" Rechts, dessen Sphäre der Banngewalt der Fürsten nirgends so zugänglich sein konnte, wie die als Sache formaler Ordnungs- und Sicherheitsgarantie betrachtete Strafrechtspflege, zeigt sich überall ein viel späteres und in der Form sowohl wie im Ergebnis sehr verschiedenes Eingreifen des Imperiums. Teilweise entstand ein fürstliches oder magistratisches Recht, welches dem gemeinen Recht gegenüber ganz ausdrücklich auf die besondere Quelle, der es entstammte, Bezug nahm. So das römische „ius honorarium" des prätorischen Edikts, das „writ"-Recht des englischen Königs und die „equity" des englischen Lordkanzlers. Der Gerichtsbann der mit der Justizverwaltung betrauten Beamten schuf sie, gestützt auf die an den Bedürfnissen der Rechtsinteressenten orientierten Tendenzen der Rechtspraktiker, vor allem der Konsulenten (Rom) und Advokaten (England) also der Rechtshonoratiorenschichten, kraft seiner Macht, entweder den entscheidenden Richter bindend zu instruieren (Prätor) oder den Parteien bindende Befehle (injunctions) zu erteilen – was in England im Streit mit den ordentlichen Gerichten durch Jacob I. dem Lordkanzler (Fr. Bacon) generell zugestanden wurde – oder die Prozesse freiwillig oder zwangsweise an sich selbst oder an ein besonderes Gericht zu ziehen (in England an die Königsgerichte und später an den Chancery Court). Sie schufen damit neue Rechtsmittel, welche im Effekt das geltende gemeine Recht (ius civile, Common Law) weitgehend außer Geltung setzten. Gemeinsam ist dabei diesen späteren amtsrechtlichen Neuschöpfungen von materiellem Recht, daß sie an das Bedürfnis nach rationaler Gestaltung des Prozesses anknüpften, welches vornehmlich von rational wirtschaftenden, d. h. von bürgerlichen, Schichten ausging. Der sehr alte Interdiktionsprozeß und die estimes in factum machen es sicher, daß der römische Prätor nicht erst seit der lex Achatia seine beherrschende Stellung im Prozeß: die Instruktionsgewalt gegenüber den Geschworenen, innehatte. Aber wie ein Blick auf den materiellen rechtlichen Gehalt des Edikts zeigt: die Verkehrsbedürfnisse des Bürgertums mit zunehmender Verkehrsintensität schufen das Formularverfahren in seiner ediktmäßigen Geregeltheit. Und damit verbunden das Bedürfnis nach Beseitigung gewisser ursprünglich magisch bedingter Formalismen. In England und Frankreich war es (wie in Rom) die Entbindung vom Wortformalismus und (in England) den Ladungsformalitäten (Ladung sub poena durch den König) die Zulassung der Vernehmung der Parteien unter Eid (sehr verbreitet im Okzident), in England die jury und ferner, hier wie anderwärts die Beweiskraft der Protokolle, der Ausschluß der für das Bürgertum unerträglichen irrationalen Beweismittel, speziell des Zweikampfs, was die Hauptanziehungskraft der Königsgerichte bildete. Materiellrechtliche Neuschöpfungen kamen auf dem Boden der Equity in England erst seit dem 17. Jahrhundert in größerem Umfang vor. Ludwig IX. ebenso wie Heinrich II. und seine Nachfolger (namentlich Edward III.) schufen daher vor allem ein (relativ) rationales Beweisverfahren und beseitigten überhaupt die Reste des dinggenossenschaftlichen und magischen Formalismus. Die „Equity" des englischen Lordkanzlers endlich beseitigte für ihren Bereich prozessual die große Errungenschaft des königsgerichtlichen Prozesses: die jury, für den Umkreis der neuen Rechtsmittel wieder, so daß der heutige formale Unterschied des auch in Amerika noch bestehenden Rechtsdualismus zwischen „Common Law" und „Equity" – den Rechtsbehelfen, zwischen denen der Kläger in vielen Fällen die Wahl hat –, in dem Fehlen der jury hier, ihrer Mitwirkung dort, liegt. Da die technischen Mittel des Amtsrechts im ganzen aber ebenfalls rein empirischen und durchaus formalistischen Charakter hatten (besonders oft, schon in fränkischen Kapitularien, Gebrauch von Fiktionen), ganz entsprechend dem Charakter jedes aus der Rechtspraxis direkt herausgewachsenen Rechtes, so blieb auch der technische Charakter des Rechtes dabei unverändert. Ja es erfuhr dessen Formalismus zuweilen noch eine Steigerung, obwohl – wie schon der Name „equity" zeigt – auch materiale ideologische Postulate an das Recht den Anstoß zum Eingreifen geben konnten. Es handelt sich hier eben um einen Fall, wo das Imperium mit einer Rechtspflege in Konkurrenz trat, deren Legitimität ihm selbst unantastbar blieb und deren allgemeine Grundlagen es daher akzeptieren mußte, soweit nicht – wie beim Wortformalismus und der Beweisirrationalität – ihm sehr starke Tendenzen der Rechtsinteressenten entgegenkamen.

Eine Steigerung der Macht des Imperiums bedeuten demgegenüber jene Fälle, wo direkt eine Umgestaltung des geltenden Rechts durch neue, im gleichen Sinne als „gemeines" Recht geltende Anordnungen des Fürsten in Anspruch genommen wird, wie in einem Teil der fränkischen Kapitularien (den capitula legibus addenda), in den Ordonnanzen und Verfügungen der Signorien der italienischen Städte und in den späteren, wie leges geltenden Verfügungen des römischen Prinzipats (die erste Kaiserzeit kannte nur Verfügungen, welche die Beamten banden). Freilich handelt es sich dabei meist um Bestimmungen, welche mit Zustimmung der Honoratioren (Senat, Reichsbeamtenversammlung), teilweise sogar mit Zustimmung der Vertreter der Dinggenossenschaften erlassen waren. Auch blieb, wenigstens beim fränkischen Stamm, dies Bewußtsein, daß diese Verfügungen nicht wirkliches „Recht" schaffen konnten, lange lebendig und eine sehr fühlbare Erschwerung der fürstlichen Rechtsschöpfung. Von da aus führen zahlreiche Übergänge bis zu dem faktisch ganz souveränen Schalten militärischer Diktatoren des Okzidents oder patrimonialer Fürsten des Orients über das geltende Recht.

Auch die patrimonialfürstliche Rechtsschöpfung freilich pflegt die Tradition normalerweise weitgehend zu respektieren. Aber je mehr es ihr gelungen ist, die dinggenossenschaftliche Rechtspflege ganz zu beseitigen – und die Tendenz dazu hat sie meist – desto freier bewegt sie sich und desto mehr kann sie dann die ihr spezifischen formalen Qualitäten dem Recht aufprägen. Diese aber können zweierlei sehr verschiedenen Charakter haben – wie wir später sehen werden –, entsprechend den verschiedenen politischen Existenzbedingungen der patrimonialen Fürstenmacht.

Entweder nämlich vollzieht sich die Rechtsschöpfung mehr in der Art, daß der Fürst, dessen eigene politische Macht als ein von ihm legitim erworbenes subjektives Recht gilt in gleicher Art, wie irgendwelche gewöhnlichen Vermögensrechte, von dieser Machtfülle etwas abveräußert, indem er anderen: – Beamten, Untertanen, fremden Händlern oder wer sie seien, Einzelnen oder Verbänden – unter seiner Garantie ebenfalls *subjektive* Rechte (Privilegien) verleiht, deren Existenz dann von der fürstlichen Rechtspflege respektiert wird. Soweit dies der Fall ist, fallen dann „objektives" und „subjektives" Recht, „Norm" und „Anspruch" in der Art in eins, daß die Rechtsordnung – denkt man sich den Zustand in seine letzten Konsequenzen aus – den Charakter eines Bündels von lauter Privilegien annehmen müßte. Oder gerade umgekehrt: Der Fürst verleiht Niemandem Ansprüche, welche für ihn selbst und seine Justiz bindend wären. Sondern entweder gibt er nur Befehle von Fall zu Fall und nach seinem ganz freien Ermessen. Soweit dies der Fall ist, fehlt selbst der Begriff sowohl eines „objektiven" wie eines „subjektiven" Rechts. Oder er erläßt Reglements, welche generelle Anweisungen an seine Beamten enthalten. Der Inhalt geht, begrifflich gefaßt, dahin: Die Angelegenheiten der Beherrschten und ihre Streitigkeiten in der generell bestimmten Art zu ordnen und zu schlichten, bis auf etwaige anderweite Verfügung. Dann ist die Chance des einzelnen Rechtsinteressenten, eine bestimmte Art von Entscheidung zugunsten seiner Wünsche und Interessen zu empfangen, nicht dessen „subjektives Recht", sondern nur der faktische, rechtlich ihm unverbürgte „Reflex" jener Bestimmungen der Reglements. Im gleichen Sinne, wie die Erfüllung der Wünsche eines Kindes durch seinen Vater, der sich an formale juristische Prinzipien und vollends an feste Formen einer

Prozedur ebenfalls nicht bindet. Und in der Tat bedeuten die extremen Konsequenzen einer „landesväterlichen" Rechtspflege nur eine Übertragung des intrafamilialen Austrags von Streitigkeiten auf den politischen Verband. Die gesamte Rechtspflege würde sich, wenn man diesen Zustand in seine Konsequenzen getrieben denkt, in „Verwaltung" auflösen.

Wir wollen die erste der beiden Formen als die *„ständische"*, die zweite als die *„patriarchale"* Art der patrimonialfürstlichen Rechtspflege bezeichnen. Bei der ständischen Rechtspflege und Rechtsschöpfung ist die Rechtsordnung zwar streng formal, aber durchaus konkret und in diesem Sinne irrational. Es kann sich nur eine „empirische" Rechtsinterpretation entwickeln. Alle „Verwaltung" ist auf Schritt und Tritt: Verhandlung, Feilschen, Paktieren über „Privilegien", deren Bestand sie feststellen muß, und sie verläuft daher in der Art eines Gerichtsverfahrens, scheidet sich von der Rechtspflege formell nicht. So, wie schon früher erwähnt, das Verwaltungsverfahren des englischen Parlaments und ebenso der großen alten königlichen Behörden, die ursprünglich alle Verwaltungs- und Gerichtsbehörden zugleich waren. Denn das wichtigste und einzige voll entwickelte Beispiel des „ständischen" Patrimonialismus ist der okzidentale politische Verband des Mittelalters. Bei der rein „patriarchalen" Rechtsverwaltung ist gerade umgekehrt, soweit von einem „Recht" hier, wo das „Reglement" herrscht, überhaupt die Rede sein kann, dieses durchaus unformal. Die Rechtsverwaltung erstrebt materiale Wahrheitsermittlung und sprengt daher das formal gebundene Beweisrecht. Sie gerät dadurch oft in Konflikt mit den alten magischen Prozeduren und das Verhältnis des profanen zum sakralen Prozeß gestaltet sich verschieden. So kann in Afrika der Kläger nicht selten vor dem Urteil des Fürsten an das Gottesurteil oder an die ekstatischen Urteilsvisionen der Fetischpriester oder Orghanghas, der Träger des alten sakralen Prozesses, appellieren. Auf der anderen Seite vernichtet aber die streng patriarchale fürstliche Justiz auch die formalen Garantien der subjektiven Rechte und die strenge „Verhandlungsmaxime" zugunsten des Strebens, ein objektiv „richtiges", „Billigkeitsansprüchen" genügendes Resultat der Schlichtung von Interessenkonflikten zu erreichen. Rational im Sinne der Innehaltung fester Grundsätze *kann* dabei die patriarchale Rechtspflege tatsächlich sehr wohl sein. Aber wenn sie es ist, dann nicht im Sinn einer logischen Rationalität ihrer juristischen Denkmittel, sondern vielmehr im Sinne der Verfolgung materialer Prinzipien der sozialen Ordnung, seien diese nun politischen oder wohlfahrtsutilitarischen oder ethischen Inhalts. Rechtspflege und Verwaltung gehen auch hier in Eins, aber nicht in dem Sinn, daß alle Verwaltung die Form der Rechtspflege, sondern in dem umgekehrten: daß alle Rechtspflege die Eigenart der Verwaltung annimmt. Fürstliche Verwaltungsbeamte sind zugleich die Richter, der Fürst selbst greift im Namen der „Kabinettsjustiz" nach Belieben in die Rechtspflege ein, entscheidet nach freiem Ermessen, nach Billigkeits-, Zweckmäßigkeits- und politischen Gesichtspunkten, behandelt die Rechtsgewährung als eine weitgehend freie Gnade, ein Privileg im Einzelfall, bestimmt ihre Bedingungen und Formen und beseitigt die irrationalen Formen und Beweismittel des Rechtsganges zugunsten freier amtlicher Wahrheitsermittlung (Offizialmaxime). Das Idealbild dieser rationalen Rechtspflege ist die „Kadijustiz" der „salomonischen" Urteile, wie sie der Held dieser Legende und – Sancho Pansa als Statthalter pflegten. Alle patrimonialfürstliche Justiz hat an sich die Tendenz, diese Bahnen einzuschlagen. Die „writs" der englischen Könige wurden formell durch Anrufung ihrer freien Gnade erwirkt. Die „actiones in factum" lassen auch ahnen, wie weit selbst der römische Magistrat in der freien Klagegebung und Klageverweigerung (temporis actiones) ursprünglich gegangen sein mag. Als „equity" tritt auch die englische Amtsjustiz der Neuzeit auf. Die Reform Ludwigs IX. in Frankreich zeigt durchaus patriarchale Formen. Die orientalische Rechtspflege ist, soweit sie nicht theokratischen Charakter hat, wesentlich patriarchal. Ebenso die indische. Endlich die chinesische Rechtspflege ist ein Typus patriarchaler Vermischung der Grenzen zwischen Justiz und Verwaltung. Erlasse der Kaiser, halb belehrenden, halb befehlenden Inhalts, greifen generell oder im Einzelfall ein. Die Urteilsfindung ist, soweit sie nicht magisch bedingt ist, an materialen, nicht an formalen Maßstäben orientiert und daher, an den ersteren oder an ökonomischen „Erwartungen" gemessen, stark irrationale und konkrete „Billigkeits"-Justiz. Diese Art von Eingreifen des Imperiums in die Rechtspflege und Rechtsbildung findet sich auf den verschiedensten „Kulturstufen", sie ist nicht ökonomisch, sondern primär politisch bedingt. So ist in Afrika überall da, wo die Häuptlingsmacht entweder durch Vereinigung mit dem Zauberpriestertum oder durch die Bedeutung des Krieges oder endlich durch Handelsmonopolisierung stark entwickelt ist, der alte formalistische und magische Prozeß und die ausschließliche Herrschaft der Tradition oft fast völlig verschwunden und einerseits ein Gerichtsverfahren mit öffentlicher Ladung namens des Fürsten (oft durch „Anschwörung" des Geladenen) und Exekution, mit rationalen Beweismitteln durch Zeugen an Stelle der Ordalien, andererseits eine Rechtssetzung durch den Fürsten allein (Aschanti) oder durch ihn mit Akklamation der Gemeinde (Süd-Guinea) entstanden. Der Fürst oder Häuptling oder sein Richter aber entscheidet oft gänzlich nach freier Willkür und Billigkeit, ohne alle und jede formale Bindung an Regeln (so bei den Basuto, den Barolong, in Dahomey, im Reiche des Muata Cazembe, in Marokko – Gebieten von untereinander sehr verschiedener Kulturentwicklung). Nur die Gefahr, bei allzu flagranter Beugung des Rechts, zumal der als heilig geltenden Traditionsnormen, auf denen letztlich die eigene „Legitimität" beruht, den Thron zu verlieren, schafft hier Schranken. Dieser antiformale, materiale Charakter der patriarchalen Verwaltung pflegt seinen Höhepunkt da zu erreichen, wo der (weltliche oder priesterliche) Fürst sich in den Dienst positiv religiöser Interessen stellt, und zwar speziell wo nicht eine ritualistische, sondern eine *Gesinnungs*religiosität von ihm in ihren Postulaten propagiert wird. Alle antiformalen Tendenzen der Theokratie verbinden sich dann, und zwar in diesem Fall auch von den sonst geltenden Schranken ritualistischer und deshalb formaler heiliger Normen losgelöst, mit den Formlosigkeiten, einer nur auf die Anerziehung des rechten *inneren* Habitus abzielenden, patriarchalen Wohlfahrtspflege, deren Verwaltung dabei dem Charakter der „Seelsorge" sich annähert. Alle Schranken zwischen Recht und Sittlichkeit, Rechtszwang und väterlicher Vermahnung, legislatorischen Motiven und Zwecken und rechtstechnischen Mitteln sind niedergerissen. Die Edikte des buddhistischen Königs Açoka nähern sich diesem „patriarchalen" Typus am meisten. In aller Regel herrscht aber in der patrimonialfürstlichen Rechtspflege eine Kombination ständischer und patriarchaler Bestandteile miteinander und mit dem formalen Rechtsgang der Dinggenossenschaften. Wieweit das eine oder das andere überwiegt, ist – wie später im Zusammenhang der Analyse der „Herrschaft" zu erörtern ist – ganz wesentlich durch politische Umstände und Machtverhältnisse bedingt. Im Okzident war neben diesen auch die (ebenfalls ursprünglich politisch bedingte) Tradition der dinggenossenschaftlichen Rechtspflege, welche dem König die Stellung als Urteiler prinzipiell absprach, von Bedeutung für das Vorwalten „ständischer" Formen der Rechtspflege.

Das Vordringen formalistisch-rationaler Elemente auf Kosten dieser typischen Zustände des patrimonialen Rechts, wie wir es im Okzident in der Neuzeit beobachten, konnte dem eigenen internen Bedürfnis der patrimonialfürstlichen Verwaltung entspringen. Dies ist namentlich der Fall, soweit es sich um die Beseitigung der Vorherrschaft *ständischer* Privilegien und des ständischen Charakters der

Rechtspflege und Verwaltung überhaupt handelt. Diesen gegenüber gingen ja die Interessen an steigender Rationalität und das heißt in diesem Fall: steigender Herrschaft formaler Rechtsgleichheit und objektiver formaler Normen mit den Machtinteressen der Fürsten gegenüber den Privilegierten Hand in Hand. Das „Reglement" an Stelle des „Privilegs" dient beiden. Anders soweit umgekehrt die Einschränkung der ganz freien *patriarchalen* Willkür zugunsten 1. fester Regeln und 2. vollends der Schaffung fester Ansprüche der Beherrschten an die Justiz: Garantie „subjektiver Rechte" also, in Frage stand. Beides ist, wie wir wissen, an sich nicht identisch: eine nach festen Verwaltungsreglements verfahrende Streitschlichtung bedeutet noch nicht das Bestehen garantierter „subjektiver Rechte". Aber das letztere, die Existenz nicht nur objektiver fester Normen, sondern objektiven „Rechts" im strengen Sinn also, ist mindestens im privatrechtlichen Gebiet die einzig sichere Form der Garantie jener Gebundenheit an objektive Normen überhaupt. Auf eine solche Garantie aber wirken ökonomische Interessengruppen hin, welche der Fürst unter Umständen zu begünstigen und an sich zu fesseln wünscht, weil dies seinen fiskalischen und politischen Machtinteressen dient. Vor allem natürlich: bürgerliche Interessenten, welche ein eindeutiges, klares, irrationaler Verwaltungswillkür ebenso wie den irrationalen Störungen durch konkrete Privilegien entzogenes, vor allem die Rechtsverbindlichkeit von Kontrakten sicher garantierendes und infolge aller dieser Eigenschaften *berechenbar* funktionierendes Recht verlangen müssen. Ein Bündnis von fürstlichen und von Interessen bürgerlicher Schichten gehörte daher zu den wichtigsten treibenden Kräften formaler Rechtsrationalisierung. Nicht in dem Sinn, daß eine direkte „Kooperation" dieser Mächte immer erforderlich wäre. Denn dem privatwirtschaftlichen Rationalismus der bürgerlichen Schichten kommt als selbständiger Faktor der utilitarische Rationalismus jeder Beamtenverwaltung schon von sich aus weit entgegen. Und das fiskalische Interesse des Fürsten sucht, weit über das Gebiet der aktuellen Bedeutung schon bestehender kapitalistischer Interessen hinaus, diesen das Bett zu bereiten, schon ehe sie da sind. Aber eine Garantie von Rechten, die von Fürsten- und Beamtenwillkür unabhängig sind, liegt allerdings keineswegs in den genuinen *eigenen* Entwicklungstendenzen der Bürokratie. Übrigens liegt sie auch nicht ohne Vorbehalt in der Richtung der kapitalistischen Interessen. Ganz im Gegenteil, soweit es sich um die älteren, wesentlich politisch orientierten Formen des Kapitalismus handelt, von denen im Gegensatz zum spezifisch modernen, „bürgerlichen" Kapitalismus wir noch oft zu reden haben werden. Und selbst die Anfänge des bürgerlichen Kapitalismus zeigen jene typische Interessiertheit an garantierten subjektiven Rechten noch nicht oder nur in begrenztem Maße, oft genug aber das Gegenteil. Denn nicht nur die großen Kolonial- und Handelsmonopolisten, sondern auch die monopolistischen Großunternehmer der merkantilistischen Manufakturperiode stützen sich in aller Regel auf fürstliche Privilegien, welche oft genug das geltende gemeine Recht, namentlich das Zunftrecht, durchbrachen, den zornigen Widerstand des bürgerlichen Mittelstandes herausforderten und also den Kapitalisten darauf hinwiesen, seine privilegierten Erwerbschancen durch eine dem Fürsten gegenüber prekäre Rechtsstellung zu erkaufen. Der politisch und monopolistisch orientierte und selbst noch der frühmerkantilistische Kapitalismus kann so zum Interessenten an der Schaffung und Erhaltung der patriarchalen Fürstenmacht gegenüber Ständen und auch gegenüber dem bürgerlichen Gewerbestand werden, wie er es in der Zeit der Stuarts war und wie er es heute auf breiten Gebieten wieder zunehmend geworden ist und noch weiter werden wird. Trotz alledem ist dem Eingreifen des Imperiums, speziell des fürstlichen Imperiums, in das Rechtsleben, je stärker und dauernder seine Gewalt sich gestaltete desto mehr, überall ein Zug zur Vereinheitlichung und Systematisierung des Rechts eigen gewesen: zur „*Kodifikation*". Der Fürst will „Ordnung". Und er will „Einheit" und Geschlossenheit seines Reichs. Und zwar auch aus einem Grunde, der sowohl technischen Bedürfnissen der Verwaltung wie persönlichen Interessen seiner Beamten entspringt: die unterschiedslose Verwertbarkeit seiner Beamten im ganzen Gebiet seiner Herrschaft wird durch Rechtseinheit ermöglicht und ergibt erweiterte Karrierechancen für die Beamten, die nun nicht mehr an den Bezirk ihrer Herkunft dadurch gebunden sind, daß sie dessen Recht allein kennen. Und allgemein streben die Beamten nach „Übersichtlichkeit" des Rechts, die bürgerlichen Schichten nach „Sicherheit" der Rechtsfindung.

Wenn so Interessen des Beamtentums, bürgerliche Erwerbsinteressen und fürstliche, fiskalische und verwaltungstechnische Interessen in der Tat normale Träger von Kodifikationen gewesen sind, so sind sie deshalb nicht die einzig möglichen. Auch andere politisch beherrschte Schichten als nur das Bürgertum können Interesse an der eindeutigen Fixierung des Rechts haben und auch die herrschenden Gewalten, an welche sich ihr Verlangen danach richtet und die ihnen, gezwungen oder freiwillig, nachgeben, müssen nicht notwendig Fürsten sein.

Systematische Rechtskodifikationen können auch das Produkt einer universellen bewußten Neuorientierung des Rechtslebens sein, wie sie infolge äußerer politischer Neuschöpfungen oder von Stände- oder Klassenkompromissen, welche die innere soziale Einigung eines politischen Verbandes bezwecken, unter Umständen auch beider zugleich, notwendig werden. Entweder handelt es sich um planvolle Neuschöpfung von Verbänden auf Neuland: so bei den leges datae der antiken Kolonien. Oder um die Neugründung eines politischen Verbandes, wie etwa der israelitischen Eidgenossenschaft, welcher sich dabei in bestimmten Hinsichten einem einheitlichen Recht unterstellt. Oder um den Abschluß von Revolutionen durch ein Kompromiß von Ständen oder Klassen. So – angeblich – bei den 12 Tafeln. Oder es wird wenigstens im Interesse der Rechtssicherheit nach sozialen Konflikten die systematische Rechtsaufzeichnung vorgenommen. Dabei pflegen die Interessenten der Aufzeichnung naturgemäß diejenigen Schichten zu sein, welche bisher unter dem Mangel eindeutig feststehender und allgemein zugänglicher, also zur Kontrolle der Rechtspflege geeigneter, Normen am meisten gelitten haben. Insbesondere also bäuerliche und bürgerliche Schichten gegenüber der adeligen oder von Adeligen beherrschten Honoratiorenjustiz oder der priesterlichen Rechtspflege: der in der Antike typische Zustand. Die systematische Rechtsaufzeichnung pflegt in diesen Fällen weitgehende Neusatzungen von Recht zu enthalten und wird daher sehr regelmäßig durch Propheten oder prophetenartige Vertrauensmänner (Aisymneten) als lex data kraft Offenbarung oder eingeholten Orakels oktroyiert. Die Interessen, um deren Sicherung es sich handelt, pflegen dabei einerseits den verschiedenen beteiligten Interessenten ziemlich eindeutig vorzuschweben und auch die möglichen Arten der rechtlichen Schlichtung pflegen durch Erörterung und Agitation weitgehend geklärt und für den prophetischen oder aisymnetischen Machtspruch reif geworden zu sein. Den Interessenten liegt andererseits mehr an einem formalen und klaren, die gerade streitigen Punkte eindeutig schlichtenden, als an einem systematischen Recht. Die rechtliche Normierung pflegt daher einerseits in der gleichen charakteristischen epigrammatischen, und insoweit rechtssprichwortartigen Kürze zu erfolgen, wie sie Orakeln und Weistümern oder den Responsen von Rechtskonsulenten eignet. Wir finden sie denn auch sehr ähnlich in den 12 Tafeln – deren Provenienz aus einer uno actu erfolgten Gesetzgebung man deshalb sehr mit Unrecht bezweifelt – wie im Dekalog und im jüdischen Bundesbuch. Die charakteristische Form dieser beiden Komplexe von Geboten und Verboten spricht allein schon für ihre echt rechtsprophetische und zugleich aisymnetische Provenienz. Beide teilen auch die Eigenschaft miteinander, zugleich religiöse und bürgerliche Gebote zu enthalten: Die 12 Tafeln schleudern das Anathema („sacer esto") gegen den Sohn, der den Vater schlägt und gegen den Patron, der dem Klienten die Treue nicht hält. Bürgerliche Rechtsfolgen waren in beiden Fällen ausgeschlossen. Nötig wurden die Gebote offenbar, weil die Hausdisziplin und Hauspietät in Verfall geraten war. Nur ist der religiöse Inhalt der jüdischen Kodifikation im Dekalog systematisiert, der des römischen Gesetzes besteht aus einzelnen Bestimmungen; das religiöse Recht als Ganzes stand fest, und eine neue religiöse Offenbarung lag nicht vor. Eine ganz andere und nebensächliche Frage ist: ob die „12" Tafeln, auf welchen das römische, durch Rechtspropheten gesetzte, Stadtrecht aufgezeichnet gewesen sei und die im gallischen Brande zugrunde gegangen sein sollen, sehr viel historischer sind als die beiden Tafeln des mosaischen Gesetzes. Aber weder sprachliche – gerade bei nur mündlicher Überlieferung der Satzung gar nicht relevante – noch sachliche Gründe nötigen zur Verwerfung der Tradition über das Alter und die Einheitlichkeit der Gesetzgebung. Die Meinung, es könne sich um Kollektionen von Rechtssprichwörtern oder von Produkten der Spruchpraxis der Rechtshonoratioren handeln, hat die innere Wahrscheinlichkeit gegen sich. Es handelt sich um generelle Normen ziemlich abstrakten Charakters, welche ferner zum einen Teil greifbar einen überaus tendenziösen, ihres Zwecks bewußten Charakter, zum andern den eines Kompromisses zwischen ständischen Interessen an sich tragen. Es ist zum mindesten unwahrscheinlich, daß derartiges einer Spruchpraxis entstamme, noch mehr, daß das literarische Produkt eines Sammlers von Rechtssprüchen: etwa des S. Arlim Partus Cotus, in einer von rationalen Interessenkämpfen durchzogenen Zeit auf dem Raum einer Stadt, eine solche Autorität habe gewinnen können. Auch die Analogie anderer aisymnetischer Leistungen ist eine zu augenfällige. Eine „systematische" Kodifikation freilich ergibt die für aisymnetische Rechtssetzung typische Situation und die von ihr zu befriedigenden Bedürfnisse natürlich nur in rein formalem Sinn. Eine solche war ebensowenig der Dekalog für die Ethik wie die 12 Tafeln und die rechtlichen Anordnungen des Bundesbuchs für das Geschäftsleben. System und juristische „ratio" bringt erst – in begrenztem Umfang – die Arbeit der Rechtspraktiker hinein. Vor allem die Bedürfnisse des Rechtsunterrichts. In vollem Maße erst die Arbeit fürstlicher Beamten. Sie sind die eigentlichen Kodifikationssystematiker, denn sie sind naturgemäß die Interessenten einer für sie „übersichtlichen" Systematik als solcher und daher pflegen fürstliche Kodifikationen einen in systematischer Hinsicht wesentlich rationaleren Charakter zu tragen als selbst die umfassendsten aisymnetischen oder prophetischen Satzungen.

Auf anderem Wege als durch fürstliche Kodifikationen pflegt „Systematik" in das Recht nur durch didaktisch-literarische Produkte, namentlich durch „Rechtsbücher" hineingebracht zu werden, die dann nicht selten zu einem kanonischen, die Rechtspflege ebenso wie ein Gesetz beherrschenden, Ansehen gelangen. Eine systematische Rechtsaufzeichnung pflegt aber in beiden Fällen zunächst nur als Zusammenstellung bereits geltenden Rechts zur Beseitigung entstandener Zweifel und Konflikte aufzutreten. Zahlreiche, äußerlich als „Kodifikationen" geltende, im Auftrag von Patrimonialfürsten geschaffene Sammlungen von obrigkeitlich gesatztem Recht und Reglements haben – wie etwa die offizielle chinesische Gesetzsammlung und was ihr ähnelt – trotz einer gewissen „Systematik" der Einteilung mit kodifikatorischer Rechtssatzung gar nichts zu schaffen, weil sie nichts als mechanische Leistungen sind. Andere Kodifikationen wollen nur das schon geltende Recht in eine geordnete und systematische Form bringen. So im wesentlichen die lex Salica und die meisten ihr gleichartigen „Volksrechte", die Rechtspraxis der dinggenossenschaftlichen Justiz, die Assisen von Jerusalem mit ihrem weitreichenden Einfluß, die in Präjudizien festgelegten Handelsgebräuche, die Siete Partides und ähnliche Kodifikationen, bis zurück zu den „leges Romanae", die praktisch lebendig gebliebenen Teile des römischen Rechts. Dennoch bedeutet schon dies unvermeidlich in irgendeinem Grade eine Systematisierung und in diesem Sinn: Rationalisierung des Rechtsstoffs, und die Interessenten daran sind also die gleichen wie an einer eigentlichen Kodifikation im Sinne der systematischen, inhaltlichen Revision bestehenden Rechts. Beides ist nicht scharf zu scheiden. An der durch Kodifikation geschaffenen „Rechtssicherheit" pflegt schon als solcher ein starkes politisches Interesse zu bestehen. Bei allen politischen Neuschöpfungen pflegen daher Kodifikationen besonders nahezuliegen. Die Schaffung des Mongolenreichs durch Dschingiz Khan sah solche Ansätze (Sammlung der Yasa) ebenso wie viele ähnliche Vorgänge bis herab zur Reichsgründung Napoleons. Für den Okzident liegt daher eine Kodifikationsepoche scheinbar gegen die historische Ordnung ganz am Beginn seiner Geschichte: in den leges der neugeschaffenen Germanenreiche auf römischem Boden. Die Befriedung der ethnisch gemischten politischen Gebilde erheischte hier unbedingt die Feststellung des wirklich geltenden Rechts und der militärische Umsturz aller Verhältnisse erleichterte den formellen Radikalismus der Durchführung. Die Herstellung innerlicher Rechtssicherheit im Interesse eines präzisen Funktionierens des amtlichen Apparats, daneben (speziell bei Justinian) Prestigebedürfnis der Monarchen hat die spätrömischen Gesetzsammlungen und schließlich die justinianische Rechtskodifikation motiviert und ebenso die fürstlichen rein römisch-rechtlichen Kodifikationen des Mittelalters nach Art etwa der spanischen Siete Partides. In all diesen Fällen sind ökonomische Interessen Privater schwerlich direkt im Spiel gewesen. Dagegen läßt gerade die älteste einigermaßen vollständig überlieferte und in dieser Art einzigartige aller erhaltenen Kodifikationen: das Gesetzbuch Hammurabis, mit einiger Wahrscheinlichkeit darauf schließen, daß eine relativ starke Schicht von Güterverkehrsinteressenten vorhanden war und daß der König in seinem eigenen politischen und fiskalischen Interesse die Rechtssicherheit des Güterverkehrs zu stützen wünschte. Wir befinden uns eben hier auf dem Boden eines *Städte*königtums. Die erhaltenen Reste früherer Rechtssatzungen lassen durchaus vermuten, daß die für die antike Stadt typischen, ständischen und klassenmäßigen Gegensätze auch dort am Werk gewesen waren, nur infolge der abweichenden politischen Struktur mit anderen Ergebnissen. Von der Hammurabischen Kodifikation ist, soweit es sich an der Hand älterer Urkunden nachprüfen läßt, festgestellt, daß sie kein eigentlich neues Recht setzte, sondern bestehendes Recht kodifizierte und auch nicht die erste ihrer Art war. Über den ökonomischen und den religiösen, in der eindringlichen Regelung der, hier wie überall dem Patriarchalismus sehr am Herzen liegenden, Familien- und namentlich Kindespietätspflichten zutage tretenden Interessen steht sicherlich bei dieser, wie bei den meisten anderen fürstlichen Kodifikationen das politische Interesse an der Einheit des Rechts rein als solcher innerhalb des Reichs. Auch die meisten anderen fürstlichen Kodifikationen gehen aus den uns bekannten Motiven auf Beseitigung des Satzes „Willkür bricht Landrecht" aus. Diese Motive wirkten verstärkt bei den mit dem Entstehen des Beamtenstaats sich häufenden fürstlichen Kodifikationen der Neuzeit. Sie sind nur zum sehr geringen Teil wirkliche Neuschöpfungen. Vielmehr war, wenigstens in Zentral- und Westeuropa, die Geltung des römischen und kanonischen Rechts als Universalrecht ihre Voraussetzung. Das kanonische Recht beanspruchte für seine Vorschriften zwingende universelle Geltung, das römische Recht galt „subsidiär", ließ also dem Satz:

Willkür bricht Landrecht, den Vortritt. In Wahrheit stand es mit zahlreichen Leistungen des kanonischen Rechts nicht anders. An Bedeutung für die Umwälzung des Rechtsdenkens und auch des geltenden materiellen Rechts konnte sich keine von ihnen mit der Rezeption des römischen Rechts messen. Deren Geschichte zu verfolgen wäre hier nicht der Ort, es muß vielmehr bei wenigen Bemerkungen darüber sein Bewenden haben. Die Rezeption des römischen Rechts war, soweit dabei die Kaiser (Friedrich I.) und später die Fürsten als mitwirkend in Betracht kamen, wesentlich durch die in der Kodifikation Justinians hervortretende souveräne Stellung des Monarchen veranlaßt. Im übrigen herrscht ungeschlichteter und vielleicht gar nicht einheitlich zu schlichtender Streit darüber: ob und welche ökonomischen Interessen hinter der Rezeption standen und durch sie gefördert wurden und ebenso: wessen Initiative das Vordringen des gelehrten, d. h. des universitätsgebildeten, Richtertums, des Trägers sowohl des Romanismus wie der patrimonialfürstlichen Prozeduren, zu danken ist. Vor allem: ob es wesentlich die Rechtsinteressenten waren, welche durch Schiedsvertrag die juristisch geschulten Verwaltungsbeamten der Fürsten statt der Gerichte anriefen und so die Entscheidung „von Amts wegen" an Stelle der Entscheidung „von Rechts wegen" einbürgerten und die alten Gerichte verdrängten (Stölzel) oder ob (wie namentlich Rosenthal eingehend nachzuweisen gesucht hat) die Gerichte selbst infolge der Initiative der Fürsten zunehmend Juristen statt der Honoratioren als Beisitzer in sich aufnahmen. Wie dem nun sei, soviel steht fest: da nach den Quellen auch diejenigen ständischen Schichten, welche dem Äußeren des römischen Rechts mit Mißtrauen gegenüberstanden, selbst im allgemeinen die Teilnahme einiger „Doktoren" als Beisitzer nicht anzufechten pflegten und nur deren Übergewicht und vor allem die Zuziehung von Ausländern bekämpften, so ist es offenbar, daß jedenfalls *sachliche* Notwendigkeiten des Rechtsbetriebs: vor allem die durch Fachschulung erworbene Fähigkeit, komplizierte Tatbestände zu juristisch eindeutiger Fragestellung zu bearbeiten und, ganz allgemein gesprochen, die Notwendigkeit einer Rationalisierung des Prozeßverfahrens, das Vordringen der Fachjuristen bedingte. Insoweit begegneten sich die Betriebsinteressen der Rechtspraktiker mit den Interessen der privaten Rechtsinteressenten, sowohl der bürgerlichen als auch der adeligen. An der Rezeption der *materiellen* Bestimmungen des römischen Rechts waren dagegen gerade die „modernsten", also die bürgerlichen Rechtsinteressenten gar nicht interessiert; die Institute des mittelalterlichen Handels- und des städtischen Grundbesitzrechts entsprachen ihren

Bedürfnissen weitaus besser. Nur die allgemeinen *formalen* Qualitäten des römischen Rechts waren es, welche ihnen mit unvermeidlich zunehmender Fachmäßigkeit des Rechtsbetriebs überall da zum Siege verhalfen, wo nicht, wie in England, eine eigene nationale Rechtsschulung bestand und durch starke Interessenten gehütet wurde. Diese formalen Qualitäten bedingten es auch, daß die patrimonialfürstliche Justiz des Okzidents nicht in die Bahnen genuin patriarchaler Wohlfahrts- und materialer Gerechtigkeitspflege ausmündete, wie anderwärts. Sehr wesentlich auch die Tatsache der formalistischen Schulung der Juristen, auf die sie als Beamte angewiesen waren, stand ihr dabei im Wege und erhielt damals der Rechtspflege des Okzidents das Maß juristisch formalen Charakters, welches ihr im Gegensatz zu den meisten anderen patrimonialen Rechtsverwaltungen spezifisch ist. Der Respekt vor dem römischen Recht und der römischen Schulung beherrschte daher auch alles, was die beginnende Neuzeit an fürstlichen Kodifikationen – durchweg Schöpfungen des universitätsgebildeten Juristenrationalismus – erlebte.

Die Rezeption des römischen Rechts schuf – darin beruhte soziologisch seine Machtstellung – eine neuartige Schicht von Rechtshonoratioren: die auf Grund *literarischer* Rechtsbildung mit dem Doktordiplom der Universitäten versehenen Rechtsgelehrten. Die Tragweite für die formalen Qualitäten des Rechts war eine sehr bedeutende. Schon in der römischen Kaiserzeit hatte das römische Recht begonnen, ein Gegenstand rein literarischen Betriebs zu werden. Das bedeutete hier natürlich etwas anderes, als etwa die Schaffung von „Rechtsbüchern" durch die mittelalterlichen Rechtshonoratioren Deutschlands und Frankreichs oder von Grundrissen des geltenden Rechts von seiten englischer Juristen – so bedeutend übrigens auch deren Einfluß war. Denn unter dem Einfluß der, sei es auch oberflächlichen, philosophischen Bildung der antiken Juristen nahm die Bedeutung des rein logischen Elements im Rechtsdenken bedeutend zu. Und zwar hier, wo keine Gebundenheit an ein heiliges Recht und keine theologischen oder material ethischen Interessen dies Denken banden und dadurch in die Bahn der rein spekulativen Kasuistik drängten, mit wesentlich stärkeren Konsequenzen für die Gestaltung der Rechtspraxis. Ansätze zu dem Grundsatz, daß, was der Jurist nicht „denken" und „konstruieren" könne, auch rechtswirksam nicht existieren könne, finden sich in der Tat bereits bei den römischen Juristen. Rein logische Sätze wie „quod universitati debetur singulis non debetur" oder „quod ab initio vitiosum est, non potest tractu temporis convalescere" und ähnliche in großer Zahl gehören dahin.

Nur handelte es sich dabei um unsystematische Gelegenheitsproduktionen abstrakter Rechtslogik, welche zur Begründung der im Einzelfall gegebenen, konkret motivierten Entscheidung beigefügt wurden, die eben in anderen Fällen, zuweilen selbst von den gleichen Juristen, wieder achtlos beiseite geworfen wurden. Der wesenhaft induktive, empirische Charakter des Rechtsdenkens wurde dadurch nicht oder wenig alteriert. Ganz anders aber wurde die Situation bei der Rezeption des römischen Rechts. Zunächst setzte sich der Prozeß des Abstraktwerdens der Rechtsinstitute selbst, welcher mit der Entwicklung des römischen Zivilrechts zum Reichsrecht eingesetzt hatte, nun naturgemäß in gesteigertem Maße fort. Um überhaupt rezipiert werden zu können, mußten – wie namentlich Ehrlich mit Recht betont – die römischen Rechtsinstitute aller Reste nationaler Gebundenheit entkleidet und gänzlich in die Sphäre des logisch Abstrakten erhoben, das römische Recht zum „logisch richtigen" Recht schlechthin verabsolutiert werden. Dies ist im Verlauf der mehr als sechshundertjährigen Arbeit der gemeinrechtlichen Jurisprudenz tatsächlich geschehen. Zugleich aber verschob sich die Art des Rechtsdenkens weiter nach der formal logischen Seite. Die gelegentlichen glänzenden Aperçus der römischen Juristen von der Art der vorhin zitierten Sätze wurden, aus dem Zusammenhang mit dem konkreten Fall gerissen, wie sie in den Pandekten ohnehin sich vorfanden, zu letzten Rechtsprinzipien gesteigert, aus denen nun deduktiv argumentiert wurde. Was den römischen Juristen in starkem Maß gefehlt hatte: die rein systematischen Kategorien, wurde nun geschaffen. Begriffe wie etwa der des „Rechtsgeschäfts" oder der „Willenserklärung", für welche in der antiken Jurisprudenz selbst die einheitlichen Namen fehlten, wurden konstruiert. Vor allem aber gewann jetzt der Satz, daß was der Jurist nicht denken kann, auch rechtlich nicht existiert, wirklich praktische Bedeutung. Bei den antiken Juristen hatte, zufolge der historisch bedingten analytischen Natur des römischen Rechtsdenkens, die eigentlich konstruktive Fähigkeit wenn nicht gefehlt, so doch eine geringe Bedeutung gehabt. Jetzt, bei der Übertragung dieses Rechts auf ganz fremdartige, der Antike unbekannte Tatbestände trat die Aufgabe: den Tatbestand widerspruchsfrei juristisch zu „konstruieren", fast alleinherrschend in den Vordergrund und damit wurde die heute vorherrschende Auffassung des Rechts als eines in sich logisch widerspruchslos und lückenlos geschlossenen Komplexes von „Normen", die es „anzuwenden" gilt, allein maßgebend für das Rechtsdenken. Bei *dieser* spezifischen Art von Logisierung des Rechts waren aber keineswegs, wie bei der Tendenz zum formalen Recht an sich, Bedürfnisse des Lebens, etwa der bürgerlichen Interessenten nach einem „berechenbaren" Recht entscheidend beteiligt. Denn dieses Bedürfnis wird, wie alle Erfahrung zeigt, ganz ebensogut und oft besser durch ein formlos empirisches, an Präjudizien gebundenes Recht gewahrt. Die Konsequenzen der rein logischen juristischen Konstruktion verhalten sich vielmehr zu den Erwartungen der Verkehrsinteressenten ungemein häufig gänzlich irrational und geradezu disparat: die vielberedete „Lebensfremdheit" des rein logischen Rechts hat hier ihren Sitz. Sondern es waren interne Denkbedürfnisse der Rechtstheoretiker und der von ihnen geschulten Doktoren: einer typischen Aristokratie der literarischen „Bildung" auf dem Gebiet des Rechts, von welchen jene Entwicklung getragen wurde. Fakultätsgutachten waren auf dem Kontinent die letzte Autorität in zweifelhaften Rechtsfällen, die akademisch gebildeten Richter und Notare, daneben die Advokaten die typischen Rechtshonoratioren. – Wo immer ein organisierter nationaler Juristenstand fehlte, drang das römische Recht mit ihrer Hilfe siegreich vor: mit Ausnahme Englands, Nordfrankreichs und Skandinaviens eroberte es Europa von Spanien bis Schottland und Rußland. In Italien waren, anfänglich wenigstens, vorwiegend die Notare, im Norden vornehmlich die fürstlichen gelehrten Richter die Träger der Bewegung, hinter welcher fast überall das Fürstentum stand. Die Entwicklung keines okzidentalen Rechts hat sich von diesen Einflüssen ganz frei zu halten vermocht. Auch nicht die des englischen. Nicht nur vieles in seiner Systematik und zahlreiche einzelne Rechtsinstitute weisen die Spuren davon auf, sondern auch die Definition der Quellen des Common Law: richterliche Präjudizien und „legal principles" zeugt davon, so ungeheuer allerdings der Unterschied in der inneren Struktur blieb. Die eigentliche Heimat freilich blieb Italien, namentlich unter dem Einfluß der Genueser und anderer gelehrter Gerichtshöfe (Rotae), deren gesammelte elegante und konstruktive Entscheidungen im 16. Jahrhundert in Deutschland gedruckt wurden, und Deutschland unter den Einfluß des Reichskammergerichts und der gelehrten Landesgerichte brachten.

Erst die Epoche des vollentwickelten „aufgeklärten Despotismus" suchte seit dem 18. Jahrhundert über diesen spezifisch formal rechtslogischen, in aller Welt nur hier entwickelten Charakter des gemeinen Rechts und seiner akademischen Rechtshonoratioren bewußt hinwegzukommen. Dabei spielte zunächst der allgemeine Rationalismus der Bürokratie in ihrer selbstherrlichsten Entfaltung und ihrem naiven Besserwissen die entscheidende Rolle. Die im Kern patriarchale politische Herrschaft hat den später zu erörternden Typus des Wohlfahrtsstaats angenommen und schreitet unbekümmert über das konkrete Wollen der Rechtsinteressenten ebenso wie über den Formalismus des geschulten juristischen Denkens hinweg. Dies fachmäßige Denken möchte sie am liebsten gänzlich unterdrücken. Denn das Recht soll seiner fachjuristischen Qualität entkleidet und so gestaltet werden, daß es nicht nur die Beamten, sondern vor allem auch die Untertanen über ihre Rechtslage ohne fremde Beihilfe erschöpfend *belehrt*. Dies Verlangen nach einer von juristischen Spitzfindigkeiten und Formalismen gesäuberten, materiale Gerechtigkeit erstrebenden Rechtspflege ist an sich, sahen wir, jedem fürstlichen Patriarchalismus eigen. Aber er kann dieser Neigung nicht immer rückhaltlos nachgeben. Die justinianische Kodifikation hatte für das sublimierte Juristenrecht, das sie kodifizierend systematisierte, nicht an „Laien" als Lernende und Verstehende denken können. Zu einer Ausrottung der juristischen Fachlehre war sie den Leistungen der klassischen Juristen und ihrer durch das Zitiergesetz offiziell anerkannten Autorität gegenüber nicht in der Lage. Sie konnte sich selbst daher nur als die fortan allein maßgebende Zitatensammlung geben, welche dem Unterrichtsbedürfnis der Studenten diente und deshalb als Einführung ein in die Form eines Gesetzes gekleidetes Lehrbuch („Institutionen") darzubieten hatte. Unumschränkter dagegen schaltete der Patriarchalismus in dem klassischen Denkmal des modernen „Wohlfahrtsstaats", dem „Allgemeinen Landrecht" Preußens. Gerade umgekehrt wie im ständischen Kosmos subjektiver „Rechte" ist das „objektive Recht" hier vorwiegend ein Kosmos von Rechtspflichten: die Universalität der „verdammten Pflicht und Schuldigkeit" ist die beherrschende Qualität der Rechtsordnung, deren hervorstechendes Merkmal ein systematischer Rationalismus nicht sowohl formaler, als vielmehr, wie in solchen Fällen immer, materialer Art bildet. Wo das material „Vernünftige" gelten will, hat das bloß faktisch für Recht Gehaltene zu weichen. Daher vor allem das „Gewohnheitsrecht". Alle modernen Kodifikationen bis herab zum ersten Entwurf eines bürgerlichen Gesetzbuchs haben ihm den Krieg erklärt. Die nicht auf ausdrücklicher Bestimmung des Gesetzgebers beruhenden Gepflogenheiten der Rechtspraxis und jede traditionelle Art der Rechtsinterpretation waren diesem wie jedem rationalistischen Gesetzgeber durchaus minderwertige Quellen für die Rechtsanwendung und höchstens so lange zu dulden, als das Gesetz noch nicht gesprochen hat. Die Kodifikation selbst sollte „erschöpfend" sein und glaubte es sein zu können. Für Zweifelsfälle war der preußische Richter, um jede Neubildung von Recht durch die verhaßte Jurisprudenz hintanzuhalten, auf Rückfrage bei einer eigens dafür gebildeten Kommission hingewiesen. Die Folgen dieser allgemeinen Tendenzen zeigen sich in den formalen Qualitäten des geschaffenen Rechts. Der Versuch der Emanzipation von der Fachjurisprudenz durch direkte Belehrung des Publikums von seiten des Gesetzgebers selbst mußte im preußischen Landrecht, gegenüber den an den römischen Rechtsbegriffen orientierten festen Denkgewohnheiten der Praxis, mit welchen zu rechnen war, eine höchst minutiöse Kasuistik zur Folge haben, welche aber dennoch, infolge des Strebens nach materialer Gerechtigkeit statt nach formaler Schärfe, sehr oft nur zu mangelnder Präzision führte. Dabei blieb die Gebundenheit an den Begriffsvorrat und die Methodik des römischen Rechts trotz noch so vieler Einzelabweichungen und trotz der hier, zum erstenmal in einem deutschen Gesetz, unternommenen energischen Verdeutschung der Terminologie dennoch unentrinnbar. Die zahlreichen lehrhaften oder nur sittlich vermahnenden Sätze ließen oft Zweifel entstehen, inwieweit im Einzelfall eine erzwingbare Rechtsnorm wirklich gewollt war. Da endlich die Systematik teilweise nicht von formal juristischen Begriffen, sondern von praktischen Beziehungen der Interessenten zum Recht ausging, zerriß sie vielfach die Erörterung der Rechtsinstitute und schuf dadurch trotz ihres Bestrebens nach Deutlichkeit Unklarheiten. Das Ziel der Ausschaltung der fachjuristischen Bearbeitung des Rechtes erreichte der Gesetzgeber in der Tat weitgehend. Freilich teilweise in anderem Sinn als er es gemeint hatte. Wirkliche Rechtskenntnis des Publikums konnte durch ein bänderreiches Werk mit Zehntausenden von Paragraphen am allerwenigsten erreicht werden, und wenn darunter die Emanzipation von Anwälten und anderen fachjuristischen Praktikern verstanden wurde, so war dies Ziel auch der Natur der Sache nach unter den Bedingungen des modernen Rechtslebens an sich unerreichbar. Die Präjudizienautorität hat sich, nachdem das Obertribunal eine offiziöse Sammlung seiner Entscheidungen erscheinen zu lassen begann, in Preußen so stark entwickelt wie irgendwo außerhalb Englands. Dagegen die wissenschaftliche Behandlung eines Rechts, welches weder ganz präzise formale Normen noch plastische Rechtsinstitute schuf – und beides lag nicht auf dem Wege dieses utilitarischen Gesetzgebers –, konnte in der Tat niemand reizen. Der patrimoniale materiale Rationalismus hat überhaupt naturgemäß nirgends formal juristisches Denken anregen können. Die Kodifikation trug daher an ihrem Teile dazu bei, daß die eigentlich wissenschaftliche Arbeit der Juristen sich teils erst recht dem römischen Recht, teils, unter dem Einfluß der nationalen Idee, den aus der Vergangenheit überkommenen plastischen Rechtsinstituten des alten deutschen Rechts zuwendete und nunmehr beide mit den Mitteln historischer Methodik in ihrem ursprünglichen, „reinen" Gehalt herauszupräparieren suchte. Für das *römische* Recht mußte dies zur Folge haben, daß es unter den Händen der fachmäßig historisch gebildeten Juristen diejenigen Umwandlungen wieder abstreifte, durch welche es bei seiner Rezeption den Bedürfnissen der Rechtsinteressenten angepaßt worden war: der „Usus modernus Pandectarum", das Produkt der gemeinrechtlichen Bearbeitung des justinianischen Rechts, geriet in Vergessenheit und wurde von dem wissenschaftlichen historischen Purismus ebenso verdammt, wie die Latinität des Mittelalters dereinst von seiten der wissenschaftlichen Arbeit der humanistischen Philologen. Und wie hier als Folge der Untergang der lateinischen Gelehrtensprache eintrat, so dort der Verlust der Angepaßtheit des römischen Rechts an moderne Verkehrsinteressen. Nun erst wurde die Bahn für die abstrakte Rechtslogik ganz frei. Es war also nur eine Verschiebung der Wirkung des wissenschaftlichen Rationalismus auf ein anderes Gebiet eingetreten, nicht aber – wie die Historiker oft glauben – seine Überwindung. Eine rein logische Neusystematisierung des alten Rechts freilich gelang den historischen Juristen begreiflicherweise nicht in überzeugender Weise. Bekanntlich und nicht zufällig sind bis auf das Windscheidsche Kompendium hinab fast alle Lehrbücher der Pandekten unvollendet geblieben. Eine streng formale juristische Sublimierung der nicht aus dem römischen Recht stammenden Institute gelang andererseits der germanistischen Partei der historischen Rechtsschule ebensowenig. Denn was an ihnen den Historiker wissenschaftlich reizte, war gerade das irrationale, der ständischen Rechtsordnung entstammende, also antiformale Element in ihnen. Nur die von den bürgerlichen Verkehrsinteressenten autonom an ihre Bedürfnisse angepaßten und durch die Praxis der Spezialgerichte empirisch rationalisierten Rechtspartikularitäten, vor allem also: das Wechsel- und Handelsrecht, gelang es wissenschaftlich und schließlich kodifikatorisch ohne Verlust an praktischer Angepaßtheit zu systematisieren, weil hier zwingende und eindeutige ökonomische Bedürfnisse im Spiel waren. Aber als nach sieben Jahrzehnten der Herrschaft der Historiker und einer in keinem anderen Lande auch nur annähernd erreichten Entwicklung der rechtsgeschichtlichen Wissenschaft, infolge der Schöpfung des Deutschen Reichs eine Vereinheitlichung des bürgerlichen Rechts pathetisch als eine nationale Aufgabe hingestellt wurde, trat der deutsche Juristenstand, in sich gespalten und teilweise widerwillig, an dies Werk in einer höchst wenig dafür vorbereiteten Verfassung heran.

Dem gleichen Typus dieser patrimonialfürstlichen Kodifikationen gehörten auch noch andere, insbesondere das österreichische und russische Gesetzbuch an, das letztere freilich bedeutete im wesentlichen nur ein ständisches Recht der an Zahl geringen privilegierten Schichten und ließ die Rechtspartikularitäten der einzelnen Stände, insbesondere der Bauern, also der weitaus überwiegenden Mehrzahl der Untertanen, ganz unberührt, beließ ihnen sogar ihre eigene Jurisdiktion in einem immerhin praktisch bedeutsamen Umfang. Ihren, gegenüber dem preußischen Recht kompendiöseren, Umfang erkauften beide Kodifikationen durch eine oft wesentlich geringere Präzision der Bestimmungen, das österreichische Gesetzbuch auch durch weit geringere Originalität gegenüber dem römischen Recht. Wissenschaftliches Denken hat sich auch seiner erst nach Jahrzehnten (in Ungers Werk) bemächtigt, und dann fast ganz mit romanistischen Kategorien.

§ 7. Die formalen Qualitäten des revolutionär geschaffenen Rechts: das Naturrecht.

Die Eigenart des code civil S. 805. – Das Naturrecht als normativer Maßstab des positiven Rechtes S. 807; – sein Ursprung S. 808. – Naturrecht und Freiheitsrechte S. 809. – Wandlungen des formalen in materiales Naturrecht S. 811. – Klassenbeziehungen der naturrechtlichen Ideologie S. 811. – Praktische Bedeutung und Zersetzung des Naturrechts S. 813. – Der Rechtspositivismus und der Juristenstand S. 815.

Vergleichen wir mit diesen Produkten der vorrevolutionären Zeit das Kind der Revolution, den code civil und die Nachahmungen, die er in ganz West- und Südeuropa gefunden hat, so ist der formale Unterschied bedeutend. Es fehlt jede Hineinmengung nichtjuristischer Bestandteile, jede belehrende und nur sittlich vermahnende Note und alle Kasuistik. Zahlreiche Sätze des Code wirken epigrammatisch und plastisch in gleichem Sinn, wie Sätze der zwölf Tafeln und viele von ihnen sind ebenso volkstümlicher Besitz geworden wie etwa alte Rechtssprichwörter, was gewiß weder einem Satz des Allgemeinen Landrechts noch anderen deutscher Kodifikationen geschehen ist. Wenn neben dem angelsächsischen Recht, dem Produkt der *juristischen Praxis*, und dem gemeinen römischen Recht, dem Produkt der theoretisch-literarischen *juristischen Bildung* (auf welchem die große Mehrzahl der ost- und mitteleuropäischen Kodifikationen ruht) das Recht des Code, als das Produkt der *rationalen Gesetzgebung*, das dritte große Weltrecht geworden ist, so bildeten den Grund dafür eben diese formellen Qualitäten, welche eine außerordentliche Durchsichtigkeit und präzise Verständlichkeit der Bestimmungen teils wirklich enthalten, teils vortäuschen. Diese Plastik vieler seiner Sätze verdankt der Code der Orientierung zahlreicher Rechtsinstitutionen an dem Recht der coutumes. Ihr ist an formal juristischen Qualitäten und auch an Gründlichkeit der materialen Erwägung manches geopfert. Das Rechtsdenken aber wird durch die abstrakte Gesamtstruktur der Rechtssystematik und durch die axiomatische Art zahlreicher anderer Bestimmungen im ganzen doch nicht zu eigentlich konstruktiver Bearbeitung von Rechtsinstitutionen in ihrem pragmatischen Zusammenhang angeregt, sondern sieht sich meist darauf hingewiesen, jene nicht seltenen Formulierungen des Code, welche nicht den Charakter von Rechtsregeln, sondern von „Rechtssätzen" an sich tragen, eben als „Sätze" zu nehmen und an der Hand der Probleme der Praxis zu adaptieren; und die formalen Qualitäten der modernen französischen Jurisprudenz sind vielleicht teilweise dieser etwas widerspruchsvollen Eigenart des Gesetzes zuzuschreiben. Diese selbst aber ist der Ausdruck einer spezifischen Art von Rationalismus: des souveränen Bewußtseins, da hier zum erstenmal rein rational ein von allen historischen „Vorurteilen" freies Gesetz, Benthams Ideal entsprechend, geschaffen werde, welches (vermeintlich) seinen Inhalt nur von dem sublimierten gesunden Menschenverstand, in Verbindung mit der spezifischen Staatsräson der dem Genie, und nicht der Legitimität, ihre Macht verdankenden großen Nation empfängt. Die Art der Stellung zur Rechtslogik aber kommt, soweit sie der plastischen Gestaltung die juristische Sublimierung opfert, in einzelnen Fällen direkt auf Rechnung des persönlichen Eingreifens Napoleons. Ihre epigrammatische Theatralik aber entspricht der gleichen Art der Formulierung der „Menschen- und Bürgerrechte" in den amerikanischen und französischen Verfassungen. Bestimmte Axiome über den Inhalt von Rechtssätzen werden hier nicht in die Form nüchterner Rechtsregeln, sondern in postulatartige Spruchformen gebracht, mit dem Anspruch, daß ein Recht nur dann wirklich legitim sei, wenn es jenen Postulaten nicht zuwiderlaufe. Wir haben uns mit dieser besonderen Art der Bildung abstrakter Rechtssätze in Kürze zu befassen.

Soziologisch kommen die Vorstellungen über das „Recht des Rechtes" innerhalb einer rationalen und positiven Rechtsordnung nur soweit in Betracht, als aus der Art der Lösung dieses Problems praktische Konsequenzen für das Verhalten der Rechtsschöpfer, Rechtspraktiker und Rechtsinteressenten entstehen. Wenn also die Überzeugung von der spezifischen „Legitimität" bestimmter Rechtsmaximen, von der durch keinerlei Oktroyierung von positivem Recht zu zerstörenden, unmittelbar verpflichtenden Kraft bestimmter Rechtsprinzipien, das praktische Rechtsleben wirklich fühlbar beeinflußt. Dies ist tatsächlich historisch wiederholt, speziell aber im Beginn der Neuzeit und in der Revolutionsepoche der Fall gewesen und ist es teilweise (in Amerika) noch. Die Inhalte solcher Maximen aber pflegt man als „*Naturrecht*" zu bezeichnen.

Wir lernten die „lex naturae" früher als eine wesentlich stoische Schöpfung kennen, die das Christentum übernahm, um zwischen seiner eigenen Ethik und den Normen der Welt eine Brücke zu finden. Es war das innerhalb der gegebenen Welt der Sünde und Gewaltsamkeit nach Gottes Willen legitime „Recht für Alle", im Gegensatz zu Gottes, direkt für seine Bekenner offenbartem und nur dem religiös Auserwählten einleuchtenden Gebot. Jetzt sehen wir die lex naturae von der anderen Seite her. „Naturrecht" ist der Inbegriff der unabhängig von allem positiven Recht und ihm gegenüber präeminent geltenden Normen, welche ihre Dignität nicht von willkürlicher Satzung zu Lehen tragen, sondern umgekehrt deren Verpflichtungsgewalt erst legitimieren. Der Inbegriff von Normen also, welche nicht kraft ihres Ursprungs von einem legitimen Gesetzgeber, sondern kraft rein immanenter Qualitäten legitim sind: die spezifische und einzig konsequente Form der Legitimität eines Rechts, welche übrigbleiben kann, wenn religiöse Offenbarungen und autoritäre Heiligkeit der Tradition und ihrer Träger fortfallen. Das Naturrecht ist daher die spezifische Legitimitätsform der *revolutionär* geschaffenen Ordnungen. Berufung auf „Naturrecht" ist immer wieder die Form gewesen, in welcher Klassen, die sich gegen die bestehende Ordnung auflehnten, ihrem Verlangen nach Rechtsschöpfung Legitimität verliehen, sofern sie sich nicht auf positive religiöse Normen und Offenbarungen stützten. Zwar ist nicht jedes Naturrecht seinem gemeinten Sinn nach „revolutionär", in dem Sinne, daß es bestimmten Normen die Berechtigung zuspräche, einer bestehenden Ordnung gegenüber durch gewaltsames Handeln oder durch passive Renitenz durchgesetzt zu werden. Nicht nur haben auch die verschiedensten Arten von autoritären Gewalten ihre „naturrechtliche" Legitimation erfahren. Sondern es gab auch ein einflußreiches „Naturrecht des historisch Gewordenen" als solches gegenüber dem auf abstrakte

Regeln gegründeten oder solche Regeln produzierenden Denken. Ein naturrechtliches Axiom dieser Provenienz lag z. B. der Theorie der historischen Schule von der Präeminenz des „Gewohnheitsrechts" – ein erst von ihr klar ausgebauter Begriff – zugrunde. Ganz ausdrücklich dann, wenn behauptet wurde: ein Gesetzgeber „könne" durch Satzung den Geltungsbereich des Gewohnheitsrechts gar nicht rechtswirksam einschränken, vor allem dessen derogatorische Kraft gegenüber den Gesetzen nicht ausschließen. Denn man „könne" dem geschichtlichen Werden nicht verbieten, daß es sich vollziehe. Aber auch alle nicht bis zu dieser Konsequenz gehenden, halb historischen, halb naturalistischen Theorien vom „Volksgeist" als der einzig natürlichen und daher legitimen Quelle, aus welchem Recht und Kultur emaniere, und speziell von dem „organischen" Wachstum alles echten, auf unmittelbarem „Rechtsgefühl" beruhenden und nicht „künstlichen", d. h. zweckrational gesatzten Rechtes, oder wie sonst sich diese der Romantik eigentümlichen Gedankenreihen geben mochten, enthielten jene das gesatzte Recht zu etwas „nur" Positivem deklassierende Voraussetzung.

Dem Irrationalismus dieser Axiome stehen nun die naturrechtlichen Axiome des Rechtsrationalismus kontradiktorisch gegenüber, und nur sie konnten Normen formaler Art überhaupt schaffen, so daß man unter Naturrecht a potiori mit Recht nur sie zu verstehen pflegt. Ihre Ausbildung in der Neuzeit war, neben den religiösen Grundlagen, welche sie bei den rationalistischen Sekten fanden, teils das Werk des Naturbegriffs der Renaissance, welche überall den Kanon des von der „Natur" Gewollten zu erfassen strebte, teils entstanden sie in Anlehnung an den vor allem in England heimischen Gedanken bestimmter angeborener nationaler Rechte jedes Volksgenossen. Dieser spezifisch englische Begriff des „birthright" entstand sehr wesentlich unter dem Einfluß der populären Auffassung gewisser in der Magna Charta ursprünglich lediglich den Baronen verbrieften ständischen Freiheiten als nationaler Freiheitsrechte der englischen Untertanen als solcher, an denen sich weder der König noch irgendeine andere politische Gewalt vergreifen dürfe. Der Übergang zu der Vorstellung von Rechten jedes Menschen als solchen dagegen ist, unter zeitweise sehr starker Mitwirkung religiöser, namentlich täuferischer Einflüsse, im wesentlichen erst durch die rationalistische Aufklärung des 17. und 18. Jahrhunderts vollzogen worden.

Die Naturrechtsaxiome können unter sich verschiedenen Typen angehören, von denen wir hier nur diejenigen betrachten wollen, welche besonders nahe zur Wirtschaftsordnung in Beziehung stehen.

Die naturrechtliche Legitimität positiven Rechts kann entweder mehr an formale Bedingungen geknüpft sein oder mehr an materiale. Der Unterschied ist graduell, denn ein ganz rein formales Naturrecht kann es nicht geben: es würde ja mit den ganz inhaltleeren allgemeinen juristischen Begriffen zusammenfallen müssen. Aber immerhin ist der Gegensatz praktisch sehr bedeutend. Der reinste Typus der ersten Gattung ist das Naturrecht, welches im 17. und 18. Jahrhundert zuerst unter den erwähnten Einflüssen entstand: vor allem in Gestalt der „Vertragstheorie", und zwar speziell in deren individualistischer Form. Alles legitime Recht beruht auf Satzung und Satzung ihrerseits letztlich immer auf rationaler Vereinbarung. Entweder real, auf einem wirklichen Urvertrag freier Individuen, welcher auch die Art der Entstehung neuen gesatzten Rechts für die Zukunft regelt. Oder in dem ideellen Sinn: daß nur ein solches Recht legitim ist, dessen Inhalt dem Begriff einer vernunftgemäßen, durch freie Vereinbarung gesatzten Ordnung nicht widerstreitet. Die „Freiheitsrechte" sind der wesentliche Bestandteil eines solchen Naturrechts, und vor allem: die *Vertragsfreiheit*. Der freiwillige rationale Kontrakt entweder als wirklicher historischer Grund aller Vergesellschaftungen einschließlich des Staats oder doch als regulativer Maßstab der Bewertung wurde eines der universellen Formalprinzipien naturrechtlicher Konstruktion. Dies wie jedes formale Naturrecht steht also prinzipiell auf dem Boden des Systems der legitim durch Zweckkontrakt erworbenen Rechte und also, soweit es sich um ökonomische Güter handelt, auf dem Boden der durch Vollentwicklung des Eigentums geschaffenen, ökonomischen Einverständnisgemeinschaft. Das legitim durch freien Vertrag mit allen (Urvertrag) oder mit Einzelnen andern erworbene Eigentum und die Freiheit der Verfügung darüber, also prinzipiell freie Konkurrenz, gehört zu seinen selbstverständlichen Bestandteilen. *Formale* Schranken hat daher die Vertragsfreiheit nur insofern, als Verträge und Gemeinschaftshandeln überhaupt nicht gegen das sie legitimierende Naturrecht selbst verstoßen, also nicht die ewigen unverjährbaren Freiheitsrechte anlasten dürfen, möge es sich nun um die privaten Abmachungen der Einzelnen oder um das anstaltsbezogene Handeln der Verbandsorgane und die Fügsamkeit der Mitglieder ihm gegenüber handeln. Man kann sich gültig weder in die politische noch in die privatrechtliche Sklaverei begeben. Aber im übrigen kann keine Satzung gültig die freie Verfügung des Einzelnen über seinen Besitz und seine Arbeitskraft beschränken. Zum Beispiel ist deshalb jeder gesetzliche „Arbeiterschutz", also jedes Verbot bestimmter Inhalte des „freien" Arbeitsvertrages, ein Eingriff in die Vertragsfreiheit, und die Judikatur des höchsten Gerichtshofs der Vereinigten Staaten hat daher bis in die jüngste Zeit daran festgehalten: daß solche Bestimmungen schon rein formal, auf Grund der naturrechtlichen Präambeln der Verfassungen nichtig seien. *Materialer* Maßstab aber für das, was naturrechtlich legitim ist, sind „Natur" und „Vernunft". Beide und die aus ihnen ableitbaren Regeln: allgemeine Regeln des Geschehens und allgemein geltende Normen also, werden als zusammenfallend angesehen; die Erkenntnisse der menschlichen „Vernunft" gelten als identisch mit der „Natur der Sache": der „Logik der Dinge", wie man das heute ausdrükken würde; das Geltensollende gilt als identisch mit dem faktisch im Durchschnitt überall Seienden; die durch logische Bearbeitung von Begriffen: juristischen oder ethischen, gewonnenen „Normen" gehören im gleichen Sinn wie die „Naturgesetze" zu denjenigen allgemein verbindlichen Regeln, welche „Gott selbst nicht ändern kann" und gegen welche eine Rechtsordnung sich nicht aufzulehnen versuchen darf. Der Natur der Sache und dem Grundsatz der Legitimität erworbener Rechte entspricht z. B. nur die Existenz des auf dem Wege des freien Güteraustauschs zur Geldfunktion gelangten, also des metallischen Geldes [„Metallismus"]. Eine Rechtsordnung hat daher z. B. die naturrechtliche Pflicht, den Staat – wie gelegentlich noch im 15. Jahrhundert von Fanatikern behauptet worden ist – lieber zugrunde gehen zu lassen, als den legitimen Bestand des Rechts durch die Illegitimität der „künstlichen" Schaffung von Papiergeld zu beflecken. Denn eine Verletzung legitimen Rechts hebt den „Begriff" des Staates auf.

Erweichungen dieses Formalismus entstanden im Naturrecht auf verschiedenem Wege. Zunächst mußte es, um mit der bestehenden Ordnung überhaupt Beziehungen zu gewinnen, legitime Erwerbsgründe von Rechten akzeptieren, welche aus der Vertragsfreiheit nicht ableitbar waren. Vor allem den Erwerb kraft *Erbrechts.* Da die mannigfachen Versuche, das Erbrecht naturrechtlich zu begründen, durchweg nicht formalrechtlichen, sondern rechtsphilosophischen Charakters sind, lassen wir sie hier ganz beiseite. Fast immer ragen letztlich materiale Motive hinein, noch öfter aber höchst künstliche Konstruktionen. Zahlreiche andere Institutionen des geltenden Rechts ferner waren lediglich praktisch utilitarisch, nicht aber formal, zu legitimieren. Durch deren „Rechtfertigung" glitt die naturrechtliche „Vernunft" leicht überhaupt auf die Bahn utilitarischer Betrachtungsweise und dies äußerte sich in der Verschiebung des Begriffs des „Vernünftigen". Beim rein formalen Naturrecht ist das Vernünftige das aus ewigen Ordnungen der Natur und der Logik – beides wird gern ineinandergeschoben – Ableitbare. Aber namentlich der englische Begriff des „reasonable" barg von Anfang an auch die Bedeutung: „rationell" im Sinn von „praktisch zuträglich" in sich. Darauf ließ sich der Schluß aufbauen: das praktisch zu absurden Konsequenzen Führende könne nicht das durch Natur und Vernunft gewollte Recht sein, und dies bedeutete das ausdrückliche Hineintragen materialer Voraussetzungen in den Begriff der Vernunft, die ja freilich der Sache nach latent von jeher in ihm lebendig gewesen waren. Tatsächlich hat mit Hilfe dieser Verschiebung jenes Begriffes z. B. der Supreme Court der Vereinigten Staaten sich in der neuesten Zeit sehr weitgehend der Gebundenheit an das formale Naturrecht zu entziehen gewußt und sich die Möglichkeit verschafft, z. B. die Gültigkeit gewisser Teile der sozialen Gesetzgebung anzuerkennen.

Prinzipiell aber wandelte sich das formale Naturrecht in ein materiales, sobald die Legitimität eines erworbenen Rechts nicht mehr an formal juristischen, sondern an material ökonomischen Merkmalen der Erwerbsart haftete. In Lassalles System der erworbenen Rechte wird noch versucht, ein bestimmtes Problem naturrechtlich mit formalen Mitteln, aber mit denen der Hegelschen Entwicklungslehre, zu entscheiden. Die Unantastbarkeit der auf Grund einer positiven Satzung formal legitim erworbenen Rechte wird vorausgesetzt; aber an dem Problem der sog. rückwirkenden Kraft der Gesetze und der damit zusammenhängenden Frage der Entschädigungspflicht des Staates im Falle der Aufhebung von Privilegien tritt die naturrechtliche Schranke dieses Rechtspositivismus hervor. Der hier nicht interessierende Lösungsversuch ist durchaus formalen und naturrechtlichen Charakters.

Der entscheidende Umschlag zum materialen Naturrecht knüpft vornehmlich an sozialistische Theorien von der ausschließlichen Legitimität des Erwerbs durch eigene Arbeit an. Denn damit ist nicht nur dem entgeltlosen Erwerb durch Erbrecht oder garantierte Monopole, sondern dem formalen Prinzip der Vertragsfreiheit und der grundsätzlichen Legitimität aller durch Vertrag erworbenen Rechte überhaupt abgesagt, weil alle Appropriation von Sachgütern nun material daraufhin geprüft werden muß, wieweit sie auf Arbeit als Erwerbsgrund ruhe.

Natürlich haben ebenso das formale rationalistische Naturrecht der Vertragsfreiheit wie dies materiale Naturrecht der ausschließlichen Legitimität des Arbeitsertrags sehr starke Klassenbeziehungen. Die Vertragsfreiheit und alle Sätze über das legitime Eigentum, welche daraus abgeleitet wurden, war selbstverständlich das Naturrecht der Marktinteressenten, als der an endgültiger Appropriation der Produktionsmittel Interessierten. Daß umgekehrt das Dogma von der spezifischen Unappropriierbarkeit des Grund und Bodens, weil ihn niemand durch seine Arbeit produziert habe, also: der Protest gegen die Schließung der Bodengemeinschaft, der Klassenlage ländlicher proletarisierter Bauern entspricht, deren verengerter Nahrungsspielraum sie unter das Joch der Bodenmonopolisten zwingt, ist klar, und ebenso, daß die Parole speziell da pathetische Macht gewinnen muß, wo für den Ertrag der landwirtschaftlichen Gütererzeugung wirklich noch vorwiegend die natürliche Beschaffenheit des Bodens ausschlaggebend und zugleich die Bodenappropriation wenigstens nach innen noch nicht geschlossen ist, wo ferner ein rationaler „Großbetrieb" als Arbeitsorganisation in der Landwirtschaft fehlt, die Rente der Grundherren vielmehr entweder reine Pachtrente ist oder doch mit Bauerninventar und Bauerntechnik herausgewirtschaftet wird, wie sehr vielfach auf dem Gebiet der „schwarzen Erde". Positiv gewendet ist aber dieses kleinbäuerliche Naturrecht vieldeutig, denn es kann sowohl 1. ein Recht auf Bodenanteil im Ausmaß der vollen Ausnutzung der eigenen Arbeitskraft (russisch: „trudowaja norma"), wie 2. ein Recht auf Bodenbesitz im Ausmaß der traditionell unentbehrlichen Bedarfsdeckung (russisch: „potrebitjelnaja norma") – also in der üblichen Terminologie entweder ein „Recht auf Arbeit" oder ein „Recht auf das Existenzminimum" – und, mit beiden verbunden, 3. das Recht auf den vollen Arbeitsertrag in sich schließen. Die nach heute absehbarer Wahrscheinlichkeit letzte naturrechtliche Agrarrevolution, welche die Welt gesehen haben wird: die russische des letzten Jahrzehntes, hat sich an den unaustragbaren Gegensätzen jener beiden möglichen Naturrechtsnormen untereinander und gegenüber den historisch oder realpolitisch oder praktisch-ökonomisch oder endlich – in hoffnungsloser Konfusion, weil im Widerspruch mit den eigenen Grunddogmen – marxistisch-evolutionistisch motivierten Bauernprogrammen in sich selbst auch rein ideell verblutet. Jene drei „sozialistischen" Individualrechte haben bekanntlich auch in der Ideenwelt des gewerblichen Proletariats ihre Rolle gespielt. Von ihnen sind das erste und zweite sowohl unter handwerksmäßigen wie unter kapitalistischen Existenzbedingungen der Arbeiterschaft theoretisch sinnvoll möglich, das dritte dagegen nur unter handwerksmäßigen, unter kapitalistischen gar nicht oder doch nur, wenn man sich eine streng traditionelle Innehaltung bestimmter Kostpreise beim Tausch universell durchgeführt (und durchführbar) denkt. Auf dem Boden der Landwirtschaft aber ebenso nur bei kapitalloser Produktion. Denn kapitalistische Produktionsteilung verschiebt sofort die Zurechnung des Ertrags des landwirtschaftlichen Bodens von der direkten landwirtschaftlichen Produktionsstätte hinweg in die Werkstätten landwirtschaftlicher Werkzeuge, künstlicher Düngemittel usw. und auf dem Gebiet des Gewerbes gilt das gleiche. Wo aber überhaupt Verwertung der Produkte auf einem Markt mit freier Konkurrenz den Ertrag bestimmt, verliert der Inhalt jenes Rechts des Einzelnen unvermeidlich den Sinn eines – gar nicht mehr existierenden – individuellen „Arbeitsertrags" und kann nur als Kollektivanspruch der in gemeinsamer Klassenlage Befindlichen Sinn behalten. Praktisch wird es dann zu einem Anspruch auf den „living wage", also zu einer Spielart des „Rechts auf das durch die *üblichen* Bedürfnisse bestimmte Existenzminimum", ähnlich dem von der kirchlichen Ethik geforderten „justum pretium" des Mittelalters, welches im Fall des Zweifels durch Prüfung (und eventuell: Probe): ob bei dem betreffenden Preise der betreffende Handwerker seinen standesgemäßen Unterhalt finden könne, bestimmt wurde.

Das „justum pretium" selbst, der wichtigste naturrechtliche Einschlag der kanonistischen Wirtschaftslehre, ist ganz allgemein dem gleichen Schicksal verfallen. Man kann mit Fortschreiten der Marktvergemeinschaftung in der kanonistischen Literatur bei der Erörterung der Bestimmungsgründe des „justum pretium" die allmähliche Zurückdrängung dieses dem „Nahrungsprinzip" entsprechenden Arbeitswertpreises durch den Konkurrenzpreis als „natürlichen" Preis verfolgen. Schon bei Antonin von Florenz hat dieser das entschiedene Übergewicht. Bei den Puritanern dominiert er natürlich vollends. Der als „unnatürlich" verwerfliche Preis war nunmehr ein solcher, welcher nicht auf freier, d. h. durch Monopole oder andere willkürliche menschliche Eingriffe ungestörter, Marktkonkurrenz beruht. Dieser Satz hat in der ganzen puritanisch beeinflußten, angelsächsischen Welt bis in die Gegenwart hinein seine Wirkungen geübt. Er hat sich, kraft seiner naturrechtlichen Dignität, als eine immerhin viel tragfähigere Stütze des Ideals der „freien Konkurrenz" erwiesen, als die rein utilitarischen ökonomischen Theorien Bastiatschen Gepräges auf dem Kontinent. –

Alle Naturrechtsdogmen haben die Rechtsschöpfung ebenso wie die Rechtsfindung mehr oder minder erheblich beeinflußt. Sie haben die ökonomischen Bedingungen ihrer Entstehung teilweise beträchtlich überdauert und bildeten eine selbständige Komponente der Rechtsentwicklung. Formal steigerten sie zunächst die Neigung zum logisch abstrakten Recht, überhaupt die Macht der Logik im Rechtsdenken. Material war ihr Einfluß überaus verschieden stark, überall aber bedeutend. Es ist hier nicht der Ort, dies und die Wandlungen und Kompromisse der verschiedenen naturrechtlichen Axiome im einzelnen zu verfolgen. Nicht nur die revolutionären, sondern auch schon die Kodifikationen des vorrevolutionären rationalistischen modernen Staats und Beamtentums waren von Naturrechtsdogmen beeinflußt und leiteten die spezifische Legitimität des von ihnen geschaffenen Rechts letztlich weitgehend aus seiner „Vernünftigkeit" ab. Wir sahen schon, wie leicht an der Hand eben dieses Begriffs der Umschlag aus dem ethisch und juristisch formalen in das utilitarisch und technisch materiale sich vollziehen konnte und vollzog. Dieser Umschlag lag freilich, aus Gründen, die wir kennenlernten, den vorrevolutionären patriarchalen Mächten besonders nahe, während umgekehrt die unter dem Einfluß der bürgerlichen Klassen sich vollziehenden Kodifikationen der Revolution die formalen naturrechtlichen Garantien des Individuums und seiner Rechtssphäre gegenüber der politischen Herrschaftsgewalt betonten und steigerten. Das Emporwachsen des Sozialismus bedeutete dann zwar zunächst die steigende Herrschaft materialer Naturrechtsdogmen in den Köpfen der Massen und mehr noch in den Köpfen ihrer der Intellektuellenschicht angehörigen Theoretiker. Einen direkten Einfluß auf die Rechtsprechung haben aber diese materialen Naturrechtsdogmen nicht erlangen können, schon weil sie, ehe sie überhaupt dazu befähigt gewesen wären, schon wieder durch die zunehmend rasch arbeitende positivistische und relativistisch-evolutionistische Skepsis eben dieser Intellektuellenschichten zersetzt wurden. Unter dem Einfluß dieses antimetaphysischen Radikalismus suchte die eschatologische Erwartung der Massen Anhalt an Prophetien statt an Postulaten. Auf dem Boden der revolutionären Rechtstheorien wurde infolgedessen die Naturrechtslehre zerstört durch die evolutionistische Dogmatik des Marxismus. Auf der Seite der offiziellen Wissenschaft wurde sie teils durch Comtesche Entwicklungsschemata, teils durch die „organischen" Entwicklungstheorien des Historismus vernichtet. Die gleiche Wirkung hatte auch der Einschlag von „Realpolitik", welchen unter dem Eindruck der modernen Machtpolitik vor allem die Behandlung des öffentlichen Rechts annahm.

Die Methodik der publizistischen Theoretiker verfuhr von jeher und verfährt vollends heute in weitgehendem Maße so: daß sie als Konsequenz einer bekämpften juristischen Konstruktion praktisch-politisch absurd scheinende Folgerungen aus derselben aufzeigt und sie damit als erledigt betrachtet. Diese Methode ist derjenigen des formalen Naturrechts direkt entgegengesetzt. Sie enthält andererseits auch nichts von materialem Naturrecht in sich. Im übrigen arbeitete die kontinentale Jurisprudenz mit dem bis in die jüngste Vergangenheit im wesentlichen unangefochtenen Axiom von der logischen „Geschlossenheit" des positiven Rechts. Ausdrücklich verkündet ist es wohl zuerst von Bentham, im Protest gegen die Präjudizienwirtschaft und Irrationalität des Common Law. Gestützt wurde es indirekt durch alle jene Richtungen, welche alles überpositive Recht, insbesondre das Naturrecht, ablehnten, insofern also auch durch die historische Schule. Gänzlich auszurotten ist freilich der latente Einfluß naturrechtlicher, uneingestandener, Axiome auf die Rechtspraxis schwerlich. Aber nicht nur infolge der unausgleichbaren Kampfstellung formaler und materialer Naturrechtsaxiome gegeneinander und nicht nur infolge der Arbeit der verschiedenen Formen der Entwicklungslehre, sondern auch infolge der fortschreitenden Zersetzung und Relativierung aller metajuristischen Axiome überhaupt. Teils durch den juristischen Rationalismus selbst, teils durch die Skepsis des modernen Intellektualismus im allgemeinen, ist die naturrechtliche Axiomatik heute in tiefen Mißkredit geraten. Sie hat jedenfalls die Tragfähigkeit als Fundament eines Rechtes verloren. Verglichen mit dem handfesten Glauben an die positive religiöse Offenbartheit einer Rechtsnorm oder an die unverbrüchliche Heiligkeit einer uralten Tradition sind auch die überzeugendsten durch Abstraktion gewonnenen Normen für diese Leistung zu subtil geartet. Der Rechtspositivismus ist infolgedessen in vorläufig unaufhaltsamem Vordringen. Das Schwinden der alten Naturrechtsvorstellungen hat die Möglichkeit, das Recht als solches kraft seiner immanenten Qualitäten mit einer überempirischen Würde auszustatten, prinzipiell vernichtet: es ist heute allzu greifbar in der großen Mehrzahl und gerade in vielen prinzipiell besonders wichtigen seiner Bestimmungen als Produkt und technisches Mittel eines Interessenkompromisses enthüllt. Aber eben dieses Absterben seiner metajuristischen Verankerung gehörte zu denjenigen ideologischen Entwicklungen, welche zwar die Skepsis gegenüber der Würde der einzelnen Sätze der konkreten Rechtsordnung steigerten, eben dadurch aber die faktische Fügsamkeit in die nunmehr nur noch utilitarisch gewertete Gewalt der jeweils sich als legitim geberdenden Mächte im *ganzen* außerordentlich förderten. Vor allem innerhalb des Kreises der Rechtspraktiker selbst. Die Berufspflicht der Wahrung bestehenden Rechts scheint die Rechtspraktiker generell in den Kreis der „konservativen" Mächte einzureihen. Das trifft vielfach auch zu, aber in dem doppelten Sinn, daß der Rechtspraktiker sowohl dem Ansturm materialer Postulate von „unten", im Namen „sozialer" Ideale, wie von „oben", im Namen patriarchaler Macht und Wohlfahrts-Interessen der politischen Gewalt, kühl gegenüberstehen wird. Indessen gilt dies nicht unbedingt. Den Anwälten speziell liegt, kraft ihrer direkten Beziehung zu den Interessenten und ihrer Qualität als erwerbender, sozial schwankend bewerteter Privatleute, die Rolle der Vertretung der Nichtprivilegierten und speziell der formalen Rechtsgleichheit nahe. Schon in den Popolanen-Bewegungen der italienischen Kommunen, dann in allen bürgerlichen Revolutionen der Neuzeit und weitgehend auch in den sozialistischen Parteien haben daher Advokaten und Juristen überhaupt eine hervorragende Rolle gespielt und in rein demokratischen politischen Verbänden (Frankreich, Italien, Vereinigte Staaten) sind sie, als die fachmäßig allein über die rechtlichen Möglichkeiten sachkundigen Techniker, als Honoratioren und als Vertrauensmänner ihrer Klientel die gegebenen Anwärter auf politische Karriere. Aber auch die Richter haben unter Umständen aus ideologischen Gründen, aus Standessolidarität, gelegentlich auch aus materiellen Gründen, eine sehr starke Opposition gegen die patriarchalen Mächte gebildet. Die feste regelhafte Bestimmtheit aller äußeren Rechte und Pflichten wird ihnen als ein um seiner selbst willen erstrebenswertes Gut erscheinen und diese spezifisch „bürgerliche" Grundlage ihres Denkens bedingte ihre entsprechende Stellungnahme in den politischen Kämpfen, welche um die Eindämmung der autoritären patrimonialen Willkür und Gnade geführt wurden. Aber je nachdem dabei der Nachdruck mehr auf die Tatsache der „Ordnung" als solcher oder mehr auf die Garantie und Sicherheit, welche sie der Sphäre des Einzelnen verleiht: die „Freiheit" fiel (das Recht als „Reglement" oder als Quelle „subjektiven Rechts" gewertet wurde – um die Unterscheidung Radbruchs zu akzeptieren –) konnte dann weiterhin, nachdem die „Regelhaftigkeit" der sozialen Ordnung einmal durchgesetzt war, der Juristenstand mehr auf die Seite der autoritären oder der antiautoritären Gewalten treten. Aber nicht nur dieser Gegensatz, sondern vor allem auch die alte Alternative zwischen formalen und materialen Rechtsidealen und das ökonomisch bedingte, starke Wiedererwachen dieser letzteren, oben und unten, bedingten die Abschwächung der Oppositionsstellung der Juristen als solcher. Durch welche technischen Mittel es den autoritären Gewalten gelingt, Widerstände innerhalb des Richtertums unschädlich zu machen, ist später zu erörtern. Unter den allgemeinen ideologischen Gründen der Änderung jener Haltung der Juristen aber spielt das Schwinden des Naturrechtsglaubens eine bedeutende Rolle. Soweit der Juristenstand heute überhaupt typische ideologische Beziehungen zu den gesellschaftlichen Gewalten aufweist, fällt er, – verglichen sowohl mit den Juristen der englischen und französischen Revolutionszeit, wie überhaupt des Aufklärungszeitalters, auch innerhalb der patrimonialfürstlichen Despotien, der Parlamente und Gemeindekörperschaften, bis herab zum preußischen „Kreisrichterparlament" der 60er Jahre – viel stärker als je früher in die Waagschale der „Ordnung", und das heißt praktisch: der jeweils gerade herrschenden „legitimen" autoritären politischen Gewalten.

§ 8. Die formalen Qualitäten des modernen Rechts.

Die grundlegenden formellen Eigenarten der auf der Basis dieser rationalen und systematischen Rechtsschöpfungen entstandenen, spezifisch modernen okzidentalen Art der Rechtspflege sind nun, gerade infolge der neuesten Entwicklung, keineswegs eindeutig.

Die alten Prinzipien, welche für das Ineinanderfließen „subjektiven" und „objektiven" Rechts entscheidend waren: daß das Recht eine „geltende" Qualität der Glieder eines Personenverbandes darstellt, welche von diesen monopolisiert wird: die stammesmäßige oder ständische Personalität des Rechts und seine, durch genossenschaftliche Einung oder durch Privileg usurpierte oder legalisierte, Partikularität sind verschwunden und mit ihnen die ständischen und Sonderverbandsprozeduren und Gerichtsstände. Allein weder alles partikuläre und personale Recht noch alle Sondergerichtsbarkeit ist damit beseitigt. Im Gegenteil hat gerade die Rechtsentwicklung der neuesten Zeit eine zunehmende Partikularisierung des Rechts gezeitigt. Nur das Prinzip der Abgrenzung der Geltungssphäre ist charakteristisch abgewandelt. Typisch dafür ist einer der wichtigsten Fälle moderner Rechtspartikularität: das Handelsrecht. Diesem Spezialrecht unterliegen z. B. nach dem deutschen Handelsgesetzbuch einerseits gewisse Arten von *Kontrakten*, deren wichtigster: Erwerb in der Absicht gewinnbringender Weiterveräußerung, ganz im Sinn rationalisierten Rechts nicht durch Angabe formaler Qualitäten, sondern durch Bezugnahme auf den gemeinten zweckrationalen *Sinn*: des konkreten Geschäftsakts: „Gewinn" durch einen künftigen *anderen* Geschäftsakt, definiert ist. Andererseits unterliegen ihm bestimmte Gattungen von *Personen*, deren entscheidendes Merkmal darin besteht: daß jene Arten von Kontrakten von ihnen „gewerbsmäßig" vorgenommen werden. Entscheidend ist also für die Abgrenzung der Geltungssphäre dieses Rechts nicht der Wortfassung, wohl aber der Sache nach der Begriff des „*Betriebes*". Denn ein Betrieb, der sich aus jenen Geschäftsakten als konstitutiven Bestandteilen zusammensetzt, ist Kaufmannsbetrieb, und alle *sachlich*, d. h. wieder: dem gemeinten Sinne nach, zu einem konkreten Kaufmannsbetrieb „gehörigen" Kontrakte, gleichviel welchen Charakters, sind – bestimmt das Gesetz weiter – „Handelsgeschäfte". Darüber hinaus unterstehen jene für den Kaufmannsbetrieb konstitutiven Geschäfte auch dann dem Spezialrecht, wenn sie als Gelegenheitsgeschäfte von Nichtkaufleuten geschlossen werden. Also entscheidet für die Abgrenzung der Geltungssphäre einerseits die sachliche Qualität (vor allem: der zweckrationale „Sinn") des Einzelgeschäfts und andererseits die sachliche (zweckrational sinnhafte) Zugehörigkeit zum rationalen Zweckverband des Betriebs, nicht aber, wie in der Vergangenheit normalerweise, die Zugehörigkeit zu einem durch Einung oder Privileg rechtlich konstituierten Stande. Das Handelsrecht ist, soweit es personal abgegrenzt ist, Klassenrecht, nicht Standesrecht. Dieser Gegensatz gegen die Vergangenheit ist aber unzweifelhaft nur relativ. Gerade für dies Recht des Handels und der anderen rein ökonomischen „Berufe" hat das Prinzip der Abgrenzung von jeher einen in der äußeren Form oft abweichenden, in der Sache aber innerlich ähnlichen, rein sachlichen Charakter gehabt. Nur standen daneben mit quantitativ und qualitativ überragender Bedeutung die rein ständisch abgegrenzten Rechtspartikularitäten. Und auch die Abgrenzung der Geltungssphäre der Berufspartikularrechte erfolgte – soweit sie nicht an der Aufnahme in eine Einung hing – meist rein formal, durch Erwerb einer Lizenz oder eines Privilegs. In der im neuen deutschen Handelsgesetzbuch durchgeführten Kaufmannsqualität jedes ins Handelsregister Eingetragenen ist die personale Sphäre des Handelsrechts nach solchen rein formalen Merkmalen abgegrenzt, im übrigen aber nach dem ökonomischen Sinn der Geschäftsgebarung. Die Sonderrechte für andere Berufsklassen sind überwiegend ebenfalls nach solchen sachlichen Merkmalen und daneben nur unter Umständen formal abgegrenzt. – Den spezifisch modernen Partikularrechten entsprechen zahlreiche Partikulargerichte und partikuläre Sonderprozeduren.

Die Gründe der Entstehung dieser Partikularitäten sind wesentlich von zweierlei Art. Zunächst sind sie Folge der Berufsdifferenzierung und der steigenden Rücksichtnahme, welche die Interessenten des Güterverkehrs und der betriebsmäßigen gewerblichen Güterproduktion sich erzwungen haben. Sie erwarten von diesen Partikularitäten eine fachmäßig sachkundige Erledigung ihrer Rechtsangelegenheiten. Daneben aber spielt gerade in neuester Zeit ein anderer Grund der Partikularisierung eine zunehmende Rolle: der Wunsch, den Formalitäten der normalen Rechtsprozeduren zu entgehen im Interesse einer dem konkreten Fall angepaßteren und schleunigeren Rechtspflege. Praktisch bedeutet dies eine Abschwächung des Rechtsformalismus aus materialen Interessen heraus. Insoweit dies der Fall ist, gehört die Erscheinung in einen größeren Kreis ähnlicher moderner Vorgänge hinein.

Die allgemeine Entwicklung des Rechts und des Rechtsgangs führt, in theoretische „Entwicklungsstufen" gegliedert, von der charismatischen Rechtsoffenbarung durch „Rechts*propheten*" zur empirischen Rechtsschöpfung und Rechtsfindung durch Rechts*honoratioren* (Kautelar- und Präjudizienrechtsschöpfung) weiter zur Rechtsoktroyierung durch weltliches Imperium und theokratische Gewalten und endlich zur systematischen Rechtssatzung und zur fachmäßigen, auf Grund literarischer und formallogischer Schulung sich vollziehenden „Rechtspflege" durch Rechts*gebildete* (Fachjuristen). Die formalen Qualitäten des Rechts entwickeln sich dabei aus einer Kombination von magisch bedingtem Formalismus und offenbarungsmäßig bedingter Irrationalität im primitiven Rechtsgang, eventuell über den Umweg theokratisch oder patrimonial bedingter materialer und unformaler Zweckrationalität zu zunehmender fachmäßig juristischer, also logischer Rationalität und Systematik und damit – zunächst rein äußerlich betrachtet – zu einer zunehmend logischen Sublimierung und deduktiven Strenge des Rechts und einer zunehmend rationalen Technik des Rechtsgangs. Daß die hier theoretisch konstruierten Rationalitätsstufen in der historischen Realität weder überall gerade in der Reihenfolge des Rationalitätsgrades aufeinander gefolgt, noch auch nur überall, selbst im Okzident, alle vorhanden gewesen sind oder auch nur heute sind, daß ferner die Gründe für die Art und den Grad der Rationalisierung des Rechts historisch – wie schon unsere kurze Skizze zeigte – wohl verschieden geartet waren, dies alles soll hier ad hoc ignoriert werden, wo es nur auf die Feststellung der allgemeinsten Entwicklungszüge ankommen kann. Es sei nur daran erinnert, daß die großen Verschiedenheiten der Entwicklung im wesentlichen bedingt waren (und sind) 1. durch die Verschiedenheit politischer Machtverhältnisse – das Imperium hat, gegenüber sippenmäßigen, dinggenossenschaftlichen und ständischen Mächten, aus politischen Gründen, die später zu erörtern sind, sehr verschieden starke Macht erlangt –, 2. durch das Machtverhältnis der theokratischen zu den profanen Gewalten, 3. durch die in starkem Maß von politischen Konstellationen mitbedingte Verschiedenheit der Struktur der für die Rechtsbildung maßgebenden Rechtshonoratioren. Nur der Okzident kannte die voll entwickelte dinggenossenschaftliche Justiz und die ständische Stereotypierung des Patrimonialismus, nur er auch das Aufwachsen der rationalen Wirtschaft, deren Träger sich mit der Fürstenmacht zunächst zum Sturz der ständischen Gewalten verbündete, dann aber revolutionär gegen sie kehrte; nur der Okzident kannte daher auch das „Naturrecht"; nur er kennt die völlige Beseitigung der Personalität des Rechts und des Satzes „Willkür bricht Landrecht", nur er hat ein Gebilde von der Eigenart des römischen Rechts entstehen sehen und einen Vorgang wie dessen Rezeption erlebt. Alles dies sind zum sehr wesentlichen Teil konkret politisch verursachte Vorgänge, welche in der ganzen sonstigen Welt nur ziemlich entfernte Analogien hatten. Daher ist auch die Stufe des juristischen Fach*bildungs*rechts, wie wir sahen, in vollem Umfang nur im Okzident erreicht worden. Ökonomische Bedingungen haben dabei, sahen wir überall, sehr stark mitgespielt. Aber niemals allein ausschlaggebend, wie sich später noch bei Besprechung der politischen Herrschaft zeigen wird. Soweit sie bei der Bildung der spezifisch modernen Züge des heutigen okzidentalen Rechts beteiligt waren, lag die Richtung, in welcher sie wirkten, im ganzen in folgendem: Für die Gütermarktsinteressenten bedeutete die Rationalisierung und Systematisierung des Rechts, allgemein und unter dem Vorbehalt späterer Einschränkung gesprochen: zunehmende Berechenbarkeit des Funktionierens der Rechtspflege: eine der wichtigsten Vorbedingungen für ökonomische Dauerbetriebe, speziell solche kapitalistischer Art, welche ja der juristischen „Verkehrssicherheit" bedürfen. Sondergeschäftsformen und Sonderprozeduren wie der Wechsel und der Wechselprozeß dienen diesem Bedürfnis nach rein *formaler* Eindeutigkeit der Rechtsgarantie. Auf der anderen Seite aber enthält nun die moderne (wie in gewissem Maße auch ebenso die antike römische) Rechtsentwicklung Tendenzen, welche eine Auflösung des Rechtsformalismus begünstigen. Wesentlich technischen Charakters scheint auf den ersten Blick die Auflösung des formal gebundenen Beweisrechts zugunsten der „freien Beweiswürdigung". Wir sahen: die Sprengung der urwüchsigen, ursprünglich magisch bedingten formalen Bindung der Beweismittel war das Werk teils theokratischen, teils patrimonialen Rationalismus, welche beide „materielle Wahrheitsermittlung" postulierten, also ein Produkt materialer Rationalisierung. Heute aber ist Umfang und Grenze der freien Beweiswürdigung in erster Linie durch die „Verkehrsinteressen", also ökonomische Momente bestimmt. Es ist klar, daß ein ehemals sehr erhebliches Gebiet formal juristischen Denkens diesem durch die freie Beweiswürdigung zunehmend entzogen wird. Uns interessieren aber mehr die entsprechenden Tendenzen auf dem Gebiet des materiellen Rechts. Ein Teil von ihnen liegt auf dem Gebiet der internen Entwicklung des Rechtsdenkens. Seine zunehmende logische Sublimierung bedeutet ja überall den Ersatz des Haftens an äußerlich sinnfälligen formalen Merkmalen durch zunehmende logische Sinn*deutung*, sowohl bei den Rechtsnormen selbst, wie vor allem auch bei der Interpretation der Rechtsgeschäfte. Diese Sinndeutung beanspruchte in der gemeinrechtlichen Doktrin, den „wirklichen Willen" der Parteien zur Geltung zu bringen und trug schon dadurch ein individualisierendes und (relativ) materiales Moment in den Rechtsformalismus hinein. Darüber hinaus sucht sie nun aber durchweg – ganz parallel der uns bekannten Systematisierung der religiösen Ethik – die Beziehungen der Parteien zueinander auch auf den „inneren" Kern des Sichverhaltens: die „Gesinnung" (bona fides, dolus), aufzubauen und knüpft also Rechtsfolgen an unformale Tatbestände. Große Teile des Güterverkehrs sind durchweg, bei primitivem ebenso wie bei technisch differenziertem Verkehr, nur auf Grund weitgehenden persönlichen Vertrauens auf die materiale Loyalität des Verhaltens anderer möglich. Mit steigender Bedeutung des Güterverkehrs steigt daher in der Rechtspraxis das Bedürfnis nach Garantie für ein solches, der Natur der Sache nach nur unvollkommen formal zu umschreibendes Verhalten. Mithin kommt diese gesinnungsethische Rationalisierung durch die Rechtspraxis mächtigen Interessen entgegen. Aber auch über den Güterverkehr hinaus schiebt die Rationalisierung des Rechtes durchweg an die Stelle der Wertung nach dem äußeren Verlauf vielmehr die Gesinnung als das eigentlich Bedeutsame in den Vordergrund. Sie ersetzt im Kriminalrecht die Rache, für deren Bedürfnis der Erfolg im Vordergrunde steht, durch rationale, sei es ethische, sei es utilitarische „Strafzwecke" und trägt dadurch ebenfalls zunehmend unformale Momente in die Rechtspraxis hinein. Aber noch darüber hinaus führen die Konsequenzen. Die Berücksichtigung der Gesinnung enthält, auch auf dem privatrechtlichen Gebiet, der Sache nach deren Bewertung durch den Richter. „Treu und Glaube" und die „gute" Sitte des Verkehrs, in letzter Instanz also ethische Kategorien, entschieden nun über dasjenige, was die Parteien wollen „durften". Immerhin ist die Bezugnahme auf den „guten" Verkehrsbrauch hier, der Sache nach, die Anerkennung der Durchschnittsauffassung der Interessenten, also eines generellen und sachlich-geschäftlichen Merkmals wesentlich faktischer Art, als des von den Interessenten befugtermaßen durchschnittlich *erwarteten* und deshalb von der Justiz zu akzeptierenden Normalmaßstabs. Nun aber haben wir gesehen, daß die rein fachjuristische Logik, die juristische „Konstruktion" der Tatbestände des Lebens an der Hand abstrakter „Rechtssätze" und unter der beherrschenden Maxime: daß dasjenige, was der Jurist nach Maßgabe der durch wissenschaftliche Arbeit ermittelten „Prinzipien" nicht „denken" könne, auch rechtlich nicht existiere, unvermeidlich immer wieder zu Konsequenzen führen muß, welche die „Erwartungen" der privaten Rechtsinteressenten auf das gründlichste enttäuschen. Die „Erwartungen" der Rechtsinteressenten sind an dem ökonomischen oder fast utilitarischen praktischen „Sinn" eines Rechtssatzes orientiert; dieser aber ist, rechtslogisch angesehen, irrational. Niemals wird ein „Laie" verstehen, daß es einen „Elektrizitätsdiebstahl" bei der alten Definition des Diebstahlsbegriffs nicht geben konnte. Es ist also keineswegs eine spezifische Torheit der modernen Jurisprudenz, welche zu diesen Konflikten führt, sondern in weitem Umfang die ganz unvermeidliche Folge der Disparatheit *logischer* Eigengesetzlichkeiten jedes formalen Rechtsdenkens überhaupt gegenüber den auf *ökonomischen* Effekt abzweckenden und auf ökonomisch qualifizierte Erwartungen abgestellten Vereinbarungen und rechtlich relevanten Handlungen der Interessenten. Immer erneut entsteht daraus heute der Protest der Interessenten gegen das juristische Fachdenken als solches. Und er findet heute Unterstützung auch bei dem Denken der Juristen selbst über ihren eigenen Betrieb. Allein ohne gänzlichen Verzicht auf jenen ihm selbst immanenten formalen Charakter ist ein Juristenrecht mit diesen Erwartungen niemals völlig zur Deckung zu bringen, noch auch je gebracht worden. Das heute in dieser Hinsicht bei uns oft glorifizierte englische so wenig wie das altrömische Juristenrecht, wie die modernen kontinentalen juristischen Denkgepflogenheiten. Auch Versuche (wie der von Erich Jung), an Stelle des überwundenen „Naturrechts" als „natürliches Recht" die den (durchschnittlichen) „Erwartungen" der

Interessenten entsprechende „Streitschlichtung" in Anspruch zu nehmen, würde daher auf gewisse immanente Grenzen stoßen. Im übrigen aber knüpft dieser Gedanke gewiß an Realitäten des Rechtslebens an. Diese Art von Geschäftssittlichkeit, welche sich an dem „durchschnittlich zu Erwartenden" orientiert, hat der Sache nach in der Tat schon das antike römische Recht der späteren republikanischen und namentlich der Kaiserzeit prinzipiell entwickelt. Es war dadurch im ganzen nur ein enger Kreis direkt als schmutzig oder betrügerisch geltender Manipulationen betroffen. In dieser Funktion konnte das Recht in der Tat nur das „ethische Minimum" garantieren. Trotz der bona fides galt auch der Satz: „caveat emptor". Nun aber entstehen mit dem Erwachen moderner Klassenprobleme materiale Anforderungen an das Recht von seiten eines Teils der Rechtsinteressenten (namentlich der Arbeiterschaft) einerseits, der Rechtsideologen andererseits, welche sich gerade gegen diese Alleingeltung solcher nur geschäftssittlicher Maßstäbe richten und ein soziales Recht auf der Grundlage pathetischer sittlicher Postulate („Gerechtigkeit", „Menschenwürde") verlangen. Dies aber stellt den Formalismus des Rechts grundsätzlich in Frage. Denn die Anwendung von Begriffen wie „Ausbeutung der Notlage" (im Wuchergesetz) oder die Versuche, Verträge wegen Unverhältnismäßigkeit des Entgeltes als gegen die guten Sitten verstoßend und daher nichtig zu behandeln, stehen grundsätzlich auf dem Boden von, rechtlich betrachtet, antiformalen Normen, die nicht juristischen oder konventionellen oder traditionellen, sondern rein ethischen Charakter haben, materiale Gerechtigkeit statt formaler Legalität beanspruchen.

Parallel mit diesen, namentlich durch soziale Forderungen der Demokratie einerseits, der monarchischen Wohlfahrtsbürokratie andererseits bedingten Einflüssen auf Recht und Rechtspraxis gehen nun auch interne Standesideologien der Rechtspraktiker. Die Situation des an die bloße Interpretation von Paragraphen und Kontrakten gebundenen Rechtsautomaten, in welchen man oben den Tatbestand nebst den Kosten einwirft, auf daß er unten das Urteil nebst den Gründen ausspeie, erscheint den modernen Rechtspraktikern subaltern und wird gerade mit Universalisierung des kodifizierten formalen Gesetzesrechts immer peinlicher empfunden. Sie beanspruchen „schöpferische" Rechtstätigkeit für den Richter, zum mindesten da, wo die Gesetze versagen. Die „freirechtliche" Doktrin unternimmt den Nachweis, daß dies Versagen das prinzipielle Schicksal aller Gesetze gegenüber der Irrationalität der Tatsachen, daß also in zahlreichen Fällen die Anwendung der bloßen Interpretation nur

Schein sei und die Entscheidung nach konkreten Wertabwägungen, nicht nach formalen Normen, erfolge und erfolgen müsse. Der bekannte, in seiner praktischen Tragweite freilich oft überschätzte § 1 des Schweizerischen Bürgerlichen Gesetzbuches, wonach der Richter mangels eindeutiger Auskunft des Gesetzes nach der Regel entscheiden solle, welche er selbst als Gesetzgeber aufstellen würde, entspricht zwar formal bekannten kantischen Formulierungen. Der Sache nach würde aber eine Judikatur, welche den gedachten Idealen entspräche, angesichts der Unvermeidlichkeit von Wertkompromissen, von einer Bezugnahme auf solche abstrakten Normen sehr oft ganz absehen und mindestens im Konfliktsfall ganz konkrete Wertungen, also nicht nur unformale, sondern auch irrationale Rechtsfindung, zulassen müssen. Tatsächlich ist denn auch neben die Doktrin von der unvermeidlichen Lückenhaftigkeit des Rechts und den Prozeß gegen die Fiktion seiner systematischen Geschlossenheit die weitergehende Behauptung getreten: daß Rechtsfindung überhaupt prinzipiell nicht „Anwendung" genereller Normen auf einen konkreten Tatbestand sei (oder doch nicht sein sollte), – so wenig der sprachliche Ausdruck „Anwendung" grammatischer Regeln sei –, daß vielmehr der „Rechtssatz" das Sekundäre, durch Abstraktion aus den konkreten Entscheidungen gewonnene, diese aber, die Produkte der Juristentätigkeit, der eigentliche Sitz des „geltenden" Rechts seien. Während auf der anderen Seite auch die quantitative Geringfügigkeit der zur kontradiktorischen richterlichen Entscheidung gelangenden Rechtsfälle gegenüber der gewaltigen Fülle der das faktische Verhalten bestimmenden Prinzipien: zur Deklassierung der „nur" als „Entscheidungsnormen" in Betracht kommenden Gesetzesregeln gegenüber den im prozeßlosen Alltag faktisch „geltenden" Regeln benutzt und daraus das Postulat der „soziologischen" Fundamentierung der Jurisprudenz abgeleitet wird. Aus der historischen Tatsache: daß das Recht lange Epochen hindurch ein Produkt der Tätigkeit der zunehmend juristisch beratenen Rechtsinteressenten und der zunehmend juristisch gebildeten Richter gewesen ist und teilweise noch ist, daß, m. a. W., alles „Gewohnheitsrecht" in Wahrheit Juristenrecht war und ist, im Zusammenhalt mit der ebenso unzweifelhaften Tatsache: daß noch jetzt die Gerichtspraxis, z. B. auch des deutschen Reichsgerichts, gerade nach dem Inkrafttreten des Bürgerlichen Gesetzbuchs, gelegentlich teils praeter, teils sogar contra legem ganz neue Rechtsprinzipien aufstellt, wird manchmal sowohl die Überlegenheit der Präjudizien gegenüber der rationalen Satzung objektiver Normen, wie die Überlegenheit des konkreten zweckrationalen Interessenausgleichs gegenüber der Schaffung und Anerkennung von „Normen" überhaupt abgeleitet. Die moderne Rechtsquellenlehre hat sowohl den vom Historismus geschaffenen, halb mystischen Begriff des „Gewohnheitsrechts" wie den ebenfalls historistischen Begriff eines „Willens des Gesetzgebers", der durch Studium der Entstehungsweise des Gesetzes (aus Kommissionsprotokollen und ähnlichen Quellen) zu ermitteln sei, zersetzt: mit dem „Gesetz", nicht mit dem „Gesetzgeber" habe es der Jurist zu tun. Das dergestalt isolierte „Gesetz" aber wird dann zur Bearbeitung und Verwendung ihm, dem Juristen – bald mehr der „Wissenschaft" (so sehr oft auch in den Motiven moderner Gesetzbücher), bald mehr dem Praktiker – überantwortet. Dabei wird die Bedeutung der gesetzgeberischen Fixierung eines Rechtsgebots unter Umständen bis zur Rolle eines bloßen „Symptoms" der Geltung oder auch nur der gewünschten – aber bis zur Stellungnahme der Rechtspraxis problematischen – Geltung eines Rechtssatzes herabgesetzt. Der Vorliebe für die mit dem Rechtsleben, d. h. aber: mit dem Leben des Rechts*praktikers*, in Berührung gebliebenen Präjudizienrechte zuungunsten der Gesetzesrechte tritt nun aber wieder der Anspruch entgegen; daß auch die Präjudizien zugunsten der freien Abwägung zwischen den unvermeidlich stets konkreten Wertungsmöglichkeiten nicht über den Einzelfall hinaus bindend sein dürften. Im Kontrast zu diesen Konsequenzen des Wertirrationalismus erhebt sich andererseits der Versuch einer Retablierung eines objektiven Wertmessers. Je mehr sich der Eindruck aufdrängt, daß Rechtsordnungen als solche eine bloße „Technik" darstellen, desto stärker wird naturgemäß eben diese Deklassierung von den Juristen perhorresziert. Eine rein technische Anordnung, wie die: daß beim Überschreiten einer Grenze von gewissen Gütern eine gewisse Abgabe zu entrichten sei, auf eine Stufe mit Rechtssätzen über die Ehe oder die väterliche Gewalt oder auch den Inhalt des Eigentumsrechts zu stellen, sträubt sich das Empfinden gerade des Rechtspraktikers, und es taucht jenseits des positiven, als wandelbar und weitgehend „technisch" erkannten, Rechts der sehnsüchtige Gedanke an ein überpositives Recht auf. Zwar das alte „Naturrecht" erscheint durch die historische und rechtspositivistische Kritik diskreditiert. Als Ersatz bietet sich teils ein religiös gebundenes Naturrecht der (katholischen) Dogmatiker an, teils der Versuch, durch Deduktionen aus dem „Wesen" des Rechts objektive Maßstäbe zu gewinnen. Entweder auf apriorischem, am Neukantianismus orientierten Wege: das „richtige Recht" als Ordnung einer „Gesellschaft sein wollender Menschen", sowohl als legislativer Maßstab für die rationale Rechtsschöpfung, wie als Quelle der Rechtsfindung in den Fällen, wo das Gesetz den Richter auf scheinbar unformale Merkmale verweist, – in beiden Richtungen vorerst wesentlich eine Verheißung ohne wirkliche Erfüllung. Oder empirisch und daneben an Comte orientiert: durch Hinweis auf die Untersuchung der „Erwartungen", welche der Rechtsinteressent begründeterweise nach der Durchschnittsauffassung der Verbindlichkeiten anderer zu hegen pflege, als letzte, auch dem Gesetz gegenüber souveräne Entscheidungsnorm, welche den als unklar empfundenen Begriff der „Billigkeit" und ähnliche zu ersetzen habe. Die speziellere Erörterung und vollends eine „Kritik" dieser, wie schon die kurze Skizze zeigt, untereinander zu höchst widerstreitenden Resultaten gelangenden Bewegungen gehört nicht hierher. Die Existenz aller dieser Strömungen ist international, am stärksten aber machen sie sich in Deutschland und Frankreich bemerkbar. Einig sind sie im wesentlichen nur in der Ablehnung der überkommenen und bis vor kurzem herrschenden petitio principii der begrifflichen „Lückenlosigkeit" des Rechts. Im übrigen wenden sie sich gegen sehr verschiedene Gegner, z. B. in Frankreich gegen die Schule der Codeinterpreten, in Deutschland gegen die Methodik der Pandektisten. Je nach der Eigenart der Träger der Bewegung kommt sie in ihrem Ergebnis mehr zu Schlüssen, welche dem Prestige der „Wissenschaft", also der Theoretiker, oder dem der Rechtspraktiker zugute kommen. Durch die stetige Zunahme des formulierten Gesetzesrechts und namentlich der systematischen Kodifikationen fühlen sich die akademischen Juristen in ihrer Bedeutung und auch in den Chancen der Bewegungsfreiheit des wissenschaftlichen Denkens empfindlich bedroht, und die rapide Zunahme der sowohl antilogischen wie antihistorischen Bewegungen in Deutschland, wo man das Los der französischen Rechtswissenschaft nach dem Code, des preußischen nach dem Allgemeinen Landrecht fürchtet, ist dadurch leicht erklärlich und insofern Produkt einer historischen, intern intellektualistischen Interessenkonstellation. Alle, auch und gerade die irrationalistischen, Spielarten der Abkehr von der in der gemeinrechtlichen Wissenschaft entwickelten rein logischen Rechtssystematik sind aber andererseits auch wieder Konsequenzen der sich selbst überschlagenden wissenschaftlichen Rationalisierung und voraussetzungslosen Selbstbesinnung des Rechtsdenkens. Denn soweit sie nicht selbst rationalistischen Charakter haben, sind sie doch, als Form der Flucht in das Irrationale, eine Folge der zunehmenden Rationalisierung der Recht*stechnik* – eine Parallelerscheinung der Irrationalisierung des Religiösen. Vor allem anderen aber ist – was nicht übersehen werden darf – dies aus dem Bestreben der zunehmend in Interessenverbänden zusammengeschlossenen modernen Rechtspraktiker nach Erhöhung des Standeswürdegefühls durch Erhöhung des Machtbewußtseins bedingt, wie in Deutschland z. B. die häufige Bezugnahme auf die „vornehme" Stellung des englischen, nicht an ein rationales Recht gebundenen, Richters zeigt.

Dieser Unterschied des kontinentalen gegenüber dem angelsächsischen Recht hat freilich vornehmlich in Umständen seinen Grund, welche mit Verschiedenheiten der allgemeinen Herrschaftsstruktur und der daraus folgenden Art der Verteilung sozialer Ehre zusammenhängen.

Davon war teils schon die Rede, teils wird in anderm Zusammenhang noch darüber zu reden sein. Jedenfalls handelt es sich, auch soweit ökonomische Determinanten mitspielen, um sehr stark intern, durch Verhältnisse und Existenzbedingungen des Juristenstandes, bestimmte Umstände und daneben um Gründe, die in der Verschiedenheit der politischen Entwicklung liegen. Als Resultat dieser Verschiedenheit der geschichtlichen Konstellationen aber – das geht uns hier an – steht die Tatsache vor uns, daß der moderne Kapitalismus gleichmäßig gedeiht und auch ökonomisch wesensgleiche Züge aufweist nicht nur unter Rechtsordnungen, welche, juristisch angesehen, höchst ungleichartige Normen und Rechtsinstitute besitzen: – schon ein vermutlich so fundamentaler Begriff wie „Eigentum" nach Art des kontinentalen Instituts dieses Namens fehlt dem angelsächsischen Recht noch heute – sondern welche auch in ihren letzten formalen Strukturprinzipien soweit als möglich auseinandergehen. Das englische Rechtsdenken ist 1. noch heute, trotz aller Beeinflussung durch die immer strengeren Anforderungen an die wissenschaftliche Schulung, in weitestgehendem Maße eine „empirische" Kunst. Das „Präjudiz" hat seine alte Bedeutung voll beibehalten, nur gilt es für „unfair", sich auf Präjudizien, die allzulange, etwa um mehr als ein Jahrhundert zurückliegen, zu beziehen. Nicht allein, aber allerdings wie es scheint, besonders stark in den Neuländern, namentlich den Vereinigten Staaten, ist dabei 2. der genuine „charismatische" Charakter der Rechtsfindung noch fühlbar erhalten. Die Präjudizien haben in der Praxis ein höchst verschiedenes Gewicht nicht etwa nur, wie überall, nach der hierarchischen Stellung der Instanz, sondern je nach der ganz persönlichen Autorität des einzelnen Richters. Für wichtige Neuschöpfungen von Rechtsmitteln – wie etwa diejenigen Lord Mansfields – gilt dies im ganzen angelsächsischen Rechtskreis. Aber der amerikanischen Anschauung ist das Urteil überhaupt eine persönliche Schöpfung dieses konkreten Richters, den man mit Namen zu bezeichnen pflegt, im Gegensatz zu dem unpersönlichen „Königlichen Amtsgericht" der europäisch-kontinentalen, bürokratischen Amtssprache. Und auch der englische Richter nimmt diese Stellung in Anspruch. Damit hängt es zusammen, daß 3. auch der Grad der Rationalität des Rechts ein wesentlich geringerer und die Art derselben eine andre ist als im kontinentalen europäischen Recht. Es fehlte bis in die jüngste Vergangenheit, jedenfalls aber bis Austin, eine englische Jurisprudenz, welche den Namen „Wissenschaft" verdient hätte, wenn man den kontinentalen Begriff zugrunde legt, fast ganz. Schon dies machte eine Kodifikation, wie sie Bentham gefordert hatte, fast unmöglich. Dieser Zug nun ist gerade derjenige, welcher die „praktische" Anpassungsfähigkeit des englischen Rechts, seinen „praktischen" Charakter vom Standpunkt der Interessenten aus vornehmlich bedingt. Das Rechtsdenken des „Laien" ist einerseits wortgebunden. Er pflegt vor allem ein Wortrabulist zu werden, wenn er „juristisch" zu argumentieren glaubt. Und daneben ist ihm das Schließen vom Einzelnen auf das Einzelne natürlich: die juristische Abstraktion des „Fachmanns" liegt ihm fern. In beiden Hinsichten aber ist ihm die Kunst der empirischen Jurisprudenz verwandt, wie wir sahen. Sie mag ihm unsympathisch sein – kein Land der Welt kennt so bittere Klagen und Satiren auf den Rechtsbetrieb der Anwälte wie England. Und die Konstruktionsformen des Kautelarjuristen mögen ihm ganz unverständlich sein: was wiederum im höchsten Grad in England der Fall ist. Aber ihre prinzipielle Eigenart ist ihm verständlich; er kann sie „nacherleben" und sich mit ihr abfinden, indem er sich ein für allemal – wie dies jeder englische Geschäftsmann tut – einen juristischen Beichtvater für alle Lebensverhältnisse anstellt und bezahlt. Er stellt daher keine Anforderungen und Erwartungen an das Recht, die durch rechtslogische Konstruktionen enttäuscht werden könnten. Und auch für den Rechtsformalismus gibt es Ventile. Zwar auf dem Gebiet des Privatrechts sind Common Law und heute auch Equity schon infolge der Präjudizienbindung in weitem Maße „formalistisch" in der praktischen Handhabung. Dafür sorgt schon die Traditionsgebundenheit des Anwaltsbetriebs. Allein schon das Institut der Civiljury bedingt Grenzen der Rationalität, welche als solche durchaus nicht nur als unvermeidlich hingenommen, sondern gerade wegen der Gebundenheit der Richter an die Präjudizien geschätzt werden, in der Sorge davor, daß ein Präjudiz eine formale bindende Regel (ein „bad law") auf Gebieten schaffen könnte, welche man der konkreten Wertabwägung zugänglich erhalten möchte. Die Darstellung der Art wie diese Teilung in ein Gebiet der Präjudiziengebundenheit und ein anderes der konkreten Wertabwägung praktisch funktioniert, gehört nicht hierher. Jedenfalls bedeutet sie eine Abschwächung der Rationalität der Rechtspflege. Dazu tritt die recht summarische, noch heute stark patriarchale und höchst irrationale Art der Behandlung aller alltäglichen Bagatellsachen in der friedensrichterlichen Einzeljurisdiktion in England, welche – wie man sich aus Mendelssohns Darstellung leicht überzeugen kann – in einer uns unbekannten Art den Charakter der „Kadi"-Justiz bewahrt hat. Alles in allem das Bild einer Rechtspflege, welche in der prinzipiellsten formellen Eigentümlichkeit des materiellen Rechts sowohl wie des Prozeßverfahrens, soweit als innerhalb eines weltlichen, von theokratischer Gebundenheit und patrimonialen Gewalten freien Betriebes der Justiz überhaupt möglich, abweicht von der Struktur des kontinentalen Rechts. Denn jedenfalls ist die englische Rechtsfindung dem Schwerpunkt nach nicht, wie die kontinentale „Anwendung" von „Rechtssätzen", welche mit Hilfe der Logik aus dem Inhalt gesetzlicher Vorschriften sublimiert sind. Diese Abweichungen haben, auch ökonomisch und sozial, ziemlich fühlbare Konsequenzen gehabt, – durchweg aber Einzelkonsequenzen, nicht solche, welche die Gesamtstruktur der Wirtschaft beeinflußt hätten. Für die Entfaltung des Kapitalismus kam vielmehr daran nur ein Doppeltes begünstigend in Betracht: einmal der Umstand, daß die Rechtsbildung dem Schwerpunkt nach in der Hand der Anwälte lag, aus denen die Richter sich rekrutierten – also in der Hand einer Schicht, welche im Dienst der begüterten speziell der kapitalistischen Privatinteressenten tätig wird und materiell direkt von ihnen lebt. Und ferner, in Verbindung damit, durch den Umstand, daß die Konzentration der Rechtspflege bei den Reichsgerichten in London und ihre gewaltige Kostspieligkeit der Sache nach einer Justizverweigerung für die Unbemittelten sehr nahe kam. Jedenfalls aber hat die im Wesen gleichartige kapitalistische Entwicklung diese außerordentlich starken Gegensätze der Eigenart des Rechts nicht auszugleichen vermocht. Und es besteht auch gar keine sichtbare Tendenz dazu, die Struktur des Rechts und der Rechtspflege aus Motiven der kapitalistischen Wirtschaft heraus in der Richtung der kontinentalen Verhältnisse umzuformen. Wo, im Gegenteil, beide Arten der Rechtspflege und Rechtsbildung Gelegenheit hatten miteinander zu konkurrieren, – wie in Kanada –, zeigte sich die angelsächsische Weise überlegen und verdrängte die uns gewohnte relativ rasch. Es liegt also im Kapitalismus als solchem kein entscheidendes Motiv der Begünstigung derjenigen Form der Rationalisierung des Rechts, welche seit der romanistischen Universitätsbildung des Mittelalters dem kontinentalen Okzident spezifisch geblieben ist.

Umgekehrt entwickelt die moderne soziale Entwicklung, außer den früher erwähnten politischen und der zuletzt erörterten intern ständisch-juristischen, auch sonst allgemeine Motive, welche den formalen Rechtsrationalismus abschwächen. Direkte irrationale „Kadijustiz" wird heute in der Strafrechtspflege in weitem Umfang von der „populären" Rechtspflege der Geschworenen geübt. Sie kommt dem Empfinden der nicht fachjuristisch geschulten Laien, deren Gefühl der Formalismus des Rechts im konkreten Fall immer wieder beleidigen muß und überdies den Instinkten der nichtprivilegierten Klassen entgegen, welche materiale Gerechtigkeit verlangen. Allein gerade gegen die, durch diesen relativen Volksjustizcharakter bedingte Eigenart der Geschworenenjustiz erheben sich von zwei Seiten her Angriffe. Zunächst wegen der stärkeren Interessengebundenheit der Geschworenen gegenüber der Sachlichkeit, die dem inneren Habitus des Fachmanns entspricht. Wie schon in der römischen Antike die Geschworenenliste Gegenstand des Klassenkampfes war, so wird die heute vorwiegende und in gewissem Umfang schwer vermeidliche, aber natürlich auch stark politisch bedingte, Auslese der Geschworenen aus „abkömmlichen" Honoratiorenschichten, wenn auch vorwiegend plebejischer Art, als die Klassenjustiz begünstigend, namentlich von den Arbeitern perhorresziert, und, wo diese an der Geschworenenbank beteiligt werden, umgekehrt von den besitzenden Klassen. Übrigens sind nicht nur „Klassen" als solche Interessenten: In Deutschland, wo allerdings die Geschlechtsehre der Frau auch sonst am niedrigsten gewertet wird, sind die Männer als Geschworene fast nie zu bewegen, einen ihrer Geschlechtsgenossen z. B. wegen Vergewaltigung schuldig zu sprechen; mindestens dann nicht, wenn das Mädchen ihnen als „bescholten" gilt. Auf der anderen Seite reagiert gegen die Laienjustiz die juristische Fachschulung mit dem Anspruch, daß die Laien, deren formal juristisch oft höchst anfechtbarer Wahrspruch ohne Begründung und ohne Möglichkeit materialer Anfechtung, also ganz nach Art eines irrationalen Orakels, abgegeben werde, beim Judizieren der Kontrolle der Fachmänner unterstellt, daß also gemischte Kollegien gebildet werden, in denen dann die Laien nach aller Erfahrung normalerweise den Fachjuristen an Einfluß unterlegen sind, so daß ihre Anwesenheit praktisch meist nur die Bedeutung einer Art von Publizitätszwang für die Erwägungen der Fachjuristen zu besitzen pflegt, wie man ihn in der Schweiz durch die Öffentlichkeit auch der Beratungen der Gerichte durchzuführen gesucht hat.

Der Fachjustiz ihrerseits wiederum winkt auf kriminellem Gebiet die Entmündigung durch die Fach-Psychiater, auf welche zunehmend die Verantwortung gerade für die Beurteilung besonders schwerer Straftaten abgewälzt wird und denen damit der Rationalismus eine Aufgabe zuschiebt, welche sie mit den Mitteln echter Naturwissenschaft gar nicht lösen können. Alle diese Konflikte sind ersichtlich nur höchst indirekt durch die technische und ökonomische Entwicklung, welche den Intellektualismus begünstigt, mitbedingt, primär aber meist Konsequenzen des unaustragbaren Gegensatzes zwischen formalem und materialem Prinzip der Rechtspflege, welche auch bei ganz gleicher Klassenlage miteinander in Konflikt geraten. Übrigens ist nicht sicher, ob die heute negativ privilegierten Klassen*, speziell die Arbeiterschaft, von einer unformalen Rechtspflege für ihre Interessen das zu erwarten haben, was die Juristen-Ideologie annimmt. Ein bürokratisierter, in den leitenden Stellen zunehmend planvoll aus der Staatsanwaltschaft rekrutierter, überdies in seinem Avancement durchaus von den politisch herrschenden Gewalten abhängiger Richterstand kann nicht mit den schweizerischen oder englischen, noch weniger mit den amerikanischen (Bundes-)Richtern gleichgesetzt werden. Wenn man ihm den Glauben an die Heiligkeit des rein sachlichen Rechtsformalismus nimmt und ihn statt dessen darauf verweist, zu „werten", so wird das Resultat ohne Zweifel ein ganz anderes sein als in jenen Rechtsgebieten. – Doch gehört dies nicht in unsere Betrachtung. – Nur einige historische Irrtümer sind richtig zu stellen.

Wirklich *bewußt* „schöpferisch", d. h. neues Recht schaffend, haben sich nur Propheten zum geltenden Recht verhalten. Im übrigen ist es, wie nochmals nachdrücklich zu betonen ist, durchaus nichts spezifisch Modernes, sondern gerade auch den, *objektiv* betrachtet, am meisten „schöpferischen" Rechtspraktikern eigen gewesen, daß sie *subjektiv* sich nur als Mundstück schon – sei es auch eventuell latent – geltender Normen, als deren Interpreten und Anwender, nicht aber als deren „Schöpfer", fühlten. Daß man heute diesem subjektiven Glauben gerade der anerkannt erheblichsten Juristen den objektiv anders liegenden Tatbestand entgegenhält und aus diesem nun die Norm für das subjektive Verhalten machen möchte, ist – mag man sich zu dem Verlangen stellen wie immer – jedenfalls Produkt intellektualistischer Desillusionierung. Die alte Stellung des englischen Richters dürfte mit Fortschritt der Bürokratisierung und der [forma-

---

* Diese Abschnitte sind vor dem Krieg geschrieben.

len] Rechtssatzung auf die Dauer stark erschüttert werden. Ob man aber einen bürokratischen Richter in Ländern mit kodifiziertem Recht dadurch allein zu einem Rechtspropheten machen wird, daß man ihm die Krone des „Schöpfers" aufdrückt, ist nicht sicher. Jedenfalls aber wird die juristische Präzision der Arbeit, wie sie sich in den Urteilsgründen ausspricht, ziemlich stark herabgesetzt werden, wenn soziologische und ökonomische oder ethische Räsonnements an die Stelle juristischer Begriffe treten. – Die Bewegung ist, alles in allem, einer der charakteristischen Rückschläge gegen die Herrschaft des „Fachmenschentums" und den Rationalismus, der freilich letztlich ihr eigner Vater ist. Jedenfalls also zeigt die Entwicklung der formellen Qualitäten des Rechts eigentümlich gegensätzliche Züge. Streng formalistisch und am Sinnfälligen haftend, soweit die geschäftliche Verkehrssicherheit es verlangt, ist es im Interesse der geschäftlichen Verkehrsloyalität unformal, soweit die logische Sinninterpretation des Parteiwillens oder die in der Richtung eines „ethischen Minimums" gedeutete „gute Verkehrssitte" es bedingen. Es wird darüber hinaus in antiformale Bahnen gedrängt, durch alle diejenigen Gewalten, welche an die Rechtspraxis den Anspruch stellen, etwas anderes als ein Mittel befriedeten Interessenkampfs zu sein. Also durch materiale Gerechtigkeitsforderungen sozialer Klasseninteressen und Ideologien und durch die auch heute wirksame Natur bestimmter politischer, speziell autokratischer und demokratischer, Herrschaftsformen, sowie derjenigen Anschauungen über den Zweck des Rechtes, welche ihnen adäquat sind, und durch die Forderung der „Laien" nach einer ihnen verständlichen Justiz. Endlich unter Umständen auch, wie wir sahen, durch ideologisch begründete Machtansprüche des Juristenstandes selbst. Wie immer aber sich unter diesen Einflüssen das Recht und die Rechtspraxis gestalten mögen, unter allen Umständen ist als Konsequenz der technischen und ökonomischen Entwicklung, allem Laienrichtertum zum Trotz, die unvermeidlich zunehmende *Unkenntnis* des an technischem Gehalt stetig anschwellenden Rechts durch die Laien, also Fachmäßigkeit des Rechts und die zunehmende Wertung des jeweils geltenden Rechts als eines rationalen, daher jederzeit zweckrational umzuschaffenden, jeder inhaltlichen Heiligkeit entbehrenden, technischen Apparats sein unvermeidliches Schicksal. Dieses Schicksal kann durch die aus allgemeinen Gründen vielfach zunehmende Fügsamkeit in das einmal bestehende Recht zwar verschleiert, nicht aber wirklich von ihm abgewendet werden. Alle die kurz erwähnten modernen, wissenschaftlich oft höchst wertvollen Darlegungen rechtssoziologischer und rechtsphilosophischer Art werden nur dazu beitragen, diesen Eindruck zu verstärken, mögen sie ihrerseits Theorien über die Natur des Rechts und die Stellung des Richters vertreten, welchen Inhalts immer.

Kapitel VIII. Die Stadt*.

§ 1. Begriff und Kategorien der Stadt.

Das ökonomische Wesen der „Stadt": Marktansiedlung S. 833. – Typen der „Konsumentenstadt" und der „Produzentenstadt" S. 836. – Beziehungen zur Landwirtschaft S. 839. – Die „Stadtwirtschaft" als Wirtschaftsstufe S. 841. – Der politisch-administrative Stadtbegriff S. 842. – Festung und Garnison S. 842. – Die Stadt als Einheit von Festung und Markt S. 845. – Verbandscharakter der „Gemeinde" und ständische Qualifikation des „Bürgers" im Okzident. Fehlen beider Begriffe im Orient S. 847.

Eine „Stadt" kann man in sehr verschiedener Art zu definieren versuchen. Allen gemeinsam ist nur: daß sie jedenfalls eine (mindestens relativ) geschlossene Siedelung, eine „Ortschaft" ist, nicht eine oder mehrere einzeln liegende Behausungen. Im Gegenteil pflegen in den Städten (aber freilich nicht nur in ihnen) die Häuser besonders dicht, heute in der Regel Wand an Wand zu stehen. Die übliche Vorstellung verbindet nun mit dem Wort „Stadt" darüber hinaus rein *quantitative* Merkmale: sie ist eine *große* Ortschaft. Das Merkmal ist nicht an sich unpräzis. Es würde, soziologisch angesehen, bedeuten: eine Ortschaft, also eine Siedelung in dicht aneinandergrenzenden Häusern, welche eine so umfangreiche zusammenhängende Ansiedelung darstellen, daß die sonst dem Nachbarverband spezifische, persönliche gegenseitige Bekanntschaft der Einwohner miteinander *fehlt.* Dann wären nur ziemlich große Ortschaften Städte, und es hängt von den allgemeinen Kulturbedingungen ab, bei welcher Größe etwa dies Merkmal beginnt. Für diejenigen Ortschaften, welche in der Vergangenheit den *Rechts*charakter von Städten hatten, traf dieses Merkmal bei weitem nicht immer zu. Und es gibt im heutigen Rußland „Dörfer", welche, mit vielen Tausenden von Einwohnern, weit größer

---

* Bereits abgedruckt im „Archiv für Sozialwissenschaft und Sozialpolitik", Bd. 47, 1921.

sind als manche alte „Städte" (z. B. im polnischen Siedlungsgebiet unseres Ostens), welche etwa nur einige Hundert zählten. Die Größe allein kann jedenfalls nicht entscheiden. Versucht man, die Stadt rein ökonomisch zu definieren, so wäre sie eine Ansiedelung, deren Insassen zum überwiegenden Teil von dem Ertrag nicht landwirtschaftlichen, sondern gewerblichen oder händlerischen Erwerbs leben. Aber es wäre nicht zweckmäßig alle Ortschaften dieser Art „Städte" zu nennen. Jene Art von Ansiedelungen, welche aus Sippenangehörigen mit einem einzelnen faktisch erblichen Gewerbebetrieb bestehen – die „Gewerbedörfer" Asiens und Rußlands –, wird man nicht unter den Begriff „Stadt" bringen wollen. Als weiteres Merkmal wäre das einer gewissen „Vielseitigkeit" der betriebenen Gewerbe hinzuzufügen. Aber auch dieses an sich scheint nicht geeignet, für sich allein ein entscheidendes Merkmal zu bilden. Sie kann grundsätzlich in zweierlei Art begründet sein. Nämlich entweder a) in dem Vorhandensein eines grundherrlichen, vor allem eines Fürstensitzes als Mittelpunkts, für dessen ökonomischen oder politischen Bedarf unter Produktionsspezialisierung gewerblich gearbeitet und Güter eingehandelt werden. Einen grundherrlichen oder fürstlichen Oikos aber mit einer noch so großen Ansiedelung fron- und abgabenpflichtiger Handwerker und Kleinhändler pflegt man nicht „Stadt" zu nennen, obwohl historisch ein sehr großer Bruchteil der wichtigsten „Städte" aus solchen Siedelungen hervorgegangen ist, und die Produktion für einen Fürstenhof für sehr viele von ihnen (die *„Fürstenstädte"*) eine höchst wichtige, oft die vorzugsweise Erwerbsquelle der Ansiedler blieb. Das weitere Merkmal, welches hinzutreten muß, damit wir von „Stadt" sprechen, ist: das Bestehen eines nicht nur gelegentlichen, sondern regelmäßigen *Güteraustausches* am Ort der Siedelung als eines *wesentlichen* Bestandteils des Erwerbs und der Bedarfsdeckung der Siedler: eines Marktes. Nicht jeder „Markt" aber macht den Ort, wo er stattfindet, schon zur „Stadt". Die periodischen Messen und *Fern*handelsmärkte (Jahrmärkte), auf welchen sich zu festen Zeiten zureisende Händler zusammenfinden, um ihre Waren im großen oder im einzelnen untereinander oder an Konsumenten abzusetzen, hatten sehr oft in Orten ihre Stätte, welche wir „Dörfer" nennen. Wir wollen von „Stadt" im *ökonomischen* Sinn erst da sprechen, wo die *ortsansässige* Bevölkerung einen ökonomisch wesentlichen Teil ihres Alltagsbedarfs auf dem örtlichen Markt befriedigt, und zwar zu einem wesentlichen Teil durch Erzeugnisse, welche die *ortsansässige* und die Bevölkerung des nächsten Umlandes *für den Absatz* auf dem Markt erzeugt oder sonst erworben hat. Jede Stadt im hier gebrauchten Sinn des Wortes ist „Marktort", d. h. hat einen Lokal*markt* als ökonomischen Mittelpunkt der Ansiedelung, auf welchem, infolge einer bestehenden ökonomischen Produktionsspezialisierung, auch die nicht städtische Bevölkerung ihren Bedarf an gewerblichen Erzeugnissen oder Handelsartikeln oder an beiden deckt, und auf welchem natürlich auch die Städter selbst die Spezialprodukte und den Konsumbedarf ihrer Wirtschaften gegenseitig aus- und eintauschen. Es ist ursprünglich durchaus das Normale, daß die Stadt, wo sie überhaupt als ein vom Lande unterschiedenes Gebilde auftritt, sowohl Grundherren- oder Fürstensitz wie Marktort ist, ökonomische Mittelpunkte beider Art – Oikos und Markt – nebeneinander besitzt, und es ist häufig, daß neben dem regelmäßigen Lokalmarkt Fernmärkte zureisender Händler im Ort periodisch stattfinden. Aber die Stadt (im hier gebrauchten Sinn des Worts) ist Markt*ansiedelung*.

Die Existenz des Markts beruht sehr oft auf einer Konzession und Schutzzusage des Grundherrn oder Fürsten, welcher einerseits an dem regelmäßigen Angebot fremder Handelsartikel und Gewerbeprodukte des Fernmarkts und an den Zöllen, Geleits- und anderen Schutzgeldern, Marktgebühren, Prozeßgefällen, die er einbringt, ein Interesse hat, außerdem aber an der lokalen Ansiedelung von steuerfähigen Gewerbetreibenden und Händlern und, sobald an dem Markt eine Marktansiedlung entsteht, auch an den dadurch erwachsenden Grundrenten zu verdienen hoffen darf, – Chancen, welche für ihn um so größere Bedeutung haben, als es sich hier um geldwirtschaftliche, seinen Edelmetallschatz vermehrende Einnahmen handelt. Daß einer Stadt die Anlehnung, auch die räumliche, an einen Grundherren- oder Fürstensitz völlig fehlt, daß sie entweder an einem geeigneten Umschlagsplatz kraft Konzession nicht ortsansässiger Grundherren oder Fürsten oder auch kraft eigener Usurpation der Interessenten als reine Marktansiedelung entsteht, kommt vor. Entweder so, daß einem Unternehmer eine Konzession gegeben wird, einen Markt anzulegen und Siedler zu gewinnen. Dies war im mittelalterlichen, und zwar speziell im ost-, nord- und mitteleuropäischen Städtegründungsgebiet etwas besonders häufiges und kam in der ganzen Welt und Geschichte vor, wenn es auch nicht das Normale war. Dagegen konnte die Stadt auch ohne alle Anlehnung an Fürstenhöfe oder Fürstenkonzessionen durch Zusammenschluß von fremden Eindringlingen, Seekriegsfahrern oder kaufmännischen Siedlern oder endlich auch von einheimischen Zwischenhandelsinteressenten entstehen, und dies ist an den Mittelmeerküsten im frühen Altertum und gelegentlich im frühen Mittelalter ziemlich häufig gewesen. Eine solche Stadt konnte dann reiner Marktort sein. Aber immerhin war noch häufiger: das Miteinander großer fürstlicher oder grundherrlicher Patrimonialhaushaltungen einerseits und eines Marktes andererseits. Der grundherrliche oder fürstliche Hofhalt als der eine Anlehnungspunkt der Stadt konnte dann seinen Bedarf entweder vornehmlich naturalwirtschaftlich, durch Fronden oder Naturaldienste oder Naturalabgaben der von ihm abhängenden ansässigen Handwerker oder Händler decken, oder er konnte auch seinerseits mehr oder minder vorwiegend durch Eintausch auf dem städtischen Markt, als dessen kaufkräftigster Kunde, sich versorgen. Je mehr das letztere geschieht, desto stärker trat die Marktbasis der Stadt in den Vordergrund, hörte die Stadt auf, ein bloßes Anhängsel, eine bloße Marktansiedelung neben dem Oikos zu sein, wurde sie also trotz der Anlehnung an die großen Haushalte eine Marktstadt. In aller Regel ist die quantitative Ausdehnung ursprünglicher Fürstenstädte und ihre ökonomische Bedeutsamkeit Hand in Hand gegangen mit einer Zunahme der Marktbedarfsdeckung des fürstlichen und der an ihn, als Höfe der Vasallen oder Großbeamten, angegliederten anderen städtischen Großhaushalte.

Dem Typus der Fürstenstadt, also einer solchen, deren Einwohner in ihren Erwerbschancen vorwiegend direkt oder indirekt von der Kaufkraft des fürstlichen und der anderen Großhaushalte abhängen, stehen solche Städte nahe, in welchen die Kaufkraft anderer Großkonsumenten, also: Rentner, ausschlaggebend die Erwerbschancen der ansässigen Gewerbetreibenden und Händler bestimmt. Diese Großkonsumenten können aber sehr verschiedenen Typus haben, je nach Art und Herkunft ihrer Einnahmen. Sie können 1. Beamte sein, die ihre legalen oder illegalen Einkünfte, oder 2. Grundherren und politische Machthaber, welche ihre außerstädtischen Grundrenten oder andere, speziell politisch bedingte, Einnahmen dort verausgaben. Beide Male steht die Stadt dem Typus der Fürstenstadt sehr nahe: sie ruht auf patrimonialen und politischen Einnahmen als Basis der Kaufkraft der Großkonsumenten (Beispiel: für die Beamtenstadt: Peking, für die Grundrentnerstadt: Moskau vor Aufhebung der Leibeigenschaft). Von diesen Fällen ist der scheinbar ähnliche Fall prinzipiell zu scheiden, daß *städtische* Grundrenten, die durch monopolistische „Verkehrslage" von Stadtgrundstücken bedingt sind, ihre Quelle also indirekt gerade in städtischem Gewerbe und Handel haben, in der Hand einer Stadtaristokratie zusammenfließen (zu allen Zeiten, speziell auch in der Antike, von der Frühzeit bis zu Byzanz und ebenso im Mittelalter verbreitet). Die Stadt ist dann ökonomisch nicht Rentnerstadt, sondern, je nachdem, Händler- oder Gewerbestadt, jene Renten Tribut der Erwerbenden an den Hausbesitz. Die begriffliche Scheidung dieses Falles von den nicht durch Tributpflicht des städtischen Erwerbs, sondern außerstädtisch bedingten Renten kann nicht hindern, daß in der Realität beides in der Vergangenheit sehr stark ineinander überging. Oder die Großkonsumenten können Rentner sein, welche geschäftliche Einnahmen, heute vor allem Wertpapierzinsen und Dividenden oder Tantiemen dort verzehren: die Kaufkraft ruht dann hauptsächlich auf geldwirtschaftlich, vornehmlich kapitalistisch bedingten Rentenquellen (Beispiel: Arnhem). Oder sie ruht auf staatlichen Geldpensionen oder anderen Staatsrenten (etwa ein „Pensionopolis" wie Wiesbaden). In all diesen und zahlreichen ähnlichen Fällen ist die Stadt, je nachdem, mehr oder weniger, *Konsumentenstadt*. Denn für die Erwerbschancen ihrer Gewerbetreibenden und Händler ist die Ansässigkeit jener, untereinander ökonomisch verschieden gearteten, Großkonsumenten an Ort und Stelle ausschlaggebend.

Oder gerade umgekehrt: die Stadt ist *Produzentenstadt*, das Anschwellen ihrer Bevölkerung und deren Kaufkraft beruht also darauf, daß – wie etwa in Essen oder Bochum – Fabriken, Manufakturen oder Heimarbeitsindustrien in ihnen ansässig sind, welche auswärtige Gebiete versorgen: der moderne Typus, oder daß in Form des Handwerks Gewerbe am Ort bestehen, deren Waren nach auswärts versendet werden: der asiatische, antike und mittelalterliche Typus. Die Konsumenten für den örtlichen Markt stellen teils, als Großkonsumenten, die Unternehmer – wenn sie, was nicht immer der Fall, ortsansässig sind –, teils und namentlich, als Massenkonsumenten, die Arbeiter und Handwerker und, teilweise als Großkonsumenten, die durch sie indirekt gespeisten Händler und Grundrentenbezieher. Wie diese *Gewerbestadt*, so stellt sich schließlich der Konsumentenstadt auch die *Händlerstadt* gegenüber, eine Stadt also, bei welcher die Kaufkraft ihrer Großkonsumenten darauf beruht, daß sie entweder fremde Produkte am örtlichen Markt mit Gewinn detaillieren (wie die Gewandschneider im Mittelalter) oder heimische oder doch (wie bei den Heringen der Hansa) von heimischen Produzenten gewonnene Waren mit Gewinn nach außen absetzen, oder fremde Produkte erwerben und mit oder ohne Stapelung am Orte selbst nach auswärts absetzen (Zwischenhandelsstädte). Oder – und das ist natürlich sehr oft der Fall – daß sie alles dies kombinieren: die „Commenda" und „Societas maris" der Mittelmeerländer bedeuteten zum erheblichen Teil, daß ein „tractator" (reisender Kaufmann) mit dem von ortsansässigen Kapitalisten ganz oder teilweise ihm kommanditierten Kapital einheimische oder auf dem einheimischen Markt gekaufte Produkte nach den Märkten der Levante fuhr – oft genug dürfte er auch ganz in Ballast dorthin gefahren sein –, jene dort verkaufte, mit dem Erlös orientalische Waren kaufte und auf den heimischen Markt brachte, wo sie verkauft, der Erlös aber nach vereinbartem Schlüssel zwischen dem tractator und dem Kapitalisten geteilt wurde. Auch die Kaufkraft und Steuerkraft der Handelsstadt beruht also jedenfalls, wie bei der Produzentenstadt, und im Gegensatz zur Konsumentenstadt, auf ortsansässigen *Erwerbs*betrieben. An diejenigen der Händler lehnen sich die Speditions- und Transportgewerbe- und die zahlreichen sekundären Groß- und Kleinerwerbschancen an. Jedoch vollziehen sich bei ihr die Erwerbsgeschäfte, welche diese Betriebe konstituieren, nur beim örtlichen Detaillieren gänzlich am örtlichen Markt, beim Fernhandel dagegen zum erheblichen oder größeren Teil auswärts. Etwas prinzipiell Ähnliches bedeutet es, wenn eine moderne Stadt (London, Paris, Berlin) Sitz der nationalen oder internationalen Geldgeber und Großbanken oder (Düsseldorf) Sitz großer Aktiengesellschaften oder Kartellzentralen ist. Überwiegende Teile der Gewinnste aus Betrieben fließen ja heute überhaupt, mehr wie je, an andere Orte als die, in denen der sie abwerfende Betrieb liegt. Und andererseits wieder werden stetig wachsende Teile von Gewinnsten von den Bezugsberechtigten nicht an dem großstädtischen Ort ihres geschäftlichen Sitzes konsumiert, sondern auswärts, teils in Villenvororten, teils aber und noch mehr in ländlichen Villeggiaturen, internationalen Hotels usw. verzehrt. Parallel damit entstehen die nur oder doch fast nur aus Geschäftshäusern bestehenden „Citystädte" oder (und meist) Stadtbezirke. Es ist hier nicht die Absicht, eine weitere Spezialisierung und Kasuistik, wie sie eine streng ökonomische Städtetheorie zu leisten hätte, vorzuführen. Es braucht kaum gesagt zu werden, daß die empirischen Städte fast durchweg Mischtypen darstellen und daher nur nach ihren jeweils vorwiegenden ökonomischen Komponenten klassifiziert werden können.

Die Beziehung der Städte zur *Landwirtschaft* war keineswegs eindeutig. Es gab und gibt „Ackerbürgerstädte", d. h. Orte, welche als Stätten des Marktverkehrs und Sitz der typischen städtischen Gewerbe sich von dem Durchschnitt der Dörfer weit entfernen, in denen aber eine breite Schicht ansässiger Bürger ihren Bedarf an Nahrungsmitteln eigenwirtschaftlich decken und sogar auch für den Absatz produzieren. Gewiß ist das Normale, daß die Stadteinwohner, je größer die Stadt ist, um so weniger über eine irgendwie im Verhältnis zu ihrem Nahrungsbedarf stehende und ihnen zur Nahrungsmittel-produktion vorbehaltene Ackerflur, meist auch: daß sie über keine hinlängliche, ihnen vorbehaltene Weide- und Waldnutzung zu verfügen pflegen, in der Art, wie ein „Dorf" sie besitzt. Der größten deutschen Stadt des Mittelalters: Köln, fehlte z. B. auch die bei keinem normalen damaligen Dorf fehlende „Allmende" fast gänzlich und offenbar von Anfang an. Allein andere deutsche und ausländische mittelalterliche Städte hatten zum mindesten beträchtliche Viehweiden und Waldungen, die ihren Bürgern als solchen zu Gebote standen. Und sehr große Ackerfluren als Zubehör des städtischen Weichbildes sind, und zwar in der Vergangenheit, je mehr wir nach Süden und rückwärts in die Antike gehen, desto mehr, vorgekommen. Wenn wir heute den typischen „Städter" im ganzen mit Recht als einen Menschen ansehen, der seinen eigenen Nahrungsmittelbedarf *nicht* auf eigenem Ackerboden deckt, so gilt für die Masse der typischen Städte (Poleis) des Altertums ursprünglich geradezu das Gegenteil. Wir werden sehen, daß der antike Stadt*bürger* vollen Rechts, im Gegensatz zum mittelalterlichen, ursprünglich geradezu dadurch charakterisiert war: daß er einen Kleros, fundus (in Israel: chelek), ein volles Ackerlos, welches ihn ernährte, sein eigen nannte: der antike Vollbürger ist „Ackerbürger".

Und erst recht fand sich landwirtschaftlicher Besitz in den Händen der Großverbandschichten der Städte, sowohl des Mittelalters – auch hier freilich im Süden weit mehr als im Norden – wie der Antike. Landbesitz von gelegentlich ganz exorbitanter Größe findet sich weithin zerstreut in den mittelalterlichen oder antiken Stadtstaaten, entweder von der Stadtobrigkeit mächtiger Städte als solcher politisch oder auch grundherrlich beherrscht oder im grundherrlichen Besitz einzelner vornehmer Stadtbürger: die chersonesische Herrschaft des Miltiades oder die politischen und grundherrlichen Besitzungen mittelalterlicher Stadtadelsfamilien, wie der genuesischen Grimaldi in der Provence und über See, sind Beispiele dafür. Indessen diese interlokalen Besitzungen und Herrschaftsrechte einzelner Stadt*bürger* waren in aller Regel kein Gegenstand der städtischen Wirtschaftspolitik als solcher, obwohl ein eigentümliches Mischverhältnis überall da entsteht, wo der Sache nach jener Besitz den einzelnen von der Stadt, zu deren mächtigsten Honoratioren sie gehörten, garantiert wird, er mit indirekter Hilfe der Stadtmacht erworben und behauptet, die Stadtherrschaft an seiner ökonomischen oder politischen Nutzung beteiligt ist, – wie dies in der Vergangenheit häufig war.

Die Art der Beziehung der Stadt als Träger des Gewerbes und Handels zum platten Land als Lieferanten der Nahrungsmittel bildet nun einen Teil eines Komplexes von Erscheinungen, welche man „Stadtwirtschaft" genannt und als eine besondere „Wirtschaftsstufe" der „Eigenwirtschaft" einerseits, der „Volkswirtschaft" andererseits (oder einer Mehrheit von in ähnlicher Art gebildeten Stufen) entgegengestellt hat. Bei diesem Begriff sind aber wirtschafts*politische* Maßregeln mit rein wirtschaftlichen Kategorien in eins gedacht. Der Grund liegt darin, daß die bloße Tatsache des zusammengedrängten Wohnens von Händlern und Gewerbetreibenden und die regelmäßige Deckung von Alltagsbedürfnissen auf dem Markt *allein* den Begriff der „Stadt" nicht erschöpfen. Wo dies der Fall ist, wo also innerhalb der geschlossenen Siedelungen *nur* das Maß der landwirtschaftlichen Eigenbedarfsdeckung oder – was damit nicht identisch ist – der landwirtschaftlichen Produktion im Verhältnis zum nicht landwirtschaftlichen Erwerb und das Fehlen und Bestehen von Märkten Unterschiede konstituiert, da werden wir von Gewerbe- und Händlerortschaften und von „Marktflecken" reden, aber nicht von einer „Stadt". Daß die Stadt nicht nur eine Anhäufung von Wohnstätten, sondern außerdem ein *Wirtschaftsverband* ist, mit eigenem Grundbesitz, Einnahmen- und Ausgabenwirtschaft, unterscheidet sie ebenfalls noch nicht vom Dorf, welches das gleiche kennt, so groß der qualitative Unterschied sein kann. Endlich war es auch an sich nicht der Stadt eigentümlich, daß sie, in der Vergangenheit wenigstens, nicht nur Wirtschaftsverband, sondern auch wirtschafts*regulierender* Verband war. Denn auch das Dorf kennt Flurzwang, Weideregulierung, Verbot des Exports von Holz und Streu und ähnliche Wirtschaftsregulierungen: eine Wirtschafts*politik* des Verbandes als solche also. Eigentümlich war nur die in den Städten der Vergangenheit vorkommende Art und vor allem: die Gegenstände dieser wirtschaftspolitischen Regulierung von Verbands wegen und der Umfang von charakteristischen Maßregeln, welche sie umschloß. Diese „Stadtwirtschaftspolitik" nun rechnete allerdings in einem erheblichen Teil ihrer Maßnahmen mit der Tatsache, daß unter den Verkehrsbedingungen der Vergangenheit die Mehrzahl aller *Binnen*städte – denn von den Seestädten galt das gleiche nicht, wie die Getreidepolitik von Athen und Rom beweisen – auf die Versorgung der Stadt durch die Landwirtschaft des unmittelbaren Umlandes angewiesen war, daß eben dies Gebiet der naturgemäße Absatzspielraum der Mehrzahl der städtischen Gewerbe – nicht etwa: aller – darstellte und daß der dadurch als naturgemäß gegebene lokale Austauschprozeß auf dem städtischen *Markt* nicht die einzige, aber eine seiner normalen Stätten fand, insbesondere für den Einkauf der Nahrungsmittel. Sie rechnete ferner damit, daß der weit überwiegende Teil der gewerblichen Produktion technisch als Handwerk, organisatorisch als spezialisierter kapitalloser oder kapitalschwacher Kleinbetrieb mit eng begrenzter Zahl der in längerer Lehrzeit geschulten Gehilfen, ökonomisch endlich entweder als Lohnwerk oder als preiswerkliche Kundenproduktion verlief und daß auch der Absatz der ortsansässigen Detaillisten in hohem Maße Kundenabsatz war. Die im spezifischen Sinn sogenannte „Stadtwirtschaftspolitik" nun war wesentlich dadurch gekennzeichnet, daß sie im Interesse der Sicherung der Stetigkeit und Billigkeit der Massenernährung und der Stabilität der Erwerbschancen der Gewerbetreibenden und Händler diese damals in weitgehendem Maß naturgegebenen Bedingungen der stadtsässigen Wirtschaft durch Wirtschaftsregulierung zu fixieren suchte. Aber weder hat, wie wir sehen werden, diese Wirtschaftsregulierung den einzigen Gegenstand und Sinn städtischer Wirtschaftspolitik gebildet, noch hat sie da, wo wir sie geschichtlich finden, zu *allen* Zeiten, sondern wenigstens in ihrer vollen Ausprägung nur in bestimmten Epochen: unter der politischen Zunftherrschaft, bestanden, noch endlich läßt sie sich schlechthin allgemein als Durchgangsstadium aller Städte nachweisen. In jedem Fall aber repräsentiert nicht diese Wirtschafts*politik* eine universelle Stufe der *Wirtschaft*. Sondern es läßt sich nur sagen: daß der städtische lokale *Markt* mit seinem Austausch zwischen landwirtschaftlichen und nicht landwirtschaftlichen Produzenten und ansässigen Händlern auf der Grundlage der Kundenbeziehung und des kapitallosen spezialisierten Kleinbetriebs eine Art von tauschwirtschaftlichem Gegenbild darstellt, gegen die auf planmäßig umgelegten Arbeits- und Abgabenleistungen spezialisierten abhängigen Wirtschaften, in Verbindung mit dem auf Kumulation und Kooperation von Arbeit im Herrenhof ruhenden, im Inneren tauschlosen *Oikos*, und daß die *Regulierung* der Tausch- und Produktionsverhältnisse in der Stadt das Gegenbild darstellt für die *Organisation* der Leistungen der im Oikos vereinigten Wirtschaften.

Dadurch, daß wir bei diesen Betrachtungen von einer „städtischen Wirtschaftspolitik", einem „Stadtgebiet", einer „Stadtobrigkeit" sprechen mußten, zeigt sich schon, daß der Begriff der „Stadt" noch in eine andere Reihe von Begriffen eingegliedert werden kann und muß, als in die bisher allein besprochenen ökonomischen Kategorien: in die *politischen*. Träger der städtischen Wirtschaftspolitik kann zwar auch ein Fürst sein, zu dessen politischem Herrschaftsgebiet die Stadt mit ihren Einwohnern als Objekt gehört. Dann wird Stadtwirtschafts-*politik*, wenn überhaupt, nur *für* die Stadt und ihre Einwohner, nicht *von* ihr getrieben. Aber das muß nicht der Fall sein. Und auch wenn es der Fall ist, muß dabei dennoch die Stadt als ein in irgendeinem Umfang autonomer Verband: eine „Gemeinde" mit besonderen politischen und Verwaltungseinrichtungen in Betracht kommen.

Festzuhalten ist jedenfalls: daß man den bisher erörterten *ökonomischen* von dem *politisch-administrativen* Begriff der Stadt durchaus scheiden muß. Nur im letzteren Sinn gehört zu ihr ein besonderes Stadt*gebiet*. – Im politisch-administrativen Sinn kann dabei eine Ortschaft als Stadt gelten, welche diesen Namen ökonomisch nicht beanspruchen könnte. Es gab im Mittelalter im Rechtssinn „Städte", deren Insassen zu $9/10$ oder mehr, jedenfalls aber zu einem weit größeren Bruchteile als sehr viele im Rechtssinn als „Dörfer" geltende Orte, nur von eigener Landwirtschaft lebten. Der Übergang von einer solchen „Ackerbürgerstadt" zur Konsumenten-, Produzenten- oder Handelsstadt ist natürlich völlig flüssig. Nur pflegt allerdings in jeder, vom Dorf administrativ unterschiedenen und als „Stadt" behandelten Ansiedelung ein Punkt: die Art der Regelung der Grundbesitzverhältnisse, sich von der ländlichen Grundbesitzverfassung zu unterscheiden. Bei den Städten im ökonomischen Sinne des Worts ist dies durch die besondere Art von Rentabilitätsgrundlage bedingt, welche städtischer Grundbesitz darbietet: Hausbesitz also, bei dem das sonstige Land nur Zubehör ist. Administrativ aber hängt die Sonderstellung des städtischen Grundbesitzes vor allem mit abweichenden *Besteuerungs*grundsätzen, meist aber zugleich mit einem für den politisch administrativen Begriff der Stadt entscheidenden Merkmal zusammen, welches ganz jenseits einer rein ökonomischen Analyse steht: daß die Stadt im Sinn der Vergangenheit, der Antike wie des Mittelalters, innerhalb wie außerhalb Europas, eine besondere Art von *Festung* und *Garnisonsort* war. Der Gegenwart ist dieses Merkmal der Stadt gänzlich abhanden gekommen. Aber auch in der Vergangenheit bestand es nicht überall. In Japan z. B. in aller Regel nicht. Administrativ gesprochen kann man infolgedessen aber auch mit Rathgen bezweifeln, ob es dort überhaupt „Städte" gab. In China umgekehrt war jede Stadt mit riesigen Mauergürteln umgeben. Aber dort scheinen auch sehr viele ökonomisch rein ländliche Ortschaften, die auch administrativ nicht Stadt, d. h. (wie später zu erwähnen) in China: nicht Sitz staatlicher Behörden sind, von jeher Mauern besessen zu haben. In manchen Mittelmeergebieten, z. B. Sizilien, ist ein außerhalb der städtischen Mauern wohnender Mensch, also auch ein landsässiger Landarbeiter, so gut wie unbekannt gewesen: eine Folge von jahrhundertelanger Unsicherheit. In Althellas glänzte umgekehrt die Polis Sparta durch ihre Mauerlosigkeit, für welche aber andererseits das Merkmal: „Garnisonsort" zu sein, in spezifischem Sinn zutraf: deshalb gerade, weil sie das ständige offene Kriegslager der Spartiaten war, verschmähte sie die Mauern. Wenn man noch immer streitet, wie lange Athen mauerlos gewesen sei, so enthielt es doch in der Akropolis, wie außer Sparta wohl alle Hellenenstädte, eine Felsenburg, ganz ebenso wie die Orte Ekbatana und Persepolis königliche Burgen mit sich daran anlehnenden Ansiedelungen waren. Normalerweise gehört jedenfalls zur orientalischen wie zur antikmittelländischen Stadt und ebenso zum normalen mittelalterlichen Stadtbegriff die Burg oder Mauer.

Die Stadt war weder die einzige noch die älteste Festung. Im umstrittenen Grenzgebiet oder bei chronischem Kriegszustand befestigt sich jedes Dorf. So haben die Slavensiedelungen, deren nationale Form schon früh das Straßendorf gewesen zu sein scheint, offenbar unter dem Druck der ständigen Kriegsgefahr im Elbe- und Odergebiet die Form des heckenumzogenen Rundlings mit nur einem verschließbaren Eingang, durch welchen nachts das Vieh in die Mitte getrieben wurde, angenommen. Oder man hat jene überall in der Welt, im israelitischen Ostjordanland wie in Deutschland, verbreiteten Höhenumwallungen angelegt, in welche Waffenlose sich und das Vieh flüchteten. Die sog. „Städte" Heinrichs I. im deutschen Osten waren lediglich systematische Befestigungen dieser Art. In England gehörte zu jeder Grafschaft in angelsächsischer Zeit eine „burgh" (borough), nach der sie ihren Namen führte und hafteten die Wacht- und Garnisondienste als älteste spezifisch „bürgerliche" Last an bestimmten Personen und Grundstücken. Falls sie nicht in normalen Zeiten ganz leer lagen, sondern Wächter oder Burgmannen als ständige Garnison gegen Lohn oder Land erhielten, führen von diesem Zustand gleitende Übergänge zur angelsächsischen burgh, einer „Garnisonsstadt" im Sinne der Maitlandschen Theorie, mit „burgenses" als Einwohnern, deren Name hier wie sonst davon herrührt, daß ihre politische Rechtsstellung, ebenso wie die damit zusammenhängende rechtliche Natur ihres – also des spezifisch bürgerlichen – Grund- und Hausbesitzes durch die Pflicht der Erhaltung und Bewachung der Befestigung determiniert war. Historisch sind aber in aller Regel nicht pallisadierte Dörfer oder Notbefestigungen die wichtigsten Vorläufer der Stadtfestung, sondern etwas anderes. Nämlich: die *herrschaftliche Burg*, eine Festung, die von einem Herrn mit den entweder ihm, als Beamten unterstellten oder ihm persönlich als Gefolge, zugehörenden Kriegern, zusammen mit seiner und deren Familie und dem zugehörigen Gesinde, bewohnt wurde.

Der militärische Burgenbau ist sehr alt, zweifellos älter als der Kriegswagen und auch als die militärische Benutzung des Pferdes. Wie der Kriegswagen überall einmal, im Altchina der klassischen Lieder, im Indien der Veden, in Ägypten und Mesopotamien, in dem Kanaan, dem Israel des Deboralieds, in der Zeit der homerischen Epen, bei den Etruskern und Kelten und bei den Iren die Entwicklung der ritterlichen und königlichen Kriegsführung bestimmt hat, so ist auch der Burgenbau und das Burgfürstentum universell verbreitet gewesen. Die altägyptischen Quellen kennen die Burg und den Burgkommandanten und es darf als sicher gelten, daß die Burgen ursprünglich ebensoviele Kleinfürsten beherbergten. In Mesopotamien geht der Entwicklung der späteren Landeskönigtümer, nach den ältesten Urkunden zu schließen, ein burgsässiges Fürstentum voraus, wie es im westlichen Indien in der Zeit der Veden bestand, in Iran in der Zeit der ältesten Gathas wahrscheinlich ist, während der politischen Zersplitterung in Nordindien, am Ganges, offenbar universell herrschte: – der alte Kshatriya, den die Quellen als eine eigentümliche Mittelfigur zwischen König und Adeligen zeigen, ist offenbar ein Burgfürst. In der Zeit der Christianisierung bestand es in Rußland, in Syrien in der Zeit der Thutmosedynastie und in der israelitischen Bundeszeit (Abimelech) und auch die altchinesische Literatur läßt es als ursprünglich sehr sicher vermuten. Die hellenischen und kleinasiatischen Seeburgen bestanden sicherlich universell, soweit der Seeraub reichte: es muß eine Zwischenzeit besonders tiefer Befriedung gewesen sein, welche die kretischen befestigungslosen Paläste an Stelle der Burgen erstehen ließ. Burgen wie das im peloponnesischen Kriege wichtige Dekeleia waren einst Festungen adliger Geschlechter. Nicht minder beginnt die mittelalterliche Entwicklung des politisch selbständigen Herrenstandes mit den „castelli" in Italien, die Selbständigkeit der Vasallen in Nordeuropa mit ihren massenhaften Burgenbauten, deren grundlegende Wichtigkeit durch die Feststellung von Belows erläutert wird: noch in der Neuzeit hing die individuelle Landstandschaft in Deutschland daran, daß die Familie eine Burg besaß, sei es auch eine noch so dürftige Ruine einer solchen. Die Verfügung über die Burg bedeutete eben militärische Beherrschung des Landes, und es fragte sich nur: wer sie in der Hand hatte, ob der einzelne Burgherr für sich selbst, oder eine Konföderation von Rittern, oder ein Herrscher, der sich auf die Zuverlässigkeit seines darin sitzenden Lehensmannes oder Ministerialen oder Offiziers verlassen durfte.

Die Festungsstadt nun, in dem ersten Stadium ihrer Entwicklung zu einem *politischen* Sondergebilde, war oder enthielt in sich oder lehnte sich an eine Burg, die Festung eines Königs oder adligen Herrn oder eines Verbandes von solchen, die oder der entweder selbst dort residierten oder eine Garnison von Söldnern oder Vasallen oder Dienstleuten dort hielten. Im angelsächsischen England war das Recht, ein „haw", ein befestigtes Haus, in einer „burgh" zu besitzen, ein Recht, welches durch Privileg bestimmten Grundbesitzern des Umlandes verliehen war, wie in der Antike und im mittelalterlichen Italien das Stadthaus des Adligen neben seiner ländlichen Burg stand. Dem militärischen Stadtherrn sind die Inwohner oder Anwohner der Burg, seien es alle oder bestimmte Schichten, als Bürger (burgenses) zu bestimmten militärischen Leistungen, vor allem zu Bau und Reparatur der Mauern, Wachtdienst und Verteidigung, zuweilen auch noch zu anderen militärisch wichtigen Diensten (Botendienst z. B.) oder Lieferungen verpflichtet. Weil und soweit er am Wehrverbande der Stadt teilnimmt, ist in diesem letzteren Fall der Bürger Mitglied seines Standes. Besonders deutlich hat dies Maitland für England herausgearbeitet: die Häuser der „burgh" sind – das bildet den Gegensatz gegen das Dorf – im Besitz von Leuten, denen vor allem andern die Pflicht obliegt, die Befestigung zu unterhalten. Neben dem königlich oder herrschaftlich garantierten Marktfrieden, der dem Markt der Stadt zukommt, steht der militärische Burgfrieden. Die befriedete Burg und der militärisch politische Markt der Stadt: Exerzierplatz und Versammlungsort des Heeres und deshalb der Bürgerversammlung auf der einen Seite, und andererseits der befriedete ökonomische Markt der Stadt, stehen oft in plastischem Dualismus nebeneinander. Nicht überall örtlich geschieden. So war die attische „pnyx" weit jünger als die „agora", welche ursprünglich sowohl dem ökonomischen Verkehr wie den politischen und religiösen Akten diente. Aber in Rom stehen seit alters comitium und campus Martius neben der ökonomischen fora, im Mittelalter die Piazza del Campo in Siena (Turnierplatz und heute noch Stätte des Wettrennens der Stadtviertel) auf der vorderen, neben dem Mercato auf der hinteren Seite des Munizipalpalastes, und analog in islamischen Städten die Kasbeh, das befestigte Lager der Kriegerschaft, örtlich gesondert neben dem Bazar, im südlichen Indien die (politische) Notabelnstadt neben der ökonomischen Stadt. Die Frage der Beziehung zwischen der Garnison, der politischen Festungsbürgerschaft einerseits und der ökonomischen, bürgerlich erwerbenden Bevölkerung andererseits ist nun eine oft höchst komplizierte, immer aber *entscheidend* wichtige Grundfrage der städtischen Verfassungsgeschichte. Daß, wo eine Burg ist, sich auch Handwerker für die Deckung der Bedürfnisse des Herrenhaushalts und der Kriegerschaft ansiedeln oder angesiedelt werden, daß die Konsumkraft eines kriegerischen Hofhalts und der Schutz, den er gewährt, die Händler anlockt, daß andererseits der Herr selbst ein Interesse an der Heranziehung dieser Klassen hat, weil er dann in der Lage ist, sich Geldeinnahmen zu verschaffen, entweder indem er den Handel und das Gewerbe besteuert oder indem er durch Kapitalvorschuß daran teilnimmt oder den Handel auf eigene Rechnung betreibt oder gar monopolisiert, daß er ferner von Küstenburgen aus als Schiffsbesitzer oder als Beherrscher des Hafens am gewaltsamen und friedlichen Seegewinn sich Anteil schaffen kann, ist klar. Ebenso sind seine im Ort ansässigen Gefolgen und Vasallen dazu in der Lage, wenn er es ihnen freiwillig oder, weil er auf ihre Gutwilligkeit angewiesen ist, gezwungen gestattet. In althellenischen Städten, wie in Kyrene, finden wir auf Vasen den König dem Abwägen von Waren (Silphion) assistieren; in Ägypten steht am Beginn der historischen Nachrichten die Handelsflotte des unterägyptischen Pharao. Weit über die Erde verbreitet, namentlich, wenn auch nicht ganz ausschließlich, in Küstenorten (nicht nur: in „Städten"), wo der Zwischenhandel besonders leicht kontrolliert werden konnte, war nun der Vorgang: daß neben dem Monopol des Häuptlings oder Burgfürsten das Interesse der am Ort ansässigen Kriegergeschlechter an eigener Teilnahme am Handelsgewinn und ihre Macht, sich eine solche zu sichern, wuchs und das Monopol des Fürsten (wenn es bestanden hatte) sprengte. Geschah dies, dann pflegte überall der Fürst nur noch als primus inter pares zu gelten oder schließlich gänzlich in den gleichberechtigten Kreis der in irgendeiner Form, sei es nur mit Kapital, im Mittelalter besonders mit Kommendakapital, am friedlichen Handel, sei es mit ihrer Person am Seeraub und Seekrieg sich beteiligenden, mit Grundbesitz ansässigen Stadtsippen eingegliedert, oft nur kurzfristig gewählt, jedenfalls in seiner Macht einschneidend beschränkt zu werden. Ein Vorgang, der sich ganz ebenso in den antiken Küstenstädten seit der homerischen Zeit, bei dem bekannten allmählichen Übergang zur Jahresmagistratur wie ganz ähnlich mehrfach im frühen Mittelalter vollzogen hat: so namentlich in Venedig gegenüber dem Dogentum und – nur mit sehr verschiedenen Frontstellungen, je nachdem ein königlicher Graf oder Vicomte oder ein Bischof oder wer sonst Stadtherr war – auch in anderen typischen Handelsstädten. Dabei sind nun die städtischen kapitalistischen Handelsinteressenten, die Geldgeber des Handels, die spezifischen Honoratioren der Stadt in der Frühzeit der Antike wie des Mittelalters, prinzipiell von den ansässigen oder ansässig gewordenen Trägern des Handels-„Betriebs", den eigentlichen Händlern zu sondern, so oft natürlich beide Schichten ineinander übergingen. Doch greifen wir damit schon späteren Erörterungen vor.

Im Binnenlande können Anfangs- oder End- oder Kreuzungspunkte von Fluß- oder Karawanenstraßen (wie z. B. Babylon) Standorte ähnlicher Entwicklungen werden. Eine Konkurrenz macht dem weltlichen Burg- und Stadtfürsten dabei zuweilen der Tempelpriester und der priesterliche Stadtherr. Denn die Tempelbezirke weithin bekannter Götter bieten dem interethnischen also politisch ungeschützten Handel sakralen Schutz und an sie kann sich daher eine stadtartige Ansiedelung anlehnen, welche ökonomisch durch die Tempeleinnahmen ähnlich gespeist wird wie die Fürstenstadt durch die Tribute an den Fürsten.

Ob und wieweit nun das Interesse des Fürsten an Geldeinnahmen durch die Erteilung von Privilegien für Gewerbetreibende und Händler, welche einem vom Herrenhof *unabhängigen*, vom Herrn besteuerten, Erwerbe nachgingen, überwog, oder ob umgekehrt sein Interesse an der Deckung seines Bedarfs durch möglichst *eigene* Arbeitskräfte und an der Monopolisierung des Handels in eigener Hand stärker war und welcher Art im ersten Fall jene Privilegien waren, lag im Einzelfall sehr verschieden: bei der Heranziehung Fremder durch solche Privilegien hatte der Herr ja auch auf die Interessen und die für ihn selbst wichtige ökonomische Prästationsfähigkeit der schon ansässigen, von ihm politisch oder grundherrlich Abhängigen in sehr verschiedenem Sinn und Grade Rücksicht zu nehmen. Zu allen diesen Verschiedenheiten der möglichen Entwicklung trat aber noch die sehr verschiedene *politisch-militärische* Struktur desjenigen Herrschaftsverbandes, innerhalb dessen die Stadtgründung oder Stadtentwicklung sich vollzog. Wir müssen die daraus folgenden Hauptgegensätze der Städteentwicklung betrachten.

Nicht jede „Stadt" im ökonomischen und nicht jede, im politisch-administrativem Sinn einem Sonderrecht der Einwohner unterstellte, Festung war eine „*Gemeinde*". Eine Stadtgemeinde im vollen Sinn des Wortes hat als Massenerscheinung vielmehr nur der Okzident gekannt. Daneben ein Teil des vorderasiatischen Orients (Syrien und Phönizien, vielleicht Mesopotamien) und dieser nur zeitweise und sonst in Ansätzen. Denn dazu gehörte, daß es sich um Siedelungen mindestens relativ stark gewerblich-händlerischen Charakters handelte, auf welche folgende Merkmale zutrafen: 1. die Befestigung – 2. der Markt – 3. eigenes Gericht und mindestens teilweise eigenes Recht – 4. Verbandscharakter und damit verbunden 5. mindestens teilweise Autonomie und Autokephalie, also auch Verwaltung durch Behörden, an deren Bestellung die Bürger als solche irgendwie beteiligt waren. Solche Rechte pflegen sich in der Vergangenheit durchweg in die Form von *ständischen Privilegien* zu kleiden. Ein gesonderter Bürger*stand* als ihr Träger, war daher das Charakteristikum der Stadt im politischen Sinn. An diesem Maßstab in seinem vollen Umfang gemessen waren freilich auch die Städte des okzidentalen Mittelalters nur teilweise und diejenigen des 18. Jahrhunderts sogar nur zum ganz geringen Teil wirklich „Stadtgemeinden". Aber diejenigen Asiens waren es, vereinzelte mögliche Ausnahmen abgerechnet, soviel heute bekannt, überhaupt nicht oder nur in Ansätzen. Zwar Märkte hatten sie alle und Festungen waren sie ebenfalls. Die chinesischen großen Sitze des Gewerbes und Handels waren sämtlich, die kleinen meist, befestigt, im Gegensatz zu Japan. Die ägyptischen, vorderasiatischen, indischen Sitze von Handel und Gewerbe waren es ebenfalls. Gesonderte Gerichts*bezirke* waren die großen Handels- und Gewerbesitze jener Länder gleichfalls nicht selten. Sitz der Behörden der großen politischen Verbände waren sie in China, Ägypten, Vorderasien, Indien immer, – während gerade dies der charakteristische Typus der okzidentalen Städte des frühen Mittelalters namentlich im Norden *nicht* war. Ein besonderes den Stadtbürgern *als solchen* eignendes materielles oder Prozeßrecht aber oder autonom von ihnen bestellte Gerichte waren den asiatischen Städten unbekannt. Sie kannten es nur insofern, als die Gilden und (in Indien) Kasten, welche tatsächlich vorzugsweise oder allein in einer Stadt ihren Sitz hatten, Träger von solchen Sonderrechtsbildungen und Sondergerichten waren. Aber dieser städtische Sitz jener Verbände war *rechtlich* zufällig. Unbekannt oder nur in Ansätzen bekannt war ihnen die autonome Verwaltung, vor allem aber – das ist das Wichtigste, – der *Verbands*charakter der Stadt und der Begriff des Stadtbürgers im Gegensatz zum Landmann. Auch dafür waren nur Ansätze vorhanden. Der chinesische Stadtinsasse gehörte rechtlich seiner Sippe und durch diese seinem Heimatsdorf an, in welchem der Ahnentempel stand und zudem er die Verbindung sorgfältig aufrechterhielt, ebenso wie der russische, in der Stadt erwerbende, Dorfgenosse rechtlich „Bauer" blieb. Der indische Stadtinsasse außerdem: Mitglied seiner Kaste. Die Stadteinwohner waren freilich eventuell, und zwar der Regel nach,

Mitglieder auch lokaler Berufsverbände, Gilden und Zünfte, spezifisch städtischen Sitzes. Sie gehörten schließlich als Mitglieder den Verwaltungsbezirken: Stadtvierteln, Straßenbezirken an, in welche die obrigkeitliche Polizei die Stadt zerlegte und hatten innerhalb dieser bestimmte Pflichten und zuweilen auch Befugnisse. Der Stadt- oder Straßenbezirk konnte insbesondere leiturgisch im Wege der Friedensbürgschaft für die Sicherheit der Personen oder anderer polizeilicher Zwecke kollektiv haftbar gemacht werden. Aus diesem Grunde konnten sie zu Gemeinden mit gewählten Beamten oder mit erblichen Ältesten zusammengeschlossen sein: so in Japan, wo über den Straßengemeinden mit ihrer Selbstverwaltung als höchste Instanz ein oder mehrere Zivilverwaltungskörper (Mashi-Bugyo) standen. Ein Stadt*bürger*recht aber im Sinne der Antike und des Mittelalters gab es nicht, und ein Korporationscharakter der Stadt als solcher war unbekannt. Sie war freilich eventuell auch als Ganzes ein gesonderter Verwaltungsbezirk, so, wie dies auch im Merowinger- und Karolingerreiche der Fall war. Weit entfernt aber, daß etwa, wie im mittelalterlichen und antiken Okzident, die Autonomie und die Beteiligung der Einwohner an den Angelegenheiten der lokalen Verwaltung in der Stadt, also in einem gewerblich-kommerziell gearteten, relativ großen Ort, stärker entwickelt gewesen wäre als auf dem Lande, traf vielmehr regelmäßig das gerade Umgekehrte zu. Auf dem Dorf war z. B. in China die Konföderation der Ältesten in vielen Dingen fast allmächtig und insoweit also der Taotai auf die Kooperation mit ihnen faktisch angewiesen, obwohl das Recht davon nichts wußte. Die Dorfgemeinschaft Indiens und der russische Mir hatten höchst eingreifende Zuständigkeiten, die sie, der Tatsache nach, bis in die neueste Zeit, in Rußland bis zur Bürokratisierung unter Alexander III., so gut wie völlig autonom erledigten. In der ganzen vorderasiatischen Welt waren die „Ältesten" (in Israel „sekenim"), das heißt ursprünglich: die Sippenältesten, später: die Chefs der Honoratiorensippen, Vertreter und Verwalter der Ortschaften und des örtlichen Gerichtes. Davon war in der asiatischen Stadt, weil sie regelmäßig der Sitz der hohen Beamten oder Fürsten des Landes war, gar keine Rede; sie lag direkt unter den Augen ihrer Leibwachen. Sie war aber fürstliche *Festung* und wurde daher von fürstlichen Beamten (in Israel: sarim) und Offizieren verwaltet, die auch die Gerichtsgewalt hatten. In Israel kann man den Dualismus der Beamten und Ältesten in der Königszeit deutlich verfolgen. In dem bürokratischen Königreich siegte überall der königliche Beamte. Gewiß war er nicht allmächtig. Er mußte vielmehr mit der Stimmung der Bevölkerung in einem oft erstaunlichen Maß rechnen. Der chinesische Beamte vor allem war gegenüber den lokalen Verbänden: den Sippen und Berufsverbänden, *wenn* sie sich im Einzelfalle zusammenschlossen, regelmäßig völlig machtlos und verlor bei jeder ernstlichen gemeinsamen Gegenwehr sein Amt. Obstruktion, Boykott, Ladenschließen und Arbeitsniederlegungen der Handwerker und Kaufleute im Fall konkreter Bedrückung waren schon alltäglich und setzten der Beamtenmacht Schranken. Aber diese waren völlig unbestimmter Art. Andererseits finden sich in China wie in Indien bestimmte Kompetenzen der *Gilden* oder andrer Berufsverbände oder doch die faktische Notwendigkeit für die Beamten, mit ihnen sich ins Einvernehmen zu setzen. Es kam vor, daß die Vorstände dieser Verbände weitgehende Zwangsgewalten auch gegen Dritte ausübten. Bei alledem aber handelt es sich – normalerweise – lediglich um Befugnisse oder faktische Macht einzelner bestimmter Verbände bei einzelnen bestimmten Fragen, die ihre konkreten Gruppeninteressen berühren. Nicht aber – normalerweise – existiert irgendein gemeinsamer Verband mit Vertretung einer Gemeinde der Stadt*bürger* als solcher. Dieser Begriff fehlt eben gänzlich. Es fehlen vor allem spezifisch *ständische* Qualitäten der städtischen Bürger. Davon findet sich in China, Japan, Indien überhaupt nichts und nur in Vorderasien Ansätze.

In Japan war die ständische Gliederung rein feudal: die Samurai (berittenen) und Kasi (unberittenen) Ministerialen standen den Bauern (no) und den teilweise in Berufsverbänden zusammengeschlossenen Kaufleuten und Handwerkern gegenüber. Aber der Begriff „Bürgertum" fehlte ebenso wie der Begriff der „Stadtgemeinde". In China war in der Feudalzeit der Zustand der gleiche, seit der bürokratischen Herrschaft aber stand der examinierte Literat der verschiedenen Grade dem Illiteraten gegenüber, und daneben finden sich die mit ökonomischen Privilegien ausgestatteten Gilden der Kaufleute und Berufsverbände der Handwerker. Aber der Begriff Stadtgemeinde und Stadtbürgertum fehlte auch dort. „Selbstverwaltung" hatten in China wie in Japan wohl die Berufsverbände, nicht aber die Städte, sehr im Gegensatz zu den Dörfern. In China war die Stadt Festung und Amtssitz der kaiserlichen Behörden, in Japan gab es „Städte" in diesem Sinn überhaupt nicht. In Indien waren die Städte Königs- oder Amtssitze der königlichen Verwaltung, Festungen und Marktorte. Ebenso finden sich Gilden der Kaufleute und außerdem die in starkem Maße mit Berufsverbänden zusammenfallenden Kasten, beide mit sehr starker Autonomie, vor allem eigener Rechtssetzung und Justiz. Aber die erbliche Kastengliederung der indischen Gesellschaft mit ihrer rituellen Absonderung der Berufe gegeneinander, schließt die Entstehung eines „Bürgertums" ebenso aus, wie die Entstehung einer „Stadtgemeinde". Es gab und gibt mehrere Händlerkasten und sehr viele Handwerkerkasten mit massenhaften Unterkasten. Aber weder konnte irgendeine Mehrheit von ihnen zusammengenommen dem okzidentalen Bürgerstand gleichgesetzt werden, noch konnten sie sich zu etwas der mittelalterlichen Zunftstadt Entsprechendem zusammenschließen, da die Kastenfremdheit jede Verbrüderung hemmte. Zwar in der Zeit der großen Erlösungsreligionen finden wir, daß die Gilden, mit ihren erblichen Schreschths (Ältesten) an der Spitze, sich in vielen Städten zu einem Verband zusammenschließen, und es gibt als Rückstand von damals bis heute noch einige Städte (Allahabad) mit einem gemeinsamen städtischen Schreschth, dem okzidentalen Bürgermeister entsprechend, an der Spitze. Ebenso gab es in der Zeit vor den großen bürokratischen Königtümern einige Städte, die politisch autonom und von einem Patriziat regiert wurden, welches sich aus den Sippen, die Elefanten zum Heer stellten, rekrutierte. Aber das ist später so gut wie völlig verschwunden. Der Sieg der rituellen Kastenfremdheit sprengte den Gildenverband, und die königliche Bürokratie, mit den Brahmanen verbündet, fegte diese Ansätze, bis auf jene Reste in Nordwestindien, hinweg.

In der vorderasiatisch-ägyptischen Antike sind die Städte Festungen und königliche oder Amtssitze mit Marktprivilegien der Könige. Aber in der Zeit der Herrschaft der Großkönigreiche fehlt ihnen Autonomie, Gemeindeverfassung und ständisch privilegiertes Bürgertum. In Ägypten bestand im Mittleren Reich Amtsfeudalität, im Neuen Reich bürokratische Schreiberverwaltung. Die „Stadtprivilegien" waren Verleihungen an die feudalen oder präbendalen Inhaber der Amtsgewalt in den betreffenden Orten (wie die alten Bischofprivilegien in Deutschland), nicht aber zugunsten einer autonomen Bürgerschaft. Wenigstens bisher sind nicht einmal Ansätze eines „Stadtpatriziats" nachweisbar. In Mesopotamien und Syrien, vor allem Phönizien, findet sich dagegen in der Frühzeit das typische Stadtkönigtum der See- und Karawanenhandelsplätze, teils geistlichen, teils aber (und meist) weltlichen Charakters, und dann die ebenso typische aufsteigende Macht patrizischer Geschlechter im „Stadthaus" („bitu" in den Tell-el-Amarna-Tafeln) in der Zeit der Wagenkämpfe. Der kanaanäische Städtebund war eine Einung der wagenkämpfenden stadtsässigen Ritterschaft, welche die Bauern in Schuldknechtschaft und Klientel hält; wie in der Frühzeit der hellenischen Polis. Ähnlich offenbar in Mesopotamien, wo der „Patrizier", d. h. der grundbesitzende, ökonomisch wehrfähige Vollbürger vom Bauern geschieden ist, Immunitäten und Freiheiten der Hauptstädte vom König verbrieft sind. Aber mit steigender Macht des Militärkönigtums schwand das auch hier. Politisch autonome Städte, ein Bürgerstand wie im Okzident finden sich in Mesopotamien später so wenig wie städtisches Sonderrecht neben dem königlichen Gesetz. Nur die Phöniker behielten den Stadtstaat mit der Herrschaft des mit seinem Kapital am Handel beteiligten grundsässigen Patriziats. Die Münzen mit der Ära der cam Zor, cam Karthechdeschoth in Tyros und Karthago deuten schwerlich auf einen herrschenden „Demos", und sollte es doch der Fall sein, so aus später Zeit. In Israel wurde Juda ein Stadtstaat: aber die Sekenim (Ältesten), die in der Frühzeit als Häupter der patrizischen Sippen in den Städten die Verwaltung leiteten, traten unter der Königsherrschaft zurück; die Gibborim (Ritter) wurden königliche Gefolgsleute und Soldaten, und gerade in den großen Städten regierten, im Gegensatz zum Lande, die königlichen Sarim (Beamten). Erst nach dem Exil taucht die „Gemeinde" (kahal) oder „Genossenschaft" (cheber) auf konfessioneller Grundlage als Institution auf, aber unter der Herrschaft der Priestergeschlechter.

Immerhin finden sich hier, am Mittelmeerrande und am Euphrat, erstmalig wirkliche Analogien der antiken Polis; etwa in dem Stadium, in welchem Rom sich zur Zeit der Rezeption der Gens Claudia befand. Immer herrscht ein stadtsässiges Patriziat, dessen Macht auf primär im Handel erworbenen und sekundär in Grundbesitz und persönlichen Schuldsklaven und in Sklaven angelegten Geldvermögen, militärisch auf kriegerischer Ausbildung im Ritterkampf ruhte, oft untereinander in Fehde, dagegen interlokal verbreitet und verbündet, mit einem König als primus inter pares, oder mit Schofeten oder Sekenim – wie der römische Adel mit Konsuln – an der Spitze und bedroht durch die Tyrannis von charismatischen Kriegshelden, welche sich auf geworbene Leibwachen (Abimelech, Jephthah, David) stützen. Dies Stadium ist vor der hellenistischen Zeit nirgends, oder doch nie dauernd, überschritten.

Es herrschte offenbar auch in den Städten der arabischen Küste zur Zeit Muhammeds und blieb in den islamischen Städten bestehen, wo nicht, wie in den eigentlichen Großstaaten, die Autonomie der Städte und ihr Patriziat völlig vernichtet wurde. Sehr vielfach scheint freilich unter islamischer Herrschaft der antik-orientalische Zustand fortbestanden zu haben. Es findet sich dann ein labiles Autonomieverhältnis der Stadtgeschlechter gegenüber den fürstlichen Beamten.

Der auf Teilnahme an den städtischen Erwerbschancen ruhende, meist in Grundbesitz und Sklaven angelegte Reichtum der stadtsässigen Geschlechter war dabei Träger ihrer Machtstellung, mit welcher die Fürsten und ihre Beamten auch ohne alle formalrechtliche Anerkennung hier für die Durchführbarkeit ihrer Anordnungen oft ebenso rechnen mußten, wie der chinesische Taotai mit der Obstruktion der Sippenältesten der Dörfer und der Kaufmannskorporationen und anderer Berufsverbände der Städte. Die „Stadt" aber war dabei im allgemeinen keineswegs notwendig zu einem in irgendeinem Sinn selbständigen Verband zusammengeschlossen. Oft das Gegenteil. Nehmen wir ein Beispiel. Die arabischen Städte, etwa Mekka, zeigen noch im Mittelalter und bis an die Schwelle der Gegenwart das typische Bild einer Geschlechtersiedelung. Die Stadt Mekka war, wie Snouck Hurgronjes anschauliche Darstellung zeigt, umgeben von den „Bilad": grundherrlichen, von Bauern, Klienten und im Schutzverhältnis stehenden Beduinen besetzten Bodenbesitz der einzelnen „Dewis", der von Ali abstammenden hasanidischen und anderer adligen Sippen. Die Bilads lagen im Gemenge. „Dewi" war jede Sippe, von der ein Ahn einmal „Scherif" war. Der Scherif seinerseits gehörte seit 1200 durchweg der alidischen Familie Katadahs an, sollte nach dem offiziellen Recht vom Statthalter des Khalifen (der oft ein Unfreier, unter Harun al Raschid einmal ein Berbersklave war) eingesetzt werden, wurde aber tatsächlich aus der qualifizierten Familie durch Wahl der in Mekka ansässigen Häupter der Dewis bestimmt. Deshalb und weil der Wohnsitz in Mekka Gelegenheit zur Teilnahme an der Ausbeutung der Pilger bot, wohnten die Sippenhäupter (Emire) in der Stadt. Zwischen ihnen bestanden jeweils „Verbindungen", d. h. Einverständnisse über die Wahrung des Friedens und den Teilungsschlüssel für jene Gewinnchancen. Aber diese Verbindungen waren jederzeit kündbar, und ihre Aufsagung bedeutete den Beginn der Fehde außerhalb wie innerhalb der Stadt, zu welcher sie sich ihrer Sklaventruppen bedienten. Die jeweils Unterlegenen hatten die Stadt zu meiden, doch galt, infolge der trotzdem bestehenden Interessengemeinschaft der feindlichen Geschlechter gegenüber den Außenstehenden, die bei Strafe allgemeiner Empörung auch der eigenen Anhänger festgehaltene Courtoisie: die Güter und das Leben der Familien und die Klienten der Verbannten zu schonen. In der Stadt Mekka bestanden in der Neuzeit als offizielle Autoritäten: 1. nur auf dem Papier der von den Türken eingerichtete kollegiale Verwaltungsrat (Medschlis), – 2. als eine effektive Autorität: der türkische Gouverneur: er vertrat jetzt die Stelle des „Schutzherrn" (früher meist: der

Herrscher von Ägypten), – 3. die 4 Kadis der orthodoxen Riten, stets vornehme Mekkaner, der vornehmste (schafiitische) jahrhundertelang aus einer Familie, vom Scherif entweder ernannt oder vom Schutzherrn vorgeschlagen, – 4. der Scherif, zugleich Haupt der städtischen Adelskorporation, – 5. die Zünfte, vor allem die Fremdenführer, daneben der Fleischer, Getreidehändler und andere, – 6. die Stadtviertel mit ihren Ältesten. Diese Autoritäten konkurrierten mannigfach miteinander ohne feste Kompetenzen. Eine klagende Prozeßpartei sucht sich die Autorität aus, welche ihr am günstigsten und deren Macht gegenüber dem Verklagten am durchgreifendsten schien. Der Statthalter konnte die Anrufung des mit ihm in allen Sachen, wo geistliches Recht involviert war, konkurrierenden Kadi nicht hindern. Der Scherif galt dem Einheimischen als die eigentliche Autorität; auf seine Gutwilligkeit war der Gouverneur speziell bei allem, was die Beduinen und die Pilgerkarawanen anging, schlechthin angewiesen und die Korporation des Adels war hier wie in anderen arabischen Gebieten speziell in den Städten ausschlaggebend. Eine an okzidentale Verhältnisse erinnernde Entwicklung zeigt sich darin, daß im 9. Jahrhundert, beim Kampf der Tuluniden und Dschafariden in Mekka, die Stellungnahme der reichsten Zünfte: der Fleischer- und Getreidehändlerzunft, ausschlaggebend wurde, während noch zu Muhammeds Zeit unbedingt nur die Stellungnahme der vornehmen koreischitischen Geschlechter militärisch und politisch in Betracht gekommen wäre. Aber ein Zunftregiment ist nie entstanden; die aus den Gewinstanteilen der stadtsässigen Geschlechter gespeisten Sklaventruppen haben jenen wohl immer wieder die ausschlaggebende Stellung gesichert, ähnlich wie auch im Okzident im Mittelalter die faktische Macht in den italienischen Städten immer wieder in die Hände der ritterlichen Geschlechter als die Träger der militärischen Macht zu gleiten die Tendenz hatte. Jeglicher, die Stadt zu einer korporativen Einheit zusammenschließende Verband fehlte in Mekka, und darin liegt der charakteristische Unterschied gegen die synoikisierten Poleis des Altertums sowohl wie gegen die „commune" schon des frühen italienischen Mittelalters. Aber im übrigen haben wir allen Anlaß, uns diese arabischen Zustände – wenn man die vorigen spezifisch islamischen Züge fortläßt oder ins Christliche transponiert – als durchaus und für die Zeit *vor* der Entstehung des Gemeindeverbandes als so gut wie völlig typisch auch für andere, speziell die okzidentalen Seehandelsstädte anzusehen.

Soweit die gesicherte Kenntnis asiatischer und orientalischer Siedelungen, welche ökonomischen Stadtcharakter trugen, reicht, war jedenfalls der normale Zustand der: daß nur die Geschlechtersippen und eventuell neben ihnen die Berufsverbände, nicht aber die Stadtbürgerschaften als solche, Träger eines Verbandshandelns sind. Natürlich sind die Übergänge auch hier flüssige. Aber gerade die allergrößten, Hunderttausende und zuweilen Millionen von Einwohnern umfassende, Siedelungszentren zeigen diese Erscheinung. Im mittelalterlichen byzantinischen Konstantinopel sind die Vertreter der *Stadtviertel*, die zugleich (wie noch in Siena die Pferderennen) die Zirkusrennen finanzierten, die Träger der Parteiungen: der *Nika*-Aufstand unter Justinian entstammte dieser lokalen Spaltung der Stadt. Auch in dem Konstantinopel des islamischen Mittelalters – also bis in das 19. Jahrhundert – finden sich neben den rein militärischen Verbänden der Janitscharen und der *Sipotis* und den religiösen Organisationen der Ulemas und der Derwische nur Kaufmannsgilden und -zünfte als Vertreter bürgerlicher Interessen, aber keine Stadtvertretung. Das war schon in dem spätbyzantinischen Alexandrien insofern ähnlich, als neben den konkurrierenden Gewalten des auf die sehr handfesten Mönche gestützten Patriarchen und des auf die kleine Garnison gestützten Statthalters offenbar nur Milizen der einzelnen Stadtviertel existierten, innerhalb deren die Zirkusparteien der rivalisierenden „Grünen" und „Blauen" die führenden Organisationen darstellten.

§ 2. Die Stadt des Okzidents.

Bodenrecht und persönliche Rechtslage S. 855. – Polisbildung durch Verbrüderung S. 860; – im Orient gehemmt durch Tabu- und sonstige magische Schranken der Sippenverfassung S. 862; – Sprengung derselben ist Voraussetzung der Verbrüderung S. 863. – Bedeutung der Sippe für die antike und mittelalterliche Stadt S. 866. – Schwurgemeinschaftliche Verbrüderung im Okzident. Rechtliche und politische Folgen S. 869. – Soziologischer Sinn der Stadteinung: a) die conjurationes in Italien S. 873; – b) Verbrüderungen im germanischen Norden S. 875; – c) Wehrhaftigkeit der Bürger dank der Militärverfassung als positive Grundlage der okzidentalen Entwicklung S. 879.

Im auffallendsten Gegensatz namentlich zu den asiatischen Zuständen stand nun die Stadt des mittelalterlichen Okzidents, und zwar ganz speziell die Stadt des Gebiets nördlich der Alpen da, wo sie in idealtypischer Reinheit entwickelt war. Sie war ein Marktort, wie die asiatische und orientalische Stadt, Sitz von Handel und Gewerbe, wie jene, Festung wie jene. Kaufmannsgilden und Handwerkerzünfte fanden sich hier wie dort und daß diese autonome Satzungen für ihre Mitglieder schufen, war durch die ganze Welt, nur gradweise verschieden, verbreitet. Ebenso enthielt die antike wie die mittelalterliche Stadt des Okzidents – in letzterer allerdings mit einigen später zu machenden Vorbehalten – in sich Fronhöfe und Sitze von Geschlechtern mit außerstädtischem grundherrlichen und daneben oft mit großem städtischen Bodenbesitz, der aus den Erträgnissen der Teilnahme der Geschlechter an den städtischen Gewinnchancen der Stadt vergrößert wurde. Ebenso kannte die okzidentale Stadt des Mittelalters überwiegend Schutzherren und Beamte eines politischen Herrn, welche in ihren Mauern Befugnisse verschiedenen Umfangs ausübten. Ebenso wich hier, wie fast in der ganzen Welt, das Recht, welches für Hausgrundstücke galt, von dem des landwirtschaftlichen Bodens natürlich irgendwie ab. Aber wenigstens für die mittelalterliche Stadt des Okzidents war der *Unterschied des Bodenrechts* ein, von Übergangserscheinungen abgesehen, kaum je fehlendes Essentiale: prinzipiell frei veräußerliches, ganz zinsfreies, oder nur mit festem Zins belastetes vererbliches Bodeneigentum in der Stadt, in der mannigfachsten Weise grundherrliches oder der Dorf- oder Marktgemeinde gegenüber oder nach beiden Richtungen gebundenes Bauernland draußen. Das war in Asien und in der Antike nicht in gleicher Regelmäßigkeit der Fall. Diesem immerhin nur relativen Gegensatz des Bodenrechts entsprach aber ein absoluter Gegensatz der persönlichen Rechtslage.

Überall, im frühen Mittelalter, der Antike, dem vorderasiatischen und dem ferneren Osten war die Stadt eine durch Zuzug und Zusammenfluß von außen entstandene und, bei den sanitären Verhältnissen der Unterschichten, nur durch fortwährend neuen Zustrom vom Lande sich erhaltende Zusammensiedelung. Überall enthält sie daher Elemente gänzlich verschiedener ständischer Stellung. Examinierte Amtsanwärter und Mandarinen neben den als Banausen verachteten Illiteraten und den (wenigen) unreinen Berufen in Ostasien, alle Arten von Kasten in Indien, sippenmäßig organisierte Geschlechtergenossen neben landlosen Handwerkern in Vorderasien und der Antike, Freigelassene, Hörige und Sklaven neben adeligen Grundherren und deren Hofbeamten und Dienstleuten, Ministerialen oder Soldkriegern, Priestern und Mönchen in der frühmittelalterlichen Stadt. Herrenhöfe aller Art konnten in der Stadt liegen oder auch das Stadtgebiet als Ganzes zur Grundherrschaft eines Herrn gehören, innerhalb der Stadt selbst Reparatur und Bewachung der Mauern einer Schicht von Burgmannen oder anderen durch Burglehen oder andere Rechte Privilegierten anvertraut sein. Die schärfsten ständischen Unterschiede gliederten namentlich die Stadtinsassen der mittelländischen Antike. In geringem Maße aber auch noch die des frühen Mittelalters und ebenso Rußlands bis an die Schwelle der Gegenwart, auch noch nach der Aufhebung der Leibeigenschaft: der aus Dörfern stammende Stadtinsasse war dem Dorfe schollenpflichtig und konnte vom Mir durch Entziehung des Passes zur Rückkehr genötigt werden. Freilich weist die sonstige, außerstädtische, ständische Schichtung innerhalb der Stadt fast überall gewisse Modifikationen auf. In Indien so, daß die Entstehung bestimmter spezifisch städtischer Verrichtungen auch die Bildung von Kasten zur Folge haben mußte, welche also der Tatsache, wenn auch nicht dem Recht nach, den Städten spezifisch waren. In Vorderasien, der Antike, dem frühen Mittelalter und in Rußland vor der Leibeigenenbefreiung vor allem so: daß die breiten Schichten der stadtsässigen Unfreien oder Hörigen in der Stadt faktisch, wenn auch zunächst nicht rechtlich, ihrem Herrn nur einen Zins zahlten, im übrigen aber eine der Tatsache nach ökonomisch selbständige Kleinbürgerklasse darstellten bzw. diese mit den rechtlich freien Kleinbürgern gemeinsam bildeten. Der Umstand, daß die Stadt ein Markt war, mit relativ ständiger Gelegenheit durch Handel oder Handwerk Geld zu verdienen, veranlaßte eben zahlreiche Herren, ihre Sklaven und Hörigen nicht im eigenen Haus oder Betrieb als Arbeitskräfte, sondern als Rentenfonds auszunützen, sie also als Handwerker oder Kleinhändler anzulernen und dann, eventuell (so in der Antike) mit Betriebsmitteln ausgestattet, gegen Leibzins in der Stadt dem Erwerb nachgehen zu lassen. Bei öffentlichen Bauten Athens finden wir daher Sklaven und Freie in der gleichen Akkordgruppe gegen Lohn engagiert. Freie und Unfreie, als Institoren des Herrn oder mit „merx peculiaris" faktisch ganz selbständig schaltende Kleinbürger stehen im Gewerbe und Kleinhandel der Römerzeit nebeneinander, gehören den gleichen Mysteriengemeinden an. Die Chance, sich freikaufen zu können, steigerte die ökonomische Leistung speziell der unfreien Kleinbürger, und es ist daher kein Zufall, daß in der Antike und in Rußland gerade in den Händen von Freigelassenen sich ein großer Teil der ersten, durch rationalen Dauerbetrieb gewerblicher oder kommerzieller Art erworbenen Vermögen ansammelte. Die okzidentale Stadt war so schon in der Antike wie in Rußland ein *Ort des Aufstiegs aus der Unfreiheit in die Freiheit* durch das Mittel geldwirtschaftlichen Erwerbs. Noch wesentlich stärker nun gilt das gleiche für die mittelalterliche Stadt, zumal die Binnenstadt, und zwar je länger desto mehr. Denn hier verfolgte, im Unterschied von fast allen andern uns bekannten Entwicklungen, die Bürgerschaft der Städte in aller Regel ganz bewußt eine darauf gerichtete Stände*politik*. Bei reichlichem Erwerbsspielraum bestand in der Frühzeit dieser Städte ein gemeinsames Interesse ihrer Insassen an der Ausnutzung derselben zwecks Erweiterung der Absatz- und Erwerbschancen jedes Einzelnen durch Erleichterung des Zuzugs von außen und deshalb auch ein solidarisches Interesse daran, daß nicht jeder soeben in der Stadt wohlhabend gewordene Hörige von seinem Herrn – wie es von seiten schlesischer Adeliger noch im 18., von russischen noch im 19. Jahrhundert mehrfach geschehen ist – etwa zu Hausknechts- oder Stalldiensten requiriert wurde, sei es auch nur, um so ein Loskaufsgeld von ihm zu erpressen. Die Stadtbürgerschaft usurpierte daher – und dies war die eine große, der Sache nach *revolutionäre* Neuerung der mittelalterlich-okzidentalen gegenüber allen anderen Städten – die Durchbrechung des Herrenrechts. In den mittel- und nordeuropäischen Städten entstand der bekannte Grundsatz: „Stadtluft macht frei", – d. h. nach einer verschieden großen, stets aber relativ kurzen Frist verlor der Herr eines Sklaven oder Hörigen das Recht, ihn als Gewaltunterworfenen in Anspruch zu nehmen. Der Satz ist in sehr verschiedenem Grade durchgedrungen. Sehr oft mußten sich andererseits Städte zu dem Versprechen bequemen, Unfreie nicht aufzunehmen, und mit Engerwerden des Nahrungsspielraums ist diese Schranke ihnen auch oft willkommen gewesen. Allein als Regel setzte jener Grundsatz sich dennoch durch. Die ständischen Unterschiede schwanden also in der Stadt, wenigstens soweit sie Verschiedenheit von gewöhnlicher Freiheit und Unfreiheit bedeuteten. Andererseits entwickelte sich innerhalb zahlreicher, ursprünglich auf politischer Gleichstellung der Ansiedler untereinander und freier Wahl der Stadtbeamten ruhender Stadtansiedelungen im europäischen Norden vielfach eine Honoratiorenschicht: die ständische Differenzierung der kraft ihrer ökonomischen Unabhängigkeit und Macht die Ämter monopolisierenden Ratsgeschlechter gegen die andern Bürger. Und ferner finden wir in zahlreichen, besonders südlichen, aber auch nördlichen reichen Städten (auch deutschen) von Anfang an – wie in der Antike – das Nebeneinander von „Reitern", Leuten, die einen Stall halten (einen „Rennstall" würden wir heute sagen, denn an die Turnierzwecke ist dabei gedacht), den „Constaffeln", als einem spezifischen Stadtadel und den gemeinen Bürgern, also: in ständischer Scheidung. Dem aber steht nun eine andere Entwicklung gegenüber, welche die ständische Gemeinsamkeit der Stadtbürger als solchen, galten sie nun als

Adel oder Nichtadel, gegenüber dem Adel außerhalb der Stadt steigerten. Mindestens in Nordeuropa wurde gegen Ende des Mittelalters die Adelsqualität des stadtsässigen, am Erwerb beteiligten und – was vor allem geltend gemacht wurde – mit den Zünften im Stadtregiment zusammensitzenden Patriziats von seiten des ritterlichen Landadels nicht mehr anerkannt, dem Patriziat also Turnier- und Stiftsfähigkeit, Konnubium und Lehensfähigkeit abgesprochen (die letztere in Deutschland mit den nur zeitweiligen Ausnahmen der privilegierten Reichsstadtbürger). Von diesen beiden Tendenzen zu einer relativen ständischen Nivellierung und umgekehrt zu einer stärkeren Differenzierung in der Stadt haben im allgemeinen die letzteren das Übergewicht behalten. Am Ende des Mittelalters und bei Beginn der Neuzeit werden fast alle Städte, italienische, englische und französische ebenso wie deutsche, soweit sie nicht – wie in Italien – monarchische Stadtstaaten geworden waren, durch einen Ratspatriziat oder eine Bürgerkorporation beherrscht, welche nach außen exklusiv war, nach innen eine Honoratiorenherrschaft bedeutete, selbst dort, wo aus der Zeit des Zunftregiments die Pflicht für diese Honoratioren, formell einer Zunft zuzugehören, noch fortbestand.

Die Abschneidung der ständischen Zusammenhänge nach außen hin zum außerstädtischen Adel wurde nur in den Stadtkorporationen Nordeuropas ziemlich rein durchgeführt, während im Süden, zumal in Italien, umgekehrt mit aufsteigender Macht der Städte fast aller Adel stadtsässig wurde, wie wir dies wesentlich verstärkt auch in der Antike finden, wo die Stadt ja ursprünglich gerade als Sitz des Adels entstand. Antike und, in geringerem Maß, südeuropäisch-mittelalterliche Städte bilden hierin also gewissermaßen Übergangsstadien von der asiatischen zur nordeuropäischen Stadt.

Zu diesen Unterschieden tritt nun aber als entscheidend hinzu die Qualität der antiken sowohl wie der typischen mittelalterlichen Stadt als eines *anstaltsmäßig vergesellschafteten*, mit besonderen und charakteristischen Organen ausgestatteten Verbandes von „Bürgern", welche in dieser ihrer Qualität einem nur ihnen zugänglichen *gemeinsamen Recht* unterstehen, also ständische „Rechtsgenossen" sind. Diese Eigenschaft als einer ständisch gesonderten „Polis" oder „Commune" war, soviel bekannt, in allen anderen Rechtsgebieten, außer den mittelländischen und okzidentalen, nur in den Anfängen vorhanden. Am ehesten wohl noch in Mesopotamien, Phönizien und in Palästina in der Zeit der Kämpfe der israelitischen Eidgenossen mit dem kanaanäischen Stadtadel und vielleicht noch in manchen Seestädten anderer Gebiete und Zeiten. So existierte in den Städten der von Cruickshank und nach ihm von Post geschilderten Fanti-Neger der Goldküste ein „Rat" unter dem Vorsitz eines Stadtkönigs als primus inter pares, dessen Mitglieder 1. die „Kaboffiere": die Häupter der durch Reichtum und ständische Lebensführung (Gastlichkeit und Aufwand) ausgezeichneten Geschlechter, 2. die gewählten Obmänner der als militärische Verbände mit Wahl der Obmänner und mit Ältesten organisierten, gegeneinander ganz selbständigen, oft genug in Fehde miteinander liegenden Stadtviertel, 3. die erblichen Polizeiamtmänner (Pynine) der Stadtviertel bildeten und in dessen Hand Gericht und Verwaltung lagen. Ähnliche Vorstufen der Polisoder Communekonstitution dürften sich in Asien und Afrika mehrfach gefunden haben. Aber von einem ständischen „Stadtbürgerrecht" verlautet nichts.

Dagegen war die vollentwickelte antike und mittelalterliche Stadt vor allem ein als *Verbrüderung* konstituierter oder so gedeuteter Verband, dem daher auch das entsprechende religiöse Symbol: ein Verbandskult der Bürger als solcher, also ein Stadtgott oder Stadtheiliger, der für die Bürger als solcher da ist, nicht zu fehlen pflegt. Ein solcher fehlt zwar auch in China nicht (oft ein apotheosierter Mandarin). Aber er behielt dort den Charakter eines Funktionsgottes im Pantheon. Der Verband der Stadtgemeinde im Okzident als solcher hatte ferner: *Besitz*, über den ihre Organe verfügten. Wenn dagegen der berühmte Streit der Aliden mit der Gemeinde über die „Gärten von Fadak" – der erste ökonomische Anlaß der Abspaltung der Schia – ein Streit über Geschlechts- oder Gemeindeeigentum war, so war die „Gemeinde", in deren Namen die Vertreter der Khalifen jenen Grundbesitz in Anspruch nahmen, die religiöse Gemeinschaft des Islam, nicht eine politische „Gemeinde" von Mekka, welche gar nicht existierte. Allmenden von städtischen Siedelungen mögen anderwärts ebenso existiert haben, wie für Dorfgemeinden. Ebenso gab es spezifisch städtische Steuerquellen der Fürsten. Aber ein Finanzwesen einer Stadtgemeinde nach Art der antiken oder mittelalterlichen Stadt ist von anderwärts nicht bekannt, höchstens Ansätze dazu mag es gegeben haben.

Für die gemeinsamen Eigentümlichkeiten der mittelländischen Städte zum Unterschied von den asiatischen war zunächst und vor allem das Fehlen der magisch-animistischen Kasten- und Sippengebundenheit der freien Stadtinsassen mit ihren Tabuierungen grundlegend. In China war es die exogame und endophratrische Sippe, in Indien seit dem Siege der Patrimonialkönige und Brahmanen überdies noch die endogame und tabuistisch exklusive Kaste, welche jeglichen Zusammentritt zu einer auf allgemeiner sakraler und bürgerlicher Rechtsgleichheit, Konnubium, Tischgemeinschaft, Solidarität nach außen, ruhenden Stadtbürgervergesellschaftung hinderten. Dies in Indien infolge des tabuistischen Kastenabschlusses noch weit stärker als in China, – wie denn, *auch* infolgedessen, Indien eine, rechtlich angesehen, zu 90 % landsässige Bevölkerung gegenüber der immerhin weit größeren Bedeutung der Städte in China aufwies. Die Insassen einer indischen Stadt haben als solche gar keine Möglichkeit gemeinsamer Kultmahle, die chinesischen infolge ihrer Sippenorganisation und der alles überwiegenden Bedeutung des Ahnenkults keinen Anlaß dazu. Soweit, daß auch die private Speisegemeinschaft ganz ausgeschlossen ist, gehen allerdings nur tabuistisch gebundene Völker wie die Inder und (in weitbegrenztem Umfang) die Juden. Bei den Indern wirkt schon jeder Blick eines Kastenfremden in die Küche verunreinigend. Aber noch in der Antike waren die sakralen Handlungen der Sippe für Nichtsippengenossen ebenso schlechthin unzugänglich wie der chinesische Ahnenkult. Demgegenüber war schon für die antike Polis nach der Überlieferung eine Komponente des (realen oder fiktiven) Akts der „Zusammenhausung" (Synoikismos) der Ersatz der für die Kultmahle der eingemeindeten Verbände dienenden Einzelprytaneen durch das ursprünglich für jede Polis unentbehrliche Prytaneion der Stadt, des Symbols der Tischgemeinschaft der Stadtbürgersippen als Folge von deren Verbrüderung. Freilich lag der antiken Polis offiziell zunächst die Gliederung in Sippen und ihnen übergeordneten rein personalen und oft (mindestens der Fiktion nach) auf Abstammungsgemeinschaft ruhenden, je einen nach außen wiederum streng exklusiven Kultverband bildenden Gemeinschaften zugrunde. Die antiken Städte waren in der, praktisch keineswegs bedeutungslosen, Anschauung ihrer Zugehörigen zunächst gewillkürte Vergesellschaftungen und Konföderationen von Personenverbänden teils primär sippenhaften, teils, wie wahrscheinlich die Phratrien, primär militärischen Charakters, die dann in den späteren Einteilungen der Städte nach verwaltungstechnischen Gesichtspunkten schematisiert wurden. Daher waren die Städte der Antike sakral exklusiv nicht nur nach außen, sondern auch nach innen, gegen jeden, der keiner der konföderierten Sippen zugehörte: den Plebejer; und eben deshalb blieben sie eben immerhin doch auch in sich selbst in zunächst weitgehend exklusive Kultverbände gegliedert. In diesem Charakter als adlige Sippenkonföderationen glichen den antiken Städten noch ziemlich weitgehend auch die südeuropäischen Städte im frühen Mittelalter, vor allem Seestädte (aber nicht nur solche). Innerhalb ihrer Mauern hatte jede adlige Sippe ihre eigene Festung für sich oder auch gemeinsam mit andern, in welchem Fall deren Benutzung (wie in Siena) eingehend geregelt war, die Geschlechterfehden wüteten in der Stadt mindestens ebenso heftig wie draußen und manche der ältesten Stadteinteilungen (z. B. in „alberghi") waren vermutlich solche in feudale Machtbezirke. Dagegen fehlte – und dies war höchst wichtig – hier jeder noch in der Antike vorhandene Rest von *sakraler* Exklusivität der Sippen gegeneinander und nach außen: eine Folge des historisch denkwürdigen, von Paulus im Galaterbrief mit Recht in den Vordergrund gerückten Vorgangs in Antiochien, wo Petrus mit den unbeschnittenen Brüdern (rituelle) Speisegemeinschaft pflegte. Diese rituelle Exklusivität hatte sich schon in den antiken Städten bis zu völligem Schwinden abgeschwächt. Die sippenlose Plebs setzte die rituelle Gleichstellung im Prinzip durch. In den mittelalterlichen, zumal in den mittel- und nordeuropäischen Städten bestand diese Abschwächung von Anfang an und verloren die Sippen sehr bald alle Bedeutung als Konstituenzien der Stadt. Diese wurde eine Konföderation der *einzelnen* Bürger (Hausväter), so daß auch die Einbezogenheit des Stadtbürgers in außerstädtische Gemeinschaften hier praktisch jede Bedeutung gegenüber der Stadtgemeinde einbüßte. Schon die antike Polis wurde so in der Vorstellung ihrer Bürger zunehmend eine anstaltsmäßige „*Gemeinde*". Endgültig entstand der „Gemeinde"-Begriff in der Antike im Gegensatz zum „Staat" allerdings erst durch ihre Eingliederung in den hellenistischen oder römischen Großstaat, welche ihr auf der anderen Seite die politische Selbständigkeit nahm. Die mittelalterliche Stadt dagegen war ein „commune" von Anfang ihres Bestehens an, einerlei, wieweit man sich dabei den Rechtsbegriff der „Korporation" als solchen sofort zum klaren Bewußtsein brachte.

Im Okzident fehlten eben die Tabuschranken des indisch-äquatorialen Gebiets und die totemistischen, ahnenkultischen und kastenmäßigen magischen Klammern der Sippenverbände, welche in Asien die Verbrüderung zu einer einheitlichen Körperschaft hemmten. Der konsequente Totemismus und die kasuistische Durchführung der Sippenexogamie sind gerade dort und sicherlich als ziemlich späte Produkte entstanden, wo es zu großen politisch-militärischen und vor allem städtischen Verbandsbildungen nie kam. Die antiken Religionen kennen höchstens Spuren davon, sei es nun als „Reste" oder auch als verkümmerte „Ansätze". Die Gründe dafür lassen sich, soweit sie nicht intern religiös waren, nur unbestimmt vermuten. Das überseeische Reislaufen und Seeräuberleben der Frühzeit, die militärischen Aventiuren und massenhaften binnenländischen und überseeischen Kolonialgründungen, welche unvermeidlich intime Dauerverbände zwischen Stamm- oder doch Sippenfremden stifteten, sprengten offenbar ebenso unvermeidlich die Festigkeit jener sippenexklusiven und magischen Bande. Und mochte man sie auch in der Antike überall, der Tradition gemäß, künstlich durch Einteilung der neugegründeten Gemeinden in gentilizische Verbände und Phratrien wieder herstellen, – nicht der Gentilverband, sondern der Militärverband der Polis war jetzt doch die grundlegende Einheit. Die jahrhundertelangen Wanderungen erobernder Kriegerverbände der Germanen vor und in der Völkerwanderungszeit, ihr Reislaufen und ihre Aventiurenzüge unter selbstgewählten Führern waren ebensoviele Hemmungen gegen das Aufkommen tabuistischer und totemistischer Bindungen. Mochte man auch bei ihnen die Siedelung, wie überliefert wird, tunlichst nach realen oder fiktiven Sippen vornehmen, – der Ding- und Militärverband der Hundertschaft, die Hufenverfassung als Grundlage der Lastenumlegung, später die Beziehung zum Fürsten: Gefolgschaft und Vasallentum blieben das Entscheidende, nicht irgendwelche, vielleicht gerade infolge jener Umstände niemals zur Entwicklung gelangten, magischen Bande der Sippe. Und das Christentum, welches nun die Religion dieser in allen ihren Traditionen tief erschütterten Völker wurde und wohl gerade infolge der Schwäche oder des Fehlens der magischen und tabuistischen Schranken bei ihnen dazu werden konnte, entwertete und zerbrach alle solche Sippenbande in ihrer religiösen Bedeutsamkeit endgültig. Die oft recht bedeutende Rolle, welche die kirchliche Gemeinde bei der verwaltungstechnischen Einrichtung der mittelalterlichen Städte gespielt hat, ist nur eines von vielen Symptomen für das starke Mitspielen dieser, die Sippenbande auflösenden und dadurch für die Bildung der mittelalterlichen Stadt grundlegend wichtigen Eigenschaften der christlichen Religion. Der Islam hat die Landsmannschaften der arabischen Stämme und die Sippenbande, wie die ganze Geschichte der inneren Konflikte des älteren Khalifats zeigt, nicht wirklich überwunden, weil er zunächst eine Religion eines erobernden, nach Stämmen und Sippen gegliederten Heeres blieb.

Machen wir uns die praktischen Unterschiede nochmals ganz klar. Die Stadt war zwar überall in der Welt in starkem Maß Zusammensiedelung von bisher Orts*fremden*. Der chinesische wie der mesopotamische und ägyptische und gelegentlich sogar noch der hellenistische Kriegsfürst legt die Stadt an und verlegt sie wieder, siedelt nicht nur darin an, wer sich ihm freiwillig bietet, sondern raubt nach Bedarf und Möglichkeit das Menschenmaterial zusammen. Am stärksten in Mesopotamien, wo die Zwangssiedler zunächst den Kanal zu graben haben, der die Entstehung der Stadt in der Wüste ermöglicht. Weil er dabei mit seinem Amtsapparat und seiner Beamtenverwaltung ihr absoluter Herr bleibt, entsteht entweder gar kein Gemeinde*verband* oder nur dürftige Ansätze eines solchen. Die Zusammengesiedelten bleiben oft konnubial getrennte Sonderstämme. Oder, wo dies nicht der Fall ist, bleiben die Zuzügler Mitglieder ihrer bisherigen Orts- und Sippenverbände. Nicht nur der chinesische Stadtinsasse gehörte normalerweise zu seiner ländlichen Heimatsgemeinde, sondern auch breite Schichten der nicht hellenischen Bevölkerung des hellenistischen Orients, wie ja noch die neutestamentliche Legende die Geburt des Nazareners in Bethlehem damit motiviert, daß die Sippe des Vaters dort, in der deutschen Übersetzung des Heliand gesprochen: ihr „Hantgemal" gehabt habe, also – meint die Legende – auch dort zu schätzen gewesen sei. Die Lage des in die russischen Städte zuwandernden Bauern war bis vor kurzem keine andere: sie behielten ihr Recht auf Land sowohl wie ihre Pflicht, auf Verlangen der Dorfgemeinde dort an den Lasten teilzunehmen, in ihrem Heimatort. Es entstand also kein Stadt*bürgerrecht*, sondern nur ein Lasten- und Privilegienverband der jeweils Stadtsässigen. Auf Sippenverbänden ruhte auch der hellenische Synoikismos: Die Rekonstitution der Polis Jerusalem durch Esra und Nehemia läßt die Überlieferung sippschaftsweise, und zwar durch Zusammensiedelung von Delegationen jeder politisch vollberechtigten landsässigen Sippe erfolgen. Nur die sippenlose und politisch rechtlose Plebs wird nach Ortsangehörigkeit gegliedert. Auch in der antiken Polis war zwar der Einzelne Bürger, aber ursprünglich immerhin nur als Glied seiner Sippe. Jeder hellenische und römische Synoikismos und jede kolonisatorische Eroberung verlief in der Frühantike mindestens der Fiktion nach ähnlich wie die Neukonstituierung von Jerusalem und selbst die Demokratie konnte an dem Schema der Zusammensetzung der Bürgerschaft durch Sippen (gentes), aus diesen zusammengesetzten Phratrien und durch diese gebildeten Phylen, lauter rein personalen kultischen Verbänden also, zunächst nicht rütteln, sondern diese tatsächlich vom gesippten Adel beherrschten Verbände nur durch indirekte Mittel politisch unschädlich zu machen suchen. Einen Kultmittelpunkt seiner Sippe (Ζευς ερκαιος) mußte in Athen nachweisen können, wer amtsfähig für die legitimen Ämter sein wollte. Daß Städte durch Zusammensiedelung Einheimischer mit Stammfremden entstehen, wußte auch die römische Legende sehr gut; sie werden dann durch rituale Akte zu einer religiösen Gemeinde mit einem eigenen Gemeindeherd und einem Gott als Gemeindeheiligen auf der Burg verbrüdert, aber dabei in gentes, curiae (= Phratrien), tribus (= Phylen) gegliedert. Diese für jede antike Stadt ursprünglich selbstverständliche Zusammensetzung wurde sehr früh – wie schon die runden Zahlen der Verbände (aus 3, 30 oder 12 gebildet) zeigen – rein künstlich zum Zweck der Lastenumlegung hergestellt. Immerhin blieb die Zugehörigkeit Kennzeichen des zur Teilnahme am Kult und allen denjenigen Ämtern, welche die Qualifikation zum Verkehr mit den Göttern, in Rom der „auspicia", bedurften, berechtigten Vollbürgers. Sie war eben *rituell* unentbehrlich. Denn ein *legitimer* Verband mußte auf der rituellen Grundlage der überlieferten, rituell gerichteten Verbandsformen: Sippe, Wehrverband (Phratrie), politischer Stammesverband (Phyle) beruhen oder dies doch fingieren. – Das war nun bei den mittelalterlichen Stadtgründungen namentlich des Nordens durchaus anders. Der Bürger trat wenigstens bei Neuschöpfungen als Einzelner in die Bürgerschaft ein. Als Einzelner schwur er den Bürgereid. Die persönliche Zugehörigkeit zum örtlichen Verband der Stadt, und nicht die Sippe oder der Stamm, garantierte ihm seine persönliche Rechtsstellung als Bürger. Die Stadtgründung schloß auch hier oft nicht nur ursprünglich orts- sondern eventuell auch stammfremde Händler mit ein. Jedenfalls bei Neugründungen kraft Privilegs für Zuwanderer. – In geringerem Maß natürlich bei der Umwandlung alter Ansiedelungen in Stadtgemeinden. Dann natürlich traten z. B. nicht etwa die in Köln erwähnten, aus dem ganzen Umkreis des Okzidents von Rom bis Polen stammenden Kaufleute in die dortige städtische Schwurgemeinschaft ein, deren Gründung vielmehr gerade von den einheimischen besitzenden Schichten ausging. Aber auch solche Einbürgerungen ganz Fremder kamen vor. Eine prinzipielle, den asiatischen Gastvolksverhältnissen entsprechende Sonderstellung innerhalb der mittelalterlichen Städte nahmen hier höchst charakteristischerweise nur die Juden ein. Denn obwohl z. B. in oberrheinischen Urkunden der Bischof hervorhebt, daß er „um des größeren Glanzes der Stadt willen" Juden herbeigerufen habe, und obwohl die Juden in den Kölner Schreinsurkunden als Grundbesitzer im Gemenge mit Christen auftraten, hinderte schon der dem Okzident fremde rituelle Ausschluß der konnubialen und die tatsächliche Behinderung der Tischgemeinschaft der Juden mit Nichtjuden, vor allem aber: das Fehlen der Abendmahlsgemeinschaft, die Verbrüderung. Auch die mittelalterliche Stadt war ein Kultverband. Die Stadtkirche, der Stadtheilige, die Teilnahme der Bürger am Abendmahl, die offiziellen kirchlichen Feiern der Stadt verstanden sich von selbst. Aber das Christentum hatte der *Sippe* jegliche rituelle Bedeutung genommen. Die Christengemeinde war ihrem innersten Wesen nach ein konfessioneller Verband der gläubigen Einzelnen, nicht ein ritueller Verband von Sippen. Daher blieben die Juden von Anfang an außerhalb des Bürgerverbands. Wenn so auch die Stadt des Mittelalters des kultischen Bandes bedurfte und zu ihren Konstituierungen oft (vielleicht: immer) kirchliche Parochien gehörten, so war sie dennoch, wie die antike Stadt auch, eine weltliche Gründung. Nicht *als* kirchliche Verbände wirkten die Parochien mit und nicht durch ihre kirchlichen Vertreter, sondern neben der rein weltlichen städtischen Schöffenbank waren es die *Laien*vorstände der kirchlichen Parochialgemeinden und eventuell die Gilden der Kaufleute, welche auf seiten der Bürger die *formal*rechtlich entscheidenden Akte vornehmen. Kirchengemeindliche Vollwertigkeit statt der, wie in der Antike, rituell vollwertigen Sippe war Voraussetzung der Qualifikation zum Bürger. Der Unterschied gegen asiatische Verhältnisse war im Anfang der Entwicklung noch kein grundsätzlicher. Der dem Ortsheiligen des Mittelalters entsprechende Lokalgott und die rituelle Gemeinschaft der Vollbürger war als unumgänglicher Bestandteil jeder Stadt den vorderasiatischen Städten der Antike bekannt. Aber die Verpflanzungspolitik der Menschen erobernden Großkönige hat das offenbar durchbrochen und die Stadt zu einem reinen Verwaltungsbezirk gemacht, in welchem alle Insassen ohne Unterschied der Stammes- und rituellen Zusammengehörigkeit die gleichen Lebenschancen hatten. Dies geht aus den Schicksalen der ins Exil verschleppten Juden hervor: nur die staatlichen Ämter, welche Schriftbildung und offenbar auch rituelle Qualifikation erforderten, scheinen ihnen verschlossen gewesen zu sein. „Gemeindebeamte" gab es in den Städten offenbar nicht. Die einzelnen Fremdstämmigen hatten, wie die exilierten Juden, ihre Ältesten und Priester, waren also „Gaststämme". In Israel vor dem Exil standen die Metöken (gerim) außerhalb der rituellen Gemeinschaft (sie waren ursprünglich unbeschnitten) und zu ihnen gehörten fast alle Handwerker. Sie waren also Gaststämme wie in Indien. In Indien war die rituelle Verbrüderung der Stadtinsassen durch das Kastentabu ausgeschlossen. In China gehörte zu jeder Stadt ein Stadtgott (oft ein kultisch verehrter früherer Mandarin der Stadt). Bei allen asiatischen, auch den vorderasiatischen, Städten fehlte aber die *Gemeinde* oder war nur in Ansätzen vorhanden und stets nur als Verband von Sippen, der über die Stadt hinausreicht. Die konfessionelle Gemeinde der Juden aber nach dem Exil war rein theokratisch regiert.

Die Stadt des Okzidents, in speziellem Sinn aber die mittelalterliche, mit der wir uns vorerst allein befassen wollen, war nicht nur ökonomisch Sitz des Handels und Gewerbes, politisch (normalerweise) Festung und eventuell Garnisonort, administrativ ein Gerichtsbezirk, und im übrigen eine schwurgemeinschaftliche *Verbrüderung*. In der Antike galt als ihr Symbol die gemeinsame Wahl der Prytaneen. Im Mittelalter war sie ein beschworenes „commune" und galt als *„Korporation"* im Rechtssinne. Zwar galt dies nicht sofort. Noch 1313 konnten – worauf Hatschek hinweist – englische Städte keine „franchise" erwerben, weil sie, modern gesprochen, keine „Rechtspersönlichkeit" hatten, und erst unter Eduard I. erscheinen Städte als Korporationen. Die Bürgerschaften der entstehenden Städte wurden überall, nicht nur in England, rechtlich von der politischen Gewalt, den Stadtherren, zunächst als eine Art von passivem leiturgischen Zweckverband behandelt, dessen durch Anteil am städtischen Grundbesitz qualifizierte Glieder spezifische Lasten und Pflichten und spezifische Privilegien genossen: Marktmonopole und Stapelrechte, Gewerbeprivilegien und Gewerbebannrechte, Anteilnahme am Stadtgericht, militärische und steuerliche Sonderstellung. Und überdies stellte sich der ökonomisch wichtigste Teil all dieser Privilegien dabei formalrechtlich zunächst meist gar nicht als ein Erwerb eines Verbandes der Bürgerschaft, sondern als ein solcher des politischen oder grundherrlichen Stadtherrn ein. Er, nicht der Bürger, erwirbt formell jene wichtigen Rechte, die tatsächlich den Bürgern direkt ökonomisch – ihm, dem Stadtherrn, aber indirekt finanziell, durch Abgaben der Bürger – zugute kommen. Denn sie sind z. B. in Deutschland in den ältesten Fällen Privilegien des Königs an einen Bischof, auf Grund deren dieser nun seinerseits seine stadtsässigen Untertanen als privilegiert behandeln durfte und behandelte. Zuweilen – so im angelsächsischen England – galt die Zulassung zur Ansiedelung am Markt als ein exklusives Privileg der benachbarten Grundherrn für ihre und nur ihre Hörigen, deren Erwerb sie ihrerseits besteuerten. Das Stadtgericht war entweder Königgericht oder herrschaftliches Gericht, die Schöffen und andere Funktionäre nicht Repräsentanten der Bürger, sondern, auch wo die Bürger sie wählten, Beamte des Herrn, das Stadtrecht für diese Funktionäre des Herrn maßgebendes Statut des letzteren. Die „universitas civium", von der überall sehr bald geredet wird, war also zunächst heteronom und heterokephal, sowohl anderen politischen als (häufig) grundherrlichen Verbänden eingegliedert. Allein dies blieb nicht so. Die Stadt wurde eine, wenn auch in verschiedenem Maße, autonome und autokephale anstaltsmäßige Vergesellschaftung, eine aktive „Gebietskörperschaft", die städtischen Beamten gänzlich oder teilweise Organe dieser Anstalt. Für diese Entwicklung der mittelalterlichen Städte war nun aber allerdings wichtig, daß von Anfang an die privilegierte Stellung der Bürger als ein Recht auch des einzelnen unter ihnen im Verkehr mit Dritten galt. Dies war eine Konsequenz nicht nur der dem Mittelalter ebenso wie der Antike ursprünglich eigenen personalrechtlichen Auffassung der Unterstellung unter ein gemeinsames „objektives" Recht als eines „subjektiven" Rechts, einer *ständischen* Qualität also der Betroffenen, sondern speziell im Mittelalter – wie namentlich Beyerle mit Recht hervorhebt – eine Konsequenz der in der germanischen Gerichtsverfassung noch nicht abgestorbenen Auffassung jedes Rechtsgenossen als eines „Dinggenossen" und das heißt eben: als eines aktiven Teilhabers an der Dinggemeinde, in welcher das dem Bürger zukommende objektive Recht als Urteiler im Gericht selbst mitschafft – eine Institution, von der und deren Folgen für die Rechtsbildung wir früher gesprochen haben. Dies Recht *fehlte* den Gerichtseingesessenen in dem weitaus größten Teil der Städte der ganzen Welt. (Nur in Israel finden sich Spuren davon. Wir werden bald sehen, wodurch diese Sonderstellung bedingt war.) Entscheidend war für die Entwicklung der mittelalterlichen Stadt zum Verband aber, daß die Bürger in einer Zeit, als ihre ökonomischen Interessen zur anstaltsmäßigen Vergesellschaftung drängten, einerseits daran *nicht* durch magische oder religiöse Schranken gehindert waren, und daß andererseits auch *keine* rationale Verwaltung eines politischen Verbandes über ihnen stand. Denn wo auch nur einer von diesen Umständen vorlag, wie in Asien, da haben selbst sehr starke gemeinsame ökonomische Interessen die Stadtinsassen nicht zu mehr als nur transitorischem Zusammenschluß befähigt. Die Entstehung des autonomen und autokephalen mittelalterlichen Stadtverbandes aber im Mittelalter mit seinem verwaltenden Rat und ihrem „Konsul" oder „Majer" oder „Bürgermeister" an der Spitze ist ein Vorgang, der sich von aller nicht nur asiatischen, sondern auch antiken Stadtentwicklung wesenhaft unterscheidet. In der Polis war, wie später noch zu erörtern, die spezifisch städtische Verfassung zunächst, und zwar am meisten da, wo die Polis ihre charakteristischsten Züge entfaltete, eine Umbildung der Gewalt einerseits des Stadtkönigs, andererseits der Sippenältesten zu einer Honoratiorenherrschaft der voll wehrhaften „Geschlechter". Gerade in denjenigen mittelalterlichen Städten dagegen, welche den spezifischen Typus der Zeit repräsentierten, war dies durchaus anders.

Man muß freilich bei der Analyse des Vorgangs die formalrechtlich und die soziologisch und politisch entscheidenden Vorgänge auseinanderhalten, was bei dem Kampf der „Städtetheorien" nicht immer geschehen ist. Formalrechtlich wurde die Korporation der Bürger als solche und ihre Behörden durch (wirkliche und fiktive) Privilegien der politischen und eventuell auch der grundherrlichen Gewalten „legitim" konstituiert. Diesem formalrechtlichen Schema entsprach der faktische Hergang allerdings teilweise. Aber oft und zwar grade in den wichtigsten Fällen handelte es sich um etwas ganz anderes: eine, formalrechtlich angesehen, revolutionäre Usurpation. Freilich nicht überall. Man kann zwischen originärer und abgeleiteter Entstehung des mittelalterlichen Stadtverbandes unterscheiden. Bei originärer Entstehung war der Bürgerverband das Ergebnis einer politischen Vergesellschaftung der Bürger trotz der und *gegen* die „legitimen" Gewalten, richtiger: das Ergebnis einer ganzen Serie von solchen Vorgängen. Die formalrechtlich entscheidende Bestätigung dieses Zustandes durch die legitimen Gewalten trat dann später – übrigens nicht einmal immer – hinzu. Abgeleitet entstand der Bürgerverband durch eine vertragsmäßige oder oktroyierte Satzung eines mehr oder minder weiten oder begrenzten Rechts der Autonomie und Autokephalie seitens des Stadtgründers oder seiner Nachfolger, besonders häufig bei der Neugründung von Städten zugunsten der Neusiedler und deren Rechtsnachfolger. Die originäre Usurpierung durch einen akuten Vergesellschaftungsakt, eine Eidverbrüderung (Conjuratio), der Bürger war namentlich in den großen und alten Städten, wie etwa Genua und Köln das Primäre. Im ganzen war eine Kombination von Hergängen der einen und der anderen Art die Regel. Die urkundlichen Quellen der Stadtgeschichte aber, welche naturgemäß die legitime Kontinuität stärker erscheinen lassen als sie war, erwähnen diese usurpatorischen Verbrüderungen regelmäßig gar nicht; es ist jedenfalls Zufall, wenn ihr Hergang urkundlich überliefert wird, so daß die abgeleitete Entstehung den wirklichen Tatsachen gegenüber wenigstens in schon bestehenden Städten sicherlich zu häufig erscheint. Von der Kölner „conjuratio" von 1112 spricht eine einzige lakonische Notiz. Rein formal mögen etwa in Köln die Schöffenbank der Altstadt und die Parochialvertretungen, namentlich die der Martinsvorstadt als der Neusiedelung der „mercatores", bei beurkundeten Akten ausschließlich in Aktion getreten sein, weil sie eben anerkannt „legitime" Gewalten waren. Und die Gegner, die Stadtherren, pflegten bei den Auseinandersetzungen natürlich ebenfalls formale Legitimitätsfragen, etwa (in Köln): daß Schöffen vorhanden seien, die den Eid nicht geleistet haben, und ähnliches vorzuschieben. Denn in dergleichen äußerten sich ja die usurpatorischen Neuerungen formal. Aber die gegen die Stadtautonomie gerichteten Erlasse der staufischen Kaiser sprechen eine andere Sprache: sie verbieten nicht nur diese und jene formalrechtlichen Einzelerscheinungen, sondern eben: die „conjurationes". Und es spricht hinlänglich für die Art der bei jenen Umwälzungen *faktisch* treibenden Gewalten, daß in Köln noch weit später die Richerzeche (Gilde der Reichen) – vom Legitimitätsstandpunkt aus ein rein privater Klub besonders wohlhabender Bürger – *nicht* etwa nur, wie selbstverständlich, die Mitgliedschaft in diesem Klub, sondern: das davon rechtlich ganz unabhängige Bürgerrecht zu erteilen sich mit Erfolg die Kompetenz zuschreiben durfte. Auch die Mehrzahl der größeren französischen Städte sind in einer im Prinzip ähnlichen Art durch eidliche Bürgerverbrüderungen zu ihrer Stadtverfassung gelangt.

Die eigentliche Heimat der conjurationes war aber offenbar Italien. Hier wurde die Stadtverfassung in der weit überwiegenden Mehrzahl aller Fälle originär durch conjuratio ins Leben gerufen. Und hier kann man daher auch – trotz aller Dunkelheit der Quellen – am ehesten den soziologischen Sinn der Stadteinung ermitteln. Ihre allgemeine Voraussetzung war die dem Okzident charakteristische teils feudale, teils präbendale Appropriation der Herrschaftsgewalten. Man hat sich die Zustände in den Städten vor der conjuratio zwar im einzelnen untereinander sehr verschieden, im ganzen aber als ziemlich ähnlich der eigentümlichen Anarchie der Stadt Mekka zu denken, welche eben deshalb oben etwas näher geschildert wurde. Massenhafte Herrschaftsansprüche stehen, einander kreuzend, nebeneinander. Bischofsgewalten mit grundherrlichem und politischem Inhalt, viskontile und andere appropriierte politische Amtsgewalten, teils auf Privileg teils auf Usurpation beruhend, große stadtsässige Lehensträger oder freigewordene Ministerialen des Königs oder der Bischöfe (capitani), landsässige oder stadtsässige Untervasallen (valvasalles) der capitani, allodialer Geschlechterbesitz verschiedensten Ursprunges, massenhafte Burgenbesitzer in eigenem und fremdem Namen, als privilegierte Stände mit starker Klientel von hörigen und freien Schutzbefohlenen, berufliche Einigungen der stadtsässigen Erwerbsklassen, hofrechtliche, lehenrechtliche, landrechtliche, kirchliche Gerichtsgewalten nebeneinander. Zeitweilige Verträge – ganz entsprechend den „Verbindungen" der mekkanischen Geschlechter – unterbrachen die Fehden der wehrhaften Interessenten innerhalb und außerhalb der städtischen Mauern. Der offizielle legitime Stadtherr war entweder ein kaiserlicher Lehensmann oder, und meist: der Bischof, und dieser letztere hatte vermöge der Kombination weltlicher und geistlicher Machtmittel am meisten Chance, eine wirksame Herrschaftsgewalt durchzusetzen.

Zu einem konkreten Zweck und meist auf Zeit oder bis auf weiteres, also kündbar, wurde nun auch jene conjuratio geschlossen, welche als „Compagne communis" (oder unter einem ähnlichen Namen) den politischen Verband der späteren „Stadt" vorbereitete. Zunächst finden sich noch gelegentlich deren mehrere innerhalb der gleichen Mauern; aber dauernde Bedeutung erlangen allerdings nur der eidliche Verband der „ganzen" Gemeinde, das heißt: aller derjenigen Gewalten, welche in dem betreffenden Augenblick *militärische* Macht innerhalb der Mauern innehatten oder beanspruchten und in der Lage waren, sie zu behaupten. In Genua wurde dieser Verband zunächst von 4 zu 4 Jahren erneuert. Gegen wen er sich richtete war sehr verschieden. In Mailand schlossen ihn 980 die wehrhaften Stadtinsassen gegen den Bischof, in Genua scheint anfangs der Bischof mit den viskontilen Familien, welchen die weltlichen Herrenrechte (später als reine Zinsansprüche fortbestehend) appropriiert waren, ihm angehört zu haben, während die spätere Compagne communis allerdings hier wie anderwärts sich unter anderem auch gegen die Machtansprüche des Bischofs und der Visconti richtete. Das positive Ziel der Eidverbrüderung aber war zunächst die Verbindung der ortsangesessenen *Grundbesitzer* zu Schutz und Trutz, zu friedlicher Streitschlichtung untereinander, und zur Sicherung einer den Interessen der Stadtinsassen entsprechenden Rechtspflege, ferner aber die *Monopolisierung der ökonomischen Chancen*, welche die Stadt ihren Insassen darbot: nur der Eidgenosse wurde zur Teilnahme am Handel der Stadtbürger, in Genua z. B. zur Teilnahme an der Kapitalanlage in Form der Kommenda im Überseehandel, zugelassen; sodann die Fixierung der Pflichten gegen den Stadtherrn: feste Pauschalsummen oder hohe Zinsen statt willkürlicher Besteuerung; und endlich die militärischen Organisationen zum Zweck der Erweiterung des politischen und ökonomischen Machtgebiets der Kommune nach außen. Kaum sind die Konjurationen entstanden, so beginnen demgemäß auch schon die Kriege der Kommunen gegeneinander, die zu Anfang des 11. Jahrhunderts bereits eine chronische Erscheinung sind. Nach innen erzwang die Eidverbrüderung den Beitritt der Masse der Bürgerschaft; die stadtsässigen, adligen und Patrizierfamilien, welche die Verbrüderung stifteten, nahmen dann die Gesamtheit der durch Grundbesitz qualifizierten Einwohner in Eid; wer ihn nicht leistete, mußte weichen. Irgendeine formale Änderung der bisherigen Amtsorganisation trat zunächst keineswegs immer ein. Bischof oder weltlicher Stadtherr behielten sehr oft ihre Stellung an der Spitze eines Stadtbezirks, und verwalteten ihn nach wie vor durch ihre Ministerialen; nur das Vorhandensein der Bürgerversammlung ließ die große Umwälzung fühlbar werden. Aber das blieb nicht so. In den letzten Jahrzehnten des 11. Jahrhunderts traten überall die „consules" auf, jährlich gewählt, offiziell durch die Gesamtheit der Bürger, oder durch ein von ihnen gewähltes, in Wahrheit wohl immer das Wahlrecht usurpierendes Honoratiorengremium, dessen Zusammensetzung nur durch Akklamation bestätigt wurde, als Wahlmännerkolleg, stets mehrere, oft ein Dutzend und mehr. Die Konsuln, besoldete und mit Sportelrechten ausgestattete Beamte, rissen in Vollendung der revolutionären Usurpation, die ganze oder den Hauptteil der Gerichtsbarkeit und den Oberbefehl im Kriege an sich und verwalteten alle Angelegenheiten der Kommune. Hervorgegangen scheinen sie in der ersten Zeit meist oder doch sehr oft aus den vornehmen richterlichen Beamten der bischöflichen oder herrschaftlichen Kurie; nur daß jetzt durch die eidverbrüderte Bürgerschaft oder deren Vertretung die Wahl an die Stelle der Ernennung durch den Stadtherrn trat. Sie streng kontrollierend stand ihnen zur Seite ein Kollegium von „Sapientes", oft die „Credenza" genannt, gebildet teils aus den alten Schöffen, teils aus Honoratioren, welche die Konsuln selbst oder im Wahlkollegium dazu bestimmten; der Sache nach waren es einfach die Häupter der militärisch und ökonomisch mächtigsten Familien, welche unter sich diese Stellungen verteilten. Die erste Bildung der Schwurverbrüderung wahrte noch die ständische Scheidung der verschiedenen Kategorien von capitani (Hauptvasallen), Untervasallen, Ministerialen, Burgherren (castellani) und cives meliores, d. h. der ökonomisch Wehrfähigen; die Ämter und der Rat wurden unter sie proportional verteilt. Aber sehr bald schon trat der im Effekt gegen den Lebensverband als solchen sich wendende Charakter der Bewegung beherrschend hervor. Die Konsuln durften keine Lehen von einem Herrn nehmen, sich nicht als Vasallen kommendieren. Und eine der ersten, gewaltsam oder durch erzwungene oder erkaufte Privilegien der Kaiser und Bischöfe durchgesetzte politische Errungenschaft war die Schleifung der kaiserlichen, bischöflichen und stadtherrlichen *Burgen* innerhalb der Stadt, ihre Verlegung vor die Stadtmauer (so besonders in Privilegien der salischen Kaiser) und die Durchsetzung des Grundsatzes, daß innerhalb eines bestimmten Bezirks um die Stadt Burgen nicht gebaut werden und daß der Kaiser und andere Stadtherren ein Recht, in der Stadt sich einzuquartieren, nicht besitzen sollten. Die rechtliche Errungenschaft aber war die Schaffung einer besonderen städtischen *Prozedur*, unter Ausschaltung der irrationalen Beweismittel, namentlich des Zweikampfes (so in zahlreichen Privilegien des 11. Jahrhunderts) – das gleiche also, womit das englische und französische Königtum den Interessen der Bürger entgegenkam – ferner das Verbot, Stadtbürger vor außerstädtische Gerichte zu ziehen und die Kodifikation eines besonderen rationalen *Rechtes* für die Stadtbürger, welches das Gericht der Konsuln anzuwenden hatte. So war aus dem zunächst von Fall zu Fall oder kurzfristig geschlossenen, rein personalen Eidverband ein dauernder politischer Verband geworden, dessen Zugehörige Rechtsgenossen eines besonderen ständischen Rechtes der Stadtbürger waren. Dies Recht aber bedeutete formal eine Austilgung des alten Personalitätsprinzips des Rechts, material aber eine Sprengung der Lehensverbände und des ständischen Patrimonialismus. Zwar noch nicht zugunsten des eigentlichen gebietskörperschaftlichen „Anstaltsprinzipes". Das Bürgerrecht war ein ständisches Recht der Mitglieder der bürgerlichen Schwurgemeindegenossen. Ihnen unterstand man kraft Zugehörigkeit zum Stande der Stadtbürger oder der von ihnen abhängigen Hintersassen. Noch im 16. Jahrhundert war da, wo die Herrschaft der adligen Geschlechter in den Städten aufrecht stand, in den meisten niederländischen Gemeinden z. B., die Vertretung in den Provinzial- und Generalständen keine Vertretung der Stadt als solcher, sondern eine solche des stadtsässigen Adels; das tritt darin hervor, daß neben der Vertretung dieser Geschlechter sehr häufig noch eine Vertretung der Zünfte oder anderer nicht adliger ständischer Schichten und der gleichen Stadt sich fand, welche gesondert stimmte und mit der Vertretung der Geschlechter ihrer Stadt keineswegs zu einer gemeinsamen Stadtrepräsentation vereinigt war. In Italien fehlte diese spezielle Erscheinung. Aber im Prinzip war die Lage oft ähnlich. Der stadtsässige Adel sollte zwar, normalerweise wenigstens, aus dem Lehensverband gelöst sein (was aber keineswegs immer wirklich der Fall war), hatte aber neben seinen Stadthäusern Burgen und grundherrliche Besitzungen auswärts, war also neben seiner Teilhaberschaft am Kommunalverband noch als Herr oder Genosse in andere politische Verbände eingegliedert. In der ersten Zeit der italienischen Kommunen lag das Stadtregiment faktisch durchaus in den Händen ritterlich lebender Geschlechter, ganz einerlei ob formal die Vergesellschaftung ein anderes vorsah und ob gelegentlich auch tatsächlich die nichtadligen Bürger einen vorübergehenden Anteil am

Regiment durchsetzten. Die militärische Bedeutung des ritterlichen Adels überwog. Im Norden, speziell in Deutschland spielten in noch stärkerem Maß als im Süden die alten Schöffengeschlechter eine entscheidende Rolle, behielten oft zunächst die Verwaltung der Stadt auch formell oder doch in ungeschiedener Personalunion in der Hand. Und je nach der Machtlage erzwangen auch die bisherigen Träger der stadtherrlichen, namentlich der bischöflichen, Verwaltung, einen Anteil: die Ministerialen. Besonders da, wo die Usurpation gegenüber dem Stadtherrn nicht unbedingt durchdrang – und das war meist der Fall – setzte dieser, also meist der Bischof, eine Teilnahme für Ministerialen am ständischen Rat durch. In großen Städten wie Köln und Magdeburg hatte der Bischof seine Verwaltung ganz oder teilweise durch freie bürgerliche Schöffen geführt, welche nun aus beeideten Beamten des Bischofs beeidigte Vertreter der Kommunen zu werden die Tendenz zeigten, immer aber dabei die Repräsentanten der conjuratio sich beigesellten oder mit ihnen sich in die Verwaltung teilten. Neben die vom Grafen ernannten Schöffen der flandrischen, brabanter und der niederländischen Städte begannen im 13. Jahrhundert Ratsmänner oder Geschworene (jurati – schon der Name zeigt die usurpatorische Entstehung aus einer conjuratio an) oder „Bürgermeister" aus der Bürgerschaft für die Zwecke der Verwaltung zu treten, meist in gesonderten Kollegien, zuweilen mit ihnen zusammentretend. Sie waren Vertreter der zur Einung verbundenen Bürger, in Holland noch später als Korporation der „Vroedschap" fortbestehend. Überall hat man sich die Verhältnisse in der ersten Zeit als sehr schwankend und gerade die entscheidenden Punkte der faktischen Machtverteilung sehr wenig formal geregelt vorzustellen. Die persönlichen Beziehungen und Einflüsse und die Personalunion mannigfacher Funktionen taten das Entscheidende; eine formelle Sonderung einer „Stadtverwaltung" in unserem heutigen Sinn, eigene Büros und Rathäuser, fehlten. Wie in Italien durchweg die Bürgerschaft sich im Dom versammelte, die leitenden Komitees oder auch Bürger aber vermutlich zunächst in Privathäusern und in Klublokalen, so war es auch in Rom. Namentlich das letztere scheint sicher. In der Zeit der Usurpation war offenbar in Köln das „Haus der Reichen" (domus divitum) mit dem „Haus der Bürger" (domus civium) also dem Sitz der Verwaltung ebenso in „Lokalunion", wie, nach Beyerles sicher richtiger Darlegung, die Führer des Klubs der Richerzeche mit den Inhabern der Schöffenstühle und anderer maßgebender Ämter in einer weitgehenden Personalunion gewesen und geblieben sein müssen. Ein stadtsässiges Rittertum von der Bedeutung des italienischen gab es hier nicht. In England und Frankreich spielten die Kaufmannsgilden die führende Rolle. In Paris waren die Vorstände der Wassergilde auch formal als Vertreter der Bürgerschaft anerkannt. Die Entstehung der Stadtgemeinden ist aber auch in Frankreich bei den meisten großen und alten Städten durchaus der Regel nach wohl durch Usurpation seitens der Verbände der Bürger, der Kaufleute und stadtsässigen Rentner und Einung entweder mit den stadtsässigen Rittern, so im Süden, oder mit den confraternitates und Zünften der Handwerker, so im Norden des Landes, vor sich gegangen.

Ohne mit der „conjuratio" identisch zu sein, haben bei der Entstehung diese doch, speziell im Norden, in andern Einungen, eine bedeutende Rolle gespielt. Die Schwurbrüderschaften des germanischen Nordens weisen, entsprechend der noch geringeren Entwicklung des Rittertums ganz besonders archaische Züge auf, die den südeuropäischen Ländern im ganzen fehlten. Die Schwurbrüderschaften konnten für den Zweck der politischen Vergesellschaftung und Usurpation von Macht gegenüber den Stadtherrn neu geschaffen werden. Aber es konnte die Bewegung auch an die im Norden und in England massenhaft entstandenen Schutzgilden anknüpfen. Diese waren keineswegs primär zum Zweck der Einflußnahme auf politische Verhältnisse geschaffen worden. Sie ersetzten vielmehr ihren Mitgliedern zunächst das, was ihnen in der frühmittelalterlichen Stadt besonders häufig abging: den Anhalt an einer Sippe und deren Garantie. Wie diese dem Versippten, so gewährten sie ihm Hilfe bei persönlicher Verletzung oder Bedrohung und oft auch in ökonomischer Not, schlossen Streit und Fehde zwischen den Verbrüderten aus, und machten deren friedliche Schlichtung zu ihrer Aufgabe, übernahmen für den Genossen die Wehrgeldpflicht (in einem englischen Fall) und sorgten für seine Geselligkeitsbedürfnisse durch Pflege der noch aus heidnischer Zeit stammenden periodischen Gelage (ursprünglich Kultakte), ferner für sein Begräbnis unter Beteiligung der Brüderschaft, garantierten sein Seelenheil durch gute Werke, verschafften ihm auf gemeinsame Kosten Ablässe und die Gunst mächtiger Heiliger und suchten im übrigen natürlich gegebenenfalls gemeinsame, auch ökonomische, Interessen zu vertreten. Während die nordfranzösischen Stadteinungen vorwiegend als beschworene Friedenseinungen ohne die sonstigen Gildenattribute ins Leben traten, hatten die englischen und nordischen Stadteinungen regelmäßig Gildecharakter. In England war die Handelsgilde mit dem Monopol des Kleinverkaufs innerhalb der Stadt die typische Form der Stadteinung. Die deutschen Händlergilden waren der Mehrzahl nach spezialisiert nach Branchen (so die meist mächtige Gewandschneidergilde, die Krämergilde u. a.). Von da aus ist dann die Gilde als Organisationsform auf den Fernhandel übertragen worden, – eine Funktion die uns hier nichts angeht.

Die Städte sind *nicht*, wie man vielfach geglaubt hat, „aus den Gilden entstanden", sondern – in aller Regel – umgekehrt die Gilden *in* den Städten. Die Gilden haben ferner auch nur zum kleinen Teil (namentlich im Norden, speziell in England, als „summa convivia") die Herrschaft in den Städten erlangt; die Regel war vielmehr, daß zunächst die mit den Gilden keineswegs identischen „Geschlechter" in den Städten die Herrschaft an sich zogen. Denn die Gilden waren auch nicht mit der conjuratio, der Stadteinung, identisch.

Die Gilden waren endlich niemals die einzigen Arten von Einung in den Städten. Neben ihnen standen einerseits die in ihrer beruflichen Zusammensetzung uneinheitlichen religiösen Einungen, andrerseits aber rein ökonomische, beruflich gegliederte Einungen: Zünfte. Die religiöse Einungsbewegung, die Schaffung von „confraternitates", ging das ganze Mittelalter hindurch neben den politischen, den gildenmäßigen und den berufsständischen Einungen her und kreuzte sich mit ihnen in mannigfachster Art. Sie spielten namentlich bei den Handwerkern eine bedeutende, mit der Zeit wechselnde Rolle. Daß zufällig die älteste urkundlich nachweisbar eigentliche fraternitas von Handwerkern, in Deutschland: die der Bettziechenweber in Köln (1180), jünger ist als die entsprechende gewerbliche Einung, beweist an sich zwar nicht, daß zeitlich die berufliche Einung, richtiger: der spezifisch berufliche Zweck der Einung, überall der frühere und ursprüngliche gewesen sei. Allerdings scheint dies aber bei den gewerblichen Zünften die Regel gewesen zu sein, und dies erklärt sich vermutlich daraus, daß die Einungen der freien Handwerker, wenigstens außerhalb Italiens, ihr erstes Vorbild an der grundherrschaftlichen Einteilung der abgabepflichtigen Handwerker in Abteilungen mit Meistern an der Spitze fanden. Aber in andern Fällen bildete wohl auch die fraternitas den Ausgangspunkt der späteren beruflichen Einung. Wie noch in der letzten Generation die Entstehung jüdischer Arbeitergewerkschaften in Rußland mit dem Ankauf des dringendsten Bedarfsartikels für einen religiös vollwertigen Juden: einer Thorarolle, zu beginnen pflegten, so pflegten auch zahlreiche, der Sache nach berufliche Verbände gesellige und religiöse Interessen an die Spitze zu stellen oder doch, wenn sie ausgesprochene Berufseinungen waren, religiöse Anerkennung zu suchen, wie dies auch die meisten Gilden und überhaupt alle Einungen im Laufe des Mittelalters in der Regel getan haben. Das war keineswegs nur ein Schleier für massive materielle Interessen. Daß z. B. die ältesten Konflikte der späteren Gesellenverbände nicht über Arbeitsbedingungen, sondern über religiöse Etikettenfragen (Rangfolge bei Prozessionen und ähnliches) entstanden, zeigt vielmehr, wie stark religiös bedingt auch damals die soziale Bewertung des sippenlosen Bürgers war. Nur tritt gerade dabei sofort auch das, worauf es hier ankommt, der ungeheure Gegensatz gegen jeden tabuistischen kastenartigen Abschluß hervor, welcher die Verbrüderung zu einer Gemeinde ausgeschlossen hätte.

Im ganzen standen diese religiösen und geselligen Bruderschaften, einerlei ob sie im Einzelfall die älteren oder die jüngeren waren, oft nur in faktisch annähernder Personalunion mit den offiziellen Berufsverbänden – Kaufmannsgilden und Handwerkerzünften, – von denen späterhin noch die Rede sein muß. Diese ihrerseits wieder waren weder, wie man wohl geglaubt hat, immer Abspaltungen aus einer ursprünglich einheitlichen Bürgergilde – das kam vor, aber andrerseits waren z. B. Handwerkereinungen zum Teil wesentlich älter als die ältesten conjurationes. Noch waren sie umgekehrt ihre Vorläufer – denn sie finden sich in der ganzen Welt, auch wo nie eine Bürgergemeinde entstanden ist. Sondern alle diese Einungen wirkten in der Regel wesentlich indirekt: durch jene Erleichterung des Zusammenschlusses der Bürger, welche aus der Gewöhnung an die Wahrnehmung gemeinsamer Interessen durch freie Einungen überhaupt entstehen mußte: durch Beispiel und Personalunion der führenden Stellung in den Händen der in der Leitung solcher Schwurverbände erfahrenen und durch sie sozial einflußreichen Persönlichkeiten. In jedem Fall war es an sich das Natürliche und der weitere Verlauf bestätigt es, daß auch im Norden überall die reichen, an der Selbständigkeit der Verkehrspolitik interessierten Bürger es waren, welche außer den adligen Geschlechtern an der Schaffung der conjuratio aktiv partizipierten, das Geld hergaben, die Bewegung in Gang hielten und die mit den Geschlechtern gemeinsam die Masse der übrigen in Eid und Pflicht nahmen; eben davon war offenbar das Recht der Bürgerrechtsverleihung durch die Richerzeche ein Rest. Wo überhaupt außer den Geschlechtern auch Verbände von erwerbenden Bürgern an der Bewegung beteiligt waren, kamen dafür von allen Einungen allerdings meist nur die Gilden der Kaufleute für die Stadteinung in Betracht. Noch unter Eduard II. wurde in England von den damals gegen die Kaufmannschaft aufsässigen Kleinbürgern geklagt: daß die „potentes" Gehorsamseide von den ärmeren Bürgern, speziell auch den Zünften, verlangen und kraft dieser usurpierten Macht Steuern auferlegten. Ähnlich hat sich der Vorgang sicher bei den meisten originär-usurpatorischen Stadtverbrüderungen abgespielt. Nachdem nun die sukzessiven Usurpationen in einigen großen Städten Erfolg gehabt hatten, beeilten sich aus „Konkurrenzrücksichten" diejenigen politischen Grundherren, welche neue Städte gründeten oder bestehenden neue Stadtprivilegien verliehen, einen allerdings sehr verschieden großen Teil jener Errungenschaften ihren Bürgern freiwillig und ohne erst die Entstehung einer formalen Einung abzuwarten, zuzusichern, so daß die Erfolge der Einungen die Tendenz hatten, sich universell zu verbreiten. Dies wurde namentlich dadurch befördert, daß die Siedlungsunternehmer oder auch die Siedlungsreflektanten, wo immer sie, durch Vermögensbesitz und soziales Ansehen, dem Stadtgründer gegenüber das nötige Gewicht dazu hatten, sich die Gewährung eines bestimmten Stadtrechtes, z. B. die Freiburger das Kölner, zahlreiche süddeutsche Bürgerschaften das Freiburger, östliche Städte das Magdeburger in Bausch und Bogen kompetieren ließen und nun bei Streitigkeiten die Stadt, deren Recht gewährt worden war, als kompetent für die Auslegung des letzteren angerufen wurde. Auf je wohlhabendere Siedler der Stadtgründer reflektierte, desto erheblichere Konzessionen mußte er machen. Die 24 conjuratores fori in Freiburg z. B., denen Berthold von Zähringen die Erhaltung der Freiheiten der Bürger der neuen Stadt angelobt, spielen hier etwa die Rolle der „Richerzeche" in Köln, sind persönlich weitgehend privilegiert und haben als „consules" der Gemeinde zuerst das Stadtregiment in der Hand.

Zu den durch Verleihung bei der Gründung und Privilegierung der Städte durch Fürsten und Grundherrn verbreiteten Errungenschaften aber gehört vor allem überall: daß die Bürgerschaft als eine „Gemeinde" mit eigenem Verwaltungsorgan, in Deutschland dem „Rat" an der Spitze konstituiert wurde. Der „Rat" vor allem gilt in Deutschland als ein notwendiges Freiheitsrecht der Stadt, und die Bürger beanspruchten, ihn autonom zu besetzen. Zwar ist dies keineswegs kampflos durchgesetzt worden. Noch Friedrich II. hat 1232 alle Räte und Bürgermeister, die ohne Konsens der Bischöfe von den Bürgern eingesetzt waren, verboten und der Bischof von Worms setzte für sich und seinen Stellvertreter den Vorsitz im Rat und das Ernennungsrecht der Ratsmitglieder durch. In Straßburg war die Ministerialenverwaltung des Bischofs Ende des 12. Jahrhunderts durch einen aus Ratsmännern der Bürger und 5 Ministerialen zusammengesetzten Rat ersetzt, und in Basel setzte der Bischof durch, daß der, wie Hegel annimmt, vom Kaiser selbst zugelassene Rat der Bürger vom Kaiser wieder verboten wurde. In zahlreichen süddeutschen Städten aber blieb der herrschaftlich ernannte oder doch herrschaftlich bestätigte Schultheiß lange Zeit der eigentliche Chef der Stadt und die Bürgerschaft konnte dieser Kontrolle nur ledig werden, indem sie das Amt käuflich erwarb. Allein fast überall finden wir dort, daß neben dem Schultheiß in den Urkunden der Stadt zunehmend der „Bürgermeister" hervortritt und schließlich meist den Vorrang gewinnt. Er aber war dort im Gegensatz zum Schultheiß in aller Regel ein Vertreter der Bürgereinung, also ein ursprünglich usurpatorisch entstandener und nicht ein ursprünglich herrschaftlicher Beamter. Freilich aber war, entsprechend der andersartigen sozialen Zusammensetzung sehr vieler deutscher Städte, dieser im 14. Jahrhundert aufsteigende „Bürgermeister" oft schon nicht mehr ein Vertreter der „Geschlechter", also den „consules" Italiens entsprechend, – diesen entsprachen vielmehr die scalini non jurati, die consules und ähnliche Vertreter der Frühzeit in den großen Städten – sondern vielmehr ein Vertrauensmann der Berufseinung, gehörte also hier einem späteren Entwicklungsstadium an.

Die aktive Mitgliedschaft des Bürgerverbandes war zunächst überall an städtischen Grundbesitz geknüpft, der erblich und veräußerlich, fronfrei, zinsfrei oder nur mit festem Zins belastet, dagegen für städtische Zwecke schoßpflichtig – diese Pflicht wurde in Deutschland geradezu Merkmal des bürgerlichen Grundbesitzes – besessen wurde. Später traten andere schoßpflichtige Vermögensstücke, vor allem Geld oder Geldstoffbesitz daneben. Ursprünglich war überall der nicht mit jener Art von Grundbesitz angesessene Stadtinsasse nur Schutzgenosse der Stadt, mochte im übrigen seine ständische Stellung sein welche immer. Die Berechtigung zur Teilnahme an den städtischen Ämtern und am Rat hat Wandlungen durchgemacht. Und zwar in verschiedenem Sinne. Wir wenden uns dem nunmehr zu.

Es erübrigt vorher nur noch, vorläufig ganz allgemein, die Frage zu stellen: worauf denn nun es letztlich beruhte, daß im Gegensatz zu Asien die Städteentwicklung im Mittelmeerbecken und dann in Europa einsetzte. Darauf ist insofern bereits eine Antwort gegeben, als die Hemmung der Entstehung einer Stadt*verbrüderung*, einer städtischen *Gemeinde* also, durch die magische Verklammerung der Sippen und, in Indien, der Kasten gehemmt war. Die Sippen waren in China Träger der entscheidend wichtigen religiösen Angelegenheiten: des Ahnenkults, und deshalb unzerbrechlich; die Kasten in Indien aber waren Träger spezifischer Lebensführung, an deren Innehaltung das Heil bei der Wiedergeburt hing und die daher gegeneinander rituell exklusiv waren. Aber wenn dies Hindernis in Indien in der Tat absolut war, so die Sippengebundenheit in China und vollends in Vorderasien doch nur relativ. Und in der Tat tritt gerade für diese Gebiete etwas ganz anderes hinzu: der Unterschied der *Militär*verfassung, vor allem: ihrer ökonomisch-soziologischen Unterlagen. Die Notwendigkeit der Stromregulierung und Bewässerungspolitik hatte in Vorderasien (einschließlich Ägyptens) und (in nicht ganz so starkem, aber doch entscheidendem Maß) auch in China eine königliche *Bürokratie* entstehen lassen – zunächst reine Baubürokratie, von der aus dann aber die Bürokratisierung der gesamten Verwaltung sich durchsetzte –, welche den König befähigte, mit Hilfe des Personals und der Einnahmen, die sie ihm verschafften, die Heeresverwaltung in eigene, bürokratische Bewirtschaftung zu nehmen: der „Offizier" und der „Soldat", die ausgehobene, aus Magazinen ausgerüstete und verpflegte Armee wurde hier die Grundlage der militärischen Macht. Die Trennung des Soldaten von den Kriegsmitteln und die militärische Wehrlosigkeit der Untertanen war die Folge. Auf diesem Boden konnte keine politische, der Königsmacht gegenüber selbständige Bürgergemeinde erwachsen. Denn der Bürger war der Nichtmilitär. Ganz anders im Okzident. Hier erhielt sich, bis in die Zeit der römischen Kaiser, das Prinzip der *Selbstequipierung* der Heere, mochten sie nun bäuerlicher Heerbann, Ritterheer oder Bürgermilizen sein. Das aber bedeutete die militärische *Eigen*ständigkeit des einzelnen Heerfolgepflichtigen. In einem Heer mit Selbstequipierung gilt der – schon in Chlodwigs Stellung zu seinem Heerbann sich äußernde – Grundsatz: daß der Herr sehr weitgehend auf den guten Willen der Heeresteilnehmer angewiesen ist, auf deren Obödienz seine politische Macht ganz und gar beruht. Er ist jedem einzelnen von ihnen, auch kleinen Gruppen gegenüber, der Mächtigere. Aber allen oder größeren Verbänden einer Vielzahl von ihnen gegenüber, wenn solche entstehen, ist er machtlos. Es fehlt dem Herren dann der bürokratische, ihm blind gehorchende, weil ganz von ihm abhängige Zwangsapparat, um ohne Einvernehmen mit den militärisch und ökonomisch eigenständigen Honoratioren, aus deren Reihen er ja seine eigenen Verwaltungsorgane: seine Würdenträger und Lokalbeamten rekrutieren muß, seinen Willen durchzusetzen, sobald die in Anspruch genommenen Schichten sich zusammenschließen. Solche Verbände aber bildeten sich stets, sobald der Herr mit neuen *ökonomischen* Forderungen, Forderungen von *Geld*zahlungen zumal, an die eigenständig wehrhaften Heerfolgepflichtigen herantrat. Die Entstehung der „Stände" im Okzident, und nur hier, erklärt sich daraus. Ebenso aber die Entstehung der korporativen und der autonomen Stadtgemeinden. Die Finanzmacht der Stadtinsassen nötigte den Herren, sich im Bedarfsfall an sie zu wenden und mit ihnen zu paktieren. Aber Finanzmacht hatten auch die Gilden in China und Indien und die „Geldleute" Babylons. Das legte dem König, um sie nicht zu verscheuchen, auch dort gewisse Rücksichten auf. Aber es befähigte die Stadtinsassen, und waren sie noch so reich, nicht, sich zusammenzuschließen und *militärisch* dem Stadtherren Widerpart zu halten. Alle conjurationes und Einungen des Okzidents aber, von der frühen Antike angefangen, waren Zusammenschlüsse der *wehrhaften* Schichten der Städte. Das war das positiv Entscheidende.

§ 3. Die Geschlechterstadt im Mittelalter und in der Antike.

Wesen der Geschlechterherrschaft S. 881. – Ausbildung derselben in Venedig als monopolistisch-geschlossene Herrschaft der Nobili S. 883; – in anderen italienischen communen ohne monopolistischem Zusammenschluß und mit Hilfe des Podestats S. 888; – durch die königliche Verwaltung beschränkte Honoratiorenoligarchie in englischen Städten S. 890; – Herrschaft der ratsfähigen Geschlechter bzw. der Zünfte in Nordeuropa S. 896. – Das gentilcharismatische Königtum in der Antike S. 897. – Die antike Geschlechterstadt als Küstensiedlungsgemeinschaft von Kriegern S. 900; – Unterschiede gegenüber dem Mittelalter S. 905; – Ähnlichkeit der ökonomischen Struktur der Geschlechter hier und dort S. 907.

Da an der conjuratio in aller Regel alle Grundbesitzer der Stadt, nicht nur die führenden Honoratioren beteiligt waren, so galt offiziell meist die Bürgerversammlung, in Italien „parlamentum" genannt, als das höchste und souveräne Organ der Kommune. Daran ist formal oft festgehalten worden. Faktisch haben gerade in der ersten Zeit naturgemäß meist die Honoratioren gänzlich das Heft in der Hand gehabt. Sehr bald war oder wurde die Qualifikation zur Teilnahme an Ämtern und Rat auch formell einer begrenzten Zahl von „Geschlechtern" vorbehalten. Nicht selten galten sie von Anfang an als allein ratsfähig, ohne daß dies besonders festgelegt worden wäre. Wo dies anfangs nicht der Fall war, entwickelte es sich, wie namentlich in England deutlich zu beobachten ist, ganz naturgemäß daraus, daß, – der bekannten Regel entsprechend, nur die ökonomisch Abkömmlichen an den Bürgerversammlungen regelmäßig teilnahmen und, vor allem, sich über den Gang der Geschäfte näher *besprachen*. Denn überall wurde zunächst die Mitwirkung bei den Verwaltungsgeschäften der Stadt als eine Last empfunden, welche nur erfüllt wurde, soweit eine öffentliche Pflicht dazu bestand. Im frühen Mittelalter hatte der Bürger zu den drei ordentlichen „Dingen" des Jahres zu erscheinen. Von den ungebotenen Dingen blieb fort, wer nicht direkt politisch interessiert war. Vor allem die *Leitung* der Geschäfte fiel ganz naturgemäß den durch Besitz und – nicht zu vergessen – durch auf dem Besitz beruhende ökonomische *Wehrfähigkeit* und eigene militärische Macht Angesehenen zu. Daher hat, wie die späteren Nachrichten über den Verlauf der italienischen parlamenta beweisen, diese Massenversammlung nur ganz ausnahmsweise etwas anderes bedeutet als ein Publikum, welches durch Akklamation die Vorschläge der Honoratioren genehmigte oder auch dagegen tumultierte, nie aber, soviel für dieses Frühstadium bekannt, die Wahlen oder die Maßregeln der Stadtverwaltung wirklich dauernd entscheidend bestimmte. Die ökonomisch von den Honoratioren Abhängigen bildeten oft die Mehrheit. Dem entspricht es, daß später der Aufstieg des außerhalb der Honoratioren stehenden „popolo" zur Macht überall durch die Verdrängung der allgemeinen tumultuarischen Bürgerversammlungen, zugunsten einer durch Repräsentanten oder durch einen allmählich fest umschriebenen Kreis von qualifizierten Bürgern gebildeten engeren Versammlung parallel ging, ebenso wie andererseits wieder der Beginn der Tyrannis und der Sturz des Popolo durch die Einberufung der alten Parlamente, vor denen noch Savonarola die Florentiner warnte, bezeichnet wurde.

Der Tatsache, wenn auch oft nicht dem formalen Rechte nach, entstand jedenfalls die Stadt als ein von einem verschieden weiten Kreise von Honoratioren, von deren Eigenart später zu reden ist, geleiteter ständischer Verband oder wurde bald dazu. Entweder nun entwickelte sich diese faktische Honoratiorenherrschaft zu einer fest geregelten rechtlichen Monopolisierung der Stadtherrschaft durch die Honoratioren, oder umgekehrt: deren Herrschaft wurde durch eine Serie weiter folgender neuer Revolutionen geschwächt oder ganz beseitigt. Jene Honoratioren, welche die Stadtverwaltung monopolisierten, pflegt man als „die Geschlechter", die Periode ihres verwaltenden Einflusses als die der „Geschlechterherrschaft" zu bezeichnen. Diese „Geschlechter" waren in ihrem Charakter nichts Einheitliches. Gemeinsam war ihnen allen: daß ihre soziale Machtstellung auf *Grundbesitz* und auf einem nicht dem eigenen *Gewerbebetrieb* entstammenden Einkommen ruhte. Aber im übrigen konnten sie ziemlich verschiedenen Charakter haben. Im Mittelalter nun war *ein* Merkmal der äußeren Lebensführung in spezifischem Maße ständebildend: die *ritterliche Lebensführung*. Sie gab die Turnierfähigkeit, die Lehensfähigkeit, und alle Attribute ständischer Gleichordnung mit dem außerstädtischen Ritterstand überhaupt. Mindestens für Italien, aber in der Mehrzahl aller Fälle auch im Norden rechnete man nur diejenigen Schichten in den Städten zu den „Geschlechtern", welchen dies Merkmal eignete. Sofern nicht etwas anderes im Einzelfall gesagt ist, wollen wir daher – bei Anerkennung der Flüssigkeit der Übergänge – auch im nachstehenden a potiori stets an dies Merkmal denken, wenn von den „Geschlechtern" die Rede ist. Die Geschlechterherrschaft hat in einigen extremen Fällen zu einer spezifischen Stadtadelsentwicklung geführt, insbesondere da, wo nach antiker Art Überseepolitik von Handelsstädten die Entwicklung bestimmte. Das klassische Beispiel dafür ist *Venedig*.

Die Entwicklung Venedigs war zunächst bestimmt durch die Fortsetzung jener mit steigendem leiturgischen Charakter der spätrömischen und byzantinischen Staatswirtschaft steigenden Lokalisierung auch der Heeresrekrutierung, welche seit der Zeit Hadrians im Gange war. Die Soldaten der lokalen Garnisonen wurden zunehmend der örtlichen Bevölkerung entnommen, praktisch: von den Possessoren aus ihren Kolonen gestellt. Unter dem Dux standen als Kommandanten des Numerus die Tribunen. Auch ihre Gestellung war formell eine leiturgische Last, faktisch aber zugleich ein Recht der örtlichen Possessorengeschlechter, denen sie entnommen wurden, und wie überall wurde diese Würde faktisch in bestimmten Geschlechtern erblich, während der Dux bis in das 8. Jahrhundert von Byzanz aus ernannt wurde. Diese tribunizischen Geschlechter: Kriegsadel also, waren der Kern der ältesten Stadtgeschlechter. Mit dem Schrumpfen der Geldwirtschaft und der zunehmenden Militarisierung des byzantinischen Reiches trat die Gewalt des tribunizischen Adels gänzlich an die Stelle der römischen Kurien und Defensoren. Die erste Revolution, welche in Venedig zum Beginn der Stadtbildung führte, richtete sich wie in ganz Italien im Jahre 726 gegen die damalige bilderstürmerische Regierung und ihre Beamten und trug als dauernde Errungenschaft die Wahl des Dux durch tribunizischen Adel und Klerus ein. Alsbald aber begann ein drei Jahrhunderte dauerndes Ringen des Dogen, der seine Stellung zu einem erblichen patrimonialfürstlichen Stadtkönigtum zu entwickeln suchte, mit seinen Gegnern: dem Adel und dem Patriarchen, welcher seinerseits gegen die „eigenkirchlichen" Tendenzen des Dogen interessiert war.

Gestützt wurde der Doge von den Kaiserhöfen des Ostens und Westens. Die Annahme des Sohnes zum Mitregenten, in welche, ganz nach der antiken Tradition, sich die Erblichkeit zu kleiden suchte, wurde von Byzanz begünstigt. Die Mitgift der deutschen Kaisertochter Waldrada verschaffte dem letzten Candianen noch einmal die Mittel, die fremdländische Gefolgschaft und vor allem: die Leibgarde, auf welche seit 811 die Dogenherrschaft gestützt wurde, zu vermehren. Der durchaus stadtkönigliche patrimoniale Charakter der Dogenherrschaft jener Zeit tritt plastisch in allen Einzelzügen hervor: der Doge war Großgrundherr und Großhändler, er monopolisierte (auch aus politischen Gründen) die Briefpost zwischen Orient und Okzident, die über Venedig ging, ebenso seit 960 den Sklavenhandel anläßlich der kirchlichen Zensuren gegen diesen. Er setzte Patriarchen, Äbte, Priester trotz kirchlicher Proteste ein und ab. Er war Gerichtsherr, freilich innerhalb der Schranken des dinggenossenschaftlichen Prinzips, welches unter fränkischem Einfluß auch hier durchdrang, ernannte den Richter und hob strittige Urteile auf. Die Verwaltung führte er teils durch Hausbeamte und Vasallen, teils unter Zuhilfenahme der Kirche. Das letztere besonders innerhalb der auswärtigen Ansiedlungen der Venezianer. Nicht nur durch Mitregentenernennung, sondern in einem Falle auch testamentarisch verfügte er über die Herrschaft wie über sein Hausvermögen, welches vom öffentlichen Gut nicht geschieden war. Er stellte im wesentlichen aus eigenen Mitteln die Flottenrüstung und hielt Soldtruppen und verfügte über die Fronleistungen der Handwerker an das Palatium, die er zuweilen willkürlich steigerte. Eine solche Steigerung, letzten Endes bedingt offenbar durch steigende Bedürfnisse der Außenpolitik, gab 1032 den äußeren Anlaß zu einer siegreichen Revolte und diese bot der niemals verstummten Adelsopposition die Mittel, die Macht des Dogen zunehmend zu brechen. Wie überall unter den Verhältnissen der militärischen Selbstequipierung, war der Doge allen *einzelnen* andern Geschlechtern (oder auch Gruppen von ihnen) weit überlegen, nicht aber dem Verband *aller*. Und ein solcher entschied, damals wie heute, sobald der Doge mit *finanziellen* Ansprüchen an die Geschlechter herantrat. Unter zunächst ziemlich demokratischen Rechtsformen begann nunmehr die Herrschaft der auf dem Rialto ansässigen Stadtadelsgeschlechter. Der Anfang, das „erste Grundgesetz der Republik", wie man es wohl genannt hat, war das Verbot der Mitregentenernennung, welches der Erblichkeit vorbeugte (wie in Rom). Alles andere besorgten dann die Wahlkapitulationen, durch welche der Doge – nach einer „ständestaatlichen" Zwischenperiode, welche Rechte und Lasten zwischen ihm und dem Commune ähnlich verteilte, wie anderwärts zwischen Landesherrn und Landschaft – formell zu einem streng kontrollierten, von hemmendem Zeremoniell umgebenen, besoldeten Beamten, sozial also zu einem primus inter pares der Adelskorporation herabgedrückt wurde. Man hat mit Recht beobachtet (Lenel), daß die Machtstellung des Dogen, wie sie durch seine Außenbeziehungen gestützt worden war, auch von der auswärtigen Politik her eingeschränkt wurde, auf deren Führung der Rat der Sapientes (1141 nachgewiesen) die Hand legte. Schärfer als bisher darf aber hervorgehoben werden, daß es hier ebenso wie anderwärts vor allem die *Finanz*bedürfnisse der kriegerischen Kolonial- und Handelspolitik waren, welche die Heranziehung des Patriziats zur Verwaltung unumgänglich machten, ebenso wie später auf dem Festland die Finanzbedürfnisse der geldwirtschaftlich geführten fürstlichen Kriege die steigende Macht der Stände begründeten. Das Chrysobullon des Kaisers Alexios bedeutete das Ende der griechischen Handelsherrschaft und die Entstehung des Handelsmonopols der Venezianer im Osten gegen Übernahme des Seeschutzes und häufiger Gewährung von Finanzhilfe für das Ostreich. Ein etwa steigender Teil des staatlichen, kirchlichen und privaten Vermögens der Venetianer wurde im griechischen Reiche rententragend im Handel, in Ergasterien aller Art, in Staatspachten und auch in Bodenbesitz angelegt. Die zu ihrem Schutz entfaltete Kriegsmacht Venedigs führte zur Teilnahme an dem Eroberungskrieg der Lateiner und nach Gewinnung der berühmten „Drei Achtel" (quarta pars et dimidia) des lateinischen Reiches. Nach den Ordnungen Dandolos wurde aller Kolonialerwerb rechtlich sorgsam als zugunsten des Commune und seiner Beamten, nicht aber des Dogen gemacht, behandelt, dessen Ohnmacht damit besiegelt war. Staatsschulden und dauernde Geldausgaben des Commune waren die selbstverständliche Begleiterscheinung dieser Außenpolitik. Diese Finanzbedürfnisse konnten wiederum nur durch Mittel des Patriziats gedeckt werden, das hieß aber: desjenigen Teils des alten tribunizischen, zweifellos durch neuen Adel verstärkten, Grundherrenstandes, welcher durch seine Stadtsässigkeit befähigt war, in der typischen Art: durch Hergabe von Kommenda- und anderem Erwerbskapital am Handel und an den anderen Gelegenheiten ertragbringender Vermögensanlage teilzunehmen. In seinen Händen konzentrierte sich geldwirtschaftliche Vermögensbildung und politische Macht. Daher entstand parallel mit der Depossedierung des Dogen auch die Monopolisierung aller politischen Macht durch die vom Patriziat beherrschte Stadt Venedig im Gegensatz zu dem politisch zunehmend entrechteten Lande. Die Placita des Dogen war nominell bis in das 12. Jahrhundert aus dem ganzen Dukat von den (ursprünglich: tribunizischen) Honoratioren beschickt worden. Aber mit der Entstehung des 1143 zuerst urkundlich erscheinenden „commune Venetiarum" hörte das tatsächlich auf, und der Rat und die von den Cives gewählten Sapientes, denen der Doge den Eid leistete, scheinen seitdem durchaus dem auf dem Rialto ansässigen Großgrundbesitz, welcher an überseeischer Kapitalverwertung ökonomisch interessiert war, angehört zu haben. Die fast überall in den Geschlechterstädten bestehende Scheidung eines „großen", beschließenden, und eines „kleinen", verwaltenden, Rates der Honoratioren findet sich 1187. Die faktische Ausschaltung der Bürgerversammlung aller Grundbesitzer, deren Akklamation offiziell bis in das 14. Jahrhundert fortbestand, die Nominierung des Dogen durch ein aus den Nobiles gebildetes enges Wahlmännerkollegium und die tatsächliche Beschränkung der Auslese der Beamten auf die als ratsfähig geltenden Familien bis zur formellen Schließung ihrer Liste (1297-1315 durchgeführt: das später sog. Goldene Buch) waren nur Fortsetzungen dieser in ihren Einzelheiten hier nicht interessierenden Entwicklung. Die gewaltige ökonomische Übermacht der an den überseeischen politischen und Erwerbschancen beteiligten Geschlechter erleichterte diesen Prozeß der Monopolisierung der Macht in ihren Händen. Verfassungs- und Verwaltungstechnik Venedigs sind berühmt wegen der Durchführung einer patrimonialstaatlichen Tyrannis des Stadtadels über ein weites Land- und Seegebiet bei strengster gegenseitiger Kontrolle der Adelsfamilien untereinander. Ihre Disziplin wurde nicht erschüttert, weil sie, wie die Spartiaten, die gesamten Machtmittel zusammenhielten unter so strenger Wahrung des Amtsgeheimnisses wie nirgends sonst. Diese Möglichkeit war zunächst bedingt durch die jedem Mitglied des an gewaltigen Monopolgewinnen interessierten Verbandes täglich vor Augen liegende Solidarität der Interessen nach außen und innen, welche die Einfügung des Einzelnen in die Kollektivtyrannis erzwang. Technisch durchgeführt aber wurde sie: 1. durch die konkurrierende Gewaltenteilung mittelst konkurrierender Amtsgewalten in den Zentralbehörden; die verschiedenen Kollegien der Spezialverwaltung, fast alle zugleich mit gerichtlichen und Verwaltungsbefugnissen versehen, konkurrierten in der Kompetenz weitgehend miteinander; – 2. durch die arbeitsteilige Gewaltenteilung zwischen den stets dem Adel entnommenen Beamten im Herrschaftsgebiete: gerichtliche, militärische und Finanzverwaltung waren stets in den

Händen verschiedener Beamter; – 3. durch die Kurzfristigkeit aller Ämter und ein missatisches Kontrollsystem; – 4. seit dem 14. Jahrhundert durch den politischen Inquisitionshof des „Rates der Zehn": einer Untersuchungskommission ursprünglich für einen einzelnen Verschwörungsfall, die aber zu einer ständigen Behörde für politische Delikte wurde und schließlich das gesamte politische und persönliche Verhalten der Nobili überwachte, nicht selten Beschlüsse des großen Rates kassierte, kurz eine Art von tribunizischer Gewalt in Händen hatte, deren Handhabung in einem schleunigen und geheimen Verfahren ihre Autorität an die erste Stelle in der Gemeinde rückte. Als furchtbar galt sie nur dem Adel, dagegen war sie die bei weitem populärste Behörde bei den von der politischen Macht ausgeschlossenen Untertanen, für welche sie das einzige, aber sehr wirksame Mittel erfolgreicher Beschwerde gegen die adeligen Beamten darbot, weit wirksamer als der römische Repetundenprozeß.

Mit dieser, einen besonders reinen und extremen Fall der geschlechterstädtischen Entwicklung bildenden Monopolisierung aller Gewalt über das große, zunehmend auf dem italienischen Festland sich ausdehnende und militärisch zunehmend durch Söldner behauptete Machtbereich zugunsten des Commune und innerhalb ihrer zugunsten des Patriziats ging nun von Anfang an eine andere Erscheinung parallel. Die steigenden Ausgaben der Gemeinde, welche die Abhängigkeit von dem Geldgeberpatriziat begründeten, entstanden außer durch Truppensold, Flotten- und Kriegsmaterialersatz auch durch eine tiefgreifende Änderung der Verwaltung. Ein dem Okzident eigentümlicher Helfer war nämlich dem Patriziat in seinen Kämpfen gegen den Dogen in der erstarkenden kirchlichen Bürokratie entstanden. Die Schwächung der Dogengewalt ging nicht zufällig gleichzeitig mit der Trennung von Staat und Kirche infolge des Investiturstreites vor sich, wie ja die italienischen Städte durchweg von diesem Zerbrechen einer der bisher festesten aus dem Eigenkirchenrecht stammenden Stütze der patrimonialen und feudalen Gewalten Vorteile zogen. Die Ausschaltung der noch bis in das 12. Jahrhundert durch Pachtung der Verwaltung der auswärtigen Kolonien direkt den weltlichen Machtapparat ersetzenden und ersparenden Kirchen und Klöster aus der Verwaltung, wie sie die Folge ihrer Loslösung von der politischen Gewalt sein mußte, nötigte zur Schaffung eines besoldeten Laienbeamtentums zunächst für die auswärtigen Kolonien. Auch diese Entwicklung fand in Dandolos Zeit ihren vorläufigen Abschluß. Das System der kurzfristigen Ämter, bedingt einerseits durch politische Rücksichten, aber auch durch den Wunsch, die Ämter im

Turnus möglichst vielen zufallen zu lassen, die Beschränkung auf den Kreis der adligen Familien, die unbürokratische, streng kollegiale Verwaltung der regierenden Hauptstadt selbst, dies alles waren Schranken der Entwicklung eines rein berufsmäßigen Beamtentums, wie sie aus ihrem Charakter als Honoratiorenherrschaft folgen mußten.

In dieser Hinsicht verlief die Entwicklung in den übrigen italienischen Communen schon zur Zeit der Geschlechterherrschaft wesentlich anders. In Venedig gelang die dauernde Monopolisierung und Abschließung der Stadtadelszunft nach außen: die Aufnahme neuer Familien unter die zur Teilnahme am großen Rat Berechtigten erfolgte nur auf Beschluß der Adelskorporation auf Grund politischer Verdienste und hörte später ganz auf. Und ferner gelang im Zusammenhang damit die gänzliche Unterdrückung aller Fehden zwischen den Mitgliedern des Stadtadels, welche sich durch die ständige gemeinsame Gefährdetheit von selbst verboten. In den anderen Communen war in der Zeit der Geschlechterherrschaft davon keine Rede: die Orientierung an der überseeischen Monopolstellung war nirgends so eindeutig und als Grundlage der ganzen Existenz des Adels so für jeden Einzelnen eindringlich wie in Venedig in der entscheidenden Zeit. Die Folge der überall sonst wütenden Kämpfe innerhalb des Stadtpatriziats aber war, daß eine gewisse Rücksichtnahme auf die übrigen Honoratiorenschichten sich dem Adel auch in der Zeit ungebrochener Herrschaft auferlegte. Und ferner schlossen die Geschlechterfehden und das tiefe Mißtrauen der großen Sippen gegeneinander auch die Schaffung einer rationalen Verwaltung nach Art der venetianischen aus. Fast überall standen Jahrhunderte hindurch mehrere mit Bodenbesitz und Klientelanhang besonders begüterte Familien einander gegenüber, von denen jede mit zahlreichen anderen minder Begüterten verbündet die anderen und deren Verbündete von den Ämtern und Erwerbschancen der Stadtverwaltung ausschließen und wenn möglich ganz zu vertreiben suchte. Ähnlich wie in Mekka war fast ständig ein Teil des Adels für amtsunfähig erklärt, verbannt, im Gegensatz zu der arabischen Courtoisie oft auch geächtet und seine Güter unter Sequester, bis ein Umschwung der politischen Lage den Herrschenden das gleiche Schicksal brachte. Interlokale Interessengemeinschaften ergaben sich von selbst. Die Parteibildung der Guelfen und Ghibellinen war allerdings zum Teil reichspolitisch und sozial bedingt: die Ghibellinen waren in der großen Mehrzahl der Fälle die alten Kronvasallenfamilien oder wurden von ihnen geführt. Zum anderen und dauernden Teile aber waren sie durch Interessengegensätze zwischen konkurrierenden Städten und vor allem innerhalb dieser zwischen den interlokal organisierten Adelsparteien geschaffen. Diese Organisationen, vor allem die der guelfischen Partei, waren feste Verbände mit Statuten und Kriegsmatrikeln, welche für den Fall des Aufgebots den Ritterschaften der einzelnen Städte die Stellung bestimmter Kontingente auferlegten, ganz wie etwa die deutschen Römerzugsmatrikeln. Allein wenn in militärischer Hinsicht die Leistung der trainierten Ritterschaft entscheidend war, so konnten doch für die *Finanzierung* der Kämpfe schon in der Geschlechterzeit die nicht ritterlichen Bürger nicht entbehrt werden. Ihre Interessen an einer rationalen Rechtspflege auf der einen Seite und die Eifersucht der Adelsparteien gegeneinander auf der andern schufen nun die Italien und einigen angrenzenden Gebieten eigentümliche Entwicklung eines sozusagen im Umherziehen fungierenden vornehmen Berufsbeamtentums: des *Podestats*, der die anfängliche Verwaltung durch die dem Ortsadel entnommenen, formell gewählten, faktisch durch wenige Familien monopolisierten und umstrittenen „Consules" ersetzte.

Gerade die Zeit der schweren Kämpfe der Communen mit den staufischen Kaisern, welche die Notwendigkeit inneren Zusammenschlusses und finanzieller Anspannung besonders steigerte, sah das Entstehen dieser Institution. Die erste Hälfte des 13. Jahrhunderts war ihre Blütezeit. Der Podesta war weit überwiegend ein aus einer fremden Gemeinde berufener, kurzfristig mit der höchsten Gerichtsgewalt bekleideter, vornehmlich fest und infolgedessen im Vergleich mit den Consules hoch besoldeter Wahlbeamter, ganz überwiegend ein Adeliger, aber mit Vorliebe ein solcher mit juristischer Universitätsbildung. Seine Wahl lag entweder in den Händen der Räte oder, wie in Italien für alle Wahlen typisch, eines eigens dafür bestimmten Honoratiorenausschusses. Über die Berufung wurde oft mit seiner Heimatgemeinde, welche sie zu genehmigen hatte, zuweilen auch direkt um Bezeichnung der Person ersucht wurde, verhandelt. Die Gewährung war ein politisch freundlicher, die Absage ein unfreundlicher Akt. Zuweilen fand geradezu ein Podestaaustausch statt. Die Berufenen selbst verlangten nicht selten die Stellung von Geiseln für gute Behandlung, feilschten um Bedingungen wie ein moderner Professor, lehnten bei nicht verlockenden Angeboten ab. Der Berufene hatte ein rittermäßiges Gefolge und vor allem seine Hilfskräfte, nicht nur das Subalternpersonal, sondern oft auch Rechtsgelehrte, Beigeordnete und Vertreter, oft einen ganzen Stab, selbst zu bestreiten und mitzubringen. Seine wesentliche Aufgabe war, gemäß dem Zweck der Berufung, die Wahrung der öffentlichen Sicherheit und Ord-

nung, vor allem des Friedens in der Stadt, daneben oft das Militärkommando, immer aber: die Rechtspflege. Alles unter der Kontrolle
des Rates. Auf die Gesetzgebung war sein Einfluß überall ziemlich
beschränkt. Nicht nur die Person des Podesta wurde in aller Regel
grundsätzlich gewechselt, sondern anscheinend absichtsvoll auch der
Bezugsort. Auf der andern Seite legten die entsendenden Communen, wie es scheint, Wert darauf, ihre Bürger in möglichst vielen Stellungen auswärts amtieren zu sehen, – wie Hanauer mit Recht vermutet, teils aus politischen Gründen, teils auch aus ökonomischen: die
in der Fremde hohe Bezahlung bildete eine wertvolle Pfründenchance
des einheimischen Adels. Die wichtigsten Seiten des Instituts lagen
in folgenden Richtungen: einmal in der Entstehung dieses vornehmen Berufsbeamtentums überhaupt. Hanauer weist für das 4. Jahrzehnt des 13. Jahrhunderts allein für 16 von 60 Städten 70 Personen
nach, die 2, 20 die ein halbes Dutzend und mehr Podestate bekleidet
hatten, und die Ausfüllung eines Lebens mit solchen war nicht selten.
In den hundert Jahren seiner Hauptblüte rechnet er in den etwa 60
Kommunen 5 400 zu besetzende Podestate. Und andererseits gab es
Adelsfamilien, welche stets erneut Kandidaten dafür stellten. Dazu
trat aber noch die bedeutende Zahl der notwendigen rechtsgebilde-
ten Hilfskräfte. Zu dieser Einschulung eines Teils des Adels für die
Verwertbarkeit in einer streng sachlichen, von der öffentlichen Meinung des Amtsortes naturgemäß besonders scharf kontrollierten
Verwaltung trat aber das zweite wichtige Moment. Damit die Rechtspflege durch die fremdbürtigen Podesta möglich sei, mußte das anzuwendende Recht kodifiziert, rational gestaltet und interlokal ausgeglichen sein. Wie anderwärts die Interessen der Fürsten und Beamten
an deren interlokaler Verwertbarkeit, so trug also hier dies Institut
zur rationalen Kodifikation des Rechtes und speziell zur Ausbreitung
des römischen Rechtes bei.

Der Podesta in seiner typischen Gestaltung war eine in der Hauptsache auf die Mittelmeergebiete beschränkte Erscheinung. Einzelne
Parallelen finden sich auch im Norden. So in Regensburg (1334) die
Ausschließung der Einheimischen vom Bürgermeisteramt und die
Berufung eines auswärtigen Ritters, welchem dann 100 Jahre lang
lauter auswärtige Bürgermeister im Amt folgten: eine Epoche relativ
weitgehender innerer Ruhe der vorher durch Geschlechterfehden
und Kämpfe mit vertriebenen Adligen zerrissenen Stadt.

Wenn in Venedig die Stadtadelsbildung aus einer ausgeprägten
Honoratiorenherrschaft ohne wesentlichen Bruch hervorwuchs und
in den übrigen italienischen Kommunen die Geschlechterherrschaft

an der Spitze der Entwicklung stand, so vollzog sich die Entwicklung eines geschlossenen Stadtpatriziats im *Norden* teilweise auf abweichender Basis und auch aus ziemlich entgegengesetzten Motiven. Ein in typischer Art extremer Fall ist die Entwicklung der *englischen* Stadtoligarchie. Maßgebend für die Art der Entwicklung der Stadtverfassung war hier die Macht des Königtums. Diese stand zwar gegenüber den Städten keineswegs von Anfang an so fest wie später. Nicht einmal nach der normannischen Eroberung. Wilhelm der Eroberer hat nach der Schlacht bei Hastings den Versuch einer gewaltsamen Eroberung von London nicht durchgeführt, sondern, wissend, daß der Besitz dieser Stadt seit langem über die Krone Englands entschied, durch Vertrag die Huldigung der Bürger erlangt. Denn obwohl in der Stadt unter den Angelsachsen der Bischof und der vom König ernannte „Portreeve" die legitimen Autoritäten waren, an welche sich denn auch die Charter des Eroberers wendet, wog die Stimme des Londoner Patriziats bei fast jeder angelsächsischen Königswahl entscheidend mit. Die Auffassung der Bürger ging sogar dahin, daß die englische Königswürde ohne ihre freie Zustimmung nicht die Herrschaft über ihre Stadt in sich schließe und noch in der Zeit Stephans gaben sie in der Tat den Ausschlag. Aber schon der Eroberer hatte nach der Huldigung sich seinen Tower in London gebaut. Die Stadt blieb seitdem ebenso wie andere Städte dem König im Prinzip nach dessen Ermessen schatzungspflichtig.

Die militärische Bedeutung der Städte sank in der Normannenzeit infolge der Vereinheitlichung des Reiches, des Aufhörens der Bedrohung von außen her und des Aufstiegs der großen landgesessenen Barone. Die Feudalherren bauten jetzt ihre befestigten Schlösser außerhalb der Städte. Damit begann hier die, wie wir später sehen werden, für den außeritalienischen Okzident charakteristische Scheidung der feudalen Militärgewalten vom Bürgertum. Ganz im Gegensatz zu den italienischen Städten haben die englischen damals die Herrschaft über das platte Land, welche sie vorher oft in Gestalt ausgedehnter Stadtmarken besessen zu haben scheinen, so gut wie ganz eingebüßt. Sie wurden wesentlich *ökonomisch* orientierte Körperschaften. Hier wie überall begannen die Barone ihrerseits Städte zu gründen, unter Gewährung von Privilegien höchst verschiedenen Umfangs. Nirgends aber hören wir von gewaltsamen Kämpfen der Stadtbürgerschaft gegen den König oder andere Stadtherren. Nichts von Usurpationen, durch welche die Burg des Königs oder anderer Stadtherren gewaltsam gebrochen oder er, wie in Italien, genötigt worden wäre, sie aus der Stadt zu verlegen. Nichts davon, daß im

Kampf gegen ihn ein Bürgerheer geschaffen, gewaltsam eine eigene Gerichtsbarkeit von gewählten Beamten an Stelle der ernannten königlichen Richter und ein eigenes kodifiziertes Recht ins Leben gerufen worden wäre. Gewiß sind kraft königlicher Verleihung auch in England besondere Stadtgerichte entstanden, welche das Privileg hatten, dem Stadtbürger ein rationales Prozeßverfahren ohne Zweikampf zu gewähren, und welche andererseits für sich die Neuerungen der Königsprozesse, namentlich die Jury, ablehnten. Aber die Rechtsschöpfung selbst blieb ausschließlich in den Händen des Königs und der königlichen Gerichte. Die gerichtliche Sonderstellung der Stadt gewährte ihr der König, um sie gegenüber der Macht des Feudaladels auf seiner Seite zu haben: insofern profitierten auch sie von den typischen Kämpfen innerhalb des Feudalismus. Wichtiger aber als diese gerichtlichen Privilegien war die – und dies zeigt die überragende Stellung des Königs – fiskalische Verwaltungsautonomie der Städte, welche sie allmählich zu gewinnen wußten. Vom Standpunkt der Könige aus war die Stadt bis auf die Tudorzeit vor allem Besteuerungsobjekt. Die Bürgerprivilegien: die „gratia emendi et vendendi" und die Verkehrsmonopole hatten als Korrelat die spezifische bürgerliche Steuerpflicht. Die Steuern aber wurden verpachtet und die vermögendsten königlichen Beamten waren neben den reichen Bürgern naturgemäß die wichtigsten Pachtreflektanten. Zunehmend gelang es den Bürgern, ihre Konkurrenten aus dem Felde zu schlagen und von dem König die eigene Einhebung der Steuern gegen Pauschalsummen zu erpachten („firma burghi"), durch Sonderzahlungen und Geschenke sich weitere Privilegien, vor allem die eigene Wahl des Sheriffs, zu sichern. Trotz der, wie wir sehen werden, ausgeprägt seigneurialen Interessenten, welche wir vielfach in der Stadtbürgerschaft finden, waren doch rein ökonomische und finanzwirtschaftliche Interessen für die Stadtkonstitution ausschlaggebend. Die conjuratio der kontinentalen Stadtbürger findet sich freilich auch in englischen Städten. Aber sie nahm hier ganz typisch die Form der Bildung einer monopolistischen *Gilde* an. Nicht überall. In London z. B. fehlte sie. Aber in zahlreichen anderen Städten wurde die Gilde als Garantin der fiskalischen Leistungen der Stadt, die entscheidende Einung in der Stadt. Oft erteilte sie, ganz wie die Richerzeche in Köln, das Bürgerrecht. In Mediatstädten war meist sie es, welche eine eigene Gerichtsbarkeit über ihre Genossen, aber als Gildegenossen, nicht als Stadtbürger, erlangte. Fast überall war sie faktisch, wenn auch nicht rechtlich, der die Stadt regierende Verband. Denn Bürger war nach wie vor, wer die dem König geschuldeten

Bürgerlasten (Schutz-, Wach- und Gerichtsdienst- und Schatzungs-pflicht) mit den Bürgern teilte. Keineswegs nur Ortsansässige waren Bürger. Im Gegenteil gehörte in aller Regel gerade die benachbarte Grundbesitzerschaft, die gentry, dem Bürgerverband an. Speziell die Londoner Gemeinde hatte im 12. Jahrhundert fast alle großen adligen Bischöfe und Beamten des Landes zu Mitgliedern, weil alle in London, am Sitz des Königs und der Behörden, mit Stadthäusern ansässig waren: eine sowohl als Parallele wie, noch mehr, durch die hier höchst plastische Abweichung von den Verhältnissen der römischen Republik charakteristische Erscheinung. Wer nicht imstande war, an den Lasten der Steuergarantie der Bürgerschaft teilzuneh-men, sondern die königlichen Steuern von Fall zu Fall zahlte, also insbesondere die Unvermögenden, schloß sich damit aus dem Kreise der Aktivbürger aus. Alle Privilegien der Stadt beruhten auf könig-licher und grundherrlicher Verleihung, die freilich eigenmächtig in-terpretiert wurde. Das war zwar in Italien ebenfalls sehr oft der Fall. Aber die Entwicklung verlief in England gegenüber der italienischen darin gänzlich heterogen: daß die Städte zu privilegierten Korpo-rationen innerhalb des Ständestaats wurden – nachdem nämlich der Korporationsbegriff vom englischen Recht überhaupt rezipiert wor-den war –, deren Organe bestimmte *einzelne* Rechte, abgeleitet aus Erwerb kraft besonderen Rechtstitels, in Händen hatten. Genau so wie andere einzelne Rechte einzelnen Baronen oder Handelskorpo-rationen durch Privileg appropriiert waren. Von einer privilegierten „company" zu einer Gilde und zur Stadtkorporation war der Über-gang flüssig. Die ständische Sonderrechtsstellung der Bürger setzte sich also aus Privilegienbündeln zusammen, die sie innerhalb des ständischen, halb feudalen, halb patrimonialen Reichsverbandes er-worben hatten. Nicht aber flossen sie aus der Zugehörigkeit zu ei-nem mit politischer Herrschaft vergesellschafteten, nach außen selb-ständigen Verbande. In großen Zügen verlief also die Entwicklung so: daß die Städte zunächst von den Königen mit leiturgischen Pflich-ten, nur anderen als denen der Dörfer, belastete Zwangsverbände waren, dann in den massenhaften ökonomischen und ständischen privilegierten Neugründungen der Könige und Grundherren prin-zipielle Gleichheit der Rechte aller auf Grund spezieller Privilegien mit Stadtgrundbesitz ansässigen Bürger mit einer begrenzten Auto-nomie herrschte, und daß weiterhin die zunächst privaten Gilden als Garanten der Finanzleistungen zugelassen und durch königliche Pri-vilegien anerkannt und schließlich die Stadt mit Korporationsrecht beliehen wurde. Eine Kommune im kontinentalen Sinne war London. Hier hatte Heinrich I. die eigene Wahl des Sheriffs zugestanden und hier findet sich seit Ende des 12. Jahrhunderts, von König Johann anerkannt, die Kommune als Bürgerverband, unter dem, ebenso wie der Sheriff, gewählten Mayor und den „Skivini" (Schöffen): diese letzteren seit Anfang des 13. Jahrhunderts, mit einer gleich großen Zahl von gewählten Councillors zum Rat vereinigt. Die Pachtung des Sheriffsamts für Middlesex durch die Kommune begründete deren Herrschaft über die Umlandbezirke. Seit dem 14. Jahrhundert führt der Bürgermeister von London den Titel Lord. Die Masse der übrigen Städte aber waren oder richtiger wurden nach zeitweisen Ansätzen zu politischer Gemeindebildung einfache Zwangsverbände mit bestimmten spezifischen Privilegien und fest geregelten korporativen Autonomierechten. Die Entwicklung der Zunftverfassung wird erst später zu erörtern sein, schon hier aber kann festgestellt werden: an dem Grundcharakter der Stellung der Städte änderte auch sie nichts. Der König war es, der den Streit zwischen zünftiger und honoratiorenmäßiger Stadtverfassung schlichtete. Ihm blieben die Städte pflichtig, die Schatzung zu gewähren, bis die ständische Entwicklung im Parlament *kollektive* Garantien gegen willkürliche Besteuerung schuf, welche keine einzelne Stadt und auch nicht die Städte gemeinsam aus eigener Kraft zu erringen vermocht hatten. Das aktive Stadtbürgerrecht aber blieb ein erbliches, durch Einkaufen in bestimmte Verbände erwerbbares Recht von Korporationsmitgliedern. Der Unterschied gegen die Entwicklung auf dem Kontinent war, obwohl teilweise nur graduell, dennoch infolge des englischen Korporationsrechtes von großer prinzipieller Bedeutung: der gebietskörperschaftliche *Gemeinde*begriff entstand in England nicht.

Der Grund dieser Sonderentwicklung lag in der niemals gebrochenen und nach der Thronbesteigung der Tudors immer weiter steigenden Macht der königlichen Verwaltung, auf der die politische Einheit des Landes und die Einheit der Rechtsbildung beruhte. Die königliche Verwaltung war zwar ständisch scharf kontrolliert und stets angewiesen auf die Mitwirkung der Honoratioren. Aber eben dies hatte die Folge, daß die ökonomischen und politischen Interessen sich nicht an Interessen der einzelnen geschlossenen Stadtgemeinde, sondern durchaus an der Zentralverwaltung orientierten, von dort her ökonomische Gewinnchancen und soziale Vorteile, Monopolgarantien und Abhilfe gegen Verletzung der eigenen Privilegien erwarteten. Die Könige, finanziell und für die Führung der Verwaltung ganz von den privilegierten Schichten abhängig, fürchteten diese. Aber ihre politischen Mittel orientierten sich ebenfalls an der zentralen Parlamentsherrschaft. Sie suchten ganz wesentlich nur im Interesse ihrer Parlamentswahlpolitik die Stadtverfassung und die personale Zusammensetzung der städtischen Räte zu beeinflussen, stützten daher die Honoratiorenoligarchie. Die Stadthonoratioren ihrerseits hatten von der Zentralverwaltung und nur von ihr die Garantie ihrer Monopolstellung gegenüber den nicht privilegierten Schichten zu gewärtigen. In Ermangelung eines eigenen bürokratischen Apparats waren die Könige gerade wegen des Zentralismus auf die Mitwirkung der Honoratioren angewiesen. Es ist in England vorwiegend der *negative* Grund: die – trotz ihrer relativ hohen rein technischen Entwicklung – Unfähigkeit der feudalen Verwaltung, eine wirklich dauernde Beherrschung des Landes ohne stete Stütze der ökonomisch mächtigen Honoratioren zu behaupten, welche die Macht der Bürger begründete, nicht deren eigene militärische Kraft. Denn die eigene Militärmacht der großen Mehrzahl der englischen Städte war im Mittelalter relativ unbedeutend gewesen. Die Finanzmacht der Stadtbürger war um so größer. Aber sie kam innerhalb des ständischen Zusammenschlusses der „Commons" kollektiv im *Parlament*, als *Stand* der privilegierten Stadtinteressenten zur Geltung, und um dieses drehte sich daher jedes über die Ausnutzung der wirtschaftlichen Vorteile des lokalen Monopols hinausreichende Interesse. Hier zuerst findet sich also ein interlokaler, *nationaler*, Bürger*stand*. Die steigende Macht des Bürgertums innerhalb der königlichen Friedensrichterverwaltung und im Parlament, also seine Macht im ständischen Honoratiorenstaat hinderte das Entstehen einer starken politischen Selbständigkeitsbewegung der *einzelnen* Kommunen als solcher: – nicht die lokalen, sondern die *inter*lokalen Interessen wurden Grundlage der politischen Einigung des Bürgertums – und begünstigte auch den bürgerlich-kaufmännischen Charakter der englischen Stadtoligarchie. Die Städte Englands zeigen daher bis etwa in das 13. Jahrhundert eine der deutschen ähnliche Entwicklung. Von da an aber findet sich ihre zunehmende Einmündung in eine Herrschaft der „*Gentry*", welche niemals wieder gebrochen worden ist, im Gegensatz zu der mindestens relativen Demokratie der kontinentalen Städte. Die Ämter, vor allem das des Alderman, ursprünglich auf jährlicher Wahl beruhend, wurden zum erheblichen Teil lebenslänglich und sehr häufig faktisch durch Kooptation oder durch Patronage benachbarter Grundherren besetzt. Die Verwaltung der Könige aber stützte aus den angegebenen Gründen diese Entwicklung, ähnlich wie die antike römische Verwaltung die Oligarchie der Grundaristokratie in den abhängigen Städten stützte.

Wiederum anders als in England einerseits, in Italien andrerseits lagen die Bedingungen der Entwicklung auf dem nordeuropäischen *Kontinent.* Hier hatte die Entwicklung des Patriziats zwar teilweise an die schon bei der Entstehung des Bürgerverbandes bestehenden ständischen und ökonomischen Unterschiede angeknüpft. Auch bei Neugründungsstädten war dies der Fall. Die 24 conjuratores fori in Freiburg waren von Anfang an in Steuersachen privilegiert und zu consules berufen. Aber in den meisten Neugründungsstädten, auch vielen der von Natur zur Plutokratie der Kaufleute neigenden Seestädte des Nordens, ist die formelle Abgrenzung der Ratsfähigkeit erst allmählich erfolgt, meist in der typischen Art, daß das sehr häufige Vorschlagsrecht des einmal amtierenden Rates oder die faktische Gewöhnung daran, die Ansicht der amtierenden Räte über ihre Nachfolger zu befolgen oder einfach deren soziales Gewicht bei der Ratswahl in Verbindung mit dem sachlichen Bedürfnis: geschäftserfahrene Männer im Rate zu behalten, zur faktischen Ergänzung des Rates durch Kooptation führte und damit die Ratskollegien einem festen Kreis privilegierter Familien auslieferte. Es ist erinnerlich, wie leicht selbst unter modernen Verhältnissen sich ähnliches ereignen kann: die Ergänzung des Hamburger Senates befand sich trotz des Wahlrechts der Bürgerschaft in der letzten Zeit* gelegentlich auf dem Wege zu einer ähnlichen Entwicklung. Die Einzelheiten können hier nicht verfolgt werden. Überall jedenfalls machten sich jene Tendenzen geltend und nur das Maß, in welchem sie auch formell rechtlich sich ausprägten, war verschieden.

Die Geschlechter, welche die Ratsfähigkeit monopolisierten, konnten diese überall solange leicht behaupten, als ein starker Interessengegensatz gegen die ausgeschlossenen Bürger *nicht* bestand. Sobald dagegen Konflikte mit den Interessen der Außenstehenden entstanden oder deren durch Reichtum und Bildung wachsendes Selbstgefühl und ihre Abkömmlichkeit für Verwaltungsgeschäfte so stark stiegen, daß sie den Ausschluß von der Macht ideell nicht mehr ertrugen, lag die Möglichkeit neuer Revolutionen nahe. Deren Träger waren abermals beschworene Einigungen von Bürgern. Hinter diesen aber standen oder mit ihnen direkt identisch waren: die *Zünfte.* Dabei hat man sich zunächst zu hüten, den Ausdruck „Zunft" vornehmlich oder gar ausschließlich mit „Handwerkerzunft" zu identifizieren. Keineswegs ist die Bewegung gegen die Geschlechter in der

---

* Vor dem Weltkrieg.

ersten Zeit in erster Linie eine solche der Handwerkerschaft. Erst im weiteren Verlauf der Entwicklung traten, wie zu erörtern sein wird, die Handwerker in der Bewegung selbständig hervor, in der ersten Zeit waren sie fast überall geführt von den nicht handwerkerlichen Zünften. Der höchst verschiedene Erfolg der Zunftrevolutionen konnte, wie wir sehen werden, im äußersten Fall dazu führen, daß der Rat aus den Zünften allein zusammengesetzt und die Vollbürgerqualität ausschließlich an Zunftmitgliedschaft gebunden wurde.

Erst dieser Aufstieg der Zünfte bedeutete (in der Regel) praktisch die Erringung der Herrschaft oder doch einer Teilnahme an der Herrschaft von seiten „bürgerlicher" Klassen im ökonomischen Sinne des Wortes. Wo die Zunftherrschaft in irgendeinem Umfang durchgedrungen ist, fiel die Zeit, in welcher dies geschah, regelmäßig mit der Epoche der höchsten Machtentfaltung der Stadt nach außen und ihrer größten politischen Selbständigkeit nach innen zusammen.

Es fällt nun die Ähnlichkeit dieser „demokratischen" Entwicklung mit dem Schicksal der *antiken* Städte ins Auge, deren meiste eine ähnliche Epoche des Emporwachsens als Adelsstädte, beginnend etwa mit dem 7. Jahrhundert v. Chr., und des raschen Aufstiegs zur politischen und ökonomischen Macht, verbunden mit der Entwicklung der Demokratie oder doch der Tendenz dazu, durchlebt haben. Diese Ähnlichkeiten sind vorhanden, obwohl die antike Polis auf der Grundlage einer durchaus anderen Vergangenheit entstand. Wir haben zunächst die antike *Geschlechterstadt* mit der mittelalterlichen zu vergleichen.

Die mykenische Kultur im griechischen Mutterland setzte, mindestens in Tiryns und Mykene selbst, ein patrimoniales Fronkönigtum orientalischen Charakters, wenn auch weit kleinerer Dimensionen, voraus. Ohne Anspannung der Fronarbeit der Untertanen sind diese bis in die klassische Zeit beispiellosen Bauten nicht denkbar. An den Rändern des damaligen hellenischen Kulturkreises nach dem Orient zu (Kypros) scheint sogar eine Verwaltung bestanden zu haben, welche ein eigenes Schriftsystem ganz nach ägyptischer Art zu Rechnungen und Listenführung verwendete, also eine patrimonialbürokratische Magazinverwaltung gewesen sein muß, – während später die Verwaltung noch der klassischen Zeit in Athen beinahe ganz mündlich und schriftlos war. Spurlos ist nun später, wie jenes Schriftsystem, so auch diese Fronkultur verschwunden. Die Ilias kennt im Schiffskatalog Erbkönige, welche über größere Gebiete herrschen, deren jedes mehrere, zuweilen zahlreiche später als Städte bekannte

Orte umfaßt, die wohl sämtlich als Burgen gedacht sind und von denen ein Herrscher wie Agamemnon dem Achilleus einige zu Lehen zu geben bereit ist. Neben dem König standen in Troja die vom Kriegsdienst durch Alter befreiten Greise aus adligen Häusern als Berater. Als Kriegskönig gilt dort Hektor, während Priamos selbst zu Vertragsschlüssen herbeigeholt werden muß. Ein Schriftstück, vielleicht aber nur in Symbolen, wird nur ein einziges Mal erwähnt. Sonst schließen alle Verhältnisse eine Fronverwaltung und ein Patrimonialkönigtum völlig aus. Das Königtum ist gentilcharismatisch. Aber auch dem stadtfremden Äneas kann die Hoffnung zugeschrieben werden, wenn er den Achilleus töte, das Amt des Priamos zu erhalten. Denn das Königtum gilt als amtsartige „Würde", nicht als Besitz. Der König ist Heerführer und am Gericht gemeinsam mit den Adligen beteiligt, Vertreter den Göttern und Menschen gegenüber, mit Königsland ausgestattet, hat aber, namentlich in der Odyssee, eine wesentlich nur häuptlingsartige, auf persönlichem Einfluß, nicht auf geregelter Autorität beruhende Gewalt; auch die Kriegsfahrt, fast stets eine Seefahrt, hat für die adligen Geschlechter mehr den Charakter gefolgschaftlicher Aventiure als eines Aufgebots: Die Genossen des Odysseus heißen ebenso Hetairoi wie die spätere mazedonische Königsgefolgschaft. Die langjährige Abwesenheit des Königs gilt keineswegs als Quelle ernster Unzuträglichkeiten; in Ithaka ist ein König inzwischen gar nicht vorhanden. Sein Haus hat Odysseus dem Mentor befohlen, der mit der Königswürde nichts zu schaffen hat. Das Heer ist ein Ritterheer, Einzelkämpfe entscheiden die Schlacht. Das Fußvolk tritt ganz zurück. In einigen Teilen der homerischen Gedichte tritt der städtische politische Markt hervor: wenn Ismaros „Polis" heißt, so könnte das „Burg" bedeuten: aber es ist jedenfalls die Burg nicht eines Einzelnen, sondern der Kikonen. Auf dem Schilde des Achilleus aber sitzen die Ältesten – der durch Besitz und Wehrhofmacht hervorragenden Honoratiorensippen – auf dem Markt und sprechen Recht; das Volk begleitet als Gerichtsumstand die Parteireden mit Beifall. Die Beschwerde des Telemachos wird auf dem Markt Gegenstand einer vom Herold geregelten Diskussion unter den wehrhaften Honoratioren. Die Adligen einschließlich der Könige sind dabei, wie die Umstände ergeben, Grundherren und Schiffsbesitzer, welche zu Wagen in den Kampf ziehen. Aber nur wer in der Polis ansässig ist, hat Anteil an der Gewalt. Daß König Laërtes sich auf sein Landgut zurückgezogen hat, bedeutet, daß er im Altenteil sitzt. Wie bei den Germanen schließen sich die Söhne der Honoratiorengeschlechter als Gefolgschaft (Hetairoi) den Aventiuren eines

Helden – in der Odyssee: des Königssohns – an. Der Adel schreibt sich bei den Phäaken das Recht zu, das Volk zu den Kosten von Gastgeschenken heranzuziehen. Daß alle Landbewohner als Hintersassen oder Knechte der stadtsässigen Adligen angesehen würden, ist nirgends gesagt, obwohl freie Bauern nie erwähnt werden. Die Behandlung der Figur des Thersites beweist jedenfalls, daß auch der gemeine – d. h. der nicht zu Wagen in den Kampf ziehende – Heerespflichtige es gelegentlich wagt, gegen die Herren zu reden; nur gilt das als Frechheit. Auch der König aber tut Hausarbeiten, zimmert sein Bett, gräbt den Garten. Seine Kriegsgefährten sitzen selbst am Ruder. Die gekauften Sklaven andererseits dürfen hoffen, zu einem „kleros" zu gelangen: der später in Rom so scharfe Unterschied zwischen den Kaufsklaven und den mit Land beliehenen Klienten gilt also noch nicht. Die Beziehungen sind patriarchal, Eigenwirtschaft deckt allen normalen Bedarf. Die eigenen Schiffe dienen dem Seeraub, der Handel ist Passivhandel, dessen aktive Träger damals noch die Phöniker sind. Zweierlei wichtige Erscheinungen sind außer dem „Markt" und der Stadtsässigkeit des Adels vorhanden: einmal der später das ganze Leben beherrschende „Agon": er entstand naturgemäß aus dem ritterlichen Ehrbegriff und der militärischen Schulung der Jugend auf den Übungsplätzen. Äußerlich organisiert findet er sich vor allem beim Totenkult der Kriegshelden (Patroklos). Er beherrscht schon damals die Lebensführung des Adels. Dann: die bei aller Deisidämonie gänzlich ungebundene Beziehung zu den Göttern, deren dichterische Behandlung Platon später so peinlich anmutet. Diese Respektlosigkeit der Heldengesellschaft konnte nur im Gefolge von Wanderungen, namentlich Überseewanderungen, in Gebieten entstehen, in welchen sie nicht mit alten Tempeln und an Gräbern zu leben hatten. Während die Adelsreiterei der historischen Geschlechterpolis den homerischen Gedichten fehlt, scheint auffallenderweise der später disziplinierte, in Reih und Glied gebannte, Hoplitenkampf erwähnt zu sein: ein Beweis, wie stark verschiedene Zeiten in den Dichtungen ihre Spuren hinterließen. –

Die historische Zeit kennt, bis zur Entwicklung der Tyrannis, außerhalb Spartas und weniger anderer Beispiele (Kyrene) das gentilcharismatische Königtum nur in Resten oder in der Erinnerung (dies in vielen Städten von Hellas und in Etrurien, Latium und Rom), und zwar stets als Königtum über eine *einzelne* Polis, auch damals gentilcharismatisch, mit sakralen Befugnissen, aber im übrigen, mit Ausnahme von Sparta und der römischen Überlieferung, nur mit Ehrenvorrechten gegenüber dem zuweilen ebenfalls als „Könige" bezeichneten

Adel ausgestattet. Das Beispiel Kyrenes zeigt, daß der König die Quelle seiner Macht: seinen Hort, auch hier dem Zwischenhandel, sei es durch Eigenhandel, sei es durch entgeltliche Kontrolle und Schutz, verdankte. Vermutlich hat der Ritterkampf mit seiner militärischen Selbständigkeit der, eigene Wagen und Gefolgschaften haltenden und eigene Schiffe besitzenden, Adelsgeschlechter das Monopol des Königs gebrochen, nachdem auch die großen orientalischen Reiche, mit denen sie in Beziehungen standen, sowohl die ägyptische wie die hethitische Macht, zerfallen und andere große Königsherrschaften, wie das Lyderreich, noch nicht entstanden, der Monopolhandel und der Fronstaat der orientalischen Könige also, dem die mykenische Kultur im kleinen entsprach, zusammengebrochen waren. Dieser Zusammenbruch der ökonomischen Grundlage der Königsmacht hat vermutlich auch die sog. dorische Wanderung ermöglicht. Es begannen nunmehr die Wanderungen der seekriegerischen Ritterschaft nach der kleinasiatischen Küste, auf welcher Homer hellenische Ansiedlungen noch nicht kennt und an welcher damals starke politische Verbände nicht existierten. Und es begann zugleich damit der Aktivhandel der Hellenen.

Die beginnende historische Kunde zeigt uns die typische Geschlechterstadt der Antike. Sie war durchweg *Küstenstadt*: bis in die Zeit Alexanders und der Samniterkriege gab es keine Polis weiter als eine Tagereise vom Meer. Außerhalb des Bereiches der Polis gab es nur das Wohnen in Dörfern (κῶμαι) mit labilen politischen Verbindungen von „Stämmen" (ἔϑνη). Eine Polis, die aus eigenem Antrieb oder von Feinden aufgelöst wird, wird in Dörfer „dioikisiert". Als reale oder fiktive Grundlage der Stadt galt dagegen der Vorgang des „Synoikismos": die auf Geheiß des Königs oder nach Vereinbarung vollzogene „Zusammensiedlung" der Geschlechter in oder an eine befestigte Burg. Ein solcher Vorgang war auch im Mittelalter nicht ganz unbekannt: so in dem von Gothein geschilderten Synoikismos von Aquila und etwa bei der Gründung von Alessandria. Aber sein wesentlicher Gehalt war in der Antike spezifischer ausgeprägt als im Mittelalter. Nicht unbedingt wesentlich daran war die dauernde reale Zusammensiedlung: wie die mittelalterlichen Geschlechter, so blieben auch die antiken zum Teil (so in Elis) auf ihren Landburgen sitzen oder besaßen wenigstens – und das war die Regel – Landhäuser neben ihrem städtischen Sitz. So war Dekeleia eine Geschlechterburg; nach Geschlechterburgen hießen viele attische Dörfer und war ein Teil der römischen Tribus benannt. Das Gebiet von Teos war in „Türme" geteilt. Der Schwerpunkt der Macht des Adels freilich lag trotzdem in der Stadt. Die politischen und ökonomischen Herren des Landes: Grundherren, Geldgeber des Handels und Gläubiger der Bauern, waren „Astoi", stadtsässige Geschlechter und der faktische Einsiedelungsprozeß des Landadels in die Städte schritt immer weiter fort. In klassischer Zeit waren die Geschlechterburgen draußen gebrochen. Die Nekropolen der Geschlechter lagen von jeher in den Städten. Das Wesentliche aber an der Konstituierung der Polis war nach der Anschauung die Verbrüderung der Geschlechter zu einer *kultischen* Gemeinschaft: der Ersatz der Prytaneen der einzelnen Geschlechter durch das gemeinsame Prytaneion der Stadt, in welchem die Prytanen ihre gemeinsamen Mahle abhielten. Sie bedeutete in der Antike nicht nur, wie im Mittelalter, daß die conjuratio der Bürger, wo sie zur commune wird, auch einen Stadtheiligen annimmt. Sondern sie bedeutete wesentlich mehr: die Entstehung einer neuen lokalen Speise- und Kultgemeinschaft. Es fehlte die gemeinsame Kirche, innerhalb deren im Mittelalter alle Einzelnen schon standen. Es gab zwar von jeher interlokal verehrte Götter neben den lokalen Gottheiten. Aber als festeste und für den Alltag wichtigste Form des Kults stand der im Mittelalter fehlende, nach außen überall exklusive Kult des einzelnen Geschlechts der Verbrüderung im Wege. Denn diese Kulte waren ganz ebenso streng auf die Zugehörigen beschränkt wie etwa in Indien. Nur daß die magische Tabuschranke fehlt, ermöglichte die Verbrüderung. Aber unverbrüchlich galt: daß von niemand sonst als vom Geschlechtsgenossen die vom Geschlecht verehrten Geister Opfer annahmen. Und ebenso für alle anderen Verbände. Unter diesen, durch den Kultverband der Polis religiös verbrüderten Verbänden nun traten in der Frühzeit, aber bis tief in weit spätere Epochen hinein fortbestehend, die Phylen und Phratrien hervor, denen jeder angehören mußte, um Mitglied der Stadt zu sein. Von den Phratrien ist sicher anzunehmen, daß sie in die Vorzeit der Polis zurückreichen. Sie waren später wesentlich Kultverbände, hatten aber daneben, z. B. in Athen, die Kontrolle der Wehrhaftigkeit der Kinder und ihrer daraus folgenden Erbfähigkeit. Sie müssen also ursprünglich Wehrverbände gewesen sein, entsprechend dem uns schon bekannten „Männerhaus", dessen Name (Andreion) sich in den dorischen Kriegerstaaten und auch in Rom (curia = coviria) für die Unterabteilungen der zur Polis verbrüderten Wehrgemeinde erhalten hat. Die Tischgemeinschaft (syssitia) der Spartiaten, die Loslösung der wehrhaften Männer aus der Familie für die Dauer der vollen Wehrpflicht und die gemeinsame Kriegeraskese der Knaben gehörte dort ganz dem allgemeinen Typus der Erziehung in den urwüchsigen

Kriegerverbänden der Jungmannschaft an. Außerhalb einiger dorischer Verbände ist indessen dieser radikale militaristische Halbkommunismus der Wehrverbände in historischer Zeit nirgends entwickelt und in Sparta selbst hat sich die spätere Schroffheit seiner Durchführung erst auf dem Boden der militärischen Expansion des spartanischen Demos, nach Vernichtung des Adels, im Interesse der Erhaltung der Disziplin und der ständischen Gleichheit aller Krieger entfaltet. In den normalen Phratrien anderer Städte waren dagegen die adligen Geschlechter (γενη, οικοι) die allein im Besitze der Herrschaft befindlichen Honoratioren (wie die Demotionidenakten für das alte, in Dekeleia burgsässige Geschlecht ergeben): so wurden z. B. noch nach der Ordnung des Drakon die „zehn Besten", d. h. die durch Besitz Mächtigsten aus der Phratrie zur Vornahme der Blutsühne bestimmt.

Die Phratrien werden in der späteren Stadtverfassung als Unterabteilungen der Phylen (in Rom: der alten drei personalen „Tribus") behandelt, in welche die normale hellenische Stadt zerfiel. Der Name Phyle ist technisch mit der Polis verbunden; für den nicht städtisch organisierten „Stamm" ist Ethnos, nicht Phyle, der Ausdruck. In historischer Zeit sind die Phylen überall künstliche, für die Zwecke des Turnus in den öffentlichen Leistungen, bei Abstimmung und Ämterbesetzung, für die Heeresgliederung, die Verteilung von Erträgen des Staatsgutes, der Beute, des eroberten Landes (so bei der Aufteilung von Rhodos) gebildete Abteilungen der Polis, natürlich dabei normalerweise Kultverbände wie alle, auch die rein rational gebildeten, Abteilungen der Frühzeit es überall waren. Künstlich gebildet waren auch die typischen drei Phylen der Dorer, wie schon der Name der dritten Phyle „Pamphyler", ganz entsprechend der römischen Tradition über die Tribus der „Luceres", zeigt. Ursprünglich mögen die Phylen oft aus dem Kompromiß einer schon ansässigen mit einer erobernd eindringenden neuen Kriegerschicht entstanden sein: daher vermutlich die beiden spartanischen Königsgeschlechter ungleichen Ranges, entsprechend der römischen Tradition von einem ursprünglichen Doppelkönigtum. In jedem Fall waren in historischer Zeit die Phylen nicht lokale, sondern reine Personalverbände, meist mit gentilcharismatisch erblichen, später mit gewählten, Vorständen: „Phylenkönigen", an der Spitze. Den Phylen und Phratrien, Tribus und Kurien, gehörten als Aktiv- und Passivbürger alle an der Wehrmacht der Polis Beteiligten an. Aktivbürger, d. h. beteiligt an den Ämtern der Stadt, war aber nur das adlige Geschlecht. Die Bezeichnung für den Stadtbürger ist daher gelegentlich direkt identisch mit der Bedeutung „Geschlechtsgenosse". Die Zurechnung zu den adligen Geschlechtern hatte sich ursprünglich zweifellos hier wie sonst an die gentilcharismatische Gaufürstenwürde geknüpft, mit Aufkommen des Wagenkampfes und Burgenbaus aber offenbar an den Burgenbesitz. In der Polis unter dem Königtum wird die Entstehung von Neuadel ursprünglich ebenso leicht vonstatten gegangen sein wie im frühen Mittelalter der Aufstieg der ritterlich Lebenden in den Kreis der Lehenbesitzer. Aber in historischer Zeit steht fest: Nur ein Mitglied der Geschlechter (Patricius, Eupatride) konnte als Priester oder Beamter gültig mit den Göttern der Polis durch Opfer oder Befragung der Vorzeichen (auspicia) verkehren. Aber das Geschlecht selbst hatte, seinem vorstädtischen Ursprung entsprechend, regelmäßig eigene, von denen der Polis abweichende Götter, und eigene, am Stammsitz lokalisierte Kulte. Andererseits gab es zwar neben den gentilcharismatisch von bestimmten Geschlechtern monopolisierten Priesterschaften auch ein beamtetes Priestertum. Aber es gab kein allgemeines priesterliches Monopol des Verkehrs mit den Göttern wie fast überall in Asien: der Stadtbeamte hat dazu die Befugnis. Und ebenso gab es, außer für einige wenige große interlokale Heiligtümer wie Delphoi, keine von der Polis unabhängige Priesterschaft. Die Priester wurden von der Polis bestellt und auch über die delphischen Priestertümer verfügte nicht eine selbständig organisierte Hierokratie, sondern anfangs eine benachbarte Polis, nach deren Zerstörung im heiligen Kriege mehrere benachbarte zu einer Amphiktyonie zusammengeschlossene Gemeinden, welche eine sehr fühlbare Kontrolle ausübten. Die politische und ökonomische Machtstellung großer Tempel – sie waren Grundherren, Besitzer von Ergasterien, Darlehengeber an Private und vor allem an Staaten, deren Kriegsschatz sie im Depot hatten, überhaupt Depositenkassen – änderten daran nichts: daß, wie wir schon früher sahen, auch im hellenischen Mutterlande und vollends in den Kolonien die Polis faktisch Herr über das Göttervermögen und die Priesterpfründen blieb oder vielmehr: immer mehr wurde. Das Endresultat war in Hellas die Versteigerung der Priesterstellen als Form ihrer Besetzung. Offenbar ist die Kriegsadelsherrschaft für diese von der Demokratie vollendete Entwicklung entscheidend gewesen. Die Priestertümer, das heilige Recht und die magischen Normen aller Art waren seitdem Machtmittel in der Hand des Adels. Der Adel einer Polis war nicht unbedingt geschlossen, die Rezeption einzelner in die Stadt übersiedelnder Burgherrn nebst ihren Klienten (gens Claudia) und Pairs-Schübe wie der der gentes minores in Rom, kamen hier ebenso wie in Venedig vor, in der

Frühzeit vermutlich häufiger als später. Der Adel war auch keine rein lokale, örtlich begrenzte Gemeinschaft. Attische Adlige wie Miltiades hatten noch in der klassischen Zeit große auswärtige Herrschaften inne und überall bestanden, ganz wie im Mittelalter, gerade innerhalb dieser Schichten interlokale Beziehungen. Ökonomisch war der Besitz des Adels naturgemäß vornehmlich grundherrlich. Die Leistungen von Sklaven, Hörigen, Klienten – wir werden von diesen Kategorien später zu sprechen haben – bildeten die Basis der Bedarfsdeckung. Auch nach Schwinden der alten Hörigkeit und Klientel blieben die Vermögen insofern bloß Immobiliarvermögen und landwirtschaftlich. Ganz wie diejenigen auch des babylonischen Patriziates: die Aufteilung des Vermögens des generationenlang, in den Urkunden am meisten hervortretenden babylonischen Handelshauses (Egibi) dort zeigt Stadt- und Landgrundstücke, Sklaven und Vieh als Hauptvermögensbestand. Dennoch aber war in Holland ebenso wie in Babylon und im Mittelalter die Quelle der ökonomischen Macht des typischen Stadtadels die direkte oder indirekte Beteiligung am Handel und der Reederei, welche noch in der Spätzeit als standesgemäß galt und erst in Rom für die Senatoren gänzlich verboten wurde. Um dieser Gewinnchancen willen wurde hier wie im Orient und im Mittelalter die Stadtsässigkeit gesucht. Das daraus akkumulierte Vermögen wurde zur Bewucherung der an der politischen Macht nicht beteiligten landsässigen Bauern verwandt. Massenhafte Schuldknechtschaft und Akkumulation gerade des besten, Rente tragenden Bodens (der „πεδια" in Attika) im Gegensatz zu den Berghängen (dem Sitz der „Diakrier"), welche, als rentelos, überall von Bauern besetzt waren, findet in den Händen der „Astoi" statt. Die grundherrliche Macht des Stadtadels entstammt also in starkem Maß städtischen Gewinnchancen. Die verschuldeten Bauern wurden als Teilbauern der Herren oder auch direkt in Fronarbeit verwendet, neben den alten primär aus Grund- und Leibherrschaft stammenden eigentlichen Hörigen. Allmählich beginnt die Kaufsklaverei Bedeutung zu gewinnen. Nirgends freilich, auch nicht im Rom des Patrizierstaates sind die freien Bauern verschwunden, so wenig wie im Mittelalter, wahrscheinlich sogar noch weniger. Speziell die Tradition über die römischen Ständekämpfe zeigt, daß nicht eine universelle Grundherrlichkeit, sondern ganz andere mit einer solchen nicht vereinbare Gegensätze ihnen zugrunde lagen. Wer nicht der stadtsässigen versippten und militärisch trainierten Kriegerschaft angehörte, also vor allem der freie Landsasse: Agroikos, Perioikos, Plebejus war durch seinen Ausschluß von aller politischen Macht, vor allem auch von der aktiven Teilnahme an der nicht durch feste Regeln gebundenen Rechtspflege, ferner durch die hieraus folgende Notwendigkeit, um Recht zu erhalten Geschenke zu geben oder ein Klientelverhältnis zu einem Adligen einzugehen und durch die Härte des Schuldrechts dem stadtsässigen Herren ökonomisch ausgeliefert. Dagegen war die faktische interlokale Freizügigkeit, einschließlich der Möglichkeit sich anzukaufen, für die Bauern der Geschlechterstadt offenbar, sehr im Gegensatz zur späteren Hoplitenstadt und erst recht zur radikalen Demokratie, relativ groß, wie das Beispiel der Familie Hesiods beweist. Die stadtsässigen freien Handwerker und die nicht adligen eigentlichen Händler andrerseits werden sich in ähnlicher Lage befunden haben, wie die „Muntmannen" des Mittelalters. In Rom scheint der König, solange er etwas bedeutete, eine klientelartige Schutzherrschaft über sie gehabt zu haben, wie der Stadtherr des frühen Mittelalters auch. Gelegentlich finden sich Spuren leiturgischer Organisationen der Handwerker: die römischen militärischen Handwerkercenturien haben vielleicht diesen Ursprung. Ob die Handwerker, wie regelmäßig in Asien und auch im vorexilischen Israel, als Gaststämme organisiert waren, entzieht sich unserer Kenntnis: von ritueller Absonderung nach Art der indischen Kasten fehlt jedenfalls jede Spur.

Spezifisch im Gegensatz zum Mittelalter war also in der Gliederung der Geschlechterstadt zunächst rein äußerlich die stereotypierte Zahl der Phylen, Phratrien, Geschlechter. Daß sie primär militärische und sakrale Abteilungen bildeten, spricht sich darin aus. Diese Einteilungen erklären sich daraus: daß die antike Stadt *primär* eine Siedlungsgemeinschaft von Kriegern ist, in ähnlichem Sinn wie sich etwa die „Hundertschaft" der Germanen daraus erklärt. Eben diese Grundlagen der antiken Stadt sind es, welche die Unterschiede der Struktur der Geschlechterstädte gegenüber den mittelalterlichen erklären, wie wir sehen werden. Daneben natürlich die Verschiedenheiten der Umweltbedingungen, unter denen sie entstanden: innerhalb großer patrimonialer Kontinentalreiche und im Gegensatz gegen deren politische Gewalten im Mittelalter, an der Seeküste in der Nachbarschaft von Bauern und Barbaren im Altertum, – aus Stadtkönigtümern hier, im Gegensatz gegen feudale oder bischöfliche Stadtherren dort. Trotz dieser Unterschiede aber traten, wo immer die politischen Bedingungen ähnliche waren, auch formal die Ähnlichkeiten des Hergangs deutlich hervor. Wir sahen, wie das venezianische Stadtfürstentum, welches zeitweise zu eigentlichen Dynastien und zum Patrimonialismus gehört hatte, formal durch das Verbot der Ernennung von Mitregenten und schließlich durch die Verwandlung des Dogen in einen Vorsteher der Adelskorporation, also in ein bloßes Amt, verwandelt wurde. Dem entsprach äußerlich im Altertum die Entwicklung vom Stadtkönigtum zur Jahresmagistratur. Wenn man an die Rolle denkt, welche der Interrex in Rom spielte, vor allem aber an jene Reste einstiger Nachfolger- und Kollegenernennung, welche die Ernennung des Diktators durch den Konsul, die Kandidatenzulassung und die Kreation des neuen Beamten durch den alten als Vorbedingung gültiger Einsetzung bedeutet, an die Beschränkung der römischen Gemeinde ursprünglich auf Gewährung der Akklamation, dann auf die Wahl nur zwischen den vom Magistrat vorgeschlagenen oder (später) zugelassenen Kandidaten, – so tritt die ursprüngliche, von Mommsen stark betonte Bedeutung der Mitregentenernennung auch hier deutlich hervor. Der Übergang des hellenischen Stadtkönigtums zur Jahresmagistratur unter Kontrolle des Adels freilich weicht formal wesentlich stärker als der römische Hergang von der venezianischen Entwicklung ab und andererseits zeigt die Entstehung der außervenezianischen Stadtverfassung im Mittelalter sehr bedeutende Abweichungen vom venezianischen Typus.

Die entwickelte Adelsherrschaft setzte überall an Stelle des homerischen Rates der nicht mehr wehrhaften Alten den Rat der Honoratiorengeschlechter. Entweder direkt einen Rat der Geschlechtshäupter: so den patrizischen Senat der römischen Frühzeit, den spartanischen Rat der „γερωχοι", d. h. der Leute, denen Ehrengaben (ihrer Klienten) zukamen, den alten attischen Prytanenrat, der von den Geschlechtern nach „Naukrarien" gewählt wurde: das Mittelalter kennt den entsprechenden Zustand ebenfalls, nur nicht in dieser, durch die sakrale Bedeutung des Geschlechts bedingten konsequenten Schematisierung. Oder den Rat der gewesenen Beamten, wie den späteren attischen Areiopag und den römischen Senat der historischen Zeit, – Erscheinungen, für welche das Mittelalter nur sehr bescheidene Parallelen in Gestalt der Zuziehung der gewesenen Bürgermeister und Räte zu den Ratssitzungen kennt: der militärische und auch sakrale Charakter der Magistration in der Antike verlieh ihrer Bekleidung eine wesentlich nachhaltigere Bedeutung als die Ämter der mittelalterlichen Stadt es vermochten. Der Sache nach waren es hier wie dort stets wenige miteinander rivalisierende Geschlechter, – zuweilen aber, wie in Korinth unter den Bakchiaden, ein einziges, – welche die Gewalt in Händen hatten und in den Ämtern abwechselten. Ganz wie im Mittelalter und in allen Honoratiorenherrschaften überhaupt zeichnete sich die Geschlechterpolis durch die sehr kleine Zahl ihrer Amtsträger aus. Wo, der Sache nach, die Adelsherrschaft dauernd bestand, wie in Rom, blieb es dauernd dabei.

Die einmal entstandene Geschlechterherrschaft weist auch sonst im Mittelalter und Altertum ähnliche Züge auf: Geschlechterfehden, Verbannung und gewaltsame Wiederkehr hier wie dort, Kriege der stadtsässigen Ritterschaften der Städte gegeneinander (im Altertum z. B. der „lelantische" Krieg) ebenfalls. Vor allem galt hier wie dort: Das platte Land ist rechtlos. Die Städte der Antike wie des Mittelalters brachten, wo sie konnten, andere Städte in ihre Klientel: die Periökenstädte und später die durch Harmosten regierten Orte der Spartiaten, die zahlreichen Untertanengemeinden Athens und Roms finden ihre Parallele in der venezianischen Terra ferma und den von Florenz, Genua und anderen Städten unterworfenen, durch Beamte verwalteten Städten.

Was ferner die ökonomische Struktur der Geschlechter selbst anlangt, so waren sie, wie wir sehen, im Altertum wie im Mittelalter vor allem: *Rentner*. In der Antike wie im Mittelalter entschied die vornehme, ritterliche *Lebensführung* über die Zugehörigkeit zu den Geschlechtern, nicht die Abstammung allein. Die mittelalterlichen Geschlechter umschlossen ehemalige Ministerialenfamilien und, namentlich in Italien, auch freie Vasallen und Ritter ganz ebenso wie solche freie Grundbesitzer, welche, zu Vermögen gekommen, zur ritterlichen Lebensweise übergegangen waren. In Deutschland wie in Italien hatte ein Teil der Geschlechter ihre Burgen außerhalb der Stadt, auf die sie sich bei den Kämpfen mit den Zünften zurückzogen und von denen aus sie oft lange Zeit hindurch die Städte, aus denen sie vertrieben worden waren, befehdeten. Das Geschlecht der Auer in Regensburg war in Deutschland wohl das bekannteste Beispiel dafür. Diese ritterlich lebenden, im Lehens- oder Ministerialenverband stehenden Schichten waren die eigentlichen „Magnaten" und „Nobili" im Sinne der italienischen Terminologie. Diejenigen Rittergeschlechter, welchen der eigene Burgenbesitz fehlte, waren es naturgemäß vorzugsweise, welche später, bei Eroberung des Stadtregiments durch die Zünfte, genötigt waren, in der Stadt zu bleiben, sich dem neuen Regiment zu fügen und ihm ihre Kriegsdienste gegen die Magnaten zur Verfügung zu stellen. Der weitere Entwicklungsprozeß konnte nach zwei Richtungen führen. Entweder dahin, daß Familien nicht ritterlicher Abkunft sich durch Ankauf von ritterlichem Besitz, oft von Burgen, und Verlegung ihres Wohnsitzes aus der Stadt in den

Adel einführten, teils dahin, daß Adelsfamilien in der Stadt von der Gelegenheitsbeteiligung am Handel mit Kapital zum eignen kaufmännischen Erwerb übergingen, also ihre Rentnerqualität aufgaben. Beides kommt vor. Im ganzen aber überwog die erste der beiden Tendenzen, weil sie die Linie des sozialen Aufstieges für das Geschlecht bedeutete. Bei Neugründungen von Städten durch politische und Grundherren kommt es im Mittelalter vor, daß *gar keine* ritterlichen Geschlechter in den Neusiedlungen sich finden, so daß sie – wie wir noch sehen werden – geradezu ausgeschlossen wurden: dies vor allem, nachdem der Kampf der Zünfte gegen die Geschlechter begonnen hatte. Je mehr nach Osten und Norden, desto häufiger tritt, auf ökonomischem „Neuland", diese Erscheinung auf. In Schweden sind die fremdbürtigen deutschen Kaufleute an der Gründung und dem Regiment der Städte mitbeteiligt. Ebenso in Nowgorod und sehr oft im Osten. Hier ist „Patriziat" und Kaufmannschaft wirklich, wenigstens in den Anfängen der Stadt, identisch. Wir werden die große Bedeutung dessen später erörtern. Aber in den alten Städten ist es anders. Die Tendenz zur Entwicklung des Rentnertums aber, als der eigentlich vornehmen, die patrizischen Klubs führenden Schicht, war überall im Gange. Im Altertum findet sich ein eigentlich kaufmännischer Charakter des Patriziats ebenfalls namentlich auf Kolonialboden: etwa in Städten wie Epidemnos. Die ökonomische Qualität des Patriziats war also flüssig und nur der Schwerpunkt, zu dem hin sie gravitierte, kann festgestellt werden. Dieser aber ist: Rentnertum. Scharf zu betonen ist stets erneut: daß die Stadtsässigkeit der Geschlechter ihren ökonomischen Grund in den städtischen Erwerbschancen hatte, daß also in jedem Falle diese die Quelle waren, aus deren Ausnutzung die ökonomische Machtstellung der städtischen Geschlechter hervorging. Weder der antike Eupatride und Patrizier noch der mittelalterliche Patrizier war ein Kaufmann, auch kein Großkaufmann, wenn man den modernen Begriff eines ein Kontor leitenden Unternehmers zugrunde legt. Gewiß war er nicht selten an Unternehmungen beteiligt, aber dann als Schiffsbesitzer oder als Kommendatar oder Kommanditist, Darleiher auf Seegefahr, der die eigentliche Arbeit: die Seereise, die Abwicklung der Unternehmungen, anderen überläßt und selbst nur an Risiko und Gewinn beteiligt, unter Umständen vielleicht als Gelegenheitshändler auch an der geistigen Leitung des Unternehmens mitwirkt. Alle wichtigen Geschäftsformen der Frühantike ebenso wie des frühen Mittelalters, vor allem die Kommenda und das Seedarlehen sind auf die Existenz solcher Geldgeber zugeschnitten, welche ihren Besitz in lauter konkreten Einzelunternehmungen, deren jede gesondert abgerechnet wird und zwar zur Verteilung des Risiko meist in zahlreichen anlegten. Damit ist natürlich nicht geleugnet, daß zwischen dem Patriziat und dem eigentlichen persönlichen Handelsbetriebe alle denkbaren Übergänge sich finden. Der reisende Händler, welcher vom Kapitalisten Kommendageld zu Gelegenheitsunternehmungen erhielt, konnte sich in den Chef eines großen Hauses verwandeln, welches mit Kommanditkapital arbeitete und auswärtige Faktoren für sich arbeiten ließ. Geldwechsel und Bankgeschäfte, aber auch Reederei- und Großhandelsbetrieb konnten leicht für Rechnung eines persönlich ritterlich lebenden Patriziers betrieben werden und auch der Übergang zwischen einem, sein jeweils brachliegendes Vermögen durch Kommendaanlage verwertenden und einem kontinuierlich als Unternehmer tätigen Kapitalbesitzer war naturgemäß flüssig. Dies ist gewiß ein sehr wichtiges und charakteristisches Entwicklungsmoment. Aber es ist erst Entwicklungsprodukt. Besonders oft erst in der Zeit der Zunftherrschaft, wo auch die Geschlechter, wollten sie an der Stadtverwaltung teilnehmen, sich in die Zünfte einschreiben lassen mußten und wo andererseits auch der nicht mehr als Unternehmer tätige Bürger in der Zunft blieb, trat diese Verwischung ein. Der Name scioperati für die großen Händlerzünfte in Italien bezeugt dies. Vor allem war es typisch für die großen englischen Städte, namentlich London. Der Kampf der in den Zünften organisierten bürgerlichen Erwerbsstände um die Herrschaft über die Stadt äußerte sich hier in dem Gegensatz der Wahlen der Gemeindevertretung und der Beamten durch die lokalen Stadtviertel (wards) und deren Repräsentanten, bei denen die Machtstellung der grundgesessenen Geschlechter meist überwog, oder durch die Zünfte (liveries). Die zunehmende Macht der letzteren äußerte sich in der zunehmenden Abhängigkeit aller Stadtbürgerrechte von der Zugehörigkeit zu einem Berufsverbande. Schon Edward II. stellte dies für London als Grundsatz auf, und die bis 1351 herrschende Wahl des kommunalen Council nach Stadtvierteln wurde zwar noch mehrfach (1383) gewaltsam wieder eingeführt, machte aber 1463 endgültig der Wahl nach Zünften Platz. Innerhalb der Zünfte aber, denen nun jeder Bürger anzugehören hatte – auch König Edward III. wurde Mitglied der linen armourers (in heutiger Sprache: merchant tailors) – war die Bedeutung der wirklich aktiven Händler und Gewerbetreibenden immer weiter zurückgetreten zugunsten der Rentner. Die Zunftmitgliedschaft wurde zwar der Theorie nach durch Lehrzeit und Aufnahme, der Tatsache nach aber durch Erbschaft und Einkauf erworben, und die Beziehung der Zünfte zu ihrem nominellen Betriebe schrumpfte mit wenigen Ausnahmen (z. B. der Goldschmiede) auf Rudimente zusammen. Teils klafften innerhalb der Zünfte ökonomische und soziale Gegensätze, teils und meist waren sie ein reiner Wahlverband von Gentlemen für die Besetzung der Gemeindeämter.

Überall wurden also die Typen in der Realität untereinander immer wieder flüssig. Aber dies gilt für alle soziologischen Erscheinungen und darf die Feststellung des vorwiegend Typischen nicht hindern. Der typische Patrizier jedenfalls war dem Schwerpunkt nach kein Berufsunternehmer, sondern ein Rentner und Gelegenheitsunternehmer in der Antike ebenso wie im Mittelalter. Der Ausdruck „ehrsame Müßiggänger" findet sich in den Statuten oberrheinischer Städte als die offizielle Bezeichnung der Mitglieder der Herrenstuben im Gegensatz zu den Zünften. Zu den Zünften und nicht zu den Geschlechtern gehörten in Florenz die großen Händler der arte di Calimala und die Bankiers.

Für die *Antike* versteht sich der Ausschluß des Unternehmertums aus den Geschlechtern erst recht von selbst. Nicht etwa, daß z. B. die römische Senatorenschaft keine „Kapitalisten" in sich geschlossen hätte, darin lag der Gegensatz ganz und gar nicht. Als „Kapitalisten" im Sinne von *Geldgebern* haben sowohl der frühantike, insbesondere der römische, alte Patriziat den Bauern gegenüber, wie die späteren senatorischen Geschlechter den politischen Untertanen gegenüber sich, wie wir sehen werden, in größtem Umfang betätigt. Nur die *Unternehmer*stellung verbot eine mitunter rechtlich fixierte Standesetikette, mochte darin die Elastizität auch verschieden sein, den wirklich als vornehm geltenden Geschlechtern in den Städten der ganzen Antike und des ganzen Mittelalters. Die Art der Vermögensanlage des typischen Patriziats war freilich sehr verschieden je nach den Objekten, wie wir später noch näher sehen werden. Aber die Scheidung selbst war die nämliche. Wer die Linie zwischen den beiden Formen des ökonomischen Verhaltens: Vermögensanlage und Kapitalgewinn allzu fühlbar überschritt, Unternehmer wurde, der wurde damit im Altertum ein Banause, im Mittelalter ein Mann, der nicht von Rittersart war. Weil die alten ritterlichen Geschlechter mit Zunftbürgern, das hieß aber: Unternehmern, auf der Ratsbank zusammensaßen, versagte ihnen im späteren Mittelalter der ritterliche Landadel die Ebenbürtigkeit. Nicht etwa die „Erwerbsgier" als *psychologisches* Motiv war, wenn man auf die Praxis sieht, verpönt: der römische Amtsadel und die mittelalterlichen Geschlechter der großen Seestädte waren im Durchschnitt von der „auri sacra fames" gewiß so besessen wie irgendeine Klasse in der Geschichte. Sondern die *rationale*, betriebsmäßige in diesem speziellen Sinne „bürgerliche" Form der Erwerbstätigkeit: die systematische Erwerbsarbeit. Wenn man die Florentiner Ordinamenti della giustizia, durch welche die Geschlechterherrschaft gebrochen werden sollte, befragt: welches Merkmal denn für die Zugehörigkeit einer Familie zu den Nobili entscheidet, die sie politisch entrechteten, so lautet die Antwort: diejenigen Familien, denen Ritter angehörten, Familien also von der typisch ritterlichen Lebensführung. Und die Art der Lebensführung war es auch, welche in der Antike die Ausschließung von Kandidaten vom Amt für Gewerbetreibende nach sich zog. Die Konsequenz der Florentiner ordinamenti war nach Machiavelli, daß der Adlige, welcher in der Stadt bleiben wollte, sich in seiner Lebensführung den bürgerlichen Gepflogenheiten anpassen mußte. Dies waren also die primären, wie man sieht: „ständischen", Merkmale des Patriziats. Zu ihnen trat nun freilich das der charismatischen Adelsbildung überall typische politische Merkmal: Abstammung aus einer Familie, in welcher Ämter und Würden bestimmter Art einmal bekleidet worden waren und welche eben deshalb als amtsfähig galten. Das galt ebenso für die scherifischen Geschlechter in Mekka, für die römische Nobilität wie für die tribunizischen Geschlechter Venedigs. Die Abschließung war verschieden elastisch, in Venedig weniger als in Rom, wo der homo novus vom Amt nicht formell ausgeschlossen war. Aber bei Feststellung der Ratsfähigkeit und Amtsfähigkeit als solcher wurde eine Familie überall darauf geprüft: ob ein Mitglied früher einmal im Rat gessessen oder ein ratsfähiges Amt bekleidet hatte oder, wie in den Florentiner Ordinamenti, ein Ritter unter die Vorfahren zählt. Das Prinzip der ständischen Geschlossenheit steigerte sich im allgemeinen mit zunehmender Bevölkerung und zunehmender Bedeutung der monopolisierten Ämter.

Mit manchen Bemerkungen des letzten Abschnittes hatten wir wiederum vorgegriffen in eine Zeit, in welcher der alte gentilcharismatische Adel seine rechtliche Sonderstellung in der Stadt ganz oder teilweise schon eingebüßt und mit dem Demos der griechischen, der Plebs der römischen, dem Popolo der italienischen, den Liveries der englischen, den Zünften der deutschen Entwicklung die Macht teilen und sich ihm folglich ständisch hatte gleichordnen müssen. Diesen Vorgang haben wir jetzt zu betrachten.

§ 4. Die Plebejerstadt.

Der „Popolo" als politischer Verband. Struktur und revolutionärer Charakter desselben S. 912. – Die Machtverteilung unter den Ständen der italienischen Stadt im Mittelalter S. 913. – Parallele Entwicklungslinien in der Antike, das römische Tribunat und die Ephoren in Sparta S. 918. – Struktur der antiken „Demokratie" im Vergleich zur mittelalterlichen S. 924. – Die Stadttyrannis in Altertum und Mittelalter S. 927. – Exzeptionelle Stellung der italienischen Stadt des Mittelalters S. 932, – bedingt, im Vergleich zu anderen Ländern, durch ihre Gesamtlage kraft 1. politischer Selbständigkeit S. 933, – 2. autonomer Rechtssatzung S. 934, – 3. Autokephalie S. 935, – 4. Steuergewalt bzw. Steuerfreiheit S. 937, – 5. Marktrecht und Stadtwirtschaftspolitik S. 937, – sowie 6. durch das daraus folgende Verhalten zu den nicht-stadtbürgerlichen Schichten S. 940, – insbesondere zur Geistlichkeit S. 943.

Die Art, wie die Herrschaft der Geschlechter gebrochen wurde, zeigt äußerlich betrachtet, starke Parallelen zwischen Mittelalter und Antike, namentlich wenn wir für das Mittelalter die großen und speziell die italienischen Städte zugrunde legen, deren Entwicklung ja ebenso wie die der antiken Städte wesentlich eigengesetzlich, d. h. ohne die Einmischung *außer*städtischer Gewalten, verlief. In den italienischen Städten nun war die entscheidende nächste Etappe der Entwicklung nach der Entstehung des Podestats die Entstehung des *Popolo*. Im ökonomischen Sinn setzte sich der Popolo ebenso wie die deutschen Zünfte aus sehr verschiedenen Elementen zusammen, vor allem aus Unternehmern einerseits, Handwerkern andrerseits. Führend im Kampf gegen die ritterlichen Geschlechter waren zunächst durchaus die ersteren. Sie waren es, welche die Eidverbrüderung der Zünfte gegen die Geschlechter schufen und finanzierten, während allerdings die gewerblichen Zünfte die nötigen Massen für den Kampf stellten. Der Schwurverband der Zünfte nun stellte sehr oft einen einzelnen Mann an die Spitze der Bewegung, um die Errungenschaften des Kampfes gegen die Geschlechter zu sichern. So wurde Zürich nach Vertreibung der widerspenstigen Geschlechter aus der Stadt 1335 von dem Ritter Rudolph Brun regiert, mit einem zu gleichen Teilen aus den in der Stadt verbliebenen Rittern und Constaffeln, den Unternehmerzünften der Kaufleute, Tuchhändler, Salzhändler, Goldschmiede einerseits und kleingewerblichen Zünften anderseits gebildeten Rat und widerstand so der Belagerung des Reichsheeres. Die Schwureinung der Zunftbürgerschaft war in Deutschland meist nur vorübergehend eine Sondereinung. Die Umgestaltung der Stadtverfassung entweder durch Aufnahme von Zunftvertretern in den Rat oder durch völliges Aufgehen der Bürgerschaft mit Einschluß der Geschlechter in die Zünfte beendete ihr Bestehen. Als eine dauernde Organisation blieb die Verbrüderung nur in einigen Städten Niederdeutschlands und des baltischen Gebietes als Gesamtgilde bestehen. Ihr, gegenüber den Berufsverbänden sekundärer, Charakter geht aus der Zusammensetzung ihres Vorstandes durch die Gildemeister der Einzelverbände hervor. Ohne Zustimmung der Gilden durfte in Münster im 15. Jahrhundert niemand gefangen gesetzt werden: die Gesamtgilden fungierten also als ein Schutzverband gegen die Rechtspflege des Rates, dem in Verwaltungssachen Vertreter der Gilden entweder dauernd oder für wichtige Angelegenheiten beigesellt wurden, ohne deren Zuziehung nichts verfügt werden sollte. Weit mächtigere Dimensionen nahm der Schutzverband der Bürgerschaft gegen die Geschlechter in Italien an.

Der italienische Popolo war nicht nur ein ökonomischer, sondern ein politischer Begriff: eine politische Sondergemeinde innerhalb der Kommune, mit eigenen Beamten, eigenen Finanzen und eigener Militärverfassung: im eigentlichsten Wortsinn ein Staat im Staate, der erste ganz *bewußt illegitime* und *revolutionäre* politische Verband. Der Grund der Erscheinung lag in der in Italien infolge der stärkeren Entwicklung der ökonomischen und politischen Machtmittel des Stadtadels viel stärkeren Ansiedelung ritterlich lebender Geschlechter in den Städten selbst, von deren Folgen wir noch öfter zu reden haben werden. Der Verband des Popolo, der ihnen entgegentrat, beruhte auf der Verbrüderung von Berufsverbänden (arti oder paratici) und die dadurch gebildete Sondergemeinde führte offiziell in den ersten Fällen ihrer Entstehung (Mailand 1198, Lucca 1203, Lodi 1206, Pavia 1208, Siena 1210, Verona 1227, Bologna 1228) den Namen societas, credenza, mercadanza, communanza oder einfach popolo. Der höchste Beamte der Sondergemeinde hieß in Italien meist capitanus popoli, wurde kurzfristig, meist jährlich, gewählt und besoldet, sehr oft nach dem Muster des Podesta der Gemeinde von auswärts her berufen und hatte dann seinen Beamtenstab mit sich zu bringen. Der Popolo stellte ihm eine meist entweder nach Stadtquartieren oder nach Zünften ausgehobene Miliz. Er residierte oft wie der Podesta der Gemeinde in einem besonderen Volkshause mit Turm, einer Festung des Popolo. Ihm zur Seite standen als besondere Organe, namentlich für die Finanzverwaltung, die Vertreter (anziani oder priori) der Zünfte nach Stadtquartieren kurzfristig gewählt. Sie beanspruchten das Recht, die Popolanen vor Gericht zu schützen, Beschlüsse der Kommunalbehörden zu beanstanden, Anträge an sie zu richten, oft einen direkten Anteil an der Gesetzgebung. Vor allem aber wirkten sie bei Beschlüssen des Popolo selbst mit. Dieser hatte, bis er zu voller Entwicklung gelangte, seine eigenen Statuten und seine eigene Steuerordnung. Zuweilen erreichte er, daß Beschlüsse des Kommune nur Geltung haben sollten, wenn auch der popolo ihnen zugestimmt hatte, so daß neue Gesetze des Kommune in beiden Statuten zu vermerken waren. Für seine eigenen Beschlüsse erzwang er wo immer möglich, Aufnahme in die kommunalen Statuten, in einzelnen Fällen aber erreichte er, daß die Beschlüsse des Popolo allen anderen, also auch den kommunalen Statuten vorgehen sollten (abrogent statutis omnibus et semper ultima intelligantur in Brescia). Neben die Gerichtsbarkeit des Podesta trat diejenige der mercanzia oder der domus mercatorum, welche insbesondere alle Markt- und Gewerbesachen an sich zog, also ein Sondergericht für Angelegenheiten der Kaufleute und Gewerbetreibenden darstellte. Darüber hinaus gewann sie nicht selten universelle Bedeutung für die Popolanen. Der Podesta von Pisa mußte im 14. Jahrhundert schwören, daß er und seine Richter sich niemals in Streitigkeiten zwischen Popolanen einmischen würde und zuweilen gewann der capitan eine allgemeine konkurrierende Gerichtsbarkeit neben dem Podesta, ja in einzelnen Fällen wurde er Kassationsinstanz gegen dessen Urteile. Sehr oft erhielt er das Recht an den Sitzungen der Kommunalbehörde kontrollierend teilzunehmen und sie zu sistieren, zuweilen die Befugnis, die Bürgerschaft der Kommune zusammenzuberufen, die Beschlüsse des Rats auszuführen, wenn der Podesta es unterließ, das Recht der Verhängung und Lösung des Bannes und die Kontrolle und Mitverwaltung der kommunalen Finanzen, vor allem der Güter der Verbannten. Dem offiziellen Range nach stand er hinter dem Podesta zurück, aber er war in Fällen wie dem zuletzt genannten ein Beamter der Kommune geworden, capitaneus populi et communis, römisch gesprochen ein collega minor, sachlich meist der Mächtigere von beiden. Er verfügte oft auch über die Truppenmacht der Kommune, zumal je mehr diese aus Soldtruppen bestand, für welche die Mittel nur durch die Steuerleistung der reichen Popolanen aufgebracht werden konnten.

Bei vollem Erfolg des Popolo war also rein formal betrachtet, der Adel völlig negativ privilegiert. Die Ämter der Kommune waren den Popolanen zugänglich, die Ämter des Popolo dem Adel nicht. Die Popolanen waren bei Kränkungen durch die Nobili prozessual privilegiert, der Capitan und die Anzianen kontrollierten die Verwaltung der Kommune, während der Popolo unkontrolliert blieb. Die Beschlüsse des Popolo allein bekannten zuweilen die Gesamtheit der

Bürger. In vielen Fällen war der Adel ausdrücklich von der Teilnahme an der Verwaltung der Kommune zeitweise oder dauernd ausgeschlossen. Die bekanntesten von ihnen sind die schon erwähnten ordinamenti della giustizia des Giano delle Bella von 1293. Neben dem capitan, der hier Anführer der Bürgerwehr der Zünfte war, stellte man als außerordentlichen rein politischen Beamten den auf sehr kurze Frist gewählten gonfaloniere della giustizia mit einer speziellen, jederzeit aufgebotsbereiten ausgelosten Volksmiliz von 1 000 Mann, eigens für den Zweck des Schutzes der Popolanen, der Betreibung und Vollstreckung von Prozessen gegen Adlige und der Kontrolle der Innehaltung der ordinamenti. Die politische Justiz mit offiziellem Spionagesystem und Begünstigung anonymer Anklagen, beschleunigter Inquisitionsprozedur gegen Magnaten und sehr vereinfachtem Beweis (durch „Notorietät") war das demokratische Gegenstück des venezianischen Prozesses vor dem Rat der Zehn. In sachlicher Hinsicht war der Ausschluß aller ritterlich lebenden Familien von den Ämtern, ihre Verpflichtung zur Wohlverhaltensbürgschaft, die Haftung des ganzen Geschlechts für jedes Mitglied, besondere Strafgesetze gegen politische Vergehen der Magnaten, speziell für Beleidigung der Ehre eines Popolanen, das Verbot des Erwerbs von unbeweglichem Gut an welches ein Popolane angrenzte, ohne dessen Zustimmung, wohl die einschneidendsten. Die Garantie der Herrschaft des Popolo übernahm interlokal die Parte Guelfa, deren Parteistatut als Teil der Stadtstatuten behandelt wurde. Niemand, der nicht bei der Partei eingeschrieben war, durfte in ein Amt gewählt werden. Über die Machtmittel der Partei wurde schon gesprochen. Schon diese Garantie durch eine wesentlich auf ritterliche Streitkräfte gestützte Parteiorganisation läßt vermuten, daß auch durch die Ordinamenti die soziale und ökonomische Macht der Geschlechter nicht wirklich beseitigt wurde. In der Tat: schon ein Jahrzehnt nach dem Erlaß dieser von zahlreichen toskanischen Städten übernommenen Florentiner Klassengesetze standen die Geschlechterfehden wieder in Blüte und dauernd blieben kleine plutokratische Gruppen im Besitz der Macht. Selbst die Ämter des Popolo wurden fast immer mit Adligen besetzt, denn Adelsgeschlechter konnten unter die Popolanen ausdrücklich aufgenommen werden. Der wirkliche Verzicht auf ritterliche Lebensführung war nur teilweise effektiv. Im wesentlichen hatte man nur politische Obödienz zu garantieren und sich in eine Zunft einschreiben zu lassen. Der soziale Effekt war wesentlich eine gewisse Verschmelzung der stadtsässigen Geschlechter mit dem „popolo grasso", den Schichten mit Universitätsbildung oder Kapitalbesitz: denn jene 7 oberen Zünfte, welche die Richter, Notare, Wechsler, Händler in fremden Tuchen, Händler in Florentiner Wolltuchen, Seidenhändler, Ärzte, Spezereihändler, Pelzhändler umfaßten, führten jenen Namen. Aus diesen oberen Zünften, in welche die Adligen eintraten, mußten ursprünglich alle Beamte der Stadt gewählt werden. Erst mehrere weitere Revolten beteiligten schließlich 14 arti minori des popolo minuto, d. h. der gewerblichen Kleinunternehmer, formell an der Gewalt. Nicht diesen 14 Zünften angehörige Handwerkerschichten haben nur ganz vorübergehend, nach der Revolte der Ciompi (1378) Anteil am Regiment und überhaupt eine selbständige zünftige Organisation errungen. Nur in wenigen Orten und zeitweise ist den Kleinbürgern, wie in Perugia 1378, gelungen durchzusetzen: daß außer den Nobili auch der Popolo grasso rechtlich von der Beteiligung am Priorenrat ausgeschlossen blieb. Es ist charakteristisch, daß diese unteren besitzlosen Schichten des gewerblichen Bürgertums sich bei ihrem Angriff auf die Herrschaft des Popolo grasso regelmäßig der Unterstützung der Nobili erfreuten, ganz ebenso wie später die Tyrannis mit Hilfe der Massen begründet wurde und wie vielfach schon im 13. Jahrhundert der Adel und diese Unterschichten gegen den Ansturm des Bürgertums zusammengestanden hatten. Ob und wie stark dies der Fall war, hing von ökonomischen Momenten ab. Die Interessengegensätze der kleinen Handwerker konnten bei entwickeltem Verlagssystem sehr schroff mit denen der Unternehmerzünfte kollidieren. In Perugia z. B. schritt die Entwicklung des Verlages so schnell voran, daß 1437 ein Einzelunternehmer neben 28 filatori auch 176 filatrici in Nahrung setzte (wie Graf Broglio d'Ajano nachweist). Die Lage der verlegten Kleinhandwerker war oft prekär und unstet. Auswärtige Arbeiter und tageweise Miete finden sich, und die Unternehmerzünfte suchten die Verlagsbedingungen ihrerseits ebenso einseitig zu reglementieren wie die Zünfte der verlegten Handwerker (so die cimatori in Perugia) die Lohnunterbietung verboten. Ganz naturgemäß erwarteten diese Schichten von der Regierung der Oberzünfte nichts. Aber zur politischen Herrschaft sind sie auf die Dauer nirgends gelangt. Die proletarische Schicht der wandernden Handwerksburschen vollends liegt überall ganz außerhalb jeder Beziehung zur Stadtverwaltung. Erst mit der Beteiligung der unteren Zünfte kam überhaupt ein wenigstens relativ demokratisches Element in die Räte der Städte hinein. Ihr faktischer Einfluß blieb trotzdem normalerweise gering. Die allen italienischen Kommunen gemeinsame Gepflogenheit für die Wahlen der Beamten besondere Komitees zu bilden, sollte die politische Verantwortung der in der modernen europäischen Demokratie unverantwortlichen und oft anonymen Wahlleiter und die Demagogie unterbinden. Sie ermöglichte eine planmäßige Auslese und einheitliche Zusammenfassung der jeweilig amtierenden Räte und Beamten, konnte aber normalerweise nur auf einen Kompromiß der sozial einflußreichen Familien hinauslaufen und vor allem die finanziell ausschlaggebenden Schichten nicht ignorieren. Nur in Zeiten der Konkurrenz verschiedener gleich mächtiger Familien um die Macht oder religiöser Erregungen hat die „öffentliche Meinung" positiven Einfluß auf die Zusammensetzung der Behörden gehabt. Den Medici ist die Beherrschung der Stadt ohne alle eigene amtliche Stellung lediglich durch Einfluß und systematische Wahlbeeinflussung gelungen.

Die Erfolge des Popolo wurden nicht ohne heftige und oft blutige und dauernde Kämpfe erreicht. Der Adel wich aus der Stadt und befehdete sie von seinen Burgen aus. Die Bürgerheere brachen die Burgen, und die Gesetzgebung der Städte sprengte die traditionelle grundherrliche Verfassung des Landes zuweilen durch planmäßige Bauernbefreiung. Die nötigen Machtmittel zur Niederwerfung des Adels aber gewann der Popolo durch die anerkannten Organisationen der *Zünfte*. Die Zünfte waren von seiten der Kommunen von Anfang an für Verwaltungszwecke benutzt worden. Man hatte die Gewerbetreibenden teils für den Festungswachdienst, zunehmend aber auch für den Felddienst zu Fuß nach Zünften aufgeboten. Finanziell war mit dem Fortschritt der Kriegstechnik vor allem die Hilfe der Unternehmerzünfte zunehmend unentbehrlich geworden. Einen intellektuellen und verwaltungstechnischen Rückhalt aber gaben die Juristen, vor allem die Notare, vielfach auch die Richter und die ihnen nahestehenden fachgelehrten Berufe der Ärzte und Apotheker. Diese in den Kommunen regelmäßig zünftig organisierten intellektuellen Schichten gehörten überall führend zum popolo und spielten eine ähnliche Rolle wie in Frankreich innerhalb des tiers etat die Advokaten und andere Juristen; die ersten Volkscapitane waren regelmäßig vorher Vorsteher einer Zunft oder eines Verbandes von solchen gewesen. Die Mercadanza namentlich, ein zunächst unpolitischer Verband der Handels- und Gewerbetreibenden (denn mercatores bezeichnete auch hier, wie E. Salzer mit Recht betont hat, alle städtischen Gewerbetreibenden und Händler) war die normale Vorstufe der politischen Organisation des Popolo, ihr Vorsteher, der Podesta mercatorum, oft der erste Volkscapitan. Die ganze Entwicklung des Popolo aber bewegte sich zunächst in der Richtung eines organisierten Schutzes der Interessen der Popolanen vor den Gerichten und kommunalen Körperschaften und Behörden. Ausgangspunkt der Bewegung war regelmäßig die oft sehr weitgehende faktische Rechtsverweigerung gegenüber Nichtadligen. Nicht nur in Deutschland (wie für Straßburg überliefert) war es häufig, daß Lieferanten und Handwerker statt der geforderten Zahlung mit Prügeln bedacht wurden und dann kein Recht fanden. Noch mehr aber wirkten anscheinend die persönlichen Beschimpfungen und Bedrohungen von Popolanen durch den militärisch überlegenen Adel, welche überall immer erneut noch ein Jahrhundert nach der Bildung des Sonderverbandes wiederkehren. Das soziale Standesgefühl der Ritterschaft und das naturgemäße Ressentiment des Bürgertums stießen aufeinander. Die Entwicklung des Volkscapitanats knüpfte daher an eine Art von tribunizischem Hilfs- und Kontrollrecht gegenüber den Kommunalbehörden an, entwickelte sich von hier aus zur Kassationsinstanz und schließlich zu einer koordinierten universellen Amtsgewalt. Begünstigt wurde der Aufstieg des Popolo durch die Geschlechterfehden, welche eine Schädigung ökonomischer Interessen der Bürger und oft den ersten Anlaß des Eingreifens ihrer Beamten bedeuteten. Dazu trat der Ehrgeiz einzelner Adliger mit Hilfe des Popolo zu einer Tyrannis zu gelangen. Überall lebte der Adel in steter Besorgnis vor solchen Gelüsten. Überall aber gab die Gespaltenheit des Adels dem Popolo die Möglichkeit militärische Machtmittel eines Teiles der Ritterschaft in seine Dienste zu stellen. – Rein militärisch angesehen, war es die sich verbreitende Bedeutung der *Infanterie*, welche gegenüber der Ritterkavallerie hier erstmalig ihre Schatten vorauswarf. In Verbindung mit den Anfängen rationaler militärischer Technik: in den Florentiner Heeren des 14. Jahrhunderts finden sich erstmalig die „Bombarden", die Vorläufer der modernen Artillerie, erwähnt.

Äußerlich sehr ähnlich war nun in der *Antike* die Entwicklung des Demos und der Plebs. Vor allem in Rom, wo ganz entsprechend der Sondergemeinde des Popolo die Sondergemeinde der Plebs mit ihren Beamten entstand. Die Tribunen waren ursprünglich gewählte Vorsteher der nichtadligen Bürgerschaft der vier Stadtbezirke, die Ädilen, wie E. Meyer annehmen möchte, Verwalter des kultgenossenschaftlichen Heiligtums und zugleich Schatzhauses der nicht adeligen Bürgerschaft und im Zusammenhang damit Schatzmeister der Plebs. Die Plebs selbst konstituierte sich als eine Schwurverbrüderung, welche jeden niederzuschlagen gelobte, der ihren Tribunen bei der Wahrnehmung der Interessen der Plebejer in den Weg treten würde: dies bedeutete es, wenn der Tribun als sacro sanctus bezeichnet wurde im Gegensatz zu den legitimen Beamten der römischen

Gemeinde, ganz ebenso wie dem italienischen Volkscapitan normalerweise das dei gratia fehlte, welches die Beamten mit legitimer Gewalt, die consules, ihrem Namen noch beizusetzen pflegten.

Ebenso fehlte dem Tribunen die legitime Amtsgewalt und deren Merkmal: der Verkehr mit den Göttern der Gemeinde, die Auspicia, ebenso das wichtigste Attribut des legitimen Imperium: die legitime Strafgewalt, an deren Stelle er als Haupt der Plebs die Macht besaß, bei handfester Tat gegen jedermann, der ihn in seinen Amtshandlungen behinderte, eine Art von Lynchjustiz ohne Verfahren und Urteil durch Festnahme und Herabstürzen vom Tarpejischen Felsen zu vollziehen. Wie beim Capitan und den Ancianen, so entwickelte sich auch bei ihm seine spätere Amtsgewalt aus dem Recht, bei Amtsverhandlungen der Magistrate für Plebejer einzutreten und die Handlung zu inhibieren. Dieses Interzessionsrecht, das allgemeine negative Attribut der römischen Beamten gegen jede gleiche oder niedrigere Amtsgewalt war seine primäre Befugnis. Ganz wie beim Capitan entwickelte sich seine Macht von hier aus zu einer allgemeinen Kassationsinstanz und damit zur faktisch höchsten Gewalt innerhalb des städtischen Friedensbezirkes. Im Felde hatte der Tribun nichts zu sagen, hier herrschte das Kommando des Feldherrn unbeschränkt. Diese Beschränkung auf die Stadt im Gegensatz zu den alten Amtsgewalten ist für den spezifisch bürgerlichen Ursprung des Tribunen charakteristisch. Kraft dieser Kassationsgewalt allein haben die Tribunen alle politischen Errungenschaften der Plebs durchgesetzt: das Provokationsrecht gegen Kriminalurteile, die Milderung des Schuldrechts, die Rechtsprechung an den Markttagen im Interesse des Landvolks, die gleichmäßige Beteiligung an den Ämtern, zuletzt auch an den Priesterämtern und am Rat und schließlich auch die in italienischen Kommunen gelegentlich erreichte, in Rom durch die letzte Sezession der Plebs durchgesetzte Bestimmung des hortensischen Plebiszites: daß die Beschlüsse der Plebs die ganze Gemeinde binden sollten, im Resultat also die gleiche formale Zurücksetzung der Geschlechter wie im mittelalterlichen Italien. Nach diesem Austrag der älteren Ständekämpfe tritt die politische Bedeutung des Tribunats weit zurück. Ebenso wie der Capitan wurde jetzt der Tribun ein Beamter der Gemeinde, einrangiert sogar in die sich entwickelnde Ämterlaufbahn, nur gewählt von den Plebejern allein, deren historische Scheidung vom Patriziat praktisch fast bedeutungslos wurde und der Entwicklung des Amts- und Vermögensadels (Nobilität und Ritter) Platz machte. In den nun entstehenden Klassenkämpfen traten die alten politischen Befugnisse erst seit der Gracchenzeit noch einmal mächtig hervor als Mittel im Dienst der politischen Reformer und der ökonomischen Klassenbewegung der dem Amtsadel feindlichen politisch deklassierten Bürgerschaft. Dies Wiederaufleben führte dazu, daß schließlich die tribunizische Gewalt neben dem militärischen Kommando das lebenslängliche amtliche Attribut des Prinzeps wurde. Diese immerhin frappanten Ähnlichkeiten der mittelalterlichen italienischen mit der altrömischen Entwicklung finden sich trotz politisch, sozial und ökonomisch grundstürzender Unterschiede, von denen bald zu reden sein wird. Es stehen eben nicht beliebig viele verschiedene verwaltungstechnische Formen für die Regulierung von Ständekompromissen innerhalb einer Stadt zur Verfügung, und Gleichheiten der politischen Verwaltungsform dürfen daher nicht als gleiche Überbauten über gleiche ökonomische Grundlagen gedeutet werden, sondern haben ihre Eigengesetzlichkeit. Wir fragen nun noch: ob diese römische Entwicklung innerhalb der Antike selbst gar keine Parallele habe. Eine politische Sonderverbandsbildung wie die Plebs und der italienische Popolo findet sich sonst, soviel bekannt, in der Antike nicht. Wohl aber Erscheinungen innerlich verwandten Charakters. Schon im Altertum (Cicero) hat man die spartiatischen Ephoren als eine solche Parallelerscheinung angesprochen. Dies will freilich richtig verstanden werden.

Die Ephoren (Aufseher) waren, im Gegensatz zu den legitimen Königen, Jahresbeamte, und zwar wurden sie wie die Tribunen, durch die 5 lokalen Phylen der Spartiaten, nicht durch die gentilizischen 3 Phylen gewählt. Sie beriefen die Bürgerversammlung, hatten in Zivilsachen und (vielleicht nicht unbeschränkt) in Kriminalsachen die Gerichtsbarkeit, forderten selbst die Könige vor ihren Stuhl, zwangen Beamte zur Rechenschaftsablage und suspendierten sie, hatten die Verwaltung in der Hand und besaßen zusammen mit dem gewählten Rat der Gerusia innerhalb der spartanischen Gebiete faktisch die höchste politische Gewalt. Im Stadtgebiet waren die Könige auf Ehrenvorrechte und rein persönlichen Einfluß beschränkt, während im Kriege umgekehrt in ihren Händen die volle, in Sparta sehr strenge Disziplinargewalt ruhte. Wohl erst der Spätzeit gehört es an, daß Ephoren die Könige auch in den Krieg begleiteten. Nicht gegen die Qualität der Ephoren als einer tribunizischen Gewalt spricht, daß sie ursprünglich, angeblich noch nach dem ersten messenischen Kriege, vielleicht einmal von den Königen bestellt worden waren. Denn es ist sehr wohl möglich, daß dies ursprünglich auch für die Tribusvorsteher galt. Und ebenso auch nicht die allerdings gewichtigere Tatsache: daß die den Tribunen charakteristische und ihnen mit den mittelalterlichen Volkscapitanen gemeinsame Interzessionsfunktion bei den Ephoren fehlt. Denn nicht nur ist überliefert, daß sie dem Sinn ihrer Stellung nach ursprünglich die Bürger gegen die Könige zu schützen hatten. Sondern das spätere Fehlen dieser Funktion erklärt sich aus dem unbedingten Siege des spartanischen Demos über seine Gegner und daraus, daß er selbst sich in eine das ganze Land beherrschende, ursprünglich plebejische, später tatsächlich oligarchische Herrscherklasse verwandelt hatte. Ein Adel war in Sparta in historischer Zeit unbekannt. So bedingungslos die Polis ihre Herrenstellung über die Heloten, denen jährlich feierlich „der Krieg erklärt" wurde, um ihre Entrechtung religiös zu motivieren, und ebenso ihre politische Monopolstellung gegen die außerhalb des Wehrverbandes stehenden Periöken wahrte, so unbedingt herrschte nach innen, prinzipiell wenigstens, unter den Vollbürgern die soziale Gleichheit, beides gleichmäßig durch das an Venedig erinnernde Spionagesystem (krypteia) aufrechterhalten. Die Lakedämonier zuerst hatten nach der Tradition die gesonderte adlige Lebensführung in der Tracht beseitigt, die also vorher bestanden hat. Daß dies und die strenge Einschränkung der Königsgewalt Folge eines Kampfes und Kompromisses gewesen war, scheinen die gegenseitig ausgetauschten Eide der Könige und Ephoren, eine Art periodisch erneuerten Verfassungsvertrages, überzeugend zu beweisen. Bedenken erregt nur: daß die Ephoren anscheinend einzelne religiöse Funktionen versahen. Aber sie waren eben noch mehr als die Tribunen legitime Gemeindebeamte geworden. Die entscheidenden Züge der spartanischen Polis machen viel zu sehr den Eindruck einer rationalen Schöpfung, um als Reste uralter Institutionen zu gelten.

In den übrigen hellenischen Gemeinden findet sich eine Parallele nicht. Überall dagegen finden wir eine demokratische Bewegung der nichtadligen Bürger gegen die Geschlechter und in einem der Zahl nach überwiegenden Bruchteile zeitweilige und dauernde Beseitigung der Geschlechterherrschaft. Wie im Mittelalter bedeutete diese weder die Gleichstellung aller Bürger in bezug auf Amts-, Ratsfähigkeit und Stimmrecht noch auch nur die Aufnahme aller persönlich freien und siedlungsberechtigten Familien in den Bürgerverband. Dem Bürgerverband gehörten, im Gegensatz zu Rom, die Freigelassenen überhaupt nicht an. Die Gleichstellung der Bürger aber war durch Abstufung des Stimmrechts und der Amtsfähigkeit, anfänglich nach Grundrenten und Wehrfähigkeit, später nach Vermögen, durchbrochen. Diese Abstufung ist auch in Athen rechtlich niemals ganz beseitigt worden, ebensowenig wie die besitzlosen Schichten in den mittelalterlichen Städten irgendwo dauernd zu gleichem Recht mit dem Mittelstand gelangten.

Das Stimmrecht in der Volksversammlung wurde entweder allen den Demoi angeschlossenen, in den Wehrverband einer Phratrie eingeschriebenen Grundbesitzern – dies war das erste Stadium der „Demokratie" – oder auch den Besitzern anderer Vermögensobjekte gegeben. Entscheidend war zunächst die Fähigkeit zur infanteristischen Selbstausrüstung für das *Hoplitenheer*, mit dessen Aufstieg diese Umwälzung verknüpft war. Wir werden bald sehen, daß die bloße Abstufung des Stimmrechts keineswegs das wichtigste Mittel war diesen Effekt zu erreichen. Wie im Mittelalter konnte die formale Zusammensetzung der Bürgerversammlung geordnet sein wie sie wollte und ihre formale Kompetenz noch so ausgiebig bemessen sein, ohne daß doch die soziale Machtstellung der Besitzenden dadurch endgültig vernichtet worden wäre. In ihren Ergebnissen führte die Bewegung des Demos im Verlauf der Entwicklung zu untereinander verschiedenartiger Gestaltung. Der nächste und in manchen Fällen dauernde Erfolg war die Entstehung einer Demokratie äußerlich ähnlicher Art, wie sie auch in zahlreichen italienischen Kommunen auftrat. Die vermögendste Schicht der nichtadligen Bürger, nach irgendeinem Zensus eingeschätzt, im wesentlichen Besitzer von Geld, und Sklaven, Ergasterien, Schiffen, Handels- und Leihkapitalien, gewann Anteil an Rat und Ämtern neben den wesentlich auf Grundbesitz gestützten Geschlechtern. Die Masse der Kleingewerbetreibenden, Kleinhändler und Minderbesitzer überhaupt blieb dann von den Ämtern rechtlich oder infolge ihrer Unabkömmlichkeit faktisch ausgeschlossen, oder die Demokratisierung ging weiter und legte im Ergebnis grade diesen letztgenannten Schichten die Macht in die Hände. Damit dies geschehen konnte, mußten aber Mittel gefunden werden, die ökonomische Unabkömmlichkeit dieser Schichten zu beheben, wie dies in Gestalt von Tagegeldern geschah und der Ämterzensus mußte herabgesetzt werden. Dies und die faktische Nichtbeachtung der Klassenabstufung des Demos war aber nur der erst im 4. Jahrhundert erreichte Endzustand der attischen Demokratie. Er trat erst ein, als die *militärische* Bedeutung des Hoplitenheeres fortgefallen war.

Die wirklich wichtige Folge des ganzen oder teilweisen Sieges der Nichtadligen für die Struktur des politischen Verbandes und seiner Verwaltung beruhte in der ganzen Antike in folgendem: 1. bedeutete sie die zunehmende Durchführung des *Anstalts*charakters des politischen Verbandes. Einmal in Gestalt der Durchführung des Ortsgemeindeprinzips. Wie im Mittelalter für die Masse der Stadtbürger schon unter der Geschlechterherrschaft die Einteilung in örtliche Stadtbezirke gegolten hatte und der Popolo seine Beamten wenigstens teilweise nach Stadtvierteln wählte, so hatte auch die antike Geschlechterstadt für die nichtadligen Plebejer, vor allem für die Fronen und Lastenverteilung, örtliche Bezirke gekannt. In Rom, neben den 3 alten, persönlichen, aus Sippen und Kurien zusammengesetzten Tribus, 4 ebenso genannte rein lokale städtische Bezirke, denen mit dem Siege der Plebs die Landtribus zur Seite traten, in Sparta neben den alten 3 persönlichen Phylen die 4, später 5 lokalen Phylen. Im Bereich der eigentlichen Demokratie aber war der Sieg der Demokratie identisch mit dem Übergang zum „Demos", dem örtlichen Bezirk, als Unterabteilung des ganzen Gebietes und Grundlage aller Rechte und Pflichten in der Polis. Wir werden die praktische Bedeutung dieser Wandlung bald zu betrachten haben. Ihre Folge aber war die Behandlung der Polis nicht mehr als einer Verbrüderung von Wehr- und Geschlechterverbänden, sondern als einer anstaltsmäßigen Gebietskörperschaft. Anstaltsmäßig wurde sie ferner auch durch die Änderung der Auffassung von der Natur des Rechts. Das Recht wurde Anstaltsrecht für die Bürger und Insassen des Stadtgebiets als solcher – mit welchen Rückständen, sahen wir früher – und es wurde zugleich zunehmend rational gesatztes Recht. An Stelle der irrationalen charismatischen Judikatur trat das Gesetz. Parallel mit der Beseitigung der Geschlechterherrschaft begann die Gesetzgebung. Zunächst hatte sie noch die Form charismatischer Satzung durch Aisymneten. Dann aber erwuchs die ständige, schließlich dauernd im Fluß befindliche Schaffung neuen Rechts durch die Ekklesia und die rein weltliche, an Gesetze oder, in Rom, an magistratische Instruktionen gebundene Rechtspflege. In Athen wurde schließlich alljährlich die Frage an das Volk gerichtet: ob die bestehenden Gesetze erhalten oder geändert werden sollten. So sehr verstand es sich jetzt von selbst, daß das geltende Recht etwas künstlich zu schaffendes sei und sein müsse und auf der Zustimmung derjenigen beruhe, für die es gelten solle. In der klassischen Demokratie freilich, z. B. in Athen im 5. und 4. Jahrhundert, war diese Auffassung noch nicht unbedingt herrschend. Nicht jeder Beschluß (psephisma) des Demos war ein Gesetz (nomos), auch dann nicht, wenn er generelle Regeln aufstellte. Es gab gesetzwidrige Beschlüsse des Demos und diese waren dann vor dem Geschworenengericht (heliaia) durch jeden Bürger anfechtbar. Ein Gesetz ging (wenigstens damals) nicht aus Beschlüssen des Demos hervor. Sondern auf Grund des Gesetzesantrags eines Bürgers wurde vor einem besonderen Geschworenenkollegium (den Nomotheten) in der Form eines Rechtsstreites darüber verhandelt: ob das alte oder das neu vorgeschlagene Recht zu gelten habe; ein eigenartiger Rest der alten Auffassung vom Wesen des Rechts, welcher erst spät schwand. Den ersten entscheidenden Schritt aber zu der Auffassung des Rechts als einer rationalen Schöpfung bedeutete in Athen die Abschaffung der religiösen und adligen Kassationsinstanz: des Areiopag durch das Gesetz des Ephialtes.

2. Die Entwicklung zur Demokratie führte eine Umgestaltung der Verwaltung herbei. An Stelle der kraft Gentil- oder Amtscharisma herrschenden Honoratioren traten kurzfristig gewählte oder erloste verantwortliche und zuweilen absetzbare Funktionäre des Demos oder auch unmittelbar Abteilungen dieses letzteren selbst. Jene Funktionäre waren Beamte, aber nicht im modernen Sinne des Wortes. Sie bezogen lediglich mäßige Aufwandsentschädigungen oder wie die erlosten Geschworenen Tagegelder. Dies, die Kurzfristigkeit des Amts, und das sehr häufige Verbot der Wiederwahl schloß die Entstehung des Berufscharakters im Sinne des modernen Beamtentums aus. Es fehlten Ämterlaufbahn und Standesehre. Die Erledigung der Geschäfte erfolgte als Gelegenheitsamt. Sie nahm bei der Mehrzahl der Beamten nicht die volle Arbeitskraft in Anspruch und die Einnahmen waren auch für Unbemittelte nur ein, für diese allerdings begehrenswerter, Nebenerwerb. Die großen politischen Amtsstellungen freilich, vor allem die militärischen, nahmen die Arbeitskraft voll in Anspruch, konnten aber eben deshalb auch nur von Vermögenden versehen werden, und für die Finanzbeamten war in Athen statt unsrer Amtskautionen ein hoher Zensus vorgesehen. Diese Stellungen aber waren der Sache nach Ehrenämter. Der eigentliche Leiter der Politik, den die voll durchgeführte Demokratie schuf: der Demagoge, war formal im perikleischen Athen regelmäßig der leitende Militärbeamte. Aber seine wirkliche Machtstellung beruhte nicht auf Gesetz oder Amt, sondern durchaus auf persönlichem Einfluß und Vertrauen des Demos. Sie war also nicht nur nicht legitim, sondern nicht einmal legal, obwohl die ganze Verfassung der Demokratie auf sein Vorhandensein ebenso zugeschnitten war wie etwa die moderne Verfassung Englands auf die Existenz des gleichfalls nicht kraft gesetzlicher Kompetenz regierenden Kabinetts. Dem ebenfalls nie gesetzlich festgelegten Mißtrauensvotum des englischen Parlaments entsprach in anderen Formen die Anklage gegen die Demagogen wegen Mißleitung des Demos. Der durch das Los zusammengesetzte Rat wurde jetzt ebenfalls ein einfacher geschäftsführender Ausschuß des Demos, verlor die Gerichtsbarkeit, hatte dagegen die Vorbera-

tung der Volksbeschlüsse (durch Probuleuma) und die Finanzkontrolle in der Hand.

In den *mittelalterlichen* Städten hatte die Durchführung der Herrschaft des Popolo ähnliche Konsequenzen. Massenhafte Redaktionen von Stadtrechten, Kodifikation des bürgerlichen und Prozeßrechtes, eine wahre Überflutung mit Statuten aller Art auf der einen Seite, auf der anderen eine ebenso große Überflutung mit Beamten, von denen man selbst in kleineren Städten Deutschlands zuweilen 4-5 Dutzend Kategorien zählte. Und zwar neben dem Kanzlei- und Büttelpersonal auf der einen und den Bürgermeistern auf der anderen Seite eine ganze Schar spezialisierter Funktionäre, welche lediglich gelegenheitsamtlich tätig wurden und für welche die Amtseinkünfte, dem Schwerpunkt nach Sporteln, nur einen begehrenswerten Nebenerwerb bildeten. Den antiken wie den mittelalterlichen Städten, wenigstens den Großstädten, gemeinsam war ferner die Erscheinung, daß zahlreiche Angelegenheiten, welche heute in gewählten Repräsentantenversammlungen behandelt zu werden pflegen, durch gewählte oder erloste Spezialkollegien erledigt wurden. So in der hellenischen Antike die Gesetzgebung, daneben aber auch andere politische Geschäfte, in Athen z. B. die Eidesleistung bei Bundesverträgen und die Verteilung der Bundesgenossentribute. Im Mittelalter sehr oft die Wahl sowohl von Beamten, und zwar gerade der wichtigsten, ebenso aber zuweilen die Zusammensetzung der wichtigsten beschließenden Kollegien. Dies ist eine Art von Ersatz für das moderne Repräsentativsystem, welches, in moderner Form, damals nicht existierte. „Repräsentanten" gab es, dem überkommenen ständischen und Privilegiencharakter aller politischen Rechte entsprechend, nur als Vertreter von Verbandseinheiten, in der antiken Demokratie von kultisch oder staatlich, eventuell bundesstaatlich, zusammengeschlossenen Gemeinschaften, im Mittelalter von Zünften und anderen Korporationen. Nur *Sonderrechte* von *Verbänden* wurden „vertreten", nicht aber: eine wechselnde „Wählerschaft" eines Bezirks, wie im modernen Proletariat.

Den antiken wie den mittelalterlichen Städten gemeinsam ist endlich auch das Auftreten der *Stadttyrannis* oder doch der Versuche zur Errichtung einer solchen. Zwar war sie in beiden Fällen eine lokal beschränkte Erscheinung. Im hellenischen Mutterland ergriff sie im 7. und 6. Jahrhundert nacheinander eine Reihe von großen Städten, darunter Athen, hat aber nur wenige Generationen bestanden. Die Stadtfreiheit ging hier im allgemeinen erst durch Unterwerfung von seiten überlegener Militärmächte zugrunde. Dagegen war ihre Verbreitung im Kolonialgebiet: in Kleinasien, vor allem aber in Sizilien, dauerhafter und teilweise die definitive Form des Stadtstaates bis zu dessen Untergang. Die Tyrannis war überall Produkt des Ständekampfes. Vereinzelt, so in Syrakus, scheinen die vom Demos bedrängten Geschlechter einem Tyrannen zur Herrschaft verholfen zu haben. Im ganzen aber waren es Teile des Mittelstandes und der von den Geschlechtern Bewucherten, auf die er sich stützte und seine Gegner die Geschlechter, die er verbannte, deren Güter er konfiszierte und die seinen Sturz betrieben. Der typische antike Klassengegensatz: die stadtsässigen wehrhaften Patrizier als Geldgeber, die Bauern als Schuldner, wie er bei den Israeliten und in Mesopotamien ganz ebenso bestand wie in der griechischen und italischen Welt, kam darin zur Geltung. In Babylon ist das gelobte Land fast ganz in den Besitz der Patrizier gelangt, deren Kolonen die Bauern geworden waren. In Israel war die Schuldknechtschaft Gegenstand der Regelung im „Bundesbuch". Alle Usurpatoren von Abimelech bis Judas Makkabäus stützten sich auf flüchtige Schuldknechte, die Verheißung des Deuteronomiums geht dahin: daß Israel „Jedermann leihen", d. h. daß die Bürger Jerusalems Schuldherrn und Patrizier, die andern eben ihre Schuldknechte und Bauern sein werden. Ähnlich lagen die Klassengegensätze in Hellas und Rom. Die einmal in der Macht befindliche Tyrannis hat in der Regel die kleinen Bauern, eine mit ihnen politisch verbündete Koterie des Adels und Teile der städtischen Mittelklassen für sich gehabt. In der Regel stützte sie sich auf Leibwachen, deren Bewilligung für den Volksführer die durch die Bürgerschaft hier (z. B. bei Peisistratos) ebenso wie beim Volkscapitan des Mittelalters meist der erste Schritt war, und Söldner. In sachlicher Hinsicht betrieb sie sehr oft eine ähnliche ständische Ausgleichspolitik wie die des „Aisymneten" (Chacrudas, Solon). Zwischen der Neuordnung des Staats und Rechtes durch diese und der Erhebung eines Tyrannen bestand augenscheinlich oft eine Alternative. Die soziale und ökonomische Politik sowohl der einen wie der anderen sucht, wenigstens im Mutterlande, den Verkauf von Bauernland an den stadtsässigen Adel und die Zuwanderung der Bauern in die Stadt zu verhindern, hie und da den Sklavenankauf, den Luxus, den Zwischenhandel, die Getreideausfuhr zu beschränken, alles Maßregeln, welche wesentlich eine kleinbürgerliche, „stadtwirtschaftliche" Politik bedeuteten entsprechend der „Stadtwirtschaftspolitik" der mittelalterlichen Städte, von der wir noch zu sprechen haben werden.

Überall fühlten sich die Tyrannen und galten sie als spezifisch *illegitime* Herren. Dies unterschied ihre ganze Stellung, die religiöse wie die politische, vom alten Stadtkönigtum. Regelmäßig waren sie Beförderer neuer emotionaler Kulte, so namentlich des Dionysoskults, im Gegensatz zu den ritualistischen Kulten des Adels. In aller Regel suchten sie die äußeren Formen einer kommunalen Verfassung, also den Anspruch der Legalität, zu wahren. Regelmäßig hinterließ ihr Regiment bei seinem Sturze die Geschlechter geschwächt und daher genötigt, die nur durch Mithilfe der Nichtadligen mögliche Vertreibung des Tyrannen durch weitgehende Konzessionen an den Demos zu erkaufen. Die kleisthenische Mittelstandsdemokratie schloß sich an die Vertreibung der Peisistratiden an. Stellenweise hat freilich auch eine Kaufmannsplutokratie die Tyrannen abgelöst. Im Effekt wirkte diese Tyrannis, welche durch *ökonomische* Klassengegensätze begünstigt war, wenigstens im Mutterland im Sinne des timokratischen oder demokratischen Ständeausgleichs, dessen Vorläufer sie häufig war. Die gelungenen oder mißlungenen Versuche der Errichtung einer Tyrannis in der hellenischen Spätzeit dagegen wuchsen aus der Eroberungspolitik des Demos heraus. Sie hingen mit dessen später zu besprechenden *militärischen* Interessen zusammen. Siegreiche Heerführer wie Alkibiades und Lysandros erstrebten sie. Im hellenischen Mutterland blieben diese Versuche bis in die hellenistische Zeit erfolglos und zerfielen auch die militärischen Reichsbildungen des Demos aus später zu erörternden Gründen. In Sizilien dagegen wurde sowohl die alte expansive Seepolitik im tyrrhenischen Meer wie später die nationale Verteidigung gegen Karthago von Tyrannen geführt, welche auf Soldheere neben den Bürgeraufgeboten gestützt, mit äußerst rücksichtslosen Maßregeln orientalischen Gepräges: massenhaften Zwangseinbürgerungen von Söldnern und Umsiedlungen unterworfener Bürgerschaften, eine interlokale Militärmonarchie schufen. Rom endlich, wo in altrepublikanischer Zeit die Anläufe zur Tyrannis gescheitert waren, verfiel im Gefolge der Eroberungspolitik aus sozialen und politischen Gründen der Militärmonarchie von innen heraus, wovon ebenfalls gesondert zu sprechen sein wird.

Im *Mittelalter* blieb die Stadttyrannis wesentlich, wenn auch nicht ganz, auf Italien beschränkt. Die italienische *Signorie*, auf welche Ernst Meyer als Parallele der antiken Tyrannis hinweist, hat mit dieser das gemein: daß sie überwiegend in der Hand einer begüterten Familie und im Gegensatz gegen die eigenen Standesgenossen entstand, daß sie ferner, als erste politische Macht in Westeuropa, eine rationale Verwaltung mit (zunehmend) *ernannten Beamten* durchführte, und daß sie dabei doch meist gewisse Formen der übernommenen kommunalen Verfassung aufrechterhielt. Aber im übrigen treten hier wichtige Unterschiede zutage. Namentlich insofern, als sich zwar das direkte Herauswachsen einer Signorie aus dem Ständekampf häufig findet, oft aber auch die Signorie erst am Ende der Entwicklung nach dem Siege des Popolo und zuweilen erst erhebliche Zeit nachher entstand. Ferner darin, daß sie meist aus den legalen Ämtern des Popolo heraus sich entwickelte, während in der hellenischen Antike gerade die Stadttyrannis nur eine der Zwischenerscheinungen zwischen der Geschlechterherrschaft und der Timokratie oder Demokratie darstellte. Die formale Entwicklung der Signorien vollzog sich verschieden, wie namentlich E. Salzer gut dargelegt hat. Eine ganze Reihe von Signorien entstand ganz direkt als Produkt der Revolten des Popolo aus den neuen Popolanenämtern. Der Volkscapitan oder der Podesta der Merkadanza oder auch der Podesta der Kommune wurden vom Popolo auf zunehmend längere Amtsfristen oder auch auf Lebenszeit gewählt. Solche langfristigen höchsten Beamten finden sich schon um die Mitte des 13. Jahrhunderts in Piacenza, Parma, Lodi, Mailand. In der letztgenannten Stadt wurde die Herrschaft der Visconti ebenso wie die der Scaliger in Verona und der Este in Mantua schon Ende des 13. Jahrhunderts faktisch erblich. Neben der Entwicklung zur Lebenslänglichkeit und der zuerst faktischen, später rechtlichen, Erblichkeit ging die Erweiterung der Machtbefugnisse des höchsten Beamten her. Von einer arbiträren rein politischen Strafgewalt aus entwickelte sie sich zur Generalvollmacht (arbitrium generale), konkurrierend mit dem Rat und der Gemeinde beliebige Verfügungen zu treffen, schließlich zum dominium mit dem Recht die Stadt libero arbitrio zu regieren, die Ämter zu besetzen und Verordnungen mit Gesetzeskraft zu erlassen. Die Maßregel hatte zwei verschiedene, freilich der Sache nach oft identische politische Quellen. Einmal die Parteiherrschaft als solche. Vor allem die stetige Bedrohung des ganzen politischen und damit indirekt des ökonomischen, namentlich auch des Bodenbesitzstandes durch die unterlegene Partei. Speziell die kriegsgewohnten Geschlechter und die Angst vor Verschwörungen nötigten zur Einsetzung unumschränkter Parteihäupter. Dann die auswärtigen Kriege, die Bedrohung mit Unterwerfung durch Nachbarkommunen oder andere Gewalthaber. Wo dies der wesentliche Grund war, war meist die Schaffung eines außerordentlichen Militärkommandos: der Kriegscapitanat, übertragen entweder einem fremden Fürsten oder einem Condottiere, die Quelle der Signorie und nicht die Parteiführerstellung des Volkscapitans. Dabei konnte die Ergebung der Stadt in das dominium eines Fürsten zum Zweck des Schutzes gegen äußere Bedrohung in einer Art erfolgen, welche die Befugnisse des dominus sehr eng begrenzte. Innerhalb der Stadt waren es die von der aktiven Beteiligung an der Verwaltung faktisch ausgeschlossenen breiten unteren Schichten der Gewerbetreibenden, welche der Gewalthaber am leichtesten für sich zu gewinnen pflegte, teils weil für sie der Wechsel keinen Verlust bedeutete und die Entstehung eines Herrenhofes ökonomische Vorteile versprach, teils infolge der emotionalen Zugänglichkeit der Massen für persönliche Machtentfaltung. In aller Regel haben daher die Aspiranten auf die Signorie die Parlamente als Instanz für die Gewaltübertragung benutzt. Aber je nach den Umständen haben gelegentlich auch die Geschlechter oder die Kaufmannschaft, bedroht durch politische oder ökonomische Gegner, zu dem Mittel der signorie gegriffen, welches zunächst nirgends als die dauernde Errichtung einer Monarchie angesehen wurde. Städte wie Genua haben wiederholt mächtigen Monarchen, in deren dominium sie sich begaben, sehr beengende Bedingungen, vor allem: begrenzte Wehrmacht, fest begrenzte Geldzahlungen auferlegt und sie gelegentlich ihrer Stellung entsetzt. Gegenüber auswärtigen Monarchen, z. B. dem König von Frankreich von seiten Genuas, gelang dies. Allein gegenüber einem in der Stadt einmal ansässig gemachten Signore gelang es schwer. Und vor allem kann man beobachten, daß sowohl die Kraft wie auch die Neigung zum Widerstand bei den Bürgern im Lauf der Zeit abnahm. Die Signoren stützten sich auf Soldheere und zunehmend auch auf Verbindungen mit den legitimen Autoritäten. Nach der gewaltsamen Unterwerfung von Florenz mit Hilfe spanischer Truppen war die erbliche Signorie außer in Venedig und Genua in Italien die definitiv durch kaiserliche und päpstliche Anerkennung legitimierte Staatsform. Jener abnehmende Widerstand der Bürgerschaft aber erklärt sich zunächst aus einer Reihe von Einzelumständen: der Hofstaat des Signore schuf beim Adel und Bürgertum wie überall so auch hier mit steigender Dauer zunehmende Schichten von Interessenten, soziale und ökonomische, an seinem Fortbestande. Die steigende Sublimierung der Bedürfnisse und die abnehmende ökonomische Expansion bei steigender Empfindlichkeit der ökonomischen Interessen der bürgerlichen Oberschichten gegen Störungen des befriedeten Verkehrs, ferner das allgemeine mit zunehmender Konkurrenz und wachsender ökonomischer und sozialer Stabilität abnehmende Interesse der Gewerbetreibenden an politischer Aspiration und ihre dadurch erklärliche Zuwendung zu reinen Erwerbszwecken oder friedlichem Rentengenuß und die allgemeine Politik der Fürsten, welche beide Entwicklungen im eigenen Vorteil förderten, führten zu einem rapiden Nachlassen des Interesses am politischen Schicksal der Stadt. Überall konnten sowohl die großen Monarchien, wie etwa das französische Königtum, wie die Signoren der einzelnen Städte auf das Interesse der Unterschichten an Befriedung der Stadt und an Regelung des Erwerbs im Sinne kleinbürgerlicher Nahrungspolitik rechnen. Die französischen Städte sind von den Königen mit Hilfe dieser Interessen der Kleinbürger unterworfen worden und in Italien haben ähnliche Tendenzen die Signorie gestützt. Wichtiger als alles aber war ein wesentlich politisches Moment: die Befriedung der Bürgerschaft durch ihre ökonomische Inanspruchnahme und Entwöhnung vom Waffendienst und die planmäßige Entwaffnung von seiten des Fürsten. Zwar war diese nicht immer von Anfang an ein Bestandteil der Politik der Fürsten, manche von ihnen haben im Gegenteil gerade erst rationale Rekrutierungssysteme geschaffen. Aber entsprechend dem allgemeinen Typus patrimonieller Heeresbildung waren diese oder wurden sie bald zu einer Aushebung der Unbemittelten und also dem republikanischen Bürgerheere wesensfremd. Vor allem aber hatte der Übergang zum Soldheer und zur kapitalistischen Deckung des Militärbedarfes durch Unternehmer (Condottieri) bedingt durch steigende Unabkömmlichkeit der Bürger und steigende Notwendigkeit der berufsmäßigen Schulung für den Waffendienst den Fürsten weitgehend vorbereitet. Schon in den Zeiten des Bestandes der freien Kommunen hatte dies der Befriedung und Entwaffnung der Bürger stark vorgearbeitet. Dazu trat dann die persönliche und politische Verbindung der Fürsten mit den großen Dynastien, deren Macht gegenüber dem Bürgeraufstand aussichtslos wurde. Es waren also in letzter Instanz die uns in ihrer allgemeinen Bedeutung bekannten Umstände: zunehmende ökonomische Unabkömmlichkeit der Erwerbenden, zunehmende militärische Disqualifikation der gebildeten Schichten des Bürgertums und zunehmende Rationalisierung der Militärtechnik in der Richtung des Berufsheeres, welche in Verbindung mit der Entwicklung ökonomisch oder sozial höfisch interessierter Adels-, Rentner- und Pfründnerstände der Signorie die Chancen gaben zu einem erblichen patrimonialen Fürstentum sich auszuwachsen. Wurde sie dies, so trat sie damit in den Kreis der legitimen Gewalten ein.

Die Politik der Signorien zeigt nun vor allem in einem Punkte, der hier allein interessiert, eine ihnen mit den antiken Tyrannen gemeinsame Tendenz: in der Sprengung der politischen und ökonomischen Monopolstellung der Stadt gegenüber dem platten Lande. Die Landbevölkerung war es sehr oft, mit deren Hilfe – wie in der Antike – der Gewalthaber die Übertragung der Herrschaft erzwang (so 1328 in Pavia). Die freie Stadtbürgerschaft hatte nach dem Sieg über die

Geschlechter sehr oft im eigenen und politischen Interesse die Grundherrschaft gesprengt, die Bauern befreit und die freie Bewegung des
Bodens zum kaufkräftigsten Reflektanten gefördert. Der Erwerb
massenhaften Grundbesitzes aus den Händen der Feudalherren durch
die Bürger und z. B. der Ersatz der Fronhofsverfassung durch die
Mezzadria in Toscana – ein auf das Nebeneinander eines vorwiegend
stadtsässigen, mit dem Lande nur durch Villeggiaturen verknüpften
Herren und seiner landsässigen Teilpächter zugeschnittenes Institut –
vollzog sich im Gefolge der Herrschaft des Popolo grasso. Von jeglicher Teilnahme an der politischen Gewalt aber war die Landbewoh-
nerschaft ausgeschlossen, auch soweit sie aus freibäuerlichen Eigen-
tümern bestand. Wie die Mezzadria privatwirtschaftlich, so war die
Stadtpolitik dem Lande gegenüber organisatorisch auf städtische
Konsumenteninteressen und nach dem Siege der Zünfte auf städtische Produzenteninteressen zugeschnitten. Die Fürstenpolitik hat
dies keineswegs sofort und überhaupt nicht überall geändert. Die berühmte physiokratische Politik des großen Herzogs Leopold von Toscana im 18. Jahrhundert war beeinflußt durch bestimmte naturrechtliche Anschauungen und nicht in erster Linie agrarische Interessenpo-
litik. Allein in jedem Fall war die im ganzen auf Interessenausgleich
und Vermeidung von schroffen Kollisionen hingewiesene Politik der
Fürsten jedenfalls nicht mehr die Politik einer das Land lediglich als
Mittel zum Zweck benutzenden Stadtbürgerschaft.

Die Herrschaft der Stadtfürsten war mehrfach und schließlich
überwiegend Herrschaft über mehrere Städte. Keineswegs aber war
dabei die Regel, daß aus diesen bisher selbständigen Stadtterritorien
nun ein im modernen Sinne einheitlicher staatlicher Verband geschaffen worden wäre. Im Gegenteil haben die verschiedenen zur Herrschaft eines Herren zusammengeschlossenen Städte nicht selten nach
wie vor durch Gesandte miteinander zu verkehren das Recht und
auch den Anlaß gehabt. Ihre Verfassung wurde keineswegs regelmäßig vereinheitlicht. Sie wurden nicht zu Gemeinden, welche kraft De-
legation des Staates einen Teil von dessen Aufgaben erfüllten. Diese
Entwicklung hat sich vielmehr erst allmählich und parallel mit der
gleichartigen Umgestaltung der großen modernen Patrimonialstaaten
vollzogen. Ständische Vertretungen, wie sie namentlich das sizilianische Reich schon im Mittelalter, aber auch andere alte patrimoniale
Monarchien kannten, fehlten den aus Stadtterritorien entstandenen
Herrschaftsgebilden meist gänzlich. Die wesentlichen organisatori-
schen Neuerungen waren vielmehr: 1. Das Auftreten der herrschaftlichen, auf unbestimmte Zeit angestellten Beamten neben den kurz-

fristig gewählten Kriminalbeamten; 2. die Entwicklung kollegialer Zentralbehörden vor allem für Finanz- und Militärzwecke. Dies war allerdings ein wichtiger Schritt auf dem Wege der Rationalisierung der Verwaltung. Technisch besonders rational konnte die stadtfürstliche Verwaltung deshalb gestaltet werden, weil viele Kommunen in ihrem eigenen finanziellen und militärischen Interesse statistische Grundlagen dafür in einem sonst nicht üblichen Grade geschaffen hatten und weil die Kunst der Buch- und Aktenführung von den Bankhäusern der Städte technisch entwickelt war. Im übrigen wirkte bei der unzweifelhaften Rationalisierung der Verwaltung wohl mehr das Beispiel Venedigs auf der einen Seite, das sizilianische Reich auf der anderen Seite und zwar wohl mehr durch Anregung als durch Übernahme.

Der Kreislauf der italienischen Städte von Bestandteilen patrimonialer oder feudaler Verbände durch eine Zeit revolutionär errungener Selbständigkeits- und eigenständiger Honoratiorenherrschaft, dann der Zunftherrschaft hindurch zur Signorie und schließlich zu Bestandteilen relativ rationaler patrimonialer Verbände hat in dieser Art kein volles Gegenbild im übrigen Okzident. Vor allem fehlt ein solches für die Signorie, die nur in ihrem Vorstadium, dem Volkskapitanat, in einigen der machtvollsten Bürgermeister nördlich der Alpen Parallelen hat. Dagegen war die kreisläufige Entwicklung in einem Punkt allerdings universell: die Städte waren in der Karolingerzeit nichts oder fast nichts als Verwaltungsbezirke mit gewissen Eigentümlichkeiten der ständischen Struktur, und sie näherten sich im modernen patrimonialen Staat dieser Lage wiederum stark an und zeichneten sich nur durch korporative Sonderrechte aus. In der Zwischenzeit aber waren sie in irgendeinem Grade überall „Kommunen" mit politischen Eigenrechten und autonomer Wirtschaftspolitik. Ähnlich verlief nun auch die Entwicklung in der Antike. Und doch ist weder der moderne Kapitalismus noch der moderne Staat auf dem Boden der antiken Städte gewachsen, während die mittelalterliche Stadtentwicklung für beide zwar keineswegs die allein ausschlaggebende Vorstufe und gar nicht ihr Träger war, aber als ein höchst entscheidender Faktor ihrer Entstehung allerdings nicht wegzudenken ist. Trotz aller äußerlichen Ähnlichkeiten der Entwicklung müssen danach doch auch tiefgreifende *Unterschiede* festzustellen sein. Diesen müssen wir uns nun zuwenden. Wir werden am ehesten die Chance haben, sie zu erkennen, wenn wir die beiderseitigen Städtetypen in ihren charakteristischsten Formen einander gegenüberstellen. Dazu müssen wir uns aber zunächst klar machen, daß auch innerhalb der mittelalterlichen Städte sehr starke, von uns vorerst nur in einigen

Punkten beobachtete Strukturunterschiede obwalten. Zunächst aber verdeutlichen wir uns noch einmal die *Gesamtlage* der mittelalterlichen Städte zu jener Zeit ihrer höchsten Selbständigkeit, welche uns hoffen läßt, ihre spezifischen Züge am vollsten entwickelt zu finden.

Während der Höhezeit der Stadtautonomie bewegten sich die Errungenschaften der Städte untereinander in außerordentlicher Vielgestaltigkeit in folgenden Richtungen:

1. Politische Selbständigkeit und, teilweise, um sich greifende Außenpolitik, derart, daß das Stadtregiment dauernd eigenes Militär hielt, Bündnisse schloß, große Kriege führte, große Landgebiete und unter Umständen andere Städte in voller Unterwerfung hielt, überseeische Kolonien erwarb. Dies ist, was überseeische Kolonien anlangt, dauernd nur zwei italienischen Seestädten, was die Gewinnung großer Territorien und internationaler politischer Bedeutung anlangt, einigen Kommunen im nördlichen und mittleren Italien und in der Schweiz zeitweise gelungen, in weit geringerem Maß den flandrischen und einem Teil der norddeutschen Hansestädte und wenigen anderen. Dagegen die süditalienischen und sizilianischen, nach kurzem Intermezzo die spanischen, nach längerem die französischen, von Anfang an die englischen Städte und die deutschen, mit Ausnahme namentlich der erwähnten nordischen und flandrischen Städte und einiger schweizerischen und süddeutschen, nur während des kurzen Intermezzos der Städtebünde auch eines größeren Teils der westdeutschen, kannten ein über die unmittelbare ländliche Umgebung und einige Kleinstädte hinausreichendes politisches Herrschaftsgebiet im allgemeinen nicht. Sehr viele von ihnen haben zwar dauernd Stadtsoldaten gehalten (so noch spät in Frankreich), oder sie haben – und das war die Regel – eine auf der Wehrpflicht der Stadtinsassen ruhende Bürgermiliz gehabt, welche ihre Mauern verteidigte, und zeitweilig die Kraft besaß, im Bunde mit anderen Städten den Landfrieden durchzusetzen, Räuberburgen zu brechen und in inneren Fehden des Landes Partei zu ergreifen. Aber eine internationale Politik, wie die italienischen und die Hansestädte, haben sie dauernd nirgends zu treiben versucht. Sie haben meist, je nachdem zu den ständischen Vertretungen des Reichs oder zu denen des Territorialgebiets Vertreter geschickt und dann nicht selten, infolge ihrer finanziellen Potenz, auch bei formal untergeordneter Stellung, die maßgebende Stimme darin gewonnen: Das größte Beispiel dafür sind die englischen Commons, die freilich nicht sowohl eine Vertretung von Stadtcommunen, als von ständischen Körperschaften darstellten. Aber viele Bürgerschaften haben auch ein solches Recht nie ausgeübt (die

rechtshistorischen Einzelheiten würden hier zu weit führen). Der moderne patrimonialbürokratische Staat des Kontinents aber hat dann den meisten von ihnen jede eigenpolitische Betätigung und auch die Wehrhaftigkeit, außer zu Polizeizwecken, überall genommen. Nur wo er, wie in Deutschland, lediglich in Partikulargebilden sich entwickelte, mußte er einen Teil von ihnen als politische Sonderbildung neben sich bestehen lassen. Einen besonderen Gang ist die Entwicklung noch in England gegangen, weil hier die Patrimonialbürokratie nicht entstand. Die einzelnen Städte hatten hier innerhalb der straffen Organisation der Zentralverwaltung niemals eigene politische Ambitionen gehabt, da sie ja geschlossen im Parlament auftraten. Sie hatten Handelskartelle geschlossen, aber nicht politische Städtebünde, wie auf dem Kontinent. Sie waren Korporationen einer privilegierten Honoratiorenschicht und ihre Gutwilligkeit war finanziell unentbehrlich. In der Tudorzeit hatte das Königtum ihre Privilegien zu vernichten gesucht, aber der Zusammenbruch der Stuarts machte dem ein Ende. Sie blieben von da an Korporationen mit dem Recht der Parlamentswahl und sowohl das „Kingdom of Influence" wie die Adelssektionen benutzten politisch die zum Teil lächerlich kleinen und leicht zu gewinnenden Wahlgremien, welche viele von ihnen darstellten, um ihnen gefügige Parlamentsmehrheiten zu erzielen.

2. Autonome Rechtssatzung der Stadt als solcher und innerhalb ihrer wieder der Gilden und Zünfte. In vollem Umfang haben dies Recht die politisch selbständigen italienischen, zeitweise die spanischen und englischen, ein beträchtlicher Teil der französischen und der deutschen Städte ausgeübt, ohne daß immer eine ausdrückliche Verbriefung dieses Rechts bestanden hätte. Für städtischen Grundbesitz, Marktverkehr und Handel wenden die mit Stadtbürgern als Schöffen besetzten Stadtgerichte ein gleichmäßiges, durch Gewohnheit oder autonome Satzung, Nachahmung, Übernahme oder Verleihung nach fremdem Muster bei der Gründung entstehendes, allen Stadtbürgern gemeinsames spezifisches Recht an. Sie schalteten im Prozeßverfahren zunehmend die irrationalen und magischen Beweismittel Zweikampf, Ordal und Sippeneid zugunsten einer rationalen Beweiserhebung aus, eine Entwicklung, die man sich übrigens nicht allzu geradlinig vorstellen darf: gelegentlich bedeutete die Festhaltung der prozessualen Sonderstellung der Stadtgerichte auch eine Konservierung älterer Prozeduren gegenüber den rationalen Neuerungen der Königsgerichte – so in England (Fehlen der Jury) – und des mittelalterlichen gegenüber dem Vordringen des römischen

Rechts: so vielfach auf dem Kontinent, wo die kapitalistisch verwertbaren Rechtsinstitute gerade den Stadtrechten, als der Stätte der Autonomie der Interessenten, entstammten, und nicht dem römischen (oder deutschen) Landrecht. Das Stadtregiment suchte seinerseits nach Möglichkeit darauf zu halten, daß die Gilden und Innungen ohne seine Zustimmung überhaupt keine Satzungen oder doch nur solche, welche sich auf das ein für allemal ihnen zugewiesene Gebiet beschränkten, erließen. Sowohl der Umfang der städtischen Autonomie war bei allen Städten, die mit einem politischen oder grundherrlichen Stadtherrn zu rechnen hatten, also bei allen außer den italischen, labil und Machtfrage, wie ebenso die Verteilung der Satzungsgewalt zwischen Rat und Zünften. Der entstehende, patrimonialbürokratische Staat hat ihnen dann diese Autonomie überall zunehmend beschnitten. In England haben die Tudors zuerst systematisch den Grundsatz vertreten, daß die Städte ebenso wie die Zünfte korporativ organisierte Staatsanstalten für bestimmte Zwecke seien mit Rechten, welche sachlich nicht über die im Privileg bezeichneten Schranken hinausgingen und mit einer Satzungsgewalt, welche nur die als Bürger Beteiligten binde. Jeder Verstoß gegen diese Schranken wurde zum Anlaß genommen, im „Quo warranto"-Prozeß die Charten kassieren zu lassen (so für London noch unter Jakob II.). Die Stadt galt dieser Auffassung nach, wie wir sahen, im Prinzip überhaupt nicht als „Gebietskörperschaft", sondern als ein privilegierter ständischer Verband, in dessen Verwaltung sich das Privy Council fortwährend kontrollierend einmischte. In Frankreich ist den Städten im Lauf des 16. Jahrhunderts die Gerichtsbarkeit außer für Polizeisachen ganz genommen und für alle finanziell wichtigen Akte die Genehmigung der Staatsbehörde verlangt. In Zentraleuropa wurde die Stadtautonomie der Territorialstädte in aller Regel gänzlich vernichtet.

3. Autokephalie. Also: ausschließlich eigene Gerichts- und Verwaltungsbehörden. Nur ein Teil der Städte, vor allem die italischen, haben dies voll durchgesetzt, die außeritalischen vielfach nur für niedere Gerichtsbarkeit und auf die Dauer meist mit dem Vorbehalt der Appellation an die königlichen oder höchsten Landesgerichte. In der *Gerichtsbarkeit* war da, wo die aus den Bürgern genommenen Schöffen das Urteil fanden, die Persönlichkeit des Gerichtsherrn ursprünglich nur von vorwiegend fiskalischem Interesse und deshalb hat sich die Stadt die formelle Gerichtsherrlichkeit zuweilen gar nicht anzueignen oder durch Kauf an sich zu bringen veranlaßt geglaubt. Für sie war aber das wichtigste: daß die Stadt ein eigener Gerichtsbezirk war mit Schöffen aus ihrer Mitte. Dies wurde

mindestens für die niedere Gerichtsbarkeit, teilweise für die höhere schon sehr früh durchgesetzt. Eigene Schöffenwahl oder Kooptation ohne Einmischung des Herrn erlangten die Bürger zum erheblichen Teil. Wichtig war ferner die Erlangung des Privilegs, daß ein Bürger nur vor dem Gericht der Stadt Rede stand. Die Art der Entwicklung der eigenen städtischen Verwaltungsbehörde, des Rats, kann hier unmöglich verfolgt werden. Daß ein solcher, mit weitgehenden Verwaltungsbefugnissen ausgestattet, bestand, war auf der Höhe des Mittelalters Kennzeichen jeder Stadtgemeinde in West- und Nordeuropa. Die Art seiner Zusammensetzung variierte unendlich und hing namentlich ab von der Machtlage zwischen dem Patriziat der „Geschlechter", also den Grundrenten- und Geldbesitzern, Geldgebern und Gelegenheitshändlern, ferner den bürgerlichen, oft zünftigen Kaufleuten, je nachdem mehr Fernhändlern oder (in ihrer Masse) mehr Großdetaillisten und Verlegern gewerblicher Produkte, und den wirklich rein gewerblichen Zünften. Andererseits bestimmte sich das Maß, in welchem der politische oder Grundherr an der Ernennung des Rats beteiligt, die Stadt also partiell heterokephal blieb, nach der ökonomischen Machtlage zwischen Bürgern und Stadtherrn. Zunächst nach dessen Geldbedarf, der den Auskauf seiner Rechte ermöglichte. Umgekehrt also auch durch die Finanzkraft der Städte. Aber der Geldbedarf der Stadtkasse und der Geldmarkt der Stadt allein entscheiden nicht, wenn die Stadtkasse politische Machtmittel besaß. In Frankreich hatte das unter Philipp August mit den Städten verbündete Königtum (teilweise auch andere Stadtherren) schon im 13. Jahrhundert durch stark steigenden Geldbedarf „pariage" Anteil an der Besetzung der Verwaltungsstellen, Kontrollrecht über die Verwaltung des Magistrats, namentlich die den König interessierende Finanzverwaltung, Bestätigungsrecht der gewählten Konsuln, bis zum 15. Jahrhundert Vorsitz des königlichen Prévôt in der Bürgerversammlung erlangt. Im ludovicianischen Zeitalter vollends werden die Städte in der Ämterbesetzung vollständig von den königlichen „Intendanten" beherrscht und die Finanznot des Staats führte dazu, die Stadtämter ebenso wie die Staatsämter durch Verkauf zu besetzen. Der patrimonialbürokratische Staat verwandelte die Verwaltungsbehörden der Stadt in privilegierte Korporationsvertretungen mit ständischen Privilegien, mit Zuständigkeit nur im Umkreis ihrer korporativen Interessen, jedoch ohne Bedeutung für staatliche Verwaltungszwecke. Der englische Staat, der den Städtekorporationen, da sie Parlamentswahlkörper waren, die Autokephalie lassen mußte, schritt, als er diejenigen Aufgaben, welche unsere heutigen Kommunalverbände zu erfüllen haben, durch lokale Verbände lösen lassen wollte, rücksichtslos über die Stadt weg und machte entweder die einzelne Parochie, der nicht nur die privilegierten Korporationsmitglieder, sondern alle qualifizierten Einwohner angehörten, oder andere neugeschaffene Verbände zu deren Trägern. Meist aber hat der Patrimonialbürokratismus die Magistrate ganz einfach in eine landesherrliche Behörde neben anderen verwandelt.

4. Steuergewalt über die Bürger, Zins- und Steuerfreiheit derselben nach außen. Das erste wurde sehr verschieden weitgehend, unter verschieden wirksamer, oder auch ganz wegfallender Erhaltung des Kontrollrechts durch den Stadtherrn, durchgesetzt. In England haben die Städte wirkliche Steuerautonomie nie besessen, sondern für alle neuen Steuern stets des Konsenses des Königs bedurft. Zins- und Steuerfreiheit nach außen wurde ebenfalls nur stellenweise vollständig erreicht. Von den politisch nicht autonomen Städten nämlich nur da, wo sie die Steuerpflicht pachteten und dann den Stadtherrn durch einmalige oder, häufiger, durch regelmäßige Pauschalzahlungen abfanden und die königlichen Steuern in eigne Regie nehmen konnten (firma burgi in England). Am vollständigsten gelang die Durchsetzung der Lastenfreiheit nach außen überall für die persönlichen, aus gerichts- oder leibherrlichen Verhältnissen der Bürger stammenden Pflichtigkeiten. – Der normale patrimonialbürokratische Staat schied nach seinem Siege Stadt und Land zwar rein steuertechnisch: er suchte Produktion und Konsum gleichmäßig durch seine spezifische Städtesteuer, die Akzise, zu treffen. Die eigene Steuergewalt aber nahm er den Städten praktisch so gut wie ganz. In England bedeutete die korporative Besteuerung der Städte wenig, da die neuen Verwaltungsaufgaben andern Gemeinschaften zufielen. In Frankreich eignete sich der König seit Mazarin die Hälfte der städtischen Oktroi an, nachdem alle städtischen Finanzoperationen und die Selbstbesteuerung schon vorher unter Staatskontrolle gestellt waren. In Mitteleuropa wurden die städtischen Behörden auch in dieser Hinsicht oft fast reine staatliche Steuerhebestellen.

5. Marktrecht, autonome Handels- und Gewerbepolizei und monopolistische Banngewalten. Der Markt gehört zu jeder mittelalterlichen Stadt und die Marktaufsicht hat der Rat überall in sehr starkem Maße den Stadtherren abgenommen. Die polizeiliche Aufsicht über Handel und Gewerbe lag später, je nach den Machtverhältnissen, mehr in den Händen der städtischen Behörden oder mehr in denen der Berufsinnungen, unter weitgehender Ausschaltung des Stadtherrn. Vermöge der gewerblichen Polizei wird die Qualitätskontrolle

der Waren geübt: teils im Interesse des guten Rufs, also der Export-interessen des Gewerbes, teils in dem der städtischen Konsumenten, wesentlich im Interesse der letzteren die Preiskontrolle; ferner die Erhaltung der kleinbürgerlichen Nahrungen, also: die Beschränkung der Lehrlings- und Gesellenzahl, unter Umständen auch der Meister-zahl und, mit Engerwerden des Nahrungsspielraums, die Monopoli-sierung der Meisterstellen für die Einheimischen, speziell die Mei-stersöhne, gesteigert; andererseits wird, sofern die Zünfte selbst die Polizei in ihre Hand brachten, durch Verbote des Verlags und Kon-trolle der Kapitalleihe, Regulierung und Organisation des Rohstoff-bezugs und zuweilen der Absatzart, der Entstehung kapitalistischer Abhängigkeiten von Außenstehenden und Großbetrieben entgegen-gearbeitet. Vor allem aber erstrebte die Stadt den Ausschluß des ihrer Herrschaft unterworfenen flachen Landes von der gewerblichen Konkurrenz, suchte also den ländlichen Gewerbebetrieb zu unter-drücken und den Bauern im städtischen Produzenteninteresse zum Einkauf seines Bedarfs in der Stadt zu zwingen und im städtischen Konsumenteninteresse den Verkauf ihrer Produkte auf dem Markt der Stadt und nur dort aufzuzwingen, ebenso im Interesse der Kon-sumenten und gelegentlich der gewerblichen Rohstoffverbraucher den „Vorkauf" von Waren außerhalb des Marktes zu hindern, im In-teresse der eignen Händler endlich Umschlags- und Zwischenhan-delsmonopol durchzusetzen, andererseits Privilegien im freien Handel auswärts zu gewinnen. Diese Kernpunkte der sog. „Stadtwirtschafts-politik", durch ungezählte Kompromißmöglichkeiten kollidierender Interessen variiert, finden sich in den Grundzügen fast überall wie-der. Die jeweilige Richtung der Politik wird dabei außer durch die innerstädtische Machtlage der Interessenten durch den jeweiligen Er-werbsspielraum der Stadt bedingt. Seine Erweiterung in der ersten Periode der Besiedelung brachte eine auf Erweiterung des Markts, seine Verengung nach Ende des Mittelalters eine auf Monopolisie-rung gerichtete Tendenz mit sich. Im übrigen hat jede einzelne Stadt ihre eigenen, mit den Konkurrenten kollidierenden Interessen, und speziell unter den Fernhandelsstädten des Südens herrscht Kampf auf Leben und Tod.

Der patrimonialbürokratische Staat nun dachte nach Unterwer-fung der Städte durchaus nicht an ein grundsätzliches Brechen mit die-ser „Stadtwirtschaftspolitik". Ganz im Gegenteil. Die ökonomische Blüte der Städte und ihrer Gewerbe und die Erhaltung der Volkszahl durch Erhaltung der Nahrungen lag ihm im Interesse seiner Finanzen ganz ebenso am Herzen, wie andrerseits die Stimulierung des Außen-

handels im Sinn einer merkantilistischen Handelspolitik, deren Maßregeln er, mindestens zum Teil der städtischen Fernhandelspolitik absehen konnte. Er suchte die kollidierenden Interessen der in seinem
Verband vereinigten Städte und Gruppen auszugleichen, insbesondere den Nahrungsstandpunkt mit kapitalfreundlicher Politik zu vereinigen. An die überkommene Wirtschaftspolitik rührte er bis fast an
den Vorabend der französischen Revolution nur da, wo die lokalen
Monopole und Privilegien der Bürger der von ihm selbst inaugurier-
ten, zunehmend kapitalistisch orientierten Privilegien- und Monopol-
politik im Wege standen: Schon dies freilich konnte im Einzelfall zu
einer sehr drastischen Durchbrechung der ökonomischen Bürgerprivilegien führen, aber es bedeutete doch nur in lokalen Ausnahmefäl-
len ein prinzipielles Verlassen der überkommenen Bahn. Die Autonomie der Wirtschaftsregulierung durch die Stadt aber ging verloren,
und das konnte indirekt freilich erhebliche Bedeutung gewinnen.
Aber das Entscheidende lag doch in der an sich bestehenden Unmöglichkeit für die Städte, militärisch-politische Machtmittel nach
Maß und Art der patrimonialbürokratischen Fürsten in den Dienst
ihrer Interessen zu stellen. Sie konnten im übrigen auch nur ausnahmsweise den Versuch machen, in der Art, wie die Fürsten es taten, als Verbände an den kraft der Politik des Patrimonialismus sich
neu auftuenden Erwerbschancen teilzunehmen. Das konnte der Natur der Sache nach nur der Einzelne, vor allem der sozial privilegierte
Einzelne, und speziell an den typischen, monopolistisch privilegierten inländischen und überseeischen Unternehmungen des Patrimonialismus sind in England wie in Frankreich neben den Königen
selbst (verhältnismäßig) viele grundherrliche oder dem Großbeam-
tentum angehörige, (verhältnismäßig) wenige bürgerliche Elemente
beteiligt gewesen. Gelegentlich haben zwar auch so manche Städte,
wie z. B. Frankfurt, in zuweilen umfassender Art, sich auf Stadtrech-
nung an spekulativen auswärtigen Unternehmungen beteiligt. Meist
aber zu ihrem Schaden, da ein einziger Mißerfolg sie nachhaltiger als
ein großes politisches Gebilde treffen mußte.

Der ökonomische Niedergang zahlreicher Städte, namentlich in
der Zeit seit dem 16. Jahrhundert, ist – da er sich eben damals auch
in England vollzog – nur teilweise durch Verschiebung der Handels-
straßen, und auch nur teilweise durch das Entstehen von großen
Hausindustrien, die auf außenständischer Arbeitskraft ruhten, direkt
begründet. Zum größten Teil vielmehr durch andere allgemeine Bedingungen vor allem dadurch, daß die traditionellen, in die Stadtwirtschaft eingegliederten Unternehmungsformen jetzt nicht mehr dieje-

nigen waren, welche die ganz großen Gewinne abwarfen, und daß, wie einst die feudale Kriegstechnik, so jetzt sowohl die politisch orientierten, wie die händlerischen und gewerblichen kapitalistischen Unternehmungen, auch wo sie formal stadtsässig waren, doch nicht mehr in einer städtischen Wirtschaftspolitik ihre Stütze fanden und nicht mehr von einem lokal, an den einzelnen Bürgerverband, gebundenen Unternehmertum getragen werden konnten. Die neuen kapitalistischen Unternehmungen siedelten sich in den für sie geeigneten neuen Standorten an. Und der Unternehmer rief für seine Interessen jetzt nach anderen Helfern – soweit er solche überhaupt brauchte – als einer lokalen Bürgergemeinschaft. Ebenso wie in England die Dissenters, welche in der kapitalistischen Entwicklung eine so wichtige Rolle spielten, infolge der Test-Akte nicht zur herrschenden Stadtkorporation gehörten, entstanden die großen modernen Handels- und Gewerbestädte Englands gänzlich außerhalb der Bezirke, und damit auch der lokalen Monopolgewalten, der alten privilegierten Korporationen und zeigten daher in ihrer juristischen Struktur vielfach ein ganz archaistisches Gepräge: die alten Grundherrengerichte: court farm und court leet bestanden in Liverpool und Manchester bis zur modernen Reform, nur war der Grundherr als Gerichtsherr umgetauft.

6. Aus der spezifischen politischen und ökonomischen Eigenart der mittelalterlichen Städte folgte auch ihr Verhalten zu den *nichtstadtbürgerlichen* Schichten. Dies zeigt nun bei den einzelnen Städten allerdings ein sehr verschiedenes Gesicht. Gemeinsam ist allen zunächst der wirtschaftsorganisatorische Gegensatz gegen die spezifisch außerstädtischen politischen, ständischen und grundherrlichen Strukturformen: Markt gegen Oikos. Diesen Gegensatz darf man sich freilich nicht einfach als einen ökonomischen „Kampf" zwischen politischen oder Grund-Herren und Stadt denken. Ein solcher bestand natürlich überall da, wo die Stadt im Interesse ihrer Machterweiterung politisch oder grundherrlich abhängige Leute, die der Herr festhalten wollte, in ihre Mauern oder vollends, ohne daß sie in die Stadt zogen, als Außenbürger in den Bürgerverband aufnahm. Das letztere ist wenigstens den nordischen Städten nach kurzer Zwischenzeit durch Fürstenverbände und Verbote der Könige unmöglich gemacht worden. Die ökonomische Entwicklung der Städte rein als solche ist aber nirgends prinzipiell bekämpft worden, sondern die politische Selbständigkeit. Ebenso wo sonst spezielle ökonomische Interessen der Herren in Kollision gerieten mit den verkehrspolitischen Interessen und Monopoltendenzen der Städte, was oft der Fall war. Und natürlich betrachteten die Interessenten des feudalen Wehrverbandes,

die Könige an der Spitze, die Entwicklung autonomer Festungen im Bereich ihrer politischen Interessensphäre mit dem allergrößten Mißtrauen. Die deutschen Könige haben von diesem Mißtrauen mit ganz kurzen Unterbrechungen niemals gelassen. Dagegen sind die französischen und englischen zeitweise stark städtefreundlich gewesen aus politischen, durch den Gegensatz der Könige gegen ihre Barone bedingten Gründen und außerdem wegen der finanziellen Bedeutung der Städte. Ebenso ist die auflösende Tendenz, welche die Marktwirtschaft der Stadt als solche auf den grundherrlichen und indirekt auch auf den feudalen Verband ausüben konnte und den sie mit sehr verschiedenem Erfolge tatsächlich ausgeübt hat, keineswegs notwendig in Form eines „Kampfs" der Städte gegen andere Interessenten verlaufen. Im Gegenteil herrschte auf weite Wegstrecken eine starke Interessengemeinschaft. Den politischen sowohl wie dem Grundherrn waren Geldeinnahmen, die sie von ihren Hintersassen erheben konnten, äußerst erwünscht. Die Stadt erst gab aber diesen letzteren einen Lokalmarkt für ihre Produkte und damit die Möglichkeit Geld statt Frohnden oder Naturalabgaben zu zahlen; ebenso gab sie den Herren die Möglichkeit, ihre Naturaleinnahmen, statt sie in natura zu verzehren, je nachdem auf dem Lokalmarkt oder durch den zunehmend kapitalkräftigen Handel auswärts, zu Geld machen zu lassen. Von diesen Möglichkeiten machten die politischen wie die Grundherren energisch Gebrauch, entweder indem sie den Bauern Geldrenten abverlangten oder indem sie deren durch den Markt gewecktes Eigeninteresse an erhöhter Produktion durch Schaffung vergrößerter Wirtschaftseinheiten, welche einen größeren Anteil am Naturalertrag als Rente abgeben konnten, ausnutzten und diesen Mehrertrag ihrer Naturalrenten ihrerseits versilberten. Und daneben konnte der politische und Grundherr, je mehr sich der lokale und interlokale Verkehr entwickelte, desto mehr Geldeinnahmen aus den verschiedensten Arten von Tributen von eben diesem Verkehr suchen, wie dies im deutschen Westen schon im Mittelalter geschehen ist. Die Stadtgründung war daher nebst ihren Konsequenzen vom Gesichtspunkt ihrer Gründer aus ein geschäftliches Unternehmen zur Erlangung von Geldeinnahmechancen. Aus diesem ökonomischen Eigeninteresse heraus erfolgten noch in der Zeit der Judenverfolgungen im Osten, speziell in Polen, seitens des Adels die mannigfachen Gründungen von „Städten", oft Fehlgründungen, deren oft nur nach Hunderten zählende Einwohnerschaft zuweilen noch im 19. Jahrhundert zu 90 % aus Juden bestand. Diese spezifisch mittelalterlich-nordeuropäische Art der Städtegründung ist also faktisch ein Erwerbs„geschäft" – wie wir sehen werden, im schärfsten Gegensatz gegen die militärische Festungsstadtgründung, welche die antike Polis darstellt. Die Umwandlung fast aller persönlichen und dinglichen Ansprüche des Grund- und Gerichtsherrn in Rentenforderungen und die daraus sich ergebende, teils rechtliche, teils immerhin weitgehende faktische ökonomische Freiheit der Bauern – die überall da verblieb, wo die Entwicklung der Städte schwach war – entstand als Folge davon, daß die politischen und grundherrlichen Einnahmen im Gebiet intensiver Städteentwicklung zunehmend aus Marktabsatz der Bauernprodukte oder der Bauernabgaben und im übrigen jedenfalls aus anderen verkehrswirtschaftlichen Quellen gespeist werden konnten und auch wurden, als aus der Ausnutzung der Fronpflicht der Abhängigen oder in der Art der alten oikenwirtschaftlichen Umlegung des Haushaltsbedarfs auf sie, und daß der Herr, und ebenso, wenn auch im geringeren Maß, die Abhängigen, zunehmende Teile des Bedarfs geldwirtschaftlich deckten. Im übrigen war sie sehr wesentlich durch den Auskauf des landsässigen Adels durch die Stadtbürger bedingt, welche nun zu einer rationellen Bewirtschaftung des Landbesitzes übergingen. Dieser Prozeß fand jedoch seine Schranke da, wo der Lehensverband zum Besitz adliger Güter die Lehensfähigkeit verlangte und diese, wie nördlich der Alpen fast überall, dem Stadtpatriziat fehlte. Aber jedenfalls bestand lediglich auf Grund der „Geldwirtschaft" als solcher keine ökonomische Interessenkollision zwischen politischen oder Grundherren und Städten, sondern sogar Interessengemeinschaft. Eine rein ökonomische Kollision entstand erst da, wo Grundherren zur Erhöhung ihrer Einnahmen zu einer erwerbswirtschaftlichen gewerblichen Eigenproduktion überzugehen suchten, was freilich nur da möglich war, wo geeignete Arbeitskräfte dafür zur Verfügung standen. Wo dies der Fall war, ist der Kampf der Städte gegen diese gewerbliche Produktion der Grundherren auch entbrannt und hat sich gerade in der Neuzeit, noch innerhalb des Verbandes des patrimonialbürokratischen Staats, oft sehr intensiv entwickelt. Im Mittelalter dagegen ist davon noch kaum die Rede, und eine faktische Auflösung des alten grundherrlichen Verbandes und der Gebundenheit der Bauern ist oft durchaus kampflos mit Vordringen der Geldwirtschaft als dem Resultat erfolgt. So in England. Anderwärts haben die Städte allerdings direkt und bewußt diese Entwicklung gefördert. So, wie wir sahen, im Machtgebiet von Florenz.

Der patrimonialbürokratische Staat suchte die Interessengegensätze von Adel und Städten auszugleichen, legte dabei aber, weil er den Adel für seine Dienste, als Offiziere und Beamten, brauchen wollte, die Unzulässigkeit des Erwerbs adliger Güter durch Nichtadlige, also auch die Bürger, fest.

Im Mittelalter waren stärker als die weltlichen in diesem Punkt die geistlichen, namentlich die klösterlichen Grundherrschaften in der Lage, in Konflikt mit der Stadt zu geraten. Neben den Juden war die Geistlichkeit ja überhaupt, zumal seit der Trennung von Staat und Kirche im Investiturstreit, der spezifische Fremdkörper in der Stadt. Ihr Besitz nahm als geistliches Gut weitgehende Lastenfreiheit und Immunität, also Ausschluß jeder Amtshandlung, auch der Stadtbehörden, in Anspruch. Sie selbst entzogen sich als Stand den militärischen und sonstigen persönlichen Pflichten der Bürger. Dabei aber schwoll jener lastenfreie Besitz, und dadurch wiederum die Zahl der der vollen Stadtgewalt entzogenen Personen, durch fortgesetzte Stiftungen frommer Bürger. Die Klöster ferner hatten in ihren Laienbrüdern Arbeitskräfte, welche keine Familie zu versorgen brauchten, also alle außerklösterliche Konkurrenz schlagen konnten, wenn sie, wie dies vielfach geschah, zum eigengewerblichen Betrieb verwendet wurden. Massenhaft hatten sich ferner Klöster und Stifter, ganz wie die Vakufs im mittelalterlichen Islam, in den Besitz gerade der geldwirtschaftlichen Dauerrentenquellen des Mittelalters: Markthallen, Verkaufsstätten aller Art, Fleischscharren, Mühlen u. dgl. gesetzt, die nun nicht nur der Besteuerung, sondern auch der Wirtschaftspolitik der Stadt sich entzogen, oft überdies Monopole in Anspruch nahmen. Selbst militärisch konnte die Immunität der ummauerten Klausuren bedenklich werden. Und das geistliche Gericht mit seiner Gebundenheit an die Wucherverbote bedrohte überall das bürgerliche Geschäft. Gegen die Anhäufung von Bodenbesitz in der toten Hand suchte sich die Bürgerschaft durch Verbote ebenso zu sichern, wie Fürsten und Adel durch die Amortisationsgesetze. Auf der anderen Seite aber bedeuteten die kirchlichen Feste, vor allem der Besitz von Wallfahrtsorten mit Ablässen für einen Teil der städtischen Gewerbe starke Verdienstchancen, und die Stifte, soweit sie Bürgerlichen zugänglich waren, auch Versorgungsstellen. Die Beziehungen zwischen Geistlichkeit und Klöstern einerseits, der Bürgerschaft andererseits, waren daher auch zu Ende des Mittelalters trotz aller Kollisionen keineswegs so durchweg unfreundliche, daß etwa dies Moment allein zu einer „ökonomischen Erklärung" der Reformation ausreichen würde. Die kirchlichen und klösterlichen Anstalten waren der Sache nach nicht so unantastbar für die Stadtgemeinde wie nach dem kanonischen Recht. Es ist zutreffend darauf hingewiesen worden, daß speziell in Deutschland die Stifte und Klöster, nachdem seit dem Investiturstreit die Königsmacht zunehmend zurückging, damit ihres interessiertesten Schirmherren gegen die Laiengewalt verlustig gingen und daß die von ihnen abgeworfene Vogteigewalt in indirekter Form sehr leicht wieder erstehen konnte, wenn sie sich ökonomisch stark engagierten. In vielen Fällen hatte der städtische Rat es verstanden, sie faktisch unter eine der alten Vogtei ganz ähnliche Vormundschaft zu stellen, indem er ihnen für ihre Geschäftsführung unter den verschiedensten Vorwänden und Namen Pfleger und Anwälte aufdrängte, welche dann die Verwaltung den bürgerlichen Interessen entsprechend führten. – Die ständische Stellung des Klerus innerhalb des Bürgerverbandes war sehr verschieden. Zum Teil stand er rechtlich einfach ganz außerhalb der Stadtkorporation, aber auch wo dies nicht der Fall war, bildete er mit seinen unaustilgbaren ständischen Privilegien eine unbequeme und unassimilierbare Fremdmacht. Die Reformation machte diesem Zustand innerhalb ihres Bereichs ein Ende, aber den Städten, welche nun sehr bald dem patrimonial-bürokratischen Staat unterworfen wurden, kam dies nicht mehr zugute.

In diesem letzteren Punkt war die Entwicklung in der Antike gänzlich anders verlaufen. Je weiter zurück, desto mehr ähnelt die ökonomische Stellung der Tempel in der Antike derjenigen der Kirchen und namentlich der Klöster im frühen Mittelalter, wie sie besonders in der venezianischen Kolonie zutage trat. Aber die Entwicklung verlief hier nicht wie im Mittelalter in der Richtung einer zunehmenden Trennung von Staat und Kirche und steigenden Selbständigkeit des kirchlichen Herrschaftsgebiets, sondern gerade umgekehrt. Die Stadtadelsgeschlechter bemächtigten sich der Priestertümer als einer Sportel- und Machtquelle und die Demokratie verstaatlichte sie vollends und machte sie zu Pfründen, welche meist versteigert wurden, vernichtete den politischen Einfluß der Priester und nahm die ökonomische Verwaltung in die Hand der Gemeinde. Die großen Tempel des Apollon in Delphoi oder der Athena in Athen waren Schatzhäuser des hellenistischen Staates, Depositenkassen von Sklaven und ein Teil von ihnen blieben große Grundbesitzer. Aber eine ökonomische Konkurrenz mit bürgerlichen Gewerben kam innerhalb der antiken Städte nicht in Frage. Eine Säkularisation des Sakralguts hat es nicht gegeben und konnte es nicht geben. Aber der Sache, wenn auch nicht der Form nach, war in den antiken Städten die „Verweltlichung" des einst in den Tempeln konzentrierten Gewerbes ungleich radikaler durchgeführt als im Mittelalter. Das

Fehlen der Klöster und der selbständigen Organisation der Kirche als eines interlokalen Verbandes überhaupt war der wesentliche Grund dafür.

Die Konflikte des Stadtbürgertums mit den grundherrlichen Gewalten waren der Antike ebenso bekannt wie dem Mittelalter und der beginnenden Neuzeit. Die antike Stadt hat ihre Bauernpolitik und ihre den Feudalismus sprengende Agrarpolitik gehabt. Die Dimensionen dieser Politik sind aber so viel größer und ihre Bedeutung innerhalb der Stadtentwicklung dabei so heterogen gegenüber dem Mittelalter, daß hier der Unterschied deutlich hervortritt. Er muß im allgemeinen Zusammenhang erörtert werden.

§ 5. Antike und mittelalterliche Demokratie.

Die drei Haupttypen im okzidentalen Städtewesen S. 945. – Der Klassengegensatz in der Antike und im Mittelalter S. 946. – Herrschaft der Kleinbauern in der antiken, die der Gewerbetreibenden in der mittelalterlichen Demokratie S. 949; – mit Divergenz in der antiken Weiterentwicklung zwischen Hellas und Rom S. 952. – Primär militärische Orientiertheit der Interessen in der spezifisch antiken Stadt S. 955, – während die mittelalterliche Stadt primär von friedlichen Erwerbsinteressen beherrscht erscheint S. 959. – Negativ privilegierte ständische Schichten als einzige Träger des rationalen Erwerbs in der Antike S. 960. – Die Antike Polis als Kriegerzunft im Gegensatz zur gewerblichen Binnenstadt des Mittelalters S. 965; – Sondercharakter der römischen Demokratie im Gegensatz zur griechischen S. 970.

Die wesentlich ökonomischen Gegensätze der Stadtbürger zu den nicht bürgerlichen Schichten und ihren ökonomischen Lebensformen waren nicht das, was der mittelalterlichen Stadt ihre entwicklungsgeschichtliche Sonderstellung zuwies. Vielmehr war dafür die Gesamtstellung der Stadt innerhalb der mittelalterlichen *politischen* und ständischen Verbände das Entscheidende. Hier am stärksten scheidet sich die typische mittelalterliche Stadt nicht nur von der antiken Stadt, sondern auch innerhalb ihrer selbst in zwei durch flüssige Übergänge verbundene, in ihren reinsten Ausprägungen aber sehr verschiedene Typen, von denen der eine, wesentlich südeuropäische, speziell italienische und südfranzösische, dem Typus der antiken Polis trotz aller Unterschiede dennoch wesentlich näher steht als der andere, vornehmlich nordfranzösische, deutsche und englische, der trotz aller Unterschiede nebeneinander in dieser Hinsicht gleichartig war. Wir müssen uns nunmehr noch einmal einer Vergleichung des mittelalterlichen mit dem nunmehr antiken Stadttypus und zweckmäßigerweise mit anderen Stadttypen überhaupt, zuwenden, um die treibenden Ursachen der Verschiedenheit zusammenhängend zu überblicken.

Der ritterliche Patriziat der südeuropäischen Städte besaß ganz ebenso persönliche auswärtige Burgen und Landbesitzungen, wie etwa im Altertum dies schon mehrfach an dem Beispiel des Miltiades erörtert wurde. Die Besitzungen und Burgen der Grimaldi finden sich weit die Küste der Provence entlang. Nach Norden zu wurden derartige Verhältnisse wesentlich seltener und die typische mittel- und nordeuropäische Stadt der späteren Zeit kennt sie nicht. Andererseits: Von einem Demos, der wie der attische, durch rein politische Macht bedingte, städtische Gratifikation und Rentenverteilung erwartete, weiß die mittelalterliche Stadt ebenfalls so gut wie gar nichts, obwohl es ganz wie für die athenischen Bürger Verteilung des Ertrages der laugischen Minen, so für mittelalterliche und selbst moderne Gemeinden direkte Verteilungen von ökonomischen Erträgnissen des Gemeindebesitzes gegeben hat.

Sehr scharf ist der Gegensatz der untersten ständischen Schicht: die antike Stadt kennt als Hauptgefahr der ökonomischen Differenzierung, die deshalb von allen Parteien gleichmäßig, nur mit verschiedenen Mitteln zu bekämpfen gesucht wurde, die Entstehung einer Klasse von Vollbürgern, Nachkommen vollbürgerlicher Familien, welche, ökonomisch ruiniert, verschuldet, besitzlos, nicht mehr imstande, sich selbst für das Heer auszurüsten, von einem Umsturz oder einer Tyrannis die Neuverteilung des Grundbesitzes oder einen Schulderlaß oder Versorgung aus öffentlichen Mitteln: Getreidespenden, unentgeltlichen Besuch von Festen, Schauspielen und Zirkuskämpfen, oder direkte Zuschüsse aus öffentlichen Mitteln zur Ermöglichung des Festbesuches verlangten. Derartige Schichten waren dem Mittelalter zwar nicht unbekannt. Sie fanden sich auch in der Neuzeit auf dem Boden der amerikanischen Südstaaten, wo der besitzlose „arme weiße Dreck" (poor white trash) der Sklavenhalterplutokratie gegenüberstand. Im Mittelalter waren die durch Schulden deklassierten Schichten des Adels, z. B. in Venedig, ebenso ein Gegenstand der Sorge, wie in Rom in der Zeit Catilinas. Aber im ganzen spielt dieser Tatbestand eine geringe Rolle. Vor allem in den demokratischen Städten. Er war jedenfalls nicht der typische Ausgangspunkt von Klassenkämpfen wie dies im Altertum durchaus der Fall war. Denn in der Antike spielten sich in der Frühzeit die Klassenkämpfe zwischen den stadtsässigen Geschlechtern als *Gläubigern* und den Bauern als *Schuldnern* und depossedierten Schuldknechten ab. Der „civis proletarius", der „Nachfahre" – eines Vollbürgers nämlich – war der typische Deklassierte. In der Spätzeit waren es verschuldete Junker wie Catilina, welche den besitzenden Schichten gegenüberstanden und zu Führern der radikalen revolutionären Partei wurden. Die Interessen der negativ privilegierten Schichten der antiken Polis sind wesentlich *Schuldner*-Interessen. Und daneben: *Konsumenten*-Interessen. Dagegen schwinden auf dem Boden der Antike innerhalb der Stadtwirtschaftspolitik jene Interessen zunehmend, welche im Mittelalter den Angelpunkt der demokratischen Stadtpolitik ausmachten: die *gewerbe*politischen. Jene zünftlerische „Nahrungspolitik" stadtwirtschaftlichen Charakters, welche die Frühzeit des Aufstieges der Demokratie auch in der Antike zeigte, trat mit der weiteren Entwicklung immer stärker zurück. Wenigstens ihre produzentenpolitische Seite. Die voll entwickelte Demokratie der hellenischen Städte, ebenso aber auch die voll entwickelte Honoratiorenherrschaft in Rom kennt vielmehr, soweit die städtische Bevölkerung in Betracht kommt, neben Handelsinteressen fast nur noch Konsumenteninteressen. Die Getreideausfuhrverbote, welche der antiken mit der mittelalterlichen und merkantilistischen Politik gemeinsam waren, reichten in der Antike nicht aus. Direkte öffentliche Fürsorge für Getreidezufuhr beherrschte die Wirtschaftspolitik. Getreidespenden befreundeter Fürsten geben in Athen einen Hauptanlaß zur Revision der Bürgerregister behufs Ausschluß Unberechtigter. Und Mißernten im pontischen Getreidegebiet zwingen Athen zum Erlaß des Tributs an die Bundesgenossen; so sehr beherrschte der Brotpreis die Leistungsfähigkeit. Direkte Getreideankäufe der Polis finden sich auch im hellenischen Gebiet. Aber in riesigstem Maßstab entstand die Benutzung der Provinzen zu Getreidesteuern für die Getreidespenden der Stadtbürgerschaft in der Spätzeit der römischen Republik.

Der spezifisch *mittelalterliche* Notleidende war ein armer *Handwerker*, also ein gewerblicher *Arbeitsloser*, der spezifisch *antike* Proletarier ein *politisch* Deklassierter, weil *grundbesitzlos* gewordener früherer Grundbesitzer. Auch die Antike hat die Beschäftigungslosigkeit von Handwerkern als Problem gekannt. Das spezifische Mittel dagegen waren große Staatsbauten, wie sie Perikles ausführen ließ. Schon die massenhafte Sklavenarbeit im Gewerbe verschob aber dessen Lage. Gewiß hat es auch im Mittelalter in einem Teil der Städte dauernd Sklaven gegeben. Einerseits bestand in den mittelländischen Seestädten sogar bis gegen Ende des Mittelalters eigentlicher Sklavenhandel.

Andererseits hatte der gerade entgegengesetzte, kontinentalste Typus: eine Stadt wie Moskau vor der Leibeigenenbefreiung, durchaus das Gepräge einer großen Stadt des Orients, etwa der diokletianischen Zeit: Renten von Land- und Menschenbesitzern und Amtseinkünfte wurden darin verzehrt. Aber in den typischen mittelalterlichen Städten des Okzidents spielte ökonomisch die Sklavenarbeit je länger je mehr eine ganz geringe, schließlich gar keine Rolle mehr. Nirgends hätten machtvolle Zünfte das Entstehen einer Handwerkerschicht von Leibzins an ihre Herren zahlenden Sklaven als Konkurrenten des freien Gewerbes zugelassen. Gerade umgekehrt in der Antike. Jede Vermögensakkumulation bedeutete dort: Anhäufung von Sklavenbesitz. Jeder Krieg bedeutete massenhafte Beutesklaven und Überfüllung des Sklavenmarktes. Diese Sklaven wurden zum Teil konsumtiv, zur persönlichen Bedienung der Besitzer, verwendet. Im Altertum gehörte der Sklavenbesitz zu den Erfordernissen jeder vollbürgerlichen Lebenshaltung. Der Vollhoplit konnte in Zeiten chronischen Kriegszustandes den Sklaven als Arbeitskraft so wenig entbehren wie der Ritter des Mittelalters die Bauern. Wer ohne jeden Sklaven leben mußte, war unter allen Umständen ein Proletarier (im Sinn der Antike). Die vornehmen Häuser des Römeradels kannten konsumtive Verwendung von Sklaven in Massen zur persönlichen Bedienung, welche in einer sehr weitgetriebenen Funktionsteilung die Geschäfte des großen Haushalts besorgten und produktiv wenigstens beträchtliche Teile des Bedarfs oikenwirtschaftlich deckten. Nahrung und Kleidung der Sklaven wurde allerdings zum erheblichen Teile geldwirtschaftlich beschafft. In der athenischen Wirtschaft galt als Norm der voll geldwirtschaftliche Haushalt, der erst recht im hellenistischen Osten herrschte. Aber noch von Perikles wurde speziell betont, daß er, um der Popularität bei den Handwerkern willen, seinen Bedarf möglichst durch Kauf auf dem Markt und nicht eigenwirtschaftlich deckte. Andererseits lag ein immerhin beträchtlicher Teil auch der städtischen gewerblichen *Produktion* in den Städten in den Händen von selbständig erwerbenden Sklaven. Von den Ergasterien ist schon früher die Rede gewesen und ihnen treten die unfreien Einzelhandwerker und Kleinhändler zur Seite. Es ist selbstverständlich, daß das Nebeneinanderarbeiten von Sklaven und freien Bürgern, wie es sich in den gemischten Akkordgruppen bei den Arbeiten am Erechtheion findet, sozial auf die Arbeit als solche drückte und daß die Sklavenkonkurrenz auch ökonomisch sich fühlbar machen mußte. Die größte Expansion der Sklavenausnutzung fiel aber im hellenischen Gebiet gerade in die Blütezeiten der Demokratie.

Dieses Nebeneinander von Sklavenarbeit und freier Arbeit hat nun offenbar in der Antike auch jede Möglichkeit einer Entwicklung von *Zünften* in der Entstehung geknickt. In der Frühzeit der Polis waren vermutlich – wenn auch nicht sicher nachweislich – in Ansätzen gewerbliche Verbände vorhanden. Allem Anschein nach aber als organisierte Verbände militärisch wichtiger alter Kriegshandwerker – wie die centuria fabrum in Rom, die „Demiurgen" im Athen der Ständekämpfe. Diese Ansätze politischer Organisation aber schwanden gerade unter der Demokratie spurlos, und das konnte nach der damaligen sozialen Struktur des Gewerbes nicht anders sein. Der antike Kleinbürger konnte wohl mit den Sklaven zusammen einer Mystengemeinde (wie in Hellas) oder einem „Collegium" (wie später in Rom) angehören, aber nicht einem Verband, der, wie die Zunft des Mittelalters, politische Rechte in Anspruch nahm. Das Mittelalter kennt den Popolo im Gegensatz zu den Geschlechtern als *zünftig* organisiert. Gerade in der klassischen Zeit der Antike, unter der Herrschaft des Demos fehlt dagegen (im Gegensatz zu älteren Ansätzen) jede Spur von Zünften. Nicht nach Zünften, sondern nach *Demoi* oder nach Tribus, also nach örtlichen und zwar (formal) vorwiegend *ländlichen* Bezirken war die „demokratische" Stadt eingeteilt. Das war ihr Merkmal. Davon weiß nun wiederum das Mittelalter gar nichts. Die Einteilung des Stadt*inneren* in Stadtquartiere war natürlich dem Altertum und Mittelalter gemeinsam mit den orientalischen und ostasiatischen Städten. Indessen die ausschließliche Begründung einer politischen Organisation auf lokale Gemeinschaften und vor allem deren Erstreckung auf das gesamte zum politischen Bereich der Stadt gehörige platte Land, so daß hier formell geradezu das Dorf die Unterabteilung der Stadt wurde, fehlte dem Mittelalter und fehlte auch allen anderen Städten anderer Gebiete. Die Demoieinteilung fiel (im wesentlichen) mit den Dorfmarken (historischen oder ad hoc geschaffenen) zusammen. Die Demoi waren mit Allmenden und lokalen Ortsobrigkeiten ausgestattet. Dies als Grundlage der *Stadt*verfassung steht einzigartig in der Geschichte da und kennzeichnet für sich allein schon die Sonderstellung gerade der *demokratischen* Polis des Altertums, welche gar nicht stark genug betont werden kann. Dagegen *gewerbliche* Verbände als Konstituenten einer Stadt finden sich in der Antike nur in der Frühzeit und dann nur neben anderen ständischen Körperschaften. Sie galt für Wahlzwecke: so in Rom die Centurie der fabri neben den Centurien der equites im alten Klassenheer und möglicherweise, aber gänzlich unsicher, die Demiurgen eines vorsolonischen Ständekompromisses in Athen. Dies Vorkom-

men konnte dem Ursprung nach sowohl auf freie Einungen zurückgehen – wie dies sicherlich für das in der politischen Verfassung mit
berücksichtigte, sehr alte Collegium mercatorum mit dem Berufsgott
Mercurius in Rom galt – oder es konnte auch in leiturgisch, für Hee-
reszwecke, gebildeten Verbänden seine letzte Quelle haben: die antike Stadt beruhte ja in ihrer Bedarfsdeckung ursprünglich auf den
Frohnden der Bürger. Einzelne gildenartige Erscheinungen finden
sich. Der Kultverband der Tänzer des Apollon in Milet z.B. mit
seiner ganz offiziellen, durch Eponymie des Jahres nach dem Ver-
bandsvorstand, dokumentierten Herrschaftsstellung (unbekannten
spezielleren Inhalts) in der Stadt findet seine Parallele am ehesten in
den Gilden des mittelalterlichen Nordens einerseits, den Zünften der
magischen Tänzer bei amerikanischen Stämmen und der Magier
(Brahmanen) in Indien, der Leviten in Israel andererseits. Man wird
aber nicht an einen Gaststamm von Berufsekstatikern denken. Er ist
in historischer Zeit vielmehr wohl als ein Klub der zur Teilnahme an
der Apollon-Prozession qualifizierten Honoratioren anzusehen, entspricht also am ehesten der Kölner Richerzeche, nur mit der dem Altertum im Gegensatz zum Mittelalter typischen Identifikation einer
kultischen Sondergemeinschaft mit der herrschenden politischen
Bürgerzunft. Wenn in der *Spät*zeit der Antike andererseits in Lydien
wieder Kollegien von Gewerbetreibenden mit *erblichen* Vorstehern
sich finden, welche die Stelle von Phylen einzunehmen scheinen, so
ist dies sicher aus alten gewerblichen Gaststämmen hervorgegangen,
repräsentiert also einen der okzidentalen Entwicklung gerade entgegengesetzten, an indische Verhältnisse erinnernden Zustand. Im Okzident war eine Einteilung von Gewerbetreibenden nach Berufen
erst wieder in den sowohl spätrömischen wie frühmittelalterlichen
„Officia" und „Artificia" der grundherrlichen Handwerke vorhanden. Später, im Übergang zum Mittelalter, finden sich für städtische
Handwerke, welche für den Markt produzierten, aber von einem
Herrn persönlich abhängig, also abgabepflichtig waren, Verbände,
welche, soviel ersichtlich, nur der Abgabenerhebung gedient zu haben scheinen, vielleicht aber ursprünglich vom Herren gebildete leiturgische Verbände waren. Neben diesen aber, die später verschwinden, und vielleicht ebenso alt wie sie, finden sich dann jene Einungen
freier Handwerker mit monopolistischen Zwecken, welche in der Bewegung des Bürgertums gegen die Geschlechter die entscheidende
Rolle spielten. In der Antike findet sich dagegen in der klassischen
Demokratie nichts von alledem. Leiturgische Zünfte, welche vielleicht in der Frühzeit der Stadtentwicklung existiert haben könnten,

obwohl sie außer in jenen militärischen und Abstimmungsverbänden Roms nicht einmal in Spuren sicher nachzuweisen sind, finden sich erst im leiturgischen Staat der späten antiken Monarchie wieder. Die freien Einungen aber haben gerade in der Zeit der klassischen Demokratie zwar alle möglichen anderen Gebiete umfaßt, aber, soviel ersichtlich, nirgends *Zunft*charakter besessen oder angestrebt. Sie gehen uns hier daher nichts an. Hätten sie irgendwo ökonomischen Zunftcharakter erlangen wollen, so hätten sie eben, da die unfreien Handwerker nun einmal massenhaft existierten, ebenso wie die mittelalterliche Stadt, zwischen freien und unfreien Mitgliedern keinen Unterschied machen dürfen. Dann aber mußten sie auf *politische* Bedeutung verzichten, und das hätte für sie gewichtige Nachteile ökonomischer Art, die wir bald kennenlernen werden, zur Folge gehabt. Die antike Demokratie war eine „Bürgerzunft" der *freien* Bürger und dadurch, wie wir sehen werden, in ihrem ganzen politischen Verhalten determiniert. Die freien Zünfte oder die ihnen ähnlichen Einungen beginnen sich daher, soviel bisher bekannt, genau in derjenigen Zeit erstmalig zu bilden, als es mit der politischen Rolle der antiken Polis definitiv *zu Ende* war. Die Idee aber, die unfreien oder die freien nicht vollbürgerlichen (freigelassenen, metökischen) gewerblichen Arbeiter zu unterdrücken, zu verjagen oder wirksam zu begrenzen, konnte für die Demokratie der Antike offenbar als undurchführbar, gar nicht mehr in Betracht kommen. Ansätze, die sich dafür in charakteristischer Art in der Zeit der Ständekämpfe, speziell der Gesetzgeber und Tyrannen finden, schwinden später völlig und zwar gerade nach dem Siege der Demokratie. Das Maß der Heranziehung von Sklaven privater Herren neben freien Bürgern und Metöken bei Staatsbauten und Staatslieferungen gerade in der Zeit der absoluten Herrschaft des Demos zeigt ganz offenbar: daß sie dafür eben einfach nicht entbehrt werden konnten, wohl auch: daß ihre Herren den Profit davon nicht entbehren wollten und die Macht hatten, ihren Ausschluß zu hindern. Sonst hätte man sie sicherlich wenigstens dazu nicht mit herangezogen. Das freie, vollbürgerliche Gewerbe reichte also für die großen Staatsbedarfszwecke gar nicht aus. Hier zeigt sich die grundverschiedene Struktur gerade der voll entwickelten antiken Stadt wie der voll entwickelten mittelalterlichen in der Zeit der Herrschaft des Demos dort, des Popolo hier. In der von Hoplitenheeren beherrschten, frühdemokratischen antiken Stadt spielte der stadtsässige nicht auf einem Kleros angesessene, ökonomisch wehrfähige Handwerker politisch keine Rolle. Im Mittelalter führte das stadtsässige bürgerliche Großunternehmertum (popolo grasso) *und*:

die kleinkapitalistischen Handwerker (popolo minuto). Diese Schichten aber – das zeigt der politische Tatbestand – hatten innerhalb der antiken Bürgerschaft *keine* (maßgebende) *Macht*. Wie der antike Kapitalismus *politisch* orientiert war: an Staatslieferungen, staatlichen Bauten und Rüstungen, Staatskredit (in Rom als politischer Faktor schon in den punischen Kriegen), staatlicher Expansion und Beute an Sklaven, Land, Tributpflichten und Privilegien für Erwerb und Beleihung von Grund und Boden, Handel und Lieferungen in den Untertanenstädten, so war es auch die antike Demokratie: Die Bauern, so lange sie der Kern der Hoplitenheere blieben, waren am kriegerischen Landerwerb zu Ansiedlungszwecken interessiert. Das stadtsässige Kleinbürgertum aber: an direkten und indirekten *Renten* aus der Tasche der abhängigen Gemeinden: den Staatsbauten, Theater- und Heliasten-Geldern, Getreide- und anderen Verteilungen, die aus der Tasche der Untertanen vom Staat dargeboten wurden. Eine Zunftpolitik nach mittelalterlicher Art hätte das vorwiegend aus ländlichen Grundbesitzern bestehende Hoplitenheer in der Zeit seines Sieges in den kleisthenischen und (in Rom) dezemviralen Ständekompromissen schon von seinen Konsumenteninteressen an billiger Versorgung aus sicher nie aufkommen lassen. Und der spätere, von spezifisch stadtsässigen Interessenten beeinflußte hellenische souveräne Demos hatte offensichtlich kein Interesse mehr daran, und übrigens wohl auch keine Möglichkeit dazu.

Die politischen Ziele und Mittel der Demokratie in der Antike waren eben grundstürzend andere als diejenigen des mittelalterlichen Bürgertums. Das äußert sich in der schon mehrfach berührten Verschiedenheit der Gliederung der Städte. Wenn im Mittelalter die Geschlechter nicht geradezu verschwinden, sondern in die *Zünfte* als die nunmehrigen Konstituentien in die Bürgerschaft einzutreten genötigt wurden, so bedeutete dies: daß sie innerhalb dieser durch den Mittelstand majorisiert werden konnten, also formal einen Teil ihres Einflusses einbüßten. Oft genug sind freilich umgekehrt die Zünfte dadurch nach Art der Londoner Liveries ihrerseits auf die Bahn, plutokratische Rentnerkorporationen zu werden, getrieben worden. Immer aber bedeutete der Vorgang die Steigerung der Machtstellung einer *inner*städtischen, an Handel und Gewerbe direkt beteiligten oder interessierten, in diesem modernen Sinn: bürgerlichen Schicht. Wenn dagegen in der Antike an die Stelle oder neben die alten personalen Geschlechterverbände, Phylen und Phratrien die Einteilung des Stadtgebietes in *Demoi* oder *Tribus* erfolgte und diese Körperschaften und ihre Repräsentanten nun allein die politische Gewalt in

Händen hatten, so bedeutete das zweierlei: Zunächst die Zersprengung des Einflusses der Geschlechter. Denn deren Besitz war, seiner Entstehung durch Beleihung und Schuldverfall entsprechend, zum sehr großen Teile Streubesitz und kam nun nirgends mehr mit voller Wucht, sondern nur in den einzelnen Demoi mit seinen einzelnen Partikeln zur Wirkung. Dort, im einzelnen Demos, war er jetzt zu registrieren und zu versteuern, und das bedeutete wesentlich mehr im Sinne der Herabsetzung der politischen Macht des großen Besitzes als heute etwa eine Eingemeindung der ostdeutschen Gutsbezirke in die Landgemeinden bedeuten würde. Ferner und vor allem aber bedeutete die Zerschlagung des ganzen Stadtgebietes in Demoi: die Besetzung aller Rats- und Beamtenstellen mit Repräsentanten dieser, wie es in Hellas geschah, oder doch die Gliederung der Komitien (Tributkomitien) nach Tribus (31 ländliche, 4 städtische), wie sie in Rom durchgeführt wurde. Wenigstens der ursprünglichen Absicht nach sollte das die ausschlaggebende Stellung *nicht* stadtsässiger, sondern *land*sässiger Schichten und ihre Herrschaft über die Stadt bedeuten. Also *nicht* ein politisches Aufsteigen des städtischen erwerbenden *Bürgertums*, wie im popolo, sondern gerade umgekehrt den politischen Aufstieg der *Bauern*. Im Mittelalter, heißt das, war von Anfang an das *Gewerbe*, in der Antike aber, in der kleisthenischen Zeit, die *Bauern*schaft Träger der „Demokratie".

Der Tatsache nach und wenigstens einigermaßen dauernd trat dies allerdings nur in Rom ein. In Athen war nämlich die Zugehörigkeit zu einem Demos, dem man einmal angehörte, eine dauernde erbliche Qualität, welche unabhängig war vom Wohnsitz, Grundbesitz und Beruf, ebenso wie die Phratrie und die Sippe angeboren waren. Die Familie eines Paianiers z. B., wie des Demosthenes, blieb durch alle Jahrhunderte diesem Demos rechtlich zugehörig, wurde in ihm zu den Lasten herangezogen und zum Amt erlost, ganz einerlei ob er durch Wohnsitz oder Grundbesitz noch die allermindesten Beziehungen dorthin hatte. Damit wurde aber natürlich den Demoi, sobald einige Generationen der Zuwanderung nach Athen über sie hingegangen waren, der Charakter lokaler *bäuerlicher* Verbände genommen. Alle möglichen stadtsässigen Gewerbetreibenden zählten jetzt als Glieder ländlicher Demoi. Die Demoi waren also in Wahrheit jetzt rein persönliche Gliederungen der Bürgerschaft, wie die Phylen es auch waren. Tatsächlich waren damit die in Athen am Ort der Ekklesia jeweils anwesenden Bürger nicht nur durch die Tatsache dieser Anwesenheit bevorzugt, sondern sie bildeten mit steigendem Wachstum der Stadt zunehmend auch die Mehrheit in den formal ländlichen Demen. Anders in Rom. Für die 4 alten städtischen Tribus scheint zwar einmal ein ähnliches Prinzip gegolten zu haben. Aber jede der späteren ländlichen Tribus umfaßte nur denjenigen, welcher in ihr jeweilig mit Grundbesitz *angesessen* war. Mit Aufgabe dieses Grundbesitzes und anderweitigem Neuankauf wechselte man die Tribus, die claudische Gens z. B. gehörte der nach ihr benannten Tribuskörperschaft später gar nicht mehr an. Die Folge davon war, daß zwar ebenfalls, und bei dem ungeheuer ausgedehnten Gebiet noch mehr als in Athen, die jeweils bei den Comitien anwesenden, also die stadtsässigen Tribulen begünstigt waren. Aber: zum Unterschiede von Athen nur diejenigen, welche ländliche *Grundbesitzer* waren und welche Bodenbesitz solchen Umfangs in Händen hatten, daß sie die eigene Anwesenheit in der Stadt mit der Bewirtschaftung dieses Besitzes durch fremde Kräfte vereinigen konnten: Grundrentner also. Große und kleine ländliche Grundrentner beherrschen demnach seit dem Siege der Plebs die Comitien Roms. Die Übermacht der stadtsässigen Grundadelsfamilien in Rom einerseits, des städtischen Demagogos in Athen andererseits, hat diesen Unterschied aufrechterhalten. Die Plebs in Rom war kein Popolo, keine Vereinigung von Zünften der Handel- und Gewerbetreibenden, sondern dem Schwerpunkt nach der Stand der ländlichen panhopliefähigen Grundbesitzer, von denen in aller Regel die stadtsässigen allein die Politik beherrschten. Die Plebejer waren anfänglich nicht etwa Kleinbauern in modernem Sinne und noch weniger eine im mittelalterlichen Sinne bäuerliche Klasse, um die es sich handelte. Sondern die ökonomisch voll wehrhafte Grundbesitzerschicht des platten Landes, in sozialer Hinsicht zwar keine „gentry", wohl aber eine „yeomanry", mit einem nach dem Ausmaß des Bodenbesitzes und der Lebenshaltung in der Zeit des Aufstieges der Plebs mittelständischen Charakter: eine Ackerbürgerschicht also. Mit steigender Expansion stieg der Einfluß der stadtsässigen Bodennutznehmer. Dagegen war die gesamte Bevölkerung städtischen gewerblichen Charakters in den vier Stadttribus zusammengefaßt, also: einflußlos. Daran hat der römische Amtsadel stets festgehalten und auch die gracchischen Reformer sind weit davon entfernt gewesen das ändern und eine „Demokratie" hellenischer Art einführen zu wollen. Dieser ackerbürgerliche Charakter des römischen Heeres ermöglichte die Festhaltung der Herrschaft durch die großen stadtsässigen Senatorenfamilien. Im Gegensatz zur hellenischen Demokratie, welche den geschäftsführenden Rat durch das Los bestellte und den Areiopag, der im wesentlichen aus den gewesenen Beamten zusammengesetzt war und dem Senat entsprach, als

Kassationsinstanz vernichtete, blieb (in Rom) der Senat die leitende Behörde der Stadt, und es ist nie der Versuch gemacht worden, daran etwas zu ändern. Das Kommando der Truppen hat in der großen Expansionszeit stets in den Händen von Offizieren aus Stadtadelsfamilien gelegen. Die gracchische Reformpartei der späteren republikanischen Zeit aber wollte, wie alle spezifischen antiken Sozialreformer, vor allem die Wehrkraft des politischen Verbandes herstellen, die Deklassierung und Proletarisierung der ländlichen Besitzer, ihren Auskauf durch den großen Besitz hemmen, ihre Zahl stärken, um dadurch das sich selbst equipierende Bürgerheer aufrechtzuerhalten. Auch sie also war primär eine ländliche Partei, so sehr daß die Gracchen, um überhaupt etwas durchzusetzen, genötigt waren, die an Staatspachten und Staatslieferungen interessierte, durch ihre Beteiligung am Erwerb von den Ämtern ausgeschlossene Kapitalistenschicht: die Ritter, zur Unterstützung gegen den Amtsadel heranzuziehen.

Die perikleische Bautenpolitik wird wohl mit Recht als zugleich auch der Beschäftigung der Handwerker dienend aufgefaßt. Da die Bauten aus den Tributen der Bundesgenossen bestritten wurden, waren diese die Quelle jener Verdienstchancen. Aber, wie die inschriftlich feststehende Mitarbeit der Metöken und Sklaven zeigt, kam sie keineswegs nur den vollbürgerlichen Handwerkern zugute. Der eigentliche „Arbeitslosenverdienst" der Unterschichten war vielmehr in der perikleischen Zeit: Matrosenlohn und *Beute*, vor allem: Seekriegsbeute. Gerade der Demos war deshalb so leicht für den Krieg zu gewinnen. Diese deklassierten Bürger waren ökonomisch abkömmlich und hatten nichts zu verlieren. Dagegen ist eine eigentlich gewerbliche Produzentenpolitik der ganzen antiken demokratischen Entwicklung als ausschlaggebendes Element unbekannt geblieben. –

Wenn so die antike Stadtpolitik in erster Linie städtische Konsumenteninteressen verfolgt, so gilt dies gewiß auch für die mittelalterliche Stadt. Aber die Drastik der Maßregeln war in der Antike weit größer, offenbar weil es unmöglich schien, für eine Stadt wie Athen und Rom die Getreideversorgung lediglich dem privaten Handel zu überlassen. Dagegen finden sich auch in der Antike gelegentlich Maßregeln zur Begünstigung besonders wichtiger Exportproduktionen. Aber durchaus nicht vornehmlich gewerblicher Produktionszweige. Und nirgends wurde die Politik einer antiken Stadt durch diese Produzenteninteressen beherrscht. Für ihre Richtung maßgebend waren vielmehr zunächst in den alten Seestädten diejenigen, grundherrlichen und ritterlichen am Seehandel und Seeraub interessierten, dorther ihren Reichtum erwerbenden stadtsässigen Patrizier, welche überall, dann aber, in der Frühdemokratie, diejenigen der landsässigen hoplitfähigen Besitzer, welche in dieser Art *nur* in der mittelländischen Antike vorkommen. Schließlich aber die Interessen von Geld- und Sklavenbesitzern einerseits, städtischen Kleinbürgerschichten andererseits, welche beide, nur in verschiedener Art, an Staatsbedarf und *Beute* als Groß- und Kleinunternehmer, Rentner, Krieger und Matrosen interessiert sind.

Hierin verhielten sich nun die mittelalterlichen Stadtdemokratien *grundsätzlich* anders. Die Gründe des Unterschiedes waren bereits mit der Stadtgründung vorhanden und äußerten schon damals ihre Wirkung. Sie liegen in geographischen und militärischen, kulturgeschichtlich bedingten, Umständen. Die *antiken* mittelländischen Städte fanden bei ihrer Entstehung eine *außer*städtische politische Militärgewalt von Bedeutung und vor allem: von technisch hochstehender Art, sich überhaupt nicht gegenüber. Sie selbst waren vielmehr die Träger der höchst entwickelten militärischen Technik. Zunächst in den Geschlechterstädten der ritterlichen Phalange, dann aber, und vor allem, des disziplinierten Hoplitenkampfes. Wo in dieser militärischen Hinsicht im Mittelalter Ähnlichkeiten bestanden, wie bei den frühmittelalterlichen, südeuropäischen Seestädten, und den italienischen Stadtadelsrepubliken, zeigt auch die Entwicklung relativ weitgehende Ähnlichkeiten mit der Antike. In einem frühmittelalterlichen südeuropäischen Stadtstaat war die aristokratische Gliederung schon durch den aristokratischen Charakter der Militärtechnik bedingt. Gerade die Seestädte und nächst ihnen die (relativ) *armen* Binnenstädte mit großen politisch unterworfenen und von dem stadtsässigen Rentnerpatriziat beherrschten Gebieten (wie Bern), sind hier am wenigsten zu Demokratien geworden. Dagegen die gewerblichen Binnenstädte und vor allem die Städte des nördlichen *kontinentalen* Europa sahen sich im Mittelalter gegenüber der Militär- und Ämterorganisation der Könige und ihrer über die breiten Binnenflächen des Kontinents ausgebreiteten ritterlichen burgsässigen Vasallen. Sie beruhten in einem großen nach Norden und nach dem Binnenland zu immer mehr überwiegenden Bruchteile von ihrer Gründung an auf Konzessionen der politischen und grundherrlichen, dem feudalen Militär- und Amtsverband eingegliederten Gewalthaber. Ihre Konstituierung als „Stadt" erfolgte je länger je mehr nicht im politischen und militärischen Interesse eines grundsässigen Wehrverbandes, sondern vor allem aus *ökonomischen* Motiven des Gründers: weil der Gewalthaber Zoll- und ähnliche Verkehrseinnahmen und Steuern für sich davon erwartete. Sie war für ihn in erster Linie ein ökonomisches Geschäft, nicht eine militärische Maßregel, oder jedenfalls trat diese militärische Seite, wo sie vorhanden gewesen war, zunehmend zurück. Zu einer verschieden umfangreichen Autonomie der Stadt, wie sie dem okzidentalen Mittelalter spezifisch ist, führte die Entwicklung nur deshalb und nur so weit, weil und als die außerstädtischen Gewalthaber – das war das einzige *durchgehend* Entscheidende – noch nicht über denjenigen geschulten Apparat von Beamten verfügten, um das Bedürfnis nach *Verwaltung* städtischer Angelegenheiten auch nur so weit befriedigen zu können, als es *ihr eigenes* Interesse an der ökonomischen Entwicklung der Stadt verlangte. Die frühmittelalterliche fürstliche Verwaltung und Rechtsprechung besaß der Natur der Sache und der Stellung ihrer Träger nach nicht diejenige Fachkunde, Stetigkeit und rational geschulte Sachlichkeit, um die ihren eigenen sie hinlänglich in Anspruch nehmenden Interessen und ihren ständischen Gewohnheiten ganz fernliegenden Angelegenheiten der städtischen Handels- und Gewerbeinteressenten von sich aus zu ordnen und zu leiten. Das Interesse der Gewalthaber aber ging zunächst lediglich auf Geldeinnahme. Gelang es den Bürgern, dies Interesse zu befriedigen, so sprach die Wahrscheinlichkeit dafür, daß die außerstädtischen Gewalthaber sich jeder Einmischung in die Angelegenheiten der Bürger, welche ja die Anziehungskraft der eigenen städtischen Gründung in Konkurrenz mit denen anderer Gewalthaber und also ihre Einnahmen schädigen konnte, enthalten würden. Ihre Machtkonkurrenz untereinander, namentlich aber die Machtkonkurrenz der Zentralgewalt mit den großen Vasallen und der hierokratischen Gewalt der Kirche, kam den Städten zu Hilfe, zumal innerhalb dieser Konkurrenz das Bündnis mit der Geldmacht der Bürger Vorteile versprechen konnte. Je einheitlicher daher ein politischer Verband organisiert war, desto weniger entfaltete sich die politische Autonomie der Städte. Denn mit dem äußersten Mißtrauen haben ohne Ausnahme alle feudalen Gewalten, von den Königen angefangen, deren Entwicklung beobachtet. Nur der Mangel eines bürokratischen Amtsapparates und der Geldbedarf nötigte die französischen Könige seit Philipp August und die englischen seit Eduard II. sich auf die Städte ebenso zu stützen, wie die deutschen Könige sich auf die Bischöfe und das Kirchengut zu stützen versuchten. Nach dem Investiturstreit, welcher den deutschen Königen diese Stütze entzog, finden sich kurze Anläufe der salischen Könige, auch ihrerseits die Städte zu begünstigen. Sobald aber die politischen und finanziellen Machtmittel der königlichen oder territorialen Patrimonialgewalten den geeigneten Amtsapparat zu schaffen gestatteten, haben sie die Autonomie der Städte alsbald wieder zu vernichten gesucht.

Das historische Intermezzo der Städteautonomie war also in der mittelalterlichen Städteentwicklung durch *gänzlich andere* Umstände bedingt als in der Antike. Die spezifisch antike Stadt, ihre herrschenden Schichten, ihr Kapitalismus, die Interessen ihrer Demokratie sind alle, und zwar je *mehr* das spezifisch Antike hervortritt, desto *mehr,* primär politisch und militärisch orientiert. Der Sturz der Geschlechter und der Übergang zur Demokratie war bedingt durch die Änderung der Militärtechnik. Das sich selbst equipierende disziplinierte Hoplitenheer war es, welches den Kampf gegen den Adel trug, ihn militärisch und darauf auch politisch ausschaltete. Seine Erfolge gingen sehr verschieden weit, teilweise bis zur völligen Vernichtung des Adels, wie in Sparta, teilweise zu formaler Beseitigung der Ständeschranken, Befriedigung des Verlangens nach rationaler und leicht zugänglicher Justiz, persönlichem Rechtsschutz, Beseitigung der Härten des Schuldrechts, während die faktische Stellung des Adels in anderer Form erhalten blieb so in Rom. Teilweise zur Eingemeindung des Adels in die Demoi und zu timokratischer Leitung des Staates: so im kleisthenischen Athen. Meist findet sich, so lange die landsässige Hoplitschaft ausschlaggebend war, die Erhaltung autoritärer Institutionen des Geschlechterstaates. Sehr verschieden intensiv war auch der Grad der Militarisierung der Institutionen. Die spartanische Hoplitenschaft hat das gesamte den Kriegern gehörige Land und die darauf sitzenden Unfreien als gemeinsamen Besitz behandelt und jedem wehrhaft gemachten Krieger den Anspruch auf eine Landrente gegeben. In keiner anderen Polis ist man so weit gegangen. Weit verbreitet scheint freilich, im Gegensatz zu der nur mit Erbanwartschaften der Sippen belasteten, im übrigen aber freien Veräußerlichkeit des Bodens, die in Resten noch später erhaltene Beschränkung der Veräußerung der Kriegslose: des ererbten Landes der Mitglieder der Bürgerzunft also, gewesen zu sein. Aber auch diese hat schwerlich überall bestanden und ist später überall beseitigt worden. In Sparta war die Bodenakkumulation zwar nicht in den Händen der Spartiaten, wohl aber in denen der Frauen zulässig und hat die ökonomische Basis der ursprünglich wohl 8 000 Vollbürger umfassenden Kriegerschaft der „Homoioi" so verändert, daß schließlich nur wenige Hunderte die militärische Vollausbildung und den Beitrag zu den Syssitien erschwingen konnten, an welchen das Vollbürgerrecht hing. In Athen hat umgekehrt die Durchführung der Verkehrsfreiheit in Verbindung mit der Demosverfassung die Parzellierung, welche der zunehmenden Gartenkultur entsprach, gefördert. In Rom hat wiederum umgekehrt die Verkehrsfreiheit, welche im wesentlichen seit der Zwölftafelzeit bestand, zu ganz abweichenden Ergebnissen geführt, weil dabei die Dorfverfassung gesprengt wurde. In Hellas ist die Hoplitendemokratie überall da geschwunden, wo der Schwerpunkt der militärischen Machtstellung sich auf die Seemacht verschob (in Athen endgültig seit der Niederlage von Koroneia). Seitdem wurde sowohl die straffe Militärausbildung vernachlässigt wie die Reste der alten autoritativen Institutionen beseitigt und nunmehr beherrschte der *stadt*sässige Demos die Politik und die Institutionen der Stadt.

Von derartigen rein militärisch bedingten Peripetien weiß die mittelalterliche Stadt nichts. Der Sieg des Popolo beruhte in erster Linie auf ökonomischen Gründen. Und die spezifische mittelalterliche Stadt: die bürgerliche *gewerbliche Binnenstadt*, war überhaupt primär *ökonomisch* orientiert. Die feudalen Gewalten sind im Mittelalter nicht primär Stadtkönige und Stadtadel gewesen. Sie hatten nicht, wie der Adel der Antike, ein Interesse daran, spezifische militärtechnische Mittel, welche nur die *Stadt* als solche ihnen geboten hätte, in ihren Dienst zu stellen. Denn die Städte des Mittelalters waren, außer den Seestädten mit ihren Kriegsflotten, nicht als solche Träger derartig spezifisch militärischer Machtmittel. Im Gegenteil, während in der Antike die Hoplitenheere und ihre Einschulung, also militärische Interessen, immer mehr in den Mittelpunkt der Stadtorganisation traten, begannen die meisten Bürgerprivilegien des Mittelalters mit der Beschränkung der Bürgerwehrpflicht auf den Garnisondienst. Die Stadtbürger waren dort ökonomisch zunehmend an friedlichem Erwerb durch Handel und Gewerbe interessiert und zwar die unteren Schichten der Stadtbürgerschaft am allermeisten, wie namentlich der Gegensatz der Politik des Popolo minuto gegen die oberen Stände in Italien zeigt. Die politische Situation des mittelalterlichen Stadtbürgers wies ihn auf den Weg, ein *homo oeconomicus* zu sein, während in der Antike sich die Polis während der Zeit ihrer Blüte ihren Charakter als des militärtechnisch höchststehenden Wehrverbands bewahrte: Der antike Bürger war *homo politicus*. In den nordeuropäischen Städten wurden, wie wir sahen, die Ministerialen und Ritter als solche oft direkt aus der Stadt ausgeschlossen. Die *nicht* ritterlichen Grundbesitzer aber spielten entweder als bloße Stadtuntertanen oder passive Schutzgenossen, zuweilen als zünftig organisierte, aber politisch und sozial nicht ins Gewicht fallende Gärtner und Rebleute eine ganz geringe, man kann sagen: selten eine überhaupt ins Gewicht fallende, Rolle für die Stadtpolitik. Das platte Land war in aller Regel für die mittelalterliche Stadtpolitik lediglich Objekt der Stadtwirtschaftspolitik und wurde es immer mehr. Nirgends hat die spezifisch mittelalterliche Stadt auf den Gedanken verfallen können, sich in den Dienst einer kolonisatorischen Expansion zu stellen. –

Damit sind wir bei dem sehr wichtigen Punkt der ständischen Verhältnisse der Städte des Altertums im Vergleich mit den mittelalterlichen Städten angelangt. Die antike Polis kannte, auch abgesehen von den schon besprochenen Sklaven, *ständische* Schichten, welche dem Mittelalter teils nur in seiner Frühzeit, teils gar nicht, teils nur außerhalb der Stadt bekannt waren. Dahin rechnen: 1. die Hörigen, 2. die Schuldverknechteten, 3. die Klienten, 4. die Freigelassenen. Davon gehören die drei ersten Gruppen in aller Regel nur der Zeit vor der Hoplitendemokratie an und finden sich später nur in Resten von sinkender Bedeutung. Die Freigelassenen dagegen spielten gerade in der Spätzeit eine steigende Rolle.

1. Die patrimoniale *Hörigkeit* findet sich innerhalb des Bereichs der antiken Polis in historischer Zeit wesentlich in Eroberungsgebieten. In der feudalen Frühzeit der Stadtentwicklung aber muß sie sehr weit verbreitet gewesen sein. Ihre in der ganzen Welt in gewissen Grundzügen ähnliche, in allen Einzelheiten sehr verschiedene Stellung unterscheidet sich nicht prinzipiell von derjenigen der Hörigen des Mittelalters. Überall wurde der Hörige vornehmlich ökonomisch ausgenutzt. Am vollständigsten erhalten blieb die Hörigkeit auf hellenischem Gebiet gerade da, wo die Stadtorganisationen nicht durchgeführt wurden, so namentlich in Italien und Städten, welche so straffe Kriegerorganisationen waren, daß hier der Hörige als Staatshöriger und nicht als Besitz des einzelnen Herrn galt. Außerhalb dieser Gebiete hat die Zeit der Hoplitenherrschaft sie fast überall verschwinden lassen. Sie lebte wieder auf in hellenistischer Zeit in den okzidentalen Gebieten des Orients, welche damals der Städteorganisation unterworfen wurden. Große Landgebiete wurden, unter Erhaltung ihrer Stammesverfassung, den einzelnen Städten zugeteilt, deren Bürger eine hellenische (oder hellenisierte) Garnison im Interesse der Teilkönige bildeten. Aber diese zunächst rein politische Hörigkeit der nichthellenischen Landbevölkerung (εϑνη) hatte einen wesentlich anderen Charakter als die patrimoniale Abhängigkeit in der Epoche der Frühzeit und gehört nicht mehr in die Darstellung der autonomen Städte hinein.

2. Die *Schuldknechte* haben als Arbeitskräfte eine sehr bedeutende Rolle gespielt. Sie waren ökonomisch deklassierte Bürger. Ihre Lage war *das* spezifisch soziale Problem der alten Ständekämpfe zwischen stadtsässigem Patriziat und landsässigen Hopliten. In den Gesetzgebungen der Hellenen, in den 12 Tafeln, in den Schuldhaftgesetzen, in der Politik der Tyrannen ist das Interesse dieser deklassierten landsässigen Bauernschichten durch manche Kompromisse erledigt worden. Die Erledigung erfolgte in sehr verschiedenem Sinne. Die Schuldknechte waren keine Hörigen, sondern freie Grundbesitzer, welche mit Familie und Land in dauernde Versklavung oder in private Schuldhaft verurteilt oder zur Vermeidung der Exekution sich freiwillig in solche begeben hatten. Sie wurden ökonomisch nutzbar gemacht, besonders häufig als Pächter ihres vom Schuldherrn erhaltenen Landes. Ihre Gefährlichkeit zeigt sich darin, daß das 12-Tafel-Gesetz gebot, den verurteilten Schuldner außer Landes zu verkaufen.

3. Die *Klienten* sind zu scheiden sowohl von Schuldknechten wie von Hörigen. Sie sind einerseits nicht wie die letzteren mißachtete Unterworfene. Im Gegenteil bildeten sie die Gefolgschaft des Herrn und ihre Beziehung zu diesem war eine Treuebeziehung, die eine gerichtliche Klage zwischen Herrn und Klient als religiös unstatthaft erscheinen ließ. Ihr Gegensatz gegen die Schuldknechte zeigt sich darin, daß zum Unterschied von diesen eine ökonomische Ausnutzung der Klientelbeziehung durch den Herrn als unanständig galt. Sie waren persönliches und politisches, nicht aber ökonomisches Machtmittel des Herrn. Sie standen zum Herrn in einem durch die fides, über deren Innehaltung kein Richter, sondern ein Sittenkodex wachte, und deren Verletzung von seiten eines Beteiligten in Rom sakrale Folgen hatte, (die Verletzung der fides infamiert) geregelten Verhältnis. Sie stammen aus der Zeit des Ritterkampfs und der Adelsherrschaft und waren ursprünglich die persönlich mit dem Herrn in den Krieg ziehenden, zu Geschenken und Unterstützung in Notfällen und vielleicht auch zu gelegentlicher Arbeitshilfe verpflichteten, vom Herrn mit Landlosen ausgestatteten und vor Gericht vertretenen Ministerialen, wie die Sprache des Mittelalters sie bezeichnen würde, nicht aber seine Knechte. Nur waren sie nicht wie die späteren Ministerialen Leute von Ritterart und Ritterrang, sondern kleine Leute mit kleinen bäuerlichen Landlosen, eine Schicht plebejischer Kriegslehensinhaber. Der Klient war also ein am Bodenbesitz und lokalen Gemeinschaften und deshalb am Wehrverband nicht Beteiligter, der sich (in Rom durch die applicatio) in ein Schutzverhältnis zu einem Geschlechtshaupt (pater) oder auch zum König begeben

hat und daraufhin von diesem Rüstung und Land zugeteilt (technisch in Rom adtribuere) erhält. Meist hat er diese Beziehung von den Vorfahren ererbt. Dies ist die alte Bedeutung der Klientel. Und ganz wie im Mittelalter in der Zeit der Adelsherrschaft die Muntmannen entstanden, so hat auch in der Antike der gleiche Zustand massenhaft freie Kleinbauern veranlaßt, sich schon um der Gerichtsvertretung durch Adlige willen in Klientelbeziehungen zu begeben. Dies ist in Rom wohl die Quelle der späteren freieren Formen der Klientel gewesen. Die alte Klientel dagegen gab wenigstens in Rom den Klienten ganz in die Hand des Herrn. Noch 134 v. Chr. bot Scipio seine Klienten als Feldherr auf. In der Bürgerkriegszeit sind in dieser Hinsicht die Kolonen (Kleinpächter) der großen Grundbesitzer an ihre Stelle getreten.

Der Klient war in Rom in der Heeresversammlung stimmberechtigt und nach der Tradition (Livius) eine wichtige Stütze der Geschlechter. Eine rechtliche Aufhebung der Klientel ist wahrscheinlich niemals erfolgt. Aber der Sieg der Hoplitentechnik beseitigte ihre alte militärische Bedeutung auch dort, und in späterer Zeit ist das Institut nur erhalten als eine Einrichtung, welche dem Herrn sozialen Einfluß sicherte. Die hellenische Demokratie dagegen hat das Institut völlig vernichtet. Die Stadt des Mittelalters kennt innerhalb ihres Verbandes ein solches Institut überhaupt nur in der Form der Muntwaltschaft eines Vollbürgers über einen Nichtvollbürger, der sich in seinen Schutz begibt. Diese Gerichtsklientel verfiel mit der Geschlechterherrschaft.

4. Endlich umfaßte die Stadt der Antike die *Freigelassenen*. Ihre Zahl und Rolle war sehr bedeutend. Sie wurden ökonomisch ausgenutzt. Nach dem von italienischen Forschern sorgsam geprüften Inschriftenmaterial war etwa die Hälfte der Freigelassenen weiblichen Geschlechts. In diesem Falle, dürfte die Freilassung meist dem Zwecke einer gültigen Eheschließung gedient haben und also durch Loskauf des Eheanwärters bewirkt sein. Im übrigen finden sich inschriftlich besonders viele Freigelassenen, welche Hausklaven waren und also ihre Freilassung persönlicher Gunst verdankten. Ob für die Gesamtheit diese Zahlen nicht sehr täuschen, ist doch äußerst fraglich, da naturgemäß gerade für diese Kategorie die Chance der inschriftlichen Erwähnung besonders groß war. Es ist dagegen recht plausibel, wenn wir mit Caldomini die Zahl der Freilassungen aus dieser Schicht in Zeiten des politisch-ökonomischen Niedergangs anschwellen und in wirtschaftlich günstigen Zeiten abschwellen sehen: die Einschränkung der Gewinnchancen veranlaßte die Herren, den Haushalt einzuschränken und zugleich das Risiko der schlechten

Zeit auf den Sklaven, der sich ja nun selbst erhalten und seine Pflichtigkeiten an den Herrn bestreiten mußte, abzuwälzen. Die Agrarschriftsteller erwähnen Freilassung als Prämie für gute Wirtschaftsdienste. Der Herr wird ferner oft einen Haussklaven, statt ihn als Sklaven auszunutzen, freigelassen haben, weil er, worauf Strack hinweist, so der gerichtlichen, wenn auch begrenzten, Haftung für ihn ledig wurde. Aber andere Schichten dürften eine mindestens so große Rolle spielen. Der Sklave, dem sein Herr selbständigen Gewerbebetrieb gegen Abgaben gestattete, hatte ja die größten Chancen, Spargelder für den Loskauf aufzuspeichern, wie dies auch bei den russischen Leibeigenen der Fall war. Jedenfalls aber spielten für den Herrn die Dienste und Abgaben, zu denen der Freigelassene sich verpflichtete, die entscheidende Rolle. Der Freigelassene blieb in einer völlig patrimonialen, erst nach Generationen aufhörenden Beziehung zur Herrenfamilie. Er schuldete dem Herrn nicht nur die versprochenen, oft schweren Dienste und Abgaben, sondern auch seine Erbschaft unterlag, wie bei den Unfreien des Mittelalters, einem weitgehenden Zugriff des Herrn. Und daneben war er durch Pietätspflicht zu den verschiedensten persönlichen Obödienzen verbunden, welche die soziale Geltung und direkt die politische Macht des Herrn erhöhten. Die Folge war, daß die durchgeführte Demokratie z. B. in Athen, die Freigelassenen vom Bürgerrecht völlig ausschloß und zu den Metöken zählte. In Rom, wo die Machtstellung des Amtsadels nie gebrochen wurde, zählten sie dagegen zu den Bürgern, nur setzte die Plebs durch, daß sie auf die vier städtischen Tribus beschränkt blieben und darin gab ihr der Amtsadel nach, aus Furcht, sonst den Boden für eine Tyrannis bereiten zu helfen. Als Versuch, eine solche zu begründen, galt das Unternehmen des Zensors Appius Claudius, die Freigelassenen im Stimmrecht den Bürgern durch Verteilung auf alle Tribus gleichzustellen. Diese charakteristische Auffassung darf man freilich nicht mit Eduard Meyer als den Versuch der Schaffung einer „perikleischen" Demagogie auffassen. Denn die perikleische Herrscherstellung beruhte nicht auf Freigelassenen, welche hier ja gerade durch die Demokratie von allen Bürgerrechten ausgeschlossen waren, sondern gerade umgekehrt auf den Interessen der *Voll*bürgerzunft an der *politischen* Expansion der Stadt. Die antiken Freigelassenen waren dagegen in ihrer Masse eine Schicht von friedlichen Erwerbsmenschen, von homines oeconomici, welche in einem ganz spezifischen Grade, in einem weit höheren Maße als durchschnittlich irgendein Vollbürger einer antiken Demokratie, dem Erwerbsbürgertum des Mittelalters und der Neuzeit nahestanden. Darum also, ob mit ihrer Hilfe ein Volkskapitanat in Rom entstehen sollte, hätte es sich gehandelt, und die Zurückweisung des Versuchs des Appius Claudius bedeutete: daß nach wie vor das Bauernheer und der städtische Amtsadel, das erstere normalerweise vom letzteren beherrscht, die ausschlaggebenden Faktoren bleiben sollten.

Machen wir uns die spezifische Stellung der Freigelassenen, dieser in gewissem Sinne modernsten, einer „Bourgeoisie" nächststehenden Schicht der Antike noch etwas deutlicher. Nirgends haben die Freigelassenen die Zulassung zu Ämtern und Priestertümern, nirgends das völlige connubium, nirgends – obwohl sie in Notfällen aufgeboten wurden – die Teilnahme an den militärischen Exerzitien (dem Gymnasion) und an der Rechtspflege durchgesetzt, in Rom konnten sie nicht Ritter werden und fast überall war ihre prozessuale Stellung irgendwie ungünstiger als die der Freien. Ihre rechtliche Sonderstellung hatte ökonomisch für sie die Bedeutung: daß nicht nur die Teilnahme an den vom Staat gewährten oder sonst *politisch* bedingten Emolumenten des Bürgers, sondern vor allem auch der Grunderwerb und mithin auch der Hypothekenbesitz ihnen verschlossen war. Die *Grundrente* blieb also charakteristischerweise das spezifische Monopol der *Voll*bürger gerade in der *Demokratie*. In Rom, wo sie Bürger zweiter Klasse waren, bedeutete der Ausschluß von der Ritterwürde: daß ihnen die großen Steuerpachten und die Staatslieferungsgeschäfte, welche dieser Stand dort monopolisierte, verschlossen waren (wenigstens als Eigenunternehmen). Den Rittern standen sie also als eine Art von plebejischer Bourgeoisie gegenüber. Beides aber bedeutete praktisch: daß diese Schicht sich von dem spezifisch antiken politisch orientierten Kapitalismus weitgehend ausgeschlossen und also auf die Bahn eines relativ modernen bürgerlichen Erwerbs hingewiesen sah. Sie sind denn auch die wichtigsten Träger jener Erwerbsformen, welche am meisten modernen Charakter zeigen und entsprechen unserem kleinkapitalistischen, unter Umständen aber zu bedeutendem Reichtum aufsteigenden, Mittelstand bei weitem am ehesten, in entschiedenem Gegensatz zu dem typischen Demos der Vollbürger in der hellenischen Stadt, der die politisch bedingten *Renten*: Staatsrenten, Tagegelder, Hypothekarrenten, Landrenten monopolisiert. Die Arbeitsschulung der Sklaverei, verbunden mit der dem Sklaven winkenden Prämie des Freikaufs war ein starker Sporn für den Erwerbswillen der Unfreien in der Antike, ganz wie in der Neuzeit in Rußland. Der antike Demos war im Gegensatz dazu kriegerisch und politisch interessiert. Als eine Schicht ökonomischer Interessenten waren die Freigelassenen die gegebene Kultgemeinde des Augustus als des Bringers des Friedens. Die von ihm gestiftete Augustalenwürde ersetzte etwa unseren Hoflieferantentitel. –

Das Mittelalter kennt die Freigelassenen als einen besonderen Stand nur in der vorstädtischen Frühzeit. Innerhalb der Städte wurde die Schicht der Leibeigenen, deren Erbschaft dem Herrn ganz oder teilweise verfiel, durch den Satz: Stadtluft macht frei, und außerdem durch die städtischen Privilegien der Kaiser, welche den Zugriff der Herren auf die Erbschaft von Stadtbürgern verboten, schon in der ersten Zeit der städtischen Entwicklung beschränkt und fiel mit der Zunftherrschaft völlig dahin. Während in der Antike eine Zunftorganisation, welche vollbürgerliche, freigelassene und unfreie Handwerker umschlossen hätte, als politische Grundlage der Stadt als eines Militärverbandes völlig ausgeschlossen gewesen wäre, geht die mittelalterliche Zunftverfassung gerade umgekehrt von der Ignorierung der außerstädtischen ständischen Unterschiede aus.

Die antike Polis war, können wir resümieren, seit der Schaffung der Hoplitendisziplin eine *Kriegerzunft*. Wo immer eine Stadt aktive Politik zu Lande treiben wollte, mußte sie in größerem oder geringerem Umfang dem Beispiel der Spartiaten folgen: trainierte Hoplitenheere aus Bürgern zu schaffen. Auch Argos und Theben haben in der Zeit ihrer Expansion Kontingente von Kriegervirtuosen, in Theben noch durch die Bande der persönlichen Kameradschaft verknüpft, geschaffen. Städte, welche keine solche Truppe besaßen, sondern nur ihre Bürgerhopliten, wie Athen und die meisten anderen, waren zu Lande auf die Defensive angewiesen. Überall aber waren nach dem Sturz der Geschlechter die Bürgerhopliten die ausschlaggebende Klasse der Vollbürger. Weder im Mittelalter noch irgendwo sonst findet diese Schicht eine Analogie. Auch die nicht spartanischen hellenischen Städte hatten den Charakter eines chronischen Kriegslagers in irgendeinem Grade ausgeprägt. In der ersten Zeit der Hoplitenpolis hatten daher die Städte zunehmend den Abschluß gegen außen im Gegensatz zu der weitgehenden Freizügigkeit der hesiodischen Zeit entwickelt, und es bestand sehr vielfach die Beschränkung der Veräußerlichkeit des Kriegsloses. Diese Einrichtung verfiel aber in den meisten Städten schon früh und wurde ganz überflüssig, als teils geworbene Söldner, teils, in den Seestädten, der Flottendienst in den Vordergrund traten. Aber auch damals blieb der Kriegsdienst letztlich maßgebend für die politische Herrschaft in der Stadt und diese behielt den Charakter einer militaristischen Zunft bei. Nach außen war es gerade die radikale Demokratie in Athen, welche die angesichts der beschränkten Bürgerzahl nahezu phantastische, Ägypten und Sizilien umspannende Expansionspolitik stützte. Nach innen war die Polis als ein militaristischer Verband absolut souverän. Die Bürgerschaft schaltete in jeder Hinsicht nach Belieben mit dem Einzelnen. Schlechte Wirtschaft, speziell Vergeudung des ererbten Kriegerloses (der bona patria vitaquae der römischen Entmündigungsformel), Ehebruch, schlechte Erziehung des Sohnes, schlechte Behandlung der Eltern, Asebie, Hybris: – jedes Verhalten überhaupt, welches die militärische und bürgerliche Zucht und Ordnung gefährdete oder die Götter zum Nachteil der Polis erzürnen konnte – wurde trotz der berühmten Versicherung des Perikles in der thukydideischen Leichenrede: daß in Athen jeder leben könne wie er wolle, hart gestraft und führte in Rom zum Einschreiten des Zensors. Prinzipiell also war von persönlicher Freiheit der Lebensführung keine Rede und soweit sie faktisch bestand, war sie, wie in Athen, erkauft durch die geringere Schlagkraft der Bürgermiliz. Auch ökonomisch verfügte die hellenische Stadt unbedingt über das Vermögen der Einzelnen: im Fall der Verschuldung verpfändete sie noch in hellenistischer Zeit auch Privatbesitz und Person ihres Bürgers an den Gläubiger. Der Bürger blieb in erster Linie Soldat. Neben Quellwasser, Markt, Amtsgebäude und Theater gehört nach Pausanias zu einer Stadt das Gymnasion. Es fehlte nirgends. Auf Markt und Gymnasion verbringt der Bürger den Hauptteil seiner Zeit. Seine persönliche Inanspruchnahme durch Ekklesia, Geschworenendienst, Ratsdienst und Amtsdienst im Turnus, vor allem aber durch Feldzüge: jahrzehntelang Sommer für Sommer war in Athen gerade in der klassischen Zeit eine solche, wie sie bei differenzierter Kultur weder vorher noch nachher in der Geschichte erhört ist. Auf alle irgend erheblichen Bürgervermögen legte die Polis der Demokratie die Hand. Die Leiturgie der Trierarchie: Ausrüstung und Beschaffung des Kommandos von Kriegsschiffen, die Hierarchie: Herrichtung der großen Feste und Aufführungen, die Zwangsanleihen im Notfall, das attische Institut der Antidosis, überlieferte alle bürgerliche Vermögensbildung der Labilität. Die absolut willkürliche Kadijustiz der Volksgerichte (Zivilprozesse vor hunderten von rechtsunkundigen Geschworenen) gefährdete die formale Rechtssicherheit so stark, daß eher die Fortexistenz von Vermögen wundernimmt, als die sehr starken Peripetien bei jedem politischen Mißerfolg. Dieser wirkte um so vernichtender, als einer der wichtigsten Vermögensbestandteile: die Sklaven, dann durch massenhaftes Entlaufen zusammenzuschrumpfen pflegten. Andererseits bedurfte die Demokratie für die Pachtung ihrer Lieferungen, Bauten, Abgaben der Kapitalisten. Eine rein nationale Kapitalistenklasse wie in

Rom in Gestalt des Ritterstandes war also in Hellas nicht entwickelt. Die meisten Städte suchten vielmehr gerade umgekehrt durch Zulassung und Heranziehung gerade auch auswärtiger Reflektanten die Konkurrenz dieser zu steigern und die einzelnen Stadtgebiete waren zu klein, um hinlängliche Gewinnchancen zu bieten. Besitz von Land, in meist mäßigem Ausmaß Besitz von Sklaven, welche Zins an den Herrn zahlten oder als Arbeiter vermietet wurden (Nikias), daneben Schiffsbesitz und Kapitalbeteiligung am Handel waren die typischen Vermögensanlagen der Bürger. Dazu trat für die herrschenden Städte die Anlage in auswärtigen Hypotheken und Bodenbesitz. Diese war nur möglich, wenn das lokale Bodenbesitzmonopol der beherrschten Bürgerzünfte gebrochen war. Staatlicher Landerwerb, der dann an Athener verpachtet oder an attische Kleruchen gegeben wurde und Zulassung der Athener zum Bodenbesitz in den Untertanenstädten waren daher wesentliche Zwecke der Seeherrschaft. Der Grund- und Menschenbesitz spielte also in der ökonomischen Lage der Bürger auch in der Demokratie durchaus die ausschlaggebende Rolle. Der Krieg, der alle diese Besitzverhältnisse umstürzen konnte, war chronisch und steigerte sich im Gegensatz gegen die ritterliche Kriegsführung der Geschlechterzeit zu außerordentlicher Rücksichtslosigkeit. Fast jede siegreiche Schlacht brachte die massenhafte Abschlachtung der Gefangenen, jede Eroberung einer Stadt Tötung oder Sklaverei der ganzen Einwohnerschaft. Jeder Sieg entsprechend plötzliche Steigerung der Sklavenzufuhr. Ein solcher Demos konnte unmöglich primär in der Richtung des befriedeten *ökonomischen* Erwerbs und eines *rationalen* Wirtschaftsbetriebes orientiert sein.

Darin verhielt sich das mittelalterliche Stadtbürgertum schon der ersten Entwicklungsperiode ganz erheblich anders. Die nächstverwandten Erscheinungen finden sich im Mittelalter wesentlich in den Seestädten Venedig und namentlich Genua, deren Reichtum an ihrer überseeischen Kolonialmacht hing. Dabei handelte es sich aber dem Schwerpunkt nach um Plantagen- oder grundherrlichen Besitz einerseits, Handelsprivilegien und gewerbliche Siedlungen andererseits, nicht aber um Kleruchien oder um Kriegssold oder um Dotierung der Masse der Bürger aus Tributen wie im Altertum. Die mittelalterliche *gewerbliche Binnenstadt* vollends steht dem antiken Typus ganz fern. Zwar war nach dem Siege des Popolo das Unternehmertum der oberen Zünfte oft außerordentlich kriegerisch gesinnt. Die Beseitigung lästiger Konkurrenten, Beherrschung oder Zollfreiheit der Straßen, Handelsmonopole und Stapelrechte spielen dabei vorwaltend die entscheidende Rolle. Allerdings kennt auch die mittelalterliche Stadt starke Umwälzungen des Grundbesitzstandes sowohl als Folge auswärtiger Siege, wie einer Umwälzung der Parteiherrschaft in der Stadt. Besonders in Italien: der Grundbesitz der jeweils besiegten oder feindlichen Partei gibt der herrschenden Partei Gelegenheit zu Pachtungen von Land von der staatlichen Zwangsverwaltung oder zu direkt käuflichem Erwerb und jede Niederwerfung einer fremden Gemeinde vermehrt auch das unterworfene Landgebiet und damit die Möglichkeit des Bodenerwerbs für die siegreiche Bürgerschaft. Aber der Radikalismus dieser Besitzveränderungen ist nicht zu vergleichen mit den ungeheuren Besitzumwälzungen, welche noch in der Spätzeit der antiken Städte jede Revolution und jeder siegreiche auswärtige oder Bürgerkrieg mit sich brachte. Und vor allem steht nicht der *Grundbesitz* im Vordergrunde des ökonomischen Interesses bei der Expansion. Die mittelalterliche Stadt war unter der Herrschaft der Zünfte ein ganz außerordentlich viel stärker in der Richtung des Erwerbs durch rationale Wirtschaft orientiertes Gebilde als irgendeine Stadt des Altertums, solange die Epoche der unabhängigen Polis dauerte. Erst der Untergang der Stadtfreiheit in hellenistischer und spätrömischer Zeit änderte dies durch die Vernichtung der Chance, ökonomischen Verdienst auf dem Wege der kriegerischen Politik der Stadt für die Bürger zu schaffen. Gewiß: auch im Mittelalter waren einzelne Städte, so namentlich Florenz, in dessen Armee zuerst die Artillerie auftaucht, Träger des Fortschritts der Kriegstechnik zu Lande. Und schon das Bürgeraufgebot der Lombarden gegen Friedrich I. bedeutete eine militärtechnisch erhebliche Schöpfung. Aber die Ritterheere blieben doch den Stadtheeren im ganzen mindestens ebenbürtig, im Durchschnitt namentlich in Niederungen weit überlegen. Den Stadtbürgern konnte militärische Stärke zwar als Stütze, aber in Binnenlanden nicht als Grundlage ihres ökonomischen Erwerbs dienen. Dieser war dadurch, daß der Sitz der höchsten Militärs nicht in den Städten lag, auf den Weg *rationaler Wirtschaftsmittel* hingewiesen.

Vier große Machtschöpfungen sind von der antiken Polis als solcher unternommen worden: das sizilianische Reich des Dionysius, der attische Bund, das karthagische und das römisch-italienische Reich. Den peloponnesischen und den böotischen Bund dürfen wir beiseite lassen, weil ihre Großmachtstellung ephemär war. Jede jener vier Schöpfungen ruhte auf einer anderen Basis. Die Großmacht des Dionysios war eine auf Söldner und nur daneben auf das Bürgerheer gestützte reine Militärmonarchie, die für uns als untypisch kein spezifisches Interesse bietet. Der attische Bund war eine Schöpfung der

Demokratie, also einer Bürgerzunft. Dies mußte notwendig zu einer ganz exklusiven Bürgerrechtspolitik führen und bedingte andererseits die völlige Unterordnung der verbündeten demokratischen Bürgerzünfte unter die Bürgerzunft der herrschenden Stadt. Da die Höhe der Tribute nicht fest vereinbart, sondern einseitig in Athen festgestellt wurde, wenn auch nicht vom Demos selbst, sondern von einer kontradiktorisch verhandelnden Kommission, welche der Demos wählte, und da alle Prozesse der Bundesgenossen nach Athen gezogen wurden, so war die dortige kleine Bürgerzunft unumschränkte Herrin des weiten Reiches, nachdem mit wenigen Ausnahmen die Herstellung eigener Schiffe und Kontingente der Untertanen durch Geldzahlungen ersetzt und damit der gesamte Matrosendienst der herrschenden Bürgerschaft zugewiesen war. Eine einzige endgültige Vernichtung der Flotte dieses Demos mußte daher dieser Herrschaft ein Ende bereiten. Die Großmachtstellung der Stadt Karthago, beherrscht streng plutokratisch von großen Geschlechtern, welche Handels- und Seekrieggewinn in typischer antiker Art mit großem Grundbesitz, der hier aber kapitalistisch mit Sklaven bewirtschafteter Plantagenbesitz war, verbanden, ruhte auf Söldnerheeren. (In Verbindung mit der Expansionspolitik ging die Stadt erst zur Münzprägung über.) Die Beziehung der Heerführer, deren Heer an ihnen persönlich, ihren Erfolgen und Schicksalen mit seinen Beutechancen hing, zu den Patrizierfamilien der Stadt konnte niemals die Spannung verlieren, welche bis auf Wallenstein herab jedem auf eigener Werbung ruhenden Heerführertum gegenüber seinem Auftraggeber eigen gewesen ist. Dieses nie ruhende Mißtrauen schwächte die militärischen Operationen, so daß die Überlegenheit der Taktik des Berufsheeres der Söldner gegenüber den italischen Bürgeraufgeboten nicht dauernd behauptet werden konnte, sobald auch dort an die Spitze ein einzelner Dauerfeldherr gestellt wurde und die militärische Leistungsfähigkeit der Korporale und Soldaten dem Soldheere ebenbürtig geworden war. Dem Mißtrauen der karthagischen Plutokratie und spartanischen Ephoren gegen die siegreichen Feldherren entspricht durchaus das Verhalten des attischen Demos und die von ihm entwickelte Institution des Ostrakismos. Die Abneigung der herrschenden Schicht dagegen: im Falle der Entstehung einer Militärmonarchie die Knechtschaft der unterworfenen auswärtigen Völker teilen zu müssen, lähmte die Expansionskraft. Allen antiken Hoplitenschaften gemeinsam ist ferner die durch mächtige, ökonomisch nutzbare politische Monopolinteressen gestützte Abneigung, die eigene politische Sondervergemeinschaftung der vollberechtigten Bürger durch Öffnung der

Schranken des Bürgerrechts zu erweitern und in einem einzigen Bürgerrecht eines aus zahlreichen Einzelgemeinden bestehenden Reiches aufgehen zu lassen. Alle auf dem Wege zu einem interstädtischen Bürgerrecht liegenden Vergemeinschaftungsformen haben jene Grundtendenz niemals ganz verschwinden lassen. Denn alles, was der Bürger als Recht, als Grundlage seines Prestiges und ideellen Bürgerstolzes ebenso wie als ökonomische Chance genoß, hing an seiner Zugehörigkeit zur militärischen Bürgerzunft, und die strenge Exklusivität der Kultgemeinschaften gegeneinander war ein weiteres Moment der Hemmung einer einheitsstaatlichen Bildung. Ganz unüberwindlich waren alle jene Momente nicht, wie das Gebilde des böotischen Bundesstaates beweist, der ein gemeinsames böotisches Bürgerrecht, gemeinsame Beamte, eine durch Repräsentanten der einzelnen Bürgerschaften beschickte, beschließende Versammlung, gemeinsame Münze und gemeinsames Heer neben einer Gemeindeautonomie der einzelnen Städte kannte. Aber es steht in dieser Hinsicht innerhalb der hellenistischen Welt nahezu isoliert da. Der peloponnesische Bund bedeutete nichts ähnliches und alle anderen Bundesverhältnisse lagen nach der gerade entgegengesetzten Richtung. Es waren durchaus besondere soziale Bedingungen, welche die römische Gemeinde dazu gebracht haben, in dieser Hinsicht eine vom antiken Typus sehr stark abweichende Politik zu treiben.

In Rom war in ungleich stärkerem Maße als in irgendeiner antiken Polis eine Honoratiorenschicht stark feudalen Gepräges Träger der Herrschaft geblieben und nach nur zeitweiliger Erschütterung stets erneut geworden. Dies tritt auch in den Institutionen deutlich zutage. Der Sieg der Plebs hatte eine Demeneinteilung im hellenischen Sinne nicht gebracht, sondern der Form nach eine Herrschaft der in den Tribus sitzenden Bauern, der Sache nach aber die Herrschaft der *stadtsässigen* ländlichen Grundrentner, die allein ständig an dem politischen Leben der Stadt teilnahmen. Sie allein waren ökonomisch „abkömmlich", also amtsfähig, und der Senat oder Repräsentation der großen Beamten Träger der *Amtsadelsbildung*. Dazu tritt nun die außerordentlich starke Bedeutung feudaler und halbfeudaler Abhängigkeitsverhältnisse. In Rom hat die Klientel als Institution, wenn auch ihres alten militärischen Charakters zunehmend entkleidet, bis in die spätesten Zeiten ihre Rolle gespielt. Wir sahen ferner, daß die Freigelassenen der Sache nach geradezu unter einer Art von sklavenartiger Gerichtshörigkeit standen: Caesar ließ einen seiner Freigelassenen hinrichten, ohne daß dagegen Widerspruch entstanden wäre. Der römische Amtsadel wurde je länger je mehr eine

Schicht, welche nach dem Umfang ihres Grundbesitzes nur in den frühhellenischen, als „Tyrannen" verschrieenen Figuren eines interlokalen Adels von der Art des Miltiades eine schwache Analogie fand. Die Zeit des älteren Cato rechnete noch mit Gütern mäßigen Umfanges, immerhin weit größeren als etwa dem Erbbesitz des Alkibiades oder der von Xenophon als normal vorausgesetzten Landgüter. Aber die einzelnen Adelsfamilien kumulierten unzweifelhaft schon damals Massen solchen Besitzes und waren überdies direkt an den für standesgemäß und, durch Vermittlung ihrer Freigelassenen und Sklaven, auch an den für unstandesgemäß geltenden Geschäften aller Art durch die ganze Welt hin beteiligt. Kein hellenischer Adel konnte sich entfernt mit dem ökonomischen und sozialen Niveau der römischen Geschlechter der späteren Republik messen. Auf den wachsenden Grundbesitzungen des römischen Adels wuchs die Zahl der Parzellenpächter (coloni), welche vom Herrn mit Inventar ausgerüstet und in der Wirtschaftsführung kontrolliert, nach jeder Krise immer tiefer verschuldet, faktisch erblich auf ihren Stellen blieben und vollständig von dem Herrn abhängig, in den Bürgerkriegen von den Parteiführern (ebenso wie von den Feldherren noch im numantinischen Kriege die Klienten) zur Kriegshilfe aufgeboten wurden.

Aber nicht nur massenhafte Einzelpersonen standen im Klientelverhältnis. Der siegreiche Feldherr nahm verbündete Städte und Länder in persönlichen Schutz und diese Patronage blieb in seinem Geschlecht: so hatten die Claudier Sparta und Pergamon, andere Familien andere Städte in Klientel, empfingen ihre Gesandten und vertraten im Senat deren Wünsche. Nirgends in der Welt ist eine derartige politische Patronage in den Händen einzelner, formell rein privater Familien vereinigt gewesen. Längst vor aller Monarchie existierten private Herrschergewalten, wie sie sonst nur Monarchen besitzen.

Diese auf Klientelbeziehungen aller Art ruhende Macht des Amtsadels hat die Demokratie nicht zu durchbrechen vermocht. An eine Eingemeindung der Geschlechter in die Demen und die Erhebung dieser Verbände zu Konstituentien des politischen Verbandes zum Zweck der Zerbrechung der Macht der Geschlechterverbände nach attischer Art ist in Rom gar nicht gedacht worden. Ebensowenig ist jemals versucht worden, so wie es die attische Demokratie nach der Vernichtung des Areiopags tat, einen erlosten Ausschuß des Demos als Verwaltungsbehörde und durch frei aus der ganzen Bürgerschaft erloste Geschworene als Gerichtsbehörde zu konstituieren. In Rom behielt die jenem Areiopag am meisten entsprechende Vertretung des Amtsadels, der Senat, als ständige Körperschaft gegenüber den wechselnden Wahlbeamten die Verwaltungskontrolle in der Hand und selbst die siegreiche Militärmonarchie hat zunächst nicht den Versuch gemacht, diese Geschlechter auf die Seite zu schieben, sondern sie nur entwaffnet und auf die Verwaltung befriedeter Provinzen beschränkt.

Die patrimoniale Konstruktion der herrschenden Schicht äußerte sich auch in der Art der Führung der Amtsgeschäfte. Ursprünglich wurde das Büropersonal wohl überall von den Beamten selbst gestellt. Innerhalb der Friedensverwaltung wurde die Bestellung des subalternen Personals allerdings später seiner Verfügung weitgehend entzogen, aber den Feldherrn unterstützten sicherlich seine Klienten und Freigelassenen, daneben aber die freie Gefolgschaft persönlicher und apolitischer Freunde aus verbündeten Geschlechtern in der Ausübung seines Amtes. Denn im Felddienst war die Übertragung der Amtswahrnehmung an Beauftragte weitgehend gestattet. Auch der Prinzeps der ersten Zeit der Militärmonarchie führte seine Verwaltung unbeschadet der später zunehmenden Einschränkung zu einem immerhin sehr großen Teile mit Hilfe seiner Freigelassenen, daß diese Schicht gerade damals unter der Herrschaft der von jeher klientelreichen Claudier den Höhepunkt ihrer Macht erreichte und ein claudischer Kaiser dem Senat drohen konnte, auch formell die Gesamtverwaltung ganz in die Hand dieser seiner persönlichen Untertanen zu legen. Und ganz wie bei den spätrepublikanischen Adelsgeschlechtern lag auch beim Prinzeps einer der wichtigsten Schwerpunkte seiner ökonomischen Macht in den namentlich unter Nero gewaltig vermehrten Grundherrschaften und in solchen Gebietsteilen, die, wie namentlich Ägypten, wenn auch nicht, wie man behauptet hat, rechtlich, so doch faktisch wie eine Art persönlicher Patrimonialherrschaft verwaltet wurden. Diese so bis in späte Zeiten nachwirkende Bedeutung des patrimonialen und feudalen Einschlags der römischen Republik und ihrer Honoratiorenverwaltung ist in ihrer Eigenart in einer nie völlig unterbrochenen Tradition von altersher, wenn auch ursprünglich naturgemäß in kleinerem Kreise, vorhanden gewesen und war die Quelle sehr wichtiger Unterschiede gegenüber dem Hellenentum. Schon die äußere Lebensführung wies charakteristische Unterschiede auf. In Hellas begann in der Zeit des Wagenkampfes der adlige Mann sich auf dem Ringplatz zu tummeln, wie wir sahen. Der Agón, das Produkt des individuellen Ritterkampfes und der Verklärung des ritterlichen Kriegsheldentums war Quelle der entscheidendsten Züge der hellenischen Erziehung. Gegenüber dem Turnier des Mittelalters war, so sehr Wagen und Pferde im Vordergrund standen, doch der wichtige Unterschied von Anfang an vorhanden: daß bestimmte offizielle Feste ein für allemal nur in dieser Form des Agón begangen wurden. Und mit dem Vordringen der Hoplitentechnik verbreitete sich nur der Kreis des Agón. Alles was auf dem Gymnasion geübt wurde: Speerkampf, Ringen, Faustkampf, vor allem Wettlauf, nahm diese Form an und wurde dadurch „gesellschaftsfähig". Die rituellen Gesänge zu Ehren der Götter wurden durch musische Agóne ergänzt. Zwar glänzte der vornehme Mann dabei durch die Qualität seines Besitzes: Pferde und Wagen, die er für sich laufen ließ. Aber der Form nach mußten die plebejischen Agóne als ebenbürtig anerkannt werden. Der Agón wurde organisiert mit Preisen, Schiedsrichtern, Kampfregeln und durchdrang das gesamte Leben. Nächst dem Heldengesang wurde er das wichtigste nationale Band des Hellenentums im Gegensatz zu allen Barbaren.

Schon das älteste Auftauchen der Hellenen auf Bildwerken scheint nun als ihnen spezifisch die Nacktheit, das Fehlen aller Bekleidung außer den Waffen zu erweisen. Von Sparta, der Stätte des höchsten militärischen Trainings aus, verbreitete sie sich über die hellenische Welt und auch der Lendenschurz fiel fort. Keine Gemeinschaft der Erde hat eine Institution wie diese zu einer solchen alle Interessen und die ganze Kunstübung und Konversation bis zu den platonischen Dialogkämpfen beherrschenden Bedeutung entwickelt. Bis in die Spätzeit der byzantinischen Herrschaft sind die Zirkusparteien die Form, in welche sich Spaltungen der Massen kleiden, und die Träger von Revolutionen in Konstantinopel und Alexandrien. Den Italikern blieb diese Bedeutung der Institution, wenigstens diejenige Art ihrer Entwicklung, welche sie in der klassischen hellenischen Zeit genommen hat, fremd. In Etrurien herrschte der Stadtadel der Lukumonen über verachtete Plebejer und ließ bezahlte Athleten vor sich auftreten. Und auch in Rom lehnte der herrschende Adel ein solches Sich-gemein-machen mit und vor der Menge ab. Niemals hat sein Prestigegefühl einen solchen Verlust von Distanz und Würde ertragen, wie sie ihm diese nackten Turnfeste der „Graeculi" bedeuteten, ebensowenig wie den kultischen Singtanz, die dionysische Orgiastik oder die abalienatio mentis der Ekstase. Es trat im römischen politischen Leben die Bedeutung der Rede und des Verkehrs auf der Agorá und in der Ekklesia ebenso weit zurück, wie der Wettkampf auf dem Gymnasion, der gänzlich fehlte. Reden wurden erst später und dann wesentlich im Senat gehalten und hatten demgemäß einen ganz anderen Charakter als die politische Redekunst des attischen Demagogen. Tradition und Erfahrung der Alten, der gewesenen Beamten vor allem, bestimmte die Politik. Das Alter und nicht die Jugend war maßgebend für den Ton des Verkehrs und die Art des Würdegefühls. Rationale Erwägung, nicht aber die durch Reden angeregte Beutelust des Demos oder die emotionale Erregung der Jungmannschaft gab in der Politik den Ausschlag. Rom blieb unter der Leitung der Erfahrung, Erwägung und der feudalen Macht der Honoratiorenschicht.

DRITTER TEIL.

TYPEN DER HERRSCHAFT.

Kapitel I. Herrschaft.

§ 1. Macht und Herrschaft. Übergangsformen.

„Herrschaft" in ihrem allgemeinsten, auf keinen konkreten Inhalt bezogenen Begriff ist eines der wichtigsten Elemente des Gemeinschaftshandelns. Zwar zeigt nicht alles Gemeinschaftshandeln herrschaftliche Struktur. Wohl aber spielt Herrschaft bei den meisten seiner Arten eine sehr erhebliche Rolle, auch da, wo man nicht sofort daran denkt. So z. B. auch in den Sprachgemeinschaften. Nicht nur hat die durch Herrschaftsbefehl erfolgende Erhebung eines Dialekts zur Kanzleisprache des politischen Herrschaftsbetriebs sehr oft bei der Entwicklung großer einheitlicher Literatursprachgemeinschaften entscheidend mitgewirkt (so in Deutschland) und umgekehrt ebenso oft bei politischer Trennung, auch eine entsprechende Differenzierung der Sprachen endgültig festgelegt (Holland gegen Deutschland), sondern vor allem stereotypiert die in der „Schule" gehandhabte Herrschaft am nachhaltigsten und endgültigsten die Art und das Übergewicht der offiziellen Schulsprache. Ausnahmslos alle Gebiete des Gemeinschaftshandelns zeigen die tiefste Beeinflussung durch Herrschaftsgebilde. In außerordentlich vielen Fällen ist es die Herrschaft und die Art ihrer Ausübung, welche aus einem amorphen Gemeinschaftshandeln erst eine rationale Vergesellschaftung erstehen läßt und in anderen Fällen, wo dem nicht so ist, ist es dennoch die Struktur der Herrschaft und deren Entfaltung, welche das Gemeinschaftshandeln formt und namentlich seine Ausgerichtetheit auf ein „Ziel" überhaupt erst eindeutig determiniert. Das Bestehen von „Herrschaft" spielt insbesondere gerade bei den ökonomisch relevantesten sozialen Gebilden der Vergangenheit und der Gegenwart: der Grundherrschaft einerseits, dem kapitalistischen Großbetrieb andererseits, die entscheidende Rolle. Herrschaft ist, wie gleich zu erörtern, ein Sonderfall von Macht. Wie bei anderen Formen der Macht, so ist auch bei der Herrschaft im speziellen es keineswegs der ausschließliche oder auch nur regelmäßige Zweck ihrer Inhaber, kraft derselben rein ökonomische Interessen zu verfolgen, insbesondere etwa nur: eine ausgiebige Versorgung mit wirtschaftlichen Gütern für sich zu erreichen. Aber allerdings ist die Verfügung über wirtschaftliche Güter, also die ökonomische Macht, eine häufige, sehr oft auch eine planvoll gewollte Folge von Herrschaft und ebenso oft eines ihrer wichtigsten Mittel. Nicht jede ökonomische Machtstellung äußert sich aber – wie gleich festzustellen sein wird, – als eine „Herrschaft" in dem hier gebrauchten Sinn des Worts. Und nicht jede „Herrschaft" bedient sich zu ihrer Begründung und Erhaltung ökonomischer Machtmittel. Wohl aber ist dies bei den weitaus meisten und darunter gerade den wichtigsten Herrschaftsformen in irgendeiner Art und oft in einem solchen Maß der Fall, daß die Art der Verwendung der ökonomischen Mittel zum Zweck der Erhaltung der Herrschaft ihrerseits die Art der Herrschaftsstruktur bestimmend beeinflußt. Ferner zeigt die große Mehrzahl aller, und darunter gerade der wichtigsten und modernsten Wirtschaftsgemeinschaften herrschaftliche Struktur. Und endlich ist die Struktur der Herrschaft, so wenig etwa ihre Eigenart eindeutig mit bestimmten Wirtschaftsformen verknüpft ist, doch meist ein in hohem Maß ökonomisch relevantes Moment und ebenso meist irgendwie ökonomisch mitbedingt.

Wir suchen hier zunächst möglichst nur allgemeine und deshalb unvermeidlich wenig konkret und zuweilen auch notwendig etwas unbestimmt formulierbare Sätze über die Beziehungen zwischen den Formen der Wirtschaft und der Herrschaft zu gewinnen. Dazu bedarf es zunächst einer näheren Bestimmung: was „Herrschaft" für uns bedeutet und wie sie sich zu dem allgemeinen Begriff: „Macht" verhält. Herrschaft in dem ganz allgemeinen Sinne von Macht, also von: Möglichkeit, den eigenen Willen dem Verhalten anderer aufzuzwingen, kann unter den allerverschiedensten Formen auftreten. Man kann, wie es gelegentlich geschehen ist, z. B. die Ansprüche, welche das Recht dem einen gegen den oder die anderen zuweist, als eine Gewalt, dem Schuldner oder dem Nichtberechtigten Befehle zu erteilen, und also den gesamten Kosmos des modernen Privatrechts als eine Dezentralisation der Herrschaft in den Händen der kraft Gesetzes „Berechtigten" auffassen. Dann hätte der Arbeiter Befehlsgewalt, also „Herrschaft" gegenüber dem Unternehmer in Höhe seines Lohnanspruchs, der Beamte gegenüber dem König in Höhe seines Gehaltanspruchs usw., was einen terminologisch etwas gezwungenen und jedenfalls nur provisorischen Begriff ergäbe, da die Befehle z. B. der richterlichen Gewalt an den Verurteilten doch von jenen „Befehlen" des Berechtigten selbst an den noch nicht verurteilten Schuldner qualitativ geschieden werden müssen. Eine auch üblicherweise als „beherrschend" bezeichnete Stellung kann dagegen ebensowohl in den gesellschaftlichen Beziehungen des Salons sich entfalten, wie auf dem Markt, vom Katheder eines Hörsaals herunter wie an der Spitze eines Regiments, in einer erotischen oder charitativen Beziehung wie in einer wissenschaftlichen Diskussion oder im Sport. Bei einem weiten Begriffsumfang wäre aber „Herrschaft" keine wissenschaftlich brauchbare Kategorie. Eine umfassende Kasuistik aller Formen, Bedingungen und Inhalte des „Herrschens" in jenem weitesten Sinn ist hier unmöglich. Wir vergegenwärtigen uns daher nur, daß es, neben zahlreichen anderen möglichen, zwei polar einander entgegengesetzte Typen von Herrschaft gibt. Einerseits die Herrschaft kraft Interessenkonstellation (insbesondere kraft monopolistischer Lage), und andererseits die Herrschaft kraft Autorität (Befehlsgewalt und Gehorsamspflicht). Der reinste Typus der ersteren ist die monopolistische Herrschaft auf dem Markt, der letzteren die hausväterliche oder amtliche oder fürstliche Gewalt. Die erstere gründet sich im reinen Typus lediglich auf die kraft irgendwie gesicherten Besitzes (oder auch marktgängiger Fertigkeit) geltend zu machenden Einflüsse auf das lediglich dem eigenen Interesse folgende formal „freie" Handeln der Beherrschten, die letztere auf eine in Anspruch genommene, von allen Motiven und Interessen absehende schlechthinige Gehorsamspflicht. Beide gehen gleitend ineinander über. Z. B. übt jede große Zentralbank und üben große Kreditbanken kraft monopolistischer Stellung auf dem Kapitalmarkt oft einen „beherrschenden" Einfluß aus. Sie können den Kreditsuchenden Bedingungen der Kreditgewährung oktroyieren, also deren ökonomische Gebarung im Interesse der Liquidität ihrer eigenen Betriebsmittel weitgehend beeinflussen, weil sich die Kreditsuchenden im eigenen Interesse jenen Bedingungen der ihnen unentbehrlichen Kreditgewährung fügen und diese Fügsamkeit eventuell durch Garantien sicherstellen müssen. Eine „Autorität", d. h. ein unabhängig von allem Interesse bestehendes Recht auf „Gehorsam" gegenüber den tatsächlich Beherrschten nehmen aber die Kreditbanken dadurch nicht in Anspruch, sie verfolgen eigene Interessen und setzen diese durch gerade dann, wenn die Beherrschten formell „frei" handelnd ihren eigenen, also durch die Umstände zwingend diktierten, rationalen Interessen folgen. Jeder Inhaber auch eines nur unvollständigen Monopols, der in weitem Umfang trotz bestehender Konkurrenz Tauschgegnern und Tauschkonkurrenten die Preise „vorschreiben", d. h. durch eigenes Verhalten sie zu einem ihm genehmen Verhalten nötigen kann, obwohl er ihnen nicht die geringste „Pflicht" zumutet, sich diese Herrschaft gefallen zu lassen, ist in gleicher Lage. Jede typische Art von Herrschaft kraft Interessenkonstellation, insbesondere kraft monopolistischer Lage, kann aber allmählich in eine autoritäre Herrschaft überführt werden. Zur besseren Kontrolle verlangen z. B. die Banken als Geldgeber Aufnahme ihrer Direktoren in den Aufsichtsrat kreditsuchender Aktienunternehmungen: der Aufsichtsrat aber erteilt dem Vorstand maßgebende Befehle kraft dessen Gehorsamspflicht. Oder eine Notenbank veranlaßt die Großbanken zum Abschluß eines Konditionenkartells und versucht dabei, sich selbst kraft ihrer Machtstellung eine einschneidende, fortlaufend reglementierende Oberaufsicht über deren Gebarung den Kunden gegenüber anzueignen, sei es nun zu währungspolitischen oder zu konjunkturpolitischen oder, sofern sie selbst wieder der Beeinflussung durch die politische Gewalt ausgesetzt ist, zu rein politischen Zwecken, z. B. zur Sicherung der finanziellen Kriegsbereitschaft. Gelänge die Durchführung einer solchen Kontrolle und würde dann weiterhin ihre Art und Richtung etwa in Reglements niedergelegt, würden vollends besondere Instanzen und Instanzenzüge für die Entscheidung von Zweifeln geschaffen, und würde sie vor allem tatsächlich immer straffer gestaltet, – was alles theoretisch denkbar ist, – so könnte im Effekt diese Herrschaft sich der autoritären Herrschaft einer staatlichen bürokratischen Instanz gegenüber den ihr Untergebenen sehr weit angeglichen und die Unterordnung den Charakter eines autoritären Gehorsamsverhältnisses annehmen. Ebenso die Beherrschung der von den Brauereien mit Betriebsmitteln ausgestatteten abhängigen Bierdetaillisten oder der von einem zukünftigen deutschen Verlegerkartell etwa zu konzessionierenden Sortimenter oder der Petroleumhändler gegenüber der Standard Oil Company, oder der vom Kontor des Kohlensyndikates versorgten Kohlenhändler. Sie alle könnten, bei konsequenter Entwicklung, schrittweise in angestellte und auf Tantieme gesetzte Vertriebsagenten ihrer Auftragsgeber verwandelt werden, welche in der Art ihrer Abhängigkeit von sonstigen, der Autorität eines Betriebschefs unterstehenden, auswärts arbeitenden Monteuren und anderen Privatbeamten schließlich vielleicht kaum noch zu unterscheiden wären. Von faktischer Schuldabhängigkeit zur formellen Schuldversklavung im Altertum, und ebenso im Mittelalter und Neuzeit von der Abhängigkeit des Handwerkers im Exportgewerbe gegenüber dem marktkundigen Kaufmann zur hausindustriellen Abhängigkeit in ihren verschieden straffen Formen und schließlich zur Heimarbeit mit autoritärer Arbeitsregelung führen gleitende Übergänge. Und von da aus führen wiederum gleitende Übergänge bis zu der Stellung eines durch formal „gleichberechtigten" Tauschvertrag auf dem Arbeitsmarkt, unter formal „freiwilliger" Annahme der „angebotenen"

Bedingungen, angeworbenen Kontoristen, Technikers, Arbeiters innerhalb der Werkstatt, deren Disziplin sich ihrerseits dem Wesen nach nicht mehr unterscheidet von der Disziplin eines staatlichen Büros und schließlich einer militärischen Kommandobehörde. Jedenfalls ist der Unterschied der letzten beiden Fälle: daß die Arbeits- und Amtsstellung freiwillig eingegangen und verlassen wird, die Militärdienstpflicht aber (bei uns, im Gegensatz zum alten Solddienstvertrag) durchweg unfreiwillig war, wichtiger als die zwischen staatlicher und privater Anstellung. Da aber auch das politische Untertanenverhältnis freiwillig eingegangen werden und in gewissem Umfang freiwillig gelöst werden kann, ebenso aber die feudalen und unter Umständen selbst die patrimonialen Abhängigkeiten der Vergangenheit, so ist der Übergang bis zum durchweg unfreiwillig und für den Unterworfenen normalerweise unlöslichen reinen Autoritätsverhältnis (z. B. der Sklaven) ebenfalls gleitend. Natürlich bleibt auch in jedem autoritären Pflichtverhältnis faktisch ein gewisses Minimum von eigenem Interesse des Gehorchenden daran, daß er gehorcht, normalerweise eine unentbehrliche Triebfeder des Gehorsams. Alles ist also auch hier gleitend und flüssig. Dennoch werden wir die scharfe polare Gegensätzlichkeit z. B. der rein aus dem durch Interessenkompromisse regulierten Marktaustausch, also aus dem Besitz rein als solchem, erwachsenen faktischen Macht gegenüber der autoritären Gewalt eines an die schlechthinige Pflicht des Gehorchens appellierenden Hausvaters oder Monarchen streng festhalten müssen, um überhaupt zu fruchtbaren Unterscheidungen innerhalb des stets übergangslosen Flusses der realen Erscheinungen zu gelangen. Denn die Mannigfaltigkeit der Machtformen ist mit den gewählten Beispielen nicht erschöpft. Schon der Besitz als solcher wirkt keineswegs nur in der Form der Marktmacht machtbegründend. Wie wir schon sahen, verleiht er auch in gesellschaftlich undifferenzierten Verhältnissen rein als solcher, wenn er mit entsprechender Lebensführung verbunden ist, weitgehende soziale Macht ganz entsprechend der heutigen gesellschaftlichen Stellung dessen, der „ein Haus macht" oder der Frau, die „einen Salon hat". Alle diese Beziehungen können unter Umständen direkt autoritäre Züge annehmen. Und nicht nur der Marktaustausch, sondern auch die konventionellen Tauschverhältnisse der Geselligkeit stiften „Herrschaft" in jenem weiteren Sinn, vom „Salonlöwen" bis zum patentierten „arbiter elegantiarum" des kaiserlichen Rom und den Liebeshöfen der Damen der Provence. Und nicht nur direkt auf dem Gebiet privater Märkte oder Beziehungen finden sich derartige Herrschaftslagen. Ein „Empire State" –

korrekter: die in ihm autoritär oder marktmäßig ausschlaggebenden Menschen, – wie ihn in typischer Art Preußen im Zollverein und im Deutschen Reich, in weit geringerem Grade auch New York in Amerika darstellt, kann auch ohne alle formelle Befehlsgewalt eine weitgehende, zuweilen despotische Hegemonie ausüben: die preußische Beamtenschaft im Zollverein, weil ihr Staatsgebiet als größtes Absatzgebiet der ausschlaggebende Markt war, im deutschen Bundesstaat teils, weil sie das größte Eisenbahnnetz, die größte Zahl von Universitätslehrstühlen usw. beherrschen und die betreffenden Verwaltungen der formell gleichberechtigten Bundesstaaten lahmlegen können*, teils aus anderen ähnlichen Gründen, – New York aber auf engerem politischem Gebiet als Sitz der großen Finanzmächte. Alles dies sind Machtformen kraft Interessenkonstellation, dem marktmäßigen Machtverhältnis gleich oder ähnlich, welche aber im Verlauf einer Entwicklung sehr leicht in formell geregelte *Autoritäts*verhältnisse verwandelt, korrekt formuliert: zur *Heterokephalie der Befehlsgewalt und des Zwangsapparats* vergesellschaftet werden können. Die bloß marktmäßige oder durch Interessenkonstellation bedingte Herrschaft kann ferner gerade wegen ihrer Ungeregeltheit weit drückender empfunden werden als eine ausdrücklich durch bestimmte Gehorsamspflichten regulierte Autorität. Nicht darauf aber kann es für die soziologische Begriffsbildung ankommen. Wir wollen im folgenden den Begriff der Herrschaft in dem engeren Sinn gebrauchen, welcher der durch Interessenkonstellationen, insbesondere marktmäßig, bedingten Macht, die überall formell auf dem freien Spiel der Interessen beruht, gerade entgegengesetzt, also identisch ist mit: *autoritärer Befehlsgewalt.*

Unter „Herrschaft" soll hier also der Tatbestand verstanden werden: daß ein bekundeter Wille („Befehl") des oder der „Herrschenden" das Handeln anderer (des oder der „Beherrschten") beeinflussen will und tatsächlich in der Art beeinflußt, daß dies Handeln, in einem sozial relevanten Grade, so abläuft, als ob die Beherrschten den Inhalt des Befehls, um seiner selbst willen, zur Maxime ihres Handelns gemacht hätten („Gehorsam").

1. Die schwerfällige Formulierung mit „als ob" ist, wenn man den hier angenommenen Herrschaftsbegriff zugrunde legen will, deshalb unvermeidlich, weil einerseits für unsere Zwecke nicht die bloße äußere Resultante: das faktische Befolgtwerden des Befehls, genügt:

---

* Vor 1914 geschrieben.

denn der Sinn seines Hingenommenwerdens als einer „geltenden" Norm ist für uns nicht gleichgültig, – andererseits aber die Kausalkette vom Befehl bis zum Befolgtwerden sehr verschieden aussehen kann. Schon rein psychologisch: ein Befehl kann seine Wirkung durch „Einfühlung" oder durch „Eingebung" oder durch rationale „Einredung" oder durch eine Kombination von mehreren dieser drei Hauptformen der Wirkung vom Einen zum Anderen erzielen. Ebenso in der konkreten Motivation: der Befehl kann im Einzelfall aus eigener Überzeugung von seiner Richtigkeit oder aus Pflichtgefühl oder aus Furcht oder aus „stumpfer Gewöhnung" oder um eigener Vorteile willen ausgeführt werden, ohne daß der Unterschied *notwendig* von soziologischer Bedeutung wäre. Andererseits aber wird sich der soziologische Charakter der Herrschaft als verschieden herausstellen je nach gewissen Grundunterschieden in den allgemeinen Fundamenten der Herrschaftsgeltung.

2. Von jenem früher erörterten weiteren Sinn des „Sich-zur-Geltung-bringens" (auf dem Markt, im Salon, in der Diskussion oder wo immer) bis zu dem hier verwendeten engen Begriff führen, wie wir sahen, zahlreiche Übergänge. Wir wollen zur deutlichen Abgrenzung des letzteren auf einige kurz zurückkommen. Eine Herrschaftsbeziehung kann zunächst selbstverständlich doppelseitig bestehen. Moderne Beamte verschiedener „Ressorts" unterstehen gegenseitig, jeder innerhalb der „Kompetenz" des anderen, ihrer Befehlsgewalt. Dies macht keine begrifflichen Schwierigkeiten. „Herrscht" aber z. B. bei der Bestellung von einem Paar Stiefeln der Schuster über den Kunden oder dieser über jenen? Die Antwort würde im Einzelfall sehr verschieden, fast immer aber dahin lauten: daß der Wille jedes von beiden auf einem *Teil*gebiet des Vorgangs den des anderen auch gegen dessen Widerstreben beeinflußt, in diesem Sinn also „beherrscht" habe. Ein präziser Begriff der Herrschaft wäre darauf schwerlich aufzubauen. Und so in allen Austauschverhältnissen, auch den ideellen. Wenn ferner z. B., wie namentlich in asiatischen Dörfern oft, ein Dorfhandwerker kraft fester Anstellung arbeitet, ist nun er, innerhalb seiner beruflichen „Kompetenz", Herrscher, oder wird er, – und von wem? – beherrscht? Man wird geneigt sein, auch hier die Anwendbarkeit des Begriffs „Herrschaft" abzulehnen, außer einerseits für ihn gegenüber seinen etwaigen Gehilfen, andrerseits ihm gegenüber für die etwa vorhandenen „obrigkeitlichen", also: eine Befehlsgewalt ausübenden, Personen, welche eine „Kontrolle" über ihn ausüben: das bedeutete aber die Einschränkung auf unseren, engeren Begriff. Aber genau in der gleichen Weise, wie die Stellung eines solchen

Handwerkers, kann die Stellung eines Dorfschulzen, also: einer „Obrigkeitsperson", gestaltet sein. Denn die Unterscheidung zwischen privatem „Geschäft" und öffentlicher „Amtsführung", wie sie uns gewohnt ist, ist erst Entwicklungsprodukt und keineswegs überall so eingewurzelt wie bei uns. Für die populäre amerikanische Auffassung z. B. ist der „Betrieb" eines Richters ein „business" nicht anders wie der Betrieb eines Bankiers. Der Richter ist ein Mann, welcher mit dem Monopol privilegiert ist, einer Partei eine „decision" zu geben, mittels deren diese andere zu Leistungen zwingen oder, umgekehrt, sich gegen die Zumutung solcher schützen kann. Kraft dieses Privilegs genießt er direkte und indirekte, legitime und illegitime, Vorteile, und für dessen Besitz zahlt er Teile seines „fee" an die Kasse der Parteibosses, welche es ihm verschafft haben. – Wir werden unsererseits dem Dorfschulzen, dem Richter, dem Bankier, dem Handwerker gleichermaßen „Herrschaft" *überall* da und *nur* da zuschreiben, wo sie für gegebene Anordnungen, rein als solche, „Gehorsam" beanspruchen und (in einem sozial relevanten Grade) finden. Ein für uns leidlich brauchbarer Begriffsumfang ergibt sich eben nur durch Bezugnahme auf die „Befehlsgewalt", so sehr zuzugeben ist, daß auch hier in der Realität des Lebens alles „Übergang" ist. Von selbst versteht sich, daß für die soziologische Betrachtung nicht das aus einer Norm dogmatisch-juristisch ableitbare „ideelle", sondern das *faktische* Bestehen einer solchen Gewalt maßgebend ist, also: daß einer in Anspruch genommenen Autorität, bestimmte Befehle zu geben, in einem sozial relevanten Umfang *tatsächlich* Folge geleistet wird. Dennoch geht naturgemäß die soziologische Betrachtung von der Tatsache aus, daß „faktische" Befehlsgewalten das Superadditum einer von „Rechts wegen" bestehenden normativen „Ordnung" zu prätendieren pflegen und operiert daher notgedrungen mit dem juristischen Begriffsapparat.

§ *2. Herrschaft und Verwaltung. Wesen und Grenzen*
der demokratischen Verwaltung.

„Herrschaft" interessiert uns hier in erster Linie, sofern sie mit „Verwaltung" verbunden ist. Jede Herrschaft äußert sich und funktioniert als Verwaltung. Jede Verwaltung bedarf irgendwie der Herrschaft, denn immer müssen zu ihrer Führung irgendwelche Befehlsgewalten in irgend jemandes Hand gelegt sein. Die Befehlsgewalt kann dabei sehr unscheinbar auftreten und der Herr als „Diener" der Beherrschten gelten und sich fühlen. Dies ist am meisten bei der sog. *„unmittelbar demokratischen Verwaltung"* der Fall. „Demokratisch" heißt sie aus zwei nicht notwendig zusammenfallenden Gründen, nämlich 1. weil sie auf der Voraussetzung prinzipiell gleicher Qualifikationen aller zur Führung der gemeinsamen Geschäfte beruht, 2. weil sie den Umfang der Befehlsgewalt minimisiert. Die Verwaltungsfunktionen werden entweder einfach im Turnus übernommen oder durch das Los oder durch direkte Wahl auf kurze Amtsfristen übertragen, alle oder doch alle wichtigen materiellen Entscheidungen dem Beschluß der Genossen vorbehalten, den Funktionären nur Vorbereitung und Ausführung der Beschlüsse und die sog. „laufende Geschäftsführung" gemäß den Anordnungen der Genossenversammlung überlassen. Die Verwaltung vieler privater Vereine ebenso wie diejenige politischer Gemeinden (in gewissem Maße noch jetzt, wenigstens dem Prinzip nach, der Schweizer Landesgemeinden und der townships der Vereinigten Staaten), unserer Universitäten (soweit sie in der Hand des Rektors und der Dekane liegt) und zahlreicher ähnlicher Gebilde folgt diesem Schema. Wie bescheiden aber immer die Verwaltungskompetenz bemessen sei, irgendwelche Befehlsgewalten müssen irgendeinem Funktionär übertragen werden, und daher befindet sich seine Lage naturgemäß stets im Gleiten von der bloßen dienenden Geschäftsführung zu einer ausgeprägten Herrenstellung. Eben gegen die Entwicklung einer solchen richten sich ja die „demokratischen" Schranken seiner Bestellung. Auf „Gleichheit" und „Minimisierung" der Herrschaftsgewalt der Funktionäre halten aber sehr oft auch aristokratische Gremien *inner*halb und gegenüber den Mitgliedern der eigenen herrschenden Schicht: so die venezianische Aristokratie ebenso wie die spartanische oder wie diejenige der Ordinarien einer deutschen Universität und wenden dann die gleichen „demokratischen" Formen (Turnus, kurzfristige Wahl, Los) an.

Diese Art der Verwaltung findet ihre normale Stätte in Verbänden, welche 1. lokal oder 2. der Zahl der Teilhaber nach eng begrenzt, ferner 3. der sozialen Lage der Teilhaber nach wenig differenziert sind und sie setzt ferner 4. relativ einfache und stabile Aufgaben und 5. trotzdem ein nicht ganz geringes Maß von Entwicklung von Schulung in der sachlichen Abwägung von Mitteln und Zwecken voraus. (So die unmittelbar demokratische Verwaltung in der Schweiz und in den Vereinigten Staaten und *innerhalb* des altgewohnten Umkreises der Verwaltungsgeschäfte auch des russischen „Mir".) Sie gilt also auch für uns hier nicht etwa als typischer historischer Ausgangspunkt einer „Entwicklungsreihe", sondern lediglich als ein typologischer Grenzfall, von dem wir hier bei der Betrachtung ausgegangen sind. Weder der Turnus noch das Los noch eine eigentliche Wahl im modernen Sinn sind „primitive" Formen der Bestellung von Funktionären einer Gemeinschaft.

Überall, wo sie besteht, ist die unmittelbar demokratische Verwaltung labil. Entsteht ökonomische Differenzierung, so zugleich die Chance: daß die Besitzenden als solche die Verwaltungsfunktionen in die Hände bekommen. Nicht weil sie notwendig durch persönliche Qualitäten oder umfassendere Sachkenntnis überlegen wären. Sondern einfach, weil sie „abkömmlich" sind: die nötige Muße beschaffen können, die Verwaltung nebenamtlich, und weil sie ökonomisch in der Lage sind, sie billig oder ganz unentgeltlich zu erledigen. Während den zur Berufsarbeit Gezwungenen Opfer an Zeit und das bedeutet für sie: an Erwerbschancen, zugemutet werden, welche mit zunehmender Arbeitsintensität ihnen zunehmend unerträglich werden. Daher ist auch nicht das hohe Einkommen rein als solches, sondern speziell das arbeitslose oder durch intermittierende Arbeit erworbene Einkommen Träger jener Überlegenheit. Eine Schicht moderner Fabrikanten z. B. ist unter sonst gleichen Umständen rein ökonomisch weit weniger abkömmlich und also weniger in der Lage zur Übernahme von Verwaltungsfunktionen als etwa eine Gutsbesitzerklasse oder eine mittelalterliche patrizische Großhändlerschicht mit ihrer in beiden Fällen immerhin nur intermittierenden Inanspruchnahme für den Erwerb. Ebenso wie z. B. an den Universitäten die Leiter der großen medizinischen und naturwissenschaftlichen Institute trotz ihrer Geschäftserfahrung nicht die am besten, sondern meist die am schlechtesten an ihre Aufgabe angepaßten, weil anderweit geschäftlich gebundenen, Rektoren sind. Je unabkömmlicher der in der Erwerbsarbeit Stehende wird, desto mehr hat bei sozialer Differenzierung die unmittelbar demokratische Verwaltung die Tendenz, in eine Herrschaft der „*Honoratioren*" hinüberzuleiten. Wir haben den Begriff der „Honoratioren" bereits früher, als des Trägers einer spezifischen sozialen Ehre, die an der Art der Lebensführung haftet, kennen gelernt*. Hier tritt nun ein unentbehrliches, aber durchaus anderes normales Merkmal des Honoratiorentums hinzu: die aus der ökonomischen Lage folgende Qualifikation zur Wahrnehmung von sozialer Verwaltung und Herrschaft als „Ehrenpflicht". Unter „*Honoratioren*" wollen wir

---

* Vgl. oben S. 291/92.

hier vorläufig allgemein verstehen: die Besitzer von (relativ) arbeitslosem oder doch so geartetem Einkommen, daß sie zur Übernahme von Verwaltungsfunktionen neben ihrer (etwaigen) beruflichen Tätigkeit befähigt sind, sofern sie zugleich – wie dies insbesondere aller Bezug arbeitslosen Einkommens von jeher mit sich gebracht hat – kraft dieser ihrer ökonomischen Lage eine Lebensführung haben, welche ihnen das soziale „Prestige" einer „ständischen Ehre" einträgt und dadurch sie zur Herrschaft beruft. Diese Honoratiorenherrschaft entwickelt sich besonders oft in der Form des Entstehens vorberatender Gremien, welche die Beschlüsse der Genossen vorwegnehmen oder tatsächlich ausschalten und von den Honoratioren für sich, kraft ihres Prestiges, monopolisiert werden. Speziell in dieser Form ist die Entwicklung der Honoratiorenherrschaft innerhalb lokaler Gemeinschaften, also insbesondere eines Nachbarschaftsverbandes, uralt. Nur daß die Honoratioren der Frühzeit zunächst einen völlig anderen Charakter haben als die der heutigen rationalisierten „unmittelbaren Demokratie". Träger der Honoratiorenqualität ist nämlich ursprünglich das *Alter*. Abgesehen von dem Prestige der Erfahrung sind die „Ältesten" auch an sich unvermeidlich die „natürlichen" Honoratioren in allen ihr Gemeinschaftshandeln ausschließlich an „Tradition", also: Konvention, Gewohnheitsrecht und heiligem Recht orientierenden Gemeinschaften. Denn sie kennen die Tradition, ihr Gutachten, Weistum, vorheriges Placet (προβουλευμα) oder ihre nachträgliche Ratifikation (autoritas) garantiert die Korrektheit der Beschlüsse der Genossen gegenüber den überirdischen Mächten und ist der wirksamste Schiedsspruch in Streitfällen. Die „Ältesten" sind bei annähernder Gleichheit der ökonomischen Lage der Genossen einfach die an Jahren Ältesten, meist der einzelnen Hausgemeinschaften, Sippen, Nachbarschaften.

Das relative Prestige des Alters als solchem innerhalb einer Gemeinschaft wechselt stark. Wo der Nahrungsspielraum sehr knapp ist, pflegt der nicht mehr physisch Arbeitsfähige lediglich lästig zu fallen. Wo der Kriegszustand chronisch ist, sinkt im allgemeinen die Bedeutung des Alters gegenüber den Wehrfähigen und entwickelt sich oft eine „demokratische" Parole der Jungmannschaft gegen sein Prestige („sexagenarios de ponte"). Ebenso in allen Zeiten ökonomischer oder politischer, kriegerisch oder friedlich revolutionärer Neuordnung und da, wo die praktische Macht der religiösen Vorstellungen und also die Scheu von der Heiligkeit der Tradition nicht stark entwickelt oder im Verfall ist. Seine Schätzung erhält sich, wo immer der objektive Nutzwert der Erfahrung oder die subjektive Macht der

Tradition hoch steht. Die Depossedierung des Alters als solchem erfolgt aber regelmäßig nicht zugunsten der Jugend, sondern zugunsten anderer Arten sozialen Prestiges. Bei ökonomischer oder ständischer Differenzierung pflegen die „Ältestenräte" (Gerusien, Senate) nur in dem Namen ihren Ursprung dauernd kenntlich zu erhalten, der Sache nach aber durch die „Honoratioren" im vorhin erörterten Sinn – „ökonomischen" Honoratioren – oder von durch „ständische" Ehre Privilegierte okkupiert zu werden, deren Macht letztlich immer irgendwie auch auf Maß oder Art des Besitzes mitberuhte. Demgegenüber kann, bei gegebener Gelegenheit, die Parole der Gewinnung oder Erhaltung „demokratischer" Verwaltung für die Besitzlosen oder auch für ökonomisch machtvolle, aber von der sozialen Ehre ausgeschlossene Gruppen von Besitzenden zum Mittel des Kampfes gegen die Honoratioren werden. Dann aber wird sie, da die Honoratioren ihrerseits sich vermöge ihres ständischen Prestiges und der von ihnen ökonomisch Abhängigen eine „Schutztruppe" von Besitzlosen zu schaffen in der Lage sind, eine *Partei*angelegenheit. Mit dem Auftauchen des Machtkampfes von Parteien büßt jedoch die „unmittelbar verwaltende Demokratie" ihren spezifischen, die „Herrschaft" nur im Keim enthaltenden Charakter notwendig ein. Denn jede eigentliche Partei ist ein um *Herrschaft* im spezifischen Sinn kämpfendes Gebilde und daher mit der – wenn auch noch so verhüllten – Tendenz behaftet, sich ihrerseits in ihrer Struktur ausgeprägt herrschaftlich zu gliedern.

Etwas ähnliches wie bei dieser sozialen Entfremdung der, im Grenzfall der „reinen" Demokratie, eine Einheit von wesentlich gleichartigen Existenzen bildenden Genossen gegeneinander tritt ein, wenn das soziale Gebilde *quantitativ* ein gewisses Maß überschreitet, oder wenn die *qualitative* Differenzierung der Verwaltungsaufgaben deren die Genossen befriedigende Erledigung durch jeden beliebigen von ihnen, den der Turnus, das Los oder die Wahl gerade trifft, erschwert. Die Bedingungen der Verwaltung von Massengebilden sind radikal andere als diejenigen kleiner, auf nachbarschaftlicher oder persönlicher Beziehung ruhender Verbände. Insbesondere wechselt der Begriff der „Demokratie", wo es sich um Massenverwaltung handelt, derart seinen soziologischen Sinn, daß es widersinnig ist, hinter jenem Sammelnamen Gleichartiges zu suchen. Die quantitative und ebenso die qualitative Entfaltung der Verwaltungsaufgaben begünstigt, weil nun in zunehmend fühlbarer Weise Einschulung und Erfahrung eine technische Überlegenheit in der Geschäftserledigung begründen, auf die Dauer unweigerlich die mindestens faktische Kontinuität mindestens eines Teils der Funktionäre. Es besteht daher stets die Wahrscheinlichkeit, daß ein besonderes perennierendes soziales Gebilde für die Zwecke der Verwaltung, und das heißt zugleich: für die Ausübung der Herrschaft, entsteht. Dies Gebilde kann, in der schon erwähnten Art, honoratiorenmäßig „kollegialer" oder es kann „monokratischer", alle Funktionäre hierarchisch einer einheitlichen Spitze unterordnender Struktur, sein.

§ 3. Herrschaft durch „Organisation". Geltungsgründe.

Die beherrschende Stellung des jenem Herrschaftsgebilde zugehörigen Personenkreises gegenüber den beherrschten „Massen" ruht in ihrem Bestande auf dem neuerdings sog. „Vorteil der kleinen Zahl", d. h. auf der für die herrschende Minderheit bestehenden Möglichkeit, sich besonders schnell zu verständigen und jederzeit ein der Erhaltung ihrer Machtstellung dienendes, rational geordnetes Gesellschaftshandeln ins Leben zu rufen und planvoll zu leiten, durch welches ein sie bedrohendes Massen- oder Gemeinschaftshandeln solange mühelos niedergeschlagen werden kann, als nicht die Widerstrebenden sich gleich wirksame Vorkehrungen zur planvollen Leitung eines auf eigene Gewinnung der Herrschaft gerichteten Gesellschaftshandelns geschaffen haben. Der „Vorteil der kleinen Zahl" kommt voll zur Geltung durch *Geheim*haltung der Absichten, gefaßten Beschlüsse und Kenntnisse der Herrschenden, welche mit jeder Vergrößerung der Zahl schwieriger und unwahrscheinlicher wird. Jede Steigerung der Pflicht des „Amtsgeheimnisses" ist ein Symptom entweder für die Absicht der Herrschenden, die Herrengewalt straffer anzuziehen oder für ihren Glauben an deren wachsende Bedrohtheit. Jede auf Kontinuierlichkeit eingerichtete Herrschaft ist an irgendeinem entscheidenden Punkt *Geheimherrschaft*. Die durch Vergesellschaftung hergestellten spezifischen Vorkehrungen der Herrschaft aber bestehen, allgemein gesprochen, darin: daß ein an Gehorsam gegenüber den Befehlen von *Führern* gewöhnter, durch Beteiligung an der Herrschaft und deren Vorteilen an ihrem Bestehen persönlich *mit interessierter* Kreis von Personen sich dauernd zur Verfügung hält und sich in die Ausübung derjenigen Befehls- und Zwangsgewalten teilt, welche der Erhaltung der Herrschaft dienen („Organisation"). Den oder die Führer, welche die von ihnen beanspruchte und tatsächlich ausgeübte Befehlsgewalt *nicht* von einer Übertragung durch andere Führer ableiten, wollen wir „Herren" nennen, die in der erwähnten Art zu ihrer speziellen Verfügung sich stellenden Personen deren „Apparat". Die *Struktur* einer Herrschaft empfängt nun ihren soziologischen Charakter zunächst durch die allgemeine Eigenart der Beziehung des oder der Herren zu dem Apparat und beider zu den Beherrschten und weiterhin durch die ihr spezifischen Prinzipien der „Organisation" d. h. der Verteilung der Befehlsgewalten. Außerdem aber durch eine Fülle der allerverschiedensten Momente, aus denen sich die mannigfachsten soziologischen Einteilungsprinzipien der Herrschaftsformen gewinnen lassen. Für unsere begrenzten Zwecke hier gehen wir aber auf diejenigen Grundtypen der Herrschaft zurück, die sich ergeben, wenn man fragt: auf welche letzten Prinzipien die *Geltung* einer Herrschaft, d. h. der Anspruch auf Gehorsam der „Beamten" gegenüber dem Herrn und der Beherrschten gegenüber beiden, gestützt werden kann?

Es ist uns dies Problem der „Legitimität" schon bei Betrachtung der „Rechtsordnung" begegnet und hier in seiner Bedeutung noch etwas allgemeiner zu begründen. Daß für die Herrschaft diese Art der Begründung ihrer Legitimität nicht etwa eine Angelegenheit theoretischer oder philosophischer Spekulation ist, sondern höchst reale Unterschiede der empirischen Herrschaftsstrukturen begründet, hat seinen Grund in dem sehr allgemeinen Tatbestand des Bedürfnisses jeder Macht, ja jeder Lebenschance überhaupt, nach Selbstrechtfertigung. Die einfachste Beobachtung zeigt, daß bei beliebigen auffälligen Kontrasten des Schicksals und der Situation zweier Menschen, es sei etwa in gesundheitlicher oder in ökonomischer oder in sozialer oder welcher Hinsicht immer, möge der rein „zufällige" Entstehungsgrund des Unterschieds noch so klar zutage liegen, der günstiger Situierte das nicht rastende Bedürfnis fühlt, den zu seinen Gunsten bestehenden Kontrast als „legitim", seine eigene Lage als von ihm „verdient" und die des anderen als von jenem irgendwie „verschuldet" ansehen zu dürfen. Dies wirkt auch in den Beziehungen zwischen den positiv und negativ privilegierten Menschengruppen. Die „Legende" jeder hochprivilegierten Gruppe ist ihre natürliche, womöglich ihre „Bluts"-Überlegenheit. In Verhältnissen stabiler Machtverteilung und, demgemäß auch, „ständischer" Ordnung, überhaupt bei geringer Rationalisierung des Denkens über die Art der Herrschaftsordnung, wie sie den Massen solange natürlich bleibt, als sie ihnen nicht durch zwingende Verhältnisse zum „Problem" gemacht wird, akzeptieren auch die negativ privilegierten Schichten jene Legende. In Zeiten, wo die reine Klassenlage nackt und unzweideutig, jedermann sichtbar, als die schicksalbestimmende Macht hervortritt, bildet dagegen gerade jene Legende der Hochprivilegierten von dem selbstverdienten Lose des Einzelnen oft eins der die negativ privilegierten Schichten am leidenschaftlichsten erbitternden Momente: in gewissen spätantiken ebenso wie in manchen mittelalterlichen und vor allem in den modernen Klassenkämpfen, wo gerade sie und das auf ihr ruhende „Legitimitäts"-Prestige der Gegenstand der stärksten und wirksamsten Angriffe ist. Der Bestand jeder „Herrschaft" in unserem technischen Sinn des Wortes ist selbstverständlich in der denkbar stärksten Art auf die Selbstrechtfertigung durch den Appell an Prinzipien ihrer Legitimation hingewiesen. Solcher letzter Prinzipien gibt es drei: Die „Geltung" einer Befehlsgewalt kann ausgedrückt sein entweder in einem System gesatzter (paktierter oder oktroyierter) *rationaler Regeln*, welche als allgemein verbindliche Normen Fügsamkeit finden, wenn der nach der Regel dazu „Berufene" sie beansprucht. Der einzelne Träger der Befehlsgewalt ist dann durch jenes System von rationalen Regeln legitimiert und seine Gewalt soweit legitim, als sie jenen Regeln entsprechend ausgeübt wird. Der Gehorsam wird den Regeln, nicht der Person geleistet. Oder sie ruht auf *persönlicher Autorität*. Diese kann ihre Grundlage in der Heiligkeit der *Tradition*, also des Gewohnten, immer so Gewesenen finden, welche gegen bestimmte Personen Gehorsam vorschreibt. Oder, gerade umgekehrt, in der Hingabe an das Außerordentliche: im Glauben an *Charisma*, das heißt an aktuelle Offenbarung oder Gnadengabe einer Person an Heilande, Propheten und Heldentum jeglicher Art. Dem entsprechen nun die „reinen" Grundtypen der Herrschaftsstruktur, aus deren Kombination, Mischung, Angleichung und Umbildung sich die in der historischen Wirklichkeit zu findenden Formen ergeben. Das rational vergesellschaftete Gemeinschaftshandeln eines Herrschaftsgebildes findet seinen spezifischen Typus in der „Bürokratie". Das Gemeinschaftshandeln in der Gebundenheit durch traditionelle Autoritätsverhältnisse ist im „Patriarchalismus" typisch repräsentiert. Das „charismatische" Herrschaftsgebilde ruht auf der nicht rational und nicht durch Tradition begründeten Autorität konkreter Persönlichkeiten. Wir werden auch hier von dem uns geläufigsten und rationalsten Typus ausgehen, wie ihn die moderne „bürokratische" Verwaltung darbietet.

Kapitel II. Politische Gemeinschaften.

§ 1. Wesen und „Rechtmäßigkeit" politischer Verbände.

Unter *politischer* Gemeinschaft wollen wir eine solche verstehen, deren Gemeinschaftshandeln dahin verläuft: „ein Gebiet" (nicht notwendig: ein absolut konstantes und fest begrenztes, aber doch ein jeweils irgendwie begrenzbares Gebiet) und das Handeln der darauf dauernd oder auch zeitweilig befindlichen Menschen durch Bereitschaft zu physischer Gewalt, und zwar normalerweise auch Waffengewalt, der geordneten Beherrschung durch die Beteiligten vorzubehalten (und eventuell weitere Gebiete für diese zu erwerben). Die Existenz einer „politischen" Gemeinschaft in diesem Sinn ist nichts von jeher und überall Gegebenes. Als *gesonderte* Gemeinschaft fehlt sie allen jenen Zuständen, in denen die gewaltsame Abwehr der Feinde eine Angelegenheit ist, welche im Bedarfsfall die einzelne Hausgemeinschaft oder der Nachbarschaftsverband oder ein anderer Verband übernimmt, der wesentlich auf ökonomische Interessen ausgerichtet ist. Aber auch nicht einmal in dem Sinn besteht sie überall und immer, daß das begriffliche Minimum „gewaltsame Behauptung der geordneten Herrschaft über ein Gebiet und die Menschen auf demselben" wenigstens notwendig Funktion einer und derselben Gemeinschaft wäre. Oft sind diese Leistungen auf mehrere Gemeinschaften mit, einander teils ergänzendem, teils kreuzendem Gemeinschaftshandeln verteilt. Die Gewaltsamkeit und der Schutz „nach außen" liegt z. B. oft in den Händen teils des Blutsverwandtschaftsverbandes (der Sippe), teils nachbarschaftlicher Verbände, teils jeweils ad hoc gebildeter Kriegervergemeinschaftungen, die geordnete Beherrschung des „Gebiets" und die Ordnung der Beziehungen der Menschen „nach innen" ist oft ebenfalls unter verschiedene, darunter auch religiöse, Mächte verteilt und auch, soweit dabei Gewalt angewendet wird, liegt diese nicht notwendig in der Hand *einer* Gemeinschaft. Die Gewaltsamkeit nach außen kann sogar unter Umständen – so zeitweise vom pennsylvanischen Quäkergemeinwesen – prinzipiell ganz abgelehnt werden, jedenfalls können alle geordneten Vorkehrungen dafür fehlen. Allein in aller Regel ist die Bereitschaft zur Gewaltsamkeit mit der Gebietsherrschaft verknüpft. Als ein Sondergebilde aber existiert jedenfalls eine „politische" Gemeinschaft nur dann und nur insoweit, als die Gemeinschaft *nicht* eine bloße „Wirtschaftsgemeinschaft" ist, sie also Ordnungen besitzt, welche andere Dinge als direkte ökonomische Verfügungen über Sachgüter und Dienstleistungen anordnen.

Auf welche Art von Inhalten sich das Gemeinschaftshandeln außer der gewaltsamen Beherrschung von Gebiet und Menschen etwa noch richtet – und das ist vom „Raubstaat" zum „Wohlfahrtsstaat", „Rechtsstaat" und „Kulturstaat" unendlich verschieden –, soll uns begrifflich gleichgültig sein. Kraft der Drastik ihrer Wirkungsmittel ist der politische Verband spezifisch befähigt, alle überhaupt möglichen Inhalte eines Verbandshandelns für sich zu konfiszieren, und es gibt in der Tat wohl nichts auf der Welt, was nicht irgendwann und irgendwo einmal Gegenstand eines Gemeinschaftshandelns politischer Verbände gewesen wäre. Andererseits aber kann sie sich auf ein Gemeinschaftshandeln beschränken, dessen Inhalt schlechthin in gar nichts als in der fortgesetzten Sicherung der faktischen Gebietsbeherrschung besteht und hat dies oft genug getan. Ja selbst in dieser Funktion ist sie, auch bei sonst nicht notwendig unentwickeltem Bedürfnisstand, oft ein lediglich intermittierend, im Fall der Bedrohung oder eigener plötzlich, aus welchem Anlaß immer erwachender Gewaltsamkeitsneigung aufflammendes Handeln, während in „normalen", friedlichen Zeiten praktisch eine Art von „Anarchie" besteht, d. h.: die Koexistenz und das Gemeinschaftshandeln der ein Gebiet bevölkernden Menschen in Gestalt eines rein faktischen gegenseitigen Respektierens der gewohnten Wirtschaftssphäre, ohne Bereithaltung irgendwelchen Zwanges nach „außen" oder „innen", abläuft. Für uns genügt ein „Gebiet", die Bereithaltung von physischer Gewalt zu dessen Behauptung, und ein nicht *nur* in einem gemeinwirtschaftlichen Betrieb zur gemeinsamen Bedarfsdeckung sich erschöpfendes, die Beziehungen der auf dem Gebiet befindlichen Menschen regulierendes Gemeinschaftshandeln, um eine gesonderte „politische" Gemeinschaft zu konstituieren. Die Gegner, gegen welche das eventuell gewaltsame gemeinschaftliche Handeln sich richtet, können solche außerhalb oder innerhalb des betreffenden Gebiets sein, und da die politische Gewalt ein für allemal zu dem verbandsmäßigen, heute zu dem „*anstalts*mäßigen" gehört, so befinden sich die der Gewaltsamkeit des Gemeinschaftshandelns Ausgesetzten auch und sogar in erster Linie unter den Zwangsbeteiligten des politischen Gemeinschaftshandelns selbst. Denn die politische Gemeinschaft ist noch mehr wie andere anstaltsmäßig geformte Gemeinschaften so geartet, daß dadurch dem einzelnen Beteiligten Zumutungen zu Leistungen gestellt werden, welche jedenfalls große Teile derselben nur deshalb erfüllen, weil sie die Chance physischen Zwanges dahinterstehend wissen. Die politische Gemeinschaft gehört ferner zu denjenigen, deren Gemeinschaftshandeln, wenigstens normalerweise, den

Zwang durch Gefährdung und Vernichtung von Leben und Bewegungsfreiheit sowohl Außenstehender wie der Beteiligten selbst einschließt. Es ist der Ernst des Todes, den eventuell für die Gemeinschaftsinteressen zu bestehen dem Einzelnen hier zugemutet wird. Er trägt der politischen Gemeinschaft ihr spezifisches Pathos ein. Er stiftet auch ihre dauernden Gefühlsgrundlagen. Gemeinsame politische Schicksale, d. h. in erster Linie gemeinsame politische Kämpfe auf Leben und Tod knüpfen Erinnerungsgemeinschaften, welche oft stärker wirken als Bande der Kultur-, Sprach- oder Abstammungsgemeinschaft. Sie sind es, welche – wie wir sehen werden – dem „Nationalitätsbewußtsein" erst die letzte entscheidende Note geben.

Die politische Gemeinschaft war und ist allerdings auch heute keineswegs die einzige, bei der das Einstehen mit dem Leben ein wesentlicher Teil der Gemeinschaftspflichten ist. Auch die Blutrachepflicht der Sippe, die Märtyrerpflicht religiöser Gemeinschaften, ständische Gemeinschaften mit einem „Ehrenkodex", viele Sportgemeinschaften, Gemeinschaften wie die Camorra und vor allem jede zum Zweck von gewaltsamer Aneignung fremder wirtschaftlicher Güter geschaffene Gemeinschaft überhaupt schließen die gleichen äußersten Konsequenzen ein. Von solchen Gemeinschaften unterscheidet sich für die soziologische Betrachtung die politische Gemeinschaft zunächst *nur* durch die Tatsache ihres besonders nachhaltigen und dabei offenkundigen Bestandes als einer gefestigten Verfügungsmacht über ein beträchtliches Land- oder zugleich See*gebiet*. Daher fehlt ihr diese Sonderstellung in der Vergangenheit, je weiter zurück, desto mehr. Je umfassender sich das politische Gemeinschaftshandeln aus einem bloßen, im Fall direkter Bedrohung aufflammenden Gelegenheitshandeln zu einer kontinuierlichen anstaltsmäßigen Vergesellschaftung entwickelt und nun die Drastik und Wirksamkeit seiner Zwangsmittel mit der Möglichkeit einer rationalen kasuistischen Ordnung ihrer Anwendung zusammentrifft, desto mehr wandelt sich in der Vorstellung der Beteiligten die bloß quantitative zu einer qualitativen Sonderstellung der politischen Ordnung. Die moderne Stellung der politischen Verbände beruht auf dem Prestige, welches ihnen der unter den Beteiligten verbreitete spezifische Glaube an eine besondere Weihe: die „Rechtmäßigkeit" des von ihnen geordneten Gemeinschaftshandelns verleiht, auch und gerade insofern es physischen Zwang mit Einschluß der Verfügung über Leben und Tod umfaßt: das hierauf bezügliche spezifische Legitimitätseinverständnis. Dieser Glaube an die spezifische „Rechtmäßigkeit" des politischen Verbandshandelns kann sich – wie es unter modernen Verhältnissen tatsächlich der Fall ist – bis dahin steigern, daß ausschließlich gewisse politische Gemeinschaften (unter dem Namen: „Staaten") für diejenigen gelten, kraft deren Auftrag oder Zulassung von irgendwelchen anderen Gemeinschaften überhaupt „rechtmäßiger" physischer Zwang geübt werde. Für die Ausübung und Androhung dieses Zwanges existiert demgemäß in der voll entwickelten politischen Gemeinschaft ein System von kasuistischen Ordnungen, welchen jene spezifische „Legitimität" zugeschrieben zu werden pflegt: die „Rechtsordnung", als deren allein normale Schöpferin heute die politische Gemeinschaft gilt, weil sie tatsächlich heute normalerweise das Monopol usurpiert hat, der Beachtung jener Ordnung durch physischen Zwang Nachdruck zu verleihen. Diese Prominenz der durch die *politische* Gewalt garantierten „Rechtsordnung" ist in einem sehr langsamen Entwicklungsprozeß dadurch entstanden, daß die anderen, als Träger von eigenen Zwangsgewalten auftretenden Gemeinschaften unter dem Druck ökonomischer und organisatorischer Verschiebungen ihre Macht über den Einzelnen einbüßten und entweder zerfielen oder, von dem politischen Gemeinschaftshandeln unterjocht, ihre Zwangsgewalt von ihm begrenzt und zugewiesen erhielten, daß gleichzeitig stetig neue schutzbedürftige Interessen sich entwickelten, welche in jenen keinen Platz fanden und daß also ein stetig sich erweiternder Kreis von Interessen, insbesondere von ökonomischen Interessen, nur durch die von der politischen Gemeinschaft zu schaffenden rational geordneten Garantien sich hinlänglich gesichert fand. In welcher Weise sich dieser Prozeß der „Verstaatlichung" aller „Rechtsnormen" vollzogen hat und noch vollzieht, ist an anderer Stelle erörtert*.

§ 2. Entwicklungsstadien politischer Vergemeinschaftung.

Gewaltsames Gemeinschaftshandeln ist selbstverständlich an sich etwas schlechthin Urwüchsiges: von der Hausgemeinschaft bis zur Partei griff von jeher jede Gemeinschaft da zur physischen Gewalt, wo sie mußte oder konnte, um die Interessen der Beteiligten zu wahren. Entwicklungsprodukt ist nur die Monopolisierung der legitimen Gewaltsamkeit durch den politischen Gebietsverband und dessen ra-

---

* In der „Rechtssoziologie".

tionale Vergesellschaftung zu einer anstaltsmäßigen Ordnung. Unter den Bedingungen undifferenzierter Wirtschaft ist also die Sonderstellung einer Gemeinschaft als einer politischen oft nur schwer konstruierbar. Das was wir heute als Grundfunktionen des Staats ansehen: die Setzung des Rechts (Legislative), den Schutz der persönlichen Sicherheit und öffentlichen Ordnung (Polizei), den Schutz der erworbenen Rechte (Justiz), die Pflege von hygienischen, pädagogischen, sozialpolitischen und anderen Kulturinteressen (die verschiedenen Zweige der Verwaltung), endlich und namentlich auch der organisierte gewaltsame Schutz nach außen (Militärverwaltung) ist in der Frühzeit entweder gar nicht oder nicht in der Form rationaler Ordnungen, sondern nur als amorphe Gelegenheitsgemeinschaft, vorhanden, oder unter ganz verschiedene Gemeinschaften: Hausgemeinschaft, Sippe, Nachbarschaftsverband, Marktgemeinschaft, und daneben ganz freie Zweckvereine verteilt. Und zwar okkupiert die private Vergesellschaftung dabei auch Gebiete des Gemeinschaftshandelns (wie z. B. die Geheimklubs in Westafrika die Polizei), welche wir uns nur als Funktionen der Gemeinwirtschaft politischer Verbände zu denken gewöhnt sind. Man kann daher in einem Allgemeinbegriff des politischen Gemeinschaftshandelns nicht einmal die Sicherung des inneren Friedens als Attribut aufnehmen.

Die Vorstellung einer spezifischen Legitimität gewaltsamen Handelns aber verknüpft sich, wenn mit irgendeinem Einverständnishandeln, dann mit dem der *Sippe* im Fall der Erfüllung der Blutrachepflicht. Dagegen oft nur in sehr geringem Maße mit rein militärisch nach außen oder polizeilich nach innen gerichtetem Verbandshandeln. Am meisten dann, wenn ein Gebietsverband in seinem traditionellen Herrschaftsbereich von außen her angegriffen wird und nun die Gesamtheit der Beteiligten nach Art eines Landsturms zur Verteidigung zu den Waffen greift. Aus der zunehmend rationalen Vorsorge für solche Fälle kann dann ein als spezifisch legitim angesehener politischer Verband erwachsen, sobald nämlich irgendwelche feste Gepflogenheiten und irgendein Verbandsapparat vorhanden ist, welcher sich für die Zwecke der Vorsorge gegen gewaltsame Abwehr nach außen bereit hält. Allein dies ist bereits eine ziemlich vorgeschrittene Entwicklung. Noch deutlicher tritt die ursprünglich geringe Bedeutung der Legitimität im Sinne von Normgemäßheit bei der Gewaltsamkeit da hervor, wo die Auslese der Waffenlustigsten sich auf eigene Faust zu einem Beutezug durch persönliche Verbrüderung vergesellschaftet, wie dies als normale Form des Angriffskriegs aus der Mitte seßhafter Völker auf allen Stadien der ökonomischen

Entwicklung bis zur Durchführung des rationalen Staats typisch vorkommt. Der frei erkorene Führer ist dann legitimiert normalerweise durch persönliche Qualitäten (Charisma) und wir haben die Art der Herrschaftsstruktur, die sich daraus ergibt, an anderer Stelle erörtert*. Eine legitime Gewaltsamkeit entwickelt sich aber daraus zunächst nur gegen Genossen, welche verräterisch oder durch Ungehorsam oder Feigheit der Verbrüderung entgegenhandeln. Darüber hinaus erst dann allmählich, wenn diese Gelegenheitsvergesellschaftung zu einem Dauergebilde wird, welches die Waffentüchtigkeit und den Krieg als Beruf pflegt und sich damit zu einem Zwangsapparat entwickelt, welcher umfassende Ansprüche auf Gehorsam durchzusetzen vermag. Diese Ansprüche wenden sich dann sowohl gegen die Insassen beherrschter Eroberungsgebiete, wie auch nach innen, gegen die nichtwaffentüchtigen Gebietsgenossen, aus deren Mitte die verbrüderten Krieger stammen. Als politischen Volksgenossen erkennt der Waffentragende nur den Waffentüchtigen an. Alle anderen, Nichtwaffengeübte und Nichtwaffentüchtige, gelten als Weiber und werden in der Sprache primitiver Völker auch meist ausdrücklich als solche bezeichnet. Freiheit ist innerhalb dieser Waffenvergemeinschaftungen identisch mit Waffenberechtigung. Das von Schurtz so liebevoll studierte, in den verschiedensten Formen über die ganze Welt verbreitete *Männerhaus* ist eins derjenigen Gebilde, zu denen eine solche Vergesellschaftung der Krieger, in der Schurtzschen Terminologie: ein Männerbund, führen konnte. Es entspricht auf dem Gebiet politischen Handelns bei starker Entwicklung des Kriegerberufs fast vollkommen der Mönchsvergesellschaftung des Klosters auf religiösem Gebiet. Nur wer erprobte Waffenqualifikation hat und nach einer Noviziatszeit in die Verbrüderung aufgenommen wird, gehört hierzu, wer die Probe nicht besteht, bleibt als Weib draußen unter den Weibern und Kindern, zu denen auch der nicht mehr Waffenfähige zurückkehrt. Erst mit einer bestimmten Altersstufe tritt dann der Mann in einen Familienhaushalt ein, entsprechend etwa unserem heutigen Übertritt aus der Dienstpflicht im stehenden Heer zur Landwehr. Bis dahin gehört er mit seiner ganzen Existenz dem Kriegerbunde an. Dessen Zugehörige leben getrennt von Frau und Hausgemeinschaft in kommunistischem Verbande von der Kriegsbeute und von den Kontributionen, welche sie den Außenstehenden, insbesondere den Frauen, welche die Ackerarbeit leisten, auferlegen. Für

---

* Vgl. Erster Teil Kapitel III, § 10 und Kapitel IX und X dieses Teils.

sie selbst geziemt sich als Arbeit neben der Kriegsführung nur die Instandhaltung und Herstellung der Kriegsgerätschaften, die sehr oft ihnen allein vorbehalten ist. Ob die Krieger sich gemeinsam Mädchen rauben oder kaufen oder die Prostitution aller Mädchen des beherrschten Gebiets als ihr Recht verlangen – die vielen Spuren von sog. vorehelicher Promiskuität, die immer wieder als Reste urwüchsigen unterschiedslosen endogamen Geschlechtsverkehrs ausgegeben werden, gehören vermutlich mit dieser politischen Institution des Männerhauses zusammen – oder ob sie, wie die Spartiaten, jeder seine Frau mit den Kindern als Muttergruppe draußen sitzen haben, kann verschieden geregelt sein und meist ist wohl beides miteinander kombiniert. Um ihre auf chronischer Plünderung der Außenstehenden, namentlich der Frauen, beruhende ökonomische Stellung zu sichern, bedienen sich die dergestalt vergesellschafteten Krieger unter Umständen religiös gefärbter Einschüchterungsmittel. Namentlich die von ihnen veranstalteten Geistererscheinungen mit Maskenumzügen sind sehr oft, wie der besonders genau bekannte Zug des Dukduk in Indonesien, einfach Plünderungszüge, zu deren ungestörter Durchführung es gehört, daß die Frauen und alle Außenstehenden überhaupt, wenn das Schwirrholz ertönt, bei Vermeidung alsbaldiger Tötung, aus den Dörfern in die Wälder flüchten müssen auf daß der Geist bequemer und ohne Entlarvung sich in den Hütten aneignen könne, was ihm beliebt. Von subjektivem Glauben an die Legitimität dieses Tuns ist dabei bei den Kriegern keine Rede. Der plumpe und einfältige Schwindel ist ihnen als solcher bekannt und wird durch das magische Verbot des Betretens des Männerhauses für Außenstehende und drakonische Schweigepflichten für die Insassen gepflegt. Wo das Geheimnis durch Indiskretion gebrochen oder gelegentlich durch Missionare absichtlich entlarvt wird, ist es mit dem Prestige des Männerbundes gegenüber den Frauen zu Ende. Natürlich haben solche Veranstaltungen, wie aller Gebrauch der Religion als schwarzer Polizei, an Volkskulte angeknüpft. Aber die spezifisch diesseitig orientierte, auf Raub und Beute ausgerichtete Kriegergesellschaft ist, trotz aller eigenen Neigung zu magischer Superstition, doch zugleich überall Trägerin der Skepsis gegenüber der volkstümlichen Frömmigkeit. Sie geht auf allen Entwicklungsstufen mit den Göttern und Geistern ähnlich respektlos um, wie die homerische Kriegergesellschaft mit dem Olymp.

Erst wenn die frei vergesellschaftete, neben und über den Alltagsordnungen stehende Kriegerschaft einem geordneten Dauerverband einer Gebietsgemeinschaft sozusagen wieder eingemeindet und dadurch der politische Verband geschaffen wird, attrahiert nun dieser und damit auch die privilegierte Stellung der Kriegerschaft eine spezifische Legitimität der Gewaltausübung. Der Prozeß vollzieht sich, wo er überhaupt stattfindet, allmählich. Die Gemeinschaft, der die zum Beutezug oder zum chronischen Kriegerbund vergesellschafteten Männer angehören, kann entweder durch Verfall der Kriegervergesellschaftung infolge länger dauernder Befriedung oder durch eine umfassende autonome oder heteronom oktroyierte politische Vergesellschaftung die Macht erlangen, die Beutezüge der frei vergesellschafteten Krieger (unter deren möglichen Konsequenzen: Repressalien der Geplünderten, ja auch die Unbeteiligten mit zu leiden haben) ebenso unter ihre Kontrolle zu bringen, wie z. B. die Schweizer das Reislaufen. Eine solche Kontrolle übte schon in altgermanischer Zeit die politische Landesgemeinde über die privaten Beutezüge. Ist der Zwangsapparat des politischen Verbandes mächtig genug, dann unterdrückt er, je mehr er Dauergebilde wird, und je stärker das Interesse an der Solidarität nach außen ist, desto mehr die private Gewaltsamkeit überhaupt. Zunächst soweit sie dem eigenen militärischen Interesse direkt abträglich ist. So unterdrückte das französische Königtum im 13. Jahrhundert für die Dauer eines vom König selbst geführten äußeren Krieges die Fehde unter den königlichen Vasallen. Dann zunehmend in Form dauernden Landfriedens und zwangsweiser Unterwerfung aller Streitigkeiten unter den Zwangsschiedsspruch des Richters, der die Blutrache in rational geordnete Strafe, die Fehde und Sühnehandlung in rational geordneten Rechtsgang verwandelt. Während in der Frühzeit das Verbandshandeln auch gegen ein Verhalten, welches als anerkannter Frevel gilt, nur unter dem Druck religiöser oder militärischer Interessen reagiert, wird jetzt die Verfolgung immer weiterer Verletzungen von Person und Besitz unter die Garantie des politischen Zwangsapparates gestellt. Auf diesem Wege monopolisiert die politische Gemeinschaft die legitime Gewaltanwendung für ihren Zwangsapparat und verwandelt sich allmählich in eine Rechtsschutzanstalt. Sie findet dabei eine mächtige und entscheidende Stütze an allen denjenigen Gruppen, welche an der Erweiterung der Marktgemeinschaft direkt oder indirekt ökonomisch interessiert sind und daneben an den religiösen Gewalten. Diese letzteren finden für ihre spezifischen Machtmittel zur Beherrschung der Massen ihre Rechnung am meisten bei zunehmender Befriedung. Ökonomisch aber sind die Interessenten der Befriedung in erster Linie die Marktinteressenten, vor allem das Bürgertum der Städte, nächst ihm aber alle diejenigen, welche an Flußzöllen, Straßenzöllen, Brükkenzöllen, an der Steuerkraft von Hintersassen und Untertanen interessiert sind. Schon ehe die politische Gewalt in ihrem Machtinteresse den Landfrieden oktroyierte, waren es daher im Mittelalter jene, mit der Entwicklung der Geldwirtschaft sich stets verbreiternden Interessentenkreise, welche im Bunde mit der Kirche die Fehde einzuschränken, zeitweilige, periodische oder dauernde Landfriedensbünde durchzuführen suchten. Und indem der Markt mit seiner Erweiterung zunehmend in der uns schematisch bekannten Art die monopolistischen Verbände ökonomisch sprengt, ihre Mitglieder zu Marktinteressenten macht, entzieht er ihnen die Basis jener Interessengemeinschaft, auf welcher auch ihre legitime Gewaltsamkeit sich entfaltet hatte. Mit zunehmender Befriedung und Erweiterung des Markts parallel geht daher auch 1. jene Monopolisierung legitimer Gewaltsamkeit durch den politischen Verband, welche in dem modernen Begriff des *Staats* als der letzten Quelle jeglicher Legitimität physischer Gewalt, und zugleich 2. jene Rationalisierung der Regeln für deren Anwendung, welche in dem Begriff der legitimen Rechtsordnung ihren Abschluß finden.

Die ebenso interessante wie bisher unvollkommen durchgeführte technographische Kasuistik der verschiedenen Entwicklungsstadien primitiver politischer Verbände kann hier nicht erledigt werden. Noch bei relativ entwickelten Güterbesitzverhältnissen kann ein gesonderter politischer Verband und können selbst alle Organe eines solchen völlig fehlen. So etwa in der ethnischen Zeit der Araber nach der Darstellung Wellhausens. Außer den Sippen mit ihren Ältesten (Scheichs) existiert hier keinerlei außerhäusliche geordnete Dauergewalt. Denn die Einverständnisgemeinschaft der jeweils zusammenwohnenden, wandernden und weidenden Schwärme, welche dem Sicherheitsbedürfnis entspringt, entbehrt der Sonderorgane, ist prinzipiell labil, und alle Autorität im Fall eines feindlichen Zusammenstoßes ist Gelegenheitsautorität. Dieser Zustand bleibt unter allen Arten von Wirtschaftsordnungen sehr lange bestehen. Die regulären, dauernd vorhandenen Autoritäten sind die Familienhäupter und Sippenältesten, daneben die Zauberer und Orakelspender. Zwischen den Sippenältesten werden unter Beihilfe der Zauberer etwaige Streitigkeiten unter den Sippen geschlichtet. Der Zustand entspricht den ökonomischen Lebensformen des Beduinentums. Wie dieses selbst, ist er keineswegs etwas besonders Urwüchsiges. Wo die Art der Siedelung wirtschaftliche Aufgaben erzeugt, welche einer über Sippe und Haus hinausgreifenden dauernden Fürsorge bedürfen, entsteht der Dorfhäuptling, er ist oft aus den Zauberern, speziell den Regenmachern, genommen oder ein besonders erfolgreicher Führer auf Beutezügen. Wo die Appropriation der Besitzer weit vorgeschritten ist, erlangt jeder durch Besitz und entsprechende Lebensführung ausgezeichnete Mann leicht diese Stellung. Aber nur in außerordentlichen Zeiten und dann ausschließlich kraft seiner ganz persönlichen Qualitäten magischer oder sonstiger Art kann er eine wirkliche Autorität ausüben. Sonst, speziell bei chronischem Frieden, hat er in aller Regel nur die Stellung des mit Vorliebe gewählten Schiedsrichters und seine Anweisungen werden nur wie Ratschläge befolgt. Keineswegs selten ist das Fehlen jeglichen derartigen Häuptlings in friedlichen Zeiten: das Einverständnishandeln der Nachbarn reguliert sich durch den Respekt vor dem Herkommen, die Angst vor der Blutrache und vor dem Zorn der magischen Gewalten. Jedenfalls aber sind die Funktionen des Friedenshäuptlings inhaltlich weit vorwiegend ökonomische (Regulierung der Ackerbestellung) und eventuell magisch-therapeutische und schiedsrichterliche, ohne daß im einzelnen ein fester Typus für sie bestände. Immer gilt als legitime Gewaltsamkeit nur die Anwendung derjenigen Gewaltmittel seitens des Häuptlings und in den Fällen, welche dem festen Herkommen entsprechen, und zu ihrer Anwendung ist er auf die freiwillige Mithilfe der Genossen angewiesen. Diese sich zu sichern ist er um so leichter in der Lage, je mehr magisches Charisma und ökonomische Prominenz ihm zur Seite stehen.

Kapitel III. Machtgebilde. „Nation". (Unvollendet.)

§ 1. Machtprestige und „Großmächte".

Alle politischen Gebilde sind Gewaltgebilde. Aber Art und Maß der Anwendung oder Androhung von Gewalt nach außen, anderen gleichartigen Gebilden gegenüber, spielt für Struktur und Schicksal politischer Gemeinschaften eine spezifische Rolle. Nicht jedes politische Gebilde ist in gleichem Maße „expansiv" in dem Sinn, daß es Macht nach außen, d. h. Bereithalten von Gewalt zwecks Erwerbs der politischen Gewalt über andere Gebiete und Gemeinschaften, sei es in Form von Einverleibung oder Abhängigkeit anstrebt. Die politischen Gebilde sind also in verschiedenem Umfang nach außen gewendete Gewaltgebilde. Die Schweiz, als ein durch Kollektivgarantie der großen Machtgebilde „neutralisiertes", außerdem auch teils (aus verschiedenen Gründen) nicht sehr stark zur Einverleibung begehrtes, teils und vor allem durch gegenseitige Eifersucht von unter sich gleich mächtigen Nachbargemeinschaften davor geschütztes politisches Gebilde und das relativ wenig bedrohte Norwegen sind es weniger als das kolonialbesitzende Holland, dies weniger als Belgien wegen dessen besonders bedrohtem Kolonialbesitz und eigener militärischen Bedrohtheit im Fall eines Kriegs seiner mächtigen Nachbarn, und auch als Schweden. Politische Gebilde können also in ihrem Verhalten nach außen mehr „autonomistisch" oder mehr „expansiv" gerichtet sein und dies Verhalten wechseln.

Alle „Macht" politischer Gebilde trägt in sich eine spezifische Dynamik: sie kann die Basis für eine spezifische „Prestige"-Prätension ihrer Angehörigen werden, welche ihr Verhalten nach außen beeinflußt. Die Erfahrung lehrt, daß Prestigeprätensionen von jeher einen schwer abzuschätzenden, generell nicht bestimmbaren, aber sehr fühlbaren Einschlag in die Entstehung von Kriegen gegeben haben: ein Reich der „Ehre", „ständischer" Ordnung vergleichbar, erstreckt sich auch auf die Beziehungen der politischen Gebilde untereinander; feudale Herrenschichten, ebenso wie moderne Offiziers- oder Amtsbürokraten sind die naturgemäßen primären Träger dieses rein an der Macht des eigenen politischen Gebildes als solcher orientierten „Prestige"-Strebens. Denn Macht des eigenen politischen Gebildes bedeutet für sie eigene Macht und eigenes machtbedingtes Prestigegefühl, Expansion der Macht nach außen aber außerdem noch für die Beamten und Offiziere Vermehrung der Amtsstellen und Pfründen, Verbesserung der Avancementschancen (für den Offizier selbst im Fall eines verlorenen Krieges), für die Lehensmannen Gewinnung von neuen lehnbaren Objekten zur Versorgung ihres Nachwuchses: diese Chancen (nicht, wie man wohl gesagt hat, die „Übervölkerung") rief Papst Urban in seiner Kreuzzugsrede auf. Aber über diese naturgemäß und überall vorhandenen direkten ökonomischen Interessen der von der Ausübung politischer Macht lebenden Schichten hinaus ist dies „Prestige"-Streben eine innerhalb aller spezifischen Machtgebilde und daher auch der politischen verbreitete Erscheinung. Es ist nicht einfach mit dem „Nationalstolz" – von dem später zu reden ist – und auch nicht mit dem bloßen „Stolz" auf wirkliche oder geglaubte Vorzüge oder auf den bloßen Besitz eines eigenen politischen Gemeinwesens identisch. Dieser Stolz kann, wie bei den Schweizern und Norwegern, sehr entwickelt, aber praktisch rein autonomistisch und von politischen Prestigeprätensionen frei sein, während das reine Machtprestige, als „Ehre der Macht", praktisch: die Ehre der Macht über andere Gebilde, die *Machtexpansion*, wenn auch nicht immer in Form der Einverleibung oder Unterwerfung, bedeutet. Naturgegebene Träger dieser Prestigeprätension sind die quantitativ großen politischen Gemeinschaften. Jedes politische Gebilde zieht naturgemäß schon an sich die Nachbarschaft schwacher politischer Gebilde derjenigen starker vor. Und da überdies jede große politische Gemeinschaft, als potentieller Prätendent von Prestige, also eine potentielle Bedrohung für alle Nachbargebilde bedeutet, so ist sie zugleich selbst ständig latent bedroht, rein deshalb, weil sie ein großes und starkes Machtgebilde ist. Und vollends jedes Aufflammen der Prestigeprätensionen an irgendeiner Stelle – normalerweise die Folge akuter politischer Bedrohung des Friedens – ruft kraft einer unvermeidlichen „Machtdynamik" sofort die Konkurrenz aller anderen möglichen Prestigeträger in die Schranken: die Geschichte des letzten Jahrzehnts*, speziell der Beziehungen Deutschlands zu Frankreich, zeigt die eminente Wirkung dieses irrationalen Elements aller politischen Außenbeziehungen. Da das Prestigegefühl zugleich den für die Zuversichtlichkeit im Fall des Kampfs wichtigen pathetischen Glauben an die reale Existenz der eigenen Macht zu stärken geeignet ist, so sind die spezifischen Interessenten jedes politischen Machtgebildes geneigt, jenes Gefühl systematisch zu pflegen. Jene politischen Gemeinschaften, welche jeweilig als Träger des Machtprestiges auftreten, pflegt man heute „Großmächte" zu nennen. Innerhalb eines jeden Nebeneinander politischer Gemeinschaften pflegen sich einzelne als „Großmächte" eine Interessiertheit an politischen und ökonomischen Vorgängen eines großen, heute meist eines die ganze Fläche des Planeten umfassenden, Umkreises zuzuschreiben und zu usurpieren. Im hellenischen Altertum war der „König", d. h. der Perserkönig, trotz seiner Niederlage die anerkannteste Großmacht. An ihn wendete sich Sparta, um unter seiner Sanktion der hellenischen Welt den Königsfrieden (Frieden des Antalkidas) zu oktroyieren. Später, vor der Schaffung eines römischen Weltreichs, usurpierte das römische Gemeinwesen eine solche Rolle. Großmachtgebilde sind aus allgemeinen Gründen der „Machtdynamik" allerdings rein als solche sehr oft zugleich expansive, d. h. auf gewaltsame oder durch Gewaltdrohung erzielte Ausdehnung des Gebietsumfangs der eigenen politischen Gemeinschaft eingestellte Verbände. Aber sie sind es dennoch nicht notwendig und immer. Ihre Haltung in dieser

---

* Vor dem Weltkrieg. (Anm. d. Herausgeb.)

Hinsicht wechselt oft und dabei spielen in sehr gewichtiger Art auch ökonomische Momente mit. Die englische Politik z. B. hatte zeitweise ganz bewußt auf weitere politische Expansion und selbst auf die Festhaltung der Kolonien durch Gewaltmittel verzichtet, zugunsten einer „kleinenglischen", politisch autonomistischen, Beschränkung auf den für unerschütterlich gehaltenen ökonomischen Primat. Gewichtige Repräsentanten der römischen Honoratiorenherrschaft hätten nach den punischen Kriegen gern ein ähnliches „kleinrömisches" Programm: Beschränkung der politischen Unterwerfung auf Italien und die Nachbarinseln, durchgeführt. Die spartanische Aristokratie hat die politische Expansion ganz bewußt autonomistisch beschränkt, soweit sie konnte, und sich mit der Zertrümmerung aller ihrer Macht und ihrem Prestige bedrohlichen, anderen politischen Bildungen zugunsten des Städtepartikularismus begnügt. In solchen und den meisten ähnlichen Fällen pflegen mehr oder minder klare Befürchtungen der herrschenden Honoratiorenschichten – des römischen Amtsadels, der englischen und anderer liberalen Honoratioren, der spartiatischen Herrenschichten – gegen die mit dem chronisch erobernden „Imperialismus" sehr leicht verbundenen Tendenzen zugunsten der Entwicklung eines „Imperator", d. h. charismatischen Kriegsfürsten auf Kosten der eigenen Machtstellung der Honoratioren, im Spiel zu sein. Die englische wie die römische Politik aber wurden nach kurzer Zeit, und zwar mit durch kapitalistische Expansionsinteressen aus ihrer Selbstbeschränkung wieder herausgezwungen und zur politischen Expansion genötigt.

§ 2. Die wirtschaftlichen Grundlagen des „Imperialismus".

Man könnte geneigt sein zu glauben, daß überhaupt die Bildung und ebenso die Expansion von Großmachtgebilden stets primär ökonomisch bedingt sei. Am nächsten liegt die Generalisierung der in einzelnen Fällen in der Tat zutreffenden Annahme, daß ein bereits bestehender, besonders intensiver Güterverkehr in einem Gebiet die normale Vorbedingung und auch der Anlaß seiner politischen Einigung sei. Das Beispiel des Zollvereins liegt äußerst nahe und es gibt zahlreiche andere. Allein genaueres Zusehen verrät sehr oft, daß dieser Zusammenfall kein notwendiger und das Kausalverhältnis keineswegs eindeutig gerichtet ist. Was z. B. Deutschland anbelangt, so ist es zu einem einheitlichen Wirtschaftsgebiet, d. h. einem Gebiet, dessen Insassen den Absatz der von ihnen erzeugten Güter in erster Linie auf dem eigenen Markt suchen, erst durch die in ihrem Verlauf rein politisch bedingten Zollinien an seinen Grenzen zusammengeschlossen worden. Das, bei einem gänzlichen Fortfall aller Zollschranken gegebene, also rein ökonomisch determinierte Absatzgebiet der kleberarmen ostdeutschen Getreideüberschüsse war nicht der deutsche Westen, sondern der englische Markt. Die Berg- und Hüttenprodukte und die schweren Eisenwaren des deutschen Westens hatten ihren rein ökonomisch determinierten Markt keineswegs im deutschen Osten und dieser seine rein ökonomisch determinierten Lieferanten von Gewerbeprodukten zumeist nicht im deutschen Westen. Vor allem wären und sind zum Teil auch noch nicht die inneren Verkehrslinien (Eisenbahnen) Deutschlands die ökonomisch determinierten Transportwege für spezifisch schwere Güter zwischen Osten und Westen. Der Osten wäre dagegen ökonomischer Standort für starke Industrien, deren rein ökonomisch determinierter Markt und Hinterland der ganze Westen Rußlands wäre und welche jetzt[*] durch die russischen Zollschranken unterbunden und unmittelbar hinter die russische Zollgrenze nach Polen verschoben sind. Durch diese Entwicklung ist bekanntlich der politische Anschluß der russischen Polen an die russische Reichsidee, der rein politisch eine Unmöglichkeit schien, in das Bereich des Möglichen gerückt. Hier wirken also rein ökonomisch determinierte Marktbeziehungen politisch zusammenschließend. Aber Deutschland ist entgegen den rein ökonomischen Determinanten politisch geeinigt. Derartige Sachverhalte: daß die Grenzen einer politischen Gemeinschaft mit den rein geographisch gegebenen Standortsbedingungen im Konflikt liegen und ein nach ökonomischen Determinanten auseinanderstrebendes Gebiet umfassen, sind nichts Ungewöhnliches. Gegenüber den durch solche Situationen allerdings fast stets entstehenden ökonomischen Interessenspannungen ist das politische Band, wenn es einmal geschaffen ist, nicht immer, aber doch bei sonst günstigen Bedingungen (Sprachgemeinschaft), sehr oft so ungleich stärker, daß, wie z. B. in Deutschland, aus Anlaß jener Spannungen niemand an eine politische Trennung auch nur denkt.

Und so ist es auch nicht richtig, daß Großstaatenbildung immer auf den Bahnen des Güterexportes wandert, obwohl es uns heute, wo der Imperialismus (der kontinentale, russische und amerikani-

---

* Vor 1914 geschrieben. (Anm. d. Herausgeb.)

sche, ebenso wie der überseeische: englische und diesem nachgebildete) regelmäßig, zumal in politisch schwachen Fremdgebieten, den Spuren schon vorhandener kapitalistischer Interessen folgt, naheliegt, die Dinge so anzusehen und obwohl er natürlich wenigstens für die Bildung der großen überseeischen Herrschaftsgebiete der Vergangenheit: im athenischen wie im karthagischen und römischen Überseereich seine maßgebende Rolle spielte. Aber schon in diesen antiken Staatenbildungen sind doch andere ökonomische Interessen: namentlich das Streben nach Grundrenten-, Steuerpacht-, Amtssportel- und ähnlichem Gewinne mindestens von gleicher, oft weit größerer Bedeutung wie Handelsgewinnste. Innerhalb dieses letzteren Motivs der Expansion wiederum tritt sehr stark zurück das, im modern-kapitalistischen Zeitalter, vorwaltend beherrschende „Absatz"-Interesse *nach* den Fremdgebieten gegenüber dem Interesse an dem Besitz von Gebieten, *aus* welchen Güter (Rohstoffe) in das Inland importiert werden. Bei den großen Flächenstaatenbildungen des Binnenlandes vollends war in der Vergangenheit eine maßgebende Rolle des Güterverkehrs durchaus nicht die Regel. Am stärksten bei den orientalischen Flußuferstaaten, besonders Ägypten, die darin den Überseestaaten ähnlich geartet waren. Aber etwa das „Reich" der Mongolen, – in welchem für die Zentralverwaltung die Beweglichkeit der herrschenden Reiterschicht die fehlenden sachlichen Verkehrsmittel ersetzte, – ruhte gewiß nicht auf intensivem Güterverkehr. Auch das chinesische wie das persische und das römische Reich der Kaiserzeit nach seinem Übergang vom Küsten- zum Kontinentalreich, erstanden und bestanden nicht auf der Basis eines schon früher vorhandenen besonders intensiven Güterbinnenverkehrs oder besonders hochentwickelter Verkehrsmittel. Die römische *kontinentale* Expansion war zwar sehr stark durch kapitalistische Interessen mitbedingt (nicht etwa: ausschließlich kapitalistisch bedingt). Aber diese kapitalistischen Interessen waren vor allem doch solche von Steuerpächtern, Amtsjägern und Bodenspekulanten, nicht aber in erster Linie von Interessenten eines besonders hochentwickelten Güterverkehrs. Der persischen Expansion haben überhaupt keinerlei „kapitalistische" Interessenten weder als Triebkraft oder Schrittmacher gedient, ebensowenig wie den Schöpfern des Chinesenreichs, noch denen der Karolingermonarchie. Natürlich fehlte auch hier die wirtschaftliche Bedeutung des Güterverkehrs keineswegs überhaupt; aber andere Motive: Vermehrung der fürstlichen Einkünfte, Pfründen, Lehen, Ämter und soziale Ehren für die Lehensmannen, Ritter, Offiziere, Beamten, jüngeren Söhne von Erbbeamten usw. haben bei jeder politischen Binnenlandsexpansion der Vergangenheit und auch bei den Kreuzzügen mitgespielt. Die hier zwar nicht ausschlaggebend, aber allerdings bedeutend mitwirkenden Interessen der Seehandelsstädte traten erst sekundär hinzu: der erste Kreuzzug war dem Schwerpunkt nach eine Überlandkampagne.

Der Güterverkehr hat jedenfalls keineswegs der Regel nach der politischen Expansion die Wege gewiesen. Die Kausalbeziehung ist sehr oft umgekehrt. Diejenigen von den genannten Reichen, deren Verwaltung dazu technisch imstand war, haben ihrerseits sich die Verkehrsmittel, mindestens im Landverkehr, für die Zwecke ihrer Verwaltung erst geschaffen. Dem Prinzip nach nicht selten nur für diese Zwecke und ohne Rücksicht darauf, ob sie vorhandenen oder künftigen Bedürfnissen des Güterverkehrs zustatten kamen. Unter den heutigen Verhältnissen ist wohl Rußland dasjenige politische Gebilde, welches die meisten nicht primär ökonomisch, sondern politisch bedingten Verkehrsmittel (heute: Eisenbahnen) geschaffen hat. Doch ist die österreichische Südbahn (ihre Papiere heißen noch immer, politisch erinnerungsbelastet: „Lombarden") ebenfalls ein Beispiel, und gibt es wohl kein politisches Gebilde ohne „Militärbahnen". Immerhin sind zwar größere derartige Leistungen doch auch zugleich in der Erwartung eines auf die Dauer ihre Rentabilität garantierenden Verkehrs geschaffen. In der Vergangenheit lag es nicht anders. Bei den altrömischen Militärstraßen ist ein Verkehrszweck mindestens nicht beweisbar, bei den persischen und römischen Posten aber, die nur politischen Zwecken dienten, war es ganz sicher nicht der Fall. Trotzdem war auch in der Vergangenheit die Entwicklung des Güterverkehrs natürlich die normale Folge der politischen Einigung, welche ihn erst unter eine sichere Rechtsgarantie stellte. Ausnahmslos aber ist auch diese Regel nicht. Denn die Entwicklung des Güterverkehrs ist außer an Befriedung und formale Rechtssicherheit, auch an bestimmte wirtschaftliche Bedingungen (speziell die Entfaltung des Kapitalismus) gebunden, und es ist nicht ausgeschlossen, daß diese Entfaltung durch die Art der Staatsverwaltung eines politischen Einheitsgebildes geradezu unterbunden wird, wie dies z. B. im späteren Römerreich der Fall war. Das an die Stelle des Städtebundes tretende, auf stark naturalwirtschaftlicher Basis ruhende Einheitsgebilde bedingte hier eine zunehmend leiturgische Aufbringung der Mittel fürs Heer und die Verwaltung, welche den Kapitalismus direkt erstickte.

Bildet also der Güterverkehr als solcher keineswegs das ausschlaggebende Moment bei politischen Expansionen, so ist die Struktur der Wirtschaft im allgemeinen doch sowohl für das Maß wie für die Art der politischen Expansion sehr stark mitbestimmend. „Urwüchsiges" Objekt der gewaltsamen Aneignung ist – neben Weibern, Vieh und Sklaven – vor allem der Grund und Boden, sobald er knapp wird. Bei erobernden bäuerlichen Gemeinschaften ist die direkte Landnahme unter Ausrottung der bisherigen bodensässigen Bevölkerung das Natürliche. Die germanische Völkerwanderung ist nur zu einem im ganzen mäßigen Teil so verlaufen, in geschlossener Masse wohl bis etwas über die heutige Sprachgrenze hinaus, im übrigen aber nur strichweise. Wie weit dabei eine durch Übervölkerung bedingte „Landnot" mitsprach oder der politische Druck anderer Stämme oder einfach die gute Gelegenheit, muß dahingestellt bleiben: jedenfalls haben einzelne dieser zur Eroberung ausziehenden Gruppen sich noch lange Zeit hindurch ihre Fluranteilsrechte in der Heimat für den Fall der Heimkehr reservieren lassen. Der Grund und Boden des in mehr oder minder gewaltsamer Form politisch einverleibten, bis dahin fremden Gebietes spielt aber auch bei anderen ökonomischen Strukturformen eine bedeutende Rolle für die Art, wie das Recht des Siegers ausgenützt wird. Die Grundrente ist, wie namentlich Oppenheimer mit Recht immer wieder betont hat, sehr oft Produkt gewaltsamer politischer Unterwerfung. Bei naturalwirtschaftlicher und zugleich feudaler Struktur natürlich in der Art, daß die Bauernschaft des einverleibten Gebiets nicht ausgerottet, sondern umgekehrt geschont und den Eroberern als Grundherren zinspflichtig gemacht wird. Überall, wo das Heer nicht mehr ein auf Selbstausrüstung der Gemeinfreien gestellter Volksheerbann und noch nicht ein Sold- oder bürokratisches Massenheer, sondern ein auf Selbstausrüstung gestelltes Ritterheer ist: bei Persern, Arabern, Türken, Normannen und überhaupt okzidentalen Lehensmannen, ist dies geschehen. Aber auch bei handelsplutokratischen, erobernden Gemeinwesen bedeutet das Grundrenteninteresse überall sehr viel, denn da Handelsgewinnste mit Vorliebe in Grundbesitz und Schuldknechten „angelegt" wurden, so war die Gewinnung von fruchtbarem, grundrentefähigem Boden noch in der Antike das normale Ziel der Kriege. Der in der hellenischen Frühgeschichte eine Art von Epoche markierende „lelantische" Krieg wurde fast gänzlich zur See zwischen Handelsstädten geführt, Streitobjekt der führenden Patriziate von Chalkis und Eretria war aber ursprünglich die fruchtbare lelantische Flur. Der attische Seebund bot dem Demos der herrschenden Stadt neben Tributleistungen verschiedener Art als eins der wichtigsten Privilegien offenbar die Durchbrechung des Bodenmonopols der Untertanenstädte: das Recht der Athener, überall Boden zu erwerben und hypothekarisch zu beleihen. In erster Linie das gleiche bedeutet, praktisch genommen, die Herstellung des „commercium" verbündeter Städte mit Rom und auch die Überseeinteressen der im römischen Einflußgebiet massenhaft verbreiteten Italiker waren sicherlich zum Teil Bodeninteressen wesentlich kapitalistischer Art, wie wir sie aus den verrinischen Reden kennen. Kapitalistische Bodeninteressen können mit den bäuerlichen bei der Expansion in Konflikt geraten. Ein solcher hat in der langen Epoche der Ständekämpfe in Rom bis zu den Gracchen bei der Expansionspolitik seine Rolle gespielt: die großen Geld-, Vieh- und Menschenbesitzer wünschten den neu gewonnenen Boden naturgemäß als öffentliches pachtbares Land (ager publicus) behandelt zu sehen, die Bauern, solange es sich um nicht zu entlegene Gebiete handelte, verlangten seine Aufteilung für die Landversorgung ihres Nachwuchses; die starken Kompromisse beider Interessen spiegeln sich in der im einzelnen gewiß wenig zuverlässigen Tradition doch deutlich wieder.

Die überseeische Expansion Roms zeigt, soweit sie ökonomisch bedingt ist, Züge – und zwar in so ausgeprägter Art und zugleich so gewaltigem Maßstabe zum erstenmal in der Geschichte –, welche seitdem, in den Grundzügen ähnlich, immer wiederkehrten und noch heute wiederkehren. Sie sind einem, bei aller Flüssigkeit der Übergänge zu anderen Arten, dennoch spezifischen Typus kapitalistischer Beziehungen eigen, – oder vielmehr: sie bieten ihm die Existenzbedingungen, – den wir imperialistischen Kapitalismus nennen wollen. Es sind die kapitalistischen Interessen von Steuerpächtern, Staatsgläubigern, Staatslieferanten, staatlich privilegierten Außenhandelskapitalisten und Kolonialkapitalisten. Ihre Profitchancen ruhen durchweg auf der direkten Ausbeutung politischer Zwangsgewalten, und zwar expansiv gerichteter Zwangsgewalt. Der Erwerb überseeischer „Kolonien" seitens einer politischen Gemeinschaft gibt kapitalistischen Interessenten gewaltige Gewinnchancen durch gewaltsame Versklavung oder doch glebae adscriptio der Insassen zur Ausbeutung als Plantagenarbeitskräfte (in großem Maßstab anscheinend zuerst von den Karthagern organisiert, in ganz großem Stil zuletzt von den Spaniern in Südamerika, den Engländern in den amerikanischen Südstaaten und den Holländern in Indonesien), ferner zur gewaltsamen Monopolisierung des Handels mit diesen Kolonien und eventuell anderer Teile des Außenhandels. Die Steuern der neu okkupierten Gebiete geben, wo immer der eigene Apparat der politischen Gemeinschaft nicht zu ihrer Beitreibung geeignet ist – wovon später zu reden sein wird –, kapitalistischen Steuerpächtern Gewinnchancen. Die gewaltsame Expansion durch Krieg und die Rüstungen dafür schaffen, vorausgesetzt, daß die sachlichen Betriebsmittel des Kriegs nicht, wie im reinen Feudalismus, durch Selbstausrüstung, sondern durch die politische Gemeinschaft als solche beschafft werden, den weitaus ergiebigsten Anlaß zur Inanspruchnahme von Kredit größten Umfangs und steigern die Gewinnchancen der kapitalistischen Staatsgläubiger, welche schon im zweiten punischen Kriege der römischen Politik ihre Bedingungen vorschrieben. Oder, wo das endgültige Staatsgläubigertum eine Massenschicht von Staatsrentnern (Konsolbesitzern) geworden ist – der für die Gegenwart charakteristische Zustand –, schaffen sie die Chancen für die „emittierenden" Banken. In der gleichen Richtung liegen die Interessen der Lieferanten von Kriegsmaterial. Es werden dabei ökonomische Mächte ins Leben gerufen, welche an dem Entstehen kriegerischer Konflikte als solchen, einerlei welchen Ausgang sie für die eigene Gemeinschaft nehmen, interessiert sind. Schon Aristophanes scheidet die am Krieg von den am Frieden interessierten Gewerben, obwohl – wie auch in seiner Aufzählung zum Ausdruck kommt – der Schwerpunkt wenigstens für das Landheer damals noch in der Selbstausrüstung und daher in Bestellungen der einzelnen Bürger beim Handwerker: Schwertfeger, Panzermacher usw. liegt. Schon damals aber sind die großen privaten Handelslager, die man oft als „Fabriken" anspricht, vor allem Waffenlager. Heute ist der annähernd einzige Auftraggeber für Kriegsmaterial und Kriegsmaschinen die politische Gemeinschaft als solche und das steigert den kapitalistischen Charakter. Banken, welche Kriegsanleihen finanzieren, und heute große Teile der schweren Industrie, nicht nur die direkten Lieferanten von Panzerplatten und Geschützen, sind am Kriegführen quand même ökonomisch interessiert; ein verlorener Krieg bringt ihnen erhöhte Inanspruchnahme so gut wie ein gewonnener, und das eigene politische und ökonomische Interesse der an einer politischen Gemeinschaft Beteiligten an der Existenz großer inländischer Fabriken von Kriegsmaschinen nötigt sie, zu dulden, daß diese die ganze Welt, auch die politischen Gegner, mit solchen versorgen.

Welche ökonomischen Gegengewichte die imperialistischen kapitalistischen Interessen finden, hängt – soweit dabei direkt rein kapitalistische Motive mitspielen – vor allem von dem Verhältnis der Rentabilität der ersteren zu den pazifistisch gerichteten kapitalistischen Interessen ab, und dies wieder steht mit dem Verhältnis zwischen gemeinwirtschaftlicher und privatwirtschaftlicher Bedarfsdeckung in engem Zusammenhang. Diese ist daher auch für die Art der von den politischen Gemeinschaften gestützten ökonomischen Expansionstendenzen in hohem Maße bestimmend. Der imperialistische Kapitalismus, zumal koloniale Beutekapitalismus auf der Grundlage direkter Gewalt und Zwangsarbeit, hat im allgemeinen zu allen Zeiten die weitaus größten Gewinnchancen geboten, weit größer, als, normalerweise, der auf friedlichen Austausch mit den Angehörigen anderer politischer Gemeinschaften gerichtete Exportgewerbebetrieb. Daher hat es ihn zu allen Zeiten und überall gegeben, wo irgendwelches erhebliche Maß von gemeinwirtschaftlicher Bedarfsdeckung durch die politische Gemeinschaft als solche oder ihre Unterabteilungen (Gemeinden) bestand. Je stärker diese, desto größer die Bedeutung des imperialistischen Kapitalismus. Verdienstchancen im politischen „Ausland", zumal in Gebieten, welche politisch und ökonomisch neu „erschlossen", d. h. in die spezifisch modernen Organisationsformen der öffentlichen und privaten „Betriebe" gebracht werden, entstehen heute wieder zunehmend in „Staatsaufträgen" für Waffen, von der politischen Gemeinschaft besorgten oder mit Monopolen ausgestatteten Eisenbahn- und anderen Bauten, monopolistischen Abgabe-, Handels- und Gewerborganisationen und -konzessionen, Staatsanleihen. Das Vorwiegen derartiger Verdienstchancen steigert sich, auf Kosten der durch den gewöhnlichen privaten Güteraustausch zu erzielenden Gewinne, zunehmend mit zunehmender Bedeutung der Gemeinwirtschaft als Bedarfsdeckungsform überhaupt. Und durchaus parallel damit geht die Tendenz der politisch gestützten ökonomischen Expansion und des Wettbewerbs der einzelnen politischen Gemeinschaften, deren Beteiligte anlagefähiges Kapital zur Verfügung haben, dahin, sich derartige Monopole und Beteiligungen an „Staatsaufträgen" zu verschaffen und tritt die Bedeutung der bloßen „offenen Tür" für den privaten Güterimport in den Hintergrund. Da nun die sicherste Garantie für die Monopolisierung dieser an der Gemeinwirtschaft des fremden Gebiets klebenden Gewinnchancen zugunsten der eigenen politischen Gemeinschaftsgenossen die politische Okkupation oder doch die Unterwerfung der fremden politischen Gewalt in der Form des „Protektorats" oder ähnlicher ist, so tritt auch diese „imperialistische" Richtung der Expansion wieder zunehmend an die Stelle der pazifistischen, nur „Handelsfreiheit", erstrebenden. Diese gewann nur so lange die Oberhand als die privatwirtschaftliche Organisation der Bedarfsdeckung auch das Optimum der kapitalistischen Gewinnchancen nach der Seite des friedlichen, nicht – wenigstens nicht durch politische Gewalt – monopolisierten Güteraustauschs verschoben hatte. Das universelle

Wiederaufleben des „imperialistischen" Kapitalismus, welcher von jeher die normale Form der Wirkung kapitalistischer Interessen auf die Politik war, und mit ihr des politischen Expansionsdrangs, ist also kein Zufallsprodukt und für absehbare Zeit muß die Prognose zu seinen Gunsten lauten.

Diese Situation würde sich schwerlich grundsätzlich ändern, wenn wir für einen Augenblick als gedankliches Experiment die einzelnen politischen Gemeinschaften als irgendwie „staatssozialistische", d. h. ein Maximum von ökonomischem Bedarf gemeinwirtschaftlich deckende Verbände denken. Jeder solche politische Gemeinwirtschaftsverband würde im „internationalen" Austausch diejenigen unentbehrlichen Güter, welche in seinem Gebiet nicht erzeugt werden (in Deutschland z. B.: Baumwolle), so billig wie möglich von denjenigen zu erwerben suchen, die ein natürliches Monopol ihres Besitzes haben und auszunützen trachten würden, und keinerlei Wahrscheinlichkeit spricht dafür, daß, wo Gewalt am leichtesten zu günstigen Tauschbedingungen führen würde, sie nicht angewendet würde. Dadurch entstünde eine, wenn nicht formelle, doch tatsächliche Tributpflicht des Schwächeren, und es ist übrigens auch nicht abzusehen, warum die stärksten staatssozialistischen Gemeinschaften es verschmähen sollten, für ihre Teilhaber von schwächeren Gemeinschaften auch ganz ausdrückliche Tribute, ganz wie es in der frühen Vergangenheit überall geschah, zu erpressen, wo sie könnten. Die „Masse" der Teilhaber einer politischen Gemeinschaft ist auch ohne „Staatssozialismus" ökonomisch so wenig notwendig pazifistisch interessiert, wie irgendeine Einzelschicht. Der attische Demos – und nicht nur er – lebte ökonomisch vom Krieg, der ihm Sold und, im Fall des Sieges, Tribute der Untertanen einbrachte, welche faktisch in der kaum verhüllenden Form von Präsenzgeldern bei Volksversammlungen, Gerichtsverhandlungen und öffentlichen Festen unter die Vollbürger verteilt wurden. Hier war das Interesse an imperialistischer Politik und Macht jedem Vollbürger handgreiflich. Die heutigen, von außerhalb einer politischen Gemeinschaft an deren Beteiligte fließenden Erträgnisse, auch diejenigen imperialistischen Ursprungs und faktisch „Tribut"artigen Charakters, ergeben eine so handgreifliche Interessenkonstellation für die Massen nicht. Denn die Tribute an die „Gläubigervölker" erfolgen unter der heutigen Wirtschaftsordnung in der Form der Abführung von ausländischen Schuldzinsen oder Kapitalgewinnsten an die besitzenden Schichten des „Gläubigervolks". Dächte man sich diese Tribute gestrichen, so bedeutete das einen immerhin für Länder wie etwa England, Frankreich,

Deutschland sehr fühlbaren Rückgang der Kaufkraft auch für Inlandsprodukte, welcher den Arbeitsmarkt zu ungunsten der betreffenden Arbeiter beeinflussen würde. Wenn trotzdem die Arbeiterschaft auch in Gläubigerstaaten in sehr starkem Maße pazifistisch gesonnen ist und insbesondere an dem Fortbestand und der zwangsweisen Beitreibung solcher Tribute von ausländischen zahlungssäumigen Schuldnergemeinschaften oder der Erzwingung der Anteilnahme an der Ausbietung fremder Kolonialgebiete und Staatsaufträge meist keinerlei Interesse zeigt, so ist dies einerseits ein naturgemäßes Produkt der unmittelbaren Klassenlage und der sozialen und politischen Situation innerhalb der Gemeinschaften in einer kapitalistischen Wirtschaftsepoche. Die Tributberechtigten gehören der gegnerischen Klasse an, welche zugleich die politische Gemeinschaft beherrscht, und jede erfolgreiche imperialistische Zwangspolitik nach außen stärkt normalerweise mindestens zunächst auch „im Innern" das Prestige und damit die Machtstellung und den Einfluß derjenigen Klassen, Stände, Parteien, unter deren Führung der Erfolg errungen ist. Zu diesen mehr durch die soziale und politische Konstellation bedingten Quellen von pazifistischen Sympathien treten bei den „Massen", zumal den proletarischen, ökonomische. Jede Anlage von Kapitalien in der Kriegsmaschinen- und Kriegsmaterialproduktion schafft zwar Arbeits- und Erwerbsgelegenheit, jede Staatsinstanz kann im Einzelfall ein Element direkter Konjunkturbesserung und erst recht indirekt durch Steigerung der Intensität des Erwerbsstrebens und durch Nachfragesteigerung eine Quelle gesteigerter Zuversicht in die ökonomischen Chancen der beteiligten Industrien und also einer Haussestimmung werden. Aber sie entzieht die Kapitalien anderen Verwendungsarten und erschwert die Bedarfsdeckung auf anderen Gebieten und vor allem werden die Mittel in Form von Zwangsabgaben aufgebracht, welche – ganz abgesehen von den durch „merkantilistische" Rücksichten gegebenen Schranken der Heranziehung des Besitzes – die herrschenden Schichten normalerweise kraft ihrer sozialen und politischen Macht auf die Massen abzuwälzen verstehen. Die mit Militärkosten wenig belasteten Länder (Amerika), namentlich auch die Kleinstaaten haben nicht selten eine, relativ gemessen, stärkere ökonomische Expansion ihrer Angehörigen – so die Schweizer – als Großmachtgebilde und werden außerdem zuweilen leichter zur ökonomischen Ausbeutung des Auslandes zugelassen, weil ihnen gegenüber nicht die Befürchtung besteht, daß die politische der ökonomischen Einmischung folgen werde. Wenn die pazifistischen Interessen der kleinbürgerlichen und proletarischen Schichten trotz allem erfahrungsgemäß sehr oft und leicht versagen, so liegen – wenn wir von besonderen Fällen, wie der Hoffnung auf den Erwerb von Auswanderungsgebieten in übervölkerten Ländern absehen – die Gründe teils in der stärkeren Zugänglichkeit jeder nicht organisierten „Masse" für Emotionen, teils in der unbestimmten Vorstellung von irgendwelchen, durch den Krieg entstehenden, unerwarteten Chancen, teils in dem Umstand, daß die „Massen" im Gegensatz zu anderen Interessenten subjektiv weniger auf das Spiel setzen. „Monarchen" haben für ihren Thron einen verlorenen Krieg, die Machthaber und Interessenten einer „republikanischen Verfassung" umgekehrt einen siegreichen „General" zu fürchten, die Überzahl des besitzenden Bürgertums ökonomische Verluste infolge der Hemmung der Erwerbsarbeit, die herrschende Honoratiorenschicht unter Umständen eine gewaltsame Machtumstellung zugunsten der Besitzlosen im Fall einer Desorganisation durch Niederlage, die „Massen" als solche, wenigstens in ihrer subjektiven Vorstellung, nichts direkt Greifbares außer äußerstenfalls dem Leben selbst, eine Gefährdung, deren Einschätzung und Wirkung eine gerade in ihrer Vorstellung stark schwankende Größe darstellt und durch emotionale Beeinflussung im ganzen leicht auf Null reduzierbar ist.

§ 3. Die „Nation".

Das Pathos dieser emotionalen Beeinflussung aber ist dem Schwerpunkt nach nicht ökonomischen Ursprungs, sondern ruht auf dem Prestige-Empfinden, welches bei politischen Bildungen mit Erringen einer an Machtstellung reichen Geschichte oft tief in die kleinbürgerlichen Massen hinabreicht. Das Attachement all des politischen Prestige kann sich mit einem spezifischen Glauben an eine dem Großmachtgebilde als solchem eignenden Verantwortlichkeit vor den Nachfahren für die Art der Verteilung von Macht und Prestige zwischen den eigenen und fremden politischen Gemeinschaften vermählen. Es ist selbstverständlich, daß überall diejenigen Gruppen, welche innerhalb einer politischen Gemeinschaft sich im Besitze der Macht, das Gemeinschaftshandeln zu lenken, befinden, sich am stärksten mit diesem idealen Pathos des Macht-Prestiges erfüllen und die spezifischen und verläßlichsten Träger einer „Staats"-Idee als der Idee eines unbedingte Hingabe fordernden imperialistischen Machtgebildes bleiben. Ihnen zur Seite treten, außer den schon erörterten direkt materiellen imperialistischen Interessen, die teils indirekt materiellen, teils ideellen Interessen der innerhalb eines politischen Gebildes und durch dessen Existenz irgendwie ideell privilegierten Schichten. Das sind vor allem diejenigen, welche sich als spezifische „Teilhaber" einer spezifischen „Kultur" fühlen, welche im Kreise der an einem politischen Gebilde Beteiligten verbreitet ist. Das nackte Prestige der „Macht" wandelt sich jedoch unter dem Einfluß dieser Kreise unvermeidlich in andere, spezifische Formen ab, und zwar in die Idee der „Nation".

„Nation" ist ein Begriff, der, wenn überhaupt eindeutig, dann jedenfalls nicht nach empirischen gemeinsamen Qualitäten der ihr Zugerechneten definiert werden kann. Er besagt, im Sinne derer, die ihn jeweilig brauchen, zunächst unzweifelhaft: daß gewissen Menschengruppen ein spezifisches Solidaritätsempfinden anderen gegenüber *zuzumuten* sei, gehört also der Wertsphäre an. Weder darüber aber, wie jene Gruppen abzugrenzen seien, noch darüber, welches Gemeinschaftshandeln aus jener Solidarität zu resultieren habe, herrscht Übereinstimmung. „Nation" im üblichen Sprachgebrauch ist zunächst nicht identisch mit „Staatsvolk", d. h. der jeweiligen Zugehörigkeit einer politischen Gemeinschaft. Denn zahlreiche politische Gemeinschaften (so Österreich)* umfassen Menschengruppen, aus deren Kreisen emphatisch die Selbständigkeit ihrer „Nation" den anderen Gruppen gegenüber betont wird oder andererseits Teile einer von den Beteiligten als einheitliche „Nation" hingestellten Menschengruppe (so ebenfalls Österreich). Sie ist ferner nicht identisch mit Sprachgemeinschaft, denn diese genügt keineswegs immer (wie bei Serben und Kroaten, Amerikanern, Iren und Engländern), sie scheint andererseits nicht unbedingt erforderlich (man findet den Ausdruck „Schweizer Nation" auch in offiziellen Akten neben „Schweizer Volk") und manche Sprachgemeinschaften empfinden sich nicht als gesonderte „Nation" (so, wenigstens bis vor kurzem, etwa die Weißrussen). Allerdings pflegt die Prätension, als besondere „Nation" zu gelten, besonders regelmäßig an das Massenkulturgut der Sprachgemeinschaft anzuknüpfen (so ganz überwiegend in dem klassischen Land der Sprachenkämpfe: Österreich und ebenso in Rußland und im östlichen Preußen), aber sehr verschieden intensiv (z. B. mit sehr geringer Intensität in Amerika und Kanada). Aber ebenso kann auch

---

* Österreich vor 1918. (Anm. d. Herausgeb.)

den Sprachgenossen gegenüber die „nationale" Zusammengehörigkeit abgelehnt und dafür an Unterschiede des anderen großen „Massenkulturguts": der Konfession (so bei Serben und Kroaten), ferner an Differenzen der sozialen Struktur und der Sitten (so bei den Deutschschweizern und Elsässern gegenüber den Reichsdeutschen, bei den Iren gegenüber den Engländern), also an „ethnische" Elemente, vor allem aber an Erinnerungen an politische Schicksalsgemeinschaft mit anderen Nationen (bei den Elsässern mit den Franzosen seit dem Revolutionskriege, welche ihr gemeinsames Heldenzeitalter ist, wie bei den Balten mit den Russen, deren politische Geschicke sie mitgelenkt haben) angeknüpft werden. Daß „nationale" Zugehörigkeit nicht auf realer Blutsgemeinschaft ruhen muß, versteht sich vollends von selbst: überall sind gerade besonders radikale „Nationalisten" oft von fremder Abstammung. Und vollends ist Gemeinsamkeit eines spezifischen anthropologischen Typus zwar nicht einfach gleichgültig, aber weder ausreichend zur Begründung einer „Nation" noch auch dazu erforderlich. Wenn gleichwohl die Idee der „Nation" gern die Vorstellung der Abstammungsgemeinschaft und einer Wesensähnlichkeit (unbestimmten Inhalts) einschließt, so teilt sie das mit dem – wie wir sahen* – ebenfalls aus verschiedenen Quellen gespeisten „ethnischen" Gemeinsamkeitsgefühl. Aber ethnisches Gemeinsamkeitsgefühl allein macht noch keine „Nation". „Ethnisches" Zusammengehörigkeitsgefühl haben auch die Weißrussen den Großrussen gegenüber zweifellos immer gehabt, aber das Prädikat einer besonderen „Nation" würden sie selbst jetzt schwerlich für sich in Anspruch nehmen. Die Teilnahme für die Idee eines Zusammengehörigkeitsgefühls mit der „polnischen Nation" fehlte den Polen Oberschlesiens bis vor nicht allzulanger Zeit fast ganz: sie fühlten sich als „ethnische" Sondergemeinsamkeit gegenüber den Deutschen, waren aber preußische Untertanen und weiter nichts. Das Problem, ob wir die Juden als „Nation" bezeichnen dürfen, ist alt; es würde meist negativ, jedenfalls aber nach Art und Maß verschieden beantwortet werden von der Masse der russischen Juden, den sich assimilierenden westeuropäisch-amerikanischen Juden, den Zionisten und vor allem sehr verschieden auch von den Umweltvölkern: z. B. den Russen einerseits, den Amerikanern (wenigstens denjenigen, die noch heute wie ein amerikanischer Präsident in einem offiziellen Schriftstück an der „Wesensähnlichkeit" amerikanischer und jüdischer Art

---

* Vgl. oben Kap. III.

festhalten) andererseits. Und diejenigen deutschredenden Elsässer, welche die Zugehörigkeit zur deutschen „Nation" ablehnen und die Erinnerung an die politische Gemeinschaft mit Frankreich pflegen, rechnen sich deshalb doch nicht schlechtweg zur französischen „Nation". Die Neger der Vereinigten Staaten werden sich selbst, zur Zeit wenigstens, zur amerikanischen „Nation" rechnen, schwerlich aber jemals von den südstaatlichen Weißen dazu gezählt werden. Den Chinesen sprachen noch vor 15 Jahren gute Kenner des Ostens die Qualität der „Nation" ab: sie seien nur eine „Rasse"; heute würde das Urteil nicht nur der führenden chinesischen Politiker, sondern auch ganz derselben Beobachter anders lauten und es scheint also, daß eine Menschengruppe die Qualität als „Nation" unter Umständen durch ein spezifisches Verhalten „erringen" oder als „Errungenschaft" in Anspruch nehmen kann, und zwar innerhalb kurzer Zeitspannen. Und andererseits finden sich Menschengruppen, welche nicht nur die Indifferenz, sondern direkt die Abstreifung der Bewertung der Zugehörigkeit zu einer einzelnen „Nation" als „Errungenschaft" in Anspruch nehmen, in der Gegenwart vor allem gewisse führende Schichten der Klassenbewegung des modernen Proletariats, mit übrigens je nach der politischen und sprachlichen Zugehörigkeit, und auch je nach den Schichten des Proletariats sehr verschiedenem, zur Zeit im ganzen eher wieder abnehmendem Erfolg.

Zwischen der emphatischen Bejahung, emphatischen Ablehnung und endlich völliger Indifferenz gegenüber der Idee der „Nation" (wie sie etwa der Luxemburger haben dürfte und wie sie den national „unerweckten" Völkern eignet), steht eine lückenlose Stufenfolge sehr verschiedenen und höchst wandelbaren Verhaltens zu ihr bei den sozialen Schichten auch innerhalb der einzelnen Gruppe, denen der Sprachgebrauch die Qualität von „Nationen" zuschreibt. Feudale Schichten, Beamtenschichten, erwerbstätiges „Bürgertum" der untereinander verschiedenen Kategorien, „Intellektuellen" Schichten verhalten sich weder gleichmäßig noch historisch konstant dazu. Nicht nur die Gründe, auf welche der Glaube, eine eigene „Nation" darzustellen, gestützt wird, sondern auch dasjenige empirische Verhalten, welches aus der Zugehörigkeit oder Nichtzugehörigkeit zur „Nation" in der Realität folgt, ist qualitativ höchst verschieden. Das „Nationalgefühl" des Deutschen, Engländers, Amerikaners, Spaniers, Franzosen, Russen funktioniert nicht gleichartig. So – um den einfachsten Sachverhalt herauszugreifen – im Verhältnis zum politischen Verband, mit dessen empirischem Umfang die „Idee" der „Nation" in Widerspruch geraten kann. Dieser Widerspruch kann sehr verschiedene Folgen haben. Die Italiener im österreichischen Staatsverband würden sicherlich nur gezwungen gegen italienische Truppen fechten, große Teile der Deutschösterreicher heute nur mit äußerstem Widerstreben und ohne Verläßlichkeit gegen Deutschland, auch die ihre „Nationalität" am meisten Hochhaltenden von den Deutschamerikanern dagegen – wenn auch nicht gern, so doch gegebenenfalls – bedingungslos gegen Deutschland, die Polen im deutschen Staatsverband wohl gegen ein russisch-polnisches, schwerlich aber gegen ein autonom polnisches Heer, die österreichischen Serben mit sehr geteilten Gefühlen und nur in der Hoffnung auf Erreichung gemeinsamer Autonomie gegen Serbien, die russischen Polen verläßlicher gegen ein deutsches, als gegen ein österreichisches Heer. Daß innerhalb der gleichen „Nation" die Intensität des Solidaritätsgefühls nach außen höchst verschieden stark und wandelbar ist, gehört zu den historisch bekanntesten Tatsachen. Im ganzen ist es gestiegen, auch wo die inneren Interessengegensätze nicht abgenommen haben. Die „Kreuzzeitung" rief vor 60 Jahren noch die Intervention des Kaisers von Rußland in innerdeutsche Fragen an, was heute trotz gesteigerter Klassengegensätze schwer denkbar wäre. Jedenfalls sind die Unterschiede sehr bedeutende und flüssige und ähnlich findet auf allen anderen Gebieten die Frage: welche Konsequenzen eine Menschengruppe aus dem innerhalb ihrer mit noch so emphatisch und subjektiv aufrichtigem Pathos verbreiteten „Nationalgefühl" für die Entwicklung der Art eines spezifischen Gemeinschaftshandelns zu ziehen bereit ist, grundverschiedene Antworten. Das Maß, in welchem eine „Sitte", korrekter: eine Konvention als „national" in der Diaspora festgehalten wird, ist ebenso verschieden wie die Bedeutung der Gemeinsamkeit von Konventionen es für den Glauben an den Bestand als einer gesonderten „Nation" ist. Eine soziologische Kasuistik müßte, dem empirisch gänzlich vieldeutigen Wertbegriff „Idee der Nation" gegenüber, alle einzelnen Arten von Gemeinsamkeits- und Solidaritäts-Empfindungen in ihren Entstehungsbedingungen und ihren Konsequenzen für das Gemeinschaftshandeln der Beteiligten entwickeln.

Das kann hier nicht versucht werden. Statt dessen ist hier noch etwas näher darauf einzugehen, daß die Idee der „Nation" bei ihren Trägern in sehr intimen Beziehungen zu „Prestige"-Interessen steht. In ihren frühesten und energischsten Äußerungen hat sie, in irgendeiner, sei es auch verhüllten Form, die Legende von einer providentiellen „Mission" enthalten, welche auf sich zu nehmen denen zugemutet wurde, an welche sich das Pathos ihrer Vertreter wendete, und die Vorstellung, daß diese Mission gerade durch die Pflege der individuellen Eigenart der als „Nation" besonderten Gruppe und nur durch sie ermöglicht werde. Mithin kann diese Mission – sofern sie sich selbst durch den Wert ihres Inhaltes zu rechtfertigen sucht – nur als eine spezifische „Kultur"-Mission konsequent vorgestellt werden. Die Überlegenheit oder doch die Unersetzlichkeit der nur kraft der Pflege der Eigenart zu bewahrenden und zu entwickelnden „Kulturgüter" ist es denn, an welcher die Bedeutsamkeit der „Nation" verankert zu werden pflegt und es ist daher selbstverständlich, daß, wie die in der politischen Gemeinschaft Mächtigen die Staatsidee provozieren, so diejenigen, welche innerhalb einer „Kulturgemeinschaft", das soll hier heißen: einer Gruppe von Menschen, welchen kraft ihrer Eigenart bestimmte, als „Kulturgüter" geltende Leistungen in spezifischer Art zugänglich sind, die Führung usurpieren: die „Intellektuellen" also, wie wir sie vorläufig genannt haben, in spezifischem Maße dazu prädestiniert sind, die „nationale" Idee zu propagieren. Dann nämlich, wenn jene Kulturträger*

Kapitel IV. Klasse, Stand, Parteien.

Jede (nicht nur die „staatliche") Rechtsordnung wirkt durch ihre Gestaltung direkt auf die *Machtverteilung* innerhalb der betreffenden

---

* Hier bricht das Kapitel ab. Notizen auf dem Manuskriptblatt zeigen, daß Begriff und Entwicklung des Nationalstaats in allen historischen Epochen nachgegangen werden sollte. Auf dem Rande des Blattes befindet sich noch folgender Satz: »Kultur-Prestige und Macht-Prestige sind eng verbündet. Jeder *siegreiche* Krieg fördert das Kultur-Prestige. (Deutschland, Japan usw.) Ob er der „Kulturentwicklung" zu *gute* kommt ist eine andre, nicht mehr „wertfrei" zu lösende Frage. Sicher *nicht eindeutig* (Deutschland nach 1870!). Auch nach empirisch greifbaren Merkmalen *nicht*: Reine Kunst und Literatur von deutscher *Eigenart* sind *nicht* im politischen Zentrum Deutschlands entstanden.«

Gemeinschaft ein, die der ökonomischen Macht sowohl wie auch jeder anderen. Unter „Macht" wollen wir dabei hier ganz allgemein die Chance eines Menschen oder einer Mehrzahl solcher verstehen, den eigenen Willen in einem Gemeinschaftshandeln auch gegen den Widerstand anderer daran Beteiligten durchzusetzen. „Ökonomisch bedingte" Macht ist natürlich nicht identisch mit „Macht" überhaupt. Die Entstehung ökonomischer Macht kann vielmehr umgekehrt Folge der aus anderen Gründen vorhandenen Macht sein. Macht wird aber ihrerseits nicht nur zu ökonomischen (Bereicherungs-)Zwecken erstrebt. Sondern Macht, auch ökonomische, kann „um ihrer selbst willen" gewertet werden und sehr häufig ist das Streben nach ihr mitbedingt durch die soziale „Ehre", die sie bringt. Aber nicht jede Macht bringt soziale Ehre. Der typische amerikanische Boß ebenso wie der typische Großspekulant verzichtet bewußt auf sie, und ganz allgemein ist insbesondere gerade die „bloß" ökonomische Macht, namentlich die „nackte" Geldmacht, keineswegs eine anerkannte Grundlage sozialer „Ehre". Und andererseits ist nicht nur Macht die Grundlage sozialer Ehre. Sondern umgekehrt kann soziale Ehre (Prestige) die Basis von Macht auch ökonomischer Art sein und war es sehr häufig. Die Rechtsordnung kann ebenso wie Macht, so auch Ehre garantieren. Aber sie ist wenigstens normalerweise nicht deren primäre Quelle, sondern auch hier ein Superadditum, welches die Chance ihres Besitzes steigert, ihn aber nicht immer sichern kann. Die Art, wie soziale „Ehre" in einer Gemeinschaft sich zwischen typischen Gruppen der daran Beteiligten verteilt, wollen wir die „soziale Ordnung" nennen. Zur „Rechtsordnung" verhält sie sich natürlich ähnlich, wie die Wirtschaftsordnung es tut. Mit dieser ist sie nicht identisch, denn die Wirtschaftsordnung ist uns ja lediglich die Art der Verteilung und Verwendung der ökonomischen Güter und Leistungen. Aber sie ist natürlich in hohem Maße durch sie bedingt und wirkt wieder auf sie zurück. –

Phänomene der Machtverteilung innerhalb einer Gemeinschaft sind nun die „Klassen", „Stände" und „Parteien".

„Klassen" sind keine Gemeinschaften in dem hier festgehaltenen Sinn, sondern stellen nur mögliche (und häufige) Grundlagen eines Gemeinschaftshandelns dar. Wir wollen da von einer „Klasse" reden, wo 1. einer Mehrzahl von Menschen eine spezifische ursächliche Komponente ihrer Lebenschancen gemeinsam ist, soweit 2. diese Komponente lediglich durch ökonomische Güterbesitz- und Erwerbsinteressen und zwar 3. unter den Bedingungen des (Güteroder Arbeits-)*Markts* dargestellt wird („Klassenlage"). Es ist die allerelementarste ökonomische Tatsache, daß die Art wie die Verfügung über sachlichen *Besitz* innerhalb einer sich auf dem Markt zum Zweck des Tauschs begegnenden und konkurrierenden Menschenvielheit verteilt ist, schon für sich allein spezifische Lebenschancen schafft. Sie schließt die Nichtbesitzenden nach dem Grenznutzgesetz vom Mitkonkurrieren von allen Gütern hoher Bewertung zugunsten der Besitzenden aus und monopolisiert deren Erwerb faktisch für diese. Sie monopolisiert, unter sonst gleichen Umständen, die Tauschgewinnchancen für alle jene, welche, mit Gütern versorgt, auf den Tausch nicht schlechthin angewiesen sind, und steigert, generell wenigstens, ihre Macht im Preiskampf mit denen, welche besitzlos, nichts als ihre Arbeitsleistungen in Naturform oder in Form von Produkten eigener Arbeit anbieten können und diese unbedingt losschlagen müssen, um überhaupt ihre Existenz zu fristen. Sie monopolisiert die Möglichkeit, Besitz aus der Sphäre der Nutzung als „Vermögen" in die Sphäre der Verwertung als „Kapital" zu überführen, also die Unternehmerfunktion und alle Chancen direkter oder indirekter Teilnahme am Kapitalgewinn für die Besitzenden. Alles dies innerhalb der Sphäre des Geltens reiner Marktbedingungen. „Besitz" und „Besitzlosigkeit" sind daher die Grundkategorien aller Klassenlagen, einerlei, ob diese im Preiskampf oder im Konkurrenzkampf wirksam werden. Innerhalb dieser aber differenzieren sich die Klassenlagen weiter, je nach der Art des zum Erwerb verwertbaren Besitzes einerseits, der auf dem Markt anzubietenden Leistungen andererseits. Wohngebäudebesitz, Werkstätten- oder Lagerhaus- oder Verkaufslädenbesitz, landwirtschaftlich nutzbarer Grundbesitz und innerhalb dieser wieder großer und kleiner – ein quantitativer Unterschied mit eventuell qualitativen Folgen, – Bergwerksbesitz, Viehbesitz, Menschen(Sklaven-)besitz, Verfügung über mobile Produktionswerkzeuge oder Erwerbsmittel aller Art, vor allem über Geld oder spezifisch leicht jederzeit gegen Geld auszutauschende Objekte, über Produkte eigener oder fremder Arbeit, verschieden je nach den verschiedenen Stadien der Genußreife, über verkehrsfähige Monopole irgendwelcher Art, – alle diese Unterschiede differenzieren die Klassenlagen der Besitzenden ebenso wie der „Sinn", welchen sie der Verwertung ihres Besitzes, vor allem ihres geldwerten Besitzes, geben können und geben, je nachdem sie also z. B. zur Rentnerklasse oder zur Unternehmerklasse gehören. Und ebenso stark differenzieren sich die besitzlosen Anbieter von Arbeitsleistungen je nach der Art dieser sowohl, wie je nachdem sie diese in kontinuierlicher Beziehung zu einem Abnehmer oder von Fall zu Fall verwerten. Immer aber ist für den Klassenbegriff gemeinsam: daß die Art der Chance auf dem *Markt* diejenige Instanz ist, welche die gemeinsame Bedingung des Schicksals der Einzelnen darstellt. „Klassenlage" ist in diesem Sinn letztlich: „Marktlage". Nur Vorstufe wirklicher „Klassen"-Bildung ist jene Wirkung des nackten Besitzes rein als solchen, welche unter Viehzüchtern den Besitzlosen als Sklaven oder Hörigen in die Gewalt des Viehbesitzers gibt. Aber allerdings taucht hier, in der Viehleihe und der nackten Härte des Schuldrechts solcher Gemeinschaften, zum erstenmal der bloße „Besitz" als solcher als bestimmend für das Schicksal des Einzelnen auf, sehr im Gegensatz zu den auf der Arbeit ruhenden Akkerbaugemeinschaften. Zur Grundlage von „Klassenlagen" wurde das Gläubiger-Schuldner-Verhältnis erst in den Städten, wo sich ein – noch so primitiver – „Kreditmarkt" mit je nach der Notlage steigenden Zinsfüßen und faktischer Monopolisierung des Darleihers durch eine Plutokratie entwickelte. Damit beginnen „Klassenkämpfe". Eine Vielheit von Menschen dagegen, deren Schicksal nicht durch die Chance der eigenen Verwertung von Gütern oder Arbeit auf dem Markt bestimmt wird – wie z. B. die Sklaven –, sind im technischen Sinn keine „Klasse" (sondern: ein „Stand").

Es sind nach dieser Terminologie eindeutig ökonomische Interessen und zwar an die Existenz des „Markts" gebundene, welche die „Klasse" schaffen. Gleichwohl aber ist der Begriff „Klassen*interesse*" ein vieldeutiger und zwar nicht einmal eindeutig empirischer Begriff, sobald man darunter etwas anderes versteht als: die aus der Klassenlage mit einer gewissen Wahrscheinlichkeit folgende faktische Interessenrichtung eines gewissen „Durchschnitts" der ihr Unterworfenen. Bei gleicher Klassenlage und auch sonst gleichen Umständen kann nämlich die Richtung, in welcher etwa der einzelne Arbeiter seine Interessen mit Wahrscheinlichkeit verfolgen wird, höchst verschieden sein, je nachdem er z. B. für die betreffende Leistung nach seiner Veranlagung hoch, durchschnittlich oder schlecht qualifiziert ist. Ebenso, je nachdem aus der „Klassenlage" ein Gemeinschaftshandeln eines mehr oder minder großen Teils der von ihr gemeinsam Betroffenen oder sogar eine Vergesellschaftung unter ihnen (z. B. eine „Gewerkschaft") erwachsen ist, von der sich der Einzelne bestimmte Resultate versprechen kann, oder nicht. Eine universelle Erscheinung ist das Herauswachsen einer Vergesellschaftung oder selbst eines *Gemeinschafts*handelns aus der gemeinsamen Klassenlage keineswegs. Vielmehr kann sich ihre Wirkung auf die Erzeugung eines im wesentlichen *gleich*artigen Reagierens, also (in der hier gewählten Terminologie): eines „Massenhandelns", beschränken oder nicht einmal dies zur Folge haben. Oft ferner entsteht nur ein amorphes Gemeinschaftshandeln. So etwa das in der altorientalischen Ethik bekannte „Murren" der Arbeiter: die sittliche Mißbilligung des Verhaltens des Arbeitsherrn, welche in seiner praktischen Bedeutung vermutlich einer gerade der neuesten gewerblichen Entwicklung wieder zunehmend typischen Erscheinung gleichkam: dem „Bremsen" (absichtliche Einschränkung der Arbeitsleistung) der Arbeiterschaft kraft stillschweigenden Einverständnisses. Der Grad, in welchem aus dem „Massenhandeln" der Klassenzugehörigen ein „Gemeinschaftshandeln" und eventuell „Vergesellschaftungen" entstehen, ist an allgemeine Kulturbedingungen, besonders intellektueller Art, und an den Grad der entstandenen Kontraste, wie namentlich an die *Durchsichtigkeit* des Zusammenhangs zwischen den Gründen und den Folgen der „Klassenlage" gebunden. Eine noch so starke Differenzierung der Lebenschancen an sich gebiert ein „Klassenhandeln" (Gemeinschaftshandeln der Klassenzugehörigen) nach allen Erfahrungen keineswegs. Es muß die Bedingtheit und Wirkung der Klassenlage deutlich erkennbar sein. Denn dann erst kann der Kontrast der Lebenschancen als etwas nicht schlechthin Gegebenes und Hinzunehmendes, sondern entweder 1. aus der gegebenen Besitzverteilung oder 2. aus der Struktur der konkreten Wirtschaftsordnung Resultierendes empfunden und dagegen nicht nur durch Akte eines intermittierenden und irrationalen Protestes, sondern in Form rationaler Vergesellschaftung reagiert werden. „Klassenlagen" der ersten Kategorie gab es in einer solchen spezifisch nackten und durchsichtigen Art in der Antike und im Mittelalter in den städtischen Zentren, namentlich dann, wenn große Vermögen durch faktisch monopolisierten Handel in gewerblichen Produkten des betreffenden Orts oder in Nahrungsmitteln angehäuft wurden, unter Umständen ferner in der Landwirtschaft der allerverschiedensten Zeiten bei anwachsender erwerbswirtschaftlicher Ausnutzung. Das wichtigste historische Beispiel der zweiten Kategorie ist die Klassenlage des modernen „Proletariats".

Jede Klasse kann also zwar Träger irgendeines, in unzähligen Formen möglichen „Klassenhandelns" sein, aber sie muß es nicht sein, und jedenfalls ist sie selbst keine Gemeinschaft, und führt es zu Schiefheiten, wenn man sie mit Gemeinschaften begrifflich gleichwertig behandelt. Und der Umstand, daß Menschen in gleicher Klassenlage auf so fühlbare Situationen, wie es die ökonomischen sind, regelmäßig durch ein Massenhandeln in der dem Durchschnitt adäquatesten Interessenrichtung reagieren, – eine für das Verständnis geschichtlicher Ereignisse ebenso wichtige wie im Grunde einfache Tatsache –

darf vollends nicht zu jener Art von pseudowissenschaftlichem Operieren mit dem Begriff der „Klasse", des „Klasseninteresses" führen, die heut vielfach üblich ist und ihren klassischsten Ausdruck in der Behauptung eines begabten Schriftstellers gefunden hat; daß zwar der Einzelne sich über seine Interessen irren könne, die „Klasse" über die ihrigen aber „unfehlbar" sei.

Wenn also die Klassen an sich keine Gemeinschaften „sind", so entstehen Klassenlagen doch nur auf dem Boden von Vergemeinschaftung. Nur ist das Gemeinschaftshandeln, welches sie zur Entstehung bringt, dem Schwerpunkt nach nicht ein solches der Zugehörigen der gleichen Klasse, sondern ein solches *zwischen* Angehörigen verschiedener Klassen. Dasjenige Gemeinschaftshandeln z. B., welches unmittelbar die Klassenlage der Arbeiter und Unternehmer bestimmt, sind: der Arbeitsmarkt, der Gütermarkt und der kapitalistische Betrieb. Die Existenz eines kapitalistischen Betriebes setzt ihrerseits aber wiederum das Bestehen eines sehr besonders gearteten, den Güterbesitz rein als solchen, insbesondere die prinzipiell freie Verfügungsmacht Einzelner über Produktionsmittel, schützenden Gemeinschaftshandelns: einer „Rechtsordnung", und zwar einer solchen von spezifischer Art, voraus. Jede Art von Klassenlage, als vor allem auf der Macht des Besitzes rein als solchen ruhend, kommt am reinsten dann zur Wirksamkeit, wenn alle anderen Bestimmungsgründe der gegenseitigen Beziehungen in ihrer Bedeutung möglichst ausgeschaltet sind, und so die Verwertung der Macht des Besitzes auf dem Markt möglichst souverän zur Geltung gelangt. Zu den Hemmnissen einer konsequenten Durchführung des nackten Marktprinzipes gehören nun die „Stände", welche uns vorerst nur unter diesem Gesichtspunkt in diesem Zusammenhang interessieren. Ehe wir sie kurz betrachten, sei nur noch bemerkt: Über die speziellere Art der Gegensätze der „Klassen" (in dem hier festgehaltenen Sinne) ist nicht viel Allgemeines zu sagen. Die große Verschiebung, welche von der Vergangenheit zur Gegenwart hin sich vollzogen hat, läßt sich mit Inkaufnahme einiger Ungenauigkeit wohl dahin zusammenfassen: daß der die Klassenlage auswirkende Kampf sich zunehmend vom Konsumtivkredit zunächst zum Konkurrenzkampf auf dem Gütermarkt und dann zum Preiskampf auf dem Arbeitsmarkt verschoben hat. Die „Klassenkämpfe" der Antike, – soweit sie wirklich „Klassenkämpfe" und nicht vielmehr Ständekämpfe waren – waren zunächst Kämpfe bäuerlicher, (und daneben wohl auch: handwerklicher) von der Schuldknechtschaft bedrohter Schuldner gegen stadtsässige Gläubiger. Denn die Schuldknechtschaft ist, wie bei den Viehzüchtern, so auch noch in den Handels-, zumal den Seehandelsstädten die normale Folge der Vermögensdifferenzierung. Das Schuldverhältnis als solches erzeugte Klassenhandeln noch bis in Catilinas Zeit. Daneben trat, mit zunehmender Versorgung der Stadt durch auswärtige Getreidezufuhren, der Kampf um die Nahrungsmittel, in erster Linie die Brotversorgung und der Brotpreis, welche die Antike und das ganze Mittelalter hindurch andauert und die Besitzlosen als solche gegen die wirklichen und vermeintlichen Interessenten der Brotteuerung zusammenschaarten und alle überhaupt für die Lebensführung, auch für die Handwerksproduktion wesentlichen Waren ergreift. Von Lohnkämpfen ist in der Antike und im Mittelalter und bis in die Neuzeit nur in langsam wachsenden Ansätzen die Rede, sie treten völlig nicht nur hinter den Sklavenaufständen, sondern auch hinter den Kämpfen auf dem Gütermarkt zurück.

Monopole, Vorkauf, Aufkauf, Zurückhaltung von Gütern vom Markt zwecks Preissteigerung sind das, wogegen in Antike und Mittelalter von den Besitzlosen protestiert wurde. Lohnpreisbildung ist dagegen heute der zentrale Punkt. Den Übergang stellen jene Kämpfe um den Zutritt zum Markt und um die Produktenpreisbildung dar, welcher zwischen Verlegern und hausindustriellen Handwerkern im Übergang zur Neuzeit vorkamen. Ein ganz allgemeines und daher hier zu erwähnendes Phänomen der durch die Marktlage bedingten Klassengegensätze ist es, daß sie am bittersten zwischen den wirklich direkt am Preiskampf als Gegner Beteiligten zu herrschen pflegen. Nicht der Rentner, Aktionär, Bankier ist es, welcher vom Groll der Arbeiter getroffen wird – obwohl doch gerade in seine Kasse teils mehr, teils „arbeitsloserer" Gewinn fließt als in die des Fabrikanten oder Betriebsdirektors, – sondern fast ausschließlich dieser selbst, als der direkte Preiskampfgegner. Dieser einfache Tatbestand ist für die Rolle der Klassenlage in der politischen Parteibildung sehr oft ausschlaggebend gewesen. Er hat z. B. die verschiedenen Spielarten des patriarchalen Sozialismus und die wenigstens früher häufigen Bündnisversuche bedrohter ständischer Schichten mit dem Proletariat gegen die „Bourgeoisie" ermöglicht.

Stände sind, im Gegensatz zu den Klassen, normalerweise Gemeinschaften, wenn auch oft solche von amorpher Art. Im Gegensatz zur rein ökonomisch bestimmten „Klassenlage" wollen wir als „ständische Lage" bezeichnen jede typische Komponente des Lebensschicksals von Menschen, welche durch eine spezifische, positive oder negative, soziale Einschätzung der „*Ehre*" bedingt ist, die sich an irgendeine gemeinsame Eigenschaft vieler knüpft. Diese Ehre kann sich auch an eine Klassenlage knüpfen: die Unterschiede der Klassen gehen die mannigfaltigsten Verbindungen mit ständischen Unterschieden ein, und der Besitz als solcher gelangt, wie schon bemerkt, nicht immer, aber doch außerordentlich regelmäßig auf die Dauer auch zu ständischer Geltung. Im eigenwirtschaftlichen Nachbarverband ist in der ganzen Welt sehr häufig einfach der reichste Mann rein als solcher „Häuptling", was oft einen reinen Ehrenvorzug bedeutet. In der sog. reinen, d. h. jeder ausdrücklich geordneten ständischen Privilegierung Einzelner entbehrenden, modernen „Demokratie" kommt es z. B. vor, daß nur die Familien von annähernd gleicher Steuerklasse miteinander tanzen (wie dies z. B. für einzelne kleinere Schweizer Städte erzählt wird). Aber die ständische Ehre *muß* nicht notwendig an eine „Klassenlage" anknüpfen, sie steht normalerweise vielmehr mit den Prätensionen des nackten Besitzes als solchem in schroffem Widerspruch. Auch Besitzende und Besitzlose können dem gleichen Stande angehören und tun dies häufig und mit sehr fühlbaren Konsequenzen, so prekär diese „Gleichheit" der sozialen Einschätzung auf die Dauer auch werden mag. Die ständische „Gleichheit" des amerikanischen „gentleman" kommt z. B. darin zum Ausdruck: daß außerhalb der rein sachlich bedingten Unterordnung im „Betrieb" es – wo noch die alte Tradition herrscht – für streng verpönt gelten würde, wenn auch der reichste „Chef" seinen „Kommis" etwa abends im Klub, am Billard, am Kartentisch, in irgendeinem Sinn nicht als voll ebenbürtig behandeln und ihm etwa jenes, den Unterschied der „Stellung" markierende herablassende „Wohlwollen" angedeihen lassen wollte, welches der deutsche Chef niemals aus seinem Empfinden verbannen kann, – einer der wichtigsten Gründe, aus denen dort das deutsche Klubwesen niemals die Anziehungskraft des amerikanischen Klubs hat erreichen können.

Inhaltlich findet die ständische Ehre ihren Ausdruck normalerweise vor allem in der Zumutung einer spezifisch gearteten *Lebensführung* an jeden, der dem Kreise angehören will. Damit zusammenhängend in der Beschränkung des „gesellschaftlichen", d. h. des nicht ökonomischen oder sonst geschäftlichen, „sachlichen" Zwecken dienenden Verkehrs, einschließlich namentlich des normalen Konnubium, auf den ständischen Kreis bis zu völliger endogener Abschließung. Sobald nicht eine bloße individuelle und sozial irrelevante Nachahmung fremder Lebensführung, sondern ein einverständliches Gemeinschaftshandeln dieses Charakters vorliegt, ist die „ständische" Entwicklung im Gange. In charakteristischer Art entwickelt sich dergestalt die „ständische" Gliederung auf der Basis konventioneller

Lebensführung zur Zeit in den Vereinigten Staaten aus der herge-brachten Demokratie heraus. Zum Beispiel so: daß nur der Einwoh-ner einer bestimmten Straße („the Street") als zur „society" gehörig und verkehrsfähig angesehen, besucht und eingeladen wird. Vor allem aber so, daß die strikte Unterwerfung unter die jeweils in der Society herrschende Mode in einem bei uns unbekannten Grade auch bei Männern, als ein Symptom dafür, daß der Betreffende die Qualität als Gentleman *prätendiere*, gilt und infolgedessen darüber mindestens prima facie entscheidet, daß er auch als solcher behandelt wird, was z. B. für seine Anstellungschancen in „guten" Geschäften, vor allem aber für Verkehr und Konnubium mit „angesehenen" Familien eben-so wichtig wird, wie etwa die „Satisfaktionsfähigkeit" bei uns. Und im übrigen usurpieren etwa bestimmte, lange Zeit ansässige (und na-türlich: entsprechend wohlhabende) Familien (so die „F. F. V." = „first families of Virginia") oder die wirklichen und angeblichen Abkömm-linge der „Indianerprinzessin" Pocohontas oder der Pilgerväter, Knik-kerbocker, die Zugehörigen einer schwer zugänglichen Sekte und allerhand durch irgendein anderes Merkmal sich abhebende Kreise „ständische" Ehre. In diesem Fall handelt es sich um rein konventio-nelle, wesentlich auf Usurpation (wie allerdings im Ursprung norma-lerweise fast alle ständische „Ehre") ruhende Gliederung. Aber der Weg von da zur rechtlichen Privilegierung (positiv und negativ) ist überall leicht gangbar, sobald eine bestimmte Gliederung der sozia-len Ordnung faktisch „eingelebt" ist und, infolge der Stabilisierung der ökonomischen Machtverteilung, auch ihrerseits Stabilität erlangt hat. Wo die äußersten Konsequenzen gezogen werden, entwickelt sich der Stand zur geschlossenen „*Kaste*". Das heißt: es findet neben der konventionellen und rechtlichen auch noch eine *rituelle* Garantie der ständischen Scheidung statt, dergestalt, daß jede physische Berüh-rung mit einem Mitglied einer als „niedriger" geschätzten Kaste für Angehörige der „höheren" als rituell verunreinigender, religiös zu sühnender Makel gilt, und die einzelnen Kasten teilweise ganz geson-derte Kulte und Götter entwickeln.

Zu diesen Konsequenzen steigert sich die ständische Gliederung im allgemeinen allerdings nur da, wo ihr Differenzen zugrunde lie-gen, die als „ethnische" angesehen werden. Die „Kaste" ist geradezu die normale Form, in welcher ethnische, an Blutsverwandtschaft glaubende, das Konnubium und den sozialen Verkehr nach außen ausschließende Gemeinschaften miteinander „vergesellschaftet" zu leben pflegen. So in der gelegentlich schon erörterten, über die ganze Welt verbreiteten Erscheinung der „Paria"-Völker: Gemeinschaften, welche spezifische Berufstraditionen handwerklicher oder anderer Art erworben haben, den ethnischen Gemeinsamkeitsglauben pflegen und nun in der „Diaspora", streng geschieden von allem nicht unumgänglichen persönlichen Verkehr und in rechtlich prekärer Lage, aber kraft ihrer ökonomischen Unentbehrlichkeit geduldet und oft sogar privilegiert, politischen Gemeinschaften eingesprengt leben: die Juden sind das großartigste historische Beispiel. Die zur „Kaste" gesteigerte „ständische" und die bloß „ethnische" Scheidung differieren in ihrer Struktur darin, daß die erstere aus dem horizontalen unverbundenen Nebeneinander der letzteren ein vertikales soziales Übereinander macht. Korrekt ausgedrückt: daß eine umgreifende Vergesellschaftung die ethnisch geschiedenen Gemeinschaften zu einem spezifischen, politischen Gemeinschaftshandeln zusammenschließt. In ihrer Wirkung differieren sie eben darin: daß das ethnische Nebeneinander, welches die gegenseitige Abstoßung und Verachtung bedingt, aber jeder ethnischen Gemeinschaft gestattet, ihre eigene Ehre für die höchste zu halten, in der Kastengliederung ein soziales Untereinander, ein anerkanntes „Mehr" an „Ehre" zugunsten der privilegierten Kasten und Stände mit sich bringt, weil hier die ethnischen Unterschiede zu solchen der „Funktion" innerhalb der politischen Vergesellschaftung wurden (Krieger, Priester, politisch für Krieg und Bauten wichtige Handwerker usw.). Aber selbst das verachtetste Pariavolk pflegt irgendwie das den ethnischen und ständischen Gemeinschaften gleichmäßig eigene: den Glauben an die eigene spezifische „Ehre", weiter zu pflegen (so die Juden). Nur nimmt bei den negativ privilegierten „Ständen" das „Würdegefühl" – der subjektive Niederschlag sozialer Ehre und der konventionellen Ansprüche, welche der positiv privilegierte „Stand" an die Lebensführung seiner Glieder stellt, – eine spezifisch abweichende Wendung. Das Würdegefühl der positiv privilegierten Stände bezieht sich naturgemäß auf ihr nicht über sich selbst hinausweisendes „Sein", ihre „Schönheit und Tüchtigkeit" (καλο-καγαϑια). Ihr Reich ist „von dieser Welt" und lebt für die Gegenwart und von der großen Vergangenheit. Das Würdegefühl der negativ privilegierten Schichten kann sich naturgemäß auf eine jenseits der Gegenwart liegende, sei es diesseitige oder jenseitige Zukunft beziehen, es muß sich mit anderen Worten aus dem Glauben an eine providentielle „Mission", an eine spezifische Ehre vor Gott als „auserwähltes Volk", also daraus speisen, daß entweder in einem Jenseits „die letzten die ersten" sein werden oder daß im Diesseits ein Heiland erscheinen und die vor der Welt verborgene Ehre des von ihr verworfenen Pariavolkes (Juden) oder -Standes an das Licht bringen werde. Dieser einfache Sachverhalt, dessen Bedeutung in anderem Zusammenhang zu besprechen ist*, und nicht das in Nietzsches vielbewunderter Konstruktion (in der „Genealogie der Moral") so stark hervorgehobene „Ressentiment" ist die Quelle des – übrigens, wie wir sahen, – nur begrenzt und für eins von Nietzsches Hauptbeispielen (Buddhismus) gar nicht zutreffenden Charakters der von den Pariaständen gepflegten Religiosität. Im übrigen ist der ethnische Ursprung der Ständebildung keineswegs die normale Erscheinung. Im Gegenteil. Und da keineswegs jedem subjektiv „ethnischen" Gemeinsamkeitsgefühl objektive „Rassenunterschiede" zugrunde liegen, so ist mit Recht die letztlich rassenmäßige Begründung ständischer Gliederungen durchaus eine Frage des konkreten Einzelfalls: sehr oft ist der „Stand", der ja gewiß in starkem Grade extrem wirkt, und auf einer Auslese der persönlich Qualifizierten (der Ritterstand: der kriegerisch physisch und psychisch Brauchbaren) beruht, seinerseits Mittel der Reinzüchtung eines anthropologischen Typus. Aber die persönliche Auslese ist weit davon entfernt, der einzige oder vorwiegende Weg der Ständebildung zu sein: die politische Zugehörigkeit oder Klassenlage entschied von jeher mindestens ebenso oft und heute die letztere weit überwiegend. Denn die Möglichkeit „ständischer" Lebensführung pflegt naturgemäß ökonomisch mitbedingt zu sein.

Praktisch betrachtet, geht die ständische Gliederung überall mit einer Monopolisierung ideeller und materieller Güter oder Chancen in der uns schon als typisch bekannten Art zusammen. Neben der spezifischen Standesehre, die stets auf Distanz und Exklusivität ruht, und neben Ehrenvorzügen wie dem Vorrecht auf bestimmte Trachten, auf bestimmte, durch Tabuierung anderen versagte Speisen, dem in seinen Folgen höchst fühlbaren Vorrecht des Waffentragens, dem Recht auf bestimmte nicht erwerbsmäßige, sondern dilettierende Arten der Kunstübung (bestimmte Musikinstrumente z. B.) stehen allerhand materielle Monopole. Selten ausschließlich, aber fast immer zu irgend einem Teil geben naturgemäß gerade sie die wirksamsten Motive für die ständische Exklusivität. Für das ständische Konnubium steht dem Monopol auf die Hand der Töchter des betreffenden Kreises das Interesse der Familien auf die Monopolisierung der ihm angehörigen potentiellen Freier zur Versorgung eben dieser Töchter

---

* Vgl. oben Kap. IV, § 7 (S. 460).

mindestens gleichbedeutend zur Seite. Die konventionellen Vorzugs-chancen auf bestimmte Anstellungen steigern sich bei zunehmender ständischer Abschließung zu einem rechtlichen Monopol auf be-stimmte Ämter für bestimmte ständisch abgegrenzte Gruppen. Be-stimmte Güter, in typischer Art überall die „Rittergüter", oft auch der Leibeigenen- oder Hörigenbesitz, endlich bestimmte Erwerbszweige werden Gegenstand ständischer Monopolisierung. Sowohl positiv: so, daß der betreffende Stand *allein* sie besitzen und betreiben darf, wie negativ: so, daß er sie um der Erhaltung seiner spezifischen Le-bensführung willen *nicht* besitzen und betreiben darf. Denn die maß-gebende Rolle der „Lebensführung" für die ständische „Ehre" bringt es mit sich, daß die „Stände" die spezifischen Träger aller „Konven-tionen" sind: alle „Stilisierung" des Lebens, in welchen Äußerungen es auch sei, ist entweder ständischen Ursprungs oder wird doch stän-disch konserviert. Bei aller großen Verschiedenheit zeigen die Prin-zipien der ständischen Konventionen namentlich bei den höchstprivi-legierten Schichten doch gewisse typische Züge. Ganz allgemein besteht die ständische Disqualifizierung ständisch privilegierter Grup-pen für die gewöhnliche physische Arbeit, die, entgegen den alten ge-rade entgegengesetzten Traditionen, jetzt auch in Amerika einsetzt. Sehr häufig gilt jede rationale Erwerbstätigkeit, insbesondere auch „Unternehmertätigkeit" als ständisch disqualifizierend und gilt ferner als entehrende Arbeit auch die künstlerische und literarische, sobald sie zum Erwerb ausgenutzt wird oder mindestens dann, wenn sie mit harter physischer Anstrengung verbunden ist, wie z. B. der im Staub-kittel, wie ein Steinmetz arbeitende Bildhauer im Gegensatz zum Ma-ler mit seinem salonartigen „Atelier" und zu den ständisch akzeptier-ten Formen der Musikübung.

Die so sehr häufige Disqualifikation des „Erwerbstätigen" als sol-chen ist, neben später zu berührenden Einzelgründen, eine direkte Folge des „ständischen" Prinzips der sozialen Ordnung und seines Gegensatzes zur rein marktmäßigen Regulierung der Verteilung von Macht. Der Markt und die ökonomischen Vorgänge auf ihm kannte, wie wir sahen, kein „Ansehen der Person": „sachliche" Interessen beherrschen ihn. Er weiß nichts von „Ehre". Die ständische Ord-nung bedeutet gerade umgekehrt: Gliederung nach „Ehre" und stän-discher Lebensführung und ist als solche in der Wurzel bedroht, wenn der bloße ökonomische Erwerb und die bloße, nackte, ihren außerständischen Ursprung noch an der Stirn tragende, rein ökono-mische Macht als solche jedem, der sie gewonnen hat, gleiche oder – da bei sonst gleicher ständischer Ehre doch überall der Besitz noch ein wenn auch uneingestandenes Superadditum darstellt – sogar dem Erfolg nach höhere „Ehre" verleihen könnte wie sie die ständischen Interessenten kraft ihrer Lebensführung für sich prätendieren. Die Interessenten jeder ständischen Gliederung reagieren daher mit spezifischer Schärfe gerade gegen die Prätensionen des reinen ökonomischen Erwerbs als solchen und meist dann um so schärfer, je bedrohter sie sich fühlen: die respektvolle Behandlung des Bauern etwa bei Calderon, im Gegensatz zu der gleichzeitigen ostensiblen Verachtung der „Kanaille" bei Shakespeare zeigt diese Unterschiede des Reagierens einer festgefügten, gegenüber einer ökonomisch ins Wanken geratenen ständischen Gliederung und ist Ausdruck eines überall wiederkehrenden Sachverhalts. Die ständisch privilegierten Gruppen akzeptierten eben deshalb den „Parvenu" niemals persönlich wirklich vorbehaltlos – mag seine Lebensführung sich der ihrigen noch so völlig angepaßt haben –, sondern erst seine Nachfahren, welche in den Standeskonventionen ihrer Schicht erzogen sind und die ständische Ehre nie durch eigene Erwerbsarbeit befleckt haben. –

Als *Wirkung* ständischer Gliederung läßt sich demgemäß ganz allgemein nur ein allerdings sehr wichtiges Moment feststellen: die Hemmung der freien Marktentwicklung. Zunächst für diejenigen Güter, welche die Stände durch Monopolisierung dem freien Verkehr direkt entziehen, es sei rechtlich oder konventionell, wie z. B. das ererbte Gut in vielen hellenischen Städten der spezifisch ständischen Epoche und (wie die alte Entmündigungsformel für Verschwender zeigt) ursprünglich auch in Rom, ebenso die Rittergüter, Bauerngüter, Priestergüter und vor allem die Kundschaft eines zünftigen Gewerbes oder Gildehandels. Der Markt wird eingeschränkt, die Macht des nackten Besitzes rein als solchen, welche der „Klassenbildung" den Stempel aufdrückt, zurückgedrängt. Die Wirkungen davon können die allerverschiedensten sein und liegen natürlich keineswegs etwa notwendig in der Richtung einer Abschwächung der Kontraste der ökonomischen Situation; oft im Gegenteil. Jedenfalls aber ist von wirklich freier Marktkonkurrenz im heutigen Sinn überall da keine Rede, wo ständische Gliederungen eine Gemeinschaft so stark durchziehen, wie dies in allen politischen Gemeinschaften der Antike und des Mittelalters der Fall war. Aber eher noch weittragender als diese direkte Aussperrung gewisser Güter vom Markt ist der aus der erwähnten Gegensätzlichkeit der ständischen gegen die rein ökonomische Ordnung folgende Umstand, daß der ständische Ehrbegriff in den meisten Fällen gerade das Spezifische des Markts: das Feilschen, überhaupt perhorresziert, sowohl unter Standesgenossen, wie zuweilen für Mitglieder eines Standes überhaupt, und daß es daher überall Stände, und zwar meist die einflußreichsten, gibt, für welche fast jede Art von offener Beteiligung am Erwerb schlechthin als ein Makel gilt.

Man könnte also, mit etwas zu starker Vereinfachung, sagen: „Klassen" gliedern sich nach den Beziehungen zur Produktion und zum Erwerb der Güter, „Stände" nach den Prinzipien ihres Güter-*konsums* in Gestalt spezifischer Arten von „Lebensführung". Auch ein „Berufsstand" ist „Stand", d. h. prätendiert mit Erfolg soziale „Ehre" normalerweise erst kraft der, eventuell durch den Beruf bedingten, spezifischen „Lebensführung". Die Unterschiede vermischen sich freilich oft, und gerade die nach ihrer „Ehre" am strengsten geschiedenen ständischen Gemeinschaften: die indischen Kasten, zeigen heute – allerdings innerhalb bestimmter, sehr fester Schranken – ein relativ hohes Maß von Indifferenz gegenüber dem „Erwerb", der namentlich seitens der Brahmanen in der allerverschiedensten Form gesucht wird.

Über die allgemeinen ökonomischen Bedingungen des Vorherrschens „ständischer" Gliederung läßt sich im Zusammenhang mit dem eben Festgestellten ganz allgemein nur sagen: daß eine gewisse (relative) Stabilität der Grundlagen von Gütererwerb und Güterverteilung sie begünstigt, während jede technisch-ökonomische Erschütterung und Umwälzung sie bedroht und die „Klassenlage" in den Vordergrund schiebt. Zeitalter und Länder vorwiegender Bedeutung der nackten Klassenlage sind der Regel nach technisch-ökonomische Umwälzungszeiten, während jede Verlangsamung der ökonomischen Umschichtungsprozesse alsbald zum Aufwachsen „ständischer" Bildungen führt und die soziale „Ehre" wieder in ihrer Bedeutung restituiert. –

Während die „Klassen" in der „Wirtschaftsordnung", die „Stände" in der „sozialen Ordnung", also in der Sphäre der Verteilung der „Ehre", ihre eigentliche Heimat haben und von hier aus einander gegenseitig und die Rechtsordnung beeinflussen und wiederum durch sie beeinflußt werden, sind *„Parteien"* primär in der Sphäre der „Macht" zu Hause. Ihr Handeln ist auf soziale „Macht", und das heißt: Einfluß auf ein Gemeinschaftshandeln gleichviel welchen Inhalts ausgerichtet: es kann Parteien prinzipiell in einem geselligen „Klub" ebensogut geben wie in einem „Staat". Das „parteimäßige" Gemeinschaftshandeln enthält, im Gegensatz zu dem von „Klassen" und „Ständen", bei denen dies nicht notwendig der Fall ist, stets eine Vergesellschaftung. Denn es ist stets auf ein planvoll erstrebtes Ziel, sei es ein „sachliches": die Durchsetzung eines Programms um ideeller oder materieller Zwecke willen, sei es ein „persönliches": Pfründen, Macht und, als Folge davon, Ehre für ihre Führer und Anhänger oder, und zwar gewöhnlich, auf dies alles zugleich gerichtet. Sie sind daher auch möglich nur innerhalb von Gemeinschaften, welche ihrerseits irgendwie vergesellschaftet sind, also irgendwelche rationale Ordnung und einen Apparat von Personen besitzen, welche sich zu deren Durchführung bereit halten. Denn eben diesen Apparat zu beeinflussen und womöglich aus Parteianhängern zusammenzusetzen ist Ziel der Parteien. Sie können im Einzelfall durch „Klassenlage" oder „ständische Lage" bedingte Interessen vertreten und ihre Anhängerschaft entsprechend rekrutieren. Aber sie brauchen weder reine „Klassen"- noch rein „ständische" Parteien zu sein und sind es meist nur zum Teil, oft gar nicht. Sie können ephemere oder perennierende Gebilde darstellen und ihre Mittel zur Erlangung der Macht können die allerverschiedensten sein, von nackter Gewalt jeder Art bis zum Werben um Wahlstimmen mit groben oder feinen Mitteln: Geld, sozialem Einfluß, Macht der Rede, Suggestion und plumper Übertölpelung, und bis zur mehr groben oder mehr kunstvollen Taktik der Obstruktion innerhalb parlamentarischer Körperschaften. Ihre soziologische Struktur ist notwendig grundverschieden je nach derjenigen des Gemeinschaftshandeln, um dessen Beeinflussung sie kämpfen, je nachdem die Gemeinschaft z. B. ständisch oder klassenmäßig gegliedert ist oder nicht, und vor allem je nach der Struktur der „Herrschaft" innerhalb derselben. Denn um deren Eroberung handelt es sich ja für ihre Führer normalerweise. Sie sind, in dem allgemeinen Begriff, den wir hier festhalten, nicht erst Erzeugnisse spezifisch moderner Herrschaftsformen: auch die antiken und mittelalterlichen Parteien wollen wir als solche bezeichnen, trotz ihrer von den modernen so grundverschiedenen Struktur. Aber allerdings läßt sich infolge dieser Strukturunterschiede der Herrschaft auch über die Struktur der Partei, die stets ein um Herrschaft kämpfendes Gebilde ist und daher selbst, oft sehr straff, „herrschaftlich" organisiert zu sein pflegt, nichts ohne Erörterung der Strukturformen der sozialen Herrschaft überhaupt aussagen. Diesem zentralen Phänomen alles Sozialen wenden wir uns daher jetzt zu. –

Vorher ist über die „Klassen", „Stände" und „Parteien" nur noch im allgemeinen zu sagen: Daraus, daß sie notwendig eine sie umgreifende Vergesellschaftung, speziell ein politisches Gemeinschaftshandeln, innerhalb deren sie ihr Wesen treiben, voraussetzen, ist nicht gesagt, daß sie selbst an die Grenzen je einer einzelnen politischen Gemeinschaft gebunden wären. Im Gegenteil ist es von jeher an der

Tagesordnung gewesen, von der Interessensolidarität der Oligarchen und Demokraten in Hellas, der Guelfen und Ghibellinen im Mittelalter, der calvinistischen Partei in der Zeit der religiösen Kämpfe bis zur Solidarität der Grundbesitzer (internationaler Agrarierkongreß), Fürsten (heilige Allianz, Karlsbader Beschlüsse), sozialistischen Arbeiter, Konservativen (Sehnsucht der preußischen Konservativen nach russischer Intervention 1850), daß die Vergesellschaftung, und zwar auch eine auf gemeinsamen Gebrauch von militärischer Gewalt abzielende Vergesellschaftung, über die Grenzen der politischen Verbände hinausgreift. Nur ist ihr Ziel dabei nicht notwendig die Herstellung einer neuen internationalen, politischen, das heißt aber: *Gebiets*herrschaft, sondern meist die Beeinflussung der bestehenden.

*Kriegerstände**.

I. *Charismatisch*:

1. Die *Gefolgschaftsleute*. Aufgenommen regelmäßig durch besonderen Treuvertrag mit den Herren.

   So die *merowingische* Trustis (die „antenationes", „qui in truste dominion est" nach Lex Salica in der älteren Fassung), durch Treuschwur mit der Waffe: die berittene militärische Gefolgschaft zum Schutz (daher der Name, der = adjutorium gedeutet wird, deutsch vermutlich „Degen" genannt). Vielleicht Nachahmung der byzantinischen „Shole" (s. u.).

   Privilegien:

   a) Dreifaches Wergelt. Ursprünglich waren freie Franken, Römer, Sklaven in den Trustis, später nur Freie;

   b) gesonderter Rechtsgang (Lex Sal. 106);

   c) Bußfälligkeit bei Zeugnisabgabe gegen einen Genossen;

   d) Versorgung am Tisch des Herrn *oder* – später – in gesonderten beliehenen Wirtschaften;

   e) Teilnahme an der Beratung des Herrn;

   f) vorzugsweise Verwendung bei wichtigen Amtsgeschäften und in Häusern.

2. Verschwunden ist die Trustis im 8. Jahrhundert. Die Karolingergefolgschaft hieß satillites, milites, viri militares, teils freie Vasallen, teils Ministeriale. Die „consiliarii" sind teils Hofbeamte, teils auswärtige Honoratioren.

---

* Das folgende stellt offenbar den – unausgeführten – Entwurf zur Kasuistik einer Ständebildung dar. (Anm. d. Herausgeb.)

Die Zuziehung zur Trustis beruhte weitgehend auf ständischer *Erziehung* am Hof, wozu die Begüterten ihre Kinder zunehmend entsendeten.

II. *Traditional*:

    1. Hörige *Dienstleute* des Königs: pueri regis oder p. aulici (vermutlich auch die Adalshalken in Bayern), zuweilen Antrustionen. Und: *unfrei*, also: doppeltes Litenwergelt.

    2. Unfreie „in horte", militärisch bewaffnete Kolonen, Sklaven, Ministerialen. Im Fall der Berufsmäßigkeit heißen sie „honorati", haben Waffenrecht, Fähigkeit zu beneficia.

III. *Feudal*: freie *Vasallen* des Königs, durch freien Kontrakt unter Belehnung mit Waffen, politischen Herrengewalten, Land oder Renten zunächst lebenslänglich beliehen gegen Kommendation, Treuschwur und durch ständische *Ehre* garantierte Obödienz. Ständische Qualifikation: ritterliche Lebensführung und militärisch-höfische Bildung. Diese Vorbedingung ist erst durch Differenzierung der „milites" und Ministerialen des Herrn vor allem aus freien „Vasen" (kultischer Begriff) entstanden. Ursprünglich: Berufs- und durch Art der Beziehung zum Herrn determinierter Stand.

Mit Appropriation der Lehen umgekehrt: *erb*charismatisch qualifiziert durch rittermäßiges Leben der *Vorsteher zur* Übernahme von Lehen.

Kriegerstände.

A. *Gemeinfreie*.

    1. Charismatische Krieger*genossen*: *Männerhaus*verband. Aufnahme nach Heldenaskesenerprobung und Noviziat durch Jünglingsweihe.

    Gegensatz: 1. Kinder,
                    2. Greise,
                    3. Weiber, zu denen jeder *nicht* durch die Jünglingsweihe Gegangene gezählt wird.

Lebensführung: Familienlos im Hauskommunismus des Männerhauses, von Beute, Jagd und Speiseabgabe der abhängigen Wirtschaften (Weiber).

Ständische Privilegien: „Rennbahn", Waffenführung, Werkzeugarbeit, Teilnahme an Jagd- und Beutezügen, Vorrechte beim Speisen (Braten), Teilnahme an den Kriegerorgien (ev. Kannibalismus) und Kriegerkulten, Recht auf Tribut, der Verfügung über Land und Sklaven, sowie bestimmte Vieharten.

Zuweilen Entwicklung zu Geheimklubs mit dem Monopol der (kamorraartigen) Waren- und Sicherheitskontrolle.

Nach Ende der Jungmannschaftsperiode: Ausscheiden aus dem Männerhaus, Eintritt in die Familie („Landwehrzeit").

Nach Ende der Milizfähigkeit: Aussetzung, Tötung, oder umgekehrt: Verehrung als Kenner der magischen Tradition.

2. Appropriierte traditionale Kriegergenossen.

Gegensatz: 1. negativ privilegierte: Hörige (Liten, Kolone) und Sklaven,

2. positiv privilegierte Kriegerstände.

Der Gemeinfreie ist voll waffenpflichtig und, – gegenüber den negativ privilegierten – allein waffenberechtigt. Er stellt sich seine Waffen selbst (Selbstequipierung) und muß, um dazu fähig, also im Besitz seiner Kriegsmittel zu sein, ursprünglich hinlänglich mit eigenem Grundbesitz ausgestattet sein.

Ständische Privilegien: Freizügigkeit, Steuerfreiheit, Fähigkeit vollen Bodenrechts, Teilnahme an der Ding- und Gerichtsgemeinde, Akklamation bei Fürstenkrönung.

Kapitel V. Legitimität.

Die Bedeutung der Disziplin S. 1034. – Ursprung aus der Kriegsdisziplin S. 1036. – Die Disziplin des ökonomischen Großbetriebs S. 1042. – Disziplin und Charisma S. 1043.

Das Schicksal des Charisma* ist es, durchweg mit dem Einströmen in die Dauergebilde des Gemeinschaftshandelns zurückzuebben zugunsten der Mächte entweder der Tradition oder der rationalen Vergesellschaftung. Sein Schwinden bedeutet, im ganzen betrachtet, eine Zurückdrängung der Tragweite individuellen Handelns. Von allen jenen Gewalten aber, welche das individuelle Handeln zurückdrängen, ist die unwiderstehlichste eine Macht, welche neben dem persönlichen Charisma auch die Gliederung nach ständischer Ehre entweder ausrottet oder doch in ihrer Wirkung rational umformt: die rationale Disziplin. Sie ist inhaltlich nichts anderes als die konsequent rationalisierte, d. h. planvoll eingeschulte, präzise, alle eigene Kritik bedin-

---

* Vgl. oben, Erster Teil, Kap. III., §§ 11-12a.

gungslos zurückstellende, Ausführung des empfangenen Befehls, und die unablässige innere Eingestelltheit ausschließlich auf diesen Zweck. Diesem Merkmal tritt das weitere der Gleichförmigkeit des befohlenen Handelns hinzu; ihre spezifischen Wirkungen beruhen auf ihrer Qualität als Gemeinschaftshandeln eines *Massen*gebildes – wobei die Gehorchenden keineswegs notwendig eine örtlich vereinigte, simultan gehorchende oder quantitativ besonders große Masse sein müssen. Entscheidend ist die rationale Uniformierung des Gehorsams einer Vielheit von Menschen. Nicht daß die Disziplin etwa an sich dem Charisma und der Standesehre feindlich gegenüberstände. Im Gegenteil: Ständische Gruppen, welche ein quantitativ großes Gebiet oder Gebilde beherrschen wollen, wie etwa die venezianische Ratsaristokratie oder die Spartiaten oder die Jesuiten in Paraguay oder ein modernes Offizierkorps mit seinem Fürsten an der Spitze, können nur durch das Mittel einer ganz straffen Disziplin innerhalb ihrer eigenen Gruppe die sichere schlagfertige Überlegenheit gegenüber den Beherrschten behaupten und den „blinden" Gehorsam der letzteren ebenfalls nur durch deren Erziehung zur Unterordnung unter die Disziplin und unter sonst nichts anderes ihnen „einüben". Immer wird dadurch diese Festhaltung an der Stereotypierung und Pflege ständischen Prestiges und ständischer Lebensführung nur aus Gründen der Disziplin etwas in starkem Maße bewußt und rational *Gewolltes*, und dies hat – hier nicht zu erörternde – Rückwirkungen auf die gesamten, durch jene Gemeinschaften irgendwie beeinflußten Kulturinhalte. Und ebenso kann ein charismatischer Held die „Disziplin" in seinen Dienst nehmen und muß dies, wenn er seine Herrschaft quantitativ weit erstrecken will: Napoleon hat jene streng disziplinäre Organisation Frankreichs geschaffen, welche noch heute nachwirkt.

Die „Disziplin" im allgemeinen wie ihr rationalstes Kind: die Bürokratie im speziellen, ist etwas „Sachliches" und stellt sich in unbeirrter „Sachlichkeit" an sich jeder Macht zur Verfügung, welche auf ihren Dienst reflektiert und sie zu schaffen weiß. Das hindert nicht, daß sie selbst im innersten Wesen dem Charisma und der ständischen, speziell der feudalen, Ehre fremd gegenübersteht. Der Berserker mit seinen manischen Wutanfällen und der Ritter mit seinem persönlichen Sichmessenwollen mit einem persönlichen, durch Heldenehre ausgezeichneten Gegner zur Gewinnung persönlicher Ehre sind der Disziplin gleichermaßen fremd, der erste wegen der Irrationalität seines Handelns, der zweite wegen der Unsachlichkeit seiner inneren Einstellung. An Stelle der individuellen Heldenekstase, der Pietät, enthusiastischen Begeisterung und Hingabe an den Führer als Person und des Kultes der „Ehre" und der Pflege der persönlichen Leistungsfähigkeit als einer „Kunst" setzt sie die „Abrichtung" zu einer durch „Einübung" mechanisierten Fertigkeit und, soweit sie an starke Motive „ethischen" Charakters überhaupt appelliert, „Pflicht" und „Gewissenhaftigkeit" voraus, („man of conscience", gegenüber dem „man of honours" in der Sprache Cromwells) alles aber im Dienst des rational berechneten Optimum von physischer und psychischer Stoßkraft der gleichmäßig abgerichteten Massen. Nicht daß der Enthusiasmus und die Rückhaltlosigkeit der Hingabe in ihr etwa keine Stätte hätten. Im Gegenteil: jede moderne Kriegführung erwägt gerade die „moralischen" Elemente der Leistungsfähigkeit der Truppe oft mehr als alles andere, arbeitet mit emotionalen Mitteln aller Art – wie, in ihrer Art, ganz ebenso das raffinierteste religiöse Disziplinierungsmittel: die exercitia spiritualia des Ignatius – und sucht in der Schlacht durch „Eingebung" und noch mehr durch Erziehung zur „Einfühlung" der Geführten in den Willen des Führenden zu wirken. Das soziologisch Entscheidende ist aber 1. daß dabei alles, und zwar gerade auch diese „Imponderabilien" und irrationalen, emotionalen Momente rational „*kalkuliert*" werden, im Prinzip wenigstens ebenso wie man die Ausgiebigkeit von Kohlen- und Erzlagern kalkuliert. Und 2. daß die „Hingabe", mag sie auch im konkreten Fall eines hinreißenden Führers noch so stark „persönlich" gefärbt sein, doch ihrer Abgezwecktheit und ihrem normalen Inhalt nach „sachlichen" Charakters ist, Hingabe an die gemeinsame „Sache", an einen rational erstrebten „Erfolg", und nicht an eine Person als solche bedeutet. Anders steht es nur da, wo die Herrengewalt eines Sklavenhalters die Disziplin schafft – im Plantagenbetrieb oder im Sklavenheere des frühen Orients oder auf der mit Sklaven oder Sträflingen bemannten Galeere in der Antike und im Mittelalter. Da ist in der Tat die mechanisierte Abrichtung und die Einfügung des Einzelnen in einen für ihn unentrinnbaren, ihn zum „Mitlaufen" zwingenden Mechanismus, der den Einzelnen, in die Cadres Einrangierten, sozusagen „zwangsläufig" dem Ganzen einfügt – ein starkes Element der Wirksamkeit aller und jeder Disziplin, vor allem auch in jedem diszipliniert geführten Kriege –, das einzige wirksame Element, und als „caput mortuum" bleibt dies überall da, wo die „ethischen" Qualitäten: Pflicht und Gewissenhaftigkeit, versagen. –

Der wechselvolle Kampf zwischen Disziplin und individuellem Charisma hat seine klassische Stätte in der Entwicklung der Struktur der *Kriegführung*. Er ist auf diesem Gebiet in seinem Verlauf natürlich in einem gewissen Maße rein kriegstechnisch bestimmt. Die Art der

Waffen: Spieß, Schwert, Bogen ist aber nicht unbedingt entscheidend. Denn sie alle lassen sich zum disziplinierten wie zum individuellen Gefecht verwenden. Wohl aber haben am Beginn der uns zugänglichen Geschichte Vorderasiens und des Okzidents in entscheidender Art der Import des Pferdes und wohl auch in einem gewissen, aber unsicheren, Grad die in jeder Hinsicht so epochemachende beginnende Vorherrschaft des Eisens als Werkzeugmetall eine Rolle gespielt. Das Pferd brachte den Kriegswagen und damit den mit ihm in den Kampf fahrenden, eventuell auch von ihm herab individuell fechtenden Helden, wie er die Kriegführung der orientalischen, indischen, altchinesischen Könige und den ganzen Okzident bis zu den Kelten und bis nach Irland, hier bis in späte Zeiten, beherrscht hat. Die Reiterei ist dem Kriegswagen gegenüber das Spätere, aber Dauerndere: durch sie entstand der „Ritter", der persische so gut wie der thessalische, athenische, römische, keltische, germanische. Die Fußkämpfer, die sicherlich vorher in der Richtung einer gewissen Disziplinierung ins Gewicht gefallen waren, traten demgegenüber auf längere Zeit weit zurück. Zu den Momenten, welche dann die Entwicklung wieder in das entgegengesetzte Geleise lenkten, hat allerdings wohl auch der Ersatz der bronzenen Wurfspeere durch die eisernen Nahwaffen gehört. Aber nicht das Eisen als solches brachte den Wandel – denn auch die Fernwaffen und Ritterwaffen wurden ja eisern –, so wenig wie im Mittelalter das Schießpulver als solches den Umschwung herbeiführte. Sondern die Hoplitendisziplin der Hellenen und Römer. Schon Homer kennt an einer oft zitierten Stelle die Anfänge der Disziplin mit ihrem Verbot des Aus-der-Reihe-Fechtens, und für Rom symbolisiert die Legende von der Hinrichtung jenes Konsulsohnes, der nach alter Heldenart den gegnerischen Feldherrn im individuellen Kampf erschlagen hatte, die große Wendung. Zuerst das einexerzierte Heer der spartiatischen Berufssoldaten, dann der einexerzierte heilige Lochos der Böotier, dann die einexerzierte Sarissenphalanx der Makedonen, dann die einexerzierte beweglichere Manipeltaktik der Römer gewannen die Suprematie über die persischen Ritter, die hellenischen und italischen Bürgermilizen und die Volksheere der Barbaren. Die Frühzeit des hellenischen Hoplitentums zeigt Ansätze, die Fernwaffen als unritterlich „völkerrechtlich" auszuschließen (so wie man die Armbrust im Mittelalter zu verbieten suchte) – man sieht, daß die Art der Waffe Folge, nicht Ursache der Disziplinierung war. Die Exklusivität der infanteristischen Nahkampftaktik führte im Altertum überall zum Verfall der Reiterei und dazu, daß in Rom der „Rittercensus" praktisch gleichbedeutend war mit Militärdienstfreiheit. Im ausgehenden Mittelalter ist es der Gewalthaufen der Schweizer und seine Parallel- und Folgeentwicklungen, welche zuerst das Kriegsmonopol des Rittertums brachen, obwohl auch die Schweizer noch die Hellebardiere aus dem Haufen, nachdem dieser geschlossen vorgestoßen war, dessen Außenseiten die „Spießgesellen" einnahmen, zum Heldenkampf herausbrechen ließen. Mehr als die Zerstreuung der ritterlichen individuellen Kampfart leisteten sie zunächst nicht. Die Reiterei als solche spielte, freilich in zunehmend disziplinierter Form, auch in den Schlachten des 16. und 17. Jahrhunderts noch eine ganz entscheidende Rolle; Offensivkriege und ein wirkliches Niederringen des Gegners blieben ohne Kavallerie unmöglich, wie z. B. der Gang des englischen Bürgerkriegs zeigt. Die Disziplin aber, und nicht das Schießpulver, war es, welche die Umwandlung zuerst einleitete. Eines der ersten modern disziplinierten, aller „ständischen" Privilegien – z. B. der bis dahin durchgesetzten Ablehnung der Schanzarbeiten (als „opera servitia") durch die Landsknechte – entkleideten Heere war das holländische unter Moritz von Oranien. Die Siege Cromwells über die stürmische Tapferkeit der Kavaliere wurde der nüchternen und rationalen puritanischen Disziplin verdankt. Seine „Eisenseiten", die „men of conscience", im Trabe und fest zusammengeschlossen anreitend, gleichzeitig ruhig feuernd, dann einhauend und nach dem Erfolg der Attacke – darin lag der Hauptgegensatz – geschlossen zusammenbleibend oder sich sofort wieder ordnend, waren dem Elan der Kavaliere technisch überlegen. Denn deren Gepflogenheit, sich nach der im Rausch der Karriere durchgeführten Attacke disziplinlos aufzulösen, entweder zur Plünderung des feindlichen Lagers oder zu einer verfrühten individuellen Verfolgung Einzelner, um Gefangene (wegen des Lösegelds) zu machen, verscherzte alle Erfolge ganz ebenso wieder, wie dies in typischer Art im Altertum und Mittelalter (z. B. bei Tagliacozzo) so oft der Fall war. Das Schießpulver und alles, was an Kriegstechnik an ihm hing, entfaltete seine Bedeutung erst auf dem Boden der Disziplin und in vollem Umfang erst des Kriegsmaschinenwesens, welches jene voraussetzt.

Für die Möglichkeit der Entwicklung der Disziplin war die ökonomische Basis, auf welcher die Heeresverfassung jeweils ruhte, nicht allein bestimmend, aber doch von sehr erheblicher Bedeutung. Noch mehr aber beeinflußte umgekehrt die größere oder geringere Rolle, welche die Disziplin einexerzierter Heere in der Kriegführung spielte, auf das Nachhaltigste die politische und soziale Verfassung. Aber dieser Einfluß ist nicht eindeutig. Die Disziplin als Basis der Kriegführung ist die Mutter sowohl des patriarchalen, aber durch die Ge-

walt der Heereskommandanten, (nach Art der spartanischen Ephoren) konstitutionell beschränkten Zulukönigtums, wie der hellenischen
Polis mit ihren Gymnasien und ihrer bei höchster Virtuosität des In-
fanteriedrills (Sparta) unvermeidlich „aristokratischen", bei Flotten-
disziplin dagegen (Athen) „demokratischen" Struktur, wie der sehr
anders gearteten Schweizer „Demokratie" – die in der Zeit des Reis-
laufens bekanntlich eine Beherrschung von (hellenisch gesprochen)
„Periöken"- sowohl wie Gebieten-Heloten einschloß –, wie der römischen Honoratiorenherrschaft und endlich des ägyptischen, assyrischen und modernen europäischen, bürokratischen Staatswesens.
Die Kriegsdisziplin kann, wie jene Beispiele zeigen, mit gänzlich verschiedenen ökonomischen Bedingungen Hand in Hand gehen. Nur
pflegen stets irgendwelche, wechselnd geartete, Folgen für Staats-,
Wirtschafts- und eventuell Familienverfassung in ihrem Gefolge einzutreten. Denn ein voll diszipliniertes Heer war in der Vergangenheit
notwendig „Berufsheer" und die Art der Beschaffung des Unterhalts
der Krieger daher stets das grundlegende Problem. Die urwüchsige
Form der Schaffung jederzeit schlagfertig bereitstehender geschulter
und der Disziplinierung fähiger Truppen ist der schon erwähnte *Kriegerkommunismus*, entweder in der Form des über den größten Teil der
Erde verbreiteten „Männerhauses", einer Art von „Kaserne" oder
„Kasino" der Berufskrieger oder des ligurischen kommunistischen
Seeräubergemeinwesens, oder der spartiatischen, nach dem „Pick-
nick"-Prinzip geordneten Syssitien, oder nach Art der Organisation
des Khalifen Omar oder der religiösen Kriegsorden des Mittelalters.
Die Kriegergemeinschaft kann dabei – wie wir schon früher gesehen
haben – entweder eine ganz autonome, nach außen geschlossene
Vergesellschaftung sein oder sie kann – wie in der Regel – einem fest
begrenzten politischen Gebietsverband als Bestandteil von dessen
(freilich der Sache nach von ihr maßgebend bestimmten) Ordnung
eingefügt und also in der Rekrutierung durch dessen Ordnung gebunden sein. Diese Bindung ist meist relativ. Auf „Blutsreinheit"
hielten z. B. auch die Spartiaten nicht unbedingt: die Teilnahme an
der in anderem Zusammenhang zu besprechenden kriegerischen Erziehung war auch dort das Entscheidende. Die Existenz der Kriegerschaft ist unter diesen Bedingungen ein vollkommenes Pendant zur
Mönchsexistenz, deren Klosterkasernierung und Klosterkommunismus ja ebenfalls dem Zweck der Disziplin im Dienst ihres jenseitigen
(und im Gefolge davon eventuell auch: diesseitigen) Herrn dient.
Auch außerhalb der direkt nach Analogie der Mönchsorden geschaffenen zölibatären Ritterorden geht bei voller Entwicklung der Insti-

tution die Loslösung aus der Familie und von allen privatwirtschaftlichen Sonderinteressen oft bis zum völligen Ausschluß von Familienbeziehungen. Die Insassen des Männerhauses kaufen oder rauben
sich Mädchen oder beanspruchen, daß die Mädchen der beherrschten Gemeinschaft, solange sie nicht in die Ehe verkauft sind, ihnen
zur Verfügung stehen. Die Kinder des herrschenden Standes der Ari-
loi in Melanesien werden getötet. In sexuelle Dauergemeinschaften
mit Sonderwirtschaft kann der Mann erst nach vollendeter „Dienstzeit", also mit Ausscheiden aus dem Männerhaus, treten, also oft erst
in vorgeschrittenem Alter. Sowohl die auch für die Regulierung der
Sexualbeziehungen bei manchen Völkern wichtige „Altersklassen"-
Gliederung wie die angeblichen Reste ursprünglicher sexueller „endogener Promiskuität" innerhalb der Gemeinschaft oder geradezu
eines oft als „urwüchsig" hingestellten „Anrechts" aller Genossen auf
die noch nicht einem einzelnen appropriierten Mädchen, ebenso der
Frauenraub als angeblich „ältester" Form einer „Ehe" und vor allem
das „Mutterrecht" dürften in den allermeisten Fällen Reste derartiger, bei chronischem Fehdezustand weit verbreiteter Militärverfassungen sein, welche die Aushäusigkeit und Familienlosigkeit des Kriegers
bedingten. Wohl überall ist diese kommunistische Kriegergemeinschaft das caput mortuum der Gefolgschaft charismatischer Kriegsfürsten, welche sich zu einer chronischen Institution „vergesellschaftet"
hat und, nunmehr auch in Friedenszeiten bestehend, das Kriegsfürstentum hat verfallen lassen. Unter günstigen Umständen freilich
kann der Kriegsfürst seinerseits zum schrankenlosen Herrn der disziplinierten Kriegerschaften emporwachsen. Ein extremes Gegenbild
gegen diesen, durch Abgaben der Frauen, Nichtwaffenfähigen und
eventuell Hörigen und durch Bauten gespeisten Kommunismus der
Kriegerschaft bietet demgemäß der „Oikos" als Grundlage der Militärverfassung: das von einem Herren und seinen Vorräten sustentier-
te, equipierte und kommandierte patrimoniale Heer, wie es namentlich
Ägypten kannte, wie es aber in Fragmenten innerhalb andersartiger
Heeresverfassungen sich sehr weit verbreitet findet und dann die Basis despotischer Fürstenmacht bildet. Die umgekehrte Erscheinung:
Emanzipation der Kriegergemeinschaft von der schrankenlosen Herrengewalt – wie sie Sparta durch die Einsetzung der Ephoren zeigt –
geht nur so weit, als die Interessen der Disziplin es zulassen. Daher
gilt in der Polis meist die Abschwächung der Königsgewalt und das
heißt: der Disziplin, nur im Frieden und in der Heimat („domi", nach
dem technischen Ausdruck des römischen Amtsrechts, im Gegensatz zu „militiae"). Die Herrengewalt des Königs ist bei den Spartia-

ten nur in Friedenszeiten dem Nullpunkt nahe, im Felde ist der König im Interesse der Disziplin allmächtig.

Eine durchgängige Abschwächung der Disziplin pflegt dagegen mit jeder Art von dezentralisierter, sei es präbendaler, sei es feudaler Militärverfassung verbunden zu sein. Dem Grade nach sehr verschieden. Das einexerzierte Spartiatenheer, die κλῆροι der sonstigen hellenischen und der makedonischen und mancher orientalischen Militärverfassungen, die türkischen präbendenartigen Lehen, endlich die Lehen des japanischen und okzidentalen Mittelalters sind lauter Stufen der ökonomischen Dezentralisation, welche mit einer Abschwächung der Disziplin und einem Aufsteigen der Bedeutung des individuellen Heldentums Hand in Hand zu gehen pflegt. Der sich selbst nicht nur equipierende und verproviantierende und seinen Troß mit sich führende, sondern auch Untervasallen, die sich ebenfalls selbst ausrüsten, aufbietende grundherrliche Lehensmann ist vom Standpunkt der Disziplin ganz ebenso das äußerste Gegenbild des patrimonialen oder bürokratischen Soldaten, wie er es, ökonomisch betrachtet, ist, und das erstere ist die Konsequenz des letzteren. Sowohl die im späten Mittelalter und im Beginn der Neuzeit herrschende ganz oder halb privatkapitalistische Beschaffung von Soldheeren durch einen Kondottiere wie die gemeinwirtschaftliche Aushebung und Ausrüstung der stehenden Heere durch die politische Gewalt bedeutet demgegenüber Steigerung der Disziplin auf der Basis der zunehmenden Konzentration der Kriegsbetriebsmittel in den Händen des Kriegsherren. Die zunehmende Rationalisierung der Bedarfsdeckung des Heeres von Moritz von Oranien bis zu Wallenstein, Gustav Adolf, Cromwell, den Heeren der Franzosen, Friedrichs des Großen und der Maria Theresia, der Übergang vom Berufsheere zum Volksaufgebot durch die Revolution und die Disziplinierung des Aufgebots durch Napoleon zum (teilweisen) Berufsheer, endlich die Durchführung der allgemeinen Wehrpflicht im 19. Jahrhundert sind hier im einzelnen nicht zu schildern. Die ganze Entwicklung bedeutet im Erfolg eindeutig eine Steigerung der Bedeutung der Disziplin und ebenso eindeutig die konsequente Durchführung jenes ökonomischen Prozesses.

Ob im Zeitalter der Maschinenkriege die exklusive Herrschaft der allgemeinen Dienstpflicht das letzte Wort bleiben wird, steht dahin. Die Rekordschießleistungen der englischen Flotte z. B. scheinen durch die jahrelange Kontinuität des Ensembles der die Geschütze bedienenden Söldner bedingt. Es steht wohl fest, daß, zumal wenn der zur Zeit freilich in Europa stockende Prozeß der Verkürzung der Dienstzeit seinen Fortgang nehmen sollte, die esoterisch, in manchen

Offizierskreisen, bereits vielfach bestehende Ansicht, daß für gewisse Truppengattungen vielleicht der Berufssoldat kriegstechnisch stark überlegen sei, an Macht gewinnen wird; schon die französische Herstellung der dreijährigen Dienstpflicht (1913) wurde hie und da mit der, mangels jeder Differenzierung nach den Truppengattungen, wohl etwas deplacierten Parole: „Berufsheer" motiviert. Diese noch sehr vieldeutigen Möglichkeiten und ihre denkbaren, auch politischen, Konsequenzen sind hier nicht zu erörtern, sie alle werden jedenfalls die exklusive Bedeutung der Massendisziplin nicht ändern. Hier kam es auf die Feststellung an, daß die Trennung des Kriegers von den Kriegsbetriebsmitteln und deren Konzentration in den Händen des Kriegsherren, vollziehe sie sich oikenmäßig, kapitalistisch, bürokratisch, überall eine der typischen Grundlagen dieser Massendisziplin gewesen ist. –

Die Disziplin des Heeres ist aber der Mutterschoß der Disziplin überhaupt. Der zweite große Erzieher zur Disziplin ist der *ökonomische Großbetrieb*. Von den pharaonischen Werkstätten und Bauarbeiten an – so wenig im einzelnen über ihre Organisation bekannt ist – zur karthagisch-römischen Plantage, zum spätmittelalterlichen Bergwerk, zur Sklavenplantage der Kolonialwirtschaft und endlich zur modernen Fabrik führen zwar keinerlei direkte historische Übergänge, gemeinsam ist ihnen aber: die Disziplin. Die Sklaven der antiken Plantagen lebten ehe- und eigentumlos und schliefen kaserniert, eine Einzelwohnung – etwa nach Art unserer Unteroffizierswohnungen oder nach Art eines Gutsbeamten moderner landwirtschaftlicher Großbetriebe – hatten nur die Beamten, insbesondere der villicus, nur er auch – normalerweise – ein Quasieigentum (peculium, ursprünglich: Viehbesitz) und eine Quasiehe (contubernium). Die Arbeitssklaven traten morgens „korporalschaftsweise" (in „decuriae") an und wurden durch Einpeitscher (monitores) zur Arbeit geführt; ihre Bedarfsgegenstände waren, im Kasernenbegriff ausgedrückt, „auf Kammer" in Verwahrung und wurden nach Bedarf ausgegeben, Lazarett und Arrestzelle fehlten nicht. Wesentlich lockerer, weil traditionell stereotypiert und daher die Gewalt des Herren immerhin einschränkend, ist die Disziplin der Frohnhöfe des Mittelalters und der Neuzeit. Daß dagegen die „militärische Disziplin" ganz ebenso wie für die antike Plantage auch das ideale Muster für den modernen kapitalistischen Werkstattbetrieb ist, bedarf nicht des besonderen Nachweises. Die Betriebsdisziplin ruht, im Gegensatz zur Plantage, hier völlig auf rationaler Basis, sie kalkuliert zunehmend, mit Hilfe geeigneter Messungsmethoden, den einzelnen Arbeiter ebenso, nach seinem Rentabilitätsoptimum, wie irgendein sachliches Produktionsmittel. Die höchsten Triumphe feiert die darauf aufgebaute rationale Abrichtung und Einübung von Arbeitsleistungen bekanntlich in dem amerikanischen System des „scientific management", welches darin die letzten Konsequenzen der Mechanisierung und Disziplinierung des Betriebs zieht. Hier wird der psychophysische Apparat des Menschen völlig den Anforderungen, welche die Außenwelt, das Werkzeug, die Maschine, kurz die Funktion an ihn stellt, angepaßt, seines, durch den eigenen organischen Zusammenhang gegebenen, Rhythmus entkleidet und unter planvolle Zerlegung in Funktionen einzelner Muskeln und Schaffung einer optimalen Kräfteökonomie den Bedingungen der Arbeit entsprechend neu rhythmisiert. Dieser gesamte Rationalisierungsprozeß geht hier wie überall, vor allem auch im staatlichen bürokratischen Apparat, mit der Zentralisation der sachlichen Betriebsmittel in der Verfügungsgewalt des Herrn parallel.

So geht mit der Rationalisierung der politischen und ökonomischen Bedarfsdeckung das Umsichgreifen der Disziplinierung als eine universelle Erscheinung unaufhaltsam vor sich und schränkt die Bedeutung des Charisma und des individuell differenzierten Handelns zunehmend ein.

Wenn das Charisma als schöpferische Macht im Verlauf der Erstarrung der Herrschaft zu Dauergebilden vor diesen zurückweicht und nur in kurzlebigen, in ihrer Wirkung unberechenbaren Massenemotionen bei Wahlen und ähnlichen Gelegenheiten noch in Wirksamkeit tritt, so bleibt es dennoch, freilich in stark umgewandeltem Sinne, ein höchst wichtiges Element der sozialen Struktur. Wir haben jetzt auf diejenigen, schon früher berührten, ökonomischen Anlässe zurückzukommen, welche die Veralltäglichung des Charisma vorwiegend bedingen: das Bedürfnis der durch bestehende politische, soziale und ökonomische Ordnungen privilegierten Schichten, ihre soziale und ökonomische Lage „legitimiert", d. h.: aus einem Bestande von rein faktischen Machtverhältnissen in einen Kosmos erworbener Rechte verwandelt und geheiligt zu sehen. Diese Interessen bilden das weitaus stärkste Motiv der Erhaltung charismatischer Elemente in versachlichter Form innerhalb der Herrschaftsstruktur. Das genuine Charisma, welches sich nicht auf gesatzte oder traditionelle Ordnung und nicht auf erworbene Rechte, sondern auf die Legitimation persönlichen Heldentums oder persönlicher Offenbarung beruft, steht dem schlechthin feindlich gegenüber. Aber eben seine Qualität als einer überalltäglichen, übernatürlichen, göttlichen Gewalt stempelt es nach seiner Veralltäglichung zu einer geeigneten Quelle legitimen Erwerbs von Herrschergewalt für die Nachfolger des charismatischen Helden und wirkt ebenso weiter zugunsten aller derjenigen, deren Macht und Besitz von jener Herrschergewalt garantiert wird, also an ihrem Bestande hängt. Die Formen, in der die charismatische Legitimität eines Herrschers sich äußern kann, sind verschiedene, je nach der Art der Beziehung zu den übernatürlichen Gewalten, durch welche sie begründet wird.

Ist die Legitimität des Herrschers selbst nicht durch Erbcharisma nach eindeutigen Regeln feststellbar, so bedarf er der Legitimation durch eine andere charismatische Macht, und dies kann normalerweise nur die hierokratische sein. Dies gilt auch und gerade für denjenigen Herrscher, der eine göttliche Inkarnation darstellt, also das höchste „Eigencharisma" besitzt. Gerade sein Anspruch darauf bedarf ja, sofern er nicht auf Bewährung durch eigene Taten gestützt wird, der Anerkennung durch die berufsmäßigen Fachkenner des Göttlichen. Gerade inkarnierte Monarchen sind daher jenem eigentümlichen Internierungsprozeß durch die nächsten materiellen und ideellen Interessenten der Legitimität, Hofbeamte und Priester, ausgesetzt, welcher bis zur dauernden Palasteinsperrung und selbst bis zur Tötung bei Erreichung der Volljährigkeit gehen kann, damit der Gott nicht die Göttlichkeit zu kompromittieren oder sich von der Bevormundung zu befreien Gelegenheit habe. Überhaupt aber wirkt die Schwere der Verantwortung, welche ein charismatischer Herrscher gegenüber den Beherrschten nach der genuinen Anschauung zu tragen hat, sehr stark praktisch in der Richtung des Entstehens eines Bedürfnisses nach seiner Bevormundung.

Gerade wegen seiner hohen charismatischen Qualifikation bedarf ein solcher Herrscher, wie noch heute der orientalische Khalif, Sultan, Schah, dringend einer einzelnen Persönlichkeit, welche ihm die Verantwortung für die Regierungshandlungen, speziell die mißlingenden oder mißliebigen, abnimmt: die Grundlage der traditionellen, spezifischen Stellung des „Großwesirs" in allen solchen Reichen. In Persien scheiterte noch in der letzten Generation die versuchte Abschaffung des Großwesirats zugunsten der Schaffung bürokratischer Fachministerien unter persönlichem Vorsitz des Schahs daran, daß dies den Schah ganz persönlich als den für alle Nöte des Volks und für alle Mißstände der Verwaltung verantwortlichen Leiter derselben hinstellen und dadurch nicht nur ihn, sondern den Glauben an die „charismatische" Legitimität selbst fortgesetzt schwer gefährden würde: das Großwesirat mußte, um mit seiner Verantwortlichkeit den Schah und sein Charisma zu decken, wieder hergestellt werden.

Es ist dies das orientalische Pendant zu der Stellung des verantwortlichen Kabinettchefs im Okzident, namentlich im parlamentarischen Staat. Die Formel: „le roi règne, mais il ne gouverne pas", und die Theorie, daß der König im Interesse der Würde seiner Stellung „nicht ohne ministerielle Bekleidungsgegenstände auftreten" dürfe, oder, noch weitergehend: daß er sich im Interesse seiner Würde des eigenen Eingreifens in die normale, von bürokratischen Fachspezialisten geleitete Verwaltung gänzlich enthalten sollte zugunsten der Führer der politischen Parteien, welche die Ministerposten inne haben, entsprechen ganz der Einkapselung des vergöttlichten patrimonialen Herrschers durch die Fachkenner der Tradition und des Zeremoniells: Priester, Hofbeamte, Großwürdenträger. Die soziologische Natur des Charisma als solchen hat in all diesen Fällen ebensoviel Anteil daran wie selbstverständlich Hofbeamte oder Parteiführer und ihre Gefolgschaften. Der parlamentarische König wird trotz seiner Machtlosigkeit konserviert, vor allem, weil er durch seine bloße Existenz und dadurch, daß die Gewalt „in seinem Namen" ausgeübt wird: die *Legitimität* der bestehenden sozialen und Besitzordnung durch sein Charisma garantiert, und alle ihre Interessenten die Erschütterung des Glaubens an die „Rechtmäßigkeit" dieser Ordnung als Folge seiner Beseitigung fürchten müssen. Neben der Funktion der „Legitimierung" der Regierungshandlungen der jeweils siegreichen Partei als „rechtmäßiger" Akte, was rein formal ein nach festen Normen gewählter Präsident ebenso leisten kann, versieht aber der parlamentarische Monarch eine Funktion, welche ein gewählter Präsident nicht erfüllen könnte: er begrenzt das Machtstreben der Politiker formal dadurch, daß die höchste Stelle im Staate ein für allemal besetzt ist. Diese letztere wesentlich negative Funktion, welche an der bloßen Existenz eines nach festen Regeln berufenen Königs als solcher klebt, ist vielleicht, rein politisch betrachtet, die praktisch wichtigste. Positiv gewendet, bedeutet sie in dem Archetypus der Gattung: daß der König nicht kraft Rechtsregel (kingdom of prerogative), sondern nur kraft hervorragender persönlicher Befähigung oder sozialen Einflusses einen wirklich aktiven Anteil an der politischen Gewalt (kingdom of influence) gewinnen kann, den er aber in solchen Fällen, wie noch Ereignisse und Persönlichkeiten der letzten Zeit gezeigt haben, auch wirklich trotz aller „Parlamentsherrschaft" zur Geltung zu bringen in der Lage ist. Das „parlamentarische" Königtum bedeutet in England eine Auslese in der Zulassung zur realen Macht zugunsten des staatsmännisch qualifizierten Monarchen. Denn dem König kann ein falscher Schritt in der äußeren oder inneren Politik oder die Erhebung von Prätensionen, welche seiner persönlichen Begabung und seinem persönlichen Ansehen nicht entsprechen, die Krone kosten. Insofern ist es immerhin weit genuiner „charismatisch" geformt als das, den Tropf mit dem politischen Genius gleichmäßig, lediglich kraft Erbrechts, mit Herrscherprätensionen ausstattende, offizielle Königtum kontinentalen Gepräges.

Kapitel VI. Bürokratie.

Die spezifische Funktionsweise des modernen Beamtentums drückt sich in folgendem aus:

I. Es besteht das Prinzip der festen, durch Regeln: Gesetze oder Verwaltungsreglements generell geordneten behördlichen *Kompetenzen*, d. h.: 1. Es besteht eine feste Verteilung der für die Zwecke des bürokratisch beherrschten Gebildes erforderlichen, regelmäßigen Tätigkeiten als amtlicher Pflichten; – 2. Die für die Erfüllung dieser Pflichten erforderlichen Befehlsgewalten sind ebenfalls fest verteilt und in den ihnen etwa zugewiesenen (physischen oder sakralen oder sonstigen) Zwangsmitteln durch Regeln fest begrenzt; – 3. Für die regelmäßige und kontinuierliche Erfüllung der so verteilten Pflichten und die Ausübung der entsprechenden Rechte ist planmäßige Vorsorge getroffen durch Anstellung von Personen mit einer generell geregelten Qualifikation.

Diese drei Momente konstituieren in der öffentlichrechtlichen Herrschaft den Bestand einer bürokratischen „*Behörde*", in den privatwirtschaftlichen den eines bürokratischen „*Betriebes*". In diesem Sinn ist diese Institution in den politischen und kirchlichen Gemeinschaften erst im modernen Staat, in der Privatwirtschaft erst in den fortgeschrittensten Gebilden des Kapitalismus voll entwickelt. Kontinuierliche Behörden mit fester Kompetenz sind auch in so umfangreichen politischen Bildungen wie denen des alten Orients, ebenso in den germanischen und mongolischen Eroberungsreichen und in vielen feudalen Staatsbildungen nicht die Regel, sondern die Ausnahme. Gerade die wichtigsten Maßregeln vollzieht der Herrscher dort durch persönliche Vertraute, Tischgenossen oder Hofbedienstete mit für den Einzelfall zeitweilig geschaffenen und nicht fest begrenzten Aufträgen und Befugnissen.

II. Es besteht das Prinzip der *Amtshierarchie* und des Instanzenzuges, d. h. ein fest geordnetes System von Über- und Unterordnung der Behörden unter Beaufsichtigung der unteren durch die oberen, – ein System, welches zugleich dem Beherrschten die fest geregelte Möglichkeit bietet, von einer unteren Behörde an deren Oberinstanz zu appellieren. Bei voller Entwicklung des Typus ist diese Amtshierarchie *monokratisch* geordnet. Das Prinzip des hierarchischen Instanzenzuges findet sich ganz ebenso wie bei staatlichen und kirchlichen auch bei allen anderen bürokratischen Gebilden, etwa großen Parteiorganisationen und privaten Großbetrieben, gleichviel ob man deren private Instanzen auch „Behörden" nennen will. Bei voller Durchführung des „Kompetenz"prinzips ist aber, wenigstens in den öffentlichen Ämtern, die hierarchische Unterordnung nicht gleichbedeutend mit der Befugnis der „oberen" Instanz, die Geschäfte der „unteren" einfach an sich zu ziehen. Das Gegenteil bildet die Regel und daher ist im Fall der Erledigung eines einmal eingesetzten Amts dessen Wiederbesetzung unverbrüchlich.

III. Die moderne Amtsführung beruht auf Schriftstücken (Akten), welche in Urschrift oder Konzept aufbewahrt werden, und auf einem Stab von Subalternbeamten und Schreibern aller Art. Die Gesamtheit der bei einer Behörde tätigen Beamten mit dem entsprechenden Sachgüter- und Aktenapparat bildet ein „*Büro*" (in Privatbetrieben oft „Kontor" genannt). Die moderne Behördenorganisation trennt grundsätzlich das Büro von der Privatbehausung. Denn sie scheidet überhaupt die Amtstätigkeit als gesonderten Bezirk von der privaten Lebenssphäre, die amtlichen Gelder und Mittel von dem Privatbesitz des Beamten. Dies ist ein Zustand, der überall erst Produkt einer langen Entwicklung ist. Heute findet es sich ganz ebenso in öffentlichen wie privatwirtschaftlichen Betrieben, und zwar erstreckt er sich in diesen auch auf den leitenden Unternehmer selbst. Kontor und Haushalt, geschäftliche und Privatkorrespondenz, Geschäftsvermögen und Privatvermögen sind, je folgerechter der moderne Typus der Geschäftsgebarung durchgeführt ist – die Ansätze finden sich schon im Mittelalter – prinzipiell geschieden. Man kann ganz ebenso als die Besonderheit des modernen Unternehmers hinstellen: daß er sich als „ersten Beamten" seines Betriebes geriere, wie der Beherrscher eines spezifisch bürokratischen modernen Staates sich als dessen „ersten Diener" bezeichnete. Die Vorstellung, daß staatliche Bürotätigkeit und privatwirtschaftliche Kontortätigkeit etwas innerlich wesensverschiedenes seien, ist europäisch-kontinental und den Amerikanern im Gegensatz zu uns gänzlich fremd.

IV. Die Amtstätigkeit, mindestens alle spezialisierte Amtstätigkeit – und diese ist das spezifisch Moderne – setzt normalerweise eine eingehende Fachschulung voraus. Auch dies gilt zunehmend vom modernen Leiter und Angestellten eines privatwirtschaftlichen Betriebs ganz ebenso wie von den staatlichen Beamten.

V. Beim vollentwickelten Amt nimmt die amtliche Tätigkeit die gesamte Arbeitskraft des Beamten in Anspruch, unbeschadet des Umstandes, daß das Maß seiner pflichtmäßigen Arbeitszeit auf dem Büro fest begrenzt sein kann. Dies ist als Normalfall ebenfalls erst Produkt einer langen Entwicklung im öffentlichen wie privatwirtschaftlichen Amt. Das Normale war früher in allen Fällen umgekehrt die „nebenamtliche" Erledigung der Geschäfte.

VI. Die Amtsführung der Beamten erfolgt nach generellen, mehr oder minder festen und mehr oder minder erschöpfenden, erlernbaren Regeln. Die Kenntnis dieser Regeln stellt daher eine besondere Kunstlehre dar (je nachdem: Rechtskunde, Verwaltungslehre, Kontorwissenschaft), in deren Besitz die Beamten sich befinden.

Die Regelgebundenheit der modernen Amtsführung ist so sehr in ihrem Wesen begründet, daß die moderne wissenschaftliche Theorie z. B. annimmt: eine gesetzlich einer Behörde eingeräumte Befugnis zur Ordnung bestimmter Materien durch Verordnung berechtige diese nicht zur Regelung durch Einzelbefehle von Fall zu Fall, sondern nur zur abstrakten Regelung, – der äußerste Gegensatz gegen die, wie wir sehen werden, z. B. für den Patrimonialismus schlechthin beherrschende Art der Regelung aller nicht durch heilige Tradition festgelegten Beziehungen durch individuelle Privilegien und Gnadenverleihungen. –

Für die innere und äußere Stellung der Beamten hat dies alles folgende Konsequenzen:

I. Das Amt ist „*Beruf*". Dies äußert sich zunächst in dem Erfordernis eines fest vorgeschriebenen, meist die ganze Arbeitskraft längere Zeit hindurch in Anspruch nehmenden Bildungsganges und in generell vorgeschriebenen Fachprüfungen als Vorbedingungen der Anstellung. Ferner in dem Pflichtcharakter der Stellung des Beamten, durch welchen die innere Struktur seiner Beziehungen folgendermaßen bestimmt wird: die Innehabung eines Amts wird rechtlich und faktisch nicht als Besitz einer gegen Erfüllung bestimmter Leistungen ausbeutbaren Renten- oder Sportelquelle – wie normalerweise im Mittelalter und vielfach bis an die Schwelle der neusten Zeit – und auch nicht als ein gewöhnlicher entgeltlicher Austausch von Leistungen, wie im freien Arbeitsvertrag, behandelt. Sondern der Eintritt in das Amt gilt auch in der Privatwirtschaft als Übernahme einer spezifischen *Amtstreuepflicht* gegen Gewährung einer gesicherten Existenz. Für den spezifischen Charakter der modernen Amtstreue ist entscheidend, daß sie, beim reinen Typus, nicht – wie z. B. im feudalen oder patrimonialen Herrschaftsverhältnis – eine Beziehung zu einer Person nach Art der Vasallen- oder Jüngertreue herstellt, sondern, daß sie einem unpersönlichen *sachlichen Zweck* gilt. Hinter diesem sachlichen Zweck pflegen natürlich, ihn ideologisch verklärend, als Surrogat des irdischen oder auch überirdischen persönlichen Herren, in einer Gemeinschaft realisiert gedacht „Kulturwertideen": „Staat", „Kirche", „Gemeinde", „Partei", „Betrieb" zu stehen. Der politische Beamte z. B. gilt, wenigstens im vollentwickelten modernen Staat nicht als ein persönlicher Bediensteter eines Herrschers. Aber auch der Bischof, Priester, Prediger, ist der Sache nach heute nicht mehr, wie in urchristlicher Zeit, Träger eines rein persönlichen Charisma, dessen überweltliche Heilsgüter er in persönlichem Auftrag jenes Herrn und im Prinzip, nur ihm verantwortlich, jedem darbietet, der ihrer würdig scheint und darnach verlangt. Sondern er ist, trotz des teilweisen Fortlebens der alten Theorie, ein Beamter im Dienste eines sachlichen Zwecks geworden, welcher in der heutigen „Kirche" zugleich versachlicht und auch wieder ideologisch verklärt ist.

II. Die *persönliche* Stellung des Beamten gestaltet sich bei all dem folgendermaßen:

1. Auch der moderne, sei es öffentliche, sei es private, Beamte erstrebt immer und genießt meist den Beherrschten gegenüber eine spezifisch gehobene, „ständische" *soziale Schätzung*. Seine soziale Stellung ist durch Rangordnungsvorschriften und, bei politischen Beamten, durch besondere strafrechtliche Bestimmungen für „Beamtenbeleidigungen", „Verächtlichmachung" staatlicher und kirchlicher Behörden usw. garantiert. Die tatsächliche soziale Stellung der Beamten ist am höchsten normalerweise da, wo in alten Kulturländern ein starker Bedarf nach fachgeschulter Verwaltung besteht, zugleich starke und nicht labile soziale Differenzierung herrscht und der Beamte nach der sozialen Machtverteilung oder infolge der Kostspieligkeit der vor-

geschriebenen Fachbildung und der ihn bindenden Standeskonventionen vorwiegend den sozial und ökonomisch privilegierten Schichten entstammt. Der an anderer Stelle* zu erörternde Einfluß der Bildungspatente, an deren Besitz die Qualifikation zum Amt gebunden zu sein pflegt, steigert naturgemäß das „ständische" Moment in der sozialen Stellung der Beamten. Es findet im übrigen vereinzelt – so im deutschen Heere – eine eindrucksvolle ausdrückliche Anerkennung in der Vorschrift, daß die Aufnahme unter die Aspiranten der Beamtenlaufbahn von der Zustimmung („Wahl") der Mitglieder des Beamtenkörpers (Offizierskorps) abhängt. Ähnliche, eine zunftartige Abschließung der Beamtenschaft fördernde, Erscheinungen finden sich typisch auf dem Boden des patrimonialen, speziell präbendalen Beamtentums der Vergangenheit. Bestrebungen, sie in umgestalteter Form wiederentstehen zu lassen, sind in der modernen Beamtenherrschaft keineswegs ganz selten und spielten z. B. auch in Forderungen der stark proletarisierten Fachbeamten („tretyj element") während der russischen Revolution eine Rolle.

Die soziale Schätzung der Beamten als solcher pflegt besonders gering da zu sein, wo – wie oft in Neusiedelungsgebieten – vermöge des großen Erwerbsspielraums und der starken Labilität der sozialen Schichtung sowohl der Bedarf an fachgeschulter Verwaltung wie die Herrschaft ständischer Konventionen besonders schwach sind. So namentlich in den Vereinigten Staaten.

2. Der reine Typus der bürokratischen Beamten wird von einer übergeordneten Instanz *ernannt*. Ein von den Beherrschten gewählter Beamter ist keine rein bürokratische Figur mehr. Natürlich bedeutet das formelle Bestehen einer Wahl noch nicht, daß dahinter sich nicht dennoch eine Ernennung verbirgt: innerhalb des Staats insbesondere durch die Parteichefs. Ob dem so ist, hängt nicht von den Staatsrechtssätzen, sondern von der Art des Funktionierens der Parteimechanismen ab, welche, wo sie fest organisiert bestehen, die formal freie Wahl in eine bloße Akklamation eines vom Chef der Partei designierten Kandidaten, regelmäßig aber in einen nach bestimmten Regeln sich abspielenden Kampf um die Stimmen für einen von zwei designierten Kandidaten verwandeln können. Unter allen Umständen aber modifiziert die Bezeichnung der Beamten durch Wahl der Beherrschten die Straffheit der hierarchischen Unterordnung. Ein durch Wahl der Beherrschten ernannter Beamter steht den ihm im Instanzenzug

---

* Weiter unten S. 1090 und in der „Rechtssoziologie". (Anm. d. Herausgeb.).

übergeordneten Beamten gegenüber grundsätzlich selbständig da, denn er leitet seine Stellung nicht „von oben", sondern „von unten" her oder doch nicht von der ihm in der Amtshierarchie vorgesetzten Instanz als solcher, sondern von den Parteimachthabern (Bossen) ab, die auch seine weitere Karriere bestimmen. Er ist in seiner Karriere nicht oder nicht in erster Linie von seinen Vorgesetzten innerhalb des Verwaltungsdienstes abhängig. Der nicht gewählte, sondern von einem Herren ernannte Beamte funktioniert normalerweise, rein technisch betrachtet, exakter, weil, unter sonst gleichen Umständen, mit größerer Wahrscheinlichkeit rein fachliche Gesichtspunkte und Qualitäten seine Auslese und seine Karriere bestimmen. Die Beherrschten als Nichtfachmänner können das Maß der fachmännischen Qualifikation eines Amtskandidaten erst an der Hand der gemachten Erfahrungen, also nachträglich, kennen lernen. Parteien vollends pflegen ganz naturgemäß bei jeder Art von Bestellung der Beamten durch Wahl – sei sie eine Designation der formell frei gewählten Beamten durch Parteigewalthaber bei Herstellung der Kandidatenliste oder sei sie eine freie Ernennung durch den seinerseits gewählten Chef – nicht fachliche Gesichtspunkte sondern die Gefolgschaftsdienste gegenüber dem Parteigewalthaber ausschlaggebend sein zu lassen. Allerdings ist der Gegensatz relativ. Denn der Sache nach Gleichartiges gilt auch da, wo legitime Monarchen und deren Untergebene die Beamten ernennen, nur daß hier die Gefolgschaftseinflüsse unkontrollierbarer sind. Da, wo der Bedarf nach fachlich geschulter Verwaltung bedeutend ist oder wird, wie jetzt auch in den Vereinigten Staaten, und wo die Parteigefolgschaften mit einer intellektuell stark entwickelten, geschulten und sich frei bewegenden „öffentlichen Meinung" rechnen müssen (die freilich in den Vereinigten Staaten jetzt überall da fehlt, wo das Einwandererelement in den Städten als „Stimmvieh" fungiert) – fällt die Anstellung unqualifizierter Beamten auf die herrschende Partei bei den Wahlen zurück, naturgemäß besonders dann, wenn die Beamten vom Chef ernannt werden. Die Volkswahl nicht nur des Verwaltungschefs, sondern auch der ihm unterstellten Beamten pflegt daher, wenigstens bei großen und schwer übersehbaren Verwaltungskörpern, neben der Schwächung der hierarchischen Abhängigkeit, auch die Fachqualifikation der Beamten und das präzise Funktionieren des bürokratischen Mechanismus stärker zu gefährden. Bekannt war die überlegene Qualifikation und Integrität der vom Präsidenten ernannten Bundesrichter gegenüber den gewählten Richtern in den Vereinigten Staaten, obwohl beide Arten von Beamten in erster Linie nach Parteirücksichten ausgewählt wurden. Die großen, von den Reformern geforderten Umgestaltungen der großstädtischen Kommunalverwaltung dagegen gingen in Amerika im wesentlichen alle von gewählten Mayors aus, die mit einem von ihnen *ernannten* Beamtenapparat – also: „cäsaristisch" – arbeiteten. Die Leistungsfähigkeit des oft aus der Demokratie herauswachsenden „Cäsarismus" als Herrschaftsorganisation beruht überhaupt technisch betrachtet, auf der Stellung des „Cäsar" als freien, traditionsentbundenen Vertrauensmannes der Massen (des Heeres oder der Bürgerschaft) und als eben deshalb uneingeschränkten Herren eines von ihm persönlich frei und ohne Hinblick auf Tradition und andere Rücksichten ausgelesenen Stammes von höchstqualifizierten Offizieren und Beamten. Diese „Herrschaft des persönlichen Genies" steht aber, mit dem formal „demokratischen" Prinzip des durchgängigen Wahlbeamtentums im Widerspruch.

3. Es besteht, wenigstens in den öffentlichen und in den ihnen nächststehenden bürokratischen Gebilden, zunehmend aber auch in anderen, normalerweise *Lebenslänglichkeit der Stellung,* welche als faktische Regel auch da vorausgesetzt wird, wo Kündigung oder periodische Neubestätigung vorkommen. Auch im Privatbetrieb kennzeichnet dies normalerweise den Beamten im Gegensatz zum Arbeiter. Diese rechtliche oder faktische Lebenslänglichkeit gilt jedoch nicht, wie in vielen Herrschaftsformen der Vergangenheit, als ein „Besitzrecht" des Beamten am Amt. Sondern wo – wie bei uns für alle rechtlichen und zunehmend auch für Verwaltungsbeamte – Rechtsgarantien gegen willkürliche Absetzung oder Versetzung entstanden, haben sie lediglich den Zweck: eine Garantie für die streng sachliche, von persönlichen Rücksichten freie Ableistung der betreffenden spezifischen Amtspflicht zu bieten. Innerhalb der Bürokratie ist daher auch das Maß der durch jene Rechtsgarantie gewährten „Unabhängigkeit" keineswegs immer eine Quelle gesteigerter konventioneller Schätzung des derart gesicherten Beamten. Oft, speziell in Gemeinschaften mit alter Kultur und sozialer Differenzierung, das Gegenteil. Denn da die Unterordnung unter die Willkür des Herren, je straffer sie ist, desto mehr auch die Aufrechterhaltung des konventionellen Herrenstils der Lebensführung gewährleistet, so kann die konventionelle Schätzung des Beamten gerade infolge des Fehlens jener Rechtsgarantien ganz ebenso steigen, wie im Mittelalter die Schätzung der Ministerialen auf Kosten der Freien, des Königsrichters auf Kosten des Volksrichters. Der Offizier oder Verwaltungsbeamte ist bei uns teils jederzeit, teils jedenfalls weit leichter aus dem Amt zu entfernen als der „unabhängige" Richter, den auch der gröb-

ste Verstoß etwa gegen den „Ehrenkodex" oder gegen gesellschaftliche Salonkonventionen niemals das Amt zu kosten pflegt. Aus eben diesem Grunde aber ist die „Gesellschaftsfähigkeit" des Richters in den Augen der Herrenschicht unter sonst gleichen Umständen geringer als die jener Beamten, deren größere Abhängigkeit vom Herrn eine stärkere Garantie für die „Standesgemäßheit" ihrer Lebensführung ist. Der Durchschnitt der Beamten selbst erstrebt naturgemäß ein „Beamtenrecht", welches, neben materieller Sicherstellung im Alter, auch die Garantien gegen willkürliche Entziehung des Amts erhöht. Indessen hat dies Streben seine Grenze. Eine sehr starke Entwicklung des „Rechts auf das Amt" erschwert naturgemäß die Besetzung der Ämter nach technischen Zweckmäßigkeitsrücksichten und auch die Karrierechancen strebsamer Anwärter. Dieser Umstand, außerdem aber und in erster Linie die Neigung, lieber von ihresgleichen als von den sozial untergeordneten Beherrschten abzuhängen, führt dazu, daß die Beamten im ganzen die Abhängigkeit „von oben" nicht schwer empfinden. Die jetzige konservative Bewegung unter den Geistlichen Badens, anläßlich der Angst vor der vermeintlich drohenden Trennung von Staat und „Kirche", war ausgesprochenermaßen bedingt durch den Wunsch, nicht „aus einem Herren ein Diener der Gemeinde zu werden"*.

4. Der Beamte bezieht regelmäßig *Geld*entlohnung in Gestalt eines normalerweise festen *Gehalts* und Alterssicherung durch Pension. Der Gehalt ist der lohnartigen Abmessung nach der Leistung im Prinzip entzogen, vielmehr „standesgemäß", d. h. nach der Art der Funktionen (dem „Rang") und daneben eventuell nach der Dauer der Dienstzeit bemessen. Die relativ große Sicherheit der Versorgung des Beamten und daneben der in der sozialen Schätzung liegende Entgelt machen in Ländern mit nicht mehr kolonialen Erwerbschancen das Amt gesucht und gestatten daher dort eine verhältnismäßig meist niedrige Bemessung seines Gehalts.

5. Der Beamte ist, entsprechend der hierarchischen Ordnung der Behörden, auf eine „*Laufbahn*" von den unteren minder wichtigen und minder bezahlten Stellen zu den oberen eingestellt. Der Durchschnitt der Beamten erstrebt naturgemäß die möglichst mechanische Fixierung der Bedingungen des Aufrückens, wenn nicht in die Ämter, dann in die Gehaltsstufen nach der „Anciennität", eventuell, bei entwickeltem Fachprüfungswesen, unter Berücksichtigung der Fach-

---

* Vor dem Weltkrieg geschrieben.

prüfungsnote – welche demgemäß hie und da in der Tat einen lebenslänglich nachwirkenden Charakter indelebilis des Beamten bildet. In Verbindung mit der erstrebten Stärkung des Rechts auf das Amt und der zunehmenden Tendenz zur berufsständischen Entwicklung und zur ökonomischen Sicherung der Beamten bewegt sich diese Entwicklung in der Richtung zur Behandlung der Ämter als „Pfründen" der durch Bildungspatent Qualifizierten. Die Notwendigkeit, die allgemeine persönliche und geistige Qualifikation unabhängig von dem oft subalternen Merkmal des Fachbildungspatents zu berücksichtigen, hat dahin geführt, daß durchweg gerade die höchsten politischen Ämter, insbesondere die „Minister"-Posten, grundsätzlich unabhängig von Bildungspatenten besetzt werden. –

Die sozialen und ökonomischen Voraussetzungen dieser modernen Gestaltung des Amtes sind:

I. Entwicklung der *Geldwirtschaft*, soweit die heute durchaus vorherrschende Geldentlohnung der Beamten in Betracht kommt. Diese ist für den gesamten Habitus der Bürokratie von sehr großer Wichtigkeit. Allerdings ist sie allein keineswegs entscheidend für deren Existenz. Die quantitativ größten historischen Beispiele eines einigermaßen deutlich entwickelten Bürokratismus sind: a) Ägypten in der Zeit des neuen Reichs, jedoch mit stark patrimonialem Einschlag; – b) der spätere römische Prinzipat, insbesondre aber die diokletianische Monarchie und das aus ihr entwickelte byzantinische Staatswesen, jedoch mit starken feudalen und patrimonialen Einschlägen; – c) die römisch-katholische Kirche, zunehmend seit dem Ende des 13. Jahrhunderts; – d) China von den Zeiten Shi-hoang-ti's bis in die Gegenwart, aber mit stark patrimonialem und präbendalem Einschlag; – e) in immer reinerer Form der moderne europäische Staat und zunehmend alle öffentlichen Körperschaften seit der Entwicklung des fürstlichen Absolutismus; – f) der moderne kapitalistische Großbetrieb, je größer und komplizierter er ist, desto mehr. Die Fälle a) bis d) ruhen in sehr starkem Maße, teilweise überwiegend, auf Naturalienentlohnung der Beamten. Sie zeigen dennoch viele der charakteristischen Züge und Wirkungen der Bürokratie. Das historische Muster aller späteren Bürokratien – das neue Reich in Ägypten – ist zugleich eines der großartigsten Beispiele naturalwirtschaftlicher Organisation. Dies Zusammentreffen erklärt sich allerdings hier aus durchaus eigenartigen Bedingungen. Denn im ganzen sind die sehr erheblichen Einschränkungen, welche man bei der Zurechnung jener Gebilde zum Bürokratismus machen muß, eben durch die Naturalwirtschaft bedingt. Ein gewisser Grad geldwirtschaftlicher Entwicklung ist normale Voraussetzung wenn nicht für die Schaffung, dann für den unveränderten Fortbestand rein bürokratischer Verwaltungen. Denn ohne sie ist es nach geschichtlicher Erfahrung kaum vermeidbar, daß die bürokratische Struktur ihr inneres Wesen stark verändert oder geradezu in eine andere umschlägt. Schon die Zuweisung von festen Naturaldeputaten aus den Vorräten in den Speichern des Herrn oder aus dessen laufenden Naturaleinkünften, wie sie in Ägypten und China jahrtausendelang herrschte, dann in der spätrömischen Monarchie und auch sonst eine bedeutende Rolle gespielt hat, bedeutet leicht einen ersten Schritt zur Aneignung der Steuerquellen und deren Nutzung als eigenen Privatbesitz durch die Beamten. Die Naturaliendeputate schützen den Beamten gegen die oft schroffen Schwankungen der Kaufkraft des Geldes. Gehen aber die auf Naturalsteuern ruhenden Bezüge, wie es in jedem Fall eines Nachlassens der Anspannung der Herrengewalt bei Naturaleinkünften die Regel ist, unregelmäßig ein, so wird sich der Beamte, ermächtigt oder nicht, an die Abgabepflichtigen seines Gewaltbereichs direkt halten. Der Gedanke, durch Verpfändung oder Überweisung der Abgaben und damit der Steuergewalt oder durch Verleihung nutzbringender Grundstücke des Herrn zur Eigennutzung den Beamten gegen jene Schwankungen zu sichern, liegt nahe und jede nicht ganz straff organisierte Zentralgewalt ist versucht, ihn freiwillig oder durch die Beamten gezwungen zu beschreiten. Dies kann dann so geschehen, daß der Beamte entweder sich aus den Nutzungen in Höhe seines Gehaltanspruchs befriedigt und den Überschuß abliefert oder – da dies naheliegende Versuchungen enthält und daher meist unbefriedigende Ergebnisse für den Herrn zeitigt – dergestalt, daß der Beamte „auf festes Geld gesetzt" wird, wie dies vielfach in der Vorzeit des deutschen Beamtentums, in größtem Maßstabe aber in allen Satrapieverwaltungen des Ostens geschehen ist: er liefert einen festgesetzten Betrag ab und behält die Überschüsse.

Er ist dann ökonomisch einem Pachtunternehmer ziemlich ähnlich gestellt, und es kommt auch geradezu ein reguläres Amtspachtverhältnis, sogar unter Vergebung nach dem Höchstgebot, vor. Auf privatwirtschaftlichem Boden ist die Umbildung der Villikationsordnung in ein Pachtverhältnis eines der wichtigsten aus den zahlreichen Beispielen. Der Herr kann auf diesem Wege insbesondere auch die Mühe der Umwandlung seiner Naturalbezüge in Geld auf den pachtenden bzw. auf festes Geld gesetzten Beamten abwälzen. So stand es offenbar mit manchen orientalischen Statthaltern des Altertums. Vor allem die Verpachtung der öffentlichen Steuererhebung selbst statt deren eigener Regie dient diesem Zweck. Dadurch ergibt sich vor allem die Möglichkeit des sehr wichtigen Fortschritts in der Ordnung seiner Finanzen zum System der Etatisierung, d. h.: statt des für alle Frühstadien öffentlicher Haushalte typischen Lebens von der Hand in den Mund aus den jeweiligen unberechenbaren Eingängen kann ein fester Voranschlag der Einnahmen und dem entsprechend auch der Ausgaben treten. Andrerseits wird dabei auf Kontrolle und volle Ausnutzung der Steuerkraft zu eignem Nutzen des Herrn verzichtet und je nach dem Maße der dem Beamten oder Amts- oder Steuerpächter gelassenen Freiheit auch deren Nachhaltigkeit durch rücksichtslose Ausbeutung gefährdet, da ein Kapitalist daran kein derart dauerndes Interesse hat, wie der Herr. Hingegen sucht sich dieser durch Reglements zu sichern. Die Gestaltung der Verpachtung oder Überweisung der Abgaben kann demgemäß eine sehr verschiedene sein, und je nach dem Stärkeverhältnis zwischen Herrn und Pächter kann das Interesse des Letzteren an freier Ausbeutung der Steuerkraft der Beherrschten oder das Interesse des Herrn an deren Nachhaltigkeit das Übergewicht behaupten. Wesentlich auf dem Mit- und Gegeneinanderwirken jener erwähnten Motive: Ausschaltung des Schwankens der Erträgnisse, Möglichkeit der Etatisierung, Sicherung der Leistungsfähigkeit der Untertanen durch Schutz gegen unwirtschaftliche Ausbeutung, Kontrolle der Erträgnisse des Pächters zwecks Aneignung des möglichen Maximums durch den Staat, beruht z. B. die Art der Gestaltung des Steuerpachtsystems im Ptolemäerreich, bei welchem der Pächter allerdings noch, wie in Hellas und Rom, ein privater Kapitalist ist, die Erhebung der Steuern aber bürokratisch vollzogen und staatlich kontrolliert wird, der Profit des Pächters nur in einem Anteil an den etwaigen Überschüssen über seine Pachtsumme, die in Wahrheit eine Garantiesumme ist, sein Risiko aber in dem Zurückbleiben des Abgabenertrages hinter jener Summe besteht.

Die rein ökonomische Auffassung des Amts als einer privaten Erwerbsquelle des Beamten kann, wenn der Herr in die Lage gerät, nicht sowohl laufende Einkünfte, als vielmehr Geldkapital zu brauchen, z. B. zur Kriegsführung oder Schuldenabzahlung, auch direkt zum Amtskauf führen, wie er als ganz reguläre Einrichtung gerade in den Staaten der Neuzeit, im Kirchenstaat ebensogut wie in Frankreich und England, und zwar für Sinekuren ebenso wie für sehr ernste Ämter, z. B. auch für Offizierspatente, in Resten bis ins 19. Jahrhundert, existiert hat. Im Einzelfall kann der ökonomische Sinn eines solchen Verhältnisses sich dahin wandeln, daß die Einkaufsumme teilweis oder ganz den Charakter einer Kaution für die Amtstreue trägt. Aber die Regel war dies nicht.

Immer aber bedeutet jede Art der Überweisung von Nutzungen, Abgaben und Diensten, welche dem Herrn als solchem zustehen, an den Beamten zur eigenen Ausbeutung eine Preisgabe des reinen Typus der bürokratischen Organisation. Der Beamte in dieser Lage hat ein eigenes Besitzrecht am Amt. In noch höherem Grade ist dies dann der Fall, wenn Amtspflicht und Entgelt derart in Beziehung zueinander gesetzt werden, daß der Beamte überhaupt keine Einkünfte aus den ihm überlassenen Objekten abliefert, sondern über diese ganz allein für seine privaten Zwecke verfügt und dagegen dem Herrn Dienste persönlichen oder militärischen oder sonst politischen oder kirchlichen Charakters leistet. In den Fällen der lebenslänglichen Zuweisung von irgendwie dinglich fixierten Rentenzahlungen oder wesentlich *ökonomischen* Nutzungen an Land oder anderen Rentenquellen, als Entgelt der Erfüllung reeller oder fiktiver Amtspflichten, für deren ökonomische Sicherung jene Güter *dauernd* vom Herrn bestimmt sind, wollen wir von „Pfründen" und von „*präbendaler*" Amtsorganisation sprechen. Der Übergang von da zum Gehaltsbeamtentum ist flüssig. „Präbendal" ist im Altertum und Mittelalter, aber auch bis in die Neuzeit, sehr oft die ökonomische Ausschaltung der Priesterschaft gewesen, aber die gleiche Form hat sich fast zu jeder Zeit auch auf anderen Gebieten gefunden. Im chinesischen Sakralrecht hat der spezifische „Pfründen"-Charakter aller Ämter die Folge, daß die während der rituellen Trauerzeit um den Vater und andere Hausautoritäten vorgeschriebene Enthaltung von dem Genuß des Besitzes (ursprünglich wegen des Übelwollens des toten Hausherrn, dem es gehörte) den Trauernden zum Verzicht auf sein Amt zwingt, welches eben rein präbendal als Rentenquelle angesehen wurde. – Eine weitere Stufe der Entfernung von der reinen Gehaltsbürokratie bedeutet es dann, wenn nicht nur wirtschaftliche, sondern auch Herrschaftsrechte zur eigenen Ausübung verliehen und als Gegenleistung *persönliche* Dienste für den Herren ausbedungen werden. Jene verliehenen Herrschaftsrechte selbst können dabei verschiedenen, z. B. bei politischen Beamten mehr grundherrlichen oder mehr amtlichen Charakters sein. In beiden Fällen, jedenfalls aber im letzteren, ist eine völlige Zerstörung der spezifischen Eigenart der bürokratischen Organisation eingetreten: wir befinden uns im Bereich der „*feudalen*" Organisation der Herrschaft.

Alle Arten solcher Zuweisungen von Naturalleistungen und Naturalnutzungen als Ausstattung an Beamte haben die Tendenz einer Lockerung des bürokratischen Mechanismus, insbesondere einer Abschwächung der hierarchischen Unterordnung. Diese Unterordnung ist in der modernen Beamtendisziplin am straffsten entwickelt. Nur wo die Unterwerfung der Beamten gegenüber dem Herrn auch rein persönlich eine absolute war, also bei Verwaltung durch Sklaven oder sklavenartig behandelte Angestellte, läßt sich eine ähnliche Präzision wenigstens bei sehr energischer Leitung erreichen, wie sie der kontraktlich angestellte Beamte des heutigen Okzidents darbietet.

Im Altertum sind in den naturalwirtschaftlichen Ländern die ägyptischen Beamten, soweit nicht rechtlich, doch tatsächlich Sklaven des Pharao. Die römischen Grundherrschaften vertrauten wenigstens die direkte Kassenführung sehr gern Sklaven an, wegen der Möglichkeit der Tortur. In China sucht man durch ausgiebige Verwendung des Bambus als Disziplinarmittels Ähnliches zu erzielen. Allein die Chancen für die *Stetigkeit* des Funktionierens direkter Zwangsmittel sind höchst ungünstige. Daher bieten erfahrungsgemäß ein gesicherter Geldgehalt, verbunden mit der Chance einer nicht rein von Zufall und Willkür abhängigen Karriere, einer straffen, aber das Ehrgefühl schonenden Disziplin und Kontrolle, ferner der Entwicklung des Standesehrgefühls und die Möglichkeit der öffentlichen Kritik, das relative Optimum für das Gelingen und den Bestand einer straffen Mechanisierung des bürokratischen Apparats, und er funktioniert in dieser Hinsicht sicherer als alle rechtliche Versklavung. Und zwar ist ein starkes Standesbewußtsein der Beamten mit der Bereitwilligkeit zur willenlosesten Unterordnung unter die Vorgesetzten nicht nur verträglich, sondern es ist – wie beim Offizier – als innerer Ausgleich für das Selbstgefühl der Beamten dessen Konsequenz. Der rein „sachliche" Berufscharakter des Amts mit seiner prinzipiellen Trennung der Privatsphäre des Beamten von derjenigen seiner Amtstätigkeit erleichtert die Eingliederung in die ein für allemal fest gegebenen sachlichen Bedingungen des auf Disziplin gegründeten Mechanismus.

Wenn also auch die volle Entwicklung der Geldwirtschaft keine unentbehrliche Vorbedingung der Bürokratisierung ist, so ist dies doch, als eine spezifisch *stetige* Struktur, an eine Voraussetzung geknüpft: das Vorhandensein *stetiger* Einnahmen zu ihrer Erhaltung. Wo diese nicht aus dem privaten Profit – wie bei der bürokratischen Organisation moderner Großunternehmungen – oder aus festen Grundabgaben – wie bei der Grundherrschaft – gespeist werden können, ist also ein festes *Steuer*system Vorbedingung der dauernden Existenz bürokratischer Verwaltung. Für dieses aber bietet die durchgeführte Geldwirtschaft aus bekannten allgemeinen Gründen die allein sichere Basis. Der Grad der Bürokratisierung einer Verwaltung ist daher in städtischen Gemeinwesen mit voll entfalteter Geldwirtschaft nicht selten ein relativ erheblicherer gewesen als in den gleichzeitigen viel größeren Flächenstaaten. Sobald freilich diese letzteren ein geregeltes Abgabensystem entwickeln konnten, entfaltete sich die Bürokratie bei ihnen weit umfassender als in den Stadtstaaten, welchen, solange ihr Umfang sich in mäßigen Grenzen hält, überall die Tendenz zu einer plutokratischen kollegialen Honoratiorenverwaltung die adäquateste ist. Denn der eigentliche Boden für die Bürokratisierung der Verwaltung war von jeher eine spezifische Art der Entwicklung der Verwaltungsaufgaben, und zwar zunächst:

II. ihre *quantitative* Entfaltung. Auf politischem Gebiete z. B. ist der klassische Boden der Bürokratisierung der Großstaat und die Massenpartei.

Allerdings nicht in dem Sinn, daß jede historisch bekannte eigentliche Großstaatbildung eine bürokratische Verwaltung mit sich gebracht hätte. Denn zunächst hat der rein zeitliche Bestand einer einmal bestehenden Großstaatbildung oder die Einheitlichkeit der von einer solchen getragenen Kultur nicht immer an einer bürokratischen Struktur des Staates gehaftet. Beides ist allerdings, z. B. im chinesischen Reich, in starkem Maße der Fall. Der Bestand der zahlreichen großen Negerreiche und ähnlicher Bildungen ist in erster Linie infolge des Fehlens eines Beamtenapparats ephemer gewesen. Ebenso zerfiel die staatliche Geschlossenheit des Karolingerreichs mit dem Verfall seiner Beamtenorganisation, die allerdings vorwiegend patrimonialen, nicht bürokratischen, Charakters war. Rein zeitlich betrachtet, haben dagegen das Khalifenreich und seine Vorgänger auf asiatischem Boden mit wesentlich patrimonialer und präbendaler Ämterorganisation und das heilige römische Reich trotz fast völligen Fehlens der Bürokratie ansehnliche Zeiträume überdauert und dabei auch eine wenigstens annähernd so starke *Kultur*einheit dargestellt, wie sie bürokratische Staatswesen zu schaffen pflegen. Und das antike Römerreich ist trotz zunehmender Bürokratisierung, ja gerade während ihrer Durchführung, von innen her zerfallen, infolge der Art der mit ihr verbundenen staatlichen Lastenverteilung, welche die Naturalwirtschaft begünstigte. Allerdings aber war der zeitliche Bestand jener zuerst genannten Bildungen auf die Intensität ihrer rein *politischen* Einheitlichkeit hin angesehen, wesentlich ein labiler und nomineller, konglomeratartiger Zusammenhalt mit im Ganzen stetig abnehmender politischer Aktionsfähigkeit und war die relativ große *Kultur*einheit bei ihnen das Produkt teils streng einheitlicher, im mittelalterlichen Okzident zunehmend bürokratischer, kirchlicher Gebilde, teils einer weitgehenden Gemeinsamkeit der gesellschaftlichen Struktur, welche ihrerseits wieder die Nachwirkung und Umbildung der einstmaligen politischen Einheit war: Beides Erscheinungen einer den labilen Gleichgewichtsbestand begünstigenden, traditionsgebundenen Kulturstereotypierung. Beides hatte so starke Tragkraft, daß selbst großartige Expansionsversuche wie die Kreuzzüge trotz fehlender intensiver politischer Einheit sozusagen als „Privatunternehmungen" gemacht werden konnten, deren Scheitern und politisch vielfach irrationaler Verlauf allerdings mit dem Fehlen einer dahinter stehenden einheitlichen und intensiven Staatsgewalt zusammenhing. Und unzweifelhaft bleibt nicht nur, daß die Keime von intensiver, „moderner" Staatenbildung im Mittelalter überall hervortraten in Gemeinschaft mit der Entwicklung bürokratischer Gebilde, sondern auch, daß es die bürokratisch entwickeltsten politischen Bildungen gewesen sind, welche schließlich jene, wesentlich auf einem labilen Gleichgewichtszustande ruhenden Konglomerate zersprengten.

Der Zerfall des antiken Römerreiches wurde teilweise geradezu durch die Bürokratisierung seines Armee- und Beamtenapparates *mitbedingt*: diese war nur unter gleichzeitiger Durchführung einer Methode der staatlichen Lastenverteilung vollziehbar, welche zu einer wachsenden relativen Bedeutung der Naturalwirtschaft führen mußte. Es spielen also stets individuelle Komponenten mit. Auch daß die „Intensität" der staatlichen Aktion nach außen und innen, nach außen: die expansive Stoßkraft und im Innern die staatliche Beeinflussung der Kultur in direktem Verhältnis zu dem Grad der Bürokratisierung standen, kann für das erstere, nur als das „Normale", nicht aber als ausnahmslos geltend, hingestellt werden. Denn zwei der expansivsten politischen Gebilde: das Römerreich und das englische Weltreich, ruhten gerade in ihrer expansiven Periode nur zum kleinen Teil auf bürokratischer Grundlage. Das normannische Staatswesen in England hat hier straffe Organisation auf dem Boden der Lehenshierarchie durchgeführt. Seine Einheitlichkeit und Stoßkraft hat es allerdings in hohem Grade durch die im Vergleich zu andern politischen Gebilden des Feudalzeitalters relativ außerordentlich straffe Bürokratisierung des königlichen Rechnungswesens (Exchequer) empfangen. Daß der englische Staat dann weiterhin die kontinentale Entwicklung zum Bürokratismus nicht mitmachte, sondern auf dem Boden der Honoratiorenverwaltung stehen blieb, hatte ebenso wie die republikanische Verwaltung Roms neben dem (relativen) Fehlen des kontinentalen Charakters auch sonst durchaus individuelle Voraussetzungen, die in England heute im Schwinden begriffen sind. Zu diesen besonderen Voraussetzungen gehörte die Entbehrlichkeit eines so großen *stehenden* Heeres, wie es bei gleicher Expansionstendenz der Kontinentalstaat mit seinen Landgrenzen braucht. Daher schritt auch in Rom die Bürokratisierung mit dem Übergang vom Küsten- zum Kontinentalring fort. Im übrigen war in der römischen Herrschaftsstruktur die technische Leitung eines bürokratischen Apparats: Präzision und Geschlossenheit des Funktionierens für die Verwaltung, zumal die außerhalb der Stadtgrenze sich vollziehende Verwaltung durch den streng militärischen Charakter der Magistratsgewalten, wie ihn in dieser Art kein anderes Volk kennt, ersetzt, und die Kontinuierlichkeit durch die ebenfalls einzigartige Stellung des Senats gewährleistet. Und eine nicht zu vergessende Voraussetzung für diese Entbehrlichkeit der Bürokratie war hier wie in England, daß die Staatsgewalt nach *Innen* zu den Umkreis ihrer Funktionen zunehmend „minimisierte", d. h. auf das beschränkte, was die unmittelbare „Staatsraison" schlechterdings forderte. Die kontinentalen Staatsgewalten der beginnenden Neuzeit haben sich allerdings durchweg in den Händen derjenigen Fürsten zusammengeballt, welche den Weg der Bürokratisierung der Verwaltung am rücksichtslosesten beschritten. Daß der moderne Großstaat je länger je mehr technisch auf eine bürokratische Basis schlechthin angewiesen ist, und zwar je größer er ist, und vor allem je mehr er Großmachtstaat ist oder wird, desto unbedingter, ist handgreiflich. Der Charakter eines nicht, wenigstens nicht im vollen technischen Sinn, bürokratischen Staatswesens, welchen die Vereinigten Staaten noch an sich tragen, weicht unvermeidlich auch formell allmählich der bürokratischen Struktur, je größer die Reibungsfläche nach außen und je dringlicher die Bedürfnisse nach Einheit der Verwaltung im Innern werden. Materiell ist überdies dort die teilweise unbürokratische Form der Struktur des Staats ausgeglichen durch eine um so straffer bürokratische Struktur der in Wahrheit politisch herrschenden Gebilde: der Parteien unter der Leitung von berufsmäßigen Fachspezialisten (professionals) der Organisations- und Wahltaktik. Für die Bedeutung des rein Quantitativen als Hebel der Bürokratisierung sozialer Gebilde ist das augenfälligste Beispiel gerade die zunehmende bürokratische Organisation aller eigentlichen Massenparteien, zu denen bei uns vor allem die Sozialdemokratie, im Ausland im größten Maßstab die beiden „historischen" amerikanischen Parteien gehören.

III. Mehr als die extensive und quantitative ist aber die intensive und *qualitative* Erweiterung und innere Entfaltung des Aufgabenkreises der Verwaltung Anlaß der Bürokratisierung. Die Richtung, in der sich diese Entwicklung vollzieht und ihr Anlaß können dabei sehr verschiedenartig sein. In dem ältesten Land bürokratischer Staatsverwaltung, Ägypten, war es die technisch-ökonomische Unvermeidlichkeit gemeinwirtschaftlicher Regulierung der Wasserverhältnisse für das ganze Land von oben her, welche den Schreiber- und Beamtenmechanismus schuf, der dann in der außerordentlichen, militärisch organisierten Bautätigkeit schon in früher Zeit seinen zweiten großen Geschäftskreis fand. Meist haben, wie schon erwähnt, in der Richtung der Bürokratisierung Bedürfnisse gewirkt, welche durch die machtpolitisch bedingte Schaffung stehender Heere und die damit verbundene Entwicklung des Finanzwesens entstanden. Im modernen Staat drängen aber nach der gleichen Richtung außerdem die durch steigende Kompliziertheit der Kultur bedingten wachsenden Ansprüche an die Verwaltung überhaupt. Während sehr bedeutende Expansionen nach außen, speziell die Überseeexpansion, auch und gerade von Staaten mit Honoratiorenherrschaft (Rom, England, Venedig) betrieben worden sind, ist – wie sich gelegentlich noch zeigen wird – „Intensität" der Verwaltung, d. h. die Übernahme möglichst vieler Aufgaben zu kontinuierlicher Bearbeitung und Erledigung im *eigenen Betrieb* des Staats, in den großen Honoratiorenstaaten, namentlich Rom und England, relativ äußerst schwach entwickelt gewesen, verglichen mit bürokratischen Staatswesen. Richtig verstanden: Die *Struktur* der Staatsgewalt hat in beiden Fällen die Kultur sehr stark beeinflußt. Aber relativ wenig in der Form staatlichen Betriebs und staatlicher Kontrolle. Das gilt von der Justiz angefangen bis zur Erziehung. Diese wachsenden Kulturansprüche sind ihrerseits, wenn auch in verschiedenem Maße, durch die Entfaltung des Reichtums der im Staat einflußreichsten Schichten, bedingt. Insoweit ist dann zunehmende Bürokratisierung Funktion zunehmenden *konsumtiv* verfügbaren und konsumtiv verwendeten Besitzes und einer, den dadurch gegebenen Möglichkeiten entsprechenden, zunehmend raffinierten Technik der äußeren Lebensgestaltung. In seiner Rückwirkung auf den allgemeinen Bedürfnisstand bedingt dies zunehmende subjektive Unentbehrlichkeit organisierter gemeinwirtschaftlicher und interlokaler, also: bürokratischer, Fürsorge für die verschiedensten, früher entweder unbekannten oder privatwirtschaftlich oder lokal gedeckten Lebensbedürfnisse. Von rein politischen Momenten wirkt in der Richtung der Bürokratisierung besonders nachhaltig das steigende Bedürfnis einer an feste absolute *Befriedung* gewöhnten Gesellschaft nach Ordnung und Schutz („Polizei") auf allen Gebieten. Es führt ein stetiger Weg von der bloß sakralen oder bloß schiedsrichterlichen Beeinflussung der Blutfehde, welche die Rechts- und Sicherheitsgarantie für den Einzelnen gänzlich auf die Eideshilfe- und Rachepflicht seiner Sippegenossen legt, zu der heutigen Stellung des Polizisten als des „Stellvertreters Gottes auf Erden". Von anderen Momenten wirken in erster Linie die mannigfachen sog. „sozialpolitischen" Aufgaben, welche der moderne Staat teils von den Interessenten zugeschoben bekommt, teils, sei es aus machtpolitischen, sei es aus ideologischen Motiven, usurpiert. Diese sind natürlich in stärkstem Maße ökonomisch bedingt. Von wesentlich technischen Faktoren endlich kommen die spezifisch modernen, teils notwendigerweise, teils technisch zweckmäßigerweise, gemeinwirtschaftlich zu verwaltenden Verkehrsmittel (öffentliche Land- und Wasserwege, Eisenbahnen, Telegraphen usw.) als Schrittmacher der Bürokratisierung in Betracht. Sie spielen dabei heute vielfach eine ähnliche Rolle wie im alten Orient etwa die Kanäle Mesopotamiens und die Nilregulierung. Auf der anderen Seite ist der Grad der Entwicklung der Verkehrsmittel eine für die Möglichkeit bürokratischer Verwaltung wenn auch nicht allein ausschlaggebende, aber doch entscheidend wichtige Bedingung. In Ägypten hätte ohne die natürliche Verkehrsstraße des Nil die bürokratische Zentralisierung auf einer fast rein naturalwirtschaftlichen Basis sicherlich nie den tatsächlich erreichten Grad erlangen können. Im modernen Persien wurden die Telegraphenbeamten als solche offiziell mit der Berichterstattung über alle Vorkommnisse in den Provinzen über den Kopf der Lokalbehörden hinweg an den Schah betraut und außerdem jedermann das Recht direkter telegraphischer Beschwerde eröffnet, um die bürokratische Zentralisation zu fördern. Der moderne Staat des Okzidents kann so, wie es tatsächlich geschieht, nur verwaltet werden, weil er Beherrscher des Telegraphennetzes ist und Post und Eisenbahnen ihm zur Verfügung stehen.

Diese ihrerseits wieder hängen mit der Entwicklung eines interlokalen Massengüterverkehrs aufs Engste zusammen, welcher damit unter die ursächlichen Begleiterscheinungen moderner Staatenbildung rückt. Das gilt aber für die Vergangenheit nicht unbedingt, wie wir früher gesehen haben.

IV. Der entscheidende Grund für das Vordringen der bürokratischen Organisation war von jeher ihre rein *technische* Überlegenheit über jede andere Form. Ein voll entwickelter bürokratischer Mechanismus verhält sich zu diesen genau wie eine Maschine zu den nicht mechanischen Arten der Gütererzeugung. Präzision, Schnelligkeit, Eindeutigkeit, Aktenkundigkeit, Kontinuierlichkeit, Diskretion, Einheitlichkeit, straffe Unterordnung, Ersparnisse an Reibungen, sachlichen und persönlichen Kosten sind bei streng bürokratischer, speziell: monokratischer Verwaltung durch geschulte Einzelbeamte gegenüber allen kollegialen oder ehren- und nebenamtlichen Formen auf das Optimum gesteigert. Sofern es sich um komplizierte Aufgaben handelt, ist bezahlte bürokratische Arbeit nicht nur präziser, sondern im Ergebnis oft sogar billiger als die formell unentgeltliche ehrenamtliche. Ehrenamtliche Tätigkeit ist Tätigkeit im Nebenberuf, funktioniert schon deshalb normalerweise langsamer, weniger an Schemata gebunden und formloser, daher unpräziser, uneinheitlicher, weil nach oben unabhängiger, diskontinuierlicher und schon infolge der fast unvermeidlich unwirtschaftlicheren Beschaffung und Ausnutzung des Subaltern- und Kanzleiapparats auch oft faktisch sehr kostspielig. Dies gilt namentlich dann, wenn man nicht nur an die baren Kosten der öffentlichen Kasse – die allerdings sich bei bürokratischer Verwaltung besonders im Vergleich mit ehrenamtlicher Honoratiorenverwaltung wesentlich zu steigern pflegen –, sondern an die häufigen wirtschaftlichen Verluste der Beherrschten durch Zeitversäumnis und mangelnde Präzision denkt. Die Möglichkeit ehrenamtlicher Honoratiorenverwaltung ist dauernd normalerweise nur da gegeben, wo die Geschäfte „im Nebenamt" ausreichend besorgt werden können. Sie erreicht mit der qualitativen Steigerung der Aufgaben, vor welche sich die Verwaltung gestellt sieht – heute auch in England –, ihre Grenze. Kollegial organisierte Arbeit andererseits bedingt Reibungen und Verzögerungen, Kompromisse zwischen kollidierenden Interessen und Ansichten und verläuft dadurch unpräziser, nach oben unabhängiger, daher uneinheitlicher und langsamer. Alle Fortschritte der preußischen Verwaltungsorganisation sind gewesen und werden auch künftig sein: Fortschritte des bürokratischen, speziell des monokratischen Prinzips.

Die Forderung einer nach Möglichkeit beschleunigten, dabei präzisen, eindeutigen, kontinuierlichen Erledigung von Amtsgeschäften wird heute an die Verwaltung in erster Linie von seiten des modernen kapitalistischen Wirtschaftsverkehrs gestellt. Die ganz großen modernen kapitalistischen Unternehmungen sind selbst normalerweise unerreichte Muster straffer bürokratischer Organisation. Ihr Geschäftsverkehr ruht durchgehends auf zunehmender Präzision, Stetigkeit und vor allem Schleunigkeit der Operationen. Dies wieder wird durch die Eigenart der modernen Verkehrsmittel bedingt, zu welcher u. a. auch der Nachrichtendienst in der Presse gehört. Die außerordentliche Beschleunigung in der Übermittlung von öffentlichen Bekanntmachungen, von wirtschaftlichen oder auch rein politischen Tatsachen übt nun schon rein als solche einen stetigen scharfen Druck in der Richtung auf möglichste *Beschleunigung des Reaktionstem-*

pos der Verwaltung gegenüber den jeweils gegebenen Situationen, und das Optimum darin ist normalerweise nur durch straffe bürokratische Organisation gegeben. (Daß der bürokratische Apparat auch wieder bestimmte Hemmungen für eine dem individuellen Fall angepaßte Erledigung erzeugen kann und tatsächlich erzeugt, gehört im einzelnen nicht hierher.)

Vor allem aber bietet die Bürokratisierung das Optimum an Möglichkeit für die Durchführung des Prinzips der Arbeitszerlegung in der Verwaltung nach rein sachlichen Gesichtspunkten, unter Verteilung der einzelnen Arbeiten auf spezialistisch abgerichtete und in fortwährender Übung immer weiter sich einschulende Funktionäre. „Sachliche" Erledigung bedeutet in diesem Fall in erster Linie Erledigung „ohne Ansehen der Person" nach *berechenbaren Regeln*. „Ohne Ansehen der Person" aber ist auch die Parole des „Marktes" und aller nackt ökonomischen Interessenverfolgung überhaupt. Die konsequente Durchführung der bürokratischen Herrschaft bedeutet die Nivellierung der ständischen „Ehre", also, wenn das Prinzip der Marktfreiheit nicht gleichzeitig eingeschränkt wird, die Universalherrschaft der „Klassenlage". Wenn diese Konsequenz bürokratischer Herrschaft nicht überall parallel mit dem Maße der Bürokratisierung eingetreten ist, hat seinen Grund in der Verschiedenheit der möglichen Prinzipien der Bedarfsdeckung der politischen Gemeinschaften. Aber auch für die moderne Bürokratie hat das zweite Element: die „berechenbaren Regeln" die eigentlich beherrschende Bedeutung. Die Eigenart der modernen Kultur, speziell ihres technisch-ökonomischen Unterbaues aber, verlangt gerade diese „Berechenbarkeit" des Erfolges. Die Bürokratie in ihrer Vollentwicklung steht in einem spezifischen Sinn auch unter dem Prinzip des „sine ira ac studio". Ihre spezifische, dem Kapitalismus willkommene, Eigenart entwickelt sie um so vollkommener, je mehr sie sich „entmenschlicht", je vollkommener, heißt das hier, ihr die spezifische Eigenschaft, welche ihr als Tugend nachgerühmt wird, die Ausschaltung von Liebe, Haß und allen rein persönlichen, überhaupt aller irrationalen, dem Kalkul sich entziehenden, Empfindungselementen aus der Erledigung der Amtsgeschäfte gelingt. Statt des durch persönliche Anteilnahme, Gunst, Gnade, Dankbarkeit, bewegten Herren der älteren Ordnungen verlangt eben die moderne Kultur für den äußeren Apparat, der sie stützt, je komplizierter und spezialisierter sie wird, desto mehr den menschlich unbeteiligten, daher streng „sachlichen" *Fachmann*. All dies aber bietet die bürokratische Struktur in günstigster Verbindung. Namentlich schafft regelmäßig erst sie der *Rechtsprechung* den Boden für die Durchführung eines begrifflich systematisierten und rationalen *Rechts*, auf der Grundlage von „Gesetzen", wie es in hoher technischer Vollendung zuerst die spätere römische Kaiserzeit geschaffen hat. Im Mittelalter ging die Rezeption dieses Rechts Hand in Hand mit der Bürokratisierung der Rechtspflege: dem Eindringen des rational geschulten Fachspezialistentums an Stelle der alten, an die Tradition oder irrationale Voraussetzungen gebundenen Rechtsfindung.

Der „rationalen" Rechtsfindung auf der Basis streng formaler Rechtsbegriffe steht gegenüber eine Art der Rechtsfindung, welche in erster Linie sich an geheiligte Traditionen bindet, den konkreten aus dieser Quelle nicht eindeutig entscheidbaren Fall aber erledigt entweder („charismatische" Justiz): durch konkrete „Offenbarung" (Orakel, Prophetensprüche oder Gottesurteil), oder – und diese Fälle interessieren uns hier allein: – 1. unformal nach konkreten ethischen oder anderen praktischen Werturteilen: die „Kadi-Justiz" (wie R. Schmidt sie zutreffend genannt hat), oder 2. zwar formal, aber nicht durch Unterordnung unter rationale Begriffe, sondern durch Heranziehung von „Analogien" und in Anlehnung an und Ausdeutung von *konkreten* „Präjudizien": „empirische Justiz". Die Kadijustiz kennt gar keine, die empirische Justiz bei reinem Typus, keine in unserem Sinne rationalen „Urteilsgründe". Der konkrete Werturteilscharakter der Kadijustiz kann sich bis zu prophetischem Bruch mit aller Tradition steigern, die empirische Justiz andererseits zu einer Kunstlehre sublimiert und rationalisiert werden. Da – wie anderwärts erörtert wird – die nicht bürokratischen Herrschaftsformen ein eigentümliches Miteinander einer Sphäre strenger Traditionsgebundenheit einerseits, freier Willkür und Gnade des Herrn andererseits aufweisen, so sind andererseits Kombinations- und Übergangsformen zwischen beiden Prinzipien sehr häufig. In England z. B. ist – wie Mendelssohn anschaulich macht, – eine breite Unterschicht der Justiz noch jetzt der Sache nach in einem so hohen Grade „Kadijustiz", wie man es sich auf dem Kontinent nicht leicht vorstellt. Unsere Geschworenenjustiz, welche ja die Angabe der Gründe des Wahrspruchs ausschließt, funktioniert in der Praxis bekanntlich nicht selten ebenso – wie man sich denn überhaupt hüten muß zu glauben: „demokratische" Justizprinzipien seien mit „rationaler" (im Sinn von formaler) Rechtsfindung identisch. Im Gegenteil, wie an anderer Stelle dargelegt wird. Andererseits ist die englische (und amerikanische) Justiz der großen Reichsgerichte immer noch in hohem Maße empirische, speziell Präjudizienjustiz. Der Grund des Scheiterns aller rationalen Kodifikationsbestrebungen und ebenso der Rezeption des römischen Rechts lag in England in dem erfolgreichen Widerstand der großen einheitlich organisierten Anwaltszünfte, einer monopolistischen Honoratiorenschicht, aus deren Mitte die Richter der großen Gerichtshöfe hervorgingen. Sie behielten die juristische Erziehung nach Art einer empirischen Kunstlehre technisch hoch entwickelt in ihrer Hand und kämpften erfolgreich gegen die, ihre soziale und materielle Stellung bedrohenden, Bestrebungen nach rationalem Recht, wie sie besonders von den geistlichen Gerichten, zeitweilig auch von den Universitäten ausgingen. Der Kampf der Common-Law-Advokaten gegen das römische und kirchliche Recht und gegen die Machtstellung der Kirche überhaupt war dabei zum erheblichen Teil ökonomisch: durch ihr Sportelinteresse verursacht, wie die Art der Eingriffe des Königs in diesen Kampf deutlich zeigt. Aber ihre diesen Kampf siegreich bestehende Machtstellung war durch die politische Zentralisation bedingt. In Deutschland fehlte, und zwar aus vornehmlich politischen Gründen, ein sozial machtvoller Honoratiorenstand, der nach Art der englischen Anwälte Träger einer nationalen Rechtsübung hätte sein und das nationale Recht zum Rang einer Kunst mit geregelter Lehre entwickeln und welcher dem Eindringen der technisch überlegenen Schulung der römisch-rechtlich gebildeten Juristen hätte Widerstand leisten können. Nicht etwa die bessere Angepaßtheit des *materiellen* römischen Rechts an die Bedürfnisse des entstehenden Kapitalismus entschied hier dessen Sieg, – geradezu alle spezifischen Rechtsinstitute des modernen Kapitalismus sind ja dem römischen Recht fremd und mittelalterlichen Ursprungs. Sondern seine rationale Form und vor allem die technische Notwendigkeit, das Prozeßverfahren angesichts des, durch die steigend komplizierten praktischen Rechtsfälle und angesichts der von der zunehmend rationalisierten Wirtschaft an Stelle der überall urwüchsigen Wahrheitsermittlung durch konkrete Offenbarung oder sakrale Bürgschaft geforderten, rationalen Beweisverfahrens, in die Hand rational geschulter – und das heißt: auf den Universitäten am römischen Recht geschulter – Fachmänner zu legen. Diese Situation war natürlich in starkem Maße durch die verwandelte Struktur der Wirtschaft mitbedingt. Aber dieses Moment wirkte überall, auch in England, wo die Königsgewalt das rationale Beweisverfahren zugunsten vor allem der Kaufleute einführte. Der überwiegende Grund des trotzdem vorhandenen Unterschiedes in der Entwicklung des materiellen Rechts in England und Deutschland lag, wie schon daraus hervorgeht, nicht hier, sondern er entsprang einer Eigengesetzlichkeit der Entwicklung der beiderseitigen Herrschaftsstruktur: in England zentralisierte Justiz und zugleich Honoratiorenherrschaft, in Deutschland Fehlen der politischen Zentralisation und zugleich Bürokratisierung. Das in der Neuzeit kapitalistisch zuerst höchstentwickelte Land, England, behielt dadurch eine minder rationale und minder bürokratische Justiz. Der Kapitalismus aber konnte sich in England damit namentlich deshalb so gut abfinden, weil dort die Art der Gerichtsverfassung und des Prozeßverfahrens bis in die Neuzeit einer weitgehenden Justizverweigerung gegenüber den ökonomisch Schwachen im Erfolg gleichkam. Diese Tatsache und die, gleichfalls durch ökonomische Advokateninteressen bedingte, Zeit- und Kostspieligkeit der Grundbesitzübertragung hat andererseits auch die Agrarverfassung Englands tiefgehend zugunsten der Bodenakkumulation und -Immobilisierung beeinflußt.

Die *römische* Rechtsfindung ihrerseits war in der Zeit der Republik eine eigentümliche Mischung von rationalen, empirischen und selbst von Kadijustizelementen. Die Geschworenenbestellung als solche und die anfänglich zweifellos „von Fall zu Fall" gegebenen actiones in factum des Prätors enthielten ein Element der letzteren Art. Die „Kautelarjurisprudenz" und alles, was aus ihr erwachsen ist, einschließlich eines Teils noch der Responsenpraxis der klassischen Juristen, trug „empirischen" Charakter. Die entscheidende Wendung des juristischen Denkens zum rationalen wurde zuerst durch die technische Art der Prozeßinstruktion an der Hand der auf Rechtsbegriffe abgestellten Formeln des prätorischen Ediktes vorbereitet. (Heute, unter der Herrschaft des Substanziierungsprinzips, wo der Vortrag der Tatsachen entscheidet, einerlei unter welchem rechtlichen Gesichtspunkt sie die Klage begründet erscheinen lassen, fehlt ein solcher Zwang zur eindeutigen formalen Herausarbeitung des Umfangs der Begriffe, wie ihn die technische Hochkultur des römischen Rechts erzeugt hat.) Insoweit also waren wesentlich prozeßtechnische, nur indirekt aus der Struktur des Staats folgende, Entwicklungsfaktoren im Spiel. Vollendet aber, als ein geschlossenes, wissenschaftlich zu handhabendes Begriffssystem, wurde die Rationalisierung des römischen Rechts – welche dieses von allem was der Orient und auch was das Hellenentum hervorgebracht hatte so scharf scheidet – erst in der Epoche der Bürokratisierung des Staatswesens.

Ein typisches Beispiel nicht rationaler und doch „rationalistischer", streng traditions*gebundener* empirischer Justiz sind die Responsen der Rabbiner im Talmud. Reine, traditions*entbundene* „Kadi"-Justiz endlich ist jeder Prophetenwahrspruch nach dem Schema: „Es steht geschrieben – ich aber sage Euch". Je stärker der religiöse Charakter der Stellung des Kadi (oder gleichartigen Richters) betont ist, desto freier schaltet innerhalb der nicht durch heilige Tradition gebundenen Sphäre die regelfreie Beurteilung des Einzelfalles. Daß z. B. in Tunis das geistliche Gericht (Chara) über den Grundbesitz nach „freiem Ermessen" – wie der Europäer es ausdrückt – entschied, blieb für ein Menschenalter nach der französischen Okkupation ein sehr fühlbares Hemmnis der Entfaltung des Kapitalismus. – Die soziologische Grundlage jener älteren Typen der Justiz in der Herrschaftsstruktur lernen wir in anderem Zusammenhang kennen.

Es ist nun vollkommen wahr, daß „Sachlichkeit" und „Fachmäßigkeit" nicht notwendig identisch sind mit Herrschaft der generellen abstrakten Norm. Nicht einmal auf dem Boden der modernen Rechtsfindung. Der Gedanke des lückenlosen Rechts ist bekanntlich prinzipiell heftig angefochten und die Auffassung des modernen Richters als eines Automaten, in welchen oben die Akten nebst den Kosten hineingeworfen werden, damit er unten das Urteil nebst den mechanisch aus Paragraphen abgelesenen Gründen ausspeie, wird entrüstet verworfen, – vielleicht gerade deshalb, weil eine gewisse Annäherung an diesen Typus an sich in der Konsequenz der Rechtsbürokratisierung liegen würde. Auch auf dem Gebiet der Rechtsfindung gibt es Gebiete, auf denen der bürokratische Richter direkt zu „individualisierender" Rechtsfindung vom Gesetzgeber angewiesen ist. – Und vollends pflegt man gerade für das Gebiet der eigentlichen Verwaltungstätigkeit – d. h. für alle staatliche Tätigkeit, die nicht in das Gebiet der Rechtsschöpfung und Rechtsfindung fällt – die Freiheit und Herrschaft des Individuellen in Anspruch zu nehmen, der gegenüber die generellen Normen überwiegend als Schranken der positiven, niemals zu reglementierenden „schöpferischen" Betätigung des Beamten eine negative Rolle spielten. Die Tragweite dieser These möge hier dahingestellt sein. Das Entscheidende bliebe doch: daß diese „frei" schaffende Verwaltung (und eventuell: Rechtssprechung) nicht, wie wir das bei den vorbürokratischen Formen finden werden, ein Reich der *freien* Willkür und Gnade, der *persönlich* motivierten Gunst und Bewertung bilden würde. Sondern daß stets als Norm des Verhaltens die Herrschaft und rationale Abwägung „sachlicher" Zwecke und die Hingabe an sie besteht. Auf dem Gebiete der staatlichen Verwaltung speziell gilt gerade der das „schöpferische" Belieben des Beamten am stärksten verklärenden Ansicht als höchster und letzter Leitstern seiner Gebarung der spezifisch moderne, streng „sachliche" Gedanke der „Staatsraison". In die Kanonisierung dieser abstrakten und „sachlichen" Idee untrennbar eingeschmolzen sind dabei natürlich vor allem die sicheren Instinkte der Bürokratie für die Bedingungen der Erhaltung *ihrer* Macht im eigenen Staat (und durch ihn, anderen Staaten gegenüber). Letztlich diese eigenen Machtinteressen geben jenem an sich keineswegs eindeutigen Ideal meist erst einen konkret verwertbaren Inhalt und in zweifelhaften Fällen den Ausschlag. Dies ist hier nicht weiter auszuführen. Entscheidend ist für uns nur: daß prinzipiell hinter jeder Tat echt bürokratischer Verwaltung ein System rational diskutabler „Gründe", d. h. entweder: Subsumtion unter Normen, oder: Abwägung von Zwecken und Mitteln steht.

Auch hier ist die Stellungnahme jeder „demokratischen", d. h. in diesem Fall: auf Minimisierung der „Herrschaft" ausgehenden Strömung notwendig zwiespältig. Die „Rechtsgleichheit" und das Verlangen nach Rechtsgarantien gegen Willkür fordert die *formale* rationale „Sachlichkeit" der Verwaltung im Gegensatz zu dem persönlichen freien Belieben aus der Gnade der alten Patrimonialherrschaft. Das „Ethos" aber, wenn es in einer Einzelfrage die Massen beherrscht – und wir wollen von anderen Instinkten ganz absehen –, stößt mit seinen am konkreten Fall und der konkreten Person orientierten Postulaten nach *materieller* „Gerechtigkeit" mit dem Formalismus und der regelgebundenen kühlen „Sachlichkeit" der bürokratischen Verwaltung unvermeidlich zusammen und muß dann aus diesem Grund emotional verwerfen, was rational gefordert worden war. Insbesondere ist den besitzlosen Massen mit einer formalen „Rechtsgleichheit" und einer „kalkulierbaren" Rechtsfindung und Verwaltung, wie sie die „bürgerlichen" Interessen fordern, nicht gedient. Für sie haben naturgemäß Recht und Verwaltung im Dienst des Ausgleichs der ökonomischen und sozialen Lebenschancen gegenüber den Besitzenden zu stehen, und diese Funktion können sie allerdings nur dann versehen, wenn sie weitgehend einen unformalen, weil inhaltlich „ethischen", („Kadi"-)Charakter annehmen. Nicht nur jede Art von „Volksjustiz" – die nach rationalen „Gründen" und „Normen" nicht zu fragen pflegt –, sondern auch jede Art von intensiver Beeinflussung der Verwaltung durch die sog. „öffentliche Meinung", d. h. unter den Bedingungen der Massendemokratie: durch ein aus irrationalen „Gefühlen" geborenes, normalerweise von Parteiführern und Presse inszeniertes oder gelenktes Gemeinschaftshandeln, kreuzt den rationalen Ablauf der Justiz und Verwaltung ebenso stark und unter Umständen weit stärker als es die „Kabinettsjustiz" eines „absoluten" Herrschers tun konnte.

V. Die bürokratische Struktur geht Hand in Hand mit der *Konzentration der sachlichen Betriebsmittel* in der Hand des Herrn. So in bekannter typischer Art in der Entwicklung der privatkapitalistischen Großbetriebe, die darin ihr wesentliches Merkmal finden. Entsprechend aber auch bei den öffentlichen Gemeinschaften. Das bürokratisch geleitete Heer der Pharaonen, der Spätzeit der römischen Republik und des Prinzipats und vor allem des modernen Militärstaats ist gegenüber den Volksheeren agrarischer Stämme, ebenso den Bürgerheeren der antiken und den Milizen der frühmittelalterlichen Städte und gegenüber allen Lehensheeren dadurch charakterisiert, daß bei diesen die Selbstequipierung und Selbstverpflegung der Heerfolgepflichtigen das Normale ist, beim bürokratischen Heere aber die Ausrüstung und Verpflegung aus den Magazinen des Herrn erfolgt. Der heutige Krieg als Maschinenkrieg macht dies letztere *technisch* ebenso unbedingt notwendig wie die Herrschaft der Maschine im Gewerbe die Konzentration der Betriebsmittel beförderte. Die bürokratischen, vom Herrn equipierten und verpflegten Heere der Vergangenheit dagegen sind meist entstanden, wenn soziale und wirtschaftliche Entwicklungen die Schicht der zur Selbstequipierung *ökonomisch* fähigen Bürger absolut oder relativ vermindert hatten, so daß deren Zahl zur Aufstellung der erforderlichen Heere nicht mehr ausreichte. Mindestens relativ: nämlich im Verhältnis zum beanspruchten Machtumfang des Staatswesens, nicht. Denn nur die bürokratische Heeresform ermöglichte die Aufstellung stehender Berufsheere, wie sie sowohl zur dauernden Befriedung großer Flächenstaaten als zur Kriegführung gegen weit entfernte Feinde, namentlich über See, notwendig sind. Auch die spezifische militärische Disziplin und technische Abrichtung ist normalerweise, mindestens in ihrem modernen Höhengrade nur im bürokratischen Heere voll entfaltungsfähig.

Die Bürokratisierung des Heeres hat sich historisch überall parallel vollzogen mit der Abwälzung des bis dahin ein Ehrenvorrecht der Besitzenden bildenden Heeresdienstes auf die Besitzlosen (auch einheimische, wie in den Heeren der römischen Feldherrn der Spätrepublik und des Kaiserreichs und in den modernen Heeren bis in das 19. Jahrh. oder auch fremde, wie in den Soldheeren aller Zeiten). Neben dem dabei überall mitwirkendem Grunde: daß mit steigender Volksdichte und damit Intensität und Anspannung der wirtschaftlichen Arbeit, welche die zunehmende „Unabkömmlichkeit" der erwerbenden Schichten für Kriegszwecke bedingt, geht jener Vorgang mit steigender, materieller und geistiger Kultur überhaupt in typischer Art Hand in Hand. Zeiten starken ideologischen Schwunges abgerechnet, pflegt neben der Eignung auch die Neigung besitzender Schichten mit raffinierter, zumal städtischer, Kultur für die grobe

Kriegsarbeit des gemeinen Soldaten gering zu sein, und die Qualifikation und Neigung zum Offiziersberuf pflegt unter sonst gleichen Umständen den besitzenden Schichten des platten Landes wenigstens stärker zu eignen. Erst wo die zunehmende Maschinenmöglichkeit des Kriegsbetriebs von den Führern „Techniker"-Eigenschaften verlangt, gleicht sich dies aus. – Die Bürokratisierung des Kriegsbetriebs kann privatkapitalistisch gestaltet sein, wie jedes andere Gewerbe. Die privatkapitalistische Heeresbeschaffung und -Verwaltung war in den Soldheeren namentlich im Okzident, in sehr verschiedenen Formen, durchweg die Regel bis an die Schwelle des 19. Jahrhunderts. Im Dreißigjährigen Kriege war in Brandenburg meist noch der Soldat selbst Eigentümer der sachlichen Mittel seines Gewerbes: Waffen, Pferde, Bekleidung, obwohl sie allerdings der Staat bereits, sozusagen als „Verleger" lieferte. Im stehenden Heer Preußens war später der Kompagniechef Eigentümer jener sachlichen Kriegsmittel und erst seit dem Tilsiter Frieden trat endgültig die Konzentration der Betriebsmittel in die Hand des Staates ein und zugleich damit erst die allgemeine Durchführung der Uniformierung, welche vorher – soweit nicht einzelnen Truppenteilen bestimmte Uniformen vom König „verliehen" waren (zuerst 1620 der Leibgarde, dann häufiger unter Friedrich II.), weitgehend der Willkür des Regimentschefs anheimgestellt blieb. Begriffe z. B. wie „Regiment" einerseits, „Bataillon" andererseits hatten daher noch im 18. Jahrh. regelmäßig einen ganz verschiedenen Sinn: nur das letztere war eine taktische Einheit (wie heut beide), das erstere dagegen eine durch die „Unternehmer"-Position des Obersten geschaffene ökonomische Betriebseinheit. „Offiziöse" Seekriegsunternehmungen (wie die genuesischen „maonae") und Heeresbeschaffung gehören zu den ersten privatkapitalistischen „Riesenbetrieben" mit weitgehend bürokratischer Struktur. Ihre „Verstaatlichung" hat darin in derjenigen der (von Anfang an staatlich kontrollierten) Eisenbahnen eine moderne Parallele.

Ganz ebenso geht in anderen Sphären die Bürokratisierung der Verwaltung mit der Konzentration der Betriebsmittel Hand in Hand. Die alte Satrapen- und Statthalterverwaltung, ebenso die Verwaltung durch Amtspächter, Amtskäufer, und am meisten die Verwaltung durch Lehensleute dezentralisiert die sachlichen Betriebsmittel: der lokale Bedarf der Provinz, einschließlich der Kosten des Heeres und der Unterbeamten, wird regelmäßig vorab aus den lokalen Einnahmen bestritten und nur der Überschuß gelangt in die Zentralkasse. Der belehnte Beamte verwaltet ganz aus eigener Tasche. Der bürokratische Staat dagegen bringt die gesamten staatlichen Verwaltungskosten auf seinen Etat und stattet die Unterinstanzen mit den laufenden Betriebsmitteln aus, in deren Verwendung er sie reglementiert und kontrolliert. Für die „Wirtschaftlichkeit" der Verwaltung bedeutet dies das gleiche wie der kapitalistisch zentralisierte Großbetrieb.

Auch auf dem Gebiet des wissenschaftlichen Forschungs- und Lehrbetriebs ist die Bürokratisierung in den stets vorhandenen „Instituten" der Universitäten (deren erstes großbetriebliches Beispiel Liebigs Laboratorium in Gießen war)˙Funktion des steigenden Bedarfs an sachlichen Betriebsmitteln, welche, durch ihre Konzentration in den Händen des staatlich privilegierten Leiters die Masse der Forscher und Dozenten von ihren „Produktionsmitteln" ebenso trennt, wie der kapitalistische Betrieb die Arbeiter von den ihrigen.

Wenn trotz all dieser zweifellosen technischen Überlegenheit der Bürokratie diese überall ein relativ spätes Entwicklungsprodukt gewesen ist, so trugen dazu zunächst eine Reihe von *Hemmungen* bei, welche erst unter bestimmten sozialen und politischen Bedingungen endgültig zurücktraten. Die bürokratische Organisation ist nämlich regelmäßig zur Herrschaft gelangt:

VI. auf der Basis einer, mindestens relativen, *Nivellierung der ökonomischen und sozialen Unterschiede* in ihrer Bedeutsamkeit für die Innehabung der Verwaltungsfunktionen. Sie ist insbesondere eine unvermeidliche Begleiterscheinung der modernen *Massen*demokratie im Gegensatz zu der demokratischen Selbstverwaltung kleiner homogener Einheiten. Zunächst schon infolge des ihr charakteristischen Prinzips: der abstrakten Regelhaftigkeit der Herrschaftsausübung. Denn diese folgt aus dem Verlangen nach „Rechtsgleichheit" im persönlichen und sachlichen Sinn, also: aus der Perhorreszierung des „Privilegs" und aus der prinzipiellen Ablehnung der Erledigung „von Fall zu Fall". Dann aber auch aus den sozialen Vorbedingungen ihrer Entstehung. Jede nicht bürokratische Verwaltung eines quantitativ großen sozialen Gebildes beruht in irgendeiner Art darauf, daß ein bestehender sozialer, materieller oder Ehrenvorrang mit Verwaltungsfunktionen und -pflichten in Verbindung gebracht ist. Regelmäßig mit der Folge, daß die direkt oder indirekt ökonomische oder auch die „soziale" Ausbeutung der Stellung, welche jede Art von verwaltender Tätigkeit ihren Trägern verleiht, den Entgelt für deren Übernahme darstellt. Die Bürokratisierung und Demokratisierung bedeutet daher innerhalb der staatlichen Verwaltung trotz ihres normalerweise „wirtschaftlicheren" Charakters gegenüber jenen Formen eine Steigerung der *baren* Ausgaben der öffentlichen Kassen. Die Überlassung fast der gesamten Lokalverwaltung und der niederen Gerichtsbarkeit an die

Grundherren im Osten Preußens war bis in die neueste Zeit die – wenigstens vom Kassenstandpunkt des Staats aus gesehen – billigste Art der Deckung des Bedürfnisses nach Verwaltung. Ebenso die Friedensrichterverwaltung in England. Die Massendemokratie, welche mit feudalen, patrimonialen und – wenigstens der Absicht nach –, plutokratischen Vorrechten in der Verwaltung aufräumt, muß unweigerlich bezahlte Berufsarbeit an die Stelle der überkommenen nebenamtlichen Honoratiorenverwaltung setzen. Dies gilt nicht nur von staatlichen Gebilden. Es ist kein Zufall, daß gerade die demokratischen Massenparteien (in Deutschland die Sozialdemokratie und die agrarische Massenbewegung, in England zuerst die von Birmingham aus seit den 70er Jahren organisierte Gladstone-Chamberlainsche Caucusdemokratie, in Amerika beide Parteien seit Jacksons Administration) in ihrer eigenen Parteiorganisation am vollständigsten mit der überkommenen und bei den altkonservativen, aber auch bei den alten liberalen Parteien noch vielfach vorherrschenden, auf persönlichen Beziehungen und persönlichem Ansehen ruhenden Honoratiorenherrschaft gebrochen und sich bürokratisch unter der Leitung von Parteibeamten, berufsmäßigen Partei- und Gewerkschaftssekretären usw. organisiert haben. In Frankreich scheiterte immer wieder der Versuch einer straffen Organisation politischer Parteien auf der Basis eines diese erzwingenden Wahlsystems wesentlich an dem Widerstand der lokalen Honoratiorenkreise gegen die dann auf die Dauer unvermeidliche, ihren Einfluß brechende, das ganze Land umspannende Parteibürokratisierung. Denn jeder Fortschritt der einfachen mit Ziffern rechnenden Wahltechnik, wie etwa (wenigstens unter Großstaatverhältnissen) das Proportionalwahlsystem, bedeutet straffe, interlokale bürokratische Organisation der Parteien und damit zunehmende Herrschaft der Parteibürokratie und der Disziplin unter Ausschaltung der lokalen Honoratiorenkreise. Innerhalb der staatlichen Verwaltung selbst liegt der Fortschritt der Bürokratisierung in Frankreich, Nordamerika, jetzt England als Parallelerscheinung der Demokratie offen zutage. Dabei ist natürlich stets zu beachten, daß der Name „Demokratisierung" irreführend wirken kann: der Demos im Sinn einer ungegliederten Masse „verwaltet" in größeren Verbänden nie selbst, sondern wird verwaltet und wechselt nur die Art der Auslese der herrschenden Verwaltungsleiter und das Maß von Beeinflussung, welches er oder richtiger: andere Personenkreise aus seiner Mitte durch die Ergänzung einer sog. „öffentlichen Meinung" auf den Inhalt und die Richtung der Verwaltungstätigkeit auszuüben imstande sind. „Demokratisierung" in dem hier gemeinten Sinn muß nicht etwa notwendig Zunahme des aktiven Anteils der Beherrschten an der Herrschaft innerhalb des betreffenden Sozialgebildes bedeuten. Diese kann Folge des hier gemeinten Vorgangs sein, muß es aber nicht sein. Vielmehr hat man sich gerade hier sehr nachdrücklich ins Bewußtsein zu rufen: daß der politische Begriff der Demokratie aus der „Rechtsgleichheit" der Beherrschten noch die ferneren Postulate 1. Hinderung der Entwicklung eines geschlossenen „Beamtenstandes", im Interesse der allgemeinen Zugänglichkeit der Ämter und 2. Minimisierung ihrer Herrschaftsgewalt im Interesse tunlichster Vertreibung der Einflußsphäre der „öffentlichen Meinung" ableitet, also, wo immer möglich, kurzfristige Besetzung durch widerrufliche Wahl ohne Bindung an fachmäßige Qualifikation erstrebt. Dadurch gerät sie mit den von ihr – infolge ihres Kampfes gegen die Honoratiorenherrschaft – erzeugten Tendenzen der Bürokratisierung unvermeidlich in Widerstreit. Mithin kommt die überhaupt unpräzise Bezeichnung „Demokratisierung" hier nicht in Betracht, sofern darunter die Minimisierung der Herrschaftsgewalt der „Berufsbeamten" zugunsten der möglichst „direkten" Herrschaft des „Demos", das heißt aber praktisch seiner jeweiligen Parteiführer, verstanden wird. Das Entscheidende ist vielmehr hier ausschließlich die *Nivellierung der beherrschten* gegenüber der herrschenden, bürokratisch gegliederten Gruppe, welche dabei ihrerseits sehr wohl faktisch, oft aber auch formal, eine ganz autokratische Stellung besitzen kann.

In Rußland war die Zerbrechung der Stellung des alten grundherrlichen Adels durch Regelung des Mjeschtschitelstwo (Rangordnung) und die dadurch bedingte Durchsetzung alten Adels mit Dienstadel eine charakterisitsche Zwischenerscheinung in der Entwicklung zur Bürokratisierung. In China bedeutet die Einschätzung des Ranges nach der Zahl der bestandenen Examina und der dadurch gegebenen Amtsqualifikation Ähnliches in einer, theoretisch wenigstens, noch schärferen Konsequenz. In Frankreich haben die Revolution und entscheidend der Bonapartismus die Bürokratie allherrschend gemacht. In der katholischen Kirche war die durch Gregor VII. begonnene, durch das Tridentinum und Vaticanum und zuletzt die Verfügungen Pius X. abgeschlossene Beseitigung zuerst der feudalen, dann auch aller selbständigen lokalen Zwischenmächte und ihre Verwandlung in reine Funktionäre der Zentralinstanz, verbunden mit stetiger Steigerung der vor allem durch die politische Parteiorganisation des Katholizismus begründeten faktischen Bedeutung der formell gänzlich abhängigen Kaplâne: ein Vormarsch der Bürokratie also und zugleich der in diesem Fall sozusagen „passiven" Demokratisierung, d. h. der Nivellierung der Beherrschten. Der Ersatz des auf Selbstequipierung ruhenden Honoratiorenheeres durch das bürokratische Heer ist ebenfalls überall ein Prozeß „passiver" Demokratisierung in dem Sinn, wie jede Aufrichtung einer absoluten Militärmonarchie an Stelle des Feudalstaats oder der Honoratiorenrepublik es ist. Dies galt auch, dem Prinzip nach, trotz aller Besonderheiten, für die staatliche Entwicklung schon in Ägypten. Im römischen Prinzipat ging die Bürokratisierung der Verwaltung der Provinzen, z. B. auf dem Gebiet der Steuerverwaltung, Hand in Hand mit der Eliminierung der Plutokratie einer unter der Republik übermächtigen Kapitalistenklasse und damit schließlich des antiken Kapitalismus selbst.

Es liegt auf der Hand, daß bei solchen „demokratisierenden" Entwicklungen fast immer irgendwelche ökonomischen Bedingungen mitwirkend im Spiele sind. Sehr häufig eine ökonomisch bedingte Entstehung neuer Klassen, sei es nun plutokratischen oder kleinbürgerlichen oder proletarischen Charakters, welche eine politische Macht, sei diese nun legitimen oder cäsaristischen Gepräges, zu Hilfe oder auch erst ins Leben rufen oder zurückrufen, um durch ihre Hilfe ökonomische oder soziale Vorteile zu erlangen. Allein auf der anderen Seite sind ebenso möglich und historisch bezeugt die Fälle, in welchen die Initiative „von oben" her kam und rein politischer Natur war, aus politischen, namentlich auch außenpolitischen, Konstellationen ihren Vorteil zog und sich der gegebenen wirtschaftlichen und sozialen Gegensätze und Klasseninteressen nur als eines Mittels für ihren eigenen rein politischen Machtzweck bediente, sie zu diesem Behuf aus ihrem, fast stets labilen, Gleichgewicht warf und ihre latenten Interessengegensätze zum Kampfe aufrief. Etwas Allgemeines darüber auszusagen, scheint kaum möglich. – Maß und Art des Weges, auf dem ökonomische Momente mitgewirkt haben, ist sehr verschieden, ebenso aber auch die Art des Einflusses der politischen Machtbeziehungen. In der hellenischen Antike war der Übergang zum disziplinierten Hoplitenkampf und weiterhin in Athen die steigende Bedeutung der Flotte die Grundlage für die Eroberung der politischen Macht durch diejenigen Volksschichten, auf deren Schultern jeweils die Heereslast ruhte. Schon in Rom aber erschütterte die gleiche Entwicklung die Honoratiorenherrschaft des Amtsadels nur zeitweilig und scheinbar. Das moderne Massenheer vollends ist zwar überall das Mittel gewesen, die Honoratiorenmacht zu brechen, ist aber selbst in keiner Art ein Hebel aktiver, sondern lediglich passiver Demokratisierung geblieben. Dabei spielt allerdings mit, daß das antike Bürgerheer ökonomisch auf Selbstequipierung, das moderne auf bürokratischer Bedarfsdeckung ruhte.

Daß das Vordringen der bürokratischen Struktur auf ihrer „technischen" Überlegenheit beruhte, führt, wie auf dem ganzen Gebiet der Technik, so auch hier dazu: daß dieser Vormarsch gerade da am langsamsten sich vollzog, wo ältere Strukturformen in einer ihrerseits besonders entwickelten technischen Angepaßtheit an die bestehenden Bedürfnisse funktionierten. Dies war z. B. so bei der Honoratiorenverwaltung in England, welche daher am langsamsten von allen der Bürokratisierung erlegen oder zum Teil zu erliegen erst im Begriff ist. Dies ist die gleiche Erscheinung, wie etwa die, daß eine hoch und mit großen stehenden Kapitalien entwickelte Gasbeleuchtung oder Dampfeisenbahn stärkere Hemmnisse der Elektrisierung bieten, als Gebiete, die als völliges Neuland dafür erschlossen werden. –

Eine einmal voll durchgeführte Bürokratie gehört zu den am schwersten zu zertrümmernden sozialen Gebilden. Die Bürokratisierung ist *das* spezifische Mittel, „Gemeinschaftshandeln" in rational geordnetes „Gesellschaftshandeln" zu überführen. Als Instrument der „Vergesellschaftung" der Herrschaftsbeziehungen war und ist sie daher ein Machtmittel allererste Ranges für den, der über den bürokratischen Apparat verfügt. Denn unter sonst gleichen Chancen ist planvoll geordnetes und geleitetes „Gesellschaftshandeln" jedem widerstrebenden „Massen"- oder auch „Gemeinschaftshandeln" überlegen. Wo die Bürokratisierung der Verwaltung einmal restlos durchgeführt ist, da ist eine praktisch so gut wie unzerbrechliche Form der Herrschaftsbeziehungen geschaffen. Der einzelne Beamte kann sich dem Apparat, in den er eingespannt ist, nicht entwinden. Der Berufsbeamte ist, im Gegensatz zum ehren- und nebenamtlich verwaltenden „Honoratioren", mit seiner ganzen materiellen und ideellen Existenz an seine Tätigkeit gekettet. Er ist – der weit überwiegenden Mehrzahl nach – nur ein einzelnes, mit spezialisierten Aufgaben betrautes, Glied in einem nur von der höchsten Spitze her, nicht aber (normalerweise) von seiner Seite, zur Bewegung oder zum Stillstand zu veranlassender, rastlos weiterlaufender Mechanismus, der ihm eine im wesentlichen gebundene Marschroute vorschreibt. Und er ist durch all dies vor allem festgeschmiedet an die Interessengemeinschaft aller in diesen Mechanismus eingegliederten Funktionäre daran, daß dieser weiterfunktioniere und die vergesellschaftet ausgeübte Herrschaft fortbestehe. Die Beherrschten ihrerseits ferner können einen einmal bestehenden bürokratischen Herrschaftsapparat weder entbehren noch ersetzen, da er auf Fachschulung, arbeitsteiliger Fachspezialisierung und festem Eingestelltsein auf gewohnte und virtuos beherrschte Einzelfunktionen in planvoller Synthese beruht. Stellt er seine Arbeit ein oder wird sie gewaltsam gehemmt, so ist die Folge ein Chaos, zu dessen Bewältigung schwer ein Ersatz aus der Mitte der Beherrschten zu improvisieren ist. Dies gilt ganz ebenso auf dem Gebiet der öffentlichen wie der privatwirtschaftlichen Verwaltung. Die Gebundenheit des materiellen Schicksals der Masse an das stetige korrekte Funktionieren der zunehmend bürokratisch geordneten privatkapitalistischen Organisationen nimmt stetig zu, und der Gedanke an die Möglichkeit ihrer Ausschaltung wird dadurch immer utopischer. Die „Akten" einerseits und andererseits die Beamtendisziplin, d. h. Eingestelltheit der Beamten auf präzisen Gehorsam innerhalb ihrer *gewohnten* Tätigkeit werden damit im öffentlichen wie privaten Betrieb zunehmend die Grundlage aller Ordnung. Vor allem aber – so praktisch wichtig die Aktenmäßigkeit der Verwaltung ist – die „Disziplin". Der naive Gedanke des Bakuninismus: durch Vernichtung der Akten zugleich die Basis der „erworbenen Rechte" und die „Herrschaft" vernichten zu können, vergißt, daß unabhängig von den Akten die Eingestelltheit der *Menschen* auf die Innehaltung der gewohnten Normen und Reglements fortbesteht. Jede Neuordnung geschlagener und aufgelöster Truppenformationen und ebenso jede Herstellung einer durch Revolten, Panik oder andere Katastrophen zerstörten Verwaltungsordnung vollzieht sich durch einen Appell an jene bei den Beamten einerseits, den Beherrschten andererseits gezüchtete Eingestelltheit auf das gehorsame Sichfügen in jene Ordnungen, der, wenn er Erfolg hat, den gestörten Mechanismus sozusagen wieder zum „Einschnappen" bringt. Die objektive Unentbehrlichkeit des einmal bestehenden Apparats in Verbindung mit der ihm eigenen „Unpersönlichkeit" bringt es andererseits mit sich, daß er – im Gegensatz zu den feudalen, auf persönlicher Pietät ruhenden Ordnungen – sich sehr leicht bereit findet, für jeden zu arbeiten, der sich der Herrschaft über ihn einmal zu bemächtigen gewußt hat. Ein rational geordnetes Beamtensystem funktioniert, wenn der Feind das Gebiet besetzt, in dessen Hand unter Wechsel lediglich der obersten Spitzen tadellos weiter, weil es im Lebensinteresse aller Beteiligten, einschließlich vor allem des Feindes selbst, liegt, daß dies geschehe. Nachdem Bismarck im Laufe langjähriger Herrschaft seine Ministerkollegen durch Eliminierung aller selbständigen Staatsmänner in bedingungslose bürokratische Abhängigkeit von sich gebracht hatte, mußte er bei seinem Rücktritt zu seiner Überraschung erleben, daß diese ihres Amts unbekümmert und unverdrossen weiter walteten, als sei nicht der geniale Herr und Schöpfer dieser Kreaturen, sondern eine beliebige Einzelfigur im bürokratischen Mechanismus gegen eine andere ausgewechselt worden. Unter allem Wechsel der Herren in Frankreich seit der Zeit des ersten Kaiserreichs blieb der Herrschaftsapparat im wesentlichen derselbe. Indem dieser Apparat, wo immer er über die modernen Nachrichten- und Verkehrsmittel (Telegraph) verfügt, eine „Revolution" im Sinn der gewaltsamen Schaffung ganz neuer Herrschaftsbildungen rein technisch und auch durch seine innere durchrationalisierte Struktur zunehmend zur Unmöglichkeit macht, hat er – wie in klassischer Weise Frankreich demonstriert – an die Stelle der „Revolutionen" die „Staatsstreiche" gesetzt, – denn alle gelingenden Umwälzungen liefen dort auf solche hinaus. –

Es ist klar, daß die bürokratische Organisation eines sozialen, insbesondere eines politischen, Gebildes ihrerseits weitgehende wirtschaftliche Folgen haben kann und regelmäßig hat. Welche? – Das hängt naturgemäß von der ökonomischen und sozialen Machtverteilung im Einzelfall und speziell von dem Gebiet ab, welches der entstehende bürokratische Mechanismus okkupiert, von der Richtung also, welche ihm die Mächte, welche sich seiner bedienen, weisen. Sehr häufig ist eine krypto-plutokratische Machtverteilung das Ergebnis gewesen. Hinter den bürokratischen Parteiorganisationen in England und namentlich in Amerika stehen regelmäßig Parteimäzenaten, welche sie finanzieren und dadurch weitgehend zu beeinflussen vermochten. Das Mäzenatentum z. B. der Brauereien in England, der sog. schweren Industrie mit ihrem Wahlfonds und des Hansabundes mit dem seinigen in Deutschland sind bekannt genug. Auch die Bürokratisierung und soziale Nivellierung innerhalb politischer, insbesondere staatlicher Gebilde, verbunden mit der Sprengung der lokalen und feudalen, ihr entgegenstehenden Privilegien, ist in der Neuzeit sehr häufig den Interessen des Kapitalismus zugute gekommen, oft direkt im Bund mit ihm vollzogen worden. So bei dem großen historischen Bündnis der absoluten Fürstenmacht mit den kapitalistischen Interessen. Denn im allgemeinen pflegt eine rechtliche Nivellierung und die Sprengung fest gefügter lokaler, von Honoratioren beherrschter Gebilde den Bewegungsspielraum des Kapitalismus zu erweitern. Auf der anderen Seite ist aber auch eine dem kleinbürgerlichen Interesse an der gesicherten traditionellen „Nahrung" entgegenkommende, oder auch eine staatssozialistische, die privaten Gewinnchancen einschnürende, Wirkung der Bürokratisierung in verschiedenen geschichtlich weittragenden Fällen, speziell in der Antike, zweifellos und vielleicht auch bei uns als Zukunftsentwicklung zu erwarten. Die sehr verschiedene Wirkung einer im Prinzip wenigstens sehr ähnlichen politischen Organisation in Ägypten unter den Pharaonen, dann in hellenistischer, dann in römischer Zeit zeigt die sehr verschiedenen Möglichkeiten der ökonomischen Bedeutung der Bürokratisierung je nach der Richtung der sonst vorhandenen Komponenten. Die bloße Tatsache der bürokratischen Organisation allein sagt über die konkrete Richtung ihrer stets irgendwie vorhandenen wirtschaftlichen Wirkung noch nichts Eindeutiges aus, jedenfalls nicht soviel, wie sich über ihre *soziale*, mindestens relativ nivellierende Wirkung aussagen läßt. Und auch in dieser Hinsicht ist zu bedenken, daß die Bürokratie, rein an sich, ein Präzisionsinstrument ist, welches sehr verschiedenen, sowohl rein politischen wie rein ökonomischen, wie irgendwelchen anderen Herrschaftsinteressen sich zur Verfügung stellen kann. Daher darf auch das Maß ihres Parallelgehens mit der Demokratisierung, so typisch sie ist, nicht übertrieben werden. Auch feudale Herrenschichten haben jenes Instrument unter Umständen in ihren Dienst genommen, und es ist auch die Möglichkeit gegeben und vielfach, so im römischen Prinzipat und auch in manchen der Form nach absolutistischen Staatenbildungen Tatsache geworden, daß eine Bürokratisierung der Verwaltung mit *Stände*bildungen absichtsvoll verbunden oder durch die Gewalt der bestehenden sozialen Machtgruppierungen verquickt wurde. Ausdrückliche Vorbehalte von Ämtern für bestimmte Stände sind sehr häufig, faktische noch mehr. Die, sei es wirkliche, sei es vielleicht nur formale, Demokratisierung der Gesellschaft in ihrer Gesamtheit im *modernen* Sinn des Worts ist zwar ein besonders günstiger, aber durchaus nicht der einzig mögliche Boden für Bürokratisierungserscheinungen überhaupt, welche ja nur die Nivellierung der ihnen auf dem Gebiete, das sie im Einzelfall zu okkupieren trachten, im Wege stehenden Gewalten anstreben. Und sehr zu beachten ist die uns schon mehrfach begegnete und auch weiterhin noch wiederholt zu erörternde Tatsache: daß die „Demokratie" als solche trotz und wegen ihrer unvermeidlichen aber ungewollten Förderung der Bürokratisierung Gegnerin der „Herrschaft" der Bürokratie ist und als solche unter Umständen sehr fühlbare Durchbrechungen und Hemmungen der bürokratischen Organisation schafft. Stets ist also der einzelne historische Fall daraufhin zu betrachten, in welcher speziellen Richtung gerade bei ihm die Bürokratisierung verlief. –

Es soll daher hier auch unentschieden bleiben, ob gerade die modernen Staaten, deren Bürokratisierung überall fortschreitet, dabei auch ausnahmslos eine universelle Zunahme der *Macht* der Bürokratie innerhalb des Staatswesens aufweisen. Die Tatsache, daß die bürokratische Organisation das technisch höchstentwickelte Macht*mittel* in der Hand dessen ist, der über sie verfügt, besagt noch nichts darüber: welchen Nachdruck die Bürokratie als solche ihren Auffassungen innerhalb des betreffenden sozialen Gebildes zu verschaffen vermag. Und auch die stets zunehmende „Unentbehrlichkeit" des zu Millionenziffern angeschwollenen Beamtentums entscheidet darüber ebensowenig, wie z. B. – nach der Ansicht mancher Vertreter der proletarischen Bewegung – die ökonomische Unentbehrlichkeit der Proletarier das Maß ihrer sozialen oder politischen Machtstellung bestimmt: bei vorherrschender Sklavenarbeit hätte ja sonst, da die Freien unter solchen Bedingungen die Arbeit als entehrend zu scheuen pflegen, die mindestens ebenso „unentbehrliche" Sklavenschaft jene Machtstellung einnehmen müssen. Ob die Macht der Bürokratie als solcher zunimmt, ist also a priori aus solchen Gründen nicht zu entscheiden. Die Zuziehung von Interessenten oder von anderen fachkundigen Nichtbeamten oder umgekehrt von fachfremden Laienvertretern, die Schaffung beschließender lokaler oder interlokaler oder zentraler parlamentarischer oder anderer repräsentativer oder berufsständischer Organe *scheint* dem ja direkt entgegenzulaufen. Inwieweit dieser Schein Wahrheit ist, gehört im einzelnen in ein anderes Kapitel als in diese rein formale und kasuistische Erörterung. Hier kann allgemein nur etwa folgendes gesagt werden:

Stets ist die Machtstellung der vollentwickelten Bürokratie eine sehr große, unter normalen Verhältnissen eine überragende. Einerlei, ob der „Herr", dem sie dient, ein mit der Waffe der „Gesetzesinitiative", des „Referendums" und der Beamtenabsetzung ausgerüstetes „Volk", ein mit dem Recht oder der faktischen Maßgeblichkeit des „Mißtrauensvotums" ausgerüstetes, nach mehr aristokratischer oder mehr „demokratischer" Basis gewähltes Parlament oder ein rechtlich oder faktisch sich selbst ergänzendes aristokratisches Kollegium oder ein vom Volk gewählter Präsident oder ein erblicher „absoluter" oder „konstitutioneller" Monarch ist, – stets befindet er sich den im Betrieb der Verwaltung stehenden geschulten Beamten gegenüber in der Lage des „Dilettanten" gegenüber dem „Fachmann". Diese Überlegenheit des berufsmäßig Wissenden sucht jede Bürokratie noch durch das Mittel der *Geheimhaltung* ihrer Kenntnisse und Absichten zu steigern. Bürokratische Verwaltung ist ihrer Tendenz nach stets Verwaltung mit Ausschluß der Öffentlichkeit. Die Bürokratie verbirgt ihr Wissen und Tun vor der Kritik, soweit sie irgend kann. Preußische Kirchenbehörden drohen jetzt für den Fall, daß ihre an die Pfarrer gerichteten Verweise oder andere Maßregelungen von diesen überhaupt irgendwie Dritten zugänglich gemacht werden, Disziplinarmaßregeln an, weil dadurch die Möglichkeit einer Kritik an ihnen

„verschuldet" werde. Die Rechnungsbeamten des persischen Schah machten aus der Etatisierungskunst direkt eine Geheimlehre und bedienten sich einer Geheimschrift. Die preußische amtliche Statistik publiziert im allgemeinen nur, was den Absichten der machthabenden Bürokratie nicht schädlich sein kann. Die Tendenz zur Sekretierung folgt auf bestimmten Verwaltungsgebieten aus deren sachlicher Natur: überall da nämlich, wo es sich um die Machtinteressen des betreffenden Herrschaftsgebildes *nach außen* handelt: sei es gegenüber ökonomischen Konkurrenten eines Privatbetriebs, sei es, bei politischen Gebilden, um fremde, potentiell feindliche politische Gebilde. Der Betrieb der Diplomatie kann nur in sehr beschränktem Sinn und Maß ein öffentlich kontrollierter sein, wenn er Erfolg zeitigen soll. Die Militärverwaltung muß, mit Zunahme der Bedeutung des rein Technischen, zunehmend auf Sekretierung ihrer wichtigsten Maßregeln halten. Die politischen Parteien verfahren nicht anders, und zwar trotz aller ostensiblen Öffentlichkeit der Katholikentage und Parteikongresse zunehmend mit zunehmender Bürokratisierung des Parteibetriebs. Die Handelspolitik führt z. B. in Deutschland zur Sekretierung der Produktionsstatistik. Jede Kampfstellung sozialer Gebilde nach außen wirkt eben immer, rein als solche, im Sinn der Stärkung der Position der in der Macht befindlichen Gewalten. Allein weit über diese Gebiete rein sachlich motivierter Geheimhaltung wirkt das reine Machtinteresse der Bürokratie als solches. Der Begriff des „Amtsgeheimnisses" ist ihre spezifische Erfindung und nichts wird von ihr mit solchem Fanatismus verteidigt wie eben diese, außerhalb jener spezifisch qualifizierten Gebiete rein sachlich nicht motivierbare, Attitude. Steht die Bürokratie einem Parlament gegenüber, so kämpft sie aus sicherem Machtinstinkt gegen jeden Versuch desselben, durch eigene Mittel (z. B. das sog. „Enquêterecht") sich Fachkenntnisse von den Interessenten zu verschaffen: ein schlecht informiertes und daher machtloses Parlament ist der Bürokratie naturgemäß willkommener, — soweit jene Unwissenheit irgendwie mit ihren eigenen Interessen verträglich ist. Auch der absolute Monarch und in gewissem Sinne gerade er am meisten ist der überlegenen bürokratischen Fachkenntnis gegenüber machtlos. Alle zornigen Verfügungen Friedrich des Großen über die „Abschaffung der Leibeigenschaft" entgleisten, sozusagen, auf dem Wege zur Realisierung, weil der Amtsmechanismus sie einfach als dilettantische Gelegenheitseinfälle ignorierte. Der konstitutionelle König hat, wo immer er sich in Übereinstimmung mit einem sozial gewichtigen Teil der Beherrschten befindet, sehr oft einen bedeutenderen Einfluß auf den, infolge der wenigstens relativen Öffentlichkeit der Kritik an der Verwaltung auch für ihn kontrollierbareren, Gang derselben als der absolute Monarch, der auf die Informationen durch die Bürokratie selbst allein angewiesen ist. Der russische Zar des alten Regimes war selten imstande, das geringste dauernd durchzusetzen, was seiner Bürokratie mißfiel und gegen deren Machtinteressen verstieß. Seine ihm als Selbstherrscher direkt unterstellten Ministerien bildeten, wie Leroy-Beaulieu bereits sehr zutreffend bemerkt hat, ein Konglomerat von Satrapien, die sich untereinander mit allen Mitteln persönlicher Intrige bekämpften, insbesondere fortwährend mit voluminösen „Denkschriften" bombardierten, denen gegenüber der Monarch als Dilettant hilflos war. Die mit jedem Übergang zum Konstitutionalismus unvermeidliche Konzentration der Macht der Zentralbürokratie in einer Hand: ihre Unterstellung unter eine monokratische Spitze: den Ministerpräsidenten, durch dessen Hände alles gehen muß, was an den Monarchen gelangt, stellt diesen letzteren weitgehend unter die Vormundschaft des Chefs der Bürokratie, wogegen Wilhelm II. in seinem bekannten Konflikt mit Bismarck ankämpfte, um sehr bald seinen Angriff auf jenes Prinzip zurücknehmen zu müssen. Unter der Herrschaft des Fachwissens kann eben der reale Einfluß des Monarchen Stetigkeit nur noch erlangen durch den stetigen, von der zentralen Spitze der Bürokratie planvoll geleiteten Verkehr mit den Chefs der letzteren. Zugleich bindet der Konstitutionalismus die Bürokratie und den Herrscher in Interessengemeinschaft gegen das Machtstreben der Parteichefs in den Parlamenten aneinander. *Gegen* die Bürokratie aber ist der konstitutionelle Monarch eben deshalb machtlos, wenn er keine Stütze im Parlament findet. Der Abfall der „Großen des Reichs" der preußischen Minister und höchsten Reichsbeamten, hat noch im November 1918 in Deutschland einen Monarchen in annähernd die gleiche Lage gebracht, wie der auf dem Boden des Lehensstaates entsprechende Vorgang im Jahre 1056. Indessen ist dies immerhin Ausnahme. Denn die Machtstellung des Monarchen ist gegenüber bürokratischen Beamten, angesichts der stets vorhandenen avancementslustigen Anwärter, durch die er unbequeme unabhängige Beamte leicht ersetzen kann, im ganzen doch weit stärker als im Feudalstaat und auch im „stereotypierten" Patrimonialstaat. Nur ökonomisch unabhängige, d. h. besitzenden Schichten angehörige Beamte können sich, unter sonst gleichen Umständen, gestatten, den Verlust des Amts zu riskieren: Rekrutierung von besitzlosen Schichten steigert heute wie von jeher die Macht der Herren. Und nur Beamte, welche einer sozial einflußreichen Schicht angehören, mit der der Monarch als Stütze seiner Person rechnen zu müssen glaubt (wie in Preußen die sog. „Kanalrebellen"), können seinen Willen dauernd inhaltlich gänzlich paralysieren.

Überlegen ist der Sachkenntnis der Bürokratie nur die Sachkenntnis der *privat*wirtschaftlichen Interessenten auf dem Gebiet der „Wirtschaft". Diese deshalb, weil für sie die genaue Tatsachenkenntnis auf ihrem Gebiet direkt wirtschaftliche Existenzfrage ist: Irrtümer in einer amtlichen Statistik haben für den schuldigen Beamten keine direkten wirtschaftlichen Folgen, – Irrtümer in der Kalkulation eines kapitalistischen Betriebes kosten diesem Verluste, vielleicht den Bestand. Und auch das „Geheimnis" als Machtmittel ist im Hauptbuch eines Unternehmers immerhin noch sicherer geborgen als in den Akten der Behörden. Schon deshalb ist die behördliche Beeinflussung des Wirtschaftslebens im kapitalistischen Zeitalter an so enge Schranken gebunden und entgleisen die Maßregeln des Staats auf diesem Gebiete so oft in unvorhergesehene und unbeabsichtigte Bahnen oder werden durch die überlegene Sachkenntnis der Interessenten illusorisch gemacht. –

Weil spezialisierte Fachkenntnis in zunehmendem Maße Grundlage der Machtstellung der Amtsträger wird, so war die Art, wie man das Fachwissen verwerten und dabei doch nicht zu dessen Gunsten abdanken, sondern die eigene Herrenstellung wahren könne, schon früh Gegenstand der Sorge des „Herrn". Mit zunehmendem qualitativen Umsichgreifen der Verwaltungsaufgaben und damit der Unentbehrlichkeit des Fachwissens, tritt daher in sehr typischer Art die Erscheinung auf, daß der Herr mit der gelegentlichen Konsultation einzelner bewährter Vertrauensleute oder auch einer intermittierend in schwierigen Lagen zusammenberufenen Versammlung von solchen nicht mehr auskommt und sich nun – die „Räte von Haus aus" sind eine charakteristische Übergangserscheinung dazu – mit ständig tagenden *kollegial*beratenden und beschließenden Körperschaften umgibt (Conseil d'Etat, Privy Council, Generaldirektorium, Kabinett, Diwan, Tsungli-Yamen, Weiwupu usw.). Ihre Stellung ist naturgemäß höchst verschieden, je nachdem sie selbst die höchste Verwaltungsbehörde werden oder neben ihnen eine monokratische Zentralinstanz oder mehrere solche stehen, und außerdem je nach ihrem Verfahren – bei voll entwickeltem Typus tagen sie dem Grundsatz oder der Fiktion nach unter seinem Vorsitz – und es werden alle wichtigen Angelegenheiten, nach allseitiger Beleuchtung durch Referate und Korreferate der betreffenden Fachmänner und motivierte Vota anderer Mitglieder, mittelst Beschluß erledigt, den dann eine Verfügung des Herrn sanktioniert oder verwirft. Diese Art von kollegialen Behörden sind also die typische Form, in welcher der Herrscher, der zunehmend „Dilettant" wird, zugleich Fachwissen verwertet und sich – was oft unbeachtet bleibt – der steigenden Übermacht des Fachwissens zu erwehren und ihm gegenüber in seiner Herrenstellung zu behaupten trachtet. Er hält einen Fachmann durch andere im Schach und sucht sich durch jenes umständliche Verfahren selbst ein umfassendes Bild und die Gewißheit zu verschaffen, daß ihm nicht willkürliche Entscheidungen souffliert werden. Er erwartet die Garantie für ein Maximum von eigenem Einfluß dabei oft weniger von seinem persönlichen Vorsitz als von den schriftlichen, ihm vorliegenden Voten. Friedrich Wilhelm I., dessen tatsächlicher Einfluß auf die Verwaltung sehr bedeutend war, wohnte den streng kollegial geordneten Ministerialsitzungen fast nie persönlich bei, sondern gab seine Bescheide auf die schriftlichen Vorträge durch Randbemerkungen oder Erlasse, welche den Ministern durch den Feldjäger aus dem „Kabinett", nach Beratung mit den diesem angehörigen, den Herrn ganz persönlich attachierten Bediensteten, zugestellt wurden. Das Kabinett, gegen welches sich der Haß der Fachbürokratie ebenso wie, im Fall von Mißerfolgen, das Mißtrauen der Beherrschten wendet, entwickelte sich so, in gleicher Art in Rußland wie in Preußen und anderen Staaten, als die persönliche Festung, in welche sich gewissermaßen der Herrscher gegenüber dem Fachwissen und der „Versachlichung" der Verwaltung flüchtete.

Durch das Kollegialitätsprinzip versucht der Herr ferner eine Art von Synthese der Fach*spezialisten* zu einer kollektiven Einheit. Mit welchem Erfolg, ist nicht allgemein auszumachen. Die Erscheinung selbst ist sehr verschiedenen Staatsformen gemeinsam, vom Patrimonial- und Lehensstaat bis zum Frühbürokratismus. Vor allem aber ist sie dem entstehenden Fürstenabsolutismus typisch. Sie war eines der stärksten Erziehungsmittel für die „Sachlichkeit" der Verwaltung. Sie gestattete auch, durch Beiziehung sozial einflußreicher Privatleute, ein gewisses Maß von Honoratiorenautorität und privatwirtschaftlicher Sachkunde mit der Fachkenntnis der Berufsbeamten zu verbinden. Die kollegialen Instanzen waren eine der ersten Institutionen, welche den modernen Begriff einer „Behörde" als eines von der Person unabhängig perennierenden Gebildes überhaupt zur Entwicklung gelangen ließen.

Solange Fachkenntnis in Verwaltungsangelegenheiten ausschließlich Produkt langer *empirischer* Übung und die Normen der Verwaltung nicht Reglement, sondern Bestandteile der Tradition waren, war in typischer Art der Rat der *Alten*, oft unter Beteiligung der Priester, der

„alten Staatsmänner" und der Honoratioren die adäquate Form solcher, den Herrn zunächst nur beratenden Instanzen, die aber dann oft, weil sie gegenüber den wechselnden Herrschern perennierende Gebilde waren, die wirkliche Macht an sich rissen. So der römische Senat und der venezianische Rat, ebenso der athenische Areopag bis zu seiner Niederwerfung zugunsten der Herrschaft des „Demagogos". Aber von solchen Instanzen sind natürlich die hier in Rede stehenden, auf dem Boden rationaler *Fach*spezialisierung und der Herrschaft des Fachwissens entstehenden Körperschaften trotz vielfacher Übergänge dennoch als Typus scharf zu scheiden. Zu unterscheiden sind sie andrerseits von den im modernen Staat häufigen, aus privaten *Interessenten*kreisen ausgelesenen Beratungskörperschaften, bei denen nicht Beamte oder gewesene Beamte den Kern bilden. Zu unterscheiden sind sie soziologisch endlich auch von den in heutigen privatwirtschaftlichen bürokratischen Gebilden (Aktiengesellschaften) sich findenden kollegialen Kontrollinstanzen (Aufsichtsrat), obwohl diese nicht selten durch Zuziehung von Honoratioren aus Nichtinteressiertenkreisen sich ergänzen, sei es um deren Sachkenntnis willen, sei es als Repräsentations- und Reklamemittel. Denn normalerweise vereinigen diese Gebilde nicht Träger speziellen Fachwissens, sondern die ausschlaggebenden ökonomischen Hauptinteressenten, namentlich die geldgebenden Banken des Unternehmens als solche in sich und haben keineswegs nur beratene, sondern mindestens kontrollierende, sehr häufig aber tatsächlich die herrschende Stellung inne. Sie sind eher (aber auch nicht ohne Gewaltsamkeit) den Versammlungen der großen selbständigen Lehens- und Amtsträger und anderer sozial mächtiger Interessenten patrimonialer oder feudaler politischer Gebilde zu vergleichen, welche zuweilen allerdings die Vorläufer der, als Folge zunehmender Verwaltungsintensität entstehenden „Räte", noch öfter aber Vorläufer ständischer Körperschaften gewesen sind.

Von der Zentralinstanz übertrug sich jenes bürokratische Kollegialitätsprinzip sehr regelmäßig auf die verschiedensten Unterinstanzen. Innerhalb lokal geschlossener namentlich städtischer Einheiten ist, wie einleitend bemerkt, kollegiale Verwaltung urwüchsig als Form der *Honoratioren*herrschaft (durch ursprünglich gewählte, später meist mindestens teilweise kooptierte „Räte", „Magistrats-", „Dekurionen-" und „Schöffenkollegien") zu Hause. Sie sind daher normaler Bestandteil der Organisation der „Selbstverwaltung", d. h. der Erledigung von Verwaltungsaufgaben durch lokale Interessenten unter Kontrolle bürokratischer staatlicher Instanzen. Die erwähnten Beispiele des venezianischen Rats und noch mehr des römischen Senats sind

Übertragung der normalerweise auf dem Boden lokaler politischer Verbände heimischen Form der Honoratiorenherrschaft auf große Überseereiche. Innerhalb des bürokratischen Staats schwindet die Kollegienverwaltung wieder, sobald mit Fortschreiten der Verkehrsmittel und der technischen Anforderungen an die Verwaltung die Notwendigkeit rascher und eindeutiger Entschließungen und die anderen schon erörterten, zur Vollbürokratie und Monokratie drängenden Motive beherrschend in den Vordergrund treten. Vor allem aber schwindet sie, sobald die Entwicklung parlamentarischer Institutionen und, meist zugleich damit, die Zunahme und Öffentlichkeit der Kritik von außen her die geschlossene Einheitlichkeit in der Leitung der Verwaltung als das, vom Standpunkt der Herreninteressen aus, gegenüber der Gründlichkeit in der Vorbereitung ihrer Entschließungen wichtigere Element erscheinen läßt. Das durchrationalisierte Fachminister- und Präfektensystem Frankreichs hat unter diesen modernen Bedingungen bedeutende Chancen, die alten Formen überall zurückzudrängen, vermutlich ergänzt durch die schon erwähnte, immer häufiger werdende und allmählich auch formal geordnete, Zuziehung von beratenden Gremien der Interessenten aus den ökonomisch und sozial einflußreichsten Schichten. Diese letztere Entwicklung speziell, welche die konkrete Sachkenntnis der Interessenten in den Dienst der rationalen Verwaltung fachgebildeter Beamter zu stellen sucht, hat sicherlich eine bedeutende Zukunft und steigert die Macht der Bürokratie noch weiter. Es ist bekannt, wie Bismarck den Plan eines „Volkswirtschaftsrats" als Machtmittel gegen das Parlament auszuspielen suchte und dabei der ablehnenden Mehrheit – der er das Enquêterecht nach Art des englischen Parlaments nie gewährt hätte – seinerseits vorwarf: sie suche im Interesse der Parlamentsmacht das Beamtentum davor zu bewahren, daß es „zu klug" werde. Welche Stellung auf diesem Wege künftig den Interessentenverbänden als solchen noch innerhalb der Verwaltung beschieden sein kann, gehört im übrigen nicht in diesen Zusammenhang.

Erst die Bürokratisierung von Staat und Recht sieht im allgemeinen auch die endgültige Möglichkeit scharfer begrifflicher Scheidung einer „objektiven" Rechtsordnung von durch sie garantierten „subjektiven" Rechten der Einzelnen, und ebenso die Scheidung des „öffentlichen", die Beziehungen von Behörden zueinander und zu den „Untertanen" betreffenden Rechts, von „Privatrecht", welches die Beziehungen der beherrschten Einzelnen untereinander regelt. Sie setzt die begriffliche Scheidung des „Staates" als eines abstrakten Trägers von Herrenrechten und Schöpfers der „Rechtsnormen" von allen persönlichen „Befugnissen" Einzelner voraus, – Vorstellungsformen, welche dem Wesen der vorbürokratischen, speziell der patrimonialen und feudalen Herrschaftsstruktur noch fernliegen mußten. Zuerst vollziehbar und vollzogen wurde diese Vorstellung auf dem Boden städtischer Gemeinden, sobald diese ihre Amtsträger durch periodische *Wahl* bestellten, und nun der Einzelne die Herrschaft, auch die oberste, jeweilig „ausübende" Träger der Gewalt offensichtlich nicht mehr identisch war mit dem die Herrschaft als „Eigenrecht" Besitzenden. Aber erst die völlige Entpersönlichung der Amtsführung in der Bürokratie und die rationale Systematisierung des Rechts führten jene Scheidung prinzipiell durch.

Nicht analysiert werden können hier die weittragenden allgemeinen Kulturwirkungen, welche das Vordringen der rationalen bürokratischen Herrschaftsstruktur rein als solcher und ganz unabhängig von dem Gebiet, welches sie ergreift, entfaltet. Sie steht natürlich im Dienste des Vordringens des „Rationalismus" der Lebensgestaltung. Aber dieser Begriff läßt sehr verschiedenartige Inhalte zu. Ganz allgemein läßt sich nur sagen: daß die Entwicklung zur rationalen „Sachlichkeit", zum „Berufs"- und „Fachmenschentum" mit allen ihren weitverzweigten Wirkungen durch die Bürokratisierung aller Herrschaft sehr stark gefördert wird. Es kann nur ein wichtiger Bestandteil dieses Prozesses hier kurz angedeutet werden: die Wirkung auf die Art der *Erziehung* und *Bildung.* Unsere kontinentalen, okzidentalen Erziehungsanstalten, speziell die höheren: Universitäten, technische Hochschulen, Handelshochschulen, Gymnasien und andere Mittelschulen, stehen unter dem beherrschenden Einfluß des Bedürfnisses nach jener Art von „Bildung", welche das für den modernen Bürokratismus zunehmend unentbehrliche Fachprüfungswesen züchtet: der Fachschulung. Die „Fachprüfung" im heutigen Sinn fand und findet sich auch außerhalb eigentlich bürokratischer Gebilde, so heut für die „freien" Berufe des Arztes und Anwalts und in den zünftig organisierten Gewerben. Sie ist auch nicht unentbehrliche Begleiterscheinung der Bürokratisierung: die französische, englische, amerikanische Bürokratie haben ihrer lange in starkem Maß oder ganz entbehrt: die Schulung und Leistung im Parteibetrieb ersetzte sie. Die „Demokratie" steht auch der Fachprüfung, wie allen Erscheinungen der von ihr selbst geförderten Bürokratisierung in zwiespältiger Stellungnahme gegenüber: einerseits bedeutet sie oder *scheint* sie doch zu bedeuten: „Auslese" der Qualifizierten aus allen sozialen Schichten an Stelle der Honoratiorenherrschaft. Andererseits fürchtet sie von der Prüfung und dem Bildungspatent eine privilegierte „Kaste" und kämpft daher dagegen. Und endlich findet sich die Fachprüfung auch schon in vorbürokratischen oder halbbürokratischen Epochen. Ihr regelmäßiger erster geschichtlicher Standort sind *präbendal* organisierte Herrschaften. Exspektanzen auf Pfründen, zunächst geistliche – wie im islamischen Orient und im okzidentalen Mittelalter –, dann, wie namentlich in China, auch weltliche, sind der typische Preis, um dessentwillen studiert und examiniert wird. Aber diese Prüfungen haben allerdings nur zum Teil wirklichen „Fach"-Charakter. – Erst die moderne Vollbürokratisierung bringt das rationale, fachmäßige Examenswesen zur unaufhaltsamen Entfaltung. Die civil service reform importiert allmählich die Fachschulung und Fachprüfung nach Amerika und auch in alle anderen Länder dringt sie aus ihrer (in Europa) hauptsächlichen Brutstätte: Deutschland, vor. Die steigende Bürokratisierung der Verwaltung steigert ihre Bedeutung in England, der Versuch des Ersatzes des halbpatrimonialen alten Bürokratismus durch den modernen brachte sie (an Stelle des ganz andersartigen alten Examenswesens) nach China, die Bürokratisierung des Kapitalismus und sein Bedarf nach fachgeschulten Technikern, Kommis usw. trägt sie in alle Welt. Diese Entwicklung wird vor allem durch das soziale Prestige der durch Fachprüfung erworbenen Bildungspatente mächtig gefördert, um so mehr, als dieses seinerseits wieder in ökonomische Vorteile umgesetzt wird. Was die Ahnenprobe als Voraussetzung der Ebenbürtigkeit, Stiftsfähigkeit und, wo immer der Adel sozial mächtig blieb, auch der staatlichen Amtsqualifikation in der Vergangenheit war, wird heute das Bildungspatent. Die Ausgestaltung der Universitäts-, technischen und Handelshochschuldiplome, der Ruf nach Schaffung von Bildungspatenten auf allen Gebieten überhaupt, dienen der Bildung einer privilegierten Schicht in Büro und Kontor. Ihr Besitz stützt den Anspruch auf Konnubium mit den Honoratioren (auch im Kontor werden naturgemäß Vorzugschancen auf die Hand der Töchter der Chefs davon erhofft), auf Zulassung zum Kreise des „Ehrenkodex", auf „standesgemäße" Bezahlung statt der Entlohnung nach der Leistung, auf gesichertes Avancement und Altersversorgung, vor allem aber auf Monopolisierung der sozial und wirtschaftlich vorteilhaften Stellungen zugunsten der Diplomanwärter. Wenn wir auf allen Gebieten das Verlangen nach der Einführung von geregelten Bildungsgängen und Fachprüfungen laut werden hören, so ist selbstverständlich nicht ein plötzlich erwachender „Bildungsdrang", sondern das Streben nach Beschränkung des Angebotes für die Stellungen und deren Monopolisierung zugunsten der Besitzer von Bildungspatenten der Grund. Für diese Monopolisierung ist heute die „Prüfung" das universelle Mittel, deshalb ihr unaufhaltsames Vordringen. Und da der zum Erwerb des Bildungspatents erforderliche Bildungsgang erhebliche Kosten und Karenzzeiten verursacht, so bedeutet jenes Streben zugleich die Zurückdrängung der Begabung (des „Charisma") zugunsten des Besitzes, – denn die „geistigen" Kosten der Bildungspatente sind stets geringe und nehmen mit der Massenhaftigkeit nicht zu sondern ab. Das Erfordernis ritterlicher Lebensführung in der alten Lehensqualifikation wird dabei bei uns durch die Teilnahme an deren heutigen Rudimenten in dem Verbindungswesen der die Bildungspatente erteilenden Hochschulen, in den angelsächsischen Ländern durch das Sport- und Klubwesen ersetzt. Auf der anderen Seite strebt die Bürokratie überall nach der Entwicklung einer Art von „Recht am Amt" durch Schaffung eines geordneten Disziplinarverfahrens, Beseitigung der ganz arbiträren Verfügung der „Vorgesetzten" über den Beamten, sucht ihm seine Stellung, sein geordnetes Aufrücken, seine Versorgung im Alter zu sichern und wird darin durch die „demokratische", nach Minimisierung der Herrschaft verlangende, Stimmung der Beherrschten unterstützt, welche in jeder Abschwächung der arbiträren Verfügung des Herren über die Beamten eine Schwächung der Herrengewalt selbst erblicken zu können glaubt. Insofern also ist die Bürokratie, und zwar innerhalb der Kaufmannskontore wie im öffentlichen Dienst, ganz ebenso Trägerin einer spezifisch „ständischen" Entwicklung wie die ganz anders gearteten Amtsträger der Vergangenheit. Und es wurde schon früher darauf hingewiesen, daß diese ständischen Qualitäten in ihrer Art zur technischen Brauchbarkeit der Bürokratie für ihre spezifischen Aufgaben mit verwertet zu werden pflegen. Eben gegen diesen unvermeidlichen „ständischen" Charakter reagiert nun aber wiederum das Streben der „Demokratie", an Stelle der ernannten Beamten die kurzfristige Beamtenwahl und an Stelle des geordneten Disziplinarverfahrens die Beamtenabsetzung durch Volksabstimmung zu setzen, also die arbiträre Verfügung des hierarchisch übergeordneten „Herren" durch die ebenso arbiträre Verfügung der Beherrschten bzw. der sie beherrschenden Parteichefs zu ersetzen.

Das soziale Prestige auf Grund des Genusses einer bestimmten Erziehung und Bildung ist an sich durchaus nichts dem Bürokratismus Spezifisches. Im Gegenteil. Nur ruht es unter anderen Herrschaftsstrukturen auf wesentlich anderen inhaltlichen Grundlagen: in der feudalen, theokratischen, patrimonialen Herrschaftsstruktur, in der englischen Honoratiorenverwaltung, in der altchinesischen Patrimonialbürokratie, in der Demagogenherrschaft der hellenischen sogenannten Demokratie war Ziel der Erziehung und Grundlage der sozialen Schätzung, bei aller noch so großen Verschiedenheit dieser Fälle untereinander, nicht der „Fachmensch", sondern – schlagwörtlich ausgedrückt – der „kultivierte Mensch". Der Ausdruck wird hier gänzlich wertfrei und nur in dem Sinne gebraucht: daß eine Qualität der Lebensführung, die als „kultiviert" galt, Ziel der Erziehung war, nicht aber spezialisierte Fachschulung. Die, je nachdem, ritterlich oder asketisch oder (wie in China) literarisch oder (wie in Hellas) gymnastisch-musisch oder zum konventionellen angelsächsischen Gentleman *kultivierte* Persönlichkeit war das durch die Struktur der Herrschaft und die sozialen Bedingungen der Zugehörigkeit zur Herrenschicht geprägte Bildungsideal. Die Qualifikation der Herrenschicht als solcher beruhte auf einem Mehr von „Kulturqualität" (in dem durchaus wandelbaren wertfreien Sinn, der diesem Begriff hier beigelegt wurde), nicht von Fachwissen. Das kriegerische, theologische, juristische Fachkönnen wurde natürlich dabei eingehend gepflegt. Aber im hellenischen wie im mittelalterlichen wie im chinesischen Bildungsgang bildeten ganz andere als fachmäßig „nützliche" Erziehungselemente den Schwerpunkt. Hinter allen Erörterungen der Gegenwart um die Grundlagen des Bildungswesens steckt an irgendeiner entscheidenden Stelle der durch das unaufhaltsame Umsichgreifen der Bürokratisierung aller öffentlichen und privaten Herrschaftsbeziehungen und durch die stets zunehmende Bedeutung des Fachwissens bedingte, in alle intimsten Kulturfragen eingehende Kampf des „Fachmenschen"-Typus gegen das alte „Kulturmenschentum". –

Die bürokratische Organisation hat bei ihrem Vordringen nicht nur die schon mehrfach erwähnten, wesentlich negativen Hemmungen der für sie erforderlichen Nivellierung zu überwinden gehabt. Sondern mit ihr kreuzten und kreuzen sich Formen der Verwaltungsstruktur, welche auf heterogenen Prinzipien beruhen und teilweise bereits gestreift wurden. Von diesen sind hier nicht etwa alle real existierenden Typen – das würde viel zu weit führen –, aber einige besonders wichtige Struktur*prinzipien* in möglichst vereinfachtem Schema kurz zu erörtern. Nicht nur, aber stets auch unter der Fragestellung: 1. inwieweit sie ökonomischer Bedingtheit unterliegen oder etwa durch andere, z. B. rein politische, Umstände oder endlich durch eine in ihrer technischen Struktur selbst liegende „Eigengesetzlichkeit" für sie Entwicklungschancen geschaffen werden, und 2. ob und welche spezifischen ökonomischen Wirkungen sie ihrerseits etwa entfalten. Dabei muß natürlich von Anfang an die Flüssigkeit und das Ineinanderübergehen aller dieser Organisationsprinzipien im Auge behalten werden. Ihre „reinen" Typen sind ja lediglich als für die Analyse besonders wertvolle und unentbehrliche Grenzfälle zu betrachten, zwischen welchen sich die fast stets in Mischformen auftretende historische Realität bewegt hat und noch bewegt.

Die bürokratische Struktur ist überall spätes Entwicklungsprodukt. Je weiter wir in der Entwicklung zurückgehen, desto typischer wird für die Herrschaftsformen das Fehlen der Bürokratie und des Beamtentums überhaupt. Die Bürokratie ist „rationalen" Charakters: Regel, Zweck, Mittel, „sachliche" Unpersönlichkeit beherrschen ihr Gebaren. Ihre Entstehung und Ausbreitung hat daher überall in jenem besonderen, noch zu besprechenden Sinne „revolutionär" gewirkt, wie dies der Vormarsch des *Rationalismus* überhaupt auf allen Gebieten zu tun pflegt. Sie vernichtete dabei Strukturformen der Herrschaft, welche einen, in diesem speziellen Sinn, rationalen Charakter nicht hatten. Wir fragen also: welche diese waren?

Kapitel VII. Patrimonialismus.

Von den vorbürokratischen Strukturprinzipien ist nun das weitaus wichtigste die *patriarchale* Struktur der Herrschaft. Ihrem Wesen nach ruht sie nicht auf der Dienstpflicht für einen sachlichen, unpersönlichen „Zweck", und der Obödienz gegenüber abstrakten Normen, sondern gerade umgekehrt auf streng persönlichen Pietätsbeziehungen. Ihr Keim liegt in der Autorität eines Hausherrn innerhalb einer häuslichen Gemeinschaft. Seiner *persönlichen* autoritären Stellung ist gemeinsam mit der *sachlichen* Zwecken dienenden bürokratischen Herrschaft: die Stetigkeit des Bestandes, der „Alltagscharakter". Beide finden ferner ihre innere Stütze letztlich in der Fügsamkeit der Gewaltunterworfenen an „Normen". Diese sind aber bei der bürokratischen Herrschaft rational geschaffen, appellieren an den Sinn für abstrakte Legalität, ruhen auf technischer Einschulung, bei der patriarchalen dagegen ruhen sie auf der „Tradition": dem Glauben an die Unverbrüchlichkeit des immer so Gewesenen als solchen. Und die Bedeutung der Normen ist für beide grundverschieden. Bei der bürokratischen Herrschaft ist es die gesatzte Norm, welche die Legitimation des konkreten Gewalthabers zum Erlaß eines konkreten Befehls schafft. Bei der patriarchalen Herrschaft ist es die persönliche Unterwerfung unter den Herrn, welche die von diesem gesetzten Regeln als legitim garantiert, und nur die Tatsache und die Schranken seiner Herrengewalt entstammen ihrerseits „Normen", aber ungesatzten, durch die Tradition geheiligten Normen. Immer aber geht die Tatsache, daß dieser konkrete Herr eben der „Herr" ist, im Bewußtsein der Unterworfenen allen anderen voraus; und soweit seine Gewalt nicht durch die Tradition oder durch konkurrierende Gewalten begrenzt ist, übt er sie schrankenlos und nach freiem Belieben, vor allem: regelfrei. Während für den bürokratischen Beamten im Prinzip gilt: daß sein konkreter Befehl nur soweit reicht, als er sich dafür auf eine spezielle „Kompetenz", die durch eine „Regel" festgestellt ist, stützen kann. Die objektive Grundlage der bürokratischen Macht ist ihre durch spezialistische Fachkenntnis begründete technische Unentbehrlichkeit. Bei der Hausautorität sind uralte naturgewachsene Situationen die Quelle des auf Pietät ruhenden Autoritätsglaubens. Für alle Hausunterworfenen das spezifisch enge, persönliche, dauernde Zusammenleben im Hause mit seiner äußeren und inneren Schicksalsgemeinschaft. Für das haushörige Weib die normale Überlegenheit der physischen und geistigen Spannkraft des Mannes. Für das jugendliche Kind seine objektive Hilfsbedürftigkeit. Für das erwachsene Kind die Gewöhnung, nachwirkende Erziehungseinflüsse und festgewurzelte Jugenderinnerungen. Für den Knecht seine Schutzlosigkeit außerhalb des Machtbereichs seines Herrn, in dessen Gewalt sich zu fügen er von Kindheit an durch die Tatsachen des Lebens eingestellt ist. Vatergewalt und Kindespietät ruhen primär nicht auf realem Blutsband, so sehr dessen Bestehen für sie normal sein mag. Gerade die primitiv patriarchale Auffassung behandelt vielmehr, und zwar auch nach der (keineswegs „primitiven") Erkenntnis der Zusammenhänge von Zeugung und Geburt, die Hausgewalt durchaus eigentumsartig: die Kinder aller in der Hausgewalt eines Mannes, es sei als Weib oder Sklavin, stehenden Frauen gelten *ohne* Rücksicht auf physische Vaterschaft, sobald er es so will, als „seine" Kinder, wie die Früchte seines Viehs als sein Vieh. Neben Vermietung (in das mancipium) und Verpfändung von Kindern und auch Weibern ist der Kauf fremder und Verkauf eigener Kinder noch entwickelten Kulturen eine geläufige Erscheinung. Er ist geradezu die ursprüngliche Form des Ausgleichs von Arbeitskräften und Arbeitsbedarf zwischen den verschiedenen Hausgemeinschaften. So sehr, daß als Form der Eingehung eines „Arbeitsvertrags" seitens eines freien Selbständigen noch in babylonischen Kontrakten der zeitlich befristete Selbstverkauf in die Sklaverei sich findet. Daneben dient der Kindeskauf anderen, speziell religiösen Zwecken (Sicherung der Totenopfer), als Vorläufer der „Adoption".

Innerhalb des Hauses entwickelte sich allerdings eine soziale Differenzierung, sobald Sklaverei als reguläre Institution entstand und das Blutsband an Wirklichkeit gewachsen war: nun wurden die Kinder als freie Gewaltunterworfene („liberi") von den Sklaven unterschieden. Freilich galt der Willkür des Gewalthabers gegenüber die Scheidewand wenig. Darüber, wer sein Kind sein solle, entschied er allein. Er konnte im römischen Recht noch der historischen Zeit prinzipiell seinen Sklaven letztwillig zum Erbherren machen (liber et heres esto) und sein Kind als Sklaven verkaufen. Aber solange dies nicht geschah, schied den Sklaven vom Hauskind die Chance des letzteren, selbst Hausherr zu werden. Meist ist ihm diese Gewalt allerdings verwehrt oder beschränkt. Wo ferner sakrale und von der politischen Gewalt, zunächst im militärischen Interesse geschaffene Schranken der Verfügungsgewalt bestanden, galten sie nur oder doch wesentlich stärker für die Kinder. Aber diese Schranken wurden erst sehr allmählich fest.

Objektive Grundlage der Zusammengehörigkeit ist überall, im vormuhammedanischen Arabien z. B. ganz ebenso wie noch nach der Terminologie mancher hellenischen Rechte der historischen Zeit, überhaupt aber nach den meisten ungebrochen patriarchalen Rechtsordnungen, die rein tatsächliche perennierende Gemeinschaft von Wohnstätte, Speise, Trank und alltäglichen Gebrauchsgütern. Ob Inhaber der Hausgewalt auch ein Weib sein kann, ob der älteste oder (wie zuweilen in der russischen Großfamilie) der ökonomisch tüchtigste Sohn es wurde, konnte sehr verschieden geordnet sein und hing von mannigfachen ökonomischen, politischen und religiösen Bedingungen ab, ebenso, ob die Hausgewalt durch heteronome Satzung Beschränkungen erfuhr und welche, oder ob dies, wie in Rom und China, im Prinzip nicht der Fall war. Bestanden solche heteronome Schranken, so konnten diese, wie heute durchweg, kriminal- und privatrechtlich sanktioniert sein, oder nur sakralrechtlich, wie in Rom, oder, wie ursprünglich überall nur durch die Tatsache des „Brauchs", dessen unmotivierte Verletzung Unzufriedenheit der Gehorchenden und soziale Mißbilligung erregte. Auch dies war ein wirksamer Schutz. Denn alles innerhalb dieser Struktur ist letztlich immer durch die eine grundlegende Macht der „*Tradition*", des Glaubens an die Unverbrüchlichkeit des „ewig Gestrigen", festgelegt. Der Talmudsatz: „Niemals ändere der Mensch einen Brauch", ruht in seiner praktischen Wirksamkeit außer auf der durch die innere „Eingestelltheit" bedingten Macht des Gewohnten rein als solchem ursprünglich auf der Furcht vor unbestimmten magischen Übeln, welche den Neuerer selbst und die soziale Gemeinschaft, die sein Tun billigt, von Geistern, deren Interessen dadurch irgendwie berührt wurden, treffen könnten. Was dann mit Entwicklung der Gotteskonzeptionen durch den Glauben ersetzt wird: daß die Götter das Althergebrachte als Norm gesetzt haben und es deshalb als heilig schirmen würden. Die Pietät der Tradition und die Pietät gegen die Person des Herrn waren die beiden Grundelemente der Autorität. Die Macht der ersteren, auch die Herren bindenden Motive, kam den formal rechtlosen Gewaltunterworfenen, z. B. den Sklaven, zugute, deren Lage unter dem traditionsgebundenen Patriarchalismus des Orients daher wesentlich geschützter war als dort, wo sie, wie in den karthagisch-römischen Plantagen, Objekt rationaler durch jene Schranken nicht mehr gebändigter Ausnutzung wurden. –

Die patriarchale Herrschaft ist nicht die einzige auf Traditionsheiligkeit ruhende Autorität. Neben ihr steht vor allem, als selbständige Form einer normalerweise traditionellen Autorität, die *Honoratiorenherrschaft,* auf deren Eigenart wir schon gelegentlich zu sprechen kamen und noch öfter zu sprechen kommen werden. Sie besteht überall da, wo soziale Ehre („Prestige") innerhalb eines Kreises Grundlage einer Herrschaftsstellung mit autoritärer Befehlsgewalt wird – was bei weitem nicht bei jeder sozialen Ehre der Fall ist. Was sie von der patriarchalen Herrschaft scheidet, ist das Fehlen jener, mit der Zugehörigkeit zu einem Hausverband, grundherrlichen, leibherrlichen, patrimonialen Verband verknüpften und dadurch motivierten, spezifischen Pietätsbeziehungen persönlicher Art: Kindes- und Diener-Pietät. Die spezifische Autorität des Honoratioren (insbesondre des durch Vermögen, Bildungsqualifikation oder Lebensführung Ausgezeichneten im Kreise der Nachbarn) beruht dagegen gerade nicht auf Kindes- oder Diener-Pietät, sondern auf „Ehre". Wir wollen diesen Unterschied prinzipiell festhalten, obwohl natürlich hier wie immer die Übergänge gänzlich flüssige sind. Grundlage, Qualität und Tragweite der Autorität der „Honoratioren" sind untereinander sehr verschieden. Es wird davon bei gelegeneren Anlässen zu reden sein*. Jetzt aber haben wir es nur mit der patriarchalen Herrschaft, als der formal konsequentesten Strukturform einer auf Traditionsheiligkeit ruhenden Autorität, zu tun.

Bei ganz reiner Ausprägung ist die Hausherrschaft mindestens rechtlich schrankenlos und geht beim Tode oder sonstigen Wegfall des alten gleich schrankenlos auf den neuen Hausherrn über, der z. B. auch die geschlechtliche Benutzung der Weiber seines Vorgängers (eventuell also seines Vaters) einfach miterwirbt. Das Nebeneinanderstehen mehrerer Inhaber der Hausgewalt mit konkurrierender Autorität ist nicht beispiellos, aber naturgemäß selten. Die Abspaltung von Teilen der Hausgewalt, z. B. selbständige Autoritätsstellung einer Hausmutter neben der normalerweise übergeordneten Autorität kommt vor. Wo sie bestand, hing sie mit der ältesten typischen Arbeitsteilung: derjenigen zwischen den Geschlechtern, zusammen. Die weiblichen Häuptlinge, wie sie sich z. B. unter den Sachems der Indianer finden, die nicht selten vorkommenden weiblichen Nebenhäuptlinge (wie etwa die Lukakescha im Reiche des Muata Jamvo) mit ihrer in ihrem Bereich selbständigen Autorität, gehen historisch meist (wenn auch nicht immer) auf die Funktion der Frauen als ältester Trägerin der eigentlichen „Wirtschaft": der auf Bodenanbau und Speisenzubereitung ruhenden stetigen Nahrungsfürsorge zurück oder sind die Folge des durch gewisse Arten der Militärorganisation bedingten gänzlichen Ausscheidens der waffenfähigen Männer aus dem Hause.

Wir haben früher, bei Besprechung der Hausgemeinschaft, gesehen, wie deren urwüchsiger Kommunismus sowohl auf sexuellem wie auf ökonomischem Gebiet zunehmenden Schranken unterworfen wird, die „Geschlossenheit nach Innen" immer weiter um sich greift, der rationale „Betrieb" aus der kapitalistischen Erwerbsgemeinschaft des Hauses sich abgliedert und das Prinzip des „Rechnens" und des festen Anteils immer weiter um sich greift, Frau, Kinder, Sklaven persönlich und vermögensrechtlich eigne Rechte gewinnen. Das alles sind ebenso viele Einschränkungen der ungebrochenen Hausgewalt. Als Gegenpol zu der Entwicklung des aus der Erwerbswirtschaft des

---

* Vgl. unten S. 1153. (Anm. d. Herausgeb.)

Hauses entstehenden und von ihr sich aussondernden kapitalistischen „Betriebs" lernten wir ferner die gemeinwirtschaftliche Form einer inneren Gliederung des Hauses: den „Oikos" kennen. Hier haben wir jetzt diejenige Form der Herrschaftsstruktur zu betrachten, welche auf dem Boden des Oikos und damit auf dem Boden der gegliederten Hausgewalt erwachsen ist: die *patrimoniale Herrschaft*.

Zunächst nur eine Dezentralisation der Hausgemeinschaft ist es, wenn auf ausgedehntem Besitz Unfreie (auch: Haussöhne) mit eigener Behausung und eigener Familie auf Landparzellen ausgesetzt und mit Viehbesitz (daher: peculium) und Inventar ausgestattet werden. Aber gerade diese einfachste Form der Entwicklung des Oikos führt unvermeidlich zu einer inneren Abschwächung der vollen Hausgewalt. Da zwischen Hausherrn und Haushörigen Vergesellschaftungen durch verbindliche Kontrakte ursprünglich nicht stattfinden – die Abänderung des gesetzlichen Inhalts der Vatergewalt durch Kontrakt ist ja in allen Kulturstaaten auch heute noch rechtlich unmöglich – so regeln sich die inneren und äußeren Beziehungen zwischen Herren und Unterworfenen auch in diesem Fall lediglich nach dem Interesse des Herrn und der inneren Struktur des Gewaltverhältnisses. Dies Abhängigkeitsverhältnis selbst bleibt ein Pietäts- und Treueverhältnis. Eine auf solcher Grundlage beruhende Beziehung aber, mag sie auch zunächst eine rein einseitige Herrschaft darstellen, entfaltet aus sich heraus stets den Anspruch der Gewaltunterworfenen auf Gegenseitigkeit, und dieser Anspruch erwirbt durch die „Natur der Sache" als „Brauch" soziale Anerkennung. Denn während für den kasernierten Sklaven die physische Peitsche, für den „freien" Arbeiter diejenige des Lohnes und der drohenden Arbeitslosigkeit die Leistung garantiert, der Kaufsklave relativ billig zu ersetzen sein muß (sonst rentiert seine Verwendung überhaupt nicht), die Ersetzung des „freien" Arbeiters aber gar nichts kostet so lange andere Arbeitswillige da sind – ist der Herr bei dezentralisierter Ausnutzung seiner Haushörigen in weitem Maß auf deren gutwillige Pflichterfüllung und immer auf die Erhaltung ihrer Prästationsfähigkeit angewiesen. Auch der Herr „schuldet" also dem Unterworfenen etwas, zwar nicht rechtlich, aber der Sitte nach. Vor allem – schon im eignen Interesse – Schutz nach außen und Hilfe in Not, daneben „menschliche" Behandlung, insbesondere eine dem „Üblichen" entsprechende Begrenzung der Ausbeutung seiner Leistungsfähigkeit. Auf dem Boden einer nicht dem Gelderwerb, sondern der Deckung des Eigenbedarfs des Herrn dienenden Herrschaft ist eine solche Beschränkung der Ausbeutung ohne Verletzung der Interessen des Herrn namentlich deshalb möglich, weil in Ermangelung qualitativer, prinzipiell schrankenlos ausdehnbarer Bedarfsentfaltung seine Ansprüche nur quantitativ von denen der Unterworfenen verschieden sind. Und sie ist dem Herrn positiv nützlich, weil nicht nur die Sicherheit seiner Herrschaft, sondern auch deren Erträge stark von der Gesinnung und Stimmung der Untertanen abhängen. Der Unterworfene schuldet der Sitte nach dem Herrn Hilfe mit allen ihm verfügbaren Mitteln. Ökonomisch schrankenlos ist diese Pflicht in außerordentlichen Fällen, z. B. zur Befreiung von Schulden, Ausstattung von Töchtern, Auslösung aus der Gefangenschaft usw. Persönlich schrankenlos ist seine Hilfspflicht im Fall von Krieg und Fehde. Er leistet Heerfolge als Knappe, Wagenlenker, Waffenträger, Troßknecht – so in den Ritterheeren des Mittelalters und in den schwerbewaffneten Hoplitenheeren der Antike – oder auch als privater Vollkrieger des Herrn. Dies letztere galt wohl auch für die römischen Klienten, die auf precarium: ein jederzeit widerrufliches, der Funktion nach wahrscheinlich dienstlehenartiges Verhältnis, gesetzt waren. Es galt für die Parzellenpächter (coloni) schon in der Zeit der Bürgerkriege. Ebenso natürlich für die Hintersassen von Grundherren und Klöstern im Mittelalter. Ganz ebenso waren aber schon die Heere des Pharao und der orientalischen Könige und großen Grundherrn zum nicht geringen Teil patrimonial aus dessen Kolonen rekrutiert, aus dem Herrenhaushalt ausgestattet und ernährt. Gelegentlich, namentlich für den Flottendienst, aber nicht nur für ihn, finden sich Aufgebote von Sklaven, die im antiken Orient mit der Besitzmarke des Herrn versehen waren. Im übrigen leistet der Hintersasse Frohnden und Dienste, Ehrengeschenke, Abgaben, Unterstützungen, dem Rechte nach je nach Bedarf und Ermessen des Herrn, der Tatsache nach gemäß eingelebtem Brauch. Von Rechtswegen bleibt es dem Herrn natürlich unbenommen, ihn nach Gutdünken des Besitzes zu entsetzen, und auch die Sitte hält es ursprünglich für selbstverständlich, daß er über die nachgelassenen Personen und Güter nach Gutdünken verfügt. Wir wollen diesen Spezialfall patriarchaler Herrschaftsstruktur: die mittels Ausgabe von Land und eventuell Inventar an Haussöhne oder andere abhängige Haushörige dezentralisierte Hausgewalt, eine „*patrimoniale*" Herrschaft nennen.

Alles was an Stetigkeit und zunächst rein tatsächlicher Begrenzung der Willkür des Herrn in die patrimonialen Beziehungen hineinwächst, entsteht durch den zunächst rein faktischen Einfluß der Übung. An sie knüpft dann die „heiligende" Macht der Tradition an. Neben den überall sehr starken, rein tatsächlichen Reibungswiderständen gegen alles Ungewohnte als solches wirkt die Mißbilligung etwaiger Neuerungen des Hausherrn durch seine Umwelt und seine Furcht vor religiösen Mächten, welche überall die Tradition und die Pietätsverhältnisse schützen. Schließlich und nicht zuletzt aber auch seine begründete Befürchtung, daß jede starke Erschütterung des traditionellen Pietätsgefühls durch unmotivierte, als ungerecht empfundene Eingriffe in die traditionelle Verteilung von Pflichten und Rechten sich an seinen eigenen Interessen, speziell auch den ökonomischen, schwer rächen könnte. Denn der Allmacht gegenüber dem einzelnen Abhängigen steht auch hier die Ohnmacht gegenüber ihrer Gesamtheit zur Seite. So hat sich fast überall eine dem Recht nach labile, faktisch aber sehr stabile Ordnung gebildet, welche den Bereich der freien Willkür und Gnade des Herrn zugunsten des Bezirks der Bindung durch die Tradition zurückschiebt. Diese traditionelle Ordnung kann sich der Herr veranlaßt sehen in die Form einer Hof- und Dienstordnung zu bringen, nach Art der modernen Arbeitsordnungen in der Fabrik, nur daß diese rational geschaffene Gebilde zu rationalen Zwecken sind, jene Ordnungen dagegen ihre bindende Macht gerade daraus schöpfen, daß sie nicht nach dem zukünftigen Zweck, sondern nach dem von altersher Bestehenden fragen. Die erlassene Ordnung entbehrt natürlich der rechtlichen Verpflichtung für den Herrn. Wenn er aber, entweder infolge des unübersichtlichen Umfangs seines an Haushörige ausgetanen Besitzes oder wegen dessen weit zerstreuter Lage oder wegen kontinuierlicher politisch-militärischer Inanspruchnahme besonders stark auf den guten Willen derjenigen angewiesen ist, von welchen er seine Einkünfte bezieht, so kann sich im Anschluß an solche Ordnungen eine genossenschaftliche Rechtsbildung vollziehen, die eine sehr starke faktische Bindung des Herrn an seine eigenen Verfügungen entwickelt. Denn jede solche Ordnung macht die ihr Unterstellten aus bloßen Interessengenossen zu Rechtsgenossen (einerlei ob im juristischen Sinn), steigert dadurch ihr Wissen von der Gemeinsamkeit ihrer Interessen und damit die Neigung und Fähigkeit, sie wahrzunehmen, und führt dazu, daß die Gesamtheit der Unterworfenen nun dem Herrn, zunächst nur gelegentlich, dann regelmäßig als eine geschlossene Einheit gegenübertritt. Das ist ganz ebenso die Folge der „leges" (= „Statuten", nicht: „Gesetze"), die namentlich in Hadrians Zeit für die kaiserlichen Domänen erlassen wurden, wie der „Hofrechte" des Mittelalters gewesen. Bei konsequenter Entwicklung wird dann das „Weistum" des „Hofgerichts" unter Beteiligung der Hofhörigen die Quelle authentischer Interpretationen der Ordnung. Es besteht nun eine Art von „Konstitution", – nur daß eine solche im modernen Sinn der Produktion immer neuer Gesetze und der Machtverteilung zwischen Bürokratie bei der zweckvollen Reglementierung gesellschaftlicher Beziehungen dient, die Weistümer dagegen der Ausdeutung der Tradition als solcher. Nicht nur diese nur stellenweise vollendete Entwicklung, sondern schon die früheren Stadien der Stereotypierung patrimonialer Beziehungen durch die Tradition bedeuten eine starke Zerbröckelung des reinen Patriarchalismus. Ein streng traditionsgebundenes spezifisches Herrschaftsgebilde: die Grundherrschaft, entsteht, welche den Herrn und den Grundholden durch feste, einseitig nicht lösliche, Bande aneinanderknüpft. Dies in der ganzen Welt verbreitete grundlegend wichtige Institut ist in seinen Schicksalen an dieser Stelle nicht weiter zu verfolgen. –

Patrimoniale Herrschaftsverhältnisse haben als Grundlage *politischer* Gebilde eine außerordentliche Tragweite gehabt. Ägypten erscheint, wie wir sehen werden*, der Sache nach fast wie ein einziger ungeheurer patrimonial regierter Oikos des Pharao. Die ägyptische Verwaltung hat Züge von Oikenwirtschaft immer beibehalten, und das Land wurde von den Römern im wesentlichen wie eine riesige kaiserliche Domäne behandelt. Der Inkastaat und namentlich der Staat der Jesuiten in Paraguay waren vollends ausgeprägt fronhofartige Gebilde. Aber regelmäßig bilden die direkt in Form einer Grundherrschaft verwalteten Besitzungen des Fürsten nur einen Teil seines politischen Machtbereichs, der außerdem noch andre, nicht direkt als Domäne des Fürsten betrachtete, sondern nur politisch von ihm beherrschte Gebiete umfaßt. Aber auch die reale politische Macht der Sultane des Orients, der mittelalterlichen Fürsten und der Herrscher des fernen Ostens gruppierte sich dennoch um diese großen, patrimonial bewirtschafteten Domänen als Kern. In diesen letztgenannten Fällen ist das politische Gebilde als Ganzes der Sache nach annähernd identisch mit einer riesenhaften Grundherrschaft des Fürsten.

Von der Verwaltung dieser Domänen geben vor allem die Reglements der Karolingerzeit, nächst ihnen die erhaltenen Ordnungen der kaiserlichen Domänen Roms ein anschauliches Bild. In riesenhaftem Maßstabe enthielten die vorderasiatischen und hellenistischen Herrschaftsgebilde Gebietsteile, deren Bevölkerung als Grundholden oder persönliche Hörige des Monarchen galten und nach Art von Domänen von seinem Haushalt aus verwaltet wurden.

---

* Vgl. unten S. 1140. (Anm. d. Herausgeb.)

Wo nun der Fürst seine politische Macht, also seine nicht dominiale, physischen Zwang gegen die Beherrschten anwendende Herrschaft über extrapatrimoniale Gebiete und Menschen: die politischen Untertanen, prinzipiell ebenso organisiert wie die Ausübung seiner Hausgewalt, da sprechen wir von einem *patrimonialstaatlichen* Gebilde. Die Mehrzahl aller großen Kontinentalreiche haben bis an die Schwelle der Neuzeit und auch noch in der Neuzeit ziemlich stark patrimonialen Charakter an sich getragen.

Auf rein persönliche, vornehmlich private Haushaltsbedürfnisse des Herrn ist die patrimoniale Verwaltung ursprünglich zugeschnitten. Die Gewinnung einer „politischen" Herrschaft, das heißt der Herrschaft *eines* Hausherrn *über andere,* nicht der Hausgewalt unterworfene Hausherrn bedeutet dann die Angliederung von, soziologisch betrachtet, nur dem Grade und Inhalt, nicht der Struktur nach verschiedenen Herrschaftsbeziehungen an die Hausgewalt. Welches der Inhalt der politischen Gewalt ist, entscheidet sich nach sehr verschiedenen Bedingungen. Die beiden für unsere Vorstellung spezifisch politischen Gewalten: Militärhoheit und Gerichtsgewalt, übt der Herr in voller Schrankenlosigkeit, über die ihm patrimonial Unterworfenen als Bestandteil der Hausgewalt. Die „Gerichtsgewalt" des Häuptlings den nicht Hausunterworfenen gegenüber ist dagegen in allen Epochen bäuerlicher Dorfwirtschaft eine wesentlich nur schiedsrichterliche Stellung: in dem Fehlen der selbstherrlichen, Zwangsmittel anwendenden Autorität liegt auf diesem Gebiet die kenntlichste Scheidung der „bloß" politischen Herrschaft von der Hausherrschaft. Aber mit steigender Machtstellung strebt der Gerichtsherr durch Usurpation von „Bann"-Gewalten nach immer ausgeprägterer Herrenstellung bis zu, praktisch angesehen, oft völliger Gleichheit mit der prinzipiell schrankenlosen Hausgerichtsgewalt. Eine besondre politische „Militärhoheit" über nicht Haushörige oder – bei Sippenfehden – Versippte kennt die Frühzeit nur in Form der Gelegenheitsvergesellschaftung zum Raubzug oder zur Abwehr eines solchen und dann normalerweise in Unterordnung unter einen ad hoc gewählten oder erstandenen Führer, dessen Herrschaftsgewalt wir in ihrer Struktur noch erörtern werden. Die perennierende Militärhoheit eines politischen Patrimonialherrn wird dann gleichfalls nur eine dem Grade nach von der patrimonialen Heerfolgepflicht verschiedene Aufgebotsgewalt gegenüber den politisch Beherrschten. Das patrimonial verwaltete politische Gebilde selbst aber kennt als vornehmlichste Pflicht der Beherrschten gegenüber dem politischen Herrn, ganz ebenso wie eine patrimoniale Herrschaft und von ihr nur dem Grade nach verschieden, vor allem dessen rein materielle Versorgung. Zunächst dem interessierenden politischen „Gelegenheitshandeln" entsprechend, in der Form von Ehrengeschenken und Aushilfe in besonderen Fällen. Mit zunehmender Kontinuierlichkeit und Rationalisierung der politischen Herrengewalt aber in immer umfassenderem, den patrimonialen Verpflichtungen immer gleichartigerem Umfang, so daß im Mittelalter Herkunft von Pflichtigkeiten aus politischer oder aus patrimonialer Gewalt oft sehr schwer zu unterscheiden sind. In klassischer Form vollzieht sich diese Versorgung des Herren in allen auf Naturalwirtschaft angewiesenen Flächenstaaten der Antike, Asiens und des Mittelalters so, daß die Tafel, Kleidungs-, Rüstungs- und sonstigen Bedürfnisse des Herrn und seines Hofhalts als Naturallieferungen auf die einzelnen Abteilungen des Herrschaftsgebiets umgelegt sind und der Hof da, wo er jeweils sich aufhält, von den Untertanen zu unterhalten ist. Die auf Naturalleistung und Naturalabgabe rechnende Gemeinwirtschaft ist die primäre Form der Bedarfsdeckung patrimonialistischer, politischer Gebilde. Der uns überlieferte Unterschied der persischen Hofhaltung, welche für die Stadt, in welcher der König sich aufhielt, schwere Lasten bedeutete, von der geldwirtschaftlichen hellenistischen, welche für sie eine Verdienstquelle war, illustriert die ökonomische Wirkung. Mit Entwicklung des Handels und der Geldwirtschaft kann aus jener oiken-mäßigen Bedarfsdeckung des patrimonialen Herrschers ein erwerbswirtschaftlicher Monopolismus herauswachsen, wie im größten Maßstab in Ägypten, wo schon der Pharao der naturalwirtschaftlichen Frühzeit Eigenhandel trieb, die Ptolemäerzeit und erst recht die Römerherrschaft aber ein System der verschiedensten Monopole neben zahllosen Geldsteuern einführte, die an Stelle der alten leiturgischen Bedarfsdeckung der Epochen vorwiegender Naturalwirtschaft getreten waren. Denn mit Rationalisierung seiner Finanzen gleitet der Patrimonialismus unvermerkt in die Bahnen einer rationalen bürokratischen Verwaltung mit geregeltem Geldabgabesystem hinüber. Während das alte Kennzeichen der „Freiheit" das Fehlen der nur aus patrimonialen Beziehungen ableitbaren regelmäßigen Abgabenpflicht und der Freiwilligkeitscharakter der Leistungen für den Herrscher ist, müssen mit voller Entfaltung der Herrengewalt auch „freie", d. h. nicht der Patrimonialgewalt des Herren unterworfene Untertanen dazu durch leiturgische oder steuermäßige Leistungen beitragen, die Kosten seiner Fehden und Repräsentation zu bestreiten. Der Unterschied beider Kategorien drückt sich dann regelmäßig nur in der engeren und festeren Begrenzung jener Leistungen und in gewissen Rechtsgarantien für die „freien", d. h. nur politischen, Untertanen aus.

Welche Leistungen der Fürst von den extrapatrimonial, also politisch Beherrschten in Anspruch nehmen kann, hängt von seiner Macht über sie, also vom Prestige seiner Stellung und von der Leistungsfähigkeit seines Apparats ab, ist aber stets weitgehend traditionsgebunden. Ungewöhnliche und neue Leistungen zu fordern kann er nur unter günstigen Umständen wagen. Namentlich dann, wenn ihm eine Militärtruppe, über die er unabhängig von dem guten Willen der Untertanen verfügen kann, zur Seite steht.

Diese nun kann bestehen: 1. aus patrimonial beherrschten Sklaven, Deputatisten oder *Kolonen*. Tatsächlich haben schon die Pharaonen und mesopotamischen Könige, ebenso aber private große Patrimonialherren der Antike (z. B. die römische Nobilität) und des Mittelalters (die seniores) ihre Kolonen, im Orient auch Leibeigene mit eingebrannten Eigentumsmarken, als persönliche Truppe verwendet. Zu einer ständig zur Verfügung stehenden Militärmacht eigneten sich indessen wenigstens die auf Land ansässigen bäuerlichen Kolonen schon deshalb wenig, weil sie ökonomisch sich selbst und den Herren zu sustentieren hatten, also normalerweise nicht abkömmlich waren und weil ein Übermaß, d. h. eine die Tradition überschreitende Inanspruchnahme ihre lediglich traditionsgebundene Treue ins Wanken bringen konnte. Daher hat der Patrimonialfürst seine Macht über politische Untertanen regelmäßig auf eine speziell dazu gebildete, in ihren Interessen mit ihm völlig solidarische Truppe zu stützen gesucht.

Dies konnte 2. eine vom Landbau gänzlich losgelöste *Sklaven*truppe sein. Und in der Tat hatte, nach der im Jahre 833 endgültig vollzogenen Auflösung des arabisch-theokratischen, nach Stämmen gegliederten Heerbanns, dessen beutegieriger Glaubenseifer Träger der großen Forderungen gewesen war, das Khalifenreich und die meisten seiner orientalischen Zufallsprodukte sich jahrhundertelang auf Kaufsklavenarmeen gestützt. Die Abbasiden machten sich durch den Ankauf und die militärische Ausbildung türkischer Sklaven, welche, stammfremd, mit ihrer ganzen Existenz an die Herrschaft des Herrn geknüpft schienen, vom nationalen Heerbann und seiner im Frieden lockeren Disziplin unabhängig, und schufen sich eine disziplinierte Truppe. Wie alt die aus gekauften Negern bestehenden Sklaventruppen der großen Familien im Hedschas, vor allem der verschiedenen einander die Stadt Mekka streitig machenden Geschlechter waren, ist nicht sicher. Dagegen scheint sicher, daß diese Negersoldaten, im Gegensatz zu den Soldtruppen sowohl wie zu den ebenfalls als Soldaten vorkommenden Freigelassenen hier, in Mekka, tatsächlich ihren Zweck: eine ganz persönlich an den Herrn und seine Familie gekettete Truppe zu sein, erfüllt haben, während jene anderen Kategorien gelegentlich die Rolle von Prätorianern gespielt, den Herrn gewechselt und zwischen mehreren Prätendenten optiert haben. Die Zahl der Negertruppen hing bei den konkurrierenden Familien von der Größe der Einkünfte, diese direkt von dem Umfang des Grundbesitzes und indirekt von der Teilnahme an der Ausbeutung der wallfahrenden Pilger ab, eine Goldquelle, welche die in Mekka residierenden Geschlechter monopolisierten und unter sich repartierten. Ganz anders verlief dagegen die Verwendung der abessinischen Türkensklaven und der ägyptischen Kaufsklaventruppe: der Mameluken. Ihren Offizieren gelang es, die Herrschaft über die nominellen Herrscher an sich zu reißen, obwohl die Truppen, speziell in Ägypten, offiziell Sklaventruppen blieben und neben der Erblichkeit durch Ankauf ergänzt wurden, waren sie der Sache und schließlich auch dem Recht nach Pfründner, denen zuletzt das ganze Land zunächst als Pfandinhaber für ihren Sold, dann als Grundherrn zugewiesen war und deren Emire die gesamte Verwaltung beherrschten, bis das Blutbad Muhammed Ali's sie vernichtete. Die Kaufsklavenarmee setzte bedeutende Barkapitalien des Fürsten zum Ankauf voraus; außerdem war ihr guter Wille von Soldzahlung abhängig, also von Geldeinnahmen des Fürsten. Die Entwicklung, welche die seldschukkischen und mamelukischen Truppen nahmen, die Anweisung auf die Steuererträgnisse von Land und Untertanen, schließlich deren Überweisung als Dienstland an die Truppen und also die Verwandlung dieser in Grundherren, war dagegen geeignet, die Feudalisierung der Wirtschaft zu befördern. Die außerordentliche Rechtsunsicherheit der steuerzahlenden Bevölkerung gegenüber der Willkür der Truppen, denen ihre Steuerkraft verpfändet war, konnte den Verkehr und damit die Geldwirtschaft unterbinden und tatsächlich ist der Rückgang oder Stillstand der Verkehrswirtschaft im Orient seit der Seldschukkenzeit in sehr starkem Maß durch diese Umstände bedingt gewesen.

3. Die osmanischen Herrscher, bis ins 14. Jahrhundert wesentlich nur durch den anatolischen Heerbann gestützt, gingen, da dessen Disziplin und ebenso diejenige ihrer turkmenischen Söldner für die großen europäischen Eroberungen nicht ausreichten, im 14. Jahrhundert (erstmalig 1330) zu der berühmten Form der *Knabenaushebung* (Dewshirme) aus unterworfenen stammes- und glaubensfremden Völkern (Bulgaren, Beduinen, Albanesen, Griechen) für das

neugebildete Berufsheer der „Janitscharen" (jeni chai = neue Truppe) über. Im Alter von 10-15 Jahren alle 5 Jahre, zuerst in Zahl von 1 000, dann in steigendem Umfang (Sollstärke zuletzt 135 000 Mann) ausgehoben, wurden die Knaben etwa 5 Jahre gedrillt und im Glauben unterrichtet (aber ohne direkten Glaubenszwang), dann in die Truppen eingereiht. Der ursprünglichen Regel nach sollten sie ehelos und asketisch unter dem Patronat des Bektaschiordens, dessen Gründer der Schutzheilige war, in Baracken und von der Teilnahme am Handel ausgeschlossen leben, waren nur der Gerichtsbarkeit der eigenen Offiziere unterstellt und auch sonst hochprivilegiert, hatten Offiziersavancement nach der Anciennität, Alterspension, wurden bei eigener Waffengestellung durch Tagesgelder im Feldzug entlohnt, waren dagegen im Frieden auf bestimmte, gemeinsam verwaltete Einkünfte angewiesen. Die hohen Privilegien machten die Stellen begehrenswert, auch Türken suchten ihre Kinder anzubringen. Die Janitscharen andererseits versuchten sie für ihre eigenen Familien zu monopolisieren. Die Folge war, daß der Eintritt zunächst auf Verwandte, dann auf Kinder der Janitscharen beschränkt wurde und die Dewshirme seit Ende des 17. Jahrhunderts praktisch wegfiel (letzte – nicht durchgeführte – Anordnung 1703). Die Janitscharentruppe war der wichtigste Träger der großen europäischen Expansion von der Eroberung Konstantinopels bis zur Belagerung Wiens, aber ein Korps von derart rücksichtsloser Gewalttätigkeit und den Sultanen selbst so oft gefährlich, daß 1825 auf Grund eines Fetwa des Scheich-ul-Islam, wonach die Gläubigen den Kriegsdienst lernen sollten, eine auf Aushebung unter den Moslems beruhende Truppe errichtet und die revoltierenden Janitscharen in einem gewaltigen Blutbad vernichtet wurden.

4. Die Verwendung von *Söldnern*. Diese war zwar an sich nicht notwendig an Geldformen des Soldes gebunden. In der Frühzeit der Antike finden sich Söldner auch bei stark vorwiegender naturalwirtschaftlicher Entlohnung. Aber das Lockende war doch immer der Teil des Soldes, der in Edelmetall geleistet wurde. Der Fürst mußte also, ebenso wie bei den Kaufsklavenarmeen für deren Ankauf über einen Schatz, so für die Söldner über laufende Betriebsmittel in Form von Geldeinnahmen verfügen, entweder indem er Eigenhandel oder Eigenproduktion für den Absatz trieb, oder indem er von den Untertanen, auf die Söldner gestützt, Geldabgaben erhob, um diese damit zu entlohnen. In beiden Fällen, namentlich aber im letzteren, mußte also Geldwirtschaft bestehen. Wir finden denn auch in den Staaten des Orients, und mit Beginn der Neuzeit auch im Okzi-

dent, die charakteristische Erscheinung: daß mit steigender Geldwirtschaft sich die Chancen der Militärmonarchien eines auf Söldner gestützten Despoten wesentlich steigern. Im Orient blieb sie seitdem
geradezu die nationale Herrschaftsform, im Okzident haben die Signoren der italienischen Städte ebenso wie seinerzeit die antiken Tyrannen und weitgehend auch „legitime" Monarchen ihre Machtstellung auf Soldtruppen gestützt. Die Soldtruppen waren naturgemäß
dann am engsten durch Interessensolidarität mit der Herrschaft des
Fürsten, verknüpft, wenn sie den Untertanen gänzlich stammfremd
gegenüberstanden, mit ihnen also gegenseitigen Anschluß weder suchen noch finden konnten. Tatsächlich haben die Patrimonialfürsten
denn auch ganz regelmäßig, von den Krethi und Plethi (Kretern und
Philistern) Davids bis zu den Schweizern der Bourbonen mit Vorliebe Landfremde für ihre Leibwache geworben. Fast aller radikale
„Despotismus" ruhte auf solcher Basis.

Oder 5. der Patrimonialfürst stützt sich auf Leute, welche ganz
wie die Grundholden mit *Landlosen beliehen* waren, aber statt wirtschaftlicher nur militärische Dienste zu leisten hatten und im übrigen
Privilegien ökonomischer oder anderer Art genossen. Die Truppen
der altorientalischen Monarchen hatten zum Teil diesen Charakter,
so namentlich die sog. Kriegerkaste Ägyptens, die mesopotamischen
Lehenskrieger und die hellenistischen Kleruchen, in der Neuzeit die
Kosaken. Dies Mittel, sich auf diese Weise eine persönliche Militärmacht zu verschaffen, stand natürlich auch anderen, nicht fürstlichen
Patrimonialherren offen und wurde von ihnen verwendet, wovon wir
noch bei Erörterung der „plebejischen" Spielarten des Feudalismus
zu reden haben*. Auch solche Truppen standen mit besonderer Zuverlässigkeit dann zur Verfügung, wenn sie der Umwelt gegenüber
stammfremd, also mit der Herrschaft des Fürsten in ihrer ganzen
Existenz verknüpft waren. Auch die Landbeleihung ist daher oft gerade an Landfremde erfolgt. Doch gehört die Stammfremdheit keineswegs zu den unbedingten Notwendigkeiten.

Denn 6. die Interessensolidarität der dem Fürsten als Berufskrieger, als „Soldaten" also, verpflichteten Schicht mit ihm war auch ohnedies tragfähig genug und ließ sich durch die Art der Auswahl der
Truppen – wie bei den Janitscharen – oder durch privilegierte Rechtsstellung gegenüber den Untertanen erheblich steigern. Der Patrimonialfürst hat da, wo er sein Heer nicht aus Stammfremden oder Pa-

---

* Vgl. unten S. 1166. (Anm. d. Herausgeb.)

riakasten, sondern aus Untertanen – also durch „*Aushebung*" – rekrutierte, ziemlich allgemein bestimmte Maximen sozialen Charakters befolgt. Fast immer sind die bestehenden Schichten, in deren Hand soziale und ökonomische Macht lag, von der Rekrutierung zum „stehenden Heer" ausgenommen oder ist ihnen die Möglichkeit und damit der regelmäßig befolgte Anreiz gegeben worden, sich davon durch Loskauf zu befreien. Der Patrimonialfürst stützte sich insofern also in seiner Militärmacht regelmäßig auf die besitzlosen oder doch die nichtprivilegierten, namentlich die ländlichen Massen. Er entwaffnete so seine möglichen Konkurrenten um die Herrschaft, während umgekehrt das Honoratiorenheer, sei es das Heer einer Stadtbürgerschaft oder eines Stammesverbandes von Vollfreien, regelmäßig die Waffenpflicht und damit die Waffenehre zum Privileg einer Herrenschicht macht. Dieser Auslese aus den negativ Privilegierten, namentlich den ökonomisch negativ privilegierten Schichten pflegte ein ökonomischer Sachverhalt in Kombination mit einer militär-technischen Entwicklung unterstützend entgegenzukommen. Nämlich einerseits die mit zunehmender Intensität und Rationalisierung des ökonomischen Erwerbes zunehmende ökonomische Unabkömmlichkeit, andererseits die mit zunehmender Bedeutung der militärischen Einschulung zunehmende Umwandlung der Kriegstätigkeit zu einem dauernden „Beruf". Beides konnte unter bestimmten ökonomischen und sozialen Voraussetzungen zur Entwicklung eines Honoratiorenstandes geschulter Krieger führen: das Feudalheer des Mittelalters ebenso wie das Hoplitenheer der Spartaner waren solche Erscheinungen. Beide beruhten letztlich auf der ökonomischen Unabkömmlichkeit der Bauern und einer der kriegerischen Schulung einer Herrenschicht entsprechenden Art von Kriegstechnik. Aber das patrimonialfürstliche Heer beruht umgekehrt auf der Voraussetzung: daß auch die besitzenden Schichten ihrerseits ökonomisch unabkömmlich waren oder wurden, wie etwa das kaufmännische und gewerbliche Bürgertum der antiken und mittelalterlichen Städte, und daß diese Unabkömmlichkeit in Verbindung mit der Militärtechnik und dem politischen Bedürfnis des Herrn nach einem stehenden Heer die Aushebung von „Soldaten" für den dauernden Dienst, nicht zu Gelegenheitsfeldzügen, erforderte. Daher finden wir die Entstehung des Patrimonialismus und der Militärmonarchie nicht nur als Konsequenz rein politischer Umstände: der Vergrößerung des Herrschaftsgebietes und des dadurch entstehenden Bedürfnisses nach dauerndem Grenzschutz (so im Römerreich), sondern sehr oft auch als Folge ökonomischer Wandlungen: der zunehmenden Rationalisierung der Wirtschaft, in Verbindung also mit einer berufsmäßigen Spezialisierung und Scheidung zwischen „Militär"- und „Zivil"-Untertanen, wie sie der Spätantike und dem modernen Patrimonialstaat in gleicher Weise eignete. Die ökonomisch und sozial privilegierten Schichten aber pflegt alsdann der Patrimonialfürst in der Form in sein Interesse zu ziehen, daß ihnen die leitenden Beamtenstellungen in dem zu disziplinierten und geschulten Dauerverbänden („Truppenkörpern") zusammengeschlossenen und gegliederten stehenden Heer zur ausschließlichen Besetzung offengehalten werden, die nun ebenfalls einen spezifischen „Beruf" mit sozialen und ökonomischen Chancen nach Art der bürokratischen Beamten darbieten. Statt Honoratiorenkrieger zu sein, werden sie nun in eine berufsmäßige „Offiziers"-Laufbahn eingegliedert und mit ständischen Privilegien ausgestattet.

Ein entscheidender Bestimmungsgrund endlich für den Grad, in welchem das fürstliche Heer „patrimonialen" Charakter hat, das heißt: rein persönliches Heer des Fürsten ist und ihm also auch *gegen* die eigenen politisch beherrschten Stammesgenossen zur Verfügung steht, ist vor allem ein rein ökonomischer Sachverhalt: die Equipierung und Verpflegung des Heeres aus Vorräten und Einkünften des Fürsten. Je vollständiger dieser Tatbestand vorliegt, desto unbedingter befindet sich das in diesem Fall ohne den Fürsten zu jeder Aktion unfähige, in seiner ganzen militärischen Existenz auf ihn und seinen nicht militärischen Beamtenapparat angewiesene Heer in seiner Hand, wobei natürlich mannigfache Übergänge zwischen einem solchen reinen Patrimonialheer und den auf Selbstequipierung und Selbstverpflegung beruhenden Heeresformen existiert haben. Die Beleihung mit Land bildet z. B., wie wir sehen werden, eine Form der Abwälzung der Ausrüstungs- und Unterhaltslasten vom Herrn auf den Soldaten selbst, damit aber auch, unter Umständen eine empfindliche Abschwächung seiner Verfügungsgewalt. –

Nun aber beruht fast nirgends die politische Herrengewalt des Patrimonialfürsten ausschließlich auf der Furcht vor seiner patrimonialen Militärmacht. Gerade wo dies am meisten der Fall war, bedeutete es im Effekt, daß er dann auch seinerseits von diesem Heer so stark abhängig wurde, daß die Soldaten, – beim Tode des Herrn, bei unglücklichen Kriegen und in ähnlichen Fällen, – sich einfach verliefen oder auch direkt streikten, Dynastien ein- und absetzten, durch Donative und Versprechungen hohen Lohnes für den Fürsten stets neu gewonnen werden mußten und auch ihm abspenstig gemacht werden konnten, wie dies im Römerreich die Folge des severischen

Militarismus und im orientalischen Sultanismus eine regelmäßige Erscheinung war. Der plötzliche Zusammenbruch patrimonialfürstlicher Gewalten und ihre ebenso plötzliche Neuentstehung, eine starke Labilität der Herrschaftsverbände also, war die Folge davon. Im Höchstgrade war dies das Schicksal der Herrscher in dem klassischen Gebiet der Patrimonialheere: dem vorderasiatischen Orient, der zugleich die klassische Stätte des „Sultanismus" war.

In aller Regel aber ist der politische Patrimonialherr mit den Beherrschten durch eine Einverständnisgemeinschaft verbunden, welche auch unabhängig von einer selbständigen patrimonialen Militärgewalt besteht und auf der Überzeugung beruht, daß die *traditionell* geübte Herrengewalt das legitime Recht des Herren sei. Der von einem Patrimonialfürsten in diesem Sinne „legitim" Beherrschte soll also hier „politischer Untertan" heißen. Seine Stellung unterscheidet sich von der des freien Ding- und Heergenossen dadurch, daß er für politische Zwecke steuer- und dienstpflichtig ist. Von der des patrimonialen leibherrlichen Hintersassen unterscheidet sie sich zunächst durch die wenigstens im Prinzip bestehende Freizügigkeit, die er mit dem freien, also nur grundherrlich, nicht leibherrlich abhängigen Hintersassen teilt. Ferner dadurch, daß seine Dienste und Steuern im Prinzip traditionelle, also fest bemessene sind, ebenfalls wie beim Grundholden. Von beiden aber dadurch, daß er über seinen Besitz, und zwar im Gegensatz zum freien Grundholden einschließlich seines Grundbesitzes, soweit frei verfügen kann, als die geltende Ordnung dies überhaupt zuläßt und daß er ihn nach allgemeiner Regel vererbt, sich ohne Konsens des Herrn verheiraten kann und nicht vor dem grundherrlichen oder Hausbeamten, sondern vor einem der verschiedenen Gerichte Recht nimmt, soweit er nicht zur Selbsthilfe durch Fehde greift, wozu er, solange kein allgemeiner Landfriede die Fehde verbietet, als berechtigt gilt. Denn im Prinzip steht ihm das eigene Waffenrecht zu. Und damit auch die eigene Waffenpflicht. Diese aber wird hier zu einer Aufgebotspflicht gegenüber dem Fürsten. Trotz der überwiegenden Bedeutung anfangs der Lehens- und später der Soldheere schärfen die englischen Könige den politischen Untertanen die Pflicht des eigenen Waffenbesitzes und der Selbstequipierung, abgestuft nach dem Vermögen, ein. Und bei den aufrührerischen deutschen Bauern des 16. Jahrhunderts spielte der überkommene eigene Waffenbesitz noch eine Rolle. Nur stand diese „Miliz" der bloß politischen Untertanen prinzipiell lediglich zu traditionellen Zwecken, als Landwehr also, zu Gebote, nicht aber zu beliebigen Fehden des Patrimonialfürsten. Auch das Berufs- oder Patrimonialheer des Fürsten konnte, obwohl der Form nach Soldheer, dennoch der Sache nach, wenn es tatsächlich aus den Untertanen rekrutiert war, dem Charakter eines Milizaufgebotes, und andererseits konnte die Untertanenmiliz gelegentlich dem Berufsheer nahekommen. Die Schlachten im hundertjährigen Krieg sind neben den Rittern sehr stark durch die englische freibäuerliche Yeomanry mit geschlagen worden und sehr viele Heere von Patrimonialfürsten nahmen eine Mittelstellung zwischen Patrimonialheer und Aufgeboten ein. Je mehr aber solche Streitkräfte Aufgebote und je weniger sie spezifisch patrimoniale Eigenheere des Fürsten waren, desto fester war der Fürst in der Art seiner Verwendung beschränkt und vor allem, indirekt, in seiner politischen Macht gegenüber den Untertanen an die Tradition gebunden, zu deren Verletzung ein Aufgebotsheer ihm nicht unter allen Umständen Beihilfe geleistet hätte. Es war daher geschichtlich nicht gleichgültig, daß die englische militia etwas anderes war als ein patrimoniales Heer des Königs, daß sie vielmehr auf dem Waffenrecht des freien Mannes ruhte. Die militia ist zum guten Teil militärische Trägerin der großen Revolution gegen die traditionsverletzenden Steueransprüche der Stuarts gewesen und um die Herrschaft über die militia drehten sich zuletzt, in diesem Punkt unausgleichbar, die Verhandlungen Karls I. mit dem siegreichen Parlament.

Die durch politische Herrschaft bedingte Steuer- und Fronpflicht der Untertanen war im Gegensatz zur grund- und leibherrlichen nicht nur quantitativ regelmäßig durch Tradition eindeutiger und fester begrenzt, sondern sie wurde auch juristisch davon geschieden. In England z. B. lastete die „trinoda necessitas": 1. Festungs-, 2. Wege- und Brückenbau, 3. Heereslast auf dem Besitze der Freien als solchen im Gegensatz zu den Hintersassen. In Süd- und Westdeutschland wurde die gerichtsherrliche Fron noch im 18. Jahrhundert von den aus der Leibherrschaft folgenden Pflichtigkeiten gesondert und war dort, nach Verwandlung der Leibherrschaft in einen Rentenanspruch, die einzige überhaupt noch bestehende persönliche Fronpflicht. Die Traditionsgebundenheit der Lasten des freien Mannes aber gilt überall. Die traditionswidrig, kraft besonderer Verfügung, der sich die Untertanen mit oder ohne besonderes Übereinkommen mit dem Herrn gefügt hatten, von ihm erhobenen Steuern behielten oft in ihrem Namen (Ungeld oder Maletolte) das Kennzeichen ihrer ursprünglich abnormen Herkunft. Aber freilich liegt es an sich in der Tendenz der Patrimonialherrschaft, die extrapatrimonialen politischen Untertanen ebenso schrankenlos der Herrengewalt zu unterwerfen wie die patrimonialen und alle Herrschaftsbeziehungen als einen persönlichen, der Hausgewalt und dem Hausbesitz entsprechenden Besitz des Herren zu behandeln. Es war im ganzen eine Frage der Machtlage, neben der eigenen Militärmacht vor allem auch, wie später zu erwähnen sein wird, der Art und Macht bestimmter religiöser Einflüsse, wie weit dies gelang*. Einen Grenzfall in dieser Hinsicht stellte das neue Reich in Ägypten und auch noch das Ptolemäerreich dar, wo der Unterschied von Königskolonen und freien Bodenbesitzern, Königsdomänen und anderem Lande praktisch so gut wie verschwunden war.

Die Art nun, wie der Patrimonialfürst die Untertanenleistungen sich sichert, zeigt neben Zügen, die denen in anderen Formen der Herrschaft verwandt sind, auch Besonderheiten. Namentlich ist zwar dem Patrimonialfürstentum nicht ausschließlich eigen, wohl aber bei ihm am höchsten entwickelt, die *leiturgische* Deckung des politischen und ökonomischen Herrenbedarfs. Form und Wirkung können verschieden sein. Hier interessieren uns diejenigen Vergesellschaftungen der Untertanen, welche aus dieser Quelle entstehen. Immer bedeutet für den Herrn die leiturgische Organisation der Bedarfsdeckung eine Sicherung der ihm geschuldeten Pflichtigkeiten durch die Schaffung von dafür haftbaren heteronomen und oft heterokephalen Verbänden. Wie die Sippe für die Schuld der Sippengenossen, so haften nun diese Verbände dem Fürsten für die Pflichtigkeiten aller einzelnen. Tatsächlich waren z. B. bei den Angelsachsen die Sippen die ältesten Verbände, an welche der Herr sich hielt. Sie schuldeten ihm die Garantie der Obödienz ihrer Glieder. Daneben trat die solidarische Haftung der Dorfgenossen für die politischen und ökonomischen Pflichtigkeiten der Dorfinsassen. Wir sahen früher, wie daraus die erbliche Bindung der Bauern an das Dorf als Konsequenz folgen und wie das Recht des Einzelnen auf Teilnahme am Bodenbesitz dadurch eine Pflicht zur Teilnahme an der Herauswirtschaftung des Bodenertrags und damit im Interesse auch der dem Herrn geschuldeten Abgaben werden konnte.

Die radikalste Form leiturgischer Sicherungen ist nun die Übertragung dieser Art von erblicher Gebundenheit des Bauern an seine Funktionen auf andere Berufsverbände: Haftbarmachung also der zu diesem Zweck vom Herrn geschaffenen oder als zu Recht bestehend anerkannten und obligatorisch durchgeführten Zünfte, Gilden und anderer Berufseinungen für spezifische Fronden oder Abgaben

---

* Vgl. dazu oben die „Religionssoziologie" (passim). (Anm. d. Herausgeb.)

ihrer Angehörigen. Als Entgelt dafür und vor allen Dingen im eigenen Interesse der Erhaltung der Prästationsfähigkeit pflegt der Herr die betreffenden gewerblichen Betriebe für die Mitglieder dieser Verbände zu monopolisieren und den Einzelnen und seinen Erben mit seiner Person und seinem Besitz an die Mitgliedschaft zu binden. Die dergestalt garantierten Pflichtigkeiten können sowohl Leistungen sein, welche im Bereich des betreffenden spezifischen Gewerbes liegen: z. B. Beschaffung und Reparatur von Kriegsmaterial, als auch andere, z. B. gewöhnliche militärische oder steuerliche Leistungen. Man hat gelegentlich angenommen, daß auch die indischen Kasten wenigstens teilweise leiturgischen Ursprungs seien, doch spricht vorerst kein hinlänglich großes Material dafür. Ebenso ist es sehr zweifelhaft, wie weit die Heranziehung der frühmittelalterlichen Zünfte zu militärischen und anderen politischen oder spezifischen Leistungen und ihre Konstituierung als Offiziat ein wirklich wesentlicher Faktor bei der sehr universellen Verbreitung des Zunftwesens gewesen sei. Im ersten Fall sind jedenfalls magisch-religiöse und ständische neben rassenmäßigen Unterschieden, im letzteren freie Einungen das Primäre gewesen. Dagegen ist im übrigen der leiturgische Zwangsverband eine sehr allgemein verbreitete Erscheinung gewesen. Zwar keineswegs nur in Patrimonialherrschaften, aber allerdings gerade in ihnen häufig mit der rücksichtslosesten Konsequenz durchgeführt. Denn ihnen liegt die Auffassung des Untertanen als eines für den Herrn und die Deckung seines Bedarfs existierenden Wesens besonders nahe, daher auch die Auffassung, daß die Bedeutung seiner ökonomischen Berufstätigkeit für die Fähigkeit entsprechender leiturgischer Dienste an den Herrn die Ratio seiner Existenz sei. Besonders im Orient: in Ägypten und teilweise im Hellenismus, dann wieder im spätrömischen und byzantinischen Reich war demgemäß die leiturgische Bedarfsdeckung vorherrschend. Minder konsequente Durchführungen finden sich aber auch im Okzident und haben z. B. in der englischen Verwaltungsgeschichte eine erhebliche Rolle gespielt. Die leiturgische Bindung pflegt hier keine erhebliche Fesselung der Person, sondern wesentlich eine solche des Besitzes, speziell des Grundbesitzes zu sein. Gemeinsam mit den orientalischen Leiturgien aber ist ihr das Bestehen eines garantierenden Zwangsverbandes mit solidarischer Haftung für die Pflichtigkeiten aller Einzelnen einerseits und die mindestens faktische Verknüpfung mit einer Monopollage andererseits. Dahin gehört zunächst das Institut der Friedensbürgschaft (in England „frank-pledge"): der zwangsweisen kollektiven Bürgschaft der Nachbarn für das polizeiliche und politische Wohlverhalten jedes einzelnen von ihnen. Sie findet sich in Ostasien (China und Japan) ebenso wie in England. Zum Zwecke der polizeilichen Friedensgarantie waren die Nachbarn in Japan in Fünferverbände, in China in Zehnerverbände gegliedert und registriert und wurden solidarisch für einander haftbar gemacht. Ansätze zu einer entsprechenden Organisation waren in England schon in vornormannischer Zeit vorhanden. Die normannische Verwaltung aber arbeitete umfassend mit dem Mittel der Bildung solcher Zwangsverbände. Das Erscheinen des Verklagten vor Gericht, die Auskunfterteilung der Nachbarn über kriminelle Schuld und Unschuld, aus der sich die Jury entwickelt hat, das Erscheinen als Urteilsfinder im Gericht und die Urteilsfällung selbst, die Milizgestellung, die militärische trinoda necessitas und später die verschiedensten anderen öffentlichen Lasten wurden unter solidarischer Strafhaftung der Beteiligten Zwangsverbänden auferlegt, die wenigstens zum Teil eigens zu diesem Zweck gebildet wurden, und innerhalb deren vornehmlich der Grundbesitz für die auferlegte Verpflichtung haftbar gemacht wurde. Die Verbände strafte der König sowohl pro falso iudicio als wegen sonstiger Verstöße gegen die unter ihre Kollektivhaft gestellten öffentlichen Pflichten. Sie ihrerseits wieder hielten sich an Person und Besitz ihrer Mitglieder und die politischen Lasten wurden so ganz regelmäßig als mit dem greifbarsten Besitz, dem Grund und Boden der einzelnen verknüpft gedacht. Von dieser Funktion aus sind die leiturgischen Zwangsverbände später die Quelle der englischen Kommunalverbände und damit des self government geworden, hauptsächlich auf dem doppelten Wege, daß 1. die Subrepartition der vom Herrn geforderten Pflichtigkeiten ihre innere, autonom geordnete Angelegenheit wurde, und daß 2. gewisse ihnen obliegende, aber nur von besitzenden Mitgliedern zu erfüllende und daher auf diese abgewälzte Pflichten wegen des Einflusses, den sie gewährten, zu ständischen Rechten der betreffenden Schichten wurden, welche sie nun für sich monopolisierten. So das Friedensrichteramt. Im übrigen aber hatte jede politische Verpflichtung innerhalb patrimonialer Verwaltung die naturgemäße Tendenz zu einer auf konkreten Vermögensobjekten, vor allem Grundstücken, daneben etwa Werkstätten und Verkaufsstellen, lastenden festen Leistungspflicht zu werden, die sich von der Person des Pflichtigen ganz loslöste. Dies mußte überall da geschehen, wo die leiturgische Kollektivpflicht nicht auch die Person als solche erblich band, sobald die von ihr belasteten Objekte veräußerlich blieben oder wurden. Denn der Herr hatte dann im allgemeinen keine Wahl, als sich für die Erfüllung seiner Forderungen an das zu halten, was dauernd sichtbar und für ihn greifbar blieb: an die „visible profitable property", wie es in England hieß, und das waren eben wesentlich Grundstücke. Es erforderte ja einen sehr bedeutenden Zwangsapparat des Herrn, um auch der pflichtigen Personen jeweils direkt habhaft zu werden und eben darauf beruhte das System der Zwangsverbände, welches diese Aufgabe jenen zuschob. Aber auch für sie bestanden, wenn kein Zwangsapparat des Herrn ihnen zur Seite stand, die gleichen Schwierigkeiten. – Eine leiturgische Bedarfsdeckung konnte also im Effekt in sehr verschiedene Gestaltungen ausmünden: im einen Grenzfall in eine dem Herrn gegenüber weitgehend selbständige lokale Honoratiorenverwaltung, verbunden mit einem System von traditionell der Höhe und Art nach gebundenen und je auf spezifischen Vermögensobjekten haftenden spezifischen Lasten. Im anderen Grenzfall in eine universelle persönliche Patrimonialhörigkeit der Untertanen, welche den Einzelnen an die Scholle, den Beruf, die Zunft, den Zwangsverband erblich band, und die Untertanen dabei, innerhalb höchst labiler Schranken, welche letztlich nur durch die Rücksicht auf deren dauernde Prästationsfähigkeit sich bestimmten, ganz willkürlichen Forderungen des Herrn aussetzte. Je entwickelter technisch die eigene patrimoniale Machtstellung des Herrn und vor allem seine patrimoniale Militärmacht war, deren er gegebenenfalls auch gegen die politischen Untertanen sicher sein konnte, desto mehr konnte der zweite Typus: das universelle Untertanenverhältnis, durchgesetzt werden. Die Mehrzahl der Fälle lag naturgemäß in der Mitte zwischen beiden. Von der Bedeutung und Art der Militärmacht des Herrn, seines Patrimonialheeres also, soll später die Rede sein. Neben dem Heer aber war Art und Grad der Entwicklung des amtlichen Zwangsapparats, über den er verfügte, von Bedeutung für Art und Maß der Inanspruchnahme der Untertanen, welche er technisch durchsetzen konnte. Und stets war es weder möglich, noch, wenn der Herr ein Optimum von persönlicher Machtstellung erstrebte, für ihn zweckmäßig, alle Dienste, deren er benötigte, die Form von durch Kollektivhaft gesicherten Leiturgien annehmen zu lassen. Er bedurfte unter allen Umständen eines *Beamtentums*.

Schon die großen Domänengebilde, die des Fürsten, die also im einfachsten Fall einen Herrenhofhalt mit einem Komplex von grundherrlich abhängigen Besitzungen und diesen Besitzungen dauernd zugehörigen Grundholdenhaushalten umfassen, erfordern eine organisierte „Verwaltung" und also, je größer ihr Umkreis wird, desto mehr: zweckmäßige Funktionsteilung. Erst recht die angegliederte politische Verwaltung. Es entstehen dadurch die *patrimonialen Ämter*.

Die Kronämter, welche aus der Haushaltsverwaltung stammten, finden sich in irgendwie ähnlicher Art durch die ganze Welt wieder: neben dem Hauspriester und eventuell Leibarzt vor allem die Leiter der ökonomischen Verwaltungszweige: Aufseher über Speisevorräte und Küche (Truchseß), über den Keller (Kellermeister und Mundschenk), über die Stallungen (Marschall, Connetable = comes stabuli), über das Gesinde und die Vasallen (Hausmeier), über die Frondienstpflichtigen (Fronvogt), über die Kleidungs- und Rüstungsvorräte (Intendant), über Schatzkammer und Einkünfte (Kämmerer), über den prompten Gang der Hofhaltsverwaltung als ganzes (Seneschall) und welche Funktionen sonst die Bedürfnisse der Verwaltung des Hauses herausdifferenzieren mögen, wie dies in groteskem Grade noch in diesem Jahrhundert der Hofhalt der alten Türkei zeigte. Alles was über die direkt hauswirtschaftlichen Geschäfte hinausgeht, wurde zunächst demjenigen dieser Hausverwaltungszweige angegliedert, dem es dem Objekt nach am nächsten lag. So etwa die Führung des Reiterheeres dem Stallaufseher (Marschall). Allen Beamten liegt neben der eigentlichen Verwaltung persönliche Bedienung und Repräsentation ob und es fehlt, im Gegensatz zur bürokratischen Verwaltung, die berufsmäßige Fachspezialisierung. Wie die bürokratischen Beamten, so pflegen die Patrimonialbeamten gegenüber den Beherrschten ständisch differenziert zu werden. Die „sordida munera" und „opera servilia" der grund- oder leibherrlich Beherrschten werden überall, in der Spätantike ebenso wie im Mittelalter, von jenen höheren, höfischen, administrativen amtlichen Diensten und Leiturgien geschieden, welche den „Ministerialen" zufallen und, wenigstens im Dienste großer Herren, späterhin als auch eines freien Mannes nicht unwürdig gelten.

Der Herr rekrutiert seine Beamten zwar zunächst und in erster Linie aus den ihm persönlich kraft leibherrlicher Gewalt Unterworfenen, Sklaven und Hörigen. Denn ihres Gehorsams ist er unbedingt sicher. Aber eine politische Verwaltung ist nur sehr selten mit ihnen allein ausgekommen. Nicht nur die Mißstimmung der Untertanen, unfreie Leute an Macht und Rang über alle andern emporsteigen zu sehen, sondern auch der direkte Bedarf und die Anknüpfung an die vorpatrimonialen Formen der Verwaltung nötigte die politischen Herren fast durchweg, ihr Beamtentum auch extrapatrimonial zu rekrutieren. Und andrerseits bot der Herrendienst freien Leuten so erhebliche Vorteile, daß die anfangs unvermeidliche Ergebung in die persönliche Herrengewalt in den Kauf genommen wurde. Denn allerdings: wo immer möglich, hielt der Herr darauf, daß der Beamte extrapatrimonialer Provenienz in die gleiche persönliche Abhängigkeit von ihm sich begab, wie die aus Unfreien rekrutierten Beamten. Das ganze Mittelalter hindurch mußte in politischen Gebilden von spezifisch patrimonialer Struktur der Beamte „familiaris" des Fürsten werden (so z. B. auch, wie der beste Sachkenner mir bestätigte, im anjouvischen Patrimonialstaat in Süditalien). Der freie Mann, der in Deutschland Ministeriale wird, trägt seinen Grundbesitz dem Herrn auf und empfängt ihn, entsprechend vermehrt, als Dienstland wieder zurück. Wenn bei der ausgedehnten Erörterung über die Herkunft der Ministerialen ihr unfreier historischer Ursprung heute nicht mehr zweifelhaft erscheint, so ist auf der andern Seite auch sicher, daß das spezifische Gepräge dieser Schicht als eines „Standes" gerade durch jenen massenhaften Eintritt freier, ritterlich lebender Leute geschaffen wurde. Überall im Okzident, besonders früh in England, sind die Ministerialen in der Schicht des „Rittertums" als ebenbürtiger Bestandteil aufgegangen. Das bedeutete praktisch eine weitgehende Stereotypierung ihrer Stellung und also eine feste Begrenzung der Ansprüche des Herrn, denn es verstand sich darnach von selbst, daß er von ihnen nur die ständisch-konventionellen ritterlichen Dienste, keine andern, verlangen konnte und daß überhaupt sein Verkehr mit ihnen sich in den Formen der ritterlichen Standeskonvention zu bewegen hatte.

Die Stellung der Ministerialen stereotypierte sich weiter, wenn der Herr „Dienstordnungen" erließ und so ein „Dienstrecht" schuf, welches sie ihm gegenüber als Rechtsgenossen zusammenschloß, wie dies die Dienstrechte des Mittelalters taten. Dann monopolisierten die Genossen die Ämter, setzten feste Grundsätze und insbesondre das Erfordernis ihrer Zustimmung für die Aufnahme Fremder in den Verband der Ministerialen durch, fixierten die Dienste und Gebührnisse und bildeten in jeder Hinsicht einen ständisch abgeschlossenen Verband, mit dem der Herr paktieren mußte. Der Herr kann nun den Ministerialen seines Dienstlehens nicht mehr entsetzen, ohne daß ein Urteil, und das heißt im Okzident: ein Urteil eines aus Dienstmannen zusammengesetzten Gerichts, ihn des Verlusts schuldig erkennt. Und der Gipfel der Macht der Beamten wird schließlich erstiegen, wenn sie oder ein Teil von ihnen, etwa die Großbeamten am Hofe, den Anspruch erhoben, der Herr solle seine leitenden Großbeamten nur nach Vorschlag oder maßgeblichem Gutachten der andern wählen. Versuche, diese Forderung durchzusetzen, sind gelegentlich aufgetaucht. Allerdings sind in fast allen denjenigen Fällen, wo dem Herren wirklich mit Erfolg ein maßgebliches Gutachten seiner Berater über die Wahl seiner höchsten Beamten aufgedrängt wurde, diese

Berater nicht Beamte (und speziell nicht Ministerialen), sondern es ist der versammelte „Rat" seiner großen Lehensträger oder der Honoratioren des Landes, speziell ständischer Vertreter. Wenn aber die klassisch-chinesische Tradition den Idealkaiser seinen ersten Minister nach Befragung der am Hof anwesenden Großen, wer der Tüchtigste sei, berufen läßt, so ist es immerhin fraglich, ob dabei eigenständige Honoratioren und Vasallen oder doch Beamte gemeint sind; die Barone Englands, welche im Mittelalter wiederholt die gleiche Forderung erhoben, waren dagegen nur zum kleinen Teil Beamte und erhoben sie nicht in dieser ihrer Qualität.

Solchen ständischen Monopolen auf die Ämter und Stereotypierungen der Amtsleistungen sucht der Herr überall, wo er kann, durch Berufung entweder von ihm leibherrlich Abhängiger oder umgekehrt gänzlich Landfremder, deren ganze Existenz nur auf der Beziehung zum Herrn ruht, zu entgehen. Je mehr Ämter und Amtspflichten stereotypiert sind, desto näher liegt der Versuch, sich bei der Entstehung zugleich neuer Amtsaufgaben und der Kreierung von Ämtern für sie von jenen Monopolen zu emanzipieren und tatsächlich ist auch speziell bei solchen Gelegenheiten der Versuch gemacht und unter Umständen durchgeführt worden. Allein naturgemäß stößt der Herr dabei stets auf den entrüsteten Widerstand der einheimischen Amtsanwärter und unter Umständen auch der Untertanen. Soweit es sich dabei um einen Kampf der lokalen Honoratioren um das Monopol der Lokalämter handelt, ist davon später zu sprechen*. Aber überall, wo der Herr typische und einträgliche Ämter schafft, stößt er auf Versuche, sie für eine bestimmte Schicht zu monopolisieren, und es ist Machtfrage wieweit er diesen wuchtigen Interessen sich zu entziehen vermag.

Die monopolistische Rechtsgenossenschaft der Dienstleute und dadurch auch die genossenschaftliche Verbindung des Herrn mit seinen Dienstmannen war zwar vornehmlich dem okzidentalen Recht bekannt. Aber Spuren davon finden sich auch anderwärts. Auch in Japan galt (nach Rathgen) das „Han" (= „Zaum"), die Gemeinschaft des Daimyo mit seinen freien Antrustionen oder Ministerialen (Samurai), als der Inhaber der dem Herren zustehenden nutzbaren Herrenrechte. Aber allerdings ist – aus früher erörterten Gründen – die Durchbildung des Genossenrechts nirgends so konsequent wie im Okzident vollzogen worden.

---

* Vgl. oben S. 739 f. (Anm. d. Herausgeb.)

Die Stereotypierung und monopolistische Appropriation der Amtsgewalten durch die Inhaber als Rechtsgenossen schafft den *„ständischen"* Typus des Patrimonialismus.

Das Monopol der Ministerialen auf die Hofämter ist ein Beispiel auf dem Gebiet der Hofdienstpräbenden; demjenigen der politischen Ämter gehört das Monopol der englischen Anwälte („bar") auf die Richterstellen („bench") an, im Kirchendienst endlich sind die Monopole der Ulemas auf die Kadi-, Mufti- und Imam-Stellen und die zahlreichen Monopole ähnlicher Graduierter im Okzident auf die geistlichen Pfründen erwachsen. Aber während im Okzident die Stereotypierung der Amtsstellungen der Ministerialen zugleich ein ziemlich festes ständisches Genossenrecht des Einzelnen in dem speziell ihm verliehenen Amt mit sich führte, war dies im Orient im ganzen weit weniger der Fall. Hier wurde zwar die Ämterverfassung in starkem Maße stereotypiert, dagegen blieb die Person des Amtsinhabers in sehr weitem Grade frei amovibel, – wie wir sehen werden, eine Folge des Fehlens bestimmter ständischer Voraussetzungen der okzidentalen Entwicklung und der teils politisch, teils ökonomisch bedingten, andersartigen militärischen Machtstellung des orientalischen Herrschers.

Das patrimoniale Beamtentum kann mit fortschreitender Funktionsteilung und Rationalisierung, namentlich mit dem Anwachsen des Schreibwerks und der Herstellung eines geordneten Instanzenzuges, bürokratische Züge annehmen. Aber seinem soziologischen Wesen nach ist das genuin patrimoniale Amt von dem bürokratischen um so verschiedener, je reiner der Typus jedes von beiden ausgeprägt ist.

Dem patrimonialen Amt fehlt vor allem die bürokratische Scheidung von „privater" und „amtlicher" Sphäre. Denn auch die politische Verwaltung wird als eine rein persönliche Angelegenheit des Herrn, der Besitz und die Ausübung seiner politischen Macht als ein durch Abgaben und Sporteln nutzbarer Bestandteil seines persönlichen Vermögens behandelt. Wie er die Macht ausübt, ist daher durchaus Gegenstand seiner freien Willkür, soweit nicht die überall eingreifende Heiligkeit der Tradition ihr mehr oder minder feste oder elastische Schranken zieht. Soweit es sich nicht um traditionell stereotypierte Funktionen handelt, also namentlich in allen eigentlich politischen Angelegenheiten, entscheidet sein rein persönliches jeweiliges Belieben auch über die Abgrenzung der „Kompetenzen" seiner Beamten. Diese – wenn man den spezifisch bürokratischen Begriff überhaupt hier zuläßt – sind zunächst völlig flüssig. Selbstverständlich enthält das Amt irgendeinen inhaltlichen Zweck und Auftrag. Aber sehr häufig in ganz unbestimmter Begrenzung zu andren Beamten. Dies ist allerdings bei den meisten Trägern von Herrenrechten ursprünglich überhaupt so, nicht nur bei den patrimonialen Beamten. Nur konkurrierende Herrenrechte schaffen zunächst stereotypische Abgrenzungen und damit etwas der „festen Kompetenz" ähnliches. Dies ist aber bei den patrimonialen Beamten Folge der Behandlung des Amts als *persönlichen* Rechts des Beamten, nicht, wie im bürokratischen Staat, Folge *sachlicher* Interessen: der Fachspezialisierung und daneben des Strebens nach Rechtsgarantien für die Beherrschten. Es sind daher vor allem konkurrierende ökonomische Interessen der verschiedenen Beamten, welche diese „Kompetenz"-artige feste Begrenzung der Amtsgewalten schaffen. Soweit nicht heilige Tradition bestimmte Amtshandlungen des Herrn oder der Diener verlangt, sind diese Produkte freien Beliebens und Herr und Beamter lassen sich daher jeden Fall ihres Tätigwerdens bezahlen. Entweder von Fall zu Fall oder nach typischen Taxen. Die Verteilung dieser Sportelquellen ist alsdann ein treibendes Motiv für die allmählich fortschreitende Abgrenzung der Amtsbefugnisse, wie sie dem Patrimonialstaat für *politische* Zwecke ursprünglich fast ganz fehlte. Um ihrer Sportelinteressen willen erzwangen die englischen Anwälte die Rekrutierung der Richter ausschließlich aus ihrer Mitte, und ihre eigene Rekrutierung ausschließlich aus ihren von ihnen selbst vorgebildeten Lehrlingen und schlossen dadurch im Gegensatz zu andern Ländern die im römischen Recht von den Universitäten Graduierten, mithin die Rezeption dieses Rechts selbst aus. Um Sportelinteressen kämpften die weltlichen Gerichtshöfe mit den kirchlichen, die Common-Law Gerichte mit den Kanzleigerichten, die drei großen Gerichtshöfe (Exchequer, Common Pleas, Kings Bench) untereinander und mit allen lokalgerichtlichen Gewalten. Meist nicht in erster Linie, nie ausschließlich rationale sachliche Erwägungen, sondern Kompromisse von Sportel-Interessen entscheiden über die Zuständigkeit, die sehr oft für die gleiche Sache eine konkurrierende war, in welchem Fall dann die Gerichte durch allerhand Lockungsmittel, besonders bequeme Prozeßfiktionen, billigere Tarife usw. miteinander um die Gunst des rechtsuchenden Publikums konkurrierten.

Allein dies ist schon ein Zustand sehr weit vorgeschrittener Perennität und Stereotypierung der Ämter, wie er selbst bei großen und dauernden politischen Bildungen erst allmählich erreicht wurde. Der Anfang ist durchaus der Zustand des „Gelegenheits"-Beamten, der durch den konkreten sachlichen Zweck umschriebenen Vollmacht und der Auslese nach persönlichem Vertrauen, nicht nach sachlicher Qualifikation. Wo die Verwaltung großer politischer Gebilde patrimonial organisiert ist, da führt uns, wie in charakteristischer Art z. B. in Assyrien noch in der Periode höchster Expansion, jeder Versuch einer Ermittlung von „Kompetenzen" ins Bodenlose einer Flut von Amtstiteln mit fast ganz willkürlich wechselndem Sinn. Denn bei der Angliederung der politischen an die rein ökonomischen Geschäfte des Herrn erscheinen die ersteren sozusagen als Außenschläge, die nur je nach Bedarf und Gelegenheit ausgenutzt werden: die politische Verwaltung ist zunächst „Gelegenheitsverwaltung", mit deren Erledigung der Herr jeweils denjenigen Mann – meist einen Hofbeamten oder Tischgenossen – betraut, der ihm im konkreten Fall der persönlich qualifizierte scheint und vor allem, der persönlich nächststehende ist. Denn ganz persönliches Belieben und persönliche Gunst oder Ungnade des Herrn sind nicht nur der Tatsache nach – was natürlich überall vorkommt – sondern dem Prinzip nach der letzte Maßstab für alles. Auch für das Verhältnis der Beherrschten zu den Beamten. Diese letzteren „dürfen", was sie gegenüber der Macht der Tradition und den Interessen des Herrn an der Erhaltung der Fügsamkeit und Leistungsfähigkeit der Untertanen „können". Es fehlen die festen bindenden Normen und Reglements der bürokratischen Verwaltung. Nicht nur für jede ungewohnte oder sachlich erhebliche Aufgabe wird von Fall zu Fall verfügt, sondern ebenso im ganzen, nicht durch feste Rechte von Einzelpersonen beschränkten, Bereich der Herrenmacht. Deren gesamte Ausübung durch die Beamten bewegt sich so auf zwei oft unvermittelt nebeneinander liegenden Gebieten: demjenigen, wo sie durch bindende und geheiligte Tradition oder feste Rechte Einzelner in gebundener Marschroute verläuft und demjenigen der freien persönlichen Willkür der Herren. Der Beamte kommt dadurch unter Umständen in Konflikte. Ein Verstoß gegen die alten Bräuche kann ein Frevel gegen vielleicht gefährliche Mächte sein, ein Ungehorsam gegen Befehle des Herrn ist ein frevelhafter Bruch seiner Banngewalt, welcher den Frevler, nach englischer Terminologie, der „misericordia" des Herrn: seinem arbiträren Bußrecht, anheimfallen läßt. Tradition und Herrenbann liegen überall in unschlichtbarem Grenzstreit. Auch wo schon längst typische politische Amtsgewalten mit festen Amtssprengeln bestehen – wie z. B. für den englischen Sheriff der Normannenzeit – suspendiert, eximiert, korrigiert der Herr im Prinzip nach freier Willkür.

Die gesamte Stellung des patrimonialen Beamten ist also, im Gegensatz zur Bürokratie, Ausfluß seines rein persönlichen Unterwerfungsverhältnisses unter den Herrn und seine Stellung zu den Untertanen nur dessen nach außen gewendete Seite. Auch wo der politische

Beamte persönlich kein Hofhöriger ist, beansprucht der Herr schrankenlosen Amtsgehorsam. Denn die Amtstreue des patrimonialen Beamten ist nicht sachliche Diensttreue gegenüber sachlichen Aufgaben, welche deren Ausmaß und Inhalt durch Regeln begrenzen, sondern sie ist Dienertreue, streng persönlich auf den Herrn bezogen und Bestandteil seiner prinzipiell universellen Pietäts- und Treuepflicht. In den Germanenreichen bedroht der König auch freie Beamte im Fall des Ungehorsams mit Ungnade, Blendung, Tod. Weil und insofern der Beamte persönlich der Herrengewalt unterworfen ist, nimmt er Andern gegenüber Teil an dessen Würde. Nur der Königsbeamte, einerlei welchen Standes, hat in den Germanenreichen erhöhtes Wehrgeld, nicht der freie Volksrichter, und der hofhörige Beamte steigt, obwohl ein Unfreier, überall leicht über die freien Untertanen. Alle, nach unseren Begriffen ein „Reglement" darstellenden Dienstordnungen bilden also, wie alle öffentliche Ordnung eines patrimonial regierten Staates überhaupt, letztlich ein System rein subjektiver, auf die Verleihung und Gnade des Herrn zurückgehender Rechte und Privilegien von Personen. Es fehlt die objektive Ordnung und die auf unpersönliche Zwecke ausgerichtete Sachlichkeit des bürokratischen Staatslebens. Das Amt und die Ausübung der öffentlichen Gewalt geschieht für die Person des Herrn einerseits und des mit dem Amt begnadeten Beamten andererseits, nicht im Dienst „sachlicher" Aufgaben. –

Die Patrimonialbeamten finden ihre typische *materielle Versorgung* ursprünglich, wie jeder Hausgenosse, am Herrentisch und aus der Herrenkammer. Die Tischgemeinschaft, als urwüchsiger Bestandteil der häuslichen Gemeinschaft, hat von da aus eine weitreichende symbolische Bedeutung erlangt und weit über den Umfang ihres autochthonen Gebietes hinausgegriffen, was uns hier nicht weiter interessiert. Die Patrimonialbeamten jedenfalls, speziell ihre höchsten Chargen, haben überall sehr lange Zeit das Recht auf Speisung an der Tafel des Herren in Fällen ihrer Anwesenheit bei Hofe bewahrt, auch wenn längst die Herrentafel aufgehört hatte, für ihren Unterhalt die entscheidende Rolle zu spielen.

Jedes Ausscheiden der Beamten aus dieser intimen Gemeinschaft bedeutet naturgemäß eine Lockerung der unmittelbaren Herrengewalt. Der Herr konnte zwar den Beamten in seinem ökonomischen Entgelt völlig auf Gnade und Willkür, also ganz prekär, stellen. Aber bei einem größeren Beamtenapparat war dies nicht durchführbar und einmal maßgebend gewordene Reglements darüber zu verletzen ist gefährlich. Aus der Versorgung im Haushalt entwickelte sich daher naturgemäß sehr früh für die Patrimonialbeamten mit eigenem Hausstand die Ausstattung mit einer „Pfründe" oder einem „Lehen". Wir bleiben zunächst bei der *Pfründe*. Dies wichtige Institut, welches in aller Regel zugleich die Einräumung eines festen „Rechts auf das Amt", eine Appropriation also, bedeutet, hat die mannigfachsten Schicksale erfahren. Sie war zunächst – so in Ägypten, Assyrien, China – ein auf die Kammer- und Speichervorräte des Herrn (Königs oder Gottes) angewiesenes, in aller Regel *lebenslängliches* Naturaldeputat. Durch die Auflösung des gemeinsamen Tisches der Tempelpriester im alten Orient z. B. entstanden Naturaliendeputate, angewiesen auf die Speicher des Tempels. Diese Deputate wurden später veräußerlich und auch in Bruchteilen (z. B. Deputatsansprüche für einzelne Tage jedes Monats) Gegenstand des Verkehrs, also eine Art von naturalwirtschaftlichem Vorläufer der modernen Staatsschuldrenten. Wir wollen diese Art von Pfründen *Deputat*pfründen nennen. Die zweite Art der Pfründe ist die *Sportel*pfründe: die Anweisung auf bestimmte Sporteln, welche der Herr oder sein Vertreter für Amtshandlungen zu erwarten hat. Sie schichtet den Beamten von dem Haushalt des Herrn noch weiter ab, weil sie auf Einnahmen ruht, die noch mehr extrapatrimonialen Ursprungs sind. Diese Art von Pfründen sind schon in der Antike Gegenstand rein geschäftlicher Verwertung gewesen. Ein sehr großer Bruchteil derjenigen Priestertümer z. B., welche den Charakter eines „Amts" besaßen (und nicht freie Berufe oder umgekehrt Erbbesitz von Geschlechtern waren) wurden in der antiken Polis im Wege der Versteigerung besetzt. Wieweit ein faktischer Pfründenhandel in Ägypten und im antiken Orient sich entwickelt hat, ist unbekannt. Bei der herrschenden Auffassung des Amts als „Nahrung", lag aber auch dort die Entwicklung an sich nahe. Die Pfründe konnte schließlich – dann stand sie dem „Lehen" am nächsten – auch als *Land*pfründenzuweisung von Amts- oder Dienstland zur eigenen Nutzung, bestehen, und dies bedeutete ebenfalls eine sehr fühlbare Verschiebung der Lage des Pfründners in der Richtung der Selbständigkeit gegenüber dem Herren. Keineswegs haben die Beamten und „Degen" des Herrn die Abschichtung von der Tischgemeinschaft, welche ihnen eigne Wirtschaft und eignes ökonomisches Risiko aufbürdete, durchweg gern gesehen. Aber überwiegend drängte der Wunsch nach Begründung von Familien und nach Selbständigkeit auf ihrer Seite, auf seiten des Herrenhaushalts aber schon die Notwendigkeit, die mit wachsender Zahl der Tischgenossen in ihren Ausgaben ins Ungeheure und Unkontrollierbare wachsende, und dabei allen Wechselfällen der Einnahmeschwankungen ausgesetzte Eigenwirtschaft zu entlasten, dahin. Nur war es klar, daß bei einem weltlichen Beamten mit Familie die Abschichtung sofort über die bloße lebenslängliche Appropriation der Pfründe hinaus zur erblichen Appropriation drängte. Soweit diese in der Form des Lehens erfolgte, werden wir diesen Prozeß in einem andern Zusammenhang erörtern*. Auf dem Boden der Pfründe spielte er sich besonders in den ersten Zeiten des patrimonialbürokratischen modernen Staats ab. Und zwar über die ganze damalige Welt hin, am stärksten aber bei der päpstlichen Kurie, in Frankreich und – infolge der geringen Beamtenzahl in geringem Maße – in England. Es handelte sich dabei durchweg um *Sportel*/pfründen, mit welchen persönlich Vertraute oder Günstlinge mit der Erlaubnis, einen mehr oder minder proletarisch gestalteten Vertreter, der die wirkliche Arbeit tat, zu bestellen, ausgestattet oder welche gegen feste Pachten oder Pauschalsummen an Reflektanten vergeben wurden. Dabei wurde die Pfründe ein patrimonialer Besitz des Pächters oder Käufers und die mannigfachsten Übungen bis zur Erblichkeit und Veräußerlichkeit finden sich. Zunächst so, daß der Beamte gegen eine Abfindungssumme eines Reflektanten auf seine Pfründe verzichtet, dabei aber dem Herrn gegenüber, da er jene ja gegen Entgelt gepachtet bzw. gekauft hat, das Recht in Anspruch nimmt, ihm den Nachfolger vorzuschlagen. Oder das Beamtengremium als Ganzes, z. B. ein Gerichtskollegium, nimmt das Recht dieses Vorschlages in Anspruch und regelt dann im gemeinsamen Interesse der Kollegen die Bedingungen der Abtretung an einen andern. Natürlich aber wünschte der Herr, der die Pfründe doch vergeben und ursprünglich nie lebenslänglich vergeben hatte, an dem Gewinn dieser Ämterabtretung irgendwie beteiligt zu bleiben und suchte auch seinerseits Grundsätze für sie aufzustellen. Das Resultat sah sehr verschieden aus. Für die Kurie ebenso wie für die Fürsten wurde der Ämterhandel, also die Kapitalisation der Sportelchancen durch massenhafte Schaffung von Sportelpfründen als Sinekuren, eine höchst wichtige Finanzoperation zur Deckung ihres außerordentlichen Bedarfs. Im Kirchenstaat rührten die Vermögen der „Nepoten" zu einem erheblichen Teil aus der Ausbeutung von Sportelpfründen her. In Frankreich ergriff die faktische Erblichkeit und der Handel mit den Pfründen von den Parlamenten (höchsten Gerichtsbehörden) aus, alle Staffeln des Beamtentums, Finanz- ebenso wie Verwaltungsbeamte bis zu den prévots

---

* Vgl. unten Kap. VIII. S. 1174. (Anm. d. Herausgeb.)

und baillis. Der resignierende Beamte verkaufte seine Pfründe an den Nachfolger. Die Erben eines verstorbenen Beamten nahmen das gleiche Recht (survivance) in Anspruch, da das Amt ein Vermögensobjekt geworden war. 1567 wurde nach allerhand vergeblichen Versuchen der Abstellung die königliche Kasse durch Zahlung einer festen Summe (droit de resignation) durch den Nachfolger finanziell am Geschäft beteiligt, 1604 aber in Gestalt der nach ihrem Erfinder Charles Paulet so genannten „Paulette" das Ganze in ein System gebracht. Die survivance wurde anerkannt, das droit de resignation der Krone bedeutend reduziert, dagegen hatte der Beamte jährlich $1\frac{2}{3}\%$ des Kaufpreises des Amtes an die Krone zu zahlen und die Erträge wurden ihrerseits von der Krone jährlich verpachtet (zuerst an Paulet). Steigende Sportelchancen der Beamten bedingten steigende Kaufwerte der Pfründen, diese steigende Gewinnste des Pächters und der Krone. Die Folge dieser Appropriation des Amts aber war die faktische *Unabsetzbarkeit* der betreffenden Beamten (vor allem: der Parlamentsmitglieder). Denn um ihn abzusetzen, mußte ihm der Kaufwert der Pfründe zurückerstattet werden, und dazu entschloß sich die Krone nicht leicht. Erst die Revolution beseitigte die Amtsappropriation am 4. August 1789 radikal und hatte dafür über $\frac{1}{3}$ Milliarde zu zahlen. Der König dagegen konnte durch die Parlamente, wenn er ihm seinen Willen aufzwingen wollte, äußersten Falles durch Generalstreik (Massen-Demission, die ihn zur Rückzahlung des gesamten Kaufwerts der betreffenden Pfründen genötigt hätte) lahm gelegt werden, wie dies auch bis zur Revolution wiederholt geschehen ist.

Appropriierte Pfründen waren eine der wichtigsten Grundlagen der in Frankreich so wichtigen „Noblesse de robe", einer ständischen Gruppe, die zu den Führern des „tiers état" gegen König und Grund- oder Hofadel gehörte.

Dem Schwerpunkt nach ist die Ausstattung der christlichen Geistlichkeit im Mittelalter in dieser Art durch Land- und Sportelpfründen beschafft worden. Das Ursprüngliche, seit überhaupt eine ökonomische Sicherstellung des Kirchendienstes nach Art eines „Berufs" nötig geworden war, bildete ihre Versorgung aus den durch Opfer dargebotenen Mitteln der Gemeinde, verbunden mit völliger persönlicher Abhängigkeit des Klerus vom Bischof, der über jene Mittel verfügte. Dies war in der alten Kirche auf dem Boden der Städte, der damaligen Träger des Christentums, die normale Form. Also eine – neben andren Besonderheiten – patriarchal abgewandelte Form der Bürokratie. Im Okzident schwand der städtische Charakter der Religion, und das Christentum breitete sich auf das in der Naturalwirtschaft steckende flache Land mit aus. Die Stadtsässigkeit der Bischöfe hört teilweise, im Norden, auf. Die Kirchen werden zum erheblichen Teil „Eigenkirchen", sei es der Bauerngemeinde, sei es der Grundherren, die Geistlichen nicht selten Hörige des Letzteren. Und auch die rücksichtsvollere Form der Ausstattung der Kirchen mit festen Renten oder mit Pfarrhufen durch deren weltliche Erbauer und Eigentümer bedingte, daß diese auch das Einsetzungs- und selbst Absetzungsrecht der Pfarrer beanspruchten, bedeutete also naturgemäß eine tiefgehende Schwächung der Herrengewalt des Bischofs und außerdem ein starkes Abflauen der religiösen Interessen bei der Geistlichkeit selbst. Die Bischöfe suchten schon im Frankenreich, aber meist vergebens, durch Herstellung des gemeinsamen Lebens wenigstens die Kapitelgeistlichkeit vor der Verpfründung zu bewahren. Die Klosterreformationen hatten den Kampf gegen den Ersatz des Klosterkommunismus durch die – für die orientalische Kirche ganz typische – Verwandlung der Mönche in (oft aushäusig wohnende) Pfründner und der Klöster selbst in Versorgungsanstalten des Adels stets aufs Neue zu führen. Dagegen die Präbendalisierung der geistlichen Stellen konnte er nicht hindern. Die Bischofssprengel des Nordens, zumal wo man wirklich an der städtischen Residenz festhielt, waren im Gegensatz zum Süden, wo jede der zahlreichen Städte ihren Bischof hatte, sehr groß und bedurften der Teilung. Die Entstehung der Kirchen und ihre Einnahmequellen aus Eigenkirchen hinderte, mochten auch allmählich die kanonischen Zustände durchzusetzen versucht werden, doch eine Behandlung der Unterhaltsmittel als freien Amtsvermögens in der Hand des Bischofs. Mit der Parochie entstand die Pfründe. Nur teilweise verleiht sie der Bischof. Die Pfründenbestellung und das Pfründenvermögen waren im okzidentalen Missionsgebiet durch mächtige weltliche Stifter beschafft, welche den Grundbesitz, der Substanz nach, in der eigenen Hand behalten wollten. Das Gleiche galt für die Stellung der von den, die Kirche akzeptiernden und ordnenden, weltlichen Herrschern zunächst fast ganz frei eingesetzten und als wichtige Vertrauensmänner mit politischen Rechten beliehenen Bischöfe selbst gegenüber den Primatansprüchen der Zentralgewalt. Die Entwicklung der Kirchenhierarchie glitt so in die Bahn einer Dezentralisierung, zugleich aber einer Appropriation der Patronage und damit einer Unterwerfung der Kirchenbeamten unser die Macht der weltlichen Herren, deren präbendale Hauspriester oder feudale Gefolgsleute jene zu werden begannen. Keineswegs nur feudale Fürsten waren es, welche die schriftgelehrten, dabei aus den Banden der Sippe losgelösten Kleriker als billige und qualifizierte Arbeitskräfte, in deren Hand eine erbliche Appropriation des Amts nicht zu befürchten stand, begehrten. Auch die überseeische Verwaltung Venedigs z. B. lag in den Händen von Kirchen und Klöstern, bis zum Investiturstreit, der in der Schaffung der städtischen Bürokratie Epoche machte, weil nun, infolge der Trennung von Staat und Kirche, der Treueid der Geistlichen, die Wahlinitiative, Wahlkontrolle, Wahlbestätigung und Investitur durch den Dogen fortfiel. Die Kirchen und Klöster hatten bis dahin die Kolonien entweder direkt gepachtet und verwaltet oder doch faktisch den Mittelpunkt der Niederlassung gebildet, als Schiedsrichter nach innen, Interessenvertreter nach außen fungiert. Die deutsche Reichsverwaltung der salischen Kaiser und deren politische Machtstellung ruhte vornehmlich auf der Verfügung über das Kirchengut und speziell auf der Obödienz der Bischöfe. Gegen diese Ausnutzung der geistlichen Pfründen für weltliche Zwecke richtete sich ebenso die bekannte Reaktion der gregorianischen Epoche. Ihr Erfolg war bedeutend, aber nur ein höchst begrenzter. Zunehmend zwar bemächtigten sich die Päpste der eignen Verfügung über erledigte Pfründen, ein Prozeß, der zu Anfang des 14. Jahrhunderts seinen Höhepunkt erreichte. Damals wurde die Pfründe einer der Gegenstände des „Kulturkampfs" des 14. und 15. Jahrhunderts. Denn die geistliche Pfründe stellte den Grundstock derjenigen Güter dar, welche im Mittelalter überhaupt Zwecken der „Geisteskultur" dienten. Zumal im späteren Mittelalter bis zur Reformation und Gegenreformation entwickelte sie sich zur materiellen Basis für die Existenz derjenigen Klasse, welche damals deren Träger war. Denn indem die Päpste die Universitäten mit der Verfügung über Pfründen ausstatteten, außerdem aber ihrerseits massenhaft solche an persönliche Günstlinge, darunter aber speziell auch Gelehrte unter Entbindung von der eigenen Wahrnehmung der Amtspflichten verliehen, ermöglichten sie die Entstehung jener spezifischen mittelalterlichen Intellektuellenschicht, welche neben den Mönchen den erheblichsten Anteil an der Erhaltung und Entwicklung wissenschaftlicher Arbeit hatte. Sie schufen aber zugleich, durch rücksichtslose Ignorierung der nationalen Unterschiede bei der Pfründenverleihung, jenen heftigen nationalistischen Widerstand der Intellektuellen, namentlich der nordischen Länder gegen Rom, welcher einen so starken Einschlag in der konziliaren Bewegung bildete. Vor allem aber bemächtigten sich trotz der kanonischen Verbote stets erneut Könige und Barone der Verfügung über geistliche Pfründen. In größtem Maßstabe die englischen Könige seit dem 13. Jahrhundert. Vor allen Dingen, um sich billige und zuverlässige Arbeitskräfte für ihre Büros zu sichern und sich von dem Angewiesensein auf die Ministerialen, deren Dienste an erblich appropriiertem Dienstland hafteten, stereotypiert und für eine rationale Zentralverwaltung unbrauchbar waren, zu befreien. Ein eheloser Kleriker war billiger als ein Beamter, welcher eine Familie zu unterhalten hat. Und er kommt ferner nicht in die Lage, nach erblicher Appropriation seiner Pfründe zu streben. Kraft seiner Gewalt über die Kirche, die hier ihre sehr materielle Bedeutung hatte, verschaffte der König den Klerikern, die so massenhaft an die Stelle des älteren Beamtentypus traten, daß noch heute der Name der ständigen Beamten (clerc) daran erinnert, Pensionen (collatio) aus Kirchengut. Die Macht der großen Barone brachten eigene oder dem König abgenötigte Verfügungen über massenhafte Pfründen in deren Hand. Ein umfangreicher Pfründenhandel (brocage) begann. Daher die wachsenden Frontstellungen im Kampf der beteiligten: Kurie, König, Barone um die Pfründen in der Zeit des Konziliarismus. Bald stehen König und Parlament in der Monopolisierung der Pfründen für die einheimischen Verfügungsberechtigten und Anwärter dem Papst gegenüber, bald verständigt sich der König mit dem Papst zu beiderseitigem Vorteil auf Kosten der einheimischen Interessenten. Vor allem aber ist die Präbendalisierung der geistlichen Ämter als solche durch die Päpste nicht angetastet worden. Auch die tridentinische Reform hat an der Präbendalisierung der Masse der geistlichen Stellen, speziell der regulären Parochialgeistlichen und das heißt an einem begrenzten aber doch fühlbaren „Recht auf das Amt" auf deren Seite nicht rütteln können. Und die Säkularisationen der Neuzeit in Verbindung mit der Übernahme der ökonomischen Lasten für die Kirche und ihre Beamten auf das Staatsbudget legte diese erst recht fest. Erst die „Kulturkämpfe" und namentlich die „Trennung von Staat und Kirche" gab der hierarchischen Gewalt Möglichkeit und Anlaß, ihr Streben nach Beseitigung des „Rechts am Amt", nach Ersetzung der Präbendalisierung durch „ad notam amovible" Kirchenbedienstete in der ganzen Welt in steigendem Maße durchzusetzen – eine der ohne allen Lärm sich vollziehenden, aber wichtigsten Verschiebungen der Kirchenverfassung.

Der Pfründenhandel ist im wesentlichen auf die Sportelpfründe beschränkt, also Produkt eindringender Geldwirtschaft mit ihren Folgen: Anwachsen der Geldsporteln und steigende Möglichkeit und Neigung, sie zu einer Vermögensanlage zu machen, ist durch die Bildung von Geldvermögen bedingt. Eine Entwicklung des Pfründenhandels von dem Umfang und der Art des späteren Mittelalters und namentlich der beginnenden Neuzeit – 16.-18. Jahrhundert – haben andere Epochen nicht gekannt. Wohl aber waren prinzipiell gleichartige Vorgänge sehr verbreitet. Die immerhin bedeutenden Ansätze in der Antike wurden schon besprochen. In China war die Amtspfründe infolge der noch zu besprechenden Eigenart der dortigen Amtsverfassung nicht appropriiert, daher auch nicht formell käuflich. Die Erlangung eines Amts war freilich auch dort meist nur durch Geld – aber in Form der Bestechung – möglich. Mit Ausnahme des eigentlichen formell zugelassenen Pfründenhandels ist dagegen im übrigen die Pfründe eine universelle Erscheinung. In prinzipiell gleicher Art wie im Okzident ist insbesondre Pfründenversorgung das Ziel des Studiums und der akademischen oder anderweiten Grade in China und im Orient. Die charakteristische Strafe für politisches Übelverhalten in China: Einstellung der Examina in einer Provinz und also zeitweiliger Ausschluß ihrer Intellektuellenschicht von den Amtspfründen bringt dies am plastischsten zum Ausdruck. Und auch die Tendenz zur Pfründenappropriation findet sich überall, nur mit verschiedenem Resultat. Namentlich wirkt ihr nicht selten das eigne Interesse der qualifizierten Pfründenanwärter wirksam entgegen. Die Pfründe der islamischen „Ulemas" d. h. des Standes der geprüften Aspiranten auf die Ämter des Kadi-(Richter-), Mufti (durch „Fetwa" respondierender geistlicher Jurist) und Imam (Priester), wurde z. B. vielfach nur auf kurze Zeit (1-1 ½ Jahre) verliehen, um ihren Besitz unter den Anwärtern Reihum gehen lassen zu können und auch um den Gemeingeist nicht zugunsten von Appropriationsgelüsten der Einzelnen zu schädigen.

Zu den ständigen, normalen Bezügen des patrimonialen Beamten: Deputat, eventuell Landrente und Sporteln treten noch, unstet ihrer Natur nach, die Geschenke seines Herrn bei besonderen Verdiensten oder außergewöhnlich guter Laune des letzteren. Der Thesauros, Hort, Schatz des Herrn, in natura aufgespeicherte Edelmetall-, Schmuck- und Waffenvorräte und eventuell seine Gestüte liefern das Material dafür. Vor allem aber die Edelmetalle. Weil von der Möglichkeit, die konkreten Verdienste der Beamten zu lohnen, deren guter Wille abhängig war, so war überall der Besitz des „Hortes" die unentbehrliche Grundlage der patrimonialen Herrschaftsgewalt. In dem Rotwälsch der Skaldenkunstsprache wird der König durch den Decknamen „Ringebrecher" bezeichnet. Der Gewinn oder Verlust des Hortes entscheidet oft Prätendentenkriege, denn gerade inmitten der Herrschaft der Naturalwirtschaft bedeutet ein Edelmetallschatz eine nur um so größere Macht. Wir werden auf die ökonomischen Zusammenhänge, welche dadurch bedingt sind, späterhin noch einzugehen haben. –

Jede präbendale Dezentralisation der patrimonialen Verwaltung, jede durch die Verteilung der Sportelchancen unter die Konkurrenten bedingte Fixierung der Kompetenzen, jede Pfründenappropriation vollends bedeutet im Patrimonialismus nicht eine Rationalisierung, sondern eine *Stereotypierung*. Insbesondre die Appropriation der Pfründe, welche die Beamten oft – wie wir sahen – faktisch unabsetzbar macht, kann im Effekt wie eine moderne Rechtsgarantie der „Unabhängigkeit" der Richter wirken, obwohl sie ihrem Sinn nach etwas völlig andres ist: Schutz des Rechts des Beamten auf sein Amt, während man im modernen Beamtenrecht durch die „Unabhängigkeit", d. h. Unabsetzbarkeit der Beamten außer durch Urteil, Rechtsgarantien für ihre Sachlichkeit im Interesse der Beherrschten erstrebte. Die rechtlich oder faktisch im appropriierten Besitz der Pfründe befindlichen Beamten konnten die Regierungsgewalt des Herren höchst fühlbar beschränken, insbesondre jeden Versuch einer Rationalisierung der Verwaltung durch Einführung einer straff disziplinierten Bürokratie vereiteln und die traditionalistische Stereotypierung der politischen Gewaltenverteilung aufrecht erhalten. Die französischen „Parlamente", Kollegien von Amtspfründnern, in deren Hand die formale Legalisierung und teilweise auch die Ausführung königlicher Befehle lag, haben Jahrhunderte lang stets erneut dem König Schach geboten und die Durchführung aller ihrem traditionellen Recht abträglichen Neuerungen vereitelt. Zwar galt im Prinzip der patrimoniale Grundsatz: daß ein Beamter seinem Herren nicht widersprechen darf, auch hier. Wenn der König in Person sich in die Mitte der Amtspfründnerschaft begab („lit de justice") so konnte er formell die Legalisierung jedes beliebigen Befehls erzwingen, denn in seiner Gegenwart hatte jeder Widerspruch zu schweigen und das gleiche versuchte er durch direkte schriftliche Anweisung (lettre de justice). Allein kraft ihres appropriierten Eigenrechts am Amt pflegten selbst dann die Parlamente sofort nachher sehr oft durch „remontrance" die Gültigkeit der der Tradition zuwiderlaufenden Verfügung dennoch wieder in Frage zu stellen und ihren Anspruch, selbständige Träger von Herrenmacht zu sein, nicht selten durchzusetzen. Die praktische Geltung der für diese Situation grundlegenden Pfründenappropriation freilich blieb selbstverständlich labil und von der Machtlage zwischen Herrn und Pfründeninhaber abhängig. Insbesondre auch davon, ob der Herr die finanziellen Mittel hatte, die appropriierten Pfründnerrechte abzulösen und an ihrer Stelle eine ganz von ihm persönlich abhängige Bürokratie schaffen zu können. Noch 1771 hat Louis XV. durch einen Staatsstreich versucht, das beliebte Generalstreik-Mittel der in den „Parlamenten" sitzenden Amtspfründner: Massenkündigung des Amts, um so den König, der ja die nun zurückzuerstattenden Amtskaufsummen nicht erschwingen konnte, gefügig zu machen, zu brechen. Die Demission der Beamten wurde angenommen, eine Rückzahlung der Kaufgelder aber fand nicht statt, die Beamten wurden als ungehorsam interniert, die Parlamente wurden aufgelöst, Ersatzbehörden auf neuer Grundlage geschaffen, die Appropriation der Ämter für die Zukunft abgeschafft. Aber dieser Versuch der Herstellung des arbiträren Patrimonialismus und das hieß: des vom Herrn frei absetzbaren Beamtentums schlug fehl. Gegenüber dem Sturm der Interessenten nahm 1774 Louis XVI. die Dekrete zurück, die alten Kämpfe zwischen König und Parlament lebten aufs neue auf und erst die Einberufung der Generalstände von 1789 schuf eine völlig neue, sehr bald über die Privilegien der beiden kämpfenden Gewalten: des Königtums und des Amtspfründnertums, in gleicher Weise zur Tagesordnung übergehende, Situation.

Eine spezifisch besonderte, später noch näher kasuistisch zu betrachtende Situation ergab sich für diejenigen Beamten, durch welche der Herr die lokale Verwaltung der einzelnen, ursprünglich meist allen Dingverbänden entnommenen, zuweilen aber auch im Anschluß an die einzelnen großen Domänen gebildeten Verwaltungsbezirke leitete. Neben der auch hier (namentlich in Frankreich) häufigen Appropriation der Pfründen durch Kauf als Motive der Stereotypierung und der Abspaltung selbständiger Gewalten von der Herrenmacht, wirkte hier die unvermeidliche Rücksichtnahme auf die allgemeinen Bedingungen der Autorität eines auf solchen exponierten Posten, fern von dem Rückhalt an der persönlichen Machtgeltung des Herrn, stehenden Beamten dezentralisierend und stereotypierend ein. Nur unter dafür günstigen Verhältnissen konnte dort ein ganz und gar, ökonomisch und sozial, von Herrengunst abhängiger reiner Beamter persönliche Autorität gewinnen. Das war, im allgemeinen wenigstens, dauernd nur auf dem Boden eines so präzis funktionierenden rationalen Apparats wie ihn die moderne Bürokratie mit all ihren ökonomischen und verkehrstechnischen Voraussetzungen darstellt, möglich, schon weil unter diesen Bedingungen das Fachwissen auch die Macht gibt. Unter den allgemeinen Bedingungen des Patrimonialismus, also einer Verwaltung, welche zwar an „Erfahrung" und allenfalls an konkrete „Fertigkeiten" (Schreiben), aber nicht an rationales „Fachwissen" als Bedingung geknüpft ist, war dagegen für die Stellung des lokalen Beamten sein Eigengewicht an sozialer Autorität innerhalb seines lokalen Amtssprengels entscheidend, die überall in erster Linie auf ständischer Prominenz der Lebensführung zu beruhen pflegt. Die besitzende, zumal grundbesitzende, Schicht der Beherrschten kann daher leicht die lokalen Ämter monopolisieren. Wir werden davon bald näher zu reden haben. Nur bei ganz straffer Selbstregierung eines dazu spezifisch befähigten Herrn gelingt es diesem, das gerade entgegengesetzte Prinzip: Regierung durch ökonomisch und sozial völlig von ihm abhängige Besitzlose, aufrecht zu erhalten, in stetem, fast durch die ganze Geschichte patrimonialer Staaten sich hinziehenden Kampf mit den lokalen Honoratioren. Die als Interessentenkreis fest zusammenhaltende ämterbesitzende Honoratiorenschicht ist meist auf die Dauer übermächtig gegenüber dem Herrn. Der Fall, daß Beamte sich vom Herrn in Zeiten, wo er ihrer dringend bedarf, versprechen lassen, er werde sie lebenslänglich und nach ihnen ihre Kinder im Amt lassen, kehrt über die ganze Erde hin ebenso wieder, wie im Merowingerreich. –

Mit jedem Fortschritt der Appropriation der Ämter zerfällt die Herrengewalt, namentlich auch die politische, nun einerseits in ein Bündel von persönlich durch spezielle Privilegien appropriierten, höchst verschieden umgrenzten, in ihrer einmal gegebenen Umgrenzung aber für den Herrn nicht ohne gefährlichen Widerstand der Amtsinteressenten antastbaren Herrschaftsrechten Einzelner – ein Gebilde also, welches starr, neuen Aufgaben nicht anpassungsfähig, der abstrakten Reglementierung unzugänglich, ein charakteristisches Gegenbild gegen die zweckvoll abstrakt geordneten und gegebenenfalls jederzeit neu zu ordnenden „*Kompetenzen*" der bürokratischen Struktur darstellt. Und auf der anderen Seite steht, auf denjenigen Gebieten, wo jene Appropriation des Amtes nicht vollzogen ist, die prinzipiell ganz freie Willkür des Herrn, welche insbesondere neue, nicht in die appropriierten Befugnisse fallende Verwaltungsaufgaben und Machtstellungen, frei schaltend, persönlichen Günstlingen überträgt. Der politische „Patrimonialverband" kann als Ganzes mehr dem stereotypierten oder mehr dem arbiträren Schema zuneigen. Ersteres ist mehr im Okzident, letzteres in ziemlich starkem Maße im Orient der Fall gewesen, wo die theokratischen und patrimonialmilitärischen Grundlagen der durch stets neue Eroberer usurpierten Gewalt den sonst naturgemäßen Dezentralisations- und Appropriationsprozeß weitgehend kreuzten.

Die alten Hofbeamten werden im Verlauf jenes Stereotypierungsprozesses rein repräsentierende Würdenträger und pfründengenießende Sinekuristen, ganz besonders gerade bei den Beamten der größten Herren, welche zunehmend nicht mehr Unfreie, sondern vornehme Herren als Hofbeamte in ihren Dienst nehmen, die naturgemäß die Befassung mit Alltagsgeschäften ablehnen.

Das patrimoniale politische Gebilde kennt weder den Begriff der „Kompetenz" noch den der „Behörde" im heutigen Sinn, und zwar bei zunehmender Appropriation besonders wenig. Die Trennung von amtlichen und privaten Angelegenheiten, amtlichem und privatem Vermögen und Herrenbefugnissen der Beamten ist nur beim arbiträren Typus einigermaßen durchgeführt, mit zunehmender Präbendalisierung und Appropriation schwindet sie. Die Kirche hat zwar im Mittelalter die freie Verfügung über den aus Pfründeneinkommen stammenden Erwerb wenigstens für den Todesfall zu verhindern gesucht. Auf der anderen Seite hatte die weltliche Gewalt ihr „jus spolii" zeitweise auch auf den Privatnachlaß des toten Geistlichen erstreckt. Aber mindestens bei voller Appropriation fällt Amts- und Privatvermögen praktisch einfach in Eins.

Ganz allgemein fehlt dem auf rein persönlichen Unterordnungsbeziehungen beruhenden Amt der Gedanke der *sachlichen* Amtspflicht. Was von ihm existiert, schwindet vollends mit der Behandlung des Amts als einer Pfründe oder eines appropriierten Besitztums. Die Ausübung der Gewalt ist in erster Linie persönliches Herrenrecht des Beamten: außerhalb der festen Schranken heiliger Traditionen entscheidet auch er, wie der Herr, von Fall zu Fall, d. h. nach persönlicher Willkür und Gnade. Infolgedessen ist der Patrimonialstaat auf dem Gebiete der Rechtsbildung der typische Vertreter eines Nebeneinander von unzerbrechlicher Traditionsgebundenheit einerseits und andererseits eines Ersatzes der Herrschaft rationaler Regeln durch „Kabinettsjustiz" des Herrn und seiner Beamten. Statt der bürokratischen „Sachlichkeit" und des auf der abstrakten Geltung gleichen objektiven Rechtes ruhenden Ideals der Verwaltung „ohne Ansehen der Person" gilt das gerade entgegengesetzte Prinzip. Schlechthin alles ruht ganz ausgesprochenermaßen auf „Ansehen der Person", d. h. auf der Stellungnahme zu dem konkreten Antragsteller und seinem konkreten Anliegen und auf rein persönlichen Beziehungen, Gnadenerweisungen, Versprechungen, Privilegien. Auch die Privilegien und Appropriationen, die der Herr verleiht, gelten – so namentlich Landschenkungen auch in noch so definitiver Form – sehr oft als im Fall einer höchst schwankend bestimmbaren „Undankbarkeit" wi derruflich und sind überdies infolge der persönlichen Deutung aller Beziehungen in ihrer Geltung über seinen Tod hinaus unsicher. Man legt sie also dem Nachfolger zur Bestätigung vor. Das kann, je nach der stets labilen Machtlage zwischen Herrn und Beamten, sowohl als Forderung einer Pflicht gelten und also den Weg von der Widerruflichkeit zur dauernden Appropriation als „wohl erworbenes Sonderrecht" abgeben – wie es auch umgekehrt dem Nachfolger den Anlaß geben kann, durch Kassierung von solchen Sonderrechten der eigenen Willkür wieder freie Bahn zu schaffen –, ein Mittel, welches bei der Herausbildung des okzidentalen patrimonial-bürokratischen Staates der Neuzeit wiederholt angewendet worden ist.

Auch wo die Befugnisse der Beamten in ihrem Verhältnis zum Herrn und dessen Macht über sie durch Genossenrechte und Appropriation der Ämter stereotypiert sind, bleibt die rein faktische Übung im weitesten Umfange maßgebend für ihre Machtlage zueinander und gibt daher jede zufällige längere, auch rein persönlich bedingte Schwäche der Zentralgewalt Anlaß zu Abbröckelungen ihrer Macht durch Entstehung von neuen, ihr abträglichen Gewohnheiten. Auf dem Boden dieser Verwaltungsstruktur ist daher in einem spezifisch hohen Grade die rein *persönliche Befähigung* des Herrn, seinen Willen zur Geltung zu bringen, absolut entscheidend für das stets labile Maß von realem Gehalt seiner nominellen Macht. Insoweit mit Recht hat man die „Mittelalter" die „Zeitalter der Individualitäten" genannt. –

Der Herr sucht auf die verschiedenste Art die Einheit seiner Herrschaft zu sichern und sie sowohl gegen Appropriation der Ämter seitens der Beamten und ihrer Erben wie gegen andere Arten der Entstehung von ihm unabhängiger Herrschaftsgewalten in der Hand von Beamten zu schützen. Zunächst durch eigene regelmäßige Bereisung seines Machtgebiets. Nicht nur weil sie infolge mangelhafter Verkehrsmittel ihren Unterhalt abwechselnd aus den Vorräten der Domänen an Ort und Stelle verzehren mußten, waren namentlich die deutschen Monarchen des Mittelalters fast ständig unterwegs. Dies Motiv war nicht unbedingt zwingend: sowohl die englischen und französischen Könige wie – worauf es ja allein ankommt – ihre Zentralbehörden hatten schon früh eine faktisch – wenn auch, wie das „ubicunque fuerimus in Anglia" zeigt, erst allmählich eine rechtlich – feste Residenz und ebenso schon die Perserkönige. Vielmehr war entscheidend, daß nur ihre stets erneute persönliche Gegenwart ihre Autorität den Untertanen lebendig erhielt. Der Regel nach ist dies persönliche Reisen des Herrn weiterhin durch das „missatische" System, d. h. systematisches Bereisenlassen des Landes durch von ihm geschickte Sonderbeamte (die karolingischen Missi dominici, die englischen reisenden Richter) ergänzt oder ersetzt worden, welche periodisch die Gerichts- und Beschwerdeversammlungen der Volksgenossen abhielten. Von den Beamten ferner, welche der Herr auf nicht jederzeit kontrollierbare Außenposten setzt, verschafft er sich allerhand persönliche Garantien: in gröbster Form durch Stellung von Geiseln, in feinerer Art durch Zwang zu regelmäßigem Besuch des Hofes – die ein um das andere Jahr alternierende Residenzpflicht der japanischen Daimyos am Hof des Shogun in Verbindung mit dem Zwang, die Familie dauernd dort zu belassen, war ein Beispiel dafür –, durch obligatorische Einstellung der Beamtensöhne in den Hofdienst (Pagenkorps), durch Besetzung der wichtigen Stellen mit Verwandten oder Verschwägerten – ein, wie schon bemerkt, sehr zweischneidiges Mittel –, durch kurze Amtsfristen (wie sie ursprünglich den Grafen des Frankenreichs und ebenso einem erheblichen Teil der islamischen Amtspfründen eigneten), durch Ausschluß der Beamten von Amtssprengeln, in welchen sie Grundbesitz oder Sippenanhang haben (China), durch möglichste Verwendung nur von Zölibatären zu gewissen wichtigen Ämtern (darauf beruht die große Bedeutung nicht nur des Zölibats für die Bürokratisierung der Kirche, sondern vor allem auch der Verwendung der Kleriker im Königsdienst, vor allem dem englischen). Ferner durch planmäßige Überwachung der Beamten mittels geheimer Spione oder offizieller Kontrollbeamter (so der chinesischen „Zensoren"), die namentlich gern aus den Kreisen der ganz vom Herrn abhängigen Hörigen oder unbemittelten Pfründnern genommen werden, endlich durch Schaffung konkurrierender Amtsgewalten innerhalb desselben Bezirks (wie etwa des coroner gegenüber dem Sheriff). Namentlich die Verwendung von Beamten, welche nicht aus sozial privilegierten Schichten stammten und daher über keine eigene soziale Macht und Ehre verfügten, sondern diese gänzlich vom Herrn entlehnten, womöglich von Ausländern, war ein universelles Mittel, sich ihrer Treue zu versichern. Wenn Claudius dem Senatsadel drohen ließ, das Reich im Gegensatz zu den ständischen Ordnungen des Augustus gänzlich mit Hilfe seiner freigelassenen Klientel zu regieren, Septimius Severus und seine Nachfolger die gemeinen Soldaten ihrer Armee statt des Römeradels in die Offiziersstellen beriefen, sehr viele orientalische Großwesire und zahlreiche „Günstlinge" der Monarchen der Neuzeit, speziell die technisch erfolgreichsten Machtinstrumente der Fürsten und eben deshalb die dem Adel verhaßtesten, so oft aus dem Dunkel emporgehoben wurden, so wirkten dabei stets die gleichen Interessen der Fürsten.

Zu den verwaltungsrechtlich in ihren Konsequenzen wichtigsten Mitteln, die Kontrolle der Zentralverwaltung des Fürsten über die Lokalbeamten aufrecht zu erhalten, gehörte die Spaltung der Kompetenzen der letzteren. Entweder so, daß nur die Finanzverwaltung in die Hand besonderer Beamten gelegt, oder so, daß für jeden Verwaltungssprengel Zivil- und Militärbeamte nebeneinandergestellt wurden, was ja auch technisch nahe lag. Der militärische Beamte blieb dann in der Beschaffung der ökonomischen Mittel seiner Verwaltung abhängig von der ihm gegenüber selbständigen Zivilverwaltung, und diese bedurfte für die Erhaltung ihrer Macht der Mitwirkung des militärischen Beamten. Schon die Pharaonenverwaltung des neuen Reichs schied offenbar die Magazinverwaltung vom Kommando – wie dies auch technisch nicht wohl anders möglich war. Die hellenistische Zeit, namentlich im Ptolemäerreich, brachte dann in der Entwicklung und Bürokratisierung der Steuerpacht das Mittel, die Finanzen, gesondert vom Militärkommando, in der Hand des Fürsten zu behalten. Die römische Prinzipatsverwaltung stellte – außer, aus konkreten politischen Gründen, in bestimmten Gebieten (namentlich Ägypten und einigen Grenzmarken) – dem kaiserlichen Oberkommandanten ebenso wie dem senatorischen Statthalter den kaiserlichen Prokurator für das Finanzwesen als selbständigen und zweithöchsten Provinzialbeamten zur Seite und schuf gesonderte Avancements für die eine und die andere Verwaltung. Die diokletianische Staatsordnung spaltet die gesamte Verwaltung des Reichs in Zivildienst und Militärverwaltung, von den praefecti praetorii als Reichskanzlern und den „magistri militum" als „Reichsfeldherren" angefangen bis zu den „praesides" einerseits, den „duces" andererseits hinab. Im späten, namentlich im islamischen, Orient wurde die Scheidung des Militärkommandanten (Emir) vom Steuereinnehmer und -pächter (tmil) fester Grundsatz aller starken Regierungen. Man hat mit Recht bemerkt, daß fast jeder Fall einer dauernden Vereinigung dieser beiden Kompetenzen, also die Vereinigung von militärischer und ökonomischer Macht jedes Verwaltungssprengels in einer Hand, die alsbaldige Tendenz zur Loslösung des betreffenden Statthalters von der Macht der Zentralgewalt zur Folge gehabt hat. Die steigende Militarisierung des Reichs in der Zeit der Kaufsklavenheere mit den entsprechend steigenden Ansprüchen an die Steuerkraft der Untertanen und dem stets erneuten Zusammenbruch der Finanzen, der pfandweisen Überlassung oder Okkupation der Steuerverwaltung durch die Truppen endete dann auch entweder im Zerfall des Reichs oder im Benefizialwesen. –

Wir wollen uns das Funktionieren patrimonialer Verwaltungen und namentlich die Mittel, durch welche der Herr seine Machtstellung gegenüber den Appropriationstendenzen der Beamten zu behaupten suchte, mit ihren Konsequenzen an einigen historisch wichtigen Beispielen veranschaulichen.

Die erste mit voller Konsequenz durchgeführte patrimonialbürokratische Verwaltung, die wir kennen, war die des *antiken Ägypten*. Sie war offenbar ursprünglich gänzlich aus der Königsklientel entwickelt, d. h. aus einem Personal heraus, welches der Pharao seiner hofhörigen Dienerschaft entnahm, während später allerdings die Rekrutierung der Beamten notgedrungen auch extrapatrimonial, durch Avancement aus der technisch dafür allein brauchbaren Schreiberklasse erfolgte, immer aber den Eintritt in ein patrimoniales Abhängigkeitsverhältnis zum Herrn bedeutete. Die alles überragende Bedeutung der von oben her systematisch geordneten Wasserregulierung und die Bauten in Verbindung mit der langen von Feldarbeit freien Zeit, welche die Heranziehung der Bevölkerung zu Frondiensten in einem sonst nirgends möglichen Umfang gestattete, führten schon im alten Reich dazu, daß die gesamte Bevölkerung in eine Klientelhierarchie eingespannt wurde, innerhalb deren der Mann ohne Herren als gute Prise galt und gegebenenfalls einfach in die Fronkolonnen des Pharao eingegliedert wurde. Das Land war ein Fronstaat, der Pharao führte u. a. auch die Geißel als Attribut und die zuerst von Sethe korrekt übersetzten Immunitätsprivilegien aus dem 3. Jahrtausend betreffen Dispens von Tempelhintersassen oder Beamtenpersonal von der Aushebung zu Frondiensten. Teils in Eigenbetrieb, teils in unfreier gewerblicher Heimarbeit, teils im landwirtschaftlichen Kolonenbetrieb, teils durch monopolisierten Eigenhandel, teils durch Abgaben deckte der Pharao den Bedarf seines Oikos. Verkehrswirtschaftliche Erscheinungen, Markttausch insbesondere, mit geldartigem Tauschgut (Uten, Metallstäbe) bestanden. Aber die Bedarfsdeckung des Pharao ruhte, wie die erhaltenen Rechnungen beweisen, dem Schwergewicht nach auf Magazinen und Naturalwirtschaft, und zu außerordentlichen Bau- und Transportleistungen bot er die Untertanen, wie die Quellen ergeben, zu Tausenden auf. Nachdem die großen privaten Grundherrschaften und Nomarchenherrschaften, deren Entstehen und Bedeutung die Quellen des alten Reichs bezeugen und welche im mittleren Reich eine Zwischenzeit feudalen Regimes heraufführten, nach der Fremdherrschaft, ähnlich wie in Rußland nach der Tatarenzeit, geschwunden waren, standen als privilegierte Schichten über der Masse wesentlich nur die schon im alten Reich mit Immunitäten versehenen, von den Ramessiden mit enormem Besitz bewidmeten Tempel und die Beamten. Den Rest bildeten die Untertanen, politische und patrimoniale, ohne sichere Scheidung. Auch innerhalb der zweifellos patrimonial Abhängigen stehen eine Fülle von Bezeichnungen für Hörige und Unfreie nebeneinander, deren ökonomische Lage und sozialer Rang offenbar verschieden waren, für uns aber vorerst nicht auseinanderzuhalten sind und vielleicht auch nicht streng voneinander geschieden waren. Soweit die Untertanen nicht zu Fronen herangezogen waren, scheint ihre Steuerleistung an die Beamten gegen Pauschalien vergeben worden zu sein. Durch Prügel und ähnliche Mittel erzwangen diese die Deklaration des abgabepflichtigen Besitzes, so daß sich die Steuererhebung typisch als ein plötzlicher Überfall der Beamten mit Flucht der Pflichtigen und Jagd auf sie abspielte. Der Unterschied von patrimonialen Kolonen des Pharao und der freien politischen Untertanen, von Eigenland des Pharao und privatem Besitz der Bauern bestand offenbar, war aber augenscheinlich von wesentlich technischer und vielleicht labiler Bedeutung. Denn die Bedarfsdeckung des fürstlichen Haushalts wurde, wie es scheint, zunehmend leiturgisch. Der Einzelne wurde an seine fiskalische Funktion dauernd gebunden und durch die Funktion an den lokalen Verwaltungsbezirk, dem er durch Abstammung oder Grundbesitz oder Gewerbebetrieb – das einzelne ist unbekannt – zugehörte oder zugewiesen war. Die Berufswahl war faktisch weitgehend frei, ohne daß doch zu sagen wäre, ob nicht im Fall der Notwendigkeit für die fürstliche Bedarfsdeckung, Zwang zur erblichen Bindung geübt worden wäre. Kasten im spezifischen Sinn existierten nicht. Ebenso konnte der politische sowohl wie der patrimoniale Untertan faktisch freizügig sein, rechtlich aber war diese Freizügigkeit durchaus prekär, sobald die Bedürfnisse des fürstlichen Haushalts die Heranziehung des Untertanen zu seinen Pflichten an den Ort erforderten, an den er gehörte. Diesen Ort bezeichnete die spätere hellenische Terminologie als die idia, die römische als die origo des einzelnen, und dieser Rechtsbegriff hat in der ausgehenden Antike eine weittragende Rolle gespielt. Aller Landbesitz oder Gewerbebetrieb galt als belastet mit den Robott- oder anderen Leistungspflichten: als Funktionsentgelt, und hatte also die Tendenz, sich dem Charakter einer Pfründe anzunähern. Deputatpfründen oder Landpfründen waren der Entgelt für spezifische Amtsfunktionen sowohl wie für die militärischen Dienstpflichten. Patrimonial – und dies war der für die Machtstellung des Pharao entscheidende Punkt – war auch das Heer. Es wurde mindestens im

Kriegsfall aus den Magazinen des Königs equipiert und verpflegt. Die Krieger, deren Nachfahren die Machimoi der ptolemäischen Zeit darstellten, waren mit Landparzellen bewidmet und wurden sicher von jeher auch zum Polizeidienst verwendet. Zu ihnen traten, bezahlt aus dem durch Eigenhandel gespeisten Hort des Königs, Söldner. Die vollkommene Entwaffnung der Massen, deren Widerstand nur etwa in Form von Renitenz oder Streit wegen ungenügender Ernährung bei den Fronleistungen aufflammte, machte ihre Beherrschung zu einer einfachen Aufgabe. Die geographischen Bedingungen, vor allem die bequeme Wasserstraße des Flusses und die sachliche Notwendigkeit einheitlicher Wasserpolitik erhielten die Einheitlichkeit der Herrschaft bis zu den Katarakten mit geringen Unterbrechungen aufrecht. Die Avancementschance und die Abhängigkeit von königlichen Magazinen genügte anscheinend, um eine weitgehende Appropriation der Beamtenpfründen zu hindern, welche ja überhaupt bei Sportelpfründen und Landpfründen technisch näher liegt als bei den hier vorherrschenden Deputatpfründen. Die zahlreichen Immunitätsprivilegien zeigen durch ihre eigene Fassung, die gehäuften Versprechungen der Unverletzlichkeit und die Strafdrohungen gegen Beamte, welche sie verletzen werden, daß der Herrscher seinerseits, gestützt auf seine patrimoniale Macht, tatsächlich diese Privilegien als prekär behandeln dürfte, so daß Ansätze zu einem ständischen Staatswesen hier völlig fehlen und der Patriarchalismus voll erhalten blieb. Die weitgehende Aufrechterhaltung der Naturalpfründe einerseits, das starke Zurücktreten privater Grundherrschaften andererseits im neuen Reich wirkten zusammen zugunsten der Erhaltung der Patrimonialbürokratie. Die völlig durchgeführte Geldwirtschaft der Ptolemäerzeit hat sie nicht erschüttert, sondern eher befestigt, indem sie die Mittel zur Rationalisierung der Verwaltung an die Hand gab. Die leiturgische Bedarfsdeckung, speziell die Fronen, traten zurück zugunsten eines höchst umfassenden Steuersystems, ohne daß doch jemals der Anspruch des Fürsten auf die Arbeitskraft der Untertanen und die Bindung der letzteren an ihre idia aufgegeben wäre, die denn auch beide sofort wieder praktisch wurden, als mit dem 3. Jahrhundert n. Chr. die Geldwirtschaft verfiel. Das ganze Land erschien fast als eine einzige große Domäne des königlichen Oikos, neben welchem als annähernd gleichwertig in der Hauptsache nur die Oiken der Tempelgeistlichkeit standen. Dementsprechend ist es denn auch von den Römern rechtlich behandelt worden. –

Einen ganz wesentlich anderen Typus stellte das *chinesische* Reich dar. Wasserregulierung, vor allem Kanalbau – aber hier, wenigstens in Nord- und Mittelchina – vorwiegend zu Verkehrszwecken und ungeheure militärische Bauten, möglich natürlich auch hier nur durch Anspannung der Untertanenfronen, Magazine zur Aufspeicherung der Abgaben, aus denen die Beamten ihre Pfründen bezogen und das Heer equipiert und verpflegt wurde, und in der sozialen Schichtung ein noch vollständigeres Fehlen der Grundherrschaft als in Ägypten waren auch hier die Grundlagen der Macht der Patrimonialbürokratie. In historischer Zeit aber fehlte die leiturgische Bindung, welche vielleicht in der Vergangenheit einmal bestanden hatte oder doch einzuführen versucht worden war, worauf gewisse Andeutungen der Tradition und einige Rudimente allerdings schließen lassen könnten. Die tatsächliche Freizügigkeit und freie Berufswahl – offiziell existierte eigentlich keins von beiden – scheint jedenfalls in historischer Vergangenheit nicht dauernd angetastet worden zu sein. Einige faktisch erbliche unreine Berufe existierten, sonst fehlt jede Spur von Kaste oder sonstigen ständischen oder Erbprivilegien, außer einem praktisch gleichgültigen, auf einige Generationen verliehenen Titularadel. Der Patrimonialbürokratie standen hier als bodenständige Macht, neben Kaufmannsgilden und Zünften, wie sie sich überall finden, wesentlich nur die in engerem Kreis der Familie durch Ahnenkult und für den weiteren Kreis der Namensgleichheit durch Exogamie verbundenen Sippen gegenüber, deren älteste in den Dörfern eine praktisch höchst wirksame Machtstellung behielten. Entsprechend dem ungeheuren Umfang des Reichs und der im Verhältnis zur Volkszahl geringen Anzahl von Beamten war die chinesische Verwaltung nicht nur extensiven Charakters, sondern entbehrte unter durchschnittlichen Herrschern auch der Zentralisation. Die Anweisungen der Zentralbehörden wurden von den Unterinstanzen vielfach mehr als unmaßgebliche Ratschläge, denn als bindende Vorschriften behandelt. Das Beamtentum war hier wie überall unter solchen Umständen genötigt, mit den Widerständen des Traditionalismus, deren Träger die Sippenältesten und Berufsverbände waren, zu rechnen und sich irgendwie mit ihnen zu vertragen, um überhaupt fungieren zu können. Andererseits wurde aber, gegenüber der ungemein zähen Macht dieser Gewalten, offenbar nicht nur eine relativ weitgehende Vereinheitlichung des Beamtentums in seinem allgemeinen Charakter erreicht, sondern vor allem dessen Umwandlung in eine auf lokaler Honoratiorenmacht ruhende und daher der Reichsverwaltung gegenüber selbständige Schicht von Territorialherren oder Lehensbaronen gehindert. Dies, obwohl einerseits die Anlage von legal und illegal im Amt erworbenen Vermögen in Grundbesitz hier wie überall beliebt war und obwohl andererseits die chinesische Ethik die Pietätsbande zwischen dem Amtsanwärter und seinen Lehrern, Amtspatronen und Vorgesetzten ganz besonders eng knüpfte. Namentlich die Patronage und die Sippenbeziehungen der Beamten mußten die Tendenz haben, faktisch erbliche Amtsbaronien mit festen Klientelen zu schaffen. Solche waren auch offenbar immer wieder im Entstehen begriffen, und vor allen Dingen verklärt die Tradition den Feudalismus als das historisch Ursprüngliche, und zeigen die klassischen Schriften faktische Erblichkeit der Ämter als ganz normal und überdies das Recht der großen Zentralbeamten, bei der Ernennung der Kollegen gehört zu werden. Die kaiserliche Patrimonialherrschaft hat nun, um sich der stets wieder drohenden Appropriation der Ämter zu erwehren, die Patronageklientelen und die Entstehung lokaler Honoratiorenmonopole auf die Ämter hintan zu halten, neben den sonst üblichen Maßregeln: kurze Amtsfristen, Ausschluß der Anstellung in Gebieten, wo der Beamte seinen Sippenanhang hat, Überwachung durch Spione (die sog. Zensoren), das hier in der Welt zum erstenmal auftauchende Mittel amtlicher Qualifikationsprüfungen und amtlicher Führungszeugnisse eingeführt. Rang- und Amtsfähigkeit bestimmen sich in der Theorie ausschließlich, in der Praxis sehr weitgehend nach der Zahl der bestandenen Examina, die Belassung des Beamten in seinem Amt, sein Avancement in ein höheres oder seine Degradation zu einem niederen vollzog sich auf Grund seiner Konduite, deren Resümee bis in die Gegenwart periodisch nebst Motiven, etwa nach Art der Quartalszeugnisse deutscher Gymnasiasten, öffentlich bekanntgegeben wurde. Formal betrachtet ist dies die radikalste Durchführung bürokratischer Sachlichkeit, die es geben kann, und also eine ebenso radikale Abkehr von den auf persönlicher Gunst und Gnade ruhenden Amtsstellungen der genuinen Patrimonialbeamten. Und ob auch immer die Käuflichkeit der Pfründen und die Bedeutung persönlicher Patronage bestehen blieben – was selbstverständlich war –, so ist dennoch, teils negativ durch das intensive Konkurrenzverhältnis und Mißtrauen, welches die Beamten untereinander trennt, teils positiv durch die universell gewordene soziale Wertung der durch Examina erworbenen Bildungspatente, sowohl die Feudalisierung wie die Appropriation und die Amtsklientel soweit gebrochen worden, daß die ständischen Konventionen des Beamtentums jene ganz spezifisch bürokratischen, utilitarisch orientierten, durch den klassizistischen Bildungsunterricht geprägten bildungsaristokratischen, als höchste Tugenden die Würde der Geste und der contenance pflegenden, Züge annahm, welche seitdem das chinesische Leben sehr stark geprägt haben.

Das chinesische Beamtentum wurde trotzdem keine moderne Bürokratie. Denn die sachliche Scheidung der Kompetenzen wurde nur in einem, angesichts des ungeheuren Verwaltungsobjekts sehr geringen Maße durchgeführt: die Möglichkeit dazu war technisch eine Folge davon, daß die gesamte Verwaltung des befriedeten Reichs Zivilverwaltung war, das relativ sehr kleine Heer einen Sonderkörper bildete und, wie gleich zu erörtern, andere Maßregeln als die Kompetenzspaltung die Obödienz der Beamten gewährleisteten. Aber die positiven Gründe des Unterlassens der Kompetenzspaltung waren prinzipieller Art. Der spezifisch moderne Begriff des Zweckverbands und Spezialbeamtentums, welcher z. B. bei der allmählichen Modernisierung der englischen Verwaltung eine solche Rolle spielte, ist radikal antichinesisch und würde allen ständischen Tendenzen des chinesischen Beamtentums zuwiderlaufen. Denn dessen durch die Examina kontrollierte Bildung war in fast keiner Hinsicht Fachqualifikation, sondern das gerade Gegenteil davon. Neben der den Charakter einer Kunst an sich tragenden kalligraphischen Fähigkeit spielte vor allem stilistische Vollkommenheit und die vorschriftsmäßig an den Klassikern orientierte Gesinnung die weit überwiegende Rolle bei der Bearbeitung der zuweilen etwa an die Themata unserer traditionellen patriotischen und moralischen deutschen Aufsätze erinnernden Prüfungsarbeiten. Die Prüfung war eine Art Kulturexamen und stellte fest, ob der betreffende ein Gentleman, nicht aber, ob er mit Fachkenntnissen ausgerüstet war. Die konfuzianische Grundmaxime, daß ein vornehmer Mensch kein Werkzeug sei, das ethische Ideal also der universellen persönlichen Selbstvervollkommnung, den okzidentalen sachlichen Berufsgedanken radikal entgegengesetzt, stand der Fachschulung und den Fachkompetenzen im Wege und hat ihre Durchführung immer erneut verhindert. Darin lag die spezifisch antibürokratische und patrimonialistische Grundtendenz dieser Verwaltung, welche ihre Extensität und technische Gehemmtheit bedingte. China war andererseits dasjenige Land, welches die ständische Privilegierung am exklusivsten auf die konventionelle und offiziell patentierte literarische Bildung abgestellt hat, insofern also formal der vollkommenste Repräsentant der spezifisch modernen befriedeten und bürokratisierten Gesellschaft, deren Pfründenmonopole einerseits und deren spezifisch ständische Schichtung andererseits überall auf dem Prestige der patentierten Bildung beruht. Ansätze zu einer spezifischen Bürokratenethik und Bürokratenphilosophie finden sich zwar in einigen literarischen Denkmälern Ägyptens. Aber nur in China hat eine bürokratische Lebensweisheit: der Konfuzianismus, systematische Vervollkommnung und prinzipielle Geschlossenheit gefunden. Von der Wirkung auf die Religion und auf das Wirtschaftsleben war schon früher die Rede. Die Einheit der chinesischen Kultur ist wesentlich die Einheit derjenigen ständischen Schicht, welche Trägerin der bürokratischen klassisch-literarischer Bildung und der konfuzianischen Ethik mit dem dieser spezifischen, schon früher erörterten Vornehmheitsideal ist. Der utilitarische Rationalismus dieser Standesethik hat eine feste Schranke in der Anerkennung traditioneller magischer Religiosität und ihres Ritualkodex als Bestandteil der Standeskonvention, darunter vor allem der Pflicht der Ahnen- und Elternpietät. Wie der Patrimonialismus genetisch aus den Pietätsbeziehungen der Hauskinder gegenüber der hausväterlichen Autorität entstanden ist, so gründet der Konfuzianismus die Subordinationsverhältnisse der Beamten zum Fürsten, der niederen zu den höheren Beamten, vor allem auch der Untertanen zu den Beamten und zu dem Fürsten auf die Kardinaltugend der Kindespietät. Der spezifisch mittel- und osteuropäische patrimoniale Begriff des Landesvaters und etwa die Rolle, welche die Kindespietät als Grundlage aller politischen Tugenden in dem streng patriarchalischen Luthertum spielt, ist die entsprechende, nur im Konfuzianismus weit konsequenter durchgeführte Gedankenreihe. Außer durch das Fehlen einer Grundherrenschicht, also, eines lokalen herrschaftsfähigen Honoratiorentums, ist diese Entwicklung des Patrimonialismus in China ermöglicht worden durch die hier besonders weitgehende Befriedung des Weltreichs seit der Fertigstellung der großen Mauer, welche die Hunneneinbrüche für lange Jahrhunderte nach Europa hin ablenkte und seitdem die Expansion nur auf Gebiete sich richtete, welche mit den Streitkräften eines relativ überaus geringen Berufsheeres in Abhängigkeit zu halten waren. Den Untertanen gegenüber hat die konfuzianische Ethik die Theorie des Wohlfahrtsstaats sehr ähnlich, nur weit konsequenter, entwickelt, wie etwa die patrimonialistischen Theoretiker des Okzidents im Zeitalter des aufgeklärten Despotismus, und wie, theokratisch und seelsorgerisch gefärbt, auch die Edikte des buddhistischen Königs Açoka sie repräsentieren. Ansätze von Merkantilismus finden sich. Aber die Praxis sah wesentlich anders aus. In die zahlreichen lokalen Fehden der Sippen und Dörfer griff der Patrimonialismus normalerweise nur im Notfall ein, und auch Eingriffe in die Wirtschaft waren fast stets fiskalisch bedingt und wo dies nicht der Fall war, scheiterten sie, bei der unvermeidlichen Extensität der Verwaltung, fast immer an der Renitenz der Interessenten. Die Folge scheint in normalen Zeiten eine faktisch weitgehende Zurückhaltung der Politik gegenüber dem Wirtschaftsleben gewesen zu sein, welche dann schon sehr früh auch in theoretischen „laissez-faire"-Prinzipien ihre Stütze fand. Innerhalb der einzelnen Sippenverbände kreuzte sich das Bildungsprestige des geprüften Amtsanwärters, der von allen Sippenmitgliedern als Vertrauensmann und Berater und, wenn er im Amte saß, als Spender von Patronagen angegangen wurde, mit der traditionellen Autorität der Sippenältesten, welche in den lokalen Angelegenheiten zumeist ausschlaggebend blieb.

Alle Mittel der Verwaltungstechnik hinderten nicht, daß auch für rein bürokratische Patrimonialgebilde das Normale ein Zustand blieb, bei welchem die einzelnen Bestandteile des Machtgebiets, je entlegener vom Herrensitz, desto mehr sich der Beeinflussung durch den Herrn entziehen. Das nächstgelegene Gebiet bildet den Bereich direkter patrimonialer Verwaltung des Herrn vermittels seiner Hofbeamten: die „Hausmacht" des Herrn. Daran schließen sich die Außenprovinzen, deren Statthalter ihr Gebiet ihrerseits patrimonial verwalten, aber, schon infolge der unzulänglichen Verkehrsmittel, die Abgaben nicht mehr in brutto, sondern die Überschüsse nach Deckung des lokalen Bedarfs, regelmäßig aber nur feste Tribute abführen und dabei mit zunehmender Entfernung immer selbständiger in der Verfügung über die Militär- und Steuerkraft des Bezirks dastehen. Dieser zwingt schon die aus dem Fehlen moderner Verkehrsmittel folgende Notwendigkeit selbständiger schneller Entschließungen der Beamten bei feindlichen Angriffen auf die „Marken", deren Beamte überall mit sehr starker Amtsgewalt bewidmet sind (in Deutschland daher die Träger der stärksten Territorialstaatsentwicklung: Brandenburg und Österreich). Bis endlich zu den entferntesten Gebieten, deren nur noch nominell abhängige Herren zur Zahlung eines Tributes lediglich durch stets erneute Erpressungskampagnen anzuhalten waren, wie sie der Assyrerkönig ganz ebenso wie noch in der neuesten Zeit die Herrscher vieler Negerreiche alljährlich abwechselnd nach irgendeinem der Außenschläge ihrer prätendierten, durchweg labilen, teilweise direkt fiktiven Machtgebiete unternahmen. Die beliebig absetzbaren, aber auf festen Tribut und feste Militärkontingente gesetzten persischen Satrapen einerseits, die einem „Landesherren" sehr nahestehenden, immerhin im Fall der Pflichtverletzung versetzbaren japanischen Daimyos andererseits bilden, zwei Typen, zwischen denen in der Mitte die „Statthalter" der meisten orientalischen und asiatischen großen Reiche mit ihrer praktisch stets labilen Abhängigkeit zu stehen pflegen. Unter den großen Kontinentalreichen war jene Art von politischen Konglomeratsgebilden von jeher der verbreitetste, bei großer Konstanz der entscheidenden Grundzüge in der Einzelgestaltung naturgemäß sehr variable Typus. Auch das chinesische Reich bis in die Neuzeit weist trotz der Einheitlichkeit seiner Beamtenschicht diese Züge eines Konglomerats von zum Teil nur nominell abhängigen Satrapien auf, welche sich um die direkt verwalteten Kernprovinzen gruppierten. Insbesondere behielten auch hier, wie in den persischen Satrapien, die lokalen Behörden die Einnahmen aus ihren Provinzen in der Hand und bestritten daraus die Kosten der lokalen Verwaltung vorab; die Zentralregierung erhielt nur ihren zwar rechtlich, aber nur schwer und gegen leidenschaftlichen Widerstand der Provinzialinteressenten faktisch zu erhöhenden Tribut. Die Frage, wieweit die sehr fühlbaren Reste dieses Zustandes zugunsten rationaler Gliederung der Zentral- und Lokalgewalt und der Schaffung einer kreditwürdigen Zentralgewalt beseitigt werden sollen und können, bildet wohl das wichtigste Problem der modernen chinesischen Verwaltungsreform und hängt natürlich mit der Frage jener Beziehungen der Zentral- zu den Provinzialfinanzen, also ökonomischen Interessengegensätzen zusammen.

Die Dezentralisation erreicht, wie einerseits in der bloßen Kontingents- und Tributpflicht, so andererseits im Teilfürstentum einen Grenzfall. Da alle Herrschaftsbeziehungen, ökonomische wie politische, als privater Besitz des Herrn gelten, so ist Teilung im Erbgang eine durchaus normale Erscheinung. Diese Teilung gilt aber regelmäßig nicht als eine Konstituierung ganz selbständiger Gewalten: sie ist, keine „Totteilung" im deutsch-rechtlichen Sinn, sondern meist zunächst nur eine Verteilung der Einkünfte und Herrenrechte zur selbständigen Ausübung unter mindestens fiktiver Aufrechterhaltung der Einheit. Diese rein patrimoniale Auffassung der Fürstenstellung äußerte sich z. B. im Merowingerreich in der geographisch höchst irrationalen Art der Teilung: es mußten die besonders stark mit ertragreichen Domänen oder anderen Quellen hoher Einkünfte besetzten Gebietsteile so verteilt werden, daß die Einnahmen der einzelnen Teilfürsten ausgeglichen wurden. Die Art und das Maß von Realität der „Einheit" kann sehr verschieden stark sein. Unter Umständen bleibt ein reiner Ehrenvorrang bestehen. Der Metropolitensitz Kiew mit dem Großfürstentitel spielt in der Teilfürstenperiode Rußlands dieselbe Rolle wie Aachen und Rom mit dem Kaisertitel bei der Teilung des Karolingerreichs. Das Reich Dschingis Khans galt als Gesamtbesitz seiner Familie, der Großkhantitel sollte theoretisch dem jüngsten Sohne zufallen, tatsächlich wurde er durch Designation oder Wahl vergeben. Faktisch entziehen sich die Teilfürsten freilich überall regelmäßig der zugemuteten Unterordnung. Gerade die Vergebung großer Amtsgewalten an Mitglieder der herrschenden Familie kann statt der Erhaltung der Einheit den Zerfall oder – wie in den Rosenkriegen – Prätendentenkämpfe begünstigen. Wieweit sich dementsprechend, bei Umgestaltung der patrimonialen Ämter in erblich appropriierte Gewalten die Erbteilung auch auf sie überträgt, hängt von verschiedenen Umständen ab. Einerseits insbesondere von dem Maß des Verfalls oder umgekehrt der Aufrechterhaltung ihres Amtscharakters. Bei hoher Entwicklung der Machtstellung des Patrimonialbeamtentums kann daher gerade in Teilfürstenreichen ein einheitlicher Beamter dem Teilfürsten gegenüber die reale Reichseinheit repräsentieren (so der karolingische Hausmeier), dessen Wegfall die definitive Teilung begünstigte. Aber naturgemäß verfielen auch gerade diese patrimonial voll appropriierten höchsten Ämter – so das karolingische Hausmeiertum – leicht der Teilung. Die Abstreifung dieses die Dauerhaftigkeit der Patrimonialgebilde sehr stark gefährdenden Erbteilungsprinzips ist in sehr verschiedenem Maße und auch aus verschiedenen Motiven durchgeführt worden. Ganz generell stehen der Erbteilung in politisch bedrohten Ländern politische Bedenken entgegen und empfahl sich jedem Monarchen überhaupt auch im offensichtlichen Interesse der Erhaltung seiner Familie der Ausschluß der Erbteilung. Aber dies machtpolitische Motiv hat doch nicht immer genügt. Teils ideologische, teils technisch-politische Motive mußten jener Tendenz zu Hilfe kommen. Der chinesische Monarch wurde, nach der Durchführung der bürokratischen Ordnung, einerseits mit einer derartigen magischen Würde bekleidet, daß diese begrifflich unteilbar blieb, andererseits wirkte die ständische Einheit der Bürokratie und ihre Avancementsinteressen im Sinn der technischen Unteilbarkeit des politischen Gebildes. Der japanische Shogun und Daimyo blieben begrifflich „Ämter", und der besondere vasallitische Charakter der Amts- und Militärverfassung (der „Han"-Begriff, von dem noch zu reden ist) begünstigte die Erhaltung der Einheit der Herrenstellung. Die religiös bedingte Einheit des islamischen Khalifats hinderte nicht den Zerfall des rein weltlichen Sultanats, welches in den Händen der Sklavengenerale entstand, in Teilreiche. Aber die Einheit der disziplinierten Sklavenheere wirkte hier in der Richtung der Erhaltung der Einheit der einmal konstituierten Throne: die Teilung ist im islamischen Orient schon deshalb niemals heimisch geworden. Wenn sie schon im antiken Orient fehlte, so war wohl wesentlich die notwendige Einheit der staatlichen Wasserwirtschaft der technische Grund für die Erhaltung dieses Grundsatzes, dessen Entstehung aber wohl in dem ursprünglichen Charakter des Fürstentums als Stadtkönigtum ihren historischen Ausgangspunkt hatte. Denn naturgemäß ist eine Herrengewalt über eine einzelne Stadt technisch gar nicht oder schwer teilbar im Vergleich mit einer ländlichen Territorialherrschaft. Jedenfalls aber waren teils religiöse, teils amtsrechtliche, teils und namentlich technische und militärische Gründe für das Fehlen der Erbteilung orientalischer patrimonialer Monarchengewalten maßgebend. Eine Teilung, wie etwa die der Diadochen, fand statt, wo mehrere selbständige stehende Heere unter besonderen Herren nebeneinander stehen, nicht aber aus Anlaß von Erbfällen im Herrenhause. Der Amtscharakter wirkte auch im Okzident in der gleichen Richtung, wo immer er der Herrengewalt anhaftete. Dem Kaisertum Roms blieb die Teilung fremd. Erst mit dem endgültigen Schwinden des Magistratscharakters des römischen „princeps" zugunsten des „dominus" der diokletianischen Ordnung zeigt sich eine Tendenz zur Teilung, die aber rein politisch-militärisch und nicht patrimonial bedingt war und alsbald wieder an der Geschlossenheit jeder militärisch (in der Rekrutierung) schon längst gesonderten Reichshälfte Halt machte. Der Ursprung der Magistratur und Monarchie und der Kommandogewalt über das Bürgerheer blieb derart wirksam bis in die späteste Zeit. Auch im Okzident blieb unteilbar in erster Linie, was ganz und gar als „Amt" galt: neben den nicht appropriierten Ämtern vor allem die Kaiserwürde. Im übrigen wirkten im Okzident wie überall alle weitblickenden Machtinteressen der Monarchen in der Richtung der Beschränkung oder des Ausschlusses der Teilbarkeit. Namentlich daher bei erobernden Neugründungen. Sowohl das englische wie das süditalische Normannenreich und die spanischen Eroberungsreiche blieben unteilbar, wie es die ersten Völkerwanderungsreiche auch waren. Sonst aber ist die Unteilbarkeit unter starker Mitwirkung zweier untereinander sehr verschiedener Motive durchgeführt worden. Für die Königtümer Deutschlands und Frankreichs dadurch, daß sie – auch Frankreich wenigstens der Form nach – Wahlmonarchien wurden. Dagegen für die sonstigen patrimonialisierten und vor allem auf Grund einer dem Okzident spezifischen Voraussetzung: der Entwicklung der *ständischen* Territorialkörperschaften. Weil und soweit diese – die Vorläufer der modernen Staatsanstalt – als Einheit gelten, gilt auch die Gewalt des „Landesherrn" als unteilbar. Indessen hier kündigt sich schon der moderne „Staat" an. Innerhalb des Patrimonialismus dagegen findet sich vom haushörigen Patrimonialbeamten bis zum Tributärfürsten und bis zum nur nominell abhängigen Teilkönig eine ganze Stufenleiter von faktischen Selbständigkeitsgraden der lokalen Gewalten innerhalb des patrimonialen Herrschaftsverbandes.

Eine spezifische Problematik erzeugt nun das stete Ringen der Zentralgewalt mit den verschiedenen zentrifugalen lokalen Gewalten für den Patrimonialismus dann, wenn der Patrimonialherr mit seinen ihm persönlich zur Verfügung stehenden Machtmitteln: eigenem Grundbesitz und anderen Einkommensquellen, mit ihm persönlich solidarischen Beamten und Soldaten, nicht einer bloßen in sich nur nach Sippen und Berufen gegliederten Masse von Untertanen gegenübersteht, sondern wenn er als ein Grundherr neben und über anderen *Grundherren* steht, welche als eine lokale Honoratiorenschicht eine eigenständige Autorität innerhalb ihrer Heimatsbezirke genießen. Dies war, im Gegensatz zu China und Ägypten seit dem neuen Reich, schon in den antiken und mittelalterlichen politischen Patrimonialgebilden Vorderasiens der Fall, am stärksten aber in den okzidentalen politischen Herrschaftsverbänden seit der römischen Kaiserzeit. Eine Vernichtung dieser eigenständigen lokalen patrimonialen Gewalten kann der Patrimonialfürst nicht immer wagen. Einzelne römische Kaiser (Nero) haben zwar, besonders in Afrika, in starkem Umfang zu dem Mittel der Ausrottung der privaten Grundherren gegriffen. Allein dann müssen entweder, wenn die eigenständige Honoratiorenschicht ganz verdrängt werden soll, eigene Mittel der Verwaltungsorganisation zur Verfügung stehen, welche sie mit annähernd gleicher Autorität innerhalb der lokalen Bevölkerung ersetzen. Oder es entsteht in Gestalt der Pächter oder Grundherren, welche nun an die Stelle der einheimischen gesetzt werden, nur ein neuer Honoratiorenstand mit ähnlichen Prätensionen. In gewissem Umfang schon für den vorderasiatischen, prinzipiell für den hellenistischen und kaiserlich-römischen Staat war das spezifische Mittel der Schaffung eines lokalen Verwaltungsapparates die Städtegründung, und eine ganz ähnliche Erscheinung finden wir auch in China, wo noch die Unterwerfung der Miaotse im letzten Jahrhundert mit ihrer Urbanisierung identisch war. Wir werden uns mit dem allerdings sehr verschiedenen Sinn, den dies Mittel in diesen Fällen gehabt hat, später zu befassen haben. Jedenfalls aber erklärt sich daraus, daß, ganz allgemein gesprochen, die zeitliche und örtliche ökonomische Grenze der Städtegründung im Römerreich auch die Grenze der überkommenen Struktur der antiken Kultur wurde. Die Grundherrschaften gewannen naturgemäß um so mehr an politischem Gewicht, je mehr die Städtegründung versagte, und das hieß im allgemeinen: je mehr das Reich ein Binnenreich wurde. Für den spät antiken Staat sollte dann seit Konstantin die Bischofsgewalt die Stütze der Reichseinheit werden. Die ökumenischen Konzilien wurden die spezifischen Reichsversammlungen. Es wird noch zu erwähnen sein, warum die durch den Staat universalisierte und politisierte Kirche, weil sie gerade infolge dieser Politisierung sich ungemein schnell regionalisierte, diese Stütze nicht in genügendem Maße bleiben konnte. Im frühmittelalterlichen Patrimonialstaat wurde wiederum in anderer Form die Kirche zu einer ähnlichen Rolle ausersehen. So im Frankenreich und in anderer Art innerhalb der Feudalstaaten. Speziell in Deutschland versuchte der König, zunächst mit dem größten Erfolg, den lokalen und regionalen Gewalten ein Gegengewicht gegenüberzustellen durch Schaffung eines mit dem weltlichen konkurrierenden, kirchlichen politischen Honoratiorenstandes der Bischöfe, welche, weil nicht erblich, und nicht lokal rekrutiert und interessiert, in ihren universell gerichteten Interessen mit dem König völlig solidarisch schienen, und deren vom König ihnen verliehene grundherrliche und politische Gewalten auch rechtlich ganz in der Hand des Königs blieben. Deshalb war speziell für das deutsche Königtum das Unternehmen der Päpste, die Kirche entweder direkt bürokratisch zu organisieren, also die Kirchenämter ganz in die eigene Hand zu bekommen, oder doch ihre Besetzung nach kanonischer Regel unabhängig vom Königtum durch Klerus und Gemeinde vornehmen zu lassen, – d. h. der Sache nach: durch einen lokalen geistlichen Honoratiorenstand von Domkapitularen, welche mit den lokalen weltlichen Honoratioren durch verwandtschaftliche und persönliche Beziehungen verknüpft waren –, ein Kampf um die Grundlage seiner spezifischen politischen Machtmittel gegenüber den lokalen Gewalten. Und eben deshalb fand die Kirchengewalt dabei leicht die Unterstützung der weltlichen Honoratioren gegen den König. Eine Kombination von Entwaffnung und Theokratisierung (so bei den Juden und in Ägypten) verbunden mit der Ausnutzung der schroffen nationalen Gegensätze und der Interessenkollisionen lokaler Honoratioren hat, soviel sich sehen läßt, die labile Einheit des Perserreichs über zwei Jahrhunderte lang erhalten. Jedenfalls aber finden sich schon im babylonischen und persischen Reich Spuren jener typischen Auseinandersetzungen zwischen den lokalen Honoratiorenschichten und der Zentralgewalt, wie sie später im okzidentalen Mittelalter zu einer der wichtigsten Determinanten der Entwicklung wurden.

Die lokale Grundherrenschicht verlangt überall zunächst und vor allem: daß der Patrimonialfürst ihre eigene patrimoniale Gewalt über ihre Hintersassen unangetastet lasse oder direkt garantiere. Also vor allem Ausschluß von Eingriffen der Verwaltungsbeamten des Herrschers auf dem Gebiet ihrer Grundherrschaft: Immunität. Der Grundherr als solcher soll die Instanz sein, durch deren Vermittlung der Herrscher mit den Hintersassen überhaupt in Beziehung tritt, an ihn soll man sich wegen krimineller und steuerlicher Haftung dieser letzteren halten, ihm soll die Stellung der Rekruten, die Leistung und Subrepartition des Steuersolds für sie überlassen bleiben. Daneben wird natürlich, da der Grundherr die Prästationsfähigkeit der Hintersassen an Fronen und Abgaben für sich selbst auszunutzen wünscht, deren Leistung an den Patrimonialfürsten möglichst herabgesetzt oder doch fixiert werden. Immunitätsprivilegien, welche verschieden große Bruchteile solcher Ansprüche erfüllen, finden sich schon im 3. Jahrtausend in Ägypten (zugunsten von Tempeln und Beamten) und dann im babylonischen Reich (hier auch zugunsten privater Grundherren). Bei konsequenter Durchführung bedeuten jene Prätentionen die Exemtion der Grundherrschaften von den vom Patrimonialherren sonst als Trägern von Rechten und Pflichten ihm gegenüber konstituierten Kommunalverbänden, Dorfgemeinden also und eventuell Städten. In der Tat zeigt schon die Antike in dem hellenistischen Reich und ebenso die römische Kaiserzeit diesen Zustand. Zunächst gehört der grundherrliche Besitz des Monarchen selbst meist zu dem von allen Kommunalverbänden eximierten Gebieten. Die Folge war, daß hier neben den monarchischen Beamten eventuell der Domänenpächter als solcher neben dem patrimonialen auch politische Herrschaftsrechte ausübte. Daneben aber auch, wachsend im römischen Reich, private Großgrundherrschaften, deren Territoria nun neben den Stadtgebieten etwa eine solche Stellung einnahmen, wie die aus der feudalen Epoche überkommenen preußischen Gutsbezirke im Osten. Mit noch ganz anderer Wucht aber machten sich die Ansprüche der lokalen grundherrlichen Gewalten innerhalb der okzidentalen Reiche des Mittelalters geltend, wo die auf eine nach festen Traditionen geschulte Bürokratie und auf ein stehendes Heer gestützte Monarchie der Antike fehlte. Hier hat noch die Monarchie der beginnenden Neuzeit gar keine Wahl gehabt als mit den Grundherren Kompromisse zu schließen, solange sie nicht ein eigenes Heer und eine eigene Bürokratie schaffen und aus eigenen Mitteln beide besolden und das erstere equipieren konnte. Die spätantike, vollends die byzantinische Monarchie hatte gleichfalls den regionalen Interessen

Konzessionen machen müssen. Selbst die Heeresrekrutierung war schon vom 4. Jahrhundert an zunehmend eine regionale geworden. Die rein lokale Verwaltung legte die Dekurionatsverfassung der Städte und die Verwaltung durch die Grundherren in die Hände der lokalen Honoratioren. Immerhin lagerte über diesen Schichten doch die Kontrolle und Reglementierung der spätrömischen und dann der byzantinischen Zentralgewalt. Im Okzident fehlte dies völlig. Im Gegensatz zu den (offiziellen) Grundsätzen der chinesischen Verwaltung und auch zu Prinzipien, welche okzidentale Herrscher immer wieder einmal zu erzwingen suchten, gelang es hier den Grundherren sehr bald durchzusetzen, daß der Lokalbeamte des Herrschers mit Grundbesitz in seinem Amtsbezirk ansässig sein – wie dies bei den englischen Scheriffs und Friedensrichtern ebenso der Fall war und ist wie bei den preußischen Landräten – also der lokalen grundherrlichen Honoratiorenschicht angehören mußte. Das Präsentationsrecht für lokale staatliche Ämter hat sich in Preußen für die Landräte bis in den Staat des 19. Jahrhunderts erhalten. Die präsentationsberechtigten Gremien waren der Sache nach in Händen der Grundherren des Kaisers. Und den ganz großen Baronen gelang es im Mittelalter, weit darüber hinaus, wenn auch nicht rechtlich, so doch faktisch, Ämterpatronagen großer Gebiete an sich zu reißen. Überall ging die Tendenz der Entwicklung dahin: die Gesamtheit der Untertanen des Patrimonialfürsten zu „mediatisieren", zwischen sie und den Fürsten die lokale Honoratiorenschicht als alleinige Innehaberin der politischen Ämter aller Art einzuschieben, beiden die direkte Beziehung zueinander abzuschneiden, den Untertan wie den Fürsten für ihre gegenseitigen Ansprüche auf Steuer- und Heeresdienst einerseits, auf Gewährung von Rechtsschutz andererseits allein an den lokalen Amtsinhaber unter Ausschluß jeder Kontrolle des Fürsten zu weisen und zugleich das politische Amt selbst rechtlich oder faktisch erblich in eine Familie oder doch in einen lokalen Honoratiorenkonzern zu appropriieren.

Der Kampf zwischen patrimonialer Fürstengewalt und den natürlichen Tendenzen der lokalen patrimonialen Interessenten hat die verschiedensten Resultate gezeitigt. Der Fürst nimmt vor allem fiskalisches und militärisches Interesse an den der Mediatisierung unterworfenen Untertanen: daß ihre Zahl, die Zahl der Bauernwohnungen also, komplett bleibt und daß sie nicht von den patrimonialen Lokalgewalten für deren Zwecke so ausgebeutet werden, daß ihre Prästationsfähigkeit für den Fürsten leidet, daß der Fürst die Macht behält, sie direkt für seine Zwecke zu besteuern und militärisch aufzubieten. Die lokalen Patrimonialherren ihrerseits beanspruchen, die Bauern dem Fürsten gegenüber in allen Dingen zu vertreten. Der Satz: „nulle terre sans seigneur" hatte im Mittelalter, neben der noch zu erörternden lehensrechtlichen, insbesondere auch die praktisch verwaltungsrechtliche Bedeutung, daß vom Standpunkt der fürstlichen Verwaltung aus eine Dorfgemeinde der Bauern als Verband mit eigenen Befugnissen nicht zu existieren habe, jeder Bauer in einen Patrimonialverband gehöre und durch seinen Patrimonialherren vertreten wird, so daß der Fürst sich nur an den Herrn, nicht an deren Hintersassen zu wenden befugt sei. Nur ausnahmsweise ist dieser letztere Standpunkt restlos durchgeführt worden und dann stets nur zeitweilig. Jedes Erstarken der Fürstenmacht bedeutet irgendwelche direkte Interessiertheit des Fürsten an allen Untertanen. Allein in aller Regel hat der Fürst sich zu Kompromissen mit den lokalen Patrimonialgewalten oder anderen Honoratioren veranlaßt gesehen. Neben der Rücksicht auf den zu befürchtenden oft gefährlichen Widerstand, dem Fehlen des eigenen militärischen und bürokratischen Apparats zur effektiven Übernahme der Verwaltung, waren dafür vor allem die lokalen Honoratioren entscheidend. Die lokale Verwaltung des spätmittelalterlichen England und vollends des ostelbischen Preußen im 18. Jahrhundert hätte vom Fürsten überhaupt ohne Benutzung des Adels schon rein finanziell nicht bestritten werden können. Ein Produkt dieser Situation war in Preußen wohl die faktische Monopolisierung der Offiziersstellen und starken Vorzugschancen in der staatlichen Ämterlaufbahn (vor allem gänzliches Absehen von den sonst gültigen Qualifikationserfordernissen oder doch faktisch weitgehender Dispens davon) durch den Adel, und die noch bis heute bestehende Übermacht des Rittergutsbesitzes in allen lokalen ländlichen Verwaltungskörperschaften. Wollte der Fürst eine solche Appropriation der gesamten lokalen Staatsverwaltung durch die lokalen Patrimonialherren vermeiden, so hatte er, solange ihm nicht sehr bedeutende eigene Einnahmen zu Gebote standen, keine Wahl als sie in die Hände einer andern Honoratiorenschicht zu legen, deren Zahl und Machtstellung bedeutend genug war, um sich gegenüber den großen Patrimonialherren zu behaupten. In England entsprang dieser Situation das Institut der *Friedensrichter*, welches seine charakteristischen Züge in der Zeit der großen Kriege mit Frankreich empfing. Die reine Patrimonialverwaltung der Grundherren und ihre Gerichtsbarkeit, ebenso aber die von dem Feudaladel beherrschten lokalen Ämter (der Sheriff) waren infolge der ökonomisch bedingten Auflösung der Hörigkeitsverhältnisse nicht zur Bewältigung reiner Verwaltungsaufgaben imstande, und die Krone hatte auch das Interesse, die patrimonialen und feudalen Gewalten beiseite zu schieben, worin sie von den „Commons" entschieden unterstützt wurde. Die neuen Verwaltungsaufgaben aber waren hier wie anderwärts wesentlich polizeilicher Natur und hingen mit dem ökonomisch bedingten steigenden Bedürfnis nach Befriedung zusammen. Denn daß eine infolge der Kriegszustände gestiegene Unsicherheit den Grund abgegeben habe, wie meist gesagt wird, ist unglaubhaft, da das Institut dauernd bestehen blieb. Es war die wachsende Marktverflechtung der Wirtschaften, welche die Unsicherheit wachsend stark empfinden ließ. Dazu treten dann, charakteristisch genug, die Arbeitslosen- und Nahrungsmittelpreisfrage, welche die steigende Geldwirtschaft aufrollten. Sicherheits-, Gewerbe- und Konsumpolizei waren daher die ursprünglichen Kernpunkte der höchst vielseitigen Friedensrichtergeschäfte. Ihr Personal aber stellten die privaten Interessenten. Die Krone suchte, indem sie für jede Grafschaft eine beliebig große Anzahl lokaler Honoratioren, faktisch und bald auch rechtlich vorwiegend der Schicht der durch ein Grundrentenminimum qualifizierten, ritterlich lebenden Grundbesitzer des betreffenden Bezirks entnommen, unter Ernennung zu conservatores pacis mit einem Komplex von sich im Lauf der Zeit stetig vermannigfaltigenden polizeilichen und kriminal richterlichen Befugnissen, formell widerruflich, faktisch lebenslänglich, ausstattete und dabei die Ernennung sich selbst, die Oberaufsicht den Reichsgerichten vorbehielt, diese Schicht der sogenannten „gentry" im Gegensatz zu den ganz großen Patrimonialherren, den Baronen, auf die Seite des Fürsten zu ziehen. Einem der Friedensrichter, dem Lord Lieutnant, fiel die Kommandogewalt über die Miliz zu. Ein regulärer bürokratischer „Instanzenzug" vor den Entscheidungen des Friedensrichters existierte nicht oder doch nur auf der Höhe der patrimonialen Machtansprüche der Krone, in Gestalt der sogenannten „Star chamber", welche eben deshalb von der gentry in der Revolution des 17. Jahrhunderts vernichtet wurde. Es gab nun nur – in der Praxis in wachsendem Umfang – die Möglichkeit, konkrete Angelegenheiten durch besondere Verfügung (writ of Certiorari) vor die Zentralinstanzen zu ziehen, was ursprünglich ganz nach freiem Belieben erfolgen konnte. Praktisch bedeutete dies alles: daß auf die Dauer kein König wirksam gegen diejenige Schicht, welche die Friedensrichter stellte, zu regieren vermochte. Es gelang der Krone, die oft wiederholten Versuche, die Friedensrichterbestellung von der Wahl der lokalen Honoratioren direkt abhängig zu machen, abzuschlagen und die Ernennung in der eigenen Hand, unter Vorbehalt des

Vorschlagsrechtes bestimmter Ratgeber der Krone, zu behalten. Dies bedeutete, daß jenen Großbeamten, namentlich dem Kanzler, damit eine oft direkt pekuniär ausgenutzte Patronage in die Hand gegeben war. Allein sowohl dieser Patronage der Kontrollbeamten wie der offiziellen Rechtstellung der Krone selbst, gegenüber war die Solidarität der Gentry stark genug, um es zu erzwingen, daß die Friedensrichterstellen ihr Monopol blieben und unter Elisabeth beschwerte man sich darüber, daß tatsächlich die Empfehlung der vorhandenen Friedensrichter über die Neueinstellung von solchen entscheide.

Wie alle königlichen Beamten, war der Friedensrichter ursprünglich auf Sporteln und Tagegelder angewiesen. Allein bei der Niedrigkeit dieser Einnahmen wurde es Standeskonvention der Grundbesitzer, die Sporteln zu verschmähen. Die Konsums-Qualifikation der Friedensrichter wurde noch im 18. Jahrhundert erheblich erhöht. Als normale Vorbedingung wurde ein bestimmter Grundwert mindestens gefordert. Die typische und zunehmende englische Verpachtung des Besitzes setzte die Arbeitskraft gerade der ländlichen Gentry für diese Amtsgeschäfte frei. Was das Stadtbürgertum anlangt, so war die Beteiligung aktiver Geschäftsleute aus jenem Grund schwierig, der sie überall aus dem Kreise der „Honoratioren" ausschließt: wegen ihrer ökonomischen Unabkömmlichkeit. Aus ihren Kreisen traten wohl öfters ältere, vom aktiven Geschäft zurückgezogene Leute, weit häufiger aber jene zunehmenden Schichten der Gildegenossen, welche aus Unternehmern nach Erwerb hinlänglichen Vermögens zu Rentiers geworden waren, in das Friedensrichteramt ein. Die charakteristische Verschmelzung der ländlichen und der bürgerlichen Rentnerkreise zum Typus des „*Gentleman*" wurde durch die gemeinsame Beziehung zum Friedensrichteramt kräftig gefördert. Bei all diesen Kreisen wurde es nun Standessitte, die Söhne schon in jungen Jahren, nach absolviertem humanistischem Bildungsgang, sich zum Friedensrichter ernennen zu lassen. Das Friedensrichteramt war nun eine unbesoldete Amtsstellung, dessen, für die Qualifizierten, obligatorische Übernahme an sich, formell betrachtet, eine Leiturgie darstellte, deren effektive Ausübung oft nur auf kurze Frist übernommen wurde. Nur ein Teil (allerdings in der Neuzeit ein zunehmender Teil) der Friedensrichter versahen überhaupt ihre Amtsfunktionen tatsächlich. Für den Rest war das Amt titular und eine Quelle von sozialer Ehre. Soziales Prestige und soziale Macht waren auch der Grund, daß diese, bei wirklicher Teilnahme an den Amtsgeschäften, sehr wesentliche Arbeit verursachende Stellung demnach dauernd in genügendem Maße auch zur effektiven Ausübung gesucht war und blieb. Die anfänglich vorhandene und Jahrhunderte hindurch sehr scharfe Konkurrenz von Berufsjuristen unterlag: sie wurden durch die Niedrigkeit und den späteren faktischen Verzicht der Gentry auf Einnahmen aus dem Amt allmählich herausgedrängt. Der einzelne Laienfriedensrichter ließ sich durch seinen persönlichen Anwalt beraten, im ganzen aber wurde mit Hilfe der zur Verfügung gestellten Clercs nach Tradition und sehr weitgehend auch nach billigem Ermessen entschieden, was der Friedensrichterverwaltung ihre Volkstümlichkeit und ihr eigentümliches Gepräge verlieh. Es liegt also hier einer der äußerst seltenen Fälle vor, wo trotz zunehmender Amtsgeschäfte dennoch das Berufsbeamtentum durch das Honoratiorenamt in friedlichem Wettkampf vollkommen verdrängt wurde. Nicht irgend ein spezifischer „Idealismus" der interessierten Kreise, sondern der immerhin bedeutende und von außen her so gut wie ganz selbständige – formell nur durch die Vorschrift, daß alle irgend erheblichen Angelegenheiten nur kollegial, von mindestens 2 Friedensrichtern gemeinsam erledigt werden konnten, materiell aber durch die starken, aus der Standeskonvention folgenden Pflichtvorstellungen kontrollierte – Einfluß, welchen sie verlieh, waren der Anreiz für die Gentry, sich dazu zu drängen. Diese Verwaltung vermittelst der Friedensrichter hat in England alle anderen lokalen Verwaltungsinstanzen (außerhalb der Städte) praktisch fast bedeutungslos werden lassen. Die Friedensrichter in der Zeit der Blüte dieses als nationales Palladium gepriesenen „selfgovernment" waren faktisch fast die einzigen, effektive Verwaltungsarbeit leistenden Beamten in dem lokalen Verwaltungssprengel (Grafschaften), neben denen sowohl die alten Zwangsleiturgieverbände, wie die patrimoniale Verwaltung durch Grundherren wie jede Art von patrimonialbürokratischem Regime des Königs zur Bedeutungslosigkeit zusammengeschrumpft waren. Es war einer der radikalsten Typen der Durchführung einer reinen „Honoratiorenverwaltung", welche die Geschichte auf dem Boden großer Länder gekannt hat. Dem entsprach Art und Inhalt der Amtsführung. Die Justiz der Friedensrichter, diejenige also, welche für die Masse der Bevölkerung praktisch bedeutsam war – denn die Reichsgerichte in London waren für sie räumlich und vor allem, wegen der ungeheuren Sporteln, ökonomisch ebenso weit entfernt, wie für die römischen Bauern der Prätor oder die russischen der Zar – trug bis in die Gegenwart hinein sehr stark den Charakter der „Kadijustiz" an sich. Ihre Verwaltung zeigt als einen aller Honoratiorenverwaltung unvermeidlich charakteristischen Zug die „Minimisierung" und den Gelegenheitscharakter der verwaltenden Amtstätigkeit. Diese hatte nicht den Charakter eines „Betriebes". Sie war vor allem, soweit sie nicht in Listenführung (wie zuerst namentlich beim custos rotulorum) bestand, überwiegend repressiven Charakters, unsystematisch, der Regel nach faktisch nur auf direkt fühlbare grobe Verstöße oder auf Anrufung eines Geschädigten reagierend, zu einer stetigen und intensiven Bearbeitung positiver Verwaltungsaufgaben aber, oder zu einer konsequenten, von einheitlichen Gedanken ausgehenden „Wohlfahrts"-Politik technisch ganz ungeeignet, weil sie grundsätzlich als nebenamtliche Arbeit von „gentlemen" galt. Zwar wurde es Grundsatz, daß bei den „Quarter Sessions" der Friedensrichter mindestens einer von ihnen rechtskundig sein müsse: dieser oder diese wurden in der erteilten „commission" namentlich aufgeführt (Quorumklausel); dadurch wahrte sich die Zentralverwaltung zugleich einen gewissen Einfluß auf die Persönlichkeit der effektiv fungierenden Friedensrichter. Allein seit dem 18. Jahrhundert verlor selbst dies seine Geltung: alle aktiv Mitwirkenden wurden unter die „Quorum" aufgenommen.

Zwar hatte der Untertan zu gewärtigen, daß er bei allen nur denkbaren Vorgängen seines Lebens, vom Wirtshausbesuch und Kartenspiel oder der standesgemäßen Wahl seiner Tracht angefangen bis zur Höhe der Kornpreise und die Zulänglichkeit gezahlter Löhne, von der Arbeitsscheu bis zur Ketzerei, die Polizei- und Strafgewalt der Friedensrichter zu spüren bekommen könne. Endlos waren die Statuten und Verordnungen, welche von den Friedensrichtern und nur von ihnen die Durchführung ihrer durch Zufallsanlässe bedingten Vorschriften erwarteten. Aber ob und wann, durch welche Mittel und wie nachhaltig sie eingriffen, stand der Sache nach weitgehend in ihrem Belieben. Der Gedanke einer planvollen Verwaltungsarbeit im Dienste bestimmter Ziele konnte in ihren Kreisen nur ausnahmsweise entstehen, und nur die kurze Periode der Stuarts, vor allem der Laudschen Verwaltung, sah den Versuch, von oben her ein konsequentes System einer „christlichen Sozialpolitik" durchzuführen, welches aber, begreiflicherweise, schließlich am Widerstande eben jener Kreise scheiterte, denen die Friedensrichter vorwiegend entnommen wurden.

Der extensive und intermittierende Charakter der Friedensrichterverwaltung als solcher, ebenso aber die Art des Eingreifens der Zentralbehörden in ihren Gang, teils abrupt für konkrete Einzelfälle und dann praktisch wirksam, teils generell durch Anweisungen, welche praktisch oft nur den Wert von guten Ratschlägen hatten, erinnert in manchem scheinbar an die Art des Funktionierens der chinesischen Verwaltung, auf deren Gang diese Merkmale äußerlich auch zutreffen. Allein der Unterschied ist ein ungeheurer. Hier wie dort freilich ist der entscheidende Sachverhalt der: daß die patrimonial-bürokratische Verwaltung auf lokale Autoritäten stößt, mit denen sie sich irgendwie ins Einvernehmen setzen muß, um funktionieren zu können. Allein in China stehen den gebildeten Verwaltungsbeamten die Sippenältesten und Berufsverbände gegenüber. In England den fachgebildeten Richtern der gebildete Honoratiorenstand der grund-besitzenden Gentry. Die Honoratioren Chinas sind die klassisch-literarisch für die Beamtenlaufbahn Gebildeten, Pfründeninhaber oder Pfründenanwärter, und stehen also auf der Seite der patrimonialbü-rokratischen Gewalt, in England war dagegen gerade der Kern der Gentry ein freier, nur empirisch in der Beherrschung von Hintersassen und Arbeitern geschulter, zunehmend humanistisch gebildeter Großgrundbesitzerstand, eine Schicht also, die in China ganz fehlt. China stellt den reinsten Typus des von jedem Gegengewicht, soweit überhaupt möglich, freien und dabei noch nicht zum modernen Fach-beamtentum raffinierten Patrimonialbürokratismus dar. Die englische Friedensrichterverwaltung dagegen bildete in ihrer Blütezeit eine Kombination des ständischen Patrimonialismus mit der reinen eigenständigen Honoratiorenverwaltung und gehörte der letzteren weit mehr als dem ersteren an. Diese Verwaltung war ursprünglich formal eine solche kraft Untertanen-Leiturgie – denn eine solche stellte die Übernahmepflicht des Amtes dar. Im Effekt aber waren es, der faktischen Machtlage nach, nicht Untertanen, sondern freie „Genossen" eines politischen Verbandes, „Staatsbürger" also, durch deren freie Mitwirkung der Fürst seine Gewalt ausübte. Vor allem steht deshalb diese Verwaltung abseits des typischen politischen Übereinander eines fürstlichen Patrimonialhofhalts und privater Patrimonialherrschaften mit Privatuntertanen; denn gerade parallel mit dem Zerfall der Privathörigkeit entwickelte sie sich. Der Sache nach war freilich die englische „Squirearchie", deren Ausdruck sie war, eine Honoratiorenschicht durchaus grundherrlichen Gepräges. Ohne spezifische, feudale und grundherrliche Antezedenzien wäre der eigenartige „Geist" der englischen Gentry nie entstanden. Die besondre Art von „Männlichkeitsideal" des angelsächsischen Gentleman trug und trägt unvertilgbar die Spuren davon an sich. Wesentlich in der formalen Strenge der Konventionen, in dem sehr stark entwickelten Stolz und Würdegefühl, in der geradezu ständebildenden gesellschaftlichen Bedeutung des Sports äußert sich dieser Einschlag. Aber er wurde durch die steigende Vermischung mit spezifisch bürgerlichen, städtischen Rentner-

und auch aktiven Geschäftskreisen angehörigen Schichten schon vor dem Eindringen des Puritanismus ziemlich stark inhaltlich umgestaltet und rationalisiert, in ähnlicher Richtung wie die später zu besprechende Mischung von Geschlechtern und popolo grasso in Italien es hervorbrachte. Der moderne Typus ist daraus aber erst durch den Puritanismus und dessen über den Bereich seiner strikten Anhänger hinausreichenden Einfluß geworden, und zwar im Wege einer sehr allmählichen Angleichung der squirearchischen halbfeudalen und der asketischen, moralistischen und utilitarischen Züge, die noch im 18. Jahrhundert schroff nebeneinander im unversöhnten Gegensatz standen. Das Friedensrichteramt war eins der wichtigsten Mittel, jenem eigentümlichen Vornehmheitstypus gegenüber dem Ansturm kapitalistischer Gewalten Einfluß nicht nur auf die Verwaltungspraxis und die hohe Intaktheit des Beamtentums, sondern auch auf die gesellschaftlichen Anschauungen über Ehre und Sitte zu erhalten. Für die Bedingungen moderner Städte war die ehrenamtliche Friedensrichterverwaltung durch gebildete Laien technisch nicht durchführbar. Langsam nahm die Zahl der besoldeten städtischen Friedensrichter zu (Mitte des vorigen Jahrhunderts ca. 1 300 von über 18 000; von letzteren ca. 10 000 Titulare). Aber die fehlende Systematik der englischen Verwaltungsorganisation und die Mischung patriarchaler mit reinen Zweckverbands-Organisationen blieb die Folge davon, daß die rationale Bürokratie nur als Flickwerk, je nach ganz konkreten Einzelbedürfnissen, in die alte Honoratiorenverwaltung eingefügt wurde. Politisch wichtig war diese letztere durch die starke Schulung der besitzenden Klassen in der Führung von Verwaltungsgeschäften und der starken konventionellen Hingabe und Identifikation mit dem Staat. Ökonomisch wichtig war vor allem die unvermeidliche Minimisierung der Verwaltung, welche, bei immerhin starker konventioneller Bindung der „Geschäftsethik" doch der Entfaltung der ökonomischen Initiativen fast ganz freie Bahn gab. Vom Patrimonialismus aus gesehen, bildet die Friedensrichterverwaltung einen äußersten Grenzfall desselben.

In allen andern historisch bedeutsamen Fällen eines Miteinander von Patrimonialfürstentum und grundherrlichen Honoratioren waren diese letzteren ihrerseits Patrimonialherren und ging beim Entstehen der Patrimonialbürokratie in der beginnenden Neuzeit das ausdrückliche oder stillschweigende Kompromiß der beiden Gewalten dahin: daß den lokalen Patrimonialherren die Herrschaft und die ökonomische Verfügung über ihre Hintersassen soweit garantiert wird, als das Steuer- und Rekruten-Interesse des Fürsten es zuläßt, daß sie die lokale Verwaltung und niedere Gerichtsbarkeit über ihre Hintersassen gänzlich in der Hand haben und diese dem Fürsten und seinen Beamten gegenüber vertreten, daß ferner alle oder doch ein großer Teil aller Staatsämter, namentlich alle oder doch fast alle Offizierstellen ihnen reserviert werden, daß sie ferner für ihre Person und ihren Grundbesitz von Steuern befreit sind und als „Adel" weitgehende ständische Privilegien in bezug auf Gerichtsstand, Art der Strafen und Beweismittel genießen, darunter namentlich (meist): daß nur sie fähig sind, eine Patrimonialherrschaft auszuüben, also „adlige" Güter mit Leibeigenen, Hörigen oder andern patrimonial abhängigen Bauern zu besitzen. Von derartigen ständischen Privilegien eines vom Fürsten unabhängigen Adels waren in dem England der Gentryverwaltung nur noch Reste vorhanden. Die Machtstellung der englischen Gentry innerhalb der lokalen Verwaltung ist die Kehrseite der Übernahme einer Leiturgie-artigen Belastung mit einer höchst zeit- und kostspieligen Ehrenamtspflicht. Dergleichen kannte die kontinentale europäische Ordnung wenigstens in der Neuzeit nicht mehr. Eine Art von Dienst-Leiturgie lag allerdings in der Zeit von Peter dem Großen bis zu Katharina II., auf dem russischen Adel. Die Monopole Peters des Großen beseitigten die bisherigen sozialen Rang- und Rechtsverhältnisse des russischen Adels zugunsten zweier einfacher Grundsätze: 1. Sozialen Rang (tschin) verleiht nur der Dienst im patrimonialbürokratischen (bürgerlichen oder militärischen) Amt, und zwar der Höhe nach je nachdem in 14 Rangklassen der patrimonialbürokratischen Ämterhierarchie: Da für den Eintritt in die Amtskarriere kein Monopol des bestehenden Adels und auch keine Grundbesitzqualifikation erfordert war, sondern (wenigstens der Theorie nach) eine Bildungsqualifikation, so schien dies dem chinesischen Zustand nahezustehen. – 2. Nach zwei Generationen erlöschen in Ermangelung der Übernahme von Ämtern die Adelsrechte. Auch dies scheint dem chinesischen Zustand verwandt. Aber die russischen Adelsrechte erhielten nun neben anderen Privilegien vor allem auch das ausschließliche Recht: mit Leibeigenen besiedeltes Land zu besitzen. Dadurch war der Adel mit dem Vorrecht grundherrlichen Patrimonialismus in einer Art verknüpft, welche China durchaus fremd war. Der Verlust der Adelsrechte als Folge nicht geleisteten Fürstendienstes wurde unter Peter III. und Katharina II. abgeschafft. Aber der tschin und die amtliche Rangliste (tabel o rangach) blieben die offizielle Grundlage der sozialen Schätzung und der mindestens zeitweilige Eintritt in ein Staatsamt blieb eine Standeskonvention für junge Adlige. Zwar war die Patrimonialherrschaft der adligen Grundherren auf dem Gebiet des Privatgrundeigentums so gut wie universell im Sinn des Satzes „nulle terre sans seigneur", da es außerhalb des adligen Grundbesitzes nur Grundherrschaften der fürstlichen Domänen- und Apanagengüter und der Geistlichkeit und Klöster gab, freies Grundeigentum in andern Händen dagegen gar nicht oder nur in einzelnen Resten (die Odnodworzy) oder als Militärlehen (Kosaken). Die ländliche Lokalverwaltung lag also, soweit sie nicht Domänenverwaltung war, ganz in den Händen des grundbesitzenden Adels. Aber eigentliche politische Macht und soziales Prestige, vor allem auch alle Chancen ökonomischen Aufstiegs, wie sie die Handhabung politischer Macht hier wie überall, ganz nach chinesischer Art, zeigt, hingen nur am Amt oder direkt an höfischen Beziehungen. Es war natürlich eine Übertreibung, wenn Paul I. einem fremden Besucher erklärte: ein vornehmer Mann sei der und nur der, mit dem er spreche und nur so lange er mit ihm spreche. Allein tatsächlich konnte sich die Krone gegenüber dem Adel, selbst Trägern der gefeiertsten Namen und Besitzern der ungeheuersten Vermögen, Dinge gestatten, welche kein abendländischer noch so großer Potentat sich gegenüber dem letzten seiner, dem Recht nach unfreien Ministerialen herausgenommen hätte. Diese Machtstellung des Zaren ruhte einerseits auf der festen Interessensolidarität der einzelnen die Verwaltung und das durch Zwangsrekrutierung beschaffte Heer leitenden Tschin-Inhaber mit ihm und andrerseits auf dem völligen Fehlen einer ständischen Interessensolidarität des Adels untereinander. Wie die chinesischen Pfründner, so fühlten sich die Adligen als Konkurrenten um den Tschin und alle Chancen, welche die Fürstengunst bot. Der Adel war daher in sich durch Koterien tief gespalten und dem Fürsten gegenüber vollkommen machtlos, und er hat sich auch bis in die Zeiten der modernen Organisation der Lokalverwaltung, die eine teilweise neue Situation schuf, nur ganz ausnahmsweise und dann stets vergeblich zu Versuchen gemeinsamen Widerstandes zusammengefunden, obwohl er durch Katharina II. ausdrücklich das Versammlungs- und Kollektiv-Petitionsrecht erhalten hatte. Dieser durch die Konkurrenz um die Hofgunst bedingte völlige Mangel an Standessolidarität des Adels war nicht erst die Folge der Ordnungen Peters des Großen, sondern entstammte bereits dem älteren System des „Mjestnitschestwo", welches seit der Aufrichtung des moskowitischen Patrimonialstaats die soziale Klassifikation der Honoratioren beherrschte. Der soziale Rang hing von Anfang her an der Würde des vom Zaren, dem universellen Bodeneigentümer, verliehenen Amts, an welcher als materieller Entgelt der Besitz des Dienstlehens – „pomjestje" von mjesto, Stellung – hing. Der Unterschied des alten Mjestnitschestwo gegenüber der peterinischen Ordnung war im letzten Grunde lediglich, daß einerseits das Dienstlehen, andrerseits der dem ersten Erwerber oder einem späteren Vorbesitzer durch Amtsstellung zugewachsene Rang erblich allen seinen Nachfahren appropriiert war und nun das gegenseitige Rangverhältnis der adligen Familien unter einander relativ dauernd regelte. Je nach 1. dem Amtsrang seines in der Amtshierarchie höchstgestiegenen Vorfahren und 2. je nach der Zahl der Generationen, die zwischen der höchsten bisherigen von einem von diesen Vorfahren innegehabten Amtsstellung und seinem eignen Eintritt in den Dienst lagen, begann der junge Adlige mit einer verschiedenen Amtsstellung. Kein Adliger von höherem Amtsadel seiner Familie konnte nach feststehender Standessitte ein Amt annehmen, welches ihn dem Befehl eines Beamten aus einer Familie mit niedrigerem Amtsadel unterstellte, so wenig wie er an einer Tafel, – auch auf Lebensgefahr, wenn es die Tafel des Zaren war – jemals einen Platz unterhalb eines nach dem „Mjestnitschestwo" ihm dem Familienrang nach untergeordneten Beamten noch so hoher persönlicher Amtsstellung akzeptieren durfte. Das System bedeutete einerseits eine empfindliche Einschränkung des Zaren in der Auswahl seiner höchsten Verwaltungsbeamten und Heerführer, über die er sich nur unter großen Schwierigkeiten und dem Risiko, daß die Proteste und Widersetzlichkeiten selbst auf dem Schlachtfelde nicht schwiegen, hinwegsetzen konnte. Auf der andren Seite nötigte es den Adel, und je höher sein ererbter Rang war, desto mehr, in den höfischen und patrimonialbürokratischen Dienst hinein, um seine soziale Geltung und seine Ämterchancen nicht zu verlieren und verwandelte ihn so fast restlos in einen „Hofadel" (dworjanstwo von dwor, Hof).

Der eigne Grundbesitz als Grundlage der Rangstellung trat immer weiter zurück. Die wotschianiki, Inhaber eines wotschina, einer nicht ursprünglich als Dienstland verliehenen, sondern „allodialen" und von den Vorfahren vererbten Grundherrschaft, schwanden dahin zugunsten des pomjeschtschiki, bis dieses die heut alleinherrschende Bezeichnung für „Gutsherr" wurde. Nicht der Besitz adligen Landes, sondern der eigne und ererbte Amtsrang schuf den sozialen Rang. Den Anknüpfungspunkt der Entwicklung dieses von dem Patrimonialfürstentum des Zaren raffiniert benutzten Systems der Verknüpfung aller sozialen Macht mit Herrendienst ist zu finden 1. in einem erst später zu erörternden Institut (die Königsgefolgschaft) in Verbindung mit 2. der Sippensolidarität, welche den einmal erworbenen Dienstrang und die damit verbundenen Chancen der Gesamtheit der Sippengenossen zu appropriieren suchten. Diesen Zustand traf Peter der Große an und suchte ihn zu vereinfachen, indem er die Familienranglisten (rasrjadnaja perepis), welche über die Rangansprüche der adligen Sippen Auskunft gab, verbrennen ließ und sein fast rein an der persönlichen Amtsstellung klebendes Tschin-Schema an die Stelle setzte. Es war der Versuch, die Sippenehre, welche bisher der Entwicklung der Standessolidarität, ebenso wie den Interessen des Zaren an der freien Auslese seiner Beamten im Wege gestanden hatte, auszuschalten, ohne doch eine gegen den Zaren sich wendende Standessolidarität entstehen zu lassen. In der Tat gelang dies. Der Adel blieb, soweit er den sozialen Rang des tschin suchte, durch rücksichtslose Konkurrenz darum, soweit er aber reiner Grundherr blieb, durch den haßerfüllten Gegensatz gegen den tschinownik – die allgemeine Bezeichnung für Beamte – tief in sich gespalten. Das Monopol des Leibeigenenbesitzes schuf keinen solidarischen Stand, weil die Tschinkonkurrenz dazwischentrat und nur das Amt nebenher die großen Gelegenheiten zur Bereicherung bot. Der Zustand war in dieser Hinsicht der gleiche wie im spätkaiserlichen und byzantinischen Reich, ebenso schon in den antiken babylonischen, persischen und hellenistischen Vorläufern und ebenso auch in ihren islamitischen Erben: die Bedeutung des grundherrlichen Patrimonialismus – welche, wie wir sahen, in China gänzlich fehlte – führte auch dort überall weder zu einer bestimmt gearteten Verknüpfung der Grundherrenschicht mit den staatlichen Ämtern, noch zur Entstehung eines einheitlichen Adelsstandes auf der Basis der Grundherrschaft, soviele Ansätze dazu auch vorhanden waren. Der für die spätrömische Verwaltung zunehmend wichtigen Schicht der „possessores" stand, ebenso wie in den hellenistischen Reichen, das fürstliche Patrimonialbeamtentum, im spätrömischen Reich, eine nach der Höhe des Pfründeneinkommens in Rangklassen gegliederte Schicht, beziehungslos gegenüber, wie schon in den frühantiken orientalischen Reichsbildungen. Und in den islamischen Reichen gab ihrem theokratischen Charakter entsprechend, sozialen Rang zunächst das Bekenntnis zum Islam, Ämterchancen aber die kirchlich geleitete Vorbildung und sonst die freie Gunst des Herrn ohne dauernd und nachhaltig wirksame Adelsmonopole. Vor allem konnte auf diesem Boden ein grundlegendes Element alles mittelalterlichen westeuropäischen Adels nicht entstehen: eine zentrale Orientierung der Lebensführung durch eine bestimmte Art von traditioneller und durch Erziehung gefestigter Gesinnung: die persönliche Beziehung der ganzen

Lebensweise, die gemeinsame ständische Ehre als eine Anforderung an jeden Einzelnen und ein alle Standeszugehörigen innerlich einigendes Band. Zahlreiche ständische Konventionen entwickelten sich auf russischem Boden ebenso wie innerhalb der Honoratiorenkreise aller jener Reiche. Aber es lag nicht nur in jener schon erwähnten Zwiespältigkeit der Grundlagen sozialen Ranges, daß sie zu einem einheitlichen, gesinnungsmäßigen Zentrum der Lebensführung auf der Grundlage der „Ehre" nicht führen konnten. Sondern sie setzten überhaupt nur sozusagen von außen ökonomische Interessen oder das nackte soziale Prestige-Bedürfnis in Bewegung, nicht aber boten sie einheitlichen Impulsen des Handelns einen elementaren inneren Maßstab der Selbstbehauptung und Bewährung der eignen Ehre dar. Die eigne soziale Ehre und die Beziehung zum Herrn fielen entweder innerlich ganz auseinander: so bei den eigenständigen Honoratioren; oder aber sie waren eine nur an äußerliches Geltungsbedürfnis appellierende „Karriere"chance, so beim Hofadel, dem Tschin, dem Mandarinentum und allen Arten von nur auf freier Herrengunst beruhenden Stellungen. Andrerseits waren wieder die appropriierten Pfründen aller Art als solche zwar eine geeignete Grundlage für ein Gefühl von Amts- und Honoratioren„würde" nach Art der noblesse de robe, aber keine spezifische Basis für eine eigne persönliche, auf „Ehre" abgestellte Beziehung zum Herren und einer darauf beruhenden spezifischen inneren Lebenshaltung. Der okzidentale Ministeriale auf seiten der durch Herrengunst, der alte englische Gentleman der „Squirearchie" auf seiten der durch eigenständige Honoratiorenqualität bedingten sozialen Ehre waren beide, in untereinander sehr verschiedener Art, Träger eines eigentümlichen, persönlichen ständischen Würdegefühls, welches die persönliche „Ehre", nicht nur das amtsbedingte Prestige, zur Grundlage hatte. Aber bei dem Ministerialen ist es völlig offenkundig und bei dem altenglischen Gentleman leicht einzusehen, daß die innere Lebenshaltung beider durch das okzidentale *Rittertum* mitbedingt war. Die Ministerialen sind mit diesem vollständig verschmolzen, der englische Gentleman hat umgekehrt neben den mittelalterlichen rein ritterlichen Zügen mit zunehmender Entmilitarisierung der Honoratiorenschicht zunehmend andre, bürgerliche Züge in ihr Männlichkeitsideal und ihren Lebensstil aufgenommen, und in dem puritanischen Gentleman erstand neben der Squirearchie ein dieser ebenbürtiger Typus sehr heterogener Provenienz, mit welchem nun die verschiedensten gegenseitigen Angleichungs-Entwicklungen einsetzten. Immerhin aber lag das ursprüngliche spezifisch mittelalterliche Orientierungszentrum beider Schichten außerhalb ihrer selbst im feudalen Rittertum. Dessen Lebenshaltung aber wurde zentral durch den feudalen Ehrbegriff und dieser wieder durch die Vasallentreue des *Lehensmannes* bestimmt, den einzigen Typus einer Bedingtheit ständischer Ehre sowohl einerseits durch eine dem Prinzip nach einheitliche Stellungnahme von innen heraus, wie andrerseits durch die Art der Beziehung zum Herrn. Da die spezifische Lehensbeziehung stets ein extrapatrimoniales Verhältnis darstellt, liegt sie in dieser Hinsicht jenseits der Grenzen der patrimonialen Herrschaftsstruktur. Allein es ist leicht einzusehen, daß sie andrerseits durch die ihr eigne, rein persönliche Pietätsbeziehung zum Herrn so stark bedingt ist, und so sehr den Charakter einer „Lösung" eines praktischen „Problems" der politischen Herrschaft eines Patrimonialfürsten über und vermittelst lokaler Patrimonialherren darstellt, daß sie systematisch am richtigsten als ein spezifischer äußerster „Grenzfall" des Patrimonialismus behandelt wird.

Kapitel VIII. Wirkungen des Patriarchalismus und des Feudalismus.

Wesen der Lehen und Arten feudaler Beziehungen S. 1163. – Lehen und Pfründe S. 1166. – Militärischer Ursprung und Legitimierung des Lehenssystems S. 1171. – Die feudale Gewaltenverteilung und ihre Stereotypierung S. 1176. – Übergangsbildungen vom Lehensverband zur Bürokratie. Der „Ständestaat". Patrimonialbeamtentum S. 1181. – Beziehungen zur Wirtschaft. Bedeutung des Handels für die Entwicklung des Patrimonialismus S. 1187. – Stabilisierender Einfluß auf die Wirtschaft S. 1191. – Die Monopolwirtschaft des Patrimonialismus. Der „Merkantilismus" S. 1194. – Vermögensbildung und Verteilung unter feudaler Herrschaft S. 1197. – Wirtschaftliche Folgen des patrimonialen Staatsmonopolismus S. 1200. – Herrschaftsstruktur, „Gesinnung" und Lebensführung S. 1203.

Im Gegensatz zu dem weiten Bereich der Willkür und der damit zusammenhängenden mangelnden Stabilität der Machtstellungen im reinen Patrimonialismus steht nun die Struktur der *Lehensbeziehungen*. Die Lehensfeudalität ist ein „Grenzfall" der patrimonialen Struktur in der Richtung der Stereotypierung und Fixierung der Beziehungen von Herren und Lehensträgern. Wie der Verband des Hauses mit seinem patriarchalen Hauskommunismus auf der Stufe des kapitalistisch erwerbenden Bürgertums aus sich heraus die Vergesellschaftung zu einem auf Kontrakt und fixierten Einzelrechten ruhenden

„Betrieb" entstehen läßt, so die patrimoniale Großwirtschaft auf der Stufe des ritterlichen Militarismus aus sich die ebenfalls kontraktlich festgelegten Treuebeziehungen des Lehensverhältnisses. Die persönliche Treuepflicht wird hier ebenso aus dem Zusammenhang der allgemeinen Pietätsbeziehungen des Hauses losgelöst und auf ihrer Grundlage dann ein Kosmos von Rechten und Pflichten entfaltet, wie dort die rein materiellen Beziehungen. Wir werden später sehen, daß die feudale Treuebeziehung zwischen Herren und Vasallen auf der andern Seite auch als Veralltäglichung eines nicht patrimonialen, sondern charismatischen Verhältnisses (der Gefolgschaft) behandelt werden kann und muß und von dort her gesehen bestimmte spezifische Elemente der Treuebeziehung ihren systematisch richtigen „Ort" finden. Doch lassen wir diese Seite hier unberücksichtigt und suchen statt dessen die innerlich konsequenteste Form der Beziehung zu erfassen. Denn „Feudalismus" und auch „Lehen" können begrifflich sehr verschieden weit definiert werden. „Feudal" im Sinne der Herrschaft eines grundherrlichen Kriegeradels war z. B. im denkbar extremsten Sinn das polnische Staatswesen. Aber das polnische Gemeinwesen war das Gegenteil eines „feudalen" Gebiets im technischen Sinne, denn es fehlte ihm das dafür entscheidende: die Lehensbeziehung. Es hat für die Entwicklung der Ordnung (bzw. Nichtordnung) des polnischen Reichs gerade die weittragendsten Folgen gehabt, daß die polnischen Adligen als „allodiale" Grundherren galten: die daraus folgende Struktur dieser „Adelsrepublik" stellt den extremen Gegenpol z. B. gegen das normannische zentralisierte Feudalsystem dar. „Feudal" kann man ferner die hellenische Polis der vorklassischen Zeit und sogar noch der älteren, kleisthenischen Demokratie nennen, weil nicht nur stets das Bürgerrecht mit dem Waffenrecht und der Waffenpflicht zusammenfällt, sondern auch ihre Vollbürger in aller Regel Grundherren sind und die verschiedenartigsten auf Pietät ruhenden Klientel-Verhältnisse die Macht der herrschenden Honoratiorenschicht begründen. So namentlich die römische Republik bis in ihre letzten Zeiten. Fast in der gesamten Antike spielt die Verbindung von Bodenverleihung mit Militärdienstpflicht, gegenüber einem persönlichen Herrn oder gegenüber einem Patrimonialfürsten oder gegenüber dem Verband der Bürger, eine grundlegende Rolle. Wenn unter „Lehen" jede Verleihung von Rechten, insbesondere von Nutzungen am Grund und Boden oder von politischer Gebietsherrschaft gegen Dienste im Krieg oder in der Verwaltung verstanden wird, so ist nicht nur das Dienstlehen der Ministerialen, sondern vielleicht auch das frührömische precarium, jedenfalls aber das im römischen Kaiserreich an die nach dem Markoman-nenkrieg eingesiedelten „laeti" und später direkt an Fremdvölker gegen Verpflichtungen zum Kriegsdienst verliehene Land, und erst recht das Kosakenland ganz ebenso „Lehen" wie schon die im ganzen alten Orient und dann im ptolemäischen Ägypten sich findenden Soldatengrundstücke und zahlreiche ähnliche Erscheinungen, welche über die ganze Erde hin in allen Epochen sich finden. In den meisten solcher Fälle, wenn auch nicht in allen, handelt es sich um die Schaffung von Existenzen, welche erblich entweder in einem direkt patrimonialen Abhängigkeitsverhältnis oder doch in leiturgischer Gebundenheit an ihre Pflicht und dadurch an die Scholle stehen. Oder, wo dies nicht der Fall ist, um solche, die von einem autokratischen Gewalthaber gegenüber anderen „freien" Volksschichten durch Steuerfreiheit und besonderes Bodenrecht privilegiert werden und dagegen mit der Pflicht belastet sind, die Waffenübung zu pflegen und im Kriegsfall oder auch für Verwaltungszwecke zur beliebigen oder auch zu einer fest umgrenzten Disposition des Herren zu stehen. Kriegeransiedelung speziell ist die typische Form der Sicherung ökonomisch abkömmlicher und also stets verfügbarer Streitkräfte unter naturalwirtschaftlichen Verhältnissen, welche ein Soldheer ausschließen; sie entstehen in typischer Weise sobald der Bedürfnisstand, die Intensität der landwirtschaftlichen und gewerblichen Erwerbsarbeit und die Entwicklung der Kriegstechnik die Masse der Bevölkerung unabkömmlich und in ihrer militärischen Schulung minderwertig werden läßt. Alle Arten von politischen Verbänden greifen dazu. Das, ursprünglich unveräußerliche, Landlos (κληρος) in der hellenischen Hoplitenstadt stellt den einen Typus (Pflicht gegen den Bürgerverband) dar, die ägyptische sog. „Kriegerwaffen" (μαχιμοι) den zweiten (Pflicht gegen den Patrimonialfürsten), die Landverleihung an „Klienten" den dritten (Pflicht gegen den persönlichen Herren). Alle altorientalischen Despotien und ebenso die Kleruchen der hellenistischen Zeit haben mit diesem Aufgebotsmaterial in irgendeinem Umfang gearbeitet, ebenso, wie wir später sehen werden, gelegentlich noch die römische Nobilität. Die letztgenannten Fälle namentlich stehen dem eigentlichen Lehen in der Funktion und auch in der rechtlichen Behandlung nahe, ohne doch mit ihm identisch zu sein. Sie sind es nicht, weil es sich zwar um privilegierte Bauern, aber eben, sozial angesehen, doch um Bauern (oder doch um „kleine Leute") handelt – um eine Art von Lehensverhältnis zu Plebejerrecht – während andererseits die Ministerialität infolge ihrer ursprünglichen patrimonialen Grundlage sich vom Lehen unterscheidet. Echte Lehensbeziehungen im vollen technischen Sinn bestehen 1. stets zwischen Mitgliedern einer sozial zwar in sich hierarchisch abgestuften aber gleichmäßig über die Masse der freien Volksgenossen gehobenen und ihr gegenüber eine Einheit bildenden Schicht, und kraft der Lehensbeziehung steht man 2. in freiem Kontraktverhältnis und nicht in patrimonialen Abhängigkeitsbeziehungen zueinander. Das Vasallenverhältnis ändert Ehre und Stand des Vasallen nicht zuungunsten des Vasallen, im Gegenteil kann es seine Ehre erhöhen und die „Kommendation" ist trotz der daher entlehnten Formen keine Hingabe in die Hausgewalt. – Man kann also die im weiteren Sinne des Worts „feudalen" Beziehungen in folgender Weise klassifizieren: 1. „leiturgischer" Feudalismus: angesiedelte Soldaten, Grenzer, Bauern mit spezifischen Wehrpflichten (Kleruchen, laeti, limitanei, Kosaken); – 2. „patrimonialer" Feudalismus, und zwar a) „grundherrlich": Kolonen-Aufgebote (z. B. der römischen Aristokratie noch im Bürgerkrieg, des altägyptischen Pharao), – b) „leibherrlich": Sklaven (altbabylonische und ägyptische Sklavenheere, arabische Privattruppen im Mittelalter, Mameluken), – c) gentilizisch: erbliche Klienten als Privatsoldaten (römische Nobilität); – 3. „freier" Feudalismus und zwar: a) „gefolgschaftlich": nur kraft persönlicher Treuebeziehung ohne Verleihung von Grundherrenrechten (die meisten japanischen Samurai, die merowingischen Trustis), – b) „präbendal": ohne persönliche Treuebeziehung, nur kraft verliehener Grundherrschaften und Steuerleistungen (vorderasiatischer Orient einschließlich der türkischen Lehen), – c) „lehensmäßig": persönliche Treuebeziehung und Lehen kombiniert (Okzident), – d) „stadtherrschaftlich": kraft Genossenschaftsverbandes der Krieger auf der Basis grundherrlicher Kriegerlose, die dem Einzelnen zugewiesen sind (die typische hellenische Polis, vom Typus von Sparta). Wir haben es an dieser Stelle wesentlich mit den drei Formen des „freien" Feudalismus zu tun und unter diesen wieder vornehmlich mit dem folgereichsten: dem okzidentalen Lehensfeudalismus, neben dem wir die andern Typen nur vergleichsweise in Betracht ziehen.

Das volle Lehen ist stets ein *rententragender* Komplex von Rechten, deren Besitz eine *Herren*-Existenz begründen kann und soll. In erster Linie werden grundherrliche Rechte und politische ertraggebende Gewalten aller Art: Renten-gebende Herrschaftsrechte also, als Ausstattung der Krieger vergeben. Die „gewere" an einem Grundstück hatte im feudalen Mittelalter, wer den Zins daraus zog. Bei straffer Organisation der Lehenshierarchien waren diese verlehnten Rentenquellen nach dem Rentenertrage matrikuliert: so die nach sassanidi-

schem und seldschukkischem Muster geordneten türkischen sogenannten „Lehen" nach dem Ertrage in „Asper" und die Ausstattung
der japanischen Vasallen (Samurai) nach der „Kokudaka" (Rente in
Reis). Die Aufnahme in das später sog. „Doomsday Book" in England hatte allerdings nicht den Charakter einer Lehensmatrikel, war
aber in seinem Entstehen ebenfalls durch die besonders straffe zentralisierte Organisation der englischen feudalen Verwaltung bedingt.
Da Grundherrschaften das normale Lehensobjekt sind, ruht jedes
wirkliche Feudalgebilde auf patrimonialer Unterlage. Und überdies
bleibt, soweit eine Verleihung der Ämter nicht stattgefunden hat,
normalerweise die patrimoniale Ordnung bestehen – dann wenigstens, wenn die Lehensordnung, wie dies nicht immer, aber am häu-
figsten der Fall ist, einem patrimonialen oder präbendalen Staatswesen als Strukturform eines Teils der Verwaltung eingefügt ist. So
stand die türkische, auf lehensartige Präbende gesetzte Reiterei neben der patrimonialen Janitscharentruppe und der teilweise präbendalen Ämterorganisation und blieb deshalb auch selbst halbpräben-
dalen Charakters. Mit Ausnahme des chinesischen Rechts finden sich
Verleihungen von Herrenrechten aus dem Besitz des Königs in den
verschiedensten Rechtsgebieten. In Indien unter der Herrschaft der
Radschputen, namentlich in Udaipur, existierte noch bis in die letzte
Zeit die Zuweisung von grundherrlichen und Jurisdiktionsrechten an
die Mitglieder des herrschenden Radschputenclans durch das Stam-
meshaupt, gegen Militärdienste, mit der Pflicht der Huldigung und
Ländereienzahlung beim Herrenfall und Verlust bei Verletzung der
Pflichten; die gleiche, aus dem Gesamtbesitz der herrschenden Kriegerschaft am unterworfenen Gebiet stammende Behandlung des Bodens und der politischen Rechte findet sich sehr oft, hat wahrscheinlich auch in Japan einmal der politischen Verfassung zugrunde gelegen.
Auf der anderen Seite stehen die zahlreichen Erscheinungen, deren
Typus die merowingischen königlichen Bodenschenkungen und die
verschiedenen Formen des „beneficium" darstellen: fast stets wird
dabei die Leistung von Kriegshilfe und eventuelle Wiederruflichkeit
im Fall der Nichtleistung in irgendeinem oft nicht näher definierba-
ren Umfang vorausgesetzt. Auch die zahlreichen erbpachtartigen
Vergebungen von Land im Orient haben der Sache nach politischen
Zweck. Aber den Begriff des „Lehens" erfüllen sie nicht, solange
nicht die Verbindung mit der ganz spezifischen vasallischen Treube-
ziehung besteht. –

Von der „Pfründe" unterscheidet sich das Lehen – freilich, wie
wir bald sehen werden, mit durchaus gleitenden Übergängen – auch

rechtlich. Die erstere ist ein lebenslänglicher, unvererblicher Entgelt ihres Inhabers für seine reellen oder fiktiven Dienste nach Art eines Amtseinkommens. Daher kennt sie z. B. im Okzident im frühen Mittelalter (wie U. Stutz betont) im Unterschied vom Lehen den „Herrenfall" (Heimfall wegen Tod des Herrn) nicht, dagegen war der „Mannfall" (Heimfall wegen Tod des Pfründeninhabers) bei ihr selbstverständlich, während auf der Höhe des okzidentalen Mittelalters ein nichterbliches Lehen nicht mehr als Vollehen galt. Das Pfründeneinkommen, als dem „Amt", nicht der Person, gewidmet, wird nur „genutzt", nicht aber zu Eigenrecht besessen (woraus z. B. die Kirche im Mittelalter bestimmte Konsequenzen zog), während das Lehen während des Bestehens der Lehensbeziehungen dem Lehensmann zu Eigenrecht, nur, weil an eine höchst persönliche Beziehung geknüpft, unveräußerlich und, im Interesse der Prästationsfähigkeit, unteilbar zustand. Dem Pfründner war die Aufbringung der Amtsausgaben oft, zuweilen durchweg, abgenommen oder es waren bestimmte Teile des Pfründeneinkommens dafür festgelegt. Der Lehensmann hatte stets die Lasten des verliehenen Amtes aus Eigenem zu bestreiten. Doch waren solche Unterschiede nicht eigentlich durchgreifend. Sie fehlten z. B. in dieser Art dem türkischen und auch dem japanischen Recht, von denen wir freilich bald sehen werden, daß sie beide kein eigentliches „Lehen"-Recht darstellten. Und wir haben andrerseits gesehen, daß z. B. die Nichterblichkeit der Pfründen sehr oft fiktiv war, daß mindestens teilweise (so namentlich bei vielen französischen Pfründen) die Pfründenappropriation so weit ging, daß auch die Erben Entschädigung für den Entgang des Pfründeneinkommens erhielten. Das entscheidende des Unterschieds lag anderswo: der Pfründner war, wo die Pfründe alle Reste patrimonialer Herkunft abgestreift hatte, ein einfacher Nutznießer oder Rentner mit bestimmten sachlichen Amtspflichten, dem bürokratischen Beamten insoweit innerlich verwandt. Die Beziehungen gerade des außerhalb aller patrimonialen Unterordnung stehenden freien Lehensmannes sind dagegen durch einen hochgespannten Pflichten- und Ehrenkodex geregelt. Das Lehensverhältnis zwang, in seiner höchsten Entwicklungsform, die scheinbar widersprechendsten Elemente: einerseits streng persönliche Treuebeziehungen, andererseits kontraktliche Fixierung der Rechte und Pflichten und deren Versachlichung durch Verknüpfung mit einer konkreten Rentenquelle, endlich erbliche Sicherheit des Besitzstandes, in durchaus eigentümlicher Art zusammen. Die „Erblichkeit" war, wo der ursprüngliche Sinn der Beziehung noch erhalten ist, kein gewöhnlicher Erbgang. Zunächst mußte der Erbanwärter, um das Lehen beanspruchen zu können, zu den Lehensdiensten persönlich qualifiziert sein. Außerdem aber mußte er ganz persönlich in die Treuebeziehungen eintreten: wie der Sohn des türkischen Lehensmannes beim Beglerbeg und eventuell durch ihn bei der Hohen Pforte rechtzeitig um einen neuen „Bérat" einkommen mußte, wenn er seine Ansprüche geltend machen wollte, so mußte der okzidentale Lehensanwärter das Lehen „muten" und sich vom Herrn, nach Leistung der „Kommendation" und des Homagialeides, damit investieren lassen. Der Herr war zwar, wenn die Qualifikation feststand, dazu verpflichtet, ihn in die Treuebeziehung aufzunehmen. Diese selbst aber war kontraktlichen Charakters, von seiten des Vasallen jederzeit unter Verzicht auf das Lehen kündbar. Und auch die Verpflichtungen des Vasallen waren nicht willkürlich vom Herrn zu oktroyieren, sondern sie bildeten im typischen Umfang fixierte Kontraktspflichten, deren eigenartiger Treue- und Pietätscharakter durch einen beide Teile bindenden Ehrenkodex geprägt war. Inhaltliche Stereotypierung und Sicherung des Lehensmannes waren also mit höchst persönlicher Bindung an den konkreten Herren verbunden. Diese Struktur war in höchstem Maße im Feudalismus des Okzidents entwickelt, während z. B. das türkische Feudalsystem mit seiner trotz aller Reglements doch weitgehend arbiträren Gewalt des Sultans und der Beglerbegs gegenüber den Erbanwartschaftsrechten in weit höherem Maße präbendalen Charakters geblieben ist.

Kein volles Lehenssystem stellt auch der japanische Feudalismus dar. Der japanische Daimyo war kein Lehensvasall, sondern ein Vasall, der auf feste Kriegskontingente, Wachedienste und festen Tribut gesetzt war und innerhalb seines Gebiets nach Art eines Landesherren die Verwaltungs-, Gerichts- und Militärhoheit faktisch im eigenen Namen ausübte, der aber wegen Vergehen strafversetzt werden konnte. Daß er als solcher kein Vasall war, zeigt sich namentlich darin, daß die wirklichen Vasallen des Shogun, wenn sie mit Daimyos-Herrschaften beliehen waren (die „Fudai") sich die Versetzung (Kunigaye), infolge ihrer persönlichen Abhängigkeit, auch ohne alles „Verschulden", aus nur politischen Zweckmäßigkeitsgründen gefallen lassen mußten. Eben darin aber zeigt sich auch wieder, daß die ihnen verliehene Herrschaft ein Amt und kein Lehen war. Bündnisse oder Vasallenbeziehungen untereinander einzugehen, Verträge mit dem Ausland, Fehden, Burgenbau waren ihnen von den Daimyos verboten und ihre Treue durch das Institut des Sankin-Ködai (periodische Residenzpflicht in der Hauptstadt) gesichert. – Die Samurai andrerseits waren persönlich freie Privatsoldaten der einzelnen Daimyos (oder des Shogun selbst), bewidmet mit einer Reisrentenpfründe (selten mit Land), hervorgegangen teils aus der freien Kriegsgefolgschaft teils aus der hoffähigen Ministerialität, welche sich hier ebenso wie im deutschen Mittelalter zu einer faktisch freien Kontraktsbeziehung gewandelt hatte, in ihrer sozialen Lage höchst verschieden, vom kleinen Rentner, der seinen Reisedienst im Herrenschloß, bis zu fünft in einer Stube schlafend, abmacht, bis zum faktisch erblichen Inhaber eines Hofamts hinauf. Also eine Klasse freier, teils plebejischer, teils höfischer Dienstmannen, aber keine Lehensleute, sondern Pfründner, deren Stellung derjenigen fränkischer Antrustionen ähnlicher war als der eines mittelalterlichen feudalen Benefiziers. Die Ausstattung der Beziehung zum Herren mit einem, der okzidentalen Lehenstreuequalifikation analogen und an Intensität überlegenen, ritterlichen Pietätsempfinden entstammte der aus Gefolgschaftstreue entwickelten Verklärung der freien Vasallenbeziehung und dem kriegerischen ständischen Ehrbegriff. Die Sondererscheinungen des islamischen Kriegerlehens endlich erklären sich, wie C. H. Becker kürzlich nachgewiesen hat, durch seinen Ursprung aus dem Soldheer und aus der Steuerpacht. Der zahlungsunfähige Patrimonialherrscher mußte einerseits die Söldner durch Anweisungen auf die Steuer der Untertanen abfinden. Andererseits mußte er dem militärischen Beamten (Emir) die ursprünglich – der uns bekannten typischen Gewaltenteilung des Patrimonialismus entsprechend – ihm gegenüber selbständige Stellung des auf festes Geld gesetzten Steuerbeamten (Amil) mit übertragen. Drei verschiedene Tatbestände: 1. Takbil, die Verpachtung der Steuern eines Dorfs oder Bezirks an einen „mukthah" (Steuerpächter); 2. katài, die Lehen, verliehene Grundherrschaften (in Mesopotamien sawafi genannt) an verdiente oder unentbehrliche Anhänger und endlich 3. der Besitz der zur Deckung von Soldrückständen der Emire und Soldaten von diesen, besonders von den Mameluken, pfandweise okkupierten oder ihnen überwiesenen Untertanenabgaben, verschmolzen dann zu dem Begriff des „iktàh" (beneficium). Der Inhaber des letzteren schuldete zunächst einerseits Heeresdienst als Soldat, andererseits hatte er der Theorie nach wenigstens den Überschuß der eingehenden Steuern über seine Soldforderungen abzuliefern. Die willkürliche Plünderung der in dieser Art okkupierten Untertanen durch die Soldaten, welche trotzdem natürlich die Steuerüberschüsse selten abführten, veranlaßte zuerst in Mesopotamien unter den Seldschuken gegen Ende des 11. Jahrhunderts den Vezier Nizam-el-Mulk dazu, das Land unter Verzicht auf den Steuerüberschuß, den Soldaten und Emiren als Pfründen definitiv zu überweisen, gegen die Verpflichtung für Heeresfolge, und im 14. Jahrhundert ging die ägyptische Mamelukenherrschaft zum gleichen System über. Das nun erwachende Eigeninteresse der aus Steuerpächtern oder Pfandinhabern zu Grundherren gewordenen Soldaten verbesserte das Land der Untertanen und beseitigte die Reibung zwischen Militär und Fiskus. Die osmanischen Spahi-Pfründen sind eine Modifikation dieses Militärpfründnersystems. Seine Herkunft aus dem zerfallenden Steuersystem und dem Soldheer eines geldwirtschaftlich, nach antiker Art organisierten Staatswesens unterscheidet dieses Militärpfründnertum von dem okzidentalen, der Naturalwirtschaft und der Gefolgschaft entstammenden Lehensystem grundsätzlich. Es mußte insbesondere diesem orientalischen Feudalismus alles fehlen, was der Gefolgschaftspietät entstammt: vor allem die Normen der spezifischen wie persönlichen Vasallentreue, während wiederum dem japanischen Feudalismus mit seiner ausschließlich persönlichen Gefolgschaftspietät umgekehrt die grundherrliche Struktur des Benefizialwesens fehlte. Beide unterscheiden sich also in genau entgegengesetzter Richtung von jener Kombination persönlicher aus der Gefolgschaftspietät stammenden, Treuebeziehungen mit deren Benefizialwesen, auf der die wesentliche Besonderheit des okzidentalen Lehenswesens beruhte.

Das als Massenerscheinung entstandene Lehen war in all diesen Formen überall primär militärischen Ursprungs. Die türkischen Lehenspfründen waren mit Residenzpflicht verknüpft und galten in der großen Expansionsepoche des Reichs als verwirkt, wenn der Lehensmann sieben Jahre lang keine Kriegsdienste getan hatte, und die Lehensmutation der Anwärter war ebenfalls teilweise an den Nachweis aktiver Kriegsdienste geknüpft. Die Lehenspfründe diente normalerweise (im Orient wie im Okzident) der Schaffung eines *Reiter*heeres, zusammengesetzt aus gleichmäßig bewaffneten und ständig geübten, *durch Ehrbegriffe* in ihrer militärischen Leistungsfähigkeit gesteigerten und dem Herrn ganz persönlich ergebenen Kriegern, zum Ersatz einerseits des Heerbanns der freien Volksgenossen, andererseits unter Umständen auch zum Ersatz der charismatischen Gefolgschaft (trustis) des Königs. Das fränkische Lehenswesen entstand zuerst zur Abwehr der arabischen Reiterei auf säkularisiertem Kirchenland, und auch die türkischen Lehenspfründen lagen der Masse nach nicht in dem Gebiet alter bäuerlicher Siedlung der Osmanen (Anatolien), sondern als Grundherrschaften, von Rajas bewirtschaftet, auf dem später eroberten Gebiet (besonders: Rumelien). Wie bei Küstenstaaten oder geldwirtschaftlichen Binnenstaaten das Soldheer, so war bei naturalwirtschaftlichen Binnenreichen das Lehensheer, wo es primär an Stelle des Volksheeres trat, Funktion einerseits der gestiegenen Inanspruchnahme durch die Erwerbsarbeit, andererseits des steigenden Umfangs des Machtgebiets. Mit zunehmender Befriedung und steigender Intensität des Bodenanbaus schwindet bei der Masse der Grundbesitzer die Gewöhnung an die Aufgaben des Krieges und auch die Möglichkeit der Übung im Waffendienst, vor allem aber, besonders bei den kleinen Besitzern, die ökonomische Abkömmlichkeit für Feldzüge. Die gestiegene Belastung des Mannes mit Arbeit, welche ursprünglich der Frau zufiel, macht ihn ökonomisch sozusagen „schollenfest" und die zunehmende Differenzierung des Besitzes durch Teilung und Akkumulation des Bodens zerstört die Gleichmäßigkeit der Bewaffnung und bei den Massen des zunehmenden Kleinbesitzes überhaupt die ökonomische Fähigkeit zur *Selbstequipierung*, auf der jedes primäre Volksheer beruht. Zumal Feldzüge nach entfernten Außengebieten eines großen Reiches lassen sich aus all diesen Gründen mit einem Bauernaufgebot ebensowenig leisten, wie ein Bürgeraufgebot große überseeische Expansionsgebiete im Zaum halten kann. Wie das an Stelle des Bürgerheeres tretende Soldheer trainierte Berufskrieger anstatt der Milizen setzt, so ergibt auch der Übergang zum Lehensheere zunächst hohe Qualität und Gleichmäßigkeit der Bewaffnung: in seinen Anfängen gehörten im Okzident auch Pferd und Waffen zu den Gegenständen der Belehnung, die Selbstequipierung war erst Produkt der Universalisierung des Instituts. Das Spezifische des voll entwickelten Lehensystems nun ist der Appell nicht nur an die Pietätspflichten, sondern an das aus spezifisch hoher, sozialer *Ehre* des Vasallen fließende ständische Würdegefühl als entscheidender Determinante seines Verhaltens. Das Ehrgefühl des Kriegers und die Treue des Dieners sind beide mit dem vornehmen Würdegefühl einer Herrenschicht und ihren Konventionen in untrennbare Verbindung gebracht und an ihnen innerlich und äußerlich verankert. Daher war für die spezifische Bedeutung des okzidentalen voll entwickelten Lehenssystems der Umstand, daß es Unterlage des Reiterdienstes bildete – im Gegensatz zu dem plebejischen „Infanteristen"-Lehen der Klienten, Kleruchen, μαχιμοι, und altorientalischen Lehenssoldaten – eine ganz entscheidende Komponente, deren Tragweite nach den verschiedensten Richtungen wir hier wie noch öfter begegnen werden.

Das Lehensystem schafft Existenzen, die zur Selbstausrüstung und berufsmäßigen Waffenübung fähig sind, im Kriege in der Ehre des Herrn ihre eigene Ehre, in der Expansion seiner Macht die Chance der Versorgung ihres Nachwuchses mit Lehen und, vor allen Dingen, in der Erhaltung *seiner* ganz persönlichen Herrschaft den einzigen *Legitimitätsgrund für ihren eigenen Lehenbesitz* finden. Dies letztere, für den Übergang zum Lehenwesen überhaupt eminent wichtige Moment ist vor allem auch bei seiner Übertragung aus seinem eigentlichen Heimatsgebiet: dem Heeresdienst, auf die öffentlichen Ämter überall von Bedeutung gewesen: in Japan suchte sich der Herrscher dadurch unter anderem von der Starrheit des in anderem Zusammenhang zu besprechenden gentilcharismatischen Geschlechterstaats zu emanzipieren. Im Frankenreich waren die Versuche des Patrimonialstaats, durch Befristung der Ämter und durch das missatische System die Gewalt des Herrn zu erhalten, immer wieder kollabiert, und die heftigen Peripetien der Macht in den Kämpfen der Adelskliquen um die höchste Machtstellung im patrimonialen Merowingerreich hatten zwar durch die starke Hand eines Zentralbeamten ein Ende erreicht, aber den Sturz der legitimen Dynastie zu dessen Gunsten nach sich gezogen. Der Übergang zur Verlehnung auch der Ämter unter den Karolingern brachte (relative) Stabilität und wurde vom 9. Jahrhundert an endgültig durchgeführt, nachdem die Karolinger die Vasallen zunächst als Gegengewicht gegen die merowingische „Gefolgschaft" benutzt hatten, nachdem in den Kämpfen der Teilkönige die streng persönliche Verknüpfung aller Amtsinhaber mit dem Herrn durch die Vasallentreue als Garantie der Teilkönigsthrone allein übrig geblieben war. Umgekehrt entsprang die Vernichtung des chinesischen, als der eigentlich heiligen Ordnung der Väter noch lange betrauerten Feudalsystems durch die seitdem konsequent in gleicher Richtung weiter entwickelte präbendal-bürokratische Ordnung dem ebenso typischen Motiv der Beseitigung des Lehnsamtes: die Fülle der Macht wieder in die eigne Hand des Herrn zu nehmen. Denn die in der persönlich engagierten Ritterehre des Vasallen liegende immerhin erhebliche Garantie der eigenen Herrenstellung wird beim voll entwickelten Feudalsystem, als der weitestgehenden Form systematischer Dezentralisation der Herrschaft, durch die außerordentliche Abschwächung der Gewalt des Herrn über die Vasallen erkauft. –

Zunächst besteht nur eine begrenzte „Disziplin" des Herrn über den Vasallen. Einziger Grund ihm das Lehen zu nehmen, ist „Felonie": der Bruch der Treue gegenüber dem Herrn durch Nichtleistung der Lehenspflicht. Der Begriff ist äußerst flüssig. Aber dies kommt normalerweise nicht der Willkür des Herrn, sondern der Stellung des Vasallen zugute. Denn auch wo nicht ein mit Vasallen als Urteilsfindern besetzter Lehenshof als Gericht existiert und dadurch die Lehensinteressenten zu Rechtsgenossen zusammengeschlossen sind (wie im Okzident) gilt dennoch hier in besondrem Grade der Satz: daß der Herr gegen den einzelnen Untergebenen allmächtig, gegen die Interessen ihrer Gesamtheit aber ohnmächtig ist, und daß er der Unterstützung oder doch Duldung der übrigen Vasallen sicher sein muß, um gegen einen von ihnen ohne Gefahr vorgehen zu können. Denn der Charakter der Lehensbeziehung als eines spezifischen Treueverhältnisses bedingt es, daß Willkür des Herren hier als ein „Treubruch" auf dessen Beziehungen zu allen Vasallen innerlich besonders zerstörend wirkt. Diese recht enge Schranke der Disziplin über die eigenen Vasallen wird noch fühlbarer dadurch, daß oft jede direkte Disziplin des Herrn über die Unterlehensleute seiner Vasallen fehlte. Bei voll entwickeltem Feudalismus bestand allerdings eine „Hierarchie" in doppeltem Sinn: einmal insofern, als nur die verlehnten Herrenrechte, also insbesondere nur solche Ländereien, deren Lehensbesitz von der höchsten Spitze (König) als der Quelle aller Gewalt abgeleitet werden konnte, der Weitervergebung zu vollem Lehenrechte fähig waren. Dann in dem Sinn einer sozialen Rangordnung (der „Heerschild-Ordnung" des Sachsenspiegels) je nach der vom höchsten Lehensherrn aus gerechneten Stufe der Weiterverleihungen, auf welcher der betreffende Leheninhaber steht. Aber zunächst war das Maß von direkter Gewalt des Herrn gegen Untervasallen seiner Lehensträger schon deshalb ganz problematisch, weil, wie jede Lehenbeziehung, so auch die zwischen Vasallen und Untervasallen, streng persönlichen Charakters war und daher durch Felonie des ersteren gegen seinen Lehensherrn nicht ohne weiteres beseitigt werden konnte. Das türkische Lehensystem der klassischen Zeit erreichte eine relativ starke Zentralisation durch die präbendenartige Gestaltung der Lehen und ebenso der Beglerbeg-Stellungen im Verhältnis zur Hohen Pforte. Der okzidentale Vorbehalt: „salva fide debita domino regi" im Homagialeide von Untervasallen hinderte nicht, daß auch in Fällen, wo die Felonie klar lag, der Untervasall, zwischen die Treupflicht zu seinem eignen Lehensherrn und das Gebot von dessen Lehensherrn gestellt, zum mindesten in Gewissenskonflikte geriet, immer aber sich zur eigenen Prüfung berechtigt halten mußte: ob denn der Oberlehnsherr seines Herrn diesem die Treue halte. Für die zentralistische Entwicklung Englands war es eine aus der Normandie übernommene höchst wichtige Einrichtung Wilhelms des Eroberers, daß alle Untervasallen dem König direkt durch Eid verpflichtet wurden und als seine Mannen galten und ferner, daß alle

Untervasallen im Fall der Rechtsverweigerung des Lehensherren nicht (wie in Frankreich) den Instanzenzwang der Lehenshierarchie innegehalten hatten, sondern direkt an die Gerichte des Königs gewiesen waren, so daß also hier die „Lehenshierarchie" nicht, wie dies sonst meist der Fall war, mit einer Stufenleiter von Kompetenzen in Lehenssachen identisch war. In der Normandie und England, ebenso wie im türkischen Lehenwesen war der Umstand: daß der feudale politische Verband auf Eroberungsgebiet restituiert wurde, maßgebend für diese straffe Organisation und für das feste Zusammenhalten von Herren und Vasallen überhaupt – ähnlich wie z. B. die Kirchen sich überall auf dem Missionsgebiet die straffste hierarchische Organisation schufen. Dennoch fielen auch dann jene Gewissenskonflikte der Untervasallen nicht gänzlich fort. Auch aus diesen (neben andren) Gründen finden sich nicht selten Versuche, die Weiterverlehnung oder mindestens deren Zahl nach unten hin zu beschränken – während in Deutschland die Beschränkung der Heerschilde aus allgemeinen Prinzipien der Ämterhierarchie abgeleitet war. Auf der anderen Seite aber entwickelten die voll durchgebildeten Lehenrechte für alle einmal in die Verlehnungen einbezogenen Objekte für den Lehensrückfall den Leihezwang und den Satz: „Nulle terre sans Seigneur". Äußerlich entspricht er scheinbar dem Grundsatz des bürokratischen Systems, daß die traditionellen Lehenseinheiten vom König auch lückenlos mit Vasallen besetzt werden müssen. Nur ist der Sinn ein fundamental anderer. Im bürokratischen System will der Satz eine Rechtsgarantie für die Beherrschten schaffen, während der Leihezwang beim Lehen umgekehrt die Masse der von den Lehensträgern als Inhabern der Ämter Beherrschten von der direkten Beziehung zum obersten Lehensherren (König) abschnitt und das Recht der Gesamtheit der Lehensträger gegenüber dem Herrn darauf verbrieft: daß der Herr das feudale Gewaltensystem nicht im eigenen Interesse dadurch durchbreche, daß er die Gewalt wieder in die eigene Hand nehme, sondern daß er die sämtlichen verlehnten Objekte immer wieder zur Ausstattung des Nachwuchses der Vasallen verwende. Diesem Verlangen konnten die Vasallen, ganz nach dem uns bekannten Schema, dann besonderen Nachdruck verleihen, wenn sie zu einem Verbande von Rechtsgenossen zusammengeschlossen waren, insbesondre ein unter ihrer Mitwirkung als Beisitzer sich vollziehendes Gerichtsverfahren in einer Lehenskurie die Streitigkeiten und Geschäfte betreffend Erbzwang, Heimfall, Verwirkung und Wiederverleihung der Lehen in der Hand hatte, wie dies für den Okzident typisch war. In diesem Fall entwickelte sich neben den eben erwähnten Mitteln zur Sicherung des Lehensangebots auch die Monopolisierung der Lehensnachfrage. Sie erfolgte, wie im bürokratisierten Gemeinwesen durch das Verlangen der Anwärter nach immer mehr Fachprüfungen und Diplomen als Voraussetzung von Anstellungen, so im Feudalverband durch stete Steigerung der Anforderungen an die persönliche Lehensqualifikation des Anwärters. Diese aber war der polare Gegensatz zu einer auf Fachwissen ruhenden Qualifikation für ein bürokratisches Amt. Die Bürokratie und ebenso das reine Patrimonialbeamtentum ruhen in dem Sinn auf sozialer „Nivellierung", daß sie in ihrem reinen Typus nur nach persönlichen Qualifikationen, die eine nach sachlich-fachmäßigen, die andere nach rein persönlichen fragen und von ständischen Unterschieden absehen, ja geradezu das spezifische Instrument zu deren Durchbrechung darstellen – ganz unbeschadet des früher erörterten Umstands, daß auch die bürokratischen und patrimonialen Beamtenschichten sehr leicht wieder Träger einer bestimmten ständischen sozialen „Ehre" mit ihren Konsequenzen werden. Diese war hier eine Folgeerscheinung ihrer Machtstellung. Aber der Feudalismus im technischen Sinn des Worts ist in seiner innersten Wurzel ständisch orientiert und steigert sich in diesen seinen Charakter immer weiter hinein. Der Vasall im spezifischen Wortsinn mußte überall ein freier, d. h. nicht der Patrimonialgewalt eines Herrn unterworfener Mann sein. Auch der japanische Samurai wechselte nach freiem Belieben den Herren. Im übrigen ist freilich zunächst meist lediglich seine spezifische so zu sagen „fachliche" Leistungsfähigkeit: Waffentüchtigkeit, Qualifikationsmerkmal, und ist dies z. B. im türkischen Lehenrecht auch geblieben: selbst Rajas konnten Lehen erlangen, wenn sie entsprechende Kriegsdienste geleistet hatten. Überall tritt aber, da die Lehensbeziehung in voller Ausprägung nur einer Herrenschicht angehören kann, weil sie ja auf spezifisch emphatische ständische Ehrebegriffe als Basis der Treuebeziehungen und auch der kriegerischen Tüchtigkeit baut, das Erfordernis einer herrschaftlichen („ritterlichen") Lebensführung, insbesondere der Meidung jeder von der Waffenübung abziehenden und entehrenden Erwerbsarbeit, hinzu. Mit Knapperwerden des Versorgungsspielraums für die Nachkommenschaft setzt dann die Monopolisierung der Lehen und Ämter (und später namentlich auch der zur Ausstattung unversorgter Anverwandten dienenden Stiftspfründen) mit voller Wucht ein. Der Einfluß der fortschreitenden Entwicklung des Standeskonventionalismus tritt hinzu, und es entsteht der Anspruch: daß der Lehens- oder Stiftsanwärter nicht nur selbst „ritterlich leben", sondern auch „ritterbürtig" sein müsse. Das heißt:

er muß von einer Minimalzahl ritterlich lebender Vorfahren (zuerst: ritterlichen Eltern, dann auch Großeltern: „4 Ahnen") abstammen. Schließlich, in den Tournier- und Stiftsordnungen des späten Mittelalters gelangt die Monopolisierung dazu, daß 16 Ahnen verlangt und der städtische Patriziat, weil er sich mit den Zünften in die Herrengewalt teilen und auf derselben Ratsbank sitzen müsse, ausgeschlossen wurde. Jedes Fortschreiten dieser ständischen Monopolisierung bedeutete natürlich eine sich stets steigernde Starrheit der sozialen Gliederung. Andere Faktoren gleicher Art treten hinzu.

Dem nicht überall anerkannten, aber überall irgendwie erstrebten Anspruch der Gesamtheit der ständisch qualifizierten Anwärter auf den Besitz der Gesamtheit der Lehen steht der streng eigenrechtliche Charakter der Stellung des einzelnen Lehensträgers zur Seite. Daß das Recht des Vasallen in den klassischen Gebieten des Feudalismus auf einem jeweilig neu einzugehenden *Kontrakt* beruhte, dennoch aber dies Kontraktrecht des Vasallen nach festen Prinzipien erblich war, stereotypierte die Gewaltenverteilung weit über das Maß der präbendalen Struktur hinaus und machte sie in hohem Grade unelastisch. Eben diese Durchdringung des ganzen Systems durch den Geist einer, über die bloße Verleihung von Privilegien des Herrn hinausgehenden, andererseits nicht, wie bei der Pfründenappropriation, rein materiell bedingten generellen Verbürgtheit der Stellung der Lehensinhaber durch einen zweiseitigen Vertrag war aber entwicklungsgeschichtlich sehr wichtig. Denn sie ist das, was die feudale Struktur gegenüber der reinen, auf dem Nebeneinanderstehen der beiden Reiche der Gebundenheit durch Tradition und appropriierte Rechte einerseits und der freien Willkür und Gnade andererseits beruhenden Patrimonialherrschaft einem mindestens relativ „rechtsstaatlichen" Gebilde annähert. Der Feudalismus bedeutet eine „Gewaltenteilung". Nur nicht, wie diejenige Montesquieus, eine arbeitsteilig-qualitative, sondern eine einfach quantitative Teilung der Herrenmacht. Der zum Konstitutionalismus leitende Gedanke des „Staatsvertrages" als der Grundlage der politischen Machtverteilung ist in gewissem Sinn primitiv vorgebildet. Freilich nicht in der Form eines Paktierens zwischen dem Herrn und den Beherrschten oder ihren Repräsentanten – wobei die Unterwerfung der letzteren als Quelle des Rechtes der Herrn gedacht wird – sondern in der ganz wesentlich anderen eines Vertrags zwischen dem Herrn und den Trägern der von ihm abgeleiteten Gewalt. Art und Verteilung der Herrschaftsbefugnisse sind dadurch fixiert; aber es fehlt nicht nur die generelle Reglementierung, sondern auch die rationale Gliederung der Einzelzuständigkeiten. Denn die Amtsbefugnisse sind, anders als im bürokratischen Staat, eigene Rechte der Beamten, deren Umfang, auch gegenüber den Beherrschten, durch den Inhalt der konkreten persönlichen Verleihung an die ersteren *in Verbindung* mit den diese kreuzenden Exemtionen, Immunitäten, verliehenen oder traditionsgeweihten Privilegien der letzteren bestimmt wird. Erst daraus und weiter aus der gegenseitigen Begrenzung des subjektiven Rechtes des *einen* Gewalthabers durch *entgegenstehende des andern* entsteht hier – ganz ähnlich wie bei den stereotypierten und appropriierten Patrimonialämtern – diejenige Verteilung der Macht, welche dem bürokratischen Begriff der behördlichen „Kompetenz" in gewissem Sinne entsprechen würde. Denn diesen Begriff gibt es im Feudalismus in seinem genuinen Sinne nicht und daher auch nicht den Begriff der „Behörde". Zunächst ist nur ein Teil der Vasallen überhaupt mit einer politischen Herrschaftsgewalt und das heißt prinzipiell: Gerichtsgewalt, beliehen: in Frankreich die sogen. „seigneurs justiciers". Dabei konnte der Herr die ihm zustehende Gerichtsgewalt teilen, dem einen Vasallen den einen, einem andern einen andern Teil verleihen. Besonders typisch war dabei die Teilung in „höhere" (den Blutbann einschließende) und „niedere" Gerichtsbarkeit und deren Vergebung an verschiedene Vasallen. Dabei ist nicht im mindesten gesagt: daß der Vasall, welcher eine in der ursprünglichen Hierarchie der Ämter „höhere" Herrschaftsgewalt zu Lehen trägt, auch in der Lehenshierarchie, also: berechnet nach dem Abstand der Verleihungen vom höchsten Herren, auf der höheren Staffel stehe. Im Prinzip wenigstens fragt vielmehr die Lehenshierarchie nach der Hierarchie der verlehnten Herrschaftsgewalten nichts, sondern nur nach der Entfernung oder Nähe zum ersten Herren. Den Tatsachen nach freilich hat die Innehabung der höchsten Gerichtsbarkeit: des Blutbannes insbesondre, überall wenigstens die Tendenz gehabt, die betreffenden Vasallen als einen besondren „Fürstenstand" zusammenzuschließen. Damit konkurrierte und kreuzte sich aber überall die Tendenz, die unmittelbare Lehensbeziehung zum König als Merkmal der Zugehörigkeit zu diesem höchsten Stande anzusehen. Diese Entwicklung ist besonders in Deutschland in charakteristischen Peripetien verlaufen, welche wir hier nicht verfolgen können. Als Resultat ergab sich überall ein höchst verwickelter Komplex der durch Verlehnung in die mannigfachsten Hände zersplitterten Herrschaftsgewalten. Im Prinzip wurden überall im Okzident die „landrechtlichen", d. h. auf verlehnten politischen Rechten ruhenden Gerichtsgewalten der Herren einerseits von seiner Lehensgerichtsbarkeit über die Vasallen, andrerseits von seiner patrimonialen (hofrechtlichen) Gerichtsgewalt geschieden. Im Effekt ergab all dies aber nur eine Zersplitterung der Gewalten in zahlreiche auf verschiedener formaler Rechtsgrundlage appropriierten Einzelherrenrechte, die untereinander sich gegenseitig traditionell begrenzten. Die aller Bürokratie charakteristische Scheidung von Person und Beruf, persönlichem Vermögen und Amtsbetriebsmitteln, welche bei der Präbende immerhin noch deutlich vorhanden ist, fehlte. Die bei Heimfalls- und Erbschaftsgelegenheiten praktische Scheidung zwischen Allodial- und Lehengut hatte, da die Einkünfte aus dem Lehen keine Amtseinkünfte waren, trotz äußerer Ähnlichkeit, einen anderen Sinn (den einer Erbschichtung) als die entsprechende Scheidung bei der Präbende. Und dann waren nicht nur alle Amtsbefugnisse und Erträgnisse eines Lehensträgers Teile seiner persönlichen, Rechts- und Wirtschafts-Sphäre, sondern vor allem waren andrerseits auch die Amts*kosten* von ihm persönlich zu bestreitende, in nichts von den Kosten seiner persönlichen Wirtschaft zu scheidende Ausgaben. Wie jeder einzelne, Herr wie belehnter Beamter, auf der Grundlage seiner subjektiven Rechtssphäre seinen dem Wesen nach persönlichen Interessen nachging, so wurden die gesamten Kosten dieser Verwaltung im Gegensatz zur Bürokratie nicht durch ein rationales Steuersystem und im Gegensatz zum Patrimonialismus nicht aus dem Haushalt des Herrn oder durch dafür bestimmte Präbendeneinkünfte gedeckt oder entgolten, sondern sie wurden von den einzelnen Gewalten. gern durch Leistungen mit der eigenen Person oder aus seinen persönlichen Gütervorräten oder (und namentlich) durch Leistungen der patrimonialen Hintersassen oder der kraft des ihm verlehnten politischen Rechts unterworfenen „Untertanen" aufgebracht. Da die Leistungen der „Untertanen" in aller Regel traditionsgebunden waren, so war der Apparat auch finanziell unelastisch. Dies um so mehr, als die typische, überall mindestens der Tendenz nach vorhanden gewesene Entwicklung, den Lehensverband als Träger politischer Verwaltung zu benutzen sowohl die persönlichen wie die sachlichen Machtmittel des obersten und aller andren Herren in enge Schranken bannte. Schon die elementarste ihrer Pflichten, diejenige um derenthalben der Lehensverband überhaupt geschaffen zu werden pflegt: die Kriegsdienstpflicht, haben die Vasallen überall versucht in feste Normen bezüglich der jährlichen Maximaldauer zu binden und dies meist erreicht. Dabei aber bestand im Lehensverband auch zwischen den Vasallen des gleichen Herren das Fehderecht. Denn nur den von ihm verliehenen Lehensbesitz, aber nichts andres, garantierte der Herr mit seiner Macht seinen Vasallen. Die Privatkriege der Vasallen untereinander konnten natürlich die Machtinteressen des Lehensherren schwer schädigen, allein über die Bestimmung hinaus, daß wenigstens während eines Heereszuges des Herrn selbst die Privatfehde zu unterbleiben habe, ist man bis in die Zeit der von Kirche und Städten mit dem Könige durchgesetzten „Landfrieden" auf dem europäischen Kontinent wenigstens nicht gekommen. Erst recht wurden die finanziellen Rechte des Herrn begrenzt. Neben der vormundschaftlichen Lehensnutzung bestanden diese vor allem in Beihilfepflichten im Fall bestimmter Notlagen des Herrn, aus welchen dieser überall gern ein umfassendes Besteuerungsrecht gemacht hätte, die Vasallen ihrerseits aber fest begrenzte Gelegenheitsabgaben zu machen strebten, regelmäßig schließlich mit dem Erfolg, daß die Steuerfreiheit der spezifisch ritterlichen Lehen als Entgelt für die zunehmend fiktiv werdende Militärpflicht bis in die Neuzeit der normale Zustand wurde. Nicht minder erlangten die Vasallen, so lange wenigstens der Herr auf das Lehensheer angewiesen war, in aller Regel den Ausschluß der Besteuerung ihrer Hintersassen durch den Herrn, es sei denn mit ihrer ausnahmsweisen Bewilligung. Der Herr konnte der Regel nach nur von seinen eigenen grundherrlich oder leibherrlich beherrschten Hintersassen ohne weiteres tallagia erheben. Das Heimfallrecht wurde zunehmend unpraktisch. Die Ausdehnung des Erbrechts auf die Seitenverwandten ist überall durchgedrungen und die Veräußerung des Lehens, für welche natürlich das Einverständnis des Lehensherren, mit dem neuen Erwerber die Lehensbeziehung einzugehen, erfordert war, wurde immer regelmäßiger, und die Erkaufung seines Konsenses bildete schließlich eine der wesentlichsten, aus dem Lehensverband für den Herrn fließende Einnahmequelle. Sie bedeutete aber zugleich, da die Handänderungsgebühr traditionell oder durch Satzung generell fixiert wurde, praktisch die volle Appropriation des Lehens. Und während so der sachliche Inhalt der Treuebeziehung zunehmend stereotypiert und ökonomisiert wurde, verlor auch jene selbst zunehmend an Eindeutigkeit und praktischer Verwertbarkeit als Machtmittel. Ein Vasall, als freier Mann, konnte nach der später herrschenden Auffassung auch von mehreren Herren Lehen nehmen, und seine Unterstützung war dann für jeden von diesen im Konfliktsfall prekär. Man unterschied im französischen Lehensrecht das homagium simplex, den Lehenseid mit stillschweigendem Vorbehalt anderweit bestehender Pflichten von dem homagium ligium, dem bedingungslosen Lehenseid, der, so zu sagen, die erste Hypothek auf die Lehenstreue gab, allen andern Pflichten vorging und also nur einem Herren geleistet werden konnte, und es war für die Entwicklung der Machtstellung des französischen Königtums von Bedeutung, daß es ihm gelang, von den großen Lehensfürsten die letztere Form zu erzwingen. Aber im übrigen ergab die Möglichkeit einer Mehrseitigkeit der Vasallenpflichten natürlich deren weitgehende Entwertung. Fast unmöglich wurde es schließlich, eine kontinuierlich funktionierende Verwaltung mit Hilfe von Lehensleuten zu führen. Der Vasall hat an sich die Pflicht, dem Herren nicht nur mit der Tat, sondern auch mit Rat beizustehen. Aus dieser Pflicht pflegen die großen Hauptvasallen gern ein „Recht" abzuleiten, mit ihrem Rat vor wichtigen Entschlüssen gehört zu werden und dies auch durchzusetzen, da der Lehensherr auf die gute Stimmung des Lehensheeres angewiesen ist. Als Pflicht aber wurde die Beratungstätigkeit der Vasallen im Lauf der Zeit ganz ebenso begrenzt wie ihre Heerespflicht, sie war durchaus diskontinuierlich und deshalb vom Herren nicht zu einer konkreten Behördenorganisation verwertbar. – Für die Lokalverwaltung also gab der Lehensverband den lokalen Amtsträgern im Effekt eine erbliche Appropriation und Verbürgtheit ihrer Herrschaftsrechte, für die Zentralverwaltung aber stellte er dem Herren keine kontinuierlich verwertbaren Arbeitskräfte zur Verfügung und unterwarf ihn überdies sehr leicht der Notwendigkeit, in seinen Handlungen sich den „Ratschlägen" der größten seiner Vasallen zu fügen, statt sie zu beherrschen. Unter solchen Umständen lag für alle mächtigen Vasallen die Versuchung, das Lehensband gänzlich abzustreifen, so außerordentlich nahe, daß nur die Tatsache erklärungsbedürftig ist, warum dies nicht häufiger vorkam, als es tatsächlich geschah. Der Grund dafür lag in der schon erwähnten *Legitimitäts*garantie, welche die Vasallen für ihren Besitz an Land und Herrschaftsrechten darin fanden, und für welche auch der Lehensherr durch die, sei es auch höchst prekären Chancen, welche sein Recht, auch wo es fiktiv war, ihr bot, mitinteressiert war. –

Das präbendal und feudal abgewandelte, patrimoniale politische Gebilde ist also, alles in allem, im Gegensatz zu dem System von generell durch objektive Ordnungen geregelten „Behörden" mit ihren ebenso geregelten Amtspflichtenkreisen, ein Kosmos oder je nachdem auch ein Chaos durchaus konkret bestimmter subjektiver Gerechtsame und Pflichtigkeiten des Herren, der Amtsträger und der Beherrschten, die sich gegenseitig kreuzen und beschränken und unter deren Zusammenwirken ein Gemeinschaftshandeln entsteht, das mit modernen publizistischen Kategorien nicht konstruierbar und auf welches der Name „Staat" im heutigen Sinne des Wortes eher noch weniger anwendbar ist, als auf rein patrimoniale politische Gebilde. Der Feudalismus stellt den Grenzfall in der Richtung des „ständischen" im Gegensatz zum „patriarchalen" Patrimonialismus dar.

Die ordnende Macht für die Gestaltung dieses Gemeinschaftshandelns ist, neben den für den Patrimonialismus allgemein charakteristischen: Tradition, Privileg, Weistum, Präjudiz, das *Paktieren* von Fall zu Fall zwischen den verschiedenen Gewaltenträgern, wie es für den *„Ständestaat"* des Okzidents typisch war und geradezu sein Wesen ausmachte. Wie die einzelnen Lehen- und Pfründenbesitzer und die sonstigen Inhaber kraft fürstlicher Verleihungen appropriierter Gewalten diese kraft ihres verbürgten „Privilegs" ausüben, so gilt auch die dem Fürsten verliehene Macht als dessen persönliches, durch die Lehens- und sonstigen Gewaltträger anzuerkennendes und zu verbürgendes „Privileg", als seine „Prärogative". Diese Privilegienträger nun vergesellschaften sich von Fall zu Fall zu einer konkreten Aktion, welche ohne ihr Zusammenwirken nicht möglich wäre. Der Bestand eines „Ständestaates" aber bedeutet lediglich: daß jenes infolge der kontraktlichen Verbürgtheit aller Rechte und Pflichten und der dadurch bedingten Unelastizität fortwährend unvermeidliche Paktieren ein chronischer Zustand geworden war, der unter Umständen durch eine ausdrückliche „Vergesellschaftung" in eine gesatzte Ordnung gebracht wurde. Der Ständestaat entstand, nachdem einmal die Zusammenfassung der Lehensträger zu einer Rechtsgenossenschaft vorhanden war, aus sehr verschiedenen Anlässen, dem Schwerpunkt nach aber als eine Form der Anpassung der stereotypierten und daher unelastischen Lehen- und Privilegiengebilde an ungewöhnliche oder neu entstehende Verwaltungsnotwendigkeiten. Diese waren selbstverständlich in starkem Maße, wenn auch durchaus nicht immer, und rein äußerlich nicht einmal überwiegend, ökonomisch bedingt. Meist in mehr indirekter Weise: die außerordentlichen Bedürfnisse selbst entsprangen dem Schwerpunkt nach der politischen, speziell der militärischen Verwaltung. Die veränderte ökonomische Struktur, insbesondere die fortschreitende Geldwirtschaft, wirkte aber insofern mit, als sie eine Art und Weise der Deckung jener Bedürfnisse möglich machte und also, in Kampf und Konkurrenz mit anderen politischen Gebilden, auch aufnötigte: – namentlich die Aufbringung beträchtlicher Geldsummen auf einmal – denen die normalen Mittel der stereotypierten feudal-patrimonialen Verwaltungsstruktur nicht gewachsen waren. Dies meist schon wegen des bei dieser Herrschaftsstruktur geltenden Grundsatzes: daß ein jeder, der Herr wie alle anderen Gewaltenträger, die Kosten seiner, und nur seiner, Verwaltung aus seiner eigenen Tasche zu zahlen hat. Keinerlei Modus der Aufbringung jener besonderen Mittel war vorgesehen, also eine immer erneute Verständigung und zu diesem Zweck eine Vergesellschaftung der einzelnen Gewaltenträger in Gestalt eines geordneten korporativen Zusammentritts unvermeidlich. Eben diese Vergesellschaftung ist es, welche mit dem Fürsten sich vergesellschaftet oder Privilegierte zu „Ständen" macht und damit aus dem bloßen Einverständnishandeln der verschiedenen Gewaltenträger und den Vergesellschaftungen von Fall zu Fall ein perennierendes politisches Gebilde entstehen läßt. Innerhalb dieses Gebildes haben dann aber die immer weiteren Evolutionen immer neuer sich aufzwingender Verwaltungsaufgaben die Entwicklung der fürstlichen Bürokratie hervorgerufen, welche ihrerseits bestimmt war, den Verband des „Ständestaats" wieder zu sprengen. Dieser letzte Prozeß darf nun nicht allzu mechanisch so aufgefaßt werden: daß der Herr überall im Interesse der Erweiterung seiner Machtsphäre die konkurrierende Macht der Stände durch Entwickelung der Bürokratie zu brechen getrachtet hätte. Dies war unzweifelhaft und ganz naturgemäß eine, sehr oft die entscheidende Determinante der Entwicklung. Aber weder die einzige noch immer die ausschlaggebende. Vielmehr waren es gar nicht selten gerade die Stände, welche ihrerseits mit dem Verlangen an den Herrn herantraten, daß dieser dem infolge der allgemeinen ökonomischen und Kulturentwicklung, also durch sachliche Entwicklungsfaktoren, immer erneut entstehenden Verlangen von Interessenten nach immer neuen Leistungen der Verwaltung Genüge tue und diese insbesondere durch Schaffung geeigneter Behörden auf sich nehme. Jede Übernahme einer solchen Leistung durch den Herrn aber bedeutete Umsichgreifen des Beamtentums und damit normalerweise Steigerung der Macht des Herrn, zunächst in Form einer Renaissance des Patrimonialismus, welcher für die kontinentalen europäischen politischen Gebilde bis zur Zeit der französischen Revolution herrschend blieb, aber überall dem reinen Bürokratismus sich je länger je mehr annäherte. Denn überall drängte die Eigenart der neu übernommenen Verwaltungsaufgaben zu Dauerbehörden, festen Kompetenzen, Reglement- und Fachqualifikation.

Der Lehensverband und „Ständestaat" sind keineswegs unentbehrliche Mittelglieder in der Entwicklung vom Patrimonialismus zur Bürokratie, dem sie ja im Gegenteil unter Umständen erhebliche Hemmnisse entgegensetzen. Ansätze zur echten Bürokratie finden sich vielmehr überall auch schon bei wenig komplizierten Formen der patrimonialstaatlichen Verwaltung, – wie ja der Übergang vom patrimonialen zum bürokratischen Amt überhaupt ein flüssiger ist und die Zugehörigkeit zur einen oder anderen Kategorie nicht sowohl an der Art der einzelnen Amtsstellung, als vielmehr an der Art, wie überhaupt Ämter errichtet und wie sie verwaltet werden, zu erkennen ist. Allerdings aber sind der voll entwickelte Ständestaat sowohl wie die voll entwickelte Bürokratie allein auf europäischem Boden ursprünglich gewachsen, aus Gründen, welche wir erst später zu erörtern suchen werden*. Inzwischen befassen wir uns noch mit gewissen charakteristischen Zwischen- und Übergangsbildungen, welche innerhalb feudaler und patrimonialer Gebilde der reinen Bürokratie vorangingen.

Wir haben bisher der Einfachheit halber unterstellt, daß die politischen Angelegenheiten des Herren in der Zentralverwaltung rein patrimonial durch die früher erörterten Haus- und Hofbeamten oder durch Lehensträger, welche ihrerseits patrimonial verwalten, erledigt werden. So einfach ist nun in Wahrheit die Struktur weder der patrimonialen noch der feudalen Herrschaft gewesen. Die Angliederung rein politischer Geschäfte an die Hausverwaltung hat, sobald sie das Stadium der „Gelegenheitsverwaltung" durch Tischgenossen und Vertraute des Herrn verläßt, regelmäßig den Anlaß gegeben zur Entstehung spezifischer, eine Sonderstellung einnehmender Zentralämter und zwar meist eines einzelnen politischen Zentralbeamten. Dieser Beamte kann verschiedenen Charakter haben. Der Patrimonialismus war, seinem Strukturprinzip entsprechend, der spezifische Ort der Entwicklung des „Günstlings"-Wesens: Vertrauensstellungen beim Herren mit ungeheurer Macht, aber stets mit der Chance plötzlichen, nicht sachlich, sondern rein persönlich motivierten Sturzes in dramatischen Peripetien sind ihm charakteristisch. Bei Entwicklung von spezifischen Formen eines politischen Zentralamts ist der in seinem Typus dem patrimonialen Prinzip am reinsten entsprechende Fall der, daß ein Hofbeamter, welcher nach seiner Funktion die am meisten rein persönliche Vertrauensstellung beim Herren einnimmt, formell oder faktisch auch die politische Zentralverwaltung leitet. So etwa der Hüter des Harems oder ein ähnlicher intim mit den persönlichsten Angelegenheiten des Herren befaßter Angestellter. Oder eine spezifisch politische Vertrauensstellung entwickelt sich dazu. In manchen Negerreichen ist in naturalistischer Art der sichtbare Repräsentant des Blutbanns, der Scharfrichter, ständiger und einflußreichster Begleiter des Fürsten. Auch sonst pflegen mit Entfaltung der

---

* Die Ausführung dieser Absicht ist durch den Tod Max Webers verhindert worden.

Banngewalt die richterlichen Funktionen des Fürsten in den Vordergrund zu rücken und dann tritt oft ein dem fränkischen Pfalzgrafen entsprechender Beamter besonders hervor. In militärisch aktiven Staaten ist es der Kronfeldherr und in Feudalstaaten der oft mit diesem identische, aber über die Lehen verfügende Beamte (Shogun, Hausmeier). Im Orient findet sich ganz regelmäßig die Figur des „Großvezirs"; wir werden später noch sehen, aus welchem Grunde er dort eine „konstitutionelle" Notwendigkeit ist, ganz ebenso wie der verantwortliche Ministerpräsident in modernen Staaten. Ganz allgemein läßt sich nur sagen: daß einerseits die Existenz einer solchen monokratisch einheitlichen Spitze für die Herrenstellung des Fürsten besonders dann gefährlich werden kann, wenn in der Hand des betreffenden Beamten die Verfügung über die ökonomische Ausstattung der Vasallen und Unterbeamten liegt, so daß er in der Lage ist, diese dem Fürsten gegenüber an seine eigene Person zu fesseln, – wie die bekannten Beispiele Japans und des Merowingerreichs zeigen. Andererseits aber pflegt das gänzliche Fehlen einer solchen einheitlichen Spitze regelmäßig die Konsequenz eines Zerfalls des Reiches zu haben, – wofür das Beispiel der Karolinger mit ihrer aus eigener Erfahrung erklärlichen Scheu vor der Schaffung eines zentralen Großamts lehrreich ist. Wir kommen bald auf die Art der Lösungen der dadurch gegebenen Probleme zurück. Die hier zunächst interessierende Erscheinung ist vornehmlich: daß infolge zunehmender Stetigkeit und Kompliziertheit der Verwaltungsarbeit, vor allem aber infolge der Entwicklung des den patrimonialen und feudalen Gebilden charakteristischen Verleihungs- und Privilegienwesens, und endlich als Folge steigender Rationalisierung der Finanzen, die *Schreib- und Rechen*beamten eine steigende Rolle zu spielen beginnen. Ein Herrenhaushalt, dem sie fehlen, ist zur Unstetheit und Ohnmacht verurteilt. Je entwickelter das Schreib- und Rechenwesen, desto stärker, auch im reinen Feudalstaat (z. B. im normannischen England und im Osmanenreich in der Zeit seiner stärksten Machtentfaltung) die Zentralgewalt. Im antiken Ägypten beherrschten die Schreiber die Verwaltung. In Neupersien hatten die Rechenbeamten mit ihrer traditionsgeweihten Geheimkunst eine sehr erhebliche Rolle usurpiert, im Okzident bildet meist der *Kanzler*, der Chef der Schreibstube, die zentrale Figur der politischen Verwaltung. Oder es ist das Rechenbüro, in der Normandie und später in England der Exchequer, der Keim, aus dem sich die ganze Zentralverwaltung entwickelt hat. Solche Ämter werden regelmäßig zugleich die Keime der Bürokratisierung, indem an Stelle der vornehmen Hofwürdenträger, die ihre offiziellen Träger waren, die eigentlichen Arbeitsbeamten, im Mittelalter meist Kleriker, die faktische Leitung gewinnen.

Von der Entstehung der großen *kollegialen* Zentralbehörden als einer Begleiterscheinung der qualitativen Erweiterung der Verwaltungsaufgaben ist schon früher, im speziellen Zusammenhang mit der steigenden Bedeutung des spezialisierten Fachwissens, welches zur Bürokratisierung drängt und als einer Vorstufe derselben die Rede gewesen*. Natürlich sind keineswegs alle den Herren beratenden Körperschaften vorbürokratischer Staaten Vorsteher moderner Bürokratie gewesen. Die beratenden Versammlungen der Zentralbeamten finden sich vielmehr in den verschiedensten patrimonialen und feudalen politischen Gebilden über die ganze Erde verbreitet. Sie dienen dem Herren oft als Gegengewicht, nicht – wie jene frühbürokratischen Bildungen – gegen die Macht des Fachwissens, sondern einfach gegen die Machtstellung des einzelnen Zentralbeamten, daneben aber als Mittel, Stetigkeit in die Verwaltung zu bringen. Insofern also sind sie überall Produkte einer gewissen Stufe qualitativer Entwicklung der Verwaltungsaufgaben und nehmen dann, bei immer weiterem Fortschreiten jener Entwicklung, um so mehr eine, jenen Erscheinungen des Frühbürokratismus ähnliche, Struktur: den Charakter einer in geregeltem Verfahren beschließenden kollegialen „Behörde" an, je mehr die Ämterverfassung und die Art der Verwaltung der Beamten des Patrimonialstaats sich bürokratischem Charakter nähert: die Grenze ist hier ja durchaus flüssig, wie z. B. China und Ägypten zeigen. Zu unterscheiden sind sie als „Typus", trotz aller natürlich auch hier vorhandenen Lückenlosigkeit der Übergänge, von denjenigen kollegialen Körperschaften, welche nicht kraft Auftrags der Herren, sondern kraft eignen Rechts (nach Art des „Rechts der Alten" oder einer Honoratiorenvertretung) Anteil an der Herrschaft nehmen und von denen später kurz die Rede sein soll. Denn diese liegen nicht auf der Weglinie vom Patrimonialismus zum Bürokratismus, sondern auf dem einer „Teilung" der Gewalt zwischen dem Herren und andern Mächten, sei es „charismatischen" sei es ständischen Charakters.

Die Beeinflussung der allgemeinen *Kultur* durch die patrimoniale oder feudale Struktur politischer Gebilde kann hier nicht abgehandelt werden. Patrimonialismus, am meisten der nicht stereotypierte, arbiträre Patrimonialismus einerseits, und Feudalismus andrerseits *unterscheiden* sich untereinander ganz außerordentlich stark auf dem

---

* Vgl. oben S. 1086.

Gebiet, welches überall die wichtigste Angriffsfläche für die Beeinflussung der Kultur durch die Herrschaftsstruktur bietet: dem der *Erziehung*. Dem Wenigen, was schon früher über deren Zusammenhang mit der Herrschaftsstruktur gesagt werden konnte, sind hier nur einige allgemeine Bemerkungen darüber hinzuzufügen. Wo immer das Feudalsystem das Stadium der Entwicklung einer bewußt „ritterlich" lebenden Schicht erreicht, da entsteht ein System der Erziehung zur ritterlichen Lebensführung mit allen seinen Konsequenzen: die hier nicht zu schildernden typischen Entfaltungen von bestimmten *künstlerischen* Kulturgütern (auf literarischem Gebiet wie dem der Musik und der bildenden Künste), als Mittel der Selbstverklärung und der Entwicklung und Erhaltung des Nimbus der Herrenschicht gegenüber den Beherrschten stellt die „musische" Erziehung neben die zunächst vornehmlich militärisch-gymnastische, und es bildet sich jener in sich höchst vielgestaltige Typus der „Kultivations"-Erziehung aus, welche den radikalen Gegenpol gegen die „Fachbildung" der rein bürokratischen Struktur darstellt. Wo die Herrschaftsstruktur „präbendal" organisiert ist, pflegt die Erziehung den Charakter der intellektualistisch-literarischen „Bildung" anzunehmen, also in der Art ihres Betriebs dem bürokratischen Ideal der Beibringung von „Fachwissen" innerlich nahe verwandt zu sein. So in besonders reiner Form in China und – wovon später zu reden sein wird* – überall, wo die Theokratie die Bildung in die Hand nimmt. Dies letztere pflegt im höchsten Grade da der Fall zu sein, wo der weltliche Staat den Typus des arbiträren Patrimonialstaats an sich trägt und seinerseits eigne Erziehungssysteme gar nicht entwickelt. –

Über allgemeine rein ökonomische Bedingungen der Entstehung patrimonialer und feudaler Gebilde ist nicht viel Bestimmtes zu sagen. Das Bestehen und die vorwaltende Bedeutung von fürstlichen und adligen Grundherrschaften ist zwar für ein Lehenswesen, voll entwickelt und in sehr geringer Eindeutigkeit, auch allgemeingültige Basis für alle Formen feudaler „Organisation". Und das in seiner Art konsequenteste *patrimoniale* politische Gebilde: der chinesische Beamtenstaat, ruht nicht auf der Basis von Grundherrschaften, sondern ist, wie wir sahen**, gerade infolge ihres Fehlens so geschlossen patrimonial geartet. Der Patrimonialismus ist mit Eigenwirtschaft und Verkehrswirtschaft, kleinbürgerlicher und grundherrlicher Ag-

---

* Unten S. 1209.
** Vgl. oben S. 1140.

rarverfassung, Fehlen und Existenz kapitalistischer Wirtschaft vereinbar. Der bekannte marxistische Satz: daß die Handmühle ebenso den Feudalismus postuliere, wie die Dampfmühle den Kapitalismus, ist nur allenfalls in seinem zweiten Teil begrenzt richtig. Auch dafür freilich nur begrenzt: die Dampfmühle fügt sich auch einer staatssozialistischen Struktur der Wirtschaft ohne weiteres ein. In seinem ersten Teil ist er aber gänzlich unrichtig: die Handmühle hat alle überhaupt denkbaren ökonomischen Strukturformen und politischen „Überbauten" durchlebt. Und auch vom Kapitalismus im allgemeinen kann man nur sagen, daß er, weil seine Expansionsmöglichkeiten, aus gleich zu erörternden Gründen, unter feudalen und patrimonialen Herrschaftsformen begrenzt sind, eine Macht ist, deren Interessenten jene Herrschaftsformen regelmäßig, aber nicht unbedingt immer, zugunsten der Bürokratisierung oder einer plutokratischen Honoratiorenherrschaft zu ersetzen trachten. Auch dies gilt aber nur für den Kapitalismus modernen Gepräges innerhalb der Produktionssphäre, der auf rationalem Betrieb, Arbeitsteilung und stehendem Kapital ruht, während der politisch orientierte Kapitalismus ebenso wie der kapitalistische Großhandel mit dem Patrimonialismus ausgezeichnet verträglich sind. Wir haben ja gesehen, daß eine starke verkehrswirtschaftliche Entwicklung, welche die Möglichkeit hinlänglicher Geldsteuern zum Ankauf von Sklavensoldaten oder zur Bezahlung von Söldnern bot, geradezu die Grundlage für die Entwicklung des orientalischen Sultanismus gab, also der – an unserem okzidentalen „Rechtsstaat" gemessen – modernen Staatsformen fernstgelegenen, streng patriarchalen Spielart von patrimonialer Herrschaft*. Ganz anders verhält sich dagegen zur Verkehrswirtschaft der Feudalismus. Für die Frage: ob Patrimonial- *oder* Feudalgebilde, ist allerdings eine allgemeine Formel ökonomischer Determination nicht zu finden, außer der Selbstverständlichkeit: daß die Grundherrschaft den Feudalismus in seinen verschiedenen Formen stark in der Entwicklung begünstigt. Wir sahen: die Rationalisierung der Wasserwirtschaft im alten Orient, der Umstand also: daß das Anbauland planvoll durch organisierte Untertanenfrohnden der Wüste abzugewinnen war, wirkte, ebenso wie die chinesische, umfassende Bautenpolitik, zugunsten halbbürokratischer politischer Patrimonialgebilde, die in beiden Fällen doch andererseits schon entstanden sein mußten, um jene Bauten zu ermöglichen. Im Gegensatz zu der Gewinnung des Neu-

---

* Vgl. oben S. 1107.

lands durch Waldrodungen in Nordeuropa, welche die Grundherrschaft und also den Feudalismus begünstigte. Doch hat dieser, wie wir sahen, auch im Orient, wenn auch in weit gebrocheneren Formen, seine Stätte gehabt. Im übrigen läßt sich allgemein nur sagen: schwache Entwicklung der technischen Verkehrs- und also der politischen Kontrollmittel in Verbindung mit vorwaltender Naturalwirtschaft haben, infolge der Schwierigkeit, ein rationales Abgabensystem und damit die Vorbedingungen für eine zentralisierte Patrimonialbeamtenverwaltung durchzuführen, die dezentralisierten Formen der Patrimonialgebilde: das Tributärsatrapentum, begünstigt und drängten dazu, das persönliche feudale Treueband und den feudalen Ehrenkodex als Kitt des politischen Zusammenhalts zu verwerten, wo immer dies möglich war und das hieß: wo die Grundherrschaft die soziale Gliederung bestimmte.

Für die Entwicklung starker zentralisierter Patrimonialbürokratien dagegen, im Gegensatz gegen den Feudalismus war sehr oft *ein* fester, von der Wissenschaft bisher immer wieder übersehener Faktor historisch wichtig: der *Handel.* Wir sahen früher: die Machtstellung aller über den primitiven Dorfhäuptling hinausragenden Fürsten ruhte auf ihrem Schatz von Edelmetallen in roher oder verarbeiteter Form. Sie bedurften dieses „Horts" in erster Linie zum Unterhalt des Gefolges, der Leibwachen, Patrimonialheere, Söldner und vor allem: der Beamten. Gespeist wurde der Schatz durch Geschenkaustausch mit anderen Fürsten – der tatsächlich oft den Charakter des Tauschhandels an sich trug – durch regulären Eigenhandel (speziell oft Küstenzwischenhandel) der Fürsten selbst, der zu einer direkten Monopolisierung des auswärtigen Güterverkehrs führen kann oder endlich: durch anderweitige Nutzbarmachung des auswärtigen Handels für den Fürsten. Diese geschah entweder direkt in der Form der Besteuerung durch Zölle, Geleitsgelder und andere Abgaben, oder indirekt durch Marktkonzessionen und Städtegründungen: überall fürstliche Prärogative, welche hohe Grundrenten und steuerkräftige Untertanen lieferten. Diese letztere Art der Nutzbarmachung des Handels ist in historischer Zeit systematisch bis zu den zahllosen Städten, welche zuletzt noch beim Beginn der Neuzeit polnische Grundherren gegründet und mit den aus dem Westen auswandernden Juden besiedelt haben, unternommen worden. Wohl ist es eine typische Erscheinung: daß patrimoniale politische Gebilde bei einem im Verhältnis zu ihrer Fläche und Volkszahl relativ nur mäßig oder geradezu schwach entwickelten Handel fortbestehen und sich territorial ausdehnen: so China, das Karolingerreich. Aber die primäre Entstehung patrimonialer politischer Herrschaft, ohne daß Handel dabei eine erhebliche Rolle spielte, kommt zwar vor (das Mongolenreich, die Völkerwanderungsreiche), aber nicht häufig und fast immer so: daß Stämme, welche an Gebiete mit hochentwickelter Geldwirtschaft angrenzen, erobernd und Edelmetall raubend in diese einbrechen und auf ihrem Boden Herrschaften gründen. Das direkte Handelsmonopol des Fürsten findet sich über die ganze Welt hin verbreitet: In Polynesien ganz ebenso wie in Afrika und im antiken Orient. Noch in jüngster Zeit sind z. B. alle größeren politischen Bildungen an der westafrikanischen Küste infolge der Beseitigung des Zwischenhandelsmonopols der betreffenden Häuptlinge durch die Europäer zusammengebrochen. Die Standorte der meisten ältesten bekannten größeren patrimonialen politischen Bildungen hängen mit dieser Funktion des Handels eng zusammen.

Sehr oft erst sekundär ist dagegen die etwaige Sondermachtstellung der Fürsten als Grundherren. Selbstverständlich ist der erste Ausgangspunkt fürstlicher und adliger Machtstellung meist „grundherrlich" oder, für solche Gegenden, wo noch Bodenüberfluß besteht (wie in manchen Reichen der Gegend zwischen Kongo und Sambesi), richtiger ausgedrückt: an Menschen- und Viehbesitz in der Art, daß er der rententragenden Ackerbearbeitung dient, geknüpft. Denn arbeitsloses Renteneinkommen ist selbstverständlich nötig für jene Lebensführung, welche den Fürsten und adligen Mann sozial erst schafft. Aber die Weiterentwicklung von da aus zu einer eine „Grundrente" monopolisierenden Stellung ist außerordentlich oft durch Handelsgewinnste mitbedingt. Wo ein Fürst geradezu als Grundherr (nicht nur: als Oberlehnsherr) des ganzen Landes gilt – was auf den verschiedensten Kulturstufen sehr verbreitet ist, – da pflegt dies nicht Grundlage und Ausgangspunkt sondern umgekehrt: Folge seiner politischen Herrenstellung und der dadurch gegeben Vorzugschancen im Erwerb beweglichen Besitzes: bei den Kaffern Menschen-(Weiber-) und Viehbesitz, regelmäßig aber namentlich der durch Edelmetallbesitz bedingten ökonomischen Fähigkeit zur Haltung von patrimonialen Soldaten oder Söldnern zu sein. In Küstenstaaten pflegt es mit der monopolistischen Grundherrenstellung des Adels nicht anders zu stehen: Schuldknechte sind im hellenischen Altertum und wahrscheinlich auch im alten Orient ein wichtiger Bestandteil der bäuerlichen Arbeitskräfte. Von ihnen läßt der stadtsässige Patriziat seine Äcker gegen Anteil an der Ernte bestellen, und direkte oder indirekte Handelsgewinnste geben dauernd die Mittel zur Boden- und Menschenakkumulation. In einem naturalwirtschaftlichen Milieu war selbst ein bescheidener Edelmetallschatz von außerordentlicher Bedeutung für die Machtstellung und Staatenbildung. Das änderte natürlich nichts daran, daß der Schwerpunkt der *Bedarfs*deckung dabei in hohem Grade naturalwirtschaftlich bleiben konnte und meist blieb. Beides darf aber nicht durcheinander geworfen werden, wie es allzuoft geschieht, wenn man von der „Bedeutung" des Handels in primitiven Zeiten spricht. – Eindeutig ist die ursächliche Bedeutung des Handels für die Prägung des politischen Verbandes gewiß nicht. Weder sind, wie schon gesagt, schlechthin alle Anfänge patrimonialer Herrengewalt notwendig durch ihn bedingt, noch ist überall, wo Handel war, ein patrimoniales politisches Gebilde entstanden: auch Honoratiorenherrschaften waren sehr oft sein primäres Produkt. Aber der Zusammenhang zwischen dem Aufstieg des einfachen Häuptlings zum Fürsten ist allerdings in einer sehr großen Zahl von Fällen durch ihn bedingt. Dagegen steht der Handel dem strengen Lehenssystem und den straffen Formen feudaler Hierarchie überhaupt im ganzen stark antagonistisch gegenüber. „Stadtfeudalismus" eines grundherrlichen Patriziats hat er, vor allem im Mittelmeerbecken, in typischer Art geschaffen. Aber in Japan und Indien wie im Okzident und im islamischen Orient ist die Feudalisierung des politischen Verbandes mit geringer Entwicklung, oft mit Rückgang der Verkehrswirtschaft Hand in Hand gegangen. Dabei war nun allerdings das eine ebenso oft Ursache wie Folge des anderen. Im Okzident entstand Feudalismus als Folge von Naturalwirtschaft als einzig möglicher Form der Beschaffung eines Heeres, in Japan und in Vorderasien im Mittelalter umgekehrt. Woher stammt die letztere Erscheinung?

Beide Herrschaftsformen, aber der Feudalismus wesentlich stärker und typischer als der Patrimonialismus, können sehr energisch in der Richtung der *Stabilisierung* der Wirtschaft wirken. Der Patrimonialismus deshalb, weil unter seiner Herrschaft im allgemeinen nur die Großbeamten, deren Amtsführung sich einer stetigen Kontrolle des Herrn entzieht, die Chance schnellen und großen Vermögenserwerbs haben: so die Mandarinen in China. Quelle der Akkumulation von Vermögen ist dabei nicht der Tauscherwerb, sondern die Ausnutzung der Steuerkraft der Untertanen, und die Nötigung für diese, innerhalb des weiten Bereichs freier Gnade und Willkür alle Amtsakte des Herrn wie der Beamten von Fall zu Fall zu erkaufen. Ihre Schranke findet andererseits die Macht des patrimonialen Beamten wesentlich nur an der Tradition, die zu verletzen auch für den mächtigsten gefährlich ist: Neuerungen, sachliche und persönliche, neue nicht traditionsgeweihte Klassen, neue traditionswidrige Erwerbs-

und Betriebsarten sind daher durchaus prekär gestellt und mindestens der Willkür des Herrn und seiner Beamten völlig preisgegeben. Beides: Traditionsgebundenheit sowohl wie Willkür berührt nun insbesondere die Entwicklungschancen des Kapitalismus sehr tief. Entweder bemächtigen sich der Herr oder seine Beamte selbst der neuen Erwerbschancen, monopolisieren sie und entziehen so der privatwirtschaftlichen Kapitalbildung den Nährboden. Oder die überall vorhandenen Widerstände des Traditionalismus finden an ihnen eine Stütze in der Hinderung ökonomischer Neuerungen, welche das soziale Gleichgewicht gefährlich erschüttern könnten oder auf religiöse und ethische Bedenken stoßen, die sie beachten müssen, weil ja die eigene Herrschaft des patrimonialen Herrschers auf der Heiligkeit der Tradition ruht. Andererseits kann der weite Bereich unreglementierter Herrenwillkür die traditionsbrechende Macht des Kapitalismus im Einzelfall auch sehr stark begünstigen, wie dies in der Zeit absoluter Fürstengewalt in Europa geschah. Freilich hatte – von anderen Besonderheiten dieser Art von privilegiertem Kapitalismus vorerst abgesehen – diese Fürstengewalt schon bürokratisch-rationale Struktur. In der Regel tritt dagegen die negative Seite der Willkür in den Vordergrund. Denn – das ist die Hauptsache: – es fehlt dort die für die Entwicklung des Kapitalismus unentbehrliche *Berechenbarkeit* des Funktionierens der staatlichen Ordnung, welche die rationalen Regeln der modernen bürokratischen Verwaltung ihm darbieten. Unberechenbarkeit und unstete Willkür höfischer oder lokaler Beamten, Gnade und Ungnade des Herrn und seiner Diener steht an ihrer Stelle. Dabei kann sehr wohl ein einzelner Privatmann durch geschickte Benutzung der Umstände und persönlichen Beziehungen eine privilegierte Stellung erschleichen, welche ihm fast grenzenlose Erwerbschancen eröffnet. Aber ein kapitalistisches *System* der Wirtschaft ist dabei offenbar außerordentlich erschwert. Denn die einzelnen Entwicklungsrichtungen des Kapitalismus sind gegenüber solchen Unberechenbarkeiten von verschiedener Empfindlichkeit. Am relativ leichtesten weiß sich der Großhandel damit abzufinden und allen wechselnden Bedingungen anzupassen, und auch das eigene Interesse des Herrn gebietet, soweit er nicht selbst, wie in einfachen und übersehbaren Verhältnissen, den Handel monopolisiert, die Zulassung von Vermögensakkumulation, um Steuerpächter, Lieferungspächter und Anleihequellen zu besitzen. Schon die Zeit Hammurabis kennt daher den „Geldmann" und die Bildung von Handelskapital ist überhaupt unter fast allen denkbaren Bedingungen der Herrschaftsstruktur, wenn auch in verschiedenem Umfang, möglich, speziell auch im Patrimonialismus. Anders der *industrielle* Kapitalismus. Er bedeutet, wo er zur typischen Form des Gewerbebetriebs werden soll, eine Organisation der Arbeit mit dem Ziel des Massenabsatzes und hängt an der Möglichkeit sicherer Kalkulationen, und zwar um so mehr, je kapitalintensiver, speziell je gesättigter mit stehendem Kapital er wird. Er muß auf die Stetigkeit, Sicherheit und Sachlichkeit des Funktionierens der Rechtsordnung, auf den rationalen, prinzipiell berechenbaren Charakter der Rechtsfindung und Verwaltung zählen können. Sonst fehlen jene Garantien der Kalkulierbarkeit, welche für den großkapitalistischen Industriebetrieb unentbehrlich sind. Sie fehlen ganz besonders stark in Patrimonialstaaten von geringer Stereotypierung, wie sie umgekehrt im Optimum innerhalb des modernen Bürokratismus vorhanden sind. Nicht der Islam als Konfession der Individuen hinderte die Industrialisierung. Die Tataren sind im russischen Kaukasien oft sehr „moderne" Unternehmer. Sondern die religiös bedingte Struktur der islamischen *Staaten*gebilde, ihres Beamtentums und ihrer Rechtsfindung.

Diese negative, den Kapitalismus hemmende Wirkung der Willkür im arbiträren Patrimonialstaat kann nun aber noch verschärft werden durch eine bisher fast ganz übersehene positive Konsequenz, die sie, unter sonst geeigneten Bedingungen, gerade bei entwickelter Geldwirtschaft haben kann. Im Gefolge der Labilität aller Rechtsgarantien auf dem Boden patrimonialer Justiz und Verwaltung kann eine besondere Art künstlicher Immobilisierung von Vermögen eintreten. Ihr weitaus wichtigstes Beispiel sind ein gewisser Typus byzantinischer Klosterstiftungen und die in offenbarer Anlehnung an diese Rechtsform entstandenen Wakufs des islamitischen Mittelalters. Der fragliche Typus der byzantinischen Klosterstiftungen sieht im Schema z. B. so aus: gestiftet werden Terrains, in einem Fall z. B. Baugelände in Konstantinopel, dessen Wert und Ertrag durch eine zu gewärtigende Hafenanlage gewaltig steigen wird. Das gestiftete Kloster hat einer bestimmt begrenzten Anzahl Mönche ihre fest begrenzten Präbenden zu leisten, einer fest begrenzten Anzahl Armer ebenfalls fest begrenzte Almosen zu verabfolgen, wozu noch die sonstigen Verwaltungsausgaben kommen. Der gesamte Überschuß der Klostereinnahmen über die Klosterausgaben aber fällt an die Familie des Stifters. Es ist klar, daß in dieser letzteren Bestimmung der eigentliche Zweck der Stiftung liegt: in der Form der Klostergründung, in Wahrheit ein sakral geschütztes, *insbesondere*, als Klostergut, gegen den Zugriff der *weltlichen* – und das hieß der patrimonial-bürokratischen – *Gewalten* geschütztes *Familienfideikommiß* mit voraussichtlich steigenden Einkünften. (Nebenher erreicht der Stifter noch den Zweck, das Wohlgefallen Gottes und der Menschen zu erringen und, unter Umständen, seiner Familie Einfluß auf die Besetzung der Mönchspfründen und also Gelegenheit zu Gefälligkeiten an einflußreiche Familien – denn die Mönchspräbenden waren oft tatsächlich so gut wie pflichtlose Sinekuren für Konstantinopeler Garçons, da nicht nur Klausur, sondern auch Residenzpflicht fehlte – und auch Einfluß auf die Art der Verwaltung einer Familienkapelle zu sichern). Das ganze war eine Art von geldwirtschaftlichem Surrogat für das „Eigenkirchenwesen" des feudalen Okzidents. Es scheint, daß Stiftungen in ganz ähnlicher Form schon unter der altägyptischen Patrimonialherrschaft vorkommen. Genau die gleiche Erscheinung findet sich jedenfalls im mittelalterlichen Islam als „Wakuf" (Stiftung für Moscheen u. dgl.) wieder, wie es die Urkunden bezeugen. Und zwar wurden auch damals gerade Objekte, welche Geldwert, und zwar steigenden, tragen: Baugrund, Ergasterien (vermietbare Werkstätten) gestiftet, ganz ohne Zweifel zu dem gleichen Zweck und aus dem gleichen Grunde: weil die Weihe zum Kirchengut, wenn auch keine absolute Sicherheit, so doch das Optimum von Garantie gegen die willkürlichen Eingriffe der weltlichen Beamtenschaft bot. So wirkt die Willkür und Unberechenbarkeit der patrimonialen Herrschaft ihrerseits dahin, das Gebiet sakralrechtlicher Gebundenheit zu verstärken. Und da andererseits die theoretische Starrheit und Unabänderlichkeit der Scharî'a in ihrer subjektiven und oft ganz unberechenbaren Interpretation durch die Richter ihre „Korrektur" fand, so steigerten sich die beiden der Entwicklung des Kapitalismus gleich feindlichen Bestandteile des Patrimonialismus gegenseitig. Denn daß die höchst nachhaltige Immobilisierung akkumulierten Besitzes in Gestalt der Wakufgebundenheit – ganz dem Geist der antiken Wirtschaft entsprechend, welche akkumuliertes Vermögen als Rentenfonds, nicht als Erwerbskapital benutzte – für die ökonomische Entwicklung des Orients von sehr großer Bedeutung gewesen ist, nimmt C. H. Becker sicher mit Recht an. (Durch spanische Vermittlung ist dann das, wahrscheinlich eine säkularisierte Nachbildung des Wakuf bildende, Institut des profanen „Fideikommisses", welches dort zuerst auftaucht, im 17. Jahrhundert nach Deutschland importiert worden.) –

Und endlich war dem Patrimonialismus gerade auf dem Boden einer relativ entwickelten Geldwirtschaft und speziell in Epochen, wo er sich einem rationalen bürokratischen System stark annähert, noch eine Art der Einwirkung auf die ökonomische Entwicklung eigen, die aus der Form seiner Bedarfsdeckung folgte. Wie der „Patrimonialstaat" sich leicht in ein Bündel von Privilegien auflöste, so lag ihm auch einerseits die monopolistisch-erwerbswirtschaftliche, andererseits die privilegierende Bedarfsdeckung (im früher besprochenen Sinn des Wortes) besonders nahe. Mit Hilfe eines gut funktionierenden Patrimonialbeamtentums ließen sich alle Arten fiskalischer Unternehmungen und Monopole besonders leicht durchführen. Sowohl der ägyptische wie der spätrömische Staat und die Staaten des nahen und fernen Ostens haben in teilweise sehr umfassender Weise Staatsbetriebe geschaffen und auch Monopole ausgenutzt, und die Regiegewerbe von Fürsten der beginnenden Neuzeit liegen in dieser Richtung. Die erwerbswirtschaftliche öffentliche Bedarfsdeckung ist keineswegs auf den Patrimonialismus beschränkt geblieben: auch die Kommunen haben im Mittelalter und im Beginn der Neuzeit sich, oft mit großen Verlusten (so Frankfurt a. M.), auch an recht gewagten gewerblichen oder Handelsunternehmungen von reinem Erwerbscharakter beteiligt. Aber der Wirkungsradius von Monopolen für die öffentliche Erwerbswirtschaft war bei Patrimonialstaaten, allgemein gesprochen, naturgemäß größer und daher die öffentlichen Monopole im ganzen häufiger und tiefer eingreifend. Aber oft noch stärker konnte die privilegierende Bedarfsdeckung in die Wirtschaft eingreifen. Die *negativ* privilegierende Bedarfsdeckung, das Leiturgiewesen, ist gerade von den rationalsten patrimonialbürokratischen Großstaatgebilden der Antike: Ägypten und, nach seinem Vorbild, der spätrömischen und byzantinischen Monarchie in umfassendster Art durchgeführt worden. Die ägyptische Wirtschaft der Pharaonenzeit gewann dadurch einen eigentümlich „staatssozialistischen" Einschlag, verbunden mit einer periodisch ziemlich weitgehenden zünftlerischen und, in gewissen Zeiten, auch grundherrlichen erblichen Berufs- und Schollengebundenheit, und hat diesen Zug auf die spätrömische übertragen. Es ist klar, daß dadurch die private Kapitalbildung und der kapitalistische Erwerbsspielraum stark verengert wurden. Neben und statt dieser, die Kapitalbildung und also den Privatkapitalismus erstikkenden Art der öffentlichen Bedarfsdeckung liegt aber im Patrimonialismus auch die positiv privilegierende, in der Form der Konzessionierung von privilegierten Handels- oder Gewerbemonopolen an Private gegen hohe Gebühren oder Gewinnanteil oder feste Rente. Derartiges findet sich in sehr vielen Patrimonialstaaten der Vergangenheit auf der ganzen Erde. Die letzte und bedeutendste Rolle aber hat es im Zeitalter des „Merkantilismus" gespielt, als die erwachende kapitalistische Organisation des Gewerbes, die bürokratische Rationalisierung der patrimonialen Herrschaft und die steigenden Geldansprüche der äußeren, militärischen und inneren Verwaltung die Revolutionierung der Finanzgebarung der europäischen Staaten herbeiführten. Überall und in den mannigfachsten Formen versucht die Fürstengewalt, die der Stuarts und Bourbonen ebenso wie die theresianische, katharinische, friederizianische, durch monopolistische Industriezüchtung sich selbst Geldeinnahmen, und zwar von der Bewilligung der Stände unabhängige Geldeinnahmen, in den ständischen und parlamentarischen Staaten oft direkt als politisches Kampfmittel gegen sie, zu schaffen. Die charakteristischen Züge des patrimonialstaatlichen Kapitalismus – und die Bürokratie des „aufgeklärten Despotismus" ist noch ebenso stark patrimonial wie es die Grundauffassung vom „Staat", auf der er ruhte, überhaupt war – sind auch hier eingetreten, wie namentlich H. Lenz neuerdings an dem großartigsten Beispiel: dem England der Stuarts, hübsch gezeigt hat. Dort bildete die Frage der „Monopole" einen der Hauptgegenstände im Kampfe zwischen der nach finanzieller Unabhängigkeit vom Parlament und nach rational-bürokratischer Organisation des gesamten Staatswesens und der Volkswirtschaft als eines cäsaropapistischen „Wohlfahrtsstaates" strebenden Königsmacht einerseits und den im Parlament zunehmend maßgebenden Interessen der aufsteigenden bürgerlichen Klassen andrerseits. Mitglieder und Günstlinge der königlichen Familie, Personen aus der Hofgesellschaft, reich gewordene Militärs und Beamte, daneben Großspekulanten und abenteuernde Erfinder nationalökonomischer „Systeme" vom Typus Laws (außerhalb Englands vielfach auch Juden) sind auch damals die ökonomischen „Interessenten" der vom König verliehenen Monopole und der auf Grund dieser importierten, gezüchteten und geschützten Industrien. Es ist der Versuch, den vom Staat lebenden Kapitalismus, wie er im Altertum und Mittelalter des Ostens und Westens mit nur kurzen Pausen überall immer wieder existiert hat, auf das Gebiet der modernen Industrien zu übertragen. Sicherlich ist dadurch der „Unternehmungsgeist", für den Augenblick wenigstens, oft stark gefördert, oft geweckt worden. Der Versuch selbst mißlang aber im wesentlichen: sowohl die stuartischen wie die ludovizianischen, petrinischen, friederizianischen Manufakturen haben nur zum allerkleinsten Teil und für Spezialitäten die Periode ihrer Züchtung überdauert. In England brach mit dem autokratischen Wohlfahrtsstaat der Stuarts auch die imperative Monopolindustrie zusammen. Weder die Colbertsche noch die friederizianische oder petrinische Periode haben ihre Länder zu Industriestaaten zu machen vermocht. Die Nichtberücksichtigung der gegebenen Standortsverhältnisse, in England und auch sonst vielfach die qualitative Mangelhaftigkeit der monopolgeschützten Produkte und die Hemmung der durch die Marktlage indizierten Richtung der Kapitalverwertung waren das *ökonomische*, die Unsicherheit der rechtlichen Basis infolge der stets unsicheren Dauerhaftigkeit der Monopole gegenüber stets möglichen Neuprivilegierungen: also wieder der Willkürcharakter der patrimonialen Herrschaftsform, welche nun einmal den gewerblichen Privatkapitalismus hemmt, das *politisch* bedingte Schwächemoment. –

Abweichend von dieser den modernen Kapitalismus teils direkt fördernden, teils ablenkenden Wirkung des Patrimonialismus ist die Wirkung der feudalen Ordnung auf die Wirtschaft. Während der Patrimonialstaat das ganze Gebiet der freien Gnade des Herren als Beuteland für Vermögensbildung zur Verfügung stellt, der Bereicherung des Herrschers selbst, seiner Hofbeamten, Günstlinge, Statthalter, Mandarinen, Steuereinheber, Vermittler und Verkäufer von Gnadenerweisen aller Art, der großen Händler und Geldbesitzer als Steuerpächter, Lieferanten, Kreditgeber, freie Hand gewährt überall da, wo nicht Traditionsgebundenheit oder Stereotypierung feste Grenzen ziehen, und während dabei Gnade und Ungnade des Herrn, Privilegien und Konfiskationen fortwährend Vermögensneubildungen provozieren und wieder vernichten, – wirkt die *feudale* Herrschaftsstruktur mit ihren fest umschriebenen Rechten und Pflichten im allgemeinen stabilisierend nicht nur auf das wirtschaftliche System als Ganzes, sondern auch auf die individuelle Vermögensverteilung. Zunächst schon durch den Grundcharakter der Rechtsordnung. Der feudale Verband und auch die ihm nahestehenden ständisch stereotypierten Patrimonialgebilde bilden eine Synthese von lauter konkreten Rechten und Pflichten individuellen Inhalts. Sie konstituieren, wie ausgeführt wurde, einen „Rechtsstaat" auf der Basis nicht „objektiver" Rechtsordnungen, sondern „subjektiver" Rechte. An Stelle eines Systems abstrakter Regeln, bei deren Innehaltung jedem die Freiheit des Schaltens mit seinen ökonomischen Mitteln eröffnet ist, steht hier ein Bündel wohl erworbener Rechte Einzelner, welches die Freiheit des Erwerbs auf Schritt und Tritt hemmt und seinerseits nur wieder auf dem Wege der Verleihung konkreter Privilegien, – wie sie den ältesten Manufakturschöpfungen durchweg zugrunde liegen, – dem kapitalistischen Erwerb Raum gibt. Dieser erhält zwar dadurch eine Unterlage, die weit stetiger ist als die stets arbiträr wandelbare persönliche Gnade des patriarchalen Patrimonialismus, immerhin aber, da ältere erworbene Rechte unberührt bleiben, stets die Gefahr der Anfechtung der erteilten Privilegien in sich schließt. Noch mehr aber hemmen die spezifisch ökonomischen Grundlagen und Konsequenzen des Feudalismus die kapitalistische Entwicklung. Das zu Lehen vergebene Land wurde immobilisiert, weil normalerweise unveräußerlich und unteilbar, denn an dem Zusammenhalt des Besitzes hängt die Fähigkeit des Vasallen, die schuldigen Dienste zu leisten, ritterlich zu leben und seine Kinder standesgemäß zu erziehen. Nicht selten ist den Vasallen sogar für ihren privaten Grundbesitz die Veräußerung verboten oder, z. B. durch Verbot der Veräußerung an Nichtstandesgenossen beschränkt worden (so z. B. auch in Japan den Dienstmannen – Gokenin – des Shogun). Und da die Einkünfte aus dem verliehenen, aber normalerweise nicht selbst, und jedenfalls nicht kapitalistisch, bewirtschafteten Lande von der Prästationsfähigkeit der Bauern abhängen, setzt sich innerhalb der Grundherrschaft die Bindung von Besitz und Wirtschaftsführung nach unten zu fort. Seit der Durchführung des Feudalismus in Japan beginnen dort die Verbote der Parzellierung, die Verkaufsverbote, – um Latifundienbildung zu hemmen – und die Verbote, die Scholle zu verlassen: alles im Interesse der Erhaltung der Prästationsfähigkeit der Bauern durch Schutz der bestehenden „Nahrungen". Daß im Orient genau die gleiche Entwicklung stattgefunden hat, ist bekannt genug. Diese Bindungen und die feudale Struktur überhaupt sind nun zwar keineswegs notwendig – wie wohl gesagt worden ist – der *Geld*wirtschaft feindlich. Auch Zölle, Geldabgaben und geldtragende Hoheitsrechte, darunter namentlich die Gerichtsgewalt, wurden als Lehen verliehen. Wo die Bauern ökonomisch dazu imstande waren, war der Grundherr sehr geneigt, ihre Dienste in Geldabgaben umzuwandeln, wie dies schon früh in England geschah. Und wo sie dazu ökonomisch nicht imstande sind, neigt er zum Übergang in Fronbetrieb, also direkt zur Erwerbswirtschaft. Überall, wo er konnte, hat der feudale Grundherr oder politische Herr versucht, durch Veräußerung der Überschüsse seiner Naturalrenten zu Gelde zu kommen. Die japanischen Daimyos hatten, nach Rathgens Schilderung, ihre Agenturen in Osaka in erster Linie zum Verkauf von Reisüberschüssen. Und in großartigstem Maßstabe hat der Deutsche Ordensstaat – ein von gemeinsam lebenden Mönchsrittern, deren Lehensmannen die ländlichen Gutsbesitzer waren, rational bewirtschaftetes Gemeinwesen – durch seine Verkaufskontore in Brügge sich am Handel beteiligt: der Gegensatz gegen die preußischen Städte, Danzig und Thorn vor allem, welche zum Abfall dieser zu den Polen und zum Verlust Westpreußens für das Deutschtum führten, hatte ja seinen Grund wesentlich in dieser Konkurrenz der Gemeinwirtschaft des Ordens gegen das Bürgertum und in der handelspolitischen Interessengemeinschaft des polnischen, Getreide absetzenden Adels im Hinterland mit dem städtischen Zwischenhandel gegenüber den Monopolansprüchen des Ordens. Aber keineswegs nur Absatz eigener Grundrentenbezüge, sondern natürlich ebenso auch beliebiger anderer Produkte konnte den Gegenstand des feudalherrlichen Außenhandels darstellen. Der feudale Grundherr oder politische Herr kann erwerbswirtschaftlicher Produzent oder Kreditgeber sein, wie dies ebenfalls bei den Daimyos der Fall war. Die feudalen Grundherren haben nicht selten mit Hilfe ihrer hörigen Arbeitskräfte Gewerbebetriebe, grundherrliche Hausindustrien namentlich aber, z. B. in Rußland, auch Fronfabriken geschaffen. Die patrimoniale Grundlage des Feudalismus ist also durchaus nicht identisch mit Gebundenheit an Naturalwirtschaft. Allein zum Teil eben deshalb ist sie eine Hemmung der Entfaltung der modernen Form des Kapitalismus als Wirtschaftsystems. Diese hängt an der Entwicklung der Massenkaufkraft für Industrieprodukte. Die oft sehr schweren Abgaben und Leistungen der Bauern an die Grundherren oder auch feudalen Gerichtsherren konfiszieren aber einen bedeutenden Teil ihrer Kaufkraft, welche den Markt für das Gewerbe hätte bilden helfen. Die dadurch auf der anderen Seite entstehende Kaufkraft der Grundherren aber kommt nicht den Massenartikeln, von denen der moderne gewerbliche Kapitalismus vornehmlich lebt, sondern Luxusbedürfnissen, vor allem aber der Haltung einer rein konsumtiv verwendeten persönlichen Dienerschaft zugute. Die grundherrlichen Gewerbebetriebe ferner ruhen auf Zwangsarbeit. Sie und überhaupt die Zwangsdienste des stets mit unbezahlten Arbeitskräften, daher mit Menschenverschwendung fungierenden grundherrlichen Haushalts und Gewerbebetriebs entziehen die Arbeitskräfte dem freien Markt und verwenden sie zum erheblichen Teil in nicht kapitalbildender, gelegentlich in kapitalverzehrender Form. Soweit jene Gewerbebetriebe mit dem städtischen Gewerbe auf dem Markt konkurrieren können, entspricht die Billigkeit oder geradezu Unentgeltlichkeit der Arbeitskräfte, welche dies eventuell ermöglicht, einem entsprechenden Ausfall der Entwicklung von Massenkaufkraft aus Lohnerträgen. Soweit sie auf dieser Basis dennoch infolge technischer „Rückständigkeit" nicht frei konkurrieren können, – und dies ist die Regel –, sucht der Grundherr das städtische Gewerbe durch Repressionsmaßregeln der politischen Gewalt in der kapitalistischen Entwicklung zu hemmen. Ganz allgemein liegt aber der feudalen Schicht die Neigung nahe, die Vermögensanhäufung in bürgerlichen Händen entweder zu unterbinden oder mindestens den entstandenen Neureichtum sozial zu deklassieren. Dies ist in besonders starkem Maße im feudalen Japan geschehen, wo schließlich, vor allem im Interesse der Stabilisierung der sozialen Ordnung, der gesamte Außenhandel fest und eng kontingentiert war. In irgendwelchem Grade aber findet Ähnliches sich überall wieder. Andererseits bildet das soziale Prestige der Grundherren für den sich entwickelnden Neureichtum einen Anreiz, erworbenes Vermögen nicht kapitalistisch werbend zu verwerten, sondern in Grundbesitz anzulegen, um möglichst in den Adel aufzusteigen. Dies alles hemmt die Bildung von Erwerbskapital, eine für das Mittelalter, namentlich das deutsche, in hohem Maße typische Erscheinung.

Wenn so der Feudalismus die moderne kapitalistische Entwicklung bald stärker, bald schwächer hemmt oder ablenkt und daneben ganz allgemein auch durch seinen stets stark traditionalistischen Zug die allen Neubildungen mißtrauisch gegenüberstehenden autoritären Mächte stärkt, – so ist andererseits die, gegenüber dem nichtstereotypierten Patrimonialstaat immerhin weit größere, Stetigkeit der Rechtsordnung ein Element, welches der kapitalistischen Entwicklung, in freilich sehr verschiedenem Grade, zugute kommen kann. Wo nicht die Unterbindung der bürgerlichen Vermögensbildung soweit geht wie in Japan, wird diese zwar verlangsamt werden, aber was dadurch, namentlich gegenüber dem jähen Entstehen (und: Vergehen) von Erwerbschancen für den Einzelnen gegenüber dem Patrimonialstaat verloren wird, kann eventuell in Gestalt einer langsameren und stetigeren Entwicklung der Entstehung eines rationalen kapitalistischen *Systems* als solchen zugute kommen und sein Eindringen in die Lücken und Fugen des feudalen Systems befördern. Die Chance individuellen hazardartigen Vermögenserwerbs war namentlich in den nordischen Ländern des okzidentalen Mittelalters ganz gewiß weitaus geringer als für die Beamten und Staatslieferanten des Assyrer- oder des Khalifenreichs und der Türkei oder für die chinesischen Mandarinen, spanischen und russischen Staatslieferanten oder Staatskreditoren. Aber gerade *weil* diese Art von Chancen fehlte, strömte das Kapital nun in die Kanäle rein bürgerlichen Erwerbes im hausindustriellen Verlag und in den Manufakturen. Und je erfolgreicher sich die feudale Schicht gegen das Eindringen des entstehenden Neureichtums abschloß, je mehr sie ihn von der Teilnahme an den Ämtern und der politischen Gewalt ausschloß und ihn sozial deklassierte, ihm den Erwerb von adligem Grundbesitz unterband, desto mehr drängte sie diese Vermögen in die Bahn rein bürgerlich-kapitalistischer Verwertung.

Der patriarchale Patrimonialismus ist darin ganz wesentlich duldsamer. Zwar selbständige, für ihn unangreifbare ökonomische und soziale Machtstellungen liebt der Patrimonialfürst nicht, und eben deshalb begünstigt er den rationalen Betrieb auf dem Boden der Arbeitsorganisation, also des Gewerbes, nicht. Aber ständische Schranken der Erwerbs- und Verkehrsfreiheit, die er ja selbst als unbequeme Hemmungen seiner Macht empfindet, begünstigt er auch im Verhältnis der „Untertanen" zueinander – außer wo leiturgische Bindungen bestehen – keineswegs. So hat im Ptolemäerreich volle ökonomische Verkehrsfreiheit und durchgeführte Geldwirtschaft bis in den letzten Haushalt hinein bestanden, trotzdem aber die volle patrimoniale Herrengewalt des Königs und seine persönliche Göttlichkeit, ganz wie in den Zeiten des pharaonischen Staatssozialismus, weiterbestanden und tiefgehende praktische Wirkungen geübt. Inwieweit nun ferner der Patrimonialismus in seiner Stellung zum Privatkapitalismus mehr eigenmonopolistische und also kapitalfeindliche oder mehr direkt kapitalprivilegierende Züge an sich trägt, hängt von verschiedenen Gruppen von Umständen ab. Die wichtigsten sind zwei, beide von politischer Art. Einerseits die mehr ständische oder mehr patriarchale Struktur der patrimonialen Herrschaft. Im ersteren Fall ist der Fürst in der freien Entwicklung gerade von Eigenmonopolen unter sonst gleichen Bedingungen naturgemäß gehemmter. Daß trotzdem der Okzident in der Neuzeit sehr zahlreiche Eigenmonopole der Patrimonialfürsten gesehen hat, weit stärkere als z. B. in China, in der Neuzeit wenigstens, bestanden haben, ist richtig, ebenso aber auch, daß die meisten von ihnen nur in Form von Verpachtung oder Konzessionierung an Kapitalisten, also privatkapitalistisch, genutzt wurden, und ferner, daß die Eigenmonopole hier eine höchst wirksame Reaktion der Beherrschten hervorriefen, wie sie in dieser Stärke bei streng patriarchaler Herrschaft schwer möglich gewesen wäre, obwohl allerdings der Staatsmonopolismus – wie auch die chinesische Literatur zu bestätigen scheint – überall das gleiche Odium, aber meist: den Haß der Konsumenten, nicht, wie im Okzident, der (bürgerlichen) Produzenten trägt. Der zweite Umstand ist in anderem Zusammenhang schon erwähnt: die Privilegierung des privaten Kapitals war in den Patrimonialverbänden stets um so entwickelter, je mehr die Konkurrenz *mehrerer* politischer Verbände um die Macht sie nötigten, das bewegliche und freizügige Geldkapital zu umwerben. Der von der politischen Macht privilegierte Kapitalismus blühte in der Antike, solange eine Mehrzahl von Mächten um die Macht und Existenz rang und scheint auch in China in der entsprechenden Vergangenheit entwickelt gewesen zu sein. Er blühte im Zeitalter des „Merkantilismus" im Okzident, als die modernen Machtstaaten ihren politischen Konkurrenzkampf begannen. Er schwand im Römerreich, als es „Weltreich" geworden war und nur noch Grenzen zu schützen hatte, fehlt fast ganz in China und war relativ schwach in den orientalischen und hellenistischen Weltreichen (je mehr sie dies waren um so schwächer) und auch im Khalifenreich entwickelt. Gewiß hat nicht etwa jede politische Machtkonkurrenz die Privilegierung des Kapitals herbeigeführt; denn damit dies geschehen könne, mußte Kapitalbildung bereits im Zuge sein. Wohl aber hat umgekehrt die Befriedung und der damit abnehmende politische Kapitalbedarf der großen Weltreiche die Privilegierung des Kapitals beseitigt.

Zu den wichtigsten Objekten der Eigenmonopole gehört die *Münzprägung*. Die Patrimonialfürsten haben sie in erster Linie zu rein fiskalischen Zwecken monopolisiert. Herabdrückung des Barrenwerts durch Monopolisierung des Barrenhandels und Steigerung des Münzwerts durch Geltungsmonopol der eigenen Münzen sind dafür im okzidentalen Mittelalter die normalen, Münzverschlechterung das abnorme Mittel. Aber dieser Zustand kennzeichnet schon einen stark entwickelten allgemeinen Münzgebrauch. Nicht nur der ägyptischen und babylonischen Antike, sondern ebenso der phönikischen und der vorhellenistischen indischen Kultur fehlt die Münze völlig und im persischen Reich ebenso wie in Karthago war sie ausschließlich Mittel zur Leistung von Edelmetallzahlungen seitens der politischen Gewalt bei Entlohnung von Gefolgsleuten und von ausländischen, an Münzzahlung gewohnten (in Karthago hellenischen) Söldnern, nicht aber ein Mittel für den Tauschverkehr, der sich für den kaufmännischen Umsatz pensatorisch, für den Kleinverkehr durch Konventionalgeldformen zu behelfen hatte. Daher beschränkte sich die Prägung in Persien auf Goldstücke, umgekehrt schuf die fürstliche Prägung in China bis in die Gegenwart nur Tauschmittel für den Kleinverkehr, während der Handel sich pensatorischer Mittel bediente. Die beiden zuletzt genannten scheinbar entgegengesetzten Erscheinungen allein schon müssen davor warnen, im Zustand der Münzprägung an sich ein Symptom für den Grad der geldwirtschaftlichen Entwicklung zu sehen (zumal in China, wo das „Papiergeld" bekannt war). Vielmehr finden sich beide Symptome für den gleichen Tatbestand: die Extensität der patrimonialen Verwaltung und ihrer daraus folgenden Ohnmacht, den Kaufleuten die Produkte der staatlichen Münze aufzuzwingen. Gleichwohl ist natürlich kein Zweifel daran, daß die Rationalisierung der Münzprägung durch den politischen Verband und der zunehmende Münzgebrauch ein hervorragendes Mittel der technischen Entwicklung des Verkehrs darstellte: die handelstechnische

Überlegenheit der Hellenen während der 1 3/4 Jahrtausende seit dem sechsten vorchristlichen Jahrhundert bis zur Suprematie Venedigs und Genuas einerseits, des sarazenischen Handels andererseits, stützte sich in ihrer Entstehung sicherlich mit darauf, daß sie diese Erfindung als die ersten rezipierten. Die intensive geldwirtschaftliche Entwicklung des Orients bis Indien nach der Eroberung durch Alexander ist dadurch wenigstens technisch mit herbeigeführt worden. Allerdings war auch das Schicksal der Wirtschaft nun intimer als vorher mit den Peripetien der Finanzlage der münzprägenden Gewalten verknüpft: die Katastrophe der römischen Finanzen im 3. Jahrhundert infolge der steigenden Donation an die Armee und die daraus folgende Zerrüttung des Geldwesens war zwar in keiner Art die Ursache der naturalwirtschaftlichen Rückbildung der spätantiken Wirtschaft, aber sie half sie immerhin befördern. Im ganzen freilich war Maß und Art der Geldregelung durch die politischen Verbände ungleich mehr bedingt durch die gegebenen Anforderungen der Wirtschaft an die öffentliche Gewalt, wie sie, aus den eingelebten Gepflogenheiten des kaufmännischen Zahlungswesens folgten, als daß sie selbst eine Bedingung der ökonomischen Entwicklung gewesen wäre. In der Antike wie im Mittelalter sind überall die Städte die Träger des Bedarfs nach rationaler Münzprägung gewesen und das Maß städtischer Entwicklung im Sinn des Okzidents, vor allem also des freien Gewerbes und seßhaften Kleinhandels, nicht aber der Grad der Entwicklung und Bedeutung des Großhandels, drückt sich in der Rationalisierung der Münzprägung aus. –

Nachhaltiger als die Schaffung dieser technischen Mittel des Verkehrs aber war auf den Gesamthabitus der Völker die Einwirkung der Herrschaftsstruktur durch die Art der „*Gesinnung*", welche sie erzeugte. Darin nun unterschieden sich der Feudalismus auf der einen Seite, der patriarchale Patrimonialismus auf der anderen außerordentlich stark. Beide prägten sehr stark abweichende politische und soziale Ideologien und dadurch eine sehr verschiedene Art der Lebensführung.

Der Feudalismus, speziell in der Form der freien Vasallität und vor allem des Lehenswesens, appelliert an „Ehre" und persönliche frei gewährte und gehaltene „Treue" als konstitutive Beweggründe des Handelns. „Pietät" und persönliche „Treue" liegt auch vielen der plebejischen Formen des patrimonialen oder leiturgischen Feudalismus (Sklavenheere, Kolonen- oder Klientenaufgebot, als Kleruchen oder Bauern und Grenzer angesiedelte Soldaten) zugrunde, speziell den Klienten- und Kolonenaufgeboten. Allein es fehlt ihnen die ständische „Ehre" als integrierender Bestandteil. Andererseits ist, bei der

„stadtfeudalen" Heeresorganisation, die ständische Ehre in sehr starkem Maß als Motiv engagiert: das Standeswürdegefühl der Spartiaten vor allem, ruht auf der ritterlichen Kriegerehre und Kriegeretikette, kennt die „Reinigungsmensur" desjenigen, der in der Schlacht „gekniffen" oder die Etikette verletzt hat, und in einem allerdings abgeschwächten Sinn war dies auch bei den althellenischen Hoplitenheeren überhaupt der Fall. Aber die persönliche Treuebeziehung fehlte. In der Kreuzzugszeit hat der orientalische präbendale Feudalismus ein ritterliches Standesgefühl getragen, im ganzen aber ist seine Eigenart durch den patriarchalen Charakter der Herrschaft bestimmt geblieben. Die Kombination von „Ehre" und „Treue" kannte, sahen wir, nur der Lehensfeudalismus okzidentalen und der Gefolgschaftsfeudalismus japanischen Gepräges. Mit dem hellenischen Stadtfeudalismus teilen beide: daß sie Grundlage einer besonderen ständischen Erziehung, und zwar der Erziehung in einer spezifischen, auf ständischer „Ehre" ruhenden *Gesinnung* waren. Im Gegensatz zum hellenischen Feudalismus aber haben sie dabei die „Vasallentreue" zum Mittelpunkt einer Lebensanschauung gemacht, welche die verschiedensten sozialen Beziehungen: zum Heiland ebenso wie zur Geliebten, unter diesen Aspekt rückte. Die feudale Vergesellschaftung stiftete also hier eine Durchtränkung der wichtigsten Lebensbeziehungen mit streng persönlichen Banden, deren Eigenart zugleich es mit sich bringt, daß das ritterliche Würdegefühl in dem Kult gerade dieses Persönlichen lebt, in dem äußersten Gegenpol aller sachlich-geschäftlichen Beziehungen also, welche deshalb der feudalen Ethik als das spezifisch Würdelose und Gemeine gelten müssen und auch immer gegolten haben. Der Gegensatz gegen das geschäftlich Rationale entspringt aber noch einer Anzahl anderer Wurzeln. Zunächst dem spezifischen militärischen Charakter des feudalen Systems, welches ja auf die Herrschaftsstruktur erst übertragen ist. Das spezifische Lehensheer ist ein Ritterheer, und das heißt: der individuelle Heldenkampf, nicht die Disziplin des Massenheeres spielt die ausschlaggebende Rolle. Nicht Massenabrichtung zur Anpassung an eine organisierte Gesamtleistung wie in diesen, sondern individuelle Vollendung in der persönlichen Waffenkunst war das Ziel der militärischen Erziehung. Daher findet in der Heranbildung und Lebensführung andauernd ein Element seine Stätte, welches, als Form der Einübung lebensnützlicher Qualitäten, der urwüchsigen Kräfteökonomie der Menschen ebenso wie der Tiere angehört, aber durch jede Rationalisierung des Lebens zunehmend ausgeschaltet wird: das *Spiel*. Es ist unter diesen gesellschaftlichen Bedingungen so wenig wie im organischen Leben ein „Zeitvertreib", sondern die naturgewachsene Form, in welcher die psychophysischen Kräfte des Organismus lebendig und geschmeidig erhalten werden, eine Form der „Übung", welche in ihrer ungewollten und ungebrochenen animalischen Triebhaftigkeit noch jenseits jeder Spaltung von „Geistigem" und „Materiellem", „Seelischem" und „Körperlichem" steht, mag es auch noch so sehr konventionell sublimiert werden. Eine spezifisch künstlerische Vollendung in freier Naivität hat es im Lauf der geschichtlichen Entwicklung einmal: auf dem Boden der ganz oder halb feudalen hellenischen Kriegergesellschaft, ausgehend von Sparta, gefunden. Innerhalb der okzidentalen Lehensritterschaft und des japanischen Vasallentums setzte die aristokratische ständische Konvention mit ihrem strengeren Distanz- und Würdegefühl dieser Freiheit engere Schranken als in der (relativen) Demokratie der Hoplitenbürgerschaft. Allein auch im Leben dieser ritterlichen Schichten spielt unvermeidlich das „Spiel" die Rolle einer höchst ernsten und wichtigen Angelegenheit: ein Gegenpol alles ökonomisch rationalen Handelns, der diesem den Weg verlegte. Jene Verwandtschaft mit künstlerischer Lebensführung, welche sich daraus ergab, speiste sich aber auch aus der Quelle der „aristokratischen" Gesinnung der feudalen Herrenschicht ganz direkt. Das Bedürfnis nach „Ostentation", nach äußerem Glanz und imponierender Pracht, nach Ausstattung der Lebensführung mit Gebrauchsobjekten, welche nicht im „Nutzen" ihren Daseinsgrund haben, sondern im Wildeschen Sinn unnütz im Sinn von „schön" sind, entspringt – sahen wir – primär dem ständischen Prestigebedürfnis, als ein eminentes Machtinstrument zur Behauptung der Herrenstellung durch Massensuggestion. Der „Luxus" im Sinn der Ablehnung zweckrationaler Orientierung des Verbrauchs ist für feudale Herrenschichten nichts „Überflüssiges", sondern eines der Mittel ihrer sozialen Selbstbehauptung. Und endlich: das eigene Dasein funktionell, als Mittel im Dienst einer „Mission", einer zweckvoll durchzuführenden „Idee" anzuschauen, liegt positiv privilegierten ständischen Schichten, sahen wir, ganz fern*. Ihre spezifische Legende ist der Wert ihres „Seins". Nur der ritterliche Glaubenskämpfer ist darin anders orientiert, und wo immer das Glaubensrittertum das Leben dauernd beherrschte: am stärksten im Islam, hat denn auch das freie künstlerische Spiel nur begrenzten Raum gehabt. In jedem Fall aber steht so der Feudalismus innerlich der bürgerlich-geschäftlichen Sachlichkeit mit ablehnender Gering-

---

* Vgl. die einschlägigen Ausführungen in der „Religionssozioiogie" (oben S. 449).

schätzung gegenüber und empfindet sie als schmutzigen Geiz und als die ihm spezifisch feindliche Lebensmacht. Seine Lebensführung erzeugt das Gegenteil rationaler Wirtschaftsgesinnung und ist Quelle jener Nonchalance in Geschäftsangelegenheiten, welche allen feudalen Herrenschichten im Gegensatz nicht nur zum Bürger, sondern ebenso, nur in anderer Art, auch zur „Bauernschlauheit", stets eignete und noch eignet. Dies Gemeinschaftsgefühl der feudalen Gesellschaft ruht auf einer Erziehungsgemeinsamkeit, welche ritterliche Konvention, ständischen Stolz und ein daran orientiertes Gefühl für „Ehre" anerzieht, durch ihre diesseitige Orientierung der charismatischen magischen Propheten- und Heldenaskese, durch ihre Ausrichtung auf kriegerische Heldengesinnung der literarischen „Bildung", durch ihre spielmäßige und künstlerische Formung der rationalen Fachschulung entgegengesetzt ist.

In fast allen diesen Punkten wirkt nun der *patriarchale* Patrimonialismus abweichend auf die Lebensführung. Der Feudalismus in allen seinen Formen ist die Herrschaft der Wenigen, Wehrhaften. Der patriarchale Patrimonialismus ist Massenbeherrschung durch einen Einzelnen. Er bedarf durchweg der „Beamten" als Organe der Herrschaft, während der Feudalismus den Bedarf an solchen minimisiert. Er ist, soweit er sich nicht auf fremdbürtige Patrimonialheere stützt, sehr stark auf den guten Willen der Untertanen angewiesen, dessen der Feudalismus sehr weitgehend entbehren kann. Gegen die Aspirationen der ihm gefährlichen privilegierten Stände spielt der Patriarchalismus die Massen aus, welche überall seine gegebenen Anhänger gewesen sind. Nicht der Held, sondern der „gute" Fürst war überall das Ideal, welches die Massenlegende verklärt. Der patriarchale Patrimonialismus hat sich daher als Pfleger der „Wohlfahrt" der Untertanen vor sich selbst und vor diesen zu legitimieren. Der „Wohlfahrtsstaat" ist die Legende des Patrimonialismus, erwachsen nicht auf der freien Kameradschaft angelobter Treue, sondern auf der autoritären Beziehung von Vater und Kindern: der „Landesvater" ist das Ideal der Patrimonialstaaten. Der Patriarchalismus kann daher Träger einer spezifischen „Sozialpolitik" sein und ist dies überall da geworden, wo er hinreichenden Anlaß hatte, sich des Wohlwollens der Massen zu versichern. So in der Neuzeit in England unter dem Regime der Stuarts in ihrem Kampf gegen die autoritätsfeindlichen Mächte des puritanischen Bürgertums und der halbfeudalen Honoratiorenschichten: die Laudsche christliche Sozialpolitik war teils kirchlich, teils patrimonial motiviert. Der Minimisierung der Verwaltungsfunktionen des Feudalismus, der sich nur soweit um das Ergehen der Hintersassen kümmert, als im Interesse der eigenen ökonomischen Existenz unentbehrlich ist, steht gerade umgekehrt die Maximalisierung der Verwaltungsinteressen des Patriarchalismus gegenüber. Denn jede neue Verwaltungsfunktion, welche der Patrimonialfürst sich zueignet, bedeutet eine Erhöhung seiner Machtstellung und ideellen Bedeutung einerseits, schafft andererseits neue Pfründen für seine Beamten. An einer Stereotypierung der Besitzverteilung, speziell der Grundbesitzverteilung, hat andererseits der Patrimonialfürst keinerlei Interesse. Ökonomische Bindungen pflegt er nur so weit vorzunehmen, als er seinen Bedarf leiturgisch deckt, dann aber in der Form der Samthaftung, welche innerhalb der Haftungsgemeinschaften der Zerspaltung des Besitzes freien Raum läßt. Vollends bei geldwirtschaftlicher Bedarfsdeckung ist Parzellenbesitz und intensivste Nutzung des Bodens bei freier Beweglichkeit des Bodenbesitzes mit seinen Interessen vortrefflich vereinbar. Neubildung von Besitz durch rationalen Erwerb perhorresziert er nicht im mindesten, begünstigt ihn vielmehr, unter der einen Voraussetzung, daß dadurch nicht Gewalten entstehen, welche eine von der freien Gnade und Willkür des Herrn unabhängige Autorität gewinnen. Der zähe Aufstieg aus dem Nichts, aus Sklaventum und niedrigem Herrendienst zur prekären Allmacht des Günstlings ist ihm typisch. Was er im Interesse seiner Macht bekämpfen muß, ist die von der Herrengunst unabhängige ständische Selbständigkeit des Feudaladels ebenso wie die ökonomische Unabhängigkeit des Bürgertums. In seinen letzten Konsequenzen muß ihm jegliche Eigenwürde und jegliches Würdegefühl der „Untertanen" rein als solches als autoritätsfeindlich verdächtig sein; die innere Hingabe an die landesväterliche Autorität hat denn auch überall in der entsprechenden Richtung gewirkt. In England hat die Minimisierung der effektiven Verwaltung der Honoratiorenherrschaft und die Angewiesenheit der Herrengewalt auf die freiwillige Mitwirkung der Honoratiorenschicht, in Frankreich und den romanischen Ländern die gelungenen Revolutionen, in Rußland die Vorurteilslosigkeit der sozialrevolutionären Gesinnung das Entstehen oder den Fortbestand jener verinnerlichten, auf den fremden Beschauer als Würdelosigkeit wirkenden Hingabe an die Autorität gehindert oder zerbrochen, welche in Deutschland ein schwerlich auszurottendes Erbteil der ungehemmten patrimonialen Fürstenherrschaft geblieben ist. Politisch betrachtet war und ist der Deutsche in der Tat der spezifische „Untertan" im innerlichsten Sinn des Wortes und war daher das Luthertum die ihm adäquate Religiosität. Der patriarchale Patrimonialismus kennt ein spezifisches Erziehungssystem nur in Form der „Bildung" für die Zwecke des Beamtendienstes, und nur diese „Bildung" gibt unter seiner Herrschaft die Basis einer in ihrer konsequentesten Form ständischen Schichtung. Diese kann entweder den uns bekannten Typus der chinesischen Bildungsschicht annehmen. Oder sie bleibt in den Händen der Geistlichkeit, als der Träger der für die patrimoniale Beamtenverwaltung mit ihren, dem Feudalismus unbekannten Rechen- und Schreibwerk, nützlichen Künsten, wie im vorderasiatischen Orient und im Mittelalter. Sie ist alsdann spezifisch literarischen Charakters. Oder sie kann den Typus der weltlichen fachjuristischen Bildung annehmen, wie auf den Universitäten des Mittelalters: auch dann ist sie ebenfalls literarischer Art und führt, mit zunehmender Rationalisierung, zum Fachmenschentum und „Berufs"-Ideal der modernen Bürokratie. Immer aber fehlen ihr jene Züge von Spiel und Wahlverwandtschaft mit Künstlertum, von Heldenaskese und Heldenverehrung, Heldenehre und heldischer Feindschaft gegen die „Sachlichkeit" des „Geschäfts" und „Betriebs", welche der Feudalismus erzieht und bewahrt. In der Tat ist der amtliche „Betrieb" ein sachliches „Geschäft": nicht von dem „Sein" des patrimonialen Beamten, sondern von seinen „Funktionen" empfängt dieser seine Ehre, von seinen „Leistungen" erwartet er Vorteile und Avancement, der Müßiggang, das Spiel und die geschäftliche Nonchalance des Ritters muß innerhalb seines Tuns als Verlotterung und Untüchtigkeit erscheinen. Die ihm adäquate Standesethik lenkt in diesem prinzipiellen Punkt in die Bahnen der bürgerlichen Geschäftsmoral ein. Schon die altägyptische Beamtenphilosophie, wie sie uns in Vermahnungen von Schreibern und Beamten an ihre Söhne vorliegt, trägt denn auch durchaus utilitarisch bürgerlichen Charakter. Und prinzipiell hat sich seitdem nichts geändert, außer der zunehmenden Rationalisierung und fachmäßigen Spezialisierung des patrimonialen Beamtentums zur modernen „Bürokratie". Der Beamtenutilitarismus unterscheidet sich von der spezifisch „bürgerlichen" Moral von jeher wesentlich durch seine Perhorreszierung des „Erwerbs"-Strebens, wie dies bei dem auf festes Gehalt oder festen Sporteln gestellten, seinem Ideal nach unbestechlichen Beamten, dessen Leistung ja ihre Würde darin finden muß, nicht Quelle von marktmäßiger Bereicherung sein zu können, selbstverständlich ist. Insofern steht allerdings der „Geist" der patrimonialen Verwaltung, an Ruhe, Erhaltung der traditionellen „Nahrung" und Zufriedenheit der Untertanen interessiert, der kapitalistischen, die gegebenen Lebensbedingungen revolutionierenden Entwicklung fremd und mißtrauisch gegenüber, am stärksten, wie wir sahen, in der konfuzianischen Beamtenethik, in mäßigem Grade aber überall, zumal die Eifersucht auf die entstehenden selbständigen ökonomischen Mächte dazu trat. Insofern ist es kein Zufall, daß der spezifisch moderne Kapitalismus sich gerade dort – in England – zuerst entfaltete, wo durch die Struktur der Herrschaft eine Minimisierung der Beamtenherrschaft bedingt war, – ebenso wie übrigens schon der antike Kapitalismus unter ähnlichen Bedingungen seine Akme erreicht hatte. Jene Eifersucht, verbunden mit der traditionellen, aus der ständischen Lage der Bürokratie folgenden Stellung zum rationalen ökonomischen Gewinn, sind denn auch die Motive gewesen, an welche die moderne staatliche Sozialpolitik anknüpfen konnte und die ihr gerade in bürokratischen Staaten den Weg ebneten, andererseits auch ihre Schranken und ihre Eigenart bestimmten.

Kapitel IX. Charismatismus.

Die bürokratische, ganz ebenso wie die ihr in so vielem antagonistische, patriarchale Struktur sind Gebilde, zu deren wichtigsten Eigenarten die *Stetigkeit* gehört, in diesem Sinne also: „Alltagsgebilde". Zumal die patriarchale Gewalt wurzelt in der Deckung des stets wiederkehrenden, normalen Alltagsbedarfs und hat daher ihre urwüchsige Stätte in der *Wirtschaft*, und zwar in denjenigen ihrer Zweige, welche mit normalen, alltäglichen Mitteln zu decken sind. Der Patriarch ist der „natürliche Leiter" des Alltags. Die bürokratische Struktur ist darin nur ihr ins Rationale transponiertes Gegenbild. Auch sie ist Dauergebilde und, mit ihrem System rationaler Regeln, auf Befriedigung berechenbarer Dauerbedürfnisse mit normalen Mitteln zugeschnitten. Die Deckung alles über die Anforderungen des ökonomischen Alltags *hinaus*gehenden Bedarfs dagegen ist, je mehr wir historisch zurücksehen, desto mehr, prinzipiell gänzlich heterogen und zwar: *charismatisch*, fundamentiert gewesen. Das bedeutet: die „natürlichen" Leiter in psychischer, physischer, ökonomischer, ethischer, religiöser, politischer *Not* waren weder angestellte Amtspersonen noch Inhaber eines als Fachwissen erlernten und gegen Entgelt geübten „Berufs" im heutigen Sinne dieses Wortes, sondern Träger spezifischer, als übernatürlich (im Sinne von: nicht jedermann zugänglich) gedachter Gaben des Körpers und Geistes. Dabei wird der Begriff „Charisma" hier gänzlich „wertfrei" gebraucht. Die Fähigkeit zur Heldenekstase des arabischen „Berserkers", der wie ein tollwütiger Hund in seinen Schild und um sich herum beißt bis er im rasenden Blutdurst losstürzt, oder des irischen Heros Cuculain oder des homerischen Achilleus, ist ein – wie man für die Berserker lange behauptet hat, durch akute Vergiftung künstlich erzeugter – manischer Anfall (man hielt in Byzanz eine Anzahl zu solchen Anfällen veranlagten „blonden Bestien" ebenso wie früher etwa die Kriegselefanten); die Schamanenekstase ist an konstitutionelle Epilepsie geknüpft, deren Besitz und Erprobung die charismatische Qualifikation darstellt – beides also für unser Gefühl nichts „Erhebendes", ebensowenig wie die Art der „Offenbarung" etwa des heiligen Buchs der Mormonen, die, wenigstens vielleicht vom Standpunkt der Wertung, ein plumper „Schwindel" genannt werden müßte. Allein darnach fragt die Soziologie nicht: der Mormonenchef ebenso wie jene „Helden" und „Zauberer" bewährten sich in dem Glauben ihrer Anhänger als charismatisch Begabte. Kraft dieser Gabe („Charisma") und – wenn die Gottesidee schon deutlich konzipiert war – kraft der darin liegenden göttlichen Sendung übten sie ihre Kunst und Herrschaft. Dies galt für Ärzte und Propheten ganz ebenso wie für Richter, militärische Führer oder Leiter von großen Jagdexpeditionen. Es ist für einen geschichtlich wichtigen Spezialfall (die Entwicklungsgeschichte der früheren christlichen Kirchengewalt) Rudolf Sohms Verdienst, die soziologische Eigenart dieser Kategorie von Gewaltsstruktur gedanklich konsequent und daher notwendigerweise, rein historisch betrachtet, einseitig herausgearbeitet zu haben. Aber der prinzipiell gleiche Sachverhalt kehrt, obwohl auf religiösem Gebiet oft am reinsten ausgeprägt, sehr universell wieder.

Im Gegensatz gegen jede Art bürokratischer Amtsorganisation kennt die charismatische Struktur weder eine Form oder ein geordnetes Verfahren der Anstellung oder Absetzung noch der „Karriere" oder des „Avancements", noch einen „Gehalt", noch eine geregelte Fachbildung des Trägers des Charisma oder seiner Gehilfen, noch eine Kontroll- oder Berufungsinstanz, noch sind ihr örtliche Amtssprengel oder exklusive sachliche Kompetenzen zugewiesen, noch endlich bestehen von den Personen und dem Bestande ihres rein persönlichen Charisma unabhängige ständige Institutionen nach Art bürokratischer „Behörden". Sondern das Charisma kennt nur innere Bestimmtheiten und Grenzen seiner selbst. Der Träger des Charisma ergreift die ihm angemessene Aufgabe und verlangt Gehorsam und Gefolgschaft kraft seiner Sendung. Ob er sie findet, entscheidet der

Erfolg. Erkennen diejenigen, an die er sich gesendet fühlt, seine Sendung nicht an, so bricht sein Anspruch zusammen. Erkennen sie ihn an, so ist er ihr Herr, so lange er sich durch „Bewährung" die Anerkenntnis zu erhalten weiß. Aber nicht etwa aus ihrem Willen, nach Art einer Wahl, leitet er dann sein „Recht" ab, – sondern umgekehrt: die Anerkennung des charismatisch Qualifizierten ist die *Pflicht* derer, an welche sich seine Sendung wendet. Wenn die chinesische Theorie das Herrenrecht des Kaisers von der Anerkennung des Volkes abhängig macht, so ist das ebensowenig Anerkennung einer Volkssouveränität, wie die Notwendigkeit der „Anerkennung" des Propheten in der altchristlichen Gemeinde durch die Gläubigen. Sondern es kennzeichnet den charismatischen, an der *persönlichen* Qualifikation und *Bewährung* haftenden Charakter der *Monarchenstellung*. Das Charisma kann sein und ist selbstverständlich regelmäßig ein qualitativ besondertes: dann folgt daraus von innen her, nicht durch äußere Ordnung, die qualitative Schranke der Sendung und Macht seines Trägers. Die Sendung kann sich ihrem Sinn und Gehalt nach an eine örtlich, ethnisch, sozial, politisch, beruflich, oder irgendwie sonst abgegrenzte Gruppe von Menschen richten und tut dies normalerweise: dann findet sie in deren Umkreis ihre Grenze. Die charismatische Herrschaft ist in allen Dingen, und so auch in ihrer ökonomischen Substruktion, das gerade Gegenteil der bürokratischen. Ist diese an stetige Einnahmen, daher wenigstens a potiori an Geldwirtschaft und Geldsteuern gewiesen, so lebt das Charisma in und doch nicht von dieser Welt. Das will richtig verstanden sein. Nicht selten zwar perhorresziert es ganz bewußt den Geldbesitz und die Geldeinnahme als solche, wie der heilige Franz und viele seinesgleichen. Allein natürlich nicht als Regel. Auch ein genialer Seeräuber kann ja eine „charismatische" Herrschaft im hier gemeinten wertfreien Sinn üben und die charismatischen politischen Helden suchen Beute und darunter vor allem gerade: Gold. Immer aber – das ist das Entscheidende – lehnt das Charisma den planvollen rationalen Geldgewinn, überhaupt alles rationale Wirtschaften, als würdelos ab. Darin liegt sein schroffer Gegensatz auch gegen alle „patriarchale" Struktur, welche auf der geordneten Basis des „Haushalts" ruht. In seiner „reinen" Form ist das Charisma für seine Träger nie private Erwerbsquelle im Sinn ökonomischer Ausnutzung nach Art eines Tausches von Leistung und Gegenleistung, aber auch nicht in der anderen einer Besoldung, und ebenso kennt es keine Steuerordnung für den sachlichen Bedarf seiner Mission. Sondern es wird, wenn seine Mission eine solche des Friedens ist, ökonomisch mit den erforderlichen Mitteln entweder durch individuelle Mäzenate oder durch Ehrengeschenke, Beiträge und andere freiwillige Leistungen derjenigen, an welche es sich wendet, ausgestattet, oder – wie bei den charismatischen Kriegshelden, gibt die Beute zugleich einen der Zwecke und die materiellen Mittel der Mission ab. Das „reine" Charisma ist im Gegensatz gegen alle (in dem hier gebrauchten Sinn des Worts) „patriarchale" Herrschaft – der Gegensatz aller geordneten Wirtschaft: es ist eine, ja geradezu *die* Macht der Unwirtschaftlichkeit, auch und gerade dann, wenn es auf Güterbesitz ausgeht, wie der charismatische Kriegsheld. Es kann dies, weil es, seinem Wesen nach, kein stetiges „institutionelles" Gebilde ist, sondern, wo es in seinem „reinen" Typus sich auswirkt, das gerade Gegenteil. Die Träger des Charisma: der Herr wie die Jünger und Gefolgsleute, müssen, um ihrer Sendung genügen zu können, außerhalb der Bande dieser Welt stehen, außerhalb der Alltagsberufe ebenso wie außerhalb der alltäglichen Familienpflichten. Der Ausschluß der Annahme kirchlicher Ämter durch das Ordensstatut der Jesuiten, die Besitzverbote für die Mitglieder der Orden oder auch – nach der ursprünglichen Regel des Franziskus – für den Orden selbst, das Zölibat des Priesters und Ordensritters, die faktische Ehelosigkeit zahlreicher Träger eines prophetischen oder künstlerischen Charisma sind alle der Ausdruck der unvermeidlichen „Weltabgewendetheit" derjenigen, welche Teil („κλῆρος") haben am Charisma. Je nach der Art des Charisma und der seinen Sinn realisierenden Lebensführung (z. B. ob religiös oder künstlerisch) können aber dabei die ökonomischen Bedingungen der Teilhaberschaft äußerlich gerade entgegengesetzt aussehen. Es ist ebenso konsequent, wenn moderne charismatische Bewegungen künstlerischen Ursprungs „selbständige Berufslose" (in der Alltagssprache ausgedrückt: Rentiers) als die normalerweise qualifizierteste Gefolgschaft des charismatisch Berufenen bezeichnen, wie das ökonomisch das gerade Umgekehrte fordernde Armutsgebot des mittelalterlichen Klosterbruders es war.

Der Bestand der charismatischen Autorität ist ihrem Wesen entsprechend spezifisch *labil*: Der Träger kann das Charisma einbüßen, sich als „von seinem Gott verlassen" fühlen, wie Jesus am Kreuz, sich seinen Anhängern als „seiner Kraft beraubt" erweisen: dann ist seine Sendung erloschen und die Hoffnung erwartet und sucht einen neuen Träger. Ihn aber verläßt seine Anhängerschaft, denn das reine Charisma kennt noch keine andere „Legitimität" als die aus eigener, stets neu bewährter Kraft folgende. Der charismatische Held leitet seine Autorität nicht wie eine amtliche „Kompetenz" aus Ordnungen und Satzungen und nicht wie die patrimoniale Gewalt aus hergebrachtem

Brauch oder feudalem Treueversprechen ab, sondern er gewinnt und behält sie nur durch *Bewährung* seiner Kräfte im Leben. Er muß Wunder tun, wenn er ein Prophet, Heldentaten wenn er ein Kriegsführer sein will. Vor allem aber muß sich seine göttliche Sendung darin „bewähren", daß es denen, die sich ihm gläubig hingeben, *wohlergeht.* Wenn nicht, so ist er offenbar nicht der von den Göttern gesendete Herr. Dieser sehr ernsthafte Sinn des genuinen Charisma steht offensichtlich in radikalem Gegensatz zu den bequemen Prätentionen des heutigen „Gottesgnadentums" mit seiner Verweisung auf den „unerforschlichen" Ratschluß Gottes, „welchem allein der Monarch verantwortlich sei", – während der genuin-charismatische Herrscher gerade umgekehrt den Beherrschten verantwortlich ist. Dafür nämlich und ausschließlich dafür: daß gerade er persönlich wirklich der gottgewollte Herr sei. Der Träger einer in wichtigen Resten noch echt charismatischen Gewalt, wie es z. B. (der Theorie nach) diejenige des chinesischen Monarchen war, klagt sich, wenn es seiner Verwaltung nicht gelingt eine Not der Beherrschten zu bannen, handele es sich um Überschwemmungen oder unglückliche Kriege, öffentlich vor allem Volk seiner eigenen Sünden und Unzulänglichkeiten an, wie wir dies noch in den letzten Jahrzehnten erlebt haben. Versöhnt auch diese Buße die Götter nicht, so gewärtigt er Absetzung und Tod, der oft genug als Sühnopfer vollzogen wird. Diesen sehr spezifischen Sinn hat z. B. bei Meng-tse (Mencius) der Satz, daß des Volkes Stimme „Gottes Stimme" (nach ihm: die *einzige* Art, in der Gott spricht!) sei: mit Aufhören der Anerkennung des Volkes ist (wie ausdrücklich gesagt wird) der Herr ein einfacher Privatmann und wenn er mehr sein will, ein strafwürdiger Usurpator. In ganz unpathetischen Formen findet sich der diesen höchst revolutionär klingenden Sätzen entsprechende Tatbestand unter primitiven Verhältnissen wieder, wo der charismatische Charakter fast allen primitiven Autoritäten mit Ausnahme der Hausgewalt im engsten Sinn, anhaftet und der Häuptling oft genug einfach verlassen wird, wenn der Erfolg ihm untreu ist.

Die, je nachdem, mehr aktive oder mehr passive rein faktische „Anerkennung" seiner persönlichen Mission durch die Beherrschten, auf welcher die Macht des charismatischen Herrn ruht, hat ihre Quelle in gläubiger Hingabe an das Außerordentliche und Unerhörte, aller Regel und Tradition Fremde und deshalb als göttlich Angesehene, wie sie aus Not und Begeisterung geboren wird. Die genuin charismatische Herrschaft kennt daher keine abstrakten Rechtssätze und Reglements und keine „formale" Rechtsfindung. Ihr „objektives" Recht ist konkreter Ausfluß höchst persönlichen Erlebnisses von himmlischer Gnade und göttergleicher Heldenkraft und bedeutet Ablehnung der Bindung an alle äußerliche Ordnung zugunsten der alleinigen Verklärung der echten Propheten- und Heldengesinnung. Sie verhält sich daher revolutionär alles umwertend und souverän brechend mit aller traditionellen oder rationalen Norm: „es steht geschrieben – ich aber sage euch". Die spezifische charismatische Form der Streitschlichtung ist die Offenbarung durch den Propheten oder das Orakel oder der aus streng konkreten und individuellen, aber absolute Geltung beanspruchenden Wertabwägungen heraus gefundene „salomonische" Schiedsspruch eines charismatisch qualifizierten Weisen. Hier liegt die eigentliche Heimat der „Kadi-Justiz" im sprichwörtlichen – nicht im historischen Sinn des Worts. Denn die Justiz des islamischen Kadi in seiner realen historischen Erscheinung ist gerade gebunden an die heilige Tradition und deren oft höchst formalistische Auslegung und erhebt sich zu regelfreier individueller Wertung des Einzelfalles nur da – da aber allerdings – wo jene Erkenntnismittel versagen. Die echt charismatische Justiz tut dies immer: sie ist in ihrer reinen Form der extremste Gegensatz formaler und traditioneller Bindung und steht der Heiligkeit der Tradition ebenso frei gegenüber wie rationalistische Deduktionen aus abstrakten Begriffen. Es ist hier nicht zu erörtern, wie sich die Verweisung auf das „aequum et bonum" in der römischen Rechtspflege und der ursprüngliche Sinn der englischen „equity" zur charismatischen Justiz im allgemeinen und zur theokratischen Kadi-Justiz des Islam im speziellen verhalten*. Beide sind aber Produkte teils einer schon stark rationalisierten Rechtspflege, teils abstrakt naturrechtlicher Begriffe und jedenfalls das „ex fide bona" enthält eine Verweisung auf die guten „Sitten" des Geschäftsverkehrs und bedeutet also ebenso wenig noch eine echte irrationale Justiz wie etwa unser „freies richterliches Ermessen". Derivate charismatischer Justiz sind dagegen natürlich alle Arten des Ordals als Beweismittel. Indem sie aber an Stelle der persönlichen Autorität eines Charismaträgers einen regelgebundenen Mechanismus zur formalen Ermittlung des göttlichen Willens setzen, gehören sie schon in das Gebiet jener „Versachlichung" des Charisma, von welcher bald die Rede sein soll. –

Einen historisch besonders wichtigen Fall der charismatischen Legitimierung von Institutionen stellt nun diejenige des politischen Charisma dar: die Entwicklung des Königtums.

---

* Vgl. § 2 und § 5 der Rechtssoziologie.

Der König ist überall primär ein Kriegsfürst. Das Königtum wächst aus charismatischem Heldentum heraus. In seiner aus der Geschichte der Kulturvölker bekannten Ausprägung ist es nicht die entwicklungsgeschichtlich älteste Form der „politischen" Herrschaft, d. h. einer über die Hausgewalt hinausreichenden, von ihr prinzipiell zu scheidenden, weil nicht in erster Linie der Leitung des friedlichen Ringens des Menschen mit der Natur gewidmeten, sondern den gewaltsamen Kampf einer Menschengemeinschaft mit anderen leitenden Gewalt. Seine Vorfahren sind die Träger aller derjenigen Charismata, welche die Abhilfe außerordentlicher äußerer und innerer Not oder das Gelingen außerordentlicher Unternehmungen verbürgten. Der Häuptling der Frühzeit, der Vorläufer des Königtums, ist noch eine zwiespältige Figur: patriarchales Familien- oder Sippenhaupt auf der einen Seite, charismatischer Anführer zur Jagd und zum Kriege, Zauberer, Regenmacher, Medizinmacher, also Priester und Arzt, und endlich Schiedsrichter auf der anderen Seite. Nicht immer, aber oft spalten sich diese charismatischen Funktionen in ebensoviele Sonder-Charismata mit besonderen Trägern. Ziemlich oft steht neben dem aus der Hausgewalt geborenen Friedenshäuptling (Sippenhaupt) mit wesentlich ökonomischen Funktionen der Jagd- und Kriegshäuptling, und dann wird der letztere im Gegensatz zum ersteren durch Bewährung seines Heldentums in mit freiwilliger Gefolgschaft unternommenen erfolgreichen Zügen auf Sieg und Beute erworben (deren Aufzählung noch in den assyrischen Königsinschriften, untermischt mit den Zahlen der erschlagenen Feinde und dem Umfang der mit ihren abgezogenen Häuten bedeckten Stadtmauern eroberter Plätze, Jagdbeute und für Bauzwecke mitgeschleppte Libanonzedern umfaßt). Der Erwerb der charismatischen Stellung erfolgt dann ohne Rücksicht auf die Stellung in den Sippen und Hausgemeinschaften, überhaupt ohne Regel irgendwelcher Art. Dieser Dualismus zwischen Charisma und Alltag findet sich sowohl bei den Indianern, z. B. im Irokesenbunde, wie in Afrika und sonst sehr häufig. Wo Krieg und Jagd auf große Tiere fehlen, fehlt auch der charismatische Häuptling, der „Fürst", wie wir ihn zur Vermeidung der üblichen Verwirrung im Gegensatz zum Friedenshäuptling nennen wollen. Es kann dann, besonders wenn Naturschrecknisse, namentlich Dürre oder Krankheiten häufig sind, ein charismatischer Zauberer eine im wesentlichen gleichartige Macht in Händen haben: ein Priesterfürst. Der Kriegsfürst mit seinem je nach Bewährung oder aber auch je nach Bedarf im Bestande labilen Charisma wird zur ständigen Erscheinung, wenn der Kriegszustand chronisch wird. Ob man nun dann das Königtum, und mit ihm den Staat, erst mit der An- und Eingliederung von Fremden, Unterworfenen in die eigene Gemeinschaft anfangen lassen will, ist an sich eine bloß terminologische Frage: den Ausdruck „Staat" werden wir weiterhin zweckmäßigerweise für unsern Bedarf wesentlich enger zu begrenzen haben. Sicher ist, daß die Existenz des Kriegsfürsten als regulärer Erscheinung an dem Bestande einer Stammesherrschaft über Unterworfene anderer Stämme und auch an dem Vorhandensein individueller Sklaven nicht hängt, sondern lediglich an dem Bestande des chronischen Kriegszustandes und einer auf ihn abgestellten umfassenden Organisation. Richtig ist auf der anderen Seite, daß die Entfaltung des Königtums zu einer regulären königlichen Verwaltung wenigstens ungemein häufig erst auf der Stufe der Beherrschung arbeitender oder zinsender Massen durch eine Gefolgschaft königlicher Berufskrieger auftritt, ohne daß doch die gewaltsame Unterwerfung fremder Stämme ein absolut unentbehrliches Zwischenglied der Entwicklung wäre: die inneren Klassenschichten infolge der Entwicklung des charismatischen Kriegsgefolges zu einer herrschenden Kaste kann ganz die gleiche soziale Differenzierung mit sich bringen. In jedem Fall aber strebt die Fürstengewalt und streben ihre Interessenten, die Fürstengefolgschaft, sobald die Herrschaft stetig geworden ist, nach „Legitimität", d. h. nach einem Merkmal des charismatisch berufenen Herrschers. Dies kann auf der einen Seite durch Legitimierung vor einer anderen, in ... (Hier bricht das Manuskript ab.)

Kapitel X. Umbildung des Charisma.

Auch die bürokratische Rationalisierung kann, wie wir sahen, gegenüber der Tradition eine revolutionäre Macht ersten Ranges sein und ist es oft gewesen. Aber sie revolutioniert durch *technische* Mittel, im Prinzip – wie namentlich jede Umgestaltung der Ökonomik es tut – „von außen" her, die Dinge und Ordnungen zuerst, dann von da aus die Menschen, die letzteren im Sinne der Verschiebung ihrer Anpassungsbedingungen und eventuell der Steigerung ihrer Anpassungsmöglichkeiten an die Außenwelt durch rationale Zweck- und Mittelsetzung. Das Charisma dagegen ruht in seiner Macht auf Offenbarungs- und Heroenglauben, auf der emotionalen Überzeugung von der Wichtigkeit und dem Wert einer Manifestation religiöser, ethischer, künstlerischer, wissenschaftlicher, politischer oder welcher Art immer, auf Heldentum sei es der Askese oder des Krieges, der richterlichen Weisheit der magischen Begnadung oder welcher Art sonst. Dieser Glaube revolutioniert „von innen heraus" die Menschen und sucht Dinge und Ordnungen nach seinem revolutionären Wollen zu gestalten. Der Gegensatz will freilich richtig verstanden sein. Bei aller abgrundtiefen Verschiedenheit der Sphären, in denen sie sich bewegen, sind religiöse, künstlerische, ethische, wissenschaftliche und alle anderen, insbesondere auch politisch oder sozial organisatorische „Ideen" entstanden, psychologisch angesehen, auf wesentlich gleiche Art. Es ist ein „der Zeit dienendes", subjektives „Werten", welches die einen dem „Verstande", die andern der „Intuition" (oder wie immer man sonst scheidet) zuweisen möchte: die mathematische „Phantasie" etwa eines Weyerstraß ist „Intuition" genau im gleichen Sinn wie diejenige irgendeines Künstlers, Propheten und – Demagogen: nicht da liegt der Unterschied. (Und übrigens beiläufig auch in der uns hier nicht angehenden „Wert"-Sphäre treffen sie sämtlich darin überein: daß sie alle – auch die künstlerische Intuition, – um sich zu objektivieren, also um überhaupt ihre Realität zu bewähren, ein „Ergreifen" oder, wenn man will, Ergriffenwerden von Forderungen des „Werks" bedeuten, und nicht ein subjektives „Fühlen" oder „Erleben" wie irgend ein anderes.) Er liegt, das ist zum Verständnis der Bedeutung des „Rationalismus" nachdrücklich festzustellen, überhaupt nicht in der Person oder in den seelischen „Erlebnissen" des *Schöpfers* der Ideen oder „Werke". Sondern in der Art, wie sie von den Beherrschten oder Geführten, innerlich „angeeignet", von ihnen „erlebt" werden. Wir haben früher gesehen, daß die Rationalisierung so verläuft, daß die breite Masse der Geführten lediglich die äußeren, technischen, für ihre Interessen praktischen Resultanten sich aneignen oder ihnen sich anpassen (so wie wir das Einmaleins „lernen", und nur allzuviele Juristen die Rechtstechnik), während der „Idee"-Gehalt ihrer Schöpfer für sie irrelevant bleibt. Dies will der Satz besagen:

daß die Rationalisierung und die rationale „Ordnung" „von außen" her revolutionieren, während das Charisma, wenn es überhaupt seine spezifischen Wirkungen übt, umgekehrt von innen, von einer zentralen „Metanoia" der Gesinnung der Beherrschten her, seine revolutionäre Gewalt manifestiert. Während die bürokratische Ordnung nur den Glauben an die Heiligkeit des immer Gewesenen, die Normen der Tradition, durch die Fügsamkeit in zweckvoll gesatzte Regeln und in das Wissen ersetzt, daß sie, wenn man die Macht dazu hat, durch andere zweckvolle Regeln vertretbar, also nichts „Heiliges" sind, – sprengt das Charisma in seinen höchsten Erscheinungsformen Regel und Tradition überhaupt und stülpt alle Heiligkeitsbegriffe geradezu um. Statt der Pietät gegen das seit alters Übliche, deshalb Geheiligte, erzwingt es die innere Unterwerfung unter das noch nie Dagewesene, absolut Einzigartige, deshalb Göttliche. Es ist in diesem rein empirischen und wertfreien Sinn allerdings die spezifisch „schöpferische" revolutionäre Macht der Geschichte.

Wenn sowohl die charismatische wie die patriarchale Gewalt auf persönlicher Hingabe und persönlicher Autorität an und von „natürlichen Leitern" im Gegensatz zu den „gesetzten" Leitern der bürokratischen Ordnung beruhen, so ist diese Pietät und Autorität in beiden Fällen doch sehr verschieden. Der Patriarch genießt sie, wie der Beamte, als Träger von Ordnungen, die nur nicht, wie Gesetze und Reglements der Bürokratie, menschlich zweckvoll gesetzten, sondern von unvordenklichen Zeiten her unverbrüchlich gültigen Charakters sind. Der Träger des Charisma genießt sie kraft einer in seiner Person verkörpert gedachten Sendung, welche revolutionären, alle Rangordnung der Werte umkehrenden, Sitte, Gesetz und Tradition umstoßenden Charakters, wenn nicht unbedingt und immer sein muß, so jedenfalls in ihren höchsten Ausprägungen gewesen ist. Wie labil der Bestand einer patriarchalen Gewalt in der Hand ihres konkreten Trägers auch sein möge, in jedem Fall ist sie als solche diejenige soziale Herrschaftsstruktur, welche im Gegensatz zu der aus der Not und Begeisterung außerordentlicher Situationen geborenen charismatischen Struktur dem Alltage mit seinen Anforderungen dient und, wie der Alltag, in allem Wechsel der Träger und des Umkreises dennoch in ihrer Funktion perenniert. Beiden Strukturformen sind an sich alle Lebensgebiete zugänglich: Patriarchal, nach Geschlechtern unter Führung des Familienhauptes fochten viele der altgermanischen Heere. Patrimonial organisiert waren die alten Kolonenheere orientalischer Monarchen und die unter ihren „seniores" ausziehenden Hintersassenkontingente des fränkischen Heeres. Die religiöse Funktion des

Hausherrn und der Hausgottesdienst perenniert neben dem amtlichen Gemeindekult einerseits und den großen, der Sache nach fast immer revolutionären Bewegungen charismatischen Prophetentums. Neben dem Friedenshäuptling, der die ökonomischen Alltagsgeschäfte der Gemeinschaft besorgt und neben dem Volksaufgebot in Fällen eines gemeinsamen Krieges aber steht – bei Germanen wie Indianern – der charismatische Kriegsheld, der mit freiwilliger Gefolgschaft auszieht und auch im offiziellenVolkskriege ersetzt die normalen Friedensautoritäten sehr oft der ad hoc auf Grund seiner Bewährung als Held in solchen Aventuren zum „Herzog" ausgerufene Kriegsfürst. Auf politischem wie religiösem Gebiet sind es die traditionellen, gewohnten Alltagsbedürfnisse, welchen die auf Gewöhnung, Respekt vor der Tradition, Eltern und Ahnenpietät und persönlicher Dienertreue ruhende patriarchalische Struktur dient, im Gegensatz zu der revolutionären Rolle des Charisma. So steht es auch auf ökonomischem Gebiet. Die Wirtschaft als geordneter perennierender Ablauf von Handlungen zum Zweck der planmäßigen Vorsorge für die Gewinnung des materiellen Güterbedarfs ist die spezifische Heimat patriarchaler und mit ihrer zunehmenden Rationalisierung zum „Betrieb", bürokratischer Struktur der Herrschaft. Dennoch ist auch sie keineswegs charismafremd. Charismatische Züge zeigt unter primitiven Verhältnissen sehr häufig ein damals wichtiger, mit zunehmender materieller Kultur aber abnehmend bedeutsamer Zweig der Bedarfsversorgung: die Jagd, welche dem Kriege ähnlich organisiert ist und auch später noch lange mit ihm ganz äquivalent behandelt wird (so noch in den assyrischen Königsinschriften). Aber auch auf dem Gebiet spezifisch kapitalistischer Wirtschaft findet sich der Antagonismus von Charisma und Alltag, nur daß hier nicht Charisma und „Haus", sondern Charisma und „Betrieb" einander gegenüberstehen: wenn Henry Villard zum Zweck eines auf der Börse durchgeführten Handstreichs auf den Aktienbesitz der Northern Pacific Railroad den berühmten „blind pool" arrangierte, sich vom Publikum ohne Angabe des Zwecks 50 Millionen £ zu einer nicht näher zu bezeichnenden Unternehmung erbat und auf sein Renommee hin ohne Sicherheitsstellung geliehen erhielt, so sind diese und ähnliche Erscheinungen eines grandiosen Beutekapitalismus und einer ökonomischen Beutegefolgschaft in ihrer ganzen Struktur, ihrem „*Geist*" nach, grundverschieden von der rationalen Leitung eines regulären großkapitalistischen „Betriebs", gleichartig dagegen den ganz großen Finanz- und Kolonialausbeutungsunternehmungen und dem mit Seeraub und Sklavenjagd vermengten „Gelegenheitshandel", wie es sie seit den ältesten Zeiten gegeben hat. Das Verständnis der Doppelnatur dessen, was man „kapitalistischen Geist" nennen kann und ebenso das Verständnis der spezifischen Eigenart des modernen, „berufsmäßig" bürokratisierten Alltagskapitalismus ist geradezu davon abhängig, daß man diese beiden, sich überall verschlingenden, im letzten Wesen aber verschiedenen Strukturelemente, begrifflich scheiden lernt. –

Der Bestand einer „rein" charismatischen Autorität im hier gebrauchten Sinn des Wortes bedeutet, obwohl sie, je reiner sie ihren Charakter wahrt, desto weniger als eine „Organisation" im gewöhnlichen Sinn einer Ordnung von Menschen und Dingen nach dem Prinzip von Zweck und Mittel erfaßt werden kann, – dennoch nicht etwa einen Zustand amorpher Strukturlosigkeit, sondern ist eine ausgeprägte soziale Strukturform mit persönlichen Organen und einem der Mission des Charismaträgers angepaßten Apparat von Leistungen und Sachgütern. Die persönlichen Hilfskräfte und in ihnen zugleich eine spezifische Art von charismatischer Aristokratie innerhalb der Gruppe stellt eine, nach dem Prinzip des Jüngertums und der Gefolgschaftstreue zusammengeschlossene und ebenfalls nach persönlicher charismatischer Qualifikation ausgelesene engere Gruppe von Anhängern. Die Sachgüterleistungen, obwohl formell freiwillig, satzungslos, unstet, gelten in einem den Bedarf deckenden Maße doch als Gewissenspflicht der charismatisch Beherrschten und werden nach Bedarf und Leistungsfähigkeit dargeboten. Die Gefolgschaft oder Jüngerschaft empfängt ihre materiellen Unterhaltsmittel und ihre soziale Position je mehr die Reinheit der charismatischen Struktur gewahrt ist, desto weniger in Gestalt von Pfründen, Gehältern oder irgend einer Art von Entgelt oder Lohn, Titeln oder geordneten Rangverhältnissen. Sondern materiell, soweit der Unterhalt des Einzelnen nicht anderweit sichergestellt ist, in autoritär geleiteter Gemeinschaft der Nutzung jener Güter, welche dem Meister, je nachdem, als Ehrengeschenk, Beute, Stiftung zufließen, er teilt sie mit ihnen ohne Abrechnung und Vertrag, eventuell also haben sie Anspruch auf Tischgemeinschaft, auf Ausstattungen und Ehrengeschenke, die er ihnen zuwendet, ideell auf Anteilnahme an der sozialen, politischen, religiösen Schätzung und Ehre, die ihm selbst bezeugt wird. Jede Abweichung davon trübt die Reinheit der charismatischen Struktur und führt in die Bahnen anderer Strukturformen.

Das Charisma ist also, neben der Hausgemeinschaft, der zweite, von ihr verschiedene, große historische Träger des *Kommunismus*, wenn wir darunter hier das Fehlen der „Rechenhaftigkeit" beim Güter-

verbrauch und nicht die rationale Organisation der Güter*produktion* für eine – irgendwie – gemeinsame „Rechnung" („Sozialismus") verstehen wollen. Aller historisch überhaupt bekannte „Kommunismus" in diesem Sinn hat seine Stätte entweder auf traditionellem und das heißt patriarchalem Boden (Hauskommunismus), und nur in dieser Form ist er eine Erscheinung des Alltags gewesen und ist es noch, oder er ruht auf dem außeralltäglichen Boden der charismatischen Gesinnung und ist dann, wenn voll durchgeführt, entweder 1. Lager- und Beutekommunismus oder 2. Liebeskommunismus des Klosters mit seinen Abarten und seiner Verstümmelung zur „caritas" und zum Almosen. Der Lager- und Beutekommunismus (in verschiedener Reinheit der Durchführung) findet sich in den charismatischen Kriegsorganisationen aller Zeiten, von dem Räuberstaat der ligurischen Inseln angefangen bis zu der Organisation des Islam unter dem Khalifen Omar und den kriegerischen Orden der Christenheit und des japanischen Buddhismus. Der Liebeskommunismus hat in irgendeiner Form an der Spitze aller Religionen gestanden, lebt innerhalb der berufsmäßigen Gottesgefolgschaft: des Mönchtums, fort und findet sich in den zahlreichen pietistischen (Labadie) und anderen hochgespannten religiösen Sondergemeinschaften. Sowohl die Erhaltung erster Heldengesinnung wie erster Heiligkeit erscheint ihren genuinen Vertretern an die Konservierung der kommunistischen Grundlage und an das Fehlen des Strebens nach individuellem Sonderbesitz geknüpft. Und mit Recht: das Charisma ist eine prinzipiell außeralltägliche und deshalb notwendig außerwirtschaftliche Macht, alsbald in seiner Virulenz gefährdet, wenn die Interessen des ökonomischen Alltags zur Übermacht gelangen, wie dies überall zu geschehen droht: die „Präbende", – das an Stelle der alten kommunistischen Versorgung aus den gemeinsamen Vorräten tretende zugemessene „Deputat" –, deren Entstehung hier ihre eigentlichste Stätte hat, ist der erste Schritt dazu. Mit allen Mitteln suchen die Vertreter des genuinen Charisma dieser Zersetzung Schranken zu ziehen. Alle spezifischen Kriegerstaaten, wie in typischer Art Sparta, behielten Reste des charismatischen Kommunismus bei und suchten den Helden vor der „Versuchung" durch die Sorge um Besitz, rationalen Erwerb, Familiensorge ebenso zu bewahren, wie die religiösen Orden es tun. Der Ausgleich zwischen diesen Resten der alten charismatischen Prinzipien und den individuellökonomischen, mit der Präbendalisierung einsetzenden und beständig an die Türe pochenden Interessen vollzieht sich auf der verschiedensten Basis. Immer aber ist die schließlich eintretende schrankenlose Freigabe von Familiengründung und Erwerb das Ende der Herrschaft des genuinen Charisma. Nur die gemeinsame Gefahr des Feldlagers oder die Liebesgesinnung weltfremder Jüngerschaft hält den Kommunismus zusammen, und nur dieser wiederum garantiert die Reinheit des Charisma gegenüber den Interessen des Alltags.

Auf diesem Wege von einem stürmisch-emotionalen wirtschaftsfremden Leben zum langsamen Erstickungstode unter der Wucht der materiellen Interessen befindet sich aber jedes Charisma in jeder Stunde seines Daseins und zwar mit jeder weiteren Stunde in steigendem Maße.

Die Schöpfung einer charismatischen Herrschaft in dem geschilderten „reinen" Sinn ist stets das Kind ungewöhnlicher äußerer, – speziell politischer oder ökonomischer oder innerer seelischer, namentlich religiöser – Situationen oder beider zusammen, und entsteht aus der einer Menschengruppe gemeinsamen, aus dem Außerordentlichen geborenen Erregung und aus der Hingabe an das Heroentum gleichviel welchen Inhalts. Daraus allein schon folgt: in ungebrochener Macht, Einheitlichkeit und Stärke wirkt sich sowohl der Glaube des Trägers selbst und seiner Jünger an sein Charisma, – sei dies nun prophetischen oder welchen Inhalts sonst – wie die gläubige Hingabe derjenigen, an welche er sich gesendet fühlt, an ihn und seine Sendung regelmäßig nur in statu nascendi aus. Flutet die Bewegung, welche eine charismatisch geleitete Gruppe aus dem Umlauf des Alltags heraushob, in die Bahnen des Alltags zurück, so wird zum mindesten die reine Herrschaft des Charisma regelmäßig gebrochen, ins „Institutionelle" transponiert und umgebogen, und dann entweder geradezu mechanisiert oder unvermerkt durch ganz andere Strukturprinzipien zurückgedrängt oder mit ihnen in den mannigfachsten Formen verschmolzen und verquickt, so daß sie dann eine faktisch untrennbar mit ihnen verbundene, oft bis zur Unkenntlichkeit entstellte, nur für die theoretische Betrachtung rein herauszupräparierende Komponente des empirischen historischen Gebildes darstellt.

Die „reine" charismatische Herrschaft ist also in einem ganz spezifischen Sinne labil und *alle* ihre Alterationen haben im letzten Grunde ein und dieselbe Quelle. Normalerweise der Wunsch des Herrn selbst, stets der seiner Jünger und am meisten die Sehnsucht der charismatisch beherrschten Anhänger geht überall dahin: das Charisma und die charismatische Beglückung der Beherrschten aus einer einmaligen, äußerlich vergänglichen freien Gnadengabe außerordentlicher Zeiten und Personen in ein Dauerbesitztum des Alltags zu verwandeln. Damit wandelt sich aber unerbittlich der innere Charakter der Struktur. Einerlei ob aus der charismatischen Gefolgschaft eines

Kriegshelden ein Staat, aus der charismatischen Gemeinde eines Propheten, Künstlers, Philosophen, ethischen oder wissenschaftlichen Neuerers eine Kirche, Sekte, Akademie, Schule, aus einer charismatisch geleiteten, eine Kulturidee verfolgenden Gefolgschaft eine Partei oder auch nur ein Apparat von Zeitungen und Zeitschriften wird, – stets ist die Existenzform des Charisma nun den Bedingungen des Alltags und den ihn beherrschenden Mächten, vor allem: den ökonomischen Interessen ausgeliefert. Stets ist dies der Wendepunkt, mit welchem aus charismatischen Gefolgsleuten und Jüngern zunächst – wie in der „trustis" des fränkischen' Königs – durch Sonderrechte ausgezeichnete Tischgenossen des Herrn, dann Lehensträger, Priester, Staatsbeamte, Parteibeamte, Offiziere, Sekretäre, Redakteure und Herausgeber, Verleger, welche von der charismatischen Bewegung leben wollen, oder Angestellte, Lehrer oder andere berufsmäßige Interessenten, Pfründenbesitzer, Inhaber patrimonialer Ämter oder dergleichen werden. Die charismatisch Beherrschten andererseits werden regulär zinsende „Untertanen", steuernde Kirchen-, Sekten- oder Partei- oder Vereinsmitglieder, nach Regel und Ordnung zum Dienst gepreßte, abgerichtete und disziplinierte Soldaten oder gesetzestreue „Staatsbürger". Die charismatische Verkündigung wird, auch wenn der Apostel mahnt: „den Geist nicht zu dämpfen", unvermeidlich – je nachdem – Dogma, Lehre, Theorie oder Reglement oder Rechtssatzung oder Inhalt einer sich versteinernden Tradition. Zumal das Ineinanderfließen der beiden, in der Wurzel einander fremden und feindlichen Mächte: Charisma und Tradition, ist dabei regelmäßige Erscheinung. Begreiflicherweise: beider Macht ruht nicht auf plan- und zweckvoll geschaffenen Regeln und deren Kenntnis, sondern auf dem Glauben an die spezifische absolute oder relative, für den Beherrschten: – Kind, Klient, Jünger, Gefolgs- oder Lehensmann – schlechthin gültige Heiligkeit der Autorität konkreter Personen und auf der Hingabe an Pietätsbeziehungen und -pflichten ihnen gegenüber, die bei beiden stets eine irgendwie religiöse Weihe an sich tragen. Auch die äußeren Formen der beiden Herrschaftsstrukturen gleichen einander oft bis zur Identität. Ob die Tischgemeinschaft eines Kriegsfürsten mit seinem Gefolge „patrimonialen" oder „charismatischen" Charakter hat, kann man ihr äußerlich nicht ansehen, – es hängt von dem „Geist" ab, der die Gemeinschaft beseelt und das heißt: von dem Grunde, auf den sich die Stellung des Herrn stützt: durch Tradition geheiligte Autorität oder persönlicher Heldenglaube. Und der Weg vom ersteren zum letzteren ist eben flüssig. Sobald die charismatische Herrschaft den sie vor der Traditionsgebundenheit des Alltags auszeichnenden akut emotionalen Glaubenscharakter und die rein persönliche Unterlage einbüßt, ist das Bündnis mit der Tradition zwar nicht das einzig Mögliche, wohl aber, zumal in Perioden mit unentwickelter Rationalisierung der Lebenstechnik, das unbedingt Nächstliegende, meist unvermeidlich. Damit scheint nun das Wesen des Charisma endgültig preisgegeben und verloren, und das ist, soweit sein eminent revolutionärer Charakter in Betracht kommt, auch in der Tat der Fall. Denn es bemächtigen sich seiner nunmehr – und dies ist der Grundzug dieser typisch sich wiederholenden Entwicklung – die Interessen aller in ökonomischen oder sozialen Machtstellungen Befindlichen an der *Legitimierung* ihres Besitzes durch Ableitung von einer charismatischen, also heiligen, Autorität und Quelle. Statt also, seinem genuinen Sinn gemäß, allem Traditionellen oder auf „legitimem" Rechtserwerb Ruhenden gegenüber revolutionär zu wirken, wie im status nascendi, wirkt es nun seinerseits gerade umgekehrt als Rechtsgrund „erworbener Rechte". Und, in eben dieser ihm innerlich wesensfremden Funktion wird es nun Bestandteil des Alltags. Denn das Bedürfnis, dem es damit entgegenkommt, ist ein ganz universelles. Vor allem aus einem allgemeinen Grunde.

Die frühere Analyse der Alltagsgewalten der bürokratischen, patriarchalen und feudalen Herrschaft hatte nur erörtert: in welcher Weise diese Gewalten *funktionieren*. Aber die Frage: nach welchen Merkmalen der in der Hierarchie höchststehende, bürokratische oder patriarchalische Gewalthaber selbst ausgelesen wird, ist damit noch nicht erledigt. Das Haupt eines bürokratischen Mechanismus könnte ja denkbarerweise auch seinerseits ein nach irgendwelchen generellen Normen in seine Stellung einrückender höchster Beamter sein. Aber es ist nicht zufällig, daß er dies meist nicht, wenigstens nicht nach den gleichen Normen, wie die ihm hierarchisch unterstehenden Beamten ist. Gerade der reine Typus der Bürokratie: eine Hierarchie von *angestellten* Beamten, erfordert irgendeine Instanz, die ihre Stellung nicht ihrerseits auch wieder auf „Anstellung" im gleichen Sinn wie die anderen gründet. Die Person des Hausgewalthabers ergibt sich in der Kleinfamilie von Eltern und Kindern von selbst und ist in den Großfamilien regelmäßig durch eindeutige Regeln der Tradition festgelegt. Nicht aber ohne weiteres die des Hauptes eines patriarchalen Staatswesens oder einer Lehenshierarchie.

Und auf der anderen Seite ist offenbar das grundlegende erste Problem, vor dem die charismatische Herrschaft steht, wenn sie zu einer perennierenden Institution sich umgestalten will, ebenfalls gerade die Frage des *Nachfolgers* des Propheten, Helden, Lehrers, Parteihaupts. Gerade an ihr beginnt unvermeidlich zuerst die Einmündung in die Bahn von Satzung und Tradition.

Zunächst kann, da es sich um Charisma handelt, keine Rede von einer freien „Wahl" des Nachfolgers sein, sondern wiederum nur von einem „Anerkennen", daß das Charisma bei dem Prätendenten der Nachfolge *vorhanden* sei. Entweder also muß auf die Epiphanie eines persönlich seine Qualifikation erweisenden Nachfolgers oder irdischen Stellvertreters oder Propheten geharrt werden: – die Buddhaverkörperungen und Mahdis sind spezifische Beispiele dafür. Aber eine solche neue Inkarnation fehlt oft oder ist sogar aus dogmatischen Gründen gar nicht zu erwarten. So für Christus und ursprünglich für Buddha. Nur der genuine (südliche) Buddhismus hat tatsächlich die radikale Konsequenz dieser Auffassung gezogen: die Jüngerschaft Buddhas blieb hier nach seinem Tode Bettelmönchgemeinschaft mit einem Minimum von irgendwelcher Organisation und Vergesellschaftung und der Wahrung des Charakters einer möglichst amorphen Gelegenheitsvergemeinschaftung. Wo die alte Ordnung der Pâli-Texte wirklich durchgeführt war – und dies war in Indien und Ceylon vielfach der Fall, da fehlt nicht nur ein Patriarch, sondern auch eine feste Verbindung des Einzelnen mit einer konkreten Klostervergesellschaftung. Die „Diözesen" sind nur ein geographischer Rahmen für die bequemere Abgrenzung der Gebiete, innerhalb deren sich die Mönche zu den wenigen gemeinsamen Zeremonien – denen jeder „Kultus" fehlt – zusammenfinden. Die „Beamten" der Klöster sind auf Kleiderbewahrer und wenige ähnliche Funktionäre beschränkt, die Eigentumslosigkeit der Einzelnen sowohl wie der Gemeinschaft als solcher und die rein mäzenatische Bedarfsdeckung (durch Schenkungen und Bettel), so weit durchgeführt, wie dies unter den Bedingungen des Alltags überhaupt möglich ist. Einen „Vorrang" beim Sitzen und Reden gibt bei Zusammenkünften nur das Alter (als Mönch) und die Beziehung des Lehrers zum Novizen, der ihm als famulus dient. Ausscheiden ist jederzeit freigestellt und nur die Zulassung an höchst einfache Vorbedingungen (Lehrzeit, Leumunds- und Freiheitsattest des Lehrers und ein Minimum von Zeremonien) geknüpft. Eine eigentliche „Dogmatik" fehlt, ebenso wie die Ausübung eines Schul- oder Predigtberufes. Die beiden halb legendären „Konzilien" der ersten Jahrhunderte haben keine Nachfolge gehabt.

Dieser hochgradig amorphe Charakter der Mönchsgemeinschaft hat sicherlich zum Verschwinden des Buddhismus in Indien stark beigetragen. Möglich war er überhaupt nur bei einer reinen Mönchsgemeinschaft und zwar einer solchen, bei welcher das individuelle Heil ausschließlich von dem Einzelnen selbst zu schaffen war. Denn bei jeder andersartigen Gemeinschaft gefährdet natürlich solches Verhalten und ebenso ein bloßes passives Harren auf eine neue Epiphanie den Zusammenhalt der charismatischen Gemeinde, welche nach dem leibhaftig gegenwärtigen Herrn und Leiter ruft. Mit dem Entgegenkommen gegenüber dieser Sehnsucht, einen Träger des Charisma dauernd in der eigenen Mitte zu besitzen, wird ein wichtiger Schritt in der Richtung der Veralltäglichung gemacht. Die stets erneute Inkarnation bewirkt eine Art von „Versachlichung" des Charisma. Sein berufener Träger muß nun entweder systematisch nach irgendwelchen, sein Charisma verratenden Merkmalen, also immerhin nach „Regeln", gesucht werden, wie – prinzipiell ganz nach Art des Apisstiers – der neue Dalai Lama. Oder es muß ein anderes, angebbares, also ebenfalls nach Regeln bestimmbares Mittel zur Verfügung stehen, ihn herauszufinden. Dahin gehört zunächst der naheliegende Glaube, daß der Träger des Charisma selbst seinen Nachfolger, oder wenn er dem Sinne nach nur eine einmalige Inkarnation sein kann – wie Christus –, seinen irdischen Stellvertreter zu bezeichnen, qualifiziert sei. Die Kreation des eigenen Nachfolgers oder Stellvertreters durch den Herrn ist eine allen ursprünglich charismatischen Organisationen, prophetischen wie kriegerischen, sehr adäquate Form der Wahrung der Herrschaftskontinuität. Aber selbstverständlich bedeutet sie einen Schritt von der freien, auf persönlicher Eigengewalt des Charisma ruhenden Herrschaft nach der Seite der auf der Autorität der „Quelle" ruhenden „Legitimität" hin. Neben den bekannten religiösen Beispielen bewahrte die Form der Kreation der römischen Magistrate: Ernennung des eigenen Nachfolgers im Kommando aus der Reihe der Qualifizierten und Akklamation des zusammenberufenen Heeres, im Zeremoniell diese charismatischen Züge auch dann noch, als man das Amt, um seine Macht zu beschränken, an Fristen und an die *vorherige* Zustimmung („Wahl") des Bürgerheeres in geordneten Formen band; und die Diktatorenernennung im Felde, in der Not, welche den Nichtalltagsmenschen forderte, blieb lange Zeit als charakteristisches Rudiment des alten „reinen" Kreationstypus fortbestehen. Der aus der Heeresakklamation des siegreichen Helden als „imperator" erwachsene, mit der „lex de imperio" nicht etwa zum Herrscher kreierte, sondern als zu Recht die Herrschaft prätendierend anerkannte Prinzipat in seiner spezifischsten Zeit kennt als „legitime" Thronsukzession nur die Kollegen- und Nachfolgerdesignation, welche sich freilich regelmäßig in die Form der Adoption kleidet, wie umgekehrt in der römischen Hausgewalt zweifellos von diesen

Gepflogenheiten beim Kommando hier die gänzlich freie Ernennung des eigenen „heres", der den Göttern wie der familia pecuniaque gegenüber in die Stelle des toten pater familias einrückt, eingedrungen ist. Wurde in der Nachfolge durch Adoption der Gedanke der Erblichkeit des Charisma mit herangezogen, ohne übrigens in dem genuinen römischen Heerkaisertum jemals wirklich als Prinzip anerkannt zu sein, so blieb auf der anderen Seite dem Prinzipat doch stets der Charakter des Amts: der princeps ist ein Beamter mit geordneter, auf Regeln beruhender bürokratischer Zuständigkeit geblieben, solange das Heerkaisertum seinen römischen Charakter behielt. Ihm diesen Amtscharakter verliehen zu haben, ist das Werk des Augustus, welches, im Gegensatz stehend zu dem Gedanken einer hellenistischen Monarchie, wie er Cäsar vorgeschwebt haben dürfte, von den Zeitgenossen als die Erhaltung und Herstellung römischer Tradition und Freiheit angesehen wurde.

Hat nun aber der Träger des Charisma seinerseits keinen Nachfolger bezeichnet und fehlt es an eindeutigen äußeren Merkmalen, wie sie bei den Inkarnationen den Weg zu weisen pflegen, so liegt für die Beherrschten der Glaube nahe, daß die Teilhaber (clerici) seiner Herrschaft: die Jünger und Gefolgsleute, den nunmehr Qualifizierten als solchen zu erkennen die Berufensten seien. Es fällt ihnen daher, zumal sie allein sich faktisch im Besitz der Machtmittel befinden, nicht schwer, sich diese Rolle als „Recht" anzueignen. Freilich, da das Charisma die Quelle seiner Wirksamkeit in dem Glauben der Beherrschten findet, so kann die Anerkennung des designierten Nachfolgers durch sie nicht entbehrt werden. Vielmehr ist die Anerkennung durch die Beherrschten das ursprünglich Entscheidende. Es war noch in der Zeit, als sich das Kurfürstenkollegium als wahlvorbereitendes Gremium schon fest abgegrenzt hatte, eine auch praktisch wichtige Frage: wer von den Kurfürsten den Wahlvorschlag an das versammelte Heer zu bringen habe. Denn prinzipiell wenigstens war er in der Lage, seinem ganz persönlichen Kandidaten, entgegen dem Willen der anderen Kurfürsten, die Akklamation zu verschaffen.

Designation durch die nächsten und mächtigsten Gefolgsleute, Akklamation durch die Beherrschten ist also die normale Form, in welche diese Art der Nachfolgerkreierung ausläuft. Im patrimonialen und feudalen Alltagsstaat findet sich jenes, charismatischen Wurzeln entspringende Designationsrecht der Gefolgsleute als „Vorwahlrecht" der bedeutendsten Patrimonialbeamten oder Lehensträger. Die deutschen Königswahlen sind darin den Bischofswahlen der Kirche nachgebildet. Die „Wahl" eines neuen Königs, welche ganz ebenso wie die eines Papstes, Bischofs, Predigers mittelst 1. Bezeichnung durch die Jünger und Gefolgsleute (Kurfürsten, Kardinäle, Diözesanpriester, Kapitel, Älteste) und 2. nachfolgende Akklamation durch das Volk erfolgte, war also keine „Wahl" im Sinne moderner Präsidenten- oder Abgeordnetenwahlen, sondern wenigstens dem genuinen Sinn nach etwas durchaus Heterogenes: Erkennung oder Anerkennung des Vorhandenseins der durch die Wahl nicht erst entstehenden, sondern vorher vorhandenen Qualifikation, eines Charisma also, auf dessen Anerkennung umgekehrt der zu Wählende als sein Träger einen *Anspruch* hat. Daher kann es im Prinzip ursprünglich keine Majoritätswahl geben, denn eine noch so kleine Minorität kann, in der Erkennung des ersten Charisma, ganz ebenso im Rechte sein, wie die noch so große Mehrheit irren kann. Nur einer kann der Richtige sein; die dissentierenden Wähler begehen also einen Frevel. Alle Normen der Papstwahl suchen die Erzielung der Einstimmigkeit zu erreichen. Doppelwahl eines Königs aber ist ganz dasselbe wie kirchliches Schisma Verdunkelung der richtigen Erkenntnis des Berufenen, welche prinzipiell nur durch dessen Bewährung im Gottesgericht des persönlichen Kampfes mit physischen oder magischen Mitteln zu beseitigen ist, wie er bei Thronprätendenten von Negerstämmen (namentlich zwischen Brüdern) und auch sonst sich als Institution findet.

Und wenn das Majoritätsprinzip durchgedrungen ist, so gilt es als eine sittliche „Pflicht" der Minderheit, sich dem nunmehr durch den Ausfall der Abstimmung erwiesenen Recht zu fügen und der Mehrheit nachträglich beizutreten.

Selbstverständlich hat aber nichtsdestoweniger die charismatische Herrschaftsstruktur mit dieser Art der Nachfolgebestimmung, sobald das Majoritätsprinzip durchdringt, die Bahn zum eigentlichen Wahlsystem betreten. Nicht jede moderne, auch nicht jede demokratische Form der Kreierung des Herrschers ist charismafremd. Jedenfalls das demokratische System der sogenannten plebiszitären Herrschaft – die offizielle Theorie des französischen Cäsarismus – trägt seiner Idee nach wesentlich charismatische Züge, und die Argumente seiner Vertreter laufen alle auf die Betonung eben dieser seiner Eigenart hinaus. Das Plebiszit ist keine „Wahl", sondern erstmalige oder (beim Plebiszit von 1870) erneute Anerkennung eines Prätendenten als persönlich qualifizierten, charismatischen Herrschers. Aber auch die Demokratie des Perikles, der Idee ihres Schöpfers nach die Herrschaft des Demagogos durch das Charisma von Geist und Rede, enthielt gerade in der Wahl des einen Strategen (neben der Auslosung der anderen – wenn E. Meyers Hypothese zutrifft –) ihren charakteristischen charismatischen Einschlag. Auf die Dauer tritt überall, wo ursprünglich charismatische Gemeinschaften den Weg der Kürung des Herrschers betreten, eine Bindung des Wahlverfahrens an Normen ein. Zunächst weil mit dem Schwinden der genuinen Wurzeln des Charisma die Alltagsmacht der Tradition und der Glaube an ihre Heiligkeit wieder die Übermacht gewinnt, und ihre Beachtung nun allein die richtige Wahl verbürgen kann. Hinter dem durch charismatische Prinzipien bedingten Vorwahlrecht der Kleriker oder Hofbeamten oder großen Vasallen tritt dann die Akklamation der Beherrschten zunehmend zurück und es entsteht schließlich eine exklusive oligarchische Wahlbehörde. So in der katholischen Kirche wie im Heiligen Römischen Reich. Das gleiche aber vollzieht sich überall, wo eine geschäftserfahrene Gruppe das Vorschlags- oder Vorwahlrecht hat. Namentlich in den meisten Stadtverfassungen aller Zeiten ist daraus ein tatsächliches Kooptationsrecht regierender Geschlechter geworden, welche auf diese Art sowohl den Herren aus seiner Herrenstellung in die eines primus inter pares herabzogen (Archon, Konsul, Doge), wie andererseits die Gemeinde aus der Mitwirkung bei der Bestellung ausschalteten. In der Gegenwart finden wir z. B. in den Entwicklungstendenzen der Senatorenwahl in Hamburg dafür Parallelerscheinungen. Es ist dies, formal betrachtet, der weitaus häufigste „legale" Weg zur Oligarchie.

Die Akklamation der Beherrschten kann sich aber umgekehrt zu einem regulären „Wahlverfahren" entwickeln, mit einem durch Regel normierten „Wahlrecht", direkten oder indirekten, „Bezirks"- oder „Proportionalwahlen", „Wahlklassen" und „Wahlkreisen". Der Weg dahin ist weit. Soweit es sich um die Wahl des auch formell höchsten Herrschers selbst handelt, ist er nur in den Vereinigten Staaten – wo einer der allerwesentlichsten Teile des Wahlgeschäftes natürlich innerhalb der „Nominations"-Kampagne jeder der beiden Parteien liegt – zu Ende gegangen worden, sonst überall höchstens nur bis zu den für die Besetzung des Premierministerpostens und seiner Kollegen maßgebenden „Repräsentanten"-Wahlen für die Parlamente. Die Entwicklung von der charismatischen Herrscherakklamation zur eigentlichen Herrscherwahl direkt durch die Gemeinschaft der Beherrschten ist auf den allerverschiedensten Kulturstufen vollzogen worden und jedes Vordringen einer rationalen, von emotionalem Glauben befreiten Betrachtung des Vorgangs mußte ja diesen Umschlag herbeiführen helfen. Dagegen zum Repräsentativsystem ist die Herrscherwahl nur im Okzident allmählich entwickelt worden. Im

Altertum sind z. B. die Boiotarchen Repräsentanten ihrer Gemeinde – wie ursprünglich auch die Delegierten der englischen „Commoner", – nicht der Wähler als solcher, und wo, wie in der attischen Demokratie, die Beamten wirklich nur Mandatare und Vertreter des Demos sein sollen und dieser in Abteilungen zerlegt wird, gilt vielmehr das Turnusprinzip und nicht der eigentliche „Repräsentations"-Gedanke. Nur ist der Gewählte bei rücksichtsloser Durchführung des Prinzips formell ebenso wie in der unmittelbaren Demokratie Beauftragter und also der Diener seiner Wähler, nicht ihr gekürter „Herr". Damit ist der Struktur nach die charismatische Grundlage völlig verlassen. Allein diese rücksichtslose Durchführung der Prinzipien der „unmittelbaren" Demokratie unter den Verhältnissen großer Verwaltungskörper ist stets nur fragmentarisch möglich.

Das „imperative" Mandat des Repräsentanten ist schon rein technisch, infolge der stets wandelbaren Situation und der stets entstehenden unvorhergesehenen Probleme, nur unvollkommen durchführbar, die „Abberufung" des Repräsentanten durch Mißtrauensvotum seiner Wähler bisher nur ganz vereinzelt versucht worden und die Überprüfung der Beschlüsse der Parlamente durch das „Referendum" bedeutet in der Hauptsache eine wesentliche Stärkung aller irrationalen Mächte des Beharrens, weil sie Feilschen und Kompromiß zwischen den Interessenten technisch normalerweise ausschließt. Die häufige Wiederholung der Wahlen endlich verbietet sich durch deren zunehmende Kosten. Alle Versuche der Bindung der Volksvertreter an den Willen der Wähler bedeuten im Effekt auf die Dauer regelmäßig nur: Stärkung der ohnehin steigenden Macht der Repräsentantenparteiorganisation über ihn, da diese allein das „Volk" in Bewegung setzen können. Sowohl das sachliche Interesse an der Elastizität des parlamentarischen Apparates wie das Machtinteresse sowohl der Volksvertreter wie der Parteifunktionäre vereinigen sich in der Richtung: den „Volksvertreter" nicht als Diener, sondern als gekürten „Herren" seiner Wähler zu behandeln. Fast alle Verfassungen drücken dies in der Form aus: daß er – wie der Monarch – unverantwortlich ist für seine Abstimmungen und daß er „die Interessen des ganzen Volkes vertrete". Seine faktische Macht kann sehr verschieden sein. In Frankreich ist der einzelne Deputierte tatsächlich nicht nur der normale Chef der Patronage aller Ämter, sondern überhaupt im eigentlichsten Sinn „Herr" seines Wahlkreises – daher der Widerstand gegen die Proportionalwahl und das Fehlen der Parteizentralisation –; in den Vereinigten Staaten steht dem die Übermacht des Senats im Wege und nehmen die Senatoren eine ähnliche Stellung ein; in England und noch mehr in Deutschland ist, aus einander sehr entgegengesetzten Gründen, der einzelne Deputierte als solcher mehr der Kommis als der Herr seiner Wahlkreisinsassen für deren ökonomische Interessen und liegt der Einfluß auf die Patronage in den Händen der einflußreichen Parteichefs als solcher. Es können die, in der historisch bedingten Art der Herrschaftsstrukturen liegenden, zum erheblichen Teil eigengesetzlichen, d. h. technisch bedingten Gründe, wie der Wahlmechanismus die Macht verteilt, hier nicht weiter verfolgt werden. Nur auf die Prinzipien kam es an. Jede „Wahl" kann den Charakter einer bloßen Form ohne reale Bedeutung annehmen. So bei den Komitien der ersten Kaiserzeit und in vielen hellenischen und mittelalterlichen Städten, sobald entweder ein oligarchischer Klub oder ein Gewaltherrscher über die politischen Machtmittel verfügte und die zu wählenden Amtskandidaten faktisch bindend designierte. Auch wo dies aber formal nicht der Fall ist, tut man gut, wo immer für die Vergangenheit in den Quellen in allgemeinen Wendungen von einer „Wahl" der Fürsten oder anderer Gewalthaber durch die Volksgemeinde die Rede ist – wie bei den Germanen –, den Ausdruck nicht im modernen Sinne, sondern in dem einer bloßen Akklamation eines in Wahrheit durch irgend eine andere Instanz designierten, und überdies nur einem oder wenigen qualifizierten Geschlechtern entnommenen Kandidaten zu nehmen. Überhaupt keine „Wahl" liegt natürlich auch dann vor, wo eine Abstimmung über die Herrengewalt plebiszitären, also charismatischen Charakter trägt, wo also nicht ein Wählen zwischen Kandidaten, sondern die Anerkennung der Machtansprüche eines Prätendenten vorliegt. – Auch jede normale „Wahl" aber kann der Regel nach lediglich eine Entscheidung zwischen mehreren, schon vorher als allein in Betracht kommend, feststehenden und dem Wähler präsentierten Prätendenten sein, welche auf dem Kampfplatz der Wahlagitation durch persönlichen Einfluß, Appell an materielle oder ideelle Interessen herbeigeführt wird und bei welcher die Bestimmungen über das Wahlverfahren gewissermaßen die Spielregeln für den in der Form „friedlichen" Kampf darstellen. Die Designation der allein in Betracht kommenden Kandidaten hat alsdann ihren primären Sitz innerhalb der Parteien. Denn selbstverständlich ist es nicht ein amorphes Gemeinschaftshandeln von Wahlberechtigten, sondern sind es Parteiführer und ihre persönlichen Gefolgschaften, welche nun den Kampf um die Wahlstimme und damit um die Patronage der Ämter organisieren. Die Wahlagitation kostet schon jetzt in den Vereinigten Staaten innerhalb des Quadrienniums direkt und indirekt etwa so viel, wie ein Kolonialkrieg und ihre Kosten steigen auch in Deutschland für alle nicht mit den billigen Arbeitskräften der Kapläne, Feudalen oder amtlichen Honoratioren oder der anderweit bezahlten Gewerkschafts- und anderen Sekretären arbeitenden Parteien bedeutend. Neben der Macht des Geldes – entfaltet dabei das „Charisma der Rede" seine Gewalt. Deren Macht ist an sich nicht an eine besondere Kulturlage gebunden. Die indianischen Häuptlingsversammlungen und die afrikanischen Palavers kennen sie auch. In der hellenischen Demokratie erlebte sie ihre erste gewaltige qualitative Entfaltung mit unermeßlichen Folgen für die Entwicklung der Sprache und des Denkens, während freilich rein quantitativ die modernen demokratischen Wahlkämpfe mit ihren „stump speeches" alles früher Dagewesene übertreffen. Je mehr Massenwirkung beabsichtigt ist und je straffer die bürokratische Organisation der Parteien wird, desto nebensächlicher wird dabei die Bedeutung des Inhalts der Rede. Denn ihre Wirkung ist, soweit nicht einfache Klassenlagen und andere ökonomische Interessen gegeben und daher rational zu berechnen und zu behandeln sind, rein emotional und hat nur den gleichen Sinn, wie die Parteiumzüge und Feste: den Massen die Vorstellung von der Macht und Siegesgewißheit der Partei und vor allem von der charismatischen Qualifikation des Führers beizubringen.

Daß alle emotionale Massenwirkung notwendig gewisse „charismatische" Züge an sich trägt, bewirkt es auch, daß die zunehmende Bürokratisierung der Parteien und des Wahlgeschäfts gerade dann, wenn sie ihren Gipfel erreicht, durch ein plötzliches Aufflammen charismatischer Heldenverehrung in deren Dienst gezwungen werden kann. Das charismatische Heldentum gerät in diesem Fall – wie die Roosevelt-Kampagne zeigte – in Konflikt mit der Alltagsmacht des „Betriebs" der Partei.

Das allgemeine Schicksal aller Parteien, die fast ausnahmslos als charismatische Gefolgschaften sei es legitimer, sei es cäsaristischer Prätendenten, Demagogen perikleischen oder kleonischen oder lassalleschen Stils beginnen, ist es, wenn sie überhaupt in den Alltag einer Dauerorganisation ausmünden, sich in ein durch *„Honoratioren"* geleitetes Gebilde, man kann behaupten, bis Ende des 18. Jahrhunderts fast stets in eine Adelsföderation, umzuformen. In den italienischen Städten des Mittelalters gab es mehrfach – da die ganz große Lehnbürgerschaft allerdings fast durchweg ghibellinisch war – eine direkte „Strafversetzung" unter die Nobili, gleichbedeutend mit Amtsdisqualifikation und politischer Entrechtung. Dennoch ist es die höchst seltene Ausnahme, auch unter den „popolani", daß ein *Nicht*adeliger ein leitendes Amt erhält, obwohl doch hier, wie stets, das Bürgertum die Parteien finanzieren mußte. Entscheidend war damals, daß die Militärmacht der sehr oft zu direkter Gewalt greifenden Parteien durch den Adel, bei den Guelfen z. B. nach einer festen Matrikel, gestellt wurde. Hugenotten und Liga, die englischen Parteien einschließlich der „Roundheads", überhaupt alles, was an Parteien vor der französischen Revolution liegt, zeigt den gleichen typischen Vorgang eines Hinübergleitens aus einer charismatischen Erregungsperiode, welche Klassen- und Ständeschranken zugunsten eines oder einiger Helden durchbricht, einiger Helden zur Entwicklung von Honoratiorenverbänden mit meist adliger Führung. Auch die „bürgerlichen" Parteien des 19. Jahrhunderts, die radikalsten nicht ausgenommen, gerieten stets in das Geleise der Honoratiorenherrschaft. Schon weil nur die Honoratioren, wie den Staat selbst, so auch die Partei ohne Entgelt regieren konnten. Außerdem aber natürlich infolge ihres ständischen oder ökonomischen Einflusses. Wo immer auf dem platten Lande ein Grundherr die Partei wechselte, verstand es sich in England ganz ebenso wie später etwa bis in die 70er Jahre in Ostpreußen annähernd von selbst, daß nicht nur die patrimonial von ihm Abhängigen, sondern – Zeiten revolutionärer Erregung ausgenommen – auch die Bauern ihm folgten. In den Städten, wenigstens den kleineren, spielten neben den Bürgermeistern die Richter, Notare, Advokaten, Pfarrer, und Lehrer, vor der Organisation der Arbeiterschaft als Klasse oft auch die Fabrikanten, eine wenigstens annähernd ähnliche Rolle. Warum diese letzteren, auch abgesehen von der Klassenlage, zu dieser Rolle relativ wenig qualifiziert sind, ist in anderem Zusammenhang zu erörtern. Die Lehrer sind in Deutschland diejenige Schicht, welche – aus den durch die „ständische" Lage des Berufs gegebenen Gründen – den spezifisch „bürgerlichen" Parteien als unentgeltliche Wahlagenten ebenso zur Verfügung stehen, wie die Geistlichen (normalerweise) den autoritären. In Frankreich waren es von jeher die Advokaten, welche, teils infolge ihrer technischen Qualifiziertheit, teils – in und nach der Revolutionszeit – infolge ihrer ständischen Lage, den bürgerlichen Parteien zur Verfügung standen.

Einzelne Gebilde der französischen Revolution, denen aber eine zu kurze Dauer beschieden war, um eine definitive Struktur zu entwikkeln, zeigen zuerst einige Ansätze zu bürokratischer Formung, und erst in den letzten Jahrzehnten des 19. Jahrhunderts beginnt diese überall die Oberhand zu gewinnen. An die Stelle des Pendelns zwischen einerseits charismatischer und andererseits honoratiorenmäßiger Obödienz tritt nun das Ringen des bürokratischen Betriebes mit der charismatischen Parteiführerschaft. Der Parteibetrieb gerät, je entwickelter die Bürokratisierung ist und je umfangreichere direkte und indirekte Pfründeninteressen und Chancen an ihm hängen, desto sicherer in die Hände von „Fachmännern" des Betriebes, – mögen diese sofort als offizielle Parteibeamte oder zunächst als freie Unternehmer wie die Bosse in Amerika auftreten, – in deren Hand die systematisch angeknüpften persönlichen Beziehungen zu den Vertrauensmännern, Agitatoren, Kontrolleuren und dem sonstigen unentbehrlichen Personal, die Listen und Akten und alles andere Material liegt, dessen Kenntnis allein die Lenkung der Parteimaschine ermöglicht. Eine erfolgreiche Beeinflussung der Haltung der Parteien und eventuell eine erfolgreiche Abspaltung von ihr kann dann nur vermittels des Besitzes eines solchen Apparates durchgeführt werden. Daß der Abg. Rickert die Vertrauensmännerlisten besaß, ermöglichte die „Sezession", daß Eugen Richter und Rickert jeder seinen Sonderapparat in der Hand behielten, prognostizierte die Spaltung der Freisinnigen Partei, und daß sich die „Altnationalliberalen" das Material der Parteikontrolle zu beschaffen wußten, war ein ernsthafteres Symptom wirklicher Abspaltungsabsichten als alles Gerede vorher. Umgekehrt pflegt an der Unmöglichkeit der persönlichen Verschmelzung rivalisierender Apparate weit mehr als an sachlichen Differenzen jeder Versuch von Parteiverschmelzungen zu scheitern, wie ebenfalls deutsche Erfahrungen illustrieren. Dieser mehr oder minder konsequent entwickelte bürokratische Apparat bestimmt nun in normalen Zeiten das Verhalten der Partei einschließlich der entscheidend wichtigen Kandidatenfragen. Aber: selbst innerhalb so streng bürokratisierter Gebilde wie die nordamerikanischen Parteien es sind, entwickelt sich, wie die letzte Präsidentschaftskampagne lehrte, in Zeiten starker Erregung gelegentlich immer wieder der charismatische Typus der Leitung. Steht ein „Held" zur Verfügung, so sucht er die Herrschaft der Parteitechniker durch Oktroyierung plebiszitärer Designationsformen, unter Umständen durch Umgestaltung der ganzen Nominationsmaschinerie zu brechen. Jede solche Erhebung des Charisma stößt natürlich auf den Widerstand des in normalen Zeiten herrschenden Apparats der professionellen Politiker, insbesondere der die Leitung und Finanzierung organisierenden und das Funktionieren der Partei in Gang haltenden Bosse, deren Kreaturen die Kandidaten zu sein pflegen. Denn nur die materiellen Interessen der Stellenjäger hängen an der Auswahl der Parteikandidaten. Auch die materiellen Interessen der Parteimäzenaten – Banken, Lieferanten, Trustinteressenten – werden natürlich sehr tief von diesen Personenfragen berührt. Der große Geldgeber, der im Einzelfall einen charismatischen Parteiführer finanziert und von seinem Wahlsiege, je nachdem, Staatsaufträge, Steuerpachten, Monopole oder sonstige Privilegien, vor allem Rückerstattung seiner Vorschüsse mit entsprechender Verzinsung erwartet, ist seit den Zeiten des Crassus eine typische Figur. Auf der anderen Seite lebt aber auch der reguläre Parteibetrieb von Parteimäzenaten. Die ordentlichen Einkünfte der Partei: Beiträge von Mitgliedern und etwaige Steuern vom Gehalte der durch die Partei ins Amt gebrachten Beamten (Nordamerika), reichen selten aus. Die direkte ökonomische Ausbeutung der Machtstellung der Partei bereichert zwar die Beteiligten, ohne aber zugleich notwendig die Parteikasse selbst zu füllen. Die Mitgliedsbeiträge sind gar nicht selten, der Propaganda halber, ganz abgeschafft oder auf Selbsteinschätzung gestellt und damit die Großgeldgeber auch formell zu Beherrschern der Parteifinanzen gemacht. Der reguläre Betriebsleiter und eigentliche Fachspezialist, der Boß oder Parteisekretär, kann aber durchweg auf ihr Geld nur rechnen, wenn er die Parteimaschinerie fest in der Hand hat. Jede Erhebung des Charisma bedroht daher den regulären Betrieb auch finanziell. Es ist deshalb kein seltenes Schauspiel, daß sich die einander bekämpfenden Bosse oder sonstigen Leiter der konkurrierenden Parteien untereinander zusammenschließen, um im gemeinsamen geschäftlichen Interesse das Aufkommen charismatischer Führer, die vom regulären Betriebsmechanismus unabhängig wären, zu ersticken. Diese Kastrierung des Charisma gelingt dem Parteibetriebe in der Regel leicht und wird in Amerika auch im Fall der Durchführung des plebiscitären charismatischen „presidential primaries" immer wieder gelingen, weil eben die Kontinuierlichkeit des fachmännischen Betriebes als solchen taktisch auf die Dauer der emotionalen Heldenverehrung überlegen bleibt. Nur außerordentliche Bedingungen können dem Charisma über den Betrieb zum Siege verhelfen. Jenes eigentümliche Verhältnis von Charisma und Bürokratie, welches bei der Einbringung der ersten Homerule-Vorlage die englische liberale Partei spaltete, ist bekannt: Gladstones ganz persönliches, für den puritanischen Rationalismus unwiderstehliches, Charisma zwang die Caucusbürokratie, trotz entschiedenster sachlicher Abneigung und übler Wahlprognose, in ihrer Mehrheit bedingungslos zu schwenken und zu ihm zu stehen, führte so zur Spaltung des von Chamberlain geschaffenen Mechanismus und damit zum Verlust der Wahlschlacht. Ähnlich im letzten Jahr in Amerika*.

---

* 1912.

Es ist zuzugeben, daß für das Maß von Chancen, welche das Charisma im Kampf mit der Bürokratie in einer Partei hat, deren allgemeiner Charakter nicht bedeutungslos sein kann. Je nachdem sie eine einfache „gesinnungslose", d. h. ihr Programm nach den Chancen des einzelnen Wahlkampfs ad hoc formende Gefolgschaftspartei von Stellenjägern ist, oder vorwiegend eine rein ständische Honoratioren- oder eine Klassenpartei oder ob sie in stärkerem Maße den Charakter einer ideellen „Programm"- und „Weltanschauungspartei" wahrt – Gegensätze, die natürlich stets relativ sind – ist die Chance des Charisma sehr verschieden groß, in gewissen Hinsichten am größten beim Vorwiegen des erstgenannten Charakters, welcher eindrucksvollen Persönlichkeiten die Gewinnung der nötigen Gefolgschaft ceteris paribus weit leichter macht als die kleinbürgerliche Honoratiorenorganisation der deutschen, zumal der liberalen Parteien mit ihren ein für allemal festen „Programmen" und „Weltanschauungen", deren Anpassung an die jeweiligen demagogischen Chancen jedesmal eine Katastrophe bedeuten kann. Aber etwas allgemeines läßt sich darüber wohl nicht aussagen. „Eigengesetzlichkeit" der Parteitechnik und ökonomische und soziale Bedingungen des konkreten Falls sind dazu im Einzelfall in zu intimer Verbindung wirksam.

Wie diese Beispiele zeigen, gibt es charismatische Herrschaft keineswegs lediglich auf primitiven Entwicklungsstufen, wie denn überhaupt die drei Grundtypen der Herrschaftsstruktur nicht einfach hintereinander in eine Entwicklungslinie eingestellt werden können, sondern miteinander in der mannigfachsten Art kombiniert auftreten. Allerdings aber ist es das Schicksal des Charisma, mit zunehmender Entwicklung institutioneller Dauergebilde zurückzutreten. In den uns zugänglichen Anfängen von Gemeinschaftsverhältnissen tritt jede Gemeinschaftsaktion, welche über den Bereich der traditionellen Bedarfsdeckung in der Hauswirtschaft hinausgeht, in charismatischer Struktur auf. Der primitive Mensch sieht in allen Einflüssen, die von außen her sein Leben bestimmen, die Wirkung spezifischer Gewalten, welche den Dingen, toten ebenso wie lebenden und den Menschen, abgeschiedenen ebenso wie lebendigen, eigen sind und ihnen Macht geben, zu nützen oder zu schaden. Der ganze Begriffsapparat primitiver Völker, einschließlich ihrer Natur- und Tierfabeln geht von solchen Voraussetzungen aus. Die Begriffe mana und orenda und ähnliche, deren Bedeutung die Ethnographie lehrt, bezeichnen solche spezifischen Gewalten, deren „Übernatürlichkeit" ausschließlich darin besteht, daß sie nicht jedermann zugänglich, sondern an ihren persönlichen oder sachlichen Träger geknüpft sind. Magische und

Heldenqualitäten sind nur besonders wichtige Fälle solcher spezifischen Gewalten. Jedes aus dem Gleise des Alltags herausfallende Ereignis läßt charismatische Gewalten, jede außergewöhnliche Fähigkeit charismatischen Glauben aufflammen, der dann im Alltag an Bedeutung wieder verliert. In normalen Zeiten ist die Gewalt des Dorfhäuptlings außerordentlich gering, fast nur schiedsrichterlich und repräsentativ. Ein eigentliches Recht ihn abzusetzen, schreiben sich die Teilhaber der Gemeinschaft zwar im allgemeinen nicht zu, denn seine Gewalt war durch Charisma, und nicht durch Wahl begründet. Aber man läßt ihn eventuell unbedenklich im Stich und siedelt sich anderweit an. Eine Verschmähung des Königs wegen mangelnder charismatischer Qualifikation kommt in dieser Art noch bei den germanischen Stämmen vor. Eine nur durch die gedankenlose, oder irgendwelche unbestimmten Folgen von Neuerungen scheuende, Innehaltung des faktisch Gewohnten, regulierte Anarchie kann fast als der Normalzustand primitiver Gemeinschaften angesehen werden. Und ähnlich steht es im normalen Alltag mit der sozialen Gewalt der Zauberer. Aber jedes besondere Ereignis: große Jagdzüge, Dürre oder anderweite Bedrohung durch den Zorn der Dämonen, vor allem aber kriegerische Gefährdung, lassen sofort das Charisma des Helden oder Zauberers in Funktion treten. Der charismatische Jagd- und Kriegsführer steht sehr oft als eine Sondergestalt neben dem Friedenshäuptling, der vornehmlich ökonomische und daneben etwa schiedsrichterliche Funktion hat. Wird die Beeinflussung der Götter und Dämonen Gegenstand eines Dauerkultus, so entsteht aus dem charismatischen Propheten und Zauberer der Priester. Wird der Kriegszustand chronisch und nötigt die technische Entwicklung der Kriegsführung zu systematischer Übung und Aushebung der wehrhaften Mannschaft, so wird aus dem charismatischen Heerführer der König. Die fränkischen Königsbeamten: Graf und Sakebaro sind ursprünglich Militär- und Finanzbeamte, alles andere, insbesondere die zunächst ganz dem alten charismatischen Volksschiedsrichter verbliebene Rechtspflege kam erst später dazu. Die Entstehung eines Kriegsfürstentum als Dauergebilde und mit einem Dauerapparat bedeutet gegenüber dem Häuptling, der je nachdem bald mehr ökonomische Funktionen im Interesse der Gemeinwirtschaft und der Wirtschaftsregulierung des Dorfs oder der Marktgemeinde, bald mehr magische (kultische oder ärztliche) bald mehr richterliche (ursprünglich: schiedsrichterliche) Funktionen hat, denjenigen entscheidenden Schritt, an welchen man zweckmäßiger Weise den Begriff Königtum und Staat anknüpft. Dagegen ist es willkürlich, Königtum und Staat, in Anlehnung an Vorstellungen Nietzsches damit beginnen zu lassen, daß ein siegreicher Stamm einen anderen unterwirft und nun einen Dauerapparat schafft, um ihn in Abhängigkeit und Abgabepflichtigkeit zu halten. Denn genau die gleiche Differenzierung von wehrhaften und abgabefreien Kriegern und Wehrlosen und abgabepflichtigen Ungenossen derselben kann sich – nicht notwendig in der Form patrimonialer Abhängigkeit der letzteren, sondern sehr häufig ohne dieselbe – sehr leicht auch innerhalb jedes Stammes entwickeln, der chronisch kriegsbedroht ist. Die Gefolgschaft eines Häuptlings kann sich dann zu einer militärischen Zunft zusammenschließen und politische Herrenrechte ausüben, so daß eine Aristokratie feudalen Gepräges entsteht, oder der Häuptling kann zunehmend Gefolge in seinen Sold nehmen, zunächst um Beutezüge zu machen, dann um die eigenen Volksgenossen zu beherrschen, wofür es ebenfalls Beispiele gibt. Richtig ist nur: daß das normale Königtum das zu einem Dauergebilde gewordene charismatische Kriegsfürstentum ist, mit einem Herrschaftsapparat zur Domestikation der unbewährten Gewaltunterworfenen. Freilich und ganz naturgemäß wird dieser Apparat am straffsten entwickelt auf fremdem Eroberungsgebiet, wo die ständige Bedrohung der Herrenschicht dies gebietet. Die normannischen Staaten, vor allem England, waren nicht zufällig die einzigen Feudalstaaten des Okzidents mit einer wirklich zentralisierten und technisch hoch entwickelten Verwaltung, und das gleiche gilt für die arabischen, sassanidischen und türkischen Kriegerstaaten, die auf erobertem Gebiete am straffsten organisiert waren. Ganz ebenso übrigens auf dem Gebiet der hierokratischen Gewalt. Die straff organisierte Zentralisation der katholischen Kirche hat sich auf dem Missionsgebiet des Okzidents entwickelt und nach der Vernichtung der historischen kirchlichen Lokalgewalten durch die Revolution ihre Vollendung erreicht: Als „ecclesia militans" hat die Kirche sich ihren technischen Apparat geschaffen. Aber Königs- und Hohepriestergewalt an sich gibt es auch ohne Eroberung und Mission, wenn man den institutionellen Dauercharakter der Herrschaft und also das Vorhandensein eines kontinuierlichen Herrschaftsapparats, sei er nun bürokratischen, patrimonialen oder feudalen Charakters, als das entscheidende Merkmal ansieht. –

Während all das, was wir bisher als mögliche Konsequenzen der Veralltäglichung des Charisma betrachtet haben, dessen streng an die konkrete Person gebundenen Charakter unberührt ließ, haben wir uns nun Erscheinungen zuzuwenden, deren gemeinsames Merkmal eine eigentümliche Versachlichung des Charisma darstellt. Aus einer streng persönlichen Gnadengabe wird es dabei eine Qualität die entweder 1. übertragbar oder 2. persönlich erwerbbar oder 3. nicht an eine Person als solche, sondern an den Inhaber eines Amts oder an ein institutionelles Gebilde ohne Ansehen der Person geknüpft ist. Dabei noch von Charisma zu sprechen rechtfertigt sich nur dadurch, daß stets der Charakter des außergewöhnlichen, nicht jedermann zugänglichen, den Qualitäten der charismatisch Beherrschten gegenüber prinzipiell präeminenten erhalten bleibt und daß es eben hierdurch für diejenige soziale Funktion tauglich ist, zu der es Verwendung findet. Aber natürlich bedeutet gerade diese Form des Hineinströmens des Charisma in den Alltag, seine Umwandlung in ein Dauergebilde, die tiefgreifendste Umgestaltung seines Wesens und seiner Wirkungsart.

Der geläufigste Fall einer Versachlichung des Charisma ist der Glaube an seine Übertragbarkeit durch das Band des Blutes. Die Sehnsucht der Jünger oder Gefolgen und der charismatisch beherrschten Gemeinde nach einer Verewigung des Charisma wird so auf die einfachste Weise gestillt. Dabei ist der Gedanke an ein eigentliches individuelles Erbrecht hier noch ebenso fern zu halten, wie er der Struktur der Hausgemeinschaft ursprünglich überhaupt fehlt. An Stelle des Erbrechts steht einfach die Unsterblichkeit der perennierenden Hausgemeinschaft als Trägerin des Besitzes gegenüber den wechselnden Einzelnen. Auch bei der Erblichkeit des Charisma handelt es sich ursprünglich darum, daß es an eine Hausgemeinschaft und Sippe geheftet ist, welche ein für allemal als magisch begnadigt gilt, derart, daß nur aus ihrem Kreise die Träger des Charisma hervorgehen können. Die Vorstellung ist an sich so naheliegend, daß ihre Entstehung kaum nach besonderer Erklärung verlangt. Das als dergestalt begnadigt angesehene Haus wird dadurch mächtig über alle andern hinausgehoben und der Glaube an diese spezifische, auf natürlichem Wege nicht erreichbare, also charismatische Qualifikation ist überall die Grundlage der Entwicklung von Königs- und Adelsmacht gewesen. Denn wie das Charisma des Herrn an sein Haus, so heftet sich dasjenige der Jünger und Gefolgsleute an deren Häuser. Die Kobetsu, die (angeblich) aus dem Haus (uji) des japanischen charismatischen Herrschers Jimmu-Tennô stammenden Familien, erscheinen als dauernd spezifisch begnadet und behalten diesen Vorrang vor den anderen uji, unter denen die Shimbetsu, das heißt die Häuser der Gefolgsleute jenes Herrschers, die (angeblich) mit ihm eingewanderten Fremden ebenso wie die von ihm in sein Gefolge eingegliederten alteinheimischen Geschlechter, den charismatischen Adel bilden. Dieser verteilt die Verwaltungsfunktionen unter sich. Die beiden Sippen der Muraji und der Omi standen charismatisch im Range obenan. Innerhalb ihrer wie aller anderen Sippen wiederholt sich dann beim Zerfall der Hausgemeinschaften stets das Gleiche: ein Haus der Sippe gilt als das große (O = Oho) Haus: die Häuser O Muraji und O Omi insbesondre sind die Träger des spezifischen Charisma ihrer Sippe, und ihre Hausvorstände beanspruchen daher das Anrecht auf die entsprechenden Stellungen bei Hof und innerhalb der politischen Gemeinschaft. Alle berufsständische Gliederung bis hinab zu den letzten Handwerkern ist oder gilt, wo das Prinzip voll durchgeführt wird, wenigstens theoretisch, als ruhend auf der gleichen Bindung je eines spezifischen Charisma an bestimmte Sippen und des Vorstandsrechtes in der Sippe an deren charismatisch bevorzugtes („großes") Haus. Alle politische Gliederung des Staats ist eine solche nach Geschlechtern und deren Anhang und territorialem Besitzstand. Dieser Zustand des reinen „*Geschlechterstaats*" ist von jeder Art von Lehensstaat, Patrimonialstaat oder Amtsstaat mit erblichen Ämtern, so flüssig in der Realität des historischen die Übergänge sind, dennoch als Typus streng zu scheiden. Denn nicht irgendeine persönliche Treuebeziehung kraft Beleihung mit Vermögensobjekten oder Ämtern ist der „Legitimitäts"-Grund der Rechte der einzelnen Geschlechter auf ihre Funktionen, sondern das den einzelnen Häusern selbständig eigene besondere Charisma. Wie schon früher erwähnt, hat der Übergang von hier aus zum Lehensstaat sehr regelmäßig – auf seiten des Herren – gerade das Motiv, mit der „Eigen-Legitimität" dieser Geschlechterrechte ein Ende zu machen und eine von ihm, dem Herren, abgeleitete Lehens-Legitimität an deren Stelle zu setzen.

Ob der Reinheit des Typus die Realität je gänzlich entsprach, interessiert hier nicht, es genügt, daß das Prinzip in mehr oder minder entwickelter oder rudimentärer Form bei den allerverschiedensten Volksstämmen wiederkehrt und in Resten in die Struktur noch der historischen Antike (Blutsvorrecht der Eteobutaden in Athen – als Kehrseite: Disqualifikation der Alkmaioniden durch Blutschuld) ebenso hineinragt wie in das germanische Altertum.

Die Regel ist in historischer Zeit freilich eine weit weniger konsequente Durchführung des haus- und gentilcharismatischen Prinzips. Sowohl auf den primitivsten wie auf den höchsten Kulturstufen besteht im allgemeinen nur das charismatische Vorrecht des politischen Herrscherhauses und eventuell einer eng begrenzten Zahl anderer mächtiger Geschlechter. Das Charisma des Zauberers, Regenmachers, Medizinmanns, Priesters ist, wenn es nicht mit politischen Herrenrechten in der gleichen Person vereinigt ist, in primitiven Verhältnissen weit weniger häufig hauscharismatisch gebunden und erst die Entwicklung eines regulären *Kultus* gibt regelmäßig den Anlaß zu jener gentilcharismatischen Bindung von bestimmten Priestertümern an Adelsgeschlechter, die dann so überaus häufig ist und auf die Vererblichung anderer Charismen zurückwirkt. Mit der steigenden Wertung des physiologischen Blutbandes beginnt dann regelmäßig der Prozeß der Vergöttlichung zunächst der Ahnen, schließlich, wenn die Entwicklung ungehemmt weitergeht, auch des jeweiligen Herrn selbst, von deren Konsequenzen weiterhin noch die Rede sein muß.

Das bloße Gentilcharisma als solches garantiert nun aber noch nicht die Eindeutigkeit der persönlichen Berufung zum Nachfolger. Dafür ist eine bestimmte Erbordnung nötig, und damit diese entsteht, muß zu dem Glauben an die charismatische Bedeutung des Blutes als solchem der weitere Glaube an das spezifische Charisma der Erstgeburt treten. Denn alle anderen Systeme, auch das im Orient öfter vorkommende Seniorat, führt zu wilden Palastintriguen und -revolutionen, vollends wenn Polygamie herrscht und so neben das Interesse des Herren, etwaige andre Thronanwärter zugunsten eigner Abkömmlinge zu beseitigen, noch der Kampf der Weiber um die Erbfolge ihrer Kinder tritt. Das einfache Primogeniturprinzip pflegt in einem Lehensstaat durch die Notwendigkeit, die Teilung des erblich gewordenen Lehens im Interesse seiner Prästationsfähigkeit an Schranken zu binden, zuerst für die Lehensträger entwickelt und dann von ihm aus auf die oberste Spitze sozusagen zurückprojiziert zu werden. So geschah es im Okzident mit fortschreitender Feudalisierung. Im Patrimonialstaat, sei es orientalischen, sei es merowingischen Gepräges, ist die Geltung des Primogeniturprinzips weit unsicherer. Fehlt es, so besteht die Alternative: Erbteilung der politischen Gewalt wie jedes andren Besitztums des patrimonialen Herren oder Auswahl des Nachfolgers auf einem geordneten Wege: Gottesgericht (Zweikampf der Söhne, der sich bei primitiven Völkern mehrfach findet), Losorakel (das heißt praktisch: priesterliche Auswahl: so bei den Juden seit Josua) oder endlich die reguläre Form der charismatischen Kreierung: Auswahl des Qualifizierten durch Vorwahl und Akklamation durch Gefolgschaft und Volk, ein Vorgehen, welches in diesem Fall freilich noch mehr als sonst die Gefahr von Doppelwahlen und Kämpfen in sich birgt. In jedem Fall aber ist die Herrschaft der Monogamie als allein legitime Eheform eine der wichtigsten Grundlagen einer geordneten Kontinuität der Monarchengewalt gewesen und den Monarchien des Okzidents im Gegensatz zu den Zuständen des Orients zugute gekommen, bei denen der Gedanke an den bevorstehenden oder möglichen Thronwechsel die gesamte Verwaltung in Atem hält und der Thronwechsel jedesmal die Chance einer Katastrophe des Staatswesens mit sich bringt. Der Glaube an die Erblichkeit des Charisma gehört überhaupt zu jenen Bedingungen, welche die allergrößten „Zufälligkeiten" in den Bestand und die Struktur von Herrschaftsgebilden hineingetragen haben, um so mehr, als das Erblichkeitprsinzip mit anderen Formen der Nachfolgerdesignation in Konkurrenz geraten kann. Daß Muhammed ohne männliche Nachkommen starb und daß seine Gefolgschaft den Khalifat nicht auf Erbcharisma gründete, ja, in der Ommaijadenzeit, ihn direkt antitheokratisch entwickelte, hat für die Struktur des Islam die allertiefstgehenden Konsequenzen gehabt; der auf das Erbcharisma der Familie Alis bauende Schiitismus mit seiner Konsequenz eines mit unfehlbarer Lehrautorität ausgestatteten „Imam" steht dem auf Tradition und „Idschma" (consensus ecclesiae) ruhenden orthodoxen Sunnitismus in erster Linie auf Grund jener Differenzen über die Herrscherqualifikationen so schroff gegenüber. Die Beseitigung der Familie Jesu und ihrer anfänglich bedeutenden Stellung in der Gemeinde ist offenbar schmerzloser gelungen. Das Aussterben der deutschen Karolinger und dann der nachfolgenden Königsgeschlechter, fast stets in dem Augenblick, wo das Erbcharisma vielleicht die Kraft hätte gewinnen können, das von dem Fürsten in Anspruch genommene Mitbestimmungsrecht in den Hintergrund zu drängen, im Gegensatz zu Frankreich und England, ist für den Verfall der deutschen Königsmacht im Gegensatz zu der Stärkung der französischen und englischen von außerordentlicher Tragweite gewesen und hat historisch vermutlich weittragendere Folgen gehabt als selbst das Schicksal der Familie Alexanders. Dagegen ist umgekehrt, was von den römischen Cäsaren der drei ersten Jahrhunderte hervorragend qualifiziert war, fast ohne Ausnahme nicht durch Blutsband, sondern durch Nachfolgerdesignation in Form der Adoption auf den Thron gekommen und haben die kraft Blutsbandes zum Thron Berufenen in ihrer überwältigenden Mehrzahl die Gewalt geschwächt. Dies hängt offensichtlich mit der abweichenden Struktur der politischen Gewalt in Feudalstaaten einerseits, in einem zunehmend bürokratisch regierten, dabei aber auf der ausschlaggebenden Rolle eines stehenden Heeres und seiner Offiziere ruhenden Staatswesen andrerseits zusammen. Wir verfolgen das hier nicht näher.

Nachdem einmal der Glaube an die Gebundenheit des Charisma an das Blutsband gegeben ist, kehrt sich dessen ganze Bedeutung um.

Wo ursprünglich die eigene Tat nobilitierte, wird nun der Mann nur noch durch Taten seiner Vorfahren „legitimiert". Zur römischen Nobilität gehört, nicht wer selbst, sondern wessen Vorfahren ein nobilitierendes Amt innehatte; und das Bestreben des so umschriebenen Amtsadels geht dahin, die Ämter innerhalb dieses Kreises zu monopolisieren. Diese Entwicklung, die Umkehrung des genuinen Charisma in sein gerades Gegenteil, verläuft überall nach dem gleichen Schema. Während die genuin amerikanische (puritanische) Denkweise den selfmademan, der selbst sein Vermögen „gemacht" hatte, als Träger des Charisma glorifizierte, der bloße „Erbe" als solcher aber nichts galt, kehrt sich diese Empfindung jetzt vor unsern Augen in ihr Gegenteil um und gilt nur noch die Abkunft – von den Pilgrim Fathers, von der Pocahontas, von den Knickerbockers – oder die Zugehörigkeit zu der einmal rezipierten Familien (relativ) „alten" Reichtums. Die Schließung der Adelsbücher, die Ahnenproben, die Zulassung des Neureichtums nur als „gentes minores" und alle derartigen Erscheinungen sind alle in gleichem Maße Produkte des Bestrebens, das soziale Prestige durch Schaffung eines Seltenheitsmonopols zu steigern. Von ökonomischen Motiven spielt neben der Monopolisierung direkt oder indirekt einträglicher Staatsstellungen oder andrer sozialer Beziehungen zu der dehnbaren Staatsmacht vor allem die Monopolisierung des connubiums: die durch die Nobilität gegebene Vorzugschance auf die Hand reicher Erbinnen und die Steigerung der Nachfrage nach der Hand der eignen Töchter mit. –

Neben jener Art von „Versachlichung" des Charisma, welche seine Behandlung als Erbgut darstellt, stehen andre, historisch wichtige Arten. Zunächst kann statt der Übertragung durch das Blut die künstliche, magische, Übertragbarkeit treten die apostolische „Sukzession" durch die Manipulationen der Bischofsweihe, die durch die Priesterordination erworbene, unvertilgbare charismatische Qualifikation, die Bedeutung der Krönung und Salbung der Könige und zahllose andre ähnliche Vorgänge bei Natur- und Kulturvölkern führen darauf zurück. Weniger das an sich meist zur Form gewordene Symbol als solches ist praktisch wichtig, als der in vielen Fällen damit verbundene Gedanke: die Verknüpfung des Charisma mit der Innehabung eines *Amtes* – in welches die Handauflegung, Salbung usw. einführt – als solchen. Denn hier liegt der Übergang zu jener eigentümlichen *institutionellen* Wendung des Charisma: seine Anhaftung an ein soziales Gebilde als solches, als Folge der an die Stelle des charismatischen persönlichen Offenbarungs- und Heldenglaubens tretenden Herrschaft der Dauergebilde und Traditionen.

Die Stellung des römischen Bischofs (ursprünglich: dieses Bischofs in Gemeinschaft mit der römischen Ekklesia) in der alten Kirche war wesentlich charismatischen Charakters: sehr früh gewinnt diese Kirche eine spezifische Autorität, welche sich der intellektuellen Überlegenheit des hellenistischen Orients gegenüber, – der fast alle großen Kirchenväter hervorbrachte, die Dogmen prägte und alle ökumenischen Konzilien auf seinem Gebiete sah, – immer wieder behauptete, solange die Einheit der Kirche bestand, und auf dem festen Glauben ruhte, Gott werde gerade die Kirche der Welthauptstadt trotz ihrer so viel geringeren intellektuellen Mittel, nicht irren lassen. Etwas anderes als ein Charisma war dies nicht: einen Primat im modernen Sinne eines maßgebenden „Lehramts" oder einer universellen Jurisdiktionsgewalt im Sinn einer Appellations- oder gar einer universell mit den Lokalgewalten konkurrierenden Bischofskompetenz stellte es in keiner Weise dar, denn diese Begriffe waren damals noch gar nicht entwickelt. Und ferner: wie jedes Charisma, galt auch dies zunächst als eine labile Gnadengabe: einen römischen Bischof wenigstens hat das Anathema eines Konzils getroffen. Aber im ganzen stand es als eine Verheißung an die Kirche fest. Noch Innocenz III. auf der Höhe seiner Macht hat nicht mehr als den ganz allgemeinen und inhaltlich unbestimmten Glauben an jene Verheißung in Anspruch genommen, und erst die juristisch bürokratisierte und intellektualisierte Kirche der Neuzeit hat daraus eine Amtskompetenz gemacht, mit der für jede Bürokratie charakteristischen Scheidung von Amt („ex cathedra") und Privatmann.

Das Amtscharisma – der Glaube an die spezifische Begnadung einer sozialen Institution als solcher – ist keineswegs eine nur den Kirchen und noch weniger eine nur primitiven Verhältnissen eigene Erscheinung. Es äußert sich auch unter modernen Bedingungen in politisch wichtiger Art in den innerlichen Beziehungen der Gewaltunterworfenen zur staatlichen Gewalt. Denn diese kann sehr verschieden sein, je nachdem sie dem Amtscharisma freundlich oder feindlich gegenübersteht. Die spezifische Respektlosigkeit des Puritanismus gegenüber allem kreatürlichen, seine Ablehnung aller Kreaturvergötterung wirkte dahin, im Bereiche seiner Herrschaft alle charismatischen Respektverhältnisse aus der inneren Stellungnahme gegenüber den Gewaltigen der Erde auszumerzen: alle Amtsführung ist ein business wie ein anderes, der Herrscher und seine Beamten sind Sünder wie andere (von Kuyper in seinen Konsequenzen stark betont) nicht klüger wie andere. Durch Gottes unerforschliche Ratschlüsse sind zufällig gerade sie an diese Stelle geraten und dadurch mit der Macht,

Gesetze, Verordnungen, Urteile, Verfügungen zu fabrizieren ausgestattet. Aus dem kirchlichen Amt muß freilich derjenige, welcher die Zeichen der Verwerfung an sich trägt, entfernt werden. Aber im Mechanismus des Staats ist ein solcher Grundsatz undurchführbar und auch entbehrlich. Solange die weltlichen Gewalthaber direkt nichts gegen das Gewissen und Gottes Ehre tun, nimmt man ihre Gewalt hin, denn eine Änderung würde nur andere, ebenso sündige und wahrscheinlich ebenso törichte, Menschen an ihre Stelle setzen. Aber irgendeine innerlich bindende Autorität haben sie, die ja nur Bestandteile eines menschlich geschaffenen, menschlichen Zwecken dienenden Mechanismus sind, nicht. Das Amt besteht um sachlicher Notwendigkeit willen, es ist aber nichts, was unter und über seinem jeweiligen Inhaber schwebt und auf diesen irgendeine Weihe zurückstrahlen könnte, wie sie etwa nach unserem normalen deutschen Empfinden das „königliche Amtsgericht" besitzt. Diese naturalistisch irrationale innere Haltung und innere Stellungnahme zum Staat, welche, je nachdem, sehr konservativ oder auch sehr revolutionär wirken konnte und gewirkt hat, ist eine Grundbedingung zahlreicher wichtiger Eigentümlichkeiten innerhalb der vom Puritanismus beeinflußten Welt. Die grundsätzlich ganz andere Stellung etwa des normalen Deutschen zum Amt, zu der als etwas Überpersönliches gedachten Behörde und deren Nimbus ist allerdings zum Teil durch die ganz konkrete Eigenart der lutherischen Religiosität bedingt, entspricht aber, in der Ausstattung der Gewalten mit dem Amtscharisma der „gottgewollten Obrigkeit", einem sehr allgemeinen Typus, und die rein empfindungsmäßige Staatsmetaphysik, welche auf diesem Boden wächst, hat politisch weittragende Konsequenzen. Das Gegenstück gegen die puritanische Verwerfung des Amtscharisma ist die katholische Theorie vom Charakter indelebilis des Priesters mit ihrer strengen Scheidung von Amtscharisma und persönlicher Würdigkeit. Sie ist die radikalste Form der Versachlichung und Umwandlung der rein persönlichen, an der Bewährung der Person haftenden charismatischen Berufung in einer an jeden, der in die Amtshierarchie durch eine magische Handlung als Glied aufgenommen ist, unverlierbar klebenden, den Amtsmechanismus ohne Ansehen des Werts der Person seiner Träger heiligenden, charismatischen Befähigung. Diese Versachlichung des Charisma war das Mittel, einen hierokratischen Mechanismus in eine Welt, welche magische Befähigungen auf Schritt und Tritt vor sich sah, hineinzupflanzen. Nur wenn der Priester persönlich absolut verworfen sein konnte, ohne daß deshalb seine charismatische Qualifikation fraglich wurde, war die Bürokratisierung der Kirche möglich und ihr Anstaltscharakter in seinem charismatischen Werte allen persönlichen Zufälligkeiten entrückt. Da gerade dem noch nicht verbürgerlichten Menschen die moralisierende Betrachtung der irdischen, ebenso wie die der überirdischen Welt noch fern liegt, die Götter nicht gut, sondern nur stark sind, magische Befähigung aber bei allen möglichen tierischen, menschlichen und übermenschlichen Wesen anzutreffen ist, so knüpft diese Art von Scheidung der Person von der Sache durchaus an geläufige Vorstellungen an, welche sie nur in wohl überlegter Weise in den Dienst einer großen Strukturidee: eben der Bürokratisierung stellte. –

Ist einmal die charismatische Befähigung zu einer sachlichen Qualität geworden, die durch irgendwelche zunächst rein magische, Mittel übertragen werden kann, so ist damit der Weg zu ihrer Verwandlung aus einer Gnadengabe, deren Besitz erprobt und bewährt, nicht aber mitgeteilt oder angeeignet werden kann, in etwas dem Prinzip nach Erwerbbares beschritten. Damit wird die charismatische Befähigung möglicher Gegenstand der Erziehung. Freilich wenigstens ursprünglich nicht in der Form rationaler oder empirischer Lehre. Heldentum und magische Fähigkeiten gelten zunächst nicht als lehrbar. Sondern sie können nur, wo sie latent vorhanden sind, durch Wiedergeburt der ganzen Persönlichkeit geweckt werden. Wiedergeburt und dadurch Entfaltung der charismatischen Qualität, Erprobung, Bewährung und Auslese des Qualifizierten ist daher der genuine Sinn charismatischer Erziehung. Isolierung von der gewohnten Umgebung und dem Einfluß aller natürlichen Bande der Familie (bei primitiven Völkern direkt Übersiedelung der Epheben in den Wald), immer aber Eintritt in eine besondere Erziehungsgemeinschaft, Umgestaltung der gesamten Lebensführung, Askese, körperliche und seelische Exercitia in den verschiedensten Formen zur Weckung der Fähigkeit zur Ekstasis und zur Wiedergeburt, fortwährende Erprobung der jeweils erreichten Stufe charismatischer Vervollkommnung durch psychische Erschütterungen und physische Torturen und Verstümmelungen (die Beschneidung ist vielleicht in erster Linie als Bestandteil dieser asketischen Mittel entstanden), endlich stufenweise feierliche Rezeption der Erprobten in den Kreis der bewährten Träger des Charisma. Der Gegensatz gegen die Fachbildung ist natürlich innerhalb gewisser Grenzen flüssig. Jede charismatische Erziehung schließt irgendwelche fachbildungsmäßige Bestandteile in sich, je nachdem in den Novizen der Kriegsheld, Medizinmann, Regenmacher, Exorzist, Priester, Rechtskundige entwickelt werden soll und dieser, sehr oft im Interesse des Prestige und der Monopolisierung als Geheimlehre behandelte, empirisch fachliche Bestandteil, die Lehre, nimmt mit steigender Differenzierung der Berufe und Erweiterung des Fachwissens stetig sowohl quantitativ wie an rationaler Qualität zu, bis als caput mortuum der alten asketischen Mittel zur Weckung und Erprobung charismatischer Fähigkeit die bekannten pennalistischen Erscheinungen des Kasernen- und Studentenlebens innerhalb einer wesentlich fachmäßigen Abrichtung übrig bleiben. Die genuin charismatische Erziehung ist aber der radikale Gegenpol der von der Bürokratie postulierten fachspezialistischen Lehre. Zwischen der auf charismatische Wiedergeburt gerichteten Erziehung und dem auf bürokratisches Fachwissen gerichteten rationalen Unterricht mitten inne liegen alle jene auf „Kultivierung" in dem früher besprochenen Sinn des Wortes: Umgestaltung der äußeren und inneren Lebensführung, gerichteten Arten der Bildung, welche die ursprünglichen irrationalen Mittel der charismatischen Erziehung nur in Resten bewahren, und deren wichtigster Fall von jeher die Heranbildung zum Krieger oder Priester war. Auch die Erziehung zu Kriegern oder Priestern ist ursprünglich vor allem: Auslese der charismatisch Qualifizierten. Wer die Heldenproben der Kriegererziehung nicht besteht, bleibt ebenso „Weib" wie der magisch nicht Erweckbare „Laie" bleibt. Die Erhaltung und Steigerung der Qualifikationserfordernisse wird nach unbekanntem Schema eifrig gefördert durch die Interessen des Gefolges, welches den Herrn zwingt, nur die durch die gleichen Proben hindurchgegangenen an dem Prestige und den materiellen Vorteilen der Herrschaft teilnehmen zu lassen.

Die ursprünglich charismatische Erziehung kann im Verlauf dieser umbildenden Entwicklung zu einer formell staatlichen oder kirchlichen Institution werden oder auch der formell freien Initiative der zu einer Zunft zusammengeschlossenen Interessenten überlassen bleiben. Welchen Weg die Entwicklung einschlägt, hängt von den verschiedensten Umständen und namentlich von den Machtverhältnissen der einzelnen konkurrierenden charismatischen Gewalten ab. So insbesondere auch die Frage: inwieweit innerhalb einer Gemeinschaft die militärisch ritterliche oder die priesterliche Erziehung universelle Bedeutung gewinnen. Gerade der *Spiritualismus* der *geistlichen* Erziehung macht diese leicht zur *rationalen* Erziehung im Gegensatz zum *ritterlichen*. Die Erziehung zum Priester, Regenmacher, Medizinmann, Schamanen, Derwisch, Mönch, heiligen Sänger und Tänzer, Schreiber und Rechtskundigen und ebenso zum Ritter und Krieger finden sich in den mannigfachsten Formen von letztlich doch immer wieder ähnlichem Wesen. Verschieden ist nur die Tragweite der so gezüchteten Bildungsgemeinschaften im Verhältnis untereinander. Diese hängt nicht nur von den weiterhin zu erörternden gegenseitigen Machtverhältnissen von imperium und sacerdotium ab, sondern zunächst davon, inwieweit die Militärleistungen den Charakter einer sozialen Ehre, als Obliegenheit einer dadurch spezifisch qualifizierten Schicht an sich trägt. Nur dann, dann aber überall entwickelt der Militarismus eine eigene Erziehung, während umgekehrt die Entwicklung einer spezifisch klerikalen Erziehung Funktion der Bürokratisierung der Herrschaft, zunächst der sakralen, zu sein pflegt.

Die hellenische Ephebie als Bestandteil der für die hellenische Kultur grundlegenden gymnastisch-musischen Durchbildung der Persönlichkeit ist nur ein Spezialfall einer über die ganze Erde verbreiteten Erscheinung militärischer Erziehung. Vor allem die Vorbereitungen zur Jünglingsweihe, d. h. zur Heldenwiedergeburt, die Aufnahme in den Männerbund und in die gemeinsame Kriegerbehausung (eine Art von primitiver Kaserne, denn dies ist ursprünglich das von Schurtz so liebevoll überall aufgespürte Männerhaus) gehören hierher. Sie sind Laienerziehung: die kriegerischen Geschlechter beherrschen die Erziehung. Die Institution zerfällt, wo immer der Angehörige der politischen Gemeinschaft nicht mehr in erster Linie Krieger, der Kriegszustand nicht mehr die chronische Beziehung zwischen den politischen Nachbargebilden ist. Auf der anderen Seite steht als Beispiel weitgehender Klerikalisierung der Erziehung die Beherrschung mindestens der Beamten- und Schreiberausbildung durch die Priesterschaft in dem typisch bürokratischen ägyptischen Staatswesen. Auch bei einem erheblichen Teil der übrigen Völker des Orientes war und blieb die Priesterschaft, weil sie allein ein rationales Erziehungssystem entwickelte und dem Staate seinen Bedarf an Schreibkundigen und im rationalen Denken geübten Bürobeamten lieferte, Herrin der Beamtenerziehung und das hieß: der Erziehung überhaupt. Auch im Okzident während des Mittelalters war die Erziehung durch die Kirche und die Klöster, als durch die Stätten jeder Art rationaler Erziehung von sehr großer Bedeutung. Aber während ein Gegengewicht gegen die Klerikalisierung der Erziehung in den rein bürokratischen ägyptischen Staatswesen nicht vorhanden war, während auch die übrigen patrimonialen Staatsbildungen des Orientes eine spezifische Rittererziehung nicht entwickelten, weil die ständische Unterlage dazu fehlte, und während vollends die gänzlich entpolitisierten auf den Zusammenhalt durch Synagoge und Rabbinentum angewiesenen Israeliten einen Haupttypus streng klerikaler Erziehung entwickelten, bestand dagegen im abendländischen Mittelalter, dem feudalen und ständischen Charakter der Herrenschicht zufolge, ein Neben-, Gegen- und Miteinander klerikal rationaler und ritterlicher Erziehung, welche dem abendländischen Menschentum des Mittelalters und auch den Universitäten des Abendlandes ihren spezifischen Charakter gab.

In der hellenischen Polis und in Rom fehlte nicht nur der staatliche, sondern ebenso auch der priesterliche bürokratische Apparat, der ein klerikales Erziehungssystem hätte schaffen können. Daß das Literaturprodukt einer mit den Göttern höchst respektlos umgehenden weltlichen Adelsgesellschaft: daß Homer untrennbar an der Spitze der literarischen Erziehungsmittel blieb – daher der tiefe Haß eines Mannes wie Plato gegen ihn – war nur zum Teil ein schicksalsvoller Zufall, welcher jeder theologischen Rationalisierung der religiösen Mächte im Wege stand. Das Entscheidende blieb das Fehlen eines spezifisch priesterlichen Erziehungssystems überhaupt.

In China endlich ist die Eigenart des konfuzianischen Rationalismus, sein Konventionalismus und seine Rezeption als Grundlage der Erziehung durch die bürokratische Rationalisierung des weltlichen Patrimonialbeamtentums und das Fehlen feudaler Mächte bedingt. –

Jede Art von Erziehung, sowohl zu einem magischen Charisma wie zum Heldentum, kann Sache eines engen Kreises von Zunftgenossen werden, welche dann priesterliche Geheimbünde auf der einen Seite, vornehme Adelsklubs auf der anderen Seite aus sich herausentwickeln können. Von einer geordneten Beherrschung bis zur gelegentlichen Ausplünderung durch die namentlich in West-Afrika oft als Geheimbund konstituierte politische oder magische Zunft gibt es da alle denkbaren Stadien. Und allen jenen zu Klubs und Zünften entwickelten Gemeinschaften, seien sie nun ursprünglich aus kriegerischen Gefolgschaften oder aus dem Verbande aller erprobt wehrhaften Männer entwickelt, ist gemeinsam die Tendenz an Stelle der charismatischen zunehmend die rein ökonomische Qualifikation treten zu lassen. Um sich der, geraume Zeit in Anspruch nehmenden und ökonomisch nicht unmittelbar nutzbaren, charismatischen Erziehung unterziehen zu können, war für den jungen Mann die Entbehrlichkeit seiner Arbeitskraft in der Hauswirtschaft Voraussetzung, welche mit zunehmender Intensität der ökonomischen Arbeit immer weniger gegeben war. Diese zunehmende Monopolisierung der charismatischen Erziehung durch die Wohlhabenden wurde künstlich weiter gesteigert. Mit dem Verfall der ursprünglichen magischen oder militärischen Funktionen trat die rein ökonomische Seite der Sache immer mehr in den Vordergrund. In die verschiedenen Stufen der politischen „Klubs" in Indonesien kauft man sich im Endstadium der Entwicklung einfach ein, unter primitiven Verhältnissen durch Ausrichtung eines ausgiebigen Gastmahls. Die Umbildung der charismatischen in eine rein plutokratische Herrenschicht ist gerade bei sonst primitiven Völkern etwas Typisches, wo immer die praktische Bedeutung des militärischen oder magischen Charisma zurücktritt. Alsdann nobilitiert zwar nicht notwendig der Besitz als solcher, wohl aber die Lebensführung, die nur er ermöglicht. Ritterliches Leben heißt im Mittelalter vor allem auch: ein offenes Haus für Gäste haben. Bei zahlreichen Völkern erwirbt man die Befugnis, sich Häuptling zu nennen, einfach durch Ausrichtung von Gastmählern und erhält sie sich auf dem gleichen Wege, eine Art des „noblesse oblige", die zu allen Zeiten leicht zur Verarmung dieser sich selbst besteuernden Notabeln führt.

Kapitel XI. Staat und Hierokratie.

Wie die Ohnmacht des – durchschnittlichen – parlamentarischen Königs in erster Linie die Basis für die Legitimität der Herrschaft der Parteichefs ist, so hat die Ohnmacht des inkarnierten, „eingekapselten" Monarchen entweder die Konsequenz der Priesterherrschaft, oder die andere, daß die reale Macht sehr oft in die Hände eines von den charismatischen Pflichten des Herrschers freien Geschlechtes übergeht, welches den wirklichen Herrscher (Hausmeier, Shogun) stellt. Die formelle Konservierung des offiziellen Herrschers ist auch hier um deswillen unentbehrlich, weil nur sein spezifisches Charisma die für die *Legitimität* der politischen Gesamtstruktur, einschließlich der Stellung des realen höchsten Machthabers, unentbehrliche Verbindung mit den Göttern gewährleistet. Man kann ihn dann, wenn die Herrschaft echt charismatisch, d. h. das Charisma ein ihm persönlich eigenes, nicht ein von einer anderen Gewalt abgeleitetes ist, nicht so beseitigen, wie dies bei der Merowingerherrschaft geschehen konnte, weil hier für die Legitimierung des neuen Herrscherhauses eine charismatisch qualifizierte Instanz im Papsttum gefunden wurde. Bei einer genuin charismatischen Herrschaft eines leibhaftigen Gottes oder Göttersohnes, wie z. B. der Mikado es ist, würde der Versuch der Entthronung nicht des einzelnen Herrschers – die natürlich in irgendeiner gewaltsamen oder friedlichen Form immer möglich ist –, sondern des ganzen charismatisch qualifizierten Hauses die Infragestellung der Legitimität aller Herrschaftsgewalten und also die Erschütterung alles traditionellen Haltes für die Obödienz der Gewaltunterworfenen bedeuten; sie pflegt daher von allen Interessenten der bestehenden Ordnung auch bei den denkbar schärfsten Gegensätzen aus guten Gründen ängstlich vermieden zu werden, und es wird sich fragen, ob sie selbst unter Verhältnissen, wo die herrschende Dynastie als Trägerin einer Fremdherrschaft empfunden wurde, wie jetzt in China, dauernd durchzuführen ist.

Der erwähnte Fall der Bestätigung der Karolingerherrschaft durch den Papst gibt den Typus für jene zahlreichen Fälle, in denen der Herrscher entweder nicht selbst ein Gott ist oder jedenfalls seine „Legitimität" nicht aus eigenem, eindeutig durch Erbordnung oder andere Regeln feststehenden Charisma genügend begründen kann, sondern der Legitimierung von einer anderen – naturgemäß einer priesterlichen – Instanz bedarf, wie dies zu geschehen pflegt, wo immer die Entwicklung der religiösen Charismen zur Priesterqualität eine hinlänglich starke und zugleich in ihren Trägern von der politischen Gewalt verschiedene war. Der qualifizierte Träger des königlichen Charisma wird dann von Gott, d. h. den Priestern beglaubigt oder holt doch diese Beglaubigung nach, der als Inkarnation eines Gottes geltende Herrscher wird von ihnen als den fachmäßigen Kennern der Göttlichkeit anerkannt. Die Priesterschaft befragte im Reiche Juda das Losorakel über den König, die Priesterschaft des Ammon verfügte nach der Niederwerfung der Nachfahren des Ketzerkönigs Echnaton tatsächlich über die Krone, der König von Babel faßt die Hände des Reichsgottes usw., bis zu dem großen Musterbeispiel des römisch-deutschen Reiches. Zwar gilt in all diesen Fällen prinzipiell: daß die Legitimation den charismatisch wirklich Qualifizierten gar nicht versagt werden darf: dies galt auch für die römische Kaiserkrone des Mittelalters, und die Resolution des Kurvereins von Rhense brachte eben dies in Erinnerung. Denn ob sie vorliegt oder nicht, ist Frage des Urteils, nicht der Willkür. Dennoch besteht zugleich der Glaube, daß erst die Manipulationen der Priester die volle Wirkung des Charisma verbürgen, und insoweit findet auch hier eine „Versachlichung" des Charisma statt. Die Verfügungsgewalt über die Krone, welche damit in die Hände der Priesterschaft gelegt ist, kann sich im Grenzfall bis zu einem förmlichen Priesterkönigtum, bei welchem der Chef der geistlichen Hierarchie als solcher auch die weltliche Gewalt ausübt, steigern, wie dies in einigen anderen Fällen tatsächlich eingetreten ist.

In anderen Fällen ist umgekehrt die hohepriesterliche Stellung durch das weltliche Herrscheramt unterworfen, wie dies im römischen Prinzipat, in China, im Khalifat und in der Stellung vielleicht schon der arianischen, jedenfalls der anglikanischen, lutherischen, russischen, griechisch-katholischen Herrscher zur Kirche der Fall war und teilweise noch ist. Dabei können die Machtbefugnisse des weltlichen Herrschers über die Kirche sehr verschieden weit gehen, von bloßen Vogteirechten bis zu der bei den byzantinischen Monarchen bekannten Einflußnahme auf die Dogmenbildung und bis zur Funktion des Herrschers als Prediger, wie im Khalifenreich. Jedenfalls ist die Beziehung der politischen zur kirchlichen Macht 1. beim priesterlich, sei es als Inkarnation, sei es als gottgewollt legitimierten, 2. beim priesteramtlichen, also als Priester auch die Königsfunktionen versehenden und endlich – die beiden Fälle der „Hierokratie" – 3. beim weltlichen, cäsaropapistischen, d. h. kraft Eigenrechts auch die höchste Macht in kirchlichen Dingen besitzenden weltlichen Herrscher sehr verschieden. Die „Hierokratie" in diesem Sinne – eigentliche „Theokratie" ist nur der zweite Fall – hat, wo immer sie auftrat, sehr nachhaltige Wirkungen auf die Struktur der Verwaltung. Sie muß die Entstehung emanzipationslustiger weltlicher Mächte verhindern: wo also neben oder unter ihrer Macht ein König besteht, hindert sie ihn an selbständiger Machtentfaltung: so an der Aufspeicherung des für alle Könige älterer Zeit unentbehrlichen Königshortes (Thesauros) und begrenzt seine Leibwache, um die Schaffung einer selbständigen Militärmacht des Königs zu unterbinden (bereits so in Juda unter Josia). Sie hemmt ferner nach Möglichkeit das Aufsteigen eines selbständigen rein weltlichen Kriegsadels, weil dieser ein Rivale ihrer Alleinherrschaft wäre, und begünstigt infolgedessen sehr häufig das (relativ) friedliche Bürgertum. Die allgemeine Wahlverwandtschaft zwischen bürgerlichen und religiösen Mächten, welche einem bestimmten Stadium in der Entwicklung beider typisch ist, kann sich dann, wie ziemlich oft im Orient und ebenso in der Zeit des Investiturstreits in Italien, zu einem förmlichen Bündnis beider gegen die feudalen Gewalten steigern. Dieser Gegensatz gegen das politische Heldencharisma hat die Hierokratie überall den Erobererstaaten als ein Mittel der Domestikation unterworfener Völker empfohlen. So ist die tibetanische wie die jüdische und die spätägyptische Hierokratie von der Fremdherrschaft teils gestützt, teils geradezu geschaffen worden und so wären nach allen historischen Anzeichen auch in Hellas die Tempel, vor allem der delphische Gott, zu einer ähnlichen Rolle im Falle des Sieges der Perser bereit gewesen. Hellenentum und Judentum sind, scheint es, in ihren wichtigsten Zügen Produkte der Abwehr der Perserherrschaft auf der einen Seite, der Unterwerfung auf der andern. Wie weit die Domestikation durch die hierokratischen Mächte gehen kann, zeigt das Schicksal der Mongolen, welche, nachdem sie anderthalb Jahrtausende lang in immer neuen Vorstößen gegen die ihnen vorgelagerten befriedeten Kulturländer den Bestand der Kultur in Frage gestellt hatten, vornehmlich durch den Einfluß des Lamaismus der offensiven Virulenz ihres kriegerischen Geistes fast gänzlich entkleidet worden sind.

Das, nicht immer, im offenen Kampf sich äußernde Ringen zwischen Kriegs- und Tempeladel, zwischen Königsgefolgschaft und priesterlicher Gefolgschaft ist überall an der Prägung von Staat und Gesellschaft am Werk gewesen. Es hat in der gegenseitigen Stellung der Priester- und der Kriegerkaste in Indien, in den teils offenen, teils latenten Kämpfen zwischen Militäradel und Priesterschaft schon in den ältesten mesopotamischen Stadtstaaten, in Ägypten, bei den Juden, in der völligen Auslieferung der Priestertümer in die Gewalt der weltlichen Adelsgeschlechter in der hellenischen Polis und vollends in Rom, in dem Ringen beider Mächte im Mittelalter und auch im Islam mit ihren für den Orient und Okzident so ganz verschiedenen Ergebnissen für die Kulturentwicklung entscheidende Züge und Unterschiede hervorgebracht. Der extreme Gegensatz gegen jede Hierokratie, der Cäsaropapismus: die völlige Unterordnung der priesterlichen unter die weltliche Gewalt, ist historisch in ganz reiner Form streng genommen nicht nachweisbar: nicht nur der chinesische, russische, türkische, persische, sondern ganz ebenso der mit dem Summepiskopat bekleidete englische und deutsche Herrscher ist cäsaropapistischen Charakters, überall aber findet diese Gewalt irgendwo ihre Schranken an der Selbständigkeit eines kirchlichen Charisma: religiöse Glaubensinhalte und Normen eigener Schöpfung zu oktroyieren hat der byzantinische Basileus und haben vor ihm der Pharao, indische und chinesische Monarchen und auch protestantische summi episcopi wiederholt, aber meist vergeblich, versucht, für sie alle sind gerade solche Versuche stets äußerst gefährlich abgelaufen. Am vollkommensten gelungen ist die Unterwerfung der priesterlichen unter die Königsgewalt im allgemeinen da, wo die religiöse Qualifikation noch vornehmlich als ein magisches Charisma ihrer Träger funktionierte und nicht zu einem eigenen bürokratischen Apparat mit einem eigenen Lehrsystem (was beides meist zusammenhängt) rationalisiert worden war, vor allem aber im religiösen Bewußtsein der Typus der ethischen oder der „Erlösungsreligion" noch nicht erreicht oder wieder verlassen worden ist. Wo dieser Typus herrscht, ist die Widerstandskraft der hierokratischen Mächte gegen die weltliche Gewalt oft unüberwindlich und hat diese keine Wahl als ein Kompromiß einzugehen. Dagegen ist es der antiken Polis am vollständigsten, ziemlich weitgehend aber auch den ostasiatischen feudalen (Japan) und patrimonialen (China) Gewalten und wenigstens leidlich gut auch dem byzantinischen und russischen bürokratischen Staat gelungen, die Herrschaft über vornehmlich magisch-rituell orientierte religiöse Mächte zu gewinnen. Überall aber, wo dies religiöse Charisma ein Lehrsystem und einen eigenen Amtsapparat entwickelt hatte, ist auch im cäsaropapistischen Staat ein stark hierokratischer Einschlag enthalten.

Regelmäßig ist das priesterliche Charisma ein, meist stillschweigendes, zuweilen aber auch in „Konkordaten" festgelegtes Kompromiß mit der weltlichen Gewalt eingegangen, welches beiden ihre Machtsphäre sicherte, jeder gewisse Einflüsse in der Machtsphäre der andern z. B. der weltlichen auf die Ernennung gewisser kirchlicher Beamten, der geistlichen auf die staatlichen Erziehungsanstalten, beließ, um Interessenkollisionen zu vermeiden, und sie im übrigen einander gegenseitig zu Hilfsdiensten verpflichtete: so in der geistlich-weltlichen Organisation des ziemlich weitgehend cäsaropapistischen Karolingerreichs, ebenso des heiligen römischen Reichs, welches etwa unter den Ottonen und ersten Saliern ähnliche Züge aufwies, und in den vielen weitgehend cäsaropapistischen protestantischen Ländern, in anderer Machtverteilung als auch in den Gebieten der Gegenreformation, der Konkordate und Zirkumskriptionsbullen. Die weltliche Gewalt stellt der geistlichen für die Erhaltung ihrer Machtstellung, mindestens aber für die Beitreibung der Kirchensteuern und anderer materieller Subsistenzmittel die äußeren Zwangsmittel zur Verfügung und als Gegendienst pflegt diese dem weltlichen Herrscher insbesondere die Sicherung der Anerkennung seiner Legitimität und Domestikation der Untertanen mit ihren religiösen Mitteln darzubieten. Die völlige Negierung des selbständigen Charisma für die politische Gewalt haben zwar starke kirchliche Reformbewegungen, wie die gregorianische, zeitweise versucht, aber nicht mit dauerndem Erfolg. Die katholische Kirche erkennt heute die Selbständigkeit des politischen Charisma schon dadurch an, daß sie – ähnlich der Ebenbürtigkeitsdoktrin – gegenüber jeder faktisch im unbestrittenen Besitz der Macht befindlichen Obrigkeit, sei die Herkunft von deren Gewalt welche immer, Anerkennung und Gehorsam religiös zur Pflicht macht, es sei denn, daß es sich um „kirchenräuberische" Gewalten handelt. –

Irgendwelches Minimum von theokratischen oder cäsaropapistischen Elementen pflegt also mit jeder legitimen, politischen Gewalt, welcher Struktur immer, sich zu verschmelzen, weil schließlich jedes Charisma doch irgendeinen Rest von magischer Herkunft beansprucht, also religiösen Gewalten verwandt ist und also das „Gottesgnadentum" in irgendeinem Sinne immer in ihr liegt.

Welches dieser verschiedenen Systeme herrscht, hängt, was vor allem streng festzuhalten ist, nicht ab von dem Gewicht, das dem Religiösen überhaupt von einem Volk eingeräumt wird. Das hellenische, römische, japanische Leben ist durchwebt von religiösen Motiven so sehr wie das irgendeines hierokratischen Gemeinwesens; die antike Polis hat man – zutreffend, nur etwas übertreibend – geradezu als einen primär religiösen Verband auffassen wollen, ein Historiker wie Tacitus erzählt, alles in allem, nicht sehr viel weniger Prodigien und Wunder als ein mittelalterliches Volksbuch, und der russische Bauer ist religiös so gebunden wie irgend ein Jude oder Ägypter. Nur die Art, wie die soziale Herrschaft verteilt ist, ist sehr verschieden, und dies hat Folgen für die Art der Gestaltung der religiösen Entwicklung selbst.

Das cäsaropapistische Regiment, in ziemlich reiner Ausprägung vertreten in den Staaten der okzidentalen Antike, nächst dem in verschiedenem Maße von Reinheit im byzantinischen Reich, in den orientalischen Staaten, in den Staaten der orientalischen Kirche und im sogenannten aufgeklärten Despotismus Europas, behandelt die kirchlichen Angelegenheiten einfach als Provinzen der politischen Verwaltung. Die Götter und Heiligen sind Staatsgötter und Staatsheilige, ihr Kultus Staatsangelegenheit, neue Götter, Dogmen und Kulte läßt der politische Gewalthaber nach Belieben zu oder schließt sie aus. Die technische Erledigung der Schuldigkeiten gegenüber den Göttern, soweit sie nicht einfach der politische Beamte als solcher, nur unter Assistenz der priesterlichen „Fachmänner", erfüllt, liegen in den Händen einer der politischen Gewalt schlechthin unterworfenen Priesterschaft. Sie entbehrt, auf Staatspfründen gesetzt, der ökonomischen Autonomie, des eigenen Besitzes und des eigenen, von der politischen Gewalt unabhängigen Hilfsbeamtenapparats, den vielmehr die politische Gewalt stellt; alle ihre Amtsakte sind staatlich reglementiert und kontrolliert, es existiert keine spezifisch priesterliche Art der Lebensführung, außer der technischen Abrichtung für die rituellen Funktionen und, damit zusammenhängend, keine spezifisch priesterliche Erziehung, daher normalerweise keine Entwicklung einer eigentlichen Theologie, vor allem, wiederum daraus folgend, keine politische Gewalt gegenüber selbständiger hierokratischer Reglementierung der Lebensführung der Laien: das hierokratische Charisma ist zu einer bloßen Amtstechnik degradiert. Ein cäsaropapistisch herrschender Adel vollends verwandelt die großen Priesterstellen in erblichen, ökonomisch und als Prestige- und Machtquelle nutzbaren Besitz einzelner Familien, die Masse der kleinen Priesterstellen in von ihnen nach Art von Hofämtern besetzte Präbenden, klösterliche und ähnliche Stiftungen in Versorgungspfründen für unverheiratete Töchter und jüngere Söhne, die Befolgung der traditionellen rituellen Vorschriften in einen Bestandteil ihres Standeszeremoniells und -konventionalismus. Wo der Cäsaropapismus in diesem Sinn hemmungslos herrscht, ist eine Stereotypierung des inneren Gehalts der Religion auf der Stufe der rein technischen ritualistischen Beeinflussung der übersinnlichen Gewalten, Hemmung jeder Entwicklung zur „Erlösungsreligion" die unvermeidliche Folge.

Wo umgekehrt das hierokratische Charisma das stärkere ist oder wird, sucht es die politische Gewalt und Ordnung, wo sie diese sich nicht geradezu selbst zueignete, zu degradieren. Sie ist entweder, weil sie ein konkurrierendes, eignes Charisma in Anspruch nimmt, direkt ein satanisches Werk: immer wieder haben gerade die konsequentesten ethisch-hierokratischen Richtungen im Christentum Anläufe zur Durchführung dieses Standpunkts genommen. Oder sie ist eine durch Gottes Zulassung unvermeidliche Konzession an die Sünde der Welt, in die man sich, in der Welt lebend, schicken muß und mit der man so wenig wie möglich in Berührung tritt, deren Gestaltung jedenfalls ethisch absolut irrelevant ist: die Attitude des Christentums in seiner eschatologischen Frühzeit ist diese. Oder endlich: sie ist ein gottgewolltes Werkzeug zur Bändigung der widerkirchlichen Gewalten und hat sich dann dafür der hierokratischen Gewalt zur Verfügung zu halten. In der Praxis sucht die Hierokratie demgemäß die politische Gewalt in einen Lehensträger der priesterlichen zu verwandeln und ihr die eigenen Machtmittel so weit zu benehmen, als dies mit den eignen Interessen am Bestande des politischen Gebildes vereinbar ist. Wo nicht die Priester als solche direkt politisch regieren, empfängt der König seine Legitimation durch Befragung des Orakels (Juda), Bestätigung, Salbung, Krönung von der Priesterschaft. Ihm wird unter Umständen (so in charakteristischer Art bei der Aufrichtung der Priesterherrschaft in Juda unter Josiah) die Ansammlung eines „Horts", also die Schaffung einer ihm persönlich ergebenen Gefolgschaft und die Haltung eigener Söldner unterbunden. Die Hierokratie schafft einen autonomen, hierokratisch geleiteten Ämterapparat, entwickelt ein eigenes Abgabensystem (Zehnten) und Rechtsformen (Stiftungen), für die Sicherung des kirchlichem Bodenbesitzes. Aus der charismatischen Spendung der magischen Güter, welche zuerst ein freier erlernter „Beruf" und Erwerbszweig wird, entwickelt sich ein von fürstlichen oder grundherrlichen Pfründnern verwaltetes patrimoniales Amt, für das – unter Umständen – eine Amtspfründe an einem Tempel, (als „Stiftung") in irgendeinem Maße gegen Eingriffe unheiliger Gewalten sichergestellt ist. Die Tischgemeinschaft und die daraus hervorgewachsenen Naturalpräbenden der ägyptischen, orientalischen, ostasiatischen Tempelpriester gehören dahin. Zur *„Kirche"* entwickelt sich die Hierokratie, wenn 1. ein besonderer, nach Gehalt, Avancement, Berufspflichten, spezifischem (außerberuflichem) Lebenswandel reglementierter und von der „Welt" ausgesonderter Berufspriesterstand entstanden ist, – 2. die Hierokratie „universalistische" Herrschaftsansprüche erhebt, d. h. mindestens die Gebundenheit an Haus, Sippe, Stamm überwunden hat, in vollem Sinn erst, wenn auch die ethnisch-nationalen Schranken gefallen sind, also bei völliger religiöser Nivellierung, – 3. wenn Dogma und Kultus rationalisiert, in heiligen Schriften niedergelegt, kommentiert und systematisch, nicht nur nach Art einer technischen Fertigkeit, Gegenstand des Unterrichts sind, – 4. wenn dies alles sich in einer *anstalts*artigen Gemeinschaft vollzieht. Denn der alles entscheidende Punkt, dessen Ausflüsse diese, in sehr verschiedenen Graden von Reinheit entwickelten Prinzipien sind, ist die Loslösung des Charisma von der *Person* und seine Verknüpfung mit der Institution und speziell: mit dem *Amt*. Denn die „Kirche" ist von der „Sekte" im soziologischen Sinn dieses Wortes dadurch unterschieden: daß sie sich als Verwalterin einer Art von Fideikommisses ewiger Heilsgüter betrachtet, die jedem dargeboten werden, in die man – normalerweise – nicht freiwillig, wie in einen Verein, eintritt, sondern in die man hineingeboren wird, deren Zucht auch der religiös nicht Qualifizierte, Widergöttliche unterworfen ist, mit einem Wort: nicht, wie die „Sekte" als eine Gemeinschaft rein persönlich charismatisch qualifizierter Personen, sondern als Trägerin und Verwalterin eines *Amts*charisma. „Kirchen" in diesem Sinn hat außer dem Christentum in voller Bedeutung nur der Islam, der Buddhismus in der Form des Lamaismus, in begrenzterem, weil immerhin de facto national gebundenem Sinn, der Mahdismus und das Judentum und vor ihm anscheinend die spätägyptische Hierokratie erzeugt. –

Von ihren amtscharismatischen Ansprüchen aus stellt die „Kirche" ihre Anforderungen an die politische Gewalt. Das spezifische Charisma des hierokratischen Amts wird zu einer schroffen Steigerung der Dignität seiner Träger benutzt. Neben Immunität gegenüber der staatlichen Rechtspflege, Besteuerung und allen andern staatlichen Pflichten und schweren Strafen für jede Verletzung des Respekts vor ihnen schafft sie daher vor allem für die kirchlichen Beamten eigne Formen der Lebensführung und dem entsprechend spezifische Vorbildungsregeln und zu diesem Zweck eine hierokratische Erziehung, in deren Besitz sie sich dann der Erziehung auch der Laien bemächtigt und kraft ihrer dann der politischen Gewalt den Nachwuchs von deren Beamten und ebenso die „Untertanen", in hierokratischem Geiste geprägt und gestempelt, liefert.

Auf Grund ihrer Machtstellung entfaltet die Kirche bei hierokratischer Ordnung ferner ein umfassendes System ethisch-religiöser Lebensreglementierung, für dessen inhaltlichen Umfang es prinzipielle Schranken von jeher so wenig hat geben können, wie heute für die Ansprüche der katholischen Lehrautorität auf die disciplina morum. Die Machtmittel der Hierokratie zur Durchsetzung ihrer Ansprüche sind, auch abgesehen von der Unterstützung der politischen Gewalt, die sie verlangt und erhält, sehr bedeutende: die Exkommunikation, der Ausschluß von den gottesdienstlichen Handlungen, wirken wie der schärfste soziale Boykott, und die ökonomische Boykottierung in Gestalt des Gebots, mit den Ausgeschlossenen nicht zu verkehren, ist in irgendeiner Form aller Hierokratie eigen. Soweit die Art dieser Lebensreglementierung von hierokratischen Machtinteressen bestimmt ist, – und das ist in immerhin weitgehendem Maße der Fall – wendet sie sich gegen das Aufkommen konkurrierender Mächte. Daraus folgt: „Schutz der Schwachen", d. h. der einer nicht hierokratischen Gewalt Unterworfenen, also: der Sklaven, Hörigen, Frauen, Kinder gegen schrankenlose Willkür der Gewalthaber, der Kleinbürger und Bauern gegen Bewucherung, Hemmung des Aufkommens von ökonomischen Mächten, die nicht hierokratisch beherrschbar sind, vor allem: neuer, traditionsfremder Mächte, wie der des aufsteigenden Kapitals, und überhaupt Fernhaltung jeder Erschütterung der Tradition und des Glaubens an ihre Heiligkeit, als der innerlichen Grundlage der hierokratischen Macht, daher Stützung der gewohnten und überkommenen Autoritäten. In diesen Konsequenzen führt die Hierokratie also ganz ebenso zur Stereotypierung, wie ihr Gegenbild, und zwar gerade auf ihrem eigensten Gebiet; der rational organisierte priesterliche „Betrieb" der Verwaltung göttlicher Heilsgüter als einer „Anstalt" und die Übertragung der charismatischen Heiligkeit auf diese Institution als solche, wie sie jeder „Kirchen"-Bildung eigentümlich und ihr eigentlichstes Wesen ist: das hier in höchster Konsequenz entwickelte Amtscharisma wird unvermeidlich der bedingungsloseste Feind alles genuin persönlichen, an der Person als solcher haftenden, den auf sich selbst gestellten Weg zu Gott fördernden und lehrenden, prophetischen, mystischen, ekstatischen Charisma, welches die Dignität des „Betriebes" sprengen würde. Der nicht beamtete, individuell charismatische Wundertäter wird als „Ketzer" oder „Zauberer" verdächtig – das findet sich schon in den Inschriften aus Sutra's Zeit. Und nicht minder gehört es zu den vier absoluten Todsünden der buddhistischen Mönchsregel, sich persönlich übernatürliche Fähigkeiten zuzuschreiben. Das Wunder wird zu einer in den regulären Betrieb eingefügten Institution, (so: das Meßwunder) und die charismatische Qualifikation ist versachlicht, sie haftet an der Ordination als solcher und wird (der Gegenstand des Donatistenstreits) von der persönlichen „Würdigkeit" des zum Amt Zugelassenen prinzipiell losgelöst (charakter indelebilis). Person und Amt sind, dem allgemeinen Schema entsprechend, getrennt, weil sonst die Unwürdigkeit der Person das Charisma des Amts als solches kompromittieren müßte. Die Stellung der charismatischen „Propheten" und „Lehrer" in der alten Kirche schwindet, dem allgemeinen Schema der Veralltäglichung des Charisma entsprechend, mit fortschreitender Bürokratisierung der Verwaltung in den Händen der Bischöfe und Presbyter. Die Ökonomie des Betriebes wird, in der Organisation sowohl wie in der Art der Bedarfsdeckung, den Bedingungen aller Alltagsgebilde angepaßt: hierarchisch geordnete Amtskompetenzen, Instanzenzug, Reglement, Sporteln, Pfründe, Disziplinarordnung, Rationalisierung der Lehre und der Amtstätigkeit als „Beruf" stellen sich ein – ja sie wurden, wenigstens im Okzident, gerade von der Kirche als Erbe antiker, in mancher Hinsicht vermutlich namentlich ägyptischer Traditionen, zu allererst entwickelt. Ganz naturgemäß, weil auf diesem Gebiet, sobald einmal die Entwicklung zum Amtscharisma beschritten war, die spezifisch bürokratische Tendenz der Trennung der unheiligen Privatperson von dem heiligen Amt, die sie verwaltet, notwendig rücksichtslos konsequent durchgeführt werden mußte. Und zu den großen Problemen der hierokratischen Organisation gehört dann die Stellungnahme des offiziellen „Betriebs" zu der Entwicklung einer charismatischen Gottesgefolgschaft: dem Mönchtum mit seiner das Kompromiß mit der „Welt" ablehnenden Festhaltung der genuinen Postulate des charismatischen Stifters. Die „Askese" im Sinn zunächst der spezifisch mönchischen Lebensführung kann zweierlei sehr verschiedenen Sinn haben: einerseits, und das ist innerhalb der „Erlösungsreligionen" überall, bei den hinduistischen, buddhistischen, islamischen ebenso wie bei den christlichen Asketen, das Primäre: die individuelle Rettung der eignen Seele durch die Eröffnung eines persönlichen, direkten Weges zu Gott. Die radikalen Anforderungen des alle Ordnungen der Welt umstoßenden, fast stets eschatologisch orientierten Charisma sind innerhalb jener Ordnungen, welche unvermeidlich den Kompromiß mit den ökonomischen und andern unheiligen Machtinteressen verlangen, nie durchführbar, und die „Weltflucht" aus Ehe, Beruf, Amt, Besitz, politischer und jeder andern Gemeinschaft nur die Konsequenz dieses objektiven Sachverhalts. Und in allen Religionen gewinnt ursprünglich der vollendete Asket, der das Außeralltägliche leistet, dies persönliche Charisma: den Gott zu zwingen und Wunder zu tun. Es ist klar, daß dies persönliche Charisma mit den hierokratischen Ansprüchen einer „Heilsanstalt", welche den Weg zu Gott ihrerseits zu monopolisieren beansprucht („extra ecclesiam nulla salus" ist der Leitspruch aller „Kirchen"), in letztlich unvereinbarem Widerspruch steht. Erst recht natürlich die Bildung von exklusiven Gemeinschaften solcher spezifisch qualifizierten Heiligen, welche ja die universalistischen und daher wie jede Bürokratie: nivellierenden Herrschaftsansprüche der Kirche und wiederum die ausschließliche Bedeutung ihres Amtscharismas negiert. Dennoch hat jede der großen Kirchen mit dem Mönchtum paktieren müssen. Dem Mahdismus und dem Judentum, welche beide als Heilsweg die Gesetzestreue und, im Prinzip, nichts als diese kennen und die eigentliche Askese verwerfen, ist das Mönchtum fremd geblieben. In der spätägyptischen Kirche haben sich vielleicht Ansätze dazu gefunden. Ablehnen konnte namentlich die christliche Kirche die konsequente Durchführung der notorisch und schriftkundig ihr selbst genuinen Grundsätze nicht. Die Handhabe bot die sekundäre Umdeutung der Askese in eine spezifische „Berufs"-Leistung innerhalb der Kirche. Zunächst so, daß die volle Befolgung der als höchstes, aber nicht jedermann zuzumutendes Ideal anzusehenden „consilia evangelica" als Quelle einer Surplus-Leistung behandelt wurde, deren Resultat die Kirche als Thesaurus zugunsten der charismatisch unzulänglich Begabten verwaltet. Dann aber und namentlich: indem die Askese gänzlich umgedeutet wird zu einem Mittel, nicht in erster Linie der Erringung des eigenen Heils auf eignem Wege, sondern der Tauglichmachung des Mönchs zur Arbeit im Dienst der hierokratischen Autorität: der äußeren und inneren Mission und des Kampfes gegen die konkurrierenden Autoritäten. Bedenklich mußte eine solche innerweltliche Arbeit, welche sich auf ein eignes spezifisches Charisma stützte, der alles aus ihrem Amtscharisma ableitenden kirchlichen Autorität bleiben und ist es auch immer geblieben. Aber die Vorteile überwogen. Die Askese tritt damit aus der Klosterzelle heraus und trachtet die Welt zu beherrschen, zwingt durch ihre Konkurrenz ihre Lebensform (in verschiedenem Umfang) der Amtspriesterschaft auf und nimmt an der Verwaltung des Amtscharisma den Beherrschten (Laien) gegenüber teil. Immer freilich bleiben die Reibungen bestehen. Die Eingliederung der ekstatischen Askese in Form der Derwischorden in die islamische Kirche (ideell ermöglicht seit el Ghazali's Errichtung des orthodoxen Dogmas) ist kaum „konsequent" zu nennen. Der Buddhismus hatte, als eine von Anfang an ganz und gar von und für Mönche geschaffene und von ihnen propagierte Religion die glatteste Lösung: absolute Beherrschung der Kirche durch die Mönche als charismatische Aristokratie, in der Hand, und sie war auch gerade ihm dogmatisch besonders leicht annehmbar. Die orientalischen Kirchen haben durch zunehmende Reservierung aller oberen Amtsstellen der Hierokratien für das Mönchtum eine wesentlich mechanische Lösung gefunden, welcher inneren Zwiespältigkeit: Verklärung der irrationalen und individuellen Askese einerseits, staatlich bürokratisierte Anstaltskirchen, in Rußland ohne monokratisches geistliches Oberhaupt andrerseits, die durch Fremdherrschaft und Cäsaropapismus gebrochene Entwicklung ihrer Hierokratien entspricht. Die Reformbewegung der Offizialen trat hier seiner Zeit ebenso in den Dienst des Cäsaropapismus als der einzig als Träger in Betracht kommenden, weil stärksten Macht, wie die kluniazensischen Reformatoren an Heinrich III. einen Anhalt fanden. Am reinsten lassen sich Reibung und Ausgleich in der okzidentalen Kirche verfolgen, deren innere Geschichte sehr wesentlich eben dadurch erfüllt ist, mit der schließlich konsequenten Durchführung der Lösung: Einordnung des Mönchtums in eine bürokratische Organisation als eine durch „Armut" und „Keuschheit" von der Gebundenheit an die Bedingungen des Alltags losgelöste, durch spezifischen „Gehorsam" disziplinierte Truppe eines monokratischen Kirchenhauptes. Diese letztere Entwicklung hat sich durch immer neue Ordensgründungen vollzogen. Das irische Mönchtum, in dessen Obhut zeitweise die Wahrung eines bedeutenden Teils der Kulturtraditionen des Altertums gestellt war, hätte auf dem Missionsgebiet des Okzidents ohne die Herstellung der engen Verbindung mit dem römischen Stuhl recht wohl eine spezifische Mönchskirche schaffen können. Der Benediktinerorden andrerseits schuf, nachdem seine charismatische Epoche abgelaufen war, im Ergebnis, feudale Klostergrundherrschaften. Noch der Kluniazenser (und erst recht der Prämonstratenser) Typus war der eines grundherrlichen Honoratiorenordens, dessen höchst mäßige „Askese" (man braucht sich nur die als zulässig angesehene Garderobe zu vergegenwärtigen) sich in den Grenzen hielt, welche einer solchen Schicht entspricht; eine interlokale Organisation bestand auch hier nur in Form des Filiationssystems. Ihre Bedeutung liegt wesentlich in dem Wiederauftauchen des Mönchtums als einer Macht im Dienste der hierokratischen Lebensbeherrschung. Der Zisterzienserorden verband die erstmalige Schaffung einer festen interlokalen Organisation mit einer asketischen Organisation der landwirtschaftlichen Arbeit, die ihn zu seinen bekannten Kolonisationsleistungen befähigte. –

Das Mönchtum ist in dem charismatischen Stadium seiner Entwicklung eine antiökonomische Erscheinung, der „Asket" der Gegenpol des bürgerlichen Erwerbsmenschen sowohl wie des seinen Besitz ostensibel genießenden Feudalherren. Er lebt einsam oder in frei sich bildenden Herden, ehe- und also verantwortungslos, unbekümmert um politische oder andere Gewalten, von gesammelten Früchten oder vom Bettel und hat keine Stätte in der „Welt". Die ursprüngliche Regel der buddhistischen Mönche erlegt ihnen, außer in der Regenzeit, unstetes Wandern auf und begrenzte zeitlich jeglichen Aufenthalt am gleichen Ort, ausschließlich der in ihren Zielen und Mitteln zunächst gänzlich irrational orientierten, d. h. auf die Abstreifung der Gebundenheit wie an die ökonomischen, so auch an die physischen Bedingungen des irdischen Daseins und die Erringung der Vereinigung mit dem Göttlichen, gerichteten Askese. In dieser Form ist es in der Tat ein Teil jener spezifischen Macht der Nichtwirtschaftlichkeit, welche das genuine Charisma überall darstellt. Das Mönchtum ist die alte genuine charismatische Jüngerschaft und Gefolgschaft, nur daß nicht mehr ein sichtbarer religiöser Held, sondern der ins Jenseits entrückte Prophet sein nunmehr unsichtbarer Leiter ist. Allein bei diesem Stadium bleibt es nicht. Die äußeren Tatsachen bezeugen es. Rationale ökonomische Erwägungen einerseits oder auch raffiniertes Genußbedürfnis andererseits reichen hinsichtlich ihrer Tragfähigkeit an die Leistungen des religiösen Charisma – die, wie dieses selbst, „außeralltäglichen" Charakters sind – nicht heran. Das gilt freilich für die Leistungen der hierokratischen Gewalt überhaupt. Die völlige Sinnlosigkeit der Pyramidenbauten wird nur durch die Qualität des Königs als inkarnierten Gottes und den unbedingten Glauben der Beherrschten daran erklärlich. Die Leistungen der Mormonen in der Salzwüste von Utah spotten allen Regeln der rationalen Siedelungsökonomie. Und dies ist vollends typisch für die Leistungen des Mönchtums, die fast stets das ökonomisch Unwahrscheinliche vollbringen. Mitten in den Schnee- und Sandwüsten Tibets hat das buddhistische Mönchtum in der lamaistischen Form ökonomische, namentlich aber, in Gestalt der Potala, architektonische Leistungen vollbracht, welche an Riesenhaftigkeit des Umfangs und, wie es scheint, auch qualitativ, den umfassendsten und berühmtesten Schöpfungen der Erde gewachsen sind. Ökonomisch sind die Mönchsgemeinschaften des Abendlands die ersten rational verwalteten Grundherrschaften und, später, Arbeitsgemeinschaften auf landwirtschaftlichem und gewerblichem Gebiet. Die künstlerischen Leistungen des buddhistischen Mönchtums sind in ihrer Tragweite für den fernen Osten ebenso außerordentliche wie die heute fast unglaubhafte Tatsache, daß eine entlegene, wie es heute scheinen kann, zu ewigem Schattendasein verdammte Insel wie Irland, einige Jahrhunderte lang in ihren Klöstern die Trägerin der Kulturüberlieferungen des Altertums war und daß ihre Missionare bestimmenden Einfluß auf die historisch unendlich folgenreiche Eigenart der Entwicklung der abendländischen Kirche gewannen. Daß ferner das Abendland z. B. allein den Entwicklungsweg zur harmonischen Musik eingeschlagen hat, verdankt es – wie hier nicht nachgewiesen werden kann* – ebenso wie die Besonderheit der Entwicklung seines wissenschaftlichen Denkens zum immerhin erheblichen Teil der Eigenart des benediktinischen und weiterhin auch des franziskanischen und dominikanischen Mönchtums. Hier haftet unser Blick vor allem an den *rationalen* Leistungen des Mönchtums, die absolut unvereinbar scheinen mit seinen charismatischen antirationalen und speziell antiökonomischen

---

* Vgl. die Abhandlung des Verfassers über die rationalen und soziologischen Bedingungen der Musik. München 1921. Drei Masken Verlag.

Grundlagen. Allein die Dinge liegen hier ähnlich wie bei der „Verall-täglichung" des Charisma überhaupt: sobald sich die ekstatische oder kontemplative Vereinigung mit Gott aus einem, durch charismatische Begabung und Gnade erreichbaren Zustand Vereinzelter zu einem Gegenstand des Strebens Vieler und, vor allem, zu einem durch angebbare asketische Mittel erreichbaren, also erwerbbaren Gnadenstande entwickelt, wird die Askese Gegenstand methodischen „Betriebs", ganz wie in der charismatischen Erziehung der magischen Priesterzünfte. Die Methode selbst ist, mit einigen Besonderheiten, in der ganzen Welt im Prinzip zunächst die gleiche, wie die von dem ältesten Mönchtum, dem indischen, in höchster Konsequenz und Mannigfaltigkeit entwickelte: die Methodik der indischen Mönche gleicht in dem wesentlichen Grundstock der Bestimmungen denen des christlichen Mönchtums sehr stark, nur daß vielleicht das Raffinement physiologisch (Atemregulierung und ähnliche Methoden der Yoga und anderer Virtuosen) dort, psychologisch (Beichtpraxis, Gehorsamsprobe, exercitia spiritualia der Jesuiten) hier im ganzen stärker entwickelt ist und daß dem Abendlande die so folgenschwere Behandlung der Arbeit als asketischen Mittels zwar nicht allein vorbehalten, aber dort doch, aus Gründen historischer Art, weit konsequenter und universeller entwickelt war und praktisch wurde. Überall aber steht die Gewinnung der unbedingten Herrschaft des Mönchs über sich selbst und seine kreatürlichen, daher der Vereinigung mit Gott widerstreitenden Triebe im Mittelpunkt. Schon dieses inhaltliche Ziel weist auf immer weitere Rationalisierung der Lebensführung hin, und diese ist denn auch überall eingetreten, wo das Mönchtum sich zu einer starken Organisation zusammenschloß: die üblichen Formen des charismatischen und zünftigen Noviziats, die Hierarchie der Weihen und sonstigen Stellungen, der Abt, eventuell Zusammenschluß der Klöster zu einer Kongregation oder einem „Orden" stellen sich ein, vor allem aber: das Kloster und die das ganze Leben darin bis ins einzelne reglementierende Ordensregel.

Damit ist aber das Mönchtum in das Wirtschaftsleben hineingestellt. Von einem Unterhalt durch rein antiökonomische Mittel, insbesondere den Bettel, kann dauernd nicht mehr die Rede sein, mag formal das Prinzip als Fiktion aufrechterhalten werden. Im Gegenteil – wie noch zu erörtern – die spezifisch rationale Methodik der Lebensführung muß auch die Art der Bewirtschaftung stark beeinflussen. Gerade als Asketengemeinschaft ist das Mönchtum zu den erstaunlichen Leistungen befähigt gewesen, welche über das hinausgehen, was die normale Wirtschaft zu leisten pflegt. Das Mönchtum ist nun die

Elitetruppe der religiösen Virtuosen innerhalb der Gemeinschaft der Gläubigen. Sein heroisches Zeitalter und seine konsequenteste Organisation erlebt es daher überall – ganz entsprechend dem Feudalismus – in Feindesland: auf dem Missionsgebiet, handle es sich um innere oder, und namentlich, äußere Mission. Nicht zufällig hat der Buddhismus die lamaistische, bis in die Einzelheiten des Zeremoniells hinein der abendländischen Kurie entsprechende hierarchische Organisation nicht in Indien, sondern unter unablässiger Bedrohtheit durch die wildesten Barbarenvölker der Erde auf dem Boden Tibets und der Mongolei aus sich herausgetrieben, wie ebenso die okzidentale Mission in den Barbarenländern die spezifische Eigenart und Stellung des lateinischen Mönchtums hervortrieb.

Wir verfolgen das hier nicht weiter und stellen nur fest: wie sich das Mönchtum zu den politischen und hierokratischen Gewalten verhält. Der cäsaropapistischen politischen Gewalt liegen verschiedenartige Beweggründe zur Begünstigung des Mönchtums nahe. Zunächst die später allgemein für die Beziehungen von politischer und hierokratischer Gewalt zu besprechenden Bedürfnisse der eigenen Legitimation und der Domestikation der Untertanen: die Beziehungen, welche schon Dschingis Khan auf der Höhe seiner Macht und die tibetanischen und chinesischen Herrscher zu den buddhistischen Mönchen anknüpften, sind sicherlich ebenso motiviert wie die gleichartigen Beziehungen germanischer, russischer und aller sonstigen Herrscher und auch die freundlichen Beziehungen Friedrichs des Großen zu den Jesuiten, welche ihre Fortexistenz trotz der Bulle Dominus ac redemtor noster ermöglichen halfen. Die Mönche im speziellen sind, als Asketen, die methodischsten, rein politisch ungefährlichsten, zuverlässigsten und, wenigstens zunächst, auch billigsten, ja unter den Verhältnissen eines reinen Agrarstaats die einzig möglichen Schulmeister, und der politische Gewalthaber kann, wenn er sich einen Beamtenapparat schaffen und ein Gegengewicht gegen den natürlichen Gegner einer solchen, sei es patrimonialen oder bürokratischen Rationalisierung der Herrschaftsstätten: den Adel, gewinnen will, sich keine sicherere Stütze wünschen als den Einfluß der Mönche auf die beherrschten Massen. Wo und so lange dies der Fall ist, pflegt die hierokratische Lebensreglementierung mindestens ebenso stark zu sein, wie bei eigentlich hierokratischer, d. h. amtscharismatischer Herrschaft. Allein diese Stütze muß von der politischen Gewalt teuer erkauft werden: das Mönchtum stellt sich zwar dem rationalen kirchlichen Reformeifer des Herrschers – heiße er Kaiser Heinrich III. oder König Açoka – gern zu Gebote; aber seine charismatische Religiosität lehnt jede cäsaropapistische Einmischung in das Gebiet des eigentlich Religiösen weit schroffer ab, als irgendein Weltpriestertum es tut, und es kann kraft seiner festgefügten asketischen Disziplin eine ungemein starke selbständige Macht entfalten. Es kommt daher der Moment, wo mit dem Erstarken des Mönchtums dieses und die cäsaropapistischen Ansprüche feindlich zusammenstoßen. Je nach dem Verlauf dieses Zusammenstoßes wird dann entweder die weltliche Gewalt tatsächlich expropriiert, wie es etwa in Tibet geschah, oder umgekehrt das Mönchtum gänzlich vernichtet, wie im Verlauf der wiederholten Verfolgungen in China.

Weit ernster und innerlicher noch sind die Probleme der Beziehungen des Mönchtums zum hierokratischen Amtscharisma. Wo, wie im genuinen Buddhismus, ein eigentlicher Patriarch nicht existiert – die Stellung des als Patriarchen bezeichneten, höchststehenden Würdenträgers des altindischen Buddhismus scheint sehr schwach gewesen zu sein, und zwar infolge der cäsaropapistischen Stellung der Fürsten, welche dauernd eine ähnliche Rolle usurpierten wie die byzantinischen Kaiser – oder wo er, wie im Lamaismus, im wesentlichen durch das Mönchtum kreiert und gelenkt wird und fast ganz mit mönchischen Beamten regiert, da ist die Beziehung wenigstens äußerlich leidlich glatt geregelt. Aber die inneren Spannungen treten auch in solchen Fällen hervor, je entschiedener der genuine Charakter des Mönchtums als einer den Kompromiß mit den unvermeidlich sündhaften, weil an Gewalt und Besitz gebundenen Ordnungen der Welt verschmähenden, von aller Anstaltsgnade unabhängigen, weil kraft eigenen Charismas den Weg zu Gott findenden, radikalen Verwirklichung der Jüngerschaft Gottes, gewahrt bleibt oder durch Reformen wieder entfacht wird. Die Institution der Laienbrüder – motiviert durch das Bedürfnis der Freisetzung der Priestermönche für die spezifisch geistlichen Pflichten – trug die aristokratische Gliederung in das Kloster selbst hinein, schob aber dafür den feudalen Charakter seiner Grundlage noch weiter zurück. Die zentralistisch geleiteten Bettelordensklöster waren, nach der ursprünglichen, genuin charismatischen Form der Beschaffung ihrer Subsistenzmittel (im Gegensatz zu den agrarischen Zisterziensern) an städtische Residenz gebunden und auch in der Art ihrer Arbeit: Predigt, Seelsorge, dienende Liebeswerke, vornehmlich auf die Bedürfnisse bürgerlicher Schichten ausgerichtet. Mit diesen Ordensgründungen zuerst trat die Askese aus dem Kloster heraus auf die Straße zu systematischer „innerer Mission". Die – wenigstens formell – strikte Durchführung des Besitzverbots und die Beseitigung der „stabilitas loci": d. h. also der Wanderbetrieb der Nächstenliebe, steigerte die Verwertbarkeit dieser bedingungslos verfügbaren Mönche für die Zwecke der unmittelbaren Beherrschung der breiten Schichten des Bürgertums, dessen systematische Angliederung in der Form der „Tertiarier"-Gemeinschaften die Ordensgesinnung über die Kreise des Mönchtums selbst hinaustrug. Die Kapuziner und die ihnen verwandten späteren Gründungen sind ebenfalls zunehmend auf Massenbearbeitung gerichtete Verbände, und die letzten großen Versuche, auf die ursprüngliche asoziale Idee der Askese: individuelle Heilsgewinnung zurückzugreifen (Karthäuser und Trappisten), änderten an der immer stärker sozial, d. h. auf den Dienst der Kirche als solcher ausgerichteten Gesamtentwicklung des Mönchtums nichts mehr. Die von Stufe zu Stufe steigende Rationalisierung der Askese zu einer immer ausschließlicher in den Dienst der Disziplinierung gestellten Methodik erreichte im Jesuitenorden ihren Gipfel. Jeder Rest von individueller charismatischer Heilsverkündigung und Heilsarbeit, deren Eliminierung aus den älteren Orden, zumal aus der Gründung des hl. Franz, die kirchliche Autorität, welche darin eine Gefährdung der Stellung des Amtscharisma erblicken mußte, soviel Mühe gekostet hatte, ebenso jeder irrationale Sinn der Askese als eines eigenen Weges des Individuums zum Heil – ebenfalls ein für das Amtscharisma bedenklicher Punkt – und auch alle irrationalen, d. h. in ihrem Erfolg nicht berechenbaren, Mittel sind hier verschwunden: der rationale „Zweck" herrscht (und „heiligt" die Mittel – ein Satz nicht etwa nur der jesuitischen, sondern jeder relativistischen oder teleologischen Ethik, der nur als Pointe der rationalen Lebensreglementierung eine charakteristische Note empfängt). Mit Hilfe dieser, durch ein spezielles Gelübde zum bedingungslosen Gehorsam gegen den römischen Stuhl verpflichteten Leibgarde ist die bürokratische Rationalisierung der Herrschaftsstruktur der Kirche durchgeführt worden. Schon die Durchführung des Zölibats war eine Rezeption mönchischer Lebensformen und geschah auf Andrängen des kluniazensischen Mönchtums vor allem auch zu dem Zweck, die im Investiturstreit bekämpfte Feudalisierung der Kirche zu hindern und den „Amtscharakter" der kirchlichen Stellungen sicherzustellen. Und noch wichtiger war die Einwirkung des allgemeinen „Geistes" des Mönchtums auf die Prinzipien der Lebensführung. Der Mönch, als der exemplarisch religiöse Mensch, war – wenigstens in den Orden mit rationalisierter Askese, am meisten dem Jesuitenorden – zugleich der erste spezifisch „methodisch", mit „eingeteilter Zeit" und steter Selbstkontrolle, unter Ablehnung alles unbefangenen „Genießens" und aller nicht dem Zweck seines Berufs dienenden Inanspruchnahme durch „menschliche" Pflichten, lebende „Berufsmensch", und somit dazu prädestiniert, als Werkzeug jener bürokratischen Zentralisierung und Rationalisierung der Herrschaftsstruktur der Kirche zu dienen und zugleich, kraft ihres Einflusses als Seelsorger und Erzieher, die entsprechende Gesinnung innerhalb der religiös gestimmten Laien zu verbreiten. Der jahrhundertelange Widerstand der lokalen kirchlichen Gewalten (Bischöfe, Pfarrklerus) gegen die stets übermächtige Konkurrenz des Mönchtums – in der Seelsorge unterbot der Mönch als zugereister und deshalb beliebter Beichtvater sehr leicht die ethischen Anforderungen des ortssässigen Klerus im ideellen Sinn ganz ebenso, wie auf dem Gebiet des Schulunterrichts bei freier Konkurrenz eine Schicht von solchen zölibatären Asketen in der Lage ist jede weltliche Lehrerschaft, welche aus ihrem Entgelt den Unterhalt einer Familie zu bestreiten hat, im materiellen Sinn zu unterbieten –, dieser Widerstand war zugleich ein solcher gegen eben diese bürokratische Zentralisation in der Kirche gewesen. In anderen Kirchen hat das Mönchtum nur im Buddhismus eine Rolle von solcher Tragweite gespielt, nur daß hier, außer im Lamaismus, die hierarchische Spitze fehlte. In der orientalischen Kirche beherrscht das Mönchtum formell die Kirche, da aus ihm alle höheren Ämter besetzt werden, – aber die cäsaropapistische Unterwerfung der Kirche bricht seine Macht. Im Islam spielten die Orden nur in den eschatologischen (methodistischen) Bewegungen eine führende Rolle. Dem Judentum fehlt das Mönchtum gänzlich. In keiner Kirche aber ist vor allem eine Rationalisierung der Askese in der Art vollzogen und für hierokratische Machtzwecke nutzbar gemacht worden, wie sie das Abendland, am vollendetsten im Jesuitenorden, gesehen hat. –

Der Gegensatz zwischen politischem und magischem Charisma ist uralt. „Cäsaropapistische" ebenso wie „hierokratische" Herrscher finden sich auf dem Negerdorf ebenso wie in großen Staatenbildungen. Die Götter (oder „Heiligen") sind ferner auch in den primitivsten Verhältnissen oder vielmehr gerade da teils interlokale, teils lokale. Das starke Hervortreten der lokalen Gottheiten und damit einer weitgehenden Koinzidenz von Religion oder vielmehr, richtiger ausgedrückt: von Kultusgegenstand und politischem Gebietsumfang findet sich naturgemäß ganz besonders auf der Stufe der endgültigen Siedelung κατ' εξοχην: der *Stadt*. Von da an ist die Stadtgottheit oder der Stadtheilige als Schutzpatron das ganz unentbehrliche Requisit jeder politischen Gründung und die polytheistischen Konzessionen aller großen monotheistischen Religionen sind, solange die Macht der Stadt Träger der politischen und ökonomischen Existenz der

Einzelnen ist, unumgänglich. Jede große Staatengründung ist in diesem Stadium unvermeidlich von einem Synoikismos der Götter und Heiligen der angegliederten oder unterworfenen Städte oder Regierungssitze in der neuen Hauptstadt begleitet. So, neben andern bekannten Beispielen, noch die Gründung des moskowitischen Reichs als Einheitsstaat: die Reliquien aus allen Kathedralen der anderen Städte wurden nach Moskau transportiert. Die „Toleranz" des altrömischen Staatswesens war ähnlichen Charakters: es akzeptierte die Kulte aller Götter angegliederter Staaten, wenn sie qualitativ irgendwie dazu geeignet schienen und – in der Kaiserzeit – sich dem politisch motivierten Staatskult (Kaiserkult) ihrerseits fügten. Es stieß dabei auf Widerstand nur beim Judentum – welches aus ökonomischen Gründen gewähren gelassen wurde – und Christentum. Die Tendenz zum Zusammenfall der politischen Grenzen mit dem Verbreitungsgebiet der Religion ist naturgemäß, sobald dies Stadium erreicht ist. Es kann von seiten der politischen ebenso wie von seiten der hierokratischen Gewalt ausgehen: der Triumph des eigenen Gottes ist die endgültige Bewährung des Triumphs des Herrschers und zugleich ein starkes Unterpfand der politischen Obödienz und Abwendung von der Treuepflicht gegen andere Herren. Und die Religion einer selbständig entwickelten Priesterschaft findet in den Staatsuntertanen ihr natürlichstes Missionsgebiet und schreitet gern zum „coge intrare", zumal wenn sie „Erlösungsreligion" ist.

Daß der Islam hier eine horizontale Grenzscheide: die Religion als Merkmal der Ständeschichtung, zuließ, hing mit den ökonomischen Privilegien der Bekenner zusammen. Die okzidentale Christenheit war wenigstens ideell auch eine politische Einheit und dies hatte gewisse praktische Konsequenzen. Die alte Gegensätzlichkeit von politischen und hierokratischen Machtansprüchen findet nur ausnahmsweise eine reinliche Lösung im Sinn des vollen Sieges der einen oder der anderen. Eine noch so mächtige Hierokratie ist zu fortwährenden Kompromissen mit den ökonomischen und politischen Realitäten genötigt: die Geschichte aller Kirchen ist voll davon. Und der cäsaropapistische Herrscher konnte andererseits normalerweise Eingriffe in die Dogmenbildung nicht wagen und noch weit weniger als in diese in das Gebiet der heiligen Riten. Denn jede Alterierung der Form ritueller Handlungen gefährdet deren magische Kraft und ruft damit alle Interessen der Beherrschten gegen ihn auf. Von diesem Standpunkt sind die großen Schismen in der russischen Kirche darüber: ob das Kreuz mit zwei oder drei Fingern zu schlagen sei und ähnliches eine ganz selbstverständliche Erscheinung. Ob dann im speziellen das Kompromiß von politischer und hierokratischer Gewalt mehr cäsaropapistisch oder mehr hierokratisch ausfällt, ist in jedem Einzelfall naturgemäß durch die Machtkonstellationen der Stände zueinander und insofern indirekt auch ökonomisch mitbedingt. Aber nicht so, daß darüber sich allgemeine Sätze von wertvollem Gehalt aufstellen ließen. Und es folgt ferner in sehr starkem Maße aus den Eigengesetzlichkeiten der betreffenden Religiosität. Es fragt sich vor allen Dingen: ob diese eine *göttlich* verordnete, von der weltlichen Gewalt gesonderte Form der Kirchenverfassung kennt oder nicht. Das ist im Buddhismus außerhalb des Lamaismus nur indirekt (durch die Regelung der allein zum Heil führenden Lebensführung), im Islam und in der orientalischen Kirche in begrenztem Maße, im Luthertum gar nicht, dagegen in positiver Art in der katholischen Kirche und im Calvinismus der Fall. Daß der Islam von Anfang an sich mit den Expansionsinteressen der Araber vermählte und zu seinem positiven Gebote die gewaltsame Unterwerfung der unerbötigen Welt gehörte, steigerte das Prestige des Khalifen von Anfang an derart, daß kein ernstlicher Versuch seiner hierokratischen Unterjochung gemacht worden ist. Selbst bei den Schiiten mit ihrer Ablehnung eben dieser Stellung des Khalifen und ihren eschatologischen Hoffnungen auf die Parusie des legitimen Nachfolgers des Propheten in Persien, ist die Stellung des Schah doch überragend, so sehr bei der Ernennung der Priester auf die Stimmung der lokalen Bevölkerung Rücksicht genommen zu werden pflegt. Die katholische Kirche mit ihrem eigenen, auf römischer Tradition ruhenden, Amtsapparat, der für ihre Bekenner divini juris ist, hat cäsaropapistischen Neigungen den hartnäckigsten und, nach notgedrungenen Konzessionen in Zeiten der Bedrängnis, schließlich erfolgreichen Widerstand entgegengesetzt. Luthers auch durch einen eschatologischen Einschlag seines persönlichen Glaubens, im übrigen aber allein durch die individuelle Natur seiner Frömmigkeit bestimmte, völlige Indifferenz gegen die Art der Kirchenordnung, wenn nur die reine Verkündung des Worts gesichert sei, hat seine Kirche im Erfolg überall dem Cäsaropapismus der weltlichen Gewalt ausgeliefert, mitbestimmt übrigens sicherlich durch die politisch-ökonomischen Existenzbedingungen in dem Gebiet ihrer ersten Entstehung. Für den Calvinismus ist die biblische Theokratie in Form der Presbyterialverfassung göttlichen Rechts. Er hat sie nur zeitweise und lokal, in Genf und in Neuengland, unvollständig bei den Hugenotten, und in den Niederlanden durchgesetzt.

Ein starkes Maß hierokratischer Entwicklung, vor allem aber die Existenz einer selbständigen Amtshierarchie und eigenen hierokratischen Erziehung ist, wenn nicht die absolut unentbehrliche, dann doch die normale Voraussetzung der Entwicklung einer theologischen wissenschaftlichen Spekulation, wie umgekehrt wieder die Entfaltung der Theologie und der theologischen Priestererziehung zu den stärksten, wenn auch nicht unzerbrechlichen Bollwerken hierokratischer Machtstellung gehört, welches auch den cäsaropapistischen Staat, wo er einmal besteht, nötigt, der hierokratischen Beeinflussung der Beherrschten Raum zu gewähren. Eine voll entwickelte kirchliche Hierarchie vollends mit festem Dogmenbestand und, vor allem, durchgebildetem Erziehungssystem ist nicht zu entwurzeln. Ihre Macht steht auf dem Satz: daß man – im Interesse sowohl jenseitigen wie diesseitigen Wohlergehens – „Gott mehr gehorchen müsse als den Menschen", der ältesten und bis in die Zeiten der großen puritanischen Revolution und der „Menschenrechte" weitaus festesten Schranke aller politischen Gewalt. Die Regel ist ein Kompromiß der jenseitigen und diesseitigen Mächte. Und ein solches liegt in der Tat den beiderseitigen Interessen sehr nahe. Daß die politische Gewalt imstande ist, der Hierokratie das „brachium saeculare" in höchst schätzenswerter Art, zur Ausrottung der Ketzer und zur Beitreibung der Steuern zur Verfügung zu stellen, ist klar. Zwei Qualitäten der hierokratischen Macht empfehlen sie der politischen Gewalt zum Bündnis. Zunächst vor allem ist sie die *legitimierende* Macht, deren auch (und gerade) der cäsaropapistische und auch der persönlich charismatische (z. B. der plebiszitäre) Herrscher und alle diejenigen Schichten, deren privilegierte Lage an der „Legitimität" der Herrschaft hängt, schwer entraten kann. Und dann ist sie das unvergleichliche Mittel der *Domestikation* der Beherrschten. Im großen wie im kleinen. Wie der kirchenfeindlichste radikale Parlamentarier Italiens der Klostererziehung der Frauen als Domestikationsmittel nicht entraten mag, so hat die hellenische Tyrannis den Dionysoskult gefördert, und in größtem Maßstabe ist die Hierokratie zur Beherrschung unterworfener Völker verwendet worden. Der Lamaismus hat die Mongolen befriedet und so diese bis dahin immer neu sprudelnde Quelle von Barbareneinbrüchen aus der Steppe in das befriedete Kulturland für immer verstopft. Das Perserreich hat den Juden ihr „Gesetz" und die hierokratische Herrschaft oktroyieren lassen, um sie unschädlich zu machen. Die kirchenartige Entwicklung in Ägypten scheint ebenfalls durch sie begünstigt worden zu sein. Und in Hellas warteten alle Orakel, orphischer und anderer Propheten nur auf den erwarteten und erhofften Sieg der Perser, um sich für die gleichen Zwecke verwerten zu lassen. Die Schlachten bei Marathon und Plataeae entschieden auch zugunsten der weltlichen und gegen den klerikalen Charakter der hellenischen Kultur. Was Fremdvölkern gegenüber galt, das erst recht im Verhältnis zu den eigenen Untertanen. Militärische oder kaufmännische Honoratiorenschichten pflegen die Stütze der Religion, weil sie eine ihnen gefährliche, auf emotionelle Bedürfnisse der Massen sich gründende konkurrierende Macht schafft, nur streng traditionalistisch zu gebrauchen, jedenfalls sie ihres charismatisch-emotionalen Charakters zu entkleiden. So verwarfen, anfänglich wenigstens, die hellenischen Adelsstaaten den Dionysoskult und die mehrhundertjährige römische Senatsherrschaft ekrasierte die Ekstase systematisch in jeder Form: daß sie zur „superstitio" (wörtliche Übersetzung von εκστασις) degradiert und alle ihre Mittel, vor allem der Tanz, unterdrückt wurden, selbst im Kultus (der Tanz der Salier ist eine Prozession, die fratres Arvales aber vollziehen ihren uralten Tanz charakteristischerweise hinter verschlossenen Türen), hat für die höchst charakteristische Gegensätzlichkeit der römischen Kulturentwicklung (z. B. der Musik) gegen die hellenische die allerweittragendsten Konsequenzen auf den verschiedensten Gebieten gehabt. Dagegen greift der persönliche Herrscher überall zur religiösen Stütze seiner Position. Das Kompromiß zwischen den beiden Gewalten kann sich im einzelnen höchst verschieden und die reale Machtlage auch ohne formellen Wechsel seines Inhalts sehr mannigfaltig gestalten. Historische Schicksale spielen da eine gewaltige Rolle: eine starke Erbmonarchie hätte die abendländische Kirche vielleicht in eine ähnliche Entwicklung gedrängt wie die morgenländische, und ohne das große Schisma wäre der Niedergang der hierokratischen Gewalt vielleicht nie so erfolgt, wie geschehen. –

Weil diese Machtkämpfe in weitem Umfang von historischen Schicksalen („Zufällen") abhängen, ist über ihre Determiniertheit etwas Allgemeines nicht leicht zu sagen. Insbesondere ist nicht die Rolle, welche religiöse Empfindungen überhaupt innerhalb eines Volkes spielen, dafür maßgebend. Das römische und vollends das hellenische Leben sind davon geradezu durchtränkt, und doch ist die Hierokratie des Staates nicht Herr geworden, sondern umgekehrt. Wollte man auf die dualistische Verjenseitigung der Religion, die dort gefehlt hatte, den Nachdruck legen, so fehlte diese auch der jüdischen Religion zur Zeit der Aufrichtung der Hierokratie völlig: umgekehrt kann man sagen, daß der Aufstieg der Jenseitsspekulation wenigstens zum Teil erst Folge der rationalen Entwicklung des hierokratischen Systems ist, wie sicherlich in Ägypten und Indien. Aber auch andere naheliegende allgemeine Gründe entscheiden nicht. So ist das Maß der Abhängigkeit von den Naturgewalten einerseits, von der eigenen Arbeit andererseits nicht durchgreifend. Allerdings ist die Bedeutung der Nilüberschwemmungen an der Entwicklung der Hierokratie mitbeteiligt. Aber nur insofern, als sie die charakteristische Verbindung der parallel laufenden rationalen Entfaltung von Staat und Priestertum mit den astronomischen Beobachtungen und der Jenseitsspekulation ins Leben rufen helfen. Im übrigen hat offenbar die Grundherrschaft der Hirtenvölker hier die Stellung der Priesterschaft ebenso als einzigen Rückhalt des Zusammenschlusses bestehen lassen wie die Völkerwanderungsstämme im Westen den Bischof. Die permanente Erdbebengefahr in Japan z. B. hat nicht gehindert, daß im japanischen Staatswesen die feudalen Geschlechter keinerlei Hierokratie dauernd aufkommen ließen, und für die Entwicklung der jüdischen Priesterherrschaft sind „Natur"- oder ökonomische Gründe ebensowenig ausschlaggebend gewesen wie für die Beziehungen zwischen Feudalismus und zoroastrischer Hierokratie im Sassanidenreich oder dafür, daß dem Expansionsbestreben der Araber das Schicksal des Besitzes eines großen Propheten in den Schoß fiel. Massenhaft, aber stets anders konstelliert, bestehen dagegen selbstverständlich Beziehungen der konkreten Schicksale hierokratischer Bildungen zu den konkreten ökonomisch-gesellschaftlichen Bedingungen, in die sie gestellt sind. Die wenigen allgemeinen Sätze, die sich darüber bedingungsweise aufstellen lassen, betreffen die Beziehungen der Hierokratie zum „Bürgertum" einerseits, zu den feudalen Mächten andererseits. Nicht nur im italischen Mittelalter stellt das guelfische Bürgertum die Schutztruppe der hierokratischen Gewalt gegen Imperialismus und feudale Mächte, – was ja eine rein konkret bedingte Kampfkonstellation sein könnte. Sondern in den frühesten mesopotamischen Inschriften finden wir bereits verwandte Zustände, in Hellas sind die bürgerlichen Schichten die Träger der Dionysosreligion, die altchristliche Kirche ist eine spezifisch städtische Institution („paganus", – das ist der Inbegriff aller sozial Verachteten, entsprechend unserem „Pisang" von „Paysan", – heißt in der römischen Kaiserzeit sowohl der „Zivilist" wie der „Heide") ganz ebenso wie sie bei Thomas von Aquin mit seiner Deklassierung des Bauern erscheint, und die puritanische Hierokratie ebenso wie schon fast alle Sektenbewegungen des Mittelalters und Altertums (mit der denkwürdigen Ausnahme vor allem der Donatisten) sind ganz genau so städtischer Provenienz wie seinerzeit die leidenschaftlichsten Anhänger der päpstlichen Macht. Demgegenüber steht der antike Adel, allen voran schon der frühhellenische Bürger- und Polisadel mit jener, für die ganze Entwicklung der hellenischen Religion sehr schicksalsvollen, gänzlich respektlosen Behandlung der Götter im homerischen Epos, ebenso wie die Kavaliere der Puritanerzeit und wie der Feudaladel des frühen Mittelalters, – wie ja die Entfaltung des Lehensstaates auf der raubartigen Säkularisation Karl Martells beruhte. Daß die Kreuzzüge wesentlich eine Unternehmung der französischen Ritterschaft waren, sehr stark unter dem Gesichtspunkt der Versorgung des Nachwuchses mit Lehen, an den Papst Urban in seiner bekannten Rede ausdrücklich appellierte, beweist nichts für die spezifisch hierokratischen Sympathien. Denn es handelt sich hier überhaupt nicht um den Gegensatz von „fromm" und „nicht fromm", sondern um die *Art* der Religiosität und die damit eng verknüpfte Beziehung zur „Kirchen"-Bildung im technischen Sinn des Wortes.

Die ökonomische Existenz des Bürgertums ruht auf (gegenüber dem Saisoncharakter der Landarbeit) *stetiger* und – gegenüber ihrer Hingegebenheit an die ungewohnten und unbekannten Naturgewalten – *rationaler* – (mindestens empirisch rationalisierter) Arbeit, welche den Zusammenhang von Zweck, Mittel, Erfolg oder Mißerfolg im wesentlichen übersehen und „verständlich" erscheinen läßt: in das Resultat der Arbeit des Töpfers, Webers, Drechslers, Tischlers geht außerordentlich viel weniger an unberechenbaren Naturereignissen, vor allem auch von den als undurchschaubare, nur phantastisch deutbare Neuschöpfung der Naturgewalten wirkenden organischen Zeugungsvorgängen ein als in die Landarbeit. Das dadurch bedingte Maß von relativer Rationalisierung und Intellektualisierung paart sich, infolge der größeren Hausgebundenheit großer Teile der Arbeitsprozesse, ihrer Entfremdung von der Eingegliedertheit in den Prozeß organisch gegebener Nahrungssuche und wohl auch der Ausschaltung der größten Muskelapparate des Körpers und der Arbeit mit dem Verlust der unmittelbaren Beziehung zu der plastischen und vitalen Realität der Naturgewalten. Aus ihrer Selbstverständlichkeit gerissen werden sie nun zum Problem. Die rationalistische, stets zur religiösen Spekulation führende Frage nach einem „Sinn" des Daseins jenseits seiner selbst taucht auf. Das individuelle religiöse Erlebnis neigt dazu, die Form des ekstatischen Rausches oder Traumes zu verlieren und die abgeblaßteren religiösen Formen einer kontemplativen Mystik und einer genrehaften Alltagsinnigkeit anzunehmen, und zugleich liegt bei der berufsmäßigen stetigen Art der Kundenarbeit des Handwerkers die Entfaltung des „Pflicht"- und „Lohn"-Begriffes als Verankerung der Lebensführung, bei der Art seiner stärker der rationalen Ordnung bedürftigen sozialen Verflochtenheit das Hineintragen moralisierender Wertungen in die Religiosität überhaupt nahe. Das Gefühl eigentlicher „Sünde", aus dem älteren Gedanken der rituellen „Reinheit" sich entwickelnd, widerspricht durchaus dem Würdegefühl feudaler Herrenschichten, und dem genuinen Bauer vollends ist „Sünde" ein noch heute schwer verständlicher Begriff; nach „Erlösung" begehren diese agrarischen Schichten weder, noch wußten sie recht: wovon sie „erlöst" zu werden wünschen sollten. Ihre Götter sind starke Wesen mit Leidenschaften ähnlich denen der Menschen, je nachdem tapfer oder heimtückisch, freundlich oder feindlich gegeneinander und gegen die Menschen, jedenfalls aber gänzlich unmoralistisch wie diese auch, der Bestechung durch Opfer und dem Zwang durch magische Mittel, welche den Menschen, der diese kennt, noch stärker machen als sie, unterworfen. Zu einer „Theodizee" und überhaupt zu einer ethischen Spekulation über die kosmische Ordnung liegen hier noch gar keine Motive vor; die Priesterschaft und die Erfüllung der rituellen Vorschriften diente unmittelbar utilitarisch als Mittel zur magischen Beherrschung der Naturkräfte, vor allem zur Abwehr der Dämonen, deren Ungunst schlechte Witterung, Raubtier- und Insektenfraß, Krankheiten und Viehseuchen bringen. Die „Verinnerlichungen" und Rationalisierungen des Religiösen, d. h. insbesondere die Hineinlegung ethischer Maßstäbe und Gebote, die Verklärung der Götter zu ethischen Mächten, welche das „Gute" wollen und belohnen und das „Böse" strafen, daher auch selbst sittlichen Forderungen gerecht werden müssen, die Entwicklung vollends des Gefühls der „Sünde" und der Sehnsucht nach „Erlösung", ist daher sehr regelmäßig erst mit einer gewissen Entwicklung gewerblicher Arbeit, meist direkt mit derjenigen der Städte, parallel gegangen. Nicht im Sinne einer irgendwie eindeutigen Abhängigkeit: die Rationalisierung des Religiösen hat durchaus ihre Eigengesetzlichkeit, auf welche ökonomische Bedingungen nur als „Entwicklungswege" wirken, und ist vor allem an die Entfaltung einer spezifisch priesterlichen Bildung geknüpft. Dem Mahdismus, historisch ungeklärt, wie er sonst ist, fehlt anscheinend jene ökonomische Basis ganz. Ob er eine hierokratische Fortentwicklung der alten indischen Religion ist, die einem in den Winkel und über die Grenze gescheuchten Sektenstifter gelang, ist wohl mehr als unsicher. Daß die Jahvereligion in ihrer rational-moralistischen Evolution von den großen Kulturzentren her beeinflußt worden ist, dürfte sicher sein. Aber nicht nur die Entwicklung der Prophetie mit allen ihren Folgen, sondern noch mehr alles, was schon vorher von Moralismus in der Jahvereligion entfaltet war, ist trotzdem unter Verhältnissen entstanden, welche zwar die Stadt kannten, aber jedenfalls im Vergleich mit dem gleichzeitigen Mesopotamien und Ägypten doch nur eine geringfügige städtische und überhaupt gewerbliche Entwicklung aufwiesen. Allerdings war dann die Entwicklung der Hierokratie das Werk der Polispriesterschaft Jerusalems, im Kampf mit dem platten Lande, und die Ausbildung des „Gesetzes" und seine Oktroyierung war das Werk der in Babylon lebenden Exulanten. Die antike Mittelmeerpolis andererseits hat keinerlei Rationalisierung der Religion gebracht, zum Teil infolge des Einflusses Homers als des rezipierten literarischen Bildungsmittels, vor allem aber doch infolge des Fehlens eines hierokratisch organisierten und eine spezifische Bildung pflegenden Priestertums. Aber die Wahlverwandtschaft von Priestertum und städtischem Kleinbürgertum liegt, generell gesprochen, trotz aller dieser Unterschiede, sehr klar zutage. Denn vor allem sind auch die Gegner typisch die gleichen im Altertum wie im Mittelalter, die feudalen Geschlechter, in deren Hand in der Antike zugleich die politische Gewalt und der Darlehenswucher lag. Daher findet jeder Anstoß zur Autonomie und Rationalisierung der hierokratischen Gewalt sehr leicht eine Stütze im Bürgertum. Die sumerische, babylonische, phönikische, jerusalemitische Stadtbürgerschaft steht gleichermaßen hinter den Ansprüchen der Priesterschaft, die Pharisäer (= Puritaner) haben hier ihren Anhang gegen den sadduzäischen Patriziat, ebenso alle emotionalen Kulte der Mittelmeerantike. Die altchristliche Kirche besteht aus Kleinbürgergemeinden, die päpstlichen Autonomieansprüche ganz ebenso wie die puritanischen Sekten des Mittelalters haben in den Städten ihren stärksten Sitz, aus bestimmten Gewerben sind sowohl ketzerische wie Ordensbewegungen – beides streift einander – direkt erwachsen (so die Humiliaten) und der asketische Protestantismus im weitesten Sinn des Wortes (calvinistische und baptistische Puritaner, Mennoniten, Methodisten, Pietisten) finden den Kern ihrer Anhängerschaft auf die Dauer beim mittleren und kleinen Bürgertum, wie die unerschütterliche religiöse Legalität des Judentums erst mit seiner Stadtsässigkeit einsetzt und an ihr hängt. Nicht daß religiöse Bewegungen „Klassenbewegungen" zu sein pflegten. Schon beim Christentum, welches aus zwingenden politischen und kulturellen Gründen den herrschenden Schichten der Antike schlechterdings nicht annehmbar sein konnte, ist nichts so grundverfehlt, wie die Vorstellung, es sei eine „proletarische" Bewegung gewesen. Der Buddhismus ist die Stiftung eines Prinzen und z. B. in Japan unter sehr starker Beteiligung des Adels importiert worden. Luther wendet sich an den „christlichen Adel" (= hoher Adel, Fürstenstand) und das Hugenottentum in Frankreich wie der Calvinismus in Schottland wurden in den Zeiten der großen Kämpfe vom Adel gelenkt, die Revolution der englischen Puritaner aber durch die Reiterscharen der ländlichen gentry zum Siege geführt: die Glaubensspaltung geht, im wesentlichen wenigstens, vertikal durch die Stände hindurch. Das bleibt so in der Epoche des enthusiastischen, fast stets irgendwie eschatologisch orientierten Waltens der Hingabe an die jenseitigen Interessen. Aber allerdings macht sich weiterhin auf die Dauer im Laufe des Schwindens der eschatologischen Erwartungen und im Gefolge der nun eintretenden Veralltäglichung der neuen religiösen Gehalte immer wieder stets die Wahlverwandtschaft des religiös geforderten mit dem sozial bedingten Lebensstil der Stände und Klassen fühlbar, und an die Stelle der vertikalen beginnt zunehmend die horizontale Schichtung zu treten: der hugenottische wie der schottische Adel haben den Calvinismus später im Stich gelassen, und die weitere Entwicklung des asketischen Protestantismus hat diesen überall zu einer Angelegenheit des bürgerlichen Mittelstandes gemacht. – Es kann diesen Dingen im einzelnen nicht nachgegangen werden, – so viel ist jedenfalls sicher, daß die Entwicklung der Hierokratie zu einem rationalen Herrschaftsapparat und die damit zusammenhängende rational-ethische Entwicklung des religiösen Gedankenkreises selbst gerade an den bürgerlich-städtischen Klassen, besonders im Kleinbürgertum, trotz aller an anderer Stelle zu erörternden Konflikte auch mit ihnen, einen besonders starken Anhalt zu finden pflegt.

Zeiten der Herrschaft grundherrlich-feudaler Gewalten bedrohen dagegen stets den Bestand eben dieses rationalen (bürokratischen) Apparats. Die großen Funktionäre der Kirche (Bischöfe) gliedert die politische Gewalt, indem sie sie mit Land und politischen Rechten ausstattet, in die großen Lehensträger ein, die einfachen Priester werden, da die nur auf dem Boden der Stadt und der Geldwirtschaft mögliche Versorgung aus dem vom Bischof verwalteten und von Spenden der Gläubigen gespeisten Kirchenvermögen fehlt, von den Grundherren mit Pfründen ausgestattet und dadurch unter deren Patrimonialbeamten eingegliedert. Auf dem Boden der grundherrlichen Naturalwirtschaft ist die Behauptung der Autonomie des kirchlichen Herrschaftsapparates ausschließlich auf der Grundlage des klösterlichen Gemeinschaftslebens möglich, der Organisierung also des auf grundherrlicher Basis ruhenden, dabei aber ganz oder fast kommunistisch lebenden Mönchtums als der Schutztruppe der Hierokratie. Die ganz überragende Bedeutung der irischen und benediktinischen Mönche ebenso wie der klosterartigen Organisation der Stiftskleriker (Regel

Chrodegangs) für die Entwicklung der abendländischen Kirche und übrigens auch der allgemeinen Kultur ruht hierauf ebenso wie die Organisation der lamaistischen Klosterkirche in Tibet und die Rolle des buddhistischen Mönchtums im feudalen Japan. –

Stößt, von diesen wenigen Feststellungen abgesehen, der Versuch, allgemeine Sätze über die (natürlich stets irgendwie auch mitspielende) ökonomische Bedingtheit der Hierokratie festzustellen, auf Schwierigkeiten, so läßt sich die Bedeutung, welche die Herrschaft der Hierarchie ihrerseits für die ökonomische Entwicklung hat, wesentlich leichter formulieren.

Zunächst führen die eigenen ökonomischen Existenzbedingungen der Hierokratie zu typischen Zusammenstößen mit den ökonomischen Interessen bestimmter Klassen. Die Kirche sucht ihre ökonomische Autonomie vor allem durch Anregung umfassender Stiftungen, und zwar am liebsten Grundbesitzstiftungen, sicherzustellen. Da sie nicht auf rasche Verwertung zum Erwerb, sondern auf dauerhafte und sichere Einkünfte und möglichst geringe Reibungen mit den Hintersassen Gewicht legt, so treibt sie regelmäßig, ähnlich dem Monarchen im Vergleich mit den privaten Grundherren, eine konservative und schonende Politik den Bauern gegenüber. Wie die großen kirchlichen Besitzungen sich in der Neuzeit am Bauernlegen wenig beteiligt haben, so sind die amphyteutischen und andere erbpachtartigen geistlichen Besitzrechte im Altertum vermutlich auf Tempelland zuerst entstanden. In ihrer Eigenwirtschaft sind im Mittelalter die Klostergüter, vor allem der Zisterzienser, naturgemäß, dem rationalen Charakter der Askese entsprechend, mit die ersten rationalen Betriebe gewesen. – Das Umsichgreifen des Grundbesitzes der „toten Hand", welches das Angebot von Gütern zunehmend einschränkt, stößt aber auf den Widerstand der Grundbesitzkaufinteressenten, zunächst des weltlichen Adels, der die Möglichkeit, seinen Nachfahren Güter zu kaufen, dadurch bedroht sieht. Die große Säkularisation Karl Martells war ein Kirchenraub zugunsten des Adels, die mittelalterliche Entwicklung brachte den steten Versuch des Adels, als Vasallen oder Vögte kirchlichen Besitzes sich dessen Verfügung zu sichern, und die „Amortisationsgesetze" der Staaten der Neuzeit, welche die Zunahme des kirchlichen Grundbesitzes begrenzten, sind zunächst adliger Initiative entsprungen. Daß weiterhin bürgerliche Bodenspekulationsinteressen eingriffen, daß die großen Kirchengutkonfiskationen der Revolutionszeit ihnen vornehmlich zugute kamen, ist bekannt. Die politische Gewalt, welche im frühen Mittelalter, solange die geistlichen Würdenträger der Sache nach die sichersten, weil unerblichen Lehensträger des Königs waren, die Erweiterung des Kirchenbesitzes als Konservierung politischer Machtmittel behandelte, hat, soweit jene adligen Interessen für sie nicht bestimmend waren, teils aus Konkurrenzrücksichten gegen die hierokratische Macht, teils aus merkantilistischen Gründen gegen die Ausdehnung des Kirchen- und Klosterbesitzes sich eingesetzt. Am schärfsten und erfolgreichsten in China, wo die Ausrottung aller Mönche und die Einziehung ihres umfangreichen Bodenbesitzes damit motiviert wurde, daß sie das Volk von der Arbeit ab zu müßiger und ökonomisch steriler Kontemplation erzögen.

Wo der hierokratischen Bodenakkumulation freie Hand gelassen wird, kann sie zu einer sehr weitgehenden Ausschaltung des Bodens aus dem freien Verkehr führen. Sie dient dann nicht selten – dies ist namentlich für den Orient in byzantinischer wie islamischer Zeit charakteristisch – auch dazu, der Bindung des Bodens zugunsten weltlicher Familien sakrale Unantastbarkeit zu verleihen. Sieht man sich z. B. eine typische byzantinische Klosterstiftung etwa des 11. oder 12. Jahrhunderts an, so findet man, daß der Stifter große Terrains (insbesondere z. B. Konstantinopeler Bauterrains, deren Wertsteigerung zu gewärtigen ist) zugunsten eines Klosters stiftet, für dessen (an Zahl fest begrenzte) Mönche bestimmte Präbenden (unter Umständen auch außerhalb des Klosters verzehrbar!) ausgeworfen werden mit der Pflicht, eine (fest begrenzte) Zahl von Armen in vorgeschriebener Art zu speisen und im übrigen bestimmte religiöse Pflichten zu erfüllen. Nicht nur aber die Vogtei des Klosters, sondern, was weit wichtiger ist: alle Überschüsse der steigenden Einkünfte über die fest begrenzten Ausgaben sind für einige Zeit der Familie des Stifters vorbehalten: das so geschaffene Fideikommiß (denn darum handelt es sich natürlich in Wahrheit) ist nun Kirchengut und als solches nicht ohne Sakrileg von der weltlichen Gewalt angreifbar. Ein beträchtlicher Teil der islamischen „Wakuf"(Stiftungs)-Ländereien, welche schon rein dem Umfang nach in allen orientalischen Staaten eine ganz gewaltige Rolle spielen, scheint ähnlichen Absichten seine Entstehung zu verdanken. – Klöster und Stifter sind im übrigen auch im Okzident ja zu allen Zeiten und immer erneut der Invasion durch die Versorgungsinteressen des adligen Nachwuchses ausgesetzt gewesen und fast jede der zahlreichen „Klosterreformationen" hat das Ziel: eben diese „Veradlichung" und Entfremdung vom hierokratischen Zweck zu beseitigen.

Ganz direkt in Kollision mit „bürgerlichen" Interessen gerät die Hierokratie durch den klösterlichen Handels- und Gewerbebetrieb.

In den Tempeln und Klöstern speichert sich überall gerade in Perioden der Naturalwirtschaft, neben Naturalien aller Art auch ein gewaltiger Vorrat von Edelmetallen auf. Die Getreidevorräte der Tempel Ägyptens und Mesopotamiens scheinen teuerungspolitisch ähnlich verwendet worden zu sein wie die Staatsmagazine. Die Edelmetalle bleiben unter streng naturalwirtschaftlichen Verhältnissen thesauriert, – wie z. B. in den russischen Klöstern. Aber der durch die Scheu vor der Rache der Götter geschützte heilige Friede der Tempel und Klöster ist von jeher die moderne Basis internationalen und interlokalen Tauschhandels, dessen Abgaben neben den Geschenken der Gläubigen die Schatzkammern füllen. Die viel beredete Institution der Tempelprostitution hängt offensichtlich mit den spezifischen Bedürfnissen der Handlungsreisenden (auch heute naturgemäß des führenden Kontingents der Bordellbesucher) zusammen. Die Tempel und Klöster haben sich überall, im Orient im allergrößten Maßstabe, an den Geldgeschäften beteiligt, Depots angenommen, Darlehen und Vorschüsse aller Art in Naturalien und Geld gegen Zins gegeben und, wie es scheint, auch Geschäftsvermittlungen anderer Art übernommen. Die hellenistischen Tempel funktionierten teils als Reichsbank (wie der Schatz der Athene – es bot das den Vorteil, dem Zugriff auf die Staatsschätze in der Zeit der Demokratie gewisse, immerhin nicht ganz wirkungslose Hemmungen in den Weg zu legen), teils als Depotstelle und Sparkasse. Wenn z. B. eine typische Form der Sklavenfreilassung es war, daß der delphische Apollon den Sklaven von seinem Herrn „zur Freiheit" kaufte, – so zahlte Apollon die Summe natürlich nicht aus eigenen Mitteln, sondern aus den bei ihm deponierten Spargeldern des Sklaven, die in seiner Tempelkasse vor dem Zugriff des Herren (gegen den der Sklave ja bürgerlich rechtlos war) sicher lagen. Die Tempel und ebenso die mittelalterlichen Klöster waren eben die kreditwürdigsten und sichersten Depotstellen und die daraus folgende spezifische Beliebtheit der kirchlichen Institution als Schuldner erstreckte sich im Mittelalter – wie Schulte mit Recht betont hat – auch auf den Bischof persönlich, weil über diesem das Zwangsmittel: die Exkommunikation ebenso schwebte, wie etwa heute über dem verschuldeten Leutnant die Kassierung. Diese Beteiligung der Tempel und Klöster am Geldgeschäft ist von der Laienkaufmannschaft wohl gelegentlich, aber anscheinend nicht grundsätzlich, als „Konkurrenz" empfunden worden. Denn andererseits gab die gewaltige finanzielle Potenz der Kirche, speziell des Papstes und seiner Steuereinheber, dem privaten Handel in den mannigfachsten Formen Gelegenheit zu den kolossalsten, oft fast ganz risikofreien Verdiensten. Anders stand es in dieser Hinsicht mit der *gewerblichen* Tätigkeit speziell der Klöster. Die konsequente Durchführung der – in der älteren Praxis der Benediktinerregel doch mehr nach Art einer hygienischen Entlastung verstandenen – körperlichen Arbeit als asketischen Mittels, und die Verfügung über die zahlreichen Arbeitskräfte der Laienbrüder und Hörigen führte zu einer oft weitgehenden Konkurrenz der gewerblichen Klosterarbeit mit dem Handwerk, bei der die erstere, auf zölibatär und asketisch lebende, dabei „berufsmäßig" angespannt im Dienst des Seelenheils arbeitende Kräfte, rationale Teilung und gute, den Absatz sichernde Verbindungen und Patronagen gestützt, notwendig überlegen war. Die Klostergewerbe waren daher einer der wesentlichen ökonomischen gravamina des Kleinbürgertums unmittelbar vor der Reformation, so etwa wie die Gefängnisarbeit und die Konsumvereine heute. Die Säkularisation der Reformationszeit und noch mehr die der Revolutionsepoche haben den kirchlichen Betrieb sehr stark dezimiert.

Die heutige Bedeutung der direkten oder durch Vermittler und Beteiligungen gemachten Eigengeschäfte der kirchlichen Institutionen ist, im Verhältnis zum Privatkapitalismus, weit zurückgetreten. Wie viel sie für die Finanzierung des kirchlichen Apparats bedeuten, ist zur Zeit nicht sicher abzuschätzen, da alle solche Beteiligungen sorgsam maskiert zu werden pflegen. Die Klöster pflegen heute wesentlich nur Spezialitäten, die Kurie hat – wie behauptet wird – sehr viel Geld in der Beteiligung an Bauterrainspekulationen (in Rom) und zweifellos noch mehr in verfehlten Bankgründungen (Bordeaux) verloren. Das Objekt, dessen sich auch heute Kirchen und Klöster bei Freigebung, Akkumulation in der toten Hand mit Vorliebe sofort zu bemächtigen pflegen, ist der Grund und Boden. Die Mittel aber werden dem Schwerpunkt nach nicht durch gewerbliche oder händlerische Betriebe, sondern durch Betriebe wie der von Lourdes, durch Mäzenate, Stiftungen und Massenspenden beschafft, soweit nicht die Kultusbudgets der modernen Staaten, Donation, Taxen und Sporteln sie hergeben.

Ungleich tiefer aber denn als wirtschaftende Gemeinschaft pflegt die Hierokratie als Herrschaftsstruktur und durch die ihr eigentümliche ethische Lebensreglementierung auf die ökonomische Sphäre zu wirken. Die Herrschaftsstruktur sowohl wie die in der Lebensreglementierung sich äußernde ethische Grundstimmung der großen, kirchlich organisierten Religionen ist nun, namentlich in ihren Anfängen, sehr verschieden. So ist der Islam aus einer charismatischen, durch den kriegerischen Propheten und dessen Nachfolger geleiteten

Kriegergemeinschaft, mit dem Gebot der gewaltsamen Unterwerfung der Ungläubigen, Verklärung des Heldentums und Verheißungen von sinnlichem Genuß im Diesseits und Jenseits für den Glaubenskämpfer, herausgewachsen. Der Buddhismus gerade umgekehrt aus einer Gemeinschaft von Weisen und Asketen, welche individuelle Erlösung nicht nur von den sündigen Ordnungen der Welt und von der eigenen Sünde, sondern vom Leben selbst suchen. Das Judentum, aus einer vom Jenseits ganz absehenden, die Herstellung eines zerstörten nationalen diesseitigen Reichs und im übrigen diesseitiges bürgerliches Wohlergehen durch Befolgung eines kasuistischen Gesetzes erstrebenden, hierokratisch-bürgerlich, von Propheten, Priestern und schließlich: theologisch geschulten Intellektuellen geleiteten Gemeinschaft. Das Christentum endlich aus der von eschatologischen Hoffnungen auf ein göttliches Universalreich erfüllten, alle Gewalt verwerfenden, im übrigen den Ordnungen der Welt gegenüber, deren Ende ja ohnehin bevorzustehen schien, indifferenten, charismatisch von Propheten, hierokratisch von Beamten geleiteten Gemeinschaft von Teilnehmern an dem mystischen Christuskult im Abendmahl. Diese so grundverschiedenen Anfänge, welche auch in einer verschiedenen Stellungnahme zu den ökonomischen Ordnungen sich äußern mußten, und die, ebenso verschiedenen Entwicklungsschicksale dieser Religionen hindern nicht, daß dennoch die Hierokratie, entsprechend ihren in wichtigen Punkten, wenn einmal das charismatische Heroenzeitalter der Religion vergangen und die Anpassung an den Alltag vollzogen ist, doch überall ähnlichen Existenzbedingungen, auch in gewissen Richtungen ähnliche Wirkungen auf das soziale und ökonomische Leben erzeugt: – wie wir allerdings sehen werden, mit gewissen wichtigen Ausnahmen.

Die Hierokratie ist die am stärksten *stereotypierende* Macht, welche es gibt. Das jus divinum, die scheriah des Islam, die Thora der Juden, ist undurchbrechlich. Sie ist andererseits, auf dem Gebiet, welches das jus divinum frei läßt, die in der Art ihres Funktionierens am wenigstens rational *kalkulierbare* Gewalt: die charismatische Justiz ist, in der Form des Orakels oder des Ordals oder des Fetwa eines Mufti oder der Judikatur eines islamischen geistlichen Gerichts, durchaus irrational, günstigstenfalls „von Fall zu Fall" nach konkreter Billigkeit, judizierend. Abgesehen von diesen schon mehrfach berührten formalen Elementen der Rechtsfindung stand die Hierokratie überall einer traditionsfremden Macht wie dem Kapitalismus notwendig mit tiefster Antipathie gegenüber, so sehr sie gelegentlich selbst sich an ihren Tisch gesetzt hat. Diese Antipathie hat neben der natürlichen

Interessengemeinschaft mit allen traditionsgeheiligten Autoritäten, deren Monopol durch Kapitalherrschaft bedroht erscheint, noch einen in der Natur dieser letzteren selbst liegenden Grund. Die bürokratisch am stärksten rationalisierte Hierokratie: die des Abendlandes ist von allen die einzige, welche neben einem rationalen kirchlichen Recht auch – in ihrem eigenen Interesse – ein rationales Prozeßverfahren entwickelte und überdies ihr ganzes Gewicht in die Waagschale der Rezeption eines rationalen, des römischen Rechts warf. Die Eingriffe der geistlichen Gerichte sind trotzdem von dem kapitalistisch interessierten Bürgertum schwer ertragen, umgangen oder offen zurückgewiesen worden.

Im Gegensatz zu allen andern Herrschaftsformen ist die ökonomische Kapitalherrschaft ihres „unpersönlichen" Charakters halber ethisch nicht reglementierbar. Sie tritt schon äußerlich meist in einer derart „indirekten" Form auf, daß man den eigentlichen „Herrscher" gar nicht greifen und daher ihm auch nicht ethische Zumutungen stellen kann. Man kann an das Verhältnis des Hausherrn zum Dienstboten, des Meisters zum Lehrling, des Grundherren zum Hörigen oder Beamten, des Herren zum Sklaven, des patriarchalen Fürsten zu den Untertanen, weil sie persönliche Beziehungen sind und die zu leistenden Dienste ein Ausfluß und Bestandteil dieser darstellen, mit ethischen Postulaten herantreten und sie inhaltlichen Normen zu unterwerfen suchen. Denn, innerhalb weiter Grenzen, sind hier persönliche, elastische Interessen im Spiel und kann das rein persönliche Wollen und Handeln entscheidende Wandlungen der Beziehung und Lage der Beteiligten herbeiführen. Dagegen sehr schwer das Verhältnis des Direktors einer Aktiengesellschaft, der die Interessen der Aktionäre als der eigentlichen „Herren" zu wahren verpflichtet ist, zu den Arbeitern von deren Fabrik und gar nicht dasjenige des Direktors der die Aktiengesellschaft finanzierenden Bank zu jenen Arbeitern oder etwa dasjenige eines Pfandbriefbesitzers zu dem Besitzer eines von der betreffenden Bank beliehenen Guts. Die „Konkurrenzfähigkeit", der Markt: Arbeitsmarkt, Geldmarkt, Gütermarkt, „sachliche", weder ethische noch antiethische, sondern einfach anethische, jeder Ethik gegenüber disparate Erwägungen bestimmen das Verhalten in den entscheidenden Punkten und schieben zwischen die beteiligten Menschen unpersönliche Instanzen. Diese „herrenlose Sklaverei", in welche der Kapitalismus den Arbeiter oder Pfandbriefschuldner verstrickt, ist nur als Institution ethisch diskutabel, nicht aber ist dies – prinzipiell – das persönliche Verhalten eines, sei es auf der Seite der Herrschenden oder Beherrschten, Beteiligten, welches ihm ja bei

Strafe des in jeder Hinsicht nutzlosen ökonomischen Untergangs in allem wesentlichen durch objektive Situationen vorgeschrieben ist und – da liegt der entscheidende Punkt – den Charakter des „Dienstes" gegenüber einem unpersönlichen *sachlichen Zweck* hat.

Dieser Sachverhalt nun steht in unverjährbarem Konflikt mit allen elementarsten sozialen Postulaten jeder Hierokratie einer irgendwie ethisch rationalisierten Religion. Die stets irgendwie durch eschatologische Hoffnungen beeinflußten Anfänge aller ethisch gewendeten Religiosität stehen unter dem Zeichen der charismatischen Weltablehnung: sie sind direkt antiökonomisch. Auch in dem Sinn, daß ihnen der Begriff einer besonderen „Würde" der Arbeit durchaus fehlt. Allerdings: soweit sie nicht durch Spenden von Mäzenaten oder von direktem Bettel leben können oder, wie der Islam, als Kampfreligion, vom Kriegerkommunismus ausgehen, leben die Mitglieder mit exemplarischer Lebensführung von ihrer Hände Arbeit. Paulus ebenso wie der heilige Ägidius. Die Anweisungen der altchristlichen Kirche, ebenso wie die genuinen Vorschriften des hl. Franz empfehlen das. Aber nicht weil die Arbeit als solche geschätzt wurde. Es ist einfach eine Fabel, daß ihr z. B. im neuen Testament irgend etwas an neuer Würde hinzugefügt wurde. „Bleib in Deinem Beruf" ist ein Ausdruck ebenso völliger, eschatologisch motivierter Indifferenz, wie „gebet dem Kaiser was des Kaisers ist" nicht – wie man es heute gern deuten möchte – eine Einschärfung der Pflichten gegen den Staat, sondern umgekehrt der Ausdruck absoluter Gleichgültigkeit dessen, was in dieser Sphäre geschieht (gerade *darin* beruht ja der Gegensatz zur Stellungnahme der Judenparteien). Die „Arbeit" ist weit später, und dann als *asketisches* Mittel, zuerst in den Mönchsorden, zu Ehren gekommen. Und was den Grundbesitz anlangt, so kennt die Religion in ihrer charismatischen Periode dafür ebenfalls nur Ablehnung (Verteilung an die Armen) – für die vollkommenen Jünger – oder – für alle Gläubigen – Indifferenz. Ausdruck dieser Indifferenz ist jene abgeschwächtere Form des charismatischen Liebeskommunismus, wie er in der altchristlichen Gemeinde in Jerusalem offenbar bestanden hat: daß die Gemeindemitglieder ihren Besitz nur so haben, „als hätten sie ihn nicht"; denn dies: das schrankenlose, unrationalisierte Mitteilen an die bedürftigen Brüder in der Gemeinde, welches dann dazu führte, daß die Missionare, speziell Paulus, in der ganzen Welt für diese antiökonomisch lebende Zentralgemeinde Spenden sammeln mußten, und nicht irgendeine „sozialistische" Organisation oder kommunistische „Gütergemeinschaft", wie man unterstellt hat, ist wohl der Sinn jener viel beredeten Überlieferung. Mit dem Schwinden der eschatologischen Erwartungen ebbt der charismatische Kommunismus in allen seinen Formen ab und zieht sich in die Kreise des Mönchtums als einer Sonderangelegenheit dieser exemplarisch lebenden Gottesgefolgschaft zurück, auch dort, wie immer, stets auf der gleitenden Ebene zur Präbendalisierung. Es wird notwendig, das Verlassen des Berufs zu widerraten und vor den missionierenden Schmarotzern zu warnen (das berühmte „wer nicht arbeitet, soll nicht essen" ist bei Paulus ein Satz, der ihnen und nur ihnen gilt). Die Versorgung der besitz- und arbeitslosen Brüder wird nun eine Angelegenheit eines regulären Amts: der Diakonen, bestimmte Teile der kirchlichen Einkünfte werden (im Islam wie im Christentum) dafür ausgeworfen, im übrigen ist sie Sache der Mönche und als Rest des charismatischen Liebeskommunismus bleibt in erster Linie die vom Islam, Buddhismus und Christentum trotz ihrer so verschiedenen Herkunft gleichmäßig betonte Gottwohlgefälligkeit des Almosens. Immer aber bleibt als Restbestand eine, sei es ausgeprägtere, sei es abgeblaßtere spezifische Gesinnung den ökonomischen Ordnungen der Welt gegenüber. Da die Kirchen selbst sich ihrer bedienen und mit ihnen paktieren müssen, ist es nicht mehr möglich, sie andauernd als satanische Schöpfungen zu brandmarken. Sie, ebenso wie der Staat, sind entweder Konzessionen an die durch Gottes Zulassung vorhandenen Sünden der Welt, in die man sich als in unvermeidliche Schicksale zu fügen hat, oder geradezu gottverordnete Mittel zur Bändigung der Sünde, und dann kommt es darauf an, ihre Träger mit einer solchen Gesinnung zu erfüllen, daß sie ihre Macht in diesem Sinn verwenden. Eben dies aber stößt aus den erwähnten Gründen bei allen kapitalistischen Beziehungen, auch in ihren primitiveren Formen, auf Schwierigkeiten. Denn als Rest der alten Liebesgesinnung der charismatischen Brüdergemeinschaft bleiben dann durchweg, im Islam und Judentum so gut wie im Buddhismus und Christentum: „caritas", „Brüderlichkeit" und ethisch verklärte persönliche, also patriarchale Beziehungen des Herrn zum persönlichen Diener die elementarsten Grundlagen aller Ethik von „Kirchen" in dem hier festgehaltenen Sinn. Die Entstehung des Kapitalismus bedeutet, daß diese Ideale dem Kosmos der ökonomischen Beziehungen gegenüber ganz ebenso praktisch sinnlos werden, wie z. B. die in der Konsequenz aller Ideen des frühen Christentums liegenden pazifistischen, die Gewalt als solche ablehnenden Ideale es gegenüber den politischen, letztlich überall auf Gewalt ruhenden Herrschaftsbeziehungen von jeher gewesen sind. Denn im Kapitalismus werden alle echt patriarchalen Beziehungen ihres genuinen Charakters entkleidet und „versachlicht", caritas und Brüderlichkeit aber können vom Einzelnen, dem Prinzip nach, nur noch außerhalb seines, diesen durchaus fremden ökonomischen „Berufslebens" geübt werden.

Alle Kirchen haben dem Aufwachsen dieser ihnen im Innersten fremden unpersönlichen Gewalt mit tiefem innerem Mißtrauen gegenübergestanden, und die meisten sind in irgendeiner Form gegen sie auf den Plan getreten. Die Geschichte der beiden charakteristischen Moralforderungen: des Zinsverbots und des Gebots: den „gerechten Preis" (justum pretium) für Waren und Arbeit zu fordern und zu geben, kann hier im einzelnen nicht verfolgt werden. Beide gehören zusammen und entstammen der urwüchsigen Ethik des Nachbarschaftsverbandes, welche den Tausch nur als Ausgleich von gelegentlichen Überschüssen oder Produkten eigner Arbeit, die Arbeit im Dienst des andern nur als nachbarliches Aushelfen und das Darlehen nur als Nothilfe kennt. „Unter Brüdern" feilscht man nicht um den Preis, sondern fordert für das, was man überhaupt austauscht, nur die Selbstkosten (einschließlich des „living wage"), die gegenseitige Arbeitsaushilfe erfolgt entweder unentgeltlich oder gegen Ausrichtung eines Mahles, und für das Darleihen entbehrlicher Güter erwartet man keinen Ertrag, sondern gegebenenfalls Gegenseitigkeit. Zins fordert der Gewalthaber, Gewinn der Stammfremde, nicht der Bruder. Der Schuldner ist (aktueller oder potentieller) Knecht oder – in Ariosto – „Lügner". Die religiöse Brüderlichkeit fordert die Übertragung dieser primitiven Nachbarschaftsethik auf den Umkreis der ökonomischen Beziehungen zwischen religiösen Glaubensgenossen (denn auf diese beschränkt sich das Gebot, ursprünglich überall, so namentlich im Deuteronomium und auch noch im alten Christentum). Wie der älteste Handel ausschließlich Güterverkehr zwischen verschiedenen Stämmen, der Händler der Stammfremde ist, so bleibt er in der religiösen Ethik mit dem Odium des wenn nicht Antiethischen, so doch Anethischen seines Berufs belastet: Deo placere non potest. Man muß sich trotz dieser unverkennbaren Anknüpfungen hüten, die Zinsverbote allzu „materialistisch" als „Spiegelungen" der ökonomischen Situation: Herrschaft des Konsumtiv-Kredits, zu deduzieren. Zinsfreier „Produktivkredit" ist dem orientalischen Recht schon in den frühesten erhaltenen Kontrakten (als Darlehen von Getreide zu Saatzwecken gegen Anteil vom Ertrag) bekannt. Das christliche absolute Zinsverbot beruht in der Fassung der Vulgata („mutuum date nihil inde sperantes") vielleicht auf der Übersetzung einer falschen Lesart (μηδεν απελπιζοντες statt μηδενα απελπιρζοντες nach A. Merx); die Geschichte seiner praktischen Anwendung zeigt, daß es zunächst nur für den Klerus und auch da nur den Brüdern, nicht dem Feinde gegenüber eingeführt wurde, daß es ferner gerade in den Zeiten vorherrschender Naturalwirtschaft und faktisch vorwiegend konsumtiver Zwecke des Kredits, im frühen Mittelalter sogar von den Klerikern selbst immer wieder unbeachtet blieb, dagegen fast im selben Augenblick praktisch ernst genommen wurde, als der kapitalistische „Produktivkredit" (richtiger: Erwerbskredit) in umfassendem Maße, zunächst im Überseehandel, in Funktion trat. Es war nicht etwa ein Produkt oder eine Widerspiegelung ökonomischer Situationen, sondern vielmehr der inneren Erstarkung und zunehmenden Autonomie der Hierokratie, welche nun zunehmend an die ökonomischen Institutionen die Maßstäbe ihrer Ethik anzulegen begann und mit der Entfaltung der theologischen Arbeit dafür eine umfassende Kasuistik schuf. Die Art, in welcher es gewirkt hat, ist nicht hier und überhaupt nicht leicht in Kürze zu schildern. Erträglich war es für den Verkehr zunächst deshalb, weil in den wichtigsten Fällen, in denen Erwerbskredit in Anspruch genommen wurde, wegen der Größe des Risikos die Kreditinanspruchnahme nur unter Beteiligung am Gewinn und Verlust erfolgte und erst allmählich zunächst feste, zuweilen öffentlich tarifierte Sätze für die Gewinnprozente (so beim „dare ad proficuum maris" in Pisa) üblich wurden, überhaupt für die Produktivkapitalbeschaffung Vergesellschaftungsformen und auf dem Gebiet des Immobiliarkredits der Rentenkauf die ohnehin gegebenen Formen waren. Gleichwohl hat das Zinsverbot auf die Art der juristischen Formen der Wirtschaft stark gewirkt und den Verkehr vielfach stark belästigt: die Kaufmannschaft schützte sich durch schwarze Listen gegen die Anrufung des geistlichen Gerichts (wie jetzt etwa die Börse gegen Erhebung des Differenzeinwandes) und kaufte sich von Gildewegen (so die Acta di Calimala) periodisch Generalablaß für die unvermeidliche „usuraria pravitas", der Einzelne zahlte an seinem Lebensabend „Gewissensgelder" oder setzte sie testamentarisch aus, der Scharfsinn der Notare erschöpfte sich im Erfinden von Rechtsformen, welche das Zinsverbot im Interesse der kapitalistischen Bedürfnisse umgingen. Für den Notdarlehensbedarf des Kleinbürgertums schuf die Kirche ihrerseits die montes pietatis. Irgendwelche endgültige Erfolge hat das Zinsverbot im Sinn einer Hinderung der kapitalistischen Entwicklung nirgends gehabt: es entwickelte sich zunehmend zu einer bloßen Verkehrshemmung, und nachdem, gegenüber der Konkurrenz der Calvinisten durch deren Geist auch die erste prinzipielle „Rechtfertigung" des Zinses (Salmasius) geschaffen wurde, die Jesuitenethik bereits alle denkbaren Konzessionen gemacht hatte, kapitulierte im 18. und endgültig im 19. Jahrhundert die Kirche auch offiziell, trotz der Vulgata-Stelle und der Kathedralentscheidungen der Päpste. Es geschah – anläßlich von Anfragen über die Zulässigkeit von Zeichnungen auf verzinsliche Anleihen der Stadt Verona – in der Form: daß das Heilige Offizium die Beichtväter anwies, fortan überhaupt die Beichtkinder nicht mehr über Verstöße gegen dies Verbot zu inquirieren und sie zu absolvieren, – vorausgesetzt, daß feststehe, das Beichtkind werde sich eventuell auch einer künftig etwa ergehenden entgegengesetzten (also: auf das Zinsverbot zurückgreifenden) Entscheidung des heiligen Stuhles gehorsam fügen.

Auf dem Gebiet der Theorie des „justum pretium" hatte schon die spätmittelalterliche Lehre die umfassendsten Konzessionen gemacht und von einem eignen „Wirtschaftsprogramm" der Kirche zu sprechen, dürfte kaum angängig sein. Sie hat auf grundlegende Institutionen einen wirklich entscheidenden Einfluß nicht geübt. Die Kirche hat z. B. von sich aus, im Altertum wie im Mittelalter, keinerlei nennenswerten Anteil an dem Schwinden so grundlegend wichtiger Institutionen, wie z. B. der Sklaverei. Sie hinkte, soweit sie in der Neuzeit mitwirkte, den ökonomischen Tatsachen und später dem Protest der Aufklärung nach. Soweit religiöse Einflüsse bestimmend mitspielten, waren es solche der Sekten, speziell der Quäker und auch diese haben ihre Sklavereifeindschaft in der eignen Praxis oft genug durchbrochen. Und auch in allen übrigen Hinsichten indossierte die Kirche, wo sie überhaupt eingriff, im wesentlichen die traditionalistischen und „Nahrungs"-politischen Maßnahmen der Städte und Fürsten. Gleichwohl ist der Einfluß der mittelalterlichen Kirche nicht gering, sondern ungemein groß gewesen. Aber ihr Einfluß liegt nicht auf dem Gebiet der Schaffung oder Hinderung von „Institutionen", sondern auf dem der Beeinflussung der Gesinnung und ist auch hier wesentlich negativer Art. Sie war und ist – ganz nach dem Schema aller Hierokratie – die Stütze aller persönlichen patriarchalen Autorität und alles bäuerlich-kleinbürgerlichen traditionalistischen Erwerbs gegen die Mächte des Kapitalismus. Die Gesinnung, welche sie fördert, ist unkapitalistisch, zum Teil antikapitalistisch. Sie verdammt nicht etwa den „Erwerbstrieb" (ein übrigens gänzlich unklarer, besser gar nicht verwendeter Begriff), sondern läßt ihn, wie die Dinge dieser Welt überhaupt, für den, der die consilia evangelica zu befolgen nicht das Charisma hat, gewähren. Aber sie findet keine Brücke zwischen einer rationalen, methodischen, den kapitalistischen Gewinn als sachliche Endaufgabe eines „Berufs" behandelnden, an ihm – das ist der

Hauptpunkt – die eigne Tüchtigkeit messenden Eingestelltsein auf den „Betrieb" im Sinn des Kapitalismus, und den höchsten Idealen ihrer Sittlichkeit. Sie überbietet die „innerweltliche" Sittlichkeit in Ehe, Staat, Beruf, Erwerb durch die Mönchsethik als das höhere und deklassiert damit alles, was in der Welt des Alltags, vor allem des ökonomischen, geschieht, zu ethisch subalterner Bewertung. Nur für den Mönch hat sie eine rationale asketische Lebensmethodik, eine Eingestelltheit des Lebens als eines Ganzen auf ein einheitliches Ziel geschaffen. Das gilt für die Kirche des Okzidents ebenso wie für den gänzlich als reine Mönchsreligion entwickelten Buddhismus. Das Tun des Laien betrachtet sie, sofern er ihrer Autorität sich fügt – und, im Buddhismus, sie beschenkt – mit milden Augen. Vor allem gibt sie ihm die Möglichkeit, durch das Institut der Ohrenbeichte, das gewaltigste, in dieser Konsequenz nur in der okzidentalen christlichen Kirche entwickelte Machtmittel des Klerus, sich periodisch seiner Sünden zu entlasten und schwächt dadurch und indem sie ihn, ihrem charismatischen Heilsanstaltscharakter gemäß, auf die Leistung der Kirche für ihn verweist, unvermeidlich den Antrieb, unter ausschließlich eigner Verantwortung sein Leben innerhalb von Welt und Beruf „methodisch" zu leben: die höchsten religiösen Ideale erreicht er damit doch nicht, denn diese liegen außerhalb der „Welt". Alles in allem ist auf der einen Seite die Lebensführung des katholischen (mittelalterlichen) Christen innerhalb der weltlichen Berufe ungemein viel weniger traditions- und gesetzesgebunden als etwa dasjenige des (weiterhin zu besprechenden) Juden, in mancher Beziehung selbst als das des Mohammedaners oder Buddhisten. Aber was dadurch an scheinbarer Entwicklungsfreiheit für den Kapitalismus gewonnen wird, geht wieder verloren durch das Fehlen der Anreize zur methodischen „Berufs"-Erfüllung innerhalb der Welt, insbesondre derjenigen des ökonomischen Erwerbes. Es sind keine psychischen Prämien auf die Berufsarbeit gesetzt. „Deo placere non potest" bleibt, bei aller Milderung, für den Gläubigen das letzte Wort gegenüber dem Gedanken, seine ökonomische Lebensführung in den Dienst rationalen, unpersönlichen, auf Gewinn als Resultat abgestellten Betriebs auszurichten. Der Dualismus von asketischen, nur durch Verlassen der Welt erfüllbaren Idealen und „Welt" bleibt bestehen. Der Buddhismus allerdings weiß von „Berufsethik" noch wesentlich weniger, als Mönchsreligion und auch der ganzen Richtung seiner Erlösungsgedanken nach. Und die unbefangene Verklärung des irdischen Besitzes und Genusses im Islam, welche diesem von seinen Ursprüngen als Krieger-Religion her geblieben ist, liegt vollends wiederum nicht in der

Richtung der Schaffung eines Anreizes zur innerweltlichen rationalen ökonomischen Berufsethik, zu der er vielmehr keinerlei Ansätze enthält. Die cäsaropapistisch orientalische Kirche ist zu einer klaren Stellungnahme überhaupt nicht gelangt. Aber die relativ günstigere Konstellation für die Entwicklung des Kapitalismus, welche diesen orientalischen Konfessionen gegenüber der okzidentale Katholizismus bot, lag in erster Linie auf dem Gebiet der in Fortsetzung antik römischer Traditionen vollzogenen Rationalisierung der hierokratischen Herrschaft. Vor allem in bezug auf die Art der Entwicklung der Wissenschaft und der Rechtsfindung. Die genannten orientalischen Religionen haben, – und das ist ursprünglich wenigstens zum Teil Folge des rein historischen Schicksals: daß nicht sie, sondern die weltlichen Gewalten, mit deren Sphäre sie sich kreuzten, die Träger der geistigen und sozialen „Kultur" waren und daß sie mit Ausnahme des Buddhismus, dauernd cäsaropapistischer Fesselung ausgesetzt blieben – durchweg den unrationalisierten charismatischen Charakter der Religiosität stärker bewahrt als die Kirche des Okzidents. Der orientalischen Kirche fehlt der eigne autonome, in eine monokratische Spitze ausmündende hierarchische Beamtenapparat. Die leitende Persönlichkeit des rein bürokratisch, vom Staat aus kirchlichen Würdenträgern zusammengesetzten, russischen heiligen Synod ist seit der Katastrophe des Patriarchen Niko und dem Fortfall der Patriarchenstellung seit Peter dem Großen der staatliche Prokurator. Die byzantinischen Patriarchen haben diesen Anspruch nie erheben können und der Scheich-ül-Islam steht zwar in der Theorie über dem Khalifen, weil dieser „Laie" ist, aber er wird von ihm ernannt, und der Khalif genießt, ganz wie der byzantinische Basileus, auch seinerseits ein, freilich schwankendes Maß religiöser Autorität. Der Buddhismus kennt eine solche Spitze nur im Lamaismus, dessen Haupt chinesischer Lehensträger und überdies, als Inkarnation in dem früher erörterten Sinn* „eingekapselt" ist. Es fehlt daher die auffaßbare Lehrautorität: wie im Islam ist auch in der orientalischen Kirche und im Buddhismus der consensus ecclesiae alleinige Quelle neuer Erkenntnis, was zwar im Islam und Buddhismus eine weitgehende Elastizität und Entwicklungsfähigkeit bedingt hat, aber die Bildung rationalen philosophischen Denkens im Anschluß an die Theologie sehr erschwert. Es fehlt endlich auch die rationale Justiz, welche auf dem Gebiet des Prozesses der Amtsapparat der okzidentalen Kirche

---

* Vgl. oben S. 1227 f.

schuf, zunächst zum eignen Zwecke: „Inquisition" zwecks rationaler Beweiserhebung über kirchlich relevante Vorgänge, weiterhin aber auch mit starker Rückwirkung auf die Entwicklung der weltlichen Justiz, und ebenso die kontinuierliche Rechtsbildung auf der Basis rationaler Rechtswissenschaft, welche die Kirche des Okzidents in Anlehnung an das römische Recht teils selbst entwickelte, teils durch ihr Vorbild begünstigte. Es ist, alles in allem, die Spannung und der eigenartige Ausgleich einerseits zwischen Amtscharisma und Mönchtum, andrerseits zwischen dem feudalen und ständischen Kontraktstaatscharakter der politischen Gewalt und der von ihr unabhängigen, mit ihr sich kreuzenden, rational bürokratisch geformten Hierokratie, welche die spezifischen Entwicklungskeime der Kultur des Abendlandes in sich trug: für die soziologische Betrachtung zum mindesten war das okzidentale Mittelalter in weit geringerem Maße das, was die ägyptische, tibetanische, jüdische Kultur seit dem Siege der Hierokratie, die chinesische Kultur seit dem endgültigen Siege des Konfuzianismus, die japanische – wenn man vom Buddhismus absieht – seit dem Siege des Feudalismus, die russische seit dem Siege des Cäsaropapismus und der staatlichen Bürokratie, die islamische seit der endgültigen Festigung des Khalifats und der präbendal-patrimonialen Stereotypierung der Herrschaft und schließlich auch, im vielfach andern Sinn freilich, die hellenische und römische Kultur des Altertums in unter sich verschiedenen, aber immerhin weitgehendem Maße gewesen sind: eine „*Einheitskultur*". Das Bündnis der politischen mit der hierokratischen Macht hat im Okzident zweimal einen Gipfelpunkt erreicht: im Karolingerreich und in gewissen Perioden der höchsten Machtstellung des römisch-deutschen Kaisertums und dann wieder in den wenigen Beispielen calvinistischer Theokratie einerseits, und andrerseits den stark cäsaropapistischen Staaten der lutherischen und anglikanischen Reformations- und von den Gegenreformationsgebilden vor allem in den großen katholischen Einheitsstaaten Spanien und vor allem dem Frankreich Bossuets, beide Male mit stark cäsaropapistischem Gepräge. Im übrigen hat überall – und übrigens in fühlbarem Maße auch damals – die okzidentale Hierokratie in Spannung mit der politischen Gewalt gelebt und ist die spezifische Schranke gewesen, welche der Macht dieser damals und im Gegensatz zu dem rein cäsaropapistischen oder rein theokratischen Gebilden der Antike und des Orients gesetzt war. Freilich aber steht hier Herrschaft gegen Herrschaft, Legitimität gegen Legitimität, ein Amtscharisma gegen ein andres und das Ideal bleibt im Bewußtsein der Herrschenden und Beherrschten immer: die Vereinigung beider. Eine legitime Sphäre des Einzelnen *gegenüber* der Macht der Legitimität der Herrschaft gibt es nicht, es sei denn in der Form des selbständigen Gentilcharisma im Geschlechterstaat oder der kontraktlich gesicherten legitimen oder abgeleiteten Eigengewalt des Lehenträgers. Wie weit der antike Staat oder die Hierokratie oder der Patrimonialstaat oder der Cäsaropapismus seine Gewalt über den Einzelnen erstreckt, das ist eine teils schon gestreifte, teils noch zu erörternde rein faktische, in erster Linie von den Interessen der herrschenden Gruppe an der Erhaltung ihrer Herrschaft und von der Art ihrer Organisation abhängige Frage. Eine legitime Schranke der Herrschaftsgewalt gibt es zugunsten des Einzelnen als solchen nicht. –

Die Entwicklung der modernen bürgerlichen Demokratie und des Kapitalismus hat die Bedingungen der hierokratischen Herrschaft wesentlich verschoben. Zunächst anscheinend durchweg zu ihren Ungunsten. Der Kapitalismus hielt seinen Siegeszug gegen den Protest und, nicht selten, den direkten Widerstand des Klerus. Sein Träger, das „Bürgertum", entwuchs in seinen „großbürgerlichen" Schichten zunehmend seiner historischen Verbindung mit hierokratischen Mächten: sowohl die hierokratische Lebensreglementierung, wie die Bedenken der Hierokratie gegen die moderne Naturwissenschaft, die Trägerin der technischen Grundlage des Kapitalismus, wie der steigende Rationalismus des immer übersehbarer und beherrschbarer werdenden Lebens als solchen wendete sich zunehmend gegen die Träger magischer Gnadengaben und vor allem gegen die innerlichst autoritär orientierten, die überkommenen Autoritäten stützenden Ansprüche der Hierokratie. Und es sind durchaus nicht, wie leicht angenommen wird, antiethische oder anethische, libertinistische Neigungen der aufsteigenden bürgerlichen Schichten, welche dabei mitspielen: mit der ethischen „Laxheit", die stets feudalen Schichten, solange sie sich ihrer Herrschaft sicher fühlen, spezifisch ist, hat die Kirche, vermittelst des Beichtinstituts, weitgehend paktiert. Vielmehr gerade die rigoristische Ethik des bürgerlichen Rationalismus ist es, welche in letzter Instanz sich gegen die Hierokratie wendet, denn sie gefährdet die kirchliche Schlüsselgewalt und den Wert des Gnaden- und Ablaßspendens, und ist daher von jeher von der Hierokratie als ein Weg zur Ketzerei behandelt worden, wenn sie sich nicht in die Form kirchlich kontrollierter Askese fügte. In den Schatten der Kirche flüchten sich nun vielmehr alle vom Kapitalismus und der Macht des Bürgertums gefährdeten traditionalistischen Schichten: das Kleinbürgertum, der Adel und – nachdem das Zeitalter des Bündnisses der ihrer Macht sicheren Fürstengewalt mit dem Kapitalismus verflossen ist und die Herrschaftsgelüste des Bürgertums gefährlich zu werden drohen – auch die Monarchie.

Den gleichen Weg findet das Bürgertum in dem Augenblick, wo seine eigene Stellung durch den Ansturm der Arbeiterklassen von unten her gefährdet wird. Mit dem einmal im Sattel sitzenden Kapitalismus als solchen hat die Kirche – man hat nur nötig, die Entwicklung der deutschen Zentrumspartei von Ketteler bis heute zu vergleichen – sich abgefunden. Die Hierokratie ihrerseits kommt dem entgegen. Sie hat zwar zeitweise ökonomisch eschatologische Hoffnungen auf einen „christlichen", d. h. hierokratisch geleiteten „Sozialismus" – worunter sehr verschiedene, meist kleinbürgerliche, Formen von Utopien verstanden wurden – gesetzt und zur Untergrabung des Glaubens an das bürgerliche ökonomische System das ihrige beigetragen. Aber die typische und fast unvermeidliche Autoritätsfeindschaft der Arbeiterbewegung verschiebt ihre Attitude. Der moderne Proletarier ist kein Kleinbürger. Nicht magisch zu beherrschende Dämonen und Naturgewalten sind es, die seine Existenz bedrohen, sondern gesellschaftliche, rational durchschaubare Bedingungen. Die ökonomisch kraftvollsten Schichten der Arbeiterschaft verschmähen vielfach die Lenkung durch die Hierokratie oder lassen sie sich als eine kostenlose Interessenvertretung gefallen, soweit sie dies ist. Die hierokratischen Interessen fordern, je mehr sich die Unzerbrechlichkeit der kapitalistischen Ordnung herausstellt, desto mehr, ein Paktieren mit den neu aufgerichteten Autoritäten. Die Hierokratie sucht ihren naturgemäßen ethischen Interessen entsprechend, das kapitalistische Abhängigkeitsverhältnis der Arbeiterschaft vom Unternehmertum nach Art einer persönlichen autoritären, der Caritas zugänglichen Hörigkeitsbeziehung zu gestalten, insbesondere durch Empfehlung jener „Wohlfahrtseinrichtungen", welche die autoritätsfeindliche Bewegungsfreiheit des Proletariats hemmen, soweit möglich auch durch Begünstigung der, scheinbar wenigstens, dem „Familienband" und dem patriarchalen Charakter der Arbeitsbeziehungen günstigen Hausindustrie gegenüber der, für die Entstehung des autoritätsfeindlichen Klassenbewußtseins günstigen, Zusammenballung in der Fabrik. Sie steht dem autoritätsfeindlichen Kampfmittel des Streiks und allen sozialen Gebilden, die ihm dienen, mit tiefem inneren Mißtrauen gegenüber, am meisten dann, wenn daraus eine ihren Interessen abträgliche interkonfessionelle Solidarität zu erwachsen droht.

Die Existenzbedingungen der Hierokratie verschieben sich innerhalb der modernen Demokratie als solcher. Ihre Machtstellung den politischen Gewalten und feindlichen sozialen Mächten gegenüber hängt nun von der Zahl der auf ihren Willen verpflichteten Abgeordneten ab. Sie hat keine andere Wahl, als eine Parteiorganisation zu schaffen und Demagogie zu treiben, mit den gleichen Mitteln, wie alle Parteien. Diese Notwendigkeit steigert die Tendenz zur Bürokratisierung, damit der hierokratische Apparat den Funktionen einer Parteibürokratie gewachsen sei. Die Machtstellung der für den politischen Kampf und die Demagogie entscheidenden Faktoren einerseits, der Zentralgewalt andererseits steigt, wie in jeder kämpfenden Massengruppe, auf Kosten der alten (bischöflich-priesterlichen) Lokalgewalten. Die Mittel sind – neben der Verwendung spezifisch emotionaler Andachtsmittel, wie sie die Schöpfer der auf die Massenagitation ausgerichteten Gegenreformation von Anfang an verwendeten – ähnliche, wie bei anderen Massenparteien: Schaffung von hierokratisch geleiteten Genossenschaften (entweder wird z. B. die Gewährung von Darlehen geradezu von der Vorlegung des Beichtzettels abhängig gemacht oder doch die Kreditwürdigkeit mit der religiösen Lebensführung in Eins verschmolzen), Arbeitervereinen, Jugendvereinen, vor allem aber naturgemäß: die Beherrschung der Schule. Wo sie Staatsschule ist, wird die Kontrolle des Unterrichts durch die Hierokratie verlangt, oder ihr durch Schulen, welche von Mönchen geleitet werden, eine sie unterbietende Konkurrenz gemacht. Das überkommene Kompromiß mit der politischen Gewalt unter strafrechtlicher und zivilrechtlicher Privilegierung und ökonomischer Ausstattung der „wandernden" Kirchen wird, womöglich, aufrecht erhalten, und die Unterordnung der Staatsgewalt in allen kirchlich reglementierten Lebensgebieten gilt als das eigentlich Gottgewollte. Allein unter der Demokratie, welche die Macht in die Hände gewählter Abgeordneter legt, kann sich die Hierokratie auch mit der „Trennung von Staat und Kirche" abfinden. Darunter kann bekanntlich sehr Verschiedenes verstanden werden und je nach den Umständen kann für die Hierokratie die gewonnene Bewegungsfreiheit und Freiheit von Kontrolle eine Machtstellung ermöglichen, welche sie formale Privilegien verschmerzen läßt. Schon die scheinbar wichtigste ökonomische Konsequenz: die Streichung des Kultusbudgets, hindert natürlich in keiner Weise, daß in dem Lande der (verfassungsmäßig) absoluten Konfessionslosigkeit der politischen Gewalt: den Vereinigten Staaten, Gemeinderäte mit katholischer Mehrheit an hierokratisch geleitete Schulen Zuschüsse von beliebiger Höhe geben und dadurch ein latentes „Kultusbudget" in einer für die Hierokratie weit bequemeren Form neu einführen. Wird ferner die Boden- und Vermögensagglomeration freigegeben, dann ist das vielleicht langsame, aber unaufhaltsame Wachstum eines Besitzes der „toten Hand" heute ebenso sicher wie früher. – Naturgemäß ist die Festigkeit des Zusammenschlusses der Anhänger der Hierokratie in Ländern gemischter Konfession, wie in Deutschland inmitten von Gegnern, am festesten, daneben in Gebieten, wo die geographische Trennung von Gebieten mit vorwiegend agrarisch-kleinbürgerlicher und vorwiegend industrieller Bevölkerung sehr markant ist, wie in Belgien. In solchen Ländern fällt ihr Einfluß durchweg gegen die Herrschaft der auf dem Boden des Kapitalismus erwachsenen Klassen: Bürgertum und vor allem: Arbeiterschaft, in die Waagschale.

Die abendländische Glaubensspaltung, welche eine starke Verschiebung in der Stellung der Hierokratie brachte, ist ohne Zweifel ökonomisch mitbedingt. Aber im ganzen nur in indirekter Art. Die Bauern allerdings interessierten sich für die neue Lehre wesentlich unter dem Gesichtspunkt der Befreiung des Bodens von den biblisch nicht begründeten Abgaben und Pflichten, wie die heutigen russischen Bauern es auch tun. Direkte materielle Interessen des Bürgertums dagegen waren im wesentlichsten in den Konflikten mit den Klostergewerben engagiert, alles andere blieb sekundär. Von dem Zinsverbot als Punkt des Anstoßes ist nirgends auch nur die Rede. Äußerlich war die Schwächung der Autorität des päpstlichen Stuhls verantwortlich, die herbeigeführt wurde durch das (seinerseits politisch bedingte) Schisma und die dadurch zur Macht gelangte konziliare Bewegung, die seine ohnehin geringere Autorität in den entlegenen nordischen Ländern noch weiter schwächte. Ferner durch die anhaltenden und erfolgreichen, seine Autorität schwächenden Kämpfe der Fürsten und Stände gegen seine Eingriffe in die Vergebung der einheimischen Pfründen und gegen sein Steuer- und Sportelsystem, durch die cäsaropapistischen und Säkularisationstendenzen der mit zunehmender Rationalisierung der Verwaltung mächtig erstarkenden Fürstenmacht und die Diskreditierung der kirchlichen Tradition bei der Intellektuellenschicht und den ständischen und bürgerlichen Kreisen, nachdem sich die Kirchengewalt den „Reform"-Tendenzen verschlossen hatte. Diese Emanzipationstendenzen waren aber so gut wie gar nicht durch Gelüste einer Emanzipation von der religiösen Lebensbestimmtheit überhaupt und nur zum ganz geringen Teil durch den Wunsch nach Abschwächung der hierokratischen Lebensregulierung getragen. Gar keine Rede vollends davon, daß irgendwelche „Weltfeindschaft" der Kirche von einer nach Lebensoffenheit, Freiheit der „Persönlichkeit" und, womöglich, Schönheit und Lebensgenuß dürstenden Gesellschaft als Fessel empfunden worden wäre. In dieser Hinsicht ließ die Praxis der Kirche schlechterdings nichts zu wünschen übrig. Genau das Gegenteil ist richtig: den Reformern ging die religiöse Durchdringung des Lebens durch die bisherige hierokratische Beeinflussung *nicht weit genug*, und zwar waren es gerade die bürgerlichen Kreise, bei denen dies am meisten der Fall war. Ein solches für uns heute unausdenkbares Maß von Lebenskontrolle, Askese und Kirchenzucht, wie es sich die prinzipiellsten Gegner des Papsttums: die täuferischen und verwandten Sekten, auferlegten, hat die Kirche den Gläubigen zuzumuten niemals gewagt. Gerade das unvermeidliche Paktieren der Hierokratie mit den Gewalten dieser Erde und mit der Sünde war der entscheidende Punkt des Anstoßes. Die asketischen Richtungen des Protestantismus haben überall da die Herrschaft gewonnen, wo das Bürgertum eine soziale Macht war, die am wenigsten asketischen Reformationskirchen: der Anglikanismus und das Luthertum dort, wo (damals) Adels- oder Fürstenmacht die Oberhand hatten. Es ist die spezifische Natur der Frömmigkeit der überhaupt intensiv religiös empfindenden bürgerlichen Schichten, – ihr stärkerer Gehalt an rationaler Ethik, wie die Art ihrer Arbeit, und die intensivere Beschäftigung mit der Frage der „Rechtfertigung" vor Gott, die ihrer, gegenüber den Bauern, weniger durch die organischen Naturvorgänge bestimmten, Lebensführung entsprach –, die sie, ganz ebenso, wie früher der Hierokratie gegen den Imperialismus, den Bettelorden gegen den Weltklerus, so jetzt den reformerischen Prädikanten gegen den traditionellen kirchlichen Apparat zufallen ließ. Sie hätten eine innerkirchliche Reformbewegung gern und ausgesprochenermaßen lieber als eine kirchliche Revolution akzeptiert, wenn die erstere ihren ethischen Forderungen genügt hätte. Aber allerdings lagen hier für die Hierokratie gewisse, mit der Art der nun einmal historisch gewordenen Ausgestaltung ihrer Organisation und ihrer konkreten Machtinteressen zusammenhängende Schwierigkeiten, deren rechtzeitige Beseitigung ihr nicht gelang. Das massenhafte Hineinspielen ökonomischer, vor allem aber doch: politischer, Einzelkonstellationen in den Gang der Glaubensspaltung ist bekannt genug, darf aber die Bedeutung der letztlich doch religiösen Motive nicht verkennen lassen.

Die Kirchenreformation hat ihrerseits sehr stark auf die ökonomische Entwicklung zurückgewirkt. Aber je nach der Eigenart der neuen Konfessionen verschieden. Die Stellungnahme der lutherischen Reformationskirchen gegenüber den auf dem Boden des Kapitalismus erwachsenden Klassen: Bürgertum und Proletariat, ist von der katholischen nur graduell, nicht prinzipiell verschieden. Luthers Stellungnahme zum Wirtschaftsleben ist streng traditionell gebunden, steht, am Maßstab der „Modernität" gemessen, weit hinter den Ansichten der Florentiner Theoretiker zurück, und seine Kirche ist ganz ausdrücklich auf das Amtscharisma des zur Wortverkündung berufenen Pfarrers gegründet, eine abgesagte Feindin aller Auflehnung gegen die von Gott verordnete Obrigkeit. Die auch ökonomisch in ihren Wirkungen wichtigste Neuerung besteht in der Beseitigung der die innerweltliche Sittlichkeit und die weltlichen Sozialordnungen überbietenden „consilia evangelica", also der – für Luther übrigens keineswegs von Anfang an feststehenden – Aufhebung der Klöster und der Mönchsaskese als einer nutzlosen und gefährlichen Äußerung der Werkheiligkeit. Die christlichen Tugenden können fortan nur innerhalb der Welt und ihrer Ordnungen in Ehe, Staat, Beruf geübt werden. Bei dem Versagen der Hierokratie sowohl wie der Versuche zur Gemeindebildung – das Scheitern dieser letzteren Versuche ist natürlich durch das politisch-ökonomische Milieu mitbedingt – und bei der grundsätzlichen Aufrechterhaltung des amtscharismatischen Charakters der Kirche als Heilsanstalt zur obligatorischen Verwaltung des Worts fiel bei Luther der politischen Gewalt die Aufgabe zu, für die ordnungsmäßige Verkündung der reinen Lehre, auf die allein alles ankam, besorgt zu sein, und der so konstituierte Cäsaropapismus wurde durch die großen Säkularisationen der Reformationsperiode ökonomisch gewaltig gestärkt.

Während eine – im Ergebnis – antikapitalistische Gesinnung und Sozialpolitik, in der einen oder anderen Form, Gemeingut aller eigentlichen „Erlösungs"-Religionen ist, stehen in dieser Hinsicht einsam zwei Religionsgemeinschaften abseits, die sich ganz anders, wenn auch untereinander verschieden, verhalten: *der Puritanismus* und das *Judentum*. Von den „puritanischen" religiösen Gemeinschaften im weitesten, alle wesentlich asketischen protestantischen Gemeinschaften umfassenden Sinne ist nur eine nicht eine „Sekte", sondern eine „Kirche" im hier festgehaltenen soziologischen Sinn, d. h. eine hierokratische „Anstalt": der *Calvinismus*. Die innere Eigenart dieser Kirche weicht von allen anderen Kirchen, der katholischen sowohl wie der lutherischen und islamischen, beträchtlich ab. In einer, bei der Knappheit des Raums, notgedrungen absichtsvoll auf die Spitze getriebenen Formulierung würde ihre Theorie etwa so zu fassen sein*:

---

* Vgl. dazu „Die protestantische Ethik und der Geist des Kapitalismus" Band I der religionssoziologischen Aufsätze. Tübingen 1920.

Das Grunddogma des strikten Calvinismus: die Prädestinationslehre, schließt es prinzipiell aus, daß die Kirche der Calvinisten eine Spenderin von Gütern sei, deren Empfang für das ewige Heil des Empfängers irgendwelche Bedeutung haben. Ebenso, daß die Art des eigenen Verhaltens des Gläubigen irgendwie für sein jenseitiges Schicksal relevant sei. Denn dieses steht durch Gottes ebenso unerforschlichen wie unabänderlichen Ratschluß von Ewigkeit her fest. Um seiner selbst willen bedurfte der zur Seligkeit Prädestinierte keiner Kirche. Deren Existenz und auch, in allen wesentlichen Punkten, die Art ihrer Organisation, beruht ebenso und in gleichem Sinn wie alle sonstigen politischen und sozialen Ordnungen und alle sozialen Pflichten der Gläubigen ausschließlich und allein auf Gottes positivem, in ihren Gründen uns unbekanntem, endgültig und in allem Wesentlichen erschöpfend in der Bibel offenbartem, im einzelnen durch die zu diesem Zweck uns gegebene Vernunft zu ergänzendem und zu interpretierendem Gebot und dient keineswegs der Rettung der Seelen und der Liebesgemeinschaft der Sünder, sondern letztlich ausschließlich der Mehrung von Gottes Ruhm und Ehre: einer Art kalter göttlicher „Staatsraison" also. Sie ist nicht nur für die zum Heil, sondern auch für die zur Verdammnis Prädestinierten da, für beide ausschließlich um zu Gottes Ruhm die allen Menschen gleich gemeinsame, alle Kreatur gleich tief und unüberbrückbar von Gott scheidende Sünde niederzuhalten: eine Zuchtrute und keine Heilsanstalt. Jeder Gedanke, magische Heilsgüter in Anspruch zu nehmen, ist ein törichtes Antasten von Gottes fester Ordnung: die Kirche verfügt nicht über solche. Die Kirche als solche ist, sieht man, hier ihres charismatischen Charakters gänzlich entkleidet und zu einer sozialen Veranstaltung geworden, deren Verwirklichung allerdings eine Pflicht divini juris und unter allen anderen die an Dignität höchststehende, auch die einzige in ihrer Organisationsform von Gott verordnete ist. Aber, davon abgesehen, ist sie doch schließlich nichts prinzipiell anderes, als es die soziale Pflicht der Verwirklichung des ebenfalls gottgewollten Staats und die weltlichen „Berufs"-Pflichten der Gläubigen auch sind. Diese Pflichten können, im Gegensatz zu allen anderen „Kirchen", hier nicht in dem Versuch bestehen, durch eine Überbietung der innerhalb der sozialen Ordnungen der Welt möglichen Sittlichkeit sich einen spezifischen Gnadenstand nach Art der Mönche zu schaffen – denn solche Versuche sind gegenüber der Prädestination sinnlos –, sondern sie erschöpfen sich in dem Wirken zu Gottes Ruhm, einerseits innerhalb der sozialen Ordnungen der Welt, andererseits innerhalb des „Berufs": ein Begriff, der in allen protestantischen Ländern aus den Bibelübersetzungen stammt und bei den Calvinisten ganz ausdrücklich den rechtlichen Gewinn aus kapitalistischen Unternehmungen mitumfaßt. Dieser Gewinn und die rationalen Mittel seiner Erzielung rückten dabei in konsequenter Entwicklung des Calvinismus – der mit der Stellungnahme Calvins selbst nicht identisch ist – in eine immer positivere Beleuchtung: die Unerforschlichkeit und Unerkennbarkeit der Prädestination zur Seligkeit oder zur Verdammnis waren dem Gläubigen naturgemäß unerträglich, er suchte nach der „certitudo salutis", nach einem Symptom also dafür, daß er zu den Prädestinierten gehöre und konnte es, da die außerweltliche Askese verworfen war, einerseits in dem Bewußtsein finden, streng rechtlich und vernunftgemäß, unter Unterdrückung aller kreatürlichen Triebe zu handeln, andererseits darin, daß Gott seine Arbeit sichtbar segne. So absolut nichts „gute Werke" nach katholischer Art als „Realgrund" der Seligkeit gegenüber Gottes unabänderlichem Dekret bedeuten konnten, so unendlich wichtig wurde nun, für den Einzelnen selbst und für die gläubige Gemeinde, als „Erkenntnisgrund" seines Gnadenstandes, das sittliche Verhalten und Schicksal des Einzelnen in den Ordnungen der Welt. Da es sich um die Wertung der Gesamtpersönlichkeit als begnadet oder verworfen handelte, da keine Beichte und Absolution ihn entlasten und seine Situation Gott gegenüber ändern, keine einzelne „gute" Handlung, wie im Katholizismus, begangene Sünden kompensieren konnte, so war der Einzelne dann seines Gnadenstandes sicher, wenn er sich bewußt war, in seinem Gesamtverhalten, in dem „methodischen" Prinzip seiner Lebensführung auf dem einzig rechten Wege sich zu befinden: zu Gottes Ruhm zu arbeiten. Das „methodische" Leben: die rationale Form der Askese, wird dadurch aus dem Kloster in die Welt übertragen. Die asketischen Mittel sind im Prinzip die gleichen: Ablehnung aller eitlen Selbst- oder anderen Kreaturvergötterung, der feudalen Hoffart, des unbefangenen Kunst- und Lebensgenusses, der „Leichtfertigkeit" und aller müßigen Geld- und Zeitvergeudung, der Pflege der Erotik oder irgendwelcher von der rationalen Orientiertheit auf Gottes Willen und Ruhm und das heißt: auf die rationale Arbeit im privaten Beruf und in den gottverordneten sozialen Gemeinschaften ablenkenden Beschäftigung. Die Beschneidung alles feudalen ostensiblen Prunkes und alles irrationalen Konsums überhaupt wirkt in der Richtung der Kapitalaufspeicherung und der immer erneuten Verwertung des Besitzes in werbender Form, die „innerweltliche Askese" in ihrer Gesamtheit aber in der Richtung der Züchtung und Glorifizierung des „Berufsmenschentums", wie es der Kapitalismus (und die Bürokratie) braucht. Die Lebensinhalte überhaupt werden nicht auf Personen, sondern auf „sachliche" rationale Zwecke ausgerichtet, die Caritas selbst ein sachlicher Armenpflegebetrieb zur Mehrung des Ruhmes Gottes. Und da der Erfolg der Arbeit das sicherste Symptom ihrer Gottwohlgefälligkeit ist, so ist der kapitalistische Gewinn einer der wichtigsten Erkenntnisgründe, daß der Segen Gottes auf dem Geschäftsbetrieb geruht hat. Es ist klar, daß sich dieser Lebensstil mit der für die „bürgerliche" Erwerbsarbeit als solche möglichen und üblichen Form der Selbstrechtfertigung – Geldgewinn und Besitz nicht als Selbstzweck, sondern als Maßstab der eigenen Tüchtigkeit – am intimsten berührt und geradezu deckt: die Einheit des religiösen Postulats mit dem für den Kapitalismus günstigen bürgerlichen Lebensstil ist erreicht. Nicht daß dies, insbesondere die Begünstigung des Gelderwerbs, Zweck und Sinn der puritanischen Ethik gewesen wäre: im Gegenteil gilt auch hier der Reichtum als solcher für ebenso gefährlich und versuchungsreich, wie in allen christlichen Konfessionen. Aber wie die Klöster, gerade kraft der, asketisch rationalen Arbeit und Lebensführung ihrer Gemeinschaftsgenossen, immer wieder diese Versuchung für sich selbst heraufbeschworen, so jetzt der fromme, asketisch lebende, asketisch arbeitende Bürger.

Die *jüdische* Religion muß rein formal als „Kirche" klassifiziert werden, weil sie als „Anstalt", für die man geboren wird, und nicht als ein Verein religiös spezifisch Qualifizierter, organisiert ist. Ihre Eigenart aber steht in vielen Hinsichten noch weiter von derjenigen der anderen Hierokratien ab, als die des Calvinismus. Sie entbehrt, wie dieser, durchaus des magischen Charisma und der heilanstaltsmäßigen Gnadengüter, ebenso wie des Mönchtums, und die individuelle Mystik ordnet sich hier unter die Gott wohlgefälligen und zu ihm führenden religiösen Leistungen ein, ohne zu so starken Spannungen gegen ein Amtscharisma führen zu müssen, wie im Christentum. Denn seit dem Untergang des Tempels gibt es weder Priester noch einen „Kultus" im eigentlichen, dem antiken Judentum mit den anderen Religionen gemeinsamen Sinn des Wortes einer anstaltsmäßigen Hierurgie für die Gläubigen, sondern nur Versammlungen zu Predigt, Gebet, Gesang, Schriftverlesung und -interpretation. Die entscheidende religiöse Leistung hat also nicht die Anstalt als solche, sondern der Einzelne durch strikte Befolgung des göttlichen Gesetzes zu vollbringen, hinter der an Bedeutung alles andere zurücktritt und welche hier nicht, wie bei den Puritanern, Erkenntnisgrund, sondern Realgrund der Erlangung von Gottes Segen ist, der dem eigenen diesseitigen Leben, dem der eigenen Nachkommen und des eigenen

Volkes zugute kommen wird. Sie hat dagegen den individuellen Unsterblichkeitsglauben erst spät akzeptiert und ihre eschatologischen Hoffnungen sind diesseitiger Art. Für die Wirtschaftsgesinnung, soweit diese religiös mitbestimmt ist, ist zunächst jene diesseitige Wendung der Heilserwartung, welche – darin dem Puritanismus gleich – den Segen Gottes in dem ganz speziell ökonomischen *Erfolge* der Arbeit des Einzelnen sich bewähren sieht, von sehr großer Bedeutung. Demnächst der in hohem Maße rationale Charakter der Lebensführung, der durch den Charakter der religiösen *Erziehung* mindestens sehr stark Staat und Hierokratie mitgeprägt wird. Auch dies teilt das Judentum weitgehend mit dem Protestantismus: für den Katholiken ist die nähere Kenntnis der Dogmen und heiligen Schriften entbehrlich, da die Heilsanstalt für ihn eintritt, und es genügt, wenn er ihrer Autorität vertrauend, in Bausch und Bogen zu glauben bereit ist, was sie vorschreibt („fides implicita"): der Glaube ist hier eine Form des Gehorsams gegen die Kirche, deren Autorität nicht auf heilige Schriften sich stützt, sondern umgekehrt ihrerseits dem Gläubigen deren Heiligkeit, die er selbst gar nicht nachprüfen kann, garantiert. Dagegen ist für den Juden wie für den Puritaner die Heilige Schrift ein den Einzelnen bindendes Gesetz, welches er kennen und richtig interpretieren muß. Die unerhört intensive jüdische Erziehung zur Kenntnis und kasuistischen Interpretation der Thora ist ebenso die Folge davon, wie der protestantische, speziell pietistische Eifer für die Gründung von Volksschulen (bei den protestantischen Pietisten mit der ihnen charakteristischen Vorliebe für die Pflege der „Realien"): die Disziplinierung des Denkens, welche sich daraus ergibt, fördert ohne Zweifel die rationale Wirtschaftsgesinnung und, bei den Juden, den für sie charakteristischen dialektischen Rationalismus überhaupt. Demgegenüber schiebt das zweite Gebot mit seinen Konsequenzen für die völlige Verkümmerung der bildenden Kunst die künstlerische Sublimierung der Sinnlichkeit weit zurück und begünstigt deren naturalistische und rationale Behandlung, wie sie auch dem asketischen Protestantismus, nur mit geringeren Konzessionen an die Realität der Sinnlichkeit, eigen ist. Und die strenge Verwerfung jeder Form von „Kreaturvergötterung" wirkt hier ebenso wie dort rationalisierend in der Richtung des „bürgerlichen" Lebensstils und im Gefolge davon gegen alle Konzessionen an die spezifisch feudale „Unwirtschaftlichkeit". Die positive Bewertung alles bürgerlichen Erwerbs steht bereits in der Mischna völlig fest. Der spezifisch städtische, dabei absolut unassimilierbare und internationale Charakter des Judentums, der schon im Altertum der gleiche war wie später, beruht einerseits auf rituellen

Motiven: die Festhaltung der Beschneidung inmitten einer ihr fremden Welt, die Unentbehrlichkeit des Schächters wegen der Speisegebote, welche ein individuelles Zerstreutleben für den orthodoxen Juden noch heute ausschließt, andererseits auf der radikalen Vernichtung des hierokratischen Gemeinwesens und den messianischen Hoffnungen.

Soweit etwa dürfte die Beeinflussung der jüdischen Wirtschaftsgesinnung durch die Eigenart der jüdischen Religiosität gehen. Ob weiter, ist wohl schwer zu sagen. Die Sonderbedeutung des in seinen Schicksalen einzigartigen Fremdvolks dürfte im übrigen – da die „rassenmäßige" Mitbedingtheit in irgendeinem Sinn sicher vorhanden, aber auch hier nirgends greifbar nachweislich ist – vorwiegend aus seinen historischen Schicksalen und seiner Sondersituation zu erklären sein.

Auch hier mit Vorsicht. Ein „Wüstenvolk", derart, daß man mit Merx ihr Recht als Beduinenrecht, mit Sombart ihren Charakter als Anpassung an diese Bedingungen erklären könnte, waren die Israeliten schwerlich jemals. In der Zeit, in der sie es gewesen sein könnten, existierte in der arabischen Wüste weder Kamel noch Pferd. Ihr ältestes historisches Dokument (das Deborah-Lied) zeigt sie, ganz ebenso wie die spätere Tradition, als eine Eidgenossenschaft von Bergstämmen, die sich, wie die Schweizer und Samniter, immer erneut als Fußkämpfer gegen die Unterwerfungsversuche des (wagenkämpfenden) stadtsässigen Patriziats der kanaanäischen und philistäischen Städte erfolgreich wehren, einen Teil der benachbarten Städte schließlich, wie ebenfalls die Schweizer und zeitweise die Samniten, sich unterwarfen und nun die Handelsstraße von Ägypten nach Mesopotamien beherrschten, wie die Schweizer die Alpen- und die Samniten die Apenninenpässe. Für einen auf Bergen verehrten Gott wie Jahve ist der Sinai als höchster Berg der gegebene Sitz. Die Erlösung aus dem „ägyptischen Königshaus" ist, wenn (was mir möglich scheint) die Realität des Wanderzuges aus Ägypten abzulehnen ist, vielleicht die Abschüttelung des Ägypten nachgebildeten Fronstaats des jerusalemitischen Königtums, das die Priesterschaft verwarf. Die weitere Entwicklung ist durch die Entwicklung der Hierokratie, zumal unter der Fremdherrschaft, bedingt, insbesondere der absolute Abschluß von allem Blutsfremden. Die zunehmende Spezialisierung auf den Geld- und in zweiter Linie Warenhandel ist Produkt der Diaspora, aber schon alt, ebenso ihre Unentbehrlichkeit für die fremdvölkische Umwelt: die Lage der Juden im Römerreich (man bedenke die Tragweite ihres Dispenses vom Kaiserkult, zu dem man die Christen zwang) ist dem Wesen der Sache nach schon eine ähnliche wie im

Mittelalter. Jüdisches Handwerk gab es im arabischen Spanien und gibt es im Orient und (freilich: notgedrungen) Rußland, eine jüdische Ritterschaft sah zeitweise das Kreuzzugszeitalter in Syrien. Die ökonomische Spezialisierung der Juden scheint also mit steigendem Kontrast gegen die Umwelt zuzunehmen, doch sind dies alles immerhin Ausnahmen. Daß ihr Recht der Entwicklung moderner Formen der Wertpapiere besonders günstig gewesen wäre, wie Sombart annimmt, scheint mir unerweislich; umgekehrt dürfte das jüdische Handelsrecht stark byzantinisch (und durch diese Vermittlung vielleicht gemeinorientalisch) beeinflußt sein.

Wo immer die Juden auftauchen, sind sie Träger der Geldwirtschaft, speziell (und im hohen Mittelalter ausschließlich) des Darlehensgeschäfts und breiter Sphären des Handels überhaupt. Für die Städtegründungen der deutschen Bischöfe waren sie ebenso unentbehrlich wie für die der polnischen Adeligen. Ihre sehr starke, oft beherrschende Anteilnahme an den Lieferungs- und Darlehensgeschäften der modernen Staaten zu Beginn der Neuzeit, an den Gründungen von Kolonialgesellschaften, am Kolonial- und Sklavenhandel, am Vieh- und „Produkten"-Handel, vor allem am modernen börsenmäßigen Wertpapierhandel und am Emissionsgeschäft steht durchaus fest. Eine andere Frage ist: in welchem Sinn man ihnen eine maßgebende Rolle an der Entwicklung des modernen Kapitalismus zuschreiben darf. Es ist dabei zu erwägen: ein von Darlehenswucher, oder vom Staat, seinen Kredit- und Lieferungsbedürfnissen, und von Kolonialraubwirtschaft sich nährender Kapitalismus ist nichts spezifisch Modernes, sondern im Gegenteil gerade das, was der moderne Kapitalismus des Okzidents mit dem der Antike und des Mittelalters ebenso wie des modernen Orients *gemeinsam* hat. Dem modernen Kapitalismus gegenüber dem Altertum (und dem fernen und nahen Orient) charakteristisch ist dagegen die kapitalistische Organisation des Gewerbes, und in deren Entwicklung kann den Juden ein bestimmender Einfluß nicht zugeschrieben werden. Vollends die Gesinnung des skrupellosen großen Geldmannes und Spekulanten ist der Zeit der Propheten schon ebenso eigen wie der Antike und dem Mittelalter. Auch die entscheidenden Institutionen des modernen Handels, rechtliche wie ökonomische Wertpapierformen, wie Börsen sind romanisch-germanischen Ursprungs, wobei die Juden an der weiteren Ausgestaltung speziell des Börsenverkehrs zu seiner heutigen Bedeutung beteiligt waren. Und endlich: die typische Art des jüdischen Handels-„Geistes", soweit man von einer solchen greifbar sprechen kann, trägt gemeinorientalisches Gepräge, teilweise geradezu kleinbürgerliche Züge, wie sie dem vorkapitalistischen Zeitalter eignen. Gemeinsam mit den Puritanern – und zwar auch bei diesen ganz bewußt – ist den Juden die Legitimierung des formal rechtlichen Gewinns, der als Symptom des göttlichen Segens gilt, und in gewissem Maß der „Berufs"-Gedanke, der bei ihnen nur nicht so stark religiös verankert ist wie bei den Puritanern. Für die Entfaltung der spezifisch modernen „kapitalistischen" Ethik war vielleicht die erheblichste Rolle, die das jüdische „Gesetz" spielte, die: daß seine Legalitätsethik in die puritanische Ethik rezipiert und hier in den Zusammenhang der modern-„bürgerlichen" Wirtschaftsmoral gestellt wurde. –

Eine „*Sekte*" im soziologischen Sinn ist nicht eine „kleine", auch nicht eine von irgendeiner anderen Gemeinschaft abgesplitterte, daher von ihr „nicht anerkannte" oder verfolgte und für ketzerisch angesehene religiöse Gemeinschaft: die Baptisten, eine der typischsten „Sekten" im soziologischen Sinn, sind eine der größten protestantischen Denominationen der Erde. Sondern sie ist eine solche, welche *ihrem Sinn und Wesen* nach notwendig auf Universalität verzichten und notwendig auf durchaus freier Vereinbarung ihrer Mitglieder beruhen muß. Sie muß es, weil sie ein aristokratisches Gebilde: ein Verein der religiös voll *Qualifizierten* und nur ihrer sein will, nicht wie eine Kirche eine Gnadenanstalt, die ihr Licht über Gerechte und Ungerechte scheinen und gerade die Sünder am meisten unter die Zucht des göttlichen Gebots nehmen will. Die Sekte hat das Ideal der „ecclesia pura" (daher der Name „Puritaner"), der *sichtbaren* Gemeinschaft der Heiligen, aus deren Mitte die räudigen Schafe entfernt werden, damit sie Gottes Blick nicht beleidigen. Sie lehnt, in ihrem reinsten Typus wenigstens, die Anstaltsgnade und das Amtscharisma ab. Der Einzelne ist entweder kraft göttlicher Prädestination von Ewigkeit her (so bei den particular Baptists, der Kerntruppe der „Independenten" Cromwells) oder kraft „inneren Lichts" oder pneumatischer Befähigung zur Ekstase oder – bei den alten Pietisten – durch „Bußkampf" und „Durchbruch", jedenfalls also kraft spezifischer pneumatischer Begabung (so bei allen Vorläufern der Quäker und diesen selbst und bei dem Gros der pneumatischen Sekten überhaupt) oder kraft eines anderen ihm gegebenen oder von ihm erworbenen spezifischen Charisma qualifiziert zum Mitgliede der „Sekte" (der Begriff muß von allem ihm durch die kirchliche Verlästerung angehängten Beigeschmack natürlich sorgsam freigehalten werden). Der metaphysische Grund, aus welchem die Mitglieder der Sekte sich zu einer Gemeinschaft zusammenschließen, kann der allerverschiedenste sein. Soziologisch wichtig ist ein Moment: die Gemeinschaft ist der Ausleseapparat, der den Qualifizierten vom Nichtqualifizierten scheidet. Denn den Verkehr mit dem Verworfenen hat der Erwählte oder Qualifizierte – wenigstens bei einer Ausprägung des Sektentypus – zu meiden. Jede Kirche, auch die lutherische und selbstverständlich das Judentum, nahmen in der Zeit kräftigen kirchlichen Lebens die Exkommunikationsgewalt gegen den hartnäckig Ungehorsamen und Ungläubigen in Anspruch. Nicht immer, aber ursprünglich allerdings in der Regel, ist damit der ökonomische Boykott verbunden. Einige Kirchen, so die zoroastrische und die Schiiten, sonst meist nur die Kastenreligionen, wie der Brahmanismus, gingen so weit, den physischen Verkehr, sexuellen wie ökonomischen, mit den Außenstehenden überhaupt zu verbieten. Auch keineswegs alle Sekten gehen so weit. Wohl aber liegt es in der Linie ihrer konsequentesten Entwicklung, ganz ebenso wie in der des Mönchtums, daß es geschieht, und mindestens der als unqualifiziert und verworfen aus der Gemeinschaft Ausgestoßene unterliegt dem strengsten Boykott. Die Zulassung eines solchen zu den gottesdienstlichen Handlungen, speziell zum Abendmahl, würde Gottes Zorn erregen und ihn verunehren. Diese Vorstellung: daß die Ausmerzung des sichtlich von Gott Verworfenen Angelegenheit jedes Gemeindegliedes sei, wirkt schon im Calvinismus, der ja, kraft des aristokratischen charismatischen Prinzips der Prädestination und der Degradierung des Amtscharisma, innerlich den Sekten nahe steht, im Sinn der sehr verstärkten Bedeutung der einzelnen Abendmahlsgemeinde gegenüber einem Amt: die Kuypersche, politisch so folgenschwere Kirchenrevolution der strengen Calvinisten in Holland in den 80er Jahren entstand, weil die höhere Instanz der Gesamtkirche sich anmaßte, den Einzelgemeinden die Zulassung von Konfirmanden ungläubiger Prädikanten zum Abendmahl zu oktroyieren. Bei den konsequenten Sekten vollends folgt, da ja ausschließlich die im täglichen Verkehr miteinander Stehenden, einander persönlich Kennenden die religiöse Qualifikation der Anderen beurteilen können, das Prinzip der unbedingten Gemeindesouveränität. Wenn sich die einzelnen Gemeinden der gleichen „Konfession" zusammenschließen und eine größere Gemeinschaft bilden, so ist das ein „Zweckverband", und es muß, aus jenem Grunde, die entscheidende Verfügung stets bei der Einzelgemeinde bleiben: sie ist das prius und bei ihr beruht, wenn man den Begriff anwenden will, unvermeidlich die „Souveränität". Immer ist es, aus dem gleichen Grunde, speziell die „kleine" Gemeinde (die „ecclesiola" der Pietisten), welche für diese Funktionen geeignet erscheint. Dies die negative, in der Ablehnung des seiner Natur nach universalistisch-expansiven Amtscharisma gipfelnde, Seite des „Gemeindeprinzips". Die praktische Bedeutung dieser fundamentalen Stellung einer solchen durch freie Auslese (Ballotage) entstandenen Gemeinde für den Einzelnen aber liegt darin, daß sie ihn in seiner persönlichen Qualifikation legitimiert. Wer aufgenommen wird, dem wird damit Jedermann gegenüber bescheinigt, daß er den religiös-sittlichen Anforderungen der Gemeinde nach stattgehabter Prüfung seiner Persönlichkeit genügt. Das kann für ihn von der größten, auch ökonomischen, Tragweite sein, wenn jene Prüfung als streng und zuverlässig gilt und wenn sie sich auf ökonomisch relevante Qualitäten erstreckt. Zur Illustration durch wenigstens einige Einzelzüge: Schon in den Schriften der Quäker und Baptisten vor 200 Jahren findet sich der Jubel darüber, daß die Gottlosen ihr Geld nicht ihresgleichen, sondern den frommen Brüdern in Depot oder Kommandite geben, weil deren notorische Rechtlichkeit und Zuverlässigkeit ihnen mehr gelte als ein Unterpfand, daß die Kundschaft der Detailgeschäfte der Brüder zunehme, weil die Gottlosen wissen, daß, auch wenn sie ein Kind oder Dienstboten in den Laden schicken, diesen nur der „reelle", ein für allemal feste Preis abgefordert und reelle Ware geliefert wird: Quäker und Baptisten streiten sich um die Ehre, an Stelle des typisch orientalischen Feilschens das System der „festen Preise" – ein für die Kalkulation des Kapitalismus auf allen Gebieten wichtiges Element – im Detailhandel durchgeführt zu haben. Und nicht anders steht es heute, vor allem in dem Hauptgebiet der Sekten, den Vereinigten Staaten: der typische Sektierer, ebenso der Freimaurer schlägt, nicht etwa nur bei seinesgleichen, als Handlungsreisender jeden Konkurrenten, weil man an die absolute Reellität seiner Preisstellung glaubt, wer eine Bank aufmachen will, läßt sich als Baptist taufen oder wird Methodist, denn jedermann weiß, daß der Taufe, bzw. Aufnahme ein examen rigorosum mit Nachforschungen über Flecken in seinem Wandel in der Vergangenheit: Wirtshausbesuch, Sexualleben, Kartenspiel, Schuldenmachen, andere Leichtfertigkeiten, Unwahrhaftigkeit u. dgl. stattfindet, dessen günstiger Ausfall seine Kreditwürdigkeit garantiert, und in Gebieten wie z. B. Nordamerika ist Personalkredit auf anderer als dieser Grundlage überhaupt fast undenkbar. Die asketischen Anforderungen an den wahren Christen sind eben die gleichen, welche der Kapitalismus, wenigstens innerhalb des Geltungsgebiets des Satzes: honesty is the best policy, auch seinerseits an seine Novizen stellt: in Aufsichtsräten, als Direktor, „Promotor", Vorarbeiter, in allen wichtigen Vertrauensstellungen des kapitalistischen Apparats ist der Sektierer dieses Schlages bevorzugt. Das Sektenmitglied findet –

das ist die bevorzugte Situation der „Diaspora"-Religionen, also z. B. der Juden, zu allen Zeiten – überall wohin es kommt, die kleine, ihn auf Grund der in Amerika noch heute üblichen Bescheinigungen seiner Herkunftsgemeinde als Bruder aufnehmend legitimierende, empfehlende Gemeinde der Glaubensgenossen wieder und hat alsbald ökonomischen Boden unter den Füßen, der dem außenstehenden Fremdling völlig fehlt. Und diesem Renommee entspricht in weitem Umfang die wirkliche Qualität des Sektenmitglieds. Denn keine autoritäre Kirchenzucht einer Amtshierokratie kann an Intensität der Wirkung sich mit der Tragweite der Ausschließung aus der Sekte und vor allem auch mit der Intensität der Sektenerziehung messen.

Mit der individuellen, unkontrollierten, zur Entlastung des Sünders, aber selten zu dessen Umstimmung dienenden Ohrenbeichte des Katholiken fällt die alte methodistische Beichte in den allwöchentlichen Zusammenkünften der dafür gebildeten kleinen Gruppen zusammen, das Klassensystem, die pietistische und quäkerische gegenseitige Kontrolle und Vermahnung, und steht an Wirkung allen anderen Momenten voran die Notwendigkeit, sich in einem Kreise und unter der steten Kritik von seinesgleichen „behaupten" zu müssen und behauptet zu haben. Von den Sekten aus ist mit der zunehmenden Säkularisation des Lebens diese Grundlage des Selbstgefühls des Einzelnen durch die zahlreichen, durchweg auf Ballotage beruhenden Vereine und Klubs für alle nur denkbaren Zwecke, bis zu den Boys' clubs in den Schulen herunter, verbreitet und durchdringt das ganze amerikanische Leben. Der „gentleman" wird im Mittelstand noch heute durch die „badge" irgend eines derartigen Verbandes als solcher legitimiert. Mag dies auch zur Zeit vielfach in der Zersetzung begriffen sein, so gilt doch noch heute: daß die amerikanische Demokratie kein Sandhaufen zusammenhangsloser Individuen, sondern ein Gewirr von höchst *exklusiven*, aber absolut frei gewachsenen Sekten, Vereinen, Klubs ist, in welchen und um welche sich das eigentliche soziale Leben des Einzelnen bewegt: in einen als vornehm geltenden Klub nicht hinein ballottiert zu werden, kann einen amerikanischen Studenten zum Selbstmord bringen. Analogien dazu finden sich naturgemäß in vielen freien Vereinen, denn in sehr vielen Fällen, bei nicht wirtschaftlichen Vereinen überwiegend, wird die Frage, ob man mit jemandem als Mitglied in einem solchen zusammengehören will, nicht nur unter dem rein funktionellen Gesichtspunkt der Brauchbarkeit für den konkreten Vereinszweck betrachtet und gilt die Zugehörigkeit zu einem „vornehmen" Klub irgend welcher Art überall als eine die Gesamtpersönlichkeit „hebende" Legitimation. Allein nirgends so intensiv wie in der klassischen Epoche Amerikas, zu dessen ungeschriebenen, aber wichtigsten, weil die Prägung der Persönlichkeit am stärksten beeinflussenden, Verfassungsbestandteilen die „Sekte" und ihre Derivate gehören.

In der Hierokratie als solcher trat uns eine Macht entgegen, welche kraft des Satzes, daß man „Gott mehr gehorchen solle als den Menschen", der politischen Gewalt gegenüber auf ihrem Gebiet eigenes Charisma und eigenes Recht beanspruchte, Gehorsam fand und jener feste Schranken setzte. Diejenigen, über welche sie die Herrschaft in Anspruch nimmt, schützt sie gegen Eingriffe anderer Gewalten in der Sphäre ihrer eigenen Herrschaft, möge der Eingreifende der politische Gewalthaber oder der Ehemann und Vater sein. Das geschah aber kraft ihres eigenen *Amts*charisma. Da die politische Gewalt ebenso wie die hierokratische, beide bei voller Entwicklung, universalistische Herrschaftsansprüche stellen, d. h. beanspruchen, die Grenzen ihrer Herrschaft über den Einzelnen selbst zu ziehen, so ist Kompromiß und Bündnis zu gemeinsamer Herrschaft unter gegenseitiger Abgrenzung der Sphären die adäquate Beziehung beider und die „Trennung von Staat und Kirche" eine Formel, die nur bei einem faktischen *Verzicht* entweder des Staates oder der Kirche auf die volle Beherrschung der ihnen, prinzipiell, zugänglichen Gebiete möglich ist.

Die *Sekte* steht dagegen dem Amtscharisma ablehnend gegenüber. Zunächst dem hierokratischen: wie der Einzelne nur kraft spezifischer, von der Gemeinschaft geprüfter und festgestellter Qualifikation ihr Mitglied wird – die sog. „Wiedertaufe" (in Wahrheit: Erwachsenentaufe Qualifizierter) bei den Baptisten ist das eindeutigste Symbol dafür – so übt er auch eine hierokratische Gewalt nur kraft spezifischen Charismas aus. Der typische Quäkergottesdienst ist ein stilles Harren darauf, ob der Geist Gottes an diesem Tage über eines der Gemeindeglieder kommen werde: dieses, wer es auch sei, und nur dieses ergreift das Wort zu Predigt oder Gebet. Es ist schon eine Konzession an das Bedürfnis nach Regel und Ordnung, wenn diejenigen, welche sich dauernd als spezifisch zur Wortverkündung qualifiziert erwiesen haben, auf besondere Sitze gesetzt werden und nun unter der Notwendigkeit stehen, dem Kommen des Geistes durch Vorbereitung von Predigten nachzuhelfen, wie es die meisten Quäkergemeinden tun. Alle reinen und konsequenten Sekten aber halten an dem in jeder konsequenten „Kirche" verpönten Grundsatz der „Laienpredigt", des „allgemeinen Priestertums" in diesem striktesten Sinn, fest, wenn sie auch im Dienst der ökonomischen und pädagogischen Interessen reguläre Ämter entwickelt haben. Aber wo immer der „Sekten"-Charakter rein erhalten ist, da halten die Gemeinden auch auf die Erhaltung der „unmittelbar demokratischen Verwaltung" durch die Gemeinschaft und auf den Charakter der kirchlichen Beamten als „Diener" der Gemeinde. Die innere Wahlverwandtschaft mit der Struktur der Demokratie liegt schon in diesen eigenen Strukturprinzipien der Sekte auf der Hand. Ganz ebenso in ihren Beziehungen zur politischen Gewalt. Ihre Stellung zur politischen Gewalt ist eigenartig und höchst wichtig: sie ist ein spezifisch antipolitisches oder doch apolitisches Gebilde. Sie kann, da sie universalistische Ansprüche überhaupt nicht erheben kann und darf, sondern nur als freier Verband Qualifizierter leben will, einen Bund mit der politischen Macht gar nicht eingehen, oder wo sie es doch tut, wie die Independenten in Neuengland, da entsteht eine aristokratische politische Herrschaft der kirchlich Qualifizierten, welche – wie schon im sog. Halfway-Covenant – zu Kompromissen und zum Verlust des spezifischen Sektencharakters führt. Das Mißlingen der Herrschaft des Parlamentes der Heiligen unter Cromwell war das größte Experiment dieser Art. Die reine Sekte muß für „Trennung von Staat und Kirche" und „Toleranz" sein, weil sie eben keine universelle Heilsanstalt für die Unterdrückung der Sünde ist, und die politische so wenig wie die hierokratische Kontrolle und Reglementierung erträgt, – weil keine amtliche Macht, welcher Art immer, dem einzelnen Heilsgüter spenden kann, für die er nicht qualifiziert ist, und also jede Anwendung politischer Gewalt in religiösen Dingen als sinnlos oder geradezu als teuflisch gelten muß, – weil die außer ihr Stehenden sie nichts angehen, – weil, alles in allem, sie selbst, soll sie den innersten religiösen Sinn ihrer Existenz und ihre Wirksamkeit nicht aufgeben, nichts anderes als ein absolut frei gebildeter Verein von religiös spezifisch Qualifizierten sein kann. Die konsequenten Sekten haben daher diesen Standpunkt auch immer vertreten und sind die eigentlichsten Träger der Forderung der „Gewissensfreiheit". Auch andere Gemeinschaften haben dies Wort verwendet, aber in anderem Sinn. Man könnte von „Gewissensfreiheit" und „Toleranz" in cäsaropapistischen Gemeinwesen wie den römischen, chinesischen, indischen, japanischen Staatswesen reden, weil sie alle möglichen Kulte unterworfener oder angegliederter Staaten zulassen und keinerlei religiösen Zwang üben: aber dies hat seine prinzipielle Schranke in dem offiziellen Staatskult der politischen Gewalt, dem Kaiserkult in Rom, der religiösen Verehrung des Kaisers in Japan, wohl auch dem Himmelskult des Kaisers in China und ist durch politische Raison, nicht religiös, bedingt. Ganz ebenso die Toleranz Wilhelms des Schweigers oder schon Kaiser Friedrichs II., oder mancher Grundherren, welche die Sektierer als geschickte Arbeiter verwendeten oder der Stadt Amsterdam, in welcher sie Träger des Geschäftslebens waren: hier spielen also ökonomische Motive ausschlaggebend mit. Dagegen die echte Sekte – Übergangsbildungen aller Art existieren, wir lassen sie aber hier absichtlich beiseite – muß die Nichtintervention der politischen Gewalt und die „Gewissensfreiheit" aus spezifisch religiösen Gründen beanspruchen. Eine voll, d. h. zu universalistischen Ansprüchen entwickelte Heilsanstalt („Kirche") umgekehrt kann, je nachdem wie ihr Typus ist, desto weniger „Gewissensfreiheit" konzedieren. Wo sie diesen Anspruch erhebt, befindet sie sich in der Minderheit und verlangt sie für sich selbst, ohne sie, im Prinzip, dem anderen gewähren zu können. „Die Gewissensfreiheit des Katholiken besteht", wie Mallinckrodt im Reichstag ausdrückte, „darin: dem Papst gehorchen zu dürfen", also: für sich nach dem eigenen Gewissen zu handeln. Aber die „Gewissensfreiheit" der *Anderen* anerkennt, wo sie die Macht hat, weder die katholische, noch die (alte) lutherische noch vollends die calvinistische oder baptistische alte Kirche und kann das auch nicht, kraft ihrer Amtspflichten das Heil der Seele oder, bei den Calvinisten: Gottes Ruhm gegen Gefährdung zu schützen. Die Gewissensfreiheit des konsequenten Quäkers besteht außer der eigenen auch darin: daß niemand, der nicht Quäker oder Baptist ist, genötigt werde, so zu handeln, als ob er ein solcher wäre, also: außer in der eigenen auch in der Gewissensfreiheit der anderen. Auf dem Boden der konsequenten Sekte erwächst also ein als unverjährbar angesehenes „Recht" der Beherrschten und zwar jedes einzelnen Beherrschten *gegen* die, sei es politische, sei es hierokratische, patriarchale oder wie immer geartete Gewalt. Einerlei, ob – wie Jellinek überzeugend wahrscheinlich gemacht hat – das älteste, so ist jedenfalls die „Gewissensfreiheit" in diesem Sinn das prinzipiell erste, weil weitestgehende, die Gesamtheit des ethisch bedingten Handelns umfassende, eine Freiheit *von* der Gewalt, insbesondere von der Staatsgewalt, verbürgende „Menschenrecht", – ein Begriff, der in dieser Art dem Altertum und Mittelalter ebenso unbekannt ist, wie etwa der Staatstheorie Rousseaus mit ihrem staatlichen Religionszwang. Ihm gliedern sich die sonstigen „Menschen-", „Bürger-" oder „Grundrechte" an: vor allem das Recht auf freie Wahrnehmung der eigenen ökonomischen Interessen, innerhalb der Schranken eines in abstrakten, für jeden gleichmäßig geltenden Systems von garantierten Rechtsregeln, nach eigenem Ermessen, dessen wichtigste Unterbestandteile die Unantastbarkeit des individuellen Eigentums, die Vertragsfreiheit und die Freiheit der Berufswahl sind. Ihre letzte Rechtfertigung finden sie in dem Glauben des Aufklärungszeitalters daran, daß die „Vernunft" des Einzelnen, falls ihr freie Bahn gegeben werde, kraft göttlicher Providenz und weil der Einzelne seine eigenen Interessen am besten kenne, zum mindesten die relativ beste Welt ergeben müsse: die charismatische Verklärung der „Vernunft" (die ihren charakteristischen Ausdruck in ihrer Apotheose durch Robespierre fand), ist die letzte Form, welche das Charisma auf seinem schicksalsreichen Wege überhaupt angenommen hat. Es ist klar, daß jene Forderung formaler Rechtsgleichheit und ökonomischer Bewegungsfreiheit sowohl der Zerstörung aller spezifischen Grundlagen patrimonialer und feudaler Rechtsordnungen zugunsten eines Kosmos von abstrakten Normen, also indirekt der Bürokratisierung, vorarbeiteten, andererseits in ganz spezifischer Art der Expansion des Kapitalismus entgegenkommen. Wie die von den Sekten mit dogmatisch nicht ganz identischen Motiven übernommene *„innerweltliche Askese"* und die Art der Kirchenzucht der Sekten die kapitalistische Gesinnung und den rational handelnden „Berufsmenschen", den der Kapitalismus brauchte, züchtete, so boten die Menschen- und Grundrechte die Vorbedingungen für das freie Schalten des Verwertungsstrebens des Kapitals mit Sachgütern und Menschen.